METHODEN DER
ORGANISCHEN CHEMIE

METHODEN DER ORGANISCHEN CHEMIE

(HOUBEN-WEYL)

VIERTE, VÖLLIG NEU GESTALTETE AUFLAGE

HERAUSGEGEBEN VON

EUGEN MÜLLER

TÜBINGEN

UNTER BESONDERER MITWIRKUNG VON

O. BAYER
LEVERKUSEN

H. MEERWEIN † · K. ZIEGLER †

BAND IV/1b

OXIDATION TEIL 2

19 GTV 75

GEORG THIEME VERLAG STUTTGART

OXIDATION II

METALLISCHE- UND ORGANISCHE OXIDATIONSMITTEL, ELEKTROCHEMISCHE OXIDATION, OXIDATIONSHEMMUNG

BEARBEITET VON

D. ARNDT · **O. BAYER** · **H. G. BOSCHE**
LUDWIGSHAFEN   LEVERKUSEN   LUDWIGSHAFEN

T. BURGER · **A. FRIEDRICH** · **L. GOLSER** · **H. KÜPPERS**
LUDWIGSHAFEN   LEVERKUSEN   MÜNCHEN   LUDWIGSHAFEN

H. LEHMANN · **D. MANEGOLD** · **G. MATTHIAS** · **A. RIEKER**
TOULOUSE/FRANCE   LUDWIGSHAFEN   LUDWIGSHAFEN   TÜBINGEN

G. W. ROTERMUND · **R. SEUBERT** · **K. H. STECHER** · **H. H. STECHL**
LUDWIGSHAFEN   LUDWIGSHAFEN   LUDWIGSHAFEN   LUDWIGSHAFEN

A. STEIMMIG · **A. STÖSSEL** · **R. STROH†** · **H. WISTUBA**
LUDWIGSHAFEN   LUDWIGSHAFEN   LEVERKUSEN   LUDWIGSHAFEN

MIT 5 ABBILDUNGEN UND
174 TABELLEN

1975

GEORG THIEME VERLAG STUTTGART

In diesem Handbuch sind zahlreiche Gebrauchs- und Handelsnamen, Warenzeichen u. dgl. (auch ohne besondere Kennzeichnung), BIOS- und FIAT-Reports, Patente, Herstellungs- und Anwendungsver-fahren aufgeführt. Herausgeber und Verlag machen ausdrücklich darauf aufmerksam, daß vor deren gewerblicher Nutzung in jedem Falle die Rechtslage sorgfältig geprüft werden muß. Industriell herge-stellte Apparaturen und Geräte sind nur in Auswahl angeführt. Ein Werturteil über Fabrikate, die in diesem Band nicht erwähnt sind, ist damit nicht verbunden.

CIP-Kurztitelaufnahme der Deutschen Bibliothek

Methoden der organischen Chemie / (Houben-Weyl).
Hrsg. von Eugen Müller. Unter bes. Mitw. von O. Bayer [u. a.].
NE: Müller , Eugen [Hrsg.]; Houben , Josef [Begr.]; SD
Bd. 4.
1 b. → Oxidation

CIP-Kurztitelaufnahme der Deutschen Bibliothek

Oxidation : metall. u. organ. Oxidationsmittel,
elektrochem. Oxidation, Oxidationshemmung.
  (Methoden der organischen Chemie; Bd. 4, 1 b)
2. Bearb. von D. Arndt [u. a.].
  ISBN 3-13-200804-4
NE: Arndt , Diether [Bearb.]

Erscheinungstermin 11. 12. 1975

© 1975. Georg Thieme Verlag, D-7000 Stuttgart 1, Herdweg 63, Postfach 732 — Printed in Germany.
Gesamtherstellung : Brühlsche Universitätsdruckerei, D-6300 Gießen

ISBN 3-13-200804-4

Vorwort

Die von TH. WEYL begründeten und von J. HOUBEN fortgeführten Methoden der organischen Chemie sind zu einem wichtigen Standardwerk von internationaler Bedeutung für das gesamte chemische Schrifttum geworden. Seit dem Erscheinen der letzten vierbändigen dritten Auflage sind zum Teil schon über 20 Jahre vergangen, so daß eine Neubearbeitung bereits seit Jahren dringend geboten schien. Verständlicherweise hat sich die Verwirklichung dieser Absicht, durch die Kriegs- und Nachkriegsverhältnisse bedingt, lange hinausgezögert.

Vor allem der Initiative von Herrn Prof. Dr. Dres. h. c. Dres. E. h. OTTO BAYER, Leverkusen, ist es zu verdanken, daß das Werk heute in einer völlig neuen und weitaus umfassenderen Form wieder erscheint.

Diese neue Form wird in einer großen Gemeinschaftsarbeit von Hochschul- und Industrieforschern gestaltet. Ursprünglich planten wir, das neue Werk mit etwa 16 Bänden im Laufe von 4 Jahren abzuschließen. Inzwischen hat sich gezeigt, daß infolge der stark anwachsenden Literatur die einzelnen Bände z. T. mehrfach unterteilt werden mußten. Besonders durch die Mitwirkung von Fachkollegen aus der chemischen Industrie wird es zum ersten Male möglich sein, die große Fülle von Erfahrungen, die in der Patentliteratur und in den Archiven der Fabriken niedergelegt ist, nunmehr kritisch gewürdigt der internationalen Chemieforschung bekanntzugeben.

Der Unterzeichnete hat es als eine besondere Auszeichnung und Ehre empfunden, von maßgebenden Persönlichkeiten der deutschen Chemie und dem Georg Thieme Verlag mit der Herausgabe des Gesamtwerkes betraut worden zu sein.

Mein Dank gilt dem engeren Herausgeber-Kollegium, den Herren

Prof. Dr. Dres. h. c. Dres. E. h. OTTO BAYER, Leverkusen,

Prof. Dr. Dres. h. c. Dr. E. h. HANS MEERWEIN, Marburg,

Prof. Dr. Dres. h. c. Dr. E. h. KARL ZIEGLER, Mülheim-Ruhr,

die durch ihre intensive Mitarbeit und ihre reichen Erfahrungen die Gewähr bieten, daß für das neue Werk ein möglichst hohes Niveau erreicht wird.

Ganz besonderer Dank aber gebührt unseren Autoren, die in unermüdlicher Arbeit neben ihren beruflichen Belastungen der Fachwelt ihre großen Erfahrungen bekanntgeben. Im Namen der Herren Mitherausgeber und in meinem eigenen darf ich unserer besonderen Freude Ausdruck geben, daß gerade die Herren, die als hervorragende Sachkenner ihres Faches bekannt sind, uns ihre Mitarbeit zugesagt haben.

Das Erscheinen der Neuauflage wurde nur dadurch ermöglicht, daß der Inhaber des Georg Thieme Verlags, Stuttgart, Herr Dr. med. h. c. Dr. med. h. c. BRUNO HAUFF, durchdrungen von der Bedeutung der organischen Chemie, das neue Projekt bewußt in den Vordergrund seines Unternehmens stellte und seine Tatkraft und seine großen Erfahrungen diesem Werk widmete. Es stellt ein verlegerisches Wagnis dar, das Werk in dieser Ausstattung mit der großen Zahl von übersichtlichen Formeln, Abbildungen und Tabellen zu einem verhältnismäßig niedrigen Preis dem Chemiker in die Hand zu geben.

In den nun zur Herausgabe gelangenden „Methoden der organischen Chemie" wird ebensowenig eine Vollständigkeit angestrebt wie in den älteren Auflagen. Die Autoren sind vielmehr bemüht, auf Grund ihrer eigenen Erfahrungen die wirklich brauchbaren Methoden in den Vordergrund der Behandlung zu stellen und überholte Arbeitsvorschriften oder sogenannte Bildungsweisen nur knapp abzuhandeln.

Es ist unmöglich, eine Gewähr für jede der angegebenen Vorschriften zu übernehmen. Wir glauben aber, dadurch das Möglichste getan zu haben, daß alle Manuskripte von mehreren Fachkollegen überprüft wurden und die Literatur bis zum Stande von etwa einem bis einem halben Jahr vor Erscheinen jedes Bandes berücksichtigt ist.

An dieser Stelle sei noch einiges zur Anlage des Gesamtwerkes gesagt. Wir haben uns bemüht, beim Aufbau des Werkes und bei der Darstellung des Stoffes noch strenger nach methodischen Gesichtspunkten vorzugehen, als dies in den früheren Auflagen der Fall war.

Der erste Band wird allgemeine Hinweise zur Laboratoriumspraxis enthalten und die gebräuchlichen Arbeitsmethoden in einem organisch-chemischen Laboratorium, wie beispielsweise Anreichern, Trennen, Reinigen, Arbeiten unter Überdruck und Unterdruck, beschreiben.

In Band II fassen wir die Analytik der organischen Chemie zusammen, die früher verstreut in den einzelnen Kapiteln behandelt wurde. Wir hoffen, dadurch eine wesentliche Erleichterung für den Benutzer des Handbuchs geschaffen zu haben.

Hieran schließt sich die Darstellung der physikalischen Forschungsmethoden in der organischen Chemie. Dort sollen die Grundlagen der Methodik, das erforderliche apparative Rüstzeug, der Anwendungsbereich auf dem Gebiet der organischen Chemie und die Grenzen der betreffenden Methoden kurz wiedergegeben werden. In vielen Fällen wird es hier nicht möglich sein, eine ausführliche Darstellung zu geben, die das Nachschlagen der Originalliteratur unnötig macht, wie bei den Bänden präparativen Inhalts. Unser Ziel ist es, dem präparativ arbeitenden Organiker die Anwendbarkeit der betreffenden physikalischen Methode auf Probleme der organischen Chemie und ihre Grenzen zu zeigen.

Der Hauptteil des Werkes befaßt sich mit den chemisch-präparativen Methoden. In einem gesonderten Band werden allgemeine Methoden behandelt, die Geltung haben für die in den weiteren Bänden behandelten speziellen Methoden, wie etwa Oxidation, Reduktion, Katalyse, photochemische Reaktionen, Herstellung isotopenhaltiger Verbindungen und ähnliches mehr.

Der spezielle Teil befaßt sich mit den Methoden zur Herstellung und Umwandlung organischer Stoffklassen. Auf die Methoden zur Herstellung und Umwandlung von Kohlenwasserstoffen folgen – in der Anordnung des langen Periodensystems von rechts nach links betrachtet – die entsprechenden Verbindungen des Kohlenstoffs mit den Halogenen, den Chalkogenen, den Elementen der Stickstoffgruppe, mit Silicium, Bor, und mit den Metallen. Abschließend behandeln wir die Methoden zur Herstellung und Umwandlung hochmolekularer Stoffe sowie die besonderen organisch-präparativen und analytischen Methoden der Chemie der Naturstoffe.

Im Vordergrund der Darstellung der speziellen chemischen Methoden, die den Hauptteil des Handbuches bilden, wird nicht die Beschreibung der einzelnen Stoffe selbst stehen – dies ist Aufgabe des „Beilstein" –, sondern die Methoden zur Herstellung und Umwandlung bestimmter Verbindungsklassen, erläutert an ausgewählten Beispielen. Dabei wird besonderer Wert auf die Vollständigkeit und kritische Darstellung der Methoden zur Herstellung bestimmter Verbindungsklassen gelegt, die als Schwerpunkt des betreffenden Kapitels angesehen werden können. Die darauf folgende Umwandlung ist so kurz wie möglich behandelt, da sie mit ihren Umwandlungsstoffen in die Kapitel übergreift, die sich mit der Herstellung eben dieser Verbindungstypen befassen. Die Besprechung der Umwandlung der verschiedenen Stoffklassen ist daher nur unter dem Gesichtspunkt aufgenommen worden, jeweils selbständige Kapitel inhaltlich abzurunden und Hinweise zu geben auf die Stellen des Handbuches, an denen der Benutzer die durch Umwandlung entstehenden neuen Stofftypen in ihrer Herstellung auffinden kann.

Es ist selbstverständlich, daß kein Werk der chemischen Sammelliteratur so dem Wandel unterworfen ist wie gerade die „Methoden der organischen Chemie"; beruht doch der Fortschritt der chemischen Wissenschaft darin, stets neue synthetische Wege zu erschließen. Ich darf daher alle Fachkollegen um rege und stete Mitarbeit bitten, sei es in Form von sachlichen Kritiken oder wertvollen Hinweisen.

Nicht zuletzt danke ich der deutschen chemischen Industrie, die unter beträchtlichen Opfern ihre besten Fachkollegen für die Mitarbeit an diesem Werk freigestellt hat und mit Literaturbeschaffung und Auskünften in reichem Maße stets behilflich war.

Auch der Druckerei möchte ich meine Anerkennung für die rasche und gewissenhafte Ausführung der oft schwierigen Arbeit aussprechen.

Eugen Müller

Vorwort zum Band IV/1b

Oxidation und Reduktion sind grundlegende Operationen der organischen Chemie und finden daher im allgemeinen Teil dieses Handbuchs (Teilbände IV) ihren Platz. Der erste jetzt vorliegende Teilband IV/1b befaßt sich mit der Oxidation organischer Verbindungen, mit metallischen, organischen bzw. anodischen Oxidantien. Den Abschluß bildet ein Kapitel über Oxidationshemmung (Verwendung von Antioxidantien). Die außerordentliche Fülle des Materials zwang uns, die Abfassung der einzelnen Kapitel dieses Teilbandes in die Hände von 19 Autoren zu legen, war es doch notwendig, für jedes Oxidans das fast unüberschaubare Gesamtgebiet der organischen Chemie durchzusehen. Wo immer möglich, wurde Wert darauf gelegt, die besprochenen Oxidationsverfahren mit anderen Oxidationsmethoden zu vergleichen. Die Wichtigkeit der einzelnen Oxidationsmittel läßt sich leicht aus dem Umfang der betreffenden Kapitel ablesen.

Im einzelnen möchte ich darauf aufmerksam machen, daß alle Ausbeuteangaben der Oxidation mit Braunstein, die auf Veröffentlichungen bis ~ 1965 basieren, kritisch zu betrachten sind; die Ausbeuten können bei Verwendung des nach neueren Methoden hergestellten Mangandioxids ganz andere Werte erbringen. Im Abschnitt über Oxidation mit alkalischen Hexacyanoferrat(III) findet sich erstmalig eine größere Übersicht über Aroxyl-Radikale, da dieses Oxidans ein Spezifikum zur Herstellung von Aroxylen aus Phenolen darstellt und auch die Phenolkupplung einschließt. Schließlich mache ich auf das Kapitel über Oxidationshemmung besonders aufmerksam, da dieses Gebiet sehr schwierig zu überschauen und auch in bezug auf die Auswertung der Literatur (sehr viele Patente) nur mit großer Mühe und besonderer Sachkenntnis darzustellen ist. Wir verdanken dieses Kapitel dem inzwischen verstorbenen Dr. R. Stroh, Leverkusen. Auch der Autor der ersten Fassung des vorliegenden Bandes (etwa ein Zehntel des jetzigen Umfangs), Dr. F. Weickmann, Ludwigshafen, hat die neue Gestaltung des Oxidationsbandes nicht mehr erlebt. Auch ihm sei nachträglich gedankt.

Es ist mir ein besonderes Anliegen, der Direktion der BASF, Ludwigshafen, herzlich für ihre bereitwillige Unterstützung zu danken, da die meisten der an diesem Band beteiligten Autoren Angehörige der BASF sind. Auch der Direktion der Bayer AG, Leverkusen, habe ich für ihre stete Mithilfe sehr zu danken.

Für die Anfertigung des Sachregisters danke ich Frau Dr. Renate Stoltz, Polling-Weilheim. Den Inhabern des Georg Thieme Verlages bin ich zu besonderem Dank verpflichtet, da sie die Arbeit an diesem Band stets mit großer Einsicht gefördert haben.

Tübingen, November 1975   EUGEN MÜLLER

Oxidation II

Band IV/1 b

Zeitschriftenliste

Die Abkürzungen entsprechen der Sigelliste des „Beilstein", nur die mit * bezeichneten Abkürzungen sind der 2. Auflage der Periodica Chimica entnommen, die mit ° bezeichneten den Chemical Abstracts

A.	LIEBIGS Annalen der Chemie
Abh. dtsch. Akad. Wiss. Berlin, Kl. Math. allg. Naturwiss.	Abhandlungen der Deutschen Akademie der Wissenschaften zu Berlin. Klasse für Mathematik und Allgemeine Naturwissenschaften (seit 1950)
Abh. dtsch. Akad. Wiss. Berlin, Kl. Chem., Geol. Biol.	Abhandlungen der Deutschen Akademie der Wissenschaften zu Berlin. Klasse für Chemie, Geologie und Biologie. Berlin
Abstr. Kagaku-Kenkyū-Jo Hōkoku	Abstracts from Kagaku-Kenkyū-Jo Hōkoku (Reports of the Scientific Research Institute, seit 1950)
Abstr. Rom. Tech. Lit.	Abstracts of Roumanian Technical Literature, Bukarest
Accounts Chem. Res.	Accounts of Chemical Research, Washington
A.ch.	Annales de Chimie, Paris
Acta Acad. Åbo	Acta Academiae Aboensis, Finnland Turku
Acta Biochim. Pol.	Acta Biochimica Polonica, Warszawa
Acta chem. scand.	Acta Chemica Scandinavica, Kopenhagen, Dänemark
Acta chim. Acad. Sci. hung.	Acta Chimica Akademiae Scientiarum Hungaricae, Budapest
Acta Chim. Sinica	Acta Chimica Sinica (Ha Hsüeh Hsüeh Pao; seit 1957), Peking
Acta Cient. Venez.	Acta Cientifica Venezolana, Caracas
Acta crystallogr.	Acta Crystallographica [Copenhagen] (bis 1951: [London])
Acta crystallogr., Sect. A	Acta Crystallographica, Section A, London
Acta crystallogr., Sect. B	Acta Crystallographica, Section B, London
Acta Histochem.	Acta Histochemica, Jena
Acta Histochem., Suppl.	Acta Histochemica (Jena), Supplementum
Acta Hydrochimica et Hydrobiologica	Acta Hydrochemica et Hydrobiologica, Berlin
Acta latviens. Chem.	Acta Universitatis Latviensis, Chemicorum Ordinis Series. Riga
Acta pharmc. int. [Copenhagen]	Acta Pharmaceutica Internationalia [Copenhagen]
Acta pharmacol. toxicol.	Acta Pharmacologica et Toxicologica, Kopenhagen
Acta Pharm. Hung.	Acta Pharmaceutica Hungarica, Budapest (seit 1949)
Acta Pharm. Yugoslav.	Acta Pharmaceutica Yugoslavica, Zagreb
Acta Pharm. Suecica	Acta Pharmaceutica Suecica, Stockholm
Acta physicoch. URSS	Acta Physicochimica URSS
Acta physiol. scand.	Acta Physiologica Scandinavica
Acta physiol. scand. Suppl.	Acta Physiologica Scandinavica. Supplementum
Acta phytoch.	Acta Phytochimica, Tokyo
Acta polon. pharmac.	Acta Poloniae Pharmaceutica (bis 1939 und seit 1947)
Advan. Alicyclic Chem.	Advances in Alicyclic Chemistry, New York
Advan. Appl. Microbiol.	Advances in Applied Microbiological, New York
Advan. Biochem. Engng.	Advances in Biochemical Engineering, Berlin
Advan. Carbohydr. Chem. and Biochem.	Advances in Carbohydrate Chemistry and Biochemistry, New York
Advan. Catal.	Advances in Catalysis and Related Subjects, New York
Advan. Chem. Ser.	Advances in Chemistry Series, Washington
Advan. Food Res.	Advances in Food Research, New York
Adv. Biol. Med. Phys.	Advances in Biological and Medical Physics, New York
Adv. Carbohydrate Chem.	Advances in Carbohydrate Chemistry
Adv. Chromatogr.	Advances in Chromatography, New York
Adv. Colloid Int. Sci.	Advance in Colloid and Interface Science, Amsterdam
Adv. Drug Res.	Advance in Drug Research, New York
Adv. Enzymol.	Advances in Enzymology and Related Subjects of Biochemistry, New York
Adv. Fluorine Chem.	Advances in Fluoroine Chemistry, London
Adv. Free Radical Chem.	Advances in Free Radical Chemistry, London

Adv. Heterocyclic Chem.	Advances in Heterocyclic Chemistry, New York
Adv. Macromol. Chem.	Advances in Macromolecular Chemistry, New York
Adv. Magn. Res.	Advances in Magnetic Resonance, England
Adv. Microbiol. Phys.	Advances in Microbiological Physiology, New York
Adv. Org. Chem.	Advances in Organic Chemistry: Methods and Results, New York
Adv. Organometallic Chem.	Advances in Organometallic Chemistry, New York
Adv. Photochem.	Advances in Photochemistry, New York, London
Adv. Protein Chem.	Advances in Protein Chemistry, New York
Adv. Ser.	Advances in Chemistry Series, Washington
Adv. Steroid Biochem. Pharm.	Advances in Steroid Biochemistry and Pharmacology, London/New York
Adv. Urethane Sci. Techn.	Advances in Urethane Science and Technology, Westport, Conn.
Afinidad	Afinidad [Barcelona]
Agents in Actions	Agents in Actions, Basel
Agr. and Food Chem.	Journal of Agricultural and Food Chemistry, Washington
Agr. Biol.-Chem. (Tokyo)	Agricultural and Biological Chemistry, Tokyo
Agr. Chem.	Agricultural Chemicals Baltimore
Agrochimica	Agrochimica, Pisa
Agrokem. Talajtan	Agrokémia és Talajtan (Agrochemie und Bodenkunde), Budapest
Agrokhimiya	Agrokhimiya i Gruntoznavslvo (Agricultural Chemistry and Soil Science), Kiew
Agron. J.	Agronomy Journal, United States (seit 1949)
Aiche J. (A. I. Ch. E.)	American Institute of Chemical Engineers Journal, New York
Allg. Öl- u. Fett-Ztg.	Allgemeine Öl- und Fett-Zeitung, Berlin (1943 vereinigt mit Seifensieder-Ztg., Abkürzung nach Periodica Chimica)
Am.	American Chemical Journal, Washington
A. M. A. Arch. Ind. Health	A. M. A. Archives of Industrial Health (seit 1955)
Am. Dyest. Rep.	American Dyestuff Reporter, New York
Amer. ind. Hyg. Assoc. Quart.	American Industrial Hygiene Association Quarterly, Chicago
Amer. J. Physics	American Journal of Physics, New York
Amer. Petroleum Inst. Quart.	American Petroleum Institute Quarterly, New York
Amer. Soc. Testing Mater.	American Society for Testing Materials, Philadelphia, Pa.
Amino-acid, Peptide Prot. Abstr.	Amino-acid, Peptide and Protein Abstratcs, London
Am. Inst. Chem. Engrs.	American Institute of Chemical Engineers, New York
Am. J. Pharm.	American Journal of Pharmacy (bis 1936) Philadelphia
Am. J. Physiol.	American Journal of Physiology, Washington
Am. J. Sci.	American Journal of Science, New Haven, Conn.
Am. Perfumer	Americ. Perfumer and Essential Oil Reviews (1936–1939: American Perfumer, Cosmetics, Toilet Preparations)
Am. Soc.	Journal of the American Chemical Society, Washington
Anal. Abstr.	Analytical Abstracts, Cambridge (seit 1954)
Anal. Biochem.	Analytical Biochemistry, New York
Anal. Chem.	Analytical Chemistry (seit 1947), Washington
Anal. chim. Acta	Analytica Chimica Acta, Amsterdam
Anales Real Soc. Espan. Fis. Quim (Madrid)	Anales de la Real Sociedad Española de Fisica y Química, Madrid (seit 1936)
Analyst	The Analyst, Cambridge
An. Asoc. quím. arg.	Anales de la Asociación Química Argentina, Buenos Aires
An. Farm. Bioquím. Buenos Aires	Anales de Farmacia y Bioquímica, Buenos Aires
An. Fis.	Anales de la Real Sociedad Española de Fisica y Química, Series A, Madrid
Ang. Ch.	Angewandte Chemie (bis 1931: Zeitschrift für angewandte Chemie); engl.: Angew. Chem. Intern. Ed. Engl. Angewandte Chemie Internationale Edition in Englisch (seit 1962), Weinheim, New York, London
Angew. Makromol. Chem.	Angewandte Makromolekulare Chemie, Basel
Anilinfarben-Ind.	Анилинокрасочная Промышленность (Anilinfarben-Industrie), Moskau
Ann. Acad. Sci. fenn.	Annales Academiae Sicientiarum Fennicae, Helsinki
Ann. Chim. anal.	Annales de Chimie Analytique (1942–1946), Paris
Ann. Chim. anal. appl.	Annales de Chimie Analytique et de Chimie Appliquée (bis 1941), Paris
Ann. Chim. applic.	Annali di Chimica Applicata (bis 1950), Rom
Ann. chim. et phys.	Annales de chimie et de physique (bis 1941), Paris
Ann. Chimica	Annali di Chimica (seit 1950), Rom
Ann. chim. farm.	Annali di chimica farmaceutica (1938–1940), Rom

Ann. Fermentat.	Annales des Fermentations, Paris
Ann. Inst. Pasteur	Annales de l'Institut Pasteur, Paris
Ann. Med. Exp. Biol. Fennicae (Helsinki)	Annales Medicinae Experimentalis et Biologiae Fennicae, Helsinki (seit 1947)
Ann. N. Y. Acad. Sci.	Annals of the New York Academy of Sciences, New York
Ann. pharm. Franç.	Annales Pharmaceutiques Françaises (seit 1943), Paris
Ann. Phys. (New York)	Annals of Physics, New York
Ann. Physik	Annalen der Physik (bis 1943 und seit 1947), Leipzig
Ann. Physique	Annales des Physique, Paris
Ann. Rep. Med. Chem.	Annual Reports on Medicinal Chemistry, New York
Ann. Rep. Org. Synth.	Annual Reports on Organic Synthesis, New York
Ann. Rep. Progr. Chem.	Annual Reports on the Progress of Chemistry, London
Ann. Rev. Biochem.	Annual Review of Biochemistry, Stanford, Calif.
Ann. Rev. NMR Spectr.	Annual Reports of NMR Spectroscopy, London
Ann. Rev. Inf. Sci. Techn.	Annual Review of Information Science and Technology, Chicago
Ann. Rev. phys. Chem.	Annual Review of Physical Chemistry, Palo Alto, Calif.
Ann. Soc. scient. Bruxelles	Annales des la Société Scientifique des Bruxelles, Brüssel
Annu. Rep. Progr. Rubber	Annual Report on the Progress of Rubber Technology, London
Annu. Rep. Shionogi Res. Lab. [Osaka]	Annual Reports of Shionogi Research Laboratory [Osaka]
An. Quím.	Anales de la Real Española de Física y Química, Serie B, Madrid
An. Soc. españ. [A] bzw. [B]	Anales des la Real Española de Fisica y Química (1940–1947 Anales de Física y Química). Seit 1948 geteilt in: Serie A-Física. Serie B-Química, Madrid
An. Soc. cient. arg.	Anales de la Sociedad Cientifica Argentina, Santa Fé (Argentinien)
Antibiot. Chemother.	Antibiotics and Chemotherapy, New York
Antibiotiki (Moscow)	Антибиотики, Antibiotiki (Antibiotika), Moskau
Antimicrob. Agents Chemoth.	Antimicrobial Agents and Chemotherapy, Bethesda, Md.
Appl. Microbiol.	Applied Microbiology, Baltimore, Md.
Appl. Physics	Applied Physics, Berlin
Appl. Polymer Symp.	Applied Polymer Symposia, New York
Appl. scient. Res.	Applied Scientific Research, Den Haag
Appl. Sci. Res. Sect. A u. B	Applied Scientific Research, Den Haag A. Mechanics, Heat, Chemical Engineering, Mathematical Methods B. Electrophysics, Acoustics, Optics, Mathematical Methods
Appl. Spectrosc.	Applied Spectroscopy, Chestnut Hill, Mass.
Ar.	Archiv der Pharmazie (und Berichte der Deutschen Pharmazeutischen Gesellschaft), Weinheim/Bergstr.
Arch. Biochem.	Archives of Biochemistry and Biophysics (bis 1951: Archives of Biochemistry), New York
Arch. des Sci.	Archives des Sciences (seit 1948), Genf
Arch. Environ. Health	Archives of Environmental Health, Chicago (seit 1960)
Arch. Intern. Physiol. Biochim.	Archives Internationales de Physiologie et de Biochimie (seit 1955), Liège
Arch. Math. Naturvid.	Archiv for Mathematik og Naturvidenskab, Oslo
Arch. Mikrobiol.	Archiv für Mikrobiologie (bis 1943 und seit 1948), Berlin
Arch. Pharm. Chemi	Archiv for Pharmaci og Chemi, Kopenhagen
Arch. Phytopath. Pflanzensch.	Archiv für Phytopathologie und Pflanzenschutz, Berlin
Arch. Sci. phys. nat.	Archives des Sciences Physiques et Naturelles. Genf (bis 1947)
Arch. techn. Messen	Archiv für Technisches Messen (bis 1943 und seit 1947), München
Arch. Toxicol.	Archiv für Toxikologie, Berlin, Göttingen, Heidelberg (seit 1954)
Arh. Kemiju	Arhiv za Kemiju, Zagreb (Archives de Chimie) (seit 1946)
Ark. Kemi	Arkiv för Kemi, Mineralogie och Geologi, seit 1949 Arkiv för Kemi (Stockholm)
Arm. Khim. Zh.	Армянский Химический журнал, Armyanskii Khimicheskii Zhurnal (Armenian Chemical Journal) ErewanUdSSR
Ar. Pth.	(NUUNYN-SCHMIEDEBERGS) Archiv für Experimentelle Pathologie und Pharmakologie, Berlin-W.
Arzneimittel-Forsch.	Arzneimittel-Forsch, Aulendorf/Württ.
ASTM Bull.	ASTM (American Society for Testing Materials) Bulletin, Philadelphia
ASTM Spec. Techn. Publ.	ASTM (American Society for Testing Materials). Technical Publications New York

Atti Accad. naz. Lincei, Mem., Cl. Sci. fisiche, mat. natur., Sez. I, II bzw. III	Atti della Accademia Nazionale dei Lincei. Memorie. Classe di Scienz Fisiche, Matematiche e Naturali. Sezione I (Matematica, Meccanica, Astronomia, Geodesia e Geofisica). Sezione II (Fisica, Chimica, Geologia, Paleontologia e Mineralogia). Sezione III (Scienze Biologiche) (seit 1946), Turin
Atti Accad. naz. Lincei, Rend., Cl. Sci. fisiche, mat. natur.	Atti della Accademia Nazionale dei Lincei. Rendiconti. Classe di Scienze Fisiche, Matematiche e Naturali (seit 1946), Rom
Aust. J. Biol. Sci.	Australian Journal of Biological Sciences (seit 1953), Melbourne
Austral. J. Chem.	Australian Journal of Chemistry (seit 1952), Melbourne
Austral. J. Sci.	Australian Journal of Science, Sydney
Austral. J. scient. Res., [A] bzw. [B]	Australien Journal of Scientific Research. Series A. Physical Sciences. Series B. Biological Sciences, Melbourne
Austral. P.	Australisches Patent, Canberra
Azerb. Khim. Zh.	Азербайджанский Химический Журнал Azerbaidschanisches Chemisches Journal

B.

	Berichte der Deutschen Chemischen Gesellschaft; seit 1947; Chemische Berichte, Weinheim/Bergstr.
Belg. P.	Belgisches Patent, Brüssel
Ber. Bunsenges. Phys. Chem.	Berichte der Bunsengesellschaft, Physikalische Chemie, Heidelberg (bis 1952)
Ber. chem. Ges. Belgrad	Berichte der Chemischen Gesellschaft Belgrad (Glassnik Chemisskog Druschtwa Beograd, seit 1940), Belgrad
Ber. Ges. Kohlentechn.	Berichte der Gesellschaft für Kohlentechnik (Dortmund-Eving)
Biochem.	Biochemistry, Washington
Biochem. biophys. Acta	Biochimica et biophysica Acta, Amsterdam
Biochem. Biophys. Research Commun.	Biochemical and Biophysical Research Communications, New York
Biochem. J. (London)	The Biochemical Journal, London
Biochem. J. (Kiew)	Biochemical Journal, Kiew, Ukraine
Biochem. Med.	Biochemical Medicine, New York
Biochem. Pharmacol.	Biochemical Pharmacology, London
Biochem. Prepar.	Biochemical Preparations, New York
Biochem. Soc. Trans.	Biochemical Society Transactions, London
Biochimiya	Биохимия (Biochimia)
Biodynamica	Biodynamica, Normandy, Mo., USA
Biofizika	Биофизика (Biophysik), Moskau
Biopolymers	Biopolymers, New York
BIOS Final Rep.	British Intelligence Objectives Subcommittee, Final Report
Bio. Z.	Biochemische Zeitschrift (bis 1944 und seit 1947)
Bitumen, Teere, Asphalte, Peche	Bitumen, Teere, Asphalte, Peche und verwandte Stoffe, Heidelberg
Bl.	Bulletin de la Société Chimique de France, Paris
Bl. Acad. Belgique	Académie Royale de Belgique: Bulletins de la Classe des Sciences, Brüssel
Bl. Acad. Polon.	Bulletin International de l'Académie Polonaise des Sciences et des Lettres, Classe des Sciences Mathématiques et Naturelles, Krakau
Bl. agric. chem. Soc. Japan	Bulletin of the Agricultural Chemical Society of Japan, Tokio
Bl. am. phys. Soc.	Bulletin of the American Physical Society, Lancaster, Pa.
Bl. chem. Soc. Japan	Bulletin óf the Chemical Society of Japan, Tokio
Bl. Soc. chim. Belg.	Bulletin de la Société Chimique des Belgique (bis 1944), Brüssel
Bl. Soc. Chim. biol.	Bulletin des la Société de Chimie Biologique, Paris
Bl. Soc. Chim. ind.	Bulletin de la Société de Chimie Industrielle (bis 1934), Paris
Bl. Trav. Pharm. Bordeaux	Bulletin des Travaux de la Société de Pharmacie de Bordeaux
Bol. inst. quím. univ. nal. auton. Mé.	Boletin del instituto de química de la universidad nacional autonoma de México
Boll. chim. farm.	Bolletino chimico farmaceutico, Mailand
Boll. Lab. Chim. Prov. Bologna	Bolletino dei Laboratori Chimici, Provinciali, Bologna
Bol. Soc. quím. Perú	Boletin de la Sociedad Química del Perú, Lima (Peru)
Botyu Kagaku	Bulletin of the Institute of Insect Control (Kyoto), (Scientific Insect Control)
B. Ph. P.	Beiträge zur Chemischen Physiologie und Pathologie
Brennstoffch.	Brennstoff-Chemie (bis 1943 und seit 1949), Essen
Brit. Chem. Eng.	British Chemical Engineering, London

Brit. J. appl. Physics	British Journal of Applied Physics, London
Brit. J. Cancer	British Journal of Cancer, London
Brit. J. Industr. Med.	British Journal of Industrial Medicine, London
Brit. J. Pharmacol.	British Journal of Pharmacology and Chemotherapy, London
Brit. P.	British Patent, London
Brit. Plastics	British Plastics (seit 1945), London
Brit. Polym. J.	British Polymer Journal, London
Bul. inst. politeh. Jasi	Buletinul institutuluí politehnic din Jasi (ab 1955 mit Zusatz [NF])
Bul. Laboratorarelor	Buletinul Laboratorarelor, Bukarest
Bull. Acad. Polon. Sic., Ser. Sci. Chim. Geol. Geograph. bzw. Ser. Sci. Chim.	Bulletin de l'Académie Polonaise des Sciences, Serie des Sciences, Chimiques, Geologiques et Géographiques (seit 1960 geteilt in ... Serie des Sciences Chimiques und ... Serie des Sciences Geologiques et Géographiques), Warschau
Bull. Acad. Sci. URSS, Div. Chem. Sci.	Izwestija Akademii Nauk. SSSR (Bulletin de l'Académie des Sciences de URSS), Moskau, Leningrad (bis 1936)
Bull. Environ. Contamin. Toxicol.	Bulletin of Environmental Contamination and Toxicology, Berlin/New York
Bull. Inst. Chem. Research, Kyoto Univ.	Bulletin of the Institute for Chemical Research, Kyoto University (Kyoto Daigaku Kagaku Kenkyûsho Hôkoku), Takatsoki, Osaka
Bull. Research Council Israel	Bulletin of the Research Council of Israel, Jerusalem
Bull. Research Inst. Food Sci., Kyoto Univ.	Bulletin of the Research Institute for Food Science, Kyoto University (Kyoto Daigaku Shokuryô-Kagaku Kenkyujo Hôkoku), Fukuoka, Japan
Bull. Soc. roy. Sci. Liège	Bulletin de la Société Royale des Sciences de Liège, Brüssel
C.	Chemisches Zentralblatt, Weinheim/Bergstr.
C. A.	Chemical Abstracts, Washington
Canad. chem. Processing	Canadian Chemical Processing, Toronto, Canada
Canad. J. Chem.	Canadian Journal of Chemistry, Ottawa, Canada
Canad. J. Physics	Canadian Journal of Physics, Ottawa, Canada
Canad. J. Res.	Canadian Journal of Research (bis 1950), Ottawa, Canada
Canad. J. Technol.	Canadian Journal of Technology, Ottawa, Canada
Canad. P.	Canadisches Patent
Cancer (Philadelphia)	Cancer (Philadelphia), Philadelphia
Cancer Res.	Cancer Research, Chicago
Can. Chem. Process.	Canadian Chemical Processing, Toronto (seit 1951)
Can. J. Biochem.	Canadian Journal of Biochemistry, Ottawa
Can. J. Biochem. Physiol.	Canadian Journal of Biochemistry and Physiology, Ottawa (seit 1954)
Can. J. Chem. Eng.	Canadian Journal of Chemical Engineering, Ottawa (seit 1957)
Can. J. Microbiol.	Canadian Journal of Microbiology, Ottawa
Can. J. Pharm. Sci.	Canadian Journal of Pharmaceutical Sciences, Toronto
Can. J. Plant, Sci.	Canadian Journal of Plant Science, Ottawa (seit 1957)
Can. J. Soil Sci.	Canadian Journal of Soil Science, Ottawa (seit 1957)
Carbohyd. Chem.	Carbohydrate Chemistry, London
Carbohyd. Chem. Metab. Abstr.	Carbohydrate Chemistry and Metabolism Abstracts, London
Carbohyd. Res.	Carbohydrate Research, Amsterdam
Catalysis Rev.	Catalysis Review, New York
Cereal Chem.	Cereal Chemistry, St. Paul, Minnesota
Česk. Farm.	Československa Farmacie, Prag
Ch. Apparatur	Chemische Apparatur (bis 1943), Berlin
Chem. Age India	Chemical Age of India
Chem. Age London	Chemical Age, London
Chem. Age N. Y.	Chemical Age, New York
Chem. Anal.	Organ Komisjii Analitycznej Komitetu Nauk Chemicznych PAN, Warschau
Chem. Brit.	Chemistry in Britain, London
Chem. Commun.	Chemical Communications, London
Chem. Econ. & Eng. Rev.	Chemical Economy and Engineering Review, Tokyo
Chem. Eng.	Chemical Engineering with Chemical and Metallurgical Engineering (seit 1946), New York
Chem. Eng. (London)	Chemical Engineering Journal, London
Chem. eng. News	Chemical and Engineering News (seit 1943), Washington

Chem. Eng. Progr.	Chemical Engineering Progress, Philadelphia, Pa.
Chem. Eng. Progr., Monograph Ser.	Chemical Engineering Progress. Monograph Series, New York
Chem. Eng., Progr., Symposium Ser.	Chemical Engineering Progress. Symposium Series, New York
Chem. eng. Sci.	Chemical Engineering Science, London
Chem. High Polymers (Tokyo)	Chemistry of High Polymers (Tokyo) (Kobunshi Kagaku), Tokio
Chemical Ind. (China)	Chemical Industry [China], Peking
Chemie-Ing.-Techn.	Chemie-Ingenieur-Technik (seit 1949), Weinheim/Bergstr.
Chemie in unserer Zeit	Chemie in unserer Zeit, Weinheim/Bergstr.
Chemie Lab. Betr.	Chemie für Labor und Betrieb, Frankfurt/Main
Chemie Prag	Chemie (Praha), Prag
Chemie und Fortschritt	Chemie und Fortschritt, Frankfurt/Main
Chem. & Ind.	Chemistry & Industry, London
Chem. Industrie	Chemische Industrie, Düsseldorf
Chem. Industries	Chemical Industries, New York
Chem. Inform.	Chemischer Informationsdienst, Leverkusen
Chemist-Analyst	Chemist-Analyst, Philipsburg, New York, New Jersey
Chem. Letters	Chemistry Letters, Tokyo
Chem. Listy	Chemické Listy pro Vĕdu a Prŭmysl. Prag (Chemische Blätter für Wissenschaft und Industrie); seit 1951 Chemické Listy, Prag
Chem. met. Eng.	Chemical and Metallurgical Engineering (bis 1946), New York
Chem. N.	Chemical News and Journal of Industrial Science (1921–1932), London
Chemorec. Abstr.	Chemoreception Abstracts, London
Chemosphere	Chemosphere, London
Chem. pharmac. Techniek	Chemische en Pharmaceutische Techniek, Dordrecht
Chem. Pharm. Bull. (Tokyo)	Chemical & Pharmaceutical Bulletin (Tokyo)
Chem. Process Engng.	Chemical and Process Engineering, London
Chem. Processing	Chemical Processing, London
Chem. Products chem. News	Chemical Products and the Chemical News, London
Chem. Prŭmysl	Chemický Prŭmysl, Prag (Chemische Industrie, seit 1951), Prag
Chem. Rdsch. [Solothurn]	Chemische Rundschau [Solothurn]
Chem. Reviews	Chemical Reviews, Baltimore
Chem. Scripta	Chemical Scripta, Stockholm
Chem. Senses & Flavor	Chemical Senses and Flavor, Dordrecht/Boston
Chem. Soc. Rev.	Chemical Society Reviews, London (formerly Quarterly Reviews)
Chem. Tech. (Leipzig)	Chemische Technik, Leipzig (seit 1949)
Chem. Techn.	Chemische Technik, Berlin
Chem. Technol.	Chemical Technology, Easton/Pa.
Chem. Trade J.	Chemical Trade Journal and Chemical Engineer, London
Chem. Umschau, Gebiete, Fette, Öle, Wachse, Harze (ab 1933: Fettchemische Umschau)	Chemische Umschau auf dem Gebiete der Fette, Öle, Wachse und Harze (bis 1933)
Chem. Week	Chemical Week, New York
Chem. Weekb.	Chemisch Weekblad, Amsterdam
Chem. Zvesti	Chemické Zvesti (tschech.). Chemische Nachrichten, Bratislawa
Chim. anal.	Chimie analytique (seit 1947), Paris
Chim. Anal. (Bukarest)	Chimie Analitica, Bukarest
Chim. Chronika	Chimika Chronika, Athen
Chim. et Ind.	Chimie et Industrie, Paris
Chim. farm. Ž.	Chimiko-farmazevtičeskij Žurnal, Moskau
Chim. geterocikl. Soed.	Химия гетеродикльиьнских соединий (Die Chemie der heterocyclischen Verbindungen), Riga
Chimia	Chimia, Zürich
Chimicae Ind.	Chimica e L'Industria, Mailand (seit 1935)
Chim. Therap.	Chimica Therapeutica, Arcueil
Ch. Z.	Chemiker-Zeitung, Heidelberg
CIOS Rep.	Combinde Intelligence Objectives Sub-Committee Report
Clin. Chem.	Clinical Chemistry, New York
Clin. Chim. Acta	Clinica Chimica Acta, Amsterdam
Clin. Sci.	Clinical Science, London
Collect. czech. chem. Commun.	Collection of Czechoslovak Chemikal Communications (seit 1951), Prag

Collect. Pap. Fac. Sci., Osaka Univ. [C]	Collect Papers from the Faculty of Science, Osaka University, Osaka, Series C, Chemistry (seit 1943)
Collect. pharmac. suecica	Collectanea Pharmaceutica, Suecica, Stockholm
Collect. Trav. chim. Tchécosl.	Collection des Travaux Chimiques de Tchécoslovaquie (bis 1939 und 1947–1951; 1939: . . . Tschèques), Prag
Colloid Chem.	Colloid Chemistry, New York
Comp. Biochem. Physiol.	Comparative Biochemistry and Physiology, London
Coord. Chem. Rev.	Coordination Chemistry Reviews, Amsterdam
C. r.	Comptes Rendus Hebdomadaires des Séances de l'Académie des Sciences, Paris
C. r. Acad. Bulg. Sci.	Доклады Болгарской Академии Наук (Comptes rendus de l'académie bulgare des sciences)
Crit. Rev. Tox.	Critical Reviews in Toxicology, Cleveland/Ohio
Croat. Chem. Acta	Croatica Chemica Acta, Zagreb
Curr. Sci.	Current Science, Bangalore
Dän. P.	Dänisches Patent
Dansk Tidsskr. Farm.	Dansk Tidsskrift for Farmaci, Kopenhagen
DAS.	Deutsche Auslegeschrift = noch nicht erteiltes DBP. (seit 1. 1. 1957). Die Nummer der DAS. und des später darauf erteilten DBP. sind identisch
DBP.	Deutsches Bundespatent (München, nach 1945, ab Nr. 800000)
DDRP.	Patent der Deutschen Demokratischen Republik (vom Ostberliner Patentamt erteilt)
Dechema Monogr.	Dechema Monographien, Weinheim/Bergstr.
Delft Progr. Rep.	Delft Progress Report (A: Chemistry and Physics, Chemical and Physical Engineering), Groningen
Die Nahrung	Die Nahrung (Chemie, Physiologie, Technologie), Berlin
Discuss. Faraday Soc.	Discussions of the Faraday Society, London
Dissertation Abstr.	Dissertation Abstracts Ann Arbor, Michigan
Doklady Akad. SSSR	Доклады Академии Наук СССР (Comptes Rendus de l'Académie des Sciences de l'URSS), Moskau
Dokl. Akad. Nauk Arm. SSR	Доклады Академии Наук Армянской ССР Doklady Akademii Nauk Armjanskoi SSR (Berichte der Akademie der Wissenschaften der Armenischen SSR), Erewan
Dokl. Akad. Nauk Azerb. SSR	Доклады Академии Наук Азербайджанской ССР Doklady Akademii Nauk Azerbaidshanskoi SSR (Berichte der Akademie der Wissenschaften der Azerbaidschanischen SSR), Baku
Dokl. Akad. Nauk Beloruss. SSR	Д. А. Н. Белорусской ССР Doklady Akademii Nauk Belorusskoi SSR (Berichte der Akademie der Wissenschaften der Belorussischen SSR), Minsk
Dokl. Akad. Nauk SSSR	Д. А. Н. Советской ССР Doklady Akademii Nauk Sowjetskoi SSR (Berichte der Akademie der Wissenschaften der Vereinigten SSR), Moskau
Dokl. Akad. Nauk Tadzh. SSR	Д. А. Н. Таджикской ССР Doklady Akademii Nauk Tadshikskoi SSR (Berichte der Akademie der Wissenschaften der Tadshikischen SSR)
Dokl. Akad. Nauk Uzb. SSR	Д. А. Н. Узбекской ССР Doklady Akademii Nauk Uzbekskoi SSR (Berichte der Akademie der Wissenschaften der Uzbekischen SSR), Taschkent
Dokl. Bolg. Akad. Nauk	Доклады Болгарской Академии Наук Doklady Bolgarskoi Akademii Nauk (Berichte der Bulgarischen Akademie der Wissenschaften), Sofia
Dopov. Akad. Nauk Ukr. RSR, Ser. A u. B	Доповиди Академии Наук Украинськой РСР Dopowidi Akademii Nauk Ukrainskoi RSR (Berichte der Akademie der Wissenschaften der Ukrainischen RSR), Kiew Serie A und B
DOS	Deutsche Offenlegungsschrift (ungeprüft)
DRP.	Deutsches Reichspatent (bis 1945)
Drug Cosmet. Ind.	Drug and Cosmetic Industry, New York
Dtsch. Apoth. Ztg.	Deutsche Apotheker-Zeitung (1934–1945), seit 1950: vereinigt mit Süddeutsche Apotheker-Zeitung, Stuttgart
Dtsch. Farben-Z.	Deutsche Farben-Zeitschrift (seit 1951), Stuttgart
Dtsch. Lebensmittel-Rdsch.	Deutsche Lebensmittel-Rundschau, Stuttgart
Dyer Textile Printer	Dyer, Textile Printer, Bleacher and Finisher (seit 1934; bis 1934: Dyer and Calico Printer, Bleacher, Finisher and Textile Review), London

Electroanal. Chemistry	Electroanalytical Chemistry, New York
Endeavour	Endeavour, London
Endocrinology	Endocrinology, Boston, Mass.
Endokrinologie	Endokrinologie, Leipzig (1943–1949 unterbrochen)
Environ. Sci. Technol.	Environmental Science and Technology, England
Enzymol.	Enzymologia (Holland), Den Haag
Erdöl Kohle	Erdöl und Kohle (seit 1948), Hamburg
Erdöl, Kohle, Erdgas, Petrochem.	Erdöl und Kohle – Erdgas – Petrochemie, Hamburg, (seit 1960)
Ergebn. Enzymf.	Ergebnisse der Enzymforschung, Leipzig
Ergebn. exakt. Naturwiss.	Ergebnisse der exakten Naturwissenschaften, Berlin
Ergebn. Physiol.	Ergebnisse der Physiologie, Biologischen Chemie und Experimentellen Pharmakologie, Berlin
Europ. J. Biochem.	European Journal of Biochemistry, Berlin, New York
Eur. Polym. J.	European Polymer Journal, Amsterdam
Experientia	Experientia (Basel)
Experientia, Suppl.	Experientia, Supplementum, Basel
Farbe Lack	Farbe und Lack (bis 1943 und seit 1947) Hannover
Farmac. Glasnik	Farmaceutski Glasnik, Zagreb (Pharmazeutische Berichte)
Farmacia (Bucharest)	Farmacia (Bucuresti), Bukarest
Farmaco. Ed. Prat.	Farmaco Edizione Pratica, Pavia
Farmaco (Pavia), Ed. sci.	Il Farmaco (Pavia), Edizione scientifica
Farmac. Revy	Farmacevtisk Revy, Stockholm
Farmakol. Toksikol. (Moscow)	Фармакология и Токсикология (Farmakologija i Tokssikologija) Pharmakologie und Toxikologie, Moskau
Farmatsiya (Moscow)	(фармация), Farmatsiya, Moskau
Farm. sci. e tec. (Pavia)	Il Farmaco, scienza e tecnica (bis 1952), Pavia
Farm. Zh. (Kiev)	Фармацевтичний Журнал (Київ) Farmaziewtischni Zurnal (Kiew), (Pharmazeutisches Journal, Kiew)
Faserforsch. u. Textiltechn.	Faserforschung und Textiltechnik, Berlin
FEBS Letters	Federation of European Biochemical Societies, Amsterdam
Federation Proc.	Federation Proceedings, Washington, D. C.
Fette, Seifen, Anstrichmittel	Fette, Seifen, Anstrichmittel (verbunden mit „Die Ernährungsindustrie") (früher häufige Änderung des Titels), Hamburg
FIAT Final Rep.	Field Information Agency, Technical, United States, Group Control Council for Germany, Final Report
Fibre Chem.	Fibre Chemistry, London
Fibre Sci. Techn.	Fibre Science and Technology, Barking/Essex
Finn. P.	Finnisches Patent
Finska Kemistsamf. Medd.	Finska Kemistsamfundets Meddelanden (Suomen Kemistiseuran Tiedonantoja), Helsingfors
Fiziol. Zh. (Kiev)	Фізіологичний Журнал (Київ) Fisiologitschnii Zurnal (Kiew) (Physiologisches Journal (Kiew)
Fiziol. Zh. SSSR im. I. M. Sechenova	Физиологический Журнал СССР имени И. М. Сеченова (Fisiologitschesskii Žurnal SSSR imeni I. M. Setschenowa) Setschenow Journal für Physiologie der UdSSR, Moskau
Fluorine Chem. Rev.	Fluorine Chemistry Reviews, New York
Food	Food, London
Food Engng.	Food Engineering (seit 1951), New York
Food Manuf.	Food Manufacture (seit 1939 Food Manufacture, Incorporating Food Industries Weekly), London
Food Packer	Food Packer (seit 1944), Chicago
Food Res.	Food Research, Champaign. Ill.
Formosan Sci.	Formosan Science, Taipeh
Fortschr. chem. Forsch.	Fortschritte der Chemischen Forschung, New York, Berlin
Fortschr. Ch. org. Naturst.	Fortschritte der Chemie Organischer Naturstoffe, Wien
Fortschr. Hochpolymeren-Forsch.	Fortschritte der Hochpolymeren-Forschung, Berlin
Frdl.	Fortschritte der Teerfarbenfabrikation und verwandter Industriezweige. Begonnen von P. FRIEDLÄNDER, fortgeführt von H. E. FIERZ-DAVID, Berlin
Fres.	Zeitschrift für Analytische Chemie (von C. R. FRESENIUS), Berlin
Fr. P.	Französisches Patent

Fr. Pharm.	France-Pharmacie, Paris
Fuel	Fuel in Science and Practice; ab 1948: Fuel, London
G.	Gazzetta Chimica Italiana, Rom
Gas Chromat.-Mass.-Spectr. Abstr.	Gas Chromatography - Mass-Spectrometry Abstracts, London
Gazow. Prom.	Газовая Промышленность Gasowaja Promychlenost (Gas-Industrie), Moskau
Génie chim.	Génie chimique, Paris
Gidroliz. Lesokhim. Prom.	Гидролизная и Лесохимическая Промышленность Gidrolisnaja i Lessochimitscheskaja Promyschlennost (Hydrolysen- und Holzchemische Industrie), Moskau
Gmelin	GMELIN Handbuch der anorganischen Chemie, Verlag Chemie, Weinheim
Helv.	Helvetica Chimica Acta, Basel
Helv. phys. Acta	Helvetica Physica Acta, Basel
Helv. Phys. Acta Suppl.	Helvetica Physica Acta, Supplementum, Basel
Helv. physiol. pharmacol. Acta	Helvetica Physiologica et Pharmacologica Acta, Basel
Henkel-Ref.	Henkel-Referate, Düsseldorf
Heteroc. Sendai	Heterocycles Sendai
Histochemie	Histochemie, Berlin, Göttingen, Heidelberg
Holl. P.	Holländisches Patent
Hoppe-Seyler	HOPPE-SEYLERS Zeitschrift für Physiologische Chemie, Berlin
Hormone Metabolic Res.	Hormone and Metabolic Research, Stuttgart
Hua Hsueh	Hua Hsueh, Peking
Hung. P.	Ungarisches Patent
Hydrocarbon, Proc.	Hydrocarbon Processing, England
Immunochemistry	Immunochemistry, London
Ind. Chemist	Industrial Chemist and Chemical Manufactorer, London
Ind. chim. belge	Industrie Chimique Belge, Brüssel
Ind. chimique	L'Industrie Chimique, Paris
Ind. Corps gras	Industries des Corps Gras, Paris
Ind. eng. Chem.	Industrial and Engineering Chemistry, Industrial Edition, seit 1948; Industrial and Engineering Chemistry, Washington
Ind. eng. Chem. Anal.	Industrial and Engineering Chemistry, Analytical Edition (bis 1946). Washington
Ind. eng. Chem. News	Industrial and Engineering Chemistry. News Edition (bis 1939), Washington
Indian Forest Rec., Chem.	Indian Forest Records. Chemistry, Delhi
Indian J. Appl. Chem.	Indian Journal of Applied Chemistry (seit 1958), Calcutta
Indian J. Biochem.	Indian Journal of Biochemistry, Neu Delhi
Indian J. Chem.	Indian Journal of Chemistry
Indian J. Physics	Indian Journal of Physics and Proceedings of the Indian Association for the Cultivation of Science, Calcutta
Ind. P.	Indisches Patent
Ind. Plast. mod.	Industrie des Plastiques Modernes (seit 1949; bis 1948: Industrie des Plastiques), Paris
Inform. Quim. Anal.	Informacion de Quimica Analitica, Madrid
Inorg. Chem.	Inorganic Chemistry
Inorg. Synth.	Inorganic Syntheses, New York
Insect Biochem.	Insect Biochemistry, Bristol
Interchem. Rev.	Interchemical Reviews, New York
Intern. J. Appl. Radiation Isotopes	International Journal of Applied Radiation and Isotopes, New York
Int. J. Cancer	International Journal of Cancer, Helsinki
Int. J. Chem. Kinetics	International Journal of Chemical Kinetics, New York
Int. J. Peptide, Prot. Res.	International Journal of Peptide and Protein Research, Copenhagen
Int. J. Polymeric Mat.	International Journal of Polymeric Materials, New York/London
Int. J. Sulfur Chem.	International Journal of Sulfur Chemistry, London/New York
Int. Petr. Abstr.	International Petroleum Abstracts, London
Int. Pharm. Abstr.	International Pharmaceutical Abstracts, Washington

Int. Polymer Sci. & Techn.	International Polymer Science and Technology, Boston Spa, Wetherby, Yorks.
Intra-Sci. Chem. Rep.	Intra-Science Chemistry Reports, Santa Monica/Calif.
Int. Sugar J.	International Sugar Journal, London
Int. Z. Vitaminforsch.	Internationale Zeitschrift für Vitaminforschung, Bern
Inzyn. Chem.	Inzynioria Chemiczina, Warschau
Ion	Ion (Madrid)
Iowa Coll. J.	Iowa State College Journal of Science, Ames, Iowa
Iowa State J. Sci.	Iowa State Journal of Science, Ames, Iowa (seit 1959)
Israel J. Chem.	Israel Journal of Chemistry, Tel Aviv
Ital. P.	Italienisches Patent
Izv. Akad. Azerb. SSR, Ser. Fiz.-Tekh. Mat. Nauk	Известия Академии Наук Азербайджанской ССР, Серия Физико-Технических и Химических Наук Izvestija Akademii Nauk Azerbaidschanskoi SSR, Sserija Fisiko-Technitscheskich i Chimitscheskich Nauk (Nachrichten der Akademie der Wissenschaften der Azerbaidschanischen SSR, Serie Physikalisch-Technische und Chemische Wissenschaften), Baku
Izv. Akad. SSR	Известия Академии Наук Армянской ССР, Химические Науки (Bulletin of the Academy of Science of the Armenian SSR), Erevan
Izv. Akad. SSSR	Известия Академии Наук СССР, Серия Химическая (Bulletin de l'Académie des Sciences de l'URSS, Classe des Sciences Chemiques), Moskau, Leningrad
Izv. Sibirsk. Otd. Akad. Nauk. SSSR	Известия Сибирского Отделения Академии Наук СССР, Серия химических Наук Izvesstija Ssibirskowo Otdelenija Akademii Nauk SSSR, Sserija Chimetscheskich Nauk (Bulletin of the Sibirian Branch of the Academy of Sciences of the USSR), Nowosibirsk
Izv. Vyssh. Ucheb, Zaved., Neft. Gaz	Известия Высших Учебных Заведений (Баку), Нефть и Газ Izvestija Wysschych Utschebnych Sawedjeni (Baku), Neft i Gas, (Hochschulnachrichten (Baku), Erdöl und Gas, Baku
Izv. Vyss. Uch. Zav., Chim. i chim. Techn.	Известия высших Учебных заведений [Иваново], Химия и химическая технология (Bulletin of the Institution of Higher Education, Chemistry and Chemical Technology), Swerdlowsk
J. Agr. Food Chem.	Journal of Agricultural and Food Chemistry, Washington
J. agric. chem. Soc. Japan	Journal of the agricultural Chemical Society of Japan. Abstracts (seit 1935) (Nippon Nogeikagaku Kaishi), Tokyo
J. agrc. Sci.	Journal of Agricultural Science, Cambridge
J. Am. Leather Chemist's Assoc.	Journal of the American Leather Chemist's Association, Cincinnati (Ohio)
J. Am. Oil Chemist's Soc.	Journal of the American Oil Chemist's Society, Chicago
J. Am. Pharm. Assoc.	Journal of the American Pharmaceutical Association, seit 1940 Practical Edition und Scientific Edition; Practical Edition seit 1961 J. Am. Pharm. Assoc.; Scientific Edition seit 1961 J. Pharm. Sci., Easton, Pa.
J. Anal. Chem. USSR	Журнал Аналитической Химии Shurnal Analititscheskoi Chimii (Journal für AnalytischeChemie), Moskau
J. Antibiotics (Japan)	Journal of Antibiotics (Japan)
Japan Analyst	Japan Analyst (Bunseki Kagaku)
Jap. A. S.	Japanische Patent-Auslegeschrift
Jap. Chem. Quart.	Japan Chemical Quarterly, Tokyo
Jap. J. Appl. Phys.	Japanese Journal of Applied Physics, Tokyo
Jap. Pest. Inform.	Japan Pesticide Information, Tokyo
Jap. P.	Japanisches Patent
Jap. Plast. Age	Japan Plastic Age, Tokyo
J. appl. Chem.	Journal of Applied Chemistry, London
J. appl. Elektroch.	Journal of Applied Elektrochemistry, London
J. appl. Physics.	Journal of Applied Physics, New York
J. Appl. Physiol.	Journal of Applied Physiology, Washington, D. C.
J. Appl. Polymer Sci.	Journal of Applied Polymer Science, New York

Jap. Text. News	Japan Textile News. Osaka
J. Assoc. Agric. Chemists	Journal of the Association of Official Agricultural Chemists, Washington, D. C.
J. Bacteriol.	Journal of Bacteriology, Baltimore, Md.
J. Biochem. (Tokyo)	Journal of Biochemistry, Japan, Tokyo
J. Biol. Chem.	Journal of Biological Chemistry, Baltimore
J. Radioakt. Elektronik	Jahrbuch der Radioaktivität und Elektronik, 1924–1945 vereinigt mit Physikalische Zeitschrift
J. Catalysis	Journal of Catalysis, London, New York
J. Cellular compar. Physiol.	Journal of Cellular and Comparative Physiology, Philadelphia, Pa.
J. Chem. Educ.	Journal of Chemical Education, Easton, Pa.
J. chem. Eng. China	Journal of Chemical Engineering, China, Omei/Szechuan
J. Chem. Eng. Data	Journal of Chemical and Engineering Data, Washington
J. Chem. Eng. Japan	Journal of Chemical Engineering of Japan, Tokyo
J. Chem. Physics	Journal of Chemical Physics, New York
J. chem. Soc. Japan	Journal of the Chemical Society of Japan (bis 1948; Nippon Kwagaku Kwaishi), Tokyo
J. chem. Soc. Japan, ind.	Journal of the Chemical Society of Japan, Industrial Chemistry Section (seit 1948; Kogyo Kagaku Zasshi), Tokyo
J. chem. Soc. Japan, pure Chem. Sect.	Journal of the Chemical Society of Japan, Pure Chemistry Section (seit 1948; Nippon Kagaku Zasshi)
J. Chem. U.A.R.	Journal of Chemistry of the U.A.R., Kairo
J. Chim. physique Physico-Chim. biol.	Journal de Chimie Physique et de Physico-Chimie Biologique (seit 1939)
J. chin. chem. Soc.	Journal of the Chinese Chemical Society
J. Chromatog.	Journal of Chromatography, Amsterdam
J. lin. Endocrinol. Metab.	Journal of Clinical Endocrinology and Metabolism, Springfield, Ill. (seit 1952)
J. Colloid Sci.	Journal of Colloid Science, New York
J. Colloid Interface Sci.	Journal of Colloid and Interface Science
J. Color Appear.	Journal of Color and Appearance, New York
J. Dairy Sci.	Journal of Dairy Science, Columbus, Ohio
J. Elast. & Plast.	Journal of Elastomers and Plastics, Westport, Conn.
J. electroch. Assoc. Japan	Journal of the Electrochemical Association of Japan (Denkikwagaku Kyookwai-shi), Tokio
J. Elektrochem. Soc.	Journal of the Electrochemical Society (seit 1948), New York
J. Endocrinol.	Journal of Endocrinology, London
J. Fac. Sci. Univ. Tokyo	Journal of the Faculty of Science, Imperial University of Tokyo
J. Fluorine Chem.	Journal of Fluroine Chemistry, Lausanne
J. Food Sci.	Journal of Food Science, Champaign, Ill.
J. Gen. Appl. Microbiol.	Journal of General and Applied Microbiology, Tokio
J. Gen. Appl. Microbiol., Suppl.	Journal of General and Applied Microbiology, Supplement, Tokio
J. Gen. Microbiol.	Journal of General Microbiology, London
J. Gen. Physiol.	Journal of General Physiology, Baltimore, Md.
J. Heterocyclic Chem.	Journal of Heterocyclic Chemistry, Albuquerque (New Mexico)
J. Histochem. Cytochem.	Journal of Histochemistry and Cytochemistry, Baltimore, Md.
J. Imp. Coll. Chem. Eng. Soc.	Journal of the Imperial Chemical College, Engineering Society
J. Ind. Eng. Chem.	The Journal of Industrial and Engineering Chemistry (bis 1923)
J. Ind. Hyg.	Journal of Industrial Hygiene and Toxicology (1936–1949), Baltimore, Md.
J. indian chem. Soc.	Journal of the Indian Chemical Society (seit 1928), Calcutta
J. indian chem. Soc. News	Journal of the Indian Chemical Society; Industrial and News Edition (1940–1947), Calcutta
J. indian Inst. Sci.	Journal of the Indian Institute of Science, bis 1951 Section A und Section B, Bangalore
J. Inorg. & Nuclear Chem.	Journal of Inorganic & Nuclear Chemistry, Oxford
J. Inst. Fuel	Journal of the Institute of Fuel, London
J. Inst. Petr.	Journal of the Institute of Petroleum, London

J. Inst. Polytech. Osaka City Univ.	Journal of the Institute of Polytechnics, Osaka City University
J. Jap. Chem.	Journal of Japanese Chemistry (Kagaku-no Ryoihi), Tokio
J. Label. Compounds	Journal of Labelled Compounds, Brüssel
J. Lipid Res.	Journal of Lipid Research, Memphis, Tenn.
J. Macromol. Sci.	Journal of Macromolecular Science, New York
J. makromol. Ch.	Journal für makromolekulare Chemie (1943–1945)
J. Math. Physics	Journal of Mathematics and Physics
J. Med. Chem.	Journal of Medicinal Chemistry, New York
J. Med. Pharm. Chem.	Journal of Medicinal and Pharmaceutical Chemistry, New York
J. Mol. Biol.	Journal of Molecular Biology, New York
J. Mol. Spectr.	Journal of Molecular Spectroscopy, New York
J. Mol. Structure	Journal of Molecular Structure, Amsterdam
J. Nat. Cancer Inst.	Journal of the National Cancer Institute, Washington, C. D.
J. New Zealand Inst. Chem.	Journal of the New Zealand Institute of Chemistry, Wellington
J. Nippon Oil Technologists Soc.	Journal of the Nippon Oil Technologists Society (Nippon Yushi Gijitsu Kyo Laishi), Tokio
J. Oil Colour Chemist's Assoc.	Journal of the Oil and Colour Chemist's Association, London
J. Org. Chem.	Journal of Organic Chemistry, Baltimore, Md.
J. Organometal. Chem.	Journal of Organometallic Chemistry, Amsterdam
J. Petr. Technol.	Journal of Petroleum Technology (seit 1949), New York
J. Pharmacok. & Biopharmac.	Journal of Pharmacokinetics and Biopharmaceutics, New York
J. Pharmacol.	Journal of Pharmacologie, Paris
J. Pharmacol. exp. Therap.	Journal of Pharmacology and Experimental Therapeutics, Baltimore, Md.
J. Pharm. Belg.	Journal de Pharmacie de Belgique, Brüssel
J. Pharm. Chim.	Journal de Pharmacie et de Chemie, Paris (bis 1943)
J. Pharm. Pharmacol.	Journal of Pharmacy and Pharmacology, London
J. Pharm. Sci.	Journal of Pharmaceutical Sciences, Washington
J. pharm. Soc. Japan	Journal of the Pharmaceutical Society of Japan (Yakugakuzasshi), Tokio
J. phys. Chem.	Journal of Physical Chemistry, Baltimore
J. Phys. Chem. Data	Journal of Physical and Chemical Data, Washington
J. Phys. Colloid Chem.	Journal of Physical and Colloid Chemistry, Baltimore, Md.
J. Phys. (Paris), Colloq.	Journal de Physique (Paris), Colloque, Paris
J. Physiol. (London)	Journal of Physiology, London
J. phys. Soc. Japan	Journal of the Physical Society of Japan, Tokio
J. Phys. Soc. Japan, Suppl.	Journal of the Physical Society of Japan, Supplement, Tokio
J. Polymer Sci.	Journal of Polymer Science, New York
J. pr.	Journal für Praktische Chemie, Leipzig
J. Pr. Inst. Chemists India	Journal and Proceedings of the Institution of Chemists, India, Calcutta
J. Pr. Roy. Soc. N. S. Wales	Journal and Proceedings of the Royal Society of New South Wales, Sidney
J. Rech. Centre nat. Rech. sci.	Journal des Recherches du Centre de la Recherche Scientifique, Paris
J. Res. Bur. Stand.	Journal of Research of the National Bureau of Standards, Washington, D. C.
J. S. African Chem. Inst.	Journal of the South African Chemical Institute, Johannesburg
J. Scient. Instruments	Journal of Scientific Instruments (bis 1947 und seit 1950), London
J. scient. Res. Inst. Tokyo	Journal of the Scientific Research Institute, Tokyo
J. Sci. Food Agric.	Journal of the Science of Food and Agriculture, London
J. sci. Ind. Research (India)	Journal of Scientific and Industrial Research (India), New Delhi
J. Soc. chem. Ind.	Journal of the Society of Chemical Industry (bis 1922 und seit 1947), London
J. Soc. chem. Ind., Chem. and Ind.	Journal of the Society of Chemical Industry, Chemistry and Industry (1923–1936), London
J. Soc. chem. Ind. Japan Spl.	Journal of the Society of Chemical Industry, Japan. Supplemental Binding (Kogyo Kwagaku Zasshi, bis 1943), Tokio
J. Soc. Cosmetic Chemists	Journal of the Society of Cosmetic Chemists, London
J. Soc. Dyers Col.	Journal of the Society of Dyers and Colourists, Bradford/Yorkshire, England
J. Soc. Leather Trades' Chemists	Journal of the Society of Leather Trades' Chemists, Croydon, Surrey, England
J. Soc. West. Australia	Journal of the Royal Society of Western Australia, Perth

J. Soil Sci.	Journal of Soil Science, London
J. Taiwan Pharm. Assoc.	Journal of the Taiwan Pharmaceutical Association, Taiwan
J. Univ. Bombay	Journal of the University of Bombay, Bombay
J. Virol.	Journal of Virology (Kyoto), Kyoto
J. Vitaminol.	Journal of Vitaminology (Kyoto)
J. Washington Acad.	Journal of the Washington Academy of Sciences, Washington
Kauch. Rezina	Каучук и Резина Kautschuk i Rezina (Kautschuk und Gummi), Moskau
Kaut. Gummi, Kunstst.	Kautschuk, Gummi und Kunststoffe, Berlin
Kautschuk u. Gummi	Kautschuk und Gummi, Berlin (Zusatz WT für den Teil: Wissenschaft und Technik)
Kgl. norske Vidensk Selsk., Skr.	Kgl. Norske Videnskabers Selskab. Skrifter
Khim. Ind. (Sofia)	Химия и Индустрия (София), Chimija i Industrija (Sofia) (Chemie und Industrie (Sofia))
Khim. Nauka i Prom.	Химическая Наука и Промышленность Chimitscheskaja Nauka i Promyschlennost (Chemical Science and Industry)
Khim. Prom. (Moscow)	Химическая Промышленность Chimitscheskaja Promyschlennost (Chemische Industrie), Moskau (seit 1944)
Khim. Volokna	Химические Волокна Chimitscheskije Wolokna (Chemiefasern), Moskau
Kirk-Othmer	Kirk-Othmer, Encyclopedia of Chemical Technology, Interscience Publ. Co., New York, London, Sidney.
Kinetika i Kataliz	Кинетика и Катализ (Kinetik und Katalyse), Moskau
Klin. Wochenschr.	Klinische Wochenschrift, Berlin, Göttingen, Heidelberg
Koks. Khim.	Кокс и Химия Koks i Chimija (Koks und Chemie), Moskau
Koninkl. Nederl. Akad Wetensch.	Koninklijke Nederlandse Akademie van Wetenschappen
Koll. Beih.	Kolloid-Beihefte (Ergänzungshefte zur Kolloid-Zeitschrift, 1931–1943), Dresden, Leipzig
Kolloidchem. Beih.	Kolloidchemische Beihefte (bis 1931), Dresden u. Leipzig
Kolloid-Z.	Kolloid-Zeitschrift, seit 1943 vereinigt mit Kolloid-Beiheften
Koll. Žurnal	Коллоидный Журнал Kolloidnyi Žurnal (Colloid-Journal), Moscow
Kontakte	Kontakte, Firmenschrift Merck AG, Darmstadt
Kungl. svenska Vetenskapsakad. Handl.	Kungliga Svenska Vetenskasakademiens Handlingar, Stockholm
Kunststoffe	Kunststoffe, München
Kunststoffe, Plastics	Kunststoffe, Plastics, Solothurn
Labor. Delo	Лабораторное Дело Laboratornoje Djelo (Laboratoriumswesen)· Moskau
Lab. Invest.	Laboratory Investigation, New York
Labo	Labo, Darmstadt
Lab. Practice	Laboratory Practice
Lack- u. Farben-Chem.	Lack- und Farben-Chemie (Däniken)/Schweiz
Lancet	Lancet, London
Landolt-Börnst.	Landolt-Börnstein-Roth-Scheel: Physikalisch-Chemische Tabellen, 6. Auflage
Lebensm.-Wiss. Techn.	Lebensmittel-Wissenschaften und Technologie, Zürich
Life Sci.	Life Sciences, Oxford
Lipids	Lipids, Chicago
Listy Cukrov.	Listy Cukrovarnické (Blätter für Zuckerraffinerie), Prag
M.	Monatshefte für Chemie, Wien
Macromolecules	Macromolecules, Easton
Macromol. Rev.	Macromolecular Reviews, Amsterdam
Magyar chem. Folyóirat	Magyar Chemiai Folyóirat, seit 1949: Magyar Kemiai Folyóirat (Ungarische Zeitschrift für Chemie), Budapest
Magyar kem. Lapja	Magyar kemikusok Lapja (Zeitschrift des Vereins Ungarischer Chemiker), Budapest
Makromol. Ch.	Makromolekulare Chemie, Heidelberg
Manuf. Chemist	Manufacturing Chemist and Pharmaceutical and Fine Chemical Trade Journal, London

Materie plast.	Materie Plastiche, Milano
Mat. grasses	Les Matières Grasses.-Le Pétrole et ses Dérivés, Paris
Med. Ch. I. G.	Medizin und Chemie. Abhandlungen aus den Medizinisch-chemischen Forschungsstätten der I. G. Farbenindustrie AG. (bis 1942), Leverkusen
Meded. vlaamse chem. Veren.	Mededelingen van de Vlaamse Chemische Vereniging, Antwerpen
Melliand Textilber.	Melliand Textilberichte, Heidelberg
Mém. Acad. Inst. France	Mémoires de l'Académie des Sciences de France, Paris
Mem. Coll. Sci. Kyoto	Memoirs of the College of Science, Kyoto Imperial University, Tokio
Mem. Inst. Sci. and Ind. Research, Osaka Univ.	Memoirs of the Institute of Scientific and Industrial Research, Osaka University, Osaka
Mém. Poudre	Mémorial des Poudres (bis 1939 und seit 1948), Paris
Mém. Services chim.	Mémorial des Services Chimiques de l'État, Paris
Mercks Jber.	E. MERCKS Jahresbericht über Neuerungen auf den Gebieten der Pharmakotherapie und Pharmazie, Weinheim
Metab., Clin. Exp.	Metabolism. Clinical and Experimental, New York
Methods Biochem. Anal.	Methods of Biochemical Analysis, New York
Microchem. J.	Microchemical Journal, New York
Microfilm Abst.	Microfilm Abstracts, Ann Arbor (Michigan)
Mikrobiol. Ž. (Kiev)	Микробіологичний Журнал (Киёв) Mikrobiologitschnii Shurnal (Kiew) (Mikrobiologisches Journal), Kiew
Mikrobiologiya	Микробиология (Mikrobiologija (Mikrobiologie), Moskau
Mikrochemie	Mikrochemie, Wien (bis 1938)
Mikrochem. verein. Mikrochim. Acta	Mikrochemie vereinigt mit Mikrochimica Acta (seit 1938), Wien
Mikrochim. Acta (bis 1938)	Mikrochimica Acta (Wien)
Mikrochim. Acta, Suppl.	Mikrochimica Acta, Supplement, Wien
Mitt. Gebiete, Lebensm. Hyg.	Mitteilungen aus dem Gebiete der Lebensmitteluntersuchung und Hygiene, Bern
Mod. Plastics	Modern Plastics (seit 1934), New York
Mod. Trends Toxic.	Modern Trends in Toxicology, London
Mol. Biol.	Молекуляраня Биология Molekulyarnaja Biologija (Molekular-Biologie), Moskau
Mol. Cryst.	Molecular Crystals, England
Mol. Pharmacol.	Molecular Pharmacology, New York, London
Mol. Photochem.	Molecular Photochemistry, New York
Mol. Phys.	Molecular Physics, London
Monatsh. Chem.	Monatshefte Chemie und verwandte Teile anderer Wissenschaften, Leipzig
Nahrung	Nahrung (Chemie, Physiologie, Technologie), Berlin
Nat. Bur. Standards, (U. S.), Ann. Rept. Circ.	National Bureau of Standards (U. S.), Annual Report, Circular, Washington
Nat. Bur. Standards (U. S.), Techn. News Bull.	National Bureau of Standards (U. S.), Technical News Bulletin, Washington
Nation. Petr. News	National Petroleum News, Cleveland/Ohio
Natl. Nuclear Energy Ser., Div. I–IX	National Nuclear Energy Series, Division I–IX, New York
Nature	Nature, London
Naturf. Med. Dtschl. 1939–1946	Naturforschung und Medizin in Deutschland 1939–1946 (für Deutschland bestimmte des FIAT-Review of German Science), Wiesbaden
Naturwiss.	Naturwissenschaften, Berlin, Göttingen
Natuurw. Tijdschr.	Natuurwetenschappelijk Tijdschrift, Vennoofschap
Neftechimiya	Нефтехимия (Petroleum Chemistry)
Nefteprerab. Neftekhim. (Moscow)	Нефтепереработка и Нефтехимия (Москва) Nefteprerarabotka i Neftechimija, Moskau (Erdölverarbeitung und Erdölchemie)
New Zealand J. Agr. Res.	New Zealand Journal of Agricultural Research, Wellington, N. Z.
Niederl. P.	Niederländisches Patent
Nippon Gomu Kyokaishi	Journal of the Society of Rubber Industry of Japan, Tokio
Nippon Nogei Kagaku Kaishi	Journal of the Agricultural Chemical Society of Japan, Tokio
Nitrocell.	Nitrocellulose (bis 1943 und seit 1952), Berlin
Norske Vid. Selsk. Forh.	Kongelige Norske Videnskabers Selskab. Forhandlinger, Trondheim
Norw. P.	Norwegisches Patent
Nuclear Magn. Res. Spectr. Abstr.	Nuclear Magnetic Resonance Spectroscopy Abstracts, London

Nuclear Sci. Abstr. Oak Ridge	U. S. Atomic Energy Commission, Nuclear Science Abstracts, Oak Ridge
Nucleic Acids Abstr.	Nucleic Acids Abstracts, London
Nuovo Cimento	Nuovo Cimento, Bologna
Öl, Kohle	Öl und Kohle (bis 1934 und 1941–1945): in Gemeinschaft mit Brennstoff-Chemie von 1943–1945, Hamburg
Öst. Chemiker-Ztg.	Österreichische Chemiker-Zeitung (bis 1942 und seit 1947), Wien
Österr. Kunst. Z.	Österreichische Kunststoff-Zeitschrift, Wien
Österr. P.	Österreichisches Patent (Wien)
Offic. Gaz., U. S. Pat. Office	Official Gazette, United States Patent Office
Ohio J. Sci.	Ohio Journal of Science, Columbus/Ohio
Oil Gas J.	Oil and Gas Journal, Tulsa/Oklahoma
Organic Mass Spectr.	Organic Mass Spectrometry, London
Organometal. Chem.	Organometallic Chemistry
Organometal. Chem. Rev.	Organometallic Chemistry Reviews, Amsterdam
Organometal. i. Chem. Synth.	Organometallics in Chemical Synthesis, Lausanne
Organometal. Reactions	Organometallic Reactions, New York
Org. Chem. Bull.	Organic Chemical Bulletin (Eastman Kodak), Rochester
Org. Prep. & Proceed.	Organic Preparations and Procedures, New York
Org. Reactions	Organic Reactions, New York
Org. Synth.	Organic Syntheses, New York
Org. Synth., Coll. Vol.	Organic Syntheses, Collective Volume, New York
Paint Manuf.	Paint incorporating Paint Manufacture (seit 1939), London
Paint Oil chem. Rev.	Paint, Oil and Chemical Review, Chicago
Paint, Oil Colour J.	Paint, Oil and Colour Journal (seit 1950), London
Paint Varnish Product.	Paint and Varnish Production (seit 1949; bis 1949: Paint and Varnish Production Manager), Washington
Pak. J. Sci. Ind. Res.	Pakistan Journal of Science and Industrial Research, Karachi
Paper Ind.	Paper Industry (1938–1949: ... and Paper World), Chicago
Pap. Puu	Paperi ja Puu – Papper och Trä (Paper and Timbre), Helsinki
Papier (Darmstadt)	Das Papier, Darmstadt
P. C. H.	Pharmazeutische Zentralhalle für Deutschland, Dresden
Perfum. essent. Oil Rec.	Perfumery and Essential Oil Record, London
Periodica Polytechn.	Periodica Polytechnica, Budapest
Pest. Abstr.	Pesticides Abstracts, Washington
Pest. Biochem. Phys.	Pesticide Biochemistry and Physiology, New York
Pest. Monit. J.	Pesticides Monitoring Journal, Atlanta
Petr. Eng.	Petroleum Engineer, Dallas/Texas
Petr. Hydrocarbons	Petroleum and Hydrocarbons, Bombay
Petr. Processing	Petroleum Processing, New York
Petr. Refiner	Petroleum Refiner, Houston/Texas
Pharmacol.	Pharmacology, Basel
Pharmacol. Rev.	Pharmacological Reviews, Baltimore
Pharma. Acta Helv.	Pharmaceutica Acta Helvetica, Zürich
Pharmazie	Pharmazie, Berlin
Pharmaz. Ztg.-Nachr.	Pharmazeutische Zeitung - Nachrichten, Hamburg
Pharm. Bull (Tokyo)	Pharmaceutical Bulletin (Tokyo) (bis 1958)
Pharm. Ind.	Die Pharmazeutische Industrie, Berlin
Pharm. J.	Pharmaceutical Journal, London
Pharm. Weekb.	Pharmaceutisch Weekblad, Amsterdam
Philips Res. Rep.	Philips Research Reports, Eindhoven/Holland
Phil. Trans.	Philosophical Transactions of the Royal Society of London
Photochem. and Photobiol.	Photochemistry and Photobiology, New York
Phosphorus	Phosphorus
Physica	Physica. Nederlandsch Tijdschrift voor Natuurkunde, Utrecht
Physik. Bl.	Physikalische Blätter, Mosbach/Baden
Phys. Rev.	Physical Reviews, Nsw York
Phys. Rev. Letters	Physical Reviews Letters, New York
Phys. Z.	Physikalische Zeitschrift (Leipzig)
Plant Physiol.	Plant Physiology, Lancaster, Pa.
Plaste u. Kautschuk	Plaste und Kautschuk (seit 1957), Leipzig

Plasticheskie Massy	Пластический масы (Soviet Plastics), Moskau
Plastics	Plastics (London)
Plastics Inst., Trans. and J.	The (London) Plastics Institute, Transactions Journal
Plastics Technol.	Plastics Technology
Poln. P.	Polnisches Patent
Polymer Age	Polymer Age, Tenderden/Kent
Polymer Ind. News	Polymer Industry News, New York
Polymer J.	Polymer Journal, Tokyo
Polytechn. Tijdschr. (A)	Polytechnisch Tijdschrift, Uitgave A (seit 1946), Haarlem
Postepy Biochem.	Postepy Biochemii (Fortschrifft der Biochemíe), Warschau
Pr. Acad. Tokyo	Proceedings of the Imperial Academy, Tokyo
Pr. Akad. Amsterdam	Proceedings, Koninklijke Nederlandsche Akademie von Wetenschappen (1938–1940 und seit 1943), Amsterdam
Pr. chem. Soc.	Proceedings of the Chemical Society, London
Prep. Biochem.	Preparative Biochemistry, New York
Pr. Indiana Acad.	Proceedings of the Indiana Academy of Science, Indianapolis/Indiana
Pr. indian Acad.	Proceedings of the Indian Academy of Sciences, Bangalore/Indien
Pr. Iowa Acad.	Proceedings of the Iowa Academy of Sciences, Des Moines/Iowa (USA)
Pr. irish Acad.	Proceedings of the Royal Irish Academy, Dublin
Pr. Nation. Acad. India	Proceedings of the National Academy of Sciences, India (seit 1936), Allahabad/Indien
Pr. Nation. Acad. USA	Proceedings of the National Academy of Sciences of the United States of America, Washington
Proc. Amer. Soc. Testing Mater.	Proceedings of the American Society for Testing Materials Philadelphia, Pa.
Proc. Analyt. Chem.	Proceeding of the Society for Analytical Chemistry, London
Proc. Biochem.	Process Biochemistry, London
Proc. Egypt. Acad. Sci.	Proceedings of the Egyptian Academy of Sciences, Kairo
Proc. Indian Acad. Sci., Sect. A	Proceedings of the Indian Academy of Science, Section A, Bangalore
Proc. Japan Acad.	Proceedings of the Japan Academy (seit 1945), Tokio
Proc. Kon. Ned. Acad. Wetensh.	Proceedings, Koninklijke Nederlandse Akademie van Wetenschappen, Amsterdam
Proc. Roy. Austral. chem. Inst.	Proceedings of the Royal Australian Chemical Institute, Melbourne
Produits pharmac.	Produits Pharmaceutiques, Paris
Progress Biochem. Pharm.	Progress Biochemical Pharmacology, Basel
Progr. Boron Chem.	Progress in Boron Chemistry, Oxford
Progr. Org. Chem.	Progress in Organic Chemistry, London
Progr. Physical Org. Chem.	Progress in Physical Organic Chemistry, New York, London
Progr. Solid State Chem.	Progress in Solid State Chemistry, New York
Promysl. org. Chim.	Промышленность Органической Химии
	Promyschlennost Organitscheskoi Chimii (bis 1941: Shurnal Chimitscheskoi Promyschlennosti), (Industrie der Organischen Chemie, Organic Chemical Industry, bis 1940), Moskau
Prostaglandines	Prostaglandines, Los Altos/Calif.
Pr. phys. Soc. London	Proceedings of the Physical Society, London
Pr. roy. Soc.	Proceedings of the Royal Society, London
Pr. roy. Soc. Edinburgh	Proceedings of the Royal Society of Edinburgh, Edinburgh
Przem. chem.	Przemysl Chemiczny (Chemische Industrie), Warschau
Psychopharmacologia	Psychopharmacologia (Berlin), Berlin, Göttingen, Heidelberg
Publ. Am. Assoc. Advan. Sci.	Publication of the American Association for the Advancement of Science
Pure Appl. Chem.	Pure and Applied Chemistry (The Official Journal of the International Union of Pure and Applied Chemistry), London
Quart. J. indian Inst. Sci.	Quarterly Journal of the Indian Institute of Science. Bangalore
Quart. J. Pharm. Pharmacol.	Quarterly Journal of Pharmacy and Pharmacology (bis 1948), London
Quart. J. Studies Alc.	Quarterly Journal of Studies on Alcohol, New Haven, Conn.
Quart. Rev.	Quarterly Reviews, London (seit 1970 Chemical Society Reviews)
Quím. e Ind.	Química e Industria, Sao Paulo (bis 1938 Chimica e Industria)
R.	Recueil des Travaux Chimiques des Pays-Bas. Amsterdam
Radiokhimiya	Радиохимия Radiochimija (Radiochemie), Leningrad
R. A. L.	Atti della Reale Academia Nazionale dei Lincei, Classe di Scienze Fisiche, Mathematiche a Naturali: Rendiconti (bis 1940)

Rasayanam	Journal for the Progress of Chemical Science, Poona, India
Rend. Ist. lomb.	Rendiconti dell'Istituto Lombardo di Scienze e Lettere. Classe di Scienze Mathematiche e Naturali (seit 1944), Mailand
Rep. Government chem. ind. Res. Inst., Tokyo	Reports of the Government Chemical Industrial Research Institute, Tokyo
Rep. Progr. appl. Chem.	Reports on the Progress of Applied Chemistry (seit 1949), London
Rep. sci. Res. Inst.	Reports of Scientific Research Institute (Japan), Kagaku-Kenkyujo-Hokoku, Tokio
Research	Research, London
Rev. Asoc. bioquím, arg.	Reviste de la Asociación Bioquímica Argentina, Buenos Aires
Rev. Chim. (Bucarest)	Revista de Chimie (Bucuresti), Bukarest
Rev. Fac. Cienc. quím.	Revista de la Facultad de Ciencias Químicas, Universidad Nacional de La Plata, La Plata
Rev. Fac. Sci. Istanbul	Revue de la Faculté des Sciences de l'Université d'Istanbul, Istanbul
Rev. Franc. Études Clin. Biol.	Revue Française d'Études Cliniques et Biologiques, Paris
Rev. gén. Matières plast.	Revue Générale des Matières Plastiques, Paris
Rev. gén. Sci.	Revue Générale des Sciences pures et appliquées, Paris
Rev. Ist. franç. Pétr.	Revue de l' Institut Français du Pétrole et Annales des Combustibles Liquides, Paris
Rev. Macromol. Chem.	Reviews in Macromolecular Chemistry, New York
Rev. Mod. Physics	Reviews of Modern Physics
Rev. Phys. Chem. Jap.	Review of Physical Chemistry of Japan, Tokyo
Rev. Plant. Prot. Res.	Review of Plant Protection Research, Tokyo
Rev. Prod. chim.	Revue des Produits Chimiques, Paris
Rev. Pure Appl. Chem.	Reviews of Pure and Applied Chemistry, Melbourne
Rev. Quím. Farm.	Revista de Química e Farmácia, Rio de Janeiro
Rev. Roumaine-Biochim.	Revue Roumaine de Biochimie, Bukarest
Rev. Roumaine Chim.	Revue Roumaine de Chimie (bis 1963: Revue de Chimie, Académie de la République Populaire Roumaine), Bukarest
Rev. Roumaine-Phys.	Revue Roumaine de Physique, Bukarest
Rev. sci.	Revue Scientifique, Paris
Rev. scient. Instruments	Review of Scientific Instruments, New York
Ricerca sci.	Ricerca Scientifica, Rom
Roczniki Chem.	Roczniki Chemii (Annales Societatis Chimicae Polonorum), Warschau
Rodd	Rood's Chemistry of Carbon Compounds, Elsevier Publ. Co., Amsterdam
Rubber Age N. Y.	The Rubber Age, New York
Rubber Chem. Technol.	Rubber Chemistry and Technology, Easton, Pa.
Rubber J.	Rubber Journal (seit 1955), London
Rubber & Plastics Age	The Rubber & Plastics Age, London
Rubber World	Rubber World (seit 1945), New York
Russian. Chem. Reviews	Chemical Reviews (UdSSR)
Sbornik Statei obšč. Chim.	Сборник Статей по Общей Химии Sbornik Statei po Obschtschei Chimii (Sammlung von Aufsätzen über die allgemeine Chemie), Moskau u. Leningrad
Schwed. P.	Schwedisches Patent
Schweiz. P.	Schweizerisches Patent
Sci.	Science, New York, seit 1951, Washington
Sci. American	Scientific American, New York
Sci. Culture	Science and Culture, Calcutta
Scientia Pharm.	Scientia Pharmaceutica, Wien
Scient. Pap. Bur. Stand.	Scientific Papers of the Bureau of Standards (Washington)
Scient. Pr. roy. Dublin Soc.	Scientific Proceedings of the Royal Dublin Society, Dublin
Sci. Ind.	Science et Industrie, Paris (bis 1934)
Sci. Ind. phot.	Science et Industries photographiques, Paris
Sci. Pap. Inst. Phys. Chem. Res. Tokyo	Scientific Papers of the Institute of Physical and Chemical Research, Tokio (bis 1948)
Sci. Publ., Eastman Kodak	Scientific Publications, Eastman Kodak Co., Rochester/N. Y.
Sci. Progr.	Science Progress, London
Sci. Rep. Tohoku Univ.	Science Reports of the Tohoku Imperial University, Tokio
Sci. Repts. Research Insts. Tohoku Univ., (A), (B), (C) bzw. (D)	The Science Reports of the Research Institutes, Tohoku University, Series A, B., C bzw. D, Sendai/Japan

Seifen-Oele-Fette-Wachse	Seifen-Oele-Fette-Wachse. Neue Folge der Seifensieder-Zeitung, Ausburg
Seikagaku	Seikagaku (Biochemie), Tokio
Sen-i Gakkaishi	Journal of the Society of Textile and Cellulose Industry, Japan (seit 1945)
Separation Sci.	Separation Science, New York
Soc.	Journal of the Chemical Society, London
Soil Biol. Biochem.	Soil Biology and Biochemistry, Oxford
Soil Sci.	Soil Science, Baltimore
Soobshch. Akad. Nauk Gruz. SSR	Сообщения Академии Наук Грузинской ССР / Soobschtschenija Akademii Nauk Grusinskoi SSR (Mitteilungen der Akademie der Wissenschaften der Grusinischen SSR) Tbilissi
South African Ind. Chemist	South African Industrial Chemist, Johannesburg
Spectrochim. Acta	Spectrochimica Acta, Berlin, ab 1947 Rom
Spectrochim. Acta (London)	Spectrochimica Acta, London (seit 1950)
Staerke	Stärke, Stuttgart
Steroids	Steroids an International Journal, San Francisco
Steroids, Suppl.	Steroids an International Journal, Supplements, San Francisco
Stud. Cercetari Biochim.	Studii si Cercetari de Biochemie, (Bucuresti)
Stud. Cercetari Chim.	Studii si Cercetari de Chimie (Bucuresti)
Suomen Kem.	Suomen Kemistilehti (Acta Chemica Fennica), Helsinki
Suomen Kemistilehti B	Suomen Kemistilehti B (Finnische Chemiker-Zeitung)
Suppl. nuovo Cimento	Supplemento del Nuovo Cimento (seit 1949), Bologna
Svensk farm. Tidskr.	Svensk Farmaceutisk Tidskrift, Stockholm
Svensk kem. Tidskr.	Svensk Kemisk Tidskrift, Stockholm
Synthesis	Synthesis, International Journal of Methods in Synthetic Organic Chemistry, Stuttgart, New York
Synth. React. Inorg. Metal.-org. Chem.	Synthesis and Reactivity in Inorganic and Metal-organic Chemistry, New York
Talanta	Talanta, International Journal of Analytical Chemistry, London
Tappi	Tappi (Technical Association of the Pulp and Paper Industry), New York
Techn. & Meth. Org., Organometal. Chem.	Techniques and Methods of Organic and Organometallic Chemistry, New York
Tekst. Prom. (Moscow)	Текстил Промышленност Tekstil Promyschlennost (Textil Industrie)
Tenside	Tenside Detergents, München
Teor. Khim. Techn.	Theoretitscheskie Osnovy Chimitscheskoj, Technologie, Moskau
Terpenoids and Steroids	Terpenoids and Steroids, London
Tetrahedron	Tetrahedron, Oxford
Tetrahedron Letters	Tetrahedron Letters, Oxford
Tetrahedron, Suppl.	Tetrahedron, Supplements, London
Textile Chem. Color.	Textile Chemist and Colorist, New York
Textile Prog.	Textile Progress, Manchester
Textile Res. J.	Textile Research Journal (seit 1945), New York
Theor. Chim. Acta	Theoretica Chimica Acta (Zürich)
Tiba	Revue Générale de Teinture, Impression, Blanchiment, Apprêt et de Chimie Textile et Tinctoriale (bis 1940 und seit 1948), Paris
Tidskr. Kjemi, Bergv. Met.	Tidskrift för Kjemi, Bergvesen og Metallurgi (seit 1941), Oslo
Topics Med. Chem.	Topics in Medicinal Chemistry, New York
Topics Pharm. Sci.	Topics in Pharmaceutical Science, New York
Topics Phosph. Chem.	Topics in Phosphorous Chemistry, New York
Topics Stereochem.	Topics in Stereochemistry, New York
Toxicol.	Toxicologie, Amsterdam
Toxicol. Appl. Pharmacol.	Toxicology and Applied Pharmacology, New York
Toxicol. Appl. Pharmacol., Suppl.	Toxicology and Applied Pharmacology, Supplements, New York
Toxicol. Env. Chem. Rev.	Toxicological and Environmental Chemistry Reviews, New York
Trans. Amer. Inst. Chem. Eng.	Transactions of the American Institute of Chemical Engineers, New York
Trans. electroch. Soc.	Transactions of the Electrochemical Society, New York (bis 1949)
Trans. Faraday Soc.	Transactions of the Faraday Society, Aberdeen
Trans. Inst. chem. Eng.	Transactions of the Institution of Chemical Engineers, London
Trans. Inst. Rubber Ind.	Transactions of the Institution of the Rubber Industry, London
Trans. Kirov's Inst. chem. Technol. Kazan	Труды Казанского Химико-Технологического Института им. Кирова Trudy Kasanskovo Chimiko-Technologitscheskovo Instituta im. Kirova (Transactions of the Kirov's Institute for Chemical Technology of Kazan), Moskau

Trans. Pr. roy. Soc. New Zealand	Transactions and Proceedings of the Royal Society of New Zealand (seit 1952 Transactions of the Royal Society of New Zealand), Wellington
Trans. roy. Soc. Canada	Transactions of the Royal Society of Canada, Ottawa
Trans. Roy. Soc. Edinburgh	Transactions of the Royal Society of Edinburgh, Edinburgh
Trav. Soc. Pharm. Montpellier	Travaux de la Société de Pharmacie de Montpellier, Montpellier (seit 1942)
Trudy Mosk. Chim. Techn. Inst.	Труды Московского Химико-Технологического Института им. Д-И. Менделеева Trudy Moskowskowo Chimiko-Teknologitscheskowo Instituta im. D. I. Mendelejewa (Transactions of the Moscow Chemical-Technological Institute named for D. I. Mendeleev), Moskau
Tschechosl. P.	Tschechoslowakisches Patent
Uchenye Zapiski Kazan.	Ученые Записки Казанского Государственного Университета Utschenye Sapiski Kasanskowo Gossudarstwennowo Universiteta (Wis-senschaftliche Berichte der Kasaner staatlichen Universität), Kasan
Ukr. Biokhim. Ž.	Украинський Биохимичний Журнал Ukrainski Biochimitschni Shurnal (Ukrainisches Biochemisches Journal, Kiew
Ukr. chim. Ž.	Украинский Химический Журнал (bis 1938: Українськый, Charkau bis 1938, Хемічний Журнал) Ukrainisches Chemisches Journal), Kiew
Ukr. Fit. Ž. (Ukr. Ed.)	Украинський физичний Журнал Ukrainski Fisitschni Shurnal (Ukrainisches Physikalisches Journal), Kiew
Ullmann	Ullmann's Enzyklopädie der technischen Chemie, Verlag Urban und Schwarzenberg, München, seit 1971 Verlag Chemie, Weinheim
Umschau Wiss. Techn.	Umschau in Wissenschaft und Technik, Frankfurt
U. S. Govt. Res. Rept.	U. S. Government Research Reports
US. P.	Patent der USA
Uspechi Chim.	Успехи химии Uspetschi Chimii (Fortschritte der Chemie), Moskau, Leningrad
USSR. P.	Sowjetisches Patent
Uzb. Khim. Zh.	Узбекский Химический Журнал / Usbekski Chimitscheski Shurnal (Usbekisches Chemisches Journal), Taschkent
Vakuum-Tech.	Vakuum-Technik (seit 1954), Berlin
Vestn. Akad. Nauk Kaz. SSR	Вестник Академии Наук Казахской ССР / Westnik Akademii Nauk Kasachskoi SSR (Nachrichten der Akademie der Wissenschaften der Kasadischen SSR), Alma Ata
Vestn. Akad. Nauk SSSR	Вестник Академии Наук СССР Westnik Akademii Nauk SSSR (Mitteilungen der Akademie der Wissenschaften der UdSSR), Moskau
Vestn. Leningrad. Univ., Fiz., Khim.	Вестник Ленинградского Университета Серия Физики и Химии / Westnik Leningradskowo Universsiteta, Serija Fisiki i Chimii (Nachrichten der Leningrader Universität, Serie Physik und Chemie), Leningrad
Vestn. Mosk. Univ., Ser. II Chim.	Вестник Московского Университета, Серия, II Химия Westnik Moskowckowo Universsiteta, Serija II Chimija (Nachrichten der Moskauer Universität. Serie II Chemie), Moskau
Virology	Virology, New York
Vitamins. Hormones	Vitamins and Hormones, New York
Vysokomolek. Soed.	Высокомолекулярные Соединония Wyssokomolekuljarnye Sojedinenija (High Molecular Weight Compounds)
Werkstoffe u. Korrosion	Werkstoffe und Korrosion (seit 1950), Weinheim/Bergstr.
Yuki Gosei Kagaku Kyokai Shi	Journal of the Society of Organic Synthetic Chemistry, Japan, Tokio
Z.	Zeitschrift für Chemie, Leipzig
Ž. anal. Chim.	Журнал Аналитической Химии / Shurnal Analititscheskoi Chimii (Journal of Analytical Chemistry), Moskau
Z. ang. Physik	Zeitschrift für angewandte Physik
Z. anorg. Ch.	Zeitschrift für Anorganische und Allgemeine Chemie (1943–1950 Zeitschrift für Anorganische Chemie), Berlin

Zavod. Labor.	Заводская Лаборатория/Sawodskaja Laboratorija (Industrial Laboratory), Moskau
Zbl. Arbeitsmed. Arbeitsschutz	Zentralblatt für Arbeitsmedizin und Arbeitsschutz (seit 1951), Darmstadt
Ž. eksp. teor. Fiz.	Журнал экспериментальной и теоретической физики, Shurnal Experimentalnoi i Theoretitscheskoi Fisiki (Physikalisches Journal, Serie A Journal für experimentelle und theoretische Physik), Moskau, Leningrad
Z. El. Ch.	Zeitschrift für Elektrochemie und Angewandte Physikalische Chemie (seit 1952 Zeitschrift für Elektrochemie, Berichte der Bunsengesellschaft für Physikalische Chemie), Weinheim/Bergstr.
Z. Elektrochemie	Zeitschrift für Elektrochemie
Ž. fiz. Chim.	Журнал физической Химии/Shurnal Fisitscheskoi Chimii (engl. Ausgabe: Journal of Physical Chemistry)
Z. Kristallogr.	Zeitschrift für Kristallographie
Z. Lebensm.-Unters.	Zeitschrift für Lebensmittel-Untersuchung und -Forschung (seit 1943), München, Berlin
Z. Naturf.	Zeitschrift für Naturforschung, Tübingen
Ž. neorg. Chim.	Журнал Неорганической Химии/Shurnal Neorganitscheskoi Chimii (engl. Ausgabe: Journal of Inorganic Chemistry)
Ž. obšč. Chim.	Журнал Общей Химии/Shurnal Obschtschei Chimii (engl. Ausgabe: Journal of General Chemistry, London)
Ž. org. Chim.	Журнал Органической Химии/Shurnal Organitscheskoi Chimii (engl. Ausgabe: Journal of Organic Chemistry), Baltimore
Z. Pflanzenernähr. Düng., Bodenkunde	Zeitschrift für Pflanzenernährung, Düngung, Bodenkunde (bis 1936 und seit 1946), Weinheim/Bergstr., Berlin
Z. Phys.	Zeitschrift für Physik, Berlin, Göttingen
Z. physik. Chem.	Zeitschrift für Physikalische Chemie, Frankfurt (seit 1945 mit Zusatz N. F.)
Z. physik. Chem. (Leipzig)	Zeitschrift für Physikalische Chemie, Leipzig
Ž. prikl. Chim.	Журнал Прикладной Химии/Shurnal Prikladnoi Chimii (Journal of Applied Chemistry)
Ž. prikl. Spektr.	Журнал Прикладной Спектроскопии/Shurnal Prikladnoi Spektroskopii (Journal of Applied Spectroscopy), Moskau, Leningrad
Ž. strukt. Chim.	Журнал Структурной Химии/Shurnal Strukturnoi Chimii (Journal of Structural Chemistry), Moskau
Ž. tech. Fiz.	Журнал Технической Физики/Shurnal Technitscheskoi Fisiki (Physikalisches Journal, Serie B, Journal für technische Physik), Moskau, Leningrad
Z. Vitamin-, Hormon- u. Fermentforsch. [Wien]	Zeitschrift für Vitamin-, Hormon- und Fermentforschung [Wien] (seit 1947)
Ž. vses. Chim. obšč.	Журнал Всесоюзного Химического Общества им. Д. И. Менделева Shurnal Wsjesojusnowo Chimitscheskowo Obschtschestwa im. D. I. Mendelejewa (Journal of the All-Union Chemical Society named for D. I. Mendeleev), Moskau
Z. wiss. Phot.	Zeitschrift für Wissenschaftliche Photographie, Photophysik und Photochemie, Leipzig
Z. Zuckerind.	Zeitschrift für die Zuckerindustrie, Berlin
Ж.	Журнал Русского Физикого-Химического Общества Shurnal Russkowo Fisikowo-Chimitscheskowo Obschtschestwa (Journal der Russischen Physikalisch-Chemischen Gesellschaft, Chemischer Teil; bis 1930)

Abkürzungen für den Text
der präparativen Vorschriften und der Fußnoten[1]

Abb.	Abbildung
abs.	absolut
Amp.	Ampere
äthanol.	äthanolisch
äther.	ätherische
Anm.	Anmerkung
Anm.	Anmeldung (nur in Verbindung mit der Patentzugehörigkeit)
API	American Petroleum Institute
ASTM	American Society for Testing Materials
asymm.	asymmetrisch
at	technische Atmosphäre
At.-Gew.	Atomgewicht
atm	physikalische Atmosphäre
BASF	Badische Anilin- & Sodafabrik AG, Ludwigshafen/Rhein (bis 1925 und wieder ab 1953), BASF AG (seit 1974)
Bataafsche (Shell)	N. V. Bataafsche Petroleum Mij., s'Gravenhage (Holland)
Shell Develop.	Shell Development Co., San Francisco, Corporation of Delaware
Bayer AG	Bayer AG, Leverkusen (seit 1974)
ber.	berechnet
bez.	bezogen
bzw.	beziehungsweise
cal	Calorien
CIBA	Chemische Industrie Basel, AG (bis 1973)
cycl.	cyclisch
C, bzw. D^{20}	Dichte, bzw. Dichte bei 20° bezogen auf Wasser von 4°
DAB	Deutsches Arznei-Buch
Degussa	Deutsche Gold- und Silberscheideanstalt, Frankfurt a. M.
d. h.	das heißt
Diglyme	2-(2-Methoxy-äthoxy)-äthanol
DIN	Norm
DK	Dielektrizitäts-Konstante
DMF	Dimethylformamid
DMSO	Dimethylsulfoxid
d. Th.	der Theorie
DuPont	E. I. DuPont de Nemours & Co., Wilmington 98 (USA)
E.	Erstarrungspunkt
EMK	Elektromotorische Kraft
F.	Schmelzpunkt
Farbf. Bayer	Farbenfabriken Bayer AG, vormals Friedrich Bayer & Co., Leverkusen-Elberfeld (bis 1925), Farbenfabriken Bayer AG, Leverkusen, Elberfeld, Domagen und Uerdingen (1953–1974)
Farbw. Hoechst.	Farbwerke Hoechst AG, vormals Meister Lucius & Brüning, Frankfurt/M.-Höchst (bis 1925 und wieder ab 1953 bis 1974)
g	Gramm
gem.	geminal
ges.	gesättigt
Gew., Gew.-%, Gew.-Tl.	Gewicht, Gewichtsprozent, Gewichtsteil
Hoechst AG	Hoechst AG, Frankfurt/M.-Höchst (seit 1974)
I.C.I.	Imperial Chemicals Industries Ltd., Manchester
I.G. Farb.	I. G. Farbenindustrie AG, Frankfurt a.M. (1925–1945)
IUPAC	International Union of Pure and Applied Chemistry
i. Vak.	im Vakuum
k (k_s, k_b)	elektrolytische Dissoziationskonstanten, bei Ampholyten, Dissoziationskonstanten nach der klassischen Theorie

[1] Alle Temperaturangaben beziehen sich auf Grad Celsius, falls nicht anders vermerkt.

K (K$_s$, K$_b$) . . . . elektrolytische Dissoziationskonstanten von Ampholyten nach der Zwitterionentheorie
kcal . . . . Kilocalorie
kg . . . . Kilogramm
konz. . . . . konzentriert
korr. . . . . korrigiert
Kp, bzw. Kp$_{750}$ . . . . Siedepunkt, bzw. Siedepunkt unter 750 Torr Druck
kW, kWh . . . . Kilowatt, Kilowattstunde
l . . . . Liter
m (als Konzentrationsangabe) . . molar
M . . . . Metall (in Formeln)
$[M]_\lambda^t$ . . . . molekulares Drehungsvermögen oder Molekularrotation
mg . . . . Milligramm
Min. . . . . Minute
mm . . . . Millimeter
ml . . . . Milliliter
Mol.-Gew., Mol.-%, Mol.-Refr. . . Molekulargewicht, Molprozent, Molekularrefraktion
n_λ^t . . . . Brechungsindex
n (als Konzentrationsangabe) . . . normal
nm . . . . Nanometer
pd · sq. · inch . . . . 0,070307 at = 0,068046 Atm
pH . . . . negativer, dekadischer Logarithmus der Wasserstoffionen-Aktivität
prim. . . . . primär
Py . . . . Pyridin
quart. . . . . quartär
racem. . . . . racemisch
s. . . . . siehe
S. . . . . Seite
s. a. . . . . siehe auch
sek. . . . . sekundär
Sek. . . . . Sekunde
s. o. . . . . siehe oben
spez. . . . . spezifisch
sq. · inch . . . . 6,451589 · 10^{-4} m²
Stde., Stdn., stdg. . . . . Stunde, Stunden, stündig
s. u. . . . . siehe unten
Subl. p. . . . . Sublimationspunkt
symm. . . . . symmetrisch
Tab. . . . . Tabelle
techn. . . . . technisch
Temp. . . . . Temperatur
tert. . . . . tertiär
theor. . . . . theoretisch
THF . . . . Tetrahydrofuran
Tl., Tle., Tln. . . . . Teil, Teile, Teilen
u. a. . . . . und andere
usw. . . . . und so weiter
u. U. . . . . unter Umständen
V . . . . Volt
VDE . . . . Verein Deutscher Elektroingenieure
VDI . . . . Verein Deutscher Ingenieure
verd. . . . . verdünnt
vgl. . . . . vergleiche
vic. . . . . vicinal
Vol., Vol.-%, Vol.-Tl. . . . . . . Volumen, Volumenprozent, Volumenanteil
W. . . . . Watt
Zers. . . . . Zersetzung
∇ . . . . Erhitzung
$[\alpha]_\lambda^t$ . . . . spezifische Drehung
∅ . . . . Durchmesser
~ . . . . etwa, ungefähr
µ . . . . Mikron

Oxidationen und Dehydrierungen
in der Alkalischmelze und in alkalischen
Lösungen

bearbeitet von

Frau Dr. Anna STEIMMIG

BASF AG, Ludwigshafen/Rhein

und

Prof. Dr. Drs. h. c. OTTO BAYER

Bayer AG, Leverkusen

Mit 7 Tabellen

Inhalt

Oxidationen und Dehydrierungen in der Alkalischmelze und in alkalischen Lösungen

Alkalimetallhydroxide sind im klassischen Sinne nicht unter die Oxidationsmittel einzureihen. Dennoch lassen sich in der Alkalischmelze oder konz. wäßrigen oder alkoholischen Alkalimetallhydroxid-Lösungen Reaktionen durchführen, die entweder unter direkter Hydroxylierung oder unter Wasserstoff-Abspaltung Produkte höheren Oxidationsgrades liefern. Unter den drastischen Bedingungen einer Alkalischmelze können naturgemäß besonders bei komplizierten organischen Verbindungen mehrere ineinandergreifende Vorgänge ablaufen. Meist bestehen deshalb auch nur Vermutungen über sich abspielende Mechanismen. Das Hydroxyl-Ion selbst vermag geeignete Reaktionspartner nucleophil zu substituieren analog der Aminierung mit Natriumamid. In den meisten Fällen ist die im stark alkalischen Milieu stattfindende Anionenbildung der auslösende Reaktionsschritt. Die gebildeten Anionen gehen unter Hydrid-Ionen-Abspaltung in die höher oxidierte Form über oder Carben-Ionen fungieren selbst als Nucleophile und substituieren andere Moleküle unter dehydrierender Dimerisation.

Für präparative Zwecke sind folgende in der Alkalischmelze ablaufende Oxidations- und Dehydrierungsvorgänge ausnutzbar:

① Oxidation von Alkyl-Gruppen am aromatischen Kern

② Überführung von aliphatischen Alkoholen (Alkylhalogeniden, Mercaptanen, Nitroverbindungen) in Carbonsäuren

③ Oxidation aromatischer Aldehyde zu Carbonsäuren

④ Hydroxylierung aromatischer Systeme

Außer diesen unter Erhalt des Kohlenstoffgerüstes verlaufenden Vorgängen gibt es eine Reihe von oxidativen Abbaureaktionen, die meist in verwickelter Reaktionsfolge unter Sprengung des Molekulargefüges Mono- und Dicarbonsäuren mit niedererem Molekulargewicht liefern. Hierher gehören: Die Spaltung sek. Alkohole, die Spaltung ungesättigter Alkohole und Carbonsäuren, die Spaltung cyclischer Äther und unter drastischen Bedingungen auch der Abbau gesättigter Carbonsäuren.

Als „Alkalischmelzen" werden in der Literatur im allgemeinen solche Reaktionsmischungen bezeichnet, die Alkalimetallhydroxide enthalten, und bei Reaktionstemperatur flüssig, bei Raumtemperatur fest sind. Kaliumhydroxid ist dem Natriumhydroxid wegen seines besseren Lösevermögens, stärkeren Alkalität und seines niedrigen Schmelzpunktes vorzuziehen. Auch das Eutecticum Kaliumhydroxid-Natriumhydroxid kann bei empfindlichen Substanzen verwendet werden. Dagegen werden Lithiumhydroxid, Erdalkalimetallhydroxide oder Natronkalk nur in Ausnahmefällen verwendet (Ölsäure-Spaltung). Die Schmelztemperatur der Mischung hängt wesentlich von ihrem Wassergehalt ab, dem auch eine maßgebende Rolle für den Ablauf der Reaktion zugeschrieben wird. Käufliches Kaliumhydroxid enthält 15% Wasser. Durch Wasserzusatz kann die Alkali-Konzentration variiert werden. In Einzelfällen können solche Reaktionen auch in alkoholischen Lösungen der Alkalimetallhydroxide ausgeführt werden.

Der in jedem Falle entstehende Wasserstoff tritt gasförmig aus oder wird intramolekular verbraucht. Zur Bindung können auch anwesende Luft, Sauerstoff oder sauerstoffabgebende Substanzen dienen [Mangan(IV)-oxid, Kaliumperchlorat, Natriumnitrat]. Dadurch erscheint die Reaktion oft als ein durch Sauerstoff bewirkter Oxidationsvorgang. Die Reaktionen werden bei Temperaturen zwischen 30° und 300° ausgeführt.

A. Oxidation und Dehydrierung
unter Erhalt bzw. teilweisem Erhalt des C-Gerüstes

bearbeitet von

Frau Dr. A. STEIMMIG
BASF AG, Ludwigshafen/Rhein

I. Oxidation von Seitenketten an Aromaten

Während Toluol-Dämpfe durch erhitzten Natronkalk selbst bei 400—450° bei Luftausschluß unverändert bleiben und Xylole wie auch Chlortoluole in wäßrigen Alkalien nur durch Luft-Druck-Oxidation angegriffen werden[1], begünstigen Hydroxy-, Sulfonsäure- oder Nitro-Gruppen möglichst in o-Stellung zum Alkyl-Substituenten dessen Umwandlung in eine Carboxy-Gruppe unter Wasserstoffentwicklung mit Hilfe der Alkalischmelze[2]. Da die entstehenden Natrium- und besonders die Kaliumsalze der zu bildenden Carbonsäuren bei den erforderlichen Reaktionstemperaturen bereits zur Decarboxylierung neigen, sind im allgemeinen keine hohen Ausbeuten zu erreichen.

Die Überführung von 2-Hydroxy-1-methyl-benzol in *Salicylsäure* (*2-Hydroxy-benzoesäure*) durch 5stdgs. Erhitzen auf 300–310° in ~ der zehnfachen Menge einer Mischung aus gleichen Teilen Natrium- und Kaliumhydroxid soll in einer Ausbeute von 80,4% d.Th. gelingen[2]. Spätere Untersuchungen können dieses Ergebnis nicht bestätigen[3]. Die besten Ausbeuten (30–40% d.Th.) werden erhalten, wenn 2-Hydroxy-1-methyl-benzol mit der dreifachen Menge Natriumhydroxid vermahlen 3 Stdn. im offenen Nickeltiegel unter häufigem Umrühren auf 250° erhitzt wird. Auch für diese Reaktion ist die Gegenwart von Luft Bedingung. Dennoch handelt es sich um eine Dehydrierung, da pro Mol gebildeter Salicylsäure sich ~ 3 Mol Wasserstoff entwickeln.

Anstelle von Luft oder zusätzlich können auch Beimengungen von Kupfer(II)-oxid, Eisen(III)-oxid, Blei(IV)-oxid, Mangan(IV)-oxid[4] oder Natriumchlorat bzw. Natriumchromat[5] die Reaktion erleichtern.

In der Alkalischmelze erhält man z. B. aus

4-Hydroxy-1,3-dimethyl-benzol[6] → *4-Hydroxy-3-methyl-benzoesäure*
                                  + *4-Hydroxy-isophthalsäure*

2-Hydroxy-1,4-dimethyl-benzol[6] → *3-Hydroxy-4-methyl-benzoesäure*
                                  + *2-Hydroxy-terephthalsäure*

2-Hydroxy-4-methyl-1-isopropyl-benzol[7] → *3-Hydroxy-4-isopropyl-benzoesäure*

3-Hydroxy-4-methyl-1-isopropyl-benzol[7] → *2-Hydroxy-4-isopropyl-benzoesäure*[8]

[1] s. ds. Handb., Bd. VIII, Kap. Carbonsäuren, S. 392.
[2] G. LOCK u. F. STITZ, B. **72**, 78 (1939).
[3] D. E. BLAND, Austr. chem. Inst. J. Proc. **10**, 239 (1943); C. A. **38**, 342 (1944).
[4] DRP 170230 (1906), P. FRIEDLÄNDER u. O. LÖW-BEER; Frdl. 8, 158 (1919).
[5] C. RUDOLPH, Ang. Ch. **19**, 384 (1906).
[6] O. JACOBSEN, B. **11**, 376, 570 (1878).
[7] O. JACOBSEN, B. **11**, 1058, 2052 (1878).
[8] s. ds. Handb., Bd. VIII, Kap. Carbonsäuren, S. 393.

Aus der Ätzkalischmelze des Bariumsalzes der 4-Äthyl-3,5-disulfo-benzoesäure (I) bei Temperaturen von 260—290° werden als Hauptprodukt *2-Hydroxy-terephthalsäure* (II), *3-Hydroxy-4-äthyl-benzoesäure* (III), *3-Hydroxy-benzoesäure* (IV) und *3-Hydroxy-4-methyl-benzoesäure* (V) isoliert. Die Bildung von V kann als Decarboxylierung der aus I primär entstehenden *3-Hydroxy-4-carboxylmethyl-benzoesäure* gedeutet werden[1].

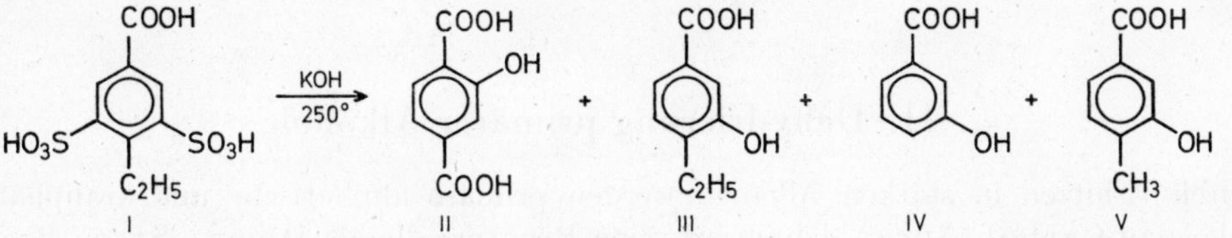

Leicht werden aktivierte Methyl-Gruppen durch Alkalimetallhydroxide oxidiert. Die klassischen Beispiele hierfür sind die 2- und 4-Nitro-toluole und die 2-Methyl-anthrachinone. Aus ersteren bilden sich beim Erhitzen mit verd. Natronlauge Gemische von 1,2-Diphenyläthan- und Stilben-Derivaten unter teilweiser Reduktion der Nitro- zu Azo- bzw. Azoxy-Gruppen. So wurden aus 5-Nitro-2-methyl-benzolsulfonsäure die alten Hessisch- oder Mikadogelbs hergestellt. Führt man jedoch die Alkali-Einwirkung in Gegenwart von Luft (weniger glatt mit Natriumhypochlorit) durch, so entsteht praktisch quantitativ die *4,4'-Dinitro-stilben-2,2'-disulfonsäure* (eines der größten Farbstoffzwischenprodukte für optische Aufheller) (s. Bd. X/1, S. 865):

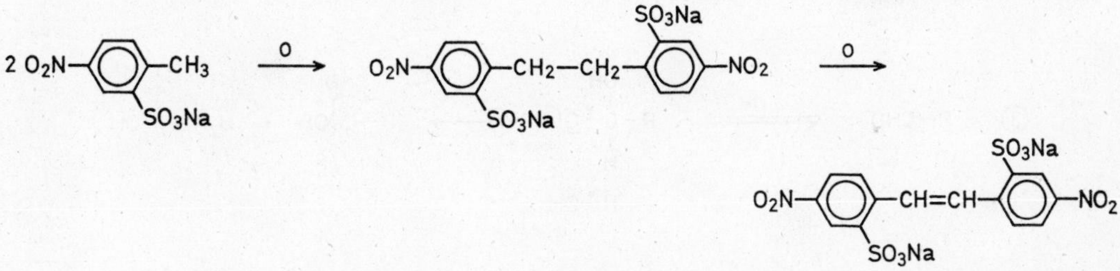

Konzentrierte oder alkoholische Natronlauge löst vor allem beim 2-Nitro-toluol einen Redox-Prozeß aus, wonach *Anthranilsäure* entsteht[2]. Aus 3-Nitro-4-methyl-benzolsulfonsäure wird *2-Amino-5-sulfo-benzoesäure* erhalten[3]. Auch analoge Amino-carboxy-naphthaline lassen sich so gewinnen[4].

Über die mit guter Ausbeute verlaufende Redoxdisproportionierung von 4-Nitro-toluol mittels 40%iger Natronlauge und Schwefel bei 80° zu *4-Amino-benzaldehyd* s. Bd. VII/1, S. 156.

2-Methyl-anthrachinone werden schwerer angegriffen. Hierbei muß man schon eine Alkalihydroxid-Schmelze durchführen, wobei das Anthrachinon-System als Wasserstoffacceptor fungiert (s. a. S. 47).

---

[1] J. C. F. Schulz u. P. M. Ruoff, J. Org. Chem. **26**, 939-940 (1961).
[2] L. Preuss u. A. Binz, Ang. Ch. **13**, 385 (1900).
   Vgl. DRP 114839 (1899), BASF, Frdl. VI, 149.
[3] DRP 138188 (1900), Kalle; Frdl. VI, 1302.
[4] DRP 622308 (1934), I. G. Farb., Erf.: K. Köberle u. K. Maurach; C. **1936** I, 2838.

Je nachdem ob man Alkanolate oder Kaliumcarbonat bzw. Barium- oder Calcium-hydroxid in Gegenwart von Nitrobenzol einsetzt, entstehen Stilbene, Aldehyde oder Carbonsäuren, (s. Bd. VII/3 b u. S. 46).

Erhitzt man 2-Methyl-anthrachinone mit Kaliumcarbonat bzw. Kaliumacetat mit Nitrobenzol und Anilin zum Sieden, so werden Anthrachinon-2-aldehyde mit guten Ausbeuten als Anile abgefangen (s. Bd. VII/1, S. 155; s. a. Bd. VII/3 b).

II. Dehydrierung primärer Alkohole

Durch Erhitzen in starken Alkalien werden primäre aliphatische und araliphatische Alkohole zu Carbonsäuren dehydriert, eine Reaktion die als Dumas-Stass-Reaktion schon seit 1840 bekannt ist[1,2]. Als zugrundeliegender Mechanismus wird heute eine zwei-malige aufeinanderfolgende Verschiebung von Hydrid-Ionen unter intermediärer Bildung eines Aldehyds angenommen[3]:

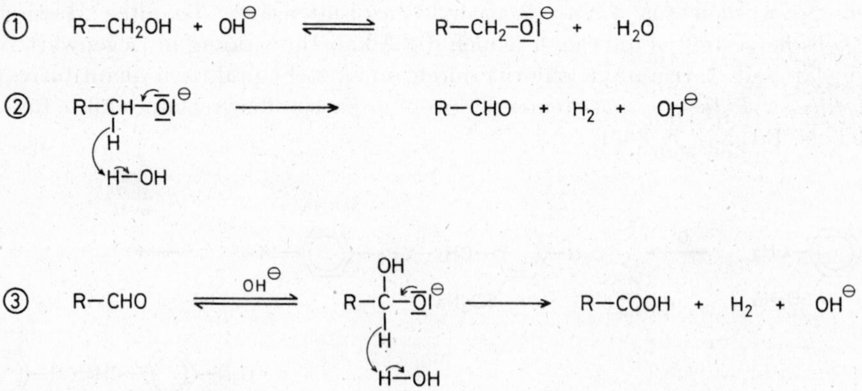

Die Reaktion kann sowohl in einer Alkalischmelze als auch in wäßrigen Alkalimetall-hydroxid-Lösungen ausgeführt werden. Da die Alkohole jedoch in wasserfreien Alkali-metallhydroxid-Lösungen zur Selbstkondensation neigen (Guerbet-Reaktion) ist es meist günstiger, konzentrierte Alkalimetallhydroxid-Lösungen ($\sim 40\%$) einzusetzen[4]. Bei Dehy-drierung von niederen und leicht flüchtigen Alkoholen wird unter Druck gearbeitet, bei höheren können offene Gefäße oder ebenfalls Autoklaven verwendet werden. Es empfiehlt sich, durch gelegentliches Abblasen des entstehenden Wasserstoffes den Druck konstant zu halten.

---

[1] Vgl. ds. Handb., Bd. VIII, Kap. Carbonsäuren, S. 404.

[2] J. Dumas u. J. S. Stass,, C. r. (2) **73**, 113 (1840); A. **35**, 129 (1840).

[3] B. C. L. Weedon, in A. Weissberger, *Technique of organic Chemistry*, Vol. XI, part II, S. 671, Interscience Publ., New York · London 1963.
   R. A. Dytham u. B. C. L. Weedon, Tetrahedron 8, 246 (1960).
   H. Machemer, Ang. Ch. **64**, 213 (1952).

[4] E. Reid, H. Worthington u. A. W. Larchar, Am. Soc. **61**, 99 (1939).

Das Arbeiten unter Druck kann auch umgangen werden, wenn der zu dehydrierende Alkohol unter kräftigem Rühren dampfförmig in ein Gemisch aus Alkalimetallhydroxid und dem Alkalimetallsalz der herzustellenden Carbonsäure bei 250—300° eingeleitet wird. Die Reaktionsmasse, die nicht zum Schmelzen kommen soll, wird kontinuierlich abgezogen und neues Alkalimetallhydroxid zugeführt[1].

Zur Dehydrierung kann anstelle von Alkalimetallhydroxid auch Natronkalk verwendet werden[2].

Alkohole mit weniger als ~6 C-Atomen neigen zu teilweiser Wasserabspaltung unter Bildung von Olefinen. Die Dehydrierung höherer Alkohole dagegen gelingt meist mit Ausbeuten über 95% der Theorie[3].

Dodecansäure[4]: 200 g Dodecanol und 50 g Natriumhydroxid werden in einem Autoklaven langsam auf 270° erhitzt, wobei der Wasserstoffdruck durch gelegentliches Abblasen auf 25–30 Atm gehalten wird. Nach 90 Min. ist die Reaktion beendet. Der Autoklaveninhalt wird nach dem Erkalten in heißem Wasser aufgenommen, mit 2n Schwefelsäure angesäuert und erwärmt bis die Dodecansäure klar an der Oberfläche schwimmt. Die Carbonsäure wird heiß abgezogen, mit Äther verdünnt, von mechanischen Verunreinigungen abfiltriert, neutral gewaschen und über Natriumsulfat getrocknet. Nach Abdestillieren des Äthers wird das Rohprodukt i. Hochvak. rektifiziert; Ausbeute: 203 g (95% d. Th.); $Kp_{0,6}$: 126–127°; Säurezahl 281.

Bei der schlechter verlaufenden Dehydrierung niederer Alkohole z. B. von Hexanol zu *Hexansäure*, von 2-Amino-äthanol zu *Amino-essigsäure*, von 1,2-Bis-[bis-(2-hydroxy-äthyl)-amino]-äthan zum Natriumsalz des *1,2-Bis-[2-bis-(2-carboxy-äthyl)-amino]-äthans*, soll die Anwesenheit von Cadmiummetall oder Cadmiumoxid die Ausbeuten verbessern[5] (s. S. 15).

Ein technisches Beispiel der Alkalidehydrierung eines primären Alkohols ist die Herstellung von *N-Phenyl-glycin* (*2-Anilino-essigsäure*) aus (2-Hydroxy-äthyl)-anilin[6].

Im allgemeinen werden die Dehydrierungen in einem Temperaturbereich zwischen 200 und 400° ausgeführt. Die erforderliche Reaktionstemperatur kann auf 120—150° gesenkt werden, wenn in Anwesenheit von Dehydrierungskatalysatoren, mit Alkanolaten und unter Zusatz von Wasser gearbeitet wird. Auf diese Weise werden mit 56—71%iger Ausbeute *Buttersäure* aus Butanol, *3-Methyl-butansäure* aus 3-Methyl-butanol, *Bernsteinsäure* aus Butandiol-(1,4) und *Adipinsäure* aus Hexandiol-(1,6) gewonnen. Als Katalysatoren werden Nickel auf Chrom(III)-oxid und basisches Kupfer(II)-carbonat verwendet. Dabei bildet sich nur eine geringe Menge an höheren Alkoholen durch Selbstkondensation[7].

---

[1] US. P. 2196581 (1940), Dow Chemical Co. Erf.: W. T. STEPHENSON; C. A. **34**, 5466 (1944).
Vgl. ds. Handb., Bd. VIII, Kap. Carbonsäuren, S. 405.

[2] J. V. NEF, A. **318**, 173 (1901).

[3] M. GUERBET, C. r. **153**, 1487 (1911).

[4] C. GRUNDMANN, B. **81**, 510 (1948).

[5] US.P. 2384817 (1942), Carbide & Carbon Chem. Corp., Erf.: H. C. CHITWOOD; C. A. **40**, 354 (1950).
US.P. 2384816 (1941), Carbide & Carbon Chem. Corp., Erf.: G. O. CURME, H. C. CHITWOOD u. J. W. CLARK; C. A. **40**, 358 (1950).
Brit. P. 601816/7 (1948), Carbide & Carbon Chem. Corp.; C. A. **42**, 7324, 7325 (1952).
vgl. ds. Handb., Bd. XI/2, Kap. Aminosäuren, S. 413.

[6] DRP 171172 (1904), BASF; Frdl. 8, 411 (1906).
vgl. ds. Handb., Bd. VIII, Kap. Carbonsäuren, S. 407.

[7] V. I. LYUBOMILOV, A. I. KUTSENKO, R. A. ABRAMOVA, Ž. obšč. Chim. **27**, 2054 (1967); engl.: 2108.

Enthält ein primärer aliphatischer Alkohol eine weitere alkoholische Funktion, so kann sich bei sterisch günstiger Stellung ein Lacton-Ring bilden. So werden durch Alkalischmelze von 1,4,7-Trihydroxy-heptan 40% *4-Hydroxy-heptandisäure-lacton* und 21% Polyesterharze erhalten[1]:

$$\text{HO}-\text{CH}_2-(\text{CH}_2)_2-\overset{\overset{\displaystyle \text{OH}}{\displaystyle |}}{\text{CH}}-(\text{CH}_2)_2-\text{CH}_2-\text{OH} \longrightarrow \text{HOOC}-\text{CH}_2-\text{CH}_2 \begin{array}{c} \\ \end{array} \text{O} \quad + \quad \text{Polyesterharze}$$

Großtechnische Anwendung fand die Alkalidehydrierung zur Umwandlung von höheren synthetischen Alkoholen und von Wachsalkoholen zu Carbonsäuren[2].

Die Möglichkeit zur Dehydrierung araliphatischer Alkohole hängt von ihrer weiteren Substitution am aromatischen Ring ab und kann am besten durch eine Tabelle demonstriert werden. Es werden die bis zum Beginn einer Wasserstoffentwicklung erforderlichen Mindesttemperaturen der Alkalischmelze, in der die Benzylalkohole erhitzt werden, angegeben (s. Tab. 1, S. 11).

Während Benzylalkohol in der Ätzkalischmelze erst bei 240° *Benzoesäure* liefert, erleichtert eine o- oder p-ständige Hydroxy-Gruppe und ganz besonders eine Nitro-Gruppe die Reaktion wesentlich, so daß niedrigere Reaktionstemperaturen gewählt werden können (Nitro-benzylalkohole lassen sich schon durch Kochen in wäßriger Natronlauge dehydrieren). Der nascierende Wasserstoff wird dabei von der Nitro-Gruppe aufgenommen. Es bilden sich hauptsächlich Carboxy-azo- und -azoxybenzole. Zur Herstellung aromatischer Halogencarbonsäuren ist diese Reaktion ungeeignet. In ungeklärter komplexer Reaktionsfolge entstehen halogenfreie Produkte.

Auch bei Dehydrierung des unsubstituierten Benzylalkohols wird wegen der erforderlichen hohen Reaktionstemperatur ein Teil des Alkohols zu Toluol reduziert.

III. Oxidation aromatischer Aldehyde

Die auf S. 8 beschriebene alkalische Oxidation der primären aliphatischen Alkohole und der Benzylalkohole läuft intermediär über die Aldehyd-Stufe. Zur direkten Überführung der Aldehyd- in eine Carboxy-Gruppe ist die Alkalischmelze nur bei aromatischen Aldehyden zu verwenden. Die meisten aromatischen Aldehyde gehen mit Alkalimetallhydroxid-Lösungen bereits in der Kälte die Cannizzaro-Reaktion ein. Beim Erhitzen dieses Reaktionsgemisches auf höhere Temperatur und mit stärkerem Alkalimetallhydroxid wird der neben benzoesaurem Salz gebildete Benzylalkohol ebenfalls unter Wasserstoffentwicklung zur Säure oxidiert. So liefert 3-Hydroxy-benzaldehyd beim Erwärmen mit 50%iger Natronlauge auf 50–60° fast quantitativ *3-Hydroxy-benzylalkohol* und *3-Hydroxybenzoesäure*; beim Erhitzen mit Kaliumhydroxid und etwas Wasser bei 190–240° (unter Entwicklung der berechneten Menge Wasserstoff) *3-Hydroxy-benzoesäure* (~ 100% d.Th.).

---

[1] F. RUNGE, R. HUETER u. H. D. WULF, B. 87, 1430 (1954).

[2] vgl. ds. Handb., Bd. VIII, Kap. Carbonsäuren, S. 406.
    Bios Final Rep. Nr. 1560, S. 32.

Grundstruktur: Benzylalkohol mit Substituenten R^1 ($ortho$), R^2, R^3, R^4 an CH_2-OH-Phenylring.

R^1	R^2	R^3	R^4	Beginn der H_2-Entwicklung [°C]	Alkalimetall-hydroxid	Carbonsäure	Ausbeute [% d.Th.]	Literatur
H	H	H	H	240	KOH	Benzoesäure		1
OH	H	H	H	165–170	KOH	2-Hydroxy-benzoesäure	88	1
H	H	OH	H	165–170	KOH	4-Hydroxy-benzoesäure	89	1
H	OH	H	H	190	KOH	3-Hydroxy-benzoesäure	92	1
NO_2	H	H	H	85–100	35%ige NaOH	2,2'-Dicarboxy-azobenzol		2
H	NO_2	H	H	85–100	35%ige NaOH	3,3'-Dicarboxy-azoxybenzol		2
H	H	NO_2	H	85–100	35%ige NaOH	4,4'-Dicarboxy-azoxybenzol		2
OH	CHO	H	CH_3	110–120	KOH	2-Hydroxy-5-methyl-isophthalsäure		1

[1] G. Lock, B. 63, 551 (1930).

[2] G. Lock, B. 63, 855 (1930).

Dagegen werden 2- und 4-Hydroxy-benzaldehyd mit freier Hydroxy-Gruppe durch Alkalimetallhydroxid in der Kälte nicht verändert. Sie geben keine Cannizzaro-Reaktion[1]. Aber beim Erhitzen mit festem Kaliumhydroxid zerfällt 2-Hydroxy-benzaldehyd bereits ab 105° in Wasserstoff und *Salicylsäure*[2].

Salicylsäure[2]: 4 g Salicylaldehyd werden mit 12 g zerkleinertem Kaliumhydroxid langsam erwärmt. Bei 105–110° Bad-temp. setzt lebhafte Wasserstoffentwicklung ein. Nach 30 Min. Erhitzung haben sich 678 *ml* Wasserstoff entwickelt. Die Schmelze wird nach dem Erkalten in heißem Wasser und Salzsäure aufgenommen und aufgekocht. Beim Abkühlen der Lösung kristallisieren 4,3 g (95% d.Th.); F: 155° (Nadeln).

Die Reaktion gelingt auch mit Natrium-, Lithium- und Bariumhydroxid, jedoch sind die Einwirkungstemp. höher. Der Wassergehalt des Kaliumhydroxids erleichtert die Reaktion durch Schmelzpunkterniedrigung des Gemisches[2].

Ebenso lassen sich Methyl-Derivate von 2- und 4-Hydroxy-benzaldehyd in der Ätzkalischmelze zu den entsprechenden Carbonsäuren oxidieren (75–85% d.Th.)[3].

Mit guter Ausbeute verläuft auch die Alkalioxidation von 4-Hydroxy-3-methoxy-benzaldehyd (Vanillin) zur *4-Hydroxy-3-methoxy-* bzw. *3,4-Dihydroxy-benzoesäure*[4]:

4-Hydroxy-3-methoxy- und 3,4-Dihydroxy-benzoesäure: 152 g Vanillin wird langsam bei 165–200° in eine Mischung von 208 g Natriumhydroxid (97%ig) und 208 g Kaliumhydroxid (85%ig) und 50 *ml* Wasser eingerührt. Nach 5 Min. hat sich *4-Hydroxy-3-methoxy-benzoesäure* (98% d.Th.) gebildet. Durch 1stdgs. weiteres Erhitzen auf 250° erhält man *3,4-Dihydroxy-benzoesäure* (~100% d.Th.).

Halogen-benzaldehyde[5] lassen sich durch Alkalischmelzen nur bei höheren Temperaturen dehydrieren. Wasserstoff entsteht dabei unvollkommen, da er partiell enthalogeniert. Die Dehydrierung des 3-Chlor-benzaldehyds zu *Benzoesäure* z.B. durch Kaliumhydroxid beginnt bei ~ 140° und ist durch Erhitzen bis 250° in ~ 2 Stdn. beendet.

Nitro-benzaldehyde[5] werden wie Nitro-benzylalkohole bereits bei 85–100° durch 35%ige Natronlauge dehydriert. Auch hier wird der Wasserstoff großenteils vom Reak-

---

[1] P. N. RAIKOW u. I. RASCHTANOW, C. **1902** I, 1212.
S. CANNIZZARO u. C. BERTAGNINI, A. **98**, 192 (1856).
G. LOCK, B. **62**, 1185 (1929).
[2] G. LOCK, B. **61**, 2235 (1928).
[3] G. LOCK, B. **63**, 554 (1930).
[4] DRP 171172 (1904), BASF; C. **1906** II, 386.
J. A. PEARL, Am. Soc. 68, 2180 (1846).
J. A. PEARL u. D. L. BEYER, Ind. eng. Chem. **42**, 376 (1950).
J. A. PEARL, Org. Synth. **29**, 85 (1949); **30**, 103 (1940); Coll. Vol. 4, 974 (1963).
L. F. FIESER & M. FIESER, *Reagents for organic Synthesis*, S. 937, Academic Press, New York 1967.
s. ds. Handb., Bd. VIII, Kap. Carbonsäuren, S. 407.
[5] G. LOCK, B. **63**, 855 (1930).

tionsprodukt aufgenommen: aus 2-Nitro-benzaldehyd entsteht ein Gemenge von *2-Nitro-benzoesäure* und *2,2'-Dicarboxy-azobenzol*. Analog bilden sich aus 3- und 4-Nitro-benzaldehyd *3-* bzw. *4-Nitro-benzoesäure* und *3,3'-* bzw. *4,4'-Dicarboxy-azobenzol*.

B. Oxidation unter C–C-Spaltung

bearbeitet von

Frau Dr. A. STEIMMIG

BASF AG, Ludwigshafen/Rhein

Enthält eine organische Verbindung durch Alkali spaltbare Atomgruppierungen oder bilden sich solche unter den scharfen Bedingungen der Alkalischmelze, so zerfallen in meist verwickelter Reaktionsfolge unter Kettensprengung die eingesetzten Produkte in sauerstoffhaltige Verbindungen mit niederer Kohlenstoff-Anzahl und in Wasserstoff[1].

Die Spaltung folgt rasch der eigentlichen Dehydrierung oder sie bewirkt erst die Entstehung dehydrierbarer Zwischenstufen im Reaktionsgemisch. Beide Reaktionen können unabhängig voneinander an verschiedenen Stellen des Moleküls ablaufen. Durch den nascierenden Wasserstoff können andere Gruppierungen hydriert werden. Wegen dieser oft in mehrfacher Folge ineinander greifenden Vorgänge sind solche Reaktionen **stark abhängig von den angewandten Bedingungen**. Geringfügige Änderungen können ganz verschiedene Endprodukte entstehen lassen. Durch Alkali spaltbare Atomgruppierungen sind vorhandene oder entstehende Mehrfachbindungen, Oxo-Gruppen, Ester-Gruppen und cyclische Äther. Sich ausbildende α, β-Diketone können zudem zu Substituentenstellungswechsel nach Art der Benzilsäure-Umlagerung Anlaß geben. Es erklärt sich so, daß sekundäre Alkohole, Glykole, ungesättigte Alkohole, ungesättigte und Hydroxy-carbonsäuren, ja selbst unter scharfen Bedingungen gesättigte Carbonsäuren in der Alkalischmelze oxidativem Abbau unterliegen.

Wegen der Vielfalt der Vorgänge können hier nur einige Beispiele zum orientierenden Verständnis bei präparativen Arbeiten herausgegriffen werden.

I. Oxidation von Hydroxy-Verbindungen unter C–C-Spaltung

a) Sekundäre Alkohole

Sekundäre Alkohole dehydrieren in der Alkalischmelze zu Ketonen, deren der Carbonylgruppe benachbarte –C–C-Bindung in der Regel dann hydrolytisch zerfällt. Aus sekundären Alkoholen entstehen daher in der Alkalischmelze meist die gleichen Abbauprodukte wie aus den entsprechenden Ketonen[1].

Diese Alkalispaltungen führen mit wenigen Ausnahmen (entgegen z. T. anderslautenden Publikationen) zu Gemischen, da die Spaltung sowohl rechts als auch links der Carbinol-Gruppe erfolgt. So werden aus der 12-Hydroxy-stearinsäure *Hexansäure* und *Dodecandisäure* sowie *Heptansäure* und *Undecandisäure* erhalten:

$$H_3C-(CH_2)_4-CH_2-\underset{\underset{OH}{|}}{CH}-CH_2-(CH_2)_9-COOH \longrightarrow \begin{cases} H_3C-(CH_2)_4-COOH \ + \ HOOC-(CH_2)_{10}-COOH \\ \\ H_3C-(CH_2)_5-COOH \ + \ HOOC-(CH_2)_9-COOH \end{cases}$$

---

[1] B. C. L. WEEDON in A. WEISSBERGER, *Technique of organic Chemistry* XI, Teil II, S. 655, 675, Interscience Publ. New York · London 1963.

M. F. ANSELL u. B. C. L. WEEDON, Industrial Chemist **1964**, 70-73.

Erhitzt man die 12-Hydroxy-stearinsäure mit etwa der halben Gew.-Menge 35%iger Kalilauge auf 360°, so entsteht in ~ 58%iger Ausbeute die *12-Oxo-octadecansäure*[1].

So liefern sowohl 2-Hydroxy-1,7,7-trimethyl-bicyclo[2.2.1]heptan (Borneol) als auch 2-Oxo-1,7,7-trimethyl-bicyclo[2.2.1]heptan (Campher) eine Mischung von *1,2,2,3-Tetramethyl-1-carboxy-cyclopentan* und *2,2,3-Trimethyl-1-carboxymethyl-cyclopentan*[1]:

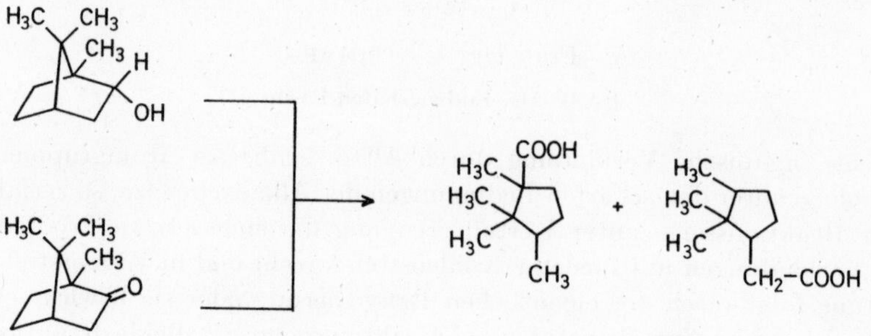

und 3,17β-Dihydroxy- und 3-Hydroxy-17-oxo-östratrien-(1,3,5¹⁰) das *7-Hydroxy-2-methyl-trans-1-äthyl-2-carboxy-1,2,3,4,4a,9,10,10a-octahydro-phenanthren (Doisynolsäure)*[2]:

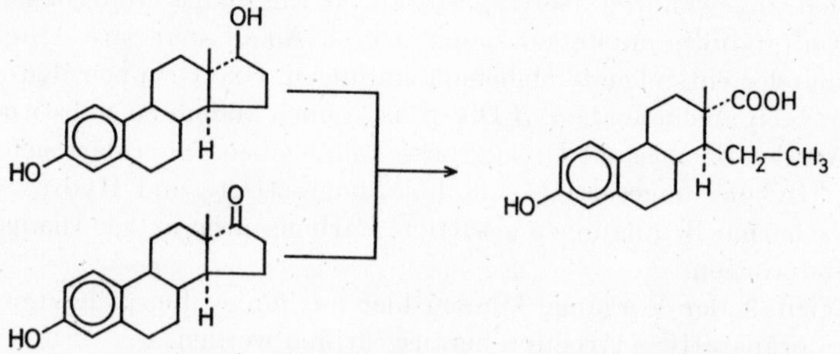

Komplizierter liegen die Verhältnisse beim Cyclohexanol. Dieses wird in der Alkali-hydroxidschmelze zunächst zum *Cyclohexanon* dehydriert (man geht daher zweckmäßig von dem Keton aus). Dieses geht eine Aldolkondensation (I) ein. Bei 250–280° erfolgt dann Ringspaltung zur *6-Cyclohexyliden-hexansäure* (II) (~ 30% d. Th. isolierbar). Beim längeren Erhitzen auf 300° verschiebt sich die Doppelbindung in die α,β-Stellung zur Carboxy-Gruppe (III), wobei Spaltung zur *4-Cyclohexyl-butansäure* (IV) (~ 30% d. Th.) erfolgt (Varrentrapp-Reaktion s. S. 24 u. ff.)[3]:

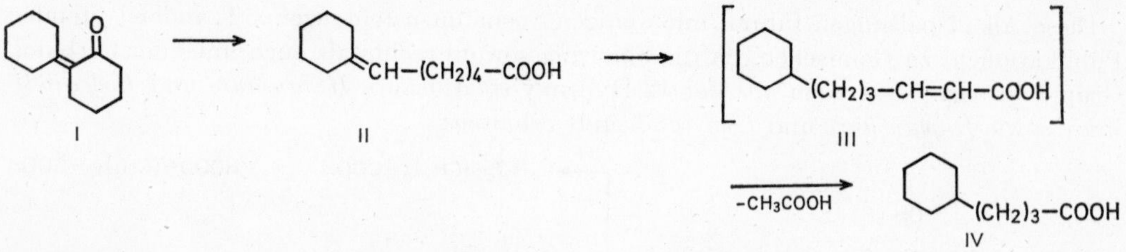

[1] M. Guerbet, Bl. 5, 420 (1909), C. r. 148, 720 (1909).

[2] DRP 705862 (1941), Schering AG, Erf.: W. Holweg u. H. Herloff; C. A. 36, 1948 (1942), 719572 (1942), Schering AG, Erf.: W. Holweg u. H. H. Inhoffen; C. A. 37, 1836 (1943).

[3] US. P. 1961623 (1933), Dow Chemical Comp., Erf.: E. L. Pelton.
    T. L. Cairns et al., Am. Soc. 70, 1689 (1948).

Bei der Aufspaltung von 2-Hydroxy-cyclohexancarbonsäure mit ~75%iger Kalilauge bei 250° entsteht ein Gemisch aus *Cyclohexencarbonsäure* und *Heptandisäure*. Erhöht man die Reaktionstemperatur auf 310°, so entsteht nur die letztere[1] (s. a. S. 28).

Heptan-1,7-disäure (Pimelinsäure)[1]: 120 g Kaliumsalz der 2-Hydroxy-cyclohexancarbonsäure werden im Autoklaven mit 120 g Kaliumhydroxid und 40 *ml* Wasser 10 Stdn. auf 310° erhitzt, wobei der Druck auf ~60 atü ansteigt. Nach dem Erkalten wird mit verd. Schwefelsäure angesäuert, wobei die Pimelinsäure sich bereits kristallin abscheidet. Nach dem Aufnehmen in Äther und Umkristallieren des Extraktes aus Benzol werden 95 g Säure (F: 106–108°) erhalten (~90% d.Th.).

Undecandisäure und Dodecandisäure[2, vgl. a. 3–6]: 75 g (0,212 Mol) 12-Hydroxy-octadecansäure (85%ig), 32 g (0,8 Mol) Natriumhydroxid, 99 *ml* Wasser und 3 g Cadmiumoxid werden im Rührautoklaven 14 Stdn. auf 325–330° erhitzt, wobei der Druck auf ~140 atü ansteigt. Nach dem Abkühlen wird die Reaktionsmasse mit 300 *ml* Wasser versetzt und die alkalische Lsg. mit Aktivkohle geklärt. Nach dem Ansäuern des Filtrates mit Salzsäure wird aus dem abgeschiedenen Carbonsäure-Gemisch die Mono-carbonsäure mit überhitztem Wasserdampf überdestilliert, der Destillationsrückstand in Toluol aufgenommen und azeotrop entwässert. Nach dem Erkalten scheiden sich 20,5 g (42,3% d.Th.) C_{11}/C_{12}-Dicarbonsäure-Gemisch ($\varnothing$ Mol.-Gew. 110,3) ab.

Die Mutterlauge hinterläßt nach dem Eindampfen 33,9 g Rückstand. Aus diesem kann man weitere Mengen an Dicarbonsäuren isolieren, so daß sich deren Gesamtausbeute auf ~61% erhöht. Der Rest besteht aus Stearin- und Palmitinsäure. Erhöht man die Cadmiumoxid-Menge auf 65 g (0,506 Mol), so resultieren nach der Wasserdampfdestillation 48,2 g Rückstand, dessen Chromatogramm die Zusammensetzung ergab:

58 % *Undecandisäure*

17 % *Dodecandisäure*

19,7% *Palmitin-Stearinsäure*-Gemisch

so daß hier die Ausbeute an Dicarbonsäuren 57,3% d.Th. beträgt.

Bessere Ausbeuten an dem C_{11}/C_{12}-Dicarbonsäure-gemisch liefert die Salpetersäure-Oxidation von 12-Hydroxy-stearinsäure[6]. Die Trennung der Säuren kann leicht aufgrund ihrer unterschiedlichen Aciditäten erfolgen[7].

Unterwirft man 12-Oxo-octadecansäure dem gleichen Prozeß, so entsteht das Dicarbonsäure-Gemisch mit einer 55%igen Ausbeute.

Bemerkenswert ist, daß ein Zusatz von Cadmiumoxid (als Dehydrierungskatalysator) die Ausbeute an *Decandisäure* (*Sebacinsäure*) erhöht[2, 6].

Das beim analogen Abbau von 6-Hydroxy-stearinsäure zu erwartende Gemisch von *Do-decansäure* und *Adipinsäure* entsteht nur in geringer Menge, da hier die zunächst

[1] H. J. Pistor u. H. Plieninger A. **562**, 243 (1949).

[2] US. P. 2847466 (1958), National Research Corp., Erf.: T. R. Steadman u. J. O. H. Peterson, Jr.; C. A. **53**, 227 (1959).

[3] R. A. Dytham u. B. C. L. Weedon, Tetrahedron 8, 246 (1960).

[4] US. P. 2614122 (1951), Standard Oil Co., Erf.: L. A. Mikeksa; C. A. **47**, 5431 (1947).

[5] Vgl. a. US. P. 2777865 (1953), Kessler Chem. Co., Inc., Erf.: R. L. Logan; C. A. **51**, 14296 (1957).

[6] T. R. Steadman u. J. O. H. Peterson, Ind. Eng. Chem. **50**, 59 (1958).

[7] DRP. 737691 (1939), I. G. Farb., Erf.: W. Lehmann u. R. Schröter.

sich bildende 6-Oxo-stearinsäure eine Art Claisen-Kondensation unter Cyclisierung zu *2-Dodecyl-cyclopenten-1-carbonsäure* eingeht, deren Alkali-Spaltung *3-Dodecyl-hexandisäure* liefern kann[1]:

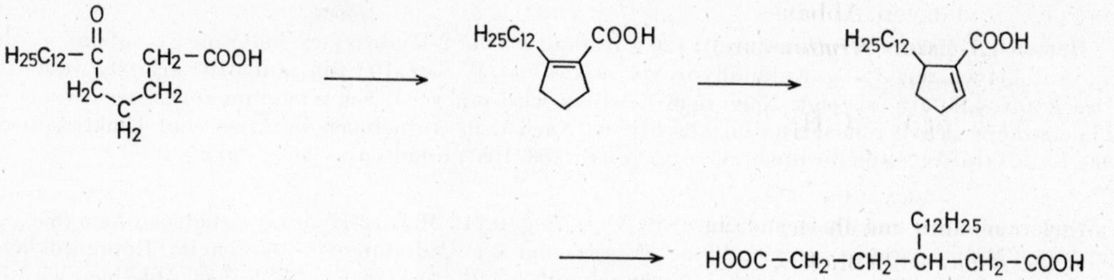

γ-Lactone spalten als γ-Hydroxy-carbonsäuren in der Alkalischmelze zu Fettsäuren und *Propionsäure*[2]:

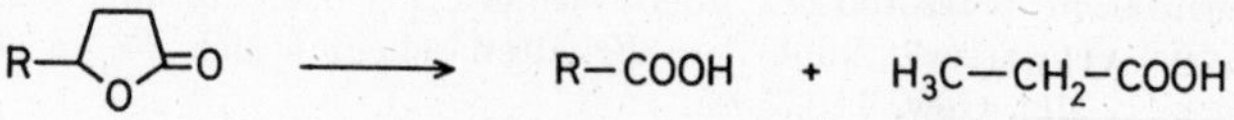

Für den Abbau von β-Hydroxy-carbonsäuren, die als Zwischenprodukte bei der Spaltung ungesättigter Carbonsäuren anzunehmen sind, wird ein anderer Reaktionsmechanismus vorgeschlagen (s. S. 25).

b) Glykole

Die Zahl der möglichen Reaktionsprodukte vervielfältigt sich bei der Alkalischmelze von α-Glykolen. Da zu der schrittweisen Dehydrierung unter Bildung von Hydroxy-ketonen und Diketonen auch noch die Möglichkeit einer Benzilsäure-Umlagerung[3] des Diketons tritt. Hydroxy-keton, Diketon und Umlagerungsprodukt können je nach Reaktionsbedingungen in der Schmelze aufgespalten und hierbei entstehende Alkohole und Aldehyde erneut dehydriert werden. Folgendes Schema veranschaulicht die in der Alkalischmelze von α-Glykolen ablaufenden Vorgänge[4]:

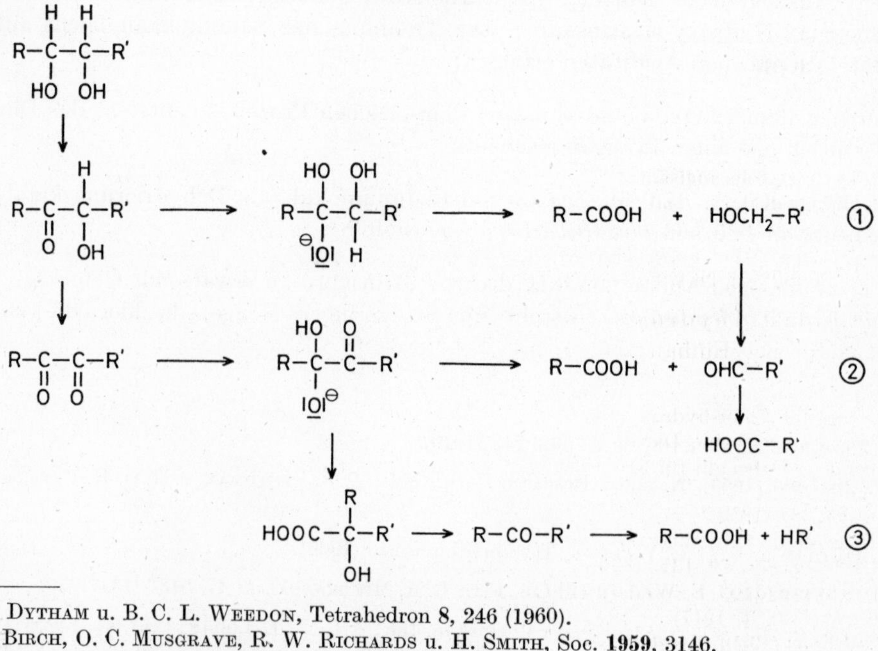

[1] R. A. DYTHAM u. B. C. L. WEEDON, Tetrahedron 8, 246 (1960).
[2] A. J. BIRCH, O. C. MUSGRAVE, R. W. RICHARDS u. H. SMITH, Soc. **1959**, 3146.
   J. D. BULOCK u. H. GREGORY, Biochem. J. **69**, 35 (1959).
[3] B. H. NICOLD u. A. E. JURIST, Am. Soc. **44**, 1136 (1922).
[4] R. A. DYTHAM u. B. C. L. WEEDON, Tetrahedron **9**, 249 (1960).

Reaktionsweg ① und ② führen zu gleichen Endprodukten, während Reaktionsweg ③ die Umlagerungsverbindung und eine Folge ihrer Abbauprodukte liefert. Art und Ausbeute der entstehenden Verbindungen hängt von den Reaktionsbedingungen ab, wie es am Beispiel des oxidativen Abbaues von 9,10-Dihydroxy-stearinsäure in Tab. 2 verdeutlicht werden kann. *Erythro-* und *threo*-9,10-Dihydroxy-stearinsäure geben fast identische Spaltungsprodukte.

Setzt man für $R = C_8H_{17}$ und für $R' = -(CH_2)_7-COOH$ (Schema s. S. 16) so erhält man als Endprodukte nach ① und ② *Nonansäure* und *Nonandisäure*[1], während nach ③ über die Benzilsäure-Umlagerung zunächst über *9,10-Dioxo-stearinsäure* die *2-Hydroxy-2-octyl-decandisäure* und durch deren Zerfall insbesondere bei höherer Temperatur *9-Oxo-heptadecansäure* und schließlich wieder Nonandisäure, Nonansäure und *Octansäure* entsteht. Die Zwischenprodukte 9-Hydroxy-10-oxo-stearinsäure und 9,10-Dioxo-stearinsäure können nicht isoliert werden.

Tab. 2. Alkalischmelze von 9,10-Dihydroxy-stearinsäure

Temperatur [° C]	Alkali	Zeit	Hauptprodukte	Ausbeute % d.Th.	Literatur
230–240	KOH + NaOH	1 Stde.	*2-Hydroxy-2-octyl-decandisäure* *Nonansäure* *Nonandisäure*	90 Spuren	[2]
250–275	KOH + H$_2$O (ev. Zusatz von KClO$_3$)	bis Beendigung der H$_2$-Entwicklung	*Nonansäure* *Nonandisäure*		[1–4]
260–270	KOH	1 Stde.	*9-Oxo-heptadecansäure* *Nonandisäure* *Octansäure* *Nonansäure*	30	[2]
300–360	KOH	1 Stde.	*Nonandisäure* *Nonansäure* *Octansäure*		[2]

2-Hydroxy-2-octyl-decandisäure[5]: 3,5 g 9,10-Dihydroxy-stearinsäure werden in einer feingepulverten Mischung aus 5 g Kalium- und 5 g Natriumhydroxid 1 Stde. auf 230–240° (Badtemp.) erhitzt. Die Mischung wird abgekühlt und in Wasser gelöst. Nach dem Ansäuern wird die Carbonsäure mit Äther ausgeschüttelt, der Äther abgezogen und der Rückstand aus Chloroform/Petroläther umkristallisiert; Ausbeute: 3,3 g (90% d.Th.); F: 110–111°.

Aus 9-Chlor-10-hydroxy- bzw. 10-Chlor-9-hydroxy-stearinsäure entsteht in der Alkalischmelze bei Einhaltung optimaler Reaktionsbedingungen *Nonandisäure* (71,6% d.Th.).

Hierzu wird die Chlor-hydroxy-stearinsäure in eine vorerhitzte Schmelze der doppelten Menge Natriumhydroxid eingetragen. Die Reaktionszeit, die nicht überschritten werden sollte, richtet sich nach der Temperatur. Dabei gilt für 340° – 30 Min. und für 400° – 10 Min.; es ist vorteilhaft, unter Stickstoff zu arbeiten[6].

[1] H. R. LE SUER u. J. G. WITHERS, Soc. **105**, 2801 (1914). H. R. LE SUER, Soc. **79**, 1313 (1901).
[2] R. A. DYTHAM u. B. C. L. WEEDON, Tetrahedron **9**, 247 (1960).
[3] A. ECKERT, M. **38**, 1 (1917).
[4] US. P. 2625558 (1950), Kessler Chem. Corp., Erf.: R. L. LOGAN; C. A. **47**, 10551 (1953).
[5] R. A. DYTHAM u. B. C. L. WEEDON, Tetrahedron **9**, 252 (1960).
[6] US. P. 2791607 (1955), Swift and Co., Erf.: J. L. OHLSON u. K. H. SPITZMUELLER; C. A. **51**, 13910 (1957).

Eindeutiger verläuft die Reaktion, wenn eine Benzilsäure-Umlagerung aus sterischen Gründen ausgeschlossen ist. So liefert 3,16β,17β-Trihydroxy-östratrien-(1,3,5¹⁰) in der Alkalischmelze *7-Hydroxy-2-methyl-trans-1-carboxymethyl-2-carboxy-1,2,3,4,4a,9,10,10a-octahydro-phenanthren* (*Marrianolsäure;* 60% d.Th.)[1]:

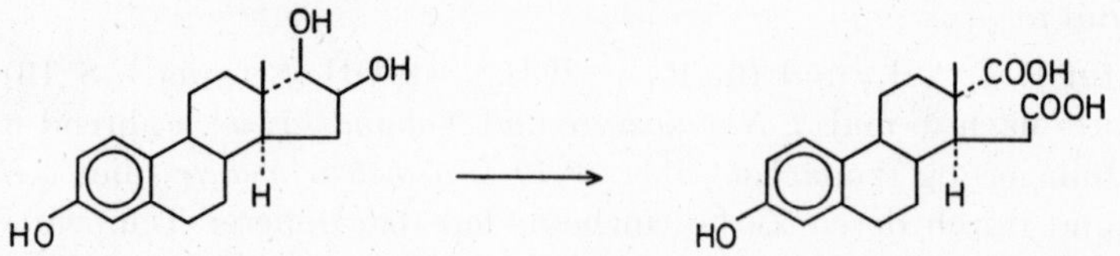

1,2-Dihydroxy-2-methyl-propan reagiert wie ein monofunktioneller primärer Alkohol, da tert. Hydroxy-Gruppen nicht dehydrierbar sind. Es entsteht *2-Hydroxy-2-methyl-propansäure*[2]:

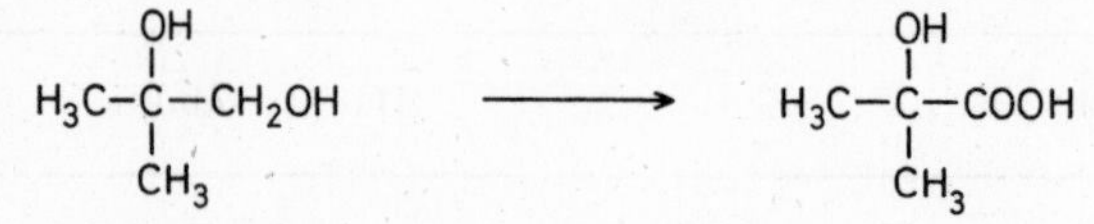

2-Hydroxy-2-methyl-propansäure: 75 g 1,2-Dihydroxy-2-methyl-propan und 30 g Natriumhydroxid werden im Rührautoklaven unter Stickstoff-Atmosphäre 3 Stdn. auf 250° erhitzt. Die Reaktionsmischung wird in 200 *ml* Wasser gelöst und 8 Stdn. mit Äther extrahiert; dabei werden 1,8 g Ausgangsmaterial zurückgewonnen, Es wird mit 10%iger Schwefelsäure angesäuert und über Nacht mit Äther extrahiert. Der Äther-Auszug enthält 37,7 g Rohsäure, die beim Stehen kristallisiert. Danach wird aus Benzol umkristallisiert; Ausbeute: 23,9 g (28% d.Th.); F: 78–79°.

Weitere Beispiele zur oxidativen Spaltung von Polyhydroxy-Verbindungen s. Tab. 3 (S. 19).

c) Kohlenhydrate

Durch Einwirkung von verdünnten oder konzentrierten Alkalimetallhydroxid-Lösungen auf Mono- oder Polysaccharide finden unter Ausschluß von Sauerstoff im allgemeinen keine Oxidationen statt. Die erhaltenen Carbonsäuren (Saccharinsäuren und Spaltprodukte) sind das Resultat einer Folge von Isomerisierungen über Endiol-Zwischenstufen durch Wasseranlagerungs-, Wasserabspaltungs-Reaktionen und durch Stellungswechsel nach Art der Benzilsäure-Umlagerung. Bei Behandlung mit konzentrierten Alkalimetallhydroxid-Lösungen wird die Kohlenstoffkette aufgespalten[3–5].

Das Beispiel einer echten Alkalischmelze eines Polysaccharids[6,7] mit der Bildung eines definierten Oxidationsproduktes ist die heute veraltete technische Herstellung von Oxalsäure aus Sägemehl. Man kann annehmen, daß die gleichen Mechanismen, die sich in der Alkalischmelze von Aldehyden und Glykolen abspielen, die Umwandlung von Cellulose in Oxalsäure bewirken.

[1] G. F. Marrian u. G. Haselwood, J. Soc. Chem. Ind. **51** II, 279 (1932); C. A. **27**, 1355 (1933).
   K. Miescher, Chem. Rev. **43**, 367 (1948).
[2] O. Vogel, J. Org. Chem. **23**, 1488 (1958).
   Vgl. a. US. P. 2824130 (1956/1958), Escambia Chem. Corp., Erf.: N. C. Robertson u. T.R.Steddman; C. A. **52**, 10156 (1958).
[3] F. Micheel, *Chemie der Zucker und Polysaccharide,* 2. Aufl., S. 39, 275, Akad. Verl. Ges., Leipzig 1956.
[4] G. Wagner u. P. Kuhn, Pharmazie **21**, 208 (1966).
[5] J. K. N. Jones u. M. B. Perry in Weissberger, *Technique of organic Chemistry* XI, Teil II, S. 734, Interscience Publishers, New York · London 1963.
[6] I. Kenner, Chem. & Ind. **1955**, 727.
[7] R. C. Whistler u. J. N. Be Miller, Advances in Carbohydrate Chemistry **13**, 289 (1958).

Ein einfaches und präparativ wertvolles Verfahren zur Überführung von Monosen in die um ein Kohlenstoffatom ärmeren Carbonsäuren besteht darin, daß man z. B. Glucose in 2n Kalilauge bei 40° unter geringem Überdruck mit Sauerstoff behandelt, wodurch 73% d.Th. an *d-Arabonsäure* isoliert werden können[1].

Ebenso lassen sich herstellen; aus

Galaktose → *d-Lyxonsäure*

Arabinose → *Threonsäure*; 60% d.Th.

Tab. 3. Alkalischmelzen von Polyhydroxy-Verbindungen[2]

Polyhydroxy-Verbindung	End-Verbindung	Ausbeute % d.Th.
$H_3C-CH-CH-(CH_2)_8-COOH$ $\quad\;$ HO$\;$ OH	$HOOC-(CH_2)_8-COOH$ *Decandisäure* $H_3C-(CH_2)_8-COOH$ *Octansäure* $H_3C-(CH_2)_7-COOH$ *Nonansäure*	90
$H_3C-(CH_2)_5-CH-CH_2-CH-CH-(CH_2)_7-COOH$ $\qquad\qquad$ OH$\qquad$ HO$\;$ OH	$H_3C-(CH_2)_5-COOH$ *Heptansäure* $HOOC-(CH_2)_7-COOH$ *Nonandisäure*	
$H_3C-(CH_2)_4-CH-CH_2-CH_2-CH-CH-(CH_2)_7-COOH$ $\qquad\qquad$ HO$\;$ OH$\qquad\;$ HO$\;$ OH	$H_3C-(CH_2)_4-COOH$ *Hexansäure* $HOOC-(CH_2)_7-COOH$ *Nonandisäure*	
$H_3C-CH_2-CH-CH-CH_2-CH-CH-CH_2-CH-CH-(CH_2)_7-COOH$ $\qquad\quad$ HO$\;$ OH$\quad$ HO$\;$ OH$\quad$ HO$\;$ OH	H_3C-CH_2-COOH *Propansäure* $HOOC-(CH_2)_7-COOH$ *Nonandisäure*	
⬡–CH–CH–COOH $\quad\;$ OH$\;$ OH	⬡–COOH$\quad$ *Benzoesäure* $HOOC-COOH\quad$ *Oxalsäure*	

Oxalsäure[3,4]: Sägemehl wird mit der 2,5–3fachen Menge seines Gewichtes an Natrium- und Kaliumhydroxid oder einem Gemisch der beiden Hydroxide unter Zusatz von kleineren Mengen Wasser vermischt. Dann wird langsam auf 240–285° erhitzt. Nach dem Abkühlen wird die Schmelzmasse ausgelaugt. Durch Neutralisieren mit Schwefelsäure wird 25–35 Gew.-% des eingesetzten Sägemehls als Oxalsäure gewonnen.

d) Ungesättigte Alkohole

Ungesättigte Alkohole, primäre wie sekundäre, dehydrieren unter der Einwirkung starker Alkalien wie ihre gesättigten Analogen. Die Produkte dieses ersten Reaktionsschrittes sind jedoch nicht zu fassen, da die C=C-Doppelbindung nach Verschiebung in die α,β-Stellung[5] zur gebildeten Carbonyl-Funktion eine Retroaldolspaltung erleidet. Es entstehen

---

[1] DRP 618184, 620248 (1934), Erf.: O. SPENGLER u. A. PFANNENSTIEL; Frdl. **22**, 133, 135.
[2] B. C. L. WEEDON in A. WEISSBERGER, *Technique of organic Chemistry*, XI. Teil II, S. 680, Interscience Publishers, New York · London 1963.
[3] ULLMANN, **13**, 53 (1962).
[4] D. F. OTHMER et al., Ind. Eng. Chem. **34**, 262, 274 (1942).
[5] G. W. ELLIS, Soc. **1950**, 9—12.

ein Keton und ein Aldehyd, wobei letzterer wiederum als Hydrid-Ionen-Acceptor für die einleitende Dehydrierung unter Bildung eines primären Alkohols dient[1,2]. Vereinfacht läßt sich die Reaktionskette folgendermaßen formulieren:

$$
\begin{array}{c}
\overset{\displaystyle H}{\underset{\displaystyle OH}{R-\overset{|}{\underset{|}{C}}-CH_2-CH=CH-R'}} \quad \Big\downarrow -H_2 \\[2em]
R-\overset{\displaystyle O}{\overset{||}{C}}-CH_2-CH=CH-R' \quad \Big\downarrow \\[2em]
R-\overset{\displaystyle O}{\overset{||}{C}}-CH=CH-CH_2-R' \quad \Big\downarrow \\[2em]
\left[\; R-\overset{\displaystyle O}{\overset{||}{C}}-CH_3 \;+\; OCH-CH_2-R' \quad \Big\downarrow +H_2 \;\right] \\[2em]
R-\overset{\displaystyle O}{\overset{||}{C}}-CH_3 \;+\; HOCH_2-CH_2-R'
\end{array}
$$

In der Gesamtbilanz erscheint diese Spaltung ungesättigter Alkohole bei Temperaturen unter 240° nicht als Oxidation. Anders bei höheren Temperaturen. Hier stellen sich nun unter der Alkalieinwirkung Redoxgleichgewichte zwischen dem Keton und dem prim. Alkohol ein, wobei der so entstandene Aldehyd direkt weiter zur Carbonsäure dehydriert oder über eine Cannizzaro-Reaktion disproportioniert wird. In jedem Fall ist also die Carbonsäure das Endprodukt und das Keton wird dabei zum sek. Alkohol reduziert[3,4].

Die technisch wichtige Ricinusöl-Spaltung gab Anlaß zur Aufstellung dieser Reaktionsfolgen, denn entsprechend den Reaktionstemperaturen entstehen folgende Produkte:

$$
\text{Ricinusölsäure} \quad
\begin{array}{l}
\xrightarrow{\;180-200°\;} \; \textit{Octanon-(2)} \;+\; \textit{10-Hydroxy-decansäure} \\
\xrightarrow[-H_2]{\;250°\;} \; \textit{Octanol-(2)} \;+\; \textit{Decandisäure}
\end{array}
$$

$$
\text{(Ricinolsäure: } H_3C-(CH_2)_5-\overset{\displaystyle OH}{\overset{|}{C}H}-CH_2-CH=CH-(CH_2)_7-COOH
$$

Durch die techn. Bedeutung besonders der sauren Spaltprodukte ist die Ricinusölsäure-Spaltung in der Technik intensiv bearbeitet worden[5]. Man kann die Spaltung mit Natriumhydroxid[6], Kaliumhydroxid[6,7], Natriumcarbonat[6], Kaliumcarbonat[6], Alkalimetallphenolaten[8], Bariumhydroxid[6] und Calciumhydroxid[9] in den verschiedensten Konzentrationen in bezug auf Alkalimetallhydroxid- und Wasser-Gehalt ausführen. Auch wasserfreie Gemische von Ricinoleaten und Alkalien liefern gute Aus-

---

[1] G. H. Hargreaves u. L. N. Owen, Soc. 1947, 756.
[2] R. A. Dytham u. B. C. L. Weedon, Tetrahedron 8, 246 (1960).
[3] G. W. Ellis, Soc. 1950, 9-12.
[4] G. H. Hargreaves u. L. N. Owen, Soc. 1947, 753.
[5] H. Beduneau, Internat. Chem. Eng. 33, 134 (1952); Rev. Prod. Chim. 55, 103 (1952).
[6] Fr. P. 1079211 (1953), Baker Castor Oil Co., Erf.: M. K. Smith, L. Auer u. W. R. Sprowls.
[7] US. P. 2318762 (1943), National Prod. Co., Erf.: G. D. Davis u. B. A. Dombrow; C. A. 37, 5987 (1944).
[8] Fr. P. 994429 (1949) ≡ US. P. 2674608 Société Organico, Erf.: G. Dupont u. O. Kostelitz; C. A. 47, 4902 (1954).
[9] US. P. 2693480 (1951) Simco Inc., California, Erf.: V. E. Haury; C. A. 49, 14800 (1956).

beuten an *Decandisäure*[1,2]. Zusätze von Blei- oder Barium[3]-Verbindungen zur Alkalischmelze oder von Alkalimetallnitraten[4] sollen die Ausbeute an Dicarbonsäure verbessern. Es wird auch empfohlen, das Erhitzen chargenweise oder kontinuierlich bei Normaldruck oder schwachem Überdruck in 2 Phasen durchzuführen: Zuerst 1–4 Stdn. auf 200–220°, dann 4–8 Stdn. auf 270–300°[5]. In einem kontinuierlichen Verfahren werden wäßrige Lösungen der Alkalimetallsalze der Ricinolsäure, wie sie bei der Verseifung des Ricinusöles anfallen, die ungefähr einen Alkali-Überschuß von 22% enthalten, ∼ 20 Min. lang mit überhitztem Wasserdampf (320–350°) behandelt[6]. Einige Autoren empfehlen, die Reaktion in einem inerten Verdünnungsmittel wie Kresol oder Paraffinkohlenwasserstoffen auszuführen[7–11].

Decandisäure (Sebacinsäure)[12]: Eine Mischung aus 385 g Natriumhydroxid, 139 g Kresol, 110 g Wasser und 500 g Ricinusöl wird mechanisch gerührt und langsam bis auf 250° erhitzt. Gegen 135° beginnt ein Gemisch aus Wasser und wenig Octanon-(2) abzudestillieren. Es wird kondensiert und in das Reaktionsgefäß zurückgeführt. Bei steigender Temp. destilliert mehr Wasser und Octanon-(2) ab. Bei ungefähr 210° bemerkt man eine Entwicklung von Wasserstoff. Schließlich hält man die Temp. 2 Stdn. auf 250°, wobei weiterhin das Kondensat in das Reaktionsgefäß zurückgeleitet wird. Nach Beendigung der Reaktion unterbricht man die Rückführung des Kondensates und fängt es getrennt auf. Es besteht aus einer unteren wäßrigen Schicht und einer oberen Schicht, die vorwiegend aus Octanol-(2) besteht. Die organische Schicht wird rektifiziert, und man erhält 136 g einer Mischung aus 95% Octanol-(2) und 5% Octanon-(2).

Die Reaktionsmasse[13] wird in ∼ 10 *l* Wasser gelöst, mit Schwefelsäure auf p_H 10 gestellt und Kohlendioxid bis zur Sättigung eingeleitet. Hierauf werden das Kresol und die nicht sauren Bestandteile mit Wasserdampf unter Zusatz eines Antischaummittels überdestilliert, der Destillationsrückstand auf ∼ 5 *l* eingedampft, mit Aktivkohle geklärt und nach dem Filtrieren heiß mit verd. Schwefelsäure sauer gestellt. Nach dem Erkalten kristallisiert reine Sebacinsäure aus (rein F: 133–134°); Ausbeute: 208 g (∼ 65% d. Th.).

10-Hydroxy-decansäure[12]: Eine Mischung aus 500 g Ricinusöl, 385 g Natriumhydroxid, 139 g Kresol und 110 g Wasser wird allmählich auf 180–195° erhitzt und diese Temp. unter Rühren 3 Stdn. gehalten. Die entweichenden flüchtigen Produkte werden kondensiert und ins Reaktionsgefäß zurückgeführt. Nach Beendigung der Reaktion schaltet man die Rückführung der kondensierten Produkte ab und fängt sie gesondert auf. Das Destillat trennt sich in zwei Schichten, von denen die untere aus Wasser, und die obere aus einer Mischung von Octanon-(2) und Octanol-(2) besteht. Die organische Schicht wird rektifiziert und man erhält 125 g einer Mischung aus 70% *Octanon-(2)* und 30% *Octanol-(2)*.

Die Reaktionsmasse[13] wird in 5 *l* Wasser gelöst, wie oben behandelt und mit Wasserdampf destilliert. Der Destillationsrückstand wird mit Aktivkohle versetzt, filtriert, heiß mit 1,5 *l* Tetrachlormethan versetzt und mit verd. Schwefelsäure angesäuert. Nach der Schichtentrennung kristallisieren aus der wäßrigen Phase nach dem Abkühlen ∼ 18 g Sebacinsäure aus. Aus der Tetrachlormethan-Lösung scheiden sich beim Erkalten ∼ 154 g 10-Hydroxy-decansäure ab, die abgesaugt, mit kaltem Tetrachlormethan gewaschen und vorsichtig getrocknet wird (rein F: 72–73°).

[1] Fr. P. 1079211 (1953), Baker Castor Oil Co., Erf.: M. K. Smith, L. Auer u. W. R. Sprowls.

[2] US. P. 2580931 (1950) Du Pont, Erf.: F. W. Lane; C. A. **46**, 3303 (1953).

[3] DAS 1038547 (1955) ≡ US. P. 2734916 (1954), Baker Castor Oil Co., Erf.: Don S. Bolley u. F. C. Naughton; C. A. **50**, 10765 (1957).

[4] US. P. 2935530 (1957), Société des Produits Chimiques de Bezons, Erf.: Y. Bourgeois; C. A. **55**, 7291 (1961).

[5] Fr. P. 1179856 (1957), Société des Produits Chimiques de Bezons, Erf.: M. Roussos u. Y. Bourgeois; C. A. **55**, 2706 (1961).

[6] M. Klang u. S. Marinescu, Rev. Chim. (Bucarest) **15**, 542 (1964).

[7] US. P. 2318762 (1943), 43, Erf.: G. D. Davis u. B. A. Dombrow; C. A. **37**, 5987 (1944).

[8] Brit. P. 675434 (1952) ≡ Fr. P. 994429 (1949), Société Organico, Erf.: G. Dupont u. O. Kostelitz; C. A. **47**, 4902 (1954).

[9] G. I. Fray, R. H. Jaeger, E. D. Morgan, R. Robinson u. A. D. B. Sloan, Tetrahedron **15**, 18–25 (1961).

[10] US. P. 2217515 (1940) ≡ Brit. P. 534321 (1941), American Cyanamid Co., Erf.: A. G. Haupt; C. A. **35**, 1258 (1942).

[11] DAS 1032243 (1952) ≡ US. P. 2614122, Esso Research and Eng. Co., Erf.: L. A. Mékeska; C. A. **47**, 5431 (1954).

[12] Brit. P. 675434 ≡ Fr. P. 994429 (1949), Société Organico, Erf.: G. Dupont u. O. Kostelitz; C. A. **47**, 4902 (1954).

[13] Abgeänderte Vorschrift.

Der Verlauf der Ricinolsäure-Spaltung wird auch durch folgenden Effekt bestätigt: gibt man zur Alkalischmelze Octanol-(2) zu, dann stellt sich zwischen diesem und der (nichtisolierbaren) ω,ω'-Aldehyd-carbonsäure ein Redoxgleichgewicht ein, wodurch sich die Ausbeute an der *10-Hydroxy-decansäure* erhöht (bis zu 65% d.Th.). Ein Zusatz von Octanon-(2) hingegen unterdrückt deren Bildung und begünstigt die Umwandlung der Aldehyd-carbonsäure in die *Decandisäure*, die so mit Ausbeuten bis zu 70% d.Th. herstellbar sein soll[1].

Tab. 4. Alkalispaltung ungesättigter Hydroxy-Verbindungen

Eingesetzte Verbindung	Nachgewiesene Spaltprodukte		Literatur
$H_3C-CH=CH_2-\overset{\underset{\mid}{OH}}{CH}-C_4H_9$	$H_3C-CO-C_4H_9$ $H_3C-COOH$	*Hexanon-(2)* *Essigsäure*	2
$H_9C_4-\overset{\underset{\mid}{OH}}{\underset{}{CH}}-\overset{\overset{C_2H_5}{\mid}}{C}=CH-C_3H_7$ mit C_2H_5	$H_9C_4-\overset{\underset{\mid}{OH}}{CH}-C_3H_7$ C_4H_9OH H_7C_3-COOH	*Octanol-(4)* *Butanol* *Buttersäure*	2
$H_3C-(CH_2)_5-\overset{\underset{\mid}{OH}}{CH}-CH_2-CH=CH-(CH_2)_9-COOH$	$HOH_2C-(CH_2)_{10}-COOH$ $HOOC-(CH_2)_{10}-COOH$	*12-Hydroxy-dodecansäure* *Dodecandisäure*	2
$HOCH_2-CH_2-CH=CH-(CH_2)_2-CH_2OH$	$HOOC-(CH_2)_3-COOH$ $H_3C-COOH$	*Glutarsäure* *Essigsäure*	3
		3-Hydroxy-1-methyl-cyclo-hexan	2
	 6-Hydroxy-2-methyl-hepten-(2)	 *6-Oxo-2-methyl-hepten(2)*	3—6

[1] M. J. DIAMOND, R. G. BINDER u. T. H. APPLEWHIT, J. Amer. Oil Chemist's Soc. **42**, 882 (1965).

[2] G. H. HARGREAVES u. L. N. OWEN, Soc. **1947**, 756.

[3] F. RUNGE, R. HUETER u. H. D. WULF, B. **87**, 1430 (1954).

[4] P. BARBIER, C. r. **126**, 1423 (1898).

[5] J. DOENORE, Bl. **45**, 351 (1929).

[6] F. TIEMANN, B. **31**, 2989 (1898).

Tab. 4 (S. 22) zählt weitere ungesättigte Hydroxy-Verbindungen und ihre nach gleichem Reaktionsmechanismus in der Alkalischmelze entstehenden Spaltprodukte auf.

II. Oxidation von cyclischen Äthern unter C–C-Spaltung

α-substituierte Tetrahydrofurylalkohole und Tetrahydrofuran-carbonsäuren werden in der Alkalischmelze zu ω, ω'-Dicarbonsäuren aufgespalten und dehydriert. Daneben bilden sich in der Schmelze je nach Natur des α-Substituenten Olefine, Olefincarbonsäuren und Dicarbonsäuren mit geringerer Anzahl von C-Atomen. Einen Überblick gibt Tab. 5. Die Schmelzen wurden mit einem eutektischen Gemisch von Kalium-/Natriumhydroxid bei 200–275° ausgeführt[1].

Tab. 5. Alkalischmelzen von α-substituierten Tetrahydrofuranen[1]

R $\langle$O$\rangle$R	Olefin	ungesättigte Carbonsäuren	Dicarbonsäure mit gleicher C-Zahl	Dicarbonsäuren mit geringerer C-Zahl
$-CH_2-OH$	kein Olefin		59% *Glutarsäure*	
$-COOH$	kein Olefin		17% *Glutarsäure*	4% *Bernsteinsäure*
$-(CH_2)_3-OH$	27% *Hepta-trien-(1,3,6)*	16% *Cyclohexen-(1)-carbonsäure*	31% *Heptandi-säure*	10% *Glutarsäure* + *Essigsäure*
$-(CH_2)_2-COOH$	kein Olefin	13% *Cyclohexen-(1)-carbonsäure*	55% *Heptandi-säure*	10% *Glutarsäure* + *Essigsäure*
$-(CH_2)_3-COOH$	kein Olefin	8% *Cyclohexen-(1)-carbonsäure*	27% *Octandisäure*	6% *Hexandisäure* (*Adipinsäure*) + *Essigsäure*
$-CH_2-\overset{\underset{\mid}{CH_3}}{CH}-CH_2-OH$	29%		34% *2-Methyl-heptandisäure*	
$-CH_2-\overset{\underset{\mid}{C_2H_5}}{CH}-CH_2-OH$	31%		21% *2-Äthyl-heptandisäure*	

Offenbar wird die Hydroxy-Gruppe unter Wasserstoff-Entwicklung zur Carbonsäure dehydriert, während durch die Alkalischmelze hydrolytische Aufspaltung des Ringes erfolgt, z. B.:

$$\langle O \rangle-CH_2-CH_2-CH_2-OH \xrightarrow[-2\ H_2]{NaOH} \langle O \rangle-CH_2-CH_2-COONa \xrightarrow[-H_2O]{NaOH}$$

$$NaO-CH_2-CH_2-CH=CH-CH_2-CH_2-COONa$$

Durch Aufnahme des im ersten Reaktionsschritt abgespaltenen Wasserstoffs entstehen gesättigte Hydroxy-carbonsäuren, die zu Olefinen dehydratisiert oder weiter zu Dicarbon-

---

[1] F. RUNGE, R. HUETER u. H. D. WULF, B. 87, 1430 (1954).

säuren dehydriert werden können. Außerdem kann obige intermediäre ungesättigte Hydroxy-Carbonsäure unter dem Einfluß der Alkalischmelze nach Varrentrapp reagieren und Essigsäure und die um 2-C-Atome ärmere Dicarbonsäure bilden.

Auch aus 2-Hydroxy-tetrahydropyran werden in der Alkalischmelze reichliche Mengen an *Glutarsäure* erhalten[1]:

$$\text{(Struktur)} \xrightarrow{\text{NaOH/KOH}} \text{HOOC}-(CH_2)_3-\text{COOH}$$

Die verhältnismäßig hohe Ausbeute an Glutarsäure bei der Schmelze des Tetrahydrofurfurylalkohols im Vergleich zu der der Tetrahydrofuran-2-carbonsäure sowie das Fehlen von Dehydratisierungsprodukten macht es wahrscheinlich, daß die Bildung von Glutarsäure aus dem Tetrahydrofurfurylalkohol auf dem Wege einer Dehydratisierung und Ringerweiterung zum Dihydropyran erfolgen kann[1,2].

Glutarsäure:

aus Tetrahydrofurfurylalkohol[1]: 48 g Natriumhydroxid und 45 g Kaliumhydroxid (zusammen 2 Mol Alkalimetallhydroxid) werden fein gepulvert und mit 78,5 g Tetrahydrofurfurylalkohol in einem eisernen Rührgefäß geschmolzen. Bei 220° setzt lebhafte Entwicklung von Wasserstoff ein, der über einen Rückflußkühler einem Gasometer zugeführt wird. Die Heizung wird durch ein Salzbad so geregelt, daß nicht mehr als 200–300 *ml* Wasserstoff/Min. entwickelt werden. Gegen Ende der Wasserstoff-Abgabe wird die Temp. bis auf 275° gesteigert. Insgesamt werden innerhalb von 6 Stdn. 32 *l* Wasserstoff (60% d. Th.) entwickelt, wobei 6,4 g Tetrahydrofurfurylalkohol aus dem Reaktionsgefäß destillieren. Die Schmelze wird in Wasser gelöst, unter Kühlung mit konz. Salzsäure angesäuert und die kongosaure Lösung mit Äther erschöpfend perforiert. Der Äther-Extrakt wird über eine kleine Raschig-Kolonne fraktioniert. Neben Essigsäure, Propionsäure und Glutarsäureanhydrid werden als Hauptfraktion 49,3 g (58,8% d.Th.) *Glutarsäure* erhalten; Kp: 193°; F: 97–98°.

aus 2-Hydroxy-tetrahydropyran[1]: 48 g Natriumhydroxid und 45 g Kaliumhydroxid werden im eisernen Rührgefäß auf 240° erhitzt; unter Rühren läßt man 80 g (0,77 Mol) 2-Hydroxy-tetrahydropyran (Kp$_{10}$: 62–66°) zutropfen. Innerhalb von $3^1/_2$ Stdn. werden 28 *l* Wasserstoff entwickelt. Die Schmelze wird in Wasser gelöst, mit konz. Salzsäuren kongosauer gestellt und mit Äther perforiert. Der Ätherextrakt wird eingedampft und der krist. Rückstand durch Umkristallisieren aus Benzol gereinigt; Ausbeute: 47 g (46,2% d.Th.); F: 96–98°.

III. Oxidation von Carbonsäuren unter C–C-Spaltung

a) Gesättigte Carbonsäuren

Nur unter drastischen Bedingungen können gesättigte Carbonsäuren in der Alkalischmelze zur Reaktion gebracht werden. Die Spaltung verläuft wie die der ungesättigten Carbonsäuren (s. S. 25). Es ist daher wahrscheinlich, daß die Reaktionsfolge zunächst durch eine langsame Dehydrierung der gesättigten Carbonsäure eingeleitet wird und die gebildete C=C-Doppelbindung rasch weiter aufspaltet[3]:

$$R-CH_2-CH_2-COO^{\ominus} \xrightarrow{OH^{\ominus}} R-CH=CH-COO^{\ominus} \longrightarrow R-COO^{\ominus}$$

Ist dieser Reaktionsweg durch Alkyl-Gruppen versperrt, entstehen sauerstofffreie Spaltprodukte. Unter den gewaltsamen Reaktionsbedingungen kann auch Decarboxylierung eintreten[4,5].

---

[1] F. Runge, R. Hueter u. H. D. Wulf, B. **87**, 1430 (1954).

[2] R. Paul, C. **196**, 1409 (1933); C. A. **27**, 2932 (1933).

[3] R. G. Ackman, R. P. Linstead, B. J. Wakefield u. B. C. L. Weedon, Tetrahedron 8, 239 (1960).

[4] B. C. L. Weedon in A. Weissberger, *Technique of organic Chemistry* XI, Teil II, S. 663.

[5] K. Takeshita, J. Chem. Soc. Japan, Ind. Ch. Section **63**, 2159 (1960); Kogyo Kagaka Zasski **60**, 47 (1957); C. A. **53**, 6067 (1959).

So werden die 4,4-Dialkyl-butansäuren[1] durch Erhitzen mit Kaliumhydroxid auf ~370° mit guten Ausbeuten zu Dialkylessigsäuren abgebaut; z. B.:

$$H_5C_2-\underset{\underset{C_2H_5}{|}}{CH}-CH_2-CH_2-COOH \longrightarrow H_5C_2-\underset{\underset{C_2H_5}{|}}{CH}-COOH \ + \ CH_3COOH$$

4-Cyclohexyl-hexansäure $\longrightarrow$ *2-Cyclohexyl-butansäure*

2-Äthyl-butansäure

b) Ungesättigte Carbonsäuren[2, 3]

Wie bei Carbonylverbindungen wird auch die der Carboxy-Gruppe α,β-ständige C=C-Doppelbindung durch geschmolzene Alkalien angegriffen und aufgespalten. Es entstehen die um 2-C-Atome ärmeren gesättigten Homologen der eingesetzten ungesättigten Carbonsäuren, Essigsäure und Wasserstoff. Es wird angenommen, daß diese Alkalispaltung von einer β-Hydroxylierung eingeleitet wird unter Bildung einer nicht faßbaren β-Hydroxy-carbonsäure, die unter den Bedingungen der Schmelze rasch nach einem der folgenden Reaktionswege zerfällt:

$$R-CH=CH-COO^{\ominus} \rightleftharpoons R-\underset{\underset{OH}{|}}{CH}-CH_2-COO^{\ominus} \rightleftharpoons R-\underset{\underset{|\overline{O}|^{\ominus}}{|}}{CH}-CH_2-COO^{\ominus}$$

Die eigentliche Dehydrierung ist also eine Folgereaktion, wobei entweder nach Weg (a) die β-Hydroxy-carbonsäure zum Keton oder nach Weg (b) der durch eine Art Retro-Aldol- oder -Claisen-Spaltung aus der Hydroxy-carbonsäure hervorgehende Aldehyd zur Carbonsäure dehydriert wird. Daß diese Spaltung ausschließlich an der C=C-Doppelbindung erfolgt, zeigt der oxidative Abbau von α-Phenyl-acrylsäure, die in der Carboxy-Gruppe ^{14}C enthält und inaktive Ameisensäure liefert[4] (s. Tab. 7, S. 27).

Ungesättigte Carbonsäuren, bei denen die C=C-Doppelbindung nicht in Nachbarschaft zur Carboxy-Gruppe steht, isomerisieren zunächst unter dem Einfluß des Alkali. Die C=C-Doppelbindung wandert sowohl in *cis*- als auch in *trans*-Stellung nach beiden Richtungen in der Kohlenstoffkette bis zur Bildung der entsprechenden α,β-ungesättigten Carbonsäure,

[1] US. P. 2531363 (1945), Dow Chem. Co., Erf.: E. L. Pelton u. A. A. Holzschuh; C. A. 45, 2969 (1951).
[2] R. G. Ackman, R. P. Linstead, B. J. Wakefield u. B. C. L. Weedon, Tetrahedron 8, 221 (1960).
[3] M. F. Ansell u. B. C. L. Weedon, Ind. Chemist 40, 70 (1964); C. A. 60, 16111 (1964).
[4] W. A. Bonner u. R. T. Rewick, Am. Soc. 84, 2334 (1962).

die dann der Spaltung unterliegt [1-4]. Wegen dieser, der Spaltung vorausgehenden Isomerisierung, liefert der oxidative Abbau mit Alkalien andere Carbonsäuren als die Spaltung mit sonst üblichen Oxidationsmitteln (z. B. Ozon), da dort der Angriff auf die C=C-Doppelbindung in ihrer Ausgangsstellung erfolgt [5]. In geringem Umfang und unter gewissen Reaktionsbedingungen kann aber auch in der Alkalischmelze schon Spaltung eintreten, bevor die C=C-Doppelbindung die Konjugationsstellung erreicht hat [6,7].

Die Spaltung der ungesättigten Carbonsäuren in geschmolzenem Alkali ist eine allgemeine, seit langem bekannte Reaktion [8]. Das bekannteste und technisch wichtigste Beispiel hierfür ist die 1840 durch Varrentrapp entdeckte Spaltung der Ölsäure in *Palmitinsäure, Essigsäure* und Wasserstoff [9]. Der Name ,,Varrentrapp-Reaktion'' wurde in der Folgezeit allgemein für die oxidative Spaltung von α,β-ungesättigten Carbonsäuren beibehalten [4].

Die Reaktion wird im allgemeinen so durchgeführt, daß 1 Mol Säure mit 2–15 Mol Natrium- oder Kaliumhydroxid auf Temperaturen zwischen $\sim 250°$ und $360°$ erhitzt wird. Die Reaktionszeit ist von der Struktur der eingesetzten Verbindung abhängig. Sie ist um so länger, je länger die Kohlenstoffkette und je weiter die ursprüngliche Lage der C=C-Doppelbindung von der Carboxy-Gruppe entfernt liegt. Ebenso wird die Möglichkeit der C=C-Doppelbindung sich von der Carboxy-Gruppe zu entfernen, die Reaktionszeit verlängern wie folgende Tabelle zeigt.

Tab. 6. Reaktionsbedingungen und Ausbeuten bei Alkalischmelze verschiedener Olefin-carbonsäuren [4,10,11]

Olefincarbonsäure	Bedingungen		Carbonsäure	Ausbeute [% d.Th.]
	[° C]	[Min.]		
Octadecen-(2)-säure	360	60	*Hexadecansäure*	83
Octadecen-(6)-säure	360	30	*Hexadecansäure*	78
Octadecen-(9)-säure	360	60	*Hexadecansäure*	80–85
Nonen-(2)-säure	300	5	*Heptansäure*	80
Undecen-(10)-säure	360	30	*Nonansäure*	80

Das Arbeiten unter Druck ist nur dann erforderlich, wenn niedersiedende Produkte eingesetzt werden. Zur Erzielung hoher Ausbeuten muß in inerter Atmosphäre gearbeitet werden.

Palmitinsäure [11]: 3,04 g Ölsäure und 9,2 g Kaliumhydroxid werden in einem verschlossenen Nickel-Gefäß mit Rührvorrichtung und Ein- und Ausleitungsrohr für Stickstoff 60 Min. auf 360° erhitzt. Nach beendeter Reaktion wird das Gefäß innerhalb von 2–3 Min. im Wasserbad abgeschreckt. Die Reaktionsmischung wird in Wasser gelöst, angesäuert und das ausgeschiedene Produkt in Petroläther (Kp: 40–60°) aufgenommen. Das nach dem Trocknen und Einengen verbleibende Rohprodukt (2,65 g) besteht zu 90% aus *Palmitinsäure*, zu 5% aus *Octadecensäuren* und zu 1% aus *Tetradecansäure*. Durch Umkristallisieren aus Methanol wird reine *Palmitinsäure* (F: 62,5–62,8°) erhalten.

[1] F. X. Werber, J. E. Janson u. T. L. Gresham, Am. Soc. **74**, 532 (1952).
[2] F. G. Edmed, Soc. **73**, 627 (1898).
[3] M. Saytzeff, C. Saytzeff u. A. Saytzeff, J. pr. **37**, 269 (1888).
[4] R. G. Ackman, P. Linstead, B. J. Wakefield u. B. C. L. Weedon, Tetrahedron 8, 222 (1960).
[5] vgl. ds. Handb., Bd. VIII, Kap. Carbonsäuren, S. 394.
[6] P. Chuit, F. Boelsing, J. Hausser u. G. Malet, Helv. **10**, 117 (1929).
[7] A. C. Noorduyn, R. **38**, 340 (1919).
[8] F. C. Whitmore, *Organic chemistry*, 2. Aufl., S. 258 ff. (1951).
[9] F. Varrentrapp, A. **35**, 196 (1840).
[10] H. J. Harwood, Chem. Rev. **62**, 139 (1962).
[11] R. G. Ackman, P. Linstead, B. J. Wakefield u. B. C. L. Weedon, Tetrahedron 8, 235 (1960).

Decansäure[1]: 280 g Dodecen-(2)-säure werden im offenen Eisenkessel mit 900 g gepulvertem Kalium-hydroxid und 50 *ml* Wasser vermischt. Unter Rühren wird langsam auf 300° aufgeheizt bis zur Beendigung der Wasserstoff-Entwicklung. Nach dem Abkühlen wird Wasser zugesetzt, die Lösung filtriert und mit Salzsäure angesäuert. Die abgeschiedene Schicht wird abgetrennt und i. Vak. destilliert; Ausbeute: 170 g (70% d. Th.); Kp_{12}: 161–164°; F: 30–31°.

Weitere Beispiele zur Spaltung von ungesättigten Carbonsäuren in der Alkali-Schmelze gibt Tab. 7.

Tab. 7. Alkalischmelze von ungesättigten Carbonsäuren

Olefincarbonsäure	Spaltprodukte	Literatur
Zimtsäure	*Benzoesäure* *Essigsäure*	2
Acrylsäure	*Ameisensäure* *Essigsäure*	3
Buten-(2)-säure	2 Mol *Essigsäure*	4
2-Phenyl-acrylsäure	*Ameisensäure* *Phenylessigsäure*	5
Undecensäure	*Nonansäure* *Essigsäure*	6,7
Cumarin	*Salicylsäure*	8

Eine Reihe von Nebenreaktionen können die Varrentrapp-Reaktion begleiten. So kann die als Hauptprodukt entstehende gesättigte Carbonsäure in der Alkalischmelze weiter reagieren zu der um 2-C-Atome ärmeren Carbonsäure (s. S. 24). Durch einen anwesenden Hydrid-Ionen-Donator kann das gesättigte Analoge des Ausgangsmaterials entstehen.

Außerdem kann Polymerenbildung die Ausbeute verringern[9].

Unter scharfen Bedingungen bilden sich durch thermischen Abbau der Natrium-Salze Kohlenwasserstoffe[10], z. B.:

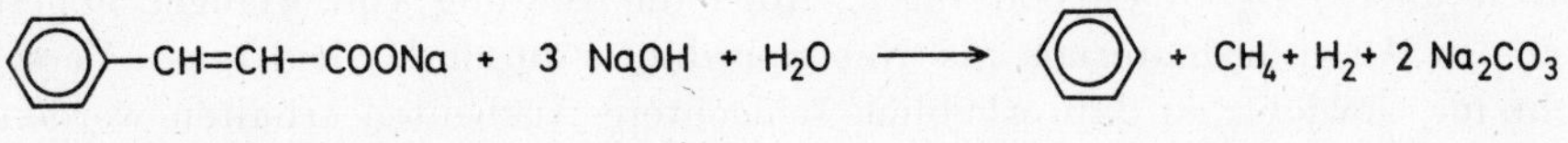

Kann sich infolge der Konstitution des Ausgangsmaterials (Blockierung durch Substituenten) eine α,β-ständige C=C-Doppelbindung nicht ausbilden, so unterbleibt die Varrentrapp-Reaktion[11,12].

---

[1] C. H. KAO u. S. Y. MA, Soc. **1931**, 2046.

[2] L. CHIOZZA, A. **86**, 264 (1853).

[3] K. KRAUT, A. **147**, 113 (1868).

[3] E. ERLENMEYER, A. **191**, 376 (1878).

[4] A. KÉKULÉ, A. **162**, 318 (1872).

[5] K. KRAUT, A. **148**, 242 (1868).

[6] F. BECKER, B. **11**, 1413 (1878).

[7] A. LÜTTRINGHAUS u. W. REIF, A. **618**, 221 (1958).

[8] Z. DELALANDE, A. **45**, 333, 336 (1843).

[9] B. C. L. WEEDON in A. WEISSBERGER, *Technique of organic Chemistry*, Band XI, Teil II, S. 660, Interscience Publishers, New York · London 1963.

[10] K. TAKESHITA, J. Chem. Soc. Japan Ind. Ch. Section **63**, 2159 (1960); C. A. **58**, 1391 (1963).

[11] H. J. PISTOR u. H. PLIENINGER, A. 562, 239 (1949).

[12] R. LUKES u. I. HOFMAN, Chem. Listy **52**, 1747 (1958).

Carboxygruppenhaltige Dienaddukte, z. B. 4-Carboxy- (bzw. 4-Cyan)-cyclohexen oder Cyclohexen-3,4-dicarbonsäureanhydrid werden durch Erhitzen mit wasserhaltigen Alkalimetallhydroxiden auf 320–350° zu Dicarbonsäuren mit der gleichen Anzahl von Kohlenstoffatomen aufgespalten. Auch hier besteht der Primärschritt in der Verschiebung der Doppelbindung in die α,β-Stellung zur Carboxy-Gruppe[1-4] (vgl. S. 15); z. B.[6]:

$$\text{COOR} \xrightarrow{\text{KOH}} \left[\ \text{COOK}\ \right] \longrightarrow \text{KOOC}-(CH_2)_5-\text{COOK}$$

Heptandisäure

Das folgende Maleinsäure-Addukt wird zur *3-Carboxy-heptandisäure* aufgespalten:

$$\begin{matrix}\text{COOR}\\\text{COOR}\end{matrix} \xrightarrow{\text{KOH}} \left[\begin{matrix}\text{COOK}\\\text{COOK}\end{matrix}\right] \longrightarrow \text{KOOC}-CH_2-\overset{\overset{\textstyle COOH}{|}}{CH}-(CH_2)_3-\text{COOH}$$

Heptandisäure[4]: 63 g (0,5 Mol) Cyclohexen-(1)-4-carbonsäure, 46 g 97%iges Natriumhydroxid (1,1 Mol) und 200 ml Wasser werden im Autoklaven 7 Stdn. auf 350° erhitzt. Die abgekühlte Reaktionsmischung wird zur Entfernung der Neutralprodukte 3 Stdn. kontinuierlich mit Äther extrahiert. Dann wird mit konz. Schwefelsäure angesäuert und wiederum über Nacht kontinuierlich mit Äther extrahiert. Der Rückstand des Äther-Extraktes wird in Benzol aufgenommen. Durch kontinuierlich azeotrope Destillation wird Wasser entfernt und das Vol. der Benzol-Lösung auf 250 ml eingeengt. Nach Abkühlen und mehrstündigem Stehen scheidet sich Heptandisäure aus, die abfiltriert und mit 50 ml Benzol gewaschen wird; Ausbeute: 61,1 g (76,4% d. Th.); F: 102–104°.

Entsprechend wird durch Erhitzen von Cycloocten-(1)-1- bzw. -5-carbonsäure mit Natriumhydroxid auf 350° *Nonandisäure* (86 bzw. 77% d. Th.) gewonnen[5].

Zur Spaltung von **Diencarbonsäuren** und von **Acetylencarbonsäuren** sind wenig Beispiele bekannt. Die Spaltung erfolgt bei 250–360° analog der der einfach ungesättigten Carbonsäuren. Auch hier wird die Reaktionsfolge eingeleitet: durch eine reversible Verschiebung des Diensystems entlang der Kohlenstoffkette nach beiden Seiten, gefolgt von einer raschen Spaltung nach Erreichen der α,β-Stellung zur Carboxy-Gruppe. Als eine reversible Folge von Acetylen-Allen-Acetylen-Umlagerungen kann die Wanderung der $C\equiv C$-Dreifachbindung erklärt werden, wobei die schließliche Spaltung nach Isomerisierung zur 2,4-Diencarbonsäure einsetzt. Bei beiden Substanzgruppen ist das **Hauptprodukt** der oxidativen Alkalischmelze eine um **vier C-Atome ärmere gesättigte Carbonsäure.** Naturgemäß sind Verluste durch Polymerisation des Ausgangsmaterials hier größer als bei den einfach ungesättigten Carbonsäuren. Auch die Bildung von weniger ungesättigten Analogen des Ausgangsmaterials als Nebenprodukte durch Hydrid-Ionen-Verschiebung fällt mehr ins Gewicht, so daß erheblich schlechtere Ausbeuten erhalten werden als bei Spaltung der einfach ungesättigten Carbonsäuren[6,7].

So liefern sowohl Linolensäure als auch *trans-trans*-Octadecadien-(9,12)-säure in der Alkalischmelze unter Wasserstoff-Entwicklung ~ 40–60% *Tetradecansäure*, ~ 5% Palmitinsäure und Essigsäure[6]:

$$H_3C-(CH_2)_4-CH{=}CH-CH_2-CH{=}CH-(CH_2)_7-COOH$$
$$\downarrow$$
$$H_3C-(CH_2)_n-CH{=}CH-CH{=}CH-(CH_2)_{12-n}-COOH$$
$$\downarrow$$
$$H_3C-(CH_2)_{12}-COOH \quad + \quad H_3C-COOH \quad + \quad H_3C-(CH_2)_{14}-COOH$$

[1] H. J. Pistor u. H. Plieninger, A. **562**, 259 (1949).
[2] vgl. ds. Handb., Bd. VIII Kap. Carbonsäuren, S. 406.
[3] Belg. P. 596687 (1960), Standard Oil Co., Erf.: E. F. Jason u. E. K. Fields.
[4] F. X. Werber, J. E. Janson u. T. L. Gresham, Am. Soc. **74**, 532 (1952).
[5] L. I. Zacharkin u. G. G. Žigareva, Izv. Akad. SSSR **1965**, 1497; C. A. **63**, 16206 (1965).
[6] R. G. Ackman, R. A. Dytham, B. J. Wakefield u. B. C. L. Weedon, Tetrahedron 8, 239 (1960).
[7] H. J. Harwood, Chem. Rev. **62**, 138 (1962).

6-Allyl-nonen-(8)-säure gibt *2-Propyl-pentansäure* und *Essigsäure*[1]:

$$H_2C=CH-CH_2-CH-(CH_2)_4-COOH \xrightarrow[-CH_3COOH]{} H_3C-CH_2-CH_2-CH-COOH$$

Octadecin-(9)-säure, Undecin-(10)-säure und Decin-(5)-disäure wie ihre isomeren Dien-verbindungen werden hauptsächlich zu den um 4 Kohlenstoffatome ärmeren gesättigten Carbonsäuren abgebaut[1]:

$$H_3C-(CH_2)_7-C\equiv C-(CH_2)_7-COOH \longrightarrow H_3C-(CH_2)_{12}-COOH + [H_3C-(CH_2)_{14}-COOH]$$

Tetradecansäure   *Palmitinsäure*

$$HC\equiv C-(CH_2)_8-COOH \longrightarrow H_3C-(CH_2)_5-COOH + [H_3C-(CH_2)_7-COOH]$$

Heptansäure   *Nonansäure*

$$HOOC-(CH_2)_4-C\equiv C-(CH_2)_4-COOH \longrightarrow HOOC-(CH_2)_6-COOH$$

Octandisäure

Diese Spaltungsregeln gelten nicht für Alkin-(2)- bzw. -(3)-säuren. Hier bildet sich wahrscheinlich zunächst durch Ketonisierung der C≡C-Dreifachbindung eine β-Oxo-carbonsäure, die wie ein Keton zerfällt.

C. Hydroxylierung aromatischer und heteroaromatischer Systeme

Aromaten mit geeigneten Substituenten können mesomere reaktionsfähige Grenzformen bilden, an die sich Alkalimetallhydroxid anlagern kann. Dabei entstehen Dihydro-Verbindungen, die leicht wieder zu stabilen Aromaten dehydriert werden. Im Endeffekt tritt also eine Hydroxy-Gruppe in das Ausgangsmaterial ein. Geeignete Substituenten, die eine derartige Hydroxylierung ermöglichen, sind

① Nitro-Gruppen
② N-Heteroaromaten, z. B.: Pyridin, Chinolin
③ Chinone polycyclischer Systeme.

So entsteht im einfachsten Fall durch Einwirkung von fein verteiltem Alkalimetallhydroxid auf Nitrobenzol bei ~ 70° unter Lufteinleiten in mäßigen Ausbeuten *2-Nitrophenol* (neben *4-Nitro-phenol*)[2,3]. Dieses Verfahren mit seinen Varianten ist in ds. Handb., Bd. VI/1c, S. 79ff. ausführlich beschrieben (s. a. S. 30). Es hat jedoch in der Benzol-Reihe keine Bedeutung, da die resultierenden Verbindungen auf andere Weise einfacher und reiner hergestellt werden können. In der Pyridin-Reihe hingegen ist es von präparativem Wert.

Die Hydroxylierung mit Alkalimetallhydroxid hat ihre besondere Bedeutung in der Reihe der polycyclischen Chinone und Chinonmethide (Alizarin-Synthese) (s. den folgenden Abschnitt).

Die Hydroxylierung von Pyridin und Chinolin durch Kaliumhydroxid wurde wie die Aminierung von Tschitschibabin entdeckt[4,5]. Pyridin reagiert schwerer als Chinolin.

[1] R. G. ACKMAN, R. A. DYTHAM, B. J. WAKEFIELD u. B. C. L. WEEDON, Tetrahedron 8. 239 (1960).
[2] A. WOHL, B. **32**, 3486 (1899); **34**, 244 (1901).
    V. VELJOLA, Suomen Kem. B **25**, 1 (1952); C. **1955**, 7879; C. A. **48**, 5128 (1954).
[3] DOS 1543492 (1966), CIBA, Erf.: P. LIECHTI u. W. ROTH; C. A. **68**, 95517 (1968).
[4] A. E. TSCHITSCHIBABIN Ž. fiz. Chim. **55**, 7 (1924); C. A. **19**, 1572 (1925).
    A. E. TSCHITSCHIBABIN u. A. I. KURSANOWA, Ž. fiz. Chim. **62**, 1211 (1930). C. A. **25**, 2727 (1931).
[5] A. E. TSCHITSCHIBABIN, B. **56**, 1879 (1923).

Werden jedoch Pyridin-Dämpfe bei 300–320° über Kaliumhydroxid-Pulver geleitet, so bildet sich unter Wasserstoff-Entwicklung *2-Hydroxy-pyridin*[1].

3- und 4-Hydroxy-pyridin werden in der Alkalischmelze zu *2,3-* bzw. *2,4-Dihydroxy-pyridin* hydroxyliert[2,3].

2,4-Dihydroxy-pyridin[3]: 15 g 4-Hydroxy-pyridin werden portionsweise in eine auf 200° erhitzte Schmelze von 200 g Natriumhydroxid eingetragen, wobei das entstehende Natriumsalz des 4-Hydroxy-pyridins oben schwimmt. Bei 290° zeigt die Wasserstoffentwicklung den Beginn der Reaktion an, die nach 30 Min. beendet ist. Die Temp. darf nicht über 310° steigen, da sonst Zersetzung eintritt. Die erkaltete und in Wasser gelöste Masse wird mit Schwefelsäure neutralisiert und über freier Flamme zur Trockene gedampft. Beim Erwärmen mit 2 *l* Äthanol löst sich das 2,4-Dihydroxy-pyridin und scheidet sich beim Einengen des Filtrates kristallin aus; Ausbeute: 6 g (34% d. Th.); F: 260°.

Chinolin läßt sich schon bei niedrigerer Temperatur hydroxylieren. In sehr trockenem fein gepulvertem Kaliumhydroxid entsteht bei 200–250° *2-Hydroxy-chinolin* (80% d. Th.). Die Wasserstoffentwicklung ist nahezu quantitativ. Auch Bariumoxid kann verwendet werden, falls es Bariumhydroxid enthält. Die analoge Reaktion mit Natriumhydroxid erfordert Reaktionstemperaturen, die über der Siedetemperatur des Chinolins liegen[1].

2-Hydroxy-chinolin[1]: Zu 8 g über Bariumoxid getrocknetem Chinolin werden 13 g sorgfältig in einem warmen Porzellanmörser gepulvertes Kaliumhydroxid in kleinen Portionen zugesetzt. Dabei bildet sich eine gallertartige Masse. Bei 225° beginnt das Chinolin sich rot zu färben und wird dann dunkel. Die bald beginnende Wasserstoff-Entwicklung läßt nach 3 Stdn. nach. Dabei wird die halbflüssige Masse allmählich fest. Nach dem Erkalten wird das Produkt in Wasser gelöst.

Beim Neutralisieren mit einem kleinen Überschuß Salzsäure fällt das rohe 2-Hydroxy-chinolin als kristallines Pulver aus, das aus Wasser umkristallisiert wird; Ausbeute: 7 g (78% d. Th.); F: 199–200°.

Bei Reaktionstemperaturen über 300° entwickelt sich mehr als ein Mol Wasserstoff und *2,4-Dihydroxy-chinolin* wird gebildet[1,4–6].

Wird 8-Hydroxy-chinolin mit Kaliumhydroxid unter Zusatz von etwas Wasser verschmolzen und 2 Stdn. auf 240–250° erhitzt, so bildet sich *7,8-Dihydroxy-chinolin*[7].

Auch Naphthochinoline reagieren mit Ätzkali in guter Ausbeute zu *2-Hydroxy-⟨naphtho-chinolinen⟩*[4].

Schwerer verläuft die Hydroxylierung von Isochinolin zu *1-Hydroxy-isochinolin*[6,1].

D. Oxidationen mit Alkalien in Nitrobenzol

bearbeitet von

Prof. Dr. Drs. h. c. OTTO BAYER

Bayer AG, Leverkusen

Ein sehr wertvolles Oxidationsverfahren besteht in der Kombination von Alkalien mit Nitrobenzol (s. a. Bd. IV/1 c). Diese robuste Methode ist natürlich nur auf stabile aromatische Systeme anwendbar. So entsteht z. B. aus 1-Amino-2-methyl-anthrachinon beim Erhitzen mit Natriumhydroxid in Nitrobenzol auf 90° glatt die *1-Amino-anthrachinon-2-carbonsäure* (Vorsicht! bei höheren Temperaturen treten stürmische Zersetzungen ein). Bei der entsprechenden Oxidation von 2-Methyl-benzanthron[8] zur *2-Carboxy-benzanthron* verwendet man vorteilhaft Calcium- oder Bariumhydroxid (s. Bd. VII/3 b).

[1] A. E. TSCHITSCHIBABIN, B. **56**, 1879 (1923).
[2] R. KUDERNATSCH, M. **18**, 615 (1897).
[3] O. v. SCHICKH, A. BINZ u. A. SCHULZ, B. **69**, 2593, 2604 (1936).
[4] A. E. TSCHITSCHIBABIN u. A. I. KURSANOWA, Ž. fiz. Chim. **62**, 1221 (1930); C. A. **25**, 2727 (1931).
[5] J. DIAMANT, M. **16**, 760 (1895).
[6] J. F. BUNNETH u. R. E. ZAHLER, Chem. Rev. **49**, 376 (1951).
[7] T. OHTA, Y. MORI u. K. KOIKE, Chem. & Ind. **1957**, 1271.
[8] Nomenklatur S. 37.

Über die Oxydation von 2-Methyl-anthrachinonen mit Nitrobenzol und Kaliumacetat in Gegenwart von Anilin zu den Aldehyd-anilen s. Bd. VII/1, S. 155, Bd. VII/3b.

Alkalihydroxide und Nitrobenzol können auch in völlig anderer Weise reagieren. Erhitzt man Carbazol oder 2-Amino-anthrachinon in Nitrobenzol mit Kaliumhydroxid, so entstehen in guten Ausbeuten *N-(4-Nitro-phenyl)-carbazol* (bei 45°) bzw. *2-(4-Nitro-anilino)-anthrachinon* (bei 90°) (s. S. 37):

N-(4-Nitro-phenyl)-carbazol[1]: 25 g Carbazol werden mit 25 g Kaliumhydroxid vorgeschmolzen und die pulverisierte Masse mit Nitrobenzol bei 40–45° mehrere Stdn. gerührt. Anschließend wird mit Wasserdampf destilliert. Als Rückstand verbleiben ~ 70% d.Th. fast reines Kondensat (F: 205–208°). Aus Essigsäure umkristallisiert; F: 212°.

Verrührt man äquimolekulare Mengen Nitrobenzol und Phenylacetoitril mit feingepulvertem Kaliumhydroxid bei ~ 10° in Pyridin, so entsteht in ~ 50%iger Ausbeute das *Phenyl-(4-nitro-phenyl)-acetonitril* (F: 171–172°)[2].

Der oxidative Abbau von Lignin durch ~ 2stdg. Erhitzen mit 2n Natronlauge und Nitrobenzol auf 180° führt mit ~ 7% d.Th. zum *Vanillin*[3–5] (techn. Verfahren) s. Bd. VII/1, S. 348ff. Daneben entstehen in geringen Mengen auch noch andere 4-Hydroxy-benzaldehyde[5].

Die Oxidation von Alkali-Lignin mit Sauerstoff bei 180° verläuft so energisch, daß ein Abbau bis zur *Oxalsäure* und *Phthalsäure*[4] erfolgt.

E. Hydroxylierungen bzw. Dehydrierungen polycyclischer Chinone bzw. Chinonmethide durch Alkalimetallhydroxide

bearbeitet von

Prof. Dr. Drs. h.c. OTTO BAYER

Bayer AG., Leverkusen

Die Einwirkung von Alkalimetallhydroxiden in einer Konzentration oberhalb von ~ 50% und im Temperaturbereich von 40–250° auf stabile chinoide Systeme führt vielfach entweder zur Hydroxylierung oder zur Verknüpfung zweier Moleküle.

Diese Verfahren haben ihren Ausgang von der technischen Alizarin-Synthese genommen und sind bei ihren vielfältigen Anwendungsmöglichkeiten zu einem wichtigen Syntheseverfahren für polycyclische Chinone geworden.

Diese sog. „Ätzalkalischmelzen" sind natürlich keine Oxidationsmittel, sondern nur das Vehikel, um geeignete polycyclische Chinone in hochreaktive Grenzformen überzuführen, die dann ihrerseits entweder durch Wasseranlagerung zu Hydroxy-Derivaten oder zu C—C-Verknüpfungen führen.

[1] G. et M. MONTMOLLIN, Helv. **6**, 94 (1923).
[2] DRP 603622 (1932), I.G. Farb., Erf.: W. RUPPEL u. H. NERESHEIMER; Frdl. **21**, 814.
[3] B. LEOPOLD, Svensk kem. Tidskr. **64**, 1 (1952).
[4] *Lignin, Structure a. Reactions*, Advances in Chem. Ser. **59**, 177, S. 145, Am. Chem. Soc. Washington 1966.
[5] *Quantitative Gas-Flüssigkeit Chromatographie*, N. F. CYMBALUK u. T. S. NEUDOERFFER, J. Chromatog. **51**, 167 (1970).

Für das Gelingen derartiger Verschmelzungen ist es unbedingt erforderlich, daß die dabei abgelösten Wasserstoffatome intramolekular von einem bereits vorhandenen oder neu gebildeten chinoiden System aufgenommen werden. Erst in einer 2. Phase erfolgt dann durch Zugabe eines Oxidationsmittels zur Schmelze oder durch Luftoxidation der eigentliche Dehydrierungsprozeß.

Die Alkalimetallhydroxid-Schmelzen können in ihrer Zusammensetzung weitgehend variiert werden.

Im Prinzip leisten Kalium- und Natriumhydroxid das gleiche. Um eutektische Schmelzen zu erzielen, wendet man meist Gemische aus beiden an. Der optimale Wassergehalt ist von Fall zu Fall verschieden. Um die erforderliche Konzentration aufrechtzuerhalten, ist es bisweilen erforderlich, unter Druck zu arbeiten.

Hydroxylierungen werden am besten mit wasserhaltigen Alkalimetallhydroxiden vorgenommen (erhöhte Ionisierbarkeit); C—C-Verknüpfung hingegen mit möglichst konz. Alkalimetallhydroxid (Radikale entstehen bevorzugt in nicht ionisierend wirkenden Medien).

Hydroxylierungen werden außerdem im Gegensatz zu den kondensierend wirkenden Schmelzen durch Luftzutritt oder durch Zusatz eines Oxidationsmittels zur Schmelze wie Kaliumnitrat, Kaliumchlorat oder Mangandioxid begünstigt.

Will man C—C-Verknüpfungen erzielen, dann muß in den meisten Fällen der Sauerstoff völlig ausgeschlossen werden. Daher wirkt auch der direkte Zusatz eines Oxidationsmittels zur kondensierenden Alkalimetallhydroxid-Schmelze meist ausbeutemindernd.

Bei den kondensierenden Schmelzen ist ein Zusatz von Alkoholen oft von Vorteil, denn dadurch werden die Anfangsreaktionstemperaturen herabgesetzt, eine bessere Homogenität erzielt und außerdem spalten Alkanolate bei höheren Temperaturen Wasserstoff ab, was die schädliche Wirkung des Sauerstoffs verhindert. Als brauchbar haben sich Äthanol, Isopropanol, Isobutanol und 2-Methoxy-äthanol erwiesen.

Anstelle von Alkalimetallhydroxiden läßt sich bei den Dehydrierungen auch Natriumanilid verwenden. Wenngleich diese bei niedereren Temperaturen als mit Alkalimetallhydroxiden verlaufen, so entstehen dabei neben den Verknüpfungen meist noch die Anilin-Verbindungen; z. B.:

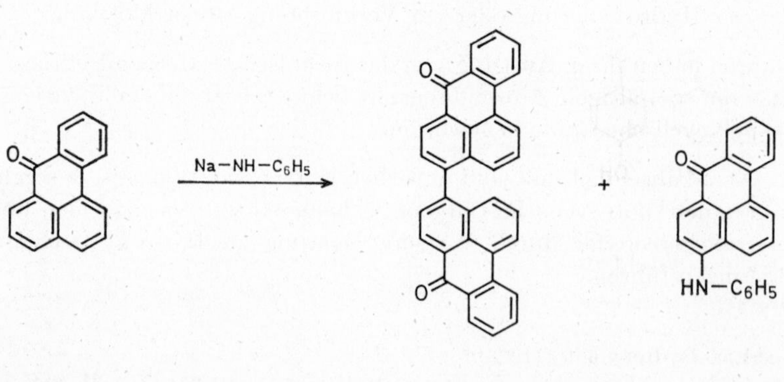

Die wichtigste methodische Ergänzung zur dehydrierenden (cyclisierenden) Alkalihydroxidschmelze ist die Aluminiumchlorid-Kondensation (Scholl'sche Verbackung), die zweckmäßig in Form einer Natriumchlorid-Aluminiumchlorid-Schmelze unter Einleitung von Sauerstoff bei 120–220° durchgeführt wird (Farbwerke Hoechst). Der Primärschritt ist die Ablösung eines Protons. Sehr gute Ausbeuten werden auch hier nur dann erzielt, wenn unter Isomerisierung die Leukoverbindung eines stabilen chinoiden Systems entsteht.

Das klassische Beispiel für die cyclisierende Wirkung des Aluminiumchlorids ist die Herstellung von *Dibenzpyrenchinon* aus 1,5-Dibenzoyl-naphthalin:

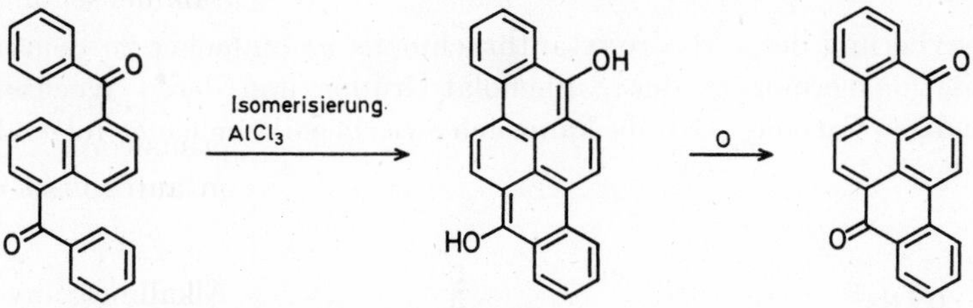

Den zahlreichen Verschmelzungsvorgängen wie z. B. beim 1- und 2-Hydroxy-anthrachinon, 2-Amino-anthrachinon, Benzanthron scheinen verschiedene Reaktionsmechanismen zugrunde zu liegen.

Paradebeispiele hierfür sind die 1- und 2-Hydroxy-anthrachinone, die zum *1,1'-Dihydroxy-2,2'-bi-anthrachinonyl* bzw. zum *1,2-Dihydroxy-anthrachinon* führen.

Bei der Einwirkung von Alkalimetallhydroxid auf 1-Hydroxy-anthrachinon bildet sich zunächst das Phenolat, das unter energischerer Alkalimetallhydroxid-Einwirkung wahr-

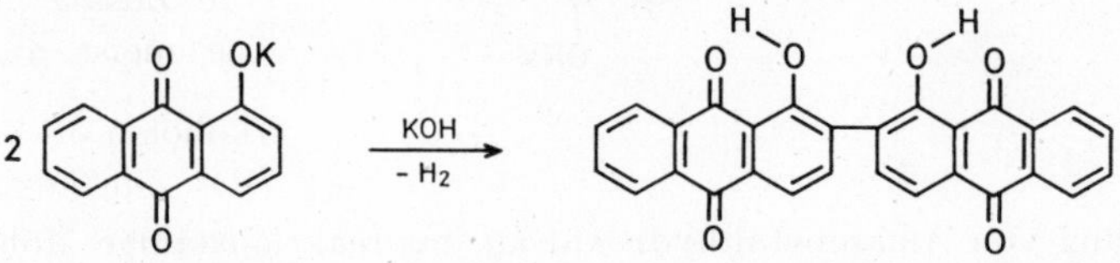

scheinlich über ein Radikalion sich mit einem weiteren zum *1,1'-Dihydroxy-2,2'-bi-anthrachinonyl* zusammenlagert (praktisch analog der Benzanthron-Verschmelzung).

Chinizarin wird bereits durch Erhitzen mit einer 10%-igen Natriumcarbonat-Lösung auf 120° dehydriert[1]. Dabei entsteht analog das *1,4,1',4'-Tetrahydroxy-2,2'-bi-anthrachinonyl* (I) und aus diesem (aus einer chinoiden Konfiguration heraus) das Furan-Derivat II[1]:

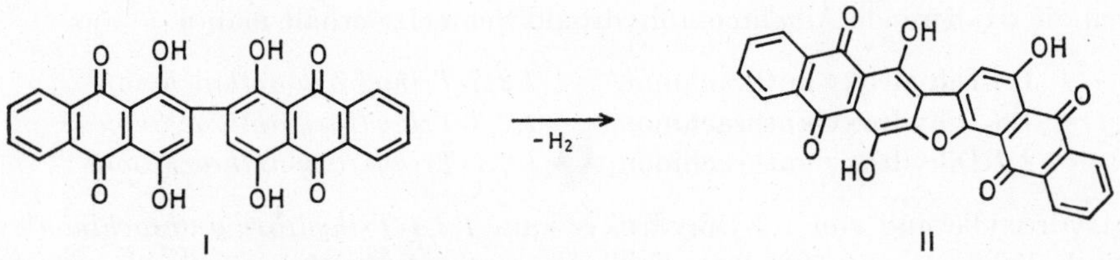

Besonders leicht entsteht das Chinon I aus Chinizarin und Piperidin bei 20–50°[2].

1,1'-Dihydroxy-2,2'-bi-anthrachinonyl[3]: 960 g Kaliumhydroxid, und 800 ml Äthanol werden unter Rühren und Abdestillieren des überschüssigen Alkohols auf 160° erhitzt. Dann trägt man unter einer Stickstoffatmosphäre 240 g 1-Hydroxy-anthrachinon ein und läßt noch 3 Stdn. bei dieser Temp. reagieren. Die

---

[1] DRP. 146223 (1902), Farbf. Bayer; Frdl. **7**, 185.

[2] DRP. 515114, 515115 (1929), I. G. Farb., Erf.: R. E. Schmidt, B. Stein u. K. Bamberger; Frdl. **17**, 1177–78.

[3] DRP. 469135 (1927) I.G. Farb., Erf.: P. Nawiasky u. F. Helwert; Frdl. **16**, 1208.

s. a. DRP. 167461 (1904), Farbf. Bayer, Erf.: P. Tust; Frdl. 8, 239.

Schmelze wird heiß in ∼20 l Wasser eingerührt, die Leukoverbindung durch Lufteinleiten oxidiert und der Niederschlag abgesaugt. Der Nutschkuchen wird mit heißer verd. Salzsäure angeschlämmt, erneut abgesaugt und ausgewaschen; Rohausbeute: quantitativ.

Zur Reinigung wird 1 Tl. in 10 Tln. Monohydrat gelöst und ohne zu kühlen 50 Tle. einer 62%igen Schwefelsäure langsam eingerührt, wobei sich das reine Produkt kristallin abscheidet. Nach dem Erkalten wird abgesaugt, mit einer 82%igen Schwefelsäure ausgewaschen und wie üblich aufgearbeitet.

Schwach gelber Küpenfarbstoff, in Schwefelsäure mit braunroter Farbe löslich.

Die Hydroxylierung des 2-Hydroxy-anthrachinons ist einfacher zu deuten. Infolge des höheren Ionisationsvermögens der β-Phenolat-Gruppe und deren Wechselbeziehung zu einer paraständigen Carbonyl-Gruppe kann sich zwischen diesen leicht folgender Reaktionsablauf vollziehen[1]:

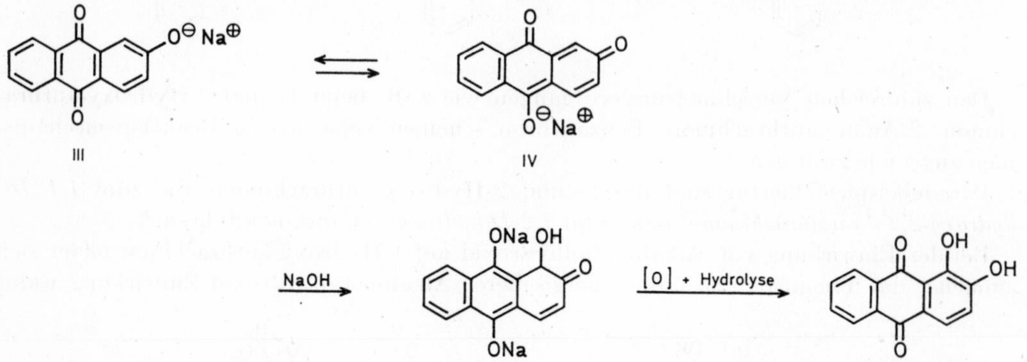

Durch Anlagerung von Alkalimetallhydroxid an das reaktionsfähige Molekül IV entsteht dann das Alkalimetall-Salz des Leukoalizarins (1,2,9,10-Tetrahydroxy-anthracen) VI.

Die Hydroxylierung des 2-Hydroxy-anthrachinons erfolgt durch Erhitzen mit 50%-iger Natronlauge, wobei die Oxidation des entstandenen Leukoalizarins (früher durch Lufteinwirkung) durch einen Zusatz von Kaliumchlorat oder Natriumnitrat zur Alkalischmelze bewirkt wird.

In der Technik geht man zweckmäßig direkt von den Sulfonsäuren aus, die den Hydroxy-anthrachinonen zugrunde liegen.

Durch die oxidierende Alkalimetallhydroxid-Schmelze erhält man u. a. aus

1,5-Dihydroxy-anthrachinon   → *1,2,5-Trihydroxy-anthrachinon*[2]
1,8-Dihydroxy-anthrachinon   → *1,2,8-Trihydroxy-anthrachinon*[2]
2,7-Dihydroxy-anthrachinon   → *1,2,7-Trihydroxy-anthrachinon*[3]

Die Hydroxylierung von 1,3-Dihydroxy- zum *1,2,4-Trihydroxy-anthrachinon*[4] vollzieht sich durch Erhitzen mit 50%-iger Kalilauge unter Luftzufuhr fast momentan. 1,6-Dihydroxy-anthrachinon wird nicht — wie man erwarten sollte — in 5-Stellung, sondern zum *1,2,6-Trihydroxy-anthrachinon* hydroxyliert[5]. Unterwirft man Anthrachinon-2,6-disulfonsäure einer Alkalimetallhydroxid-Schmelze, so entsteht intermediär die 2-Hydroxy-anthrachinon-6-sulfonsäure, die nun nach 2 Richtungen weiterreagiert.

[1] Formulierungen des Verfassers.
[2] DRP. 195028 (1906); 196980 (1907), Farbw. Hoechst; Frdl. 8, 1361; 9, 691.
[3] E. Schunk u. H. Roemer, B. 9, 679 (1879).
[4] C. Liebermann u. St. v. Kostanecki, A. 240, 267 (1887).
[5] O. Frobenius u. E. Hepp, B. 40, 1049 (1907).

Zu ~ 30% entsteht daraus das *2,6-Dihydroxy-anthrachinon*, das bemerkenswerterweise unter den Bedingungen der Alizarinschmelze unverändert bleibt.

Die übrigen ~ 70% werden zur *1,2-Dihydroxy-anthrachinon-6-sulfonsäure* hydrolysiert, die im gleichen Arbeitsgang in das *1,2,6-Trihydroxy-anthrachinon* überführt wird. Einzelheiten hierzu s. ds. Handb., Bd. VII/3b.

Während Alizarin in der Alkalimetallhydroxid-Schmelze nicht weiter verändert wird, soll die Oxidation mit Hypochlorit in Gegenwart von Kaliumhydroxid zum *1,2,1',2'-Tetrahydroxy-3,3'-bi-anthrachinonyl*[1] führen.

1,2-Dihydroxy-anthrachinon (Alizarin)[2]: 240 g reines Anthrachinon-2-sulfonsaures Kalium (frei von Disulfonsäure) werden mit 320 g 50%-iger Natronlauge und 40 g Natriumnitrat 15 Stdn. im Autoklaven auf 180°, dann noch 10–12 Stdn. auf 200° erhitzt. Nach dem Erkalten wird die Reaktionsmasse mit Wasser herausgespült und in Wasser eingerührt, so daß ein Gesamtvol. von ~ 20 *l* entsteht. Nach der Zugabe von 300 g Natriumchlorid stellt man mit Salzsäure sauer (pH = 2–3), filtriert und wäscht neutral; Rohausbeute: 175 g.
Zur Reinigung wird das getrocknete Rohalizarin in 1,5 kg 96%-iger Schwefelsäure bei 70–75° gelöst. Bei dieser Temp. läßt man in mehreren Stdn. 640 g einer 49%-igen Schwefelsäure zufließen. Bei 25° werden die Kristalle abgesaugt und mit 680 g einer 69%-igen Schwefelsäure nachgewaschen.

Sogar Anthrachinon verhält sich in Gegenwart von Alkalimetallhydroxiden oberhalb von ~ 180° wie ein reaktionsfähiges aromatisches Chinon und lagert „Wasser" an unter primärer Bildung von Leuko-2-hydroxy-anthrachinon. Durch einen Zusatz von Natriumnitrat oder Kaliumchlorat wird dieses zum *2-Hydroxy-anthrachinon* oxidiert und dann zum *Alizarin* hydroxyliert[3]. Dabei bleibt ein Teil des Anthrachinons unangegriffen, ein anderer wird zu Benzoesäure aufgespalten.

Einen anderen Verlauf nimmt das Verfahren von C. Möllenhoff[4], nach dem Anthrachinon mit Natronlauge, Natriumsulfit und Natriumnitrat im Autoklaven 3–4 Tage auf ~ 200° erhitzt wird. Hierbei konnte Anthrachinon-2-sulfonsäure als Zwischenstufe isoliert werden. Unter Berücksichtigung des wiedergewonnenen Anthrachinons beträgt die Ausbeute an *Alizarin* über 90% d. Th.

Für eine einheitlich verlaufende Hydroxylierung von höher kondensierten polycyclischen Chinonen ist die Alkalimetallhydroxid-Schmelze nur in wenigen Fällen geeignet.

Anthanthron-(6,12)[5] und Pyranthron-(8,16)[6] werden mit 70%-iger Kalilauge unter Zusatz von Kaliumchlorat und Anthrachinon als Sauerstoffüberträger bei 230° glatt dihydroxyliert:

3,9-Dihydroxy-anthanthron-(6,12)

5,13-Dihydroxy-pyranthron-(8,16)

---

[1] R. Scholl, B. **52**, 1829 (1919).
[2] BIOS Final Rep. Nr. 1484, 39.
   FIAT Final Rep. Nr. 1313 II, 44 (1948), I. G. Farb., Ludwigshafen.
[3] Altes technisches Verfahren der BASF.
   DRP. 186526 (1904), BASF, Erf.: J. Boner; Frdl. 8, 237.
[4] Bis zur Einstellung der Alizarinfabrikation wurde dieses Verfahren bei den Farbf. Bayer durchgeführt.
   DRP. 241806 (1911), Farbf. Bayer; Frdl. **10**, 594.
[5] DRP. 530497 (1930), I. G. Farb., Erf.: F. Baumann; Frdl. 18, 1351.
[6] A. J. Backhouse u. W. Bradley, Soc. **1954**, 4506.

Alle übrigen Hydroxylierungen vorwiegend von Hydroxy-anthrachinonen werden entweder mit Mangandioxid in Schwefelsäure (bei 15°) oder mit 80%-igem Oleum (bei 30°) durchgeführt (s. ds. Handb., Bd. VII/3 b).

Nach der Auffindung der techn. Alizarin-Synthese führte die Alkalimetallhydroxid-Schmelze zu einem weiteren großen Erfolg. So erhielt René Bohn beim Verschmelzen von 2-Amino-anthrachinon mit Kaliumhydroxid das *Indanthrenblau RS (Indanthron)*[1]:

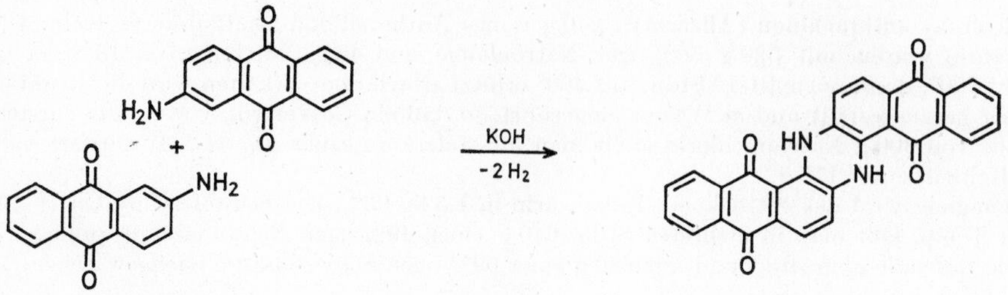

Lange Jahre hindurch betrug die Ausbeute ~ 55% d. Th. und dürfte heute bei ~ 65% d. Th. liegen. Als Nebenprodukte entstehen u. a. Alizarin und 2-Amino-1-hydroxy-anthrachinon. In zahlreichen Folgepatenten sind Ausbeuteverbesserungen beschrieben[2].

Der beste Effekt wird immer noch durch Mitverwendung von Natriumacetat erzielt[3]. Führt man die Verschmelzung von 2-Amino-anthrachinon bei ~ 300° durch so entsteht auch *Flavanthren*. 1-Amino-anthrachinon, das früher als nicht verschmelzbar galt, läßt sich unter speziellen Bedingungen (Kaliumphenolat, Kaliumchlorat und Natriumacetat bei 200°) mit fast 70%-iger Ausbeute ebenfalls in *Indanthron* überführen[4]. Auch geeignete Anthrimide führen in der Alkalimetallhydroxid-Schmelze zu 1,2-Anthrachinon-dihydroazinen[5]; z. B.:

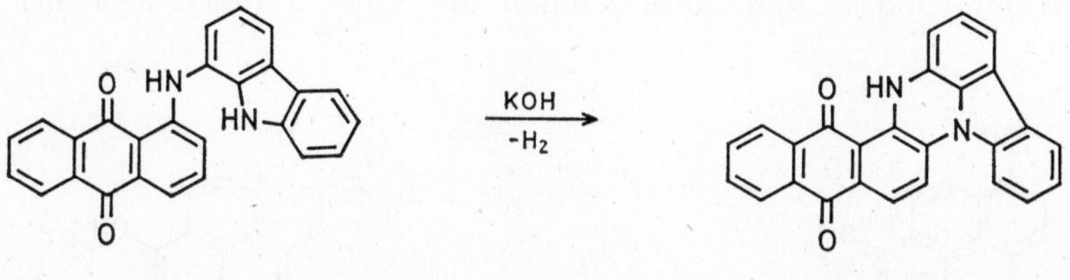

Erhitzt man 2-Amino-anthrachinon in Nitrobenzol mit Kaliumhydroxid auf 90°, so entsteht in sehr guter Ausbeute das *2-(4-Nitro-phenylamino)-anthrachinon*[6]:

[1] Grundlegende Patente: DRP. 129845, 135408 (1901), BASF, Erf.: René Bohn; Frdl. **6**, 412, 416.
[2] Zur Theorie der Indanthron-Bildung:
      W. Bradley u. E. Leete, Soc. **1951**, 2129, 2147.
      W. Bradley, E. Leete u. D. S. Stephens, Soc. **1951**, 2158, 2163.
      W. Bradley u. H. E. Nursten, Soc. **1951**, 2170, 2177; **1952**, 2944, 3027; **1953**, 924.
      W. Bradley et al., Soc. **1954**, 272.
[3] Techn. Herst. BIOS Final Rep. Nr. 987, 52–58 (1948), I. G. Ludwigshafen.
[4] DBP. 904926 (1951), Farbf. Bayer, Erf.: H. Thielert u. F. Baumann; C. **1955**, 2541.
[5] FIAT Final Rep. Nr. **1313** III, 33 (1948), I. G. Leverkusen.
[6] FIAT Final Rep. Nr. 1313 III, 82 (1948), I. G. Ludwigshafen.

Indanthron[1] **(Indanthrenblau RS):** Zu 1 kg eines Gemisches der Zusammensetzung:

67–68% Kaliumhydroxid
27–28% Natriumhydroxid
3– 4% Wasser
1% Verunreinigungen durch anorg. Salze

werden 220 g wasserfreies Natriumacetat zugegeben, und das ganze unter Stickstoff auf 180° erhitzt. Dann rührt man innerhalb von 20 Min. 436 g 2-Amino-anthrachinon (auf 100%-ig ber.) ein.

Anschließend wird innerhalb ∼ 150 Min. ein Gemisch aus 60 g Natriumnitrat, 40 g Kaliumhydroxid und 20 g Natriumhydroxid portionsweise zugefügt, wobei die Innentemp. der Schmelze nicht über 220° ansteigen soll.

Zum Schluß hält man die Temp. noch ∼ 30 Min. auf 220° und gießt dann die Schmelze in ∼ 11 l Wasser, so daß die Temp. unterhalb 60° bleibt.

Nach dem Abkühlen auf ∼ 45° werden zur vollständigen Verküpung noch ∼ 80 g Natriumdithionit-(100%-ig) eingetragen. Bei 42° werden die auskristallisierten Alkalisalze des „Leuko"-indanthrons abgesaugt und mit 1,6 l einer 30° warmen ∼ 10%-igen Natriumdithionit-Lösung ausgewaschen bis das Filtrat nicht mehr braun abläuft.

Der Nutschkuchen wird dann in ∼ 1 l Wasser und 20 g 50%-iger Natronlauge angeschlämmt, bei 60° durch Lufteinleiten oxidiert und bei dieser Temp. durch Zugabe von Schwefelsäure sauergestellt. Nach dem Absaugen, Auswaschen und Trocknen erhält man 245 g Indanthron (auf 100%-ig ber.) (∼ 57% d. Th.).

Zur weiteren Reinigung wird der Farbstoff aus Schwefelsäure fraktioniert, indem man 60 g in einem Gemisch aus 350 g konz. Schwefelsäure und 42 g 20%-igem Oleum bei 40° löst und dann 155 g einer 86%-igen Schwefelsäure zufließen läßt. Nach 36 Stdn. werden die abgeschiedenen Kristalle abgesaugt und mit einer 86%-igen Schwefelsäure ausgewaschen.

Nach der üblichen Aufarbeitung erhält man 48 g reines Indanthron.

Die Reinigung kann aber auch mit synth. Mangandioxid in konz. Schwefelsäure vorgenommen werden, wobei man soviel Oxidationsmittel zugibt, bis gerade die gelbe Azinstufe erreicht ist.

Die bemerkenswerteste Eigenschaft des Benzanthrons[2] ist seine hohe Reaktivität in 2-Stellung in Gegenwart von Alkalimetallhydroxiden, -alkanolaten oder Natriumamiden.

Über diesen Reaktionsmechanismus herrscht noch keine Klarheit. Vieles deutet darauf hin, daß auch hier Radikalionen eine Rolle spielen.

Es sind jedoch auch Fälle bekannt geworden, bei denen in nicht unbeträchtlichem Ausmaße die 4-Stellung in Reaktion tritt (s. Bd. VII/3b). Hierfür können jedoch keine spezifischen Versuchsbedingungen angegeben werden. Manches deutet daraufhin, daß durch die Anwesenheit von Sauerstoff die 4-Stellung begünstigt wird.

---

[1] BIOS Final Rep. Nr. 987, 52–58 (1948), I. G. Ludwigshafen.
[2] Für Benzanthron wurde die klassische Nomenklatur (Beilstein) beibehalten

da diese von Fachleuten heute noch benutzt wird. Sie besitzt den Vorteil, daß sie mit der Nomenklatur des Anthrachinons konform geht. Über die Reaktivität von Substituenten in den verschiedenen Stellungen s. ds. Handb., Bd. VII/3b.

Bei der klassischen Benzanthron-Ätzalkali-Schmelze werden 2 Moleküle Benzanthron zum *Dibenzanthron* (*Violanthron*) (I → VI) kondensiert[1]. Später wurde dann gezeigt, daß diese Synthese über das *2,2'-Bi-benzanthronyl* (V) führt[2, 3]:

Violanthron-(5,10)
(*Dibenzanthron*)

2,2'-Bi-benzanthronyl (V) entsteht bereits, wenn man auf Benzanthron in Benzolsuspension Kaliumhydroxid und Isopropanol unter Luftausschluß bei 35° (als Nebenprodukt entsteht 2-Hydroxy-benzanthron) oder in Anilin Anilinnatrium bei 40°[4] einwirken läßt (Beispiele s. ds. Handb., Bd. VII/3 b).

2,2'-Bi-benzanthronyl[4]: Zu einer gut gerührten Suspension von 200 g feingepulvertem Kaliumhydroxid und 50 g Benzanthron in 1 l trockenem Benzol läßt man bei 30° unter völligem Luftausschluß 80 g Isopropanol zutropfen. Nach 3 Stdn. gießt man das olivgrüne Reaktionsgemisch in 2 l Wasser + 1,5 kg Eis + 300 g konz. Schwefelsäure, saugt ab und wäscht mit Benzol, dann mit Wasser nach; Rohausbeute: 38 g (76% d.Th.); F: 302–306°. Durch mehrmaliges Umkristallisieren aus 1,2-Dichlorbenzol wird das völlig reine Produkt erhalten; F: 320°.

In der Technik wird die Verknüpfung mit Kaliumhydroxid in Isobutanol bei 100–110° durchgeführt. Die Ausbeute beträgt 82% d.Th.[5].

Die direkte Kondensation von Benzanthron zu *Dibenzanthron* [*Violanthron-(5,10)*] vollzieht sich ab ~ 150°.

Violanthron-(5,10) (Dibenzanthron)[6]: 600 g eines Gemisches aus 58% Kaliumhydroxid (100%-ig), 32% Natriumhydroxid und 10% Wasser werden mit 50 g wasserfreiem Natriumacetat zusammengeschmolzen und dazu bei 180° unter Luftausschluß ein Gemisch aus 200 g Benzanthron und 500 g carbazolfreier Anthracenrückstand eingerührt. Anschließend erhitzt man noch 1 Stde. auf 225°, rührt dann die Schmelze in 10 l Wasser ein, erhitzt auf 60° und gibt zwecks besserer Filtration 100 g Kieselgur und soviel Natriumdithionit zu, bis eine vollständige Verküpung eingetreten ist. Nach dem Absaugen wird der Rückstand mit ~ 200 ml einer 15%-igen Natriumdithionit-Lösung nachgewaschen und der Farbstoff aus dem Gesamtfiltrat durch Lufteinblasen bei ~ 90° ausgefällt. Nach der üblichen Aufarbeitung resultieren 156 g (79% d.Th.) rohes Violanthron („Indanthrendunkelblau BO") das erforderlichenfalls aus Schwefelsäure fraktioniert werden kann.

Die Ätzalkalischmelze von Benzanthron unter Zusatz von Kaliumchlorat und vorteilhaft auch von Anthrachinon, führt bei ~ 250° mit guter Ausbeute zum *2-Hydroxy-benzanthron*[7, 8]

[1] DRP. 185221 (1904), BASF, Erf.: O. BALLY u. M. H. ISLER; Frdl. 9, 824.
[2] DRP. 407838 (1922), BASF, Erf.: A. LÜTTRINGHAUS, H. WOLFF u. H. NERESHEIMER; Frdl. 14, 892.
[3] zusammenfassende Beschreibung: A. LÜTTRINGHAUS u. H. NERESHEIMER, A. 473, 259–289 (1929).
[4] A. LÜTTRINGHAUS u. H. NERESHEIMER, A. 473, 274, 283 (1929).
[5] FIAT Final Rep. Nr. 1313 II, 83 (1948), I. G. Ludwigshafen.
[6] FIAT Final Rep. Nr. 1313 II, 108, I. G. Ludwigshafen (1948).
[7] A. G. PERKIN u. G. D. SPENCER, Soc. 121, 479 (1922).
[8] W. BRADLEY u. G. V. JADHAV, Soc. 1937, 1792.

daneben entsteht zu $\sim 12\%$ das *4-Hydroxy-benzanthron*[1] (F: 176–177°; 4-Acetoxy-benz-anthron; F: 200°).

Bei der Verschmelzung von Benzanthron mit Anilinnatrium in Anilin bei $\sim 40°$ lagert sich auch Anilin an das Benzanthronyl-Radikal an, wobei etwa je zur Hälfte *2-Anilino-benzanthron*[2,3] (F: 217°) und *2,2'-Bi-benzanthronyl* entstehen (Beispiele s. ds. Handb., Bd. VII/3b).

Erhitzt man hingegen eine Suspension von 100 g Benzanthron in 500 g Anilin mit 150–200 g Kaliumhydroxid unter Zusatz von ~ 30 g Nitrobenzol auf 100°, dann findet eine exotherme Reaktion (bis $\sim 170°$) statt, wobei bereits Kristallabscheidung eintritt. Man erhält so in sehr guter Ausbeute das *Benzanthron-2(N)-Bz$_1$-acridin*[4] (orangerote Nadeln; F: 211–212°):

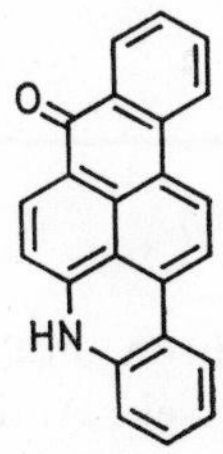

Auch 1-Amino-anthrachinone lassen sich in Pyridin mit Kaliumhydroxid (dabei entstehen blaugrün gefärbte Alkalimetallsalze) bei 20–50° an Benzanthron anlagern[5]. Dabei entstehen Anthrimide. Besonders leicht gelingt die Kondensation mit dem 1-Amino-5-benzoyl-amino-anthrachinon (VII).

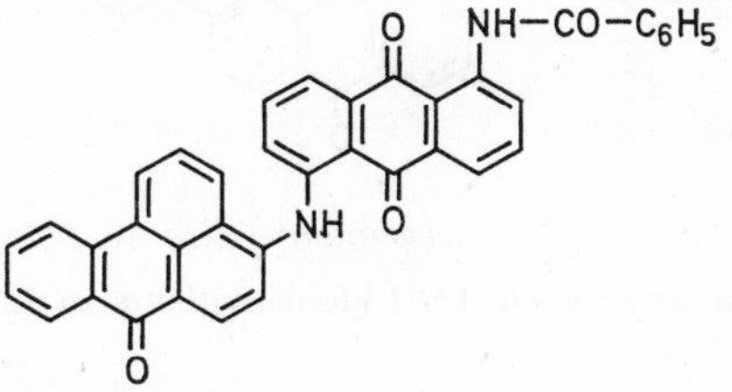

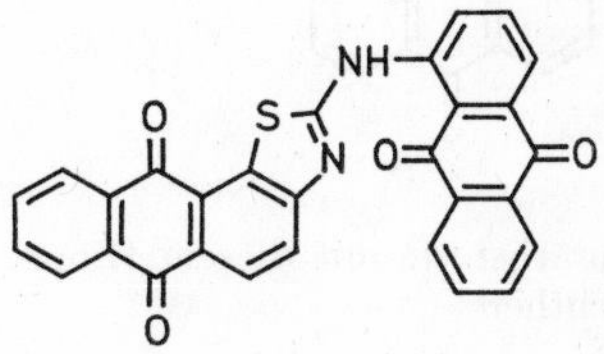

Geht man von Bz$_1$-Brom-benzanthron aus, so wird das Bromatom nicht eliminiert.

Auffallend gut gelingt die Anlagerung des 1-Amino-anthrachinons an 1,2-Thiazolo-anthrachinon zu VIII (bei 50°)[6]. In Anthanthron lassen sich auf diese Weise bis zu 3-Anthrimid-Reste einführen.

1-[Benzanthronyl-(2)-amino]-5-benzoylamino-anthrachinon[5]: 10 g Benzanthron, 15 g 1-Amino-5-benzoylamino-anthrachinon und 40 g feingepulvertes Kaliumhydroxid, in 200 *ml* Pyridin suspendiert, werden ~ 20 Stdn. bei 20–25° unter Durchleiten eines trockenen Luftstromes gerührt. Dann wird das abgeschiedene Kaliumsalz abgesaugt, mit Pyridin nachgewaschen und mit verd. Salzsäure zerlegt; Ausbeute: $\sim 85\%$ d.Th.

Aus Nitrobenzol umkristallisiert: braune Kristalle. In konz. Schwefelsäure mit rot violetter Farbe löslich. Durch Nachbehandlung mit Aluminiumchlorid in Nitrobenzol kann der Acridin-Ringschluß vollzogen werden.

---

[1] W. BRADLEY u. G. V. JADHAV, Soc. **1937**, 1792.
[2] A. LÜTTRINGHAUS u. H. NERESHEIMER, A. **473**, 274 (1929).
  W. BRADLEY u. F. K. SUTCLIFFE, Soc. **1954**, 710.
[3] DRP. 501610 (1927), I. G. Farb., Erf.: G. KRÄNZLEIN u. H. VOLLMANN; Frdl. **17**, 1321.
[4] US. P. 1909386 (1929), DuPont, Erf.: A. J. WUERTZ; C. A. **1933** II, 943.
[5] DRP. 644537 (1935), I. G. Farb., Erf.: H. SCHEYER u. E. SCHWAMBERGER; Friedl. **23**, 1060.
[6] H. SCHEYER 1934 (unveröffentlicht).

Durch Kondensation von 2 Molekülen Bz_1-Brom-benzanthron in der Ätzalkali-Schmelze entsteht weitgehend neben *Violanthron-(5,10) Isoviolanthron*[1], das in reiner Form am besten durch Verschmelzen des Bis-[benzanthronyl-(Bz_1)]-sulfids (techn. Verfahren)[2] erhalten wird:

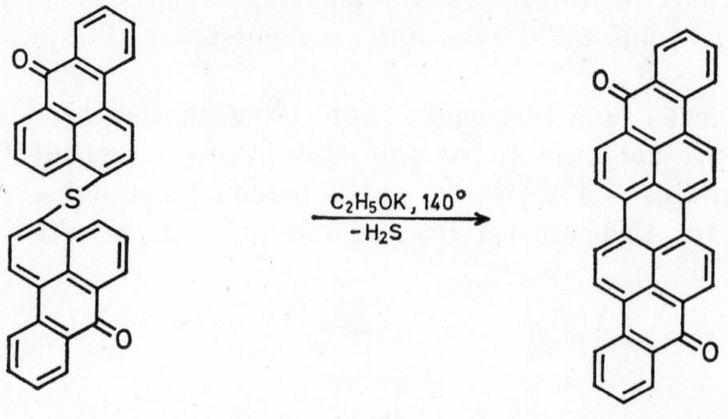

C$_2$H$_5$OK, 140°
– H$_2$S

Isoviolanthron
(*Isodibenzanthron*)

Kondensiert man Bz_1-Brom-benzanthron mit 1-Amino-anthrachinon bzw. mit 1,9-Pyrazolo-anthron, so entstehen glatt die sek. Amine IX bzw. X, in denen sich 2 „alkali-reaktive" Stellen gegenüberstehen. Infolgedessen gelingen hier die Cyclisierungen besonders leicht:

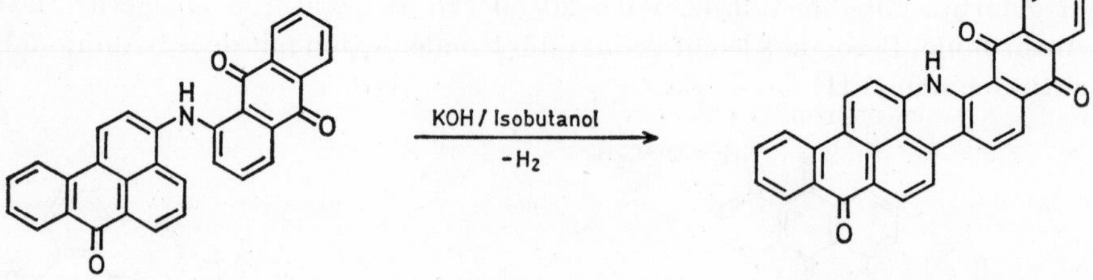

KOH / Isobutanol
– H$_2$

IX

„*Indanthrenolivgrün B*"[3]

Küpenfarbstoffe mit diesem Ringsystem übertreffen sogar noch das Indanthrenblau an Licht- und Wetterechtheit!

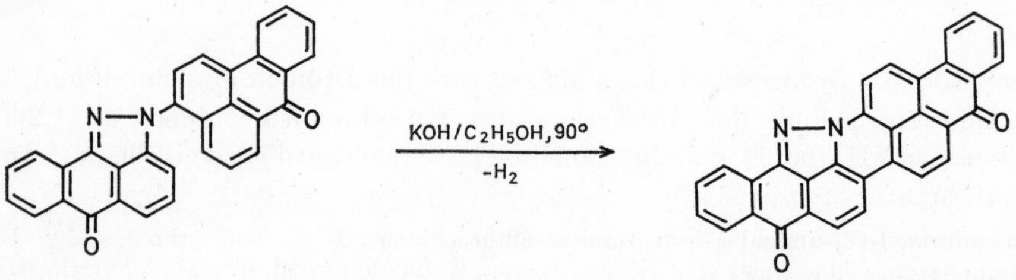

KOH / C$_2$H$_5$OH, 90°
– H$_2$

X

„*Indanthrenmarineblau R*"[4]

Einen interessanten Verlauf nimmt die Einwirkung von Alkalien auf N-(Bz_1-Benzanthron-oyl)-1-amino-anthrachinon (I). Erhitzt man dieses im organischen Lösungsmittel mit Kaliumcarbonat auf ~ 250°, so erfolgt unter Dehydrierung der Lactamringschluß zu II[5].

[1] DRP. 194252 (1906), BASF, Erf.: O. Bally u. H. Wolff; Frdl. 9, 826.
[2] DRP. 448262 (1924), I. G. Farb., Erf.: O. Braunsdorf, P. Nawiasky u. E. Holzapfel; Frdl. 15, 728.
[3] DRP. 212471 (1908), BASF, Erf.: O. Bally u. H. Wolff; Frdl. 9, 834.
    BIOS Final Rep. Nr. 987, 71, I. G. Ludwigshafen (1948).
[4] DRP. 490723 (1926), I. G. Farb., Erf.: K. Wilke; Frdl. 16, 1365.
    BIOS Final Rep. Nr. 1493, 26, I. G. Höchst (1948).
[5] DAS. 1156528 (1959), BASF, Erf.: W. Ruppel; C.A. 60, 8171^e (1964).

Unterwirft man jedoch I einer alkoholischen Alkalimetallhydroxid-Schmelze bei 170°, so wird darüber hinaus der Lactamring aufgespalten (III) und unter Abspaltung von Kohlendioxid und Wasserstoff tritt Ringschluß zu dem isomeren „*Indanthrenolivgrün B*" (IV) ein[1]:

Iso-Indanthrenolivgrün B

Bz$_1$-Benzoyl-benzanthron läßt sich mit Kaliumhydroxid praktisch nicht cyclisieren. Dies gelingt jedoch, wenn auch schlecht, mit Bz$_1$-(1-Naphthoyl)-benzanthron[2,3] bzw. Bz$_1$-(5-Acenaphthenoyl)-benzanthron[2] bei 230°.

Aus historischer Sicht ist von Bedeutung, daß der Vorläufer der Benzanthron-Farbstoffe, das aus 2-Amino-anthrachinon durch energische Einwirkung von Glycerin und Schwefelsäure erhaltene „*Chinolinbenzanthron*"[4] (damals noch unbekannter Konstitution), mit

[1] DRP. 722868 (1937), I. G. Farb., Erf.: H. Scheyer u. H. Ritter.
   Iso-Indanthrenolivgrün B ist identisch mit dem nach DRP. 662461 (1936), I. G. Farb., Erf.: H. Scheyer u. J. Riedmeier; Frdl. **25**, 795, erhaltenen Farbstoff.
[2] DRP. 446187 (1925), I. G. Farb., Erf.: G. Kränzlein u. H. Vollmann; Frdl. **15**, 739.
[3] A. J. Backhouse u. W. Bradley, Soc. **1955**, 849.
[4] DRP. 171939 (1904), BASF, Erf.: O. Bally; Frdl. **8**, 369.

Kaliumhydroxid zum sog. „*Cyananthren*"[1] kondensierbar ist, dessen Konstitutionsaufklärung zur Entdeckung des Benzanthrons führte. Später sind noch zahlreiche schwer zugängliche Benzanthron-Derivate mit angegliederten aromatischen Ringen hergestellt und der Alkalimetallhydroxid-Schmelze unterworfen worden. Da die so erhaltenen Produkte meist nur in mäßiger Ausbeute entstehen und Gemische, z. T. hydroxyliert sind, besitzen sie kein besonderes Interesse[2].

Benzanthron läßt sich auffallend leicht auch mit einigen C—H-aciden Verbindungen bzw. reaktionsfähigen Enolen kondensieren, so z. B. mit Aceton[3] und seinen Homologen Acetophenon und Phenyl-acetonitril[4]; z. B.:

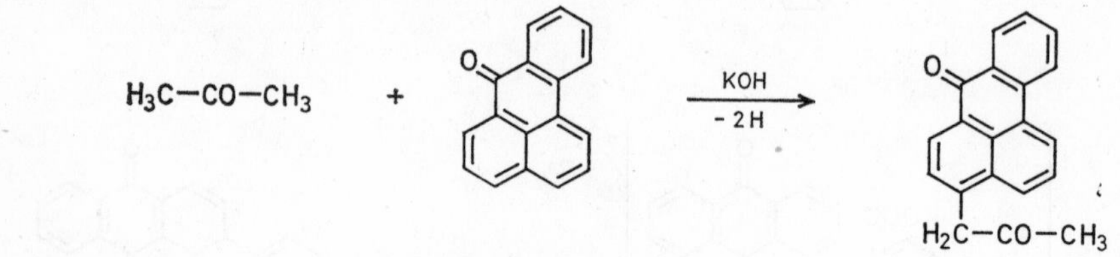

Cyanessigsäureester führt praktisch nicht zu dem gewünschten Addukt.

2-Benzanthronyl-aceton(I)[3]: Zu einer Anschlämmung von 100 g Benzanthron, 400 g feingepulvertem Kaliumhydroxid in 3 *l* Benzol rührt man unter sorgfältigem Luftausschluß bei 20° 200 g Aceton ein. Nach 3 Stdn. ist die Farbe von braungelb nach blaugrün umgeschlagen. Hierauf wird Eis zugegeben und mit verd. Salzsäure unter Kühlen angesäuert (die Dehydrierung ist bereits während des Prozesses eingetreten). Aus der abgetrennten und getrockneten Benzol-Phase kristallisiert nach dem Einengen das Keton aus; Ausbeute: ~ 50% d.Th.; goldgelbe Nadeln (F: 189–190°), löslich in alkoholischer Alkalimetallhydroxid-Lösung mit intensiv rotstichig blauer Farbe.

Auch entsprechende, bereits in Bz₁-Stellung substituierte Benzanthron-Derivate lassen sich cyclisieren[5]; z. B.:

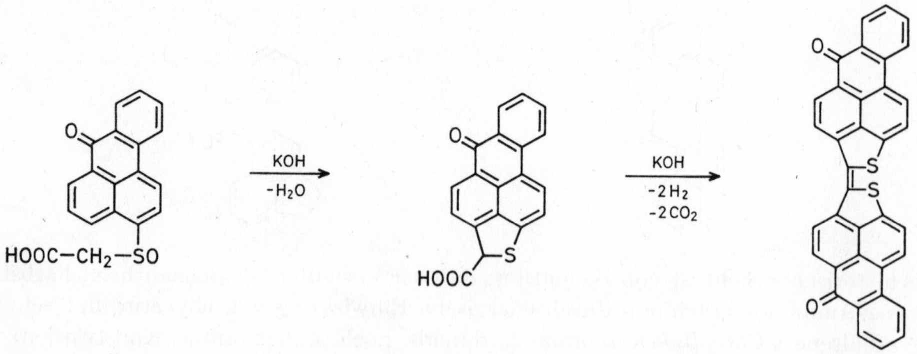

Besonders leicht kondensiert das Sulfoxid II beim Erhitzen mit 65%-iger Kalilauge auf 125° und anschließender Oxidation der Küpe mit Natriumhypochlorit. Es ist jedoch schwer,

[1] DRP. 172609 (1904), BASF, Erf.: O. Bally u. M. H. Isler; Frdl. 8, 371.
[2] s. z. B. W. Bradley u. F. K. Sutcliffe, Soc. 1952, 1247.
[3] DRP. 499320 (1927), I. G. Farb., Erf.: A. Lüttringhaus, H. Neresheimer u. H. J. Emmer; Frdl. 17, 1308.
[4] DRP. 501082 (1928), I. G. Farb., Erf.: A. Lüttringhaus, H. Neresheimer u. H. J. Emmer; Frdl. 17, 1310.
[5] DRP. 502042 (1927), I. G. Farb., Erf.: A. Lüttringhaus, H. Neresheimer u. W. Eichholz; Frdl. 17, 1311.

das Kondensationsprodukt III zu fassen, da dieses außerordentlich leicht unter Kohlendioxid-Abspaltung und Dehydrierung zu IV dimerisiert (*Indanthrenblaugrün FFB*)[1].

Beim Verschmelzen von Benzanthron und β-Naphthol mit Kaliumhydroxid bei 200° entsteht in guter Ausbeute das *2-[2-Hydroxy-naphthyl-(1)]-benzanthron*[2].

Ebenso wie Benzanthron verhalten sich auch die folgenden Bz_3-Azabenzanthrone (vgl. ds. Handb., Bd. VII/3b):

V[3]   VI[4]   VII[5]

Die Substanzen V–VII lassen sich zu *Violanthron-(5,10)*-isologen und VI über das Sulfid (s. S. 40) zum *Isoviolanthron-isologen*, einem reinblauen Küpenfarbstoff, verschmelzen.

Das 1,9-Pyrimidino-anthron wird durch eine alkoholische Kaliumhydroxid-Schmelze bei 140° zu einem grünstichig-gelben Küpenfarbstoff kondensiert[6].

Zwei Moleküle 1,9-Pyrazolo-anthron (I, s. ds. Handb., Bd. VII/3b) lassen sich durch eine Alkalimetallhydroxid-Schmelze ebenso leicht wie Benzanthron in den 2-Stellungen kondensieren[7,8].

Vom 1,9-Pyrazolo-anthron existieren zwei Alkyl-Isomere, von denen nur das N_2-Alkyl-Derivat III verschmelzbar ist[9]. Mit Natriumanilin kann III bereits bei 0° verknüpft werden:

---

[1] P. NAWIASKY u. H. NERESHEIMER, I. G. Ludwigshafen (1928).
Bios Final Report 987, S. 73, I.G. Farb., Ludwigshafen 1948.
[2] DRP. 479231 (1926), I. G. Farb., Erf.: G. KALISCHER u. H. SCHEYER; Frdl. 16, 1463.
[3] DRP. 627258 (1934), I. G. Farb., Erf.: K. KÖBERLE u. F. EBEL; Frdl. 22, 1135.
[4] DOS. 2038637 (1969/70), Montecatini-Edison, Erf.: G. N. BOFFA et al.; C. A. 74, 113239 (1971).
[5] O. BAYER, I. G. Farb., Mainkur (1931).
[6] Brit. P. 296386 (1927/28), I.G. Farb., Erf.: P. NAWIASKY u. A. KRAUSE.
[7] DRP. 255641 (1912); 301554, 302259 (1914); 359139 (1921), Griesheim-Elektron, Erf.: A. HOLL; Frdl. 11, 583; 13, 407, 410; 14, 886.
[8] Die Konstitutionsaufklärung erfolgte durch P. NAWIASKY (I. G. Ludwigshafen). Die früher angenommene Azinstruktur ist unrichtig.
DRP. 457182 (1926), I. G. Farb., Erf.: A. LÜTTRINGHAUS, P. NAWIASKY u. A. KRAUSE; Frdl. 16, 1371.
[9] DRP. 456763 (1925), I. G. Farb., Erf.: P. NAWIASKY u. A. KRAUSE; Frdl. 16, 1369.

Man muß daher annehmen, daß auch das 1,9-Pyrazolo-anthron-Kalium in zwei isomeren Formen existiert (V u. VI) und daß sich die Kondensation über VI → VIII vollzieht:

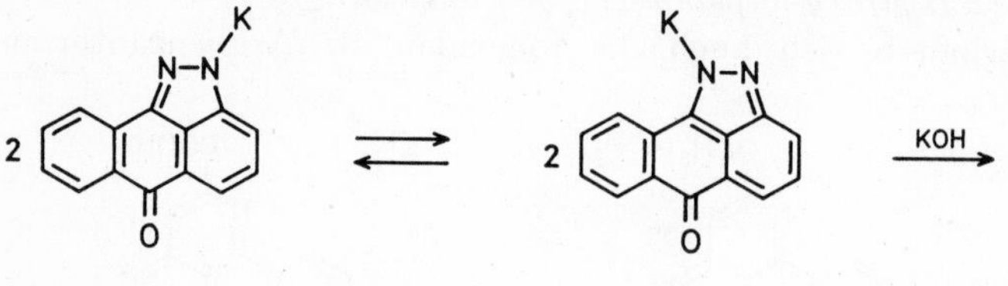

neutral: gelb
alkalisch: blau
Küpe: blau

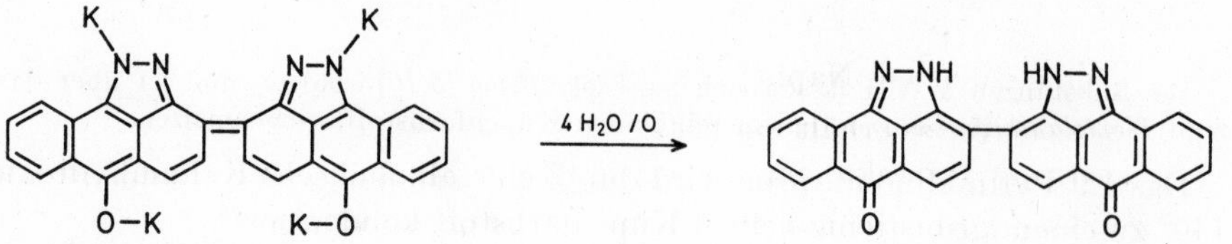

Alkyliert man das tiefblaue Kaliumsalz von VII, so erhält man einen roten Küpenfarbstoff IV (S. 43), der identisch ist mit dem Verschmelzungsprodukt aus III.

2,2′-Bi-(1,9-pyrazolo-anthronyl) (VIII) und dessen Alkyl-Derivate IV[1]: 110 g 1,9-Pyrazolo-anthron, 215 g Kaliumhydroxid (90%-ig) und 60 ml 90%-iges Äthanol werden im Autoklaven zusammengegeben, wobei die Temp. auf ~ 100° ansteigt. Anschließend wird noch 6 Stdn. bei 125–130° gerührt. Nach dem Abkühlen auf ~ 110° läßt man den Druck ab, gibt 500 ml Wasser zu und trägt die blaue Schmelze in 3,3 l Wasser aus. Bei 60° leitet man Luft ein (Dauer mehrere Stdn.), saugt das entstandene blaue Dikaliumsalz des 2,2′-Bi-(1,9-pyrazolo-anthronyls) ab und trocknet dieses i. Vak. Die Ausbeute ist praktisch quantitativ. Durch Digerieren mit verd. Säuren kann man daraus den gelben Farbstoff erhalten, der wegen seiner Alkaliempfindlichkeit (Umschlag nach blau) kein Interesse besitzt.

Durch Alkylieren des Kaliumsalzes unter Zusatz von ~ 10% Kaliumhydroxid mit Toluolsulfonsäureester in Chlortoluol (8 Stdn. unter Rückflußsieden) entsteht das N,N′-Diäthyl-2,2′-bi-(1,9-pyrazolo-anthronyl) („Indanthrenrubin R"; Küpe tiefblau).

Auch das 1,9-Thiazolo-anthron wird durch Verschmelzen mit Kaliumhydroxid in Isopropanol zum 2,2′-Bi-(1,9-thiazolo-anthronyl) kondensiert, das aus blauer schwer löslicher Küpe gelb färbt[2]:

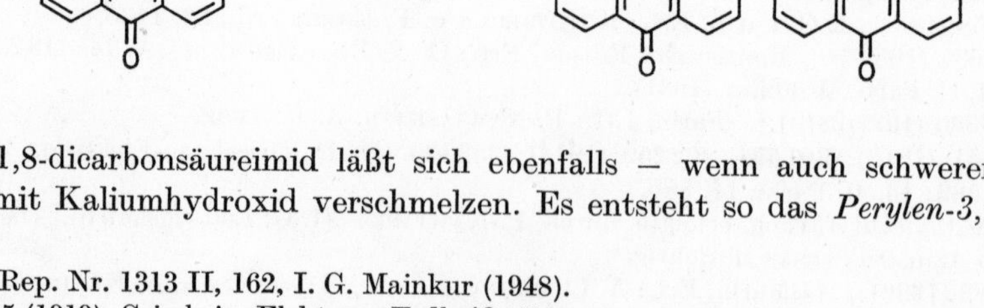

Naphthalin-1,8-dicarbonsäureimid läßt sich ebenfalls — wenn auch schwerer als Benzanthron — mit Kaliumhydroxid verschmelzen. Es entsteht so das *Perylen-3,4,9,10-tetra-*

---

[1] FIAT Final Rep. Nr. 1313 II, 162, I. G. Mainkur (1948).
[2] DRP. 343065 (1919), Griesheim-Elektron; Frdl. **13**, 411.

carbonsäure-bis-imid[1]:

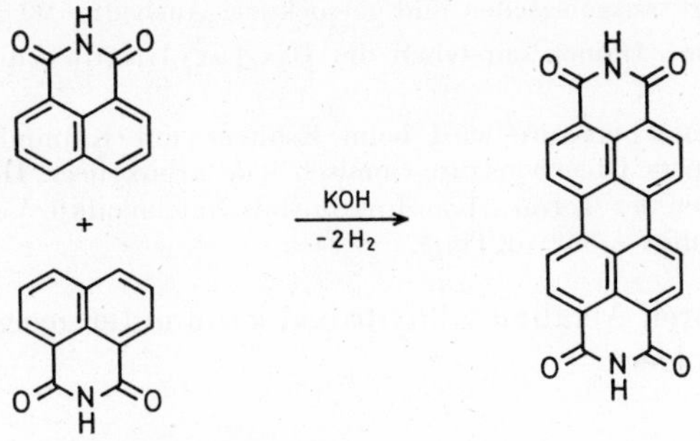

Die N-substituierten Naphthalin-1,8-dicarbonsäureimide liefern schlechtere Ausbeuten.

In gleicher Weise erhält man durch Verschmelzen von Anthracen-1,9-dicarbonsäureimid das homologe Produkt, einen grünen Küpenfarbstoff, der mit kirschroter Farbe küpt[2].

Die besten Ausbeuten (~ 90% d. Th.) an *Perylen-3,4,9,10-tetracarbonsäure-bis-imid* werden durch Kondensation von 2 Mol Acenaphthenchinon-monoxim-Natriumsalz mit Kaliumhydroxid unter Zusatz von Triäthanol-amin bei ~ 200° erzielt[3].

Das über eine Diensynthese aus 9-Methylen-anthron und 3-Acenaphthyl-(4)-acrylsäure gut zugängliche Derivat I läßt sich ebenfalls sehr leicht zu *9-Oxo-9H-⟨dibenzo-[d,e;r,s,t]-pentaphen⟩-3,4-dicarbonsäure-imid* (II) verschmelzen (s. Bd. VII/3b)[4]:

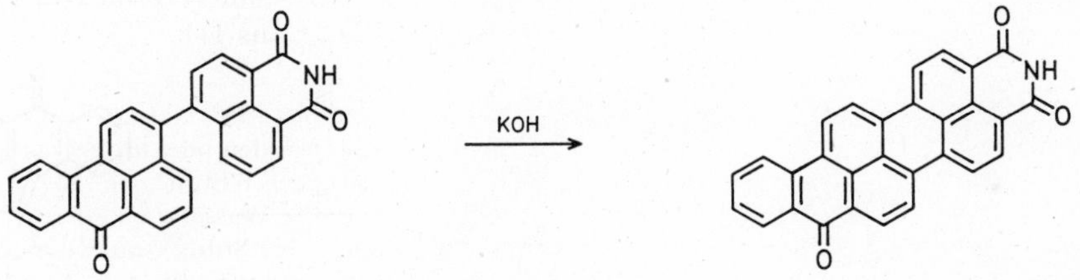

Perylen-3,4,9,10-tetracarbonsäure:

Perylen-3,4,9,10-tetracarbonsäure-bis-imid[5]: Ein Gemisch von 630 g Kaliumhydroxid, 60 g Natriumacetat und 200 g Naphthalin-1,8-dicarbonsäureimid werden 3 Stdn. auf 220° erhitzt, anschließend in 7 l Wasser, dem 60 g Natriumhydroxid zugesetzt sind, eingerührt und in die Küpe bei 90° solange Luft eingeleitet, bis der Farbton von braun nach rot umgeschlagen ist.

Nach dem Absaugen und Auswaschen fallen 194 g Rohprodukt an.

Perylen-3,4,9,10-tetracarbonsäure[6]: Das Diimid ist schwer verseifbar. 150 g werden durch 1-stdgs. Erhitzen mit 1,5 kg konz. Schwefelsäure auf 200–220° erhitzt, die abgeschiedenen Kristalle bei 25° abgesaugt, mit konz. Schwefelsäure nachgewaschen und anschließend mit heißem Wasser digeriert.

Der feuchte Nutschkuchen wird nun in 3,7 l Wasser und 65 g Kaliumhydroxid bei 90° gelöst, mit 250 g Kaliumchlorid versetzt und der Rückstand, der hauptsächlich aus dem Monoimid besteht[7], bei

[1] DRP. 276357 (1913), M. KARDOS; Frdl. **12**, 492.
[2] DRP. 275220, 278660 (1913), M. KARDOS; Frdl. **12**, 489, 490.
      C. LIEBERMANN u. M. KARDOS, B. **47**, 1207 (1914).
[3] DOS. 1115386 (1959), Farbw. Hoechst, Erf.: E. DIETZ u. O. FUCHS; C. A. **56**, 7744 (1962).
[4] DRP. 638602 (1935), I. G. Farb., Erf.: H. SCHEYER; Frdl. **23**, 1122.
[5] BIOS Final Rep. Nr. 1484, 21, I. G. Ludwigshafen (1948).
[6] DRP. 394794 (1921), Kalle u. Co., Erf.: W. NEUGEBAUER u. M. P. SCHMIDT; Frdl. **14**, 482.
[7] DRP. 411217 (1922), Kalle u. Co., Erf.: W. NEUGEBAUER; Frdl. **15**, 775.

60° abfiltriert. Man wäscht dieses mit einer 0,5%-igen Kaliumchlorid-Lösung aus und fällt aus dem stark grünfluoreszierenden Filtrat die Tetracarbonsäure mit 70 g Schwefelsäure bei 80° aus. Nach einigen Stdn. wird abgesaugt, ausgewaschen und getrocknet; Ausbeute: 90 g.

Durch Erhitzen mit arom. Aminen entstehen die Bis-[arylimide], die rote Küpen- bzw. echte Pigmentfarbstoffe sind[1].

Die Perylen-3,4,9,10-tetracarbonsäure wird beim Erhitzen mit Kaliumhydroxid auf ~ 250° teilweise – hauptsächlich zu einem Dicarbonsäure-Gemisch – decarboxyliert. Die vollständige Decarboxylierung erfolgt durch Erhitzen der Tetracarbonsäure mittels Natronkalk i. Vak. auf 400° unter Absublimieren des Perylens (Ausbeute: ~ 85% d.Th.)[2].

Eine Dehydrierung durch Alkalimetallhydroxid kann unter geeigneten Voraussetzungen auch intramolekular erfolgen:

Acedianthron

Behandelt man das Glyoxalanthron (I) bei 120° mit alkoholischem Kaliumhydroxid, so entsteht glatt das *Bis-[anthronyliden-(9)]-allen* (II)[3]. Dieses küpt mit kirschroter Farbe und färbt ein Bordeauxrot. Mit sauren Kondensationsmitteln wird das Allen II zum *Acedianthron* (III) cyclisiert, dem Grundgerüst einiger brauner Küpenfarbstoffe[4].

Methyl-Gruppen in polycyclischen Chinonen, die paraständig zu einer Carbonyl-Gruppe stehen, werden durch eine Alkalimetallhydroxid-Schmelze zu Äthylen-Derivaten kondensiert.

Im einfachsten Fall entsteht aus 2-Methyl-anthrachinon mit alkoholischem Kaliumhydroxid und Kaliumnitrat bei 140° das *1,2-Dianthrachinonyl-(2)-äthylen*[5] (farbschwacher

[1] DRP. 386057 (1919), Kalle u. Co.; Frdl. **14**, 484.
[2] US. P. 3132187 (1961), General Aniline and Film Corp., Erf.: M. N. Turetzky.
[3] Der Konstitutionsbeweis wurde einwandfrei durch den Erfinder erbracht.
    DRP. 470501 (1926), I. G. Farb., Erf.: H. Scheyer; Frdl. **16**, 1283.
[4] DRP. 550712 (1930), I.G. Farb., Erf.: H. Scheyer; Frdl. **19**, 2149.
[5] DRP. 199756 (1905), BASF, Erf.: M. H. Isler; Frdl. **9**, 793.

und lichtunechter gelber Küpenfarbstoff, früher „*Anthraflavon G*":

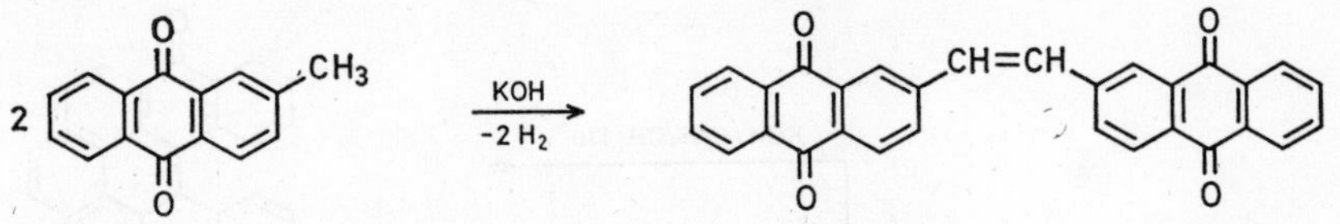

Folgende Ausgangsverbindungen liefern ebenfalls Stilben-Derivate:

1-Amino-2-methyl-anthrachinon
2-Methyl-benzanthron
2-Methyl-1,9-pyrazolo-anthron
2-Methyl-1,9-thiazolo-anthron
2-Methyl-3,4-benzo-anthrachinon

Mit Alkalimetallcarbonaten in Nitrobenzol in Gegenwart von Anilin entstehen mit guten Ausbeuten die Aldehydphenylimine[1] und mit Alkalimetallhydroxid — besser noch mit Erdalkalimetallhydroxiden — in Nitrobenzol die Carbonsäuren (s. ds. Handb., Bd. VII/3b).

Aus 2,2'-Dimethyl-1,1'-bi-anthrachinonyl (I) entsteht durch mehrstündiges Sieden mit Kaliumhydroxid in Isobutanol[2] oder mit Natriumacetat in N-Methyl-pyrrolidon bei 190°[3] das *Pyranthron* (II) und nicht das „Stilben" (III):

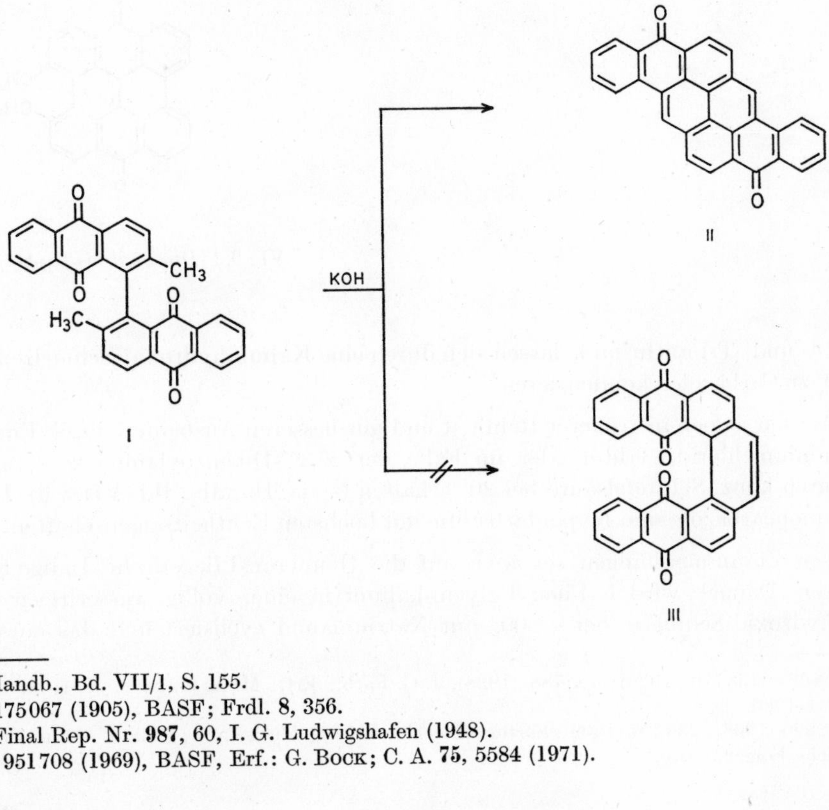

[1] s. ds. Handb., Bd. VII/1, S. 155.
[2] DRP. 175067 (1905), BASF; Frdl. 8, 356.
   BIOS Final Rep. Nr. 987, 60, I. G. Ludwigshafen (1948).
[3] DOS. 1951708 (1969), BASF, Erf.: G. Bock; C. A. 75, 5584 (1971).

Aus dem sog. 2,2′-Dimethyl-benzdianthron (IV) lassen sich wie aus dem Formelschema hervorgeht, mit Kaliumhydroxid wahlweise folgende Kondensationsprodukte herstellen[1]:

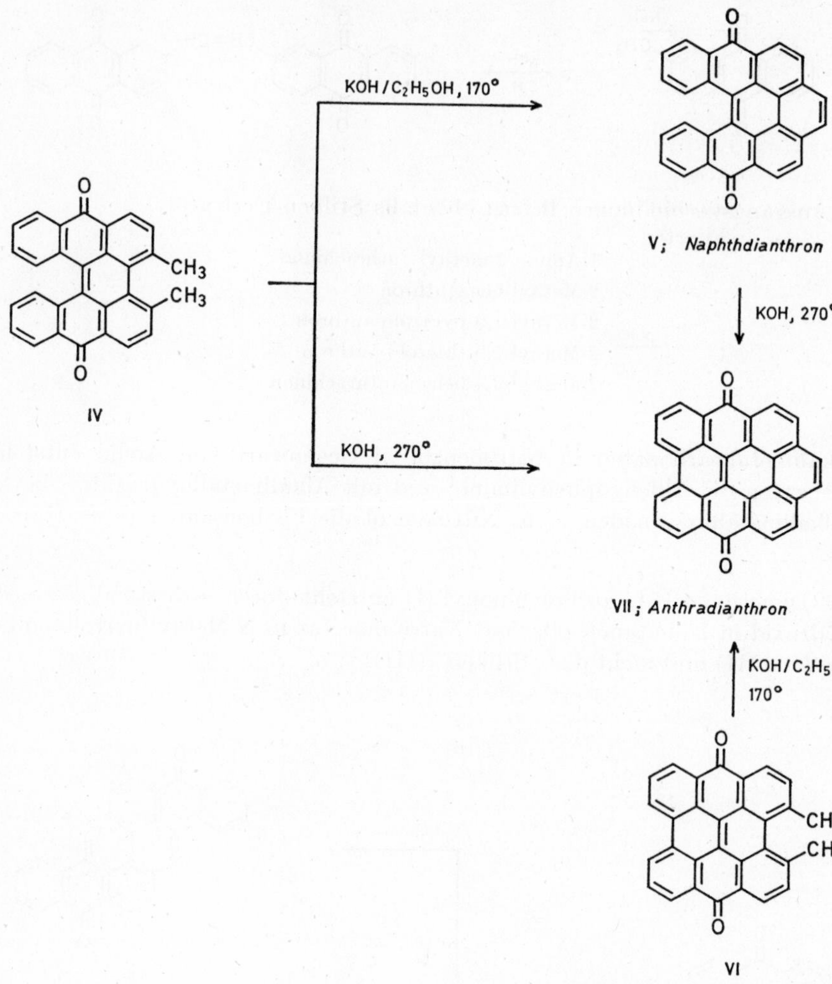

KOH / C₂H₅OH , 170°

V; *Naphthdianthron*

KOH, 270°

VII; *Anthradianthron*

KOH / C₂H₅OH, 170°

KOH , 270°

IV

KOH , 270°

VI

VI; *2,2′-Dimethyl-ms-naphthidianthron*

Die α-Di- und -Tri-anthrimide lassen sich durch eine Kaliumhydroxid-Schmelze zwischen 180—220° zu Carbazolen kondensieren[2].

Diese werden jedoch in größerer Reinheit und mit besseren Ausbeuten durch Einwirkung von Aluminiumchlorid/Pyridin oder im Falle der α′,α″-Dibenzoylamino-α-di-anthrimide bereits durch konz. Schwefelsäure bei 20° erhalten (s. ds. Handb., Bd. VII/3 b). Derartige Anthrachinoncarbazole sind Küpenfarbstoffe mit höchsten Echtheitseigenschaften.

In diesen Zusammenhängen sei auch auf die Heumann-Pfleger'sche Indigo-Synthese hingewiesen. Danach wird N-Phenyl-glycin-kalium in einer völlig wasserfreien Kalium-Natriumhydroxid-Schmelze bei ∼ 200° mit Natriumamid cyclisiert und das entstandene

[1] DRP. 456583, 458710 (1926); 485788 (1928), I. G. Farb., Erf.: M. A. KUNZ u. K. KÖBERLE; Frdl. **16**, 1284–1290.
[2] DRP. 208969 (1908); 230407 (1909), Farbw. Hoechst, Erf.: R. UHLENHUT; Frdl. **9**, 776 u. **10**, 639 und zahlreiche Folgepatente.

Indoxylnatrium nach dem Einlaufen in Eiswasser mit Luft zum *Indigo* oxidiert[1]:

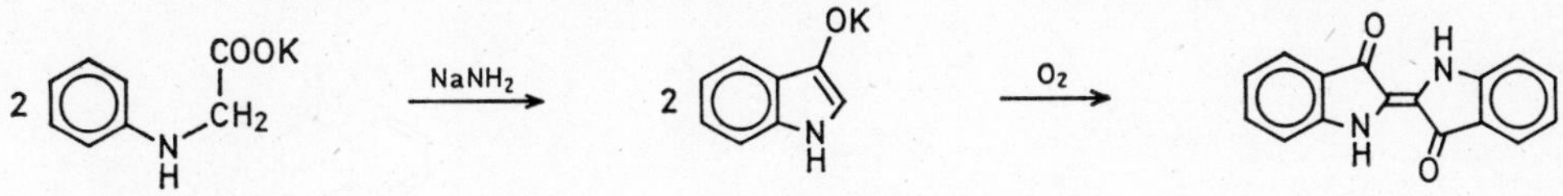

Symmetrische Thioindigo-Derivate werden hergestellt, indem man die durch alkalische Kondensation aus 2-(2-Carboxy-phenylmercapto)-essigsäuren erhaltenen Oxythionaphthen-2-carbonsäuren in alkalischer Lösung mit Luft oder in der Technik durch Schwefel-Zugabe oxidiert[2]:

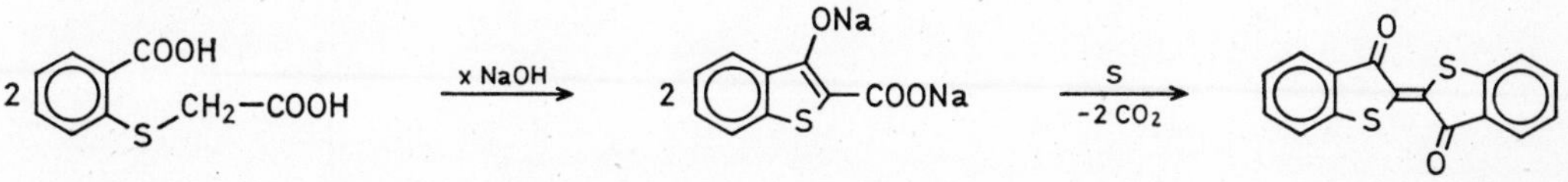

Bemerkenswert ist, daß sich 2 Mol 2-Thioisatin bereits durch Einwirkung von verdünnten Alkalien glatt zu *Indigo* unter Schwefel-Abscheidung kondensieren[3].

[1] H. E. FIERZ-DAVID, *Künstliche Organische Farbstoffe*, S. 441 ff., J. Springer, Berlin 1926.
[2] Ullmann 8, 756 (1957).
[3] DRP. 131934 (1901), I. R. GEIGY u. Co., Erf.: T. SANDMEYER; Frdl. **6**, 585.

Kupfer-, Silber- und Gold-Verbindungen als Oxidationsmittel

bearbeitet von

Dr. Manegold

BASF AG, Ludwigshafen/Rhein

Mit einer Tabelle

Literatur berücksichtigt bis 1975

4*

Inhalt

Inhalt

A. Oxidation mit Kupfer und Kupfer-Verbindungen

I. mit Kupfer (von Alkoholen)[1]

Die oxidative Dehydrierung primärer und sekundärer Alkohole zu Aldehyden bzw. Ketonen in der Gasphase führt nach der Methode von Sabatier[2] zu befriedigenden Resultaten bei niedrigen aliphatischen Alkoholen. So wird z. B. Methanol an einer Kupferspirale in Gegenwart von Sauerstoff (Luft) zu *Formaldehyd* oxidiert[3] (vgl. auch Tab. 1). Auch Kupfer in Nitro-aromaten/Chinolin und Xylol eignet sich als Oxidationsreagenz. Hierzu wird der Alkohol-Dampf durch die heiße Lösung geleitet (Tab. 1)[1].

Tab. 1. Aldehyde durch katalytische Gasphasen - Oxidation von Alkoholen

Alkohol	Katalysator/Medium	Reaktions-temperatur [° C]	Produkt	Ausbeute [% d. Th.]	Literatur
Methoxy-äthanol	CuO reduziert durch H$_2$/Luft	300	*Methoxy-acetaldehyd*	87	4
Glykol	Kupferwolle/Luft	400	*Glyoxal*	31	5
Nonanol	CuO + 1% Ag$_2$O red. mit H$_2$/Luft	270	*Nonanal*	90	6
Allylalkohol	Cu/Luft	375	*Acrolein*	80	7
Borneol	Cu-Schwamm, aus CuO + H$_2$ bei 200°, Luft	360–400	*Campher*	96	8
Äthanol	Cu/Nitrobenzol/Chinolin/Xylol/Luft	165	*Acetaldehyd*	52	1
Propanol	Cu/Nitrobenzol/Chinolin/Xylol/Luft	165	*Propanal*	57	1
2-Methyl-propanol	Cu/Nitrobenzol/Chinolin/Xylol/Luft	165	*2-Methyl-propanal*	62	1
Furfurol	Cu/1,3-Dinitro-benzol/Chinolin/Xylol/Luft	150	*Furfural*	74	1

[1] F. Zetzsche, B. **54**, 2033 (1921).
vgl. a. Übersichtsartikel in Bull. Chem. Soc. Japan **1971**, 1072.
[2] Sabatier, La catalyse en chimie organique, 2. Aufl. 1920, S. 89ff.; C. **1920**, I, 526.
[3] L. Gattermann u. T. Wieland, *Die Praxis des organischen Chemikers*, S. 185, Walter de Gruyter & Co., Berlin 1961.
[4] N. L. Drake et al., Am. Soc. **60**, 73 (1938).
[5] s. ds. Handb., Bd. VII/1, S. 167.
[6] s. ds. Handb., Bd. VII/1, S. 166.
[7] G. W. Hearne u. W. Converse, Ind. Eng. Chem. **33**, 807 (1941).
J. M. Church u. L. Lynn, Ind. eng. Chem. **42**, 768 (1950).
[8] B. E. Christensen et al., Am. Soc. **60**, 2331 (1938).

II. Kupfer(I)-Verbindungen

Die Oxidation von 1,2-Diamino-benzol mit molekularem Sauerstoff (vgl. Bd. IV/1 a) verläuft intramolekular und in Gegenwart von Kupfer(I)-chlorid als Katalysator zu *cis,cis-1,4-Dicyan-butadien-(1,3)*. Überraschenderweise erfolgt die oxidative Spaltung des Benzolringes unter sehr milden Bedingungen. Mit Pyridin als Lösungsmittel wurden bei Zimmertemperatur verschiedene *cis*-Butadien-Derivate in relativ hohen Ausbeuten erhalten. Eine Ausnahme bei diesem Verfahren bilden die 1,2-Diamino-benzole, die stark elektronenziehende Substituenten enthalten[1].

Ein wichtiger Faktor ist das Verhältnis von 1,2-Diamino-benzol zu Kupfer(I)-chlorid im Reaktionsmedium, das niedrig gehalten werden sollte, um die intermolekulare Reaktion des intermediär entstandenen Kupfer-Komplexes mit dem 1,2-Diamino-benzol zu unterbinden.

Hexadien-(cis-2,cis-4)-säure-dinitril [1,4-Dicyan-butadien-(1,3)][1]: In einen Kolben, der 1,98 g (10 mMol) Kupfer(I)-chlorid in 10 *ml* Sauerstoff-freiem Pyridin enthält und mit einer mit Sauerstoff gefüllten Bürette verbunden ist, leitet man unter kräftigem Rühren Sauerstoff ein. Der Farbumschlag der Lösung von Gelb nach Grün zeigt die Sauerstoff-Absorption an. Nach Beendigung der Absorption (~10 Min.; 105 *ml*) wird eine Lösung von 1,08 g (10 mMol) 1,2-Diamino-benzol in 10 *ml* Pyridin langsam zugegeben. Nach 10 Min. werden 223 *ml* Sauerstoff absorbiert. Anschließend wird 2mal die gleiche Menge 1,2-Diamino-benzol zugegeben; die Sauerstoff-Absorption beträgt nach 10 Min. 214 bzw. 210 *ml*. Das Pyridin wird in Vak. abgezogen, der Rückstand mit Äther extrahiert und umkristallisiert; Ausbeute: 2,97 g (95% d. Th.); F: 128–129°.

Zur oxidativen Dimerisierung bzw. Cyclisierung von 1-Alkinen zu Diinen mit Kupfer (I)- bzw. (II)-Salzen s. S. 61.

III. Kupfer(II)-Verbindungen

a) Dehydrierung mit Kupfer(II)-oxid

Kupfer(II)-oxid wirkt ausschließlich dehydrierend auf organische Verbindungen. Das Oxid wird entweder mit der organischen Substanz vermischt, oder man führt die Reaktion in einem hochsiedenden Lösungsmittel wie z. B. Nitrobenzol aus. Allerdings ist zu berücksichtigen, daß reines Nitrobenzol ebenfalls dehydrieren kann.

Primäre aliphatische Alkohole werden allgemein mit Kupfer(II)-oxid in flüssiger Phase zu Aldehyden dehydriert:

$$R\text{–}CH_2OH \xrightarrow[-H_2]{CuO} R\text{–}CHO$$

Man erhitzt den Alkohol in Chinolin als Lösungsmittel und dehydriert mit einem Gemisch aus Kupfer(II)-oxid und Nitroverbindungen, z. B. Nitro- oder Dinitro-benzol. Statt Kupfer(II)-oxid kann auch Kupfer(I)-oxid eingesetzt werden[2]. So erhält man z. B. aus:

$$\text{Furfurylalkohol} \xrightarrow{175\,-\,185\,°} \textit{Furfural}[2];\ 76\%\ \text{d. Th.}$$

$$\text{Borneol} \xrightarrow{220\,-\,225\,°} \textit{Campher}[2];\ 85\%\ \text{d. Th.}$$

Die aliphatischen und aromatischen Aldehyde und Ketone lassen sich mit relativ hohen Ausbeuten bei der Dampfphasen-Oxidation der entsprechenden primären bzw. sekundären Alkohole durch Kupferoxid herstellen[3]. Bei diesem Verfahren wurde ein Gemisch von einem inerten Trägergas (Helium) und dem Alkohol-Dampf durch eine ~1,8 m hohe Säule, die mit Kupferoxid-Draht gefüllt ist, geleitet. Durch Kontrolle der Reaktionstemperatur

---

[1] H. TAKAHASHI, T. KAJIMOTO u. J. TSUJI, Synth. Comm. **2**, 181 (1972).

[2] F. ZETZSCHE u. P. ZALA, Helv. **9**, 288 (1926).

[3] M. Y. SHEIKH u. G. EADON, Tetrahedron Letters **1972**, 257.

(250–300°) und der Strömungsgeschwindigkeit des Heliums (4–20 ml/Min.) werden befriedigende Ausbeuten an Aldehyden und Ketonen erzielt; z. B. erhält man so aus

Pentanol	→ *Pentanal*[1]; 99% d.Th.
Hexanol	→ *Hexanal*[1]; 99% d.Th.
Octanol	→ *Octanal*[1]; 98% d.Th.
Nonanol-(4)	→ *Nananon-(4)*[1]; 100% d.Th.
2-Methyl-cyclohexanol	→ *2-Oxo-1-methyl-cyclohexan*[1]; 92% d. Th.
Phenyl-äthanol	→ *Phenyl-acetaldehyd*[1]; 90% d.Th.

2-Chlor-benzaldehyd[2]: In einem 500-ml-Kolben werden 50 g 2-Chlor-benzylalkohol, 44 g Chinolin, 50,2 g 1,3-Dinitro-benzol und 40 g Kupfer(II)-oxid gemischt und im Ölbad bis zum Reaktionsbeginn erhitzt. Die Temp. im Kolben darf 205° nicht übersteigen. Nach dem Abklingen der Hauptreaktion hält man den Kolben noch 30 Min. auf der gleichen Temperatur. Anschließend wird fraktioniert; Ausbeute: 40 g (83% d.Th.).

Bei Verwendung von Kupfer(I)-oxid werden nur 70% d.Th. Aldehyd erhalten.

Beim Überleiten von Butandiol-(1,2) über gekörntes Kupferoxid bei 180° erhält man unter Abspaltung von Wasserstoff ein Gemisch aus 45% *2-Oxo-butanal* und *1-Hydroxy-2-oxo-butan*[3].

N,N′-disubstituierte Hydrazine werden durch Kupferoxid zu Azo-Verbindungen dehydriert; z. B.:

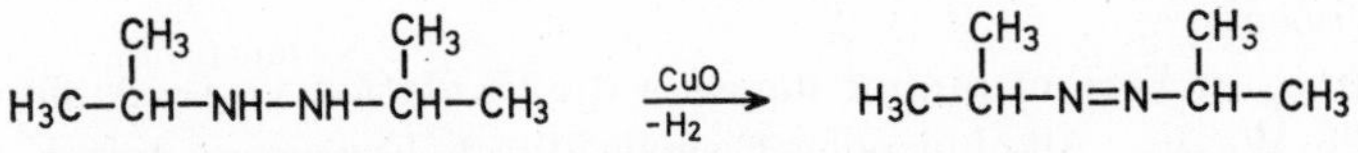

2,2′-Azopropan[4]: 1,2-Diisopropyl-hydrazin wird mit trockenem, gepulvertem Kupferoxid (30% Überschuß) in einer verschlossenen Flasche gemischt. Nach 7-tägigem Stehen bei Zimmertemp. wird destilliert; Ausbeute: (50-60% d.Th.); Kp$_{750}$: 88,5°.

Durch die sog. Kupferoxid-Nitrobenzol-Schmelze lassen sich z. B. β-Naphthol und seine Derivate zu den entsprechenden peri-Xanthenoxanthenen dehydrieren[5]; z. B.:

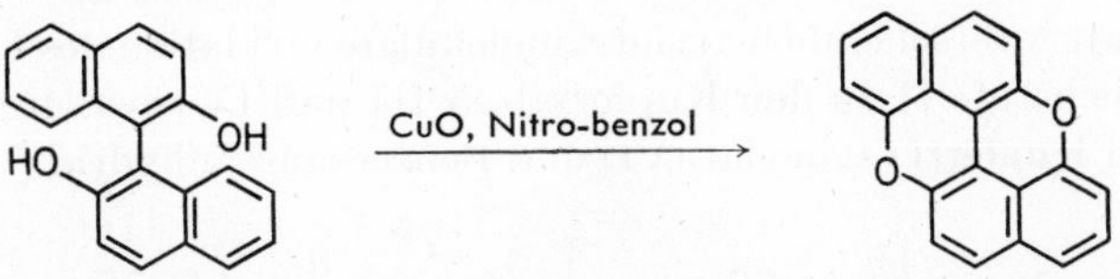

peri-Xanthenoxanthen[5]: 28,6 g 2,2′-Dihydroxy-bi-naphthyl-(1) werden mit 17,7 g gefälltem Kupfer(II)-oxid gut gemischt (das Kupferoxid braucht nicht frisch gefällt zu sein, man kann bei 100° getrocknetes Produkt verwenden). Nach Zugabe von 26 g Nitrobenzol wird das Gemisch geschmolzen und 3 Stdn. bei 220°, anschließend 1 Stde. bei 300° gehalten. Nach Abdampfen des Nitrobenzols wird die erhaltene Schmelze pulverisiert, im Soxhlet mit Chloroform oder Chlorbenzol extrahiert und nach dem Abkühlen abgesaugt; Rohausbeute (75–80% d.Th.) (95%-ig); F: 234° (F: 240 aus Chloroform).

Bei der Dehydrierung von Cycloalkanonen werden neben den 3-Oxo-cycloalkenen stets die entsprechenden Phenole erhalten.

b) Oxidation und Dehydrierung mit Kupfer(II)-Salzen

Oxidationen und Dehydrierungen unter milden Bedingungen werden oft mit Kupfer(II)-Salzen mit Erfolg durchgeführt. In der Regel gelangen Kupfer(II)-acetat, -sulfat sowie -carbonat und -chlorid zum Einsatz. Prinzipielle Unterschiede in bezug auf die Reak-

[1] Die Ausbeuten wurden gaschromatographisch bestimmt.
[2] F. ZETZSCHE u. P. ZALA, Helv. **9**, 288 (1926).
[3] W. REPPE et al., A. **596**, 68 (1955).
[4] H. L. LOCHTE, W. A. NOYES u. J. R. BAILEY, Am. Soc. **44**, 2556 (1922).
[5] R. PUMMERER, E. PRELL u. A. RIECHE, B. **59**, 2159 (1926).

tionsweise der Salze bestehen nicht, jedoch werden unterschiedliche Reaktionsmechanismen diskutiert, die vom Anion und vom Solvens abhängig sind[1].

Als Lösungsmittel dienen in der Regel Wasser, wäßriges Methanol, verdünnte Essigsäure oder Pyridin. Bei Temperaturen oberhalb 100° werden die Kupfer(II)-Salze als Suspension in Nitrobenzol oder in einem Überschuß des Substrats eingesetzt.

Für Oxidationen und Dehydrierungen in wäßriger alkalischer Lösung werden Kupfer(II)-Komplexe verwendet, z. B. Kupfer-Weinsäure-Komplex der Fehling'schen Lösung bzw. Kupfer-tetrammin-Komplex der Schweitzer'schen Lösung.

Fehling-Lösung: Lösung I enthält 6,92 g kristallisiertes Kupfer(II)-sulfat in 100 *ml* Wasser Lösung II enthält 34 g Seignettesalz und 10 g Natriumhydroxid in 100 *ml* Wasser. Unmittelbar vor dem Gebrauch werden gleiche Volumina beider Lösungen vermischt.

Schweitzer-Lösung: Ein Niederschlag von Kupfer(II)-hydroxid, hergestellt beispielsweise durch Zusammengießen von Lösungen aus 25 g kristallisiertem Kupfer(II)-sulfat und 8 g Natriumhydroxid, wird mit einer ausreichenden Menge 20%-igem wäßrigem Ammoniak geschüttelt, bis eine klare Lösung entsteht.

1. Oxidationen mit Kupfer(II)-Salzen

Die Oxidation von reduzierenden Zuckern mit Fehling-Lösung hat wegen ihrer geringen Spezifität für die präparative organische Chemie keine Bedeutung[2]. In präparativer Hinsicht unbefriedigend verläuft auch die Oxidation von Zuckern mit ammoniakalischer Kupfer(II)-salz-Lösung[3].

Einen eindeutigen Verlauf nimmt dagegen die Oxidation von α-Amino-carbonyl-Verbindungen, die in Wasser, Alkohol oder Eisessig durch Erwärmen mit Kupfer(II)-acetat zu den α-Dicarbonyl-Verbindungen oxidiert werden[4]. So erhält man z. B. aus 3-Amino-2-oxo-butan-Hydrochlorid in Methanol (20 Min. Rückfluß) *Butandion*[3,4] (64% d.Th.).

Benzoesäure und ihre Substitutionsprodukte mit mindestens einer freien ortho-Stellung werden mit Kupfer(II)-carbonat zu den entsprechenden 2-Hydroxy-benzoesäuren hydroxyliert[5]. So erhält man beim Erhitzen von Benzoesäure in Diphenyläther mit Kupfer(II)-carbonat auf 230° *Salicylsäure* (87% d.Th. bei 40% Umsatz).

Die Reaktion läuft wahrscheinlich als intramolekulare Oxidation des Kupfer(II)-benzoats (I) über die Zwischenstufe II zu den Kupfersalzen III und IV sowie freier Benzoesäure V, die dann mit III zu Kupfer(I)-salicylat (VI) und Benzoesäureanhydrid (VII) weiterreagiert:

$$R = CH_3; \text{ tert.-}C_4H_9, OCH_3; NO_2,CN \ (18\text{–}100\% \ d.Th.)$$

[1] C. L. JENKINS u. J. K. KOCHI, Am. Soc. **94**, 856 (1972).

[2] J. V. NEF, A. **357**, 277 (1907).
   S. V. SINGH, O. C. SAXENA u. M. P. SINGH, Am. Soc. **92**, 537 (1970).

[3] W. W. PIGMAN u. R. M. GOEPP, *Chemistry of the Carbohydrates*, Academic Press Inc., New York 1948.

[4] Jap. P. 2617 (1963), Kyowa Fermentation Industry, Erf.: M. TANAKA u. M. KISHI; C. A. **64**, 14134 (1966).

[5] W. W. KAEDING u. G. R. COLLINS, J. Org. Chem. **30**, 3750 (1965).

Außer Diphenyläther können auch Diphenylmethan, Cyclohexan, Benzol, Toluol und Mineralöl als Lösungsmittel eingesetzt werden.

Intermolekulare Oxidationen treten beim Arbeiten in aromatischen Lösungsmitteln wie z. B. Benzol, Toluol, Methoxy-benzol, Nitrobenzol, Chlorbenzol, Fluorbenzol oder Diphenyläther auf[1]. So erhält man aus Benzol bzw. seinen Derivaten und Kupfer(II)-benzoat *Benzoesäure-phenylester* bzw. **Benzoyloxy-benzole** (II) und als Folgeprodukt das entsprechende Phenol III:

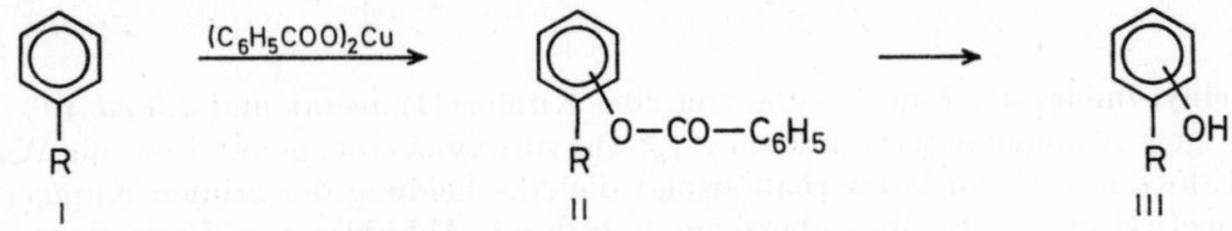

Einige pflanzliche o-Diphenole[2] (z. B. Chlorogensäure, Coffeinsäure, Catechine, Flavone) lassen sich durch Kupfer(II)-Salze in Acetonitril/Ameisensäure zu den entsprechenden o-Chinonen reversibel oxidieren (oxidimetrische Bestimmung).

Zur Oxidation vom Hydrazin-Derivat I zum *7,8-Diaza-pentacyclo[3.3.0.0^{2,4}.0^{3,6}]octen-(7)* (II) s. Literatur[3]:

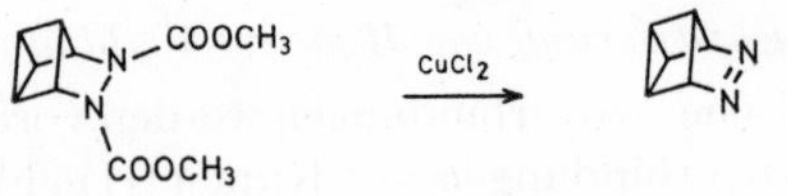

2. Dehydrierungen mit Kupfer(II)-Salzen

α) ohne Bindungsneuknüpfung

α$_1$) von α-Hydroxy-ketonen bzw. -aldehyden

Die Dehydrierung von α-Hydroxy-ketonen bzw. -aldehyden mit Kupfer(II)-salzen führt zu Dicarbonyl-Verbindungen oder deren Derivaten. So dehydriert Kupfer(II)-sulfat Benzoin zu *Benzil*[4] (wäßriges Pyridin, 90°) bzw. 4,4'-Dibutyl-(2)-benzoin zu *4,4'-Dibutyl-(2)-benzil*[5]. Auch Fehling-Lösung ist geeignet, jedoch wird Pyridin als Lösungsmittel vorgezogen, da es einmal ein größeres Lösungsvermögen für Benzoine als Wasser hat und außerdem das durch Reduktion entstandene Kupfer(I)-oxid als Komplex in Lösung hält.

In etwas abgewandelter Form werden folgende Dehydrierungen durchgeführt:

$$\text{2-Hydroxy-1-oxo-cyclodecan} \xrightarrow[89\%]{\substack{\text{verd. CH}_3\text{COOH/CH}_3\text{OH} \\ 70°,\ \text{Cu(CH}_3\text{COO)}_2}} \textit{1,2-Dioxo-cyclodecan}[6]$$

$$\text{1,3-Dihydroxy-2-oxo-propan} \xrightarrow[77\%]{\substack{\text{CH}_3\text{OH, Cu(CH}_3\text{COO)}_2 \\ 55°}} \textit{3-Hydroxy-2-oxo-propanal}[7]$$

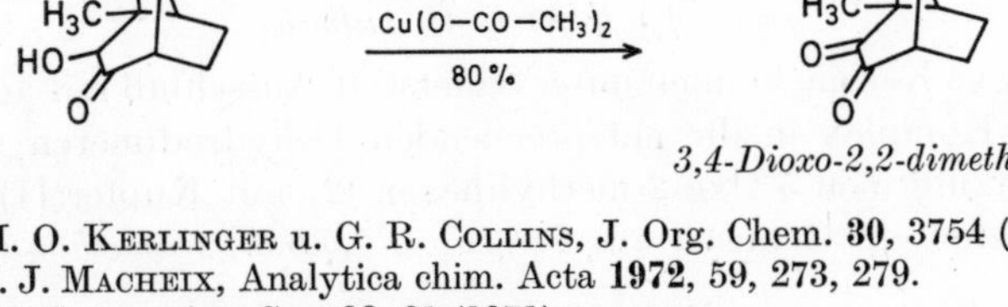

3,4-Dioxo-2,2-dimethyl-bicyclo[3.2.1]octan[8]

[1] W. W. KAEDING, H. O. KERLINGER u. G. R. COLLINS, J. Org. Chem. **30**, 3754 (1965).
[2] N. DELAPORTE u. J. J. MACHEIX, Analytica chim. Acta **1972**, 59, 273, 279.
[3] B. M. TROST u. R. M. COREY, Am. Soc. **93**, 21 (1971).
[4] H. T. CLARKE u. E. E. DREEGER, Org. Synth. Coll. Vol. 1, 87 (1941).
[5] P. WEYERSTAHL, R. ZIELKE u. F. NERDEL, A. **731**, 18 (1970).
[6] A. T. BLOMQUIST u. A. GOLDSTEIN, Org. Synth. Coll. Vol. 4, 838 (1963).
[7] G. HESSE, F. RÄMISCH u. K. RENNER, B. **89**, 2137 (1956).
[8] S. RANGANATHAN u. B. B. SINGH, Chem. Commun. **1970**, 218.

Die Dehydrierung einer α-Hydroxy-carbonyl-Gruppe zu einer α-Dicarbonyl-Gruppe liegt auch der Herstellung von Imidazolen aus α-Hydroxy-aldehyden oder α-Hydroxy-ketonen, Ammoniak, Aldehyd und Kupfer(II)-Salzen zugrunde. Als erste Reaktionsstufe nimmt man die Dehydrierung der α-Hydroxy-carbonyl-Gruppe zu einer α-Dicarbonyl-Gruppe an, die dann anschließend mit Ammoniak und Aldehyd den Ring schließt[1]; z. B.:

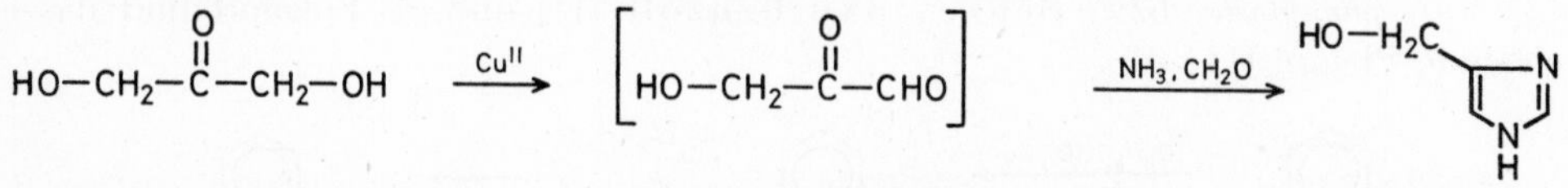

4-Hydroxymethyl-imidazol[1]: Eine Lösung von 20 g Kupfer(II)-acetat und 7,5 *ml* 40%-iges Formalin in 150 *ml* 25%-igem Ammoniak wird mit 4,5 g 1,3-Dihydroxy-aceton, gelöst in wenig Wasser, versetzt. Nach kurzem Erhitzen auf dem Wasserbad erfolgt die Abscheidung der grünen Kupfer(I)-Verbindung des 4-Hydroxymethyl-imidazols. Man überzeugt sich durch Abkühlen von Proben von dem Fortgang der Umsetzung, da das Kupfersalz in der Wärme eine erhebliche Löslichkeit besitzt. Sobald nach dem Abkühlen die überstehende Lösung nahezu entfärbt ist, wird das Erhitzen unterbrochen und gekühlt. Bei richtiger Einhaltung der Bedingungen werden 6 g Kupfersalz erhalten. Die Umsetzung zur Base erfolgt in der üblichen Weise mit Schwefelwasserstoff. Die Lösung wird mit Kohle entfärbt und i. Vak. zur Sirupdicke eingeengt. Der Rückstand wird in Chloroform aufgenommen, das nach dem Trocknen verdampft wird; Ausbeute: 3,5 g (71% d.Th.); F: 93–94°.

α₂) Dehydrierung von Hydrazo-Verbindungen

Aliphatische[2] und cyclische Azoverbindungen werden vorteilhaft durch Dehydrierung der entsprechenden Hydroazoverbindungen mit Kupfer(II)-chlorid, -acetat oder -oxid hergestellt.

2,2′-Azo-propan[2]: Zu einer Lösung von 6 g N,N′-Diisopropyl-hydrazin-Hydrochlorid in 120 *ml* 2n Natriumacetat-Lösung wird unter Schütteln eine konz. Kupfer(II)-chlorid-Lösung zugetropft. Das Ende der Reaktion ist erreicht, wenn die Mutterlauge über den roten Kristallen durch einen Überschuß von Kupfer(II)-chlorid schmutzig olivgrün erscheint. Der rote Niederschlag wird sofort abgesaugt, nacheinander mit Wasser und Alkohol gewaschen und über Phosphor(V)-oxid i. Vak. getrocknet. Nach den Analysendaten liegt eine Molekülverbindung der Zusammensetzung $C_6H_{14}N_2 \cdot CuCl \cdot 2 H_2O$ vor; Die Zersetzung des Komplexes erfolgt wie üblich mit Schwefelwasserstoff.

α₃) von N-Hydroxy-piperidin

Einen Sonderfall stellt die Dehydrierung von N-Hydroxy-piperidin-Hydrochlorid (I) mit Kupfer(II)-acetat (in Wasser bei 50–60°) dar, die wahrscheinlich über das instabile Nitron II abläuft[3]:

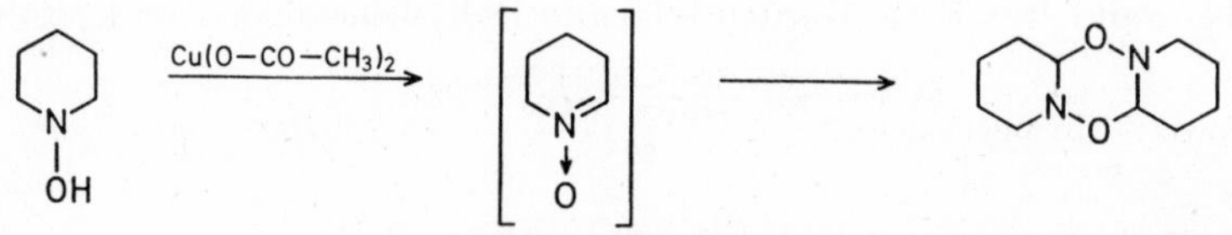

2,9-Dioxa-1,8-diaza-tricyclo[8.4.0.0³,⁸] tetradecan; 46% d.Th.; F: 123–124°

β) mit Bindungsneuknüpfung
β₁) unter C–C-Aufbau

β,γ-ungesättigte Ketone können unter Sauerstoff-Ausschluß mit äquimolaren Mengen Kupfer(II)-Pyridin-Komplex in die entsprechenden Dehydrodimeren überführt werden[4]. So liefert die Umsetzung von 5-Oxo-2-methyl-hexen-(2) mit Kupfer(II)-nitrat in Pyridin-Triäthylamin-Methanol ein Gemisch aus *2,9-Dioxo-5,5,6,6-tetramethyl-decadien-(3,7)* (γ,γ′-

---

[1] R. WEIDENHAGEN u. R. HERRMANN, B. **68**, 1953 (1935).
    Vgl. J. R. TOTTER u. W. J. DARBY, Org. Synth. Coll. Vol. **3**, 460 (1955).
[2] O. DIELS u. W. KOLL, A. **443**, 262 (1925).
[3] W. R. ROTH u. K. ENDERER, A. **730**, 82 (1969).
    J. THESING u. H. MAYER, B. **89**, 2159 (1956).
[4] H. C. VOLGER u. W. BRACKMANN, R. **84**, 1223 (1965)

Dehydrodimeres), *8-Oxo-2,5,5-trimethyl-4-acetyl-nonadien-(2,6)* (α,γ'-Dehydrodimeres) und *2,7-Dimethyl-4,5-diacetyl-octadien-(2,6)* (α,α'-Dehydrodimeres) (zusammen 80–95% d.Th.) sowie einem Furan-Derivat (*2,5-Dimethyl-3,4-bis-[2-methyl-propenyl]-furan*; 8% d.Th.)[1]:

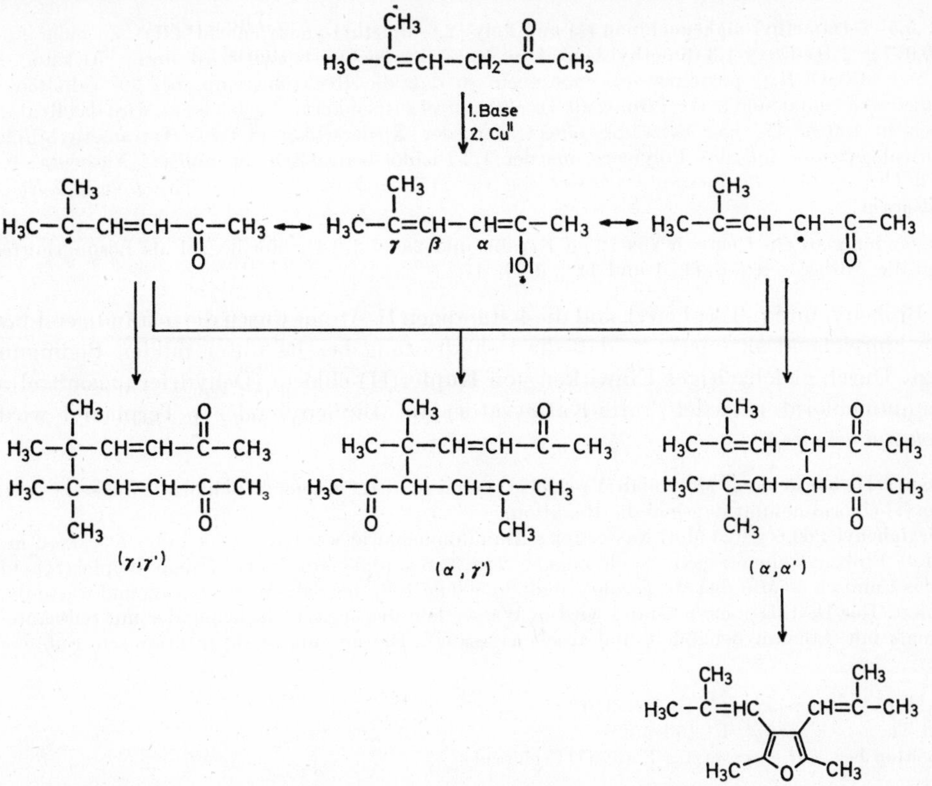

$$CH_3-C(CH_3)=CH-CH_2-C(=O)-CH_3$$

1. Base
2. Cu^{II}

$$H_3C-C(CH_3)-CH=CH-C(=O)-CH_3 \leftrightarrow H_3C-C(CH_3)=CH-CH=C(-O)-CH_3 \leftrightarrow H_3C-C(CH_3)=CH-CH-C(=O)-CH_3$$

γ β α

(γ,γ')   (α,γ')   (α,α')

Phenole mit freier o- oder p-Stellung werden mit Kupfer(II)-Salzen zu Dimeren, gegebenenfalls auch Trimeren und Polymeren dehydriert[2]. Die Ausbeuten sind dann gut, wenn das Phenol nur eine freie o- oder p-Stellung besitzt und die anderen o- bzw. p-Stellungen mit großen Alkyl-Gruppen substituiert sind.

2,2'-Dihydroxy-3,3',5,5'-tetra-tert.-butyl-biphenyl[2]: Eine Lösung von 35 g Kupfer(II)-2-methyl-phenolat in 170 g 2,4-Di-tert.-butyl-phenol wird 150 Min. unter Durchleiten von 0,8 l/Min. Luft auf 170 ± 5° erhitzt. 97 g des Rohproduktes werden aus Pentan umkristallisiert; F: 200–202°.

Bei der Untersuchung der intermolekularen Dehydrierung des 2-Hydroxy-1,3-dimethyl-benzols zu den beiden möglichen Reaktionsprodukten *2,2',4,4'-Tetramethyl-diphenochinon* (I) und *Poly-[2,6-dimethyl-phenylenoxid]* (II) in Gegenwart von Kupfer(II)-Verbindungen wurde als wirksamste Kupferverbindung der Komplex III gefunden, der durch Oxidation von Kupfer(I)-chlorid in Pyridin-Methanol hergestellt werden kann[3]:

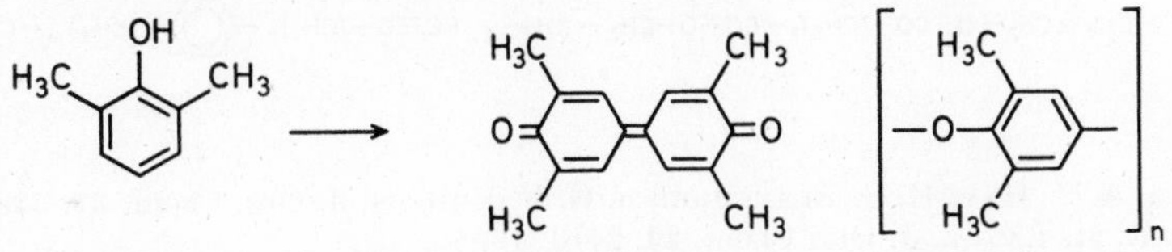

I   II

$$2\,C_5H_5N + 2\,CH_3OH + Cu_2Cl_2 \xrightarrow{O_2} (C_5H_5N \cdot CuCl \cdot OCH_3)_2$$

III

[1] H. C. Volger u. W. Brackmann, R. 84, 1233 (1965).
[2] W. W. Kaeding, J. Org. Chem. 28, 1063 (1963).
[3] H. Finkbeiner, A. S. Hay, H. S. Blanchard u. G. F. Enders, J. Org. Chem. 31, 549 (1966)

Der Komplex (III) reagiert mit 2-Hydroxy-1,3-dimethyl-benzol sowohl in stöchiometrischen Mengen bei Ausschluß von Sauerstoff als auch in katalytischen Mengen in Gegenwart von Sauerstoff.

3,3′,5,5′-Tetramethyl-diphenochinon (I) und Poly-[2,6-dimethyl-phenylenoxid] (II)[1]: Zu einer Lösung von 0,977 g 2-Hydroxy-1,3-dimethyl-benzol in 40 ml 1,2-Dichlor-benzol wird unter Stickstoff 3,5 g $(C_5H_5N \cdot CuCl \cdot OCH_3)_2$ portionsweise zugegeben, so daß die Reaktionstemp. bei 30° gehalten wird (1 g Magnesiumsulfat sind in der Lösung als Trockenmittel suspendiert). Nach 3 Stdn. wird das Reaktionsgemisch in 100 ml 1%-iger Salzsäure eingetragen, der Niederschlag (3,3′,5,5′-Tetramethyl-diphenochinon) abgetrennt und das Polymere aus der 1,2-Dichlor-benzol-Schicht isoliert; Ausbeute: 0,57 g (59% d.Th.) *3,3′,5,5′-Tetramethyl-diphenochinon* (F: 215°) und 62 mg (6% d.Th.) *Poly-[2,6-dimethyl-phenylenoxid]*.

Verwendet man ein Gemisch aus 12 ml Pyridin und 28 ml 1,2-Dichlor-benzol als Lösungsmittel, so beträgt die Ausbeute 9% d.Th. I und 74% d.Th. II.

In Biphenyl und p-Terphenyl sind die 4-ständigen H-Atome durch die p-ständigen Phenyl-Ringe hinreichend aktiviert, so daß die Dehydrierung bereits unter milden Bedingungen gelingt. Durch gleichzeitiges Einwirken von Kupfer(II)-chlorid (Dehydrierungsmittel) und Aluminiumchlorid (Friedel-Crafts-Katalysator) auf Biphenyl oder p-Terphenyl wird *p-Sexiphenyl* erhalten[2].

Eisen(III)-chlorid und Molybdän(V)-chlorid können statt Kupfer(II)-chlorid eingesetzt werden, Kupfer(I)-chlorid hemmt dagegen die Reaktion.

p-Sexiphenyl[2]: 66,6 g (0,5 Mol) wasserfreies Aluminiumchlorid werden bei 75° unter Stickstoff in 77 g (0,5 Mol) Biphenyl eingetragen. Nach Zugabe von 33,6 g (0,25 Mol) wasserfreiem Kupfer(II)-chlorid wird das Gemisch 30 Min. bei 80° gerührt, dann in 500 ml 18%-ige Salzsäure gegossen und wasserdampfdestilliert. Der Destillationsrückstand wird in Wasser fein dispergiert, nacheinander mit Salzsäure und mehrmals mit Äthanol behandelt und trocken gesaugt. Die anschließende fraktionierte Sublimation liefert:

< 1% d.Th. *p-Quaterphenyl;* F: 308–310°
67% d.Th. *p-Sexiphenyl;* F: 450–452°
[Ausbeuten bez. auf eingesetztes Kupfer(II)-chlorid].

Auch das Wasserstoffatom einer endständigen Acetylen-Gruppe läßt sich leicht durch Dehydrierung entfernen. So werden α,ω-Diacetylene mit äquivalenten Mengen Kupfer(II)-salz zu cyclischen α,γ-Diacetylenen dehydriert (Glaser-Reaktion). Bei Variation der Versuchsbedingungen werden auch cyclische dimere und polymere Substanzen erhalten:

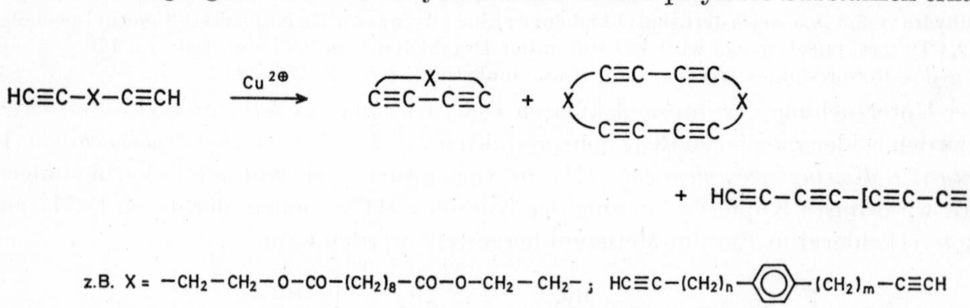

z.B. $X = -CH_2-CH_2-O-CO-(CH_2)_8-CO-O-CH_2-CH_2-$; $HC\equiv C-(CH_2)_n-\bigcirc-(CH_2)_m-C\equiv CH$ [3-5]

[1] H. FINKBEINER, A. S. HAY, H. S. BLANCHARD u. G. F. ENDERS, J. Org. Chem. **31**, 549 (1966).
[2] P. KOVACIC u. R. M. LANGE, J. Org. Chem. **29**, 2416 (1964).
[3] G. EGLINTON u. A. R. GALBRAITH, Soc. **1959**, 889.
  Vgl. a. ds. Handb., Bd. V/2, Kap. Di- und Polyine, in Vorbereitung.
  s. a. I. WATANABE, K. KOGAMI, S. ISAOKA u. J. KUMANOTANI, Bull. Chem. Soc. Japan **43**, 1248 (1970).
[4] T. MATSUOKA, Y. SAKATU u. S. MISUMI, Tetrahedron Letters **1970**, 2549.
  T. NEGI, T. KANEDA, Y. SAKATU u. S. MISUMI, Chem. Lett. **1972**, 703.
[5] Zur Herstellung von *11,16-Dihydroxy-5,11,16,23-tetra-tert.-butyl-cyclotricontahexaen-(5,7,9,18,20,22)-tetrain-(1,3,12,14)* s. M. IYODA, H. MIYAZAKI u. M. NAKAGAWA, Chem. Commun. **1972**, 431.

11,20-Dioxo-1,10-dioxa-cycloeicosadiin-(2,8)[1]: Eine Lösung von 1 g Decandisäure-dibutin-(3)-ylester in 140 ml Äther/Pyridin (1:6) wird innerhalb 2,5 Stdn. zu einer unter Rückfluß kochenden Lösung von 3,4 g wasserfreiem Kupfer(II)-acetat in 700 ml Äther/Pyridin (1:6) gegeben. Das Gemisch wird 1 Stde. bei gleicher Temp. gehalten, dann abgekühlt und bei 0° in 5 l 0,05 n Salzsäure eingetragen. Es wird mit Äther extrahiert, die ätherische Lösung neutralisiert, getrocknet und über Aluminiumoxid chromatographiert; Ausbeute: 630 mg (63% d.Th.); F: 55–56°.

Bei der Dehydrierung von Hexadiin-(1,5) in Pyridin mit Kupfer(II)-acetat-Monohydrat bei 55° erhält man nach 3 Stdn. ein Gemisch von cyclischen Oligomeren[2]:

$$HC \equiv C - CH_2 - CH_2 - C \equiv CH \xrightarrow{Cu(OCOCH_3)_2} (C \equiv C - CH_2 - CH_2 - C \equiv C)_n$$
$$n = 3 - 7$$

Die Oligomeren wurden nicht in der Polyin-Form isoliert, sondern erst nach Umlagerung in die vollständig konjugierte Polyen-polyin-Form:

$$(C \equiv C - CH = CH - CH = CH)_n$$

Eine ähnliche Reaktion tritt bei der Dehydrierung von Decatriin-(1,5,9) (I) ein. Neben dem Dimeren II [Cycloeicosahexatriin-(1,3,7,11,13,17)] und dem entsprechenden Trimeren erhält man unter Verdünnungsbedingungen das Cyclisierungsprodukt III [Decadiin-(1,6)], das jedoch wenig stabil ist und unter Reaktionsbedingungen sofort 1 Mol Essigsäure addiert[3],[4]:

$$HC \equiv C - CH_2 - CH_2 - C \equiv C - CH_2 - CH_2 - C \equiv CH \xrightarrow{Cu(O-CO-CH_3)_2}$$

I   II   III

Ein Beispiel aus der Naturstoffchemie stellt die Dehydrierung unter hoher Verdünnung des Diins IV mit Kupfer(II)-acetat in Pyridin dar[5]:

2,5,5'-Trimethoxy-3,3'-[tetradecadiin-
(6,8)-diyl-(1,14)]-diphenyläther

[1] G. EGLINTON u. A. R. GALBRAITH, Soc. **1959**, 889.
[2] F. SONDHEIMER u. R. WOLOVSKY, Am. Soc. 84, 260 (1962).
Zusammenfassung: F. SONDHEIMER, Proc. Royal Soc. 297 [A], 173 (1967).
Vgl. a. G. BORGEN u. J. DALE, Acta chem. Scand. 26, 159 (1972); aus 5,5-Dimethyl-nonadiin-(1,8).
[3] R. WOLOVSKY u. F. SONDHEIMER, Am. Soc. 88, 1525 (1966).
[4] Zur Herstellung von Methylen-überbrückten Didehydroaza[19]- bzw. [21]-annulene s. P. J. BEEBY u. F. SONDHEIMER, Ang. Ch. 85, 404, 406 (1973).
[5] J. R. CANNON, P. W. CHOW, B. W. METCALF, A. J. POWER u. M. W. FULLER, Tetrahedron Letters **1970**, 325.

Entsprechend den Cyclodehydrierungen von α, ω-Diacetylenen können auch intermolekulare Dehydrierungen endständiger Monoacetylene mit Kupfer(II)-acetat in Pyridin als Lösungsmittel[1,2] durchgeführt werden:

$$2\ R-C\equiv CH + 2\ Cu(OCOCH_3)_2 \longrightarrow R-C\equiv C-C\equiv C-R + 2\ CuOCOCH_3 + CH_3COOH$$

R = (H₃C)₂–C̣–OH	*2,7-Dihydroxy-2,7-dimethyl-octadiin-(3,5)*[1]	62% d.Th.
HO–(CH₂)₄–	*1,12-Dihydroxy-dodecadiin-(5,7)*[1]	62% d.Th.
C₆H₅	*1,4-Diphenyl-butadiin*[3]	25% d.Th.
Biphenylyl-(4)	*1,4-Bis-biphenylyl-(4)-butadiin*[4]	74% d.Th.

$H_5C_6\text{-}CO\text{-}CH\text{=}CH\text{-}CH\text{=}C(C_6H_5)\text{-}$ *1,14-Dioxo-1,5,10,14-tetraphenyl-tetradecatetraen-(1,3,10,12)-diin-(6,8)*[5]

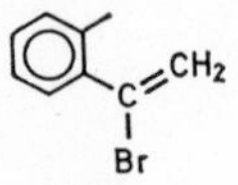

1,4-Bis-[2-(1-brom-vinyl)-phenyl]-butadiin[1]   63% d.Th.

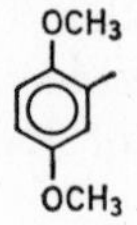

1,4-Bis-[2,5-dimethoxy-phenyl]-butadiin[2]   77% d.Th.

(CH₃)₃C–(C≡C)₄–	*2,2,23,23-Tetramethyl-tetracontadecain-(3,5,7,9,11,13,15,17,19,21)*[6]	64% d.Th.
Anthryl-(1)	*1,4-Dianthryl-(1)-butadiin*[7]	91% d.Th.
Phenanthryl-(9)-	*1,4-Diphenanthryl-(9)-butadiin*[8] (in Pyridin/Methanol)	98% d.Th.
Phenanthryl-(3)-(C≡C–)₃-	*1,12-Diphenanthryl-(3)-dodecahexain*[8] (in Pyridin/Methanol)	58% d.Th.

Zur entsprechenden Herstellung von [m.n.]Paracyclophadiinen s. Literatur[9]:

Die oxidative Kupplung von Acetylenen mit Sauerstoff/Kupfer(I)-chlorid in Basen (Pyridin, Dimethylamin usw.) nach Glaser führt mit guten bis sehr guten Ausbeuten zu den entsprechenden Diinen (vgl. a. Bd. IV/1a):

$$R-C\equiv CH \xrightarrow{\ O_2\ /\ Cu_2Cl_2\ /\ Base\ } R-C\equiv C-C\equiv C-R$$

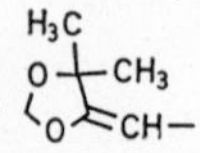

1,6-Bis-[5,5-dimethyl-1,3-dioxolanyliden-(4)]-hexadiin-(2,4)[10]   82% d.Th.

[1] G. EGLINTON u. W. McCRAE, Adv. in Organic Chem. **1963**, 242.
   s. a. ds. Handb., Bd V/2, Kap. Di- und Polyine, in Vorbereitung.
[2] G. MANECKE u. D. ZERPNER, B. **105**, 1943 (1972).
[3] I. D. CAMPBELL u. G. EGLINTON, Org. Synth. Vol. **45**, 39 (1965).
[4] W. RIED u. V. B. SAXENA, A. **739**, 159 (1970).
[5] K. FUKUI, T. OKAMOTO u. M. NAKAGAWA, Tetrahedron Letters **1971**, 3121.
[6] E. R. H. JONES, H. H. LEE u. M. C. WHITING, Soc. **1960**, 3483.
[7] S. AKIYAMA, F. OGURA u. M. NAKAGAWA, Bull. Chem. Soc. Japan **44**, 3443 (1971).
[8] S. AKIYAMA u. M. NAKAGAWA, Bull. Chem. Soc. Japan **44**, 2237 (1971).
[9] T. MATSUOKA, T. NEGI, T. OTSUBO, Y. SAKATU u. S. MISUMI, Bull. Chem. Soc. Japan **45**, 1825 (1972).
   J. MATSUOKA, T. NEGI u. S. MISUMI, Synth. Commun. **2**, 87 (1972).
[10] G. N. KHABIKULINA, A. S. ZANINA u. I. L. KOTLYAREVSKII, Ž. org. Chim. **9**, 1277 (1973)

R =			
		1,4-Bis-[2-formyl-cyclohexen-(1)-yl]-butadiin[1]	92% d.Th.

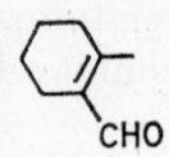

R = C₆H₅;	*1,4-Diphenyl-butadiin*[2]	97% d.Th.
R = Phenanthryl-C≡C- ;	*1,8-Diphenanthryl-octatetrain*[3]	78–97% d.Th.
R = (CH₃)₂C=C=CH–;	*2,11-Dimethyl-dodecatetraen-(2,3,9,10)-diin-(5,7)*[4]	57% d.Th.
R = (H₃CO)₂C=CH–;	*1,1,8,8-Tetramethoxy-octadien-(1,7)-diin-(3,5)*[5]	40% d.Th.
R = Pyridyl-(2);	*1,4-Dipyridyl-(2)-butadiin*[6]	79% d.Th.
R = ⟨Benzo-1,3-oxazol⟩-yl-(2);	*1,4-Di-[⟨benzo-1,3-oxazol⟩-yl-(2)]-butadiin*[6]	50% d.Th.

Bei der Photolyse von 1-Benzyliden-1,2,3,4-tetrahydro-isochinolinen in Äthanol und in Gegenwart von Kupfer(II)-acetat/Jod werden unter Ringschluß 4,5-Dihydro-6H-⟨dibenzo[d,e;g]chinoline⟩ erhalten (Vorstufen der Alkaloide Nuciferin und Glaucin)[6,7]:

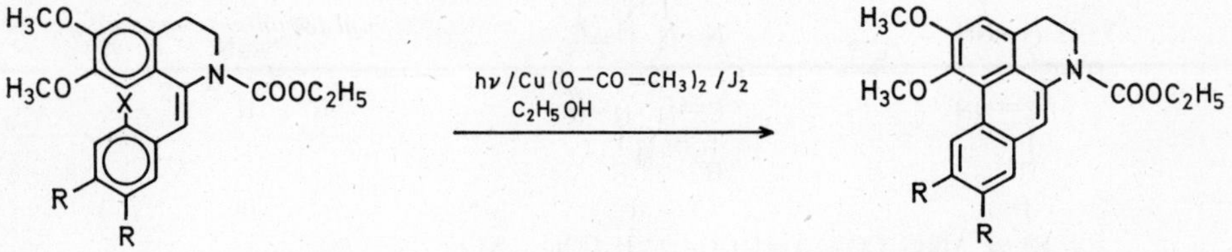

X = H; R = H; *1,2-Dimethoxy-* } *-6-äthoxycarbonyl-5,6-dihydro-6H-*
R = OCH₃; *1,2,9,10-Tetramethoxy-* } *-⟨dibenzo[d,e;g]chinolin⟩*

β₂ unter C–N-Aufbau

Ähnlich wie bei der Herstellung von Imidazolen aus α-Hydroxy-carbonyl-Verbindungen ist auch bei der Herstellung von Benzimidazolen und Naphthimidazolen aus o-Diamino-benzol bzw. -naphthalin und Aldehyd in Gegenwart von Kupfer(II)-acetat der Reaktionsverlauf noch nicht vollständig aufgeklärt. Man kann annehmen, daß aus der Diamino-Verbindung und dem Aldehyd zunächst eine Schiff'sche Base entsteht, die dann unter Ringschluß dehydriert wird:

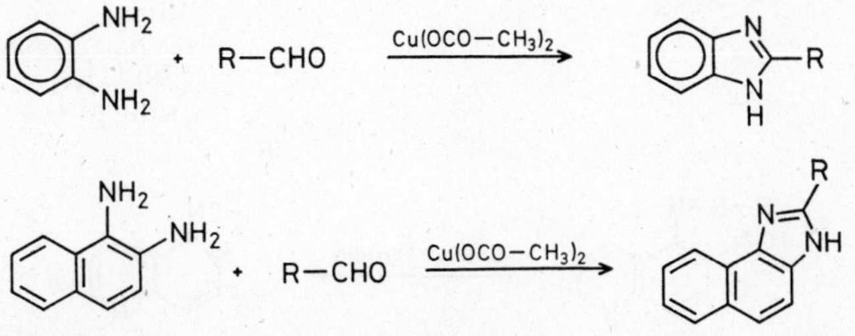

2-Methyl-⟨benzimidazol⟩[8]: 11 g 1,2-Diamino-benzol werden zusammen mit 40 g Kupfer(II)-acetat in 300 *ml* Wasser gelöst. Nach Zugabe von 5 g Acetaldehyd in 50 *ml* Wasser wird das Gemisch in einem heißen Wasserbad erwärmt. Nach kurzer Zeit beginnt die Abscheidung des Kupfer(I)-salzes vom 2-Methyl-⟨benzimidazol⟩. Nach Verschwinden der blauen Kupfersalzfarbe der Lösung wird gekühlt und

[1] R. Muneyuki et al., Bull. Chem. Soc. Japan **46**, 2565 (1973).

[2] A. S. Hay, J, Org. Chem. **27**, 3320 (1962).

[3] S. Akiyama u. M. Nakagawa, Bull. Chem. Soc. Japan **44**, 2237 (1971).

[4] E. A. Elperina, B. P. Gusev u. V. F. Kucherov, Izv. Akad. Nauk SSSR **1973**, 1072; C. A. **79**, 52747 (1973).

[5] B. P. Gusev, L. A. Tsurgozen u. V. F. Kucherov, Izv. Akad. Nauk SSSR **1971**, 141; C. A. **75**, 19670 (1971).

[6] U. Tritzsche u. S. Hünig, Tetrahedron Letters **1972**, 4831.

[7] M. P. Cara, M. J. Mitchel, S. C. Harlicek, A. Lindert u. R. J. Spangler, J. Org. Chem. **35**, 175 (1970).

[8] R. Weidenhagen, B. **69**, 2263 (1936).

abgesaugt. 27 g Kupfersalz werden gewonnen und in wäßr. Suspension mit Schwefelwasserstoff zerlegt. Im Filtrat des Kupfersulfid-Niederschlages kristallisieren 10 g (75% d. Th.) 2-Methyl-⟨benzimidazol⟩ aus; F: 175–176°.

β_3) *unter N–N-Aufbau*

Daß unter bestimmten Voraussetzungen auch NH-Gruppen zu Cyclodehydrierungen herangezogen werden können, zeigt das folgende Beispiel. Beim Versetzen der methanolischen oder äthanolischen Lösung eines substituierten Glyoxal-imin-hydrazons I mit der ammoniakalischen Lösung eines Kupfer(II)-salzes entsteht zunächst der Kupferkomplex II, der nach kurzem Erhitzen unter Farbänderung in guter Ausbeute das substituierte 2H-1,2,3-Triazol III liefert[1]:

$R^1 = $ Alkyl–CO–, Aryl–CO–, C_2H_5COO–, NC–
$R^2 = C_6H_5$–
$R^3 = $ Alkyl-, Aryl-

Die Reaktion läßt sich grundsätzlich auch auf andere Stickstoff-Systeme übertragen.

So erhält man aus einem 1,2-Amino-azo- bzw. 1,2-Hydrazono-azo-System (Formazane) unter N–N-Verknüpfung die entsprechenden 2-substituierten 2H-Benzotriazole[2,3] bzw. Tetrazolium-Salzen[4]:

2-(4-Nitro-phenyl)-2H-⟨thieno-[2,3-e]-benzotriazol⟩[2]; 67% d. Th.

R = Aryl; Heteroaryl; 70–90% d. Th.
z. B. *2-(4-Nitro-phenyl)-2H-⟨triazolo-[4,5-f]-chinolin⟩*[3]; 90% d. Th.

R = Aryl; z. B. *2,3,5-Triphenyl-tetrazolium-chlorid*[4]; 70% d. Th.

[1] B. HIRSCH u. J. CIUPE, Chimia **17**, 159 (1963).
[2] M. KAMEL, I. B. HANNAIT, M. A. ALLAN, A. T. ALAREF u. A. Z. MORI, J. pr. **1970**, 312.
[3] M. KAMEL, S. SHERIFF, R. M. ISSA u. F. I. ABD-EL-HAY, Tetradron **29**, 221 (1973).
[4] R. PRICE, Soc. [A] **1971**, 3379, 3385.

c) Spaltungsreaktionen

Kupfer(II)-Salze (z. T. auch Silber-Salze) können dazu dienen, um Organo-hydrazine in die entsprechenden Kohlenwasserstoffe unter C–N-Spaltung überzuführen. Im wesentlichen wird die Reaktion zur Gewinnung von Heteroaromaten benutzt; z. B.:

10H-⟨Pyrazino-[4,5-b]-benzo-1,4-thiazin⟩[1]

5,6,7,8-Tetrafluor-chinoxalin[2]

B. Oxidation bzw. Dehydrierung mit Silber-Verbindungen

I. mit Silber(I)-oxid bzw. -hydroxid

Für Oxidations- und Dehydrierungsreaktionen in wasserfreiem Medium wird Silberoxid erst kurz vor Gebrauch aus einer Silbernitrat-Lösung gefällt, mehrmals mit Wasser und dann nacheinander mit Aceton und Äther gewaschen. Als Lösungsmittel kommen Aceton, Äther und Ligroin in Betracht. Die Reaktionstemperaturen liegen im Bereich von 20–60°. Bei der Reaktion entstandenes Wasser wird durch wasserfreies Natriumsulfat gebunden.

Für Reaktionen in wäßriger Alkalimetallhydroxid-Lösung wird das Silberoxid vorteilhaft in situ erzeugt.

Silberoxid[3]*:* Eine 86° heiße Lösung von 10 g Silbernitrat in 100 *ml* Wasser wird mit einer ebenso heißen Lösung von 2,3 g Natronlauge in 100 *ml* Wasser gefällt und das Silberoxid 5mal mit je 250 *ml* heißem Wasser geschüttelt. Man dekantiert, schlämmt den Niederschlag mit 50 *ml* wasserfreiem Äthanol auf, dekantiert und saugt den Rückstand auf gehärtetem Filter ab, danach wird nochmals mit wasserfreiem Äthanol gewaschen und an der Luft, danach im Exsikkator über Phosphor(V)-oxid getrocknet.

a) Oxidation

Für die Oxidation spezieller Aldehyde zu Carbonsäuren[4] kann Silber(I)-oxid als Oxidationsmittel eingesetzt werden. Hierfür gelangen drei Verfahren[5] zur Anwendung:

① Zugabe des Aldehyds zu einer aus Silbernitrat-Lösung und Natronlauge hergestellten Silberoxid-Suspension
② Zugabe einer Silbernitrat-Lösung zu einer alkalischen Lösung des Aldehyds
③ Zugabe von Natronlauge zu einem Gemisch aus Aldehyd und wäßriger Silbernitrat-Lösung.

[1] G. PAPPALARDO, F. DURO u. G. SCAPINI, Ann. Chimica **61**, 280 (1971).
[2] C. F. ALLISON, R. D. CHAMBERS, J. A. H. MACBRIDE u. W. K. R. MUSGRAVE, J. Fluorine Chem. **1971**, 59.
   s. a. I. COLLINS, S. M. ROBERT u. H. SUSCHITZKY, Soc. [A] **1971**, 164.
[3] B. HELFERICH u. W. KLEIN, A. **450**, 225 (1926).
   vgl. a. W. L. EVANS, J. Org. Chem. **1**, 2 (1936).
[4] vgl. a. ds. Handb., Bd. VIII, Kap. Carbonsäuren, S. 412f.
[5] Zur Oxidation von (+)-Callitrisinaldehyd mit Silber(I)-oxid in wäßrigem Methanol zu (+)-*Callitrisin-säure (1,4a-Dimethyl-7-isopropyl-1-carboxy-1,2,3,4,4a,9,10,10a-octahydro-phenanthren)* s. S. W. PELLETIER u. D. L. HERALD, Chem. Commun. **1971**, 10.

Bei jedem der 3 Verfahren muß die Natriumhydroxid-Menge so eingestellt werden, daß sie nicht nur zur Fällung des Silberoxids ausreicht, sondern auch die durch Oxidation entstehende Carbonsäure als Natrium-Salz in Lösung gehalten werden kann.

2-Oxo-1-(2-carboxy-äthyl)-1-äthoxycarbonyl-cyclohexan[1]:

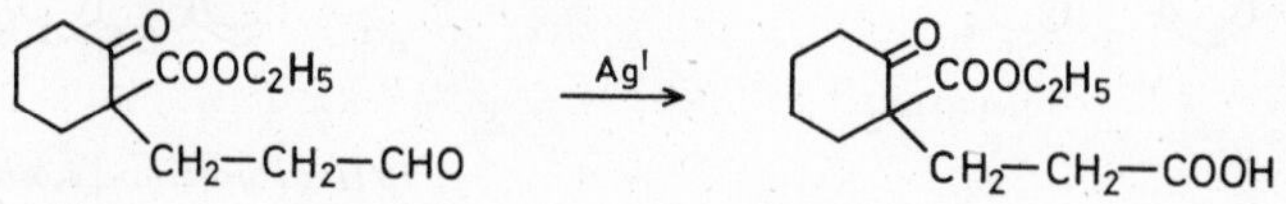

Aus einer Lösung von 2,5 g Silbernitrat in 25 ml Wasser und einer Lösung von 1 g Natriumhydroxid in 20 ml 95%igem Äthanol wird eine Silberoxid-Suspension hergestellt. Nach Zugabe von 2 g 2-Oxo-1-(2-formyl-äthyl)-1-äthoxycarbonyl-cyclohexan wird 1 Stde. bei Raumtemp. gerührt. Nach Filtration, Ansäuern und Ausäthern wird die Carbonsäure aus Methylcyclohexan umkristallisiert; Ausbeute: 1 g (50% d.Th.); F: 60°.

Auf ähnliche Weise erhält man *4-(4-Acetoxy-cyclohexyl)-3-(4-carboxy-cyclohexyl)-hexan* (70% d. Th.) aus dem entsprechenden Aldehyd[2].

α,β-ungesättigte Aldehyde lassen sich auf die gleiche Weise zu Carbonsäuren oxidieren. So erhält man z. B. aus 10-Methoxy-decen-(*trans*-2)-al in wäßrig-alkoholischer Kalilauge *10-Methoxy-decen-(trans-2)-säure*[3] (41% d. Th., als *Methylester*: $Kp_{0,1}$: 72°) und aus d(+)-Pantothenaldehyd *d(+)-Pantothensäure*[4]. 2-Alkoxy-acroleine werden im alkoholischen Medium ebenfalls leicht mit Silber(I)-oxid oxidiert[5]. Zur Oxidation von 1-Formyl-cyclohexenen[6], -cyclopentenen[7] bzw. 3-Oxo-2-formyl-Δ^1-octalinen[8] sowie γ,δ-ungesättigten Aldehyden[9] s. Literatur.

Cyclohexen-4-carbonsäure[10]: Zu einem Gemisch aus 25,5 g Silbernitrat in 50 ml Wasser und 5,5 g Cyclohexen-4-aldehyd in 10 ml Äthanol läßt man unter Eiskühlung und kräftigem Rühren eine Lösung von 17 g Kaliumhydroxid in 50 ml Wasser innerhalb 1 Stde. zutropfen. Anschließend wird das Gemisch 2–3 Stdn. geschüttelt, filtriert, mit Schwefelsäure angesäuert und ausgeäthert. Nach Verdampfen des Äthers wird destilliert; Ausbeute: 4 g (62,5% d.Th.); Kp_{13}: 125–126°.

---

[1] A. C. COPE u. M. E. SNYDERHOLM, Am. Soc. **72**, 5228 (1950).

[2] H. H. INHOFFEN, W. KREISER u. R. PANENKA, A. **749**, 117 (1971).

[3] S. A. BARKER, A. B. FOSTER u. D. C. LAMB, Tetrahedron **18**, 177 (1962).

[4] O. SCHINDLER u. T. REICHSTEIN, Pharm. Acta. Helv. **20**, 79 (1945).

[5] N. A. KEIKO, A. P. CHICKKAREV u. M. F. SHOSTAKOVSKII, Izv. Akad. SSSR **1971**, 660; C. A. **74**, 63042 (1971).
   N. A. KEIKO, A. P. CHICHKAREV, V. K. VORONOV, V. G. LIPOVICH u. M. G. VORONKOV, Izv. Akad. SSSR **1973**, 582; C. A. **79**, 4944 (1973).

[6] A. A. DRABKINA, O. V. EFIMOVA u. Y. S. TSIZIN, Ž. obšč. Chim. **41**, 1412 (1971); engl.: 1421.
   A. G. HORTMAN u. A. Q. ONY, J. Org. Chem. **35**, 4290 (1970).

[7] H. C. STEVENS, J. K. RINEHART, J. M. LAVANISH u. G. M. TRENTA, J. Org. Chem. **36**, 2780 (1971).

[8] E. PIERS u. R. D. SNULLIE, J. Org. Chem. **35**, 3997 (1970).

[9] K. MORI, M. OKHI u. M. MATSUI, Tetrahedron **26**, 2821 (1970); *4-Isopropyl-penten-(4)-säure* (84% d.Th.).
   Y. BESSIERE-CHRETIEN et al., C. r. [C] **273**, 272 (1971); *1,5,5-Trimethyl-4-carboxy-cyclopenten* (72% d. Th.).
   Z. ARNOLD, F. SORM et al., Collect. Czech. Chem. Commun. **38**, 261 (1973); *6-(4-Nitro-phenoxy)-4-methyl-hexen-(4)-säure* (81% d.T.).
   D. L. GARIN, Chem. Commun. **1973**, 403; *6-Methyl-6-carboxy-bicyclo[3.1.0]hexen-(2)*.

[10] H. FIESSELMANN, B. **75**, 881 (1942).

Analog erhält man aus Cyclopenten-(1)-yl-acetaldehyd *Cyclopenten-(1)-yl-essigsäure*[1]. Aromatische Aldehyde werden ebenfalls mit Silberoxid in alkalischer Lösung zu Carbonsäuren oxidiert; z. B.:

4-Hydroxy-benzaldehyd	→ *4-Hydroxy-benzoesäure*[2]	100% d.Th. F: 212–213
2-Butyltelluro-benzaldehyd	→ *2-Butyltelluro-benzoesäure*[3]	85% d.Th.
2-Nitro-3-methoxy-4-allyloxy-benzaldehyd	→ *2-Nitro-3-methoxy-4-allyloxy-benzoesäure*[4]	
2,5-Dimethoxy-4-(2-amino-propyl)-benzaldehyd	→ *2,5-Dimethoxy-4-(2-amino-propyl)-benzoesäure*[5]	
4-Hydroxy-3-methoxy-benzaldehyd	→ *4-Hydroxy-3-methoxy-benzoesäure*[2,6]	82–95% d.Th. F: 150–152°
3-Formyl-fluoranthen	→ *3-Carboxy-fluoranthen*[7]	
2-Formyl-⟨tetrabenzo-cyclooctatetraen⟩	→ *2-Carboxy-⟨tetrabenzo-cyclooctatetraen⟩*[8]	
3-Jod-2-formyl-furan	→ *3-Jod-2-carboxy-furan*[9]	
Thiophen-2-aldehyd	→ *Thiophen-2-carbonsäure*[10]	95–97% d.Th. F: 136–137°
5-Fluor-2-formyl-thiophen	→ *5-Fluor-2-carboxy-thiophen*[11]	
5-Methylseleno-2-formyl-thiophen	→ *5-Methylseleno-2-carboxy-thiophen*[12]	85% d.Th.
4-Formyl-⟨thieno[3,4-b]thiophen⟩	→ *4-Carboxy-⟨thieno-[3,4-b]-thiophen⟩*[13]	76–88% d.Th.
3-Chlor-2-formyl-⟨benzo-[b]-selenol⟩	→ *3-Chlor-2-carboxy-⟨benzo-[b]-selenol⟩*[14]	
6-Chlor-1-(4-nitro-phenyl)-3-formyl-indazol	→ *6-Chlor-1-(4-nitro-phenyl)-3-carboxy-indazol*[15]	
4-Formyl-cumarin	→ *4-Carboxy-cumarin*[16]	

Statt der Aldehyde können auch die entsprechenden Acetale bzw. Semiacetale eingesetzt werden[17]. Soll nur eine Aldehyd-Funktion oxidiert werden, so können bei äquivalentem Einsatz von Silber(I)-oxid die anderen Formyl-Gruppen durch Acetal-Bildung geschützt werden[18]; z. B.:

$$\begin{array}{ccc}
\text{CH(OC}_2\text{H}_5)_2 & \xrightarrow[\text{2. H}^{\oplus}]{\text{1. Ag}_2\text{O}} & \text{CHO} \\
(\text{H}_5\text{C}_2\text{O})_2\text{CH} - \overset{}{\underset{X}{\bigcirc}} - \text{CHO} & & \text{OHC} - \overset{}{\underset{X}{\bigcirc}} - \text{COOH}
\end{array}$$

X = O; *3,5-Diformyl-2-carboxy-furan* 70% d.Th.
X = S; *3,5-Diformyl-2-carboxy-thiophen* 70% d.Th.

[1] S. A. MONTI, D. J. BUCKHEK u. J. C. SHEPHARD, J. Org. Chem. **34**, 3080 (1969).
[2] J. A. PEARL, J. Org. Chem. **12**, 85 (1947).
[3] J. L. PIETTE u. M. RENSON, Bull. Soc. Chim. Belges **79**, 367 (1970).
[4] V. SRIVASTAVA u. D. N. CHAUDBURY, J. Indian Chem. Soc. **46**, 651 (1969).
[5] B. T. HO u. L. W. TANSEY, J. med. Chem. **14**, 156 (1971).
[6] J. A. PEARL, Org. Synth. Coll. Vol. 4, 972 (1963).
[7] N. CAMPBELL u. N. H. WILSON, Chem. & Ind. **1970**, 1114.
[8] D. GAST, G. H. SENKLER u. K. MISLOW, Chem. Commun. **1972**, 1345.
[9] R. SORNAY, J. M. MEUNIER u. P. FOURNARI, Bl. **1971**, 990.
[10] E. CAMPAIGNE u. W. M. LE SUER, Org. Synth. Coll. Vol. 4, 919 (1963).
   s. a. Herstellung von *3-Butylseleno-2-carboxy-thiophen* (75% d.Th.), Y. L. GOLDFARB, V. P. LITVINOV u. A. N. SUKIASYAN, Izv. Akad. Nauk SSSR **1971**, 1296.
   s. a. Herstellung von *2-Carboxy-⟨thieno-[3,2-b]-benzo[b]thiophen⟩* (92% d.Th.), A. RICCI, D. BALUCANI u. M. BETTELLI, G. **101**, 774 (1971).
[11] R. D. SCHNETZ u. G. P. NILLES, J. Org. Chem. **36**, 2188 (1971).
[12] A. N. SUKIASYAN, V. P. LITVINOV u. Y. L. GOLDFARB, Izv. Akad. SSSR **1970**, 1345; C. A. **73**, 130825 (1970).
[13] H. WYNBERG u. J. FEIGEN, R. **89**, 77 (1970).
[14] P. CAYNIANT u. G. KIRSCH, C. r. [C] **224**, 1394 (1972).
[15] H. B. LAND u. A. R. FRASCA, Chem. & Ind. 88, 1594 (1969).
[16] M. VON STRANDTMANN, D. CONNOR u. J. SHAVEL, J. Heterocycl. Chem. **9**, 175 (1972).
[17] G. STORK u. P. A. GRIECO, Tetrahedron Letters **1971**, 1807; Herstellung von *5-Methyl-decadien-(cis-4, trans-8)-säure* aus Dimethylacetal.
   M. ROSENBERGER, D. ANDREWS, F. DIMARIA, A. G. DUGGAN u. G. SAUCY, Helv. **55**, 249 (1972); Oxidation von 6-Hydroxy-2-alkyl-tetrahydropyran zum entsprechenden Lacton.
[18] B. DECROIX, J. MOREL, C. PAULMIER u. P. LASTOUR, Bl. **1972**, 1848.

b) Dehydrierungen mit Silber(I)-oxid

1. ohne Bindungsneuknüpfung

α) von Phenolen bzw. Anilinen

Aus verschiedenen o- und p-Dihydroxy-benzolen lassen sich die entsprechenden Chinone ohne besondere Schwierigkeiten durch Dehydrierung mit Silber(I)-oxid herstellen (vgl. a. S. 76). Die Methodik ist im allgemeinen gleich. Die Dihydroxy-Verbindung wird in einem absolut trockenen Lösungsmittel (z. B. Äther, Benzol, Aceton) in Gegenwart eines wasserbindenden Mittels [z. B. Natriumsulfat, wasserfreies Kupfer(II)-sulfat] mit scharf getrocknetem Silberoxid geschüttelt.

Nach der meist schnell verlaufenden Dehydrierung filtriert man von nicht umgesetztem Silberoxid und von ausgeschiedenem Silber ab und arbeitet das Filtrat in üblicherWeise auf.

3-Hydroxy-2,5-dimethyl-p-benzochinon[1]: 10 g (0,065 Mol) 2,3,5-Trihydroxy-1,4-dimethyl-benzol werden mit 16 g (0,069 Mol) Silberoxid in Gegenwart von 50 g Natriumsulfat in 200 ml wasserfreiem Äther innerhalb 15 Min. dehydriert. Nach Filtration wird der Äther abdestilliert; Ausbeute: 8 g (81% d.Th.); F: 135–137°.

Auf gleiche Weise erhält man aus 5,6-Dihydroxy-2,3-dimethyl-biphenyl (20°, 20 Min.) *4,5-Dimethyl-3-phenyl-o-benzochinon* (83% d.Th.; F: 109–110°).

Über die Herstellung von *o-Benzochinon* aus Brenzcatechin[2] bzw. von *5-Methyl-2-cyan-p-benzochinon* aus dem entsprechenden Hydrochinon[3] s. Lit.

1,2-Bis-[4-oxo-cyclohexadien-(2,5)-yliden]-äthan (Stilbenchinon)[4]: Die Lösung von 4,24 g (0,02 Mol) 4,4'-Dihydroxy-stilben in 200 ml Aceton wird mit 14 g (0,06 Mol) Silberoxid 1 Stde. unter Rückfluß gekocht. Nach Filtration wird auf –30° abgekühlt und das ausgefallene Chinon aus Aceton umkristallisiert; Ausbeute: 40–45% d.Th.; Zers. P.: 270°.

Langkettige Alkylsubstituenten beeinträchtigen die Dehydrierung nicht, wie bei der glatt verlaufenden Dehydrierung von I zu *3,5,6-Trimethyl-2-[3,7,11,15-tetramethyl-hexadecatetraen-(2,6,10,14)-yl]-p-benzochinon* gezeigt wurde[5]:

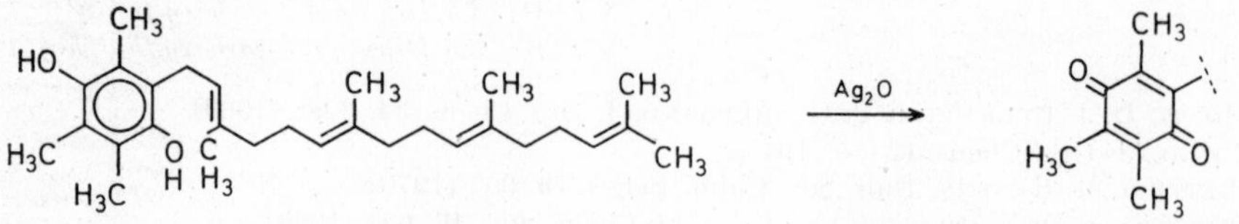

Analog zu der Dehydrierung von Hydrochinonen verläuft die Umsetzung von 4-Hydroxy-1-cycloheptatrienyl-(7)-benzolen mit Silberoxid in inerten Lösungsmitteln (Chloroform, Tetrachlormethan, Äther oder Benzol). Man erhält 6-Oxo-3-cycloheptatrienyliden-cyclohexadiene-(1,4), die nach Zugabe von Perchlorsäure oder Essigsäure als (4-Hydroxy-phenyl)-tropylium-perchlorate bzw. -acetate isoliert werden:

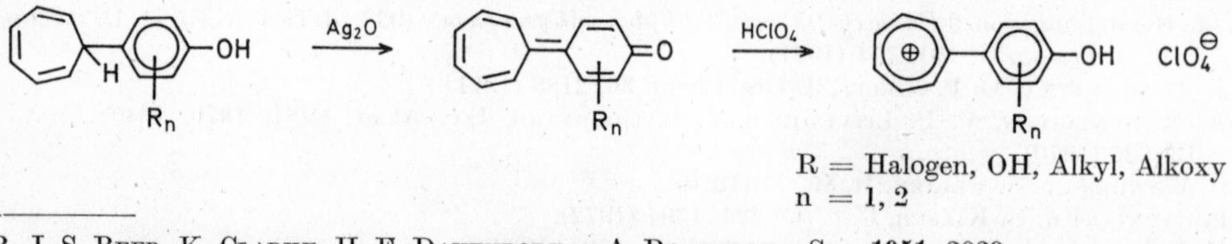

R = Halogen, OH, Alkyl, Alkoxy
n = 1, 2

[1] R. J. S. BEER, K. CLARKE, H. F. DAVENPORT u. A. ROBERTSON, Soc. **1951**, 2029.
    Vgl. hierzu auch die Herstellung o- und p-chinoiden Ansaverbindungen: A. R. FORRESTER u. R. RAMASSEUL, Soc. [B] **1971**, 1638.
[2] R. WILLSTÄTTER u. A. PFANNENSTIEL, B. **37**, 4744 (1907).
[3] T. HARAYAMA, M. OHTANI, M. OKI u. Y. INUBUSHI, Chem. Pharm. Bull. **21**, 25 (1973).
[4] K. H. KÖNIG, W. SCHULZE u. G. MÖLLER, B. **93**, 555 (1960).
[5] P. SCHUDEL, H. MAYER, J. METZGER, R. RÜEGG u. O. ISLER, Helv. **46**, 2517 (1963).

4,5-Dihydroxy-2-methyl-9-phenyl-3-äthoxycarbonyl-indol wird mit Silber(I)-oxid ebenfalls in guten Ausbeuten zum *2-Methyl-9-phenyl-3-äthoxycarbonyl-indol-4,5-chinon* dehydriert[1]. Auf ähnliche Weise wird *2-Hydroxy-benzimidazol-5,6-chinon*[2] erhalten. Zur Herstellung von Bicyclano-1,4-benzochinonen[3] bzw. -naphtochinonen[4] s. Lit.

Die Dehydrierung von 4-Amino-1-anilino-benzol mit Silberoxid in trockenem Äther
ergibt *4-Imino-1-phenylimino-cyclohexadien* (90% d. Th.; F: 88—89°)[5] bzw. von 4-Dimethyl-
amino-3-tert.-butyl-phenol *tert.-Butyl-1,4-benzochinon*[6] (zur Herstellung von *5-Sulfo-7-imino-
8-oxo-7,8-dihydro-chinolin*[7] s. Lit.). 4-Alkyl-substituierte Phenole werden mit Silber(I)-oxid
zu den entsprechenden *Chinonmethiden* oxidiert[8]; z. B.:

$$\text{(H}_3\text{C)}_3\text{C} \quad \xrightarrow[\text{bis 76\%}]{\text{Ag}_2\text{O}} \quad \text{(H}_3\text{C)}_3\text{C}$$

Besitzt das α–C-Atom in 4-Stellung kein Wasserstoff-Atom, so entstehen die o-Chinon-
methide[9]:

$$\text{H}_3\text{C} \quad \xrightarrow{\text{Ag}_2\text{O}} \quad \text{H}_3\text{C}$$

Die Radikal-Zwischenstufe (Aroxyle) kann abgefangen werden[10].

β) Dehydrierung von Hydrazonen und Aziridinen

Über die Dehydrierung von Hydrazonen zu Diazo-Verbindungen[11] und von Aziridinen
zu Azirinen[12] mit Hilfe von Silberoxid wurde bereits in diesem Handb. ausführlich
berichtet.

γ) von N-substituierten Hydroxylaminen

Während N-Alkyl-hydroxylamine durch Oxidation mit Silber(I)-oxid die entsprechenden

---

[1] U. KUCKLÄNDER, Ar. **304**, 602 (1971).
[2] L. C. MARCH u. H. M. JOUILLÉ, J. Hetrocycl. Chem. **7**, 39 (1970).
[3] G. KAUPP u. H. PRINZBACH, B. **104**, 182 (1971).
[4] R. G. F. GILER u. I. R. GREEN, Chem. Commun. **1972**, 1332.
[5] R. WILLSTÄTTER u. C. W. MOORE, B. **40**, 2665 (1907).
   2-(2-Diazomethyl-phenyl-bicyclo [2.2.1] heptan (77% d.Th.), s. C. D. GUTSCHE, G. L. BACHMANN, W.
   UDELL u. S. BÄUERLEIN, Am. Soc. **93**, 5172 (1971).
[6] D. T. BOWMAN u. F. R. HEWGILL, Soc. [C] **1969**, 2164.
[7] F. J. BULLOCK u. J. F. TWEEDIE, J. Heterocycl. Chem. **7**, 1125 (1970).
[8] A. A. VOLODKIN et al., Izv. Akad. Nauk SSSR **1971**, 381.
   vgl. a. die Herstellung von Chinolen: N. I. BRUCKNER u. N. L. BAUD, J. Org. Chem. **36**, 4045 (1971).
[9] D. A. BOLON, J. Org. Chem. **35**, 715 (1970).
[10] D. A. BOLON, J. Org. Chem. **35**, 3666 (1970).
   Entgegen anderen Angaben sollen sich viele Hydrochinone mit Silber(I)-oxid in guten Ausbeuten
   zu den entsprechenden p-Benzochinonen oxidieren lassen; s. S. OIDA, Y. OHASHI u. E. OHKI, Chem.
   Pharm. Bull. **21**, 528 (1973).
[11] vgl. ds. Handb., Bd. X/4, Kap. aliphatische Diazoverbindungen, S. 575–577.
   vgl. a. R. F. R. CHURCH u. M. J. WEISS, J. Org. Chem. **35**, 2465 (1970).
[12] vgl. ds. Handb., Bd. X/4, Kap. Diazirine, S. 903.

Nitroso-Derivate[1] liefern, erhält man aus den N,N-Diorgano-Derivaten Nitroxide[2] (vorteilhafte Methode):

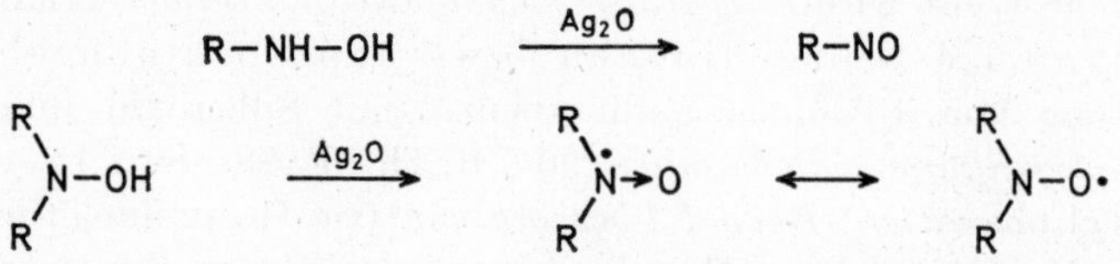

$$R-NH-OH \xrightarrow{Ag_2O} R-NO$$

Entsprechend werden Oxime zu Iminoxyl-Radikale[3] oxidiert; z. B.:

$$[(CH_3)_3C]_2C = N-OH \xrightarrow{Ag_2O} [(CH_3)_3C]_2C = N-O^\bullet$$

2. mit Bindungsneuknüpfung

Cyclodehydrierung von 4-Dimethylamino-benzoesäure-(4-dimethylamino-benzyliden-hydrazonid)-anilid (I) mit Silberoxid in Xylol führt zu *4-Phenyl-3,5-bis-[4-dimethylamino-phenyl]-4H-1,2,4-triazol* (II; 25–30% d.Th.; F: 310–311°)[4]:

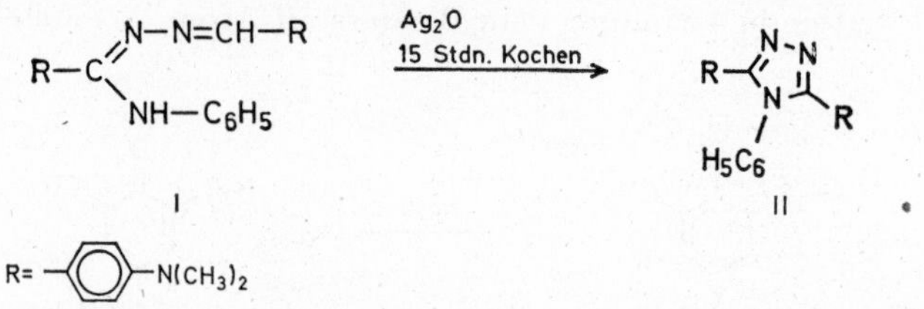

Bei der Dehydrierung von 1,2-Dihydroxy-benzol (Brenzcatechin) in Gegenwart sekundärer Amine entstehen substituierte Amino-1,2-benzochinone[5]; z. B. *4-(N-Methyl-anilino)-1,2-benzochinon* (40% d.Th.; F: 128–129°) mit N-Methyl-anilin durch Dehydrieren mit Silberoxid in Aceton:

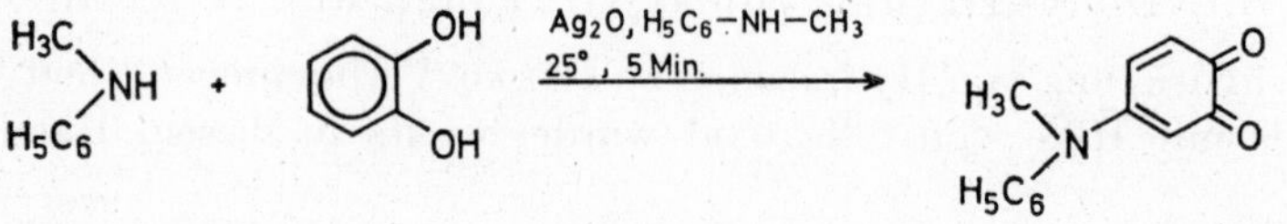

und *4-(Bis-[2-hydroxy-äthyl]-amino)-1,2-benzochinon* (20–30% d.Th.) mit Bis-[2-hydroxy-äthyl]-amin[6].

In Abhängigkeit von der Menge Silberoxid und vom Lösungsmittel werden bei der Dehydrierung von 2-Hydroxy-1,3-dimethyl-benzol (I) unterschiedliche Ergebnisse erzielt[7]. In Benzol entstehen aus 2 Mol I und 1 Mol Silberoxid 15% (*2,6-Dimethyl-phenyl*)-(*4-hydroxy-3,5-dimethyl-phenyl*)-*äther* (II), 11% *3,3′,5,5′-Tetramethyl-diphenochinon* (III) und wenig 4,4′-Dihydroxy-3,3′,5,5′-tetramethyl-biphenyl (IV). Bei der Dehydrierung von I mit Silberoxid im Molverhältnis 1:1 ebenfalls in Benzol werden dagegen neben wenig III 40% einer

---

[1] W. B. MOTHERWELL u. J. S. ROBERTS, Tetrahedron Letters **1972**, 4287.
[2] s. ds. Handb., Bd. X/1, Kap. Hydroxylamine, S. 1245.
   G. T. KNIGHT, Chem. Commun. **1970**, 1016.
   A. R. FORRESTER u. S. P. HEPBURN, Soc. [C] **1970**, 1277; vgl. a. 3322 [mit Silber(II)-oxid].
   A. CALDO, A. R. FORRESTER u. S. P. HEPBURN, Soc. (Perkin I) **1973**, 456.
   vgl. a. R. E. BANK, R. N. HASZELDINE u. P. J. MILLER, Tetrahedron Letters **1970**, 4417 (neben Nitronen).
[3] J. L. BROKENSHIRE, G. D. MENDENHALL u. K. U. INGOLD, Am. Soc. **93**, 5278 (1971).
[4] A. SPASSOW, E. GOLOVINSKY u. G. RUSSER, B. **96**, 2996 (1963).
[5] L. HORNER u. H. LANG, B. **89**, 2768 (1956).
[6] M. N. VAILEVA u. A. J. BERLIN, Ž. org. Chim. **1**, 318 (1965).
[7] B. O. LINDGREN, Acta chem. scand. **14**, 1203 (1960).

polymeren Substanz mit der wahrscheinlichen Struktur V erhalten. Mit Dimethylformamid als Lösungsmittel wird unter gleichen Reaktionsbedingungen nur eine geringe Menge V nachgewiesen.

Werden p-Benzochinone in Gegenwart von Anisolen[1,2], Anilinen[1] bzw. Phthalid-natrium-Salzen[3] mit Silber(I)-oxid behandelt, so tritt C–C-Neuknüpfung ein:

X = OCH₃, N(CH₃)₃

O-Alkyl-N-alkoxycarbonyl-hydroxylamine werden mit Silberoxid in Äther in fast quantitativer Ausbeute zu N,N'-Dialkoxy-N,N'-dialkoxycarbonyl-hydrazinen dehydriert[4]:

$$2 \ R{-}O{-}NH{-}COOR' \ + \ Ag_2O \ \longrightarrow \ R'OOC{-}\overset{\displaystyle OR}{\underset{\displaystyle OR}{N{-}N}}{-}COOR'$$

N,N'-Diäthoxy-N,N'-diäthoxycarbonyl-hydrazin[4]: Ein Gemisch aus 62 g O-Äthyl-N-äthoxycarbonyl-hydroxylamin und 70 g Silberoxid wird in 150 *ml* Äther 2 Stdn. unter Rückfluß gekocht. Nach Filtration, Trocknen mit Magnesiumsulfat und Verdampfen des Äthers wird i. Vak. destilliert; Ausbeute: 56 g (91% d.Th.); Kp$_{0,7}$: 106–107°.

[1] P. KUSER, M. INDERBITZIN, H. BRAUCHLI u. C. H. EUGSTER, Helv. **54**, 980 (1971).
[2] A. BRAUN u. C. H. EUGSTER, Helv. **55**, 974 (1972) (auch mit 2-Methoxy-naphthalin; Substitution in 1-Stellung).
[3] W. TRUEB u. C. H. EUGSTER, Helv. **55**, 969 (1972); mit 1,4-Naphthodiinonen.
[4] R. J. CRAWFORD u. R. RAAP, J. Org. Chem. **28**, 2419 (1963).

Eine interessante Dehydrierung tritt mit Silber(I)-hydroxid ein[1]:

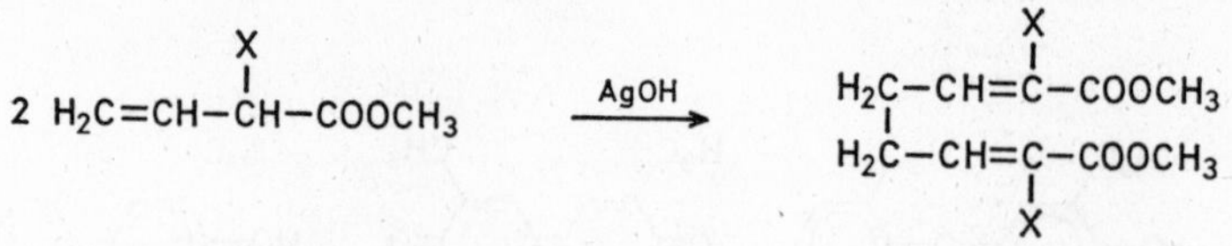

X = Cl,OH; *2,7-Dichlor-* bzw. *2,7-Dihydroxy-octadien-(2,6)-disäure-dimethylester*

c) Abbaureaktionen mit Silber(I)-oxid

Für die Spaltung von C–C-Bindungen mit Silberoxid sind nur einige Beispiele bekannt geworden. So wird 4,4-Dichlor-3,5-dioxo-1,1-dimethyl-cyclohexan (I) mit Hilfe von Silberoxid in feuchtem Äther zu *6,6-Dichlor-5-oxo-3,3-dimethyl-hexansäure* (II) gespalten. Das mit überschüssigem Silberoxid entstehende *5-Oxo-3,3-dimethyl-2-chloracetyl-tetrahydrofuran* (III) wird durch weiteres Silberoxid in schlechter Ausbeute zu *5-Oxo-3,3-dimethyl-2-carboxy-tetrahydrofuran* (IV) abgebaut[2].

Man erhält die besten Ausbeuten an II, wenn 1 Mol I mit 1,1 Äquivalent Silberoxid umgesetzt wird (80% d.Th.) und die besten Ausbeuten an III bei der Umsetzung von 1 Mol I mit 3 Äquivalenten Silberoxid (60–70% d.Th.):

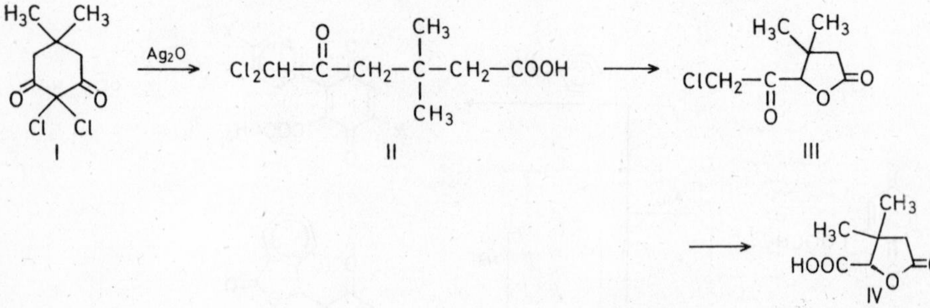

Der Abbau von Zuckern nach WOHL[3] zu den um 1 C-Atom ärmeren Zuckern ist nur noch von historischem Interesse. Zur Oxidation von 2-Formyl-β-alanin zum *β-Alanin* s. Lit.[4]

Zur Oxidation von monosubstituierten Hydrazinen zu Stickstoff und dem zugrundeliegendem Kohlenstoff s. ds. Handb., Bd. X/2, S. 64 sowie Lit.[5] Bei der Umsetzung von 4,5-Bis-[hydrazono]-3,3,6,6-tetramethyl-thiepan mit Silber(I)-oxid wird ein Gemisch aus *3,3,6,6-Tetramethyl-2,3,6,7-tetrahydro-thiepin* und *-2,3,6,7-tetrahydro-4,5-dehydro-thiepin* erhalten[6].

II. Oxidation und Dehydrierung mit Silber(II)-oxid

Silber(II)-oxid[7]: In 1 l Wasser von 85° werden unter Rühren nacheinander eingetragen: 27 g Natriumhydroxid, eine Aufschlämmung von 27 g Kalium-peroxidisulfat in Wasser und 51 g Silbernitrat, gelöst in möglichst wenig Wasser. Nach 15 Min. Rühren bei 90° wird der schwarze Niederschlag von

---

[1] R. RAMBAUD, C. r. [C] **276**, 719 (1973).
[2] N. SCHAMP u. M. VERZELE, Bull. Soc. Chim. Belg. **73**, 38 (1964).
[3] A. WOHL, B. **26**, 730 (1893); **30**, 3101 (1897); **32**, 3666 (1899).
[4] B. A. ARBUSOV, N. N. ZOBOVA u. F. B. BALABANOVA, Izv. Akad. Nauk SSSR **1971**, 577.
[5] H. YAMAMOTO, M. NAKATA, S. MOROSAWA u. A. YOKOO, Bull. Chem. Soc. Japan **44**, 153 (1971); Herstellung von *7-Benzyl-5,7,8,9-tetrahydro-5H-⟨pyrimido-[4,5-d]-azepinen⟩* (∼ 80% d.Th.) aus den 4-Hydrazino-Verbindungen.
[6] A. KREBS u. H. KIMLING, Tetrahedron Letters **1970**, 7616.
[7] G. ZEMPLEN, B. **59**, 1254, 2402 (1926).

Silber(II)-oxid abgesaugt, mit schwach alkalischem Wasser sulfatfrei gewaschen und an der Luft getrocknet (Ausbeute: 94% d.Th.)[1].

Die Oxidation von aliphatischen Aminen, Alkoholen, Aldehyden und aromatischen Kohlenwasserstoffen läßt sich erfolgreich mit Silber(II)-oxid durchführen[2,3]. In saurem Milieu ist Silber(II)-oxid ein selektives Oxidations- und Dehydrierungsmittel für Methyl-aromaten[4], die leicht zu Aldehyden oxidiert werden, sofern der Aromat keine Chlor-, Nitro- und Arylsulfon-Substituenten trägt oder sterische Hinderung vorliegt. Befinden sich 2 Methyl-Gruppen am aromatischen Kern, so wird nur eine oxidiert; z. B. p-Xylol zu *4-Methylbenzaldehyd* (60% d. Th.). Eine Methylen-Gruppe am Aromaten wird zur Carbonyl-Gruppe oxidiert, z. B.: Äthyl-benzol zu *Acetophenon* (65% d. Th.) und Tetralin zu *1-Oxo-tetralin* (52% d. Th.). Diphenylmethan wird dagegen nicht oxidiert. Überraschenderweise erhält man aus Benzol *p-Benzochinon* (33% d. Th.).

Primäre und sekundäre Alkohole werden mit Silber(II)-oxid in saurem Milieu mit Ausbeuten zwischen 30 und 93% d.Th. zu Aldehyden bzw. Ketonen dehydriert, tertiäre Alkohole sind gegen Silber(II)-oxid beständig.

d-Arabinose[5]: Durch eine ~ 15 *cm* hohe Schicht einer Lösung von 10 g Gluconsäure-nitril in 100 *ml* Wasser wird bei 85° 6 Stdn. unter Ersatz des verdampfenden Wassers ein kräftiger, mit Hilfe einer Glasfritte fein zerteilter Kohlendioxid-Strom hindurchgeleitet, bis sich in einer nachgeschalteten salpetersauren Silbernitrat-Lösung kein Silbercyanid mehr bildet. Die Lösung wird mit 2 g Tierkohle versetzt und 2 Stdn. unter Durchleiten von Kohlendioxid bei 85° gehalten. Die von der Tierkohle befreite Lösung wird i. Vak. bei 50° im kleinen Kolben stark eingeengt und im Vakuumexsikkator über Schwefelsäure gehalten. Innerhalb einer Woche werden so 4,8 g an kristalliner d-Arabinose isoliert. Die Mutterlauge liefert weitere 0,7 g eines etwas unreineren Produktes; Gesamtausbeute: 5,5 g (84% d.Th.).

Die Oxidation von Aldehyden zu Carbonsäuren gelingt im basischen Medium und mit guten Ausbeuten durch Silber(I)- oder (II)-oxide. Sie stellt eine einfache und schonende Methode dar, sofern die erwünschten Carbonsäuren im festen Zustand isolierbar sind[6]. *4-Acetylamino-benzoesäure* [71% d.Th. mit Silber(I)- und 89% d.Th. mit Silber(II)-oxid] und *3,4,5-Trimethoxy-benzoesäure* (81% bzw. 91% d.Th.) lassen sich auf diese Weise aus den entsprechenden Aldehyden herstellen.

Die Cyanid-Ion katalysierte Oxidation von Aldehyden durch Silber(II)-oxid in schwach basischem Medium führt ebenfalls zu Carbonsäuren[7]. So erhält man bei der Oxidation von Zimtaldehyd mit Silber(II)-oxid (10 Äquiv.) und Natriumcyanid (5 Äquiv.) in Methanol bei 25° *Zimtsäure* in 90%-iger Ausbeute. Mit dieser Methode können α-β-ungesättigte Aldehyde in die entsprechenden Carbonsäuren überführt werden; z. B.:

Aldehyde	Silberoxid	Carbonsäuren	Ausbeute [% d.Th.]	Literatur
4-Nitro-benzaldehyd	Ag(I), (II)–	*4-Nitro-benzosäure*	90;93	6
Hexadien-(2,4)-al	Ag(I), (II)–	*Hexadien-(2,4)-säure (Sorbinsäure)*	81;76	6
Buten-(2)-al	Ag(I), (II)–	*Buten-(2)-säure*	31;20	6
Dodecanal	Ag(II)–	*Dodecansäure*	90	8
3-Formyl-cyclohexen	Ag(II)–	*Cyclohexen-3-carbonsäure*	97	8
Methacrolein	Ag(I)–	*Methacrylsäure*	100	9

[1] R. N. HAMMER u. J. KLEINBERG, Inorg. Synth. IV 12 (1953).
[2] J. B. LEE u. T. G. CLARKE, Tetrahedron Letters 1967, 415.
[3] T. G. CLARKE, N. A. HAMPSON, J. B. LEC, J. R. MORLEY u. B. SCANLON, Tetrahedron Letters 1968, 568.5
[4] L. SYPER, Tetrahedron Letters 42, 4193 (1967).
[5] A. WOHL u. O. WOLLENBERG, A. 500, 281 (1933).
[6] S. C. THOMASON u. D. G. KUBLER, J. Chem. Educ. 45, 546 (1968).
[7] H. RAPOPORT u. H. N. REIST, Am. Soc. 77, 490 (1955).
[8] E. J. COREY, N. W. GILMAN u. B. E. GANEM, Am. Soc. 90, 5616 (1968).
[9] M. I. FARBEROV, G. N. KOSHEL u. YU. A. MOSKVICHEV, Uch. Zap. Yaroslav. Tekhnol. Inst. 9, 34 (1966); C. A. 71, 60616 (1969).

Analog Silber(I)-oxid (s. S. 70) werden p-Dihydroxy-aromaten bzw. deren Derivate mit Siber(II)-oxid für p-Chinonen oxidiert[1]. Zur Aromatisierung von heterocyclischen Verbindungen wird Silber(II)-oxid nur selten eingesetzt. Die Dehydrierung wird allgemein in Methanol oder Äthanol durchgeführt, wobei vorhandene Chlor-Substituenten durch die Alkoxy-Gruppe substituiert werden[2]:

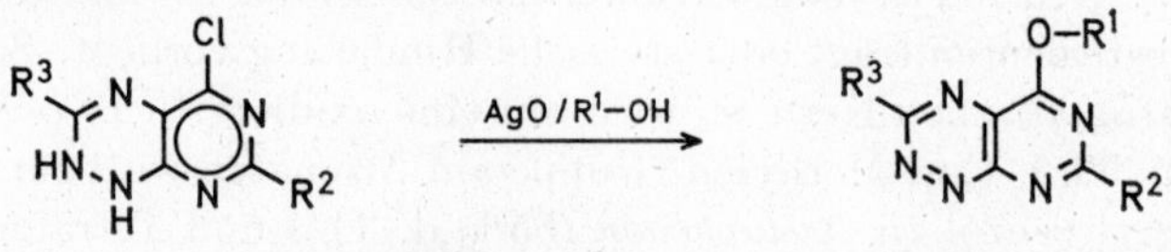

Silber(II)-oxid eignet sich als Oxidationsmittel bei der intermolekularen Dehydrierung[3] von aromatischen Aminen zu Azoverbindungen. Mit Anilin, 4-Dimethylamino-anilin, 4-Chloranilin und 1-Amino-naphthalin entstehen als Hauptprodukte die entsprechenden Azoverbindungen {*Azobenzol, 4,4'-Bis-[dimethylamino]-azobenzol, 4,4'-Dichlor-azobenzol, Dinaphthyl-(1)-diazen*}. Die Reaktion kann bei Zimmertemperatur oder in siedendem Äther, Aceton, Chloroform oder Benzol als Lösungsmittel durchgeführt werden.

Die Oxidation von Benzilhydrazon mit Silber(II)-oxid liefert das *Diphenylacetylen* in 95%-iger Ausbeute (mit Quecksilberoxid erhält man nur 81% d.Th.)[4].

Die Oxidation von 1,2-Diamino-benzol führt, je nach der verwendeten Menge Silber(II)-oxid, zu unterschiedlichen Produkten. Mit 3 Äquiv. Silber(II)-oxid wird *2,2'-Diamino-azobenzol* (40% d.Th.) mit 4 Äquiv. das *1,4-Dicyan-butadien-(1,3)* (30% d.Th.) erhalten[4].

III. Oxidation und Dehydrierung mit Silber(I)-Salzen

In der präparativen organischen Chemie sind nur wenige Anwendungen von Silber(I)-Salzen als Oxidations- oder Dehydrierungsmittel bekannt geworden.

Die Monoäther von 3,6-Dihydroxy-tetramethyl- bzw. -trimethyl-benzol werden durch 2 stdgs. Kochen mit Silbernitrat in Aceton quantitativ zu *Tetramethyl*- bzw. *Trimethyl-p-benzochinon* und dem entsprechenden Alkohol oxidiert[5]. Zur Oxidation von primären Alkoholen mit Silber(I)-nitrat zu Aldehyden s. Lit.[6].

Primäre[7,8] und sekundäre[9,10] aliphatische Alkohole werden mit Silber(II)-carbonat zumeist auf Celite (Fetizon-Reagenz) zu den entsprechenden Aldehyden bzw. Ketonen oxidiert: z. B.;

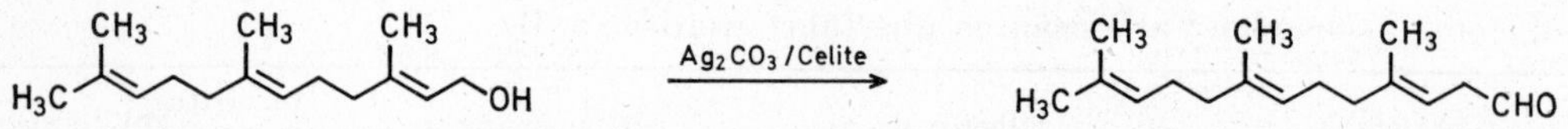

4,8,12-Trimethyl-tridecatrien-(3,7,11)-al (Farnesol)[11]

[1] *p-Benzochinone:*
   H. VON GIZYCKI, A. **753**, 1 (1971).
   D. RAILEANU, M. PALAGHITA u. C. D. NENITZESAI, Tetrahedron **27**, 5031 (1971).
   1,4-Naphthochinone: C. D. SNYDER u. H. RAPOPORT, Am. Soc. **94**, 227 (1972).
[2] C. TEMPLE, C. L. KUSSNER u. J. A. MONTGOMERY, J. Org. Chem. **36**, 2974 (1971).
   D. J. BROWN u. T. SUGIMOTO, J. Austral. Chem. **24**, 633 (1971).
[3] B. ORTIZ, P. VILLANUEVA u. F. WALTS, J. Org. Chem. **37**, 2748 (1972).
   s. a. R. K. HAYNES u. F. R. HEWGILL, Soc. (Perkin I) **1972**, 396.
[4] A. C. COPE, D. S. SMITH u. R. J. COTTER, Org. Synth. Coll. Vol. IV, 377 (1963).
[5] W. JOHN, E. DIETZEL u. W. EMTE, H. **257**, 182 (1939).
[6] *4-Acetyl-2-formyl-furan:* P. E. SONNET, J. Org. Chem. **36**, 1005 (1971).
   4-Formyl-⟨benzo-2,1,3-oxadiazol⟩: D. DAL MONTE, E. SANDRI u. W. CERÉ, A. ch. **60**, 801 (1970).
[7] H. WEHRLI, Chimia **23**, 403 (1969).
[8] M. D. ROZWADOWSKA, Bl. Acad. Pol. Sci. **19**, 673 (1971).
   Andere Steroid-Derivate s. J. BASTARD, M. FETIZON u. J. C. GRAMAIN, Tetrahedron **29**, 2867 (1973).
[9] H. RAPOPORT u. H. N. REIST, Am. Soc. **77**, 490 (1955).
[10] G. CUEILLE u. R. JULIEN, Bl. **1972**, 306.
[11] G. P. NILLES, M. J. CONNIN u. R. D. SCHUETZ, J. Agric. Food Chem. **21**, 342 (1973).

*4,5-Methylendioxy-2-(2-dimethylamino-
äthyl)-benzaldehyd[1]*

5β-Hydroxy-17β-acetoxy-19-oxo-androsten[2]

*1,8,8-Trimethyl-2-(2-formyl-äthyl)
-bicyclo[3.2.1]octen-(2)[3]; 95% d.Th.*

1-Formyl-naphthalin[4]

o-Bis-[hydroxymethyl]-aromaten werden primär zu Dialdehyden oxidiert, erleiden danach jedoch Disproportionierung unter Phthalid-Bildung[6]. Dagegen erhält man aus
1-Methyl-3,4-bis-[hydroxymethyl]-furan *1-Methyl-3,4-diformyl-furan*[7]. O-Methylierte Zuk-
ker-pyranosen wiederum liefern die entsprechenden 1,5-Lactone[8] (80–100% d.Th.). Die
selektive Oxidation einer Hydroxy-Gruppe mit dem Fetizon-Reagenz gelingt praktisch
nur, wenn diese in α-Stellung zu einer C=C-Doppelbindung steht; z. B.[9]:

*cis-5-Hydroxy-4-oxo-6-hydroxymethyl-
5,6-dihydro-4H-pyran; 80% d.Th.*

[1] M. D. Rozwadowska, Bl. Acad. Pol. Sci. **19**, 673 (1971).
  Andere Steroid-Derivate s. J. Bastard, H. Fetizon u. J. C. Gramain, Tetrahedron **29**, 2867 (1973).
[2] H. Wehrli, Chimia **23**, 403 (1969).
[3] M. C. Cren, G. Defaye u. M. Fetizon, Bl. **1970**, 3020.
[4] D. Wege u. S. P. Wilkinson, Austral. J. Chem. **26**, 1751 (1973).
[5] G. Cueille u. R. Julien, Bl. **1972**, 306.
[6] T. L. Holmes u. R. Stevenson, Soc. [C] **1971**, 2091.
  A. S. R. Anjaneyulu et al., Indian J. Chem. **11**, 203 (1973).
[7] M. J. Duflos et al., Tetrahedron Letters **1973**, 3453.
[8] S. Morgenlie, Acta chem. Scand. **25**, 1154 (1971).
[9] J. M. J. Tronchet, J. Tronchet u. A. Birkhäuser, Helv. **53**, 1489 (1970).

Um 1-Deutero- bzw. 1-Tritium-aldehyde herzustellen, geht man am besten von 1,1-Dideutero- bzw. 1-Tritium-alkoholen aus[1].

Zur Herstellung von Codeinon sei folgende Arbeitsvorschrift wiedergegeben:

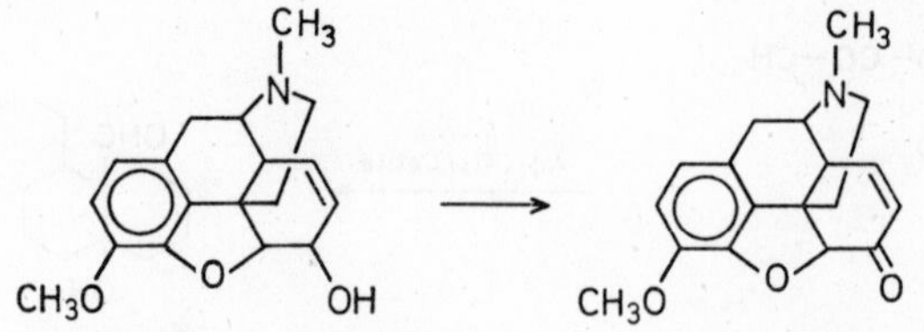

Codein   Codeinon

Codeinon[2]:

Silbercarbonat[2]: 480 ml 10%ige wäßrige Silbernitrat-Lösung werden mit einer Lösung von 25,6 g Natriumhydrogencarbonat in 300 ml Wasser versetzt. Das als gelber Niederschlag ausfallende Silbercarbonat wird 6mal mit je 1,5 l Wasser und 4mal mit je 0,7 l Methanol gewaschen, dann mit insgesamt 2 l trockenem Äther auf der Nutsche getrocknet und i. Vak. über Magnesiumperchlorat unter Lichtausschluß aufbewahrt. Die Farbe des Silbercarbonats schlägt allmählich von gelb über gelbgrün nach braun um, die dehydrierende Wirksamkeit des Produktes bleibt mindestens 1 Monat erhalten.

Codeinon: Aus einer Lösung von 6 g Codein in 125 ml Benzol werden 25 ml Benzol abdestilliert, dann 27,6 g Silbercarbonat zugegeben und das Gemisch 1 Stde. unter Rühren und unter Stickstoff am Rückflußkühler gekocht. Während dieser Zeit werden weitere 10 ml Benzol abdestilliert. Das Gemisch wird heiß filtriert und der Rückstand 2mal mit je 50 ml Benzol ausgezogen und das Benzol abgedampft; Ausbeute: 4,5 g (75% d.Th.); F: 179–182°.

1-Cyclopropyl-propin erhält man aus 1-Jod-2-methyl-1-cyclopropyl-äthan durch Oxidation mit Silber(I)-acetat/Essigsäure[3].

N-Aryl- und N-Alkyl-hydroxylamine werden unterhalb Raumtemperatur in Dichlormethan mit Silber(I)-carbonat innerhalb weniger Minuten zu C-Nitroso-Verbindungen dehydriert. So entsteht z. B. aus Phenyl- bzw. Cyclohexylamin 95% d. Th. *Nitrosobenzol* bzw. *Nitroso-cyclohexan*[4].

Die Dehydrierung von Benzil-bis-hydrazonen unter Stickstoffabspaltung zu Diarylacetylenen ist mit Silbertrifluoracetat leichter durchzuführen als mit gelbem Quecksilberoxid[5].

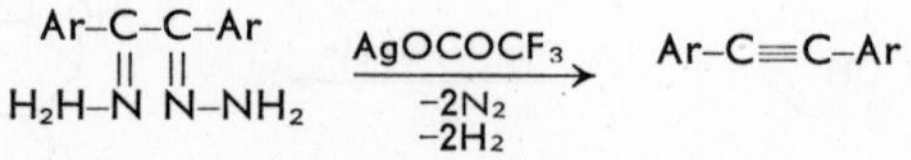

$$\underset{\substack{\| \quad \| \\ H_2H-N \quad N-NH_2}}{Ar-C-C-Ar} \xrightarrow[\substack{-2N_2 \\ -2H_2}]{AgOCOCF_3} Ar-C\equiv C-Ar$$

Diphenyl-acetylen[5]: Zu einem Gemisch aus 15 g Benzil-bis-hydrazon, 80 g Silbertrifluoracetat und 250 ml Acetonitril werden unter Rühren innerhalb 150 Min. 70 ml Triäthylamin gegeben. Nach 6 Stdn. ist die ber. Menge Stickstoff abgespalten, und das Gemisch wird zur Abtrennung des Diphenyl-acetylens in 200 ml konz. wäßrige Ammoniak-Lösung gegeben; Ausbeute: 9,5 g (85% d.Th.); F: 58–60°.

---

[1] M. FETIZON, Y. HENRY, N. MOREAU, G. MOREAU, M. GOLFIER u. T. PRANGE, Tetrahedron 29, 1011 (1973).
[2] H. RAPOPORT u. H. N. REIST, Am. Soc. 77, 490 (1955).
[3] D. R. KELSEY u. R. G. BEYMAN, Am. Soc. 92, 228 (1970).
[4] J. A. MAASEN u. T. G. DeBOER, R. 90, 373 (1971).
[5] M. S. NEWMAN u. D. E. REID, J. Org. Chem. 23, 665 (1958).

4-Dimethylamino-1-(4-methoxy-anilino)-benzol wird mit Silberpikrat in Aceton zu (*4-Dimethylamino-phenyl*)-(*4-methoxy-phenyl*)-*ammonium-pikrat* dehydriert; bei raschem Arbeiten wird das Radikal in guter Ausbeute isoliert (74% d.Th.; F: 92–103°, Zers.)[1]:

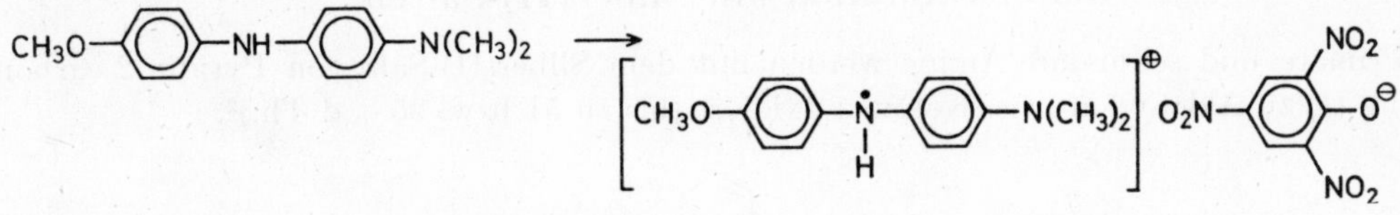

Die Oxidation von Phenolen mit den meisten Oxidationsmitteln[2] liefert eine komplizierte Mischung von Chinonen, Dimeren und Polymeren; die Ausbeute des gewünschten Oxidationsproduktes ist daher häufig gering. Für die selektive Oxidation sehr empfindlicher Phenole im neutralen Medium zu Chinonen eignet sich daher das auf Celite niedergeschlagene Silber(I)-carbonat[3]. Die Reaktion wird in inerten organischen Lösungsmitteln unter milden Bedingungen durchgeführt. Eine oxidative Kupplung erfolgt ausschließlich unter Bildung neuer C–C-Bindung.

Die Oxidation von 2,6-Dimethyl-, 2,6-Diisopropyl- und 2,6-Di-tert.-butyl-phenol liefert die entsprechenden Diphenochinone (*3,3',5,5'-Tetramethyl-, -Tetraisopropyl-* bzw. *-Tetratert.-butyl-diphenochinon*). Die Kupplung erfolgt an dem von der Hydroxy-Gruppe paraständigen C-Atom des Phenolringes.

Ist die para-Stellung zur Hydroxy-Gruppe durch eine Methyl-Gruppe besetzt, so erfolgt die oxidative Kupplung an den Methyl-Gruppen unter Bildung der entsprechenden Stilbenchinone in hohen Ausbeuten.

Die Einführung von sperrigen Gruppen, wie die tert.-Butyl-Gruppe, in die o- und p-Stellung des Phenolringes verhindert eine C–C-Kupplung. In diesem Falle wird nur eine Hydroxy-Gruppe oxidiert unter Bildung von stabilen freien Radikalen. So entsteht bei der Oxidation von Bis-[4-hydroxy-3,5-di-tert.-butyl-phenyl]-methan durch Einelektron-Oxidation einer Hydroxy-Gruppe mit Silber(I)-carbonat ein stabiles Phenoxyl-Radikal {*4-[4-Oxo-3,5-di-tert.-butyl-cyclohexadien-(2,5)-ylidenmethyl]-2,6-di-tert.-butyl-phenoxyl*; 98% d.Th.}[3].

Die unsubstituierten o- und p-Chinone lassen sich ebenfalls auf diese Weise in 98- bzw. 97%-iger Ausbeute gewinnen[4].

3,3',5,5'-Tetramethyl-diphenochinon[4]:

Silber(I)-carbonat/Celite: Zu 34 g (200 mMol) Silber(I)-nitrat in 200 *ml* Wasser werden 30 g gereinigtes Celite (mit konz. Salzsäure/Methanol, 1:9, und anschließend mit Wasser gewaschen und bei 120° getrocknet) unter kräftigem Rühren zugegeben. Sobald die Suspension homogen ist, gibt man unter Umrühren eine Lösung von 30 g (105 mMol) $Na_2CO_3 \cdot 10H_2O$ in 300 *ml* Wasser [oder 21 g (210 mMol) Kaliumhydrogencarbonat in 300 *ml* Wasser] zu. Danach wird noch ungefähr 10 Min. gerührt, der gelbgrüne Niederschlag abgesaugt, mit Wasser gewaschen und i. Vak. (Wasserdampfbad) langsam getrocknet. Das Reagens enthält ungefähr 1 mMol Silber(I)-carbonat auf 0,57 g Celite.

3,3',5,5'-Tetramethyl-diphenochinon: 1,2 g 2,6-Dimethyl-phenol wurden mit 25,1 g Silber(I)-nitrat/Celite in 150 *ml* Benzol 30 Min. unter Rückfluß gekocht. Nach Abtrennen des festen Rückstandes und Abdampfen des Benzols hinterblieben 1,16 g (98% d.Th.); F: 217—218°.

[1] O. NEUNHOEFFER u. A. SITTE, B. **95**, 1367 (1962).
[2] W. I. TAYLOR u. A. R. BYTTERSBY, *Oxidative Coupling of Phenols*, Marcel Dekker, New York 1967.
[3] V. BALOGH, M. FETIZON u. M. GOLFIER, J. Org. Chem. **36**, 1339 (1971).
vgl. hierzu die Oxidation von Hydrochinonen mit Silber(I)-carbonat/Magnesiumsulfat in absol. Benzol zu p-Benzochinonen: W. SCHÄFER, R. LEUTE u. H. SCHLÜDE, B. **104**, 3211 (1971).
[4] V. BALOGH, M. FETIZON u. M. GOLFIER, Ang. Ch. **81**, 423 (1969).

Ein Gemisch aus Äthylen-dichloro-palladium (II)/Silber (I)-nitrat ist am besten geeignet um Benzol bzw. Alkyl-benzole in Essigsäure in Gegenwart von Luft zu *Biphenyl* (99% d. Th.) bzw. Dialkyl-biphenylen (60–80% d. Th.) umzusetzen[1].

IV. Oxidation mit Silber(II)-Salzen

Primäre und sekundäre Amine werden mit dem Silber(II)-Salz von Pyridin-2-carbonsäure (I) zu Aldehyden bzw. Ketonen oxidiert (bis zu 51 bzw. 95% d.Th.)[2].

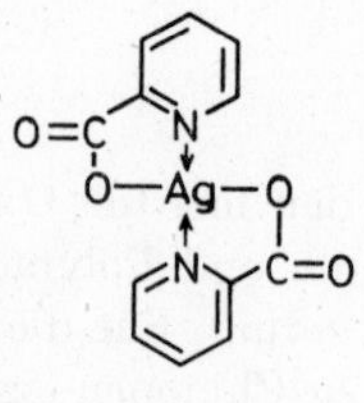

Ketone bzw. Aldehyde aus prim. und sek. Aminen; allgemeine Herstellungsvorschrift[2]:

Pyridin-2-carbonsäure-Silber(II)-Salz: Eine Lösung von 0,25 Mol Pyridin-2-carbonsäure in 2 *l* Wasser wird mit einer wäßrigen Lösung von 0,125 Mol Silbernitrat versetzt. Anschließend wird soviel ges. Natriumcarbonat-Lösung zugegeben bis das entstandene Silber(II)-Salz der Pyridin-2-carbonsäure sich wieder löst. Bei Zugabe von 0,0625 Mol Kalium- oder Natriumpersulfat fällt das Silber(II)-Salz als roter Niederschlag aus, der abgesaugt, gewaschen, bei Zimmertemp. getrocknet und im Dunkeln aufbewahrt wird.

Oxidation von Aminen: 0,01 Mol Amin und 0,02 Mol Silber(II)-Salz der Pyridin-2-carbonsäure werden in 150 *ml* Wasser solange gerührt, bis die Farbe der Suspension von rot nach farblos umschlägt. Während der Reaktion wird die anfangs neutrale oder schwach basische Lösung allmählich schwach sauer. Ausgeschiedenes Silber(I)-Salz wird abfiltriert, restliche Silber-Ionen werden mit Salzsäure gefällt und als Silberchlorid abfiltriert. Die im Filtrat enthaltenen Aldehyde und Ketone werden als 2,4-Dinitrophenylhydrazone bestimmt.

Statt Wasser können auch Alkohole, 1,4-Dioxan und Essigsäure als Lösungsmittel eingesetzt werden.

Nach dieser allgemeinen Arbeitsvorschrift werden z.B. folgende Carbonyl-Verbindungen erhalten:

Benzylamin	70°, 1 Stde. →	*Benzaldehyd*	51% d.Th.
Dibutyl-(2)-amin	70°, 6 Min. →	*Butanon*	62% d.Th.
Dibutyl-amin	70°, 15 Min. →	*Butanal*	67% d.Th.
Dibenzyl-amin	70°, 15 Min. →	*Benzaldehyd*	76% d.Th.

Mit I (s. o.) werden ferner Alkohole[3] zu Aldehyden bzw. Ketonen, Aldehyde[3] zu Carbonsäuren, α-Aminosäure zu den entsprechenden Noraldehyden[4] und Toluol[3] zu *Benzylalkohol* oxidiert. Als Lösungsmittel kann Dimethylsulfoxid verwendet werden; die Ausbeuten liegen im allgemeinen über 60% d. Th.[3,4]. Interessant ist der Abbau von D-Xylose bzw. L-Arabinose sowie D-Fructose mit Silber(II)-carbonat/Celite zu D-*Threose*, L-*Erythrose* bzw. D-*Erythrose*. Es ist dabei gleichgültig ob die Ausgangszucker als Furanosen oder Pyranosen vorliegen[5].

---

[1] Y. FUJIWARA, I. MORITANI, K. IKEGAMI, R. TANAKA u. S. TERANISHI, Bull. Chem. Soc. Japan **43**, 863 (1970).
[2] R. G. R. BACON u. W. J. W. HANNA, Soc. **1965**, 4962.
[3] J. B. LEE u. T. G. CLARKE, Tetrahedron Letters **1967**, 5, 415.
[4] T. G. CLARKE, N. A. HAMPSON, J. B. LEE, J. R. MORLEY u. B. SCANTON, Soc. [C] **1970**, 815; mit Silber(II)-oxid werden zumeist die entsprechenden Norsäuren erhalten.
[5] S. MORGENLIE, Acta chem. Scand. **26**, 1709, 2518 (1972); **27**, 1557 (1973); dort weitere Beispiele.

V. Oxidation mit Silber(III)-Verbindungen

Silber(III)-Verbindungen lassen sich ebenfalls als Oxidationsmittel verwenden, z. B. zur mikro-analytischen Bestimmung von Kohlenhydraten[1].

C. Dehydrierungen mit Gold-Salzen

Gold(III)-Salze haben bislang keine Bedeutung als Oxidations- und Dehydrierungsmittel in der präparativen organischen Chemie gefunden. Eines der wenigen Beispiele ist die Oxidation von α-Tocopherol[2] mit Gold(III)-chlorid in Wasser/Äthanol zu α-*Tocopheryl-chinon* [*3,5,6-Trimethyl-2-(3-hydroxy-3,7,11,15-tetramethyl-hexadecyl)-p-benzochinon*]. Hier ist Gold(III)-chlorid den Oxidationsmitteln wie Silbernitrit bzw. Eisen(III)-chlorid überlegen.

Die Oxidation von Leucomalachitgrün[3] zu *Malachitgrün* mit Gold(III)-chlorid verläuft im Phosphat- oder Citrat-Puffer rascher als in Acetat-Puffer.

[1] P. K. JAISWEL, Microchem. J. **15**, 122 (1970).
[2] P. KARRER et al., Helv. **21**, 951 (1938).
[3] A. T. PILIPENKO u. V. K. PAVLOVA, Ž. Anal. Chim. **27**, 2449 (1972); C. A. **78**, 102622g (1973).

Quecksilber-Verbindungen
als Oxidationsmittel

bearbeitet von

Dr. Adolf Friedrich

Bayer AG., Leverkusen

Mit 3 Tabellen

Literatur berücksichtigt bis 1975.

Inhalt

Oxidation mit Quecksilber-Verbindungen

Die Brauchbarkeit der oxidierenden Wirkung von Quecksilber(II)-Verbindungen in der organischen Synthese ist seit mehr als einem halben Jahrhundert bekannt. Umfangreicheres experimentelles Material liegt allerdings nur zur Oxidation mit Quecksilber(II)-acetat und Quecksilberoxid vor, auf die sich deshalb diese Zusammenstellung beschränken muß.

Oxidationen mit Quecksilberoxid finden im heterogenen System statt. Die daraus resultierenden Probleme sind auf S. 107 angedeutet. Quecksilberoxid wird bevorzugt als Dehydrierungsreagenz stickstoffhaltiger Verbindungen angewendet (z. B. Hydrazin-Derivate). Einen breiten präparativen Anwendungsbereich findet es bei der Herstellung von Diazoverbindungen aus Hydrazonen.

Quecksilber(II)-salze, insbesondere das Quecksilber(II)-acetat, werden in großem Umfang zur additiven Mercurierung von Olefinen und substitutiven Mercurierung von Aromaten herangezogen. In die vorliegende Zusammenstellung ist dieser Reaktionstyp jedoch nur dann aufgenommen, wenn er letztlich zu einem Produkt führt, das im klassischen Sinne als Oxidationsprodukt anzusprechen ist, z. B. zur Knüpfung einer Kohlenstoff-Sauerstoff-Bindung (vgl. Allyloxidation von Olefinen) oder Dehydrierung (z. B. auf dem Gebiet der Steroide, Terpene und Amine) Anlaß gibt. Je nach Reaktionsbedingung und Reaktionstyp werden eine oder beide Oxidationsstufen des Quecksilber(II)-salzes beansprucht. Hat man die Wahl, wird man wegen der angenehmeren Aufarbeitung lieber Quecksilber(I)-acetat abfiltrieren als vom metallischen Quecksilber dekantieren. Die Reinigung fester Oxidationsprodukte von Spuren an Quecksilberverbindungen ist nicht immer ganz einfach. In einigen Fällen genügt einfaches Umkristallisieren, in anderen ist nur über die Säulenchromatografie ein befriedigendes Ergebnis zu erzielen. In Summa läßt sich vielleicht sagen, daß die Oxidationen mit Quecksilber(II)-Verbindungen nur dort zu einer präparativ bedeutenden Methode entwickelt wurden, wo Alternativen nicht zur Verfügung standen.

Zur Addition von Quecksilber(II)-Salzen an ungesättigte Systeme s. ds. Handb., Bd. XIII/2b, S. 130–207.

A. Oxidationen mit Quecksilber(II)-acetat

I. Allyloxidation von Cycloolefinen[1]

Die Umsetzung cyclischer Olefine mit Quecksilber(II)-acetat führt zu Produkten mit allyl-ständiger Acetoxy-Funktion. Wie die beiden folgenden Beispiele der Umsetzung des 2,4,4-Trimethyl-cyclohexen zum *6-Acetoxy-1,3,3-trimethyl-cyclohexen*[2] und des α-Ionon zum *4-Acetoxy-β-jonon* {*6-Acetoxy-1,3,3-trimethyl-2-[3-oxo-buten-(1)-yl]-cyclohexen*}[3,1] zeigen, ver-

---

[1] Vgl. Übersicht: H. Arzoumanian u. J. Metzger, Synthesis **1971**, 527.
   Zur Allyloxidation mit Quecksilber(II)-sulfat s. H. B. Tinker, J. Organometal. Chem. **32**, C 25 (1971).
[2] I. Alkonyi, B. **95**, 279 (1962).
[3] P. Karrer u. C. H. Eugster, Helv. **34**, 1400 (1950).

läuft die Reaktion nicht über einen Primärangriff an der Allyl-Position, sondern über ein Zwischenprodukt, das zu einer Doppelbindungsverschiebung Anlaß gibt:

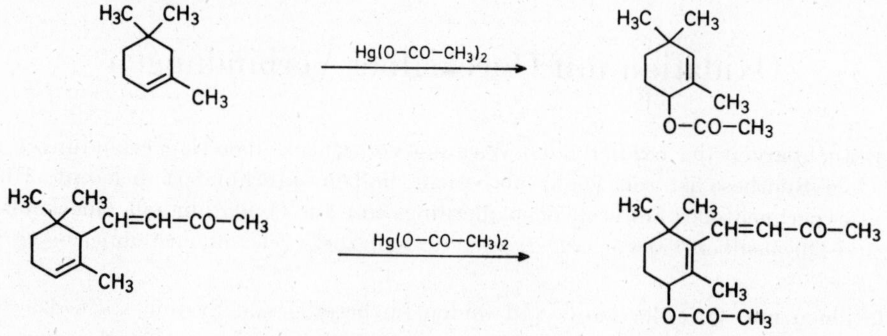

Beim Einsetzen von optisch aktivem Menthen-(1)(1-Methyl-4-isopropyl-cyclohexen) oder Menthen-(3)(4-Methyl-1-isopropyl-cyclohexen) erhält man die racemischen Acetoxy-Derivate[1]. Detaillierte Studien über den Reaktionsmechanismus bietet die Literatur[2,3], in der auch das Verhalten von α-Pinen {2,6,6-Trimethyl-bicyclo[3.1.1]hepten-(2)} gegenüber den Reaktionsbedingungen der Quecksilber(II)-acetat-Oxidation diskutiert wird. Als Produkte werden hierbei 6-Acetoxy-1-methyl-4-[2-acetoxy-propyl-(2)]-cyclohexen (I), 6,6-Dimethyl-2-acetoxymethyl-bicyclo[3.1.1]hepten-(2) (II) und 3-Acetoxy-6,6-dimethyl-2-methylen-bicyclo[3.1.1]heptan (III) jeweils zu gleichen Teilen gefunden:

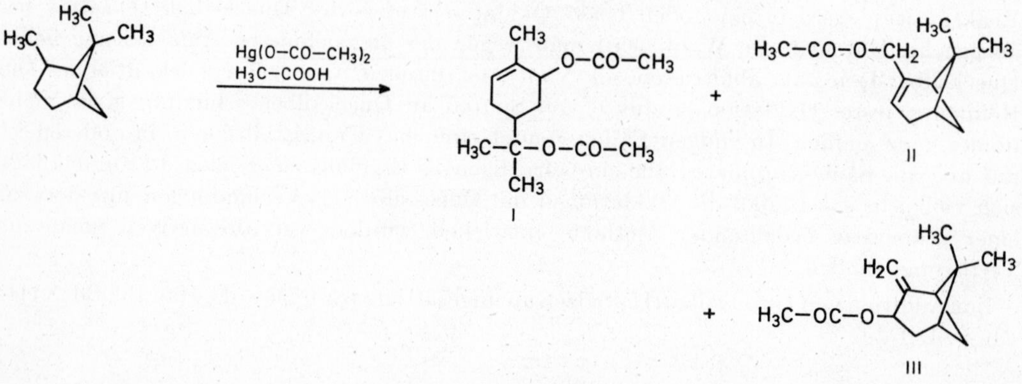

Als erster Reaktionsschritt wird die Addition eines Mercuriacetat-Kations an die C=C-Doppelbindung erwogen unter Bildung eines intermediären Mercurinium-Kations (IV)[4]:

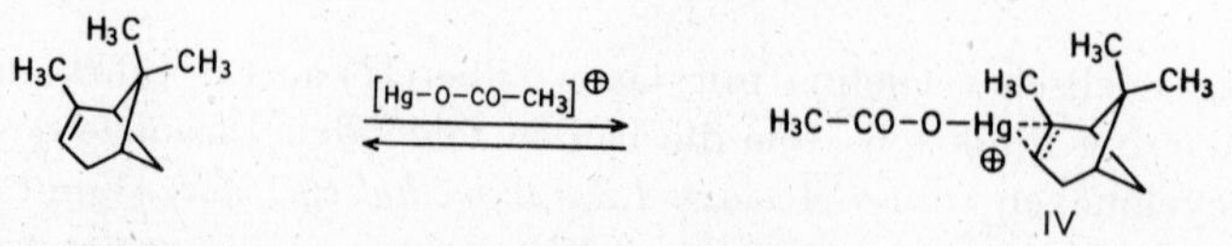

[1] W. Treibs, A. 581, 59 (1953).
[2] K. B. Wiberg u. S. D. Nielsen, J. Org. Chem. 29, 3353 (1964).
[3] A. Kergomard, A. ch. 8, 153 (1953).
[4] H. J. Lucas, F. R. Hepner u. S. Winstein, Am. Soc. 61, 1102 (1939).
    M. J. S. Dewar, Bl. [C] 1951, 79.

Wie aus den in Tab. 1 (S. 90) zusammengestellten Reaktionen hervorgeht, scheint die Ausbeute der Umsetzungen wesentlich von den Substituenten des eingesetzten Olefins abzuhängen und nur unwesentlich von der Ringgröße des Cycloalkens. Die Umsetzungen lassen sich entweder ohne Lösungsmittel oder in Eisessig durchführen.

Allyloxidation von Cycloolefinen mit Quecksilber(II)-acetat; allgemeine Arbeitsvorschrift:

Methode (a)[1]: Je 0,1 Mol Cycloolefin wird mit 0,1 Mol (32 g) Quecksilber(II)-acetat im Ölbad auf 130–150° erhitzt. Vorübergehend scheidet sich manchmal etwas Quecksilber(I)-acetat ab, bis sich schließlich eine Quecksilberkugel am Boden niedersetzt. Nach 1 stdgm. schwachem Sieden wird vom Quecksilber abgegossen und fraktioniert.

Methode (b)[2]: Beim Einsetzen von 0,2 Mol Quecksilber(II)-acetat ist die unter Methode (a) beschriebene Reaktion nach dem Abscheiden des Quecksilber(I)-acetates beendet. Nach Methode (b) werden in der Regel bessere Ausbeuten erzielt; z. B.: *3-Acetoxy-cyclohexen* aus Cyclohexen.

Methode (c)[3]: In einem 500-*ml*-Dreihalskolben mit Rührer und Thermometer werden 0,1 Mol der zu oxidierenden Substanz mit 0,2 Mol Quecksilber(II)-acetat und 150–200 *ml* Eisessig auf Reaktionstemp. erhitzt und 30–60 Min. dort gehalten. Nach dem Abfiltrieren zieht man den Eisessig i. Vak. ab, löst den Rückstand in Äther und filtriert erneut; die ätherische Lösung wird mit verd. Natronlauge und Wasser neutral gewaschen, über Natriumsulfat getrocknet und über eine Säule mit Aluminiumoxid mittlerer Aktivität filtriert. Nach dem Abziehen des Äthers destilliert man im Vakuum.

Eine Verseifung der Acetate gelingt problemlos mit alkoholischer Kaliumhydroxid-Lösung.

Partiell hydrierte kondensierte aromatische Systeme wie z. B. Indan und Tetralin werden nicht angegriffen[2].

Carvon(6-Oxo-1-methyl-4-isopropenyl-cyclohexen) liefert ein Gemisch aus *3-Hydroxy-4-methyl-1-isopropenyl-benzol* und *3-Acetoxy-5-oxo-4-methyl-1-isopropenyl-cyclohexen* (65% d. Th.)[2]:

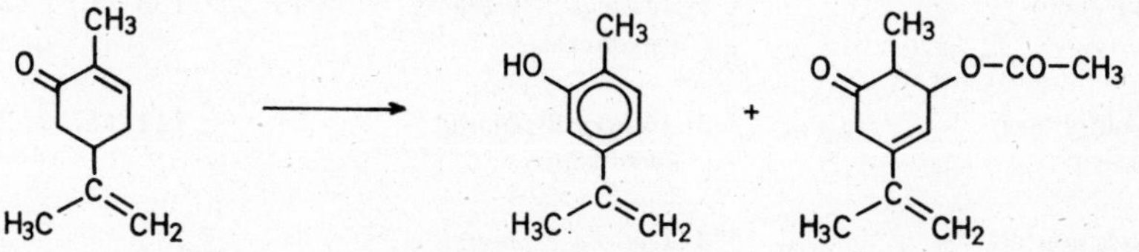

Bei der Oxidation von 3-Phenyl-propen wird neben *3-Acetoxy-3-phenyl-propen* das *3-Acetoxy-1-phenyl-propen* erhalten[4]. Bei ungesättigten Steroiden werden bei der Oxidation in siedendem Chloroform/Eisessig unter Allyl-Umlagerung konjugierte En-one gewonnen; z. B.[5]:

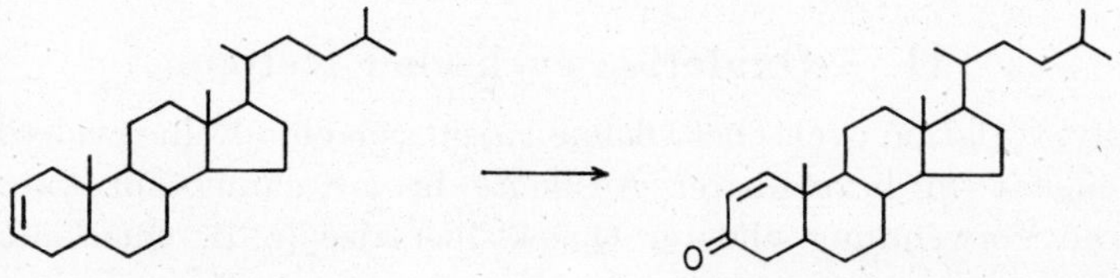

3-Oxo-cholesten-(1); 20% d.Th.

[1] W. Treibs u. H. Bast, A. **561**, 165 (1944).
[2] W. Treibs et al., A. **581**, 59 (1953).
[3] W. Treibs u. M. Weissenfels, B. **93**, 1374 (1960).
[4] Z. Rappoport, S. Winstein u. W. G. Young, Am. Soc. **94**, 2320 (1970).
[5] E. S. Blossey u. P. Kucinski, Chem. Commun. **1973**, 56.

Tab. 1. β-Acetoxy-cycloalkene aus Cycloalkenen und Quecksilber(II)-acetat

Olefin	Methode (vgl. S. 89)	β-Acetoxy-cycloalken	Ausbeute [% d.Th.]	Kp [°C]	[Torr]	Literatur
Cyclohexen	b	*3-Acetoxy-cyclohexen*	52	69–70	15	[1]
1-Methyl-4-isopropyl-cyclohexen [Menthen-(1)]	a c	*6-Acetoxy-1-methyl-4-isopropyl-cyclo-hexen*	65 quantitat.	115 103	14 9	[1–3] [2]
4-Methyl-1-isopropyl-cyclohexen [Menthen-(3)]	a	*6-Acetoxy-4-methyl-1-isopropyl-cyclohexen*	46	112–114	14	[1, 2]
1-Methyl-4-isopropenyl-cyclohexen (Limonen)	a	*6-Acetoxy-1-methyl-4-isopropenyl-cyclo-hexen*	22	128–132	14	[1]
α-Jonon	c	*3-Acetoxy-6,6-dimethyl-1-[3-oxo-buten-(1)-yl]-cyclohexen*	20*	105–107	0,06	[4]
2,4,4-Trimethyl-cyclohexen	c	*6-Acetoxy-1,3,3-tri-methyl-cyclohexen*	keine Angaben			[5]
1-Phenyl-cyclohexen	c	*3-Acetoxy-2-phenyl-cyclohexen*	71	120–122	2	[6]
1-Benzyl-cyclohexen	c	*3-Acetoxy-2-benzyl-cyclohexen*	45	131–134	3	[6]
1-Cyclohexyl-cyclo-hexen	c	*3-Acetoxy-2-cyclohexyl-cyclohexen*	48	108–110	3	[6]
1-Phenyl-cyclopenten	c	*3-Acetoxy-2-phenyl-cyclopenten*	54	114–117	2	[6]
1-Phenyl-cyclohepten	c	*3-Acetoxy-2-phenyl-cyclohepten*	54	133–135	3	[6]
Bi-[cyclohexen-(1)-yl]	c	*3-Acetoxy-bi-[cyclo-hexen-(1)-yl-(2)]*	40	113–114	3	[6]
	c	*3,3-Diacetoxy-bi-[cyc-lohexen-(1)-yl-(2)]*	31	(F:78–79°)		[6]

II. α-Oxidation cyclischer Ketone

Analog der Allyloxidation cyclischer Olefine lassen sich eine Reihe cyclischer Ketone mit Quecksilber(II)-acetat in brauchbarer Ausbeute in α-Stellung zur Carbonyl-Funktion acetoxylieren. Die Verwendung anderer Quecksilbersalze [z. B. Quecksilber(II)-benzoat,

---

* bez. auf umgesetztes Ausgangsmaterial.
[1] W. TREIBS u. H. BAST, A. **561**, 165 (1949).
[2] W. TREIBS et al., A. **581**, 59 (1953).
[3] A. KERGOMARD, A. ch. 8, 153 (1953).
[4] P. KARRER u. C. H. EUGSTER, Helv. **34**, 1400 (1950).
[5] I. ALKONYI, B. **95**, 279 (1962).
[6] W. TREIBS u. M. WEISSENFELS, B. **93**, 1374 (1960).

hexanoat] soll ebenfalls zu den gewünschten Verbindungen führen[1], jedoch in schlechteren Ausbeuten. Auf die an anderer Stelle und in anderem Zusammenhang beschriebene Oxidation des Alkaloides Protopin zum *13-Oxo-protopin (Oxyprotopin)*[2] sei hingewiesen, ebenso auf die bereits angeführte Reaktion des Carvons (s. S. 89), aus denen sich die Reaktivität des α-Carbonylkohlenstoffes bei Anwesenheit anderer mit Quecksilber(II)-acetat oxidierbarer Funktionen abschätzen läßt.

Tab. 2. 2-Acetoxy-cycloalkanone durch Oxidation von Cycloalkanonen mit Quecksilber(II)-acetat

Keton	Reaktions-bedingungen	2-Acetoxy-cycloalkanon	Ausbeute [% d. Th.]	Kp [° C]	[Torr]	Literatur
3-Oxo-1-methyl-cyclohexan	ohne Lösungs-mittel	*4-Acetoxy-3-oxo-1-methyl-cyclohexan*	41			1, 3, 4
3-Oxo-1,1-dimethyl-cyclohexan	ohne Lösungs-mittel	*4-Acetoxy-3-oxo-1,1-dimethyl-cyclohexan*	13	68–72	0,15	5
Menthon (2-Oxo-4-methyl-1-isopropyl-cyclohexan)	Eisessig	*2-Acetoxy-3-oxo-1-methyl-4-isopropyl-cyclohexan*	48	134	14	1, 3, 4
Carvomenthon (3-Oxo-4-methyl-1-isopropyl-cyclohexan)	ohne Lösungs-mittel	*2-Acetoxy-3-oxo-4-methyl-1-isopropyl-cyclohexan*	45	143–146	14	1, 3, 4
Pulegon (2-Oxo-4-methyl-1-isopropyliden-cyclohexan)	ohne Lösungs-mittel	*3-Acetoxy-2-oxo-4-methyl-1-isopropyli-dencyclohexan*	13	151–153	16	1, 3, 4

III. Dehydrierung tertiärer Amine

Tertiäre cyclische Amine mit Stickstoff als Brückenkopfatom lassen sich mit vier Moläquivalenten Quecksilber(II)-acetat in 5%iger wäßriger Essigsäure in guter Ausbeute zu Enaminen oxidieren. Der Reaktionstyp sei am Beispiel des 1-Aza-bicyclo[4.4.0]decan (Chinolizidin I) beschrieben[6], das wegen seiner den Lupin-Alkaloiden analogen Ringstruktur besonderes Interesse besitzt:

1-Aza-bicyclo [4.4.0]decen-(5)   *1-Azonia-bicyclo [4.4.0]decen-(1⁶)-perchlorat*

[1] W. TREIBS et al., A. **581**, 59 (1953).
[2] N. J. LEONARD u. R. R. SAUERS, J. Org. Chem. **22**, 63 (1957).
[3] W. TREIBS u. H. BAST, A. **561**, 165 (1944).
[4] W. TREIBS u. M. WEISSENFELS, B. **93**, 1374 (1960).
[5] A. BRENNER u. H. SCHMITZ, Helv. **35**, 1619 (1952).
[6] N. J. LEONARD et al., Am. Soc. **77**, 439 (1955).
    Vgl. a. Y. ARATA u. T. KOBAYASHI, Chem. Pharm. Bull. **18**, 11 (1970).
    Vgl. a. S. I. GOLDBERG u. A. H. LIPKIN, J. Org. Chem. **35**, 242 (1970).

Die Isolierung der Enamine erfolgt zweckmäßigerweise über die leicht zu reinigenden Iminiumsalze (Perchlorate, Jodide, Pikrate). Umlagerungen der bicyclischen Systeme während der Reaktion werden nicht beobachtet; die Umsetzung mit Methyljodid liefert ausschließlich das N-alkylierte Derivat.

Die folgende Vorschrift ist repräsentativ für diese Methode.

1-Aza-bicyclo [4.4.0] decen-(5)[1]:

1-Azonia-bicyclo[4.4.0]decen-(1⁶)-perchlorat: Zu einer Lösung aus 20 g (0,0628 Mol) Quecksilber(II)-acetat in 100 ml 5%iger wäßriger Essigsäure gibt man 2,18 g (0,0157 Mol) 1-Aza-bicyclo[4.4.0]decan (Chinolizidin) und erhitzt die Reaktionsmischung 90 Min. auf dem Dampfbad. Nach dem Abfiltrieren des Quecksilber(I)-acetates (7,48 g, entsprechend 92% d.Th. für die Abstraktion zweier Wasserstoffe) fällt man überschüssiges Reagenz mit Hydrogensulfid, zentrifugiert und macht mit 40%iger Natronlauge alkalisch. Die alkalische Lösung wird mit Äther extrahiert und die getrocknete ätherische Phase mit einer Lösung aus gleichen Vol. 68%iger Perchlorsäure mit Äthanol versetzt, bis sie gegen Kongorotpapier sauer reagiert. Nach einmaligem Umkristallisieren aus Äthanol erhält man 2,20 g (59% d.Th.); F: 227–228°.

1-Aza-bicyclo[4.4.0]decen-(5): Man behandelt eine Suspension aus 5 g des Perchlorates in 20 ml Wasser mit 40%iger Natronlauge, extrahiert 3mal mit Äther und fraktioniert i. Vak. unter Inertgas; Ausbeute: 1,96 g (68% d.Th.); Kp₁₈: 80°.

Über den vermutlichen Reaktionsmechanismus gibt die Literatur Auskunft[2].

Nach dem für das Chinolizidin mitgeteilten Verfahren gelingt auch die Dehydrierung anderer bicyclischer tertiärer Brückenkopf-Amine. Unterschiedliche Ringgrößen geben zu einem Gemisch der am Brückenkopf α, β-ungesättigten Isomeren Anlaß[3]:

1-Aza-bicyclo[4.3.0]nonan   → *1-Aza-bicyclo[4.3.0]nonen-(5)* und *-(6)*

1-Aza-bicyclo[5.3.0]decan   → *1-Aza-bicyclo[5.3.0]decen-(6)* und *-(7)*

1-Aza-bicyclo[5.4.0]hendecan → *1-Aza-bicyclo[5.4.0]hendecen-(6)* und *-(7)*

1-Aza-bicyclo[5.5.0]dodecan → *1-Aza-bicyclo[5.5.0]dodecen-(6)*

Die Dehydrierung ist ohne Schwierigkeiten auf Aza-chinolizidine übertragbar (vgl. dazu S. 93f); z. B.:

5-Oxo-4-benzyl-
1,4-diaza-bicyclo[4.4.0]decen-(6)[4]; 32% d.Th.

Die Dehydrierung des aus zwei Chinolizidin-Einheiten aufgebauten tetracyclischen Alkaloides Spartein (I) führt analog zu den am Brückenkopf ungesättigten Derivaten (54%d.Th.)[5]:

Δ⁵-Dehydro-spartein   *Δ⁵,¹¹-Bis-[dehydro]-spartein*

[1] N. J. Leonard et al., Am. Soc. 77, 439 (1955).
  Vgl. a. Y. Arata u. T. Kobayashi, Chem. Pharm. Bull. 18, 11 (1970).
  Vgl. a. S. I. Goldberg u. A. H. Lipkin, J. Org. Chem. 35, 242 (1970).
[2] N. J. Leonard et al., Am. Soc. 77, 439 (1955).
  H. J. Lucas, F. R. Hepner u. S. Winstein, Am. Soc. 61, 3102 (1939).
  D. H. R. Barton u. W. J. Rosenfelder, Soc. 1951, 2381.
  W. J. Ruyle et al., Am. Soc. 76, 2604 (1953).
[3] N. J. Leonard, J. Org. Chem. 21, 344 (1956).
[4] Y. Arata u. Y. Nakagawa, Chem. Pharm. Bull. 21, 1248 (1973).
[5] N. J. Leonard, P. D. Thomas u. V. W. Gash, Am. Soc. 77, 1552 (1955);
  K. Winterfeld u. C. Rauch, Ar. 274, 48 (1936).
  K. Winterfeld u. H. Besendorf, Ar. 282, 33 (1944).

Zum $\Delta^{5,11}$-Bis-[dehydro]-spartein gelangt man auch von den Diastereomeren α-Isospartein (I) und β-Isospartein (II) nach der Abstraktion von vier Wasserstoffatomen mit Quecksilber(II)-acetat[1, 2]:

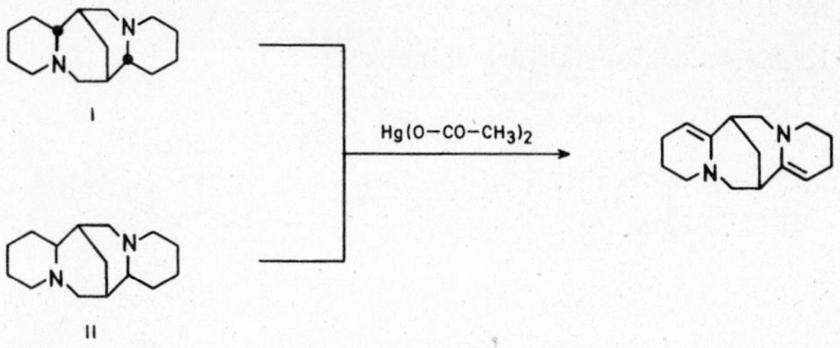

Während das 2-Oxo-1-aza-bicyclo[4.4.0]decan mit Quecksilber(II)-acetat nicht reagiert[3], führt die Dehydrierung des *d*-Lupanins ausschließlich zum Δ^{11}-*Dehydro-lupanin*[3, 4]:

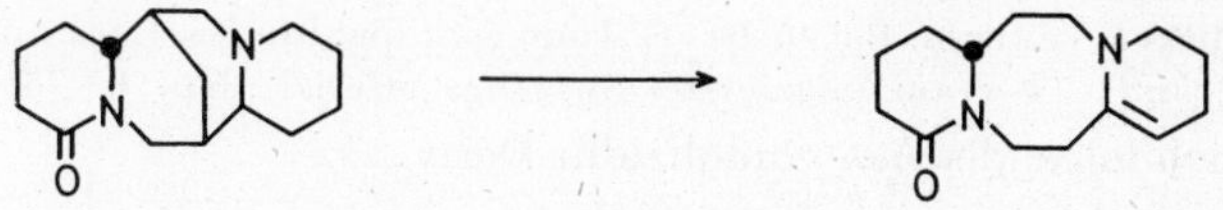

x-Methyl-1-aza-bicyclo[4.4.0]decan verhält sich bei der Dehydrierung mit Quecksilber(II)-acetat analog dem Chinolizidin selbst[5]. Die folgende Zusammenstellung vermittelt einen Überblick über die physikalischen Daten und Ausbeuten der Perchlorate, aus denen wie beschrieben durch Behandeln mit Natronlauge die freie Base gewonnen werden kann. Man erhält dann in allen Fällen Gemische der *x-Methyl-1-aza-bicyclo[4.4.0]decene-(5)* und-*(6)*[5].

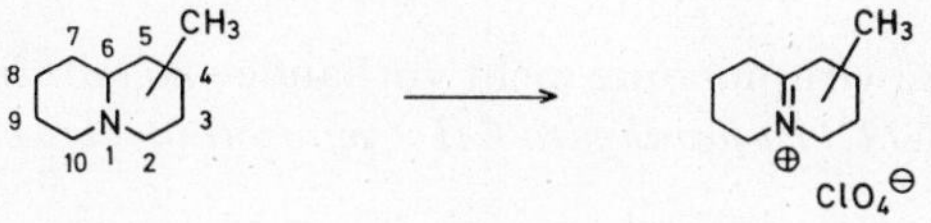

CH$_3$-Position	x-Methyl-1-azonia-bicyclo [4.4.0]decen-(1⁶)-perchlorat [% d.Th.]	F [°C]
5	41*	213–216,5
4	42	205–206
3	37	211–212
2	65	241–242

* verunreinigt mit ~ 10% an *5-Hydroxy-5-methyl-1-aza-bicyclo[4.4.0]decen-(1⁶)*; die Verbindungen können durch fraktionierte Kristallisation getrennt werden.

Während 1,2-Diphenyl-1,2,3,4-tetrahydro-isochinolin mit 84%-iger Ausbeute ein Gemisch aus *1,2-Diphenyl-3,4-dihydro-* bzw. *1,2-Diphenyl-isochinolium-acetat* bildet[6] erhält man aus einem Chinolizin-Derivat lediglich eine Dehydro-Verbindung[7].

[1] D. KETTELHACK, M. RINK u. K. WINTERFELD, Ar. 287, 1 (1954).
[2] L. MARION u. N. J. LEONARD, Canad. J. Chem. 29, 297 (1951).
[3] N. J. LEONARD, P. D. THOMAS u. V. W. GASH, Am. Soc. 77, 1552 (1955).
[4] L. MARION u. N. J. LEONARD, Canad. J. Chem. 29, 355 (1951).
[5] N. J. LEONARD, R. W. FULMER u. A. S. HAY, Am. Soc. 78, 3457 (1956).
[6] G. VAN BINST, R. B. BAERT u. R. SALSMANS, Synth. Commun. 3, 59 (1973).
[7] G. C. MORRISON, W. A. CETENKO u. J. SHAVEL, J. Org. Chem. 36, 3624 (1971).

Die beim 5-Methyl-1-aza-bicyclo [4.4.0] decan beobachtete Nebenreaktion einer mit der Dehydrierung einhergehenden Hydroxylierung wird im Falle des *trans*-1-Methyl-decahydrochinolins zur Hauptreaktion.

10-Hydroxy-1-methyl-1,2,3,4,4a,5,6,7-octahydro-chinolin[1]:

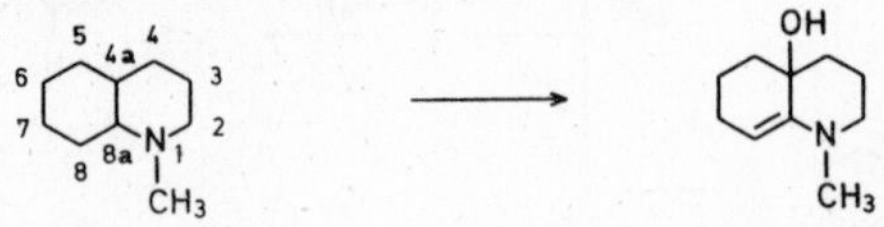

Zu einer gerührten Lösung aus 510 g (1,6 Mol) Quecksilber(II)-acetat in 2 l einer 5%igen Essigsäure gibt man bei 90–95° 61,2 g (0,4 Mol) *trans*-1-Methyl-decahydrochinolin. Man erhitzt 30 Min. auf dem Dampfbad und kühlt dann schnell auf Raumtemp. ab. Das Quecksilber(I)-acetat wird abfiltriert, mit kaltem Wasser und Äthanol gewaschen und im Filtrat mit Hydrogensulfid das Quecksilbersulfid ausgefällt. Nach dem Abfiltrieren macht man mit Natronlauge alkalisch, extrahiert mit Äther und fraktioniert nach dem Abziehen des Äthers i. Vakuum. Bei 45–64° (1 Torr) geht nichtumgesetztes Ausgangsmaterial über; Ausbeute: 22,5 g (54% d. Th.; bez. auf umgesetztes Ausgangsmaterial); Kp$_1$: 65-75°.

Analog verhält sich folgendes Aza-chinolizidin-Derivat[2]:

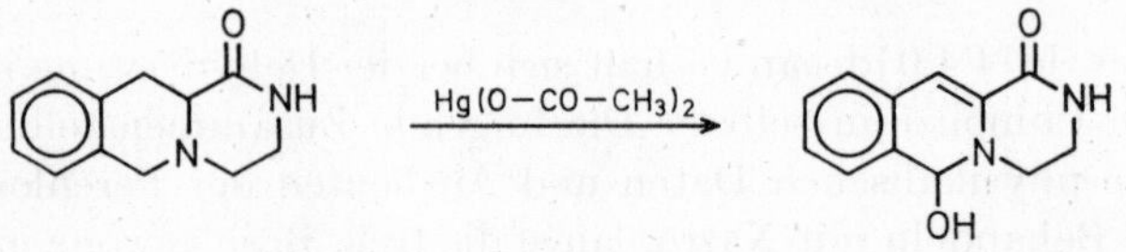

6-Hydroxy-1-oxo-1,2,3,4-tetrahydro-6H-
⟨*pyrazolino-[1,2-b]-isochinolin*⟩

Ist dagegen die Lactam-Gruppierung nicht vorhanden so tritt lediglich Oxidation ein und man erhält *6-Oxo-1,2,3,4,11,11a-hexahydro-6H-*⟨*pyrazolino-[1,2-b]-isochinolin*⟩[2]:

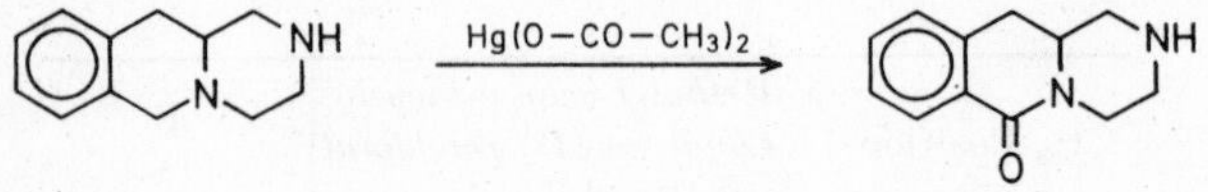

Eine Substitution der 4a-Position des 1-Methyl-octahydrochinolins durch eine Phenyl-Gruppe läßt wie zu erwarten nur das dehydrierte Produkt entstehen[3], ebenso erhält man aus dem substituierten 4-Methyl-steroid-Derivat I bei der Dehydrierung mit Quecksilber(II)-acetat nur das *4-Methyl-4-aza-cholesten (II)*[4]:

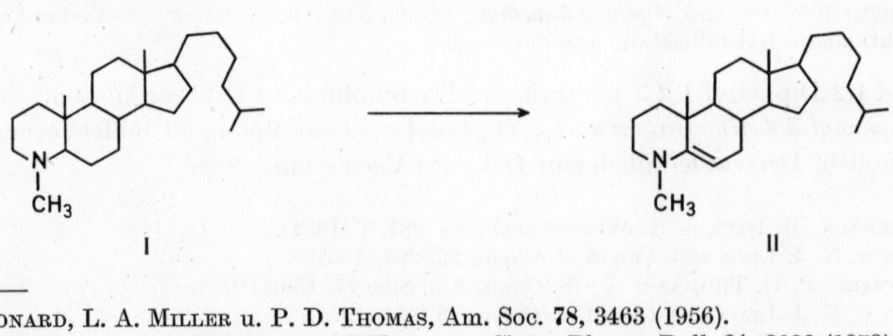

I   II

[1] N. J. Leonard, L. A. Miller u. P. D. Thomas, Am. Soc. 78, 3463 (1956).
[2] H. Kato, E. Koshinaka, Y. Arata u. M. Hanaoka, Chem. Pharm. Bull. 21, 2039 (1973).
[3] C. F. Koelsch u. D. L. Ostercamp, J. Org. Chem. 26, 1104 (1961).
[4] J. Mc Kenna u. A. Tulley, Soc. 1960, 945.

Entsprechend verhält sich das folgende Chinazolino-steroid[1]:

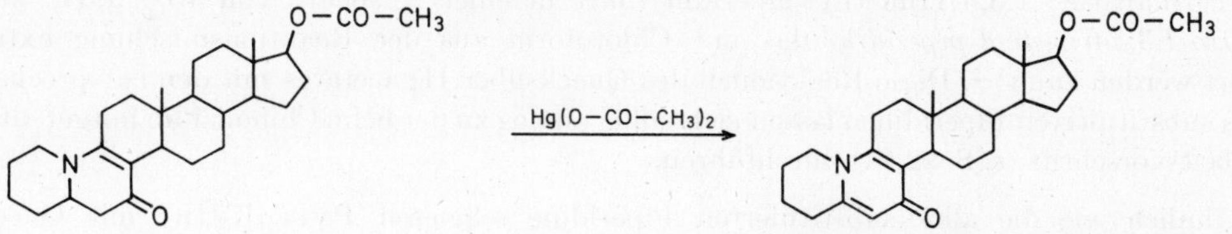

17β-Acetoxy-3,4-(2-oxo-5,6,7,8-
tetrahydro-2H-chinolizo)-androsten-(3)

Die Dehydrierung mit Quecksilber(II)-acetat wurde auch erfolgreich in der Thebain-Reihe eingesetzt; z. B.[2]:

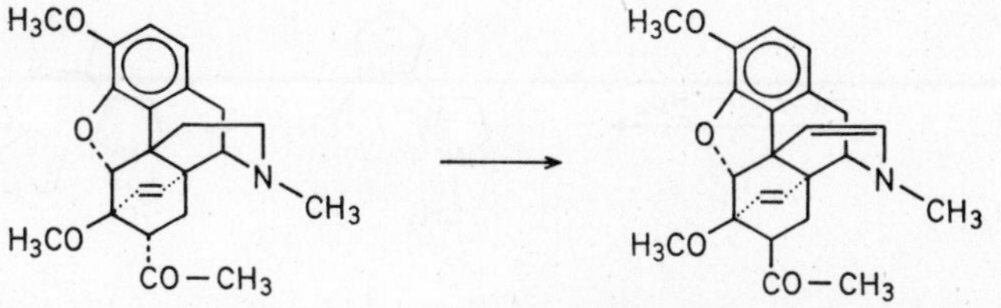

13-Acetyl-6,14-endo-ätheno-15,16-dehydro-dihydro-thebain

Zur Dehydrierung **monocyclischer tertiärer Amine** kann das Quecksilber(II)-acetat ebenfalls erfolgreich verwendet werden. Bei den alkyl-substituierten 1-Alkyl-piperidinen zeigen die Reaktionsprodukte eine deutliche Abhängigkeit von Ausmaß und Position der Substitution des Piperidinringes[3]. 1-Alkyl-piperidine, die in Position 2 und 6 keine Alkyl-Substituenten besitzen, liefern unter den Bedingungen der Quecksilber(II)-acetat-Oxidation z. T. dimere Produkte; im Falle des 1-Methyl-piperidins z. B. in einer Ausbeute von 67% d. Th. das *1-Methyl-3-[1-methyl-piperidyl-(2)]-1,4,5,6-tetrahydro-pyridin (1,1'-Dimethyl-Δ²-tetrahydroanabasin)*:

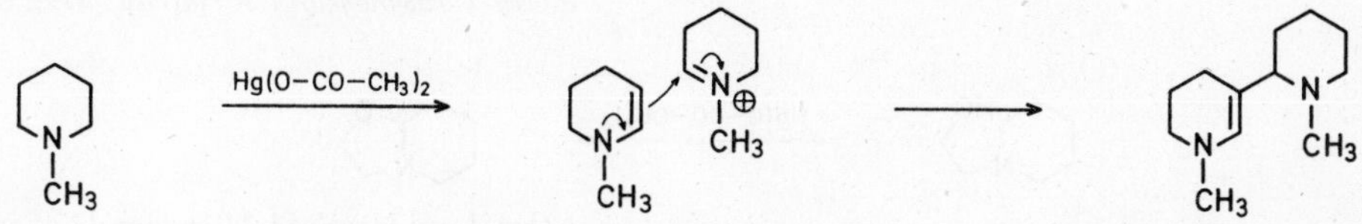

Die formulierte Enamin-Iminium-Reaktion[4] kann das Reaktionsprodukt erklären; die Bildung der erwarteten 1,4,5,6-Tetrahydro-pyridine beim Einsetzen der in Position 2 oder/und 6 substituierten 1-Alkyl-piperidine wird dann ebenfalls verständlich. Die Ausbeuten liegen für die entsprechenden Perchlorate zwischen 50 und 70% d. Th.[3,5]:

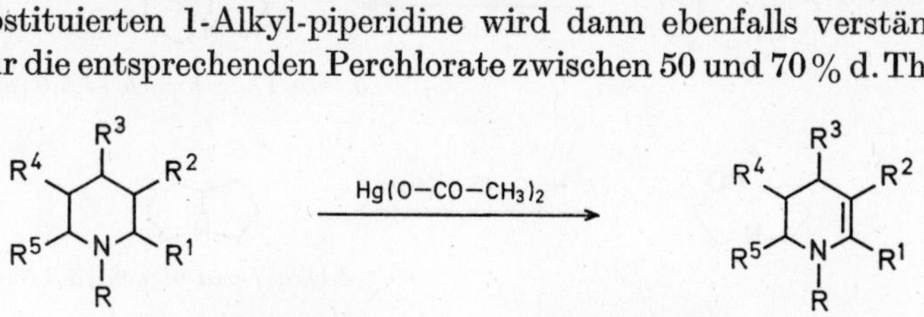

R = CH_3, C_2H_5 R^3 = H, CH_3
R^1 = H, CH_3, C_2H_5 R^4 = H, C_2H_5
R^2 = H, CH_3 R^5 = H, CH_3, C_2H_5

[1] M. AKIBA u. S. OHKI, Chem. Pharm. Bull. **18**, 2195 (1970).
[2] D. I. HADDLESEY, J. W. LEWIS, P. A. MAYOR u. G. R. YOUNG, Soc. (Perkin I) **1972**, 872.
[3] N. J. LEONARD u. F. P. HAUCK, Am. Soc. **79**, 5284 (1957).
[4] J. SZMUSZKOVICZ, Adv. Org. Chem. 4, 1 (1963).
[5] R. M. ANKER, A. H. COOK u. J. M. HEILBRON, Soc. **1945**, 917.

1-Methyl-2,2-diäthyl- und 2,2-Diäthyl-1-benzyl-piperidin liefern das entsprechende Tetra-hydroanabasin; 1,3,3-Trimethyl-piperidin führt in einer Ausbeute von 15% d. Th. zum *2-Oxo-1,3,3-trimethyl-piperidin*, das mit Chloroform aus der Reaktionsmischung extra-hiert werden kann[1,2]. Diese Reaktionen des Quecksilber(II)-acetates mit den entsprechen-den substituierten Piperidinen lassen sich völlig analog zu der beim Chinolizidin mitgeteilten Arbeitsvorschrift (s. S. 92,94) durchführen.

Ähnlich wie die alkyl-substituierten Piperidine reagieren Pyrrolidine mit Queck-silber(II)-acetat[3,4]. Die 1,2-; 1,2,5-; 1,3,4- und 1,2,3,5-alkyl-substituierten Pyrrolidine liefern die entsprechenden Δ^2-Pyrroline, das 1,2,2-Trimethyl-pyrrolidin und 1,3-Dimethyl-pyrrolidin die dimeren Derivate, während mit N-Methyl-pyrrolidin das di- und trimere Oxidationsprodukt beobachtet wird:

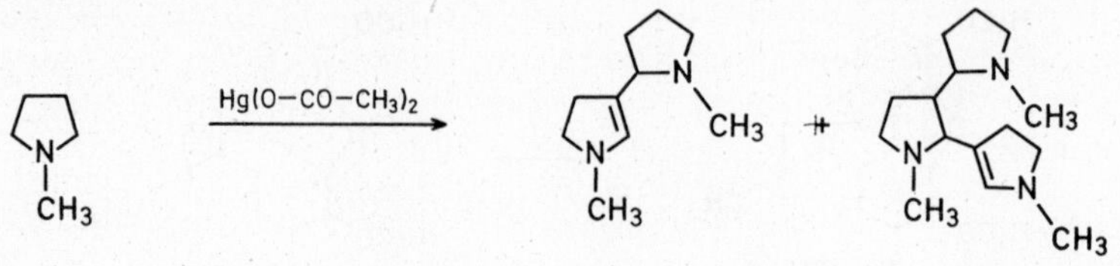

1-Methyl-3-[1-methyl-
pyrrolidinyl-(2)]-
4,5-dihydro-pyrrol

1,1'-Dimethyl-2-[1-methyl-4,5-
dihydro-pyrryl-
(3)]-bi-pyrrolidinyl-(3,2')

Über die in der Literatur[5] beschriebenen Ringschlußreaktionen von 1-(2-Hydroxy-äthyl)- bzw. 1-(3-Hydroxy-propyl)-piperidinen bzw. -pyrrolidinen informieren die folgenden Reaktionsgleichungen:

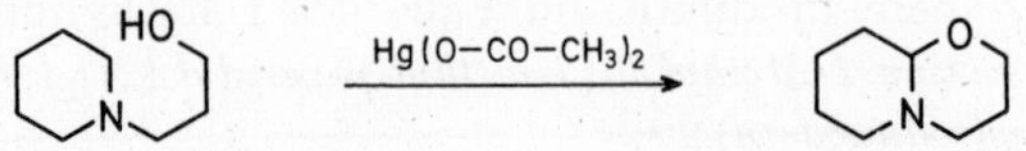

5-Oxa-1-aza-bicyclo[4.4.0]decan; 37% d. Th.

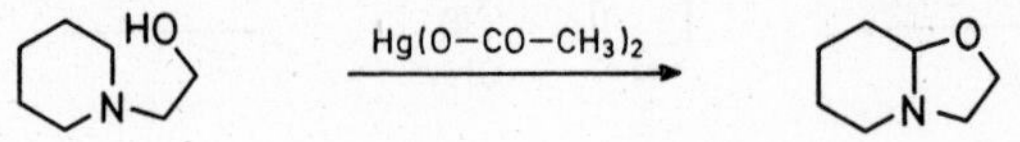

7-Oxa-1-aza-bicyclo[4.3.0]nonan; 47% d. Th

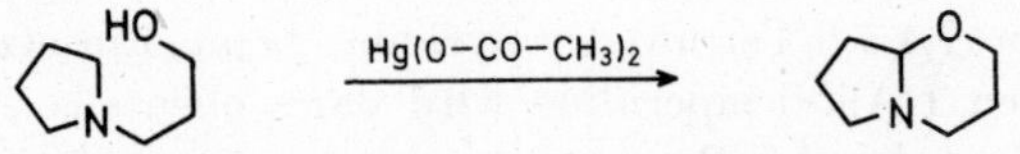

5-Oxa-1-aza-bicyclo[4.3.0]nonan; 37% d. Th.

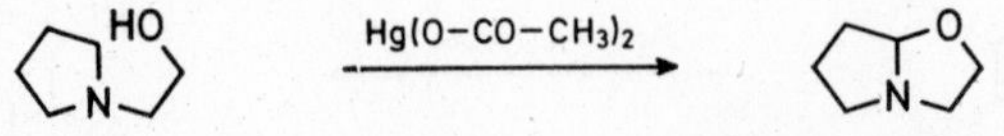

4-Oxa-1-aza-bicyclo[3.3.0]octan; 27% d. Th.

Bei größeren Ringen mit tertiärem Amin-Stickstoff führt die nach der beim Chinolizidin mitgeteilten Arbeitsvorschrift (s. S. 92,94) durchgeführte Oxidation mit Quecksilber(II)-acetat zu nichtidentifizierbaren

[1] N. J. Leonard u. F. P. Hauck, Am. Soc. **79**, 5284 (1957).
[2] R. M. Anker, A. H. Cook u. J. M. Heilbron, Soc. 917 (1945).
[3] A. G. Cook, Dissertation Abstracts **20**, 3069 (1960); C. A. **54**, 10993 (1960).
[4] N. J. Leonard u. A. G. Cook, Am. Soc. **81**, 5627 (1959).
[5] N. J. Leonard u. W. K. Musker, Am. Soc. **82**, 5148 (1960).

Produkten[1]. Eine etwas modifizierte Arbeitsweise, bei der nach der Fällung des Quecksilber(II)-sulfides das Filtrat mit 12 n Salzsäure versetzt wird, führt im Falle des 1-Methyl-1-azocan zum *2,4,6-Tris-[6-methylamino-hexyl]1,3,5-trithian-Trihydrochlorid* (40% d.Th.):

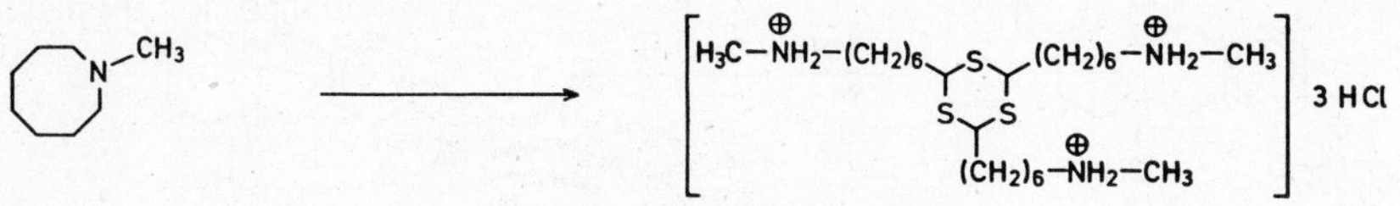

Entsprechende Produkte liefern das 1-Methyl-1-azepan und -azonan in einer Ausbeute von 49 bzw. 23% d.Th.[1] (*2,4,6-Tris-[5-methylamino-pentyl]*- und *2,4,6-Tris-[7-methylamino-heptyl]-1,3,5-trithian*). Die angegebene Literatur informiert über den vermutlichen Reaktionsablauf.

Die nach dem Vorhergehenden zu vermutende Bedeutung der Dehydrierungsreaktion tertiärer Amine mit Quecksilber(II)-acetat auf dem Gebiet der Alkaloide wird durch die Literatur bestätigt.

In der Gruppe der Indol-Alkaloide (Yohimbin, Reserpin) werden Verbindungen, die am Kohlenstoffatom C_3 ein α-orientiertes axiales Wasserstoffatom tragen (z. B. Yohimbin I) durch das Quecksilber(II)-acetat leichter oxidiert als die entsprechenden mit einem β-orientierten äquatorialen Wasserstoffatom (z. B. Pseudoyohimbin II)[2-5]. In Verbindung mit einer Reduktion Zink/Salzsäure bietet die Reaktionsfolge eine Methode, um ein α-orientiertes Wasserstoffatom in ein β-orientiertes zu überführen über die entsprechenden Iminiumsalze. Die Ausbeuten betragen ~ 60% d.Th.[2-5]:

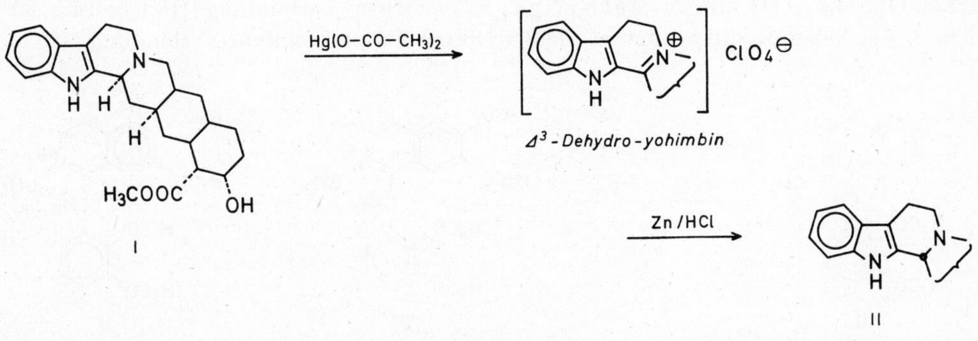

Δ³-Dehydro-yohimbin

Ein analoges Verhalten wird aus der Reihe der Steroid-Alkaloide vom Dihydroconessin und Dihydroheteroconessin berichtet[6]; die Hydrierung des aus beiden Verbindungen entstehenden Iminiumsalzes liefert stereospezifisch das Dihydroconessin.

Die Oxidation des Alkaloides Protopin (I) zum *13-Oxo-protopin* (*Oxyprotopin*) (II; S. 98)[7,8] verläuft im Gegensatz zur α-Acetoxylierung nichtaktivierter Ketone (vgl. S. 90f.) unter

[1] N. J. LEONARD u. W. K. MUSKER, Am. Soc. **81**, 5631 (1959).
[2] E. FARKAS, E. R. LAVAGNINO u. R. T. RAPALA, J. Org. Chem. **22**, 1261 (1957).
[3] N. J. LEONARD u. D. F. MORROW, Am. Soc. **80**, 371 (1958).
[4] F. L. WEISENBORN u. P. A. DIASSI, Am. Soc. **78**, 2022 (1956).
[5] E. WENKERT u. D. K. ROYCHAUDHURI, J. Org. Chem. **21**, 1315 (1956).
    vgl. a. M. SHAMMA u. J. F. NUGENT, Tetrahedron **29**, 1265 (1972).
[6] H. FAVRE u. B. MARINER, Canad. J. Chem. **36**, 429 (1958).
[7] J. GADAMER u. H. KOLLMAR, Ar. **261**, 153 (1923).
[8] N. J. LEONARD u. R. R. SAUERS, J. Org. Chem. **22**, 63 (1957).

recht milden Bedingungen:

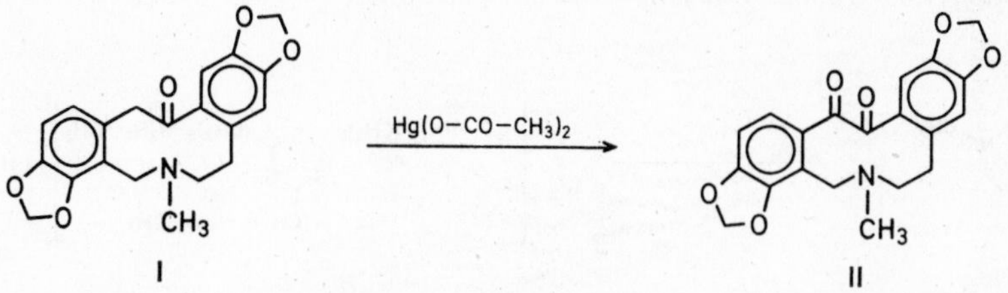

Die Arbeitsvorschrift sei im folgenden wiedergegeben, weil sie einen Einblick in die Variationsmöglichkeiten der Methode und der Aufarbeitung der Reaktionsmischung gewährt.

13-Oxo-protopin ("Oxyprotopin") [1,2]: Zu einer Lösung aus 2 g (5,7 mMol) kommerziell erhältlichem Protopin in 20 ml Wasser und 0,35 ml Eisessig gibt man bei 75° innerhalb von 35 Min. eine Lösung von 9,1 g (29 mMol) Quecksilber(II)-acetat in 25 ml 10%iger Essigsäure. Man hält die Reaktionsmischung unter Rühren weitere 30 Min. bei 75° und filtriert dann ab. Das Filtrat wird nochmals $4^1/_2$ Stdn. bei 75° gerührt und der Rest an Quecksilber(I)-acetat abfiltriert. Nichtverbrauchtes Reagens zerstört man dann mit 98%iger Ameisensäure. Nach dem Filtrieren macht man mit Kaliumcarbonat und Natronlauge alkalisch und extrahiert mit Chloroform. Die getrocknete organische Phase wird i.Vak. eingeengt. Als Rückstand hinterbleiben 1,5 g eines gelben Pulvers, das über Aluminiumoxid chromatographiert wird (Äther/Aceton). Man erhält ein gelbes, kristallines Material; Ausbeute: 380 mg (18% d.Th.); F.: 227-230°.

In der Papaverin-Gruppe der Isochinolinalkaloide tritt bei den Dehydrierungsreaktionen mit Quecksilber(II)-acetat eine Spaltung des Moleküls an der Methylenbrücke ein[3]. Durch einen Zusatz von Äthylendiamintetraessigsäure wird jedoch die „Aromatisierung" zum Heterocyclus erreicht[4]. Die Ausbeute der auf diese Weise durchgeführten Dehydrierung des Laudanosins (III) zur N-Methyl-papaverinium-Verbindung (IV) beträgt 80% d. Th.[4,5] Als Nebenprodukt entsteht die 3,4-Dihydro-isochinolinium-Verbindung (V):

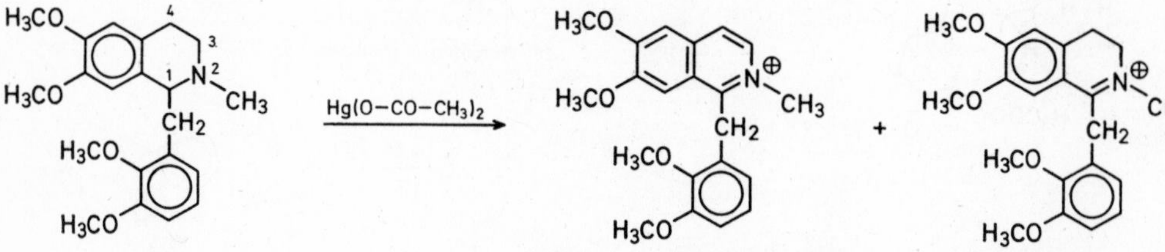

6,7-Dimethoxy-2-methyl-1-
(2,3-dimethoxy-benzyl)-iso-
chinolinium-acetat

....-3,4-dihydro-
isochinolinium-acetat

Die angegebene und weitere Literatur[6] berichtet über entsprechende Reaktionen an anderen N-Alkyl-1-benzyl-1,2,3,4-tetrahydro-isochinolinen, N-Methyl-1-alkyl-1,2,3,4-tetrahydro-isochinolinen und in 1-Stellung unsubstituierten tertiären Tetrahydroisochinolinen.

[1] J. Gadamer u. H. Kollmar, Ar. **261**, 153 (1923).
[2] N. J. Leonard u. R. R. Sallers, J. Org. Chem. **22**, 63 (1957)
[3] J. Gadamer u. R. Kondo, Ar. **253**, 281 (1915).
[4] J. Knabe u. H. Roloff, B. **97**, 3452 (1964).
[5] J. Knabe, Ar. **294**, 587 (1961); **292**, 416, 652 (1959).
[6] J. Knabe u. G. Grund, Ar. **296**, 854 (1963);
    J. Knabe, Ar. **293**, 122 (1960);
    J. Knabe u. A. Schepers, Ar. **295**, 481 (1962).
    J. Knabe u. H. P. Herbart, Ar. **300**, 774 (1967);
    G. Grethe et al., Helv. **50**, 2397 (1967).

Mit sehr guten Ausbeuten lassen sich auch 1,2-Bis-[1,3-oxazolyl-(2)]-; imiduzo-lyl-(2)- bzw. -[1,3-thiazolyl-(2)]-äthylene und deren Benzo-Derivate aus den entsprechenden Äthanen gewinnen[1]:

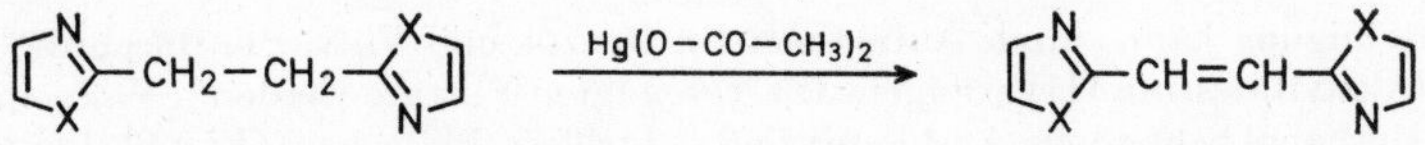

X = O,S,NH

IV. Intramolekulare Dehydrierungen von Steroiden und Terpenen

Die überraschende dehydrierende Eigenschaft von Quecksilber(II)-acetat auf Steroide hat sich als ein allgemein brauchbares Verfahren zur Einführung einer C=C—Doppelbindung in der Δ^9-Position erwiesen, wenn das zu dehydrierende Steroid bereits $\Delta^{5,7}$- oder Δ^7-ungesättigt ist.

Als typische Beispiele seien die Reaktionen des Ergosterins (I) zum *3β-Hydroxy-24-methyl-cholestatetraen-(5,7,9^{11},22)* ($\Delta^{9,11}$-*Dehydroergosterin*; II)[2] und des 5-Dihydro-ergosterins (III) zum *Ergosterin D [3β-Hydroxy-24-methyl-cholestatrien-(7,9^{11},22)*; IV][3] formuliert:

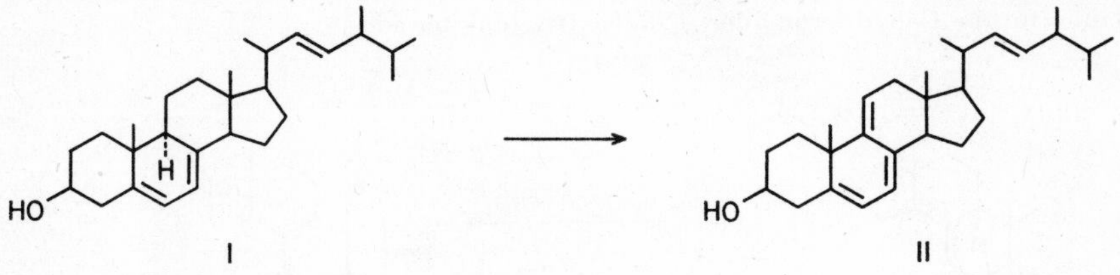

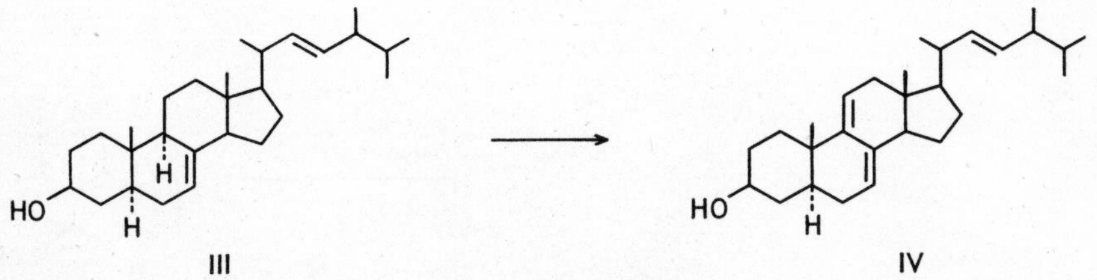

Analoge Reaktionen sind in Tab. 3 (S. 101) zusammengefaßt. Offensichtlich ist die Wahl der Reaktionsbedingungen von entscheidendem Einfluß auf die Reinheit der Produkte[4,5]. Setzt man die Acetate der Steroide als Ausgangsverbindungen ein, scheint das 1,4-Dioxan ein geeignetes Lösungsmittel zu sein. Als Beispiel für die hierin durchgeführten Reaktionen gelte die Arbeitsvorschrift zur Dehydrierung des Ergosterin-acetates.

3β-Acetoxy-24-methyl-cholestatetraen-(5,7,9^{11}, 22)[5]: Zu einer siedenden Lösung von 50 g Ergosterin-acetat in 750 *ml* absol. 1,4-Dioxan wird unter Inertgas und Durchmischen mit einem Vibrator eine vorge-

[1] US. P. 2483392 (1946), CIBA, Erf.: J. MEYER u. F. ACKERMANN; C. A. 44, 2036 (1950).
[2] A. WINDAUS u. O. LINSERT, A. 465, 148 (1928).
[3] A. WINDAUS et al., A. 488, 91 (1931).
[4] A. ZÜRCHER et al., Helv. 37, 1562 (1954).
[5] G. SAUCY et al., Helv. 37, 251 (1954).

wärmte Lösung von 150 g Quecksilber(II)-acetat in 850 *ml* Eisessig in einem Guß zugefügt. Unter fortwährendem Vibrieren hält man die Reaktionsmischung 9 Min. am Sieden und kühlt anschließend unter kräftigem Durchmischen in kaltem Wasser ab. Wenn der Kolbeninhalt auf 15° abgekühlt ist, wird vom (100 g) Quecksilber(I)-acetat abfiltriert und das rotbraune Filtrat unter Rühren mit 1,2 *l* 60%igem Methanol versetzt; durch Abkühlen auf −10° wird vollständige Kristallisation erreicht. Nach dem Abfiltrieren trocknet man i. Vak. bei 60°; Ausbeute: 23 g (46% d.Th.); F: 141–143°.

Eine weitere Reinigung kann durch Aufnehmen in Benzol und Filtrieren durch die 10fache Menge Aluminiumoxid (Aktivitätsstufe III) erfolgen. Die vereinigten Filtrate werden i. Vak. eingeengt und wie beschrieben mit Methanol behandelt; Ausbeute: 18,3 g (farblose Blättchen); F: 142–144°; $[\alpha]_D^{26} = +193°$ (c=0,970 in Chloroform).

Das so erhaltene Dehydroergosterin-acetat ist reiner als das nach einer anderen Vorschrift[1] in Tetrachlormethan/Äthanol als Lösungsmittel erhaltene, das noch 6–9% Ausgangsmaterial enthält.

Zumindest für die Dehydrierung der 7,8-ungesättigten Steroide ist das Verfahren mit Quecksilber(II)-acetat hinsichtlich der Ausbeute und Reinheit der Produkte anderen Methoden (N-Brom-succinimid[2], Persäuren[3] oder Selendioxid[4]) überlegen; sie verlaufen oft uneinheitlich und liefern als Produkte auch Verbindungen mit Sauerstoff-Funktionen oder Doppelbindungen am Kohlenstoffatom C_{14}.

Zur Dehydrierung der $\Delta^{5,7}$-Steroide wird in der Regel ein ungefähr 5facher molarer Überschuß an Quecksilber(II)-acetat angewendet. Bei Reaktionen der Δ^7-Steroide wird bei einem Überschuß an Substrat neben den gewünschten $\Delta^{7,9}$-ungesättigten Steroiden eine Verbindung isoliert mit einer in die Δ^8-Position verschobenen C=C-Doppelbindung und bei einer Aufarbeitung mit methanolischer Kalilauge allylständigen 7ξ-Hydroxy-Funktion[5].

Dieser Befund gibt neben kinetischen Untersuchungen[5] Anlaß zu folgender Formulierung des Reaktionsablaufes für die Dehydrierung der Δ^7-ungesättigten Steroide:

---

[1] R. Antonucci et al., J. Org. Chem. **16**, 1159 (1951).
[2] L. F. Fieser, Am. Soc. **73**, 5007 (1951).
[3] A. Windaus u. E. Auhagen, A. **472**, 185 (1929);
    A. Windaus u. A. Lüttringhaus, A. **481**, 119 (1930).
[4] R. K. Callow, Soc. **462** (1936).
[5] M. Tishler et al., Am. Soc. **75**, 2604 (1953).

d. h., daß ein quecksilber-substituiertes Steroid I entsteht, aus dem ein allyl-stabilisiertes Carbenium-ion II generiert wird, welches entweder direkt zum gewünschten Dien IV [*3β-Methoxy-24-methyl-cholestatrien-(7,9¹¹,22)*] eliminiert oder über den Umweg des isolierbaren und thermisch labilen Acetates III.

Ergosterin D-acetat [3β-Acetoxy-24-methyl-cholestatrien-(7,9¹¹, 22)][1]: 50 g (0,11 Mol) 3 β-Acetoxy-ergostatrien-(7,22) werden unter Stickstoff in 750 *ml* 1,4-Dioxan zum Sieden erhitzt; zu dieser Lösung läßt man innerhalb von 10 Min. eine heiße Lösung von 100 g (0,31 Mol) Quecksilber(II)-acetat in 750 *ml* Eisessig zufließen. Nach kurzer Zeit setzt die Kristallabscheidung des Quecksilber(I)-acetates ein. Man gibt zur heißen Reaktionsmischung 400 *ml* siedendes Wasser und läßt über Nacht bei 0° stehen. Das

Tab. 3. Dehydrierung von Steroiden mit Quecksilber(II)-acetat

Steroid	Reaktions-bedingungen	dehydriertes Derivat	Ausbeute* [% d.Th.]	F* [°C]	$[\alpha]_D$	Literatur
Ergosterin	Äthanol/Eisessig Rückfluß (40 Min.)	*3β-Hydroxy-24-methyl-cholesta-tetraen-(5,7,9¹¹, 22)*	40	keine Angabe	$[\alpha]_D^{19} = +149°$	2
Ergosterin-acetat	1,4-Dioxan/Eis-essig Rückfluß (9 Min.) Inertgas	*3β-Acetoxy-24-methyl-cholesta-tetraen-(5,7,9¹¹, 22)*	46	141–143		
			37	(142–144)	$[\alpha]_D^{26} = +193°$	3
	Tetrachlormethan/ Äthanol/Eisessig Rückfluß (1–3 Stdn.) Inertgas		54	147–149,5 (147,5–149,5)	keine Angabe	4
5-Dihydro-ergosterin	Äthanol/Eisessig Rückfluß (45 Min.)	*3β-Hydroxy-24-methyl-cholesta-trien-(7,9¹¹,22) (Ergosterin D)*	keine Angabe	160–162 (164)	$[\alpha]_D^{19} = +21°$	5
5-Dihydro-ergo-sterin-acetat	1,4-Dioxan/Eis-essig Rückfluß (10 Min.) Inertgas	*3β-Acetoxy-24-methyl-cholesta-trien-(7,9¹¹,22)*	69	170–171 (173–174)**	$[\alpha]_D^{20} = +23°$	1
	Chloroform/Eis-essig 25–30° (23 Stdn.)		78	***	keine Angabe	6

* in Klammern das durch erneutes Umkristallisieren oder chromatografisch gereinigte Produkt.
** zu 84% rein.
*** zu 76,5% rein.

[1] G. Saucy et al., Helv. **37**, 251 (1954).
[2] A. Windaus u. O. Linsert, A. **465**, 148 (1928).
[3] A. Zürcher et al., Helv. **37**, 1562 (1954).
[4] R. Antonucci et al., J. Org. Chem. **16**, 1159 (1951).
[5] A. Windaus et al., A. **488**, 91 (1931);
A. Windaus u. E. Auhagen, A. **472**, 192 (1929).
[6] M. Tishler et al., Am. Soc. **75**, 2604 (1953).

Tab. 3. (1. Fortsetzung)

Steroid	Reaktions-bedingungen	dehydriertes Derivat	Ausbeute [% d. Th.]	F [°C]	$[\alpha]_D$	Literatur
3β-Hydroxy-cholestadien-(5,7)	Tetrachlormethan/ Äthanol/Eisessig Rückfluß (80 Min.) Inertgas	*3β-Hydroxy-chole-statrien-(5,7,9¹¹)*	26 (13)	99–109 (119–121)	$[\alpha]_D^{30} =$ + 168°	1
3β-Hydroxy-cholestadien-(5,7)	Tetrachlormethan/ Eisessig Schütteln bei ~ 23° Inertgas	*3β-Hydroxy-chole-statrien-(5,7,9¹¹)*	51	84–86 (88–90)	$[\alpha]_D^{20} =$ + 207°	2
3β-Acetoxy-17-oxo-androsta-dien-(5,7)	Tetrachlormethan/ Eisessig Rück-fluß (80 Min.) Inertgas	*3β-Acetoxy-17-oxo-androstatrien-(5,7,9¹¹)*	30 (13,5)	145–154 (162–164)	$[\alpha]_D^{30} =$ + 388°	1
$3\beta,17\beta$-Diacet-oxy-androsta-dien-(5,7)	Tetrachlormethan/ Äthanol/Eisessig Rückfluß (80 Min.) Inertgas	*3β,17 β-Hydroxy-androstatrien-(5,7,9¹¹)* (nach Hydrolyse)	14	178–187 (188–191)	$[\alpha]_D^{28} =$ +246°	1
3β-Acetoxy-Δ^7-5α,22α-spiro-sten	Tetrachlormethan/ Äthanol/Eisessig Rückfluß (80 Min.) Inertgas	*3β,21-Diacetoxy-20-oxo-pregna-trien-(5,7,9¹¹)*	24	(144–146)	$[\alpha]_D^{29} =$ +295°	1
3β-Acetoxy-Δ^7-5α,22α-spiro-sten	Chloroform/Eis-essig 25° (18 Stdn.)	*3β-Acetoxy-Δ⁷,⁹¹¹-5α,22α-spiro-stadien*	71	215–220,5	keine Angaben	3

Kristallisat wird abfiltriert, mit 50 *ml* kaltem Methanol gewaschen und in Äther aufgenommen. Die ätherische Phase wäscht man je 2 mal mit verd. Schwefelsäure und Wasser. Nach dem Trocknen engt man die Lösung ein und setzt bei Beginn der Kristallisation 200 *ml* siedendes Methanol hinzu. Aus der Lösung kristallisieren 34,5 g (69% d.Th.); F: 170–171°; nach 3 maligem Umkristallisieren aus Methanol F: 173–174°; $[\alpha]_D^{20} = +$ 23° (c=o, 825 in Chloroform).

Während auf dem Gebiet der Steroide die Dehydrierung mit Quecksilber (II)-acetat zur Einführung einer C=C-Doppelbindung in Konjugation zu einer bereits bestehenden führt, liefert die Umsetzung bestimmter Terpene[4] mit einer Isopropenyl-Gruppe am Kohlenstoff C_{19} Dehydrierungsprodukte mit einer zunächst überraschenden Position der neu eingeführten C=C-Doppelbindung. Aus 3β-Acetoxy-lupen-(20²⁹) (I) z. B. entsteht *3β-Acetoxy-lupadien-(13¹⁸, 20²⁹)* (II) mit nichtkonjugierten C=C-Doppelbindungen[5] (alte Untersuchungen s.[4])

[1] R. Antonucci et al., J. Org. Chem. **16**, 1159 (1951)
[2] H. H. Imhoffen u. W. Mengel, B. **87**, 146 (1954).
[3] M. Tishler et al., Am. Soc. **75**, 2604 (1953).
[4] J. M. Allison et al., Soc. **1961**, 5224.
   vgl. auch: F. Biedebach, Ar. **280**, 304 (1942); **281**, 49 (1943).
[5] C. S. Chopra u. D. E. White, Tetrahedron **22**, 897 (1966).

I   II

bzw. aus 3β-Acetoxy-lupen-(20²⁹)-27,28-disäure-dimethylester (Acetylmelaleucat; III) *3β-Acetoxy-lupadien-(13¹⁸, 20²⁹)-27,28-disäure-dimethylester* (IV)[1]:

III   IV

Für die zunächst unklare Stereochemie der Isopropenyl-Gruppe – ihre Anwesenheit ist für die Reaktion entscheidend, hydrierte Lupene reagieren nicht[2] – konnte inzwischen eine *cis*-Relation zum β-Substituenten am Kohlenstoffatom C_{17} wahrscheinlich gemacht werden[3]. Zur Deutung des Reaktionsablaufes wird ein primäres Dehydrierungsderivat V mit konjugierten Doppelbindungen vorgeschlagen, welches zum Endprodukt durch entsprechenden Angriff eines Protons „von der Rückseite" isomerisieren soll. Thermodynamische Gründe werden ins Feld geführt[3]. Skelettumlagerungen werden bei keiner der Reaktionen an Lupanen unter den Bedingungen der Quecksilber(II)-acetat-Oxidation beobachtet:

V

In der folgenden Arbeitsvorschrift wurde die Struktur des Reaktionsproduktes in Anlehnung an die neuere Literatur[1,3] gegenüber der in der ursprünglichen Vorschrift angegebenen[4] abgeändert.

3β-Acetoxy-lupadien-(13¹⁸, 20²⁹) (I)[1,3,4]: Eine Mischung aus 10 g (0,021 Mol) 3β-Acetoxy-lupen-(20²⁹) (II) in 200 ml Chloroform und 120 g (0,38 Mol) Quecksilber(II)-acetat in 2 l Eisessig wird 5 Stdn. auf 100° erwärmt oder 14 Tage bei 23° gehalten. Nach dem Abfiltrieren des Quecksilber(I)-acetates verdünnt man das Filtrat mit Wasser und extrahiert mit Chloroform. Durch Abziehen des Lösungsmittels i. Vak. erhält man einen orange gefärbten Rückstand. Man löst ihn in Pyridin, versetzt mit Hydrogensulfid und filtriert durch Kieselgur. Den nach dem Entfernen des Pyridins i. Vak. verbleibenden Rückstand (8,5 g) löst man in Benzol/Petroläther (60/80) 1:4, filtriert durch 300 g Aluminiumoxid und arbeitet wie üblich auf; Ausbeute: 1,7 g (17% d.Th.); nach dem Umkristallisieren aus Chloroform-Methanol (F: 229–231°).

[1] C. S. Chopra u. D. E. White, Tetrahedron **22**, 897 (1966).
[2] F. Biedebach, Ar. **280**, 304 (1942); **281**, 49 (1943).
[3] H. N. Khastgir u. S. Bose, Tetrahedron Letters **1968**, 39.
[4] J. M. Allison et al., Soc. **1961**, 5224.
[5] G. V. Baddeley, J. J. H. Simes u. T. G. Watson, Tetrahedron **1970**, 3799.

Auf analoge Weise und mit ähnlichen Ausbeuten erhält man *3β-Benzoyloxy-* bzw. *3-Oxo-lupadien-(13¹⁸, 20²⁹)*[1].

Die Substitution des Kohlenstoffes C_{17} des Lupan-Gerüstes spielt offensichtlich eine entscheidende Rolle. So reagiert das *3β, 28-Dihydroxy-lupen-(20²⁹)* (Betulin; I; R = H; R^1 = CH₂OH) mit Quecksilber(II)-acetat in Chloroform/Eisessig zu *3β-Hydroxy-13β, 28-epoxy-lupen-(20²⁹)* (II), während unter denselben Bedingungen das *3β, 28-Diacetoxy-lupen-(20²⁹)* zum *3β, 28-Diacetoxy-lupadien-(13¹⁸,20²⁹)* (III) dehydriert wird. Entsprechende Resultate werden, ausgehend von *3β-Acetoxy-lupen-(20²⁹)-28-säure* bzw. -methylester beobachtet[2].

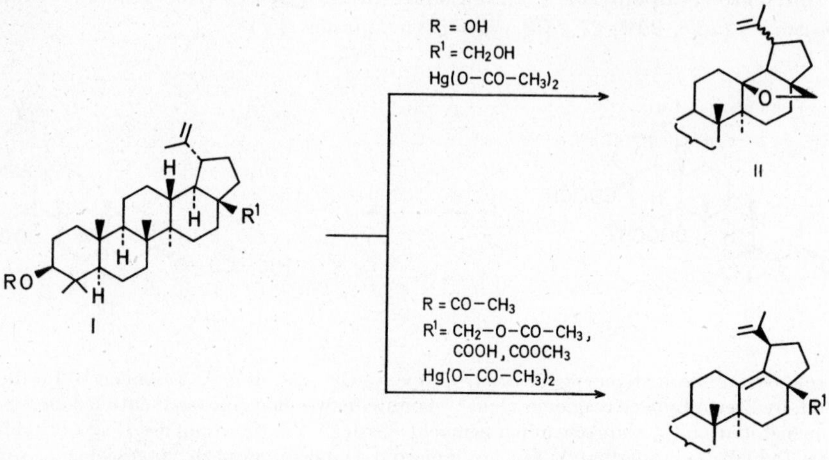

V. Oxidationen unter intramolekularer C–C-Verknüpfung und sonstige Oxidations-Reaktionen mit Quecksilber(II)-acetat

In diesem Abschnitt sind einige Reaktionen mit Quecksilber(II)-acetat zusammengefaßt, die als Einzelfälle in der Literatur beschrieben sind, wegen ihrer zum Teil guten Ausbeuten jedoch nicht unerwähnt bleiben sollen. Die Umsetzung des 2-Morpholino-bicyclo[3.3.1]nonan mit Quecksilber(II)-acetat in 10%iger Essigsäure liefert nach dem Versetzen des intermediären Enamins mit konzentrierter Salzsäure das *2-Oxo-bicyclo[3.3.1]nonan* in einer Ausbeute von 56% d. Th.[3]:

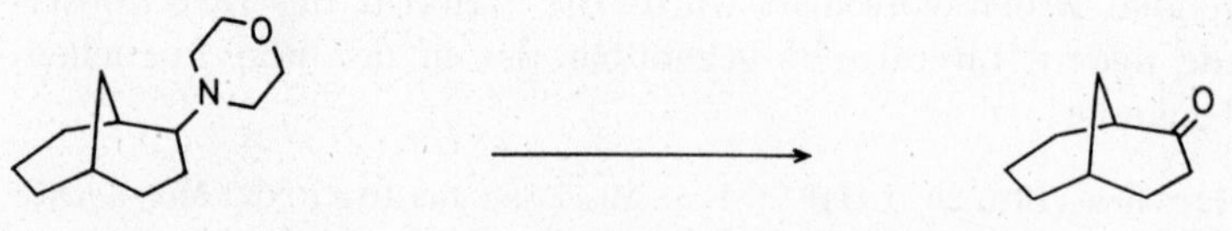

Benzyl-dialkyl-amine werden in Gegenwart von Äthylendiamintetraessigsäure mit Quecksilber(II)-acetat zu den entsprechenden Benzaldehyden (40% d. Th.) oxidiert[4]. Entsprechend erhält man aus Benzylbromiden und Quecksilber(II)-nitrat in 1,2-Dimethoxyäthan ebenfalls in guten Ausbeuten die entsprechenden Benzaldehyde[5].

[1] J. M. Allison et al., Soc. **1961**, 5224.
[2] J. M. Allison et al., Soc. **1961**, 3353.
    Vgl. a. S. N. Bose u. H. N. Khastgir, J. indian. Chem. Soc. **46**, 860 (1969).
[3] M. Hartmann, Z. **6**, 182 (1966).
[4] H. Möhrle u. C. Miller, Ar. **306**, 552 (1973).
[5] A. McKillop u. M. E. Ford, Synth. Commun. **4**, 45 (1974).

Ebenfalls in Summa unter Spaltung einer C–N-Bindung verläuft die Oxidation von Benzoesäure-hydrazid zur Carbonsäure[1].

Unter Zusatz des bei der Oxidation tertiärer benzylischer Amine auf S. 92, 104 erwähnten Komplexbildners Äthylendiamintetraessigsäure führt die Oxidation des 2-Piperidino-1-phenyl-äthanols bei einem 100%igen Überschuß von Quecksilber(II)-acetat in verdünnter Essigsäure zum *2-Oxo-1-(2-hydroxy-2-phenyl-äthyl)-piperidin* (85% d. Th.)[2]:

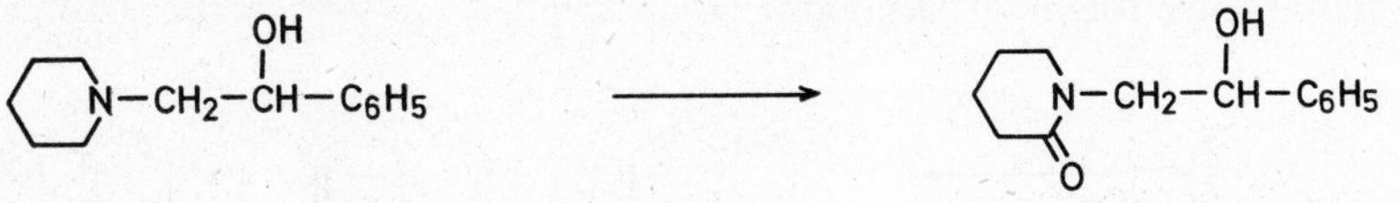

Prim.-tert.-Diamine reagieren analog, jedoch tritt sekundärer Ringschluß zwischen der Carbonyl-Gruppe und dem primären Amin ein[3]:

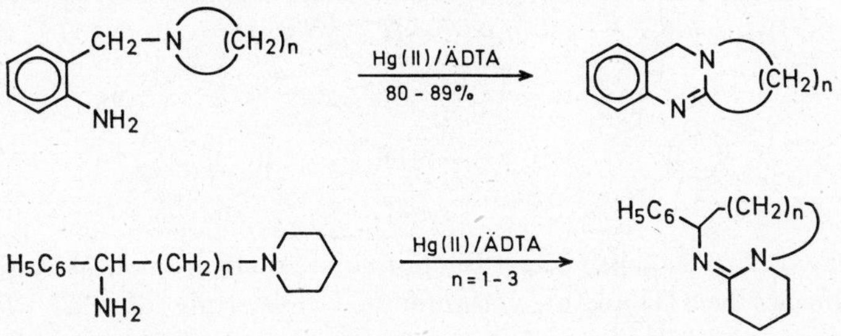

Eine Ausbeute von 90% d. Th. wird für die Oxidation der Methylen-Gruppe der Äthyl-Funktion des 4-Acetoxy-2,2-dimethyl-4-äthyl-tetrahydropyrans zu *4-Acetoxy-2,2-dimethyl-4-acetyl-tetrahydropyran* angegeben (90%ige Essigsäure: 40–45°)[4]:

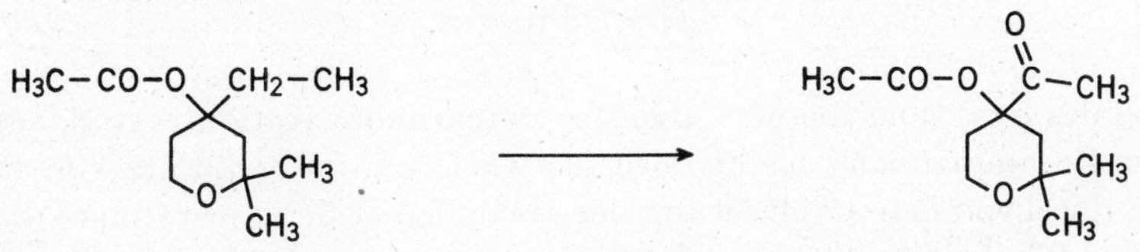

Während die Reaktion von Quecksilber(II)-acetat mit Cyclooctatetraen in wäßriger Lösung zu *Phenylacetaldehyd* führt[5], erhält man in Eisessig das *7,8-Diacetoxy-bicyclo[4.2.0]octadien-(2,4)*[6] (der Reaktionsmechanismus wird in der angegebenen Literatur diskutiert).

7,8-Diacetoxy-bicyclo[4.2.0]octadien-(2,4)[6]:

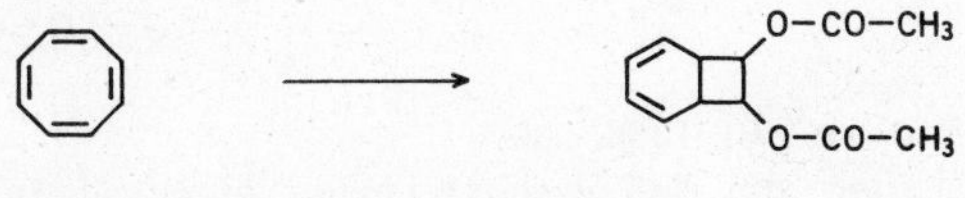

[1] J. B. AYLWARD u. R. O. C. NORMAN, Soc. [C] **1968**, 2399.
[2] H. MÖHRLE, Ar. **297**, 474 (1964).
  Vgl. a. H. MÖHRLE u. R. ENGELSING, Ar. **303**, 1 (1970); **306**, 325 (1973).
  Vgl. a. H. MÖHRLE u. H. WEBER, B. **105**, 368 (1972).
[3] H. MÖHRLE u. P. GUNDLACH, Ar. **306**, 541 (1973).
[4] S. A. VARTANYAN u. V. N. ZHANAGORTSYAN, Izv. Akad. Arm. SSR **15**, 353 (1962); C. A. **59**, 3874f (1963).
[5] W. REPPE et al., A. **560**, 1 (1948).
[6] A. C. COPE et al., Am. Soc. **76**, 1100 (1954).

10,4 g (0,1 Mol) Cyclooctatetraen werden rasch zu einer kräftig gerührten Suspension von 32,0 g (0,1 Mol) Quecksilber(II)-acetat in 80 ml Eisessig gegeben. Nachdem man die Reaktionsmischung 2–3 Stdn. bei einer Temp. von 70–80° gehalten hat, trennt man das Quecksilber ab und gibt 800 ml kaltes Wasser hinzu. Das sich absetzende Öl erstarrt nach kurzem Rühren. Man filtriert ab und trocknet; Ausbeute: 15,9 g (72% d.Th.); F: 55,5–59°. Einmaliges Umkristallisieren aus wäßriger Essigsäure liefert 11,2 g; F: 60–61°.

Weitere oxidative Cyclisierungen wurden bei phenyl-substituierten Olefinen erzielt[1]. 4-Phenyl-buten-(1) liefert bei der Oxidation in Essigsäure in Gegenwart katalytischer Mengen Perchlorsäure folgende Derivate:

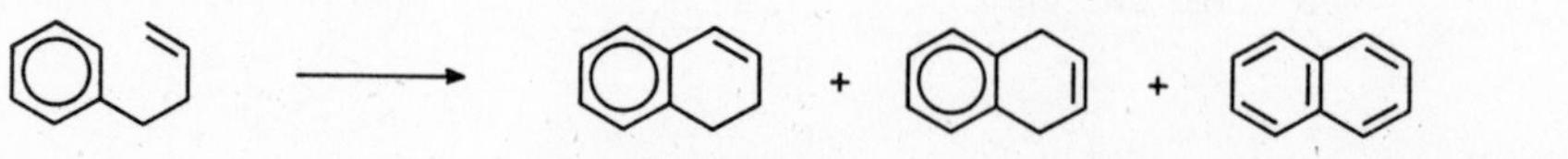

15%; *1,2-Dihydro-*   6%; *1,4-Dihydro-*   14%; *Naphthalin*
naphthalin   *naphthalin*

Unter denselben Reaktionsbedingungen erhält man mit 5-Phenyl-penten-(1) nach der Verseifung das *6-Hydroxy-6,7,8,9-tetrahydro-5H-⟨cyclohepta-benzol⟩* (57% d.Th.)[2]:

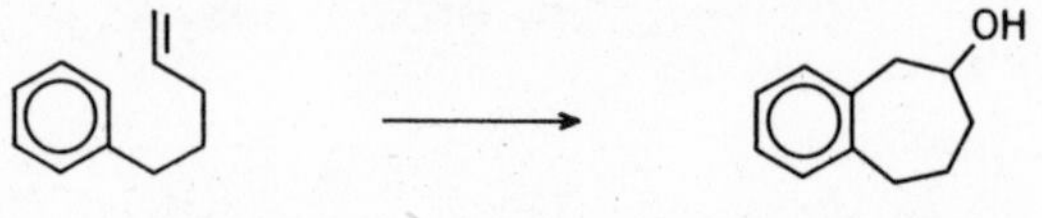

Interessante präparative Aspekte bietet die mit einer Ausbeute von 75% d.Th. in wäßriger Lösung von Quecksilber(II)-acetat verlaufende Cyclisierung des 3,7-Bis-[methylen]-bi-cyclo[3.3.1]nonan zum *3-Hydroxy-1-acetoxymercurimethyl-adamantan*, das mit Jod das *3-Hydroxy-1-jodmethyl-adamantan* liefert[3]:

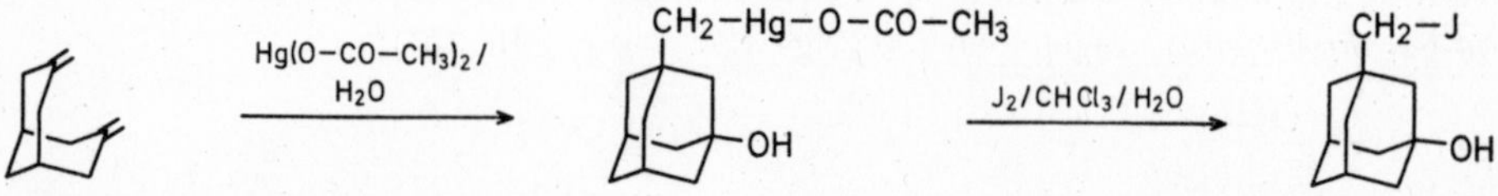

Eine Deutung des Reaktionsablaufes über ein Mercurinium-Kation (vgl. S. 88)[4] bietet sich an. In diesem Zusammenhang bleibt noch die wiederum unter Zusatz von Perchlorsäure in Essigsäure durchgeführte Cyclisierung des Hexadien-(1,5) zu erwähnen, die als Haupt-produkt (51% d.Th.) das *4-Acetoxy-cyclohexen* liefert[5], sowie die Cyclisierung des 2-Methyl-heptadien-(2,6) zum *3-Acetoxy-1-isopropyliden-cyclopentan* (30% d.Th.)[5]:

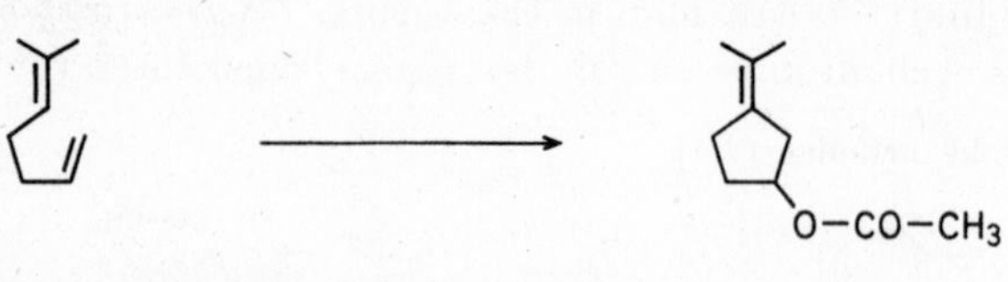

[1] M. Julia, E. Colomer u. S. Julia, Bl. **1966**, 2397.
   Vgl. a. die analoge Cyclisierung von 4-(3-Methoxy-phenyl)-buten-(1) zu *7-Methoxy-1,2-* bzw. *1,4-dihydro-naphthalin*; M. Julia u. R. Labia, Bl. **1972**, 4151.
[2] M. Julia, E. Colomer u. S. Julia, Bl. **1966**, 2397.
[3] H. Stetter u. J. Gärtner, B. **99**, 925 (1966).
[4] H. J. Lucas, F. R. Hepner u. S. Winstein, Am. Soc. **61**, 1102 (1939);
   M. J. S. Dewar, Bl. [C] **1951**, 79.
[5] M. Julia, E. Colomer u. S. Julia, Bl. **1966**, 2397.
   M. Julia u. E. Colomer, Bl. **1973**, 1796; 2,5-Dimethyl-hexadien-(1,5) zu *p-Xylol* (51% d.Th.).
   Vgl. a. M. Julia u. J. D. Fourneron, Tetrahedron Letters **1973**, 3429.

Mit Vorteil wird Quecksilber(II)-acetat zur oxidativen Entfernung von Schwefel in Thioketonen und Thiocarbonsäuren eingesetzt. Vorhandene Thioäther- bzw. Thioester-Gruppierungen werden dabei nicht angegriffen[1]. Wird dagegen mit Quecksilber(II)-oxid/-chlorid gearbeitet, so werden auch die Thioäther- bzw. Thioester-Gruppen angegriffen. Dies nutzt man aus, um Thioacetate zu spalten[2].

Phosphorine sind aus den entsprechenden 1,2-Dihydro-Derivaten durch Oxidation mit Quecksilber(II)-acetat gut zugänglich[3].

Alkyliden-cyclopropane werden in Gegenwart von Quecksilber(II)-acetat zu β,γ-ungesättigten Ketonen gespalten[4]

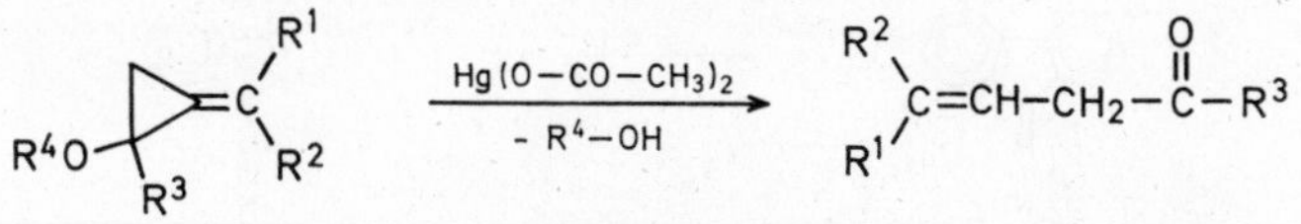

während Cyclopropene α,β-ungesättigte Acetale liefern[5]:

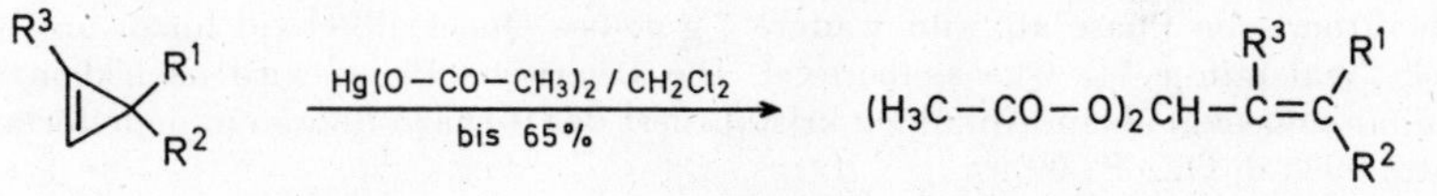

B. Oxidationen mit Quecksilber(II)-oxid

Die Existenz eines Quecksilber(I)-oxides ist bis heute noch nicht mit Sicherheit nachgewiesen. Quecksilber(II)-oxid existiert in zwei Formen. Es fällt als gelber Niederschlag aus beim Zusatz von überschüssigem Alkalimetallhydroxid zu einer Quecksilber(II)-chlorid- oder Quecksilber(II)-nitrat-Lösung:

$$Hg^{2\oplus} + 2\,OH^{\ominus} \longrightarrow HgO + H_2O$$

Als rotes, kristallines Pulver erhält man es durch schwaches Erhitzen von Quecksilber(II)-nitrat oder auch Quecksilber(I)-nitrat:

$$Hg(NO_3)_2 \longrightarrow HgO + 1/2\,O_2$$
$$Hg_2(NO_3)_2 \longrightarrow 2\,HgO + 2\,NO_2.$$

Die rote und die gelbe Form des Quecksilberoxids unterscheiden sich durch die Korngröße[6]. Zur Oxidation organischer Verbindungen wird in den meisten Arbeitsvorschriften die gelbe Form gegenüber der roten vorgezogen und seine größere Effektivität auf die kleinere Partikelgröße zurückgeführt[6]. Dies scheint jedoch nicht der ausschließliche Grund zu sein. Vergleicht man die unterschiedlichen Herstellungsweisen der Oxide und bedenkt, daß eine der Hauptoxidationsreaktionen, die Herstellung von Diazoverbindungen aus Hydrazonen, offensichtlich durch Basen katalysiert wird[7], und die rote Form des Quecksilberoxides z. B. bei der Herstellung von Pyrazolinen aus Pyrazolidinen in neutralem Reaktionsmedium vorteilhaft eingesetzt werden kann, werden die Verhältnisse klarer. So stehen denn auch bei der Herstellung von *Diphenyl-diazomethan* die Ausbeuten der Reaktion bei Verwendung von rotem Quecksilberoxid denen nicht nach, die man bei Anwendung der gelben Form des Oxides erhält, wenn man im Falle des roten Oxides die doppelte Menge an äthanolischer Kalilauge zusetzt[7].

[1] J. ROGGERO u. M. AUDIBERT, Bl. **1971**, 4021.
   M. NAGANO u. K. TOMITA, Chem. Pharm. Bull. **20**, 2308 (1972).
   G. WAGNER u. S. LEISTNER, Pharmazie **27**, 547 (1972).
   Vgl. a. J. BIGNEBAT u. H. QUINIOU, C. r. **1972**, 979.
[2] A. R. BATTERSBY, J. E. KELSEY, J. STAUNTON u. K. E. SUCKLING, Soc. (Perkin I) **1973**, 1609.
   M. N. MIRZAJANOVA, L. P. DAVYDOVA u. G. I. SAMOCHVALOV, Ž. obšč. Chim. **40**, 693 (1970).
[3] G. MÄRKL, A. MERZ u. H. RAUSCH, Tetrahedron Letters **1971**, 2989.
[4] M. S. NEWMANN u. M. C. VAN DER ZWAN, J. Org. Chem. **39**, 1186 (1974).
[5] T. SHIRAFUJI u. H. NOZAKI, Tetrahedron **29**, 77 (1973).
[6] A. B. GARRET u. A. E. HIRSCHLER, Am. Soc. **60**, 299 (1938).
[7] J. B. MILLER, J. Org. Chem. **24**, 560 (1959).

I. Herstellung von Diazoverbindungen

Die Umsetzung von Hydrazonen mit gelbem Quecksilberoxid (vgl. S. 107) hat sich als eine universelle Methode zur Herstellung von Diaryl-diazomethanen erwiesen. Die Reaktion wird offenbar durch Alkali[1] und Spuren von Wasser[2] katalysiert und verläuft in der Regel in Benzol oder Petroläther schneller als in Äther[3,4].

Die folgende Vorschrift zur Herstellung des 9-Diazo-fluorens kann als typisch für die Durchführung der Reaktion gelten.

9-Diazo-fluoren [2,5,6]:

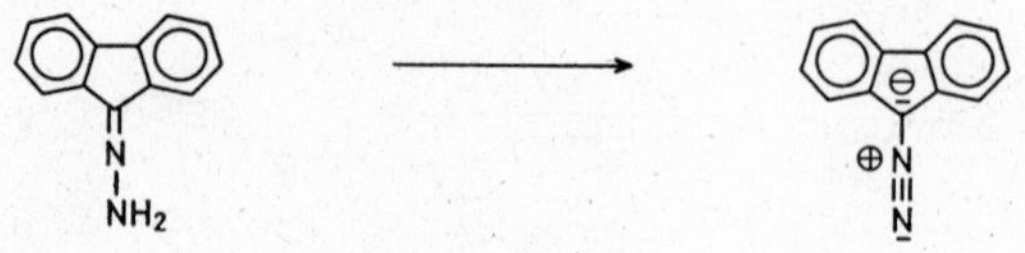

Zu einer gut gerührten Lösung aus 13 g (0,066 Mol) Fluorenon-hydrazon in 1 l wasserfreiem Äther gibt man 1 g Kaliumhydroxid, 0,5 ml Wasser und 7 g (0,033 Mol) gelbes Quecksilberoxid. Man rührt 45 Min. dekantiert die ätherische Phase ab, gibt weitere 7 g gelbes Quecksilberoxid hinzu und wiederholt den Vorgang noch 2mal mit je 7 g Quecksilberoxid. Die ätherische Phase wird nach dem Trocknen über Magnesiumsulfat eingeengt; beim Abkühlen kristallisiert das 9-Diazo-fluoren in nadelförmigen Kristallen aus; Ausbeute: 99% d.Th.; F: 99°.

Zur Entfernung von Spuren an Ketazin kann man das Diazo-fluoren mehrere Male aus Pentan umkristallisieren.

Auf analoge Weise lassen sich folgende Diaryl-diazomethane in ähnlich guten Ausbeuten aus den entsprechenden Hydrazonen erhalten:

> *Diphenyl-diazomethan* (F: 30°) [2,7-8]
> *Bis-[4-methyl-phenyl]-diazomethan* (F: 107°) [2,3]
> *Bis-[4-methoxy-phenyl]-diazomethan* (F: 112°) [2,4]
> *Bis-[4-chlor-phenyl]-diazomethan* (F: 107°) [2,5]
> *Bis-[4-brom-phenyl]-diazomethan* (F: 90–92°) [3]
> *Phenyl-(4-methyl-phenyl)-diazomethan* (F: 53–55°) [3]

Auf die u. U. **explosionsartig** verlaufende Zersetzung von Diazoverbindungen sei hier stellvertretend für das gesamte Kapitel ausdrücklich hingewiesen.

9-Diazo-fluoren läßt sich auch analog der in Org. Synth.[11] wiedergegebenen Vorschrift zur Herstellung von *Phenyl-benzoyl-diazomethan* gewinnen:

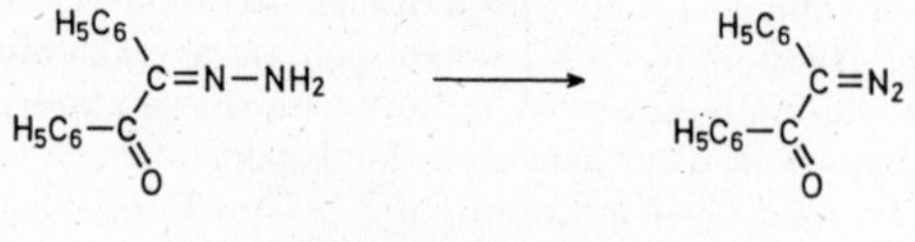

[1] A. Schönberg, W. J. Awad u. N. Latif, Soc. **1951**, 1368.
[2] R. Baltzly et al., J. Org. Chem. **26**, 3669 (1961).
[3] H. Staudinger u. J. Goldstein, B. **49**, 1923 (1916).
[4] H. Staudinger u. O. Kupfer, B. **44**, 2197 (1911).
[5] C. K. Hancock, R. F. Gilby u. J. S. Westmoreland, Am. Soc. **79**, 1917 (1957).
[6] A. C. Day et al., J. Org. Chem. **26**, 3669 (1961).
[7] L. J. Smith u. K. L. Howard, Org. Synth., Coll. Vol. III, 351.
[8] H. Staudinger, E. Anthes u. F. Pfenniger, B. **49**, 1928 (1916).
[9] F. DeWitt-Reed, R. G. Brown, J. N. Delgado u. E. I. Isaacson, J. Pharm. Sci. **61**, 1571 (1972); 90% d.Th.
[10] J. B. Miller, J. Org. Chem. **24**, 560 (1959).
[11] C. D. Nenitzescu u. E. Solomonica, Org. Synth. Coll. Vol. II, 496.

Auf ähnliche Weise wurden auch das *9-Diazo-thiaxanthen* (I) aus dem Hydrazon synthetisiert (Ausbeute: ~ 50% d.Th.; F: 105°)[1] sowie in Petroläther als Lösungsmittel das *Tetrachlor-diazocyclopentadien* (II; 92% d.Th.; F: 108°)[2]:

An dieser Stelle soll nicht auf die große Zahl von Reaktionen näher eingegangen werden, bei denen durch Oxidation mit Quecksilberoxid aus den entsprechenden Hydrazonen in situ erzeugte Diazo-Verbindungen zu Folgereaktionen Anlaß geben. Erwähnt sei die Herstellung des *Diphenylacetylens* aus Benzil-bis-[hydrazon][3]

$$H_5C_6-C\equiv C-C_6H_5$$

die Reaktion des 1,2-Bis-[hydrazono]-cyclooctan zu *Cyclooctin*[4], sowie die mit einer Ausbeute von 77% d.Th. verlaufende Umsetzung des Benzilmonohydrazons zu *Diphenylketen*[5]:

Die Oxidation von Hydrazonen mit gelbem Quecksilberoxid bietet ebenfalls einen präparativen Zugang zu den Diazomethanen, die sich wegen ihres extrem ***explosiven*** Charakters nur unter besonderen Bedingungen handhaben lassen, z. B. bei tieferen Temperaturen in Lösung. Über den Grund für die unterschiedliche Stabilität der Diazoverbindungen hier zu berichten, dürfte sich erübrigen. Als präparative Arbeitsgrundlage diene die folgende Vorschrift zur Herstellung des *2-Diazo-propans*[6].

Die ältere Literatur[7] zur Herstellung dieser Verbindung gibt einen guten Überblick über die Erfolge und Mißerfolge unter anderen Reaktionsbedingungen und bei anderen Herstellungsweisen.

2-Diazo-propan[6]: Eine Lösung aus 30 g (0,42 Mol) frisch destilliertem Acetonhydrazon[8] in 100 *ml* absol. Äther wird auf 0° abgekühlt und unter intensivem Schütteln innerhalb von ~ 5 Min. zu einer kalten Aufschlämmung (0°) und 120 g (0,55 Mol) gelbem Quecksilberoxid in 350 *ml* Äther gegeben, die 9 *ml* einer 3 m äthanolischen Kaliumhydroxid-Lösung enthält. Die weitere Durchführung der Umsetzung findet ebenfalls unter Eiskühlung statt. Man filtriert durch Baumwolle auf 200 g Kalium-

[1] A. SCHÖNBERG u. M. M. SIDKEY, Am. Soc. **81**, 2259 (1959).
A. SCHÖNBERG u. T. STOLPP, B. **63**, 3102 (1930).
[2] F. KLAGES u. K. BOTT, B. **97**, 735 (1964).
[3] A. C. COPE, D. S. SMITH u. R. J. COTTER, Org. Synth., Coll. Vol. IV, 377.
[4] G. Wittig u. A. KREBS, B. **94**, 3260 (1961).
E. MÜLLER u. H. MEIER, A. **716**, 11 (1968).
[5] W. RIED u. P. JUNKER, Ang. Ch. **79**, 622 (1967).
[6] A. C. DAY et al., Soc. **1966**, 467.
[7] H. STAUDINGER u. A. GAULE, B. **49**, 1879 (1916).
P. C. JUHA u. D. K. SANKARAN, B. **70**, 1988 (1937).
R. J. DYER, R. B. RANADLL u. H. M. DEUTSCH, J. Org. Chem. **29**, 3423 (1964).
G. M. KAUFMANN et al., Am. Soc. **87**, 935 (1965).
[8] H. STAUDINGER u. A. GAULE, B. **49**, 1897 (1916).

hydroxid-Plätzchen und wäscht den Rückstand 2mal mit je 75 *ml* Äther. Nach 5–10 Min. wiederholt man den Filtrationsvorgang auf 100 g Kaliumhydroxid, von dem man dann die rote gebrauchsfertige Lösung des 2-Diazo-propans abfiltriert; sie ist ~ 0,2 m und einige Stdn. bei oder unterhalb Raumtemp. unzersetzt haltbar. Für Experimente, bei denen etwa in Lösung gegangene Quecksilber-Verbindungen unerwünscht sind, kann die ätherische 2-Diazo-propan-Lösung bei –20° und 10 Torr in eine auf –78° gekühlte Vorlage überdestilliert werden.

Über die Herstellung von *4-Methoxy-phenyl-*[1], *2-Butyl-phenyl-*[2], *Phenyl-*[3] bzw. *2-(2-Phenyl-äthyl)-phenyl-diazomethan*[4] sowie *1-Phenyl-diazoäthan*[5], deren Herstellung in reiner Form ebenfalls problematisch ist, berichtet die angegebene Literatur.

II. Andere Dehydrierungen am Stickstoff[6]

4,5-Dihydro-3H-pyrazole, die in saurem und basischem Milieu leicht zu den 4,5-Dihydro-1H-pyrazolen tautomerisieren[7, vgl.a. 8], lassen sich in sehr guter Ausbeute durch Oxidation der Pyrazolidine mit rotem Quecksilberoxid (vgl. S. 107) herstellen[9]. Die Reaktion sei formuliert für den Stammkörper selbst:

4,5-Dihydro-3H-pyrazole; allgemeine Arbeitsvorschrift[9]: Eine Lösung aus 0,05 Mol des zu oxidierenden Pyrazolidins in 10 *ml* Pentan wird bei 0° langsam zu einer gut gerührten Aufschlämmung von 22 g (0,1 Mol) rotem Quecksilberoxid und wasserfreiem Natriumsulfat in 100 *ml* Pentan bei 0° gegeben. Anschließend rührt man die Reaktionsmischung bei 23°, bis die gaschromatographische Analyse die vollständige Oxidation anzeigt (1–3 Stdn.). Zur Aufarbeitung dekantiert man die Pentan-Phase ab, wäscht mit Pentan und fraktioniert die vereinigten organischen Phasen; u. a. erhält man folgende Derivate:

4,5-Dihydro-3H-pyrazol	60% d.Th.; Kp$_{40}$: 61–62°
3-Methyl-4,5-dihydro-3H-pyrazol	75% d.Th.; Kp$_{40}$: 53–54°
4-Methyl-4,5-dihydro-3H-pyrazol	50% d.Th.; Kp$_{40}$: 58–60°
3,3,5-Trimethyl-4,5-dihydro-3H-pyrazol	80% d.Th.; Kp$_{40}$: 64–65°

Auch bicyclische bzw. polycyclische Azo-Verbindungen werden aus den entsprechenden Hydrazinen mit Quecksilber(II)-oxid erhalten; z. B.:

[1] C. G. OVERBERGER, N. WEINSHENKER u. J. P. ANSELME, Am. Soc. 87, 4119 (1965);
     G. L. CLOSS u. R. A. MOSS, Am. Soc. 86, 4051 (1964).
[2] C. D. GUTSCHE, G. L. BACHMANN u. R. S. COFFEY, Tetrahedron 18, 624 (1962).
[3] W. M. JONES u. WUN-TEN-TAI, J. Org. Chem. 27, 1324 (1962).
     A. SCHÖNBERG u. E. FRESE, B. 95, 2810 (1962).
[4] C. D. GUTSCHE u. H. E. JOHNSON, Am. Soc. 77, 5933 (1955).
[5] G. L. CLOSS u. J. J. COYLE, J. Org. Chem. 31, 2765 (1966).
[6] Vgl. ds. Handb., Bd. X/2. Kap. Aliphatische Diazo-Verbindungen, S. 757.
[7] D. E. McGREER et al., Canad. J. Chem. 43, 1407 (1965).
[8] R. J. CRAWFORD u. A. MISHRA, Am. Soc. 88, 3963 (1966).
     W. R. ROTH u. K. ENDERER, A. 733, 44 (1970).
     S. G. COHEN, R. ZAND u. C. STEEL, Am. Soc. 83, 2895 (1961).
     R. MIESSEN, Dissertation Bochum 1972.
[9] R. J. CRAWFORD, A. MISHRA u. R. J. DUMMEL, Am. Soc. 88, 3959 (1966).
     R. J. CRAWFORD u. A. MISHRA, Am. Soc. 88, 3963 (1966).

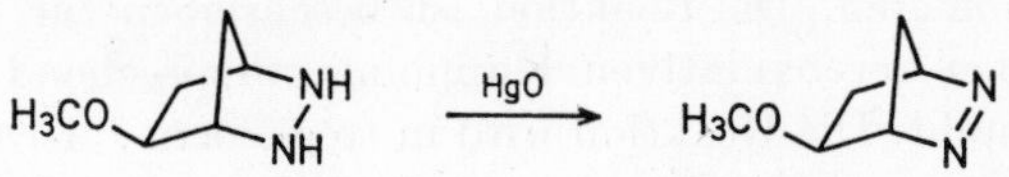

5-Methoxy-2,3-diaza-bicyclo[2.2.1]hepten-(2)[1]

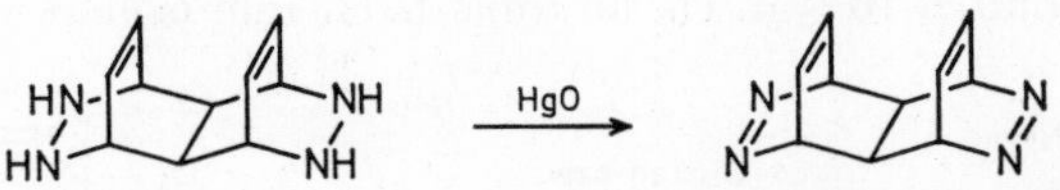

4,5,9,10-Tetraaza-tetracyclo
[6.2.2.2³,⁶.0²,⁷]tetradecatetraen[2]; 60% d.Th.

Zur Herstellung von *3,6-Dimethyl-3,4,5,6-tetrahydro-1,2,4,5-tetrazin*[3] bzw. *Aza-purinen*[4] s. Lit.

Dibenzyl-diazene werden aus den entsprechenden Hydrazinen nur in ätherischer Lösung mit frisch hergestelltem Quecksilber(II)-oxid erhalten[5, 6]:

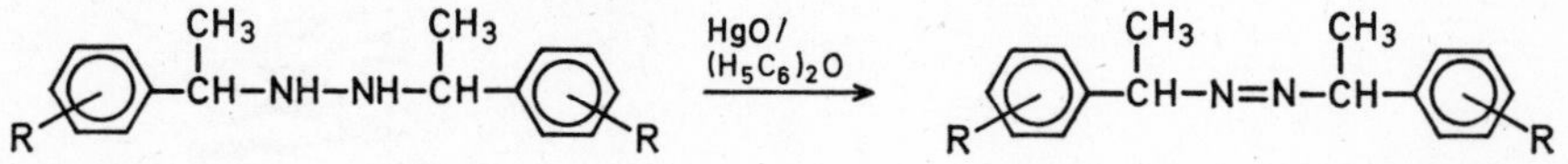

Bis-[1-aryl-äthyl]-diazene

Auf ähnliche Weise erhält man 1,2-Diaza-cyclooctene-(1) (76–81% d.Th.)[8] bzw. *11,12-Dihydro-⟨dibenzo-[c; g]-1,2-diazocine⟩*[9]:

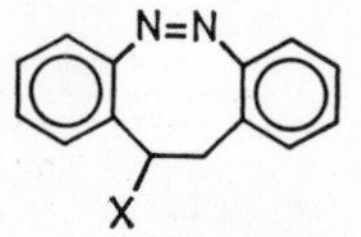

5-Oxo-3-aryl-pyrazolidine fragmentieren bei der Oxidation mit gelbem Quecksilberoxid sofort zu Olefinen[10]. Das intermediäre Auftreten einer cyclischen α-Carbonyl-azo-Verbindung ist wahrscheinlich:

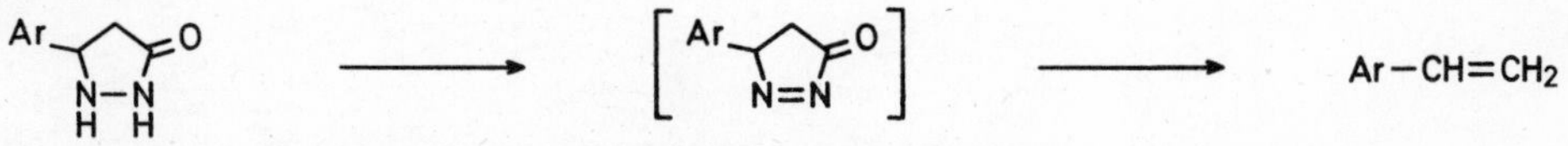

Nicht unerwähnt bleiben darf in diesem Zusammenhang die stereoselektive Oxidation eines 1,1-disubstituierten Hydrazins zum Tetrazen-(2) und zwar in einer Ausbeute von

[1] E. L. ALLRED u. R. L. SMITH, Am. Soc. **91**, 6766 (1969).
  Vgl. a. A. I. MEYERS, D. M. STOUT u. T. TAKAYA, Chem. Commun. **1972**, 1260.
  Vgl. a. W. P. LAY u. K. MACKENZIE, Chem. Commun. **1970**, 398.
[2] K. W. SHEN, Chem. Commun. **1971**, 391.
[3] W. SKORIANETZ u. E. S. KOVATS, Helv. **55**, 1404 (1972).
[4] D. J. BROWN u. R. K. LYNN, Austral. J. Chem. **26**, 1689 (1973).
[5] Y. S. SHABAROV u. L. D. SYCHKOVA, Ž. obšč. Chim. **42**, 2058 (1972); engl.: 2054.
  Vgl. a. ds. Handb., Bd. X/2, S. 759.
[6] J. R. SHELTON u. C. K. LIANG, Synthesis **1971**, 204.
  Vgl. a. R. J. CRAWFORD u. K. TAGAKI, Am. Soc. **94**, 7406 (1972); Herstellung von *Methyl-allyl-diazen* (20% d. Th.).
[7] B. T. GILLIS u. R. A. IZYDORE, J. heteroc. Chem. **9**, 41 (1972).
[8] C. G. OVERBERGER u. J. W. STODDARD, Am. Soc. **92**, 4922 (1970).
[9] W. W. PAUDLER u. A. G. ZEILER, J. Org. Chem. **34**, 3237 (1969).
[10] R. H. KENT u. J. P. ANSELME, Canad. J. Chem. **46**, 2322 (1968).

50% d. Th. zum *cis*-Isomeren. Die Reaktion ist beschrieben für das 3-Amino-2-oxo-1,3-oxazolidin[1], aus dem bei der oxidativen Kupplung entsprechend das *cis-Bis-[2-oxo-1,3-oxazolidino]-diazen* entsteht. Die Reaktion wird in trockenem 1,4-Dioxan oder Tetrahydrofuran bei Raumtemperatur mit überschüssigem gelbem Quecksilberoxid durchgeführt (Reaktionsdauer: einige Tage). Aus dem Quecksilberoxid-Rückstand wird durch Extraktion mit heißem Acetonitril 10% d. Th. an *trans*-Isomerem isoliert:

---

[1] P. S. Forgione, S. Sprague u. H. J. Troffkin, Am. Soc. 88, 1079 (1966).

Thallium-Verbindungen
als Oxidationsmittel

bearbeitet von

Dr. Gerhard W. Rotermund

BASF AG, Ludwigshafen/Rhein

Mit 7 Tabellen

Literatur berücksichtigt bis Ende 1974.

Inhalt

Oxidationen mit Thallium-Verbindungen

Bis auf wenige Ausnahmen sind Oxidationsreaktionen mit Thallium(I)-Verbindungen nicht bekannt. Es sind dies die Oxidation von Benzoinen zu Benzilen mit Thallium(I)-alkanolaten oder -phenolaten und die Glycolspaltung von 1,1,2,2-Tetraaryl-1,2-dihydroxy-Verbindungen mit Thallium(I)-alkanolat. In beiden Reaktionen wird Thallium(I) zum Thallium(0) reduziert.

Oxidationsreaktionen mit Thallium(III)-Salzen, vor allem mit Thallium(III)-acetat, -trifluoracetat und -nitrat, sind in jüngster Zeit intensiver untersucht worden und sind eine wertvolle Erweiterung anderer etablierterer Oxidationsreaktionen in der präparativen organischen Chemie.

Thallium-Verbindungen sind **giftig**. Beim Arbeiten mit ihnen muß deshalb größte Sorgfalt angewendet und z. B. jeder direkte Kontakt mit der Haut vermieden werden[1].

A. Oxidation mit Thallium(I)-Verbindungen

Thallium(I) kann in Form seiner Alkanolate und Phenolate als Oxidationsmittel fungieren, indem es von Benzoinen und tetraarylsubstituierten Glykolen zu Thallium(0) reduziert wird.

Thallium(I)-alkanolate bzw. -phenolate lassen sich nach einer vereinfachten Methode[2,3] herstellen[4]:

Thallium(I)-alkanolat bzw. -phenolat; allgemeine Herstellungsvorschrift[4]: 0,02 Mol Thallium wird in soviel warmem Quecksilber gelöst, daß ein 3%iges Amalgam entsteht. Dieses wird kräftig in einem Scheidetrichter mit einem Überschuß an Alkohol oder Phenol in Benzol (100 *ml*) geschüttelt, gleichzeitig wird Sauerstoff eingeleitet bis nichts mehr aufgenommen wird und die Wärmeentwicklung aufhört. Die Thallium(I)-Verbindung wird evtl. nach vorherigem Ausfällen mit Petroläther abfiltriert und durch Umfällen aus Benzol oder durch Umkristallisieren aus Äthanol gereinigt.

Einige der so hergestellten Thallium(I)-alkanolate bzw. -phenolate sind in Tab. 1 zusammengestellt.

Tab. 1. Thallium(I)-alkanolate und -phenolate

Thallium(I)-	F [° C]	Literatur
-methanolat		2
-äthanolat		2
-phenolat	233	2
-2-methyl-phenolat	164 (Zers.)	4
-3-methyl-phenolat	199	2
-4-methyl-phenolat	203	4
-2-methoxy-phenolat	163	2
-3-methoxy-phenolat	147	2
-4-methoxy-phenolat	196	4
-5-methyl-2-isopropyl-phenolat	164 (Zers.)	4
-6-methyl-3-isopropyl-phenolat	158–160 (Zers.)	4
-2-methoxy-4-allyl-phenolat	148–152 (Zers.)	4
-acetessigsäure-äthylester	88	5

[1] E. C. BROWNING, *Toxicity of Industrial Metals*, Butterworth, London 1961.
[2] N. V. SIDGWICK u. L. E. SUTTON, Soc. **1930**, 1461.
[3] Vgl. a. HOUBEN-WEYL, Bd. VI/2, Kap. Metallalkanolate und -chelate, S. 40.
[4] L. P. McHATTON u. M. J. SOULAL, Soc. **1952**, 2771.
[5] G. H. CHRISTIE u. R. C. MENZIES, Soc. **1925**, 2369.

I. Oxidation von Benzoinen

Thallium(I)-alkanolate und -phenolate oxidieren aromatische, heterocyclische, sowie gemischte aromatisch-heterocyclische Benzoine in guter Ausbeute zu den entsprechenden 1,2-Diketonen[1]:

$$\text{Ar–CO–CH–Ar} \;+\; 2\,\text{TlOR} \longrightarrow \text{Ar–CO–CO–Ar} + \text{Tl} + 2\,\text{HOR}$$
$$\underset{\text{OH}}{|}$$

Thallium (I) wird dabei zum Thallium(0) reduziert.

1,2-Diketone: Zu einer Lösung des Benzoins in Benzol oder Alkohol gibt man eine Lösung des Thallium (I)-alkanolats bzw. -phenolats in leichtem Überschuß. Anschließend wird vom abgeschiedenen Thallium abfiltriert, das Filtrat durch Abdestillieren des Lösungsmittels eingeengt und das dabei ausfallende Diketon durch Umkristallisieren gereinigt.

Aliphatische Acyloine werden nicht oxidiert. Sie reagieren mit der Thallium(I)-Verbindung zu stabilen Substanzen[1]. So entsteht bei der Umsetzung von Thallium(I)-äthanolat mit Acetoin eine Verbindung der Bruttozusammensetzung $C_4H_7O_2Tl$ (F:126°; Zers.).

Eine präparative Variante ist die Oxidation der Benzoine zu Benzilen mit Hilfe von Nitrobenzol in Gegenwart katalytischer Mengen der Thallium(I)-Verbindung[2]. Dabei reduziert metallisches Thallium die aromatische Nitro-Verbindung in alkoholischer Lösung zur Azoxy-Verbindung

$$2\,\text{ArNO}_2 + 6\,\text{Tl} + 6\,C_2H_5OH \longrightarrow \text{Ar–N}=\overset{\overset{O}{\uparrow}}{\text{N}}\text{–Ar} + 6\,\text{TlOC}_2H_5 + 3\,H_2O$$

und wird selbst wieder zum Thallium(I) oxidiert. Nachdem alles Benzoin zum Benzil oxidiert ist, liegt das Thallium(I) als Salz der dem α-Diketon entsprechenden Aryl-

Tab. 2. Oxidation von Benzoinen zu Benzilen mit Thallium(I)-
alkanolaten bzw. -phenolaten

Benzoin	Benzil	Ausbeute [% d. Th.]	
		A[1]	B[2]
2,2′-Dichlor-benzoin	*2,2′-Dichlor-benzil*		50
2-Hydroxy-1-oxo-2-phenyl-1-(4-methoxy-phenyl)-äthan	*4-Methoxy-benzil*		69
2-Hydroxy-1-oxo-2-(4-chlor-phenyl)--1-(4-methoxy-phenyl)-äthan	*4′-Chlor-4-methoxy-benzil*		88
4,4′-Dimethoxy-benzoin	*4,4-Dimethoxy-benzil*	91	90
1-Hydroxy-2-oxo-2-phenyl-1-furyl-(2)-äthan	*1,2-Dioxo-2-phenyl-1-furyl-(2)-äthan*	92	89
Furoin	*Furil [1,2-Dioxo-1,2-difuryl-(2)-äthan]*	82	83
Piperoin	*Piperil [1,2-Dioxo-1,2-dipiperidyl-(2) äthan]*	97	95
6,6′-Dinitro-piperoin	*6,6′-Dinitro-piperil [1,2-Dioxo-1,2-bis-[6-nitro-piperidyl-(2)]-äthan]*		75

A mit stöchiometrischen Mengen TlOR
B mit katalytischen Mengen TlOR in Gegenwart von Nitrobenzol

---

[1] L. P. McHatton u. M. J. Soulal, Soc. **1952**, 2771.
[2] L. P. McHatton u. M. J. Soulal, Soc. **1953**, 4095.

carbonsäure vor. Um das Thallium vor der Aufarbeitung des α-Diketons abzutrennen, versetzt man die Reaktionsmischung mit äthanolischer Kaliumjodid-Lösung. Dabei fällt Thallium aus und kann entfernt werden.

Benzil:[1] Zu einem Gemisch von 0,03 Mol Benzoin und 0,02 Mol Nitrobenzol in 100 *ml* absol. Äthanol wird eine ges. Lösung von Thallium(I)-äthanolat in Äthanol gegeben (1 *ml* enthält ungefähr 0,1 g Äthanolat). Nach 24 Stdn. wird das ausgefallene Thallium(I)-salz abfiltriert und das noch in Lösung befindliche Thallium (wenig) mit Hilfe von äthanolischer Kaliumjodid-Lösung ausgefällt. Nach Filtrieren und Einengen des Filtrats wird das Benzil durch Umkristallisieren gereinigt: Ausbeuten siehe Tab. 2 (S. 118).

Nitro-alkane sind ungeeignet. Nach längerem Stehen einer Suspension von metallischem Thallium in Nitroäthan/Äthanol bildet sich Thallium(I)-nitrit; bei der destillativen Aufarbeitung der Lösung wird *Acetaldehyd* freigesetzt[1].

II. Glykolspaltung

Thallium(I)-äthanolat in Äthanol oxidiert tetraarylsubstituierte Glykole bei 50° unter C–C-Spaltung rasch zu Diarylketonen[2]:

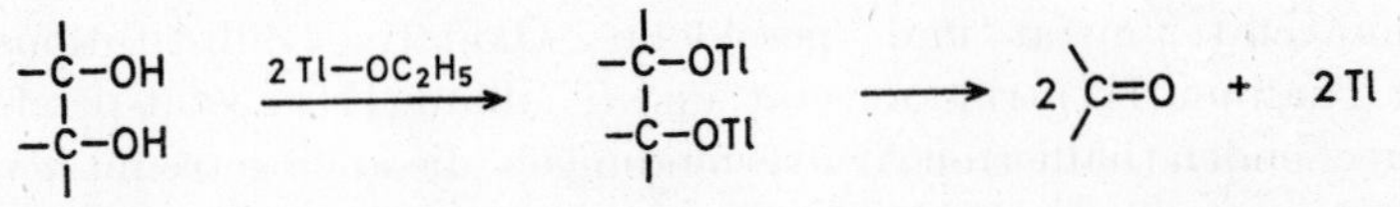

Diarylketone durch Glykolspaltung mit Thallium(I)-äthanolat; allgemeine Arbeitsvorschrift[2]: 2,74 m Mol Thallium(I)-äthanolat wird zu einer Suspension von 2,74 mMol Glykol in 25 *ml* Äthanol gegeben und das Reaktionsgemisch langsam auf 50° erhitzt. Nach wenigen Sek. fällt metallisches Thallium aus. Nach 5 Min. gibt man festes Kaliumjodid in leichtem Überschuß zu und filtriert, engt das Filtrat ein und chromatographiert über eine kurze Aluminiumoxid-Säule mit Chloroform als Elutionsmittel. Aufkonzentrieren des Eluats liefert das rohe Keton, das durch Umkristallisieren oder Destillieren gereinigt wird.

Nach dieser Methode werden z. B. folgende Ketone erhalten:

Benzophenon	85% d.Th.
4-Methyl-benzophenon	83% d.Th.
4-Chlor-benzophenon	90% d.Th.
Fluorenon	95% d.Th.
Xanthon	90% d.Th.

Die Glykolspaltung gelingt auch mit Thallium(III)-Salzen. Thallium(III)-acetat, -trifluoracetat und -nitrat sind geeignet, letzteres Salz in Essigsäure ist bezüglich Reaktionsgeschwindigkeit und Ausbeuten den beiden anderen vorzuziehen. Mit Thallium(III)-Salzen können auch vic.-diarylsubstituierte Diole gespalten werden[2].

B. Oxidationen mit Thallium(III)-Verbindungen

Thallium, das im Periodensystem zwischen Quecksilber und Blei steht, reagiert in seiner dreiwertigen Oxidationsstufe wie die entsprechenden isoelektronischen Blei(IV)- bzw. Quecksilber(II)-salze. Dabei werden einmal – wie bei den Oxidationen mit Blei(IV)-Verbindungen – entweder sofort die Oxidationsprodukte in ihrem Endzustand erhalten oder – wie bei den Oxidationen mit Quecksilber(II)-salzen – die metallorganischen Zwischenstufen isoliert, die dann beispielsweise durch Erhitzen in das Endprodukt und die

[1] L. P. McHatton u. M. J. Soulal., Soc. **1953**, 4095.
[2] A. McKillop, R. A. Raphael u. E. C. Taylor, J. Org. Chem. **37**, 4204 (1972).

reduzierte Metallverbindung weiter umgesetzt werden können[1]. Auf diesem Wege gelingt es, Einblick in den Oxidationsmechanismus zu bekommen[1].

Oxidation der Methin- zur Carbonyl-Gruppe[2], intramolekulare Phenolkupplung[3], Glykolspaltung[4] und oxidative Decarboxylierung[5] sind Reaktionen, die mit Thallium(III)-Salzen durchgeführt werden können. Thallium(III)-sulfat oxidiert Cystin zu *2-Amino-3-sulfo-propansäure (Cysteinsäure)*[6]

$$HOOC-\underset{\underset{NH_2}{|}}{CH}-CH_2-S-S-CH_2-\underset{\underset{NH_2}{|}}{CH}-COOH \xrightarrow{Tl_2(SO_4)_3/H_2O} 2\ HOOC-\underset{\underset{NH_2}{|}}{CH}-CH_2-SO_3H$$

und Thallium(III)-nitrat, -sulfat und -chlorid in wäßriger Lösung Äthylen zu *Glykol* bzw. Hexen-(2) zu *Hexanon-(2)*[7].

Schließlich werden Carbonsäure-4-hydroxy-phenylester mit einer Suspension von Thallium(III)-oxid in Alkohol oxidiert. Unter Umesterung mit dem Lösungsmittel werden die Phenole zu Chinonen oxidiert[8].

Die zur Oxidation am häufigsten verwendeten Thallium(III)-Salze sind Thallium(III)-acetat, -trifluoracetat, -nitrat und -perchlorat. Oxidative Substitutionsreaktionen an Aromaten mit Thallium(III)-trifluoracetat und Thallium(III)-acetat-perchlorat verlaufen über die entsprechenden thallierten Arylverbindungen, die auch getrennt hergestellt werden können, z. B. Aryl-thallium(III)-bis-[trifluoracetat][9] oder Aryl-thallium(III)-acetat-perchlorat[10].

Thallium(III)-acetat: Thallium(III)-acetat hergestellt aus feuchtem Thallium(III)-oxid und Eisessig[11] enthält noch ~ $1/_4$ Mol Kristallwasser, das an der Reaktion teilnimmt und die bei der Oxidation gebildeten Acetoxy-Verbindungen teilweise hydrolysiert. Zur vollständigen Entfernung des Kristallwassers trocknet man am besten mehrere Tage bei 40° i. Hochvak. über Phosphor(V)-oxid[1]. Unter wasserfreien Bedingungen erhält man bei 50° nach längerer Reaktionsdauer (60 Stdn.) ein Präparat mit einem Gehalt von 90% Thallium(III)-acetat[12]. Man kann die Reaktionszeit durch Kochen der Lösung (118°) bis auf 0,17 Stdn. verkürzen, der Gehalt an aktivem Thallium(III)-acetat beträgt dann nur 36%. Durch Zugabe von Wasser wird die Reaktionszeit beträchtlich erniedrigt und zwar von 5,5 Stdn. bei 60° und einem Wassergehalt der Essigsäure von 2% auf 1,7 Stdn. bei derselben Temp. und einem Wassergehalt von 10%. Nach

[1] H. J. KABBE, Dissertation, TH Karlsruhe 1958.
     H. J. KABBE, A. **656**, 204 (1962).
[2] K. M. SMITH, Chem. Commun. **1971**, 540.
[3] M. A. SCHWARTZ, B. F. ROSE u. B. VISHNUVAJJALA, Am. Soc. **95**, 612 (1973).
[4] A. McKILLOP, R. A. RAPHAEL u. E. C. TAYLOR, J. Org. Chem. **37**, 4204 (1972).
[5] A. T. T. HSIEH, A. G. LEE u. P. L. SEARS, J. Org. Chem. **37**, 2637 (1972).
[6] P. W. PREISLER u. D. B. PREISLER, J. Phys. Chem. **38**, 1099 (1934).
[7] R. R. GRINSTEAD, J. Org. Chem. **26**, 238 (1961).
[8] V. M. CLARK, M. R. ERAUT u. D. W. HUTCHINSON, Soc. [C] **1969**, 233, 79.
[9] A. McKILLOP et al., Am. Soc. **93**, 4841 (1971).
[10] Die Herstellung der Aryl-thallium(III)-acetat-perchlorat-Monohydrate geschieht durch
     Umsetzung von Aromaten mit Thallium(III)-acetat in Essigsäure, die Perchlorsäure enthält. Die
     Ausbeute an Aryl-thallium(III)-Salz ist verglichen mit der Ausbeute an Aryl-thallium(III)-bis-
     [trifluoracetat] nicht befriedigend, außerdem ist die Herstellung von Aryl-thallium(III)-acetat-
     perchlorat gefährlich. So **explodierte** beim Einengen im Rotationsverdampfer eine konz. Lö-
     sung von *Äthyl-phenyl-thallium(III)-acetat-perchlorat.* Es ist deshalb für Substitutionsreaktionen
     an Aromaten mit Hilfe von Thallium(III)-Salzen Arylthallium(III)-bis-[trifluoracetat] bzw.
     Thallium(III)-trifluoracetat vorzuziehen. Literatur zu Substitutionsreaktionen über Aryl-thallium
     (III)-acetat-perchlorate s.:
     K. ICHIKAWA et al., Bl. Chem. Soc. Japan **44**, 545 (1971); C. A. **75**, 20474 (1971).
     S. UEMURA et al., Bl. Chem. Soc. Japan **44**, 2490, 2571 (1971); C. A. **75**, 151865 (1971).
[11] R. J. MEYER u. E. GOLDSCHMIDT, B. **36**, 242 (1903).
[12] A. SOUTH u. R. J. OUELLETTE, Am. Soc. **90**, 7064 (1968).

dem Trocknen in einem Exsikkator erhält man ein Thallium(III)-acetat von durchschnittlich 95% Reinheit[1].

Thallium(III)-acetat hat bis 200° keinen scharfen Schmelz- oder Zersetzungspunkt, obwohl leichte Zersetzung schon bei 75° beginnt[1] und von UV-Licht oder Peroxiden katalysiert wird[2].

Thallium(III)-acetat bildet mit seinem Monoacetat ein Doppelsalz,

$$TI-O-COCH_3 + TI(O-COCH_3)_3 \rightleftharpoons TI^{\oplus} [TI(O-COCH_3)_4]^{\ominus}$$

das ein geringeres Oxidationspotential besitzt als das freie Triacetat[1]. Nachdem obiges Gleichgewicht auf der Seite des Doppelsalzes liegt, nimmt die Oxidationsgeschwindigkeit bei Verwendung stöchiometrischer Mengen Thallium(III)-acetat stark ab und wird schließlich unmittelbar von der Dissoziationsgeschwindigkeit des Doppelsalzes bestimmt.

Es empfiehlt sich deshalb, bei Umsetzungen, bei denen die Reaktivität des freien Thallium(III)-acetats bestimmt werden soll, z. B. bei kinetischen Messungen, die doppelte stöchiometrische Mengen an Thallium(III)-acetat zu verwenden.

Thallium(III)-trifluoracetat[3]: Eine stark gerührte Suspension von 50 g Thallium(III)-oxid in 200 *ml* Trifluoressigsäure, die 25 *ml* Wasser enthält, wird 12 Stdn. zum Sieden erhitzt. Man filtriert anschließend von eventuell vorhandenen festen Verunreinigungen und erhält eine 0,88 m Lösung von Thallium(III)-trifluoracetat in Trifluoressigsäure. Reines Thallium(III)-trifluoracetat erhält man beim Abdampfen der überschüssigen Trifluoressigsäure i. Vak. als Festsubstanz, die sich oberhalb 100° zersetzt; Ausbeuten: 90–100% d.Th.

Thallium(III)-nitrat[4]: 45 g Thallium(III)-oxid werden in 120 *ml* konz. Salpetersäure bei 50° unter Rühren gelöst. Anschließend wird auf 0° abgekühlt. Dabei fällt das Nitrat in Form farbloser Kristalle aus. Diese werden abfiltriert, mit verd. Salpetersäure gewaschen und i. Vak. im Exsikkator über Phosphor(V)-oxid getrocknet. Man erhält 75 g (85% d.Th.) harte, farblose Kristalle der Zusammensetzung $Tl(NO_3)_3 \cdot 3 H_2O$.

Thallium(III)-sulfat bzw. Thallium(III)-perchlorat werden praktisch ausschließlich als wäßrige Lösungen eingesetzt, die durch Auflösen von Thallium(III)-oxid in den betreffenden Säuren hergestellt werden[5, 6].

So erhält man eine *Thallium(III)-perchlorat-Lösung* durch Lösen von 6 g Thallium(III)-oxid in 100 *ml* 60%iger Perchlorsäure, indem man die Suspension 2 Stdn. auf 130° erhitzt. Anschließend werden nicht gelöste Festsubstanzen abfiltriert und das Filtrat zur Oxidation eingesetzt[6]. Gehaltsbestimmung durch Reduktion mit Natriumsulfit zum Thallium(I) und Titration mit Kaliumjodat[7].

Aryl-thallium(III)-bis-[trifluoracetate][8] lassen sich durch Einwirken von Thallium(III)-trifluoracetat auf Aromaten im Molverhältnis 1:1 gewinnen. In den meisten Fällen kristallisiert die Aryl-thallium(III)-Verbindung aus der Reaktionslösung aus und kann durch Filtrieren, Waschen mit 1,2-Dichlor-äthan und Trocknen isoliert werden. Bei guter Löslichkeit kann man sie durch Verdampfen der Trifluoressigsäure i. Vak. zum Auskristallisieren bringen. Dabei darf die Temperatur 50° nicht überschreiten, weil es sonst zu Isomeris ierungen kommen kann, oder zur Bildung von Diaryl-thallium(III)-trifluoracetat.

[1] A. SOUTH u. R. J. OUELLETTE, Am. Soc. **90**, 7064 (1968).
[2] N. A. MAIER, G. P. KOROTYSHOVA, u. Y. A. OLDEKOP, Ž. obšč. Chim. **38**, 2384 (1968); C. A. **70**, 57071 (1969).
[3] A. McKILLOP et al., Am. Soc. **93**, 4841 (1971).
[4] A. McKILLOP et al., Am. Soc. **95**, 3635 (1973).
[5] J. E. BYRD u. J. HALPERN, Am. Soc. **95**, 2586 (1973).
[6] Y. YAMADA et al., Chem. Commun. **1974**, 661.
[7] A. I. VOGEL, *A Textbook of Quantitative Analysis*, Wiley, New York 1961.
[8] A. McKILLOP et al., Am. Soc. **93**, 4841 (1971); s. a. Tetrahedron Letters **1969**, 2423, 2427. s. a. E. C. TAYLOR et al., Am. Soc. **93**, 4845 (1971).

I. Oxidation der C=C-Doppelbindung[1,2]

a) einfacher Olefine

α) mit Thallium(III)-acetat

Die Oxidation von Olefinen mit Thallium(III)-acetat liefert wie die Oxidation mit Blei(IV)-acetat eine Vielzahl von Reaktionsprodukten. So entstehen in Gegenwart von wenig Wasser oder bei Verwendung von nicht von Kristallwasser befreitem Thallium(III)-acetat α-Hydroxy-acetoxy-Verbindungen, oder bei steigendem Wassergehalt der Lösung Carbonyl-Verbindungen[3] und Epoxide[4]. Letztere können bevorzugt gebildet werden, wenn ein weniger polares Lösungsmittel verwendet wird. Während beispielsweise bei der Oxidation von Propen mit Thallium(III)-acetat in wäßriger Essigsäure (50 Vol.-%) ein Gemisch von *Aceton* und *Methyl-oxiran* im Verhältnis 1:1 entsteht, erhält man bei Verwendung von 70 Vol.-% Tetrahydrofuran, 20 Vol.-% Wasser und 10 Vol.-% Essigsäure ein Gemisch von 72% *Methyl-oxiran*, 16% *Aceton* und 12% *2-Hydroxy-1-acetoxy-propan*[4].

Beim Arbeiten unter Ausschluß von Wasser durch Zugabe von Essigsäureanhydrid entstehen vicinale Diacetoxy-Verbindungen, α-Acetoxy-alkene und – als Folge von Umlagerungen nach Wagner-Meerwein – geminale Diacetoxy-Verbindungen[5-11]. Bei Verwendung von Methanol als Lösungsmittel erhält man die entsprechenden Methoxy-Derivate[5,12].

β) mit Thallium(III)-trifluoracetat

Auch die Oxidation von einfachen Olefinen mit Thallium(III)-trifluoracetat in Trifluoressigsäure oder anderen Lösungsmitteln wie beispielsweise Dichlormethan oder 1,2-Dichloräthan liefert ein Gemisch der verschiedensten Oxidationsprodukte. Lediglich in Gegenwart größerer Mengen an Trifluoressigsäure-anhydrid führt die Oxidation von Octen-(1) praktisch selektiv zum *1,2-Bis-[trifluor-acetoxy]-octan*[13].

γ) mit Thallium(III)-nitrat

Während die Oxidation von Olefinen mit Thallium(III)-acetat nach Stunden und mit Thallium(III)-trifluoracetat nach Minuten vollständig ist, erfordert die Oxidation mit Thallium(III)-nitrat in Methanol bei Raumtemp. nur Sekunden, offensichtlich aufgrund des ionischen Charakters dieses Oxidationsmittels[14,15]. Die Oxidation der einfachen aliphatischen Olefine führt aber auch mit diesem Oxidationsmittel zu einem Gemisch von Reaktionsprodukten. Obwohl nicht regioselektiv[16], kann man bei der Oxidation mit Thallium(III)-nitrat/Methanol folgende Produktzusammensetzung erwarten. Bei gerad-

---

[1] vgl. ds. Handb., Bd. XIII/4, Kap. Thalliumorganische Verbindungen, S. 388.
[2] Kinetik und Mechanismus der Oxidation von Äthylen, Propen und Buten mit Thallium(III)-Salzen s.: P. M. HENRY, Am. Soc. 87, 990, 4423 (1965); 88, 1597 (1966); Advances in Chemistry Series 70, 126 (1968).
[3] R. R. GRINSTEAD, J. Org. Chem. 26, 238 (1961).
[4] W. KRUSE u. T. M. BEDNARSKI, J. Org. Chem. 36, 1154 (1971).
[5] R. CRIEGEE, Ang. Ch. 70, 173 (1958).
[6] H. J. KABBE, Dissertation, Technische Hochschule Karlsruhe 1958.
[7] H. J. KABBE, A. 656, 204 (1962).
[8] J. B. LEE u. M. J. PRICE, Tetrahedron Letters 1962, 1155.
[9] C. B. ANDERSON u. S. WINSTEIN, J. Org. Chem. 28, 605 (1963).
[10] J. B. LEE u. M. J. PRICE, Tetrahedron 20, 1017 (1964).
[11] K. C. PANDE u. S. WINSTEIN, Tetrahedron Letters 1964, 3393.
[12] W. D. OLLIS, K. L. ORMAND u. I. O. SUTHERLAND, Chem. Commun. 1968, 1237.
[13] A. LETHBRIDGE, R. O. C. NORMAN u. C. B. THOMAS, Soc. (Perkin I) 1973, 2763.
[14] A. McKILLOP et al., Tetrahedron Letters 1970, 5275.
[15] A. McKILLOP et al., Am. Soc. 95, 3635 (1973).
[16] C. LION u. J. E. DuBois, C. r. [C] 274, 1073 (1972).

kettigen α-Olefinen überwiegen 1,2-Dimethoxy-alkane vor 2-Oxo-alkanen[1-3] und bei verzweigten Olefinen vom Typ des 3,3-Dimethyl-buten-(1) erhält man das Keton in geringem Überschuß[3]. Allerdings ist das Verhältnis von Keton zu Dimethoxy-alkan von der Reaktionstemperatur abhängig. So liefert Hexen-(1) bei 0° mit Thallium(III)-nitrat in Methanol umgesetzt, ein Gemisch von *2-Oxo-hexan* und *1,2-Dimethoxy-hexan* im molaren Verhältnis von 0,35:0,65 und bei 35° von 0,42:0,58 und 3,3-Dimethyl-buten-(1) ein Gemisch von *3-Oxo-2,2-dimethyl-butan* und *1,2-Dimethoxy-3,3-dimethyl-butan* von 0,57:0,43 (bei 0°) und 0,45:0,55 bei 39° Reaktionstemperatur[3].

1,1-Dialkylsubstituierte Äthylene liefern überwiegend die 1,2-Dimethoxy-Verbindung ($\sim$ 70 Mol.-%) neben den durch Umlagerung entstehenden zwei isomeren Ketonen (zusammen $\sim$ 10 Mol.-%) und dem Aldehyd, bzw. Dimethylacetal (zusammen $\sim$ 20%).

Ein Nachteil der Oxidation mit Thallium(III)-nitrat ist die Möglichkeit der Bildung von Nitraten, die als weitere Reaktionsprodukte die Ausbeuten an gewünschtem Produkt mindern[2,4]. Dabei handelt es sich nicht nur um eine Nebenreaktion, wie die Oxidation von 2,3-Dimethyl-buten-(2) mit Thallium(III)-nitrat in Methanol bei 0° zeigt. Neben *3-Oxo-2,2-dimethyl-butan* (3%) und *2,3-Dimethoxy-2,3-dimethyl-butan* (45%) sind die Ausbeuten an *2-Nitrato-3-methoxy-2,3-dimethyl-butan* mit 34% und *2,3-Dinitrato-2,3-dimethyl-butan* mit 18% nicht unerheblich[4].

b) arylsubstituierter Äthylene

α) mit Thallium(III)-acetat

Bei der Oxidation von Styrol und am aromatischen Kern substituierter Styrole mit Thallium(III)-acetat erhält man als Reaktionsprodukte 1,2- und 1,1-Diacetoxy-2-aryl-äthane, deren Anteil vom Substituenten abhängig ist. 1,1-Diacetoxy-1-aryl-äthane bzw. ihre entsprechenden Hydrolyseprodukte werden nicht gebildet[5].

β) mit Thallium(III)-nitrat

Bei der Oxidation arylsubstituierter Äthylene mit Thallium(III)-nitrat in Methanol kommt es in stärkerem Maße zur Bildung von geminalen Dimethoxy-Derivaten bzw. nach Hydrolyse zu Carbonyl-Verbindungen. Hinzu kommt die ausgeprägtere Tendenz dieser Verbindungsklasse, unter den Oxidationsbedingungen Umlagerungen nach Wagner-Meerwein einzugehen.

Styrol selbst liefert praktisch ausschließlich *Phenylacetaldehyd* (85% d.Th.), 2-Phenyl-propen *Phenylaceton* (81% d.Th.) und 1,1-Diphenyl-äthylen *Oxo-1,2-diphenyl-äthan* (95% d.Th.)[2].

Diese Beispiele sind typisch für den Ablauf der Oxidation von substituierten Äthylenen mit Thallium(III)-nitrat in Methanol. Sie ist damit eine ausgezeichnete präparative Methode, aus entsprechenden ungesättigten Verbindungen Aldehyde oder Ketone zu erhalten.

Carbonyl-Verbindungen; allgemeine Arbeitsvorschrift[2]: 4,4 g (0,01 Mol) Thallium(III)-nitrat-Trihydrat werden in 50 ml Methanol gelöst und hierzu 0,01 Mol des Olefins gegeben. Die Lösung wird entweder bei Raumtemp. gerührt oder zum Rückfluß erhitzt, bis Thallium(III) vollständig bis zum Thallium(I) reduziert wurde (Jod-Stärke-Test; bei Cycloalkenen bzw. Styrolen schon nach wenigen Min.). Man

[1] A. MCKILLOP et al., Tetrahedron Letters **1970**, 5275.
[2] A. MCKILLOP et al., Am. Soc. **95**, 3635 (1973).
[3] J. GRIGNON u. S. FLISZÁR, Canad. J. Chem. **52**, 3209 (1974).
[4] R. J. BERTSCH u. R. J. OUELLETTE, J. Org. Chem. **39**, 2755 (1974).
[5] R. J. OUELLETTE et al., J. Org. Chem. **34**, 4104 (1969).

filtriert, und eine äthanolische Lösung von 2,4-Dinitro-phenylhydrazin (0,01 Mol) wird dem Filtrat zugefügt. Man engt auf $^1/_3$ des Vol. ein, gibt 10 *ml* Wasser zu und erhitzt 10 Min. auf dem Dampfbad. Nach dem Abkühlen auf 10° wird das Hydrazon abfiltriert.

1,3,5,8-Tetramethyl-2,4-bis-[2,2-dimethoxy-äthyl]-6,7-bis-[2-methoxycarbonyl-äthyl]-porphin[1]:

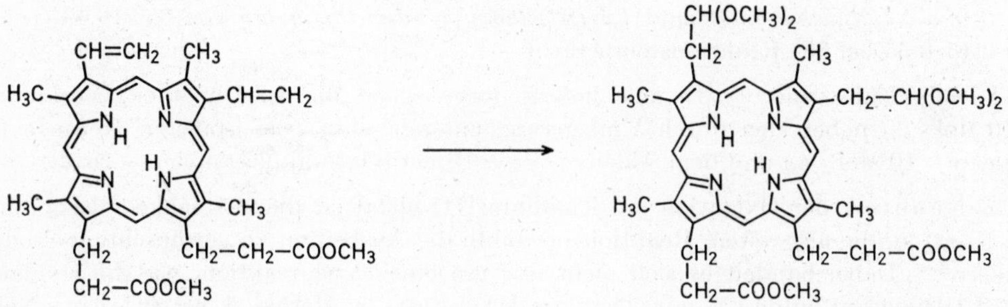

Eine Lösung von 118 mg Protoporphyrin IX-dimethylester in 30 *ml* Dichlormethan und 5 *ml* Methanol wird unter Rühren bei 40° mit 310 mg (3,3 Mol.-Äquiv.) Thallium(III)-nitrat-Trihydrat in 10 *ml* Methanol versetzt. Dabei bildet sich rasch ein Niederschlag von Thallium(I)-nitrat. Nach 10 Min. wird in die Lösung kurz Schwefeldioxid eingeleitet und 0,5 *ml* konz. Salzsäure zugegeben. Die violette Suspension wird mit 100 *ml* Dichlormethan verdünnt, mit 500 *ml* Wasser gewaschen, über Natriumsulfat getrocknet und das Lösungsmittel i. Vak. abgedampft. Der Rückstand wird über Aluminiumoxid (Aktivität V, Fa. Merck) mit Dichlormethan chromatographiert. Nach Eindampfen des Eluats und Umkristallisieren aus Dichlormethan/Hexan erhält man 131 mg (92% d. Th.; braune Nadeln); F: 230° (Zers.).

Wie bei der Oxidation der einfachen Olefine, besteht auch bei der Oxidation aryl-substituierter Äthylene die Gefahr der Bildung von Salpetersäureestern, wie am Beispiel der Umsetzung von *cis*- und *trans*-Stilben nachgewiesen werden konnte[2]. Die Isolierung der reinen Carbonyl-Verbindungen wird dadurch erschwert.

c) von Chalconen

α) mit Thallium(III)-acetat

Chalcone verhalten sich bei der Oxidation mit Thallium(III)-acetat wie 1,2-diaryl-substituierte Äthylene, indem sie unter Wanderung des Aryl-Substituenten umgelagert werden. Führt man die Oxidation in Methanol durch, so werden 3,3-Dimethoxy-1-oxo-1,2-diaryl-propane[3] erhalten, die unter Hydrolysebedingungen (z. B. Salzsäure/Äthanol) zu Oxo-1,2-diaryl-äthanen abgebaut werden (letztere werden bei einem Überschuß an Oxidationsmittel zum Benzil weiteroxidiert):

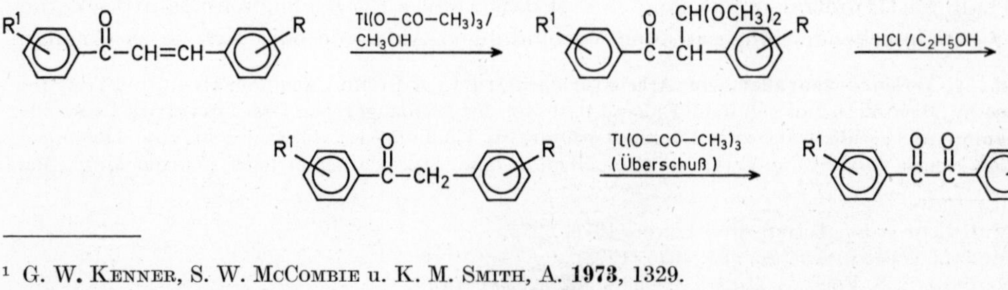

[1] G. W. KENNER, S. W. McCOMBIE u. K. M. SMITH, A. **1973**, 1329.
[2] R. J. BERTSCH u. R. J. OUELLETTE, J. Org. Chem. **39**, 2755 (1974).
[3] W. D. OLLIS, K. L. ORMAND u. I. O. SUTHERLAND, Soc. [C] **1970**, 119.

2-Oxo-2-phenyl-1-(4-methoxy-phenyl)-äthan[1]:

3,3-Dimethoxy-1-oxo-1-phenyl-2-(4-methoxy-phenyl)-propan: 6 g Thallium(III)-acetat werden zu 1 g 3-Oxo-3-phenyl-1-(4-methoxy-phenyl)-propen (4-Methoxy-chalcon) in 40 ml Methanol gegeben und das Reaktionsgemisch 100 Stdn. gekocht. Nach Abkühlen gibt man 200 ml Wasser zu und extrahiert 4mal mit je 25 ml Chloroform. Der Extrakt wird mit Natriumsulfat getrocknet und das Lösungsmittel i. Vak. abgedampft. Man erhält ein gelbes Öl, welches mit Methanol angerieben wird. Dabei kristallisierten 400 mg nicht umgesetztes Chalcon aus. Dieses wird abfiltriert und aus dem Filtrat 180 mg (14% d.Th.) 3,3-Dimethoxy-Derivat (F: 83–84°) durch präparative Dünnschichtchromatographie isoliert.

2-Oxo-2-phenyl-1-(4-methoxy-phenyl)-äthan: Das Acetal wird in 30 ml Äthanol gelöst, mit 3 ml konz. Salzsäure versetzt und 4 Stdn. gekocht. Anschließend wird mit einem Eisbad abgekühlt. Dabei fällt ein gelber Niederschlag aus, der aus Methanol umkristallisiert wird; Ausbeute: 60 mg (44% d.Th.); F: 93°.

Wenn sich in 2-Stellung am Benzoyl-Rest eine Hydroxy-Gruppe befindet, führt die Hydrolyse des Acetals zum Isoflavon[2]. Die Oxidation geeigneter Chalcone mit Thallium (III)-acetat ist damit ein bequemer Weg, in der Natur vorkommende, kompliziertere Isoflavone zu synthetisieren.

Lettaduron[2]:

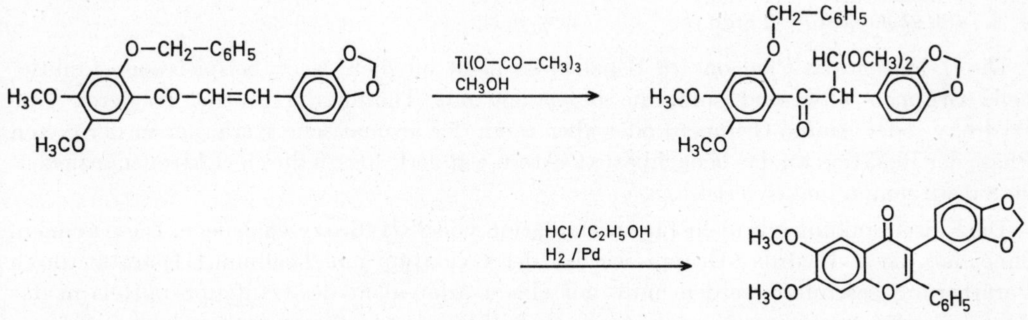

3,3-Dimethoxy-1-oxo-2-(3,4-methylendioxy-phenyl)-1-(4,5-dimethoxy-2-benzyl-oxy-phenyl)-propan: 1 g 3-Oxo-1-(3,4-methylendioxy-phenyl)-3-(4,5-dimethoxy-2-benzyloxy-phenyl)-propen und 2 g Thallium(III)-acetat werden 3 Tage in 40 ml Methanol gekocht und danach das Lösungsmittel i. Vak. abgedampft. Anschließend wird 50 ml Wasser zugegeben und mit 3mal 100 ml Chloroform extrahiert. Nach Entfernen des Chloroforms hinterbleibt ein Öl, das aus Methanol kristallisiert; Ausbeute: 0,85 g (74% d.Th.).

Lettaduron: 200 mg des Acetals werden in 50 ml Äthanol gelöst und 16 Stdn. mit Wasserstoff (2 bar bei Raumtemp. über 100 mg Palladium 10%) auf Aktivkohle hydriert. Anschließend wird filtriert, mit 2 Tropfen konz. Salzsäure versetzt und das Lösungsmittel abgedampft. Der Rückstand wird über Silikagel mit Chloroform chromatographiert und aus Methanol umkristallisiert; Ausbeute: 42 mg (25% d.Th.); F: 239–240°.

β) mit Thallium(III)-nitrat

Mit einem Moläquivalent dieses Oxidationsmittels erhält man ebenfalls aus Chalconen nach 1,2-Umlagerung des Aryl-Restes entsprechende Acetale. Die Reaktion ist allerdings bei Raumtemp. in Methanol in Anwesenheit von wenig Perchlorsäure um den Faktor 5 rascher. Die Ausbeuten sind dagegen mit <20% vergleichbar den Ausbeuten an Acetal bei der Thallium(III)-acetat-Oxidation, lassen sich aber auf ~ 50% erhöhen, wenn statt Perchlorsäure Bortrifluorid verwendet wird[3,4].

[1] W.D.Ollis, K. L. Ormamd u. I. O. Sutherland, Soc. [C] 1970, 119.
[2] W. D. Ollis et al., Soc. [C] 1970, 125.
[3] A. McKillop u. B. P. Swann, Tetrahedron Letters 1970, 5281.
[4] A. McKillop et al., Am. Soc. 95, 3641 (1973).

Bei einem Verhältnis von 3 Mol Oxidationsmittel zu 1 Mol Substrat geht die Oxidation weiter. Unter den Reaktionsbedingungen – man arbeitet am besten in wäßrigem Glyme, dem etwas Perchlorsäure zugesetzt wird – hydrolysiert das Acetal zum Keton, das mit überschüssigem Thallium(III)-nitrat zunächst zum Benzoin und dann zum *Benzil* reagiert[1,2]:

Benzile; allgemeine Arbeitsvorschrift[2]: 0,01 Mol des Chalcons werden zu einer Lösung von 0,03 Mol Thallium(III)-nitrat in 20 *ml* Glyme, 10 *ml* Wasser und 5 *ml* 70%ige Perchlorsäure gegeben und unter Rühren 2–7 Stdn. gekocht. Nach dem Abkühlen wird Thallium(I)-nitrat abfiltriert, das Filtrat mit Wasser verdünnt und mit 2mal 25 *ml* Chloroform extrahiert. Die Extrakte werden mit Wasser gewaschen, über Natriumsulfat getrocknet und über mit Säure gewaschenem Aluminiumoxid (2 × 12 cm) mit Benzol chromatographiert. Das Elutionsmittel wird i. Vak. abgedampft und der Rückstand durch Umkristallisieren oder Destillieren gereinigt.

So erhält man u. a.:

4-Brom-benzil	(4 Stdn.)	70% d.Th.	F: 88–89°
4-Methyl-benzil	(2 Stdn.)	62% d.Th.	F: 29–30°

Die Oxidation der Chalcone zu Benzilen ist nicht möglich, wenn beispielsweise funktionelle Gruppen anwesend sind, die bevorzugt mit Thallium(III)-nitrat reagieren (wie Hydroxy- oder Amino-Gruppen) oder aber wenn der aromatische Kern, der in der ersten Phase der Reaktion an das benachbarte C-Atom wandert, hierzu durch elektronenanziehende Substituenten inaktiviert ist.

Die Einschränkung gilt nicht für die Oxidation von 2'-Hydroxy-chalconen. Diese können, ohne daß die 2'-Hydroxy-Gruppe wie bei der Oxidation mit Thallium(III)-acetat durch Verätherung geschützt werden muß, mit einem Äquivalent des Oxidationsmittels in das Acetal überführt werden, das dann nach Hydrolyse zum Isoflavon reagiert[3,4].

7-Methoxy-4',5'-methylendioxy-2'-benzyloxy-isoflavon[4]:

3,3-Dimethoxy-1-oxo-1-(2-hydroxy-4-methoxy-phenyl)-3-(4,5-methylendioxy-2-benzyloxy-phenyl)-propan: Man läßt eine Suspension von 1,7 g 3-Oxo-3-(2-hydroxy-4-methoxy-phenyl)-1-(4,5-methylendioxy-2-benzyloxy-phenyl)-propen und 2,4 g Thallium(III)-nitrat-Trihydrat in 450 *ml* Methanol 12 Stdn. unter Rühren bei Raumtemp. stehen. Danach gibt man etwas Wasser zu, destilliert Methanol ab und extrahiert den Rückstand mit Chloroform. Nach Abdampfen des Lösungsmittels und Umkristallisieren aus Methanol erhält man 0,53 g (41% d.Th.); F: 136–137°.

7-Methoxy-4',5'-methylendioxy-2'-benzyloxy-isoflavon: Das Acetal wird zu 60 *ml* Methanol mit 3 *ml* 10%-iger Salzsäure gegeben und 6 Stdn. gekocht. Beim Einengen der Lösung auf 30 *ml* kristallisiert das Isoflavon aus; Ausbeute: 0,4 g (23,5% d.Th.); F: 130–131°.

[1] A. McKillop u. B.P. Swann, Tetrahedron Letters **1970**, 5281.
[2] A. McKillop et al., Am. Soc. **95**, 3641 (1973).
[3] L. Farkas, A. Gottsegen u. M. Nógrádi, Chem. Commun. **1972**, 825.
   L. Farkas et al., Soc. (Perkin I) **1974**. 305.
[4] L. Farkas, S. Antus u. M. Nógrádi, Acta chim. Acad. Sci. hung. **82**, 225 (1974).

Die Oxidation mit Thallium(III)-nitrat in Methanol ist so schonend, daß selbst empfindliche Chalcon-analoge Hydroxy-Verbindungen in ähnlicher Weise umgesetzt werden können; z. B.[1]:

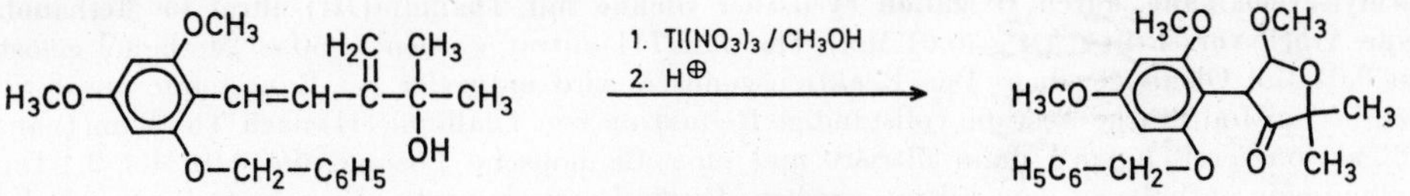

d) cyclischer Olefine

α) mit Thallium(III)-acetat

Die Oxidation von einfachen cyclischen Olefinen mit Thallium(III)-acetat liefert in wasserfreiem Reaktionsmedium ein komplexes Reaktionsgemisch[2,3].

Anwesenheit von Substituenten vermindert die Anzahl der zu erwartenden Produkte und führt beispielsweise dazu, daß die Acetoxylierung in Allylstellung überwiegt; z. B.[4]:

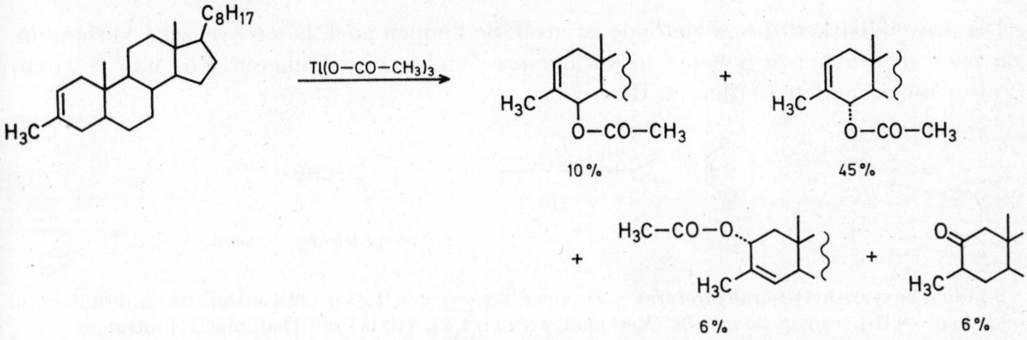

4α- und 4β-Acetoxy-3-methyl-cholesten-(2)

β) mit Thallium(III)-sulfat

Ähnlich wie Thallium(III)-acetat oxidiert auch Thallium(III)-sulfat Cyclohexen zu einem Gemisch mit *Formyl-cyclopentan* als Hauptprodukt. Bei substituierten Cyclohexenen verläuft die Oxidation eindeutiger; z. B.[5]:

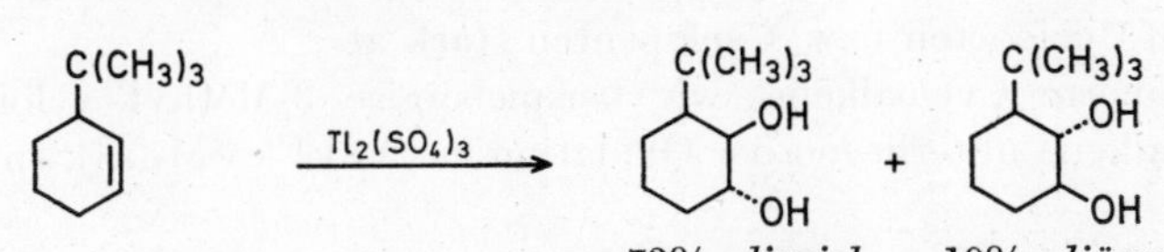

73%; *diaxial*   10%; *diäquatorial*
trans-2,3-Dihydroxy-1-tert.-butyl-cyclohexan

γ) mit Thallium(III)-nitrat

Im Gegensatz zum Acetat und Sulfat oxidiert Thallium(III)-nitrat Cyclohexen in methanolischer Lösung praktisch ausschließlich unter Ringverengung zum *Formyl-cyclopentan* (85% d.Th.)[6,7]:

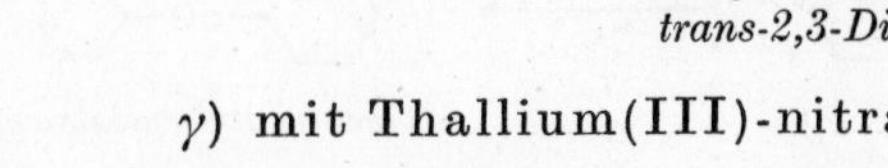

---

[1] S. ANTUS et al., Chem. Commun. **1974**, 799.
[2] C. B. ANDERSON u. S. WINSTEIN, J. Org. Chem. **28**, 605 (1963).
[3] J. B. LEE u. M. J. PRICE, Tetrahedron **20**, 1017 (1964).
[4] B. COCTON u. A. CRASTES DE PAULET, Bl. **1966**, 2947.
[5] C. FREPPEL et al., Canad. J. Chem. **49**, 2586 (1971).
[6] A. McKILLOP et al., Tetrahedron Letters **1970**, 5275.
[7] A. McKILLOP et al., Am. Soc. **95**, 3635 (1973).

Damit ist die Oxidation von cyclischen Olefinen mit Thallium(III)-nitrat in Methanol ganz allgemein eine Methode, von cyclischen Olefinen zu um ein C-Atom ringverengten Formyl-cycloaliphaten zu gelangen[1].

Formyl-cycloalkane durch Oxidation cyclischer Olefine mit Thallium(III)-nitrat in Methanol; allgemeine Arbeitsvorschrift[2]: 4,4 g (0,01 Mol) Thallium(III)-nitrat werden in 50 ml Methanol gelöst und hierzu 0,01 Mol Olefin gegeben. Das Reaktionsgemisch wird entweder bei Raumtemp. gerührt, oder erhitzt, bis ein Jod-Stärke-Test die vollständige Reduktion von Thallium(III) nach Thallium(I) anzeigt. Das Reaktionsgemisch wird dann filtriert und eine alkoholische Lösung, die 0,01 Mol 2,4-Dinitrophenylhydrazin enthält, zu dem Filtrat gegeben. Dieses Gemisch wird auf ein Drittel seines Volumens eingeengt und nach Zugabe von 10 ml Wasser 10 Min. auf dem Dampfbad erhitzt. Danach wird auf 0° abgekühlt und das ausgefallene 2,4-Dinitro-phenylhydrazon der entstandenen Carbonyl-Verbindung abfiltriert.

Um die reine Carbonyl-Verbindung zu isolieren, wird aus der Reaktionsmischung Thallium(I)-nitrat durch Filtrieren entfernt, das Filtrat durch Eindampfen stark eingeengt und das resultierende Gemisch der Carbonyl-Verbindung mit seinem Acetal (oder Ketal) 30 Min. mit einem Überschuß an 5%iger Schwefelsäure auf dem Dampfbad erhitzt. Die freie Carbonyl-Verbindung wird durch Extraktion mit Äther, gefolgt von einer Destillation oder Kristallisation isoliert.

Die Anwendbarkeit dieser Methode ist groß. So können auch heterocyclische Verbindungen nach dem gleichen Schema in die entsprechenden ringverengten Formyl-heterocyclen umgewandelt werden; z. B.:

2-Formyl-tetrahydrofuran; 65% d. Th.

2-(Dimethoxymethyl)-tetrahydrofuran[2]: Zu einer Lösung von 1,88 g (22,4 mMol) frisch destilliertem 5,6-Dihydro-4H-pyran in 35 ml abs. Methanol werden 4,4 g (10 mMol) Thallium(III)-nitrat gegeben. Danach wird das Reaktionsgemisch 12 Stdn. bei 60° gerührt. Nach Zugabe von 0,6 g Kochsalz läßt man noch 1 Stde. weiterrühren und filtriert dann, um die anorganischen Salze zu entfernen. Das Filtrat wird auf $^1/_3$ seines Volumens eingedampft, in 50 ml Dichlormethan gelöst und 2mal mit je 25 ml ges. Kochsalz-Lösung und 1mal mit dest. Wasser gewaschen. Die Dichlormethan-Phase wird über Magnesiumsulfat getrocknet, filtriert und i. Vak. destilliert; Ausbeute: 0,96 g (65% d. Th.); Kp_6: 44–46°.

Die Ausbeute an Formyl-cycloalkanen ist, wie zu erwarten, von der Ringgröße des Cycloalkens abhängig und ist vom Cyclohexen bzw. Cyclohepten ausgehend am höchsten, fällt jedoch zum Cyclooocten bzw. Cyclopenten stark ab.

Auch substituierte Cycloalkene, wie beispielsweise 3-Methyl-cyclohexen oder 1-substituierte Cycloalkene unterliegen der Oxidation zu Acyl-cycloalkanen; z. B.[2]:

Cyclopentyl-cyclohexyl-keton

δ) mit Thallium(III)-trifluoracetat bzw. -perchlorat

Thallium(III)-trifluoracetat oxidiert Cycloalkene in rascher Reaktion zu relativ komplexen Produktgemischen[2].

Von allen Thallium(III)-Salzen verhält sich das Perchlorat in wäßriger Perchlorsäure dem Nitrat in methanolischer Lösung am ähnlichsten. Wie dieses oxidiert es cyclische Olefine überwiegend zu den entsprechenden Ringverengungsprodukten. Nebenprodukte sind Diole, die im Falle der Umsetzung von Cyclopenten zum Hauptprodukt werden. An der Doppelbindung substituierte Cycloolefine reagieren zu Ketonen und Methylencycloalkane unter Ringerweiterung zu Cycloalkanonen[3,4].

---

[1] Als Beispiele s.: W. HOLICK, E. F. JENNY u. K. HEUSLER, Tetrahedron Letters **1973**, 3421.

[2] A. McKILLOP et al., Am. Soc. **95**, 3635 (1973).

[3] J. E. BYRD et al., Chem. Commun. **1971**, 40.

[4] P. ABEY, J. E. BYRD u. J. HALPERN, Am. Soc. **95**, 2591 (1973).

e) von Olefinen mit anderen funktionellen Gruppen

Bei der Oxidation ungesättigter Carbonsäuren mit Thallium(III)-acetat[1] erhält man bei entsprechender Position der Carboxy-Gruppe δ-Hydroxy-γ-lactone; z. B.[2,3]:

6-Hydroxy-5-acetoxy-bicyclo[2.2.1]
heptan-2-carbonsäure-lacton

In ähnlicher Weise kann auch die Hydroxy-Gruppe der Alkenole an der Reaktion teilnehmen. Reaktionsprodukte sind cyclische Hydroxy-äther. So erhält man z. B. aus 4-Hydroxy-buten-(1) *3-Hydroxy-tetrahydrofuran* bzw. aus 4-Hydroxy-penten-(1) *4-Hydroxy-2-methyl-tetrahydrofuran*[4].

Schließlich kann auch der Benzolkern als funktionelle Gruppe fungieren; so erhält man aus Allyl-aryl-äthern mit Thallium(III)-sulfat in schwefelsaurer Lösung 3-Hydroxy-chromane[5]:

R = H;	*3-Hydroxy-chroman*;	60% d.Th.
R = CH₃;	*3-Hydroxy-6-methyl-chroman*;	41% d.Th.
R = OCH₃;	*3-Hydroxy-6-methoxy-chroman*;	20% d.Th.

II. Oxidation der C≡C-Dreifachbindung

a) mit Thallium(III)-acetat

Thallium(III)-acetat oxidiert Phenylacetylen bei 60–80° in Eisessig. Nach einer Reaktionszeit von 13 Stdn. isoliert man *Acetophenon* (82% d.Th.) und nicht umgesetztes Phenylacetylen (13%). Acetylen, Propin, Propargylalkohol werden zu Acetaldehyd, Aceton und Acetoxyaceton oxidiert und Phenylpropiolsäure und ihre Ester unter Decarboxylierung zu Acetophenon[6-8].

b) mit Thallium(III)-nitrat

Mit Thallium(III)-nitrat werden Alkine je nach Substituent an der C≡C-Dreifachbindung entweder unter Verlust eines C-Atoms zu Carbonsäuren, α-Hydroxy-ketonen, α-Diketonen oder unter Beteiligung von Methanol als Lösungsmittel und Umlagerung zu Methoxycarbonyl-Verbindungen umgesetzt[9,10].

---

[1] Über die Oxidation mit Blei(IV)-acetat der gleichen Verbindungsklasse s. ds. Handb., Bd. VI/1a.
[2] R. M. MORIARTY u. H. GOPAL, Tetrahedron Letters **1972**, 347.
[3] A. McKILLOP u. M. E. FORD, J. Org. Chem. **39**, 2434 (1974).
[4] J. E. BYRD u. J. HALPERN, Am. Soc. **95**, 2586 (1973).
[5] J. R. COLLIER u. A. S. PORTER, Chem. Commun. **1972**, 618.
[6] S. UEMURA et al., Bl. Chem. Soc. Japan **40**, 1499 (1967).
[7] S. UEMURA, T. NAKANO u. K. ICHIKAWA, J. chem. soc. Japan, pure Chem. Sect. **88**, 1111 (1967);
   C. A. **69**, 43582 (1968).
[8] Es ist nicht auszuschließen, daß die von UEMURA et al. als Oxidationsprodukte angesehenen Carbonylverbindungen lediglich Produkte der Thalliumsalz-katalysierten Hydratation der C≡C-Dreifachbindung sind.
[9] A. McKILLOP et al., Am. Soc. **93**, 7331 (1971).
[10] A. McKILLOP et al., Am. Soc. **95**, 1296 (1973).

Alkine des Typs

$$\text{Alkyl—C} \equiv \text{CH}$$

werden von 2 Moläquivalent Thallium)III)-nitrat in wäßriger Glyme-Lösung, die wenig Perchlorsäure enthält, zur um 1 C-Atom ärmeren Carbonsäure oxidiert:

$$\text{Alkyl—C} \equiv \text{CH} \xrightarrow{2\,\text{Tl(NO}_3)_3} \text{Alkyl—COOH} + \text{CH}_2\text{O}$$

Alkansäuren; allgemeine Arbeitsvorschrift[1,2]: 0,01 Mol des Alkin-(1) werden zu einer gerührten Lösung von 0,02 Mol Thallium(III)-nitrat in 25 *ml* Glyme, 15 *ml* Wasser und 8 *ml* 70%ige Perchlorsäure gegeben. Nach anfänglich heftiger, exothermer Reaktion läßt man 1 Stde. bei Raumtemp. weiterrühren. Die vollständige Entfernung des Thallium(I)-Salzes wird durch Zugabe von 15 *ml* einer 2 n Kaliumjodid-Lösung und Rühren der Reaktionsmischung für weitere 20 Min. erreicht. Zum Entfernen der anorganischen Salze wird filtriert, das Filtrat mit Wasser verdünnt und danach mit Benzol extrahiert. Die Extrakte werden mit Natriumsulfat getrocknet, das Lösungsmittel abgedampft und der Rückstand durch 2stdgs. Erhitzen auf 50° mit 40 *ml* Methanol, das 5 *ml* 70%ige Perchlorsäure enthält, verestert. Nach Abkühlen wird die Reaktionslösung mit Wasser verdünnt, mit Benzol extrahiert und nach dem Einengen der Rückstand destilliert.

Nach dieser Methode erhält man u. a. *Heptansäure-* (80% d.Th.) und *Hexansäure-methylester* (55% d.Th.).

Dialkylacetylene werden unter gleichen Oxidationsbedingungen zu Acyloinen umgesetzt[1,2]:

$$\text{R—C} \equiv \text{C—R}^1 \xrightarrow{\text{Tl(NO}_3)_3} \overset{\overset{\text{OH}}{|}}{\text{R—CH}} \overset{\overset{\text{O}}{\|}}{\text{—C}} \text{—R}^1$$

Die Aufarbeitung der entstehenden Acyloine ist nicht einfach, und nur bei symmetrischen Alkinen erhält man hohe Ausbeuten an Acyloin [70—90% d.Th. von Hexin-(3) oder Octin(4)]; (bei unsymmetrischen Alkinen fallen jeweils die 1:1-Gemische der möglichen isomeren Acyloine an). In Methanol als Lösungsmittel fallen α-Methoxy-ketone in hoher Ausbeute an.

4-Methoxy-3-oxo-hexan[2]: 0,82 g (0,01 Mol) Hexin-(3) werden in 5 *ml* Methanol gelöst und unter Rühren zu einer Lösung von 8,9 g (0,02 Mol) Thallium(III)-nitrat in 25 *ml* Methanol und 5 *ml* 70%ige Perchlorsäure gegeben. Die Reaktion ist exotherm und nach wenigen Sek. beginnt Thallium(I)-nitrat auszufallen. Dabei färbt sich das Reaktionsgemisch gelb. Man läßt noch 30 Min. bei Raumtemp. weiterrühren, entfernt danach das ausgefallene Thallium(I)-nitrat, verdünnt das Filtrat mit Wasser und extrahiert mit Dichlormethan. Man trennt die Dichlormethan-Phase ab, trocknet mit Natriumsulfat und verdampft das Lösungsmittel bei 25°. Es bleibt ein gelbes Öl. Beim Destillieren erhält man 0,90 g (70% d.Th.); Kp$_{11}$: 52–56°.

Die gleiche Umsetzung kann auch mit Thallium(III)-acetat durchgeführt werden. Die Ausbeuten betragen dann 85% d.Th.

Diaryl-acetylene gehen mit Thallium(III)-Salzen in Benzile über; vorteilhaft wird mit Thallium(III)-nitrat in wäßrigem Glyme in Anwesenheit von etwas Perchlorsäure[2] gearbeitet:

$$\text{Ar—C} \equiv \text{C—Ar}^1 \longrightarrow \text{Ar—}\overset{\overset{\text{O}}{\|}}{\text{C}}\text{—}\overset{\overset{\text{O}}{\|}}{\text{C}}\text{—Ar}^1$$

Benzile; allgemeine Arbeitsvorschrift[2]: Eine Lösung von 0,01 Mol Diarylacetylen in 20 *ml* Glyme wird zu einer Lösung von 8,9 g (0,02 Mol) Thallium(III)-nitrat in 10 *ml* Wasser und 5 *ml* 70%ige Perchlorsäure gegeben. Anschließend erwärmt man das Reaktionsgemisch zum Sieden (∼2–7 Stdn.). Nach Abkühlen filtriert man ausgeschiedenes Thallium(I)-nitrat ab und verdünnt mit 100 *ml* Wasser. Danach extrahiert man 2mal mit jeweils 25 *ml* Chloroform, trocknet die Extrakte mit Natriumsulfat und verdampft das Chloroform i. Vak. Um das Rohprodukt von Spuren Thalliumsalz zu befreien, chromatographiert man über eine mit Säure gewaschene kurze Aluminiumoxid-Säule (2 × 10 cm) und eluiert mit

---

[1] A. McKillop et al., Am. Soc. **93**, 7331 (1971).

[2] A. McKillop et al., Am. Soc. **95**, 1296 (1973).

Benzol/Chloroform (1:1). Nach Verdampfen der Lösungsmittel erhält man das rohe Benzil, das durch Umkristallisieren oder Destillation gereinigt wird.

Auf diese Weise erhält man u. a.:

Benzil	(3 Stdn.)	85% d.Th.	F: 93–94°
4-Methyl-benzil	(2,5 Stdn.)	85% d.Th.	F: 29–30°
4,4'-Dimethyl-benzil	(2,5 Stdn.)	97% d.Th.	F: 100–102°
4,4'-Dimethoxy-benzil	(2,5 Stdn.)	88% d.Th.	F: 128–130°
2-Nitro-benzil	(4 Stdn.)	65% d.Th.	F: 99–100°

Unterwirft man 1-Aryl-1-alkine der Oxidation, wie sie für Diarylacetylene optimal sind, so erhält man ein komplexes Reaktionsgemisch mit schwer voneinander trennbaren Carbonylverbindungen. In Methanol dagegen erhält man unter oxidativer Umlagerung 2-Aryl-alkansäure-methylester in Ausbeuten von über 70% d.Th.:

$$Ar-C{\equiv}C-Alkyl \xrightarrow{Tl(NO_3)_3} Ar-\overset{\overset{\displaystyle Alkyl}{|}}{CH}-COOCH_3$$

2-Aryl-alkansäure-methylester; allgemeine Arbeitsvorschrift[1]: 0,01 Mol 1-Aryl-1-alkin wird zu einer Lösung von 4,88 g (0,011 Mol) Thallium(III)-nitrat in 25 ml Methanol gegeben und dieses Gemisch unter Rühren 2 Stdn. zum Sieden erhitzt. Nach dem Abkühlen wird ausgefallenes Thallium(I)-nitrat durch Filtration abgetrennt und das Filtrat mit Äther oder Chloroform extrahiert. Die Extrakte werden zunächst mit Wasser, danach mit 5%iger wäßriger Natriumhydrogencarbonat-Lösung gewaschen und mit Natriumsulfat getrocknet. Danach wird über eine kurze Säule Florisil (10 g) mit Chloroform als Elutionsmittel filtriert und das Lösungsmittel verdampft. Der so erhaltene Ester ist rein.

Nach dieser Methode erhält man u. a. aus:

1-Phenyl-propin	→ 2-Phenyl-propansäure-methylester;	80% d.Th.; Kp$_{20}$: 109–113°
1,3-Diphenyl-propin	→ 2,3-Diphenyl-propansäure-methylester;	83% d.Th.; Kp$_{0,1}$: 124–127°
1-Phenyl-pentin-(1)	→ 2-Phenyl-pentansäure-methylester;	83% d.Th.; Kp$_{0,2}$: 75–77°
Brom-phenyl-acetylen	→ Brom-phenyl-essigsäure;	70% d.Th.; Kp$_{0,2}$: 78–82°

III. Oxidation von Carbonyl-Verbindungen

a) mit Thallium(III)-acetat

Bei der Oxidation von Ketonen mit Thallium(III)-acetat entstehen die entsprechenden α-Acetoxy-ketone, anders als bei der Oxidation mit Blei(IV)-acetat, in nur geringer Ausbeute[2]:

$$R-\overset{\overset{\displaystyle O}{||}}{C}-CH_2-R^1 \xrightarrow{Tl(O-CO-CH_3)_3} R-\overset{\overset{\displaystyle O}{||}}{C}-\overset{\overset{\displaystyle O-CO-CH_3}{|}}{CH}-R^1$$

Das gilt auch für cyclische Ketone, beispielsweise Cyclohexanon, das nach 90 Min. Kochen mit Thallium(III)-acetat in Eisessig in nur wenig 2-Acetoxy-1-oxo-cyclohexan (25% d.Th.; Kp$_{17}$: 122°; F: 39–40°) liefert[3]. Hauptreaktion ist eine oxidative Ringverengung zur Cyclopentancarbonsäure[4],

die bei geeigneten Cyclohexanon-Derivaten mit hoher Selektivität abläuft und deshalb von präparativem Interesse ist.

---

[1] A. McKillop et al., Am. Soc. **95**, 1296 (1973).

[2] S. Uemura, T. Nakano u. K. Ichikawa, J. chem. soc. Japan, pure Chem. Sect. 88, 1111 (1967); C. A. **69**, 43582 (1968).

[3] H. J. Kabbe, A. **656**, 204 (1962).

[4] K. B. Wiberg u. W. Koch, Tetrahedron Letters **1966**, 1779.

2α-Methoxycarbonyl-A-nor-5α-cholestan[1]:

3,86 g (10 mMol) 3-Oxo-5α-cholestan und 11,2 g (30 mMol) Thallium(III)-acetat werden in 71,5 ml 95%iger Essigsäure 2 Stdn. auf 80° erhitzt. Nach Abkühlen des Reaktionsgemisches wird mit Wasser verdünnt, mit Äther 3mal extrahiert, die Äther-Phase mit Wasser neutral gewaschen und mit Natriumsulfat getrocknet. Der Rückstand wird nach Abdampfen des Äthers mit Diazomethan in Äther verestert. Man erhält 4,15 g eines gelben Öls, das über 107 g Aluminiumoxid chromatographiert und mit 1,7 l Hexan eluiert wird. Dabei werden 3,46 g (83% d. Th.) roher Ester isoliert. Umkristallisieren aus Methanol liefert 2,75 g; F: 98–99°; $[\alpha]_D^{20} + 24°$; (c = 2,0; CHCl$_3$).

Um cyclische Ketone zu den entsprechenden α-Acetoxy-ketonen umzusetzen, kann man sich eines Umweges bedienen. Hierzu geht man von 1-Morpholino-1-alkenen aus[2]. Die Ausbeuten an α-Acetoxy-ketonen sind dann größtenteils denen der Direktoxidation mit Blei(IV)-acetat überlegen. So erhält man aus 1-Morpholino-cyclohexen und 1 Moläquivalent Thallium(III)-acetat in Eisessig oder Chloroform bei Raumtemp. nach Hydrolyse und Extraktion mit Äther 70% d. Th. *2-Acetoxy-1-oxo-cyclohexan*[2]:

Nachdem unter den Reaktionsbedingungen der Oxidation das Enamin in situ gebildet wird, kann das Keton auch direkt in Anwesenheit von Morpholin zum α-Acetoxy-keton umgesetzt werden.

2-Acetoxy-1-oxo-cyclohexan[2]: Eine Lösung von 0,985 g (10 mMol) Cyclohexanon, 5 Tropfen Morpholin, 1 Tropfen Eisessig und 7,37 g (15 mMol) Thallium(III)-acetat (77,7%) werden 41 Stdn. unter einer Schutzatmosphäre gerührt. Bei Zugabe des Thallium(III)-acetats färbt sich die Reaktionslösung sofort schwarz-braun, um gegen Ende der Reaktion schwach gelb-braun gefärbt zu sein. Das Reaktionsgemisch wird filtriert und die Thalliumsalze mit Chloroform gewaschen. Die Chloroform-Lösungen werden vereinigt und mit halbges. Natriumsulfat-Lösung, der genügend konz. Schwefelsäure (6 Tropfen) zugesetzt wird, um die wäßrige Lösung stark sauer zu bekommen, extrahiert. Danach wird das Chloroform abdestilliert und der Rückstand unter vermindertem Druck (0,2 Torr) bis zu einer Badtemp. von 130° destilliert. Man erhält 1,69 g Destillat mit 1,238 g (77% d. Th.) 2-Acetoxy-1-oxo-cyclohexan (gaschromatographische Analyse). Beim Anreiben mit Äther/Petroläther kristallisieren 0,71 g aus; F: 41–42°.

Anwesenheit von Chlorid- oder Acetat-Ionen ebenso wie ein Überschuß an Enamin (welches in der Hauptsache in essigsaurer Lösung zu Acetat und Immoniumsalz abgebaut wird) vermindern die Reaktionsgeschwindigkeit. Denselben Effekt hat ein Überschuß an Thallium(III)-acetat. Deshalb sollten die Reaktionspartner nach Möglichkeit in äquivalenten Mengen eingesetzt werden.

[1] A. ROMEO u. G. ORTAR, Tetrahedron 28, 5337 (1972).
[2] M. E. KUEHNE u. T. J. GIACOBBE, J. Org. Chem. 33, 3359 (1968).

Im allgemeinen sind die Ausbeuten an α-Acetoxy-keton bei der Oxidation von 1-Morpholino-cyclohexen in apolaren Lösungsmitteln niedriger als in polaren. Ausnahmen sind Reaktionen in Dimethylsulfoxid und Phosphorsäure-tris-[dimethylamid]. Hier sind Verluste bei der extraktiven Aufarbeitung mit Wasser die Ursache der geringeren Ausbeute.

Tab. 3. α-Acetoxy-ketone aus 1-Morpholino-alkenen durch Oxidation mit Thallium(III)-acetat[1]

Keton oder Aldehyd	Reaktionsprodukt	Ausbeute [% d.Th.]	
		in Eisessig	in Chloroform
Cyclopentanon	2-Acetoxy-1-oxo-cyclopentan	46	
Cyclohexanon	2-Acetoxy-1-oxo-cyclohexan	73	70
Cycloheptanon	2-Acetoxy-1-oxo-cycloheptan	54[a])	
Heptanon-(4)	3-Acetoxy-4-oxo-heptan	56[a])	
4-Oxo-1-tert.-butyl-cyclohexan	cis-3-Acetoxy-4-oxo-1-tert.-butyl-cyclohexan	35	
	trans-3-Acetoxy-4-oxo-1-tert.-butyl-cyclohexan		67

a) gaschromatographische Analyse

Ungesättigte cyclische Ketone vom Typ des 3-Oxo-cyclohexens werden mit Thallium(III)-acetat zu 3-Oxo-cyclohexadienen-(1,4) dehydriert. Unter den relativ schonenden Reaktionsbedingungen werden die gebildeten Dienone nicht weiteroxidiert[2]:

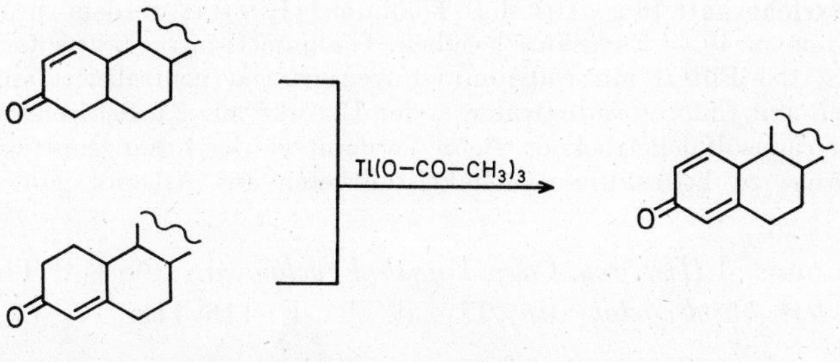

3-Oxo-cyclohexadiene-(1,4); allgemeine Arbeitsvorschrift[2]: 1 mMol 3-Oxo-Δ^1- bzw. Δ^4-steroid und 3 mMol Thallium(III)-acetat werden in 7,5 ml 95%iger Essigsäure 8 Stdn. auf 80° erhitzt. Anschließend wird das Reaktionsgemisch gekühlt, mit Wasser versetzt und mit Äther oder Dichlormethan extrahiert. Der organische Extrakt wird mit Natriumhydrogencarbonat-Lösung und danach mit Wasser neutral gewaschen und mit Natriumsulfat getrocknet. Nachdem das Lösungsmittel abdestilliert ist, wird der Rückstand über neutrales Aluminiumoxid chromatographiert, die Hauptfraktionen gesammelt und das Rohprodukt durch Kristallisation gereinigt.

So erhält man u. a. aus:

17β-Acetoxy-3-oxo-androsten-(4) → 17β-Acetoxy-3-oxo-androstadien-(1,4); 78% d.Th.
17β-Acetoxy-3-oxo-1-methyl-androsten-(1) → 17β-Acetoxy-3-oxo-1-methyl-androstadien-(1,4); 74% d.Th.
3-Oxo-cholesten-(4) → 3-Oxo-cholestadien-(1,4); 76% d.Th.

Thallium(III)-acetat in kochender Essigsäure acetoxyliert diese zu *Acetoxyessigsäure* (96% d.Th.)[3]. Erhitzt man Thallium(III)-acetat mit anderen, höhersiedenden Carbonsäuren, dann destilliert zunächst die leichterflüchtige Essigsäure, die aus dem Salz frei-

[1] M. E. KUEHNE u. T. J. GIACOBBE, J. Org. Chem. **33**, 3359 (1968).
[2] A. ROMEO u. G. ORTAR, Tetrahedron **28**, 5337 (1972).
[3] E. C. TAYLOR, H. W. ALTLAND u. G. McGILLIVRAY, Tetrahedron Letters **1970**, 5285.

gesetzt wird, ab. Man erhält α-Acyloxy-carbonsäuren, die zu α-Hydroxy-carbonsäuren hydrolysiert werden können:

$$\text{Tl}(\text{O}-\text{CO}-\text{CH}_3)_3 \;+\; 3\;\; R^2{-}\overset{\overset{\displaystyle R^1}{|}}{\text{CH}}{-}\text{COOH} \xrightarrow[-3\,CH_3COOH]{} \;\; \text{Tl}(\text{O}-\text{CO}-\overset{\overset{\displaystyle R^1}{|}}{\text{CH}}{-}R^2)_3$$

$$\xrightarrow[\substack{R^1 \\ | \\ -\;R^2{-}CH{-}COOH}]{\bigtriangledown} \quad \begin{array}{l} \quad\;\; R^1 \\ \quad\;\; | \\ R^2{-}C{-}\text{COOTl} \\ \quad\;\; | \\ \quad\;\; O{-}CO{-}CH{-}R^2 \\ \qquad\qquad\quad | \\ \qquad\qquad\quad R^1 \end{array}$$

Die Isolierung der freien α-Acyloxy-carbonsäuren gelingt durch Fällen von Thallium(I) als Chlorid, indem man Chlorwasserstoff durch das Reaktionsgemisch leitet. So erhält man u. a. aus Propansäure *2-Propanoyloxy-propansäure* (88% d. Th.), Butansäure *2-Butanoyloxy-butansäure* (81% d. Th.) bzw. aus Hexansäure *2-Hexanoyloxy-hexansäure* (65% d. Th.).

b) mit Thallium(III)-nitrat

Die Oxidation von Cyclohexanon mit Thallium(III)-nitrat führt je nach den Reaktions-bedingungen entweder zu *2-Hydroxy-1-oxo-cyclohexan* oder zu *Cyclopentancarbonsäure*[1-3]. Ersteres entsteht, wenn man Cyclohexanon mit Thallium(III)-nitrat in Essigsäure bei Raumtemp. umsetzt, anschließend mit Natriumhydrogencarbonat neutralisiert und ohne zu erwärmen aufarbeitet. Letzteres entsteht, wenn man ohne zu neutralisieren, das Reak-tionsgemisch einige Minuten auf über 40° erhitzt[1].

2-Hydroxy-1-oxo-cyclohexan[1]: 18 g (0,04 Mol) Thallium(III)-nitrat werden zu einer Lösung von 4 g (0,04 Mol) Cyclohexanon in 40 *ml* Essigsäure gegeben. Thallium(I)-nitrat fällt sofort aus. Es wird durch Filtrieren abgetrennt, das Filtrat mit Natriumhydrogencarbonat neutralisiert und ~15 Stdn. stehen gelassen. Danach wird mit Chloroform extrahiert, der Extrakt mit 2 n Schwefelsäure und Wasser ge-waschen und mit Natriumsulfat getrocknet. Beim Verdampfen des Lösungsmittels bleibt eine farblose Flüssigkeit, die anfängt zu kristallisieren. Umkristallisieren aus Äthanol gibt 3,83 g (84% d. Th.); F: 112,5–113,5°.

Ähnlich erhält man *3-Hydroxy-4-oxo-1-methyl-cyclohexan* (98% d. Th.; F: 163°) und *3-Hydroxy-4-oxo-1-tert.-butyl-cyclohexan* (97% d. Th.; F: 116–118°).

Cyclopentancarbonsäure[1]: Die Oxidation wird so vorgenommen wie bei der Herstellung von 2-Hydroxy-1-oxo-cyclohexan beschrieben. Das Filtrat, das nach der Abtrennung von Thallium(I)-nitrat erhalten wird, wird 30 Min. gekocht. Danach wird der größte Teil der Essigsäure durch Destillation unter ver-mindertem Druck entfernt, der Rückstand mit Natriumhydrogencarbonat neutralisiert, mit Äther gewaschen, mit konz. Salzsäure wieder sauer gemacht, mit Chloroform extrahiert und der Extrakt mit Natriumsulfat getrocknet. Nach Abdampfen des Lösungsmittels bleibt eine gelbe Flüssigkeit. Bei der Destillation erhält man 3,84 g (84% d. Th.); Kp_5: 83–85°.

Nach dieser Vorschrift gelingt es, Cyclobutanon praktisch quantitativ in *Cyclopropan-carbonsäure* umzusetzen[4]. 2- und 3-substituierte Cyclohexanone, 5-, 7- und 12-gliedrige Cycloalkanone liefern dagegen ein sehr komplexes Gemisch von Oxidationsprodukten[1], so daß diese Methode der oxidativen Ringverengung auf wenige Anwendungsmöglichkeiten beschränkt bleibt.

[1] A. McKillop, J. D. Hunt u. E. C. Taylor, J. Org. Chem. **37**, 3381 (1972).
[2] J. S. Littler, Soc. **1962**, 827; Oxidation mit Thallium(III)-perchlorat zu *2-Hydroxy-1-oxo-cyclohexan* und *1,2-Dioxo-cyclohexan*.
[3] K. B. Wiberg u. E. W. Koch, Tetrahedron Letters **1966**, 1779; Oxidation mit TlCl$_3$/HClO$_4$ zu *Cyclopentan-carbonsäure*.
[4] J. Salaun, B. Garnier u. J. M. Conia, Tetrahedron **30**, 1423 (1974).

Läßt man bei Raumtemp. Thallium(III)-nitrat auf eine Lösung von Acetophenon in Methanol in Gegenwart von Perchlorsäure einwirken, scheidet sich Thallium(I)-nitrat ab und als Oxidationsprodukt isoliert man *Phenyl-essigsäure-methylester*[1,2]:

$$C_6H_5-CO-CH_3 \xrightarrow{\ Tl(NO_3)_3\ /\ CH_3OH\ } C_6H_5-CH_2-COOCH_3$$

Diese Oxidationsreaktion ist allgemein auf Acetophenone anwendbar und stellt damit eine bequeme Methode dar, neben der Willgerodt-Kindler-Reaktion die unterschiedlichsten Arylessigsäuren zu synthetisieren.

Aryl-essigsäureester; allgemeine Herstellungsvorschrift[2]: 0,01 Mol Acetophenon werden zu einer Lösung von 0,01 Mol Thallium(III)-nitrat in 25 *ml* Methanol, das 5 *ml* 70%ige Perchlorsäure enthält, gegeben und diese Lösung bis zum Verbrauch des Oxidationsmittels bei Raumtemp. gerührt. Anschließend wird ausgefallenes Thallium(I)-nitrat abfiltriert, das Filtrat mit Wasser verdünnt, 2mal mit je 25 *ml* Chloroform extrahiert, der Extrakt mit Natriumsulfat getrocknet, das Lösungsmittel i. Vak. abdestilliert und der Rückstand über eine Säule mit sauer-gewaschenem Aluminiumoxid chromatographiert unter Benutzung von Benzol zum Eluieren. Der Rückstand, den man beim Verdampfen des Benzols erhält, wird destilliert und liefert den reinen Ester.

Bei komplexeren Reaktionsgemischen kocht man das Rohprodukt nach dem Chromatographieren 2 Stdn. mit 2 n Natronlauge. Danach wird die wäßrige Phase abdekantiert. Beim Ansäuern mit konz. Salzsäure kristallisiert die rohe Arylessigsäure aus, die durch Umkristallisieren aus Äthanol oder Wasser gereinigt wird.

Auf diese Weise erhält man u. a.:

Phenylessigsäure-methylester	(5 Stdn.)	84% d.Th.; Kp_6: 96–98°
4-Methyl-phenylessigsäure-methylester	(4 Stdn.)	86% d.Th.; K_9: 108–112°
4-Hydroxy-phenylessigsäure-methylester	(2 Stdn.)	64% d.Th.; F: 149°
3,4-Dimethoxy-phenylessigsäure-methylester	(1 Stde.)	88% d.Th.; Kp_{10}: 162–166°
4-Acetylamino-phenylessigsäure-methylester	(5 Stdn.)	66% d.Th.; F: 159–160°
Naphthyl-(1)-essigsäure-methylester		91% d.Th.; Kp_{11}: 162–165°

Diese Oxidation der Acetophenone zu den Arylessigsäure-methylestern gelingt nicht, wenn freie Amino-Gruppen anwesend sind. Acetophenone, in denen der aromatische Kern durch elektronenanziehende Gruppen inaktiviert ist, reagieren nur sehr langsam und geben nur geringe Ausbeuten an gewünschtem Reaktionsprodukt[2].

Die Reaktion ist nicht nur auf Acetophenone beschränkt. Es läßt sich beispielsweise auch Propiophenon entsprechend umsetzen. Die Ausbeute an 2-Aryl-propansäuremethylester ist allerdings nicht so hoch, weil ein relativ hoher Anteil des Ketons zum α-Methoxy-keton umgesetzt wird; z. B.[2]:

$$H_5C_6-CO-CH_3 \xrightarrow{Tl(NO_3)_3} H_5C_6-CH_2-COOCH_3 \ + \ H_5C_6-CO-CH_2-OCH_3$$

                                            94% *Phenylessigsäuremethylester*   6%

$$H_5C_6-CO-CH_2-CH_3 \xrightarrow{Tl(NO_3)_3} H_5C_6-\underset{\underset{CH_3}{|}}{CH}-COOCH_3 \ + \ H_5C_6-CO-\underset{\underset{OCH_3}{|}}{CH}-CH_3$$

                                45% *2-Phenyl-propansäure-methylester*   32% *2-Methoxy-1-oxo-1-phenyl-propan*

[1] A. McKillop, B. P. Swann u. E. C. Taylor, Am. Soc. **93**, 4919 (1971).
[2] A. McKillop, B. P. Swann u. E. C. Taylor, Am. Soc. **95**, 3340 (1973).

IV. Oxidation von Alkyl-phenolen

a) mit Thallium(III)-acetat

p-Alkyl-phenole werden von Thallium(III)-acetat wie von Blei(IV)-acetat in Eisessig zu O-Acetyl-chinolen, in Methanol zu O-Methyl-chinolen oxidiert[1]. Die Ausbeuten an Chinol sind allerdings bei der Oxidation mit dem Bleisalz höher. Lediglich 6-Hydroxy-tetralin liefert bei der Borfluorid-katalysierten Oxidation mit Thallium(III)-acetat 37% bzw. 56% d.Th. O-Acetyl- bzw. O-Methyl-Derivat, während mit Blei(IV)-acetat 20% bzw. 42% d.Th. erhalten werden.

b) mit Thallium(III)-perchlorat

Die Oxidation von p-Alkyl-phenolen mit Thallium(III)-perchlorat in wäßriger Perchlorsäure führt zu p-Chinolen in z. T. ausgezeichneten Ausbeuten[2]:

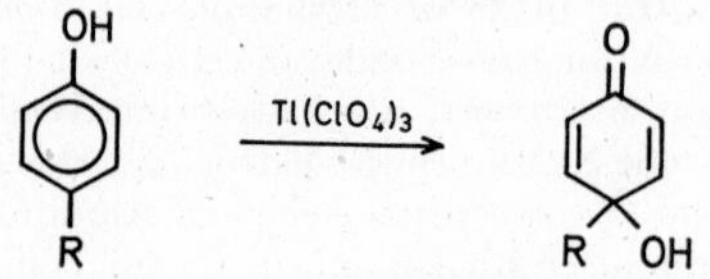

OH
⬡ → Tl(ClO₄)₃ → ⬡
R   R OH
(Reaktionsschema)

Bei der Oxidation von 5-Hydroxy-indan in Dichlormethan und Wasser mit Thallium(III)-perchlorat in 60%iger Perchlorsäure bei 0° entsteht *6-Hydroxy-3-oxo-bicyclo[4.3.0]nonadien-(1,4)* (80% d.Th.; F: 71°). *6-Hydroxy-3-oxo-bicyclo[4.4.0]decadien-(1,4)* (80% d.Th.; F: 125°) und *3-Hydroxy-6-oxo-3-methyl-hexadien-(1,4)* (50% d.Th.; F: 75°) werden ähnlich aus den entsprechenden Alkyl-phenolen hergestellt[2].

c) mit Thallium(III)-trifluoracetat

Thallium(III)-trifluoracetat ist ein äußerst wirksames Oxidationsmittel, um p-tert.-Butyl-phenole unter Abspaltung des tert.-Butyl-Restes als Isobuten in p-Chinone überzuführen[3,4]:

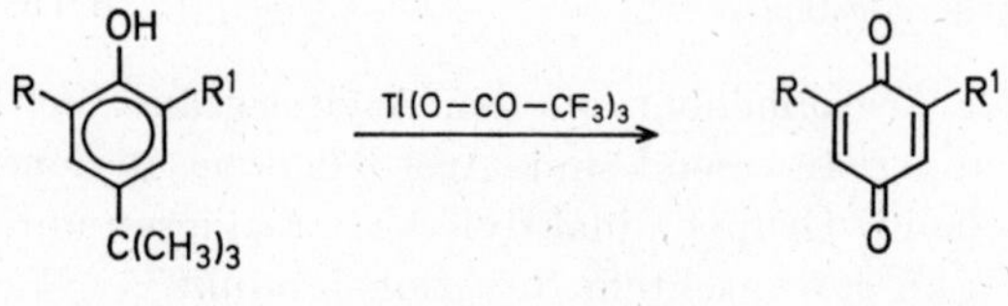

OH
R⬡R¹ → Tl(O—CO—CF₃)₃ → R⬡R¹
C(CH₃)₃
(Reaktionsschema)

Es werden vor allem in 2- und 6-Stellung substituierte 4-tert.-Butyl-phenole umgesetzt (Alkyl-, Aryl- und Halogen-Gruppen). Am besten führt man die Oxidation in Trifluoressig-säure als Lösungsmittel durch. Sie läuft, weil in homogenem System, besonders rasch ab. Bei säureempfindlichen Phenolen kann eine Suspension von Thallium(III)-trifluoracetat in Tetrachlormethan verwendet werden.

p-Chinone durch Oxidation von 4-tert.-Butyl-phenolen durch Thallium(III)-trifluoracetat; allgemeine Arbeitsvorschrift:

in Trifluoressigsäure[4]: 0,05 Mol 4-tert.-Butyl-phenol werden zu einer Lösung von 0,11 Mol Thallium (III)-trifluoracetat in Trifluoressigsäure gegeben und die resultierende tiefrote Lösung 1–2 Stdn. bei Raumtemp. gerührt. Danach wird der größte Teil der Trifluoressigsäure unter vermindertem Druck abdestilliert und der Rückstand auf 25–50 ml Eis/Wasser gegossen. Das Chinon fällt aus und wird mit Chloroform extrahiert. Danach wird der Extrakt mit Wasser gewaschen und mit Natriumsulfat getrocknet. Beim Einengen fällt rohes Chinon aus, das am besten durch Chromatographieren an einer kurzen Säule Silikagel mit Chloroform als Elutionsmittel gereinigt wird. Nach Abdampfen des Chloroforms wird durch Umkristallisieren oder Destillation gereinigt.

---

[1] E. Hecker u. R. Lattrell, Ang. Ch. **74**, 652 (1962); A. **662**, 48 (1963).
[2] Y. Yamada et al., Chem. Commun. **1974**, 661.
[3] A. McKillop et al., Ang. Ch. **82**, 84 (1970).
[4] A. McKillop, B. P. Swann u. E. C. Taylor, Tetrahedron **26**, 4031 (1970).

in Tetrachlormethan[1]: 0,11 Mol wasserfreies Thallium(III)-trifluoracetat werden zu einer Lösung von 0,05 Mol 4-tert.-Butyl-phenol in 25 *ml* trockenem Tetrachlormethan gegeben und diese Suspension 3–6 Stdn. auf 60–70° erhitzt. Anschließend wird ausgefallenes Thallium(I)-trifluoracetat abfiltriert, das Filtrat eingeengt und das Chinon wie in der vorausgehenden Arbeitsvorschrift isoliert.

Außer 4-tert.-Butyl-phenole werden auch Phenole mit anderen p-Substituenten (z. B. Amino-, Halogen-, Acetoxy-Gruppen) unter Eliminierung dieser Funktionen zu den entsprechenden Chinonen oxidiert[1]. So gelingt es auch, kompliziertere Moleküle mit Hilfe von Thallium(III)-trifluoracetat in Trifluoressigsäure abzubauen, z. B. 4′-Hydroxy-flavanon zu *Chromon*[2]:

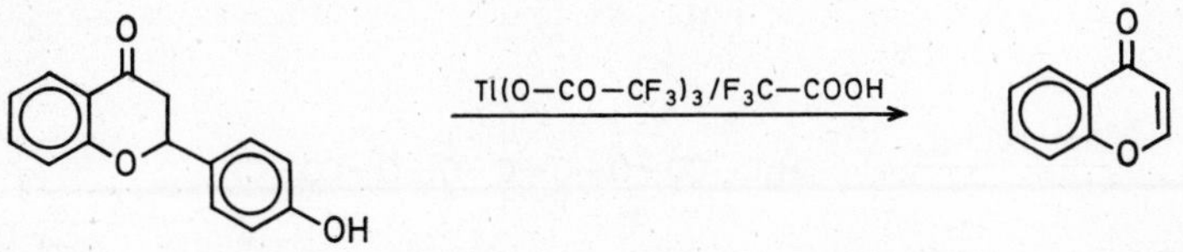

Chromon[2]: 240 mg (1 mMol) 4′-Hydroxy-flavanon und 1,09 g (2 mMol) Thallium(III)-trifluoracetat läßt man 3 Stdn. bei 20° in 10 *ml* Trifluoressigsäure miteinander reagieren. Man erhält eine tief grüne Lösung. Der größte Teil des Lösungsmittels wird durch Abdestillieren i. Vak. entfernt und der Rückstand in Äther aufgenommen. Es wird nacheinander mit Natriumhydrogencarbonat-Lösung, 5%iger Natriumhydroxid-Lösung und Wasser gewaschen und danach der Äther abgedampft. Der kristalline Rückstand wird aus Petroläther (Kp: 60–80°) umkristallisiert; Ausbeute: 110 mg (75% d. Th.); F: 58–60°.

Tab. 4. p-Benzochinone durch Oxidation von 4-tert.-Butyl-phenolen mit Thallium (III)-trifluoracetat[1]

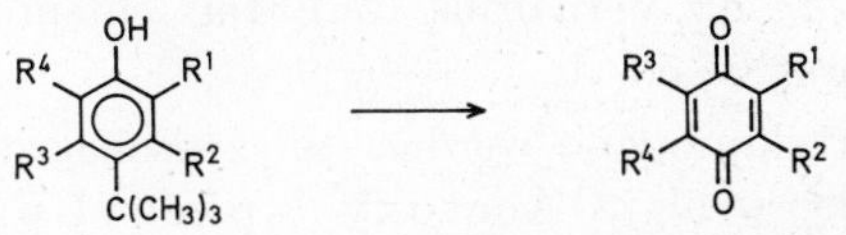

Phenol				Methode	. . .-p-benzochinon	Ausbeute [% d.Th.]	F [° C]
R[1]	R[2]	R[3]	R[4]				
Br	H	H	CH₃	A B	} 6-Brom-2-methyl- . . .	89 83	94–95
Br	CH₃	H	C(CH₃)₃	A B	} 6-Brom-5-methyl-2-tert.- butyl- . . .	70 63	103–104
J	H	H	C(CH₃)₃	A B	} 6-Jod-2-tert.-butyl- . . .	87 57	(Kp₂: 108–114°)
CH₃	H	H	CH₃	A B	} 2,6-Dimethyl- . . .	88 94	68–70
C(CH₃)₃	H	H	C₆H₅	A B	} 6-tert.-Butyl-2-phenyl- . . .	62 71	(Kp: 110–115°)

[A] in Trifluoressigsäure
[B] in Tetrachlormethan

---

[1] A. McKillop, B. P. Swann u. E. C. Taylor, Tetrahedron **26**, 4031 (1970).
[2] A. J. Birch u. D. J. Thompson, Austral. J. Chem. **25**, 2731 (1972).

Nachdem Hydrochinone mit Thallium(III)-trifluoracetat in Trifluoressigsäure innerhalb von Sekunden zu p-Chinonen dehydriert werden, ist dieses Oxidationsmittel auch für diese Dehydrierungsreaktion gut geeignet[1, 2].

V. Cyclopropanring-Spaltung (vgl. ds. Handb., Bd. IV/3, S. 660, bzw. Bd. VI/1a)

Cyclopropan-Derivate werden von Thallium(III)-acetat unter Spaltung einer C–C-Bindung des Cyclopropanringes oxidiert. Reaktionsprodukte sind 1,3-Diacetoxy-propane und α-Acetoxy-alkene[3]:

$$\text{Tl(O-COCH}_3)_3$$

$$H_3C\text{-CO-O-}\overset{|}{\underset{|}{C}}\text{-}\overset{|}{\underset{|}{C}}\text{-}\overset{|}{\underset{|}{C}}\text{-O-CO-CH}_3$$

$$+ \quad H_3C\text{-CO-O-}\overset{|}{\underset{|}{C}}\text{-C=C}\diagdown$$

Damit reagiert Thallium(III)-acetat ähnlich wie Blei(IV)-acetat[4] oder Quecksilber(II)-acetat[5]; allerdings verläuft die Spaltung mit dem Thalliumsalz selektiver. So ist das Verhältnis bei der Spaltung von Äthyl-cyclopropan von *1,3-Diacetoxy-pentan* zu *1,3-Diacetoxy-2-äthyl-propan* bei der Oxidation von mit Thallium(III)-acetat in Eisessig 65, bei der Oxidation mit Blei(IV)-acetat in Eisessig 6. Ein ähnlicher Unterschied in der Selektivität der beiden Oxidationsmittel gilt auch in der bicyclischen Reihe. Norcaran (Bicyclo[4.1.0]heptan) gibt mit Thallium(III)-acetat *2-Acetoxy-1-acetoxymethyl-cyclohexan* und *1,3-Diacetoxy-cycloheptan* im Verhältnis 15:1. Das entsprechende Verhältnis bei der Oxidation mit Blei(IV)-acetat ist 5,3:1.

Substituierte Phenyl-cyclopropane werden nur zwischen dem α- und β-C-Atom zum Phenylkern gespalten. Neben wenig 3-Acetoxy-1-phenyl-propenen-(1) (bis zu 10%) erhält man als Hauptprodukte 1,3-Diacetoxy-1-aryl-propane[6].

Für die Spaltung des Cyclopropanringes in Bicyclo[n.1.0]alkanen mit n = 2,3,4 gelten folgende Regeln[7]. Die Leichtigkeit der C–C-Spaltung nimmt mit wachsender Ringspannung zu, dabei wird bei niedrigerem n vornehmlich die innere Bindung aufgespalten. Reaktionsprodukte sind 1,3-Diacetoxy-cycloalkane, 3- und 4-Acetoxy-cycloalkene. Bicyclo[n.1.0]alkane mit n = 3 und 4 werden dagegen vor allem unter Beteiligung einer der beiden äußeren C–C-Bindungen des Cyclopropanringes gespalten. Reaktionsprodukt ist das entsprechende *trans*-2-Acetoxy-1-acetoxymethyl-cycloalkan[8].

Auch der Cyclopropen-Ring wird mit Thallium(III)-acetat gespalten. 1,3,3-Trimethyl-cyclopropen beispielsweise liefert zwei Oxidationsprodukte, deren Anteil vom Verhältnis des Oxidationsmittels zum Substrat abhängig ist. Bei molarem Verhältnis

[1] A. McKillop, B. P. Swann u. E. C. Taylor, Tetrahedron 26, 4031 (1970).
[2] Eine weitere Möglichkeit über Thallium(III)-Verbindungen zu Chinonen zu gelangen, ist die Oxidation von Aryl-thallium(III)-bis-[trifluoracetat] (s. S. 121) mit Wasserstoffperoxid in Trifluoressigsäure; s. G. Kwong Chip u. J. S. Grossert, Soc. (Perkin I) 1972, 1629.
[3] R. J. Ouellette, D. L. Shaw u. A. South, Am. Soc. 86, 2744 (1964).
[4] R. J. Ouellette u. D. L. Shaw, Am. Soc. 86, 1651 (1964).
[5] R. J. Ouellette, R. D. Robins u. A. South, Am. Soc. 90, 1619 (1968).
[6] A. South u. R. J. Ouellette, Am. Soc. 90, 7064 (1968).
[7] R. J. Ouellette, A. South u. D. L. Shaw, Am. Soc. 87, 2602 (1965).
[8] Zur Kinetik der Cyclopropanspaltung s.: R. J. Ouellette u. S. Williams, J. Org. Chem. 35, 3210 (1970).

erhält man 50% d.Th. *1,1-Diacetoxy-2,3-dimethyl-buten-(2)* (I) und 20% *3,3-Diacetoxy-2-isopropyl-propen* (II) und bei einem molaren Verhältnis von 2:1 20% d.Th. I und 40% d.Th. II[1,2].

Tab. 5. Spaltung von Cyclopropanen mit Thallium(III)-acetat in Eisessig

Cyclopropanverbindung	Spaltprodukt	Ausbeute [% d.Th.]	Literatur
Äthyl-cyclopropan	*1,3-Diacetoxy-pentan*		[3]
	1,3-Diacetoxy-2-äthyl-propan		
Phenyl-cyclopropan	*1,3-Diacetoxy-1-phenyl-propan*	92	[3,4]
	3-Acetoxy-1-phenyl-propen-(1)	8	
(4-Methyl-phenyl)-cyclopropan	*1,3-Diacetoxy-1-(4-methyl-phenyl)-propan*	92,5	[3,4]
	3-Acetoxy-1-(4-methyl-phenyl)-propen-(1)	7,5	
(3-Methyl-phenyl)-cyclopropan	*1,3-Diacetoxy-1-(3-methyl-phenyl)-propan*	91	[4]
	3-Acetoxy-1-(3-methyl-phenyl)-propen-(1)	9	
(4-Methoxy-phenyl)-cyclopropan	*1,3-Diacetoxy-1-(4-methoxy-phenyl)-propan*	93	[4]
	3-Acetoxy-1-(4-methoxy-phenyl)-propen-(1)	7	
(4-Chlor-phenyl)-cyclopropan	*1,3-Diacetoxy-1-(4-chlor-phenyl)-propan*	92	[4]
	3-Acetoxy-1-(4-chlor-phenyl)-propen-(1)	8	
(3-Chlor-phenyl)-cyclopropan	*1,3-Diacetoxy-1-(3-chlor-phenyl)-propan*	95	[4]
	3-Acetoxy-1-(3-chlor-phenyl)-propen-(1)	5	
Bicyclo[2.1.0]pentan	*trans-1,3-Diacetoxy-cyclopentan*	50	[5]
	3-Acetoxy-cyclopenten	22,5	
	4-Acetoxycyclopenten	27,5	
Bicyclo[4.1.0]heptan	*trans-2-Acetoxy-1-acetoxymethyl-cyclohexan*	91	[5]
	trans-1,3-Diacetoxy-heptan	6,0	

VI. Phenylierung, Halogenierung, Cyanidierung und Thiocyanidierung von Aromaten

Eine große Anzahl dieser Substitutionsreaktionen verläuft über mehr oder weniger stabile Aryl-thallium(III)-Zwischenstufen[6], wobei die Orientierung der elektrophilen Thallierung bestimmten Gesetzmäßigkeiten unterliegt. Dadurch sind Substitutionsreaktionen mit **hoher Regioselektivität** möglich. So kommt es vornehmlich zu ortho-

[1] T. Shirafuji, Y. Yamamoto u. H. Nozaki, Tetrahedron Letters **1971**, 4713.
[2] T. Shirafuji u. H. Nozaki, Tetrahedron **29**, 77 (1973).
[3] R. J. Ouellette, D. L. Shaw u. A. South, Am. Soc. **86**, 2744 (1964).
[4] A. South u. R. J. Ouellette, Am. Soc. **90**, 7064 (1968).
[5] R. J. Ouellette, A. South u. D. L. Shaw, Am. Soc. **87**, 2602 (1965).
[6] Herstellung s. S. 121.

Substitution, wenn der Substituent am aromatischen Kern zur Komplexbildung mit beispielsweise Thallium(III)-trifluoracetat befähigt ist[1-5]; z. B.:

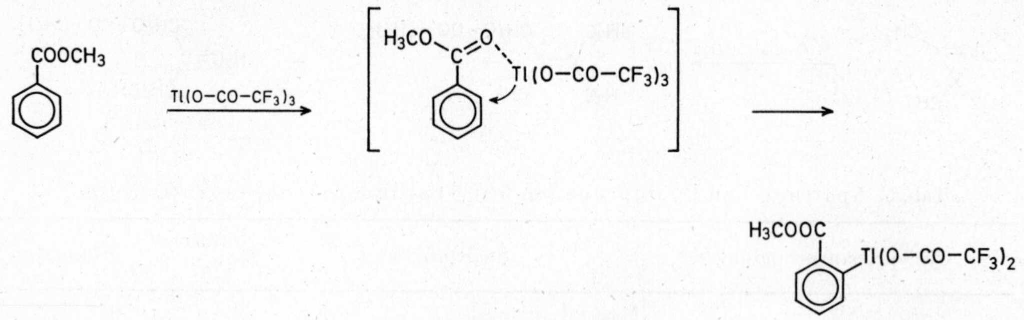

95%   *2-Methoxycarbonyl-*
5%   *3-Methoxycarbonyl-*} *phenyl-thallium (III)-bis-[trifluoracetat]*

p-Substitution tritt normalerweise ein, wenn keine Bevorzugung der o-Position durch Komplexbildung gegeben ist und meta-Substitution erfolgt aufgrund der Reaktionsbedingungen. Sie ist stark abhängig von der Temperatur. So wird Propylbenzol am p–C-Atom thalliert, wenn die Reaktion bei Raumtemp. und am m–C-Atom, wenn die Reaktion unter Trifluoressigsäure-Rückfluß ausgeführt wird[2,5].

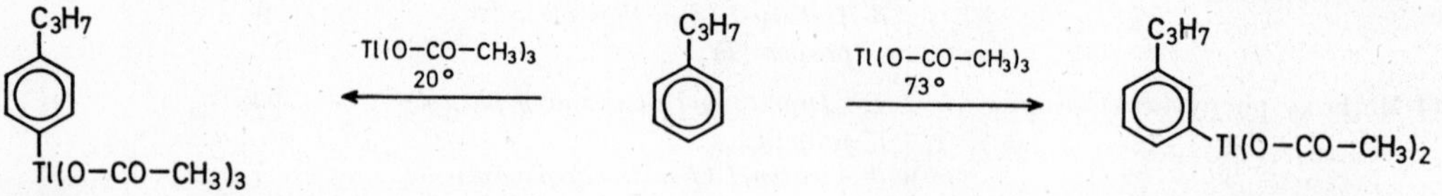

4-Propyl-phenyl-thallium   *3-Propyl-phenyl-thallium*
(III)-diacetat; 91% d.Th.   *(III)-diacetat*; 78% d.Th.

a) Phenylierung

Durch Photolyse von Aryl-thallium(III)-bis-[trifluoracetat] in Benzol gelingt es, unsymmetrische Biphenyle in hoher Ausbeute herzustellen:

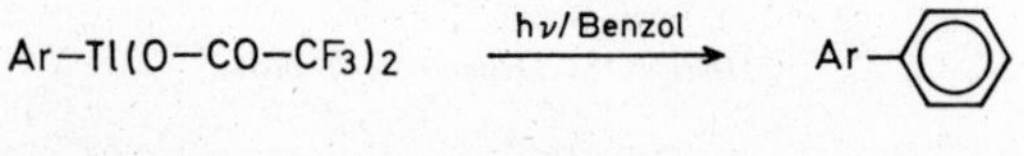

Phenylierung von Aromaten; allgemeine Arbeitsvorschrift[6]: 0,01 Mol Aryl-thallium(III)-bis-[trifluoracetat] wird in 600 *ml* Benzol in einem Quarzkolben suspendiert, 15 Min. Stickstoff durchgeleitet und anschließend die Suspension 18 Stdn. bestrahlt (Rayonet Reaktor, 3000 Å Röhren). Der größte Teil des suspendierten Feststoffs ist nach 1 Stde. gelöst. In einigen Fällen genügen auch kürzere Bestrahlungszeiten; längere haben aber keinen nachteiligen Einfluß auf die Ausbeute.

Die Benzol-Lösung wird zur Trockene eingedampft, der Rückstand in 100 *ml* Äther/Hexan (1:1) und 2mal mit je 30 *ml* Wasser gewaschen. Die getrocknete organische Phase wird danach mit Aktivkohle entfärbt, über eine kurze Silikagel-Säule filtriert und das Lösungsmittel i. Vak. abgedampft.

---

[1] A. McKillop et al., Tetrahedron Letters **1969**, 2423.
[2] E. C. Taylor et al., Am. Soc. **92**, 2175 (1970).
[3] A. McKillop et al., Tetrahedron Letters **1969**, 2427.
[4] A. McKillop et al., Am. Soc. **93**, 4841 (1971).
[5] E. C. Taylor et al., Am. Soc. **93**, 4845 (1971).
[6] E. C. Taylor, F. Kienzle u. A. McKillop, Am. Soc. **92**, 6088 (1970).

Man erhält z. B. auf diese Weise[1]:

90% *Biphenyl*
91% *4-Methyl-biphenyl* (93%ig)
87% *4-Chlor-biphenyl* (89%ig)

Zu symmetrischen Biphenylen unter Beteiligung von Thallium(III)-Salzen führt 5stdgs. Sieden einer Lösung von 1 Mol Aryl-thallium(III)-acetat-perchlorat[2] mit 0,5 Mol Palladium(II)-chlorid und 1 Mol Natriumacetat in Essigsäure. Man erhält z. B. aus den entsprechenden Aryl-thallium-Salzen: *Biphenyl* (75% d.Th.); *4,4'-Dimethyl-biphenyl* (69% d.Th.); *2,2',4,4'-Tetramethyl-biphenyl* (66% d.Th.) und *4,4'-Dimethoxy-biphenyl* (70% d.Th.)[3].

b) Bromierung

Aromaten und substituierte Aromaten werden von Thallium(III)-acetat und Brom nach:

$$3\ ArH + 3\ Br_2 + Tl\ (O–CO–CH_3)_3 \longrightarrow 3\ ArBr + 3\ H_3C–COOH + TlBr_3$$

zu Monobrom-Verbindungen umgesetzt[4,5]. Nachdem bei dieser Reaktion Thallium(III) seine Wertigkeit nicht ändert, gehört sie eigentlich nicht zu den hier behandelten Oxidationsreaktionen der Thallium(III)-Salze. Da sie jedoch eine besonders einfache Methode zur Herstellung von Arylbromiden darstellt und praktisch jeweils nur ein einziges Monobrom-Derivat entsteht, was sonst nur über umständlichere Methoden, wie z. B. die Sandmeyer-Reaktion, erreicht werden kann, sei an dieser Stelle näher auf diese Reaktion eingegangen. Die Bromierung erfolgt bei Aromaten, die gegenüber einem elektrophilen Angriff aktiviert sind. Schwach deaktivierte Verbindungen werden bei normalen Bedingungen (Raumtemp., Tetrachlormethan als Lösungsmittel) nicht bromiert. Das gilt beispielsweise für die Umsetzung von Halogenbenzolen. Ihre Bromierung gelingt, wenn sie in großem Überschuß eingesetzt werden und die Reaktion bei 80–90° durchgeführt wird. Eine Reihe von Substituenten, beispielsweise die Formyl-Gruppe in Benzaldehyd oder die Hydroxymethyl-Gruppe in Benzylalkohol werden unter den Reaktionsbedingungen oxidiert (zu Benzoesäure 58% bzw. Benzaldehyd 62%). In polysubstituierten Aromaten wird diese Oxidationsreaktion aber zugunsten der Bromierung unterdrückt, wenn die anderen Substituenten starke Elektronen-Donatoren sind. So wird 4-Methoxy-benzaldehyd zu *3-Brom-4-methoxy-benzaldehyd* (66% d.Th. in Tetrachlormethan) umgesetzt.

Während der Reaktion sollte der Gehalt an freiem Brom in der Lösung nicht zu hoch sein, weil dann die Selektivität der Reaktion zurückgeht. Während bei langsamer Zugabe von Brom monosubstituierte Benzole praktisch ausschließlich an der para-Position bromiert werden, erhält man bei der Bromierung von Äthylbenzol *2-* und *4-Brom-1-äthyl-benzol* (15:85) wenn das gesamte Brom zu Beginn der Umsetzung dem Reaktionsgemisch zugegeben wird.

Arylbromide; allgemeine Herstellungsvorschrift[5]: Zu 0,01 Mol der aromatischen Verbindung in 100 *ml* Tetrachlormethan werden unter Rühren und einer Stickstoffatmosphäre 0,03 Mol Thallium(III)-acetat gegeben. Unter kräftigem Rühren läßt man dann 0,01 Mol Brom in 50 *ml* Tetrachlormethan langsam zutropfen. Nach ungefähr 15–20 Min. ist die Reaktion beendet. Man kocht noch 30 Min. unter Rückfluß, läßt abkühlen, filtriert und wäscht das Filtrat nacheinander mit je 150 *ml* wäßr. Natriumhydrogensulfit, wäßr. Natriumhydrogencarbonat und Wasser. Die organische Phase wird über Natriumsulfat getrocknet und das Lösungsmittel abgedampft. Um Reste an anorganischen Salzen zu entfernen, filtriert man über eine kurze Aluminiumoxid-Säule mit Chloroform als Elutionsmittel. Das reine Produkt erhält man nach Umkristallisieren oder Destillieren.

[1] E. C. TAYLOR, F. KIENZLE u. A. McKILLOP, Am. Soc. **92**, 6088 (1970).
[2] zur möglichen Gefährlichkeit dieser Reaktion s. S. 120, Fußnote 10.
[3] S. UEMURA, Y. IKEDA u. K. ICHIKAWA, Chem. Commun. **1971**, 390.
[4] A. McKILLOP, D. BROMLEY u. E. C. TAYLOR, Tetrahedron Letters **1969**, 1623.
[5] A. McKILLOP, D. BROMLEY u. E. C. TAYLOR, J. Org. Chem. **37**, 88 (1972).

Tab. 6. Arylbromide durch Umsetzung von Aromaten mit Thallium(III)-acetat und Brom[1,2]

Aromat	Arylbromid	Ausbeute [% d.Th.]
Benzol	*Brombenzol*	83
Methoxy-benzol	*4-Brom-1-methoxy-benzol*	91
Fluorbenzol	*4-Fluor-1-brom-benzol*	70
o-Xylol	*4-Brom-1,2-dimethyl-benzol*	85
Biphenyl	*4-Brom-biphenyl*	93
2-Nitro-biphenyl	*4-Brom-2-nitro-biphenyl*	70
4-Methoxy-benzaldehyd	*3-Brom-4-methoxy-benzaldehyd*	66
3-Methoxy-benzoesäure-methylester	*4-Brom-3-methoxy-benzoesäure-methylester*	93
1-Methyl-naphthalin	*4-Brom-1-methyl-naphthalin*	84
2-Nitro-1-methoxy-benzol	*4-Brom-2-nitro-1-methoxy-benzol*	90
Fluoren	*2-Brom-fluoren*	96
Anthracen	*9-Brom-anthracen*	91
p-Terphenyl	*4-Brom-p-terphenyl*	80
Biphenylen	*2-Brom-biphenylen*	88

Man kann auf ähnliche Weise auch Arylchloride oder Aryljodide herstellen. Man erhält aber jeweils ein Isomerengemisch monohalogenierter Reaktionsprodukte[3].

Einheitliche Arylchloride, -jodide, -cyanide und -thiocyanide erhält man bei der Umsetzung von Aryl-thallium(III)-Salzen, vornehmlich Aryl-thallium(III)-bis-[trifluoracetat], mit entsprechenden Halogen-Salzen unter Reduktion des Thallium(III) zum Thallium(I).

c) Jodierung

Beim Versetzen von Aryl-thallium(III)-bis-[trifluoracetat] mit wäßrigem Kaliumjodid bei Raumtemp. fällt sofort Thallium(I)-jodid aus und an die Stelle der Thallium-bis-[trifluoracetat]-Gruppe tritt Jod[4-6]:

$$Ar-Tl(O-CO-CF_3)_2 + 2 \ KJ \longrightarrow ArJ + 2 \ F_3C-COOK + TlJ$$

Die präparative Herstellung der Jodide kann nach drei Varianten erfolgen, die alle von der Arylverbindung direkt ausgehen und Aryl-thallium(III)-bis-[trifluoracetat] in situ herstellen.

Aryljodide: allgemeine Herstellungsvorschrift:

Methode A: Zu einer Lösung der aromatischen Verbindung und Thallium(III)-trifluoracetat in Trifluoressigsäure gibt man nach angemessener Zeit, evtl. nach dem Kochen eine wäßrige Kaliumjodid-Lösung.

2-Jod-1,3,5-trimethyl-benzol: 0,86 g (7,2 mMol) 1,3,5-Trimethyl-benzol werden zu 10 *ml* einer Lösung von 8,8 mMol Thallium(III)-trifluoracetat in Trifluoressigsäure gegeben und 1 Stde. bei Raumtemp. stehengelassen. Danach gibt man unter Rühren eine Lösung von 8,3 g (50 mMol) Kaliumjodid in 25 *ml* Wasser zu, nach 15 Min. 1 g Natriumhydrogensulfit und rührt, bis die Farbe von blauschwarz nach gelb

[1] A. McKillop, D. Bromley u. E. C. Taylor, Tetrahedron Letters **1969**, 1623.
[2] A. McKillop, D. Bromley u. E. C. Taylor, J. Org. Chem. **37**, 88 (1972); hier weitere 24 Beispiele.
[3] A. McKillop, D. Bromley u. E. C. Taylor, J. Org. Chem. **37**, 88 (1972).
[4] A. McKillop et al., Tetrahedron Letters **1969**, 2427.
[5] A. McKillop et al., Am. Soc. **93**, 4841 (1971).
[6] E. C. Taylor et al., Am. Soc. **93**, 4845 (1971).

umschlägt. Danach wird die Lösung mit Natronlauge basisch gestellt und mit Äther extrahiert. Die trockenen Extrakte werden abgedampft und der Rückstand i. Vak. destilliert; Ausbeute: 1,66 g (94% d.Th.); F: 29–30°.

Methode B: Das Aryl-thallium(III)-bis-[trifluoracetat] wird durch Filtration isoliert, in Wasser suspendiert und dann nach Methode A weiterbehandelt.

2-Jod-benzoesäure: Eine Lösung von Benzoesäure und Thallium(III)-trifluoracetat in Trifluoressigsäure wird 24 Stdn. unter Rückfluß gekocht und nach dem Abkühlen filtriert. Man erhält (2-Methoxy-carbonyl-phenyl)-thallium(III)-bis-[trifluoracetat] (79% d.Th.; F: 247–248°). Behandlung der wäßrigen Suspension dieser Verbindung mit Kaliumjodid bei Raumtemp. liefert 96% d.Th. *2-Jod-benzoesäure* (F: 163°).

Methode C: Bei säureempfindlichen Substraten benutzt man am besten für die „Thallierung" festes Thallium(III)-trifluoracetat in Acetonitril. Danach fügt man wäßrige Kaliumjodid-Lösung zu und verfährt wie unter Methode A beschrieben.

Nach dieser Methode erhält man z. B. aus 2-Methyl-thiophen *5-Jod-2-methyl-thiophen* (98% d.Th.).

Tab. 7. Aryljodide durch Umsetzung von Aromaten mit Thallium(III)-trifluoracetat und Kaliumjodid[1,2]

Aromat	Thallierungs-bedingungen		nach Methode (s. S. 142f.)	Aryljodid	Ausbeute [% d.Th.]
	Temperatur [°C]	Zeit [Stdn.]			
Benzol	22	16	A B	Jodbenzol	96 90
Fluorbenzol	22	16	A	2-Fluor-1-jod-benzol 4-Fluor-1-jod-benzol	7,7 62,3
Chlorbenzol	73	0,5	A	2-Chlor-1-jod-benzol 4-Chlor-1-jod-benzol	18,4 61,6
o-Xylol	22	0,3	A B	4-Jod-1,2-dimethyl-benzol	72 98
m-Xylol	22	0,8	A	4-Jod-1,3-dimethyl-benzol	100
p-Xylol	22	1,25	A	2-Jod-1,4-dimethyl-benzol	91
Methoxy-benzol	22	0,25	A	2-Jod-1-methoxy-benzol 4-Jod-1-methoxy-benzol	12,3 62,7
1,3,5-Trimethyl-benzol	22	1,0	A	2-Jod-1,3,5-trimethyl-benzol	94
Benzoesäure	73	21,0	A B	2-Jod-benzoesäure 4-Jod-benzoesäure 2-Jod-benzoesäure	3,8 72,2 96
Thiophen	22	0,25	C	2-Jod-thiophen	82
2-Methyl-thiophen	22	0,25	C	5-Jod-2-methyl-thiophen	98
2-Chlor-thiophen	22	1,0	C	5-Chlor-2-jod-thiophen	98
4-Methyl-1-tert.-butyl-benzol	22	4,5	A	3-Jod-4-methyl-1-tert.-butyl-benzol	94
2-Nitro-1-methoxy-benzol	73	19,0	A	4-Jod-2-nitro-1-methoxy-benzol	94
4-Nitro-1-methoxy-benzol	73	22,5	A	2-Jod-4-nitro-1-methoxy-benzol	90

[1] A. McKillop et al., Tetrahedron Letters 1969, 2427.
[2] A. McKillop et al., Am. Soc. 93, 4841 (1971).

4-Jod-2-formyl-pyrrol[1]:

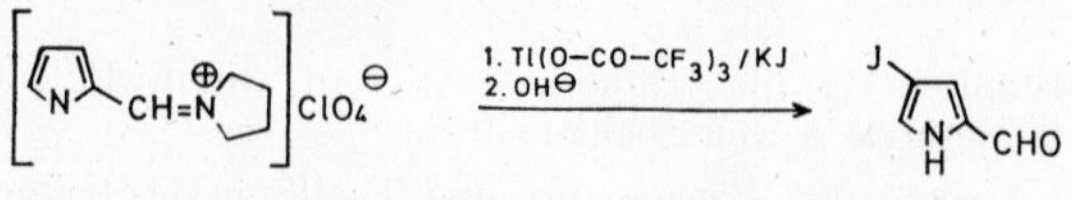

Zu einer Suspension von 1,25 g 1-(Pyrrol-2-yl-methylen)-pyrrolidinium-perchlorat in 10 ml Trifluoressig-säure werden 7,2 g Thallium(III)-trifluoracetat gegeben und dieses Gemisch ~ 15 Stdn. unter Rückfluß gekocht. Danach läßt man abkühlen, destilliert das Lösungsmittel ab und gibt 6,5 g Kaliumjodid in 25 ml Wasser zu. Nach 15 Min. gibt man etwas Kaliumhydrogensulfit zu, macht mit wäßr. Natronlauge alkalisch und filtriert. Man erhält eine orange gefärbte Festsubstanz, die auf dem Dampfbad mit 1 g Natriumhydroxid in 10 ml Wasser und 10 ml Äthanol 40 Min. erhitzt wird. Danach läßt man abkühlen, filtriert, macht mit Salzsäure sauer und extrahiert mit Äther. Der Extrakt wird mit Magnesiumsulfat getrocknet und der Äther abgedampft; Ausbeute: 0,3 g (27% d.Th.); F: 118–120°.

Bei Verwendung von Thallium(III)-trifluoracetat in Trifluoressigsäure[2] bzw. Tetrachlor-methan[3] kann auch mit Jod jodiert werden:

$$2\ C_6H_6 + J_2 + Tl(O-CO-CF_3)_3 \longrightarrow 2\ C_6H_5J + Tl-O-CO-CF_3 + 2F_3C-COOH$$

Ja nach Menge an Jod erhält man Mono-, Di-, Tri- und auch Tetrajod-benzol.

Jodbenzol und 1,4-Dijod-benzol[2]: Zu einer Lösung von 1,27 g (2,5 mMol) Phenyl-thallium(III)-bis-[trifluoracetat] in 8 ml Trifluoressigsäure werden 0,32 g (1,2 mMol) Jod gegeben und 1 Stde. unter Rück-fluß gekocht. Die braune Farbe des Jods verschwindet schon nach ungefähr 10 Min. Beim Abkühlen kristallisieren 0,04 g 1,4-Dijod-benzol aus, die abfiltriert werden. Das Filtrat wird eingeengt, der Rückstand mit 10%iger salpetriger Säure gewaschen und in Benzol gelöst. Die Ausbeute an Jodbenzol beträgt 78% d.Th. (gaschromatographische Analyse der Benzol-Lösung mit Nitrobenzol als innerem Standard).

Bei Verwendung von 0,64 g (2,5 mMol) Jod erhält man 86% d.Th. 1,4-Dijod-benzol.

d) Cyanidierung

Beim Bestrahlen einer wäßrigen Lösung von Aryl-thallium(III)-bis-[trifluoracetat] in Gegenwart von Kaliumcyanid erhält man aromatische Nitrile. Die Cyan-Gruppe tritt an das C-Atom, an das vorher der Thallium(III)-bis-[trifluoracetat] Rest gebunden war:

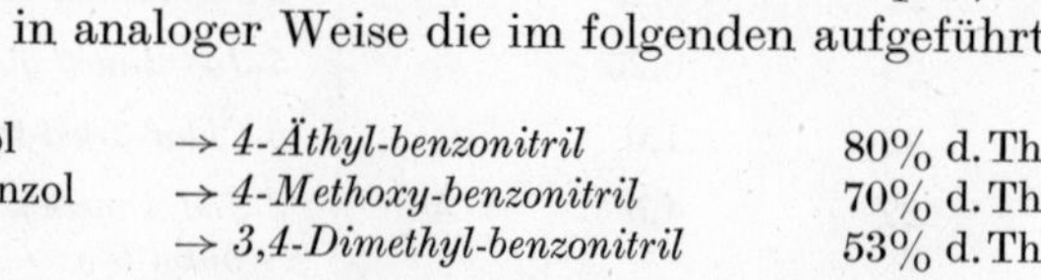

So erhält man bei der Bestrahlung einer 1%igen Lösung von 2-Methoxymethyl-phenyl-thallium(III)-bis-[trifluoracetat] in Wasser, das 25 Moläquivalent Kaliumcyanid enthält (2,5 Stdn. in einem Rayonet Photoreaktor mit 253,7 nm Lampen) 55% d.Th. 2-Methoxy-methyl-benzonitril[4] und in analoger Weise die im folgenden aufgeführter Arylcyanide[4]:

Äthyl-benzol	→ 4-Äthyl-benzonitril	80% d.Th.
Methoxy-benzol	→ 4-Methoxy-benzonitril	70% d.Th.
O-Xylol	→ 3,4-Dimethyl-benzonitril	53% d.Th.

Wenn ein Gemisch von Aryl-thallium(III)-Salz, beispielsweise Aryl-thallium(III)-bis-[trifluoracetat] oder Aryl-thallium(III)-acetat-perchlorat-Hydrat mit Kupfer(II)- oder Kupfer(I)-cyanid in einem organischen Lösungsmittel 5–10 Stdn. auf ~ 100° erhitzt wird,

[1] P. E. Sonnet, J. Org. Chem. **37**, 925 (1972).
[2] N. Ishikawa u. A. Sekiya, Bl. Chem. Soc. Japan **47**, 1680 (1974).
[3] A. McKillop et al., Am. Soc. **93**, 4841 (1971).
[4] E. C. Taylor et al., Am. Soc. **92**, 3520 (1970).

kommt es zu einem Austausch des Thallium-haltigen Substituenten am aromatischen Kern gegen die Cyan-Gruppe. Reaktionsprodukte sind Arylcyanide nach[1]

oder

$$ArTl(OCOCH_3)ClO_4 \cdot H_2O + Cu(CN)_2 \longrightarrow ArCN + TlClO_4 + CuCN(OCOCH_3)$$

$$ArTl(OCOCH_3)ClO_4 \cdot H_2O + CuCN \longrightarrow ArCN + TlClO_4 + Cu(OCOCH_3) + H_2O$$

Als Lösungsmittel ist Pyridin geeignet, da es Kupfer(II)-cyanid löst. Acetonitril, 1,4-Dioxan oder Essigsäure sind weniger geeignet.

2,4-Dimethyl-benzonitril[1]: 2,43 g (5 mMol) 2,4-Dimethyl-phenyl-thallium(III)-acetat-perchlorat-Hydrat und 1,16 g (10 mMol) Kupfer(II)-cyanid werden in 50 ml Pyridin 5 Stdn. unter Rückfluß gekocht. Anschließend wird der braune Niederschlag abfiltriert, das Filtrat mit Wasser verdünnt und mit Benzol extrahiert. Die benzolische Phase wird i. Vak. eingeengt und der Rückstand destilliert; Ausbeute: 0,46 g (70% d.Th.); Kp$_{12}$: 67,5°.

e) Thiocyanidierung

Analog der photolytischen Herstellung von Arylcyaniden aus Aryl-thallium(III)-bis-[trifluoracetaten] und Kaliumcyanid, erhält man beim Bestrahlen des Aryl-thallium-Salzes in einer wäßrigen Kaliumrhodanid-Lösung die entsprechenden Arylthiocyanide[2]:

Aryl-thiocyanide; allgemeine Arbeitsvorschrift[2]: Eine Lösung von 3 g Aryl-thallium(III)-bis-[trifluoracetat] und 20 g Kaliumrhodanid in 100 ml Wasser wird 5 Stdn. in einem Quarzkolben mit 3000 Å Licht bestrahlt. Danach gibt man weitere 50 ml Wasser zu, extrahiert 3mal mit je 50 ml Äther, den man anschließend durch Verdampfen entfernt. Der Rückstand wird in 60 ml Äther/Hexan (1:1) aufgenommen, mit Aktivkohle entfärbt und filtriert. Nach Verdampfen der Lösungsmittel erhält man das Arylthiocyanid.

Man erhält so:

46% *4-Methoxy-1-thiocyan-benzol* (94% ig)
53% *2,4-Dimethyl-1-thiocyan-benzol* (> 99%)
58% *2,5-Dimethyl-1-thiocyan-benzol* (> 99%)

VII. Spezielle Synthesen

Es gibt eine Reihe von Synthesen, die unter dem oxidativen Einfluß von Thallium(III)-Salzen ablaufen, sich nicht unter die voranstehenden allgemeineren Oxidationsreaktionen einordnen lassen, aber von präparativem Interesse sind.

a) 2-Methyl-3-acetyl-4,5-dihydro-furane

Durch Oxidation von Olefinen mit Thallium(III)-acetat in Gegenwart von Pentandion-(2,4) und wenig Perchlorsäure (0,5 Moläquiv.) lassen sich 2-Methyl-3-acetyl-4,5-dihydro-furane synthetisieren. *2-Methyl-3-acetyl-4,5-dihydro-furan* selbst [22% d.Th. bez. auf reduziertes Thallium(III)-acetat; Kp$_4$: 65–67°; n$_D^{20}$ = 1,5007] erhält man beim Durchleiten von Äthylen durch eine Lösung von Pentandion-(2,4), Thallium(III)-acetat und Perchlorsäure in Eisessig bei 0°[3]:

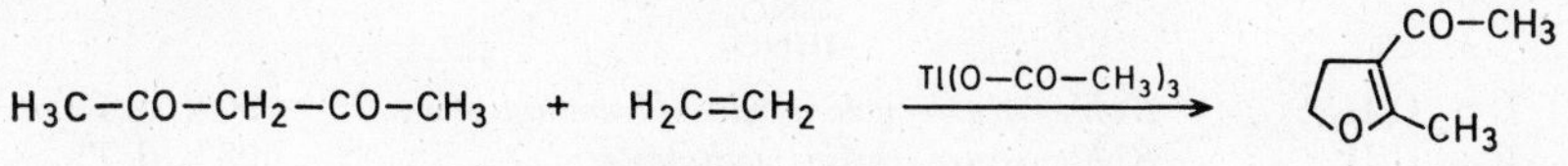

[1] S. Uemura, Y. Ikeda u. K. Ichikawa, Tetrahedron **28**, 3025 (1972).
[2] E. C. Taylor, F. Kienzle u. A. McKillop, Synthesis **1971**, 38.
[3] K. Ichikawa, S. Uemura u. T. Sugita, Tetrahedron **22**, 407 (1966).

Unter denselben experimentellen Bedingungen wird Styrol zu *2-Methyl-4-phenyl-3-acetyl-4,5-dihydro-furan* (69% d.Th.; Kp$_3$: 135–136°; n$_D^{20}$ = 1,5557) umgesetzt.

b) Bis-[arylamino]-alkane

In Gegenwart von Thallium(III)-acetat werden aromatische Amine an olefinische Doppelbindungen addieren [Amin: Thallium(III)-acetat 6 Mole: 1 Mol]. Reaktionsprodukte sind vic.-Bis-[arylamino]-alkane.

1,2-Dianilino-1-phenyl-äthan[1]:

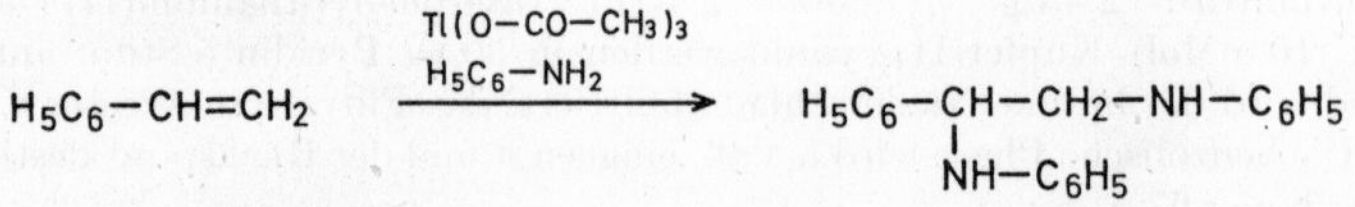

$$H_5C_6-CH=CH_2 \xrightarrow[H_5C_6-NH_2]{Tl(O-CO-CH_3)_3} H_5C_6-\underset{\underset{NH-C_6H_5}{|}}{CH}-CH_2-NH-C_6H_5$$

9,5 g (0,025 Mol) Thallium(III)-acetat werden unter Rühren zu einer Lösung von 2,9 *ml* (0,025 Mol) Styro und 14 *ml* (0,15 Mol) Anilin in 50 *ml* 1,4-Dioxan unter Argon gegeben. Man läßt das Gemisch 5 Stdn. unter Rückfluß kochen und danach abkühlen. Unlösliche Anteile werden abfiltriert, das Filtrat mit 200 *ml* wäßr. 0,5 n Natriumhydroxid-Lösung gewaschen und danach mit Äther extrahiert. Der Extrakt wird i. Vak. eingeengt und der Rückstand aus Hexan umkristallisiert. Ausbeute: 4,8 g (68% d.Th.); F: 90–91°.

Unter gleichen Bedingungen erhält man mit Hexadien-(1,5) *2,5-Bis-[anilinomethyl]-1-phenyl-pyrrolidin* (75% d.Th.; F: 55–56°)[1]:

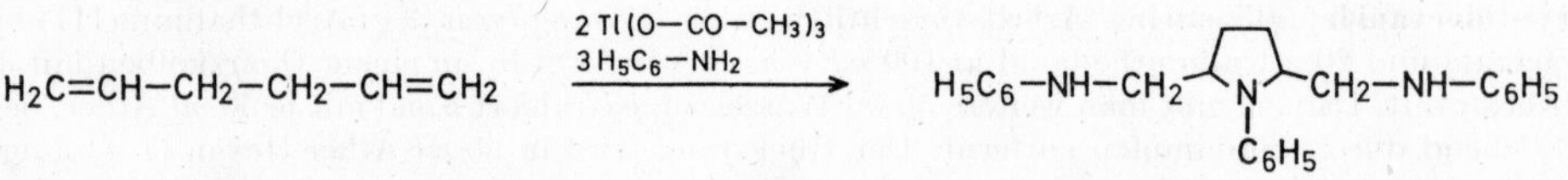

$$H_2C=CH-CH_2-CH_2-CH=CH_2 \xrightarrow[3\,H_5C_6-NH_2]{2\,Tl(O-CO-CH_3)_3} H_5C_6-NH-CH_2-\underset{\underset{C_6H_5}{|}}{N}-CH_2-NH-C_6H_5$$

und mit Cyclooctadien-(1,5) *3,7-Dianilino-9-phenyl-9-aza-bicyclo[3.3.1]nonan* (70% d.Th.; F: 59–60°)[1]:

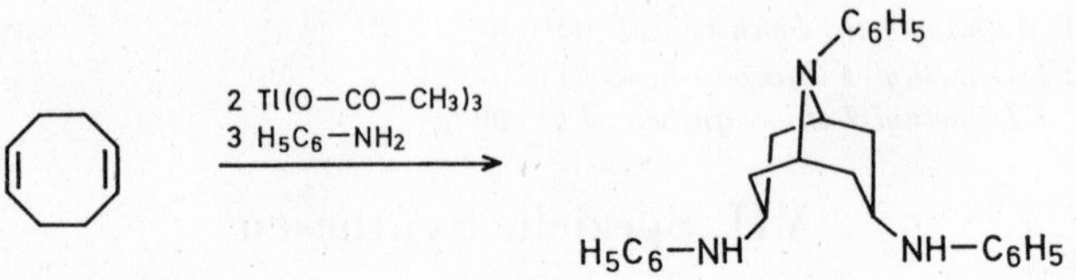

c) Carbamate[2]

Bei Zugabe einer Lösung von Isonitril in Methanol zu einer Lösung einer äquimolaren Menge Thallium(III)-nitrat-Trihydrat in Methanol bei Raumtemp. fällt sofort Thallium(I)-nitrat aus und man erhält Carbamate.

Eine Einschränkung erfährt diese an sich sehr einfache Carbamat-Synthese dadurch, daß Thallium(III)-nitrat lediglich in methanolischer Lösung stabil zu sein scheint [zur Herstellung anderer Carbamate kann die entsprechende Oxidation mit Quecksilber(II)-nitrat in anderen Alkoholen verwendet werden]:

$$R-NC+Tl(NO_3)_3 \xrightarrow[\substack{-TlNO_3 \\ -2HNO_3}]{H_3COH/H_2O} R-NH-COOCH_3$$

R = C$_6$H$_{11}$;	*Kohlensäure-cyclohexylamid-methylester*;	90% d.Th.
R = C$_6$H$_5$;	*Kohlensäure-anilid-methylester*;	93% d.Th.
R = 2-Naphthyl;	*Kohlensäure-[naphthyl-(2)-amid]-methylester*;	97% d.Th.

---

[1] V. Gomez-Aranda, J. Barluenga u. F. Aznar, Synthesis **1974**, 504.

[2] F. Kienzle, Tetrahedron Letters **1972**, 1771.

d) 2-Alkinsäureester[1]

Bei der Einwirkung von 2 Äquivalent Thallium(III)-nitrat in Methanol auf 5-Hydroxy-pyrazole entstehen 2-Alkinsäure-methylester in hoher Ausbeute:

2-Alkinsäureester; allgemeine Arbeitsvorschrift: Eine Lösung von 0,021 Mol Thallium(III)-nitrat in 25 ml Methanol wird zu einer Suspension oder Lösung von 0,01 Mol 5-Pyrazolon in 25 ml Methanol gegeben. Man rührt die Reaktionsmischung 15 Min. bei Raumtemp. und anschließend nochmals 15 Min. unter Rückfluß (Wasserbad). Die abgekühlte Reaktionsmischung wird filtriert, um Thallium(I)-nitrat zu entfernen. Nach Verdünnen wird mehrmals mit Chloroform extrahiert, die vereinigten Extrakte mit Wasser gewaschen, mit Natriumsulfat getrocknet und über eine kurze Florisil-Säule filtriert und destilliert. Die so erhaltenen 2-Alkinsäureester sind rein (gaschromatographische Analyse), z. B.:

Pentin-(2)-säure-methylester	95% d.Th.
5-Methyl-hexin-(2)-säure-methylester	85% d.Th.
Octin-(2)-säure-methylester	90% d.Th.
Phenyl-propiolsäure-methylester	67% d.Th.

e) Carboxylierung von Aromaten[2]

Wenn Thallium(III)-chlorid-Tetrahydrat und Benzol in Tetrachlormethan unter Rückfluß (78°) 2 Stdn. lang erhitzt werden, erhält man *Chlorbenzol* (52% d.Th.) und *Benzoesäure* (46% d.Th). Das Thallium(III)-Salz wird dabei zum Thallium(I) reduziert. Andere Aromaten beispielsweise Toluol oder die drei isomeren Xylole lassen sich in gleicher Weise carboxylieren.

f) Dethioacetalisierung[3]

Thioacetale, vor allem in Form von 1,3-Dithiolan oder 1,3-Dithian sind ausgezeichnete Schutzgruppen für Carbonyle. Die Rückverwandlung der Thioacetale in die entsprechenden Ketone oder Aldehyde ist allerdings nicht unproblematisch und mit zum Teil größeren Verlusten verbunden. Sie gelingt aber in ausgezeichneten Ausbeuten mit Thallium(III)-trifluoracetat in Tetrahydrofuran bei Raumtemp.:

Ketone durch Dethioacetalisierung mit Thallium(III)-trifluoracetat; allgemeine Arbeitsvorschrift: Zu einer Lösung des Thioacetals (1,0 mMol) in Tetrahydrofuran (2 ml) gibt man Thallium(III)-trifluoracetat (600 mg; ~ 1,1 mMol). Die Reaktion ist leicht exotherm, wenn das Thalliumsalz in Lösung geht; die bräunliche Mischung wird langsam milchig weiß. Nach 5 Min. bei Raumtemp. gießt man in Wasser (10 ml) und extrahiert mit Benzol (2 × 15 ml). Die vereinigten Extrakte werden mit verd. Natriumhydrogencarbonat-Lösung gewaschen, über Magnesiumsulfat getrocknet und i. Vak. eingedampft. Das rohe Produkt wird gereinigt, indem man es über eine kurze Säule mit neutralem Aluminiumoxid schickt, anschließend umkristallisiert oder destilliert.

---

[1] E. C. Taylor, R. L. Robey u. A. McKillop, Ang. Ch. **84**, 60 (1972).
[2] S. Uemura, O. Sasaki u. M. Okano, Chem. Commun. **1970**, 1139.
[3] Tse-Lok Ho u. C. M. Wong, Canad. J. Chem. **50**, 3740 (1972).

Thioacetal	Aldehyd/Keton	Ausbeute [% d. Th.]
1,3-Dithiolan von Acetophenon	*Acetophenon*	84
von Benzophenon	*Benzophenon*	95
von Benzil (mono)	*Benzil*	95
von Benzaldehyd	*Benzaldehyd*	83
1,3-Dithian von Phenylaceton	*Phenylaceton*	77
von Cycloheptanon	*Cycloheptanon*	80

C. Bibliographie

R. J. Ouellette in W. S. Tramanovsky, *Oxidation in Organic Chemistry*, Part B, S. 135, Academic Press, New York 1973.

O. Saiko, *Thallium-Salze als Reagenzien in der präparativen Organ-Chemie*, Kontakte **2**, 33 (1973).

P. M. Henry, Advances in Chem. Series **70**, 126 (1968).

Gmelin, ds. Handb., Bd. XIII/4, Kap. Thalliumorganische Verbindungen, S. 388.

Cer(IV)- und Zinn(IV)-Salze
als Oxidations- und Dehydrierungsmittel

bearbeitet von

Dr. Günther Matthias

BASF AG, Ludwigshafen/Rhein

Literatur bearbeitet bis 1975.

Inhalt

A. Oxidation und Dehydrierung mit Cer(IV)-Salzen[1]

Als Oxidations- bzw. Dehydrierungsmittel werden Cer(IV)-Salze entweder direkt als Cer(IV)-sulfat,- perchlorat bzw. Ammoniumhexanitratocerat(IV) eingesetzt oder sie kommen in statu nascendi durch Eintragen von Cer(IV)-oxid in eine saure Lösung der zu oxidierenden Verbindung bzw. durch anodische Oxidation eines Cer(III)-Salzes, ebenfalls in der Lösung oder Suspension der zu oxidierenden Substanz zum Einsatz[2].

Cer(IV)-Salze sind in saurer Lösung sehr gute Oxidationsmittel, die folgende Vorzüge aufweisen:

① Cer(IV)-Salze sind einstufig (monovalent) wirkende Oxidationsmittel, die einen Ablauf der betreffenden Reaktion in eine einzige Richtung erwarten lassen[3].

② Das Redoxpotential ist relativ hoch (1,87 Volt in 8n Perchlorsäure), läßt sich aber durch Wahl der Lösungsmittel, der Anionen, Komplexbildner und des p_H-Wertes bis zu 0,16 Volt einstellen.

③ Die Oxidation verläuft schon unter sehr milden Bedingungen und läßt sich gegebenenfalls durch Katalysatoren beschleunigen[2].

Hervorzuheben ist die besondere Eignung der Cer(IV)-Salze zur Oxidation von 1,2-Glykolen und verwandten Verbindungen, Überführung der Benzolhomologen in Aldehyde, Oxidation von aromatischen Polyhydroxy-Verbindungen, besonders Phenoläthern zu Chinonen und Freisetzung der Polyene bzw. Cyclobutadiene aus den entsprechenden Eisentricarbonyl-Komplexen.

Im allgemeinen wird zur Oxidation das Cer(IV)-Salz in saurer Lösung bei 20–50° tropfenweise unter starkem Rühren zu der 1–5%igen Lösung der zu oxidierenden Substanz in z. B. Eisessig, Aceton oder deren Gemischen mit Wasser gegeben. Die Reaktionszeit liegt in der Größenordnung von 1 Stde. Die Lösungen werden gegebenenfalls mit Äther, Tetrachlormethan oder Chloroform ausgeschüttelt und die oxidierte Substanz aus der organischen Phase gewonnen und gereinigt.

I. Einführung von Sauerstoff unter Erhaltung des C-Gerüstes

a) Oxidation von aliphatischen Verbindungen

Die Oxidation von aliphatischen Verbindungen ist präparativ nur wenig untersucht worden. Ein Beispiel ist die Oxidation von 2-Methyl-propanal mit schwefelsaurer Cer(IV)-sulfat-Lösung bei 80° zu *2-Hydroxy-2-methyl-propanal*:

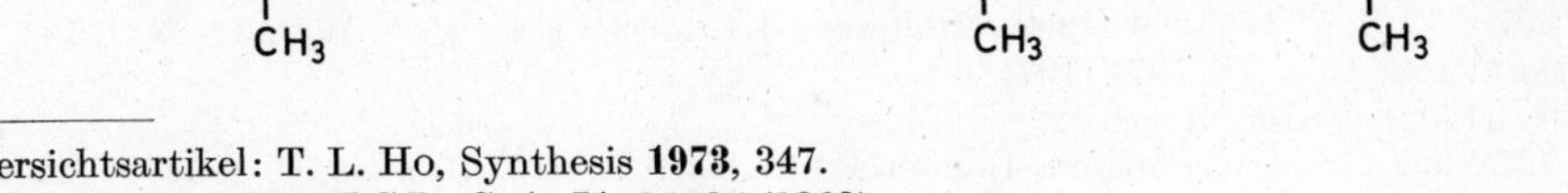

$$2 \quad H_3C-\overset{\overset{H}{|}}{\underset{\underset{CH_3}{|}}{C}}-CHO \quad \xrightarrow{Ce^{IV}} \quad H_3C-\overset{\overset{OH}{|}}{\underset{\underset{CH_3}{|}}{C}}-CHO \quad + \quad H_3C-\overset{}{\underset{\underset{CH_3}{|}}{CH}}-COOH$$

---

[1] Übersichtsartikel: T. L. Ho, Synthesis **1973**, 347.
[2] DAS 1804728 (1968), I.C.I.; C. A. **71**, 35535 (1969).
[3] Ö. Kovács u. G. Bernáth, Chemie **10**, 1022 (1958).

Daneben entsteht zu 20% *2-Methyl-propansäure*. Bei der Oxidation von Cyclohexanon mit Cer(IV)-Salzen entsteht *2-Hydroxy-1-oxo-cyclohexan*[1]. Aus der Kinetik geht hervor, daß die Oxidation nicht über das Enol verläuft:

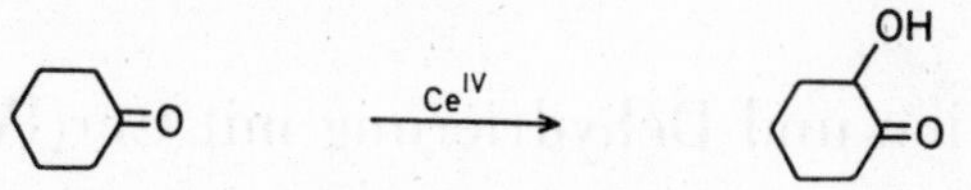

b) Oxidation von Methyl-aromaten zu substituierten aromatischen Aldehyden

Die Oxidation von Toluol oder substituierten Toluolen mittels Cer(IV)-Verbindungen in saurer Lösung führt mit mäßigen bis guten Ausbeuten zu den entsprechenden aromatischen Aldehyden[2-6]:

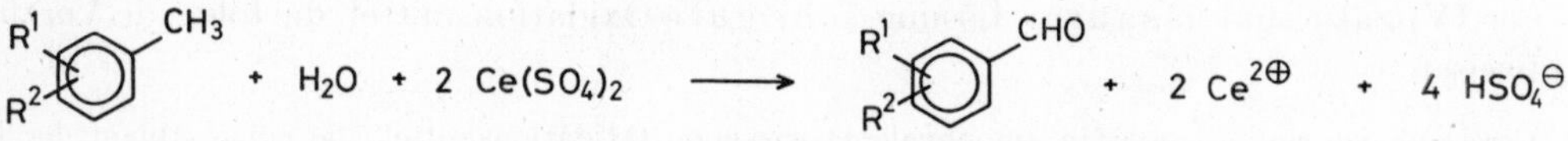

$$R^1, R^2 = H, Cl, Br, CH_3, NO_2, OH, NH_2, OCH_3$$

Die Oxidation bleibt auf der Aldehyd-Stufe stehen. Eine zweite Methyl-Gruppe wird nur sehr schwer oxidiert.

2-Chlor-benzaldehyd[7]: In eine Mischung von 1 l 60%iger Schwefelsäure und 40 g 2-Chlor-toluol trägt man bei 50° unter gutem Rühren 200 g gepulvertes Cer(IV)-oxid in kleinen Portionen ein. Dabei erhöht man die Temp. langsam auf 90° [die Reaktion ist beendet, wenn nur noch farbloses Cer(II)-sulfat vorliegt], danach wird fraktioniert; Ausbeute: 27 g (66% d.Th.).

Weniger glatt lassen sich die Nitro-toluole oxidieren; es entstehen größere Anteile Carbonsäuren. Alkyl-benzole mit mindestens einem α-Wasserstoff-Atom werden unter Luftausschluß zu 4,4′-Biphenyl-Derivaten oxidiert[8,9].

c) Oxidation von aromatischen Kohlenwasserstoffen zu Chinonen

Naphthalin, Anthracen, Phenanthren und deren Derivate, wie z. B. Anthracendisulfonsäure[1] werden durch Cer(IV)-Verbindungen in saurer Lösung glatt zu p-Chinonen umgesetzt[3,7,8].

Naphthochinon-(1,4)[3]: In 1,5 l einer sauren Cer(IV)-sulfat-Lösung, die 15–20% freie Schwefelsäure enthält, rührt man 20 g feingepulvertes Naphthalin ein und erwärmt auf 45–60°. Sobald alles Cer(IV)-Salz verbraucht ist, filtriert man das gelbe kristallisierte Napthochinon ab, das nur mit wenig Naphthalin und Phthalsäure verunreinigt ist[9].

In Gegenwart eines Cer(IV)-Überschusses entsteht ein größerer Anteil *Phthalsäure*. Diese Weiteroxidation scheint jedoch eine Ausnahme zu sein. Im allgemeinen bleibt die Reaktion auf der Stufe des Chinons stehen[10].

---

[1] J. J. Littler, Soc. **1962**, 832.

[2] W. S. Trahanowsky, J. Org. Chem. **31**, 2033 (1966).

[3] DRP 158609 (1902), Farbw. Hoechst.

[4] L. Syper, Tetrahedron Letters **37**, 4493 (1966).

[5] DAS 1804728 (1968), I.C.I.; C. A. **71**, 35535 (1969).

[6] DAS 2032907 ≡ US. P. 3553206 (1969), Hoffmann-La Roche, Erf.: P. A. Wehrli, R. I. Fryer u. L. H. Sternbach; C. A. **75**, 5974 (1971).

[7] DRP 174238 (1902), Farbw. Hoechst.

[8] DAS 1804727 (1969), Imperial Chemical Industries Ltd., Erf.: R. A. C. Rennie; C. A. **71**, 81034 (1969).

[9] US.P. 3349117 (1965), Gulf Research and Development Co.

[10] DRP 152063 (1902), Farbw. Hoechst.

II. Dehydrierungsreaktionen

a) Intramolekulare Dehydrierungen ohne Cyclisierung

1. Oxidation von Alkoholen zu Aldehyden

Alkohole lassen sich häufig durch Cer(IV)-Salze zu den entsprechenden Aldehyden oxidieren, z. B. Propargylalkohol zu *Propargylaldehyd*[1], Benzylalkohol zu *Benzaldehyd*[2], oder (Hydroxymethyl)-cyclopropan zu *Cyclopropan-aldehyd*[2]:

$$\triangleright\!-CH_2OH \xrightarrow{\ Ce^{IV}\ } \triangleright\!-CHO$$

Cyclopropanaldehyd[2]: Zu 8,07 g (Hydroxymethyl)-cyclopropan wird eine Lösung von 136,5 g Ammonium-hexanitratocerat(IV) in 250 *ml* Wasser gegeben. Die wolkige, tiefrote Lösung wird 5–15 Min. bis zur Entfärbung auf dem Dampfbad erwärmt. Dann wird mit Natriumchlorid gesättigt, mit 400 *ml* Wasser versetzt und 4mal mit je 50 *ml* Dichlormethan ausgeschüttelt. Die organische Phase wird mit Magnesiumsulfat und Natriumhydrogencarbonat getrocknet. Nach Destillation der Hauptmenge des Dichlormethans über eine Vigreux-Kolonne bis auf 50–60 g werden 4 *ml* Brombenzol hinzugegeben. Anschließend wird über eine 20 cm lange Kolonne fraktioniert; Ausbeute: 6,1 g (64% d.Th.); Kp$_{760}$: 97–99°.

Die Oxidation von Benzylalkoholen mit Ammoniumhexanitratocerat(IV) zu Benzaldehyden in 50%iger Essigsäure

$$R\!-\!\!\langle\!\!\bigcirc\!\!\rangle\!\!-\!CH_2OH \xrightarrow{\ Ce^{IV}\ } R\!-\!\!\langle\!\!\bigcirc\!\!\rangle\!\!-\!CHO$$

R = H; *Benzaldehyd*	94% d.Th.
R = 4–Br; *4-Brom-benzaldehyd*	93% d.Th.
R = 4–NO$_2$; *4-Nitro-benzaldehyd*	92% d.Th.
R = 4–OCH$_3$; *4-Methoxy-benzaldehyd*	94% d.Th.

erfolgt mit über 90%iger Ausbeute und ist der Oxidation mit Blei(IV)-acetat vorzuziehen[3]. Hier ist anzumerken, daß die bei der Oxidation von Toluolen mit Cer(IV)-Verbindungen in Eisessig entstehenden Essigsäure-benzylester im Gegensatz zu den Alkoholen gegen Weiteroxidation durch Cer(IV) stabil sind[4,5].

2. Oxidation von aromatischen Hydroxy-Verbindungen zu Chinonen[6]

Hydrochinon selbst und andere Hydrochinone lassen sich in wäßriger Lösung mit berechneten Mengen Cer(IV)-sulfat quantitativ zu den entsprechenden Chinonen dehydrieren[7,8]. Auch 6-Hydroxy-chroman- und 5-Hydroxy-cumarin-Derivate, die man als Hydrochinonäther auffassen kann, sind glatt in die entsprechenden Chinon-Derivate des [(3-*Hydroxy-propyl*)-*p-benzochinons* bzw. (2-*Hydroxy-äthyl*)-*p-benzochinons*] überführbar. Cer(IV)-sulfat verhält sich in diesen Fällen wie die Silbersalze oder wie Gold(III)-chlorid.

---

[1] E. WILLE u. L. SAFFER, A. **568**, 35 (1950).

[2] L. B. YOUNG u. W. S. TRAHANOWSKY, J. Org. Chem. **32**, 2349 (1967).

[3] W. S. TRAHANOWSKY u. L. B. YOUNG, Soc. **1965**, 5777.

[4] W. S. TRAHANOWSKY, J. Org. Chem. **31**, 2033 (1966).

[5] US. P. 3346622 (1967), Gulf Research & Development Co., Erf.: C. M. SELWITZ u. E. R. TUCCI; C. A. **68**, 87024 (1968).

[6] Vgl. a. ds. Handb., Bd. VII/3.

[7] L. I. SMITH, P. M. RUOFF u. S. WAWZONEK, J. Org. Chem. **6**, 236 (1941).

[8] L. BLÁHA u. J. WEICHERT, Collect. czech. chem. Commun. **30**, 2068 (1965).

(2-Hydroxy-alkyl)-p-benzochinone; allgemeine Arbeitsvorschrift[1]:

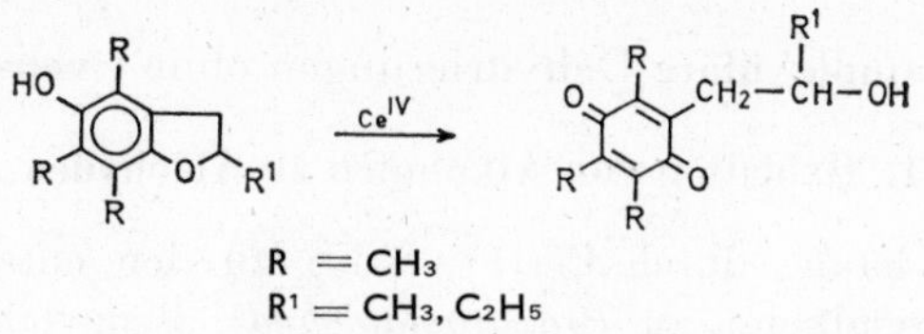

R = CH_3
R^1 = CH_3, C_2H_5

5 g 5-Hydroxy-2,3-dihydro-⟨benzo[b]furan⟩ in 50%igem Äthanol werden mit der theoretischen Menge 0,1167 n Cer(IV)-sulfat-Lösung versetzt. Man läßt 2 Min. stehen und extrahiert mit Äther. Anschließend wird der ätherische Extrakt mit Wasser und Natriumhydrogencarbonat gewaschen, der Äther abgedampft und der Rückstand aus Petroläther (Kp: 60–68°) umkristallisiert. Sollte das Chinon nicht kristallisieren, so wird in Äther aufgenommen und mit wäßr. Natriumhydrogencarbonat-Lösung geschüttelt.

Entsprechend erhält man aus 6-Hydroxy-chroman *(3-Hydroxy-propyl)-p-benzochinon*. Alkoholische Gruppen werden nicht oxidiert, wie auch folgendes Beispiel zeigt[2, s. a. 3]:

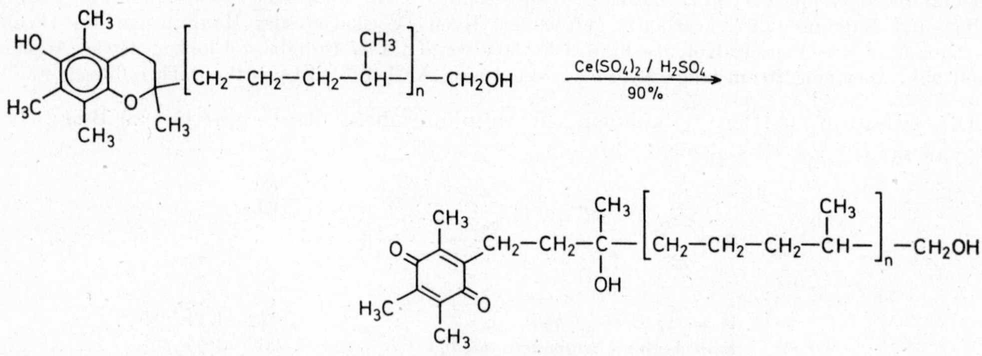

n = 1; *3,5,6-Trimethyl-2-(3,8-dihydroxy-3,7-dimethyl-octyl)-p-benzochinon*; 100% d.Th.
n = 3; *3,5,6-Trimethyl-2-(3,16-dihydroxy-3,7,11,15-tetramethyl-hexadecyl)-p-benzochinon*; 100% d.Th.

4-Dimethylamino-3-tert.-butyl-phenol liefert mit Cer(IV)-sulfat 87% d.Th. *tert.-Butyl-p-benzochinon* [mit Hexacyano-ferrat(III) lediglich 13% d.Th.][4].

Bei der Oxidation von Chroman-Derivaten mit einer Carboxy-Gruppe wird gleichzeitige Lacton-Bildung beobachtet[5], z. B.:

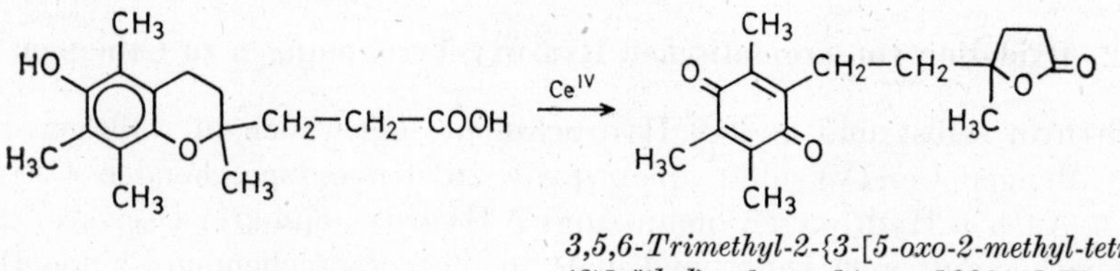

3,5,6-Trimethyl-2-{3-[5-oxo-2-methyl-tetrahydrofuryl-(2)]-äthyl}-p-benzochinon; 100% d.Th.

3. Dehydrierung von 4-Oxo-piperidin-Derivaten

Die Dehydrierung der 4-Oxo-piperidin-dicarbonsäure-diester gelingt mit Cer(IV)-sulfat in Eisessig unter Zusatz von Salzsäure oder Schwefelsäure bei 50–80° besser und mit höherer

[1] L. I. Smith, P. M. Ruoff u. S. Wawzonek, J. Org. Chem. 6, 236 (1941).
[2] J. Weichert, L. Bláha u. B. Kakáč, Collect. czech. chem. Commun. 31, 4598 (1966).
[3] J. Weichert, L. Bláha, B. Kakáč u. J. Hodrová, Collect. czech. chem. Commun. 31, 2434 (1966).
[4] D. F. Bowman u. F. R. Hewgill, Soc. [C] 1969, 2164.
[5] J. Weichert, Collect. czech. chem. Commun. 24, 1689 (1959).

Ausbeute als mit Chrom(VI)-oxid, das daneben eine N-Desalkylierung bewirkt[1, 2]:

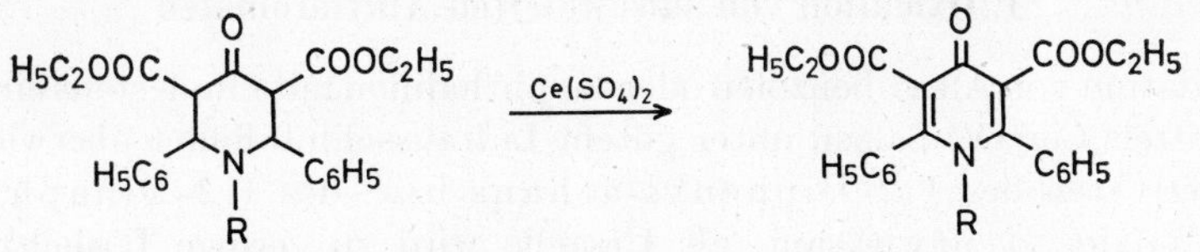

R = H; 4-Oxo-2,6-diphenyl-3,5-diäthoxycarbonyl-1,4-dihydro-pyridin 35% d.Th.
R = CH₃; 4-Oxo-1-methyl-2,6-diphenyl-3,5-diäthoxycarbonyl-1,4-dihydro-pyridin 81% d.Th.
R = 4–CH₃–C₆H₄; 4-Oxo-2,6-diphenyl-1-(4-methyl-phenyl)-3,5-diäthoxycarbonyl-1,4- 75% d.Th.
  dihydro-pyridin
R = –CH₂–CH=CH₂; 4-Oxo-1-allyl-2,6-diphenyl-3,5-diäthoxycarbonyl-1,4-dihydro-pyridin 60% d.Th.

Wegen der Zersetzlichkeit der 4-Oxo-1,4-dihydro-pyridine darf die Reaktionstemperatur nicht zu hoch gewählt werden.

4-Oxo-1-methyl-2,6-diphenyl-3,5-diäthoxycarbonyl-1,4-dihydro-pyridin: 4,09 g (0,01 Mol) 4-Oxo-1-methyl-3,5-diäthoxycarbonyl-piperidin werden in 30 ml Eisessig gelöst und bei 50° innerhalb 30 Min. mit 0,04 Mol Ce(SO₄)₂ · 4 H₂O in 10%iger Schwefelsäure versetzt, wobei gut gerührt wird. Nach Erkalten gibt man 200 ml Wasser hinzu, bringt die Lösung mit Natriumcarbonat auf p_H = 3, wäscht den Niederschlag mit Wasser, filtriert, löst den Niederschlag in Äthanol und fällt ihn durch Wasserzusatz wieder aus; Ausbeute: 3,28 g (81% d.Th.); F: 244°.

Im Gegensatz zur obigen Reaktion gewinnt man aus dem folgenden Piperidin-Derivat in 20% d.Th. das *8-Oxo-10,11-dipyridyl-(2)-⟨benzo-1-aza-bicyclo[3.3.1]nonen-(3)⟩* (F: 223°)[3]:

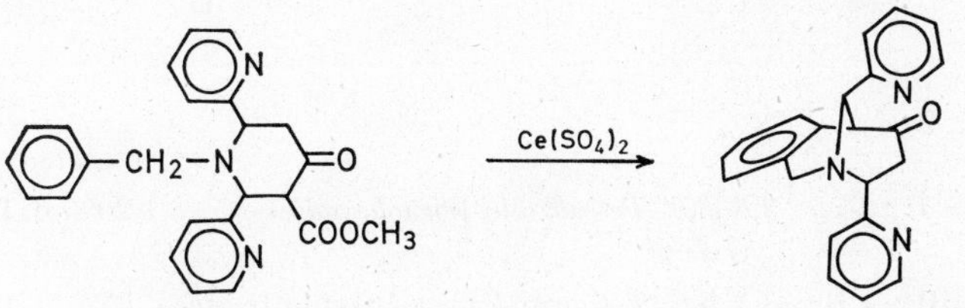

b) Intramolekulare Dehydrierung unter Cyclisierung

Neben der Oxidation der Alkohole zu den entsprechenden Aldehyden[4–6] oder zu kleineren Spaltprodukten beobachtet man auch intramolekulare Cyclisierungen als Folge der Oxidation mittels Ammoniumhexanitratocerat(IV)[7], z. B.:

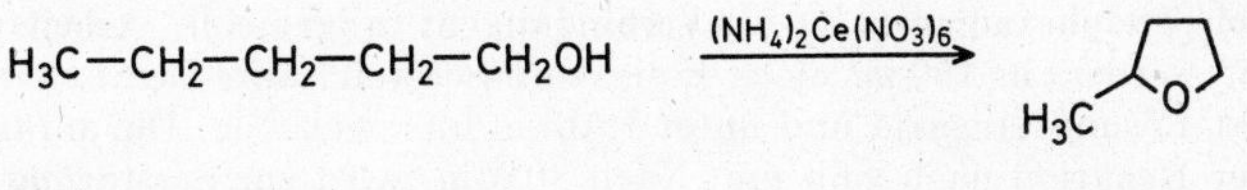

$$H_3C{-}CH_2{-}CH_2{-}CH_2{-}CH_2OH \xrightarrow{(NH_4)_2Ce(NO_3)_6}$$

2-Methyl-tetrahydrofuran[7]: 0,44 g (5 mMol) Pentanol werden in 40 ml einer wäßrigen 0,5 m Lösung von Ammoniumhexanitratocerat(IV) gelöst. Die tiefrote Lösung wird 30 Min. auf dem Dampfbad erwärmt, wobei die Lösung nach 5 Min. wolkig und farblos wird. Die Lösung wird abgekühlt, mit 5 ml Tetrachlormethan ausgeschüttelt, die organische Phase mit Natronlauge gewaschen, getrocknet und eingeengt; Ausbeute: 0,34 g (20% d.Th.).

[1] E. MÜLLER, R. HALLER u. K. W. MERZ, B. **99**, 445 (1966).
[2] K. W. MERZ u. R. HALLER, Ar. **296**, 134 (1963).
[3] R. HALLER, R. KOHLMORGEN u. W. HÄNSEL, Tetrahedron Letters **1973**, 1205.
[4] E. WILLE u. L. SAFFER, A. **568**, 35 (1950).
[5] L. B. YOUNG u. W. S. TRAHANOWSKY, J. Org. Chem. **32**, 2349 (1969).
[6] W. S. TRAHANOWSKY u. L. B. YOUNG, Soc. **1965**, 5777.
[7] W. S. TRAHANOWSKY, M. G. YOUNG u. P. M. NAVE, Tetrahedron Letters **30**, 2501 (1962).

c) Intermolekulare Dehydrierungen

1. Oxidation von substituierten Alkylaromaten

Bei der Oxidation von Alkyl-benzolen oder -naphthalinen mit mindestens einem α-Wasserstoff-Atom mittels Cer(IV)-Salzen unter gutem Luftausschluß findet überwiegend Dimerisierung zu Derivaten des 1,2-Diphenyl-äthans bzw. des 1,2-Dinaphthyl-äthans statt[1]. Cer(IV)-oxid ist unwirksam; als Ursache wird zu geringe Löslichkeit vermutet. Anwesenheit von Wasser fördert die Oxidation in Richtung der Aldehyd-Bildung, ebenso Luftzutritt und gleichzeitige Anwesenheit organischer Säuren.

2. Oxidation von 1,4-Dimethoxy-benzolen

Im Gegensatz zur Oxidation von Alkoxy-phenolen, bei der die einfachen Chinone entstehen, erfolgt bei der Oxidation von 1,4-Dimethoxy-benzolen eine gleichzeitige Dimerisierung[2]:

I; $R^1 = R^2 = H$
  $R^1 = CH_3$; $R^2 = H$
  $R^1 = R^2 = CH_3$

II; $R^3 = R^4 = R^5 = H$;	3,3',6,6'-Tetraoxo-bi-[cyclohexadien-(1,4)-yl]	20% d.Th.; F: 192–193°
$R^4 = CH_3$, $R^3 = R^5 = H$;	3,3',6,6'-Tetraoxo-4,4'-dimethyl-bi-[cyclohexadien-(1,4)-yl]	65% d.Th.; F: 178,5–179,5°
$R^5 = R^3 = CH_3$; $R^4 = H$;	3,3',6,6'-Tetraoxo-2,5,5'-trimethyl-bi-[cyclohexadien-(1,4)-yl]	20% d.Th.; F: 149–150°

Befinden sich 3 oder 4 Methyl-Gruppen am Kern, so erfolgt keine Dimerisierung. Bei der Oxidation von 1,4-Dimethoxy-tetramethyl-benzol wird dagegen wieder Chinon-Bildung beobachtet.

3,3',6,6'-Tetraoxo-bi-[cyclohexadien-(1,4)-yl]-Verbindungen; allgemeine Arbeitsvorschrift[2]: 600 mg 1,4-Dimethoxy-benzol werden in 150 *ml* eines Essigsäure-Schwefelsäure-Gemisches gelöst und 500 *ml* 0,0863 n Cer(IV)-sulfat-Lösung langsam und unter Rühren hinzugegeben. Die anfänglich braune Farbe schlägt im Verlauf der Reaktion nach gelb um. Nach 30 Min. wird zur Zerstörung des Cer(IV)-sulfat-Überschusses mit Titan(III)-chlorid zurücktitriert. Die gelbe Lösung wird mit Äther ausgeschüttelt, die Ätherphase mit Natriumsulfat getrocknet, auf 25 *ml* eingeengt und zur Fällung des Dimeren mit 60 *ml* Wasser versetzt. Das Produkt wird aus Methanol umkristallisiert.

3. Dimerisierung von aromatischen Aminen

8-(4-Methyl-anilino)-naphthalin-1-sulfonsäure(I) dimerisiert bei der Oxidation je nach Stellung der Sulfonsäure-Gruppe in verschiedenartiger Weise. Befindet sich die Sulfonsäure-

---

[1] US. P. 3349117 (1967), Gulf Research & Development Co., Erf.: C. M. Selwitz u. E. R. Tucci; C. A. **68**, 95478 (1968).

[2] Y. C. Giza, K. A. Kun u. H. G. Cassidy, J. Org. Chem. **27**, 679 (1962).

Gruppe in 1-Stellung, so findet Dimerisierung über ein N-Atom statt, befindet sie sich in 2-Stellung, so werden die Naphthalin-Reste direkt miteinander verknüpft[1,2]:

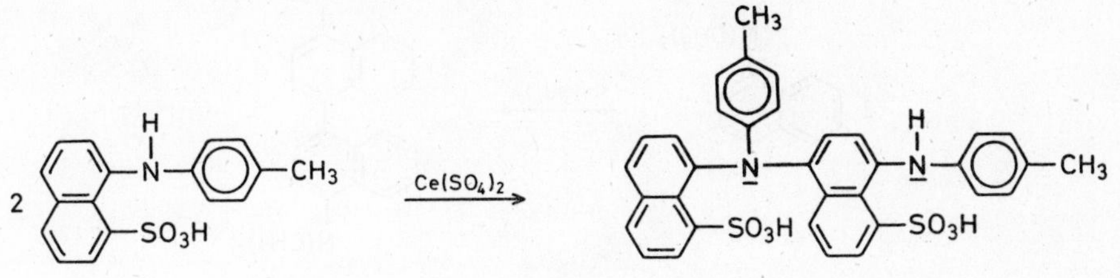

(4-Methyl-phenyl)-[8-sulfo-naphthyl-(1)]-[4-(4-methyl-anilino)-5-sulfo-naphthyl-(1)]-amin; II; 90% d.Th.

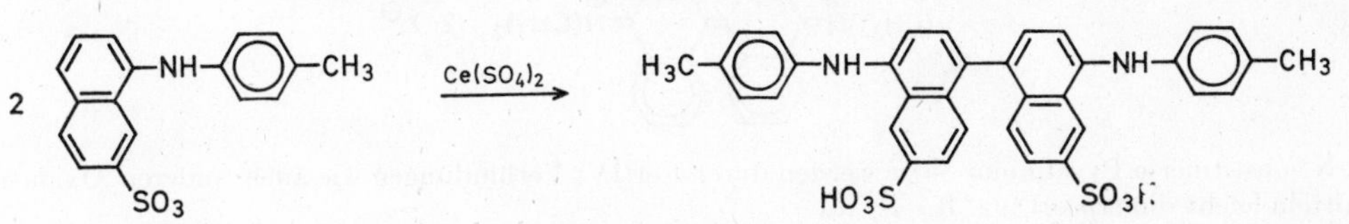

4,4-Bis-[4-methyl-anilino]-7,7'-disulfo-bi-[naphthyl-(1)]; IV

Als nichtisolierbare Zwischenstufe erscheint dabei, erkennbar durch intensive Blaufärbung, das einfach positiv geladene Radikal-Kation von II bzw. IV:

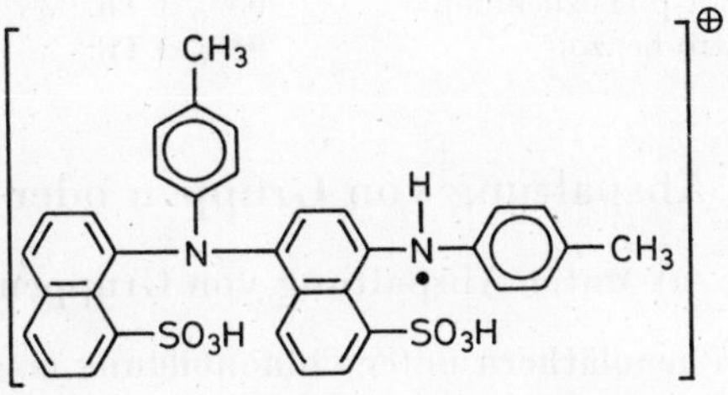

Das Radikal-Kation reagiert mit einem weiteren Molekül I bzw. III, wovon zwei ein zweites Molekül des Dimeren liefern. Die Oxidation von III verläuft wesentlich glatter als die von I.

(4-Methyl-phenyl)-[8-sulfo-naphthyl-(1)]-[4-(4-methyl-anilino)-5-sulfo-naphthyl-(1)]-amin; II[1]: 9,4 g 8-(4-Methyl-anilino)-naphthalin-1-sulfonsäure werden in 300 *ml* verd. Ammoniakwasser (1:1) gelöst, mit Wasser auf 1 *l* aufgefüllt und tropfenweise unter Rühren mit einer Lösung von 12,2 g Cer(IV)-sulfat in 2 *l* 1 n Schwefelsäure versetzt. Der gelbe Niederschlag wird filtriert und mit Wasser gewaschen. Das Rohprodukt wird in Methanol gelöst und auf einer Aluminiumoxid-Säule chromatographiert. Die 3. Fraktion (gelbes Band) wird auf dem Wasserbad vom Methanol befreit und aus Äthanol umkristallisiert; Ausbeute: 4,2 g (45% d.Th.).

[1] A. Tockstein, R. Pecka u. B. Balcar, Collect. czech. chem. Commun. 28, 3030 (1963).
[2] P. Ságer u. A. Tockstein, Collect. czech. chem. Commun. 30, 2984 (1965).

In ähnlicher Weise konnte 1-Dimethylamino-naphthalin mittels Cer(IV)-sulfat zu *4,4'-Bis-[dimethylamino]-bi-[naphthyl-(1)]* (47% d.Th.) dimerisiert werden[1]:

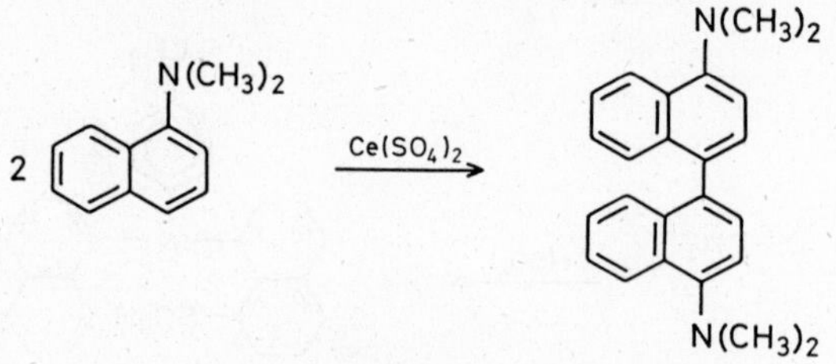

Das Dimere kann mit Cer(IV)-sulfat, aber auch mit anderen Oxidationsmitteln wie Kaliumpermanganat, Ammoniumvanadat(V), Kaliumdichromat oder Wasserstoffperoxid zum folgenden Chinonsalz oxidiert werden[1]:

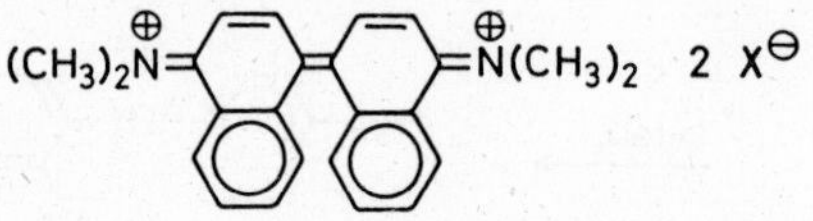

N-substituierte Pyridinium-Salze werden durch Cer(IV)-Verbindungen wie auch anderen Oxidationsmitteln leicht dimerisiert[2]; z. B.:

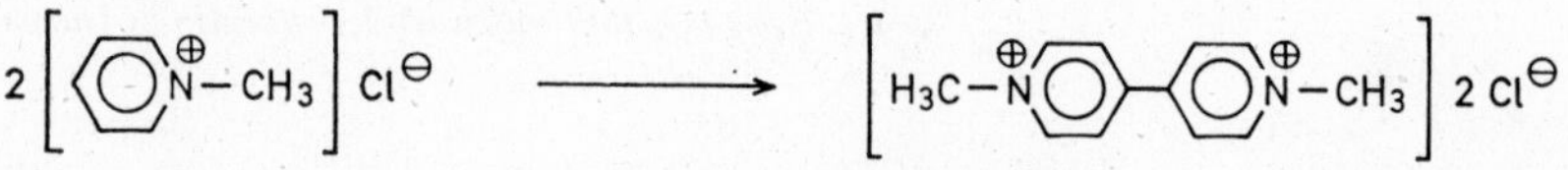

1,1'-Dimethyl-4,4'-bipyridiylium-dichlorid

Oxidationsmittel:	
Cl_2	100% d.Th.
$K_3[Fe(CN)_6]$	99% d.Th.
$Ce(SO_4)_2$	96% d.Th.
Tetrachlor-p-benzochinon	95% d.Th.
1,3-Dinitro-benzol	96% d.Th.

III. Oxidation unter Abspaltung von Gruppen oder Abbau des C-Gerüstes

a) unter Abspaltung von Gruppen

1. von Phenoläthern unter Chinonbildung (s. a. S. 158)

Die Oxidation von Alkoxy-alkyl-phenolen[3, 4] hängt in ihrem Ablauf wesentlich von dem verwendeten Oxidationsmittel und dem Lösungsmittel ab. 2-Hydroxy-5-methoxy-1-tert.-butyl-benzol(I) und 5-Hydroxy-2-methoxy-1-tert.-butyl-benzol(II)[3] liefern bei der

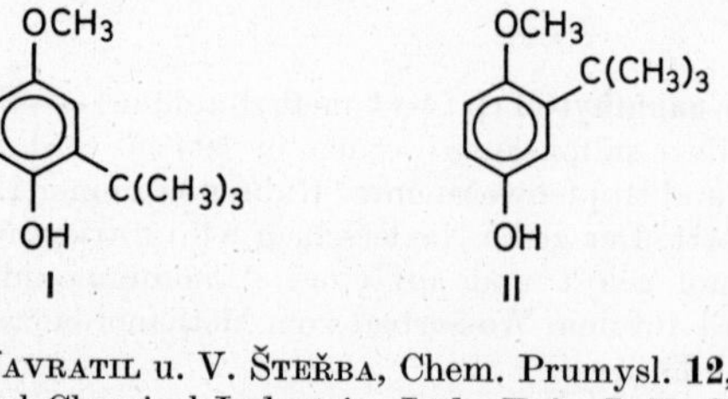

---

[1] M. Matzka, Z. Ságner, F. Navratil u. V. Štěřba, Chem. Prumysl. **12**, 178 (1962).

[2] DOS 1933418 (1970), Imperial Chemical Industries Ltd., Erf.: J. E. Colchester u. T. Blundell; C. A. **72**, 78902 (1970).

[3] F. R. Hewgill, B. R. Kennedy u. D. Kilpin, Soc. **1965**, 2904.

[4] F. R. Hewgill u., G. G. Hewitt, Soc. [C] **1967**, 773.

Oxidation mit Cer(IV)-sulfat das *tert.-Butyl-p-benzochinon*(III). Daneben entsteht in geringer Menge *3-Methoxy-6-oxo-2-tert.-butyl-cyclohexadien-(1,3)-⟨5-spiro-6⟩-2,10-dimethoxy-3,9-di-tert.-butyl-6H-⟨dibenzo-1,3-dioxepin⟩*(IV).

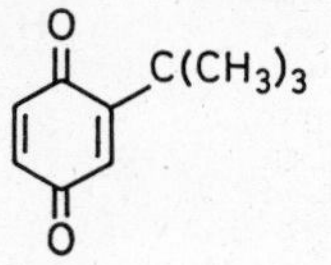

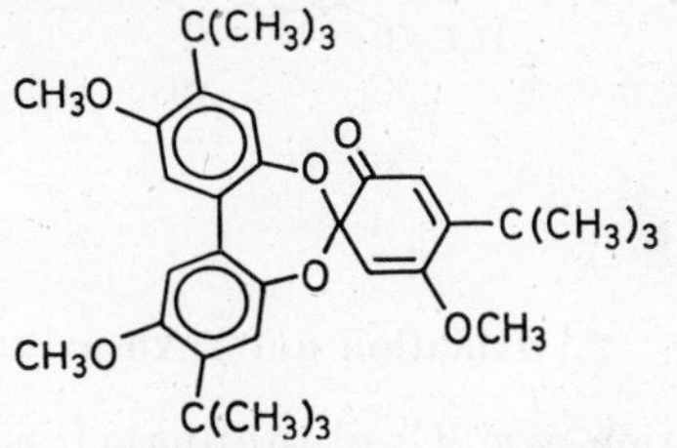

Letzteres entsteht bei der Oxidation mit Natriumwismutat zu einem sehr hohen Anteil, während die Oxidation mit Blei(IV)-acetat in Eisessig zu *5-Methoxy-4-tert.-butyl-o-benzochinon*(V) und *5-Acetoxy-2-tert.-butyl-p-benzochinon*(VI) bzw. in Benzol zu *3-Methoxy-5,5-diacetoxy-6-oxo-2-tert.-butyl-cyclohexadien-(1,3)* (VII) führt.

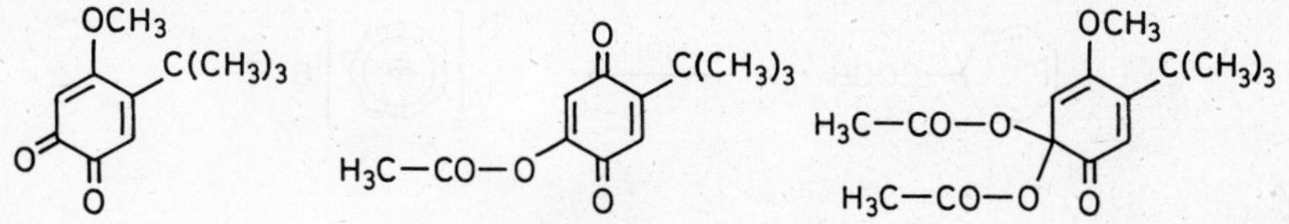

2-tert.-Butyl-p-benzochinon[1]: Eine Lösung von 5 g Cer(IV)-sulfat in 500 *ml* 5%iger Schwefelsäure wird zu einer gut gerührten Lösung von 1,2 g 2-Hydroxy-5-methoxy-1-tert.-butyl-benzol in 300 *ml* Aceton und 100 *ml* 5%iger Schwefelsäure gegeben. Nach 1 Stde. wird die Lösung mit Chloroform extrahiert. Die organische Phase wird mit Wasser gewaschen, mit Magnesiumsulfat getrocknet und i. Vak. destilliert. Das verbleibende Öl wird auf einer Aluminiumoxid-Säule chromatographiert, mit Petroläther eluiert und umkristallisiert; Ausbeute: 0,83 g (76% d.Th.); F: 58–59°.

Auf ähnliche Weise erhält man aus 6-Chlor-5-methoxy-2-oxo-1,3-dimethyl-2,3-dihydro-⟨benzimidazol⟩[2] (VIII) *2,5,6-Trioxo-1,3-dimethyl-2,3,5,6-tetrahydro-1H-⟨benzimidazol⟩*(IX), aus 4,5-Dimethoxy-2-oxo-1,3-dimethyl-2,3-dihydro-⟨benzimidazol⟩[3] (X) *4-Methoxy-2,5,6-trioxo-1,3-dimethyl-2,3,5,6-tetrahydro-1H-⟨benzimidazol⟩* (XI) oder *5-Methoxy-2,4,7-trioxo-1,3-dimethyl-2,3,4,7-tetrahydro-1H-⟨benzimidazol⟩* (XII) und aus 6-Acetylamino-5-äthoxy-2-oxo-1,3-dimethyl-2,3-dihydro-⟨benzimidazol⟩ (IX), während andere Oxidationsmittel wie Eisen(III)-chlorid, Salpetersäure und Salpetrigsäure versagen[4]:

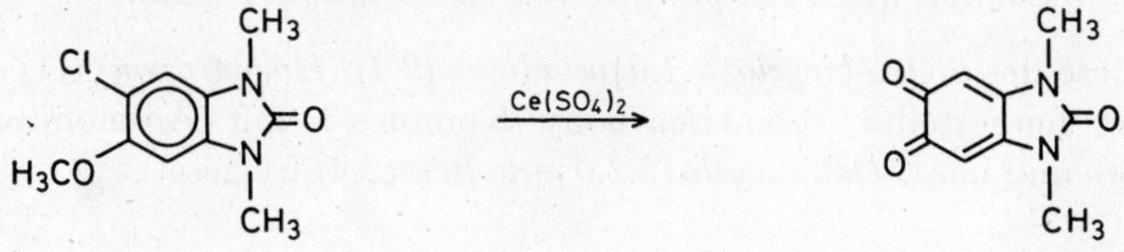

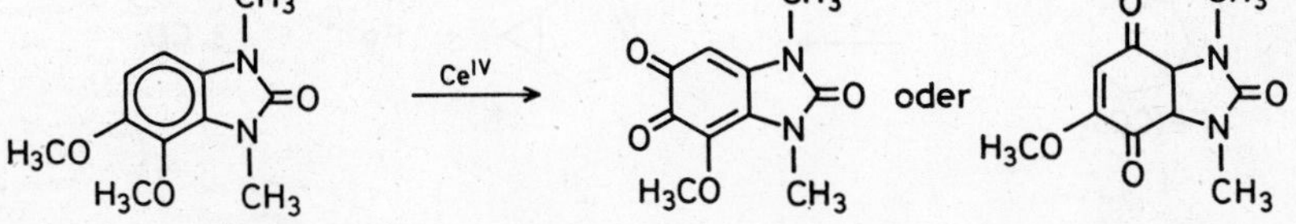

[1] F. R. HEWGILL, B. R. KENNEDY u. D. KILPIN, Soc. **1965**, 2904.
[2] F. R. HEWGILL u. G. G. HEWITT, Soc. [C] **1967**, 773.
[3] A. V. ELTSOV, L. S. ÉFROS u. E. N. GLIBIN, Ž. obšč. Chim. **31**, 1581 (1961); engl.: 1469.
[4] A. V. ELTSOV u. I. M. GINZBURG, Ž. obšč. Chim. **34**, 1624 (1964); engl.: 1634.

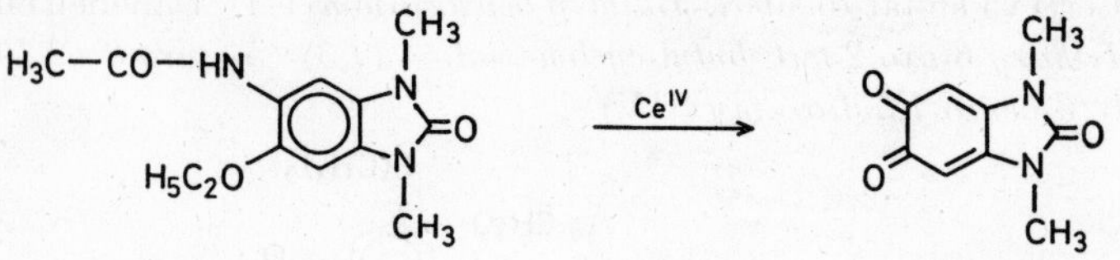

XIII   IX

2. Oxidation unter Abspaltung verschiedener Gruppen

Durch Oxidation von Cycloheptatrien-7-carbonsäure mittels Ammoniumhexa-nitratocerat(IV) in einer Mischung von Aceton und Salpetersäure erhält man in 30%iger Ausbeute *Tropyliumbromid*[1]. Bei der Oxidation mit Kaliumpermanganat in saurer Lösung hingegen konnte der *Ditropyläther* isoliert werden, neutrale

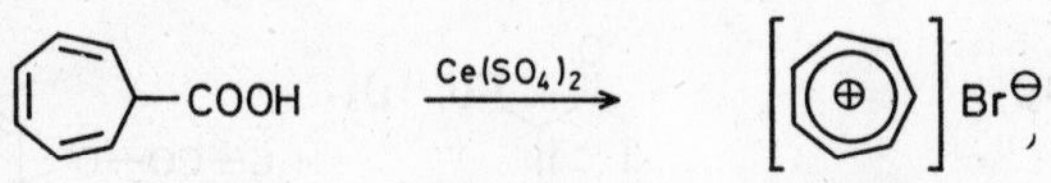

Kaliumpermanganat-Lösung liefert *Benzaldehyd* und alkalische Kaliumpermanganat-Lösung *Terephthalsäure*, Salpetersäure und Chrom(VI)-oxid liefern *Benzaldehyd* und *Terephthalsäure*.

Bei der Oxidation N-alkylsubstituierter 2,4-Nitro-aniline[2] wird die Alkyl-Kette abgespalten, z. B. erhält man aus dem Kaliumsalz der 2-(2,4-Dinitro-anilino)-äthansulfon-säure und Cer(IV)-ammoniumsulfat in schwefelsaurer Lösung *2,4-Dinitro-anilin* (70—95% d.Th.):

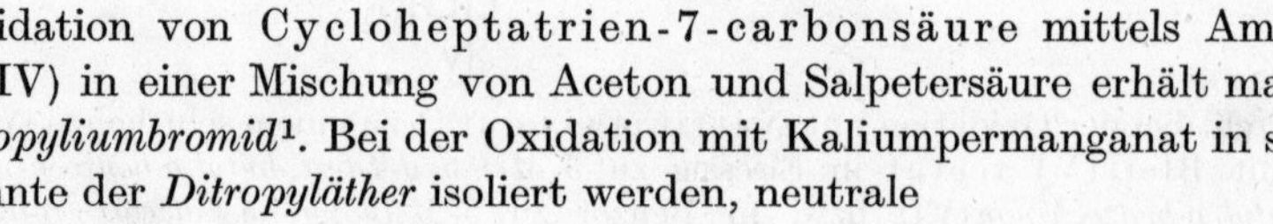

3. Oxidation unter Abspaltung von Eisencarbonyl-Liganden[3,4]

Bei der Synthese des *6-Oxo-bicyclo[5.1.0]octadiens-(2,4)* (*Homotropon*) (II) wurde der als Zwischenprodukt hergestellte Eisentricarbonyl-Komplex I mit Ammoniumhexanitrato-cerat(IV) oxidiert und das *6-Oxo-bicyclo[5.1.0]octadien-(2,4)* freigesetzt[5]:

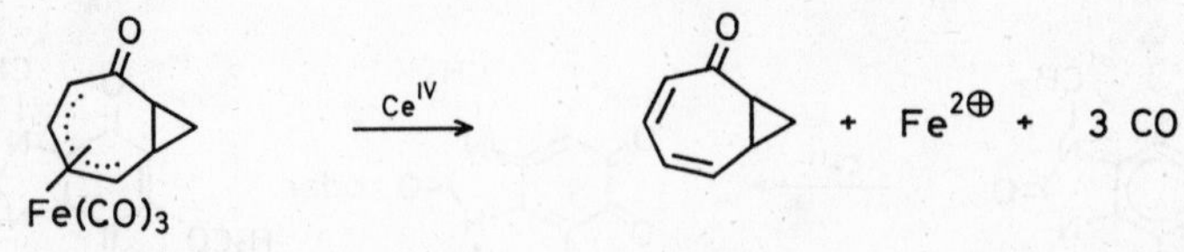

I   II

[1] M. J. S. Dewar u. R. Pettit, Soc. **1958**, 55.

[2] S. Harworth u. J. R. Holker, Nature **208**, 184 (1965).

[3] R. Pettit u. G. F. Emerson, Advances in *Organo-metallic-Chemistry*, S. 29, Academic Press, New York 1964.

[4] D. H. Gibson u. R. Pettit, Am. Soc. **87**, 2620 (1965).

[5] J. D. Holmes, Am. Soc. **85**, 2531 (1963).

Das gleiche Verfahren wurde angewendet, um durch Oxidation von Cyclobutadien-Eisentricarbonyl *Cyclobutadien* freizusetzen und mit Dienophilen abzufangen[1,2]; z. B.:

$$Fe(CO)_3 \boxed{\parallel} \xrightarrow[- Ce^{II} / -Fe^{II}]{Ce^{IV}} \boxed{[\square]} \xrightarrow{\underset{\parallel\parallel}{}^{COOCH_3}} \boxed{\square\square}^{COOCH_3}$$

2-Methoxycarbonyl-bicyclo[2.2.0]hexadien

Die Reaktion wird in ds. Handb. an anderer Stelle ausführlich besprochen[3].

Bei der Oxidation mit einer Lithiumchlorid gesättigten Ammoniumhexanitratocerat(IV)-Lösung jedoch entsteht *trans-3,4-Dichlor-cyclobuten*[4]:

$$\boxed{\square}^{Cl}_{Cl}$$

Die Oxidation von Polyen-Eisentricarbonyl mit Cer(IV)-Salzen ist ein allgemeines anwendbares Verfahren zur Herstellung des betreffenden Polyens.

meso-5,6-Dimethyl-trans,trans-decatetraen-(1,3,7,9)[2]:

$$H_2C \diagdown\diagup \overset{Fe(CO)_3}{\underset{\underset{H_3C}{CH}}{}} - \overset{(CO)_3Fe}{\underset{\underset{CH_3}{CH}}{}} \diagup\diagdown CH_2 \xrightarrow[- 6CO]{2\ Ce^{IV}} H_2C \diagdown\diagup \underset{\underset{H_3C}{CH}}{} - \underset{\underset{CH_3}{CH}}{} \diagdown\diagup CH_2$$

Eine Lösung von 160 g Ammoniumhexanitratocerat(IV) in 400 *ml* einer Äthanol-Wassermischung mit 75% Äthanol wird innerhalb 1 Stde. unter Rühren tropfenweise einer Lösung von 16 g *meso*-5,6-Dimethyl-*trans*, *trans*-decatetraen-(1,3,7,9)-bis-[eisentricarbonyl] in 150 *ml* Aceton zugegeben. Die Mischung wird 20 Min. nachgerührt, mit Wasser versetzt und ausgeäthert. Die Äther-Extrakte werden mit ges. Natriumchlorid-Lösung gewaschen und mit Magnesiumsulfat getrocknet. Nach Entfernung des Äthers und Destillation hinterbleiben 15,2 g (89% d. Th.) gelbes Öl.

b) Oxidation unter weitgehendem Abbau des C-Gerüstes

1. von 1,2-Dihydroxy- und Polyhydroxy-Verbindungen (Glykol-Spaltung)[5]

1,2-Glykole unterliegen in überschüssiger Perchlorsäure-Lösung bei der Oxidation mit der stöchiometrischen Menge Cer(IV)-perchlorat quantitativ der Glykol-Spaltung:

$$-\overset{|}{\underset{\underset{HO}{C}}{}} - \overset{|}{\underset{\underset{OH}{C}}{}} - \longrightarrow 2 \diagup\diagdown C=O$$

2,3-Dihydroxy-2,3-dimethyl-butansäure-äthylester läßt sich so zu einem Gemisch von *Aceton* und *Brenztraubensäure-äthylester*[6] oxidieren:

$$H_3C - \overset{\overset{CH_3}{|}}{\underset{\underset{HO}{|}}{C}} - \overset{\overset{CH_3}{|}}{\underset{\underset{OH}{|}}{C}} - COOC_2H_5 \xrightarrow{Ce^{IV}} H_3C-CO-CH_3 + H_3C-CO-COOC_2H_5$$

[1] L. WATTS, J. D. FITZPATRICK u. R. PETTIT, Am. Soc. 87, 3253 (1965).
[2] L. A. PAQUETTE u. J. F. KELLY, Tetrahedron Letters 1969, 4509.
[3] s. ds. Handb., Bd. IV/4, Kap. Isocyclische Vierring-Verbindungen, S. 260, 262 f., 264.
[4] G. F. EMERSON, L. WATTS u. R. PETTIT, Am. Soc. 87, 133 (1965).
[5] R. CRIEGEE, L. KRAFT u. B. RANK, A. 507, 159 (1933).
[6] R. C. HUSTON u. G. L. GOERNER, Am. Soc. 68, 2504 (1946).

Die Glykol-Spaltungen sind größtenteils wegen der stöchiometrisch verlaufenden Umsetzung analytisch zur quantitativen Bestimmung von Aldosen, Ketosen, Polyhydroxy-carbonsäuren usw. interessant[1,2]. Die Oxidationsgeschwindigkeit wird durch Zusätze von Silbernitrat und Mangan(II)-nitrat gesteigert[3]. Auch Metallanalysen (Ga, In, Al) können durch Fällung des Metalls mit 8-Hydroxy-chinolin und cerimetrische Oxidation des Chinolinkomplexes mittels Cer(IV)-hydrogensulfat [Ce(HSO$_4$)$_4$] durchgeführt werden.

Bei der Cer(IV)-Oxidation von 2-Aryl-1-phenyl-äthanolen[4] und Benzoinen[5] wird die Äthan-C-C-Bindung gespalten:

$$\text{Ar}-\overset{\overset{\text{HO}}{|}}{\text{CH}}-\overset{\overset{\text{O}}{\|}}{\text{C}}-\text{Ar} \xrightarrow{\text{Ce}^{IV}} \text{Ar}-\text{CHO} \;+\; \text{Ar}-\text{COOH}$$

Ar	Aldehyd	[% d.Th.]	Carbonsäure	[% d.Th.]
⬡	Benzaldehyd	80	Benzoesäure	86
⬡—OCH$_3$	4-Methoxy-benzaldehyd	87	4-Methoxy-benzoesäure	88
⬡—CH$_3$	4-Methyl-benzaldehyd	87	4-Methyl-benzoesäure	96
⬡⬡	4-Formyl-biphenyl	78	4-Carboxy-biphenyl	81
naphthalin	1-Formyl-naphthalin	82	1-Carboxy-naphthalin	84
furan	—	—	2-Carboxy-furan	83

Formyl- und Carboxy-aromaten; allgemeine Arbeitsvorschrift[5]: Zu einer Lösung von 1 mMol Benzoin-Derivat in 4,5 *ml* Acetonitril wird unter Rühren auf einmal eine Lösung von 1,1 g (2 mMol) Ammoniumhexanitratocerat(IV) in 1,5 *ml* Wasser gegeben. Die Reaktionsmischung wird 10 Min. auf 60° erwärmt, in Sole gegossen und mit 40 *ml* Äther ausgeschüttelt. Der Aldehyd wird mit 2,4-Dinitrophenylhydrazin gefällt. Die Carbonsäure wird aus dem Filtrat durch Extrahieren mit Natronlauge und Ansäuern gewonnen.

Phenyl-osotriazole von Hexosen oder Pentosen [4-(Polyhydroxy-alkyl)-2-phenyl-2H-1,2,3-triazole] z. B. Phenyl-D-glucose-triazol, werden bereits bei Raum-

[1] G. F. Smith u. F. Duke, Ind. eng. Chem. Anal. **13**, 558 (1941).
[2] G. F. Smith u. F. Duke, Ind. eng. Chem. Anal. **15**, 120 (1943).
[3] G. G. Guilbault u. W. H. McCurdy, Anal. chem. **33**, 580 (1961).
[4] P. M. Nave u. W. S. Trahanowsky, Am. Soc. **90**, 4755 (1968).
[5] T. L. Ho, Synthesis **1972**, 560.

temperatur durch eine Lösung von Cer(IV)-perchlorat in Perchlorsäure zu *2-Phenyl-2H-1,2,3-triazol-4-carbonsäure* und Ameisensäure oxidiert[1]. Die Oxidationszeit beträgt ~ 90 Min. Im Gegensatz zur Oxidation mit Kaliumpermanganat oder Brom ist die Oxidation mit Cer(IV)-perchlorat stöchiometrisch.

2. Oxidation unter Ringöffnung

Bei der Oxidation von Cyclohexanon, Cyclopentanon und 2-Oxo-bicyclo[2.2.1]heptan mittels Ammoniumhexanitrocerat(IV) in Acetonitril entstehen unter Ringöffnung Nitrato-carbonsäuren; z. B. aus Cyclohexanon 5- und *4-Nitrato-hexansäure*[2].

Dagegen wird aus 2-Oxo-adamantan in 73%iger Ausbeute *7-Hydroxy-bicyclo[3.3.1] nonan-3-carbonsäure-lacton* erhalten:

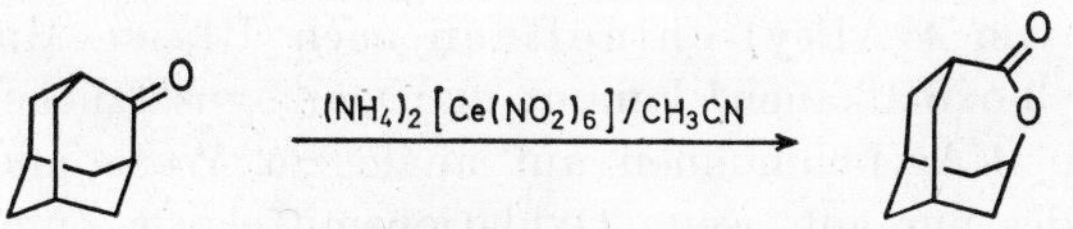

Die Oxidation von Naphthalin und Anthracen geht über die Chinon-Bildung hinaus zur *Phthalsäure* oder bis zum völligen Abbau, wenn ein größerer Cer(IV)-sulfat-Überschuß oder konz. Schwefelsäure als Lösungsmittel verwendet wird[3]. Phenanthren wird durch Einwirkung der stöchiometrischen Menge Cer(IV)-Salz zu *Phenanthrenchinon-(9,10)*, bei Verwendung eines Cer(IV)-Überschusses zu *Biphenyl-2,2'-dicarbonsäure* und schließlich zu *Benzoesäure* oxidiert. Auf S. 156 wurde bereits auf die gleichzeitig stattfindende Ringöffnung bei der Oxidation aromatischer Polyhydroxy-Verbindungen zu Chinonen eingegangen.

Bei der Einwirkung einer n/10 Cer(IV)-sulfat-Lösung auf Phthalocyanin-kupfer in konz. Schwefelsäure bildet sich in 90%iger Ausbeute *Phthalimid*[4].

IV. Indirekte Oxidationen

Bei der Einwirkung von Cer(IV)-Salzen und Bromid-Ionen auf Butadien erfolgt eine Dimerisierung zu *1,8-Dibrom-octadien-(2,6)* (40–50% Isomerengemisch)[5] wobei folgender Mechanismus angenommen wird:

$$Ce^{4\oplus} + Br^{\ominus} \longrightarrow Ce^{3\oplus} + Br^{\bullet}$$

$$Br^{\bullet} + C_4H_6 \longrightarrow BrC_4H_6^{\bullet}$$

$$2\ BrC_4H_6^{\bullet} \longrightarrow Br-CH_2-CH=CH-CH_2-CH_2-CH=CH-CH_2-Br$$

Über die Oxidation von Cyclobutadien-eisentricarbonyl mit Cer(IV)-Salzen in Gegenwart von Lithiumchlorid s. S. 163.

[1] S. P. Rao u. J. N. Gaur, Indian J. Chem. **1**, 378 (1963).
[2] P. Soucy, T. L. Ho u. P. Deslongchamps, Canad. J. Chem. **30**, 2047 (1972).
[3] R. C. Huston u. G. L. Goerner, Am. Soc. **68**, 2504 (1946).
[4] C. E. Deut, R. P. Linstead u. A. R. Lowe, Soc. **1964**, 1033.
[5] C. M. Langkammerer, E. L. Jenner, D. D. Coggmann u. B. W. Houk, Am. Soc. **82**, 1395 (1960).

Die Umsetzung von Äthylen mit einer Lösung von Cer(IV)-Salzen und Natriumchlorid, die vorher elektrolytisch oxidiert wurde, soll in 79%iger Ausbeute ein Gemisch von α,ω- Dichlor-alkanen liefern [*1,2-Dichlor-äthan* (10%), *1,4-Dichlor-butan* (54%), *1,6-Dichlor- hexan* (11%) und *1,8-Dichlor-octan* (4%)][1].

Auch Alkalimetallbromid oder -cyanide können eingesetzt werden[2]. Anstelle der Cer(IV)-Salze können auch Nickel(IV)-, Mangan(IV)- und Blei(IV)-Verbindungen eingesetzt werden[2]. Bei der elektrolytischen Überführung von Hydrazo- in Azo-Verbindungen (70–85% d.Th.) können außer Cer(IV)-Salze auch Vanadin-, Titan-, Chrom- oder Mangan-Salze eingesetzt werden[3].

B. Oxidation und Dehydrierung mit Zinn(IV)-chlorid und -sulfat

Zinn(IV)-chlorid spielt als Oxidations- bzw. Dehydrierungsmittel praktisch keine Rolle. Der nachfolgende Hinweis auf seine gelegentliche Anwendbarkeit soll daher genügen.

Bei der Synthese von 4-Alkyl-chinolinen nach Blaise-Maire aus aromatischen Aminen und 1-Chlor-3-oxo-alkanen[4] kommt man ohne zusätzliche Oxidationsmittel aus. Die Herstellung von 4-Aryl-chinolinen auf analogem Wege mit 3-Chlor-1-oxo-1-aryl- propanen gelingt indes nur gut, wenn Oxidationsmittel wie Zinn(IV)-chlorid anwesend sind. So werden aus einem Gemisch von Anilin und (3-Chlor-propanoyl)-benzol bzw. 1-(3-Chlor-propanoyl)-naphthalin 52,6% *4-Phenyl-chinolin* bzw. 41% *4-Naphthyl-(2)- chinolin* erhalten[5]. Die günstige Wirkung des Zinn(IV)-chlorids wird teilweise auch seinen kondensierenden Eigenschaften zugeschrieben:

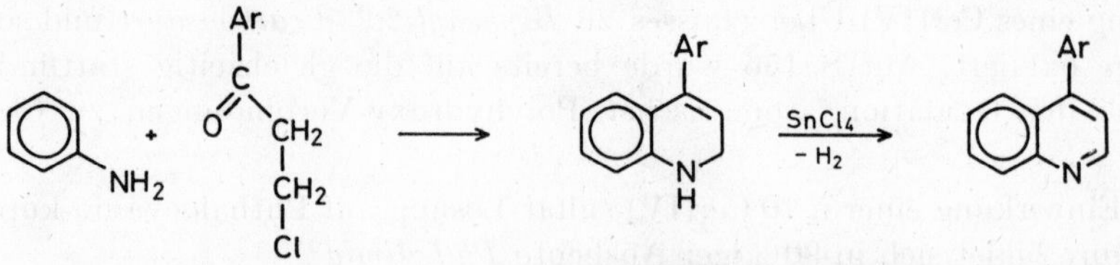

Auch bei der Skraup'schen Chinolin-Synthese vermag Zinn(IV)-sulfat unter Umständen das sonst übliche Nitrobenzol oder die Arsensäure zu ersetzen[6].

Zinn(IV)-chlorid bildet mit Anilin oder Aminomethyl-benzole Komplexsalze, die bei der Skraup'schen Chinolin-Synthese als Ersatz für Anilin und Nitrobenzol oder Amino- methyl-benzolen und Nitrobenzol verwendet werden können[7].

Das Bis-⟨benzo-[b]-thienyl-(2)⟩-methan (I) reagiert nicht mit Vilsmeier-Reagens, geht aber beim Behandeln mit Rieche-Reagens [Dichlor-butyloxy-methan/Zinn(IV)-chlorid] in die pentacyclische Verbindung II über[8]:

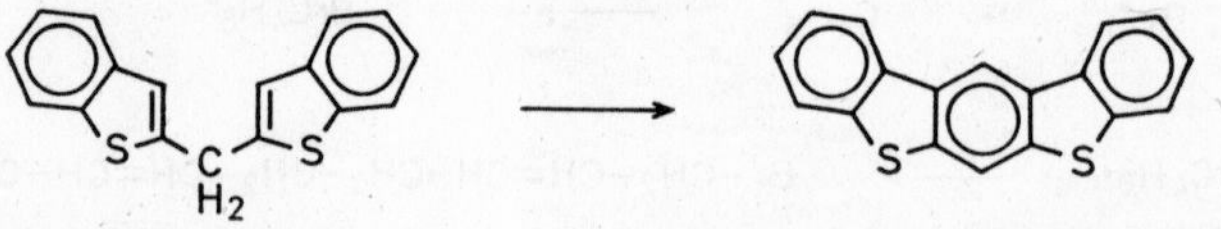

II; *Bis-(benzo-[b]-thieno)[2,3-a; 3′,2′-d]-benzol*

[1] US. P. 3413203 (1968), Celanese, Erf.: A. F. McLean; C. A. **70**, 43437 (1969).
[2] US. P. 3462504 (1965), Celanese, Erf.: A. F. McLean u. A. L. Stautzenberger.
[3] Brit. P. 1177177 (1967), P. R. Brey u. C. E. Marks.
[4] E. E. Blaise u. M. Maire, Bl. [4] **3**, 658, 667 (1908).
[5] J. Kenner u. F. S. Statham, B. **69**, 17 (1936).
[6] E. de Barry Barnett, Chem. News **121**, 205 (1920).
[7] J. G. F. Druge, Chem. News **117**, 346 (1918).
[8] M. Ahmed, J. Ashby u. O. Meth-Cohn, Chem. Commun. **17**, 1094 (1970).

Blei-Verbindungen als Oxidationsmittel

bearbeitet von

Dr. GERHARD W. ROTERMUND

BASF AG, Ludwigshafen/Rhein

Mit 58 Tabellen

Literatur berücksichtigt bis Ende 1974.

Inhalt

Oxidation mit Bleiverbindungen

A. Oxidationen mit Blei(II)-oxid

Blei(II)-oxid wirkt ausschließlich als Dehydrierungsmittel. Bei hohen Temperaturen entzieht es den verschiedensten organischen Verbindungen ein Mol Wasserstoff und wird dabei selbst zum metallischen Blei reduziert.

Blei(II)-oxid[1]: Man erhitzt trocknes Blei(II)-hydroxid, das man durch Zugabe einer ber. Menge Natronlauge aus einer Blei(II)-nitrat-Lösung fällt, bis das entstandene Blei(II)-oxid geschmolzen ist und läßt dann rasch erkalten, oder man oxidiert verdampftes Blei.

Zur Durchführung der Reaktionen leitet man die Substanz in einem Verbrennungsrohr über eine Schicht hocherhitzten Blei(II)-oxids. Nach einer besseren Methode mischt man die Substanz mit überschüssigem Blei(II)-oxid und destilliert ab. Reaktionstemperaturen sind gewöhnlich 300–380°. In einigen Fällen kommt man auch mit niedrigeren Temperaturen aus. Läßt man beispielsweise auf 2-Hydroxy-heptanal bei 100° ein Gemisch von Bleioxid-Hydrat und Kalilauge einwirken, so erhält man 2-Oxo-heptanol (50% d.Th.), das über eine Cannizzaroreaktion des Aldehyds und anschließende Dehydrierung der α-ständigen Hydroxy-Gruppe gebildet wird[2]:

$$H_3C-(CH_2)_3-\underset{\underset{OH}{|}}{CH}-CHO \longrightarrow H_3C-(CH_2)_3-CH_2-\underset{\underset{O}{\|}}{C}-CH_2-OH$$

I. Dehydrierungen

a) Einführung von Doppelbindungen

Acenaphthen wird von Blei(II)-oxid zu Acenaphthylen dehydriert[3,4]. Ähnlich werden unter dem dehydrierenden Einfluß des Blei(II)-oxids eine oder mehrere C=C-Doppelbindungen in 1,2,3,4-Tetrahydro-carbazol[5], 5,6-Dihydro-⟨benzo-[c]-acridin⟩[6] und 5,6-Dihydro-⟨naphtho-[1,2]-acridin⟩[7,8] eingeführt, Reaktionsprodukte sind *Carbazol, Benzo-[c]-acridin* bzw. *Naphto-[1,2-c]-acridin:*

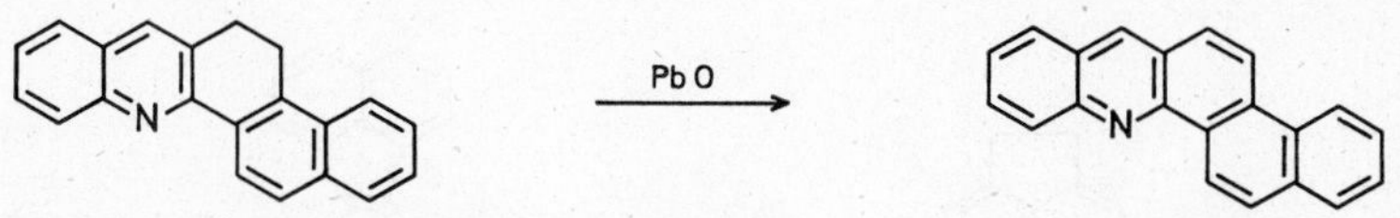

Letzteres entsteht beim 20-minütigen Erhitzen der gut mit Blei(II)-oxid gemischten Dihydro-Verbindung auf 300–310°[8]. Beim Erhitzen von 2,3-Diaza-bicyclo[2.2.2]octan

[1] H. RÖMPP, *Chemie-Lexikon*, S. 725, Franck'sche Verlagshandlung, Stuttgart 1966.
   G. BRAUER, *Handbuch der präparativen anorganischen Chemie*, 2. Aufl., Bd. I, S. 671f, F. Enke Verlag, Stuttgart 1962.
[2] E. D. VENUS-DANILOVA u. V. F. KAZIMIROWA, Ž. obšč. Chim. **18**, 1816 (1948); C. A. **43**, 3790 (1949).
[3] A. BEHR u. W. A. VAN DORP, B. **6**, 753 (1873).
[4] M. BLUMENTHAL, B. **7**, 1092 (1874).
[5] W. BORSCHE, A. WITTE u. W. BOTHE, A. **359**, 49 (1908).
[6] V. L. BELL u. N. H. CROMWELL, J. Org. Chem. **23**, 789 (1958).
[7] J. v. BRAUN u. P. WOLFF, B. **55**, 3680 (1922).
[8] N. P. BUU-HOI u. P. CAGNIANT, C. r. **215**, 144 (1942).

erhält man *2,3-Diaza-bicyclo[2.2.2]aten-(2)* [1]:

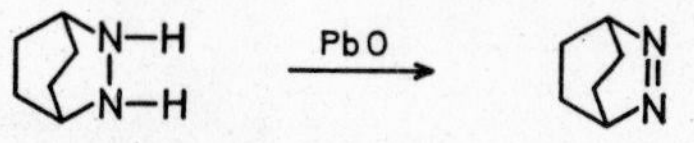

b) Dehydrierender Ringschluß

Unter dem Einfluß von Blei(II)-oxid kommt es zum dehydrierenden Ringschluß, wenn dabei besonders stabile Produkte entstehen, so z. B. *Fluoren* aus Diphenylmethan und *Carbazol* aus Diphenylamin unter intramolekularer C–C-Verknüpfung [2].

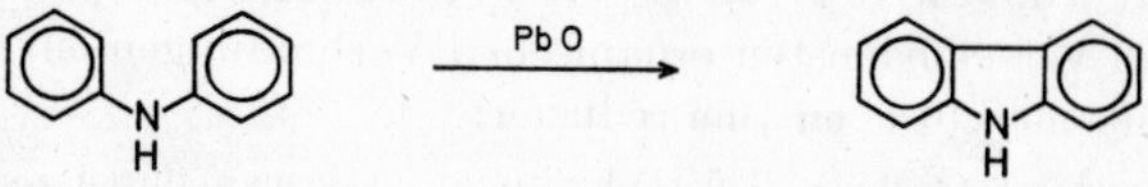

Ebenso wird Phenol zu *Diphenylenoxid (Dibenzofuran)* [3] und α-Naphthol zu *Dinaphtho-[2,1-b;1',2'-d]-furan* [4] dehydriert, nachdem sich unter den Reaktionsbedingungen zunächst die Äther gebildet haben.

Unter intramolekularer C–N-Verknüpfung reagiert 2-Alkyl-anilin zu *Chinolin* [5], 2-Amino-benzophenon zu *Acridin* [6] und 2-Amino-1-anilino-benzol zu *Phenazin* [7]:

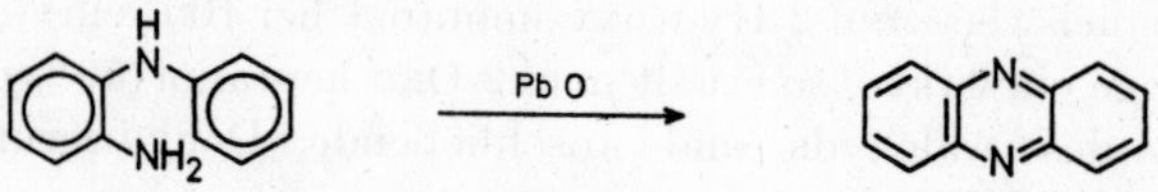

c) Intermolekulare Dehydrierung

Bei der intermolekularen Dehydrierung von Fluoren mit Blei(II)-oxid wird unter Abspaltung von 2 Mol Wasserstoff eine σ-Bindung und eine π-Bindung geschlossen. Als Reaktionsprodukt erhält man *Bi-fluorenyliden* [8]:

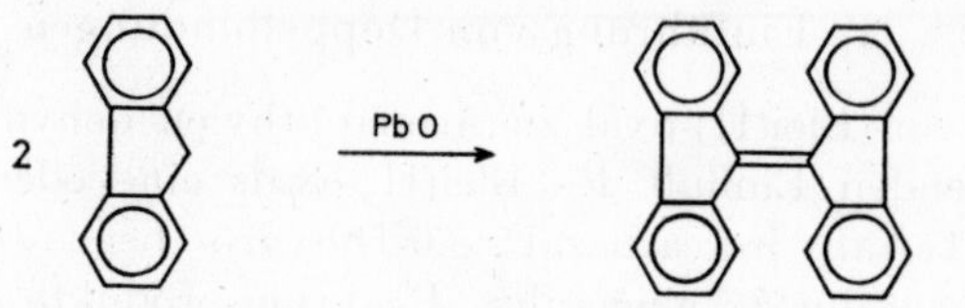

Acenaphthen trimerisiert sich zum *Di-acenaphtho-[1,2-j; 1',2'-l]-fluoranthen (Decacyclen)* [9]:

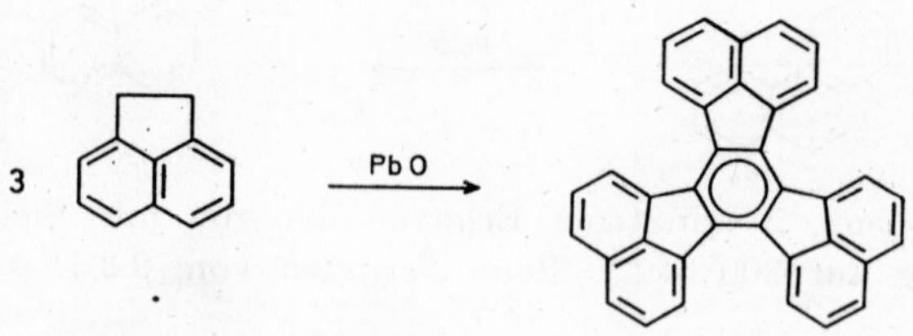

[1] S. G. Cohen u. R. Zand, Am. Soc. 84, 586 (1962).
[2] C. Graebe, A. 174, 194 (1874).
[3] C. Graebe, A. 174, 190 (1874).
[4] C. Graebe, W. Knecht u. J. Unzeitig, A. 209, 134 (1881).
[5] W. Koenigs, B. 12, 453 (1879).
[6] C. Graebe u. F. Ullmann, B. 27, 3484 (1894).
[7] O. Fischer u. O. Heiler, B. 26, 383 (1893).
[8] C. Graebe u. H. Stindt, A. 291, 2 (1896).
[9] K. Dziewonski u. S. Suknarowski, B. 51, 457 (1918).

II. Fragmentierungen

Beim Erhitzen von Thioharnstoff-Derivaten mit Blei(II)-oxid wird die C=S-Doppelbindung gespalten. Unter gleichzeitiger Dehydrierung erhält man *Carbodiimide*[1], z. B.:

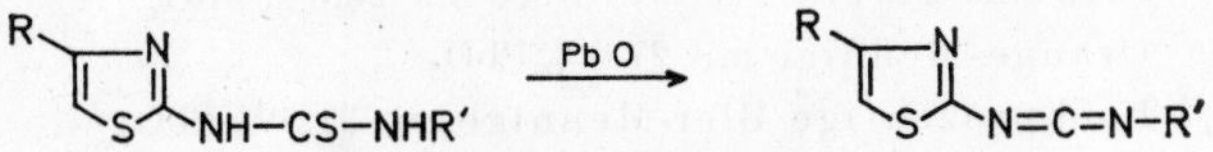

R = C$_6$H$_5$; R′ = C$_6$H$_5$;   *N′-Phenyl-*
       R′ = 4–Cl–C$_6$H$_4$;   *N′-(4-Chlor-phenyl)-*
       R′ = 4–Br–C$_6$H$_4$;   *N′-(4-Brom-phenyl)-*   }   *-N-[4-phenyl-1,3-thiazolyl-(2)]-carbodiimid*
       R′ = 4–CH$_3$–C$_6$H$_4$;   *N′-(4-Methyl-phenyl)-*
       R′ = 4–CH$_3$O–C$_6$H$_4$;   *N′-(4-Methoxy-phenyl)-*

N′-Phenyl-N-[4-phenyl-thiazolyl-(2)]-carbodiimid[1]: Eine Mischung von 3,1 g fein gepulvertem N-Phenyl-N-[4-phenyl-thiazolyl-(2)]-thioharnstoff und 4,5 g gelbem Blei(II)-oxid wird in 50 *ml* Benzol suspendiert und auf dem Wasserbad 8 Stdn. unter Rückfluß gekocht. Die Entschwefelung ist vollständig, wenn auf Zugabe weiteren Blei(II)-oxids keine Schwarzfärbung mehr erfolgt. Das Reaktionsgemisch wird heiß filtriert. Beim Abkühlen fällt das Carbodiimid kristallin aus; Ausbeute: 1,5 g (55% d. Th.); F: 205°.

Dieselbe Wirkung hat auch Blei(IV)-oxid[2].

Wenn die Entschwefelung mit Blei(II)-oxid in ammoniakhaltigem Äthanol durchgeführt wird, wird Ammoniak angelagert und man isoliert Guanidin-Derivate[3].

Diese Reaktion des Blei(II)-oxids ist nicht nur auf Thioharnstoffe beschränkt, man kann auf diesem Wege auch den Schwefel aus Thiosemicarbaziden entfernen. Unter Beteiligung des Carbonylsauerstoffes entstehen 1,3,4-Oxadiazole[4], z. B.:

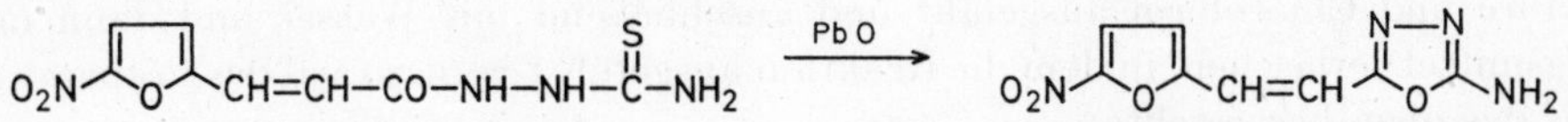

5-Amino-2-{2-[5-nitro-furyl-(2)]-vinyl}-1,3,4-oxadiazol

Statt Blei(II)-oxid kann für diese Reaktion auch Mennige eingesetzt werden[5].

B. Oxidationen mit Pb$_3$O$_4$(Mennige)

Oxidationen mit Mennige werden entweder in Eisessig, verdünnter Essigsäure oder wäßrigem Medium vorgenommen. Die Reaktionsbedingungen entsprechen damit einerseits den Oxidationen mit Blei(IV)-acetat, das intermediär gebildet wird und in statu nascendi mit der zu oxidierenden Substanz reagiert und andererseits den Oxidationen mit Blei(IV)-oxid. Man kann deshalb in all den Fällen statt mit Blei(IV)-acetat bzw. Blei(IV)-oxid auch mit Mennige oxidieren, in denen Essigsäure bzw. Wasser als Reaktionsmedium zulässig ist. Wegen dieser Identität werden Oxidationsreaktionen mit Mennige hier nicht gesondert behandelt und auf die Abschnitte „Oxidationen mit Blei(IV)-oxid" (s. S. 176) und „Oxidationen mit Blei(IV)-acetat" (s. S. 204), verwiesen.

[1] P. N. Bhargava u. S. C. Sharma, Bl. Chem. Soc. Japan **38**, 905 (1965); C. A. **63**, 11536 (1965).
[2] US. P. 3201463 (1965), W. R. Ruby; C. A. **63**, 16230 (1965).
[3] P. N. Bhargava u. P. Ram, Indian Chem. 4, 95 (1966); C. A. **64**, 17567 (1966).
[4] A. Sugihara, J. pharm. Soc. Japan 86, 349 (1966); C. A. **65**, 2252 (1966).
[5] US. P. 3166566 (1965), J. J. Piala u. H. L. Yale; C. A. **62**, 10444 (1965).

Mennige kann durch Oxidation von feinsten Bleiteilchen erhalten werden. Als Zwischenstufe bildet sich dabei Blei(II)-oxid.

Während der theoretische Gehalt der Mennige 34,7% PbO_2 beträgt, unterscheidet man
in der Praxis die folgenden Sorten:

rote oder gereinigte Mennige mit 26,0% PbO_2

Orange-Mennige mit 27,0% PbO_2

hochprozentige Blei-Mennige mit 31,5% PbO_2

hochdisperse Blei-Mennige mit 32,5% PbO_2[1,2]

C. Oxidationen mit Blei(IV)-oxid

Blei(IV)-oxid ist ein schon lange bekanntes Oxidationsmittel, das vor allem für Dehydrierungen verwendet wird. Es wird selbst zu Blei(II)-oxid oder bei Reaktionen in
saurem Medium zum Blei(II)-salz reduziert.

Blei(IV)-oxid ist zwar im Handel erhältlich, man stelle es sich aber zweckmäßig selber
her, da häufig die Aktivität der Handelspräparate ungenügend ist.

Blei (IV)-oxid[3]: 50 g Blei(IV)-acetat werden in Zentrifugengläsern mit 460 *ml* Wasser sehr gut zerdrückt
und verrieben, bis alles Blei(IV)-acetat verschwunden ist. Dann wird 10 Min. zentrifugiert. Den Bodensatz rührt man noch 4 mal mit je 460 *ml* Wasser sehr gut durch und zentrifugiert jedesmal. Die überstehende Lösung reagiert danach gegen Lackmus neutral. Anschließend wird das Blei(IV)-oxid mit
50 *ml* Wasser aufgewirbelt, abgesaugt und mit weiteren 50 *ml* gewaschen. Ist der Niederschlag auf
der Nutsche noch eben feucht, so wird 4 mal mit je 25 *ml* Aceton und daraufhin 4 mal mit je 25 *ml*
absol. Äther langsam nachgewaschen. Dabei nimmt das Blei(IV)-oxid eine kaffeebraune Farbe an.
Es wird sofort im Vakuum-exsikkator getrocknet; Ausbeute: 23 g (92% d.Th.).
Ein so hergestelltes Präparat hat nach 15 Stdn. einen Wirkungsgrad[4] von 95% und nach 7 Tagen von
immerhin noch 89–92%.

Wird Blei(IV)-oxid durch Zugabe von Wasser zu einer Lösung von Blei(IV)-acetat in
Essigsäure und Chloroform ausgefällt und anschließend mit Wasser und dann mit dem
Lösungsmittel gewaschen, in dem die Reaktion ausgeführt wird, so soll das Präparat aktiver
sein als das oben hergestellte[5].

Das nach obiger Vorschrift hergestellte Blei(IV)-oxid eignet sich allerdings nicht zur
Herstellung von Olefinen durch oxidative Bis-decarboxylierung.[6] Ebenso versagen Präparate, die durch Elektrolyse einer Blei(II)-nitrat-Lösung[7] oder durch Hypochlorit-Oxidation
von Blei(II)-acetat[8] hergestellt sind. Die folgende modifizierte Vorschrift liefert ein Blei(IV)-
oxid, das für Bis-decarboxylierungen geeignet ist.

[1] H. Römpp, *Chemie Lexikon*, S. 2111, Franckh'sche Verlagshandlung, Stuttgart 1974.

[2] E. Stock, *Mal- und Anstrichfarben*, S. 101, Kevelaer, Butzen u. Bercker 1949.

[3] R. Kuhn u. I. Hammer, B. **83**, 413 (1950).
    G. Brauer, *Handbuch der präparativen anorganischen Chemie*, 2. Aufl., Bd. I, S. 671 f., Bd. II,
    S 1447, F. Enke Verlag, Stuttgart 1962.

[4] Wertbestimmung nach L. Gattermann u. H. Wieland, *Die Praxis des Organischen Chemikers*,
    Walter de Gruyter u. Co., Berlin, 1962, S. 280: 0,3 — 0,5 g der noch feuchten Substanz wägt man
    in einem 150 *ml* Erlenmeyer ab, fügt unter gutem Durchschütteln die Lösung von 2 g Kaliumjodid
    in 5 *ml* Wasser und anschließend unter anfänglicher Eiskühlung 115 *ml* konz. Salzsäure hinzu. Das
    in Freiheit gesetzte Jod wird nach Verdünnen der Lösung auf ~ 50 *ml* mit $n/_{10}$-Thiosulfat-Lösung
    titriert, die man sich mit hinreichender Genauigkeit durch Lösen von 6,2 g reinem Natriumthiosulfat
    ($Na_2S_2O_3 \cdot 5 H_2O$) in Wasser im Meßkolben auf 250 *ml* aufgefüllt, herstellt; 1 *ml* $n/_{10}$-Thiosulfat
    0,012 g PbO_2.

[5] W. K. Wilmarth u. N. Schwartz, Am. Soc. **77**, 4543 (1955).

[6] W. v. E. Doering, M. Farber u. A. Sayigh, Am. Soc. **74**, 4370 (1952).

[7] W. C. Pierce u. E. L. Haenisch, S. 521, *Quantitative Analysis*, John Wiley and Sons, Inc., New York
    1948.

[8] L. C. Newell u. R. N. Maxson, in *Inorganic Syntheses*, I, S. 45, McGraw-Hill Book Co., New York
    1939.

Blei(IV)-oxid[1]: Eine Lösung von 180 g Natriumhydroxid in 500 *ml* Wasser wird unter Rühren zu einer Lösung von 300 g Blei(II)-acetat-Trihydrat in 600 *ml* warmem Wasser gegeben. Man erhält eine Suspension, zu der in einem Mal 220 g techn. Calciumhypochlorit und 1500 *ml* Wasser gegeben werden. Die Lösung wird unter Rühren schnell zum Sieden erhitzt und mehrere Min. gekocht. Nach dem Abkühlen wird dekantiert und der gelbe Niederschlag folgendermaßen gewaschen: 500 *ml* mit Wasser verd. Salpetersäure (1:1) wird vorsichtig (zuerst in kleinen Portionen) zugegeben und die Suspension gut gerührt. Danach werden 1500 *ml* Wasser dazugegossen. Nachdem sich der Feststoff abgesetzt hat, wird dekantiert. Dieses wird wenigstens 4mal wiederholt. Man erhält schließlich ein braunes Produkt, welches mit Wasser gewaschen und danach auf der Nutsche filtriert wird. Es wird bei 110° getrocknet und in einem Mörser zu einem braunen Pulver zerrieben; Ausbeute: 132 g (70% d.Th.).

Man erhält so ein grobkörniges Blei(IV)-oxid, das die Decarboxylierungen besser geeignet ist[1] als das bei der Hydrolyse von Blei(IV)-acetat feiner anfallende Dioxid, das wiederum für Dehydrierungen zu empfehlen ist[2].

Oxidation bzw. Dehydrierung mit Blei(IV)-oxid; allgemeine Arbeitsvorschrift: Die zu oxidierende bzw. dehydrierende organische Substanz wird gelöst oder suspendiert und je nach Aktivität bei Temp. von 80 bis ~ 150° mit einem mehr oder weniger großen Überschuß an Blei(IV)-oxid versetzt, wobei man für eine gute Durchmischung des Ansatzes Sorge trägt. Sehr oft wird in saurem Medium (Schwefel-, Phosphor-, Essig- oder Salzsäure) dehydriert, jedoch kann in vielen Fällen auch in Wasser, Aceton, Äther, Benzol und Chloroform ohne Säure-Zusätze oxidiert werden. Soweit man Eisessig oder konz. Essigsäure als Lösungsmittel verwendet, kann die Oxidation über ein intermediär gebildetes Blei(IV)-acetat gedeutet werden. Nach beendeter Reaktion wird als erstes der Bleioxidschlamm durch Absaugen oder Filtrieren entfernt. Dieser enthält oft beträchtliche Mengen organischer Substanz okkludiert und muß unter Umständen nochmals gesondert extrahiert werden. Die weitere Aufarbeitung geschieht individuell. In Lösung befindliches Blei kann mit einem Alkalisulfat oder, wenn Sekundärreaktionen ausgeschlossen sind, mit Schwefelwasserstoff gefällt werden. Unter Umständen kann man einfach das Lösungsmittel abdampfen und den Rückstand zur Entfernung der Bleisalze mit Alkohol, Äther usw. extrahieren.

I. Oxidationen

Blei(IV)-oxid ist im allgemeinen ungeeignet, Sauerstoff in das organische Molekül einzuführen. So sind auch nur wenige Beispiele bekannt.

Der Ersatz von Wasserstoff durch die Hydroxy-Gruppe gelingt nur bei besonders aktivierten C–H-Gruppen. Hierzu gehören Verbindungen aus der Triphenylmethan-Reihe, die entweder zu Carbinolen oder Farbstoffen oxidiert werden. Es ist zwar die Oxidation von 4-Nitro-toluol zu *4-Nitro-benzylalkohol*[3], von Bis-[4-dimethylamino-phenyl]-methan zu *Bis-[4-dimethylamino-phenyl]-carbinol*[4] bzw. von Acenaphthen zu *1-Hydroxy-acenaphthen*[5] bekannt und damit die Oxidation von Methyl- bzw. Methylen-Gruppen zu den entsprechenden prim. und sek. Alkoholen, aber abgesehen von diesen Beispielen sind vornehmlich Triarylmethane umgesetzt worden. Beim Arbeiten in saurer Lösung wird die intermediär gebildete Carbinolbase zum Immoniumsalz umgesetzt.

Malachitgrün (Phenyl-bis-[4-dimethylamino-phenyl]-carbenium-chlorid)[6]: 16,5 g Phenyl-bis-[4-dimethylamino-phenyl]-methan werden in 120 *ml* 2n Salzsäure heiß gelöst. Die praktisch farblose Lösung wird mit 280 *ml* Wasser verdünnt und unter guter Eiskühlung und kräftigem Schütteln eine Aufschlämmung von 13 g Blei(IV)-oxid in 30 *ml* Wasser zugegeben. Aus der Farbstoff-Lösung wird das Blei mit einer Lösung von 25 g Natriumsulfat ausgefällt, danach vom Bleisulfat abgesaugt und aus dem Filtrat die Carbinolbase mit 25 g wasserfreiem Natriumcarbonat, das in Wasser gelöst wird, ausgefällt. Nach dem Absaugen wird der mit Wasser gut gewaschene Niederschlag in der siedenden Lösung von 10 g Oxalsäure und 1 g Ammonoxalat in 40 *ml* Wasser gelöst, wobei man die Base in kleinen Anteilen einträgt. Zum Schluß wird filtriert und das Filtrat langsam erkalten gelassen. Die Kristallisation dauert gewöhnlich 1–2 Tage.

---

[1] W. v. E. DOERING u. M. FINKELSTEIN, J. Org. Chem. **23**, 141 (1958).
[2] R. KUHN u. I. HAMMER, B. **83**, 413 (1950).
[3] DRP 214949 (1909), O. DIEFENBACH; C. A. **4**, 644 (1910).
[4] R. MÖHLAU u. M. HEINZE, B. **35**, 359 (1902).
[5] R. MARQUIS, C. r. **182**, 1227 (1926).
[6] L. GATTERMANN u. H. WIELAND, *Die Praxis des organischen Chemikers*, S. 280, Walter de Gruyter & Co., Berlin 1962.

Ähnlich wird *Patentblau{ Bis-[4-diäthylamino-phenyl]-(5-hydroxy-2,4-disulfo-phenyl)-met-han-betain}*[1] hergestellt:

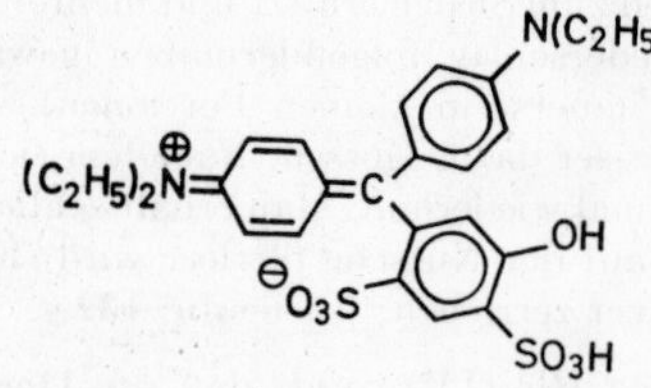

In einigen Fällen lassen sich auch die Carbinol-Verbindungen isolieren, so z. B.:

Bis-[4-dimethylamino-phenyl]-(3-cyan-phenyl)-carbinol[2]
Bis-[4-dimethylamino-phenyl]-(2-chlor-5-hydroxy-phenyl)-carbinol[3]
14-Hydroxy-14-phenyl-14H-⟨dibenzo-[a;j]-xanthen⟩[4]

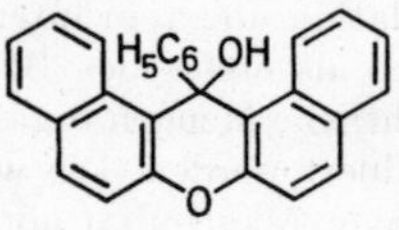

14-Hydroxy-14-phenyl-14H-⟨dibenzo-[a;j]-xanthen⟩ (I)[4]: In die kochende Lösung von 20 g 14-Phenyl-14H-⟨dinaphtho-[a;j]-xanthen⟩ in 600–700 *ml* Eisessig werden nach und nach 20 g Blei(IV)-oxid eingetragen. Das Dioxid geht rasch in Lösung und nach ~ 30 Min. Kochen ist die Oxidation beendet. Nach Zusatz von etwas Wasser kristallisiert das Carbinol beim Abkühlen fast vollständig aus. Es kann aus Benzol oder aus einer Mischung von Benzol und Eisessig umkristallisiert werden; F: 265–268°.

Leukobasen mit freien Amino-Gruppen sind häufig schlecht oxidierbar. Nach vorausgehender Acetylierung lassen sich aber glatte Oxidationen erzielen[5], so z. B. die Oxidation von Bis-[4-dimethylamino-phenyl]-(4-amino-2-methyl-phenyl)-methan zum *Bis-[4-dimethylamino-phenyl]-(4-amino-2-methyl-phenyl)-carbinol*[6].

Für die Oxidation einer CH_2-Gruppe zu einer Carbonyl-Gruppe mit Hilfe von Blei(IV)-oxid gilt das gleiche wie für die Hydroxylierungsreaktion. Nur solche Methylen-Gruppen werden zum gewünschten Carbonyl oxidiert, die besonders **stark aktiviert** sind. Hierzu gehören Dipyrryl-(2)-methane, die dabei zu **Dipyrryl-(2)-ketonen** oxidiert werden[7]:

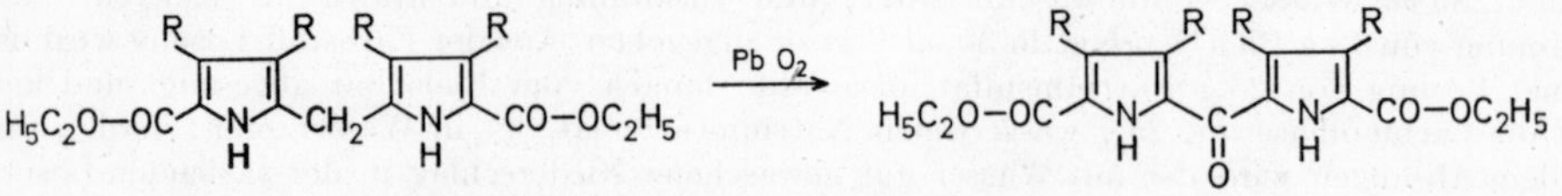

Anthracen läßt sich mit Blei(IV)-oxid in Eisessig stufenweise zunächst bei 50° zum *9-Acetoxy-anthracen* (II: 50% d.Th.) oxidieren. Mit der doppelten Menge Blei(IV)-oxid

[1] E. ERDMANN u. H. ERDMANN, A. **294**, 376 (1897).
[2] DRP 70537 (1892), Farbw. Hoechst; C. **1893**, 1040.
[3] W. H. LINNEL u. J. B. STEULAKE, J. Pharmacy Pharmacol. **1**, 314 (1949).
[4] M. GOMBERG u. L. H. CONE, A. **370**, 168 (1909).
[5] O. FISCHER u. C. SCHMIDT, B. **17**, 1891 (1884).
[6] E. NOELTING, B. **24**, 3131 (1891).
[7] J. M. OSGERBY u. S. F. MACDONALD, Canad. J. Chem. **40**, 1585 (1962).

($\sim 8,6$ g auf $3,6$ g Anthracen) bei 70° erhält man *10-Acetoxy-9-oxo-9,10-dihydro-anthracen* (III)[1,2]:

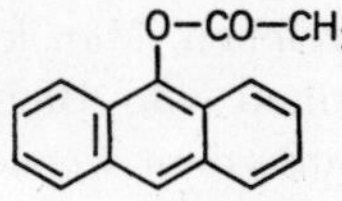

Porphine werden unter ähnlichen Bedingungen unter Einführung von Sauerstoff zu Tetraoxo-porphinen umgesetzt[3], so z. B. 2,3,7,8,12,13,17,18-Octaäthyl-21,23-dihydro-porphin (IV) zu *5,10,15,20-Tetraoxo-2,3,7,8,12,13,17,18-octaäthyl-5,10,15,20,21,22,23,24-octahydro-porphin* (V):

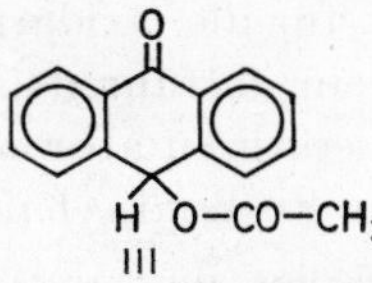

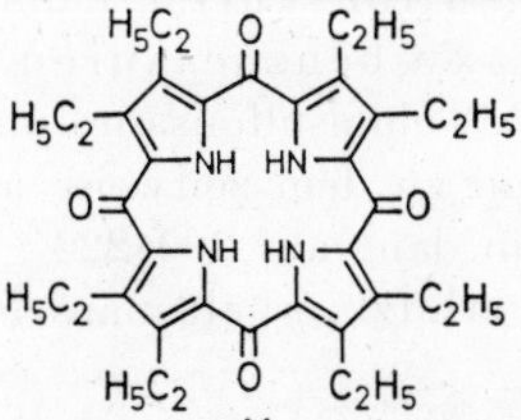

5,10,15,20-Tetraoxo-2,3,7,8,12,13,17,18-octaäthyl-5,10,15,20,21,22,23,24-octahydro-porphin (V)[4]: Eine Lösung von 3 g 2,3,7,8,12,13,17,18-Octaäthyl-21,23-dihydro-porphin (IV) in 300 *ml* Chloroform und 60 *ml* Eisessig wird mit 12 g Blei(IV)-oxid versetzt und 3–4 Stdn. gerührt. Die Lösung färbt sich zunächst grün, dann braun; der schwarze Bodensatz von Blei(IV)-oxid löst sich innerhalb von ~ 2 Stdn. auf. Das Lösungsmittelgemisch wird abgezogen und restlicher Eisessig durch mehrmaliges Eindampfen mit trockenem Benzol entfernt. Das trockene Reaktionsprodukt wird in wenig Aceton gelöst, von Bleisalzen abfiltriert und die Aceton-Lösung so oft mit Methanol verdünnt und wieder eingeengt, bis nahezu alles Aceton durch Methanol ersetzt ist, ohne daß V ausfällt. Die klare methanol. Lösung wird abgekühlt und 12 Stdn. bei −10° stehen gelassen. Die ausgeschiedenen Kristalle werden abfiltriert und dünnschicht-chromatographisch gereinigt [Schichtdicke 1 mm, Laufmittel Benzol/Aceton = 4:1, Beladung pro Platte (20 × 100 cm) etwa 200–300 mg Substanz] und nochmals wie oben kristallisiert; Ausbeute: 2,4 g (72% d.Th.); F: 272–276°.

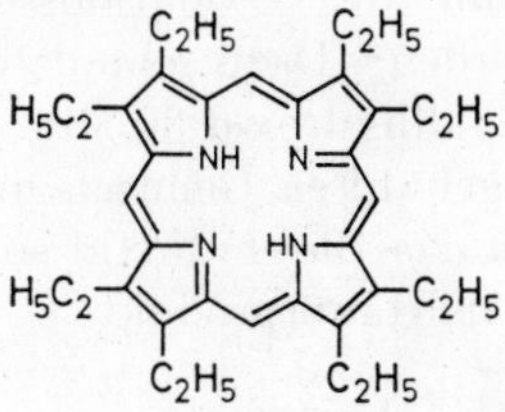

Methylsubstituierte Phenole können mit einem Überschuß an Blei(IV)-oxid zu den entsprechenden Carboxy-Verbindungen bzw. Carboxy-Derivaten oxidiert werden. So erhält man z. B. aus 2,4-Dihydroxy-1,3-di-tert.-butyl-benzol mit der 3fachen äquimolaren Menge an Blei(IV)-oxid in Methanol *4-Hydroxy-3,5-di-tert.-butyl-benzoesäure-methylester* (47% d.Th.; F: 157–159°)[4]. Normalerweise sind die Ausbeuten aber nicht hoch.

Methylsubstituierte Phenole oder Benzoesäuren lassen sich von Blei(IV)-oxid in einer Alkalimetallhydroxidschmelze zu Hydroxy-benzoesäuren bzw. Phthalsäuren oxidieren. Die bei der „Oxidationsschmelze[5]" herrschenden radikalen Reaktionsbedingungen beschränken die funktionellen Gruppen, die im Molekül anwesend sein können, auf die oben genannten Typen, außerdem wird diese Reaktion auch nur bei monocyclischen Aromaten angewendet.

Die Oxidationsschmelze wird in einem Nickeltiegel, der in ein Heizbad eintaucht, unter Rühren mit einem Eisenspatel durchgeführt. Wenn Blei(IV)-oxid als Oxidationsmittel zu

[1] K. E. Schulze, B. **18**, 3036 (1885).
[2] K. H. Meyer, A. **379**, 37 (1911).
[3] H. H. Inhoffen, J.-H. Fuhrhop u. F. von der Haar, A. **700**, 92 (1966).
[4] C. M. Orlando, J. Org. Chem. **35**, 3714 (1970).
[5] C. Graebe u. H. Kraft, B. **39**, 794 (1906).

heftig reagiert, wird es durch Blei(II)-oxid ersetzt. Man kann für die Schmelze sowohl **Kalium-** als auch **Natriumhydroxid** verwenden. Ersteres hat den Vorteil, daß es leichter flüssig bleibt. Ferner hat sich gezeigt[1], daß in Kaliumhydroxid niedrigere Temperaturen, z. B. für die Oxidation von o-Kresol, ausreichen. Man kann die Oxidation auch mit Alkali allein ausführen (s. S. 6ff.). In Anwesenheit von Blei(IV)-oxid sind die erforderlichen Temperaturen aber wesentlich niedriger, außerdem werden die Oxidations-produkte in reinerem Zustand erhalten.

Versuche mit Kresolen und Methyl-benzoesäuren haben gezeigt[1], daß in der o- und p-Reihe die Oxidation annähernd gleich leicht erfolgt und ein Erhitzen auf 200–210° genügt, wobei p-Derivate etwas bessere Ausbeuten liefern. m-Kresol und 3-Methyl-benzoesäure erfordern höhere Temperaturen (250–260°) und längeres Schmelzen.

Aus 2-Hydroxy-3-methyl-benzoesäure erhält man *2-Hydroxy-isophthalsäure* (46–61% d.Th.)[2]. Weitere Beispiele bringt Tab. 1.

Alkyl-benzolsulfonsäuren können mit Hilfe der Oxidationsschmelze in einem Schritt zu **Hydroxy-benzoesäuren** oxidiert werden[3]. Dazu schmilzt man zunächst das Gemisch von z. B. Toluolsulfonsäure und Alkalimetallhydroxid 30 Min. bei 300–330°, fügt dann Blei(IV)-oxid zu dem zeitweise auf ~150° gekühlten Gemisch und erhitzt danach mindestens 30 Min. lang auf 200–220°. Wenn man das Blei(IV)-oxid sofort dazugibt und nur auf 200–230° erhitzt, erhält man *Benzoesäure* als Hauptprodukt[1].

Tab. 1. Hydroxy-benzoesäuren, Hydroxy-phthalsäuren und Phthalsäuren durch oxidierende Alkalischmelze mit Blei(IV)-oxid

Methylderivat	Alkali-metall-hydroxid	Tempera-tur [°C]	Carboxy-Derivat	Ausbeute [% d.Th.]	F [°C]	Literatur
o-Kresol	KOH	210–220	*Salicylsäure*	86	159	1
m-Kresol	KOH	250–260	*3-Hydroxy-benzoe-säure*	61,5	202	1
p-Kresol	KOH	200–220	*4-Hydroxy-benzoe-säure*	75	214–215	1
4-Hydroxy-1,3-dimethyl-benzol	KOH	220	*4-Hydroxy-iso-phthalsäure*	69,5	310	1
4-Methyl-benzoesäure	KOH	200–230	*Terephthalsäure*	98,5	(Subl. p. 300°)	1
2-Hydroxy-3-methyl-benzoe-säure	KOH	200–220	*2-Hydroxy-iso-phthalsäure*	46–70	244	1,2,4

II. Dehydrierungen

a) Einführung von C=C-, C=N- und N=N-Doppelbindungen

Dehydrierungen unter Bildung von C=C-Doppelbindungen sind selten. Ein Beispiel ist die Überführung von 2,3,2',3'-Tetraphenyl-bi-[indenyl-(1)] in *2,3,2',3'-Tetra-phenyl-bi-[indenyliden]*[5].

[1] C. Graebe u. H. Kraft, B. **39**, 794 (1906).
[2] D. Todd u. A. E. Martell, Org. Synth. **40**, 48 (1960).
[3] Jap. P. 4975/66 (1966), Nippon Kagaku Seni Kenkyusho Foundation.
[4] W. S. Benica u. O. Gisvold, J. Am. Pharm. Assoc. Sci. Ed. **34**, 42 (1945); C. A. **39**, 1633 (1945).
[5] P. Valette, C. r. **232**, 534 (1951).

Ähnlich ist es bei Dehydrierungen zwischen einem benachbarten Kohlenstoff- und Stickstoff-Atom.

Auch hier gibt es nur wenige Beispiele, u. a. die Dehydrierung von 2-Hydroxy-5-(arylamino-methyl)-1,3-di-tert.-butyl-benzolen zu den entsprechenden Benzyliden-aminen, die im tautomeren Gleichgewicht mit den Chinon-methiden stehen[1]:

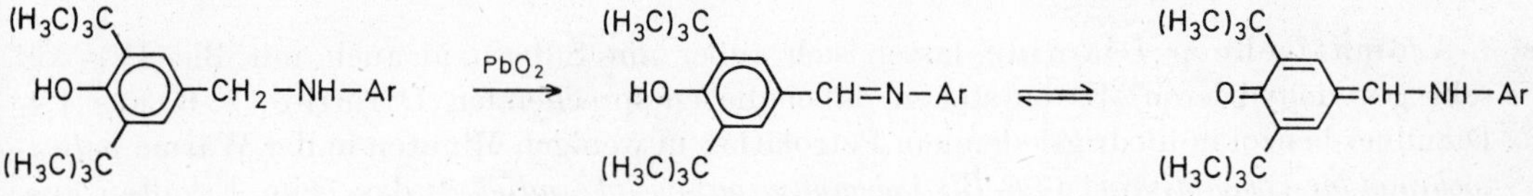

Lediglich in der Purin-Reihe gelingt diese Reaktion mit Blei(IV)-oxid-Eisessig besonders gut.

2-Oxo-3,7-dimethyl-2,3-dihydro-7H-purin[2]:

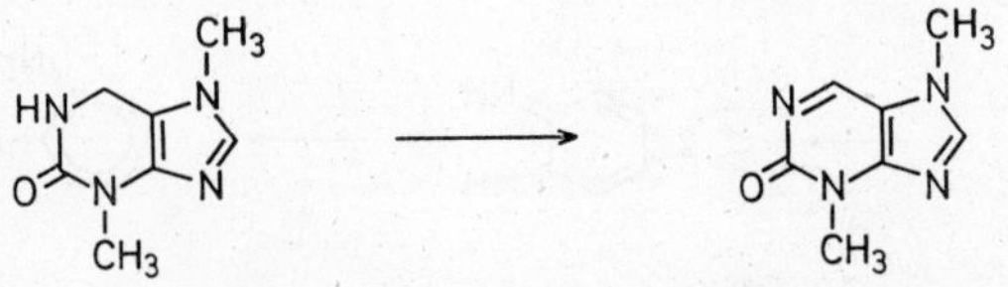

Man löst 6 g 2-Oxo-3,7-dimethyl-1,2,3,9-tetrahydro-7H-purin in 60 g Eisessig, kühlt bis zum Erstarren des Eisessigs ab und trägt unter Schütteln und weiterem Abkühlen 9,6 g Blei(IV)-oxid in kleinen Portionen ein. Man filtriert, verdünnt mit Wasser, fällt das Blei mit Schwefelwasserstoff und verdampft zur Trockene. Zur Reinigung wird aus Wasser unter Zusatz von Tierkohle umkristallisiert; Ausbeute: 4,5 g (75 d. Th.); F: 256—257°.

Analog wird 2-Oxo-7-methyl-1,2,3,9-tetrahydro-7H-purin zu *2-Oxo-7-methyl-2,3-dihydro-7H-purin*[3] dehydriert.

Bei der Dehydrierung des Indigos zum *Dehydroindigo {3,3′-Dioxo-bi-[3H-indolyl-(2)]}* wird ein Mol Wasserstoff den Stickstoffatomen entzogen, dabei werden unter Beteiligung einer Doppelbindung zwei C=N-Doppelbindungen gebildet:

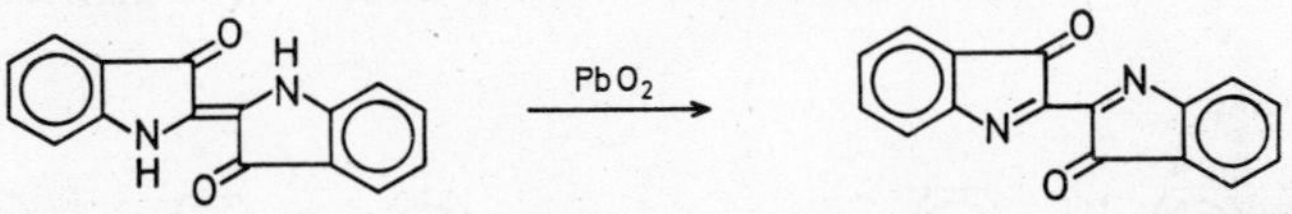

Dehydroindigo[4]: 10 g feinst verteilter Indigo, 50 g Blei(IV)-oxid und 10 g wasserfreies, gepulvertes Calciumchlorid werden in 1 l Benzol suspendiert. In die zum gelinden Sieden erwärmte Flüssigkeit läßt man während 10 Min. 5 g Eisessig, mit etwas Benzol verdünnt, zutropfen. Binnen 5 Min. sind die letzten Spuren Indigo verschwunden. Man saugt vom Bleischlamm ab und wäscht diesen mit heißem Benzol nach. Das Filtrat wird nunmehr i. Vak. eingeengt, dabei kristallisiert der Dehydroindigo aus; Ausbeute: 6 g (61% d. Th.); F: 210—215°.

Ferner wird mit Blei(IV)-oxid 3-Amino-2-phenyl-indol zu *3-Imino-2-phenyl-3H-indol* dehydriert[5]:

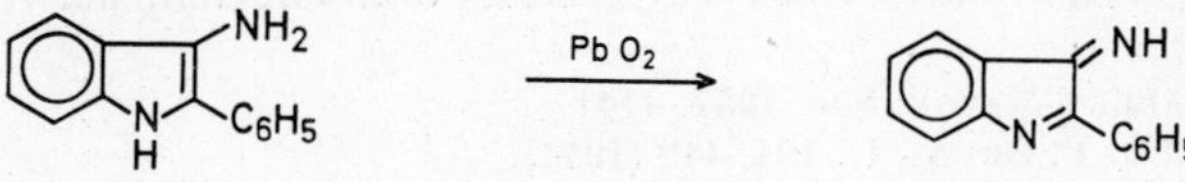

---

[1] L. V. ZOLOTOVA u. Y. A. BRUK, Ž. Org. Chem. **10**, 133 (1974); engl.: 135; C. A. **80**, 108093 (1974).
[2] J. TAFEL, B. **32**, 194 (1899).
[3] J. TAFEL u. A. WEINSCHENK, B. **33**, 3369 (1900).
[4] L. KALB, B. **42**, 3642 (1909).
  Dehydroindigosulfonsäure, vgl. H. WIELAND, B. **54**, 2366 (1921).
[5] R. J. RICHMAN u. A. HASSNER, J. Org. Chem. **33**, 2548 (1968).

und Bi-[indolyl-(3)] unter Beteiligung von 2 C=C-Doppelbindungen zu *Bi-[3H-indolyli-den-(3)]*[1,2]:

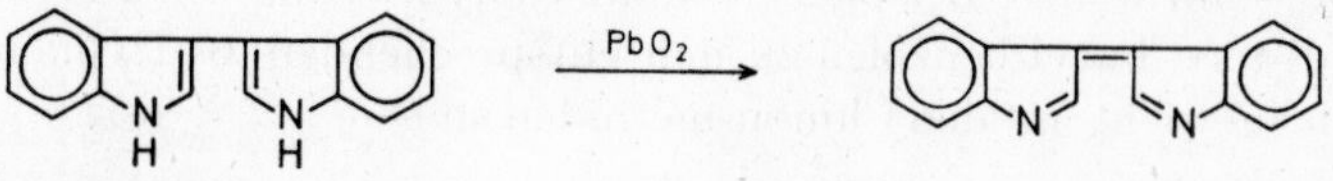

Aromatische p-Diamine lassen sich außer mit Silberoxid auch mit Blei(IV)-oxid sehr gut dehydrieren. Es entstehen dabei die entsprechenden Diimine, z. B. aus 1,4-Dianilino-benzol in niedrigsiedendem Petroläther in wenigen Minuten in der Wärme *p-Ben-zochinon-bis-[phenylimin]* (*3,6-Bis-[phenylimino]-cyclohexadien*)[3], das beim Erkalten aus-kristallisiert. Das unsubstituierte *p-Benzochinondiimin* (*3,6-Diimino-cyclohexadien*)[4] läßt sich mit Blei(IV)-oxid aus 1,4-Diamino-benzol nur als sehr verdünnte Lösung herstellen. Das gleiche gilt für das *o-Benzochinon-diimin* (*5,6-Diimino-cyclohexadien*)[5], das sich schnell zum *2,2′-Diamino-azobenzol* dimerisiert:

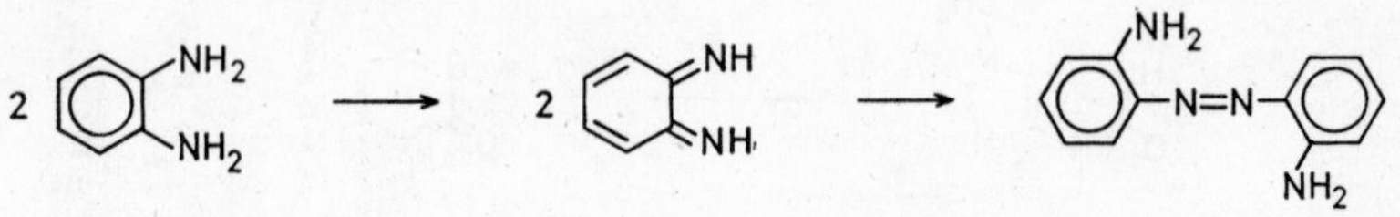

Von besonderem Interesse ist *6-Imino-3-phenylimino-cyclohexadien-(1,4)*,

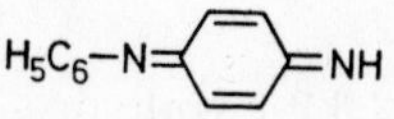

das durch Dehydrierung von 4-Amino-2-anilino-benzol mit Silberoxid[6] (S. 71) in aus-gezeichneter Ausbeute, weniger gut auch mit Blei(IV)-oxid[7], herstellbar ist, und zum *blauen Emeraldin* {*6-Phenylimino-3-[4-(4-amino-anilino)-phenyl-imino]-cyclohexadien-(1,4)*} dimerisiert werden kann. Läßt man Blei(IV)-oxid auf dieses einwirken, so entsteht das *rote Emeraldin*[8]:

Rotes Emeraldin **[4-(4-Imino-cyclohexadienylidenimino)-1-(4-phenylimino-cyclohexadienyliden)-benzol]**[8]: 5 g blaues Emeraldin werden in 1250 *ml* Benzol mit 50 g Blei(IV)-oxid, in Anwesenheit von 50 g Natriumsulfat 3 Stdn. geschüttelt. Die blutrote Lösung wird nach dem Filtrieren auf 200 *ml* eingeengt, wobei 4 g (80% d.Th.) des roten Imins kristallin ausfallen; F: 195—196°.

Ein Analogon des Amphinaphthochinons ist das *2,6-Naphthochinon-bis-[benzolsulfonyl-imin]*[9]. Es entsteht (73% d.Th.; F: 166–167°), wenn man ein Gemisch von 2,6-Bis-[benzol-

[1] S. A. Faseeh u. J. Harley-Mason, Soc. **1957**, 4141.
[2] M. Colonna, L. Greci u. P. Bruni, G. **101**, 449 (1971).
[3] R. Willstätter u. A. Pfannenstiel, B. **38**, 2249 (1905).
[4] E. Erdmann, B. **37**, 2906 (1904).
[5] R. Willstätter u. A. Pfannenstiel, B. **38**, 2348 (1905).
[6] R. Willstätter u. A. Pfannenstiel, B. **37**, 4606 (1904).
[7] H. Caro, Verh. Ges. dtsch. Naturforscher, Ärzte **1896** II, 119.
[8] R. Willstätter u. C. W. Moore, B. **40**, 2665 (1907).
[9] R. Adams u. R. A. Wankel, Am. Soc. **73**, 2219 (1951).

sulfonylamino]-naphthalin mit dem vierfachen Gewicht Blei(IV)-oxid in siedendes Benzol einträgt und ~ 20 Min. unter Rückfluß erhitzt:

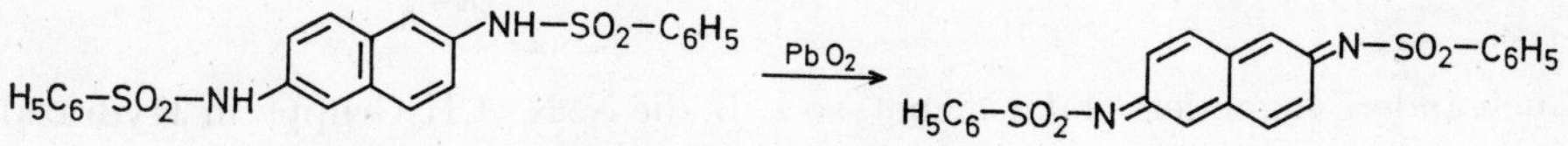

Die Dehydrierung an zwei benachbarten Stickstoffatomen unter Bildung einer N=N-Doppelbindung schließlich erfolgt besonders leicht. Hydrazo-Verbindungen werden dabei in Azo-Verbindungen übergeführt.

2,4,2′,4′,6′-Pentanitro-hydrazobenzol liefert bereits durch kurzes Erwärmen seiner Acetonlösung mit Blei(IV)-oxid *2,4,2′,4′,6′-Pentanitro-azobenzol*[1], ebenso verhält sich die 5-Nitro-4-(N′-phenyl hydrazino)-2-methyl-benzoesäure, die zur *6-Nitro-3-methyl-azobenzol-4-carbonsäure*[2] dehydriert wird:

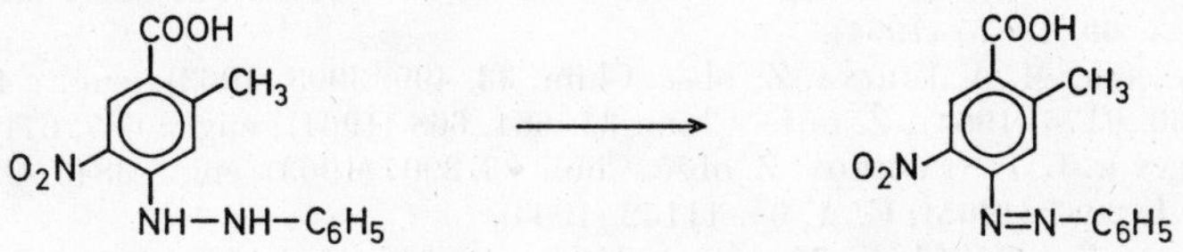

Die Dehydrierung von 1,3-Bis-[N′-phenyl-hydrazino]-benzol zu *1,3-Bis-[benzolazo]-benzol* (*m-Diazobenzol*)[3] gelingt schon durch ganz kurzes Kochen mit Blei(IV)-oxid in methanolischer Lösung.

b) Dehydrierung zu stabilen Radikalen

Blei(IV)-oxid ist hervorragend zur Herstellung stabiler Radikale geeignet. In der Reihe der Stickstoff-Verbindungen sind es vor allem aromatische Hydrazin-Derivate, die zu Hydrazyl-Radikalen dehydriert werden und bei den Sauerstoff-Verbindungen vor allem Phenol-Derivate, die zu Phenoxyl- und Hydroxylamine, die zu Nitroxyl-Radikalen umgesetzt werden.

1. Organische Stickstoff-Radikale (Hydrazyle, Pyrrolyle u. Imidazolyle)

Eine Lösung von 2,2-Diphenyl-1-(2,4,6-trinitro-phenyl)-hydrazin in Benzol oder Chloroform färbt sich beim Schütteln mit Blei(IV)-oxid schon nach kurzer Zeit tief violett. Beim Einengen der violetten Lösung kristallisiert *2,2-Diphenyl-1-(2,4,6-trinitro-phenyl)-hydrazyl* in großen (bis zu 1/2 cm) schwarzvioletten, metallisch schimmernden Kristallen aus[4].

Nach diesem einfachen Verfahren lassen sich Hydrazyl-Radikale besonders leicht und in Ausbeuten bis zu über 90% d.Th. herstellen[5,6]. Besonders Matevosjan hat die Eigenschaften und die Voraussetzungen untersucht, die die Stabilität der freien Hydrazyl-

[1] H. LEEMAN u. E. GRANDMOUGIN, B. 41, 1297, 1307 (1908).
[2] H. GOLDSTEIN u. A. TARDENT, Helv. 34, 149 (1951).
[3] P. RUGGLI u. W. WÜST, Helv. 28, 781 (1945).
[4] S. GOLDSCHMIDT u. K. RENN, B. 55, 628 (1922).
[5] A. T. BALABAN, P. T. FRANGOPOL, M. MĂRKULESCU u. J. BALLY, Tetrahedron 13, 258 (1961).
[6] J. HEIDBERG u. J. A. WEIL, Am. Soc. 86, 5173 (1964).

Derivate garantieren[1]. Eine dieser Voraussetzungen ist die 1,1,2-Trisubstitution mit solchen Resten, die das Radikal stabilisieren, im einfachsten Fall sind es aromatische Gruppen[2-4]:

$$\begin{array}{ccc} Ar & & Ar \\ \diagdown & & \diagup \\ & N-N & \\ \diagup & \quad | & \diagdown \\ Ar & \quad H & \end{array} \quad \xrightarrow{PbO_2} \quad \begin{array}{ccc} Ar & & Ar \\ \diagdown & & \diagup \\ & N-N & \\ \diagup & \quad \bullet & \diagdown \\ Ar & & \end{array}$$

Aber auch andere Liganden sind geeignet, so z. B. die N–N=CH-Gruppe in Hydrazidinen[4]:

$$\begin{array}{cc} Ar & \quad Ar \\ \diagdown & \diagup \\ N-N=CH-NH-N & \\ \diagup & \diagdown \\ Ar & \quad Ar \end{array} \quad \xrightarrow{Pb\,O_2} \quad \begin{array}{cc} Ar & \quad Ar \\ \diagdown & \diagup \\ N-N=CH-\overset{\bullet}{N}-N & \\ \diagup & \diagdown \\ Ar & \quad Ar \end{array}$$

Wegen seiner Stabilität wird *2,2-Diphenyl-1-(2,4,6-trinitro-phenyl)-hydrazyl* häufig als Standard bei ESR-Messungen verwendet[2].

[1] R. O. Matevosyan, I. Y. Postovskii u. A. K. Chirkov, Ž. obšč. Chim. **29**, 858, 3106 (1959); engl.: 843; C. A. **54**, 1372 (1960); Ž. obšč. Chim. **30**, 3186 (1960); engl.: 3155; C. A. **55**, 18704 (1961).

R. O. Matevosyan u. A. K. Chirkov, Ž. obšč. Chim. **32**, 245, 251 (1962); engl.: 238, 244; C. A. **57**, 13651 (1962).

M. A. Ikrina u. R. O. Matevosyan, Ž. obšč. Chim. **32**, 3952 (1962); engl.: 3878; C. A. **58**, 13830 (1963); Ž. obšč. Chim. **33**, 3897 (1963); engl.: 3834; C. A. **60**, 9176 (1964); Ž. obšč. Chim. **34**, 142 (1964); engl.: 140; C. A. **60**, 10575 (1964).

R. O. Matevosyan u. M. A. Ikrina, Ž. obšč. Chim. **33**, 499, 3903 (1963); engl.: 491, 3839; C. A. **59**, 2699 (1963); **60**, 9176 (1964); Ž. obšč. Chim. **34**, 664, 668 (1964); engl.: 667, 671.

R. O. Matevosyan u. L. I. Stashkov, Ž. obšč. Chim. **33**, 3907 (1963); engl.: 3843; C. A. **60**, 9176 (1964); Ž. Org. Chim. **1**, 2087 (1965); C. A. **64**, 11152 (1966).

R. O. Matevosyan, Ž. obšč. Chim. **34**, 133 (1964); engl.: 131; C. A. **60**, 10575 (1964).

L. I. Stashkov u. R. O. Matevosyan, Ž. obšč. Chim. **34**, 137, 4057 (1964); engl.: 136, 4116; C. A. **60**, 10575 (1964); **62**, 10388 (1965); Ž. Org. Chim. **1**, 624 (1965); C. A. **63**, 5644 (1965).

R. O. Matevosyan u. L. A. Petrov, Ž. Org. Chim. **1**, 1299 (1965); C. A. **63**, 14650 (1965).

L. A. Petrov, R. O. Matevosyan u. V. D. Galyaminskikh, Ž. Org. Chim. **1**, 1679 (1965); C. A. **64**, 5064 (1966).

R. O. Matevosyan, L. A. Petrov u. N. I. Abramova, Ž. Org. Chim. **1**, 1682 (1965); C. A. **64**, 721 (1966).

R. O. Matevosyan, L. A. Petrov u. V. D. Galyaminskikh, Ž. Org. Chim. **1**, 1710 (1965); C. A. **64**, 734 (1966).

R. O. Matevosyan u. D. P. Elchinov, Ž. Org. Chim. **1**, 1914 (1965); **3**, 561 (1967); C. A. **64**, 11067 (1966); **67**, 11448 (1967).

L. A. Petrov, R. O. Matevosyan, V. D. Galyaminskikh u. N. I. Abramova, Ž. Org. Chim. **2**, 501 (1966); C. A. **65**, 18573 (1966).

D. P. Elchinov, R. O. Matevosyan u. V. V. Smirnova, Ž. Org. Chim. **3**, 564 (1967); C. A. **67**, 11449 (1967).

R. O. Matevosyan u. M. N. Rudaya, Ž. Org. Chim. **3**, 1650 (1967); C. A. **68**, 39226 (1968).

R. O. Matevosyan, A. A. Maksimov u. V. I. Koryakov, Ž. Org. Chim. **3**, 2057 (1967); C. A. **68**, 39589 (1968).

G. N. Yashchenko, R. O. Matevosyan u. I. B. Donskikh, Ž. Org. Chim. **4**, 1456 (1968); C. A. **69**, 86955[z] (1968).

A. A. Maksimov, R. O. Matevosyan, V. I. Koryakov u. A. K. Chirkov, Ž. Org. Chim. **4**, 1643 (1968); C. A. **70**, 3404[R] (1969).

R. O. Matevosyan, N. I. Abramova u. O. B. Donskikh, Ž. Org. Chim. **4**, 1460 (1968); C. A. **69**, 86877[a] (1968).

R. O. Matevosyan, G. N. Yashchenko, A. K. Chirkov u. L. A. Perelyaeva, Ž. Org. Chim. **4**, 1670 (1968); C. A. **70**, 3727[y] (1969).

R. O. Matevosyan, M. N. Rudaya, A. K. Chirkov u. V. I. Koryakov, Ž. Org. Chim. **8**, 626 (1972); engl.: 632, C. A. **77**, 5079 (1972).

I. B. Donskikh, O. B. Donskikh, V. N. Yakovleva, B. P. Manannikov u. R. O. Matevosyan, Ž. Org. Chim. **10**, 595 (1974); engl.: 599; C. A. **80**, 132622 (1974).

R. O. Matevosyan, N. I. Abramova, Yu. A. Abramov, V. N. Yakovleva, A. K. Chirkov, L. A. Perelyaeva, V. A. Gubanov, V. I. Koryakov u. O. B. Donskikh, Khim. Geterotsikl. Soedin. **1971**, 462; C. A. **76**, 24503 (1972).

[2] A. T. Balaban, P. T. Frangopol, M. Mărkulescu u. J. Bally, Tetrahedron **13**, 258, (1961).

[3] J. Heidberg, u. J. A. Weil, Am. Soc. **86**, 5173 (1964).

[4] R. Kuhn, F. A. Neugebauer u. H. Trischmann, Ang. Ch. **76**, 230 (1964).

Eine andere Gruppe von Stickstoff-Radikalen, die sich ebenfalls durch Schütteln der entsprechenden Ausgangsverbindungen mit Blei(IV)-oxid in Benzol herstellen läßt, sind Polyaryl-pyrrolyle oder -imidazolyle[1-10]; z. B.:

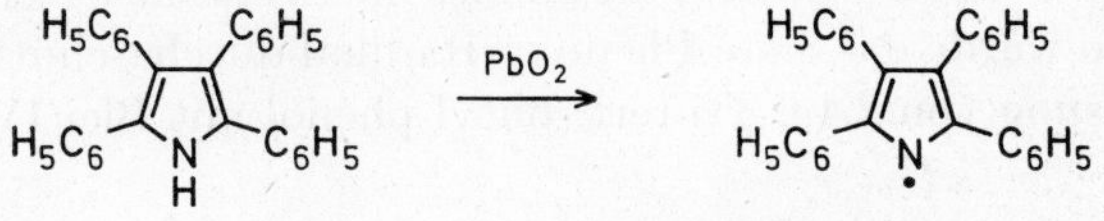

Tetraphenyl-pyrryl

Neben Blei(IV)-oxid hat sich zu ihrer Herstellung auch Kaliumhexacyanoferrat(III) ausgezeichnet bewährt[11].

Ein einfaches Iminyl-Radikal erhält man bei der Einwirkung von Blei(IV)-oxid auf eine Lösung von [Diadamantyl-(1)-methylen]-imin in Tetrachlormethan[12]:

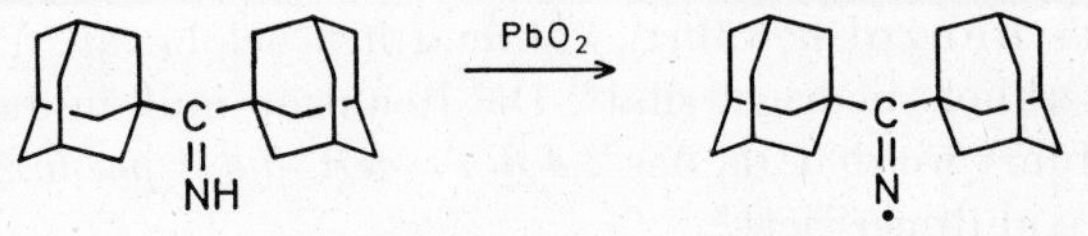

Bei der Dehydrierung von 8H-⟨Dinaphtho-[2,3-c; 2′, 3′-h] phenothiazin⟩, erhält man das sehr stabile *Dinaphtho-[2,3-c; 2′,3′-h]-phenothiazinyl*, das im kristallinen Zustand zu 85% als Radikal vorliegt[13,14]:

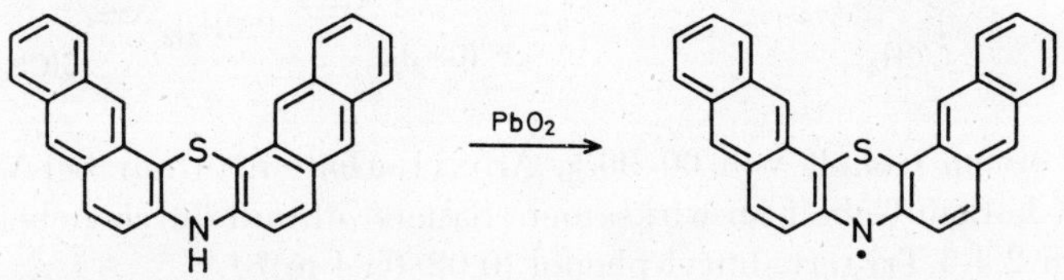

Dinaphtho-[2,3-c; 2′,3′-h]-phenothiazinyl[14]: Zu einer Lösung von 0,5 g 8H-⟨Dinaphtho [2,3-c; 2′,3′-h] phenothiazin⟩ in 60 *ml* Xylol werden in der Siedehitze 0,17 g Blei(IV)-oxid gegeben. Dabei nimmt die Lösung augenblicklich eine tiefgrüne Färbung an. Man kocht 5 Min. unter Rühren, filtriert die Bleioxide aus der siedenden Lösung ab und läßt aus dem Filtrat auskristallisieren. Nach dem Absaugen wird mit Xylol, Benzol und Aceton gewaschen; Ausbeute: 0,15 g (30% d. Th.; grünschwarze Nadeln); F: 304–306°.

[1] B. S. Tanaseichuk, S. L. Vlasova, A. N. Sunin u. V. E., Gavrilov, Ž. Org. Chim. 5, 144 (1969); engl.: 142; C. A. 70, 87433 (1969).

[2] B. S. Tanaseichuk, S. L. Vlasova u. E. N. Morozow, Ž. Org. Chim. 7, 1264 (1971); engl.: 1303; C. A. 75, 110127 (1971).

[3] B. S. Tanaseichuk u. S. V. Yartseva, Ž. Org. Chim. 7, 1260 (1971), engl.: 1299; C. A. 75, 110236 (1971).

[4] B. S. Tanaseichuk u. L. A. Zhivechkova, Khim. Geterotsikl. Soedin 1971, 1550; C. A. 77, 34423 (1972).

[5] B. S. Tanaseichuk, S. L. Vlasova u. V. S. Kireeva, Uch. Zap. Mord. Univ. 1971, Nr. 81, 98; C. A. 78, 15939 (1973).

[6] A. A. Bardina, A. I. Tsapenkov u. B. S. Tanaseichuk, Uch. Zap. Mord. Univ. 1971, Nr. 81, 87; C. A. 78, 43365 (1973).

[7] B. S. Tanaseichuk u. S. V. Yartseva, Uch. Zap. Mord. Univ. 1971, Nr. 81, 90; C. A. 78, 43366 (1973).

[8] B. S. Tanaseichuk u. V. N. Belyamov, Uch. Zap. Mord. Univ. 1971, Nr. 81, 95; C. A. 78, 43368 (1973).

[9] B. S. Tanaseichuk, L. G. Rezepova, E. P. Sanaeva u. V. V. Stanovskii, Uch. Zap. Mord. Univ. 1971, Nr. 81, 79; C. A. 78, 43367 (1973).

[10] S. L. Vlasova, B. S. Tanaseichuk, L. V. Malysheva u. R. L. Murtazin, Khim. Geterotsikl Soedin. 1972, 1684; C. A. 78, 71822 (1973).

[11] s. S. 786 ff.

[12] J. H. Wieringa, H. Wynberg u. J. Strating, Tetrahedron 30, 3053 (1974).

[13] M. Zander u. W. H. Franke, Tetrahedron Letters 1969, 5107.

[14] J. Brandt, G. Fauth, W. H. Franke u. M. Zander, B. 104, 519 (1971).

2. Organische Sauerstoff-Radikale (Phenoxyle, Nitroxyle)

Blei(IV)-oxid ist wie Kaliumhexacyanoferrat(III) ein geeignetes Mittel zur Herstellung von organischen Sauerstoff-Radikalen durch Entzug von Wasserstoff. Ausgangsverbindungen sind **stark gehinderte Phenole**, die zu mesomeriestabilisierten Phenoxy-Radikalen dehydriert werden. So wurde das erste Phenoxy-Radikal durch Schütteln einer ätherischen oder benzolischen Lösung von 2,4,6-Tri-tert.-butyl-phenol mit Blei(IV)-oxid hergestellt[1,2]:

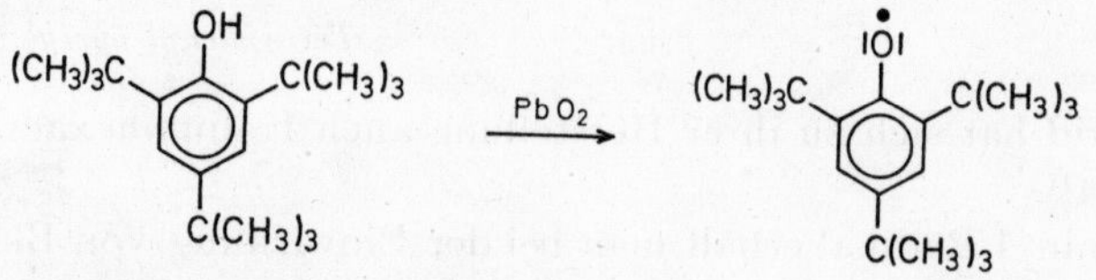

Andere Lösungsmittel sind Petroläther, Cyclohexan und Tetrachlormethan, jedoch hat sich vor allem reinstes **Benzol** bewährt, während in Cyclohexan, Petroläther und Äther die Radikalgehalte merklich niedriger sind[3]. Die Reaktion muß in diesem Falle unter reinstem Stickstoff ausgeführt werden, da das *2,4,6-Tri-tert.-butyl-phenoxyl* mit Sauerstoff unter Entfärbung zum Peroxid dimerisiert[2]:

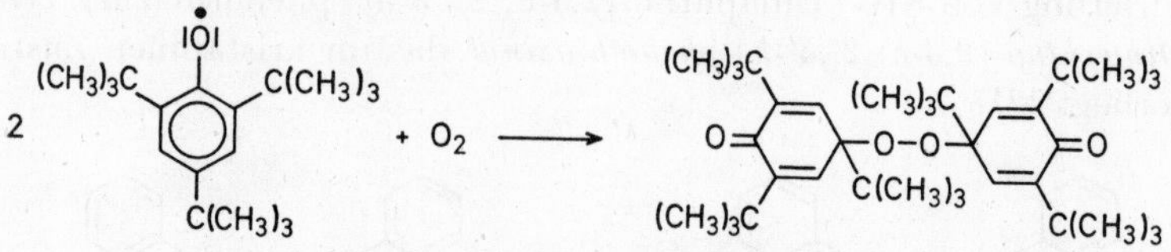

Präparate mit einem Gehalt von 90–96% Aroxyl erhält man nur bei Verwendung von Blei(IV)-oxid mit hohem Gehalt an wirksamem Sauerstoff und durch Arbeiten in verdünnten Lösungen von 2,4,6-Tri-tert.-butyl-phenol (0,02–0,04 m)[3,4].

Ähnlich dem 2,4,6-Tri-tert.-butyl-phenoxy-Radikal sind auch *2,4,6-Tri-tert.-phenyl-phenoxyl*[5], *2,6-Di-tert.-butyl-4-aryl-phenoxyl*[6], *2,4-Di-tert.-butyl-6-trimethylsilyl-phenoxyl*[7] und viele ähnliche Phenoxyle (X = O[8,9], S[9,10,11], Se[12] und P[13]) hergestellt worden.

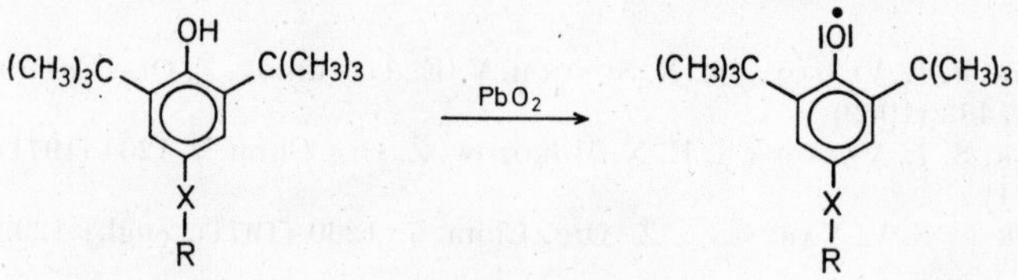

[1] C. D. Cook, J. Org. Chem. **18**, 261 (1953).

[2] Eu. Müller u. K. Ley, Z. Naturf. **8**b, 694 (1953); B. **87**, 922 (1954).

[3] Eu. Müller, K. Ley u. W. Kiedaisch, B. **87**, 1605 (1954).

[4] V. V. Ershov, A. A. Volodkin u. M. V. Tarkhanova, Izv. Akad. SSSR. **1967**, 2470; engl.: 2352; C. A. **69**, 58842 (1968).

[5] K. Dimroth, F. Kalk u. G. Neubauer, B. **90**, 2058 (1957).

[6] G. N. Bogdanov u. V. V. Ershov, Izv. Akad. SSSR **1963**, 1516; engl.: 1381; C. A. **59**, 13854 (1963).

[7] D. V. Muslin, N. S. Vasileiskaya, M. L. Khidekel u. G. A. Razuvaev, Izv. Akad. SSSR **1966**, 181; engl.: 166; C. A. **64**, 12713 (1966).

[8] Eu. Müller, K. Ley, K. Scheffler u. R. Mayer, B. **91**, 2682 (1958).

[9] K. Scheffler, Z. Elch., Ber. Bunsenges. phys. Chem. **65**, 439 (1961).

[10] Eu. Müller, H. B. Stegmann u. K. Scheffler, A. **645**, 79 (1961).

[11] H. B. Stegmann, K. Scheffler u. Eu. Müller, A. **677**, 59 (1964).

[12] Eu. Müller, H. B. Stegmann u. K. Scheffler, A. **657**, 5 (1962).

[13] Eu. Müller, H. Eggensperger u. K. Scheffler, A. **658**, 103 (1962).

Von den genannten Radikalen ist nur das praktisch undissoziierte *2,4,6-Tri-phenyl-phenoxyl* sowohl in Lösung als auch in Substanz stabil und gegenüber der Einwirkung von Sauerstoff praktisch unempfindlich. Die anderen Radikale sind dagegen mehr oder weniger instabil und haben häufig eine Halbwertszeit von wenigen Sekunden. Um diese in Lösung für ESR-Messung herzustellen, empfiehlt es sich, nach folgender Vorschrift zu verfahren.

Instabile Aryloxy-Radikale; allgemeine Herstellungsvorschrift[1]: Eine $\sim 10^{-2}$m benzolische Lösung des Phenols wird in ein vorher mit reinstem Stickstoff gefülltes, zur ESR-Messung geeignetes Röhrchen gegeben und im Methanol/Trockeneis-Bad eingefroren. Anschließend überschichtet man mit etwas Blei(IV)-oxid und schmilzt unter Stickstoff die Meßprobe ab. Unmittelbar vor der Messung wird die Probe aufgetaut, sorgfältig von anhaftendem Kondensationswasser befreit, gut durchgeschüttelt und gemessen.

Ohne besondere Vorsichtsmaßnahmen[2] erhält man aus den entsprechenden Grundverbindungen *4-[4-Oxo-3,5-di-tert.-butyl-cyclohexadien-(2,5)-ylidenmethyl]-2,6-di-tert.-butyl-phenoxyl(I)*[3] und *4-[4-Oxo-3,5-di-tert.-butyl-cyclohexadien-(2,5)-yliden-amino]-2,6-di-tert.-butyl-phenoxyl(II)*[4]

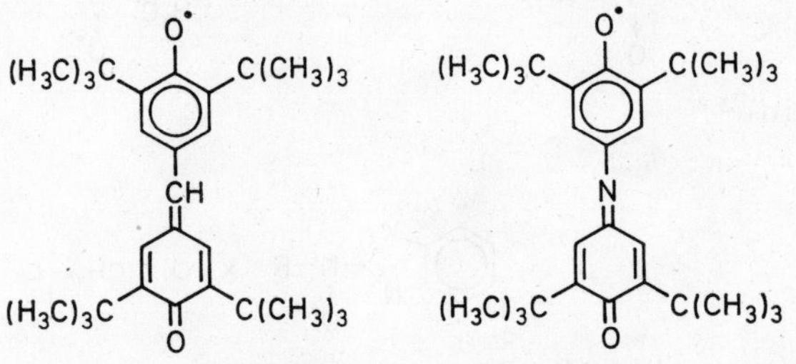

4-[4-Oxo-3,5-di-tert.-butyl-cyclohexadien-(2,5)-ylidenamino]-2,6-di-tert.-butyl-phenoxyl (II)[4]: Eine Lösung von 10 g 2,6-Di-tert.-butyl-1,4-benzochinon-4-(4-hydroxy-3,5-di-tert.-butyl-phenylimin) in 100 ml Äther wird 2 Stdn. bei $\sim 22°$ mit 20 g Blei(IV)-oxid gerührt. Das Blei(II)-oxid wird abfiltriert und das freie Radikal durch Abdampfen des Lösungsmittels und Umkristallisation aus Octan erhalten; Ausbeute: 70–80% d.Th.; F: 135–136°.

Im allgemeinen sollte man aber auch bei der Herstellung von robusteren Radikalen, wie dem *7-Oxyl-2,8-diphenyl-⟨dinaphtho-[1,2-b; 2′,3′-d]-furan⟩*[5] nicht auf eine Schutzgasatmosphäre verzichten:

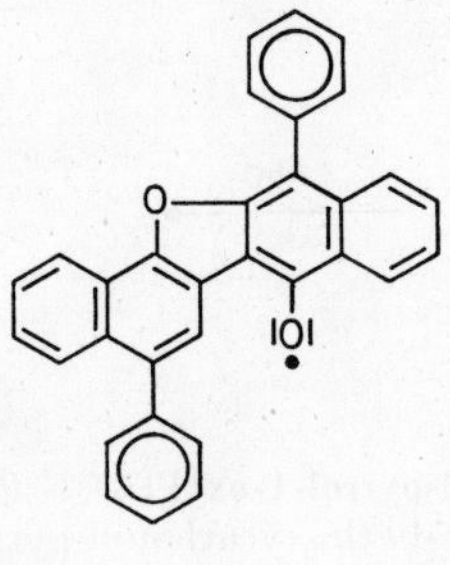

Eine weitere Gruppe von Radikalen, die durch Einwirkung von Blei(IV)-oxid auf die entsprechenden N-Hydroxy-Verbindungen hergestellt werden, sind die Nitroxyle:

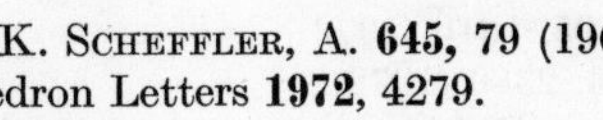

[1] Eu. Müller, H. B. Stegmann u. K. Scheffler, A. **645**, 79 (1961).
[2] s. a. L. Taimr u. Pospišil, Tetrahedron Letters **1972**, 4279.
[3] G. M. Coppinger, Am. Soc. **79**, 501 (1957).
[4] G. M. Coppinger, Tetrahedron **18**, 61 (1962).
[5] D. Schulte-Frohlinde u. F. Erhardt, A. **671**, 84 (1964).

Man stellt sie gewöhnlich durch Schütteln einer Lösung des Hydroxylamins in Benzol oder einem anderen geeigneten Lösungsmittel mit Blei(IV)-oxid bei Raumtemperatur her. Ihre Existenz kann häufig nur auf Grund des ESR Spektrums oder anhand von typischen Farben erkannt werden, nachdem entweder ihre Halbwertszeiten nur kurz, oder sie in Substanz z.Tl. extrem instabil sind. Hierzu gehören z. B. *5-Imino-2,2-dimethyl-pyrrolidin-1-oxyl*[1]

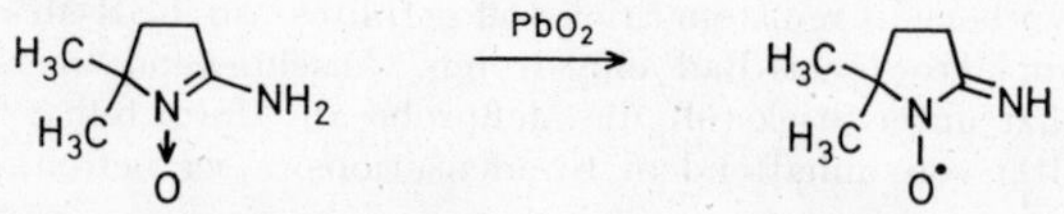

2,4-Diimino-5,5-dimethyl-imidazolidin-1-oxyl[1]

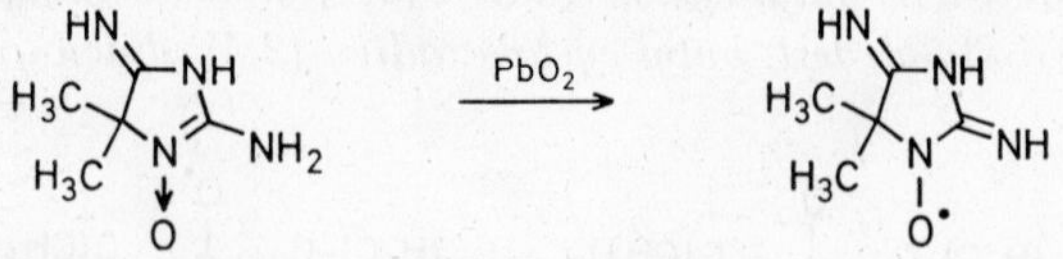

Indolyl-2-nitroxide[2,3]

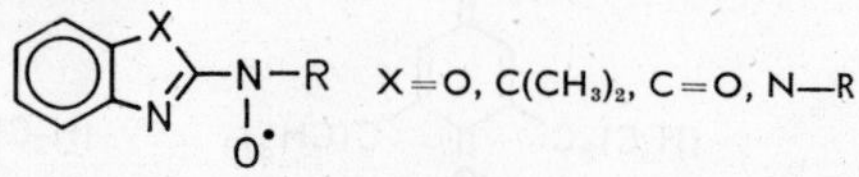

und *Bis-[6-benzolsulfonyl]-nitroxid*[4]

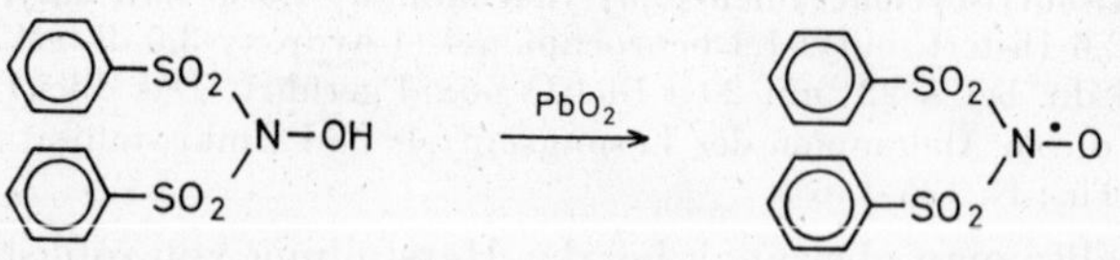

Pyrrol-1-oxyle lassen sich dagegen in Substanz isolieren.[5] Man erhält sie bei der Dehydrierung von 1-Hydroxy-pyrrolen:

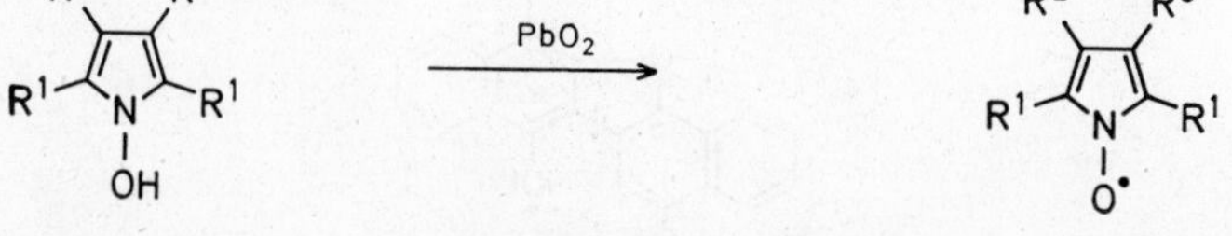

2,5-Di-tert.-butyl-3,4-diäthoxycarbonyl-pyrrol-1-oxyl [R¹ = C(CH₃)₃; R²=R³ = COOC₂H₅][5]: 0,51 (1,51 mMole) 1-Hydroxy-2,5-di-tert.-butyl-3,4-diäthoxycarbonyl-pyrrol werden in 200 *ml* Benzol gelöst und nach Zugabe von 3,6 g (15,1 mMol) Blei(IV)-oxid 15 Min. geschüttelt. Danach wird das Reaktionsgemisch filtriert (Glasfritte) und das Lösungsmittel auf dem Wasserbad i. Vak. abdestilliert. Man erhält 0,5 g blau-grünes Produkt. Durch Chromatographie an 30 g Silikagel (Merck, ∅ = 0,05–0,2 mm) eluiert man nacheinander:

mit Petroläther/Äther (95:5) 0,347 g (66% d.Th.) Radikal: F: 70°
und mit Petroläther/Äther (1:1) 0,1 g Ausgangsprodukt.

[1] H. G. AURICH u. J. TRÖSKEN, B. **105**, 1216 (1972).
[2] H. G. AURICH u. W. WEISS, B. **105**, 2389 (1972).
[3] H. G. AURICH, A. LOTZ u. W. WEISS, B. **106**, 2845 (1973).
[4] T. A. J. W. WAYER et al., R. **89**, 696 (1970).
[5] R. RAMASSEUL u. A. RASSAT, Bl. **1970**, 4330.

2,5-Dihydro-imidazol-1-oxyle werden aus den entsprechenden 1-Hydroxy-Derivaten erhalten[1,2]:

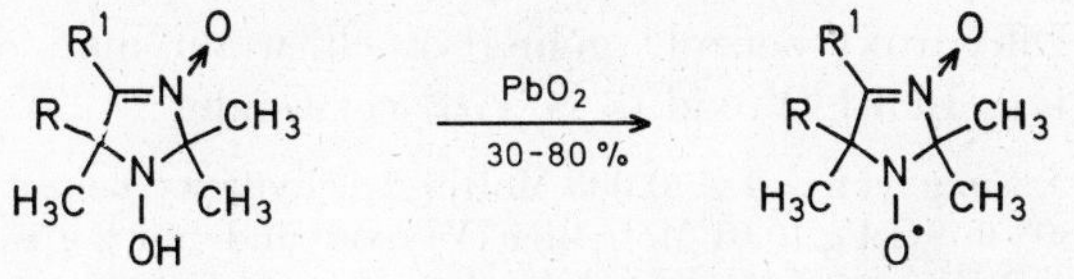

z. B.: R = CH₃; R¹ = C₆H₅; *2,2,5,5-Tetramethyl-4-phenyl-2,5-dihydro-imidazol-3-oxid-1-oxyl*; 80% d.Th.

Stabile Nitroxyle vom Typ C=N—O˙ sind aus den entsprechenden Oximen nur selten zugänglich. Im Diadamantyl-(1)-keton-oxim hat der Adamantyl-Rest offensichtlich einen ausgeprägten stabilisierenden Einfluß, so daß bei der Oxidation mit Blei(IV)-oxid das [*Diadamantyl-(1)-methylen*]-*iminoxyl* zu 80% d.Th. entsteht[3]:

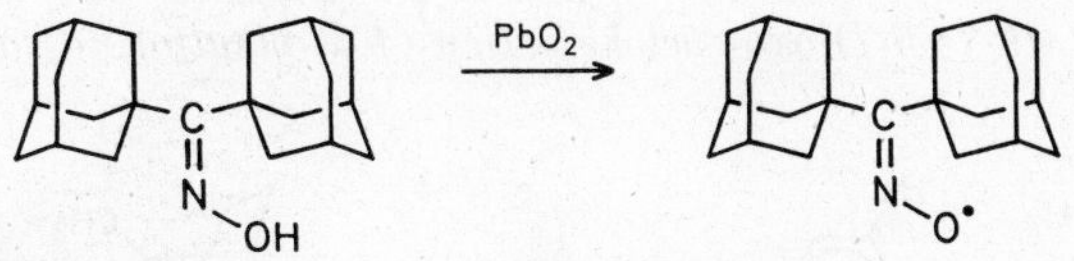

[Diadamantyl-(1)-methylen]-iminoxyl[3]: In einem Zentrifugenglas werden 100 mg (0,32 mMol) Diadamantyl-(1)-keton-oxim in 10 ml Benzol mit 500 mg Blei(IV)-oxid 20 Min. bei Raumtemp. gerührt. Danach wird zentrifugiert und die himmelblaue Lösung abdekantiert. Nach Abdampfen des Lösungsmittels bleiben 100 mg einer blauen Festsubstanz, welche aus Hexan bei −80° umkristallisiert wird; Ausbeute: 80 mg (80% d.Th.); F: 118,4–118,6° (nach wiederholtem Umkristallisieren).

c) Dehydrierung von Hydroxy- zu Carbonyl-Verbindungen

1. Dehydrierung von aliphatischen Hydroxy-Verbindungen

Von den primären aliphatischen Alkoholen kann man 2-Nitro-äthanol besonders gut dehydrieren. Läßt man in eine Suspension von Blei(IV)-oxid in siedendem Wasser ein Gemisch von 2-Nitro-äthanol und Schwefelsäure einfließen, so destilliert *Nitro-acetaldehyd*[4] gleichzeitig mit dem Wasserdampf ab.

Vitamin A-Alkohol wird in Petroläther mit Blei(IV)-oxid zu *Vitamin-A-aldehyd* (*Retinin*; 65% d. Th.) oxidiert[5]:

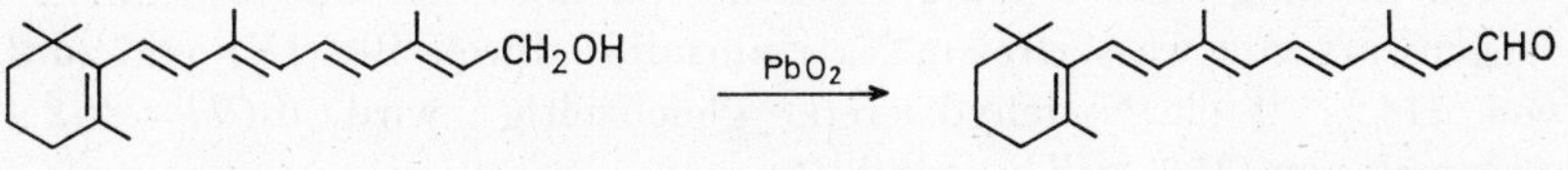

Zur Dehydrierung sekundärer Alkohole ist Blei(IV)-oxid weniger geeignet. So sind auch die Ausbeuten an Oxo-alkoholen bei der Dehydrierung von Polyalkoholen gering[6], immerhin lassen sich manche Ketosen so herstellen.

Auch Tropin liefert in verdünnter schwefelsaurer Lösung nur ~ 26% d.Th. Tropinon (*3-Oxo-9-methyl-9-aza-bicyclo[3.2.1]octan*)[7].

---

[1] L. B. VOLODARSKII u. G. A. KUTIKOVA, Izv. Akad. Nauk, **1971**, 937; engl.: 859; C. A. **75**, 76685 (1971).

[2] L. B. VOLODARSKII, I. A. GRIGOREV u. G. A. KUTIKOVA, Ž. Org. Chim. **9**, 1974 (1973); engl.: 1990.

[3] J. H. WIERINGA, H. WYNBERG u. J. STRATING, Tetrahedron **30**, 3053 (1974).

[4] H. WIELAND u. E. SAKELLARIOS, B. **53**, 201 (1920).

[5] Y. MASE, J. Vitaminology (Japan) 8, 10 (1962); C. A. **58**, 410 (1963).

[6] E. FISCHER, B. **27**, 1528 (1894).

[7] R. WILLSTÄTTER, B. **33**, 1169 (1900).

2. Dehydrierung von aromatischen Hydroxy-Verbindungen

Das rote o-Benzochinon ist lange Zeit nur mittels Silberoxid zugänglich gewesen. Seine Herstellung aus 1,2-Dihydroxy-benzol[1] gelingt auch, wenn man ein aus Blei(IV)-acetat hergestelltes sehr aktives Blei(IV)-oxid (s. S. 176) verwendet:

o-Benzochinon[1]: Die Lösung von 0,5 g (0,005 Mol) 1,2-Dihydroxy-benzol (Brenzcatechin) in 15 *ml* absol. Äther wird bei −80° mit 2,4 g (0,01 Mol) Blei(IV)-oxid und mit 2 g wasserfreiem Natriumsulfat versetzt, hierauf kräftig 1–2 Min. geschüttelt und durch rasches Abfiltrieren vom Bleischlamm getrennt. Die dunkelrote Lösung scheidet beim Abkühlen auf −70° Kristalle ab. Nach 30 Min. wird rasch abgesaugt und das rote Kristallisat mit kaltem Äther gewaschen. Zur Analyse wird i. Vak. über Paraffin getrocknet.

Methoxy-p-benzochinon[2]: Man löst 2,5-Dihydroxy-1-methoxy-benzol in heißem, trockenem Benzol, setzt wasserfreies Magnesiumsulfat zu und schüttelt mit überschüssigem Blei(IV)-oxid durch, bis aus einer entnommenen filtrierten Probe kein violettes Chinhydron mehr auskristallisiert. Zur rascheren Beendigung der Dehydrierung wird gegen Ende auf dem Wasserbad unter Rückfluß erwärmt; Ausbeute: 50–60% d. Th.; F: 143–144°.

Ein weiteres Beispiel ist 10-(2,5-Dihydroxy-phenylsulfon)-d-campher (I), das in ätherischer Lösung rasch zum *10-[3,6-Dioxo-cyclohexadien-(1,3)-ylsulfon]-d-campher* (II) dehydriert wird[3]:

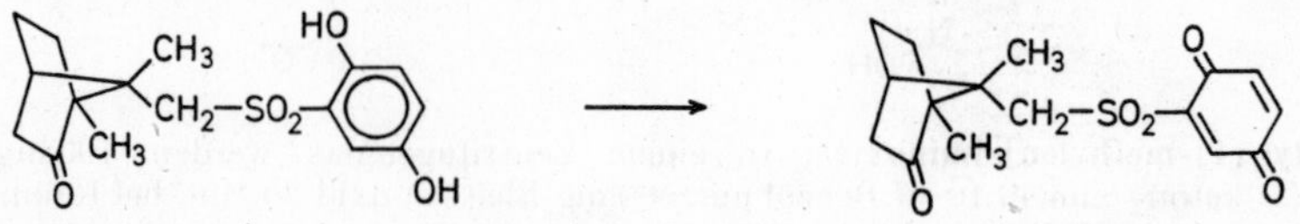

Wie das Beispiel der Oxidation von I zeigt, lassen sich 1,4-Dihydroxy-benzole mit den verschiedensten funktionellen Resten am Benzolkern in die entsprechenden Chinone überführen, so z. B.:

2,5-Dihydroxy-1-cyan-benzol	→ *Cyan-p-benzochinon*[4]	20% d. Th.
4,5-Dichlor-3,6-dihydroxy-1,2-dicyan-benzol	→ *5,6-Dichlor-2,3-dicyan-p-benzochinon*[5]	83% d. Th.; F: 206–209°

Amino-hydroxy-benzole werden ebenfalls von Blei(IV)-oxid zu Chinonen umgesetzt, indem die Amino-Gruppe zunächst zur Imino-Gruppe dehydriert und diese dann hydrolytisch gespalten wird. Zur Gewinnung von *p-Benzochinon*[6] kann man daher vom 4-Amino-1-hydroxy-benzol ausgehen.

Ähnlich wird 4-Nitro-2-amino-3-hydroxy-1-methyl-benzol zu *6-Nitro-3-methyl-o-benzochinon* (F: 64–65°) oxidiert[7].

Auch dann, wenn die p-Stellung zur phenolischen Gruppe durch Halogen besetzt ist, kann die Chinon-Bildung eintreten. 2,4,6-Trichlor-phenol z. B. läßt sich durch Kochen in Benzol in Gegenwart von wasserfreiem Natriumsulfat durch Blei(IV)-oxid zu *2,6-Dichlor-p-benzochinon* (14% d. Th.)[8] dehydrieren, gleichzeitig wird *6-Chlor-2-(2,4,6-trichlor-phenoxy)-p-benzochinon* (35% d. Th.) gebildet:

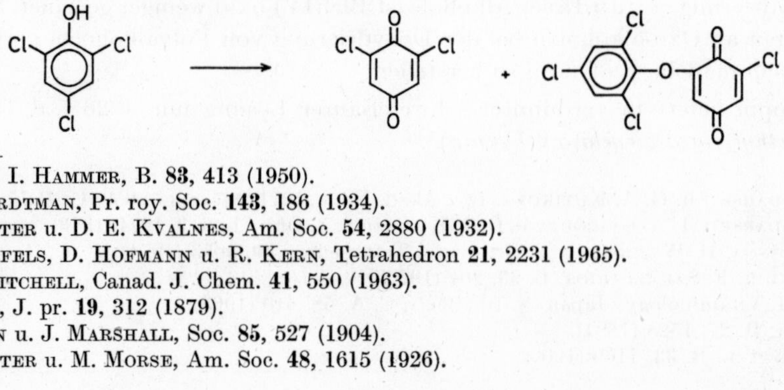

[1] R. Kuhn u. I. Hammer, B. **83**, 413 (1950).
[2] H. G. H. Erdtman, Pr. roy. Soc. **143**, 186 (1934).
[3] W. H. Hunter u. D. E. Kvalnes, Am. Soc. **54**, 2880 (1932).
[4] K. Wallenfels, D. Hofmann u. R. Kern, Tetrahedron **21**, 2231 (1965).
[5] P. W. D. Mitchell, Canad. J. Chem. **41**, 550 (1963).
[6] R. Schmitt, J. pr. **19**, 312 (1879).
[7] J. B. Cohen u. J. Marshall, Soc. **85**, 527 (1904).
[8] W. H. Hunter u. M. Morse, Am. Soc. **48**, 1615 (1926).

Im Falle des 4,5,6-Tribrom-2-hydroxy-1,3-dimethoxy-benzols werden in Eisessig 60% und in Benzol 70% *3,5-Dibrom-6-methoxy-2-(3,4,5-tribrom-2,6-dimethoxy-phenoxy)-p-benzochinon*[1] gebildet:

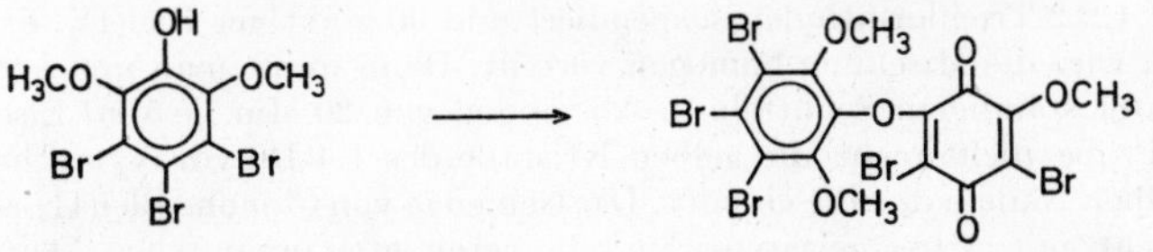

Außer Dimerisationsprodukten können, vor allem bei Oxidationen in inerten Lösungsmitteln, auch Polymere, ihrem Aufbau nach Polyäther, gebildet werden[2–4].

Eine Substitution wird außer beim Chlor bzw. Brom auch bei anderen Gruppen beobachtet. Dazu gehören die Formyl-Gruppe im 4-Hydroxy-3,5-di-tert.-butyl-benzaldehyd[5] und auch die Acetoxy-Gruppe im 2-Hydroxy-5-acetoxy-1,3-dimethyl-benzol[6].

Die Dehydrierung des 4,4'-Dihydroxy-biphenyl zum *Diphenochinon (4,4'-Dioxo-bi-[cyclohexadienyliden])*[7] führt man am besten in zwei Phasen durch.

Zuerst läßt man in ätherischer Lösung durch Schütteln mit Blei(IV)-oxid das Chinhydron entstehen, filtriert, destilliert den Äther ab und ersetzt ihn durch Benzol. Dann gibt man frisches Blei(IV)-oxid zu und führt die Reaktion durch Kochen unter Rückfluß zu Ende.

Diphenochinon[7]: 10 g 4,4'-Dihydroxy-biphenyl werden 24 Stdn. mit 100 g Blei(IV)-oxid in 1 *l* Äther geschüttelt. Man trennt vom Bleischlamm ab, dampft den Äther ab und nimmt den Rückstand und den Bleischlamm in 2 *l* Benzol auf. Nach Zugabe von weiteren 50 g Blei(IV)-oxid, kocht man die Suspension 30 Min. unter häufigem Umschütteln und filtriert heiß. Beim Erkalten kristallisiert aus der dunkelgelbroten Lösung 3,5 g Diphenochinon aus. Die abgetrennten Bleisalze werden noch 2mal mit je 1 *l* Benzol in der Siedehitze extrahiert. Sie liefern nach dem Einengen der Lösung weitere 2 g; Ausbeute: 5,5 g (57% d.Th.); F: 165° (Zers.).

Wie mit Mangan(IV)-oxid (S. 551), läßt sich auch mit Blei(IV)-oxid in Eisessig 1,2-Dichlor-1,2-bis-[3,5-dichlor-4-hydroxy-phenyl]-äthylen in wenigen Minuten zum *1,2-Dichlor-1,2-bis-[3,5-dichlor-4-oxo-cyclohexadien-(2,5)-yl]-äthylen*[8] dehydrieren.

Gewisse Dihydroxy-naphthaline sind ebenfalls der Dehydrierung mit Blei(IV)-oxid zu Chinonen zugänglich. Behandelt man 2,6-Dihydroxy-naphthalin in trockenem Benzol mit einem großen Überschuß von gut getrocknetem Blei(IV)-oxid bei 75°, so entsteht in fast momentaner Reaktion *amphi-Naphthochinon*[9]; ganz analog bildet sich aus 1,5-Dichlor-2,6-dihydroxy-naphthalin *1,5-Dichlor-2,6-naphthochinon*[9]. 2,3-Dihydroxy-naphthaline wurden allerdings nicht zu den entsprechenden *2,3-Naphthochinonen* dehydriert[10], während 1,7-Dihydroxy-naphthalin unter gleichzeitig ablaufender Kupplung zum *Bi-[naphthyl-(1)]-2,8;2',8'-bis-chinon* reagiert[11]:

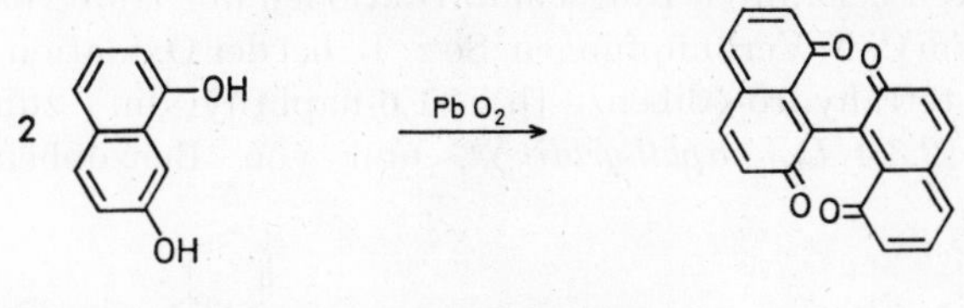

[1] W. H. Hunter u. A. A. Levine, Am. Soc. **48**, 1608 (1926).
[2] M. Hedayatullah u. L. Denivelle, C. r. **254**, 2369 (1962).
[3] L. Denivelle, J. P. Chalaye u. M. Hedayatullah, C. r. **261**, 5531 (1967).
[4] M. Hedayatullah, D. Bouzard u. L. Denivelle, C. r. **264** [C] 534 (1967).
[5] C. D. Cook, E. S. English u. B. Johnson-Wilson, J. Org. Chem. **23**, 755 (1958).
[6] H. Finkbeiner u. A. T. Toothaker, J. Org. Chem. **33**, 4347 (1968).
[7] R. Willstätter u. L. Kalb, B. **38**, 1232 (1905).
[8] T. Zincke u. K. Fries, A. **325**, 84 (1902).
[9] R. Willstätter u. J. Parnas, B. **40**, 1411, 3971 (1907).
[10] T. Zincke u. K. Fries, A. **334**, 342 (1904).
[11] G. T. Morgan u. D. C. Vining, Soc. **119**, 1707 (1921).

Besonders leicht sind Polyhydroxy-anthrachinone mit Blei(IV)-oxid in Schwefelsäure in Hydroxy-anthra-bis-chinone überführbar.

Anthracen-1,4; 9,10-bis-chinon[1]: 30 g reines, trockenes 1,4-Dihydroxy-anthrachinon-(9,10) werden in 300 ml trockenem 1,1,2,2-Trichlor-äthylen suspendiert und 90 g aktives Blei(IV)-oxid zugesetzt. Durch intensives Schütteln wird die Mischung homogen verteilt. Dann impft man mit Anthracen-1,4;9,10-bis-chinon und gibt unter ständigem Schütteln in Abständen von 20 Min. je 5 ml Eisessig so lange zu, bis eine entnommene Probe nicht mehr die gelben Kristalle des 1,4-Dihydroxy-anthrachinon-(9,10) gibt, sondern die strohgelben Nadeln des Bis-chinons. Das Gemenge von Chinon, Blei(II)-acetat und Blei(IV)-oxid wird abgenutscht, mit Äther gewaschen und die vereinigten organischen Auszüge möglichst schonend eingedampft. Den Rückstand behandelt man mit warmem Nitrobenzol und läßt auskristallisieren.

Analog erhält man aus 2,3,6,7-Tetrahydroxy-anthracen in 1,4-Dioxan *3,7-Dihydroxy-anthrachinon-(2,6)*[2].

Als Vertreter einer heterocyclischen Dihydroxy-Verbindung sei das 7,8-Dihydroxy-4-methyl-cumarin genannt, das nach kurzem Kochen in Aceton mit überschüssigem Blei(IV)-oxid in *7,8-Dioxo-4-methyl-7,8-dihydro-cumarin*[3] umgewandelt wird:

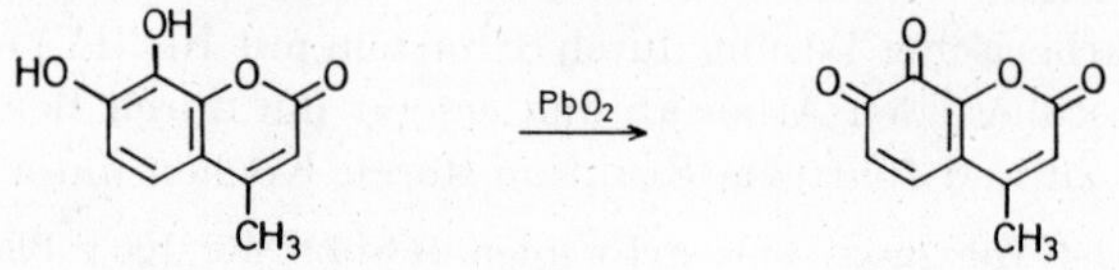

d) Cyclisierende Dehydrierung

Oxidationen mit Blei(IV)-oxid, die unter intramolekularer Dehydrierung zu Ringbildungen führen, sind nur wenig bekannt; z. B.:

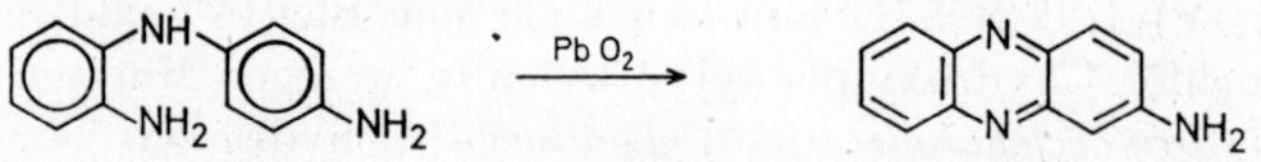

2-Amino-phenazin[4]: 1 g 4-Amino-(2-amino-anilino)-benzol gelöst in 50–60 ml Xylol werden mit 15 g Blei(IV)-oxid 1 Stde. gekocht, die Suspension filtriert, das Blei(IV)-oxid mit heißem Xylol gewaschen und die vereinigten Filtrate mit 6n Salzsäure extrahiert. Danach wird mit verd. Natronlauge neutralisiert und das ausgefallene Phenazin filtriert; Ausbeute: 0,13 g (13% d.Th.); F: 265–270°.

Diese Synthese der Phenazine ist nicht besonders ergiebig. Im besten Fall erhält man aus 1,3-Diamino-2-(2-methoxy-anilino)-benzol nach Abspalten der Methoxy-Gruppe *1-Amino-phenazin* (43% d.Th.; F: 169–172°); andere 2-Amino-1-anilino-benzole geben nur Spuren der entsprechenden Phenazine[4].

Bei fast allen anderen bekannten Ringschlußreaktionen mit Hilfe von Blei(IV)-oxid handelt es sich ebenfalls um C–N-Verknüpfungen. So z. B. bei der Oxidation von 7-Phenylimino-6-phenyl-6a,7,12,12a-tetrahydro-⟨dibenzo-[b;h]-1,6-naphthyridin⟩ zum *5-Phenyl-5H-⟨dibenzo-[b;h]-chinolino-[2,3,4-d,e]-naphthyridin⟩*[5], und von Benzophenon-phenylhydrazon

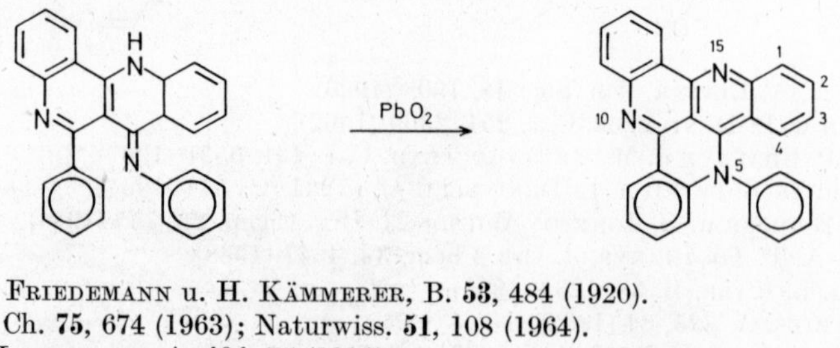

[1] O. Dimroth, O. Friedemann u. H. Kämmerer, B. **53**, 484 (1920).
[2] P. Boldt, Ang. Ch. **75**, 674 (1963); Naturwiss. **51**, 108 (1964).
[3] K. Fries u. H. Lindemann, A. **404**, 75 (1914).
[4] G. Gaertner, A. Gray u. F. G. Holliman, Tetrahedron **18**, 1105 (1962).
[5] J. Moszew u. W. Zankowska-Jasinska, Roczniki Chem. **39**, 1215 (1965); C. A. **64**, 14177 (1966).

zum *1,3-Diphenyl-1H-indazol* (unter Stickstoff erhitzen auf 235°; 70–73% d.Th.)[1]. Die Reaktion ist stark exotherm und verläuft oberhalb 300° unter Feuererscheinung. Bei Umsetzung in Gegenwart von Sauerstoff wird die Ausbeute durch Harzbildung stark herabgesetzt:

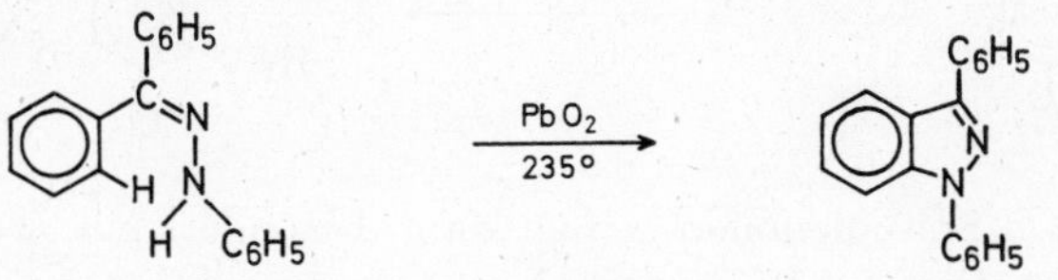

1,3-Diphenyl-1H-indazol[1]: 50 g Benzophenon-phenylhydrazon werden mit 95 g Blei(IV)-oxid gut vermischt und in einem 150-*ml*-Kolben (mit Thermometer, Gaseinleitungsrohr und Luftkühler) im schwachen Stickstoffstrom in ein Bad von 235° eingetaucht und darin 25 Min. belassen; die Temp. steigt kurzfristig auf 273° an. Nach dem Erkalten werden die Reaktionsprodukte mit Benzol extrahiert und nach dem Abdestillieren des Benzols der Rückstand i. Vak. fraktioniert. Man erhält 4 Fraktionen:

$Kp_{0,05}$:	92°	2,8 g *Benzophenon-imin*
$Kp_{0,05}$:	139–150°	2,7 g *Benzophenon-phenylimin + 1,3-Diphenyl-1H-indazol* (1:1)
$Kp_{0,05}$:	180–181°	34,7 g *1,3-Diphenyl-1H-indazol* (erstarrt beim Anreiben mit Äther; F: 100–101°)
$Kp_{0,05}$:	210–222°	2,8 g

Ausbeute: ~ 36 g (72% d.Th.)

Bei der Oxidation von Formazanen entstehen, wie bei der Oxidation mit Blei(IV)-acetat (S. 328) 2H-Tetrazoliumsalze[2]:

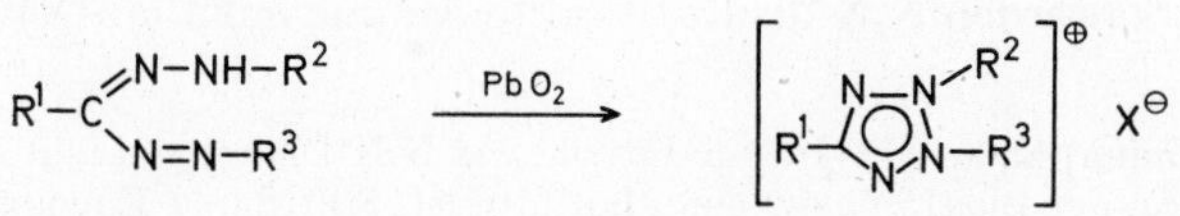

4,4′-Bis-[3,5-diphenyl-tetrazolinio-(2)]-azoxybenzol-dichlorid[2]:

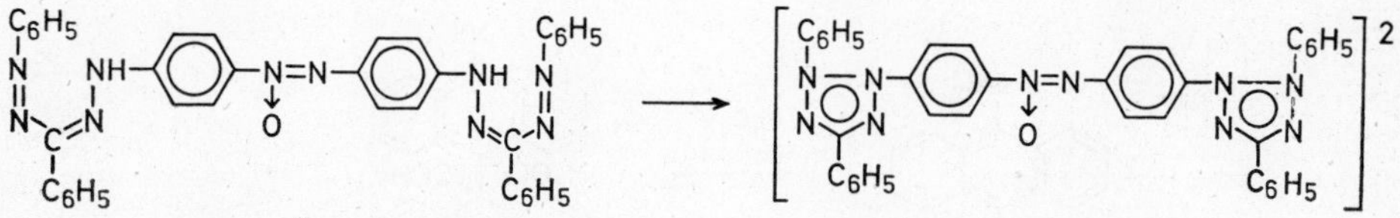

I   II

Zu 1,61 g 4,4′-Bis-[(α-benzolazo-benzyliden)-hydrazino]-azoxybenzol in 12 *ml* Essigsäure und einigen Körnchen Blei(II)-acetat gibt man langsam unter Kühlen 3,5 g Blei(IV)-oxid, filtriert, setzt zum Filtrat 4 *ml* äthanol. Chlorwasserstoff-Lösung und filtriert; Ausbeute: 0,58 g (32,5% d.Th.); F: 228–229°.

Ringschluß unter O–C-Bindung erfolgt bei der Oxidation von bestimmten 2-Hydroxy-benzophenonen zu den entsprechenden **Spirodienonen**[3,4]. Bekanntester Vertreter ist das

[1] W. Theilacker u. C. Raabe, Tetrahedron Letters **1966**, 91.
[2] USSR. P. 157690 (1962), V. M. Ostrovskaya, A. A. Pryanishnikov, N. T. Raikhlin u. M. I. German; C. A. **60**, 6852 (1964).
[3] D. Taub, C. H. Kuo u. N. L. Wendler, Chem. & Ind. **1962**, 557.
[4] D. Taub, C. H. Kuo u. N. L. Wendler, J. Org. Chem. 28, 2752 (1963).

Dehydrogriseofulvin {*4-Methoxy-6-oxo-2-methyl-cyclohexadien-(1,4)-⟨3-spiro-2⟩-7-chlor-4,6-dimethoxy-3-oxo-2,3-dihydro-⟨benzo-[b]-furan⟩*}[1]:

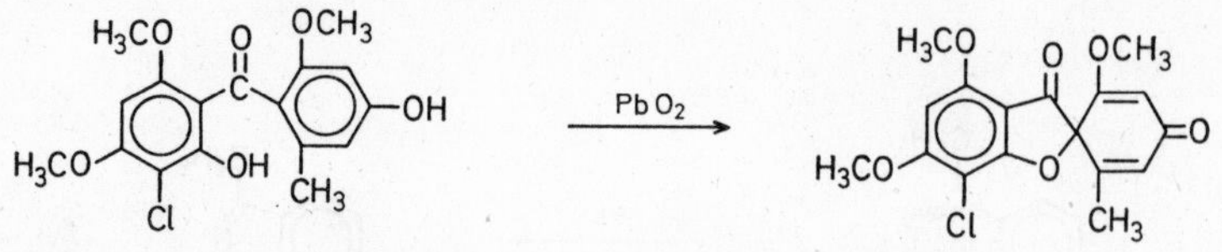

Der Ringschluß zu den Spirodienonen gelingt dann besonders gut, wenn in 6-Stellung ein voluminöser Rest steht. Dieselbe Wirkung haben auch Substituenten in 2′- oder 6′-Stellung[2].

e) Intermolekulare Dehydrierungen

1. unter C–C-Verknüpfung

Bei der Oxidation von aliphatischen Ketonen mit Blei(IV)-oxid (z. B. Butanon) kommt es u. a. zur Dimerisierung unter Wasserstoff-Abspaltung am α-Kohlenstoff-Atom. Hauptprodukte dieser Umsetzung sind γ-Diketone (z. B. *2,5-Dioxo-3,4-dimethyl-hexan*; 40% d.Th.; Kp_{18}: 90–105°)[3,4]. Diese Dehydrodimerisierung tritt relativ leicht bei β-Dicarbonyl-Systemen ein, da das α-Kohlenstoff-Atom besonders aktiviert ist[5,6]. Die Dehydrierung wird ebenso an der Methyl-Gruppe der 2-Oxo-alkane beobachtet; z. B.[7]:

3,6-Dioxo-2,2,7,7-tetramethyl-octan

Dehydrierende Kupplungen mit Blei(IV)-oxid sind vor allem bei Aminobenzolen und Phenolen bekannt. So werden N,N-disubstituierte Aniline mit Blei(IV)-oxid in Biphenyl-Derivate überführt.

4,4′-Bis-[dimethylamino]-biphenyl[8]: In eine Lösung von N,N-Dimethyl-anilin in konz. Schwefelsäure trägt man bei 100° langsam Blei(IV)-oxid ein. Man filtriert, fällt durch Einleiten von Ammoniak aus und destilliert das nicht umgesetzte N,N-Dimethyl-anilin mit Wasserdampf ab. Das Reaktionsprodukt fällt flockig an. Es wird abfiltriert und aus Äthanol umkristallisiert; F: 195°.

Die Methoxy-Gruppe im 9-Amino-10-methoxy-anthracen blockiert die Dimerisierung unter C–C-Verknüpfung am C^{10}-Atom nicht[8,9]:

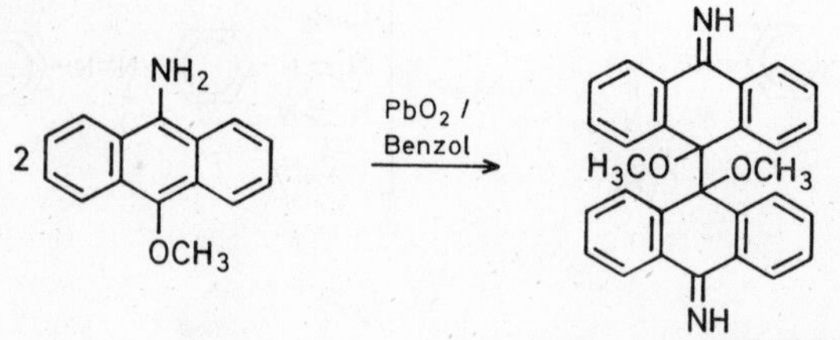

10,10′-Diimino-9,9′-dimethoxy-9,9′,10,10′-tetrahydro-9,9′-bi-anthryl; 75% d.Th.; F: 210° (Zers.)

[1] D. Taub, C. H. Kuo, H. L. Slates u. N. L. Wendler, Tetrahedron 19, 1 (1963).
[2] R. F. Curtis, C. H. Hassall u. D. W. Jones, Soc. 1965, 6960.
[3] D.P. 876237 (1953), A. Wolf; C. A. 52, 9226 (1958).
[4] E. Wolthuis et al., J. Org. Chem. 28, 148 (1963).
[5] R. Brettle u. D. Seddon, Chem. Commun. 1968, 1546.
[6] R. Brettle u. D. Seddon, Soc. [C] 1970, 1320.
[7] R. Brettle, Chem. Commun. 1970, 342.
[8] W. Michler u. S. Pattinson, B. 14, 2161 (1881); 17, 115 (1884).
[9] J. Rigaudy, J. Barcelo u. C. Igier, Bl. 1974, 1151.

Phenole reagieren ähnlich. Dabei gelingt es selten, die entsprechenden 4,4'-Dihydroxy-biphenyle zu erhalten, wie z. B. beim 2,3,5,6-Tetramethyl-phenol[1]:

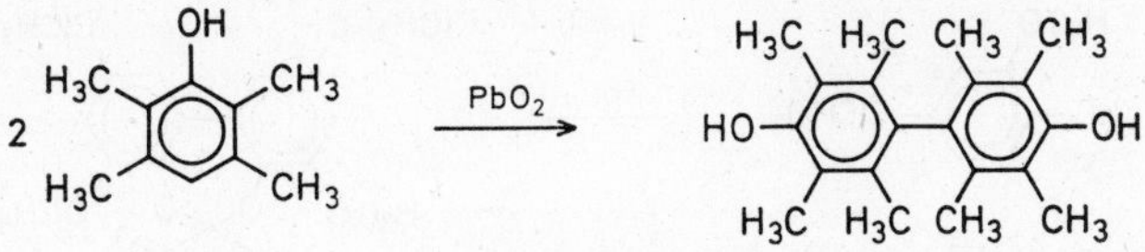

4,4'-Dihydroxy-octamethyl-biphenyl; 51% d.Th.; F: 201–202°

Allgemein werden Diphenochinone erhalten:

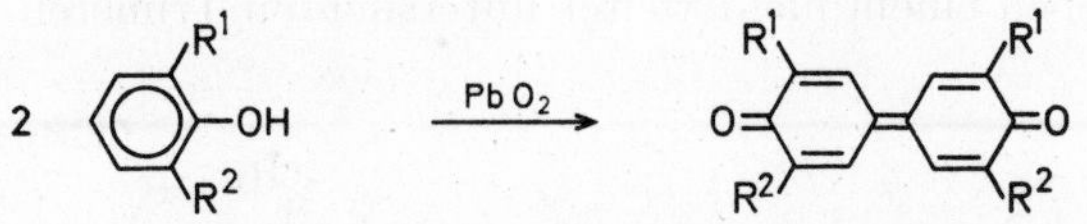

2-Hydroxy-1,3-dimethyl-benzol beispielsweise wird bei der Oxidation in Essigsäure zu *3,5,3',5'-Tetramethyl-diphenochinon (4,4'-Dioxo-3,5,3',5'-tetramethyl-bi-[cyclohexadienyliden])* umgesetzt[2].

Generell werden in polaren Lösungsmitteln Diphenochinone neben p-Benzochinonen gebildet[1].

Bei Verwendung eines apolaren Lösungsmittels, z. B. Toluol, erhält man praktisch ausschließlich Polymere in Form von Polyäthern, die aber ebenfalls nach Zugabe von Essigsäure und zusätzlichem Blei(IV)-oxid Diphenochinone (45% d.Th.) liefern[2,3].

2-Hydroxy-1,3-di-tert.-butyl-benzol wird in Benzol gelöst und unter Durchleiten von Stickstoff zu *3,5,3',5'-Tetra-tert.-butyl-diphenochinon (4,4'-Dioxo-3,5,3',5'-tetra-tert.-butyl-bi-[cyclohexadienyliden]*; 96% d.Th.) umgesetzt[4], ebenso wird 2-Hydroxy-3-methoxy-1-tert.-butyl-benzol zu *3,3'-Dimethoxy-5,5'-di-tert.-butyl-diphenochinon (3,3'-Dimethoxy-4,4'-dioxo-5,5'-di-tert.-butyl-bi-[cyclohexadienyliden]*; F: 247–248°) dehydriert[5].

Erwartungsgemäß wird die Ausbeute an Diphenochinon stark von der Stellung des Substituenten beeinflußt. So erhält man bei der Oxidation von 3-Hydroxy-4-methoxy-1-tert.-butyl-benzol nur Polymere[5].

Substitution in 4-Stellung führt zu Ausweichreaktionen. Bei leichter Abspaltbarkeit des Substituenten kann jedoch das Diphenochinon gebildet werden. 4-Hydroxy-3,5-di-tert.-butyl-benzoesäure beispielsweise reagiert unter Abspaltung von Kohlendioxid zu *3,5,3',5'-Tetra-tert.-butyl-diphenochinon* (95% d.Th.)[4]:

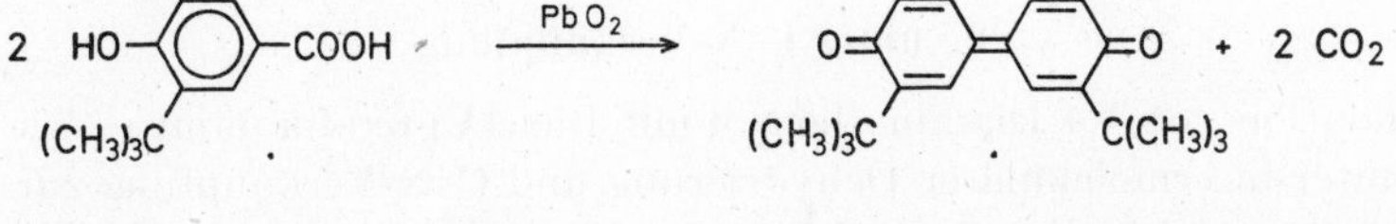

Bei stabileren Substituenten werden z. T. recht komplizierte Reaktionsprodukte gebildet. So isoliert man nach der Oxidation von 4-Hydroxy-3-methoxy-1-tert.-butyl-benzol mit

---

[1] C. R. H. I. DE JONGE, H. M. VAN DORT u. L. VOLLBRACHT, Tetrahedron Letters **1970**, 1881.
[2] H. FINKBEINER u. A. T. TOOTHAKER, J. Org. Chem. **33**, 4347 (1968).
[3] E. McNELIS, J. Org. Chem. **31**, 1255 (1966).
[4] C. D. COOK, E. S. ENGLISH u. B. JOHNSON-WILSON, J. Org. Chem. **23**, 755 (1958).
[5] F. R. HEWGILL u. B. S. MIDDLETON, Soc. **1965**, 2914.

Blei(IV)-oxid aus Polymeren die heterocyclische Verbindung *1-Methoxy-6-oxo-3-tert.-butyl-cyclohexadien-(1,3)-⟨5-spiro-6⟩-4,8-dimethoxy-2,10-di-tert.-butyl-⟨dibenzo-1,3-dioxepin⟩*[1]:

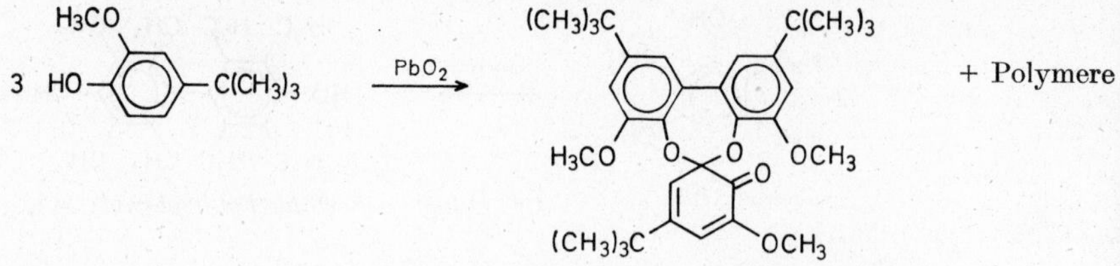

Während die Umsetzung von 4-Hydroxy-5-äthyl-1,3-di-tert.-butyl-benzol zu zwei dimeren Spiroverbindungen neben einem nicht weiter untersuchten Trimeren führt[2]

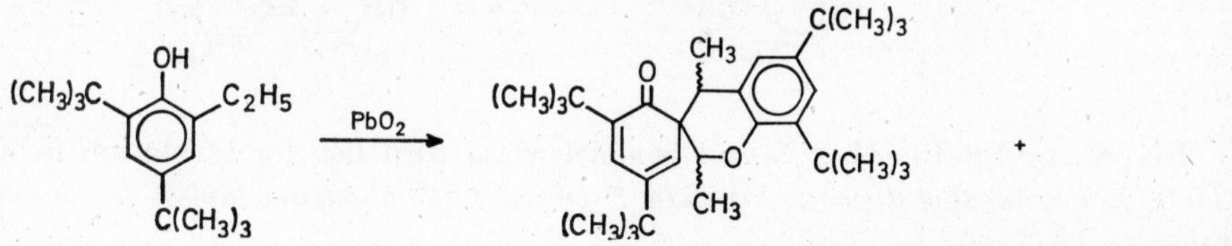

6-Oxo-1,3-di-tert.-butyl-cyclohexadien-(1,3)-⟨5-spiro-3⟩-2,4-dimethyl-6,8-di-tert.-butyl-chroman

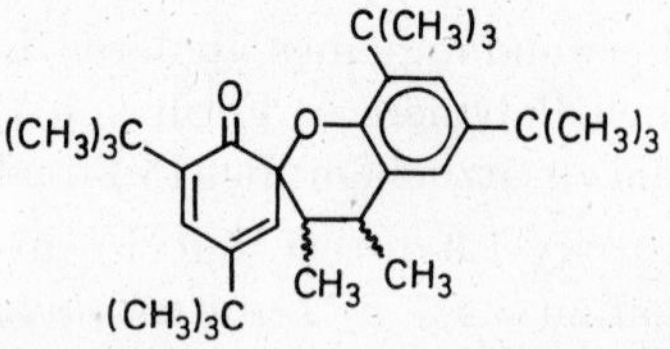

6-Oxo-1,3-di-tert.-butyl-cyclohexadien-(1,3)-⟨5-spiro-2⟩-3,4-dimethyl-6,8-di-tert.-butyl-chroman

verhalten sich Naphthole wie Phenol. So erhält man z. B. aus 1,7-Dihydroxy-naphthalin *Bi-[naphthyl-(1)]-2,8;2',8'-bis-chinon*[3]:

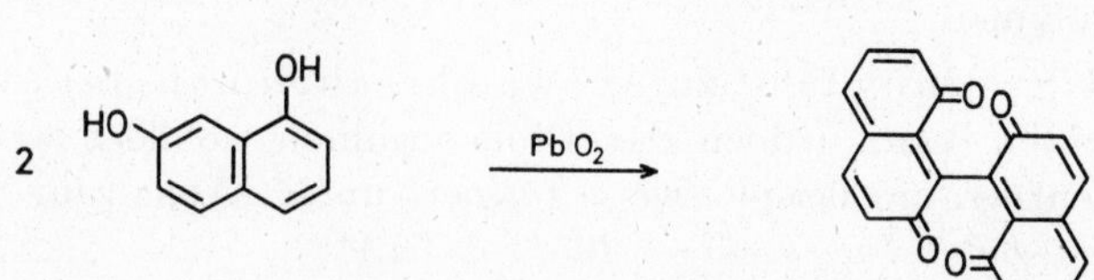

und aus 1-Hydroxy-2-methoxy-naphthalin *3,3'-Dimethoxy-bi-[naphthyl-(1)]-4,4'-chinon*[4].

2. unter C–N-Verknüpfung

Bei der Oxidation von 1,4-Diamino-benzol mit Blei(IV)-oxid kommt es bei Anwesenheit von Phenol unter intermolekularer Dehydrierung und C–N-Verknüpfung zur Bildung von *6-Imino-3-(4-hydroxy-phenylimino)-cyclohexadien*:

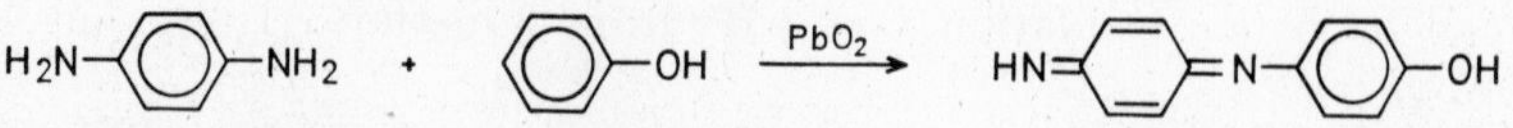

[1] F. R. Hewgill u. B. S. Middleton, Soc. **1965**, 2914.
[2] C. D. Cook u. L. C. Butler, J. Org. Chem. **34**, 227 (1969).
[3] G. T. Morgan u. D. C. Vining, Soc. **1921**, 1707.
[4] H. Cassebaum u. W. Langenbeck, B. **90**, 339 (1957).

6-Imino-3-(4-hydroxy-phenylimino)-cyclohexadien-(1,4) [1]: 8,8 g 1,4-Diamino-benzol werden in 200 *ml* Wasser und 8 g Phenol in 500 *ml* Wasser gelöst und beides in eine Lösung von 20 g Dinatriumphosphat und 14 g Natriumcarbonat in 300 *ml* Wasser gegossen. Man kühlt dann unter Rühren auf 7° ab. Dabei scheidet sich 1,4-Diamino-benzol zum Teil ab. Zu diesem Gemisch wird 40 g Blei(IV)-oxid, das mit wenig Wasser zu einer Maische angerührt ist, gegeben. Es tritt sofort Blaufärbung auf. Nach 20 Min. ist die Umsetzung beendet und der Farbstoff ist ziemlich vollständig aus der Flüssigkeit ausgeschieden. Man saugt ab, wäscht mit wenig Eiswasser, trägt den Niederschlag in 500 *ml* auf 70° erwärmtes Wasser ein und schüttelt einige Minuten. Dann filtriert man durch einen Faltenfilter in einen gekühlten Kolben, worauf das Diimin allmählich in dunkelblauen Nadeln mit metallischem Schimmer auskristallisiert. Zur Reinigung löst man das rohe Produkt in Chloroform und fällt mit Petroläther (Kp: 40–60°) wieder aus; Ausbeute: 1,65 g (10% d.Th.); F: 105–106°.

Analog erhält man aus 1,4-Diamino-benzol und

m-Kresol → *6-Imino-3-(4-hydroxy-2-methyl-phenylimino)-cyclohexadien-(1,4)*

o-Kresol → *6-Imino-3-(4-hydroxy-3-methyl-phenylimino)-cyclohexadien-(1,4)*

Läßt man auf Anilin in ätherischer Lösung oder in einem Gemisch aus Äther-Eisessig Blei(IV)-oxid einwirken, so entsteht ein Gemisch aus *6-Imino-3-phenylimino-cyclohexadien-(1,4)* und *Azobenzol*, neben anderen Produkten [2]. Das Zustandekommen dieser beiden Stoffe erklärt sich durch Dimerisierung des intermediär gebildeten Phenylstickstoffs:

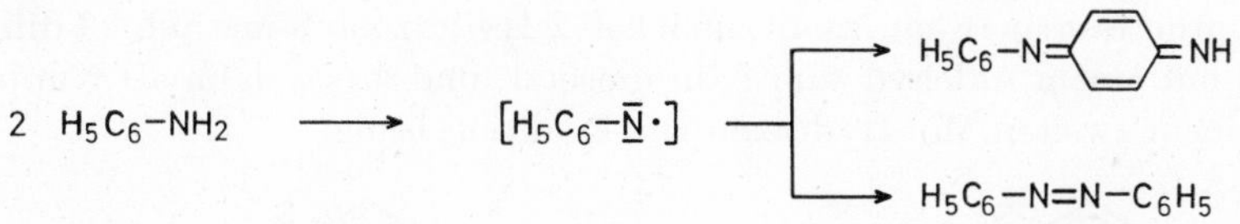

Die Ausbeuten sind nicht hoch. Bessere Ausbeuten, besonders an Diimid erzielt man mit kernsubstituierten Methylhomologen des Anilins mit freier p-Stelle; beispielsweise erhält man aus 3-Amino-1,2,4,5-tetramethyl-benzol ein Gemisch von *6-Imino-3-(2,3,5,6-tetramethyl-phenylimino)-1,2,4,5-tetramethyl-cyclohexadien-(1,4)* und *2,3,5,6,2′,3′,5′,6′-Octamethyl-azobenzol* [3]:

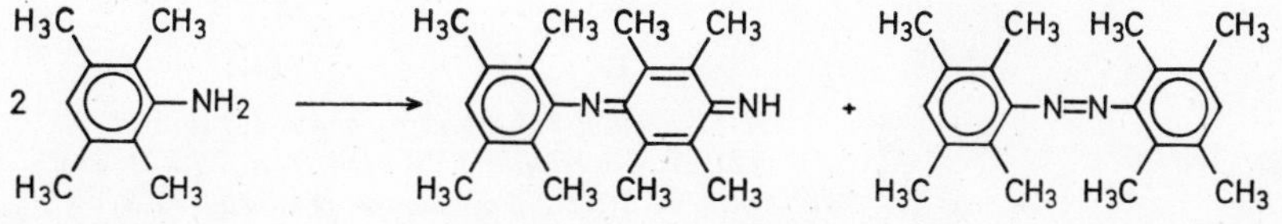

In einer neutralen, stark verdünnten Lösung von Anilin-Hydrochlorid oder -Hydrosulfat entsteht in 20–25%iger Ausbeute ein Gemisch von *1,4-Dianilino-3,6-bis-[phenylimino]-cyclohexadien-(1,4)* und *2-Anilino-6-imino-3-phenylimino-cyclohexadien*, dessen Bildung auf *6-Imino-3-phenylimino-cyclohexadien* zurückzuführen ist [4]. Chinondiimine sind in mineralsaurer Lösung leicht zu *p-Benzochinonen* hydrolysierbar. Es ist daher möglich, Anilin in stark mineralsaurer Lösung direkt in *p-Benzochinon* [5] überzuführen.

2-Hydrazono-3-methyl-2,3-dihydro-⟨benzo-1,3-thiazol⟩ kuppelt mit Phenolen, aromatischen Aminen und reaktiven Methylen-Verbindungen unter dem oxidierenden Einfluß von

[1] G. HELLER, A. **392**, 16 (1912).
[2] S. GOLDSCHMIDT, B. **53**, 28, 59 (1920).
   S. GOLDSCHMIDT u. B. WURZSCHMITT, B. **55**, 3216 (1922).
[3] S. GOLDSCHMIDT, B. **53**, 37 (1920).
[4] R. WILLSTÄTTER u. R. MAJIMA, B. **43**, 2589 (1910).
[5] R. WILLSTÄTTER u. S. DOROGI, B. **42**, 2167 (1909).

Blei(IV)-oxid zu Azofarbstoffen[1]; z. B.:

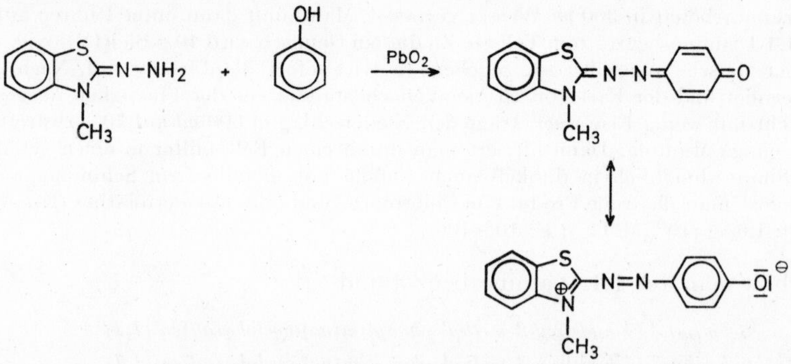

2-(4-Oxy-benzolazo)-3-methyl-⟨benzo-1,3-thiazolium⟩-Verbindungen; allgemeine Herstellungsvorschrift[1]: 5 mMol 2-Hydrazono-3-methyl-2,3-dihydro-⟨benzo-1,3-thiazol⟩ und 5 mMol Kupplungs-Komponente werden in 50 *ml* Eisessig gelöst. Zusammen mit 12 mMol Blei(IV)-oxid wird die Lösung bei 20–25° (anfangs muß gekühlt werden) 1 Stde. lang gerührt. Dann wird die Farbstofflösung mit 150 *ml* Wasser versetzt, filtriert und dann 5 g Weinsäure zugegeben. Mit wäßriger Natronlauge wird die freie Base gefällt, abgesaugt, mit heißem Wasser gewaschen und über Silikagel i. Vak. getrocknet.

Mit Hilfe dieser Kupplungsreaktion gelingt es auch, Tetraaza-pentamethin-Farb-stoffe zu synthetisieren, wenn man zunächst 2-Hydrazono-3-methyl-2,3-dihydro-⟨benzo-1,3-thiazol⟩ mit einem Aldehyd zum Azin umsetzt, und dieses dann als Kupplungskompo-nente mit einem zweiten Mol Hydrazon zur Reaktion bringt:

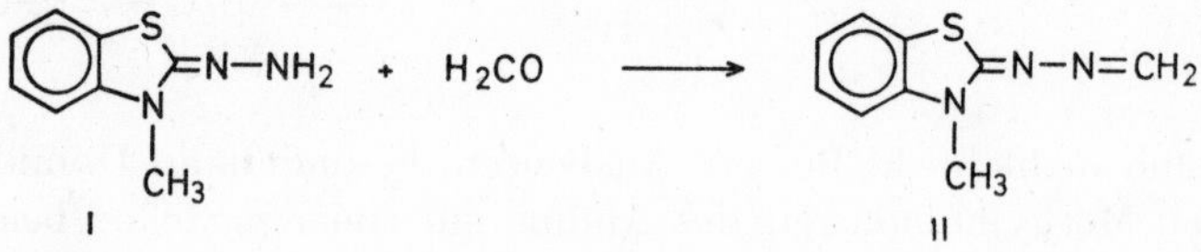

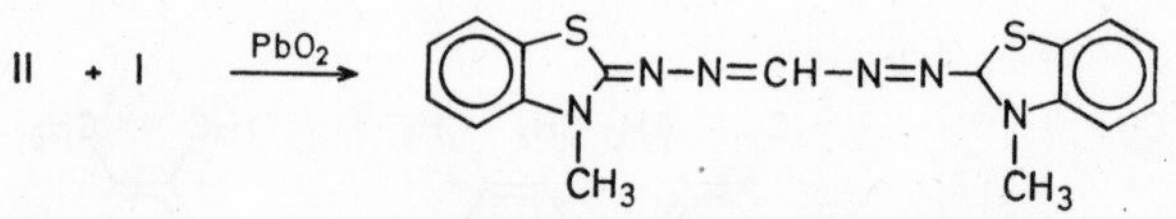

1-{3-Methyl-2,3-dihydro-⟨benzo-1,3-thiazol⟩-yl-
(2)}-5-{3-methyl-2,3-dihydro-⟨benzo-1,3-thiazol⟩-
yliden-(2)}-1,2,4,5-tetraaza-pentadien-(1,3)

Diese Reaktionsfolge ist auch auf andere Hydrazone übertragbar, so daß man Tetraaza-pentamethincyanine mit unterschiedlichen meso-Substituenten und verschiedenen Hetero-cyclen, analoge Verbindungen mit nur einer oder keiner heterocyclischen N-Alkyl-Gruppe und Kupplungsprodukte aus 1-Aryl-4,5-dihydro-pyrazolen herstellen kann[2].

3. unter N–N-Verknüpfung

Die Oxidation von Stickstoff-Verbindungen unter intermolekularer Dehydrierung und Verknüpfung der beiden Moleküle durch eine N–N-Bindung ist relativ selten, da einmal, z. B. bei aromatischen Aminen, die Tendenz zur Bildung von Azoverbindungen ziemlich groß ist[3] und zum anderen bei Einsatz von Hydrazinen in Abhängigkeit von den Substituen-ten sehr leicht stabile Hydrazyl-Radikale gebildet werden[4].

[1] S. HÜNIG u. K. H. FRITSCH, A. **609**, 143 (1957).
[2] S. HÜNIG, F. BRÜHNE u. E. BREITHER, A. **667**, 72 (1963).
[3] R. WILLSTÄTTER u. L. KALB, B. **38**, 1239 (1905).
[4] S. GOLDSCHMIDT u. K. RENN, B. **55**, 636 (1922).

Die intermolekulare Dehydrierung eines Amins zu einem Hydrazin gelingt beim Bis-[4-methoxy-phenyl]-amin. Schüttelt man dieses Amin in absol. ätherischer Lösung längere Zeit mit Blei(IV)-oxid, so erhält man nach Entfernen des überschüssigen Blei(IV)-oxids und Eindampfen das rohe *Tetrakis-[4-methoxy-phenyl]-hydrazin*[1], das durch Waschen mit wenig Äther und Umkristallisieren aus Benzol/Benzin gereinigt wird.

Bei der intermolekularen Dehydrierung von Hydrazinen erhält man Tetrazane, z. B. aus N-Acetyl-hydrazobenzol durch Schütteln einer benzolischen Lösung mit einem großen Überschuß an Blei(IV)-oxid das *1,2,3,4-Tetraphenyl-1,4-diacetyl-tetrazan*[2].

Hexaphenyl-tetrazan dissoziiert sich weitgehend zum *Triphenyl-hydrazyl*[3] und *2,2-Di-phenyl-1-(2,4,6-trinitro-phenyl)-hydrazyl* liegt ausschließlich als Radikal vor[4] (s. S. 184).

4. unter N=N-Verknüpfung

Die Umsetzung von primären aromatischen Aminen mit Blei(IV)-oxid ist eine schonende Methode zur Herstellung von Azo-Verbindungen. Für gewöhnlich reicht 24 stündiges Schütteln des Amins mit einem Überschuß an Blei(IV)-oxid bei Raumtemperatur aus. Anschließend wird vom Blei(II)-oxid und überschüssigem Blei(IV)-oxid abfiltriert und das Filtrat nach bekannten Methoden aufgearbeitet. In Tab. 2 sind einige der so umgesetzten Amine zusammengestellt.

Tab. 2. Oxidative Kupplung von primären aromatischen Aminen zu Azoverbindungen

Amin	Azoverbindung	Literatur
Anilin	*Azobenzol*	5
2-Amino-1,3,5-trimethyl-benzol	*2,2',4,4',6,6'-Hexamethyl-azobenzol*	6
2-Amino-1,3,5-triphenyl-benzol	*2,2',4,4',6,6'-Hexaphenyl-azobenzol*[a]	6
3-Amino-1,2,4,5-tetramethyl-benzol	*2,3,5,6,2',3',5',6'-Octamethyl-azobenzol*	5
4-Amino-3-äthoxy-1-tert.-butyl-benzol	*2-Äthoxy-5-tert.-butyl-azobenzol*	7
Benzidin	*4,4'-Bis-[4-amino-phenyl]-azobenzol*	8
9-Amino-acridin	*9-Azo-acridin*	9

[a] in Benzol nach 2 Tagen unter Rückfluß.

Unter schärferen Bedingungen (z. B. Oxidation des Amins in siedendem Benzol) wird bei der Umsetzung geeigneter Alkoxy-aniline neben der Azo-Verbindung auch das entsprechende Phenazin gebildet[10]:

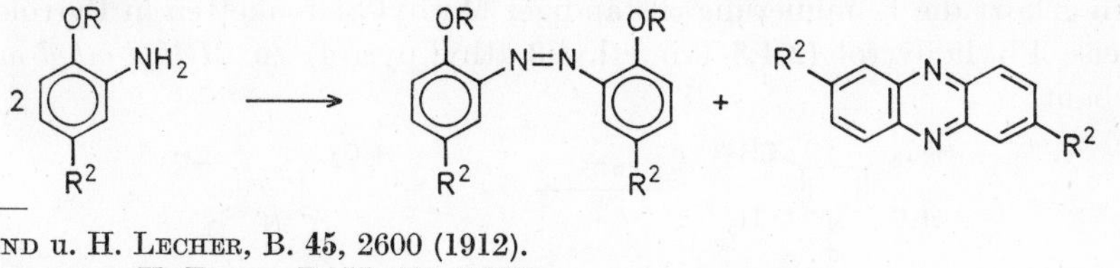

[1] H. Wieland u. H. Lecher, B. 45, 2600 (1912).
[2] S. Goldschmidt u. K. Euler, B. 55, 621 (1922).
[3] S. Goldschmidt, B. 53, 44 (1920).
[4] S. Goldschmidt u. K. Renn, B. 55, 636(1922).
[5] S. Goldschmidt, B. 53, 28 (1920).
[6] M. Hedayatullah u. L. Denivelle, C. r. 258, 5467 (1964).
[7] F. N. Mazitova, R. R. Shagidullin u. V. V. Abushaeva, Ž. Org. Chem. 3, 878 (1967); C. A. 67, 43137ᵃ (1967).
[8] R. Willstätter u. L. Kalb, B. 38, 1239 (1905); 39, 3474 (1906).
[9] G. Cauquis u. G. Fauvelot, Bl. 1964, 2014.
[10] F. N. Mazitova u. M. A. Shchelkunova, Izv. Akad. SSSR. 1971, 1200; engl.: 1112; C. A. 75, 88234 (1971).

5. unter S–S-Verknüpfung

Blei(IV)-oxid reagiert mit Mercaptanen unter intermolekularer Dehydrierung zu Disulfiden. Dabei ist das stöchiometrische Verhältnis von Blei(IV)-oxid zu Mercaptan 1:4, nachdem nämlich außer dem Disulfid auch das entsprechende Blei(II)-salz gebildet wird[1]:

$$4 \text{ RSH} \xrightarrow{\text{PbO}_2} \text{R-S-S-R} + \text{Pb(SR)}_2$$

Diphenyldisulfid[1]: Zu einer Suspension von 2,4 g (0,01 Mol) Blei(IV)-oxid in 30 ml Chloroform werden 4,4 g (0,04 Mol) Thiophenol unter Rühren bei Raumtemp. zugegeben. Dabei fällt sofort ein gelbes Reaktionsprodukt aus. Es wird noch 30 Min. weitergerührt, vom abgeschiedenen Blei(II)-thiophenolat (4,7 g 97% d.Th.; F: 191–192°) abgetrennt und das Filtrat i. Vak. eingeengt; Ausbeute: 2,1 g (96% d.Th.); F: 60–61°.

Ähnlich hohe Ausbeuten an Disulfid erhält man auch bei der Umsetzung von

Thiobenzoesäure	→ *Dibenzoyl-disulfid*	91% d.Th.
Dithio-kohlensäure-diäthylamid	→ *Bis-[diäthylamino-thio-carbonyl]-disulfid*	85% d.Th.

III. Fragmentierungen

Von den Fragmentierungsreaktionen des Blei(IV)-oxids ist nur die C–C-Spaltung von präparativem Interesse, während die Spaltung der C–N-Bindung noch nicht systematisch untersucht ist. Bekannt ist die Oxidation von Methyl-hydrazin zu *Methanol*[2], oder von N-Methyl-hydroxylamin zu Distickstoffoxid (in alkalischem Medium) und Oxim (in saurem Medium)[3].

Cyclohexanon-oxim wird in guter Ausbeute zu *Cyclohexanon* oxidiert[4] und Azo-Verbindungen zum Teil unter Verlust von Stickstoff zu Biphenyl-Derivaten deazotiert[5]; z. B.:

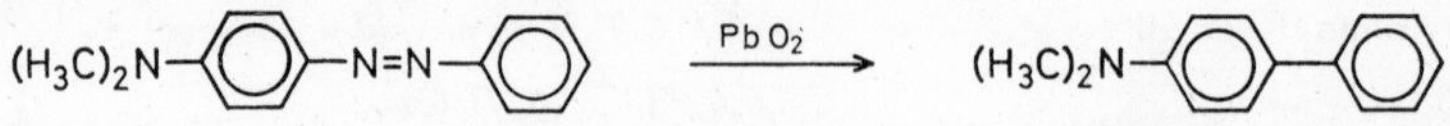

$$(\text{H}_3\text{C})_2\text{N}-\text{C}_6\text{H}_4-\text{N=N}-\text{C}_6\text{H}_5 \xrightarrow{\text{Pb O}_2} (\text{H}_3\text{C})_2\text{N}-\text{C}_6\text{H}_4-\text{C}_6\text{H}_5$$

4-Dimethylamino-biphenyl

p-Nitro-acetophenon-hydrazon schließlich gibt bei der Einwirkung von Blei(IV)-oxid ein Gemisch aus *cis-* und *trans-2,3-Bis-[4-nitro-phenyl]-buten-(2)*[6]:

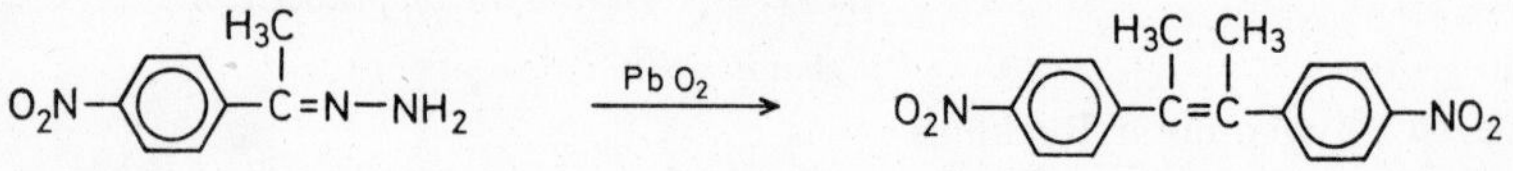

$$\text{O}_2\text{N}-\text{C}_6\text{H}_4-\underset{\text{H}_3\text{C}}{\text{C}}\text{=N-NH}_2 \xrightarrow{\text{Pb O}_2} \text{O}_2\text{N}-\text{C}_6\text{H}_4-\underset{\text{H}_3\text{C}}{\text{C}}\text{=}\underset{\text{CH}_3}{\text{C}}-\text{C}_6\text{H}_4-\text{NO}_2$$

Abgesehen von wenigen Ausnahmen, handelt es sich bei der oxidativen Spaltung der C–C-Bindung unter der Einwirkung von Blei(IV)-oxid um Decarboxylierungen. Zu den Ausnahmen gehört die Eliminierung α-ständiger Methyl-Seitenketten in Pyrrolen. So wird beispielsweise Phyllopyrrol (2,4,5-Trimethyl-3-äthyl-pyrrol) zu *Methyl-äthyl-maleinsäure-amid* abgebaut[7]:

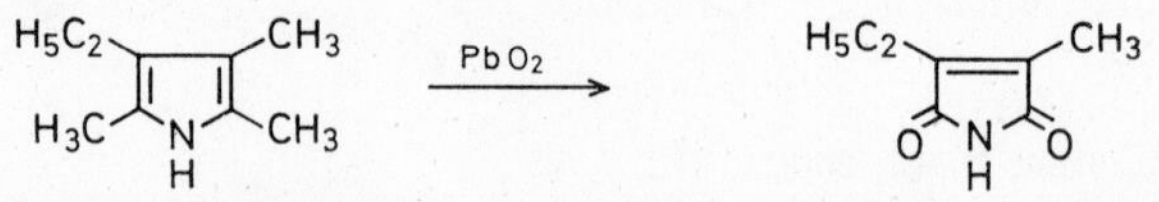

[1] T. MUKAIYAMA u. T. ENDO, Bl. Chem. Soc. Japan **40**, 2388 (1967); C. A. **68**, 12615 (1968).
[2] L. CAMBI u. E. DUBINI PAGLIA, Atti Accad. naz. Lincei, Rend. **35**, 425 (1963); C. A. **61**, 5501 (1964).
[3] E. DUBINI PAGLIA u. G. BARGIGIA, Atti Acad. naz. Lincei, Rend. **39**, 100 (1965); C. A. **64**, 19392 (1966).
[4] DBP 1078570 (1959), BASF, Erf.: O. v. SCHICKH u. H. METZGER; C. A. **55**, 25808 (1961).
[5] M. MATRKA, J. MARHOLD, Z. SÁGNER u. J. PÍPALOVÁ, Collect. czech. Chem. Commun. **33**, 3761 (1968); C. A. **70**, 28513 (1969).
[6] Y. NAGAI, O. SIMAMURA u. L. EHARA, Bl. chem. Soc. Japan **35**, 244 (1962); C. A. **57**, 2103ᵈ (1962).
[7] H. FISCHER u. H. RÖSE, B. **45**, 1579 (1912).
    H. FISCHER u. E. BARTHOLOMÄUS, B. **45**, 1985 (1912).
    H. FISCHER u. M. SCHUBERT, B. **56**, 1204 (1923).

a) Decarboxylierungen

α-Hydroxy-, α-Amino- und α-Oxo-carbonsäuren werden bei der Einwirkung von Blei(IV)-oxid unter Decarboxylierung zu den entsprechenden, um ein Kohlenstoffatom ärmeren Oxidationsprodukten abgebaut.

α-Hydroxy-carbonsäuren mit einer sekundär gebundenen Hydroxy-Gruppe liefern Aldehyde:

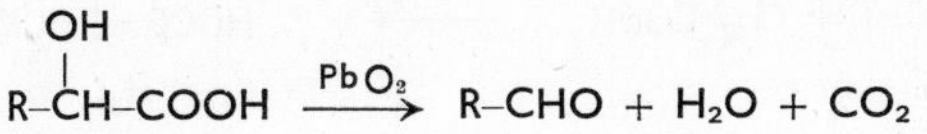

$$R-\overset{\overset{\displaystyle OH}{|}}{C}H-COOH \xrightarrow{PbO_2} R-CHO + H_2O + CO_2$$

2,2-Dimethyl-3-formyl-1-carboxy-cyclobutan[1]:

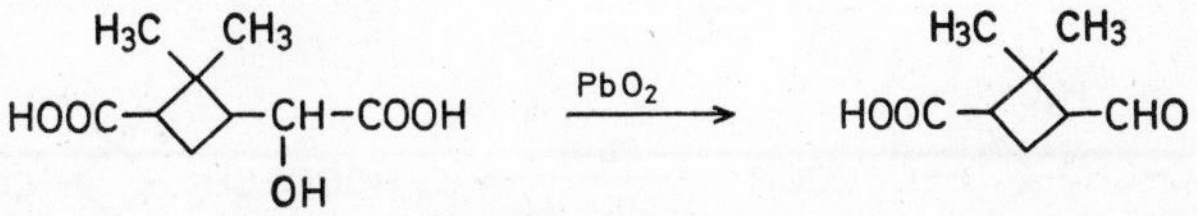

31 g 2,2-Dimethyl-3-(α-hydroxy-α-carboxy-methyl)-1-carboxy-cyclobutan werden in der 10fachen Menge Wasser und 20 g Eisessig gelöst. Unter Erwärmung auf dem Wasserbad werden dann im Laufe von 30 Min. 74 g Blei(IV)-oxid zugesetzt. Bei jeder Zugabe tritt starkes Schäumen auf. Nach dem Aufhören der Kohlendioxid-Entwicklung wird das gelöste Blei mit Ammoniumsulfat gefällt, das Bleisulfat abgesaugt und die Lösung mit Äther extrahiert. Nach dem Trocknen der ätherischen Phase wird der Äther abdestilliert; F: 188–189° (als Semicarbazon).

Sehr gute Aldehyd-Ausbeuten werden auf diese Weise bei der Umsetzung von aliphatischen α-Hydroxy-carbonsäuren erzielt[2], wobei z. B. aus der 2-Hydroxy-3-methyl-butansäure *2-Methyl-propanal* gebildet wird.

Octandial[3]: 60 g 2,9-Dihydroxy-decandisäure-Bariumsalz werden mit 98 g Blei(IV)-oxid und soviel an 25%iger Phosphorsäure versetzt, als nötig ist, um Blei und Barium zu binden. Dann bläst man Wasserdampf durch die Mischung, wobei unter starker Kohlendioxid-Entwicklung Octandial abdestilliert; Kp: 230–240° (Zers.).

In ähnlicher Weise gewinnt man, allerdings mit geringer Ausbeute, *Hexandial* aus 2,7-Dihydroxy-octandisäure.

α-Amino-carbonsäuren verhalten sich wie α-Hydroxy-carbonsäuren. Aus 2-Amino-pentansäure[4] wird durch Einwirkung von Blei(IV)-oxid ein Gemisch von *Butanal* und *Buttersäure* erhalten.

α-Hydroxy-carbonsäuren mit tertiär gebundener Hydroxy-Gruppe werden mittels Blei(IV)-oxid in Ketone überführt.

2-Oxo-6,6-dimethyl-bicyclo [3.1.1]heptan (Nopinon)[5]:

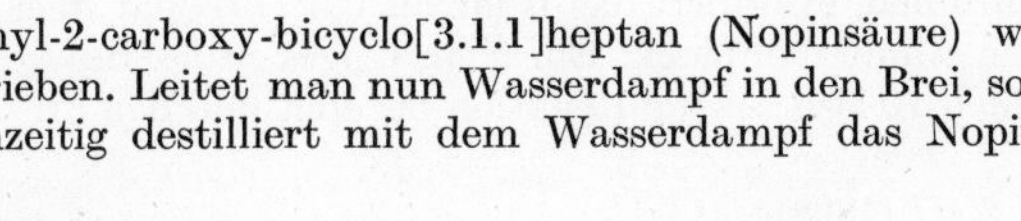

2 g 2-Hydroxy-6,6-dimethyl-2-carboxy-bicyclo[3.1.1]heptan (Nopinsäure) werden mit etwas Wasser und 8 g Blei(IV)-oxid verrieben. Leitet man nun Wasserdampf in den Brei, so beginnt bald die Kohlendioxid-Abspaltung; gleichzeitig destilliert mit dem Wasserdampf das Nopinon über; F: 188,5° (als Semicarbazon).

---

[1] A. v. BAEYER, B. **29**, 1909 (1896).
[2] A. v. BAEYER u. H. v. LIEBIG, B. **31**, 2106 (1898).
[3] A. v. BAEYER, B. **30**, 1962 (1897).
[4] H. D. DAKIN, J. biol. Chem. **4**, 63 (1908).
[5] A. v. BAEYER, B. **29**, 1927 (1896).

Analog erhält man *Cycloheptanon* aus 1-Hydroxy-cycloheptan-1-carbonsäure[1].

α-Oxo-carbonsäuren werden zu den um ein Kohlenstoffatom ärmeren Carbonsäuren abgebaut. In der gleichen, wie bei den α-Hydroxy-carbonsäuren beschriebenen Weise erhält man aus 2-Oxo-3,3-dimethyl-4-carboxy-hexandisäure *2,2-Dimethyl-3-carboxy-glutarsäure*[2]:

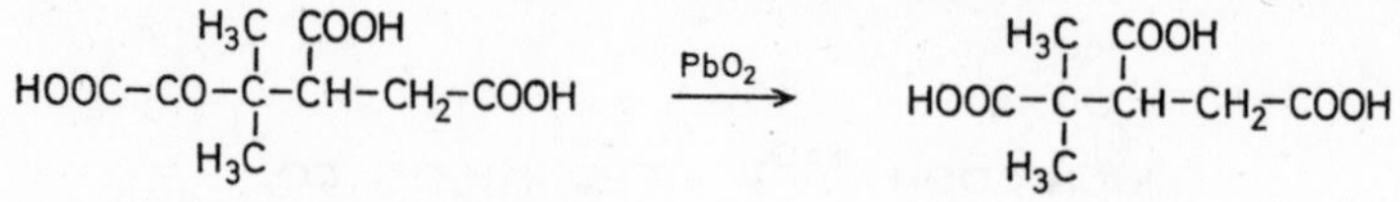

$$\text{HOOC--CO--}\underset{\underset{CH_3}{|}}{\overset{\overset{H_3C}{|}}{\text{C}}}\text{--CH--CH}_2\text{--COOH} \quad \xrightarrow{PbO_2} \quad \text{HOOC--}\underset{\underset{H_3C}{|}}{\overset{\overset{H_3C}{|}}{\text{C}}}\text{--CH--CH}_2\text{--COOH}$$

und aus 2,2-Dimethyl-3-carboxymethyl-1-oxalyl-cyclobutan *2,2-Dimethyl-3-carboxymethyl-1-carboxy-cyclobutan (Pinsäure)*[3]:

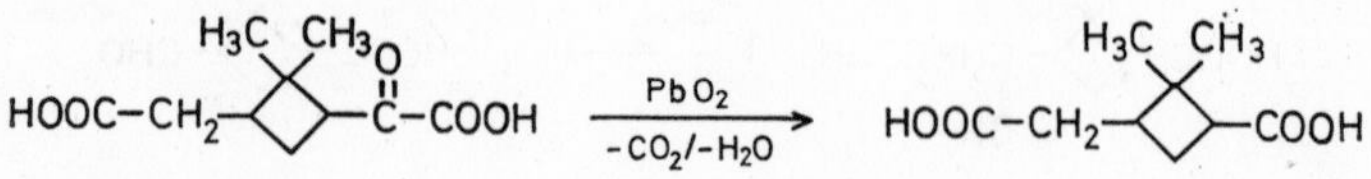

4-Hydroxy-7-oxo-3,3-dimethyl-octandisäure-1,4-lacton läßt sich nur in Schwefelsäure glatt zu *4-Hydroxy-3,3-dimethyl-heptandisäure-1,4-lacton*[4] abbauen:

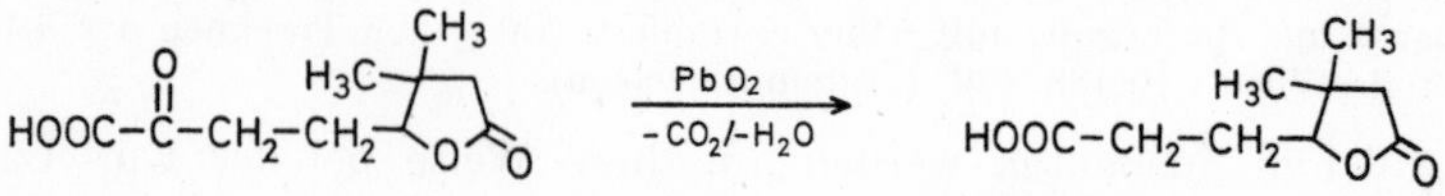

γ-Oxo-carbonsäuren werden mit Blei(IV)-oxid zu α,β-ungesättigten Ketonen decarboxyliert[5]:

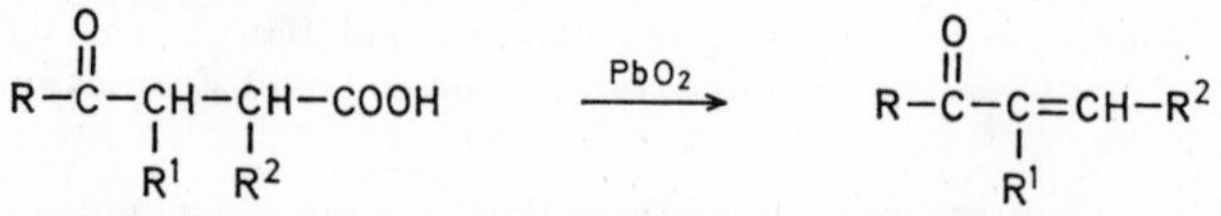

Diese Reaktion ist allgemein anwendbar und eine präparativ gute Methode α,β-ungesättigte Ketone herzustellen. Dabei werden α- und β-unsubstituierte γ-Oxo-carbonsäuren nur zu 30–40% zu den entsprechenden ungesättigten Ketonen umgesetzt. Besonders hohe Ausbeuten erhält man bei den substituierten Oxo-carbonsäuren, die entweder nach Methode A oder B zu den entsprechenden ungesättigten Ketonen oxidiert werden[5].

Ungesättigte Ketone aus γ-Oxo-carbonsäuren; allgemeine Arbeitsvorschrift (vgl. Tab. 3, S. 203):

Methode A[5]: Blei(IV)-oxid, γ-Oxo-carbonsäure und pulverisiertes Glas werden gut vermischt und in ein Sublimationsrohr gegeben. Das Rohr wird evakuiert und zum Teil in einen vorgeheizten Sublimationsapparat gegeben. Die Reaktion beginnt sofort und das ungesättigte Keton kondensiert an den kalten Teilen des Rohres. Nach ~ 10 Min. ist die Reaktion beendet.

Methode B[5]: Eine Lösung von γ-Oxo-carbonsäure in Xylol wird langsam zum heißen Blei(IV)-oxid gegeben. Anschließend wäscht man das Keton mit Xylol aus.

1-Oxo-1-(3,5-dimethyl-phenyl)-buten-(2)[5]: Ein Gemisch von 3 g pulverisiertem Glas, 0,11 g (0,5 mMol) 4-Oxo-2-methyl-4-(3,5-dimethyl-phenyl)-butansäure und 0,6 g (2,5 mMol) Blei(IV)-oxid wird in einem Mörser zerrieben und in ein an einem Ende geschlossenes 9-mm-Pyrexrohr gefüllt. Auf die lose Füllung gibt man einen Glaswollepfropfen, evakuiert das Rohr bis 0,5 Torr und steckt es horizontal teilweise in einen auf 250° vorgeheizten Aluminiumblock. Ein 5 cm langes Stück des herausragenden Rohres wird mit Trockeneis gekühlt. Nach 10 Min. ist die Reaktion beendet und das Produkt befindet sich kurz vor

[1] R. Willstätter, B. **31**, 2507 (1898).
[2] A. v. Baeyer, B. **29**, 2792 (1896).
[3] A. v. Baeyer, B. **29**, 1916 (1896).
[4] A. v. Baeyer, B. **29**, 1919 (1896).
[5] D. V. Hertzler, J. M. Berdahl u. E. J. Eisenbraun, J. Org. Chem. **33**, 2008 (1968).
    s. ds. Handb., Bd. VII/2a, S. 156, 677 ff.

der mit Trockeneis gekühlten Zone. Man bricht diesen Teil des Rohres ab und erhält 0,066 g (76% d.Th.) Keton; $Kp_{0,3}$: 90°.

(+)-13-Oxo-podocarpen-(8^{14})[1]:

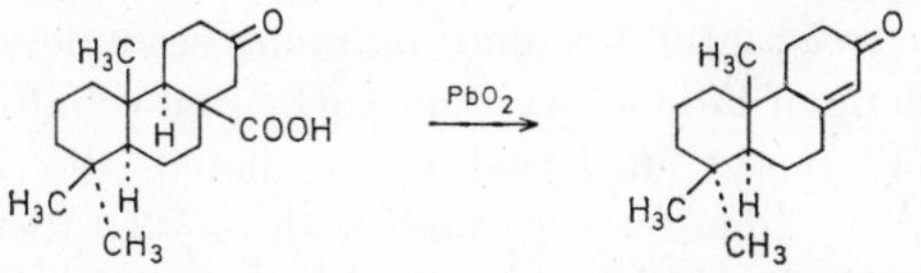

3 g pulverisiertes Glas, das mit 4n Natronlauge gewaschen wurde, 0,6 g (2,5 m Mol) Blei(IV)-oxid und 0,15 g 13-Oxo-8.β-carboxy-podocarpan werden innig vermischt und in einen Kolben gegeben, der mit einem Luftkühler versehen ist. Etwas Glaswolle wird auf das Gemisch plaziert, der Kolben evakuiert (0,5 Torr) und auf ein auf 250° vorgeheiztes Sandbad gestellt. Nach 30 Min. wird abgekühlt und das Keton, das als ölige Tropfen am Kühler kondensiert, mit Äther abgespült. Nach Entfernen des Äthers erhält man 21 mg (14% d.Th.) als Öl.

Chalcon[2]: 9,6 g (0,04 Mol) Blei(IV)-oxid wird in einem vertikalen Pyrexrohr zwischen zwei Pfropfen aus Glaswolle gegeben und dieses durch einen Aluminiumblock gesteckt. Auf das Rohr wird ein Tropf-trichter gesetzt und unten ein 2-Halskolben angebracht, der in einem Eisbad gekühlt wird. Während das Blei(IV)-oxid auf 135° aufgeheizt wird, wird ein schwacher Stickstoffstrom durch das Rohr geschickt. Danach läßt man eine Lösung von 2,54 g (0,01 Mol) 4-Oxo-2,4-diphenyl-butansäure in 120 *ml* o-Xylol durch das Blei(IV)-oxid tropfen. Die Tropfgeschwindigkeit beträgt 1 Tropfen in 4–6 Sekunden. Nachdem die gesamte Carbonsäure zugegeben ist, wird das Blei(IV)-oxid mit 50 *ml* o-Xylol gewaschen und die vereinigten Xylol-Lösungen 2mal mit 20 *ml* Portionen 10%iger Natriumhydrogencarbonat-Lösung und 1 mal mit Wasser gewaschen. Die hellgelbe organische Lösung wird dann mit Magnesiumsulfat getrocknet, filtriert und das Xylol weitgehend unter vermindertem Druck abdestilliert. Rückstände an Xylol werden chromatographisch in einer mit Aluminiumoxid (Merck, mit Säure gewaschen) gefüllten Säule abgetrennt, die Säule mit 50 *ml* Hexan gewaschen und das Produkt mit 150 *ml* Benzol eluiert. Das Benzol wird i. Vak. abdestilliert und das aus dem Rückstand auskristallisierte ungesättigte Keton aus Äthanol umkristallisiert; Ausbeute: 1,18 g (57% d.Th.); F: 53–55°.

Tab. 3. Decarboxylierung von γ-Oxo-carbonsäuren zu α, β-ungesättigten Ketonen[2]

γ-Oxo-carbonsäuren	Methode (s. S. 202)	Tempe-ratur [° C]	α, β-unges. Keton	Ausbeute [% d.Th.]	F[a) [° C]
4-Oxo-2-methyl-4-phenyl-butansäure	A	250	*4-Oxo-4-phenyl-buten-(2)*	69	200–201
4-Oxo-4-(2,5-dimethyl-phenyl)-butansäure	A	250	*3-Oxo-3-(2,5-dimethyl-phenyl)-propen*	72	118
4-Oxo-2-phenyl-4-naphthyl-(2)-butansäure	A / B	250 / 125	*3-Oxo-1-phenyl-3-naphthyl-(2)-propen*	83 / 40	
3-Oxo-cyclohexan-carbon-säure	A	250	*3-Oxo-cyclohexen-(1)*	92	163–165

a) der 2,4-Dinitro-phenylhydrazone.

b) Bis-decarboxylierungen

Beim Erhitzen von α, β-Dicarbonsäuren mit Blei(IV)-oxid im indifferenten Lösungs- oder Verdünnungsmittel auf Temperaturen um 200° lassen sich unter Abspaltung von 2 Mol Kohlendioxid die entsprechenden Olefine herstellen[3]:

[1] R. C. Cambie u. R. C. Hayward, Austral. J. Chem. **25**, 959 (1972).
[2] D. V. Hertzler, J. M. Berdahl u. E. J. Eisenbraun, J. Org. Chem. **33**, 2008 (1968). s. ds. Handb., Bd. VII/2b.
[3] W. v. E. Doering, M. Farber u. A. Sayigh, Am. Soc. **74**, 4370 (1952).

Für diese Bis-decarboxylierung ist nicht jedes Blei(IV)-oxid geeignet. Voraussetzung für eine rasche Reaktion ist ein Blei(IV)-oxid bestimmter Teilchengröße; zu feines Dioxid ist nicht günstig[1] (s. S. 176). Aber auch bei Verwendung von grobkörnigem Blei(IV)-oxid sind die Ausbeuten an ungesättigter Verbindung nicht besonders hoch, im allgemeinen liegen sie bei 30%. Nur in einigen Fällen[2] werden Ausbeuten erhalten, die höher liegen als bei Verwendung von Blei(IV)-acetat in Pyridin[3]; so liefert die Bis-decarboxylierung von 1,2,2a,3,4,4a,5,6-Octahydro-⟨dibenzo-[c;g]-phenanthren⟩-3,4-dicarbonsäure-anhydrid mit Blei(IV)-oxid *1,2,5,6-Tetrahydro-⟨dibenzo-[c;g]-phenanthren⟩* (41% d.Th.; F: 148–149°)[2], während bei Verwendung von Blei(IV)-acetat nur 20% d.Th. erhalten werden[4]:

An und für sich sollte bei dieser Reaktion nur eine Doppelbindung gebildet werden, bei besonders günstigen Verbindungen erfolgt unter den herrschenden Reaktionsbedingungen [190–200°, Blei(IV)-oxid im Überschuß] weitere Dehydrierung zum aromatischen System.

D. Oxidationen mit Blei(IV)-acetat

Blei(IV)-acetat wurde 1920 erstmals zur Oxidation organischer Verbindungen eingesetzt[5]. Seither wurde die Vielseitigkeit dieses Oxidationsmittels immer wieder belegt.

Die wohl beste Methode zur Herstellung von Blei(IV)-acetat ist die folgende Vorschrift[6,7].

Blei(IV)-acetat: In einem Dreihalskolben mit Rührer und Thermometer werden 600 *ml* Eisessig und 400 *ml* Essigsäureanhydrid auf 55° aufgeheizt und unter Rühren 700 g (1,03 Mol) frische Mennige (Pb$_3$O$_4$) in Portionen von 15–20 g eingetragen. Neuzugabe erfolgt immer dann, wenn die leichte Gelbfärbung von der vorhergehenden Zugabe verschwunden ist. Durch Kühlung hält man die Temp. der Reaktionslösung auf 55–65°. Nach Beendigung der Reaktion läßt man die Reaktionslösung abkühlen. Dabei kristallisiert Blei(IV)-acetat aus. Man filtriert und wäscht mit Eisessig. Zur Reinigung des evtl. gefärbten, rohen Produktes löst man dieses in heißem Eisessig, reinigt mit einem Adsorptionsmittel und kühlt. Die farblosen Kristalle werden in einem Vakuumexsikkator über Natriumhydroxid oder Phosphor(V)-oxid getrocknet und im Dunkeln aufbewahrt; Ausbeute: 320–350 g (70–77% d.Th.).

Essigsäureanhydrid fängt das bei der Reaktion entstehende Wasser ab und verhindert so Hydrolyse zum Blei(IV)-oxid.

Bei dieser Umsetzung, die nach der Gleichung

$$Pb_3O_4 + 8\ CH_3COOH \longrightarrow Pb(OCOCH_3)_4 + 2\ Pb(OCOCH_3)_2 + 4\ H_2O$$

verläuft, wird nur der dritte Teil des eingesetzten Bleis zu Blei(IV)-acetat umgesetzt. Aus der Mutterlauge lassen sich weitere 200 g gewinnen, wenn diese unter Rühren auf 80° erhitzt und trockenes Chlor eingeleitet wird. Dabei wird ein Teil des Blei(II)-acetats zum Blei(IV)-acetat oxidiert, der andere Teil fällt als Blei(II)-chlorid aus[8]:

$$2\ Pb(OCOCH_3)_2 + Cl_2 \longrightarrow Pb(OCOCH_3)_4 + PbCl_2$$

Die Lösung wird heiß filtriert und das abgetrennte Blei(II)-chlorid mit heißem Eisessig gewaschen.

---

[1] W. v. E. DOERING u. M. FINKELSTEIN, J. Org. Chem. **23**, 141 (1958).

[2] Y. ALTMAN u. D. GINSBURG, Soc. **1959**, 466.

[3] C. A. GROB, M. OHTA, E. RENK u. A. WEISS, Helv. **41**, 1191 (1958).
    s. a. S. 372.

[4] D. GINSBURG, Bl. **1960**, 1348.

[5] O. DIMROTH, O. FRIEDEMANN u. H. KÄMMERER, B. **53**, 481 (1920).

[6] O. DIMROTH u. R. SCHWEIZER, B. **56**, 1375 (1923).

[7] R. CRIEGEE, A. **481**, 263 (1930).
    A. COLSON, C. **136**, 675, 891 (1903); Bl. [3] **31**, 422 (1904).

[8] R. E. OESPER u. C. L. DEASY, Am. Soc. **61**, 972 (1939).

Nach Möglichkeit sollte man sich aber damit begnügen, nur ein Drittel des Bleis auszunützen, denn selbst nach mehrmaligem Umkristallisieren bleiben Spuren Chlorid zurück und verunreinigen die Oxidationsprodukte mit chlorierten Verbindungen.

Andere Methoden Blei(IV)-acetat herzustellen sind z. B.:

① Elektrolyse von Blei(II)-acetat an einer Platinanode in 99,4%iger Essigsäure in Gegenwart von wasserfreiem Natriumacetat[1]
② Elektrolyse von Blei(II)-sulfat und Lösen des gebildeten Blei(IV)-sulfats in Eisessig[2]
③ Umsetzung von Mennige oder Blei(II)-oxid mit Eisessig unter dem oxidierenden Einfluß von Ozon in Gegenwart eines Metallsalzes, das in Eisessig löslich ist, mit einem gegen Ozon inerten Anion und einem Kation mit einem höheren Oxidationspotential als Blei[3].

Keine dieser Methoden ist in der Ausführung so bequem wie die Umsetzung nach Dimroth[4]. Blei(IV)-oxid, das theoretisch unter Ausnutzung des gesamten Bleis in Blei(IV)-acetat umgewandelt werden könnte, ist – außer im frischgefällten Zustand – in Essigsäure unlöslich und deshalb zur Herstellung des Acetats ungeeignet.

Blei(IV)-acetat kristallisiert aus heißem Eisessig in farblosen monoklinen Kristallen; F: 175° (Zers.)[5]; $d^{16,9} = 2,228$. Seine Lagerfähigkeit ist bei Abwesenheit von Feuchtigkeit im Dunkeln gut. Spuren von Essigsäure und geringe Mengen Essigsäureanhydrid stören gewöhnlich bei den auszuführenden Reaktionen nicht.

Die Gehaltsbestimmung an Blei(IV) erfolgt am besten auf jodometrischem Wege: Eine Probe von ungefähr 0,5 g wird in 5 ml Essigsäure unter leichtem Erwärmen gelöst und dazu eine Lösung von 12 g Natriumacetat und 1 g Kaliumjodid in 100 ml Wasser gegeben. Die Lösung wird einige Minuten geschüttelt und das freie Jod mit 0,1n Natriumthiosulfat-Lösung unter Zusatz von Stärke titriert.

$$\% \text{ Pb(O—CO—CH}_3)_4 = 2,217 \times (ml \text{ Thiosulfat/Einwaage})$$

Die Löslichkeit von Blei(IV)-acetat in Eisessig ist in Tab. 4 in Abhängigkeit von der Temp. wiedergegeben.

Tab. 4. Löslichkeit von Blei(IV)-acetat in Eisessig in Abhängigkeit von der Temperatur[6]

Temperatur [° C]	Mol % gelöstes Blei(IV)-acetat	Temperatur [° C]	Mol % gelöstes Blei(IV)-acetat
18,2	0,354	59,8	1,29
25,2	0,427	68,4	1,64
29,9	0,512	74,6	1,96
33,5	0,582	82,3	2,55
37,0	0,638	90,7	3,31
45,0	0,798	94,4	3,74
53,0	1,03		

Blei(IV)-acetat zersetzt sich beim Erhitzen auf 140–180° unter Bildung von Blei(II)-acetat, Kohlendioxid, geringen Mengen Methan, Äthan, ungesättigten Kohlenwasserstoffen, Kohlenoxid und Wasserstoff[7]. In Eisessig beginnt die Zersetzung schon bei tieferen Temperaturen. Neben Kohlendioxid und Methan isoliert man auch *Acetoxy-essigsäure* und *Dia-*

[1] C. Schall u. W. Melzer, Z. El. Ch. 28, 474 (1922).
vgl. a.:
H. K. Elbs u. F. W. Rixon, Z. El. Ch. 9, 267 (1903).
L. Bermejo u. L. Blas, An. Soc. espan. 27, 234 (1929); C. 1929 II, 712.
M. Y. Fioshin u. L. I. Kazokova, Ž. obšč. Chim. 28, (90) 2005 (1958); engl.: 2043; C. A. 53, 921 (1959).
[2] H. K. Elbs u. F. Fischer, Z. El. ch. 7, 343 (1900).
[3] US. P. 3361741 (1968), Ashland Oil & Refining Co., Erf.: G. P. Schulmann; C. A. 68, 80051ʲ (1968).
[4] s. a. J. C. Bailar, jr., Inorg. Synth. 1, 47 (1939).
[5] A. Hutchinson u. W. Pollard, Soc. 69, 212 (1896).
[6] A. W. Davidson, W. C. Lanning u. M. M. Zeller, Am. Soc. 64, 1523 (1942).
[7] C. Schall, Z. El. Ch. 28, 506 (1922).

cetoxy-methan[1]. Dagegen kann man Blei(IV)-acetat in Benzol längere Zeit zum Sieden erhitzen, ohne das Zersetzung eintritt. Beim Kochen einer Benzol-Essigsäure-Lösung wird allerdings nach kurzer Zeit Kohlendioxid frei. Im Reaktionsgemisch kann bis zu 18% Essigsäure-benzylester nachgewiesen werden, das durch Acetoxylierung des aus Benzol und dem bei der Zersetzung gebildeten Methyl-Radikals entstehenden Toluols geliefert wird[2]. Unter dem Einfluß von UV-Strahlen wird Blei(IV)-acetat schon bei relativ tiefer Temperatur zersetzt[3-6]. Basen, z. B. Natriumacetat, Pyridin oder Triäthylamin haben dieselbe Wirkung[7]. Gleichzeitig mit der basenkatalysierten Zersetzung wird ein Komplex, wahrscheinlich mit der folgenden Struktur:

$$(CH_3COOH)(H_3C-COO)_3 \; Pb \overset{\ominus}{\underset{}{}} \begin{array}{c} CH_3 \\ | \\ O-\overset{\oplus}{C}-O \\ \diagup \qquad \diagdown \\ O-\underset{|}{\underset{CH_3}{\overset{\oplus}{C}}}-O \end{array} \overset{\ominus}{\underset{}{}} Pb(O-COCH_3)_3(CH_3COOH)$$

gebildet, in welchem das Blei(IV) langsamer reduziert wird[7].

Wasser hydrolysiert Blei(IV)-acetat zu Essigsäure und Blei(IV)-oxid[8]. Ein feuchtes Präparat hat deshalb nur eine verminderte Oxidationswirkung. Man kann allerdings ohne weiteres mit Blei(IV)-acetat in wasserhaltiger Essigsäure oxidieren, wenn die Oxidation schneller abläuft als die Hydrolyse[9,10].

Oxidation mit Blei(IV)-acetat; allgemeine Arbeitsvorschrift[11,12]: Eine Lösung der ber. Menge Blei(IV)-acetat wird zu einer Lösung der zu oxidierenden Substanz, bzw. umgekehrt, gegeben. Bei Verwendung eines Überschusses an Blei(IV)-acetat kann dieser mit Glykol oder Glycerin zerstört werden. Neben Eisessig sind Benzol, Cyclohexan, Chloroform, Dichlormethan, Trichlor-äthylen, Nitrobenzol und Acrylnitril gebräuchliche Lösungsmittel. Sie sind dann von Vorteil, wenn die Reaktion in Essigsäure aufgrund der Gleichgewichtsbeziehung

$$Pb(O-CO-CH_3)_4 + R-CO-H \rightleftharpoons Pb(O-CO-CH_3)_2 + HOOC-CH_3 + R-CO-O-CO-CH_3$$

ungünstig beeinflußt wird, oder wenn die zu oxidierende Verbindung von der Essigsäure angegriffen wird. Das ist z. B. bei der Oxidation von Acetalen der Fall. Hier muß man evtl. in Anwesenheit von Carbonaten oxidieren, um die bei der Reaktion freiwerdende Essigsäure abzufangen. Äther, Petroläther und Tetrachlormethan sind infolge nur geringer Löslichkeit von Blei(IV)-acetat in diesen Lösungsmitteln

[1] M. S. Kharasch, H. N. Friedlander u. W. H. Urry, J. Org. Chem. **16**, 533 (1951).
[2] L. F. Fieser, R. C. Clapp u. W. H. Daudt, Am. Soc. **64**, 2052 (1942).
[3] D. Benson, L. H. Sutcliffe u. J. Walkley, Am. Soc. **81**, 4488 (1959).
[4] N. A. Meier, L. I. Guseva u. Y. A. Oldekop, Ž. obšč. Chim. **37**, 2656 (1967); engl.: 2528; C. A. **68**, 108 469 (1968).
[5] V. Franzen u. R. Edens, Ang. Ch. **73**, 579 (1961).
[6] K. Heusler, Chimia **21**, 557 (1967).
[7] R. O. C. Norman u. M. Poustie, Soc. [B] **1968**, 781.
[8] A. Colson, C. r. **136**, 675 (1903).
[9] E. Baer, J. M. Grosheintz u. H. O. L. Fischer, Am. Soc. **61**, 2607 (1939).
[10] R. Criegee u. E. Büchner, B. **73**, 563 (1940).
[11] R. Criegee in K. B. Wiberg, „Oxidation in Organic Chemistry", S. 277 - 366, Academic Press, New York 1965.
[12] R. Criegee, Ang. Ch. **53**, 321 (1940); **70**, 173 (1958).
  R. Criegee in „Neuere Methoden der präparativen organischen Chemie". Band I, S. 21–38, Bd. II, S. 252–267, Verlag Chemie, Berlin 1944 bzw. 1960; "Newer Methods of Preparative Organic Chemistry" Bd. I, S. 1–17, Bd. II, S. 368, Interscience Publishers, Inc., New York 1948 bzw. 1963.
  P. Fleury u. J. Courtois, Inst. Intern. Chim. Solvay, Conseil Chim. (R. Stoops, Bruxelles) 279 (1950); C. A. **47**, 12207ᵃ (1953).
  L. F. Fieser u. M. Fieser, "Reagents for Organic Synthesis", S. 537–563, John Wiley & Sons, Inc., New York 1967.

nicht so gut geeignet. Es ist allerdings häufig vorteilhafter, die Oxidation in heterogenem System vorzunehmen. Man erspart sich die Aufarbeitung größerer Lösungsmittelmengen, wenn man das Blei(IV)-acetat in Suspension oder sogar als Paste[1] einsetzt.

Praktisch identisch mit der Blei(IV)-acetat-Oxidation in essigsaurer Lösung ist die Oxidation mit Mennige in Eisessig. Auch bei dieser Methode ist Blei(IV)-acetat, das in situ gebildet wird, das eigentliche Oxidationsmittel.

Die Aufarbeitung der Reaktionsprodukte richtet sich nach ihren Eigenschaften. Bei stabilen Reaktionsprodukten wird das Gemisch in Wasser geschüttelt und mit Äther extrahiert. Die Essigsäure wird durch Waschen mit Natriumhydrogencarbonat-Lösung entfernt. Bei hydrolyse-empfindlichen Substanzen wird Essigsäure i. Vak. abdestilliert und der Rückstand mit Äther versetzt, dabei kristallisiert Blei(II)-acetat aus und kann abfiltriert werden. Die Blei(II)-salze werden mit Äther gewaschen und die vereinigten Ätherlösungen evtl. noch einmal derselben Prozedur unterworfen. Wenn die Reaktion in Benzol oder einem anderen apolaren Lösungsmittel ausgeführt wird, kristallisiert Blei(II)-acetat sofort aus. Im Anfang ist dieses von schleimiger Konsistenz und neigt dazu, Blei(IV)-acetat zu okkludieren. Man verhindert dieses, indem man das Blei(II)-acetat durch Animpfen oder Reiben mit dem Glasstab zur Kristallisation bringt.

Die Reaktionstemperatur sollte so niedrig wie möglich gewählt werden, nachdem die Selektivität der Oxidation mit steigender Temp. stark abfällt. Exotherme Reaktionen müssen deshalb unter Kühlung durchgeführt werden.

Eine die Blei(IV)-acetat-Oxidation katalysierende Wirkung hat Bortrifluorid[2], das am besten als Bortrifluorid-Diäthylätherat mit etwas Methanol in Benzol[3] oder in Methanol als Lösungsmittel[4] eingesetzt wird. Unter dem Einfluß dieses Katalysators verlaufen Reaktionen, die unter einfachen Oxidationsbedingungen höhere Temp. erfordern, schon bei Raumtemp. stürmisch. Reaktionsprodukte sind oft die den Acetoxy-Verbindungen entsprechenden Methoxy-Derivate[2,5].

I. Oxidationen

Blei(IV)-acetat oxidiert die verschiedensten Verbindungsklassen unter Einführung von ein oder zwei Sauerstoffunktionen in das Molekül. Reaktionsprodukte sind vor allem acetoxylierte Verbindungen, die leicht durch Folgereaktionen in andere Verbindungen überführt werden können, von Blei(IV)-acetat aber unter den im allgemeinen herrschenden milden Reaktionsbedingungen nicht weiter oxidiert werden. Zu den Hauptreaktionsarten gehört

① die substitutive Acetoxylierung unter α-Eliminierung von Wasserstoff nach:

$$\ce{>C-H -> >C-O-CO-CH3}$$

② die additive Acetoxylierung unter γ-Eliminierung von Wasserstoff nach:

$$\ce{>C=X\overset{YH}{} -> >C\overset{O-CO-CH3}{}\underset{X=Y}{}}$$

X = C; N
Y = C; N; O

[1] W. Metlesics, E. Schinzel, H. Vilcsek u. F. Wessely, M. 88, 1069 (1957).
[2] M. Finkelstein, B. 90, 2097 (1957).
[3] J. D. Cocker et al., Soc. 1965, 6.
[4] F. Wessely, E. Zbiral u. J. Jörg, M. 94, 227 (1963).
[5] E. Hecker u. R. Lattrell, Ang. Ch. 74, 652 (1962).

③ die additive Bis-[acetoxylierung], die entweder zu α,β-Diacetoxy-alkanen führt:

$$\text{>C=C<} \longrightarrow \overset{\text{H}_3\text{C-CO-O} \quad \text{O-CO-CH}_3}{\underset{|\quad\quad\quad|}{-\text{C}-\text{C}-}}$$

bzw. zu entsprechenden Reaktionsprodukten bei der Oxidation von andern ungesättigten Verbindungen, vor allem von Enol-Derivaten,

$$\text{>C=C<}^{\text{OR}} \longrightarrow \overset{\text{H}_3\text{C-CO-O} \quad \text{O}}{\underset{|\quad\quad\quad||}{-\text{C}-\text{C}-}}$$

oder unter Umlagerung zu geminalen Diacetoxy-Verbindungen, die

$$\text{>C=C<} \longrightarrow \text{>C-C<}^{\text{O-CO-CH}_3}_{\text{O-CO-CH}_3}\text{-H}$$

dann bei der Aufarbeitung zu Carbonyl-Derivaten hydrolysiert werden können.

Von den nicht zu den Acetoxylierungsreaktionen gehörenden Umsetzungen mit Blei(IV)-acetat, bei denen eine weitere Sauerstofffunktion in das Molekül eingeführt wird, ist von größerer präparativer Bedeutung die Tetrahydrofuran-Synthese, die vor allem in der Steroidchemie Anwendung findet.

a) Oxidation von Methyl-, Methylen- oder Methin-Gruppen

Der Ersatz von Wasserstoff durch eine funktionelle, sauerstoffhaltige Gruppe der Form –OR durch Oxidation mit Blei(IV)-acetat gelingt im allgemeinen dann, wenn die umzusetzenden Verbindungen aktivierte Methyl-, Methylen- oder Methin-Gruppen enthalten. Andernfalls erhält man eine Vielzahl von Reaktionsprodukten, so z. B. bei der Oxidation von Cyclohexan. Neben den verschiedensten Acetoxylierungsprodukten isoliert man auch *Methyl-cyclohexan*, das durch Methylierung durch das bei der Blei(IV)-acetat-Zersetzung entstehende Methyl-Radikal gebildet wird[1]. Unter bestimmten Voraussetzungen kann allerdings auch eine nichtaktivierte C–H-Gruppe selektiv zur C–O-Funktion oxidiert werden.

1. Oxidation nichtaktivierter aliphatischer C–H-Gruppen zu Tetrahydrofuranen bzw. Tetrahydropyranen[2]

Aliphatische Alkohole mit Methyl-, Methylen- oder Methin-Gruppen in δ- oder ε-Stellung zur Hydroxy-Gruppe werden mit Blei(IV)-acetat zu Tetrahydrofuran- bzw. Tetrahydropyran-Derivaten oxidiert[3]:

$$\underset{\underset{\text{R}^2}{|}}{\text{R}^1\text{-CH}}-(\text{CH}_2)_n-\underset{\underset{\text{OH}}{|}}{\overset{\overset{\text{R}^3}{|}}{\text{C}}}-\text{R}^4 \xrightarrow{\text{Pb(O-COCH}_3)_4} \text{...}$$

n = 2,3

Von der Ausbeute her ist nur die Bildung des Tetrahydrofuran-Ringes interessant.

---

[1] J. Ujhazy u. E. R. Cole, Nature **209**, 395 (1966).
[2] Übersichtsartikel: K. Heusler u. J. Kalvoda, Ang. Ch. **76**, 518 (1964).
 M. L. Mihailovic u. Ž. Cekovič, Synthesis **2**, 209 (1970).
[3] G. Cainelli, M. L. Mihailovic, D. Arigoni u. O. Jeger, Helv. **42**, 1124 (1959).

Erster Schritt dieser zur **Barton-Reaktion**[1] zählenden Oxidation ist die Bildung des Alkoxy-bleitriacetates (I), das in das Bleitriacetat-Radikal und Sauerstoff-Radikal II zerfällt. Dieses reagiert über III unter Beteiligung des Bleitriacetat-Radikals direkt zum cyclischen Äther VI, wenn aufgrund sterischer Verhältnisse Sauerstoff-Radikal und reagierender Kohlenstoff sich in einer günstigen Lage zueinander befinden. Im anderen Fall wird über das Radikal IV und das Ionenpaar V schließlich dasselbe Endprodukt VI erhalten[2]:

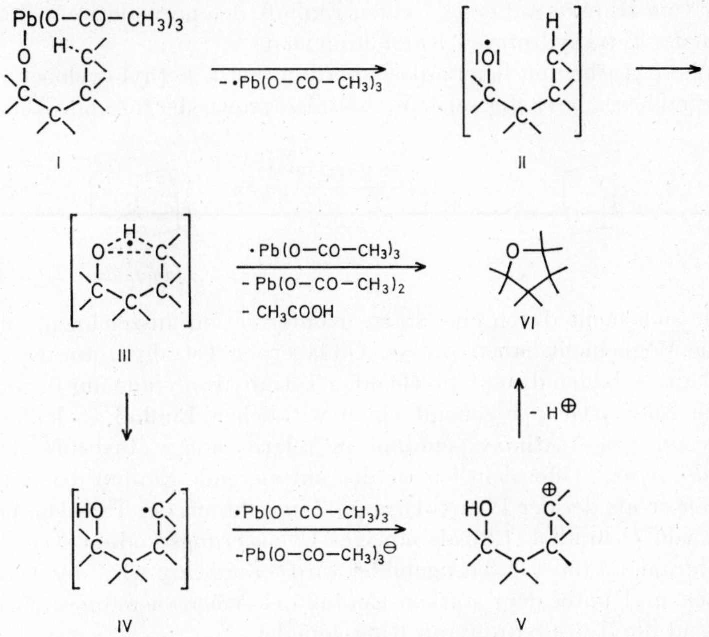

Die Ausbeuten an Tetrahydrofuran-Derivaten sind demnach dann besonders hoch, wenn durch das Molekülgerüst die beiden Reaktionszentren in einer für die Ringbildung **günstigen räumlichen Anordnung** fixiert sind. Beispiele hierfür bieten **Steroide** und **Terpene**. Hydroxy-Verbindungen dieser Verbindungsklassen werden bis zu 85% in die entsprechenden cyclischen Äther überführt. Bei den flexiblen einfachen Alkanolen erhält man die Tetrahydrofurane in Ausbeuten von maximal 50%[3].

Die bevorzugte Ausbildung der Tetrahydrofurane hängt ebenfalls von sterischen Voraussetzungen ab[2]. Hier ist entscheidend, daß im Übergangszustand III der Sechsring gegenüber dem Siebenring energetisch begünstigt ist. So entsteht bei der Oxidation von **Cyclooctanol** mit Blei(IV)-acetat 35% *9-Oxa-bicyclo[4.2.1]nonan* (I) und nur 0,8% *9-Oxa-bicyclo [3.3.1]nonan* (II), obwohl der Abstand des δ-, als auch des ε-C-Atoms zum Sauerstoff-Radikal mit 2,6 Å für beide Ringbildungen gleich günstig ist[2]:

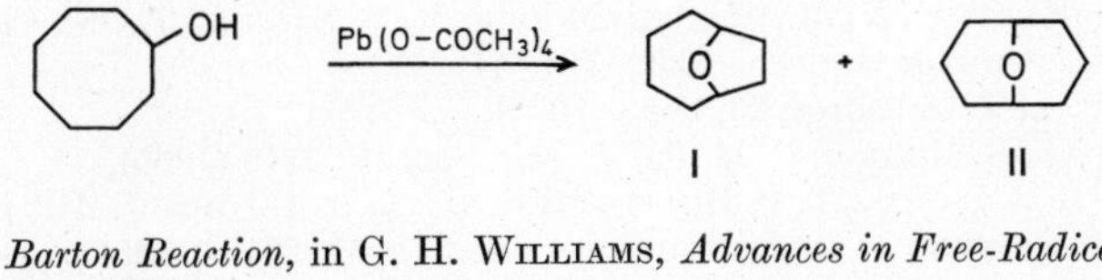

[1] R. H. HESSE, *The Barton Reaction*, in G. H. WILLIAMS, *Advances in Free-Radical Chemistry*, Vol. III, Logos Press, London 1969.
   vgl. a. ds. Handb., Bd. IV/5.
[2] K. HEUSLER u. J. KALVODA, Ang. Ch. **76**, 518 (1964).
   D. HAUSER, K. SCHAFFNER u. O. JEGER, Helv. **47**, 1883 (1964).
[3] M. L. MIHAILOVIĆ et al., Tetrahedron **21**, 2799 (1965).

Eine Phenyl-Gruppe in *trans*-5-Stellung erhöht zwar die Ausbeute an (*1-Phenyl-9-oxa-bicyclo[3.3.1]nonan*; 72% d.Th.)[1], jedoch ist dieses eher das Ergebnis einer besonders günstigen Konformation und nicht unbedingt auf den Einfluß des Phenyl-Ringes zurückzuführen. Man könnte dann erwarten, daß *trans*-4-Phenyl-cyclohexanol besonders hohe Ausbeuten liefern würde. In Wirklichkeit beträgt sie aber nur 18% d.Th.[1] Außerdem ist auch die Beobachtung, daß bei der Einwirkung von Blei(IV)-acetat auf 5-Phenyl-pentanol nur wenig *2-Phenyl-tetrahydropyran* (9% d.Th.) neben viel *2-Benzyl-tetrahydrofuran* (48% d.Th.) entsteht[2] ein Hinweis auf den geringen Einfluß, den normalerweise der Phenyl-Kern auf den Verlauf der Tetrahydrofuran-Ringbildung hat.

Ebenfalls höhere Ausbeuten liefert die Oxidation von 1-Methyl-cyclooctanol[3], sicherlich ebenfalls aufgrund besonderer sterischer Verhältnisse; sowie der folgende Alkohol:

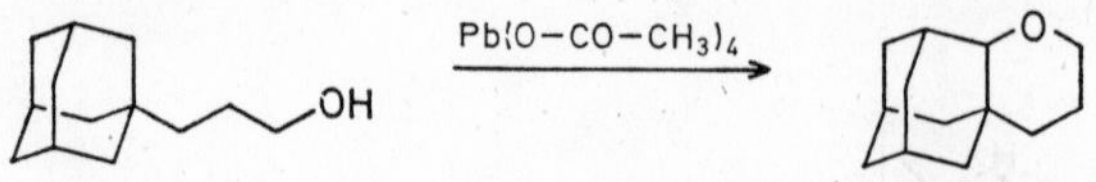

Adamantano-[2,1-b]-tetrahydropyran[4]

Alkohole, die sich nicht durch eine starre Konformation auszeichnen, auf der anderen Seite aber keine Möglichkeit haben, ohne C-Umlagerung Tetrahydrofurane zu bilden, z. B. δ, δ-Dialkyl-alkanole, bilden die entsprechenden Tetrahydropyrane nur in geringem Maß[5,6].

Lediglich die Alkoxy-Gruppe scheint einen wirklichen Einfluß zu haben. So entsteht bei der Oxidation von 5-Äthoxy-pentanol in relativ hoher Ausbeute (46% d.Th.) *2-Äthoxy-tetrahydropyran*[7]. Offensichtlich ist der aktivierende Einfluß des Äthersauerstoffes entschieden stärker als der der Phenyl-Gruppe. Das geht aus der Tatsache hervor, daß bei der Oxidation von Octandiol-(1,8) als einziges Cyclisierungsprodukt *Tetrahydrofuran-⟨2-spiro-2⟩-tetrahydropyran* (39% d.Th.) gebildet wird[8]. Zunächst wird der Tetrahydrofuran-Ring geschlossen und unter dem starken Einfluß des Äthersauerstoffes auf den ε-Wasserstoff anschließend der Tetrahydropyran-Ring gebildet:

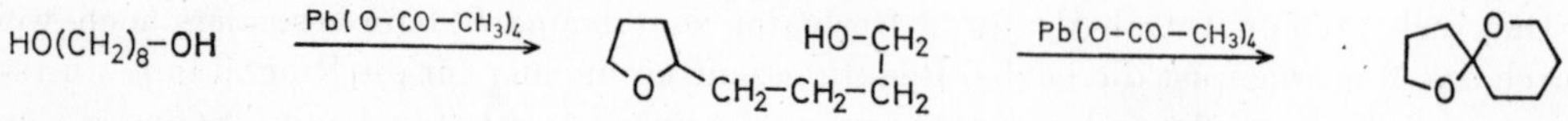

Bei transanularer 1,4-Epoxydierung von Cycloalkanolen hängt die Ausbeute von der Ringgröße ab[9]. Als erstes Homologes dieser Reihe erlaubt Cyclohexanol die Ausbildung einer Sauerstoffbrücke. Die Ausbeuten an *7-Oxa-bicyclo[2.2.1]heptan* liegen aber unter 1%. Der zur Wasserstoff-Übertragung erforderliche Übergangszustand kann nur bei Wannenform des Cyclohexanrings gebildet werden und diese ist energetisch benachteiligt. Mit wachsender Ringflexibilität erhöht sich die Ausbeute und beträgt 15% d.Th. *8-Oxa-bicyclo[3.2.1]octan* und 35% d.Th. *9-Oxa-bicyclo[4.2.1]nonan*. Bei Übergang zu Ringen mit noch höherer Ringzahl, z. B. Cyclodecanol[10] und Cyclododecanol sinken die Ausbeuten an *11-Oxa-bicyclo[6.2.1]undecan* bzw. *13-Oxa-bicyclo[8.2.1]tridecan* wieder ab, dagegen erhält man

[1] A. C. COPE, M. A. McKERVEY, N. M. WEINSHENKER u. R. B. KINNEL, J. Org. Chem. 35, 2918 (1970).
[2] S. MOON u. P. R. CLIFFORD, J. Org. Chem. 32, 4017 (1967).
  M. L. MIHAILOVIĆ et al., Tetrahedron 23, 3095 (1967).
[3] A. C. COPE, M. GORDON, S. MOON u. C. H. PARK, Am. Soc. 87, 3119 (1965).
[4] J. K. CHAKRABARTI, M. J. FOULIS, T. M. HOTTEN, S. S. SZINAI u. A. TODD, J. Med. Chem. 17, 602 (1974).
[5] M. L. MIHAILOVIĆ, Z. ČEKOVIĆ u. D. JEREMIĆ, Tetrahedron 21, 2813 (1965).
[6] S. MILOSAVLJEVIĆ, D. JEREMIĆ u. M. L. MIHAILOVIĆ, Tetrahedron 29, 3547 (1973).
[7] M. L. MIHAILOVIĆ u. M. MILORADOVIĆ, Tetrahedron 22, 723 (1966).
[8] V. M. MIĆOVIĆ et al., Tetrahedron 25, 985 (1969).
[9] M. L. MIHAILOVIĆ et al., Tetrahedron 24, 4947 (1968).
[10] M. L. MIHAILOVIĆ et al., Chem. Commun. 1970, 854.

steigende Mengen *1,2-Epoxi-cyclodecan* bzw. *1,2-Epoxi-dodecan*. Schließlich verhalten sich Cycloalkanole mit noch mehr Ringgliedern wie sekundäre aliphatische Alkohole, so erhält man aus Cyclohexadecanol *17-Oxa-bicyclo[12.2.1]heptadecan* (45% d.Th.).

Die Geschwindigkeit der Tetrahydrofuran-Ringbildung hängt sowohl von der Natur der OH-Gruppe als auch der C–H-Gruppe ab und nimmt für erstere in der Reihenfolge:

$$HO–C_{prim.} > HO–C_{sek.} > HO–C_{tert.}$$

ab[1] und umgekehrt für letztere in der Reihenfolge:

$$H–C_{prim.} < H–C_{sek.} < H–C_{tert.}$$

zu[2].

Nebenreaktionen bei der Herstellung der cyclischen Äther sind die Dehydrierung der HOC-Gruppe zur Carbonyl-Gruppe[3] und Fragmentierungen[4]. Während Cyclisierung und Fragmentierung - Spaltung der C–C-Bindung zwischen dem α- und β-Atom des Carbinols – homolytische Spaltung der O–Pb-Bindung des intermediär auftretenden Alkoxy-blei-triacetats voraussetzen, erfolgt die Oxidation des Alkohols zum Aldehyd oder Keton nach vorhergehender heterolytischer Spaltung[5]. Diese wird durch Verwendung eines schwach basischen, polaren Reaktionsmediums, beispielsweise Pyridin, gefördert[6]. Maximale Ausbeuten an cyclischen Äthern erhält man deshalb beim Arbeiten in apolaren Lösungsmitteln wie Benzol oder Cyclohexan.

Da der umzusetzende Alkohol selbst eine polare Substanz ist und somit die Carbonyl-Bildung fördert, sollte dieser mit einer genügend großen Menge des apolaren Lösungsmittels verdünnt werden. Für 0,1 Mol Octanol-(2) werden 200 *ml* Benzol als optimal ermittelt[7]. Anwesenheit von Essigsäure stört dagegen nicht. Sie verlängert zwar die Reaktionszeit, erhöht aber die Ausbeute an Tetrahydrofuran-Derivat um bis zu 5%[7].

Der Einfluß des Lösungsmittels wird bei der Oxidation von 1-(2-Hydroxy-äthyl)-adamantan deutlich; in Benzol erhält man *Adamantano-[2,1-b]-tetrahydrofuran*[8]:

in Essigsäure dagegen Ester bzw. an den tertiären Kohlenstoffatomen acetoxylierte Adamantane[9].

Eine zuweilen bei der Oxidation von Hydroxy-steroiden – vor allem bei 11β-Hydroxy-steroiden – beobachtete Erscheinung ist die Epimerisierung am Hydroxy-Kohlenstoffatom. Neben 53% *3β,20β-Diacetoxy-11-oxo-5α-pregnan*, 7,6% *3β,20β-Diacetoxy-11β, 19-epoxi-5α-pregnan* und 3,7% *3β,20β-Diacetoxy-11β,18-epoxi-5α-pregnan* erhält man aus

[1] V. M. Mićović, R. I. Mamuzić, D. Jeremić u. M. L. Mihailović, Tetrahedron Letters **1963**, 2091.
   M. L. Mihailović et al., Tetrahedron **21**, 2799 (1965); **24**, 6959 (1968).
[2] K. Heusler u. J. Kalvoda, Ang. Ch. **76**, 518 (1964).
   H. Immer et al., Helv. **45**, 753 (1962).
[3] R. Criegee, L. Kraft u. B. Rank, A. **507**, 159 (1933).
[4] E. A. Braude u. O. H. Wheeler, Soc. **1955**, 320.
[5] M. L. Mihailović et al., Tetrahedron **23**, 3095 (1967).
[6] R. E. Partch, Tetrahedron Letters **1964**, 3071.
[7] M. L. Mihailović et al., Tetrahedron **22**, 955 (1966).
[8] W. H. W. Lunn, W. D. Podmore u. S. S. Szinai, Soc. [C] **1968**, 1657.
[9] W. H. W. Lunn, Soc. [C] **1970**, 2124.

11β-Hydroxy-3β,20β-diacetoxy-5α-pregnan   15%   *3β,20β-Diacetoxy-1β,11α-epoxi-5α-*
pregnan[1]:

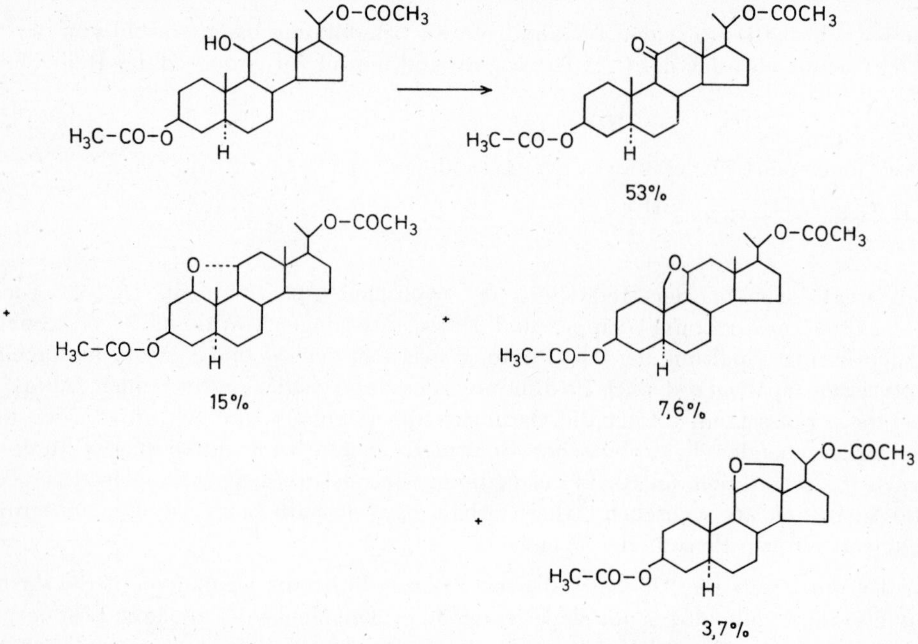

53%

15%   7,6%

3,7%

Es wird angenommen[1], daß das bei der homolytischen Spaltung des Alkoxy-bleitriacetat gebildete Oxyl-Radikal I in das Aldehyd-Kohlenstoffradikal II umgelagert wird. Dabei geht die Asymmetrie am C-11 verloren. Der Aldehyd II recyclisiert, wobei das Sauerstoffatom die α-Lage einnimmt:

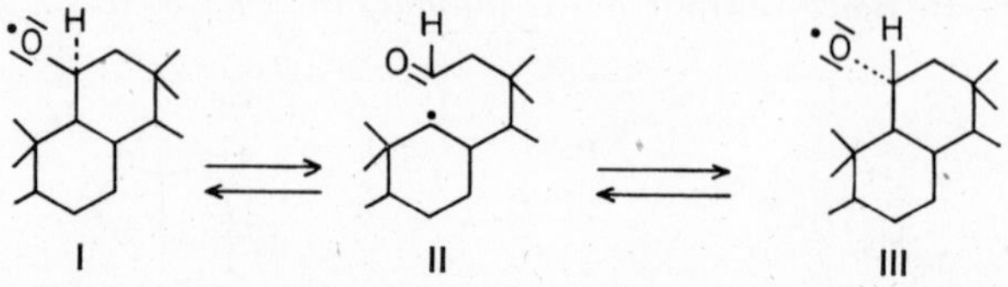

I   II   III

Schließlich entsteht aus dem 11α-Oxy-Radikal III der 1β,11α-[1] oder auch der 1α,11α-Äther[2]. Eine ähnliche Epimerisierung wurde auch am C_8-Atom beobachtet[1] und in anderer Form auch am C_6-Atom[3].

Tetrahydrofurane aus Alkanolen; allgemeine Reaktionsbedingungen: Ein äquimolares Gemisch des Alkohols und Blei(IV)-acetat wird solange in Benzol oder Cyclohexan gekocht, bis alles Blei(IV) verbraucht ist. Höhere Temp. sind nicht erforderlich, da dann auch Nebenreaktionen beschleunigt ablaufen[4]. Man kann die Tetrahydrofuran-Ringbildung auch bei Raumtemp. vornehmen, wenn man die homolytische Spaltung des Alkoxy-bleitriacetats durch Bestrahlen mit UV-Licht photolytisch anregt[5]. Die Ausbeuten an cyclischem Äther und Fragmentierungsprodukt sind dann sogar höher als bei der thermisch angeregten Umsetzung, dafür wird die Carbonyl-Bildung fast vollkommen unterdrückt. Das Verhältnis von Cyclisierungs- zu Fragmentierungsprodukt ändert sich nicht[6].

2-Propyl-tetrahydrofuran[7]: In einem 1-*l*-Dreihalskolben mit Rückflußkühler und Rührer werden 500 *ml* Benzol, 50 g (0,43 Mol) Heptanol-(1) und 210 g (0,47 Mol) über Phosphor(V)-oxid und Kaliumhydroxid getrocknetes Blei(IV)-acetat unter Rühren zum Sieden erhitzt. Nach 75 Min. ist alles Blei(IV)-

[1] K. HEUSLER, J. KALVODA, G. ANNER u. A. WETTSTEIN, Helv. **46**, 352 (1963).
[2] G. B. SPERO, J. L. THOMPSON, W. P. SCHNEIDER u. F. KAGAN, J. Org. Chem. **28**, 2225 (1963).
[3] K. HEUSLER u. J. KALVODA, Tetrahedron Letters **1963**, 1001; Helv. **46**, 2732 (1963).
[4] K. HEUSLER et al., Helv. **44**, 502 (1961).
[5] J. KALVODA u. K. HEUSLER, Chem. & Ind. **1963**, 1431.
[6] M. L. MIHAILOVIĆ, M. JAKOVLJEVIĆ u. Z. ČEKOVIĆ, Tetrahedron **25**, 2269 (1969).
[7] V. M. MIĆOVIĆ, R. I. MAMUZIĆ, D. JEREMIĆ u. M. L. MIHAILOVIĆ, Tetrahedron **20**, 2279 (1964).

acetat verbraucht (negativer Jod-Stärke-Test). Nach Abkühlen wird die Reaktionsmischung mit 120 *ml* trockenem Äther behandelt und 1–2 Stdn. bei 5° stehen gelassen. Die Lösung wird dekantiert, der Rückstand im Kolben mit 100 *ml* Benzol unter Rühren 5 Min. aufgekocht und nach Abkühlen auf 10° filtriert. Der Blei(II)-acetat-Niederschlag wird in den Kolben zurückgegeben und die Extraktion mit Benzol wiederholt. Die vereinigten Filtrate werden mit 200 *ml* Äther verdünnt und nacheinander mit Wasser, 10%iger Natriumcarbonat-Lösung und Wasser gewaschen. Nach Trocknen mit Kaliumcarbonat werden Äther und Benzol abdestilliert und der flüssige gelbbraune Rückstand der Wasserdampfdestillation unterworfen und dabei ~ 3 *l* Destillat übergetrieben. Dieses wird mit Äther extrahiert, die Äther-Lösung mit Natriumsulfat getrocknet und anschließend nach Abdampfen des Äthers der Rückstand fraktioniert destilliert. Dabei gehen bei 130–136° 19,8 g (40,3% d.Th.) eines Gemisches, bestehend aus *2-Propyl-tetrahydrofuran* (37% d.Th.; Kp: 132–133°; $n_D^{20} = 1,4220$) und *2-Äthyl-tetrahydropyran* (3,2% d.Th.; $n_D^{20} = 1,4266$; gaschromatographische und IR-spektroskopische Analyse) über. Die zweite Fraktion hat nach wiederholter Destillation einen Siedepunkt von Kp: 174–177° (9,8 g) und enthält Heptanol-(1) und Essigsäure-heptylester. Beide Fraktionen zusammen geben in 2,2%iger Ausbeute Heptanal (2,4-Dinitro-phenylhydrazon; F: 107°).

Eine präparative Variante der Oxidation von Alkoholen mit Blei(IV)-acetat zu Tetrahydrofuranen besteht darin, die Oxidation in Anwesenheit einer äquimolaren Menge Jod – gewöhnlich unter UV-Bestrahlung – in siedendem Cyclohexan oder Benzol vorzunehmen[1–7]. Diese, auch als Hypojodit-Reaktion bezeichnete Umsetzung, führt entweder zum Tetrahydrofuran-Derivat oder zum 2-Jod-tetrahydrofuran-Derivat, das z. B. mit Blei(II)-acetat zu 2-Acetoxy-tetrahydrofuran reagiert und danach durch saure Oxidation mit Chrom(VI)-oxid in das γ-Lacton umgewandelt werden kann[2]:

In welche der beiden angedeuteten Richtungen die Umsetzung abläuft, hängt ebenfalls von sterischen Voraussetzungen ab. So erhält man den cyclischen Äther dann, wenn sich das Jodatom im Jodhydrin in einer Ebene mit dem Sauerstoff, dem C_γ- und dem C_δ-Atom befindet. Dieser Fall ist z. B. bei 6β-Hydroxy-steroiden erfüllt. Die Hypojoditreaktion liefert dann in kürzerer Zeit höhere Ausbeuten.

3β,20β-Diacetoxy-6β,19-epoxi-6α-methyl-5α-pregnan[3]: Zu einer kurz auf 80° erwärmten Suspension von 15,0 g (34 mMol) trockenem Blei(IV)-acetat und 6,0 g (60 mMol) Calciumcarbonat in 500 *ml* Cyclohexan werden 4,0 g (31 mMol) Jod und 2,5 g (7,8 mMol) 6β-Hydroxy-3β,20β-diacetoxy-6α-methyl-5α-pregnan gegeben und das Gemisch unter Rühren und Bestrahlen mit einer 500 Watt-Lampe bis zur

[1] C. Meystre et al., Experientia **17**, 475 (1961); Helv. **45**, 1317 (1962).
[2] K. Heusler u. J. Kalvoda, Ang. Ch. **76**, 518 (1964).
[3] K. Heusler et al., Helv. **45**, 2161 (1962).
[4] A. Tahara u. T. Ohsawa, Chem. Pharm. Bull. (Tokyo) **21**, 483 (1973).
[5] T. Nakano u. A. K. Banerjee, Tetrahedron Letters **1971**, 165.
[6] A. Tahara u. T. Nakata, Tetrahedron Letters, **1972**, 4507.
[7] T. Nakano u. A. K. Banerjee, Tetrahedron **28**, 471 (1972).

Entfärbung (50 Min.) unter Rückfluß gekocht. Die abgekühlte Reaktionslösung wird von anorganischen Anteilen durch Filtrieren befreit; der Rückstand mehrmals mit Cyclohexan nachgewaschen, die vereinigten Filtrate nacheinander mit 150 *ml* einer 10%igen Natriumthiosulfat-Lösung und 2 mal mit je 150 *ml* Wasser gewaschen, getrocknet und i. Vak. eingedampft und das Rohprodukt aus Äther-Petroläther (Kp: 40-60°) umkristallisiert; Ausbeute: 1,85 g (74,3% d.Th.); F: 170–171°. Durch Chromatographie der Mutterlauge an neutralem Aluminiumoxid (Akt. II) werden weitere 159 mg (6,4% d.Th.) erhalten; F: 171–171,5°; $[\alpha]_D^{35} = + 15,9°$ (c = 0,941).

In einigen Fällen erhält man erst bei Anwesenheit von Jod die Tetrahydrofurane als Hauptprodukt[1].

Tab. 5. Oxidation von nichtaktivierten C–H-Gruppen (Teil I)
Oxidation von aliphatischen Hydroxy-Verbindungen zu Tetrahydrofuran-Derivaten
in siedendem Benzol

Hydroxy-Verbindung	Reaktions-dauer [Stdn.]	Tetrahydrofuran	Ausbeute [% d.Th.]	Literatur
Butanol	$12^1/_2$	*Tetrahydrofuran*	20	2, 3
Pentanol	$2^1/_2$	*2-Methyl-tetrahydrofuran*	43	2, 3
Hexanol	$1^1/_4$	*2-Äthyl-tetrahydrofuran*	49,5	2, 3
(−)-Hexanol-(2)	$7^1/_2$	*cis-2,5-Dimethyl-tetrahydrofuran* + *trans-2,5-Dimethyl-tetrahydrofuran*	17,1 24,1	2, 4 2, 4
Heptanol	$^3/_4$	*2-Propyl-tetrahydrofuran*	49,5	2, 5
Heptanol-(2)	4	*5-Methyl-2-äthyl-tetrahydrofuran* *(cis/trans = 40/60)*	44	2
Heptanol-(3)	$8^1/_2$	*5-Methyl-2-äthyl-tetrahydrofuran* *(cis/trans = 43/57)*	41	2
Octanol	$1^1/_2$	*2-Butyl-tetrahydrofuran*	48	2, 5
(−) Octanol-(3)	8–10	*cis-2,5-Diäthyl-tetrahydrofuran* *trans-2,5-Diäthyl-tetrahydrofuran*	18,2 24	4
Octanol-(4)	14	*2-Butyl-tetrahydrofuran* *5-Methyl-2-propyl-tetrahydrofuran* *(cis/trans = 45/55)*	2 39	2
Nonanol-(5)	2	*5-Methyl-2-butyl-tetrahydrofuran* *(cis/trans = 43/57)*	33	2, 5
Decanol-(2)	3	*5-Methyl-2-pentyl-tetrahydrofuran* *(cis/trans = 39/61)*	38	2
(+)-4,8-Dimethyl-nonanol	24	*2-Methyl-2-(4-methyl-pentyl)-tetra-hydrofuran*	19	6
Dodecanol	$2^1/_4$	*2-Octyl-tetrahydrofuran*	49	2
2-Cyclopentyl-äthanol		*2-Oxa-bicyclo[3.3.0]octan*	20	7
Cyclohexyl-carbinol		*6-Oxa-bicyclo[3.2.1]octan*	1	8

[1] T. MORI, K. MATSUI u. H. NOZAKI, Bull. chem. Soc. Japan **43**, 23 (1970); C. A. **73**, 14276 (1970).
[2] M. L. MIHAILOVIĆ et al., Tetrahedron **21**, 2799 (1965).
[3] R. E. PARTCH, J. Org. Chem. **30**, 2498 (1965).
[4] M. L. MIHAILOVIĆ et al., Tetrahedron **23**, 215 (1967).
[5] V. M. MIĆOVIĆ et al., Tetrahedron Letters **1963**, 2091; Tetrahedron **20**, 2279 (1964).
[6] D. HAUSER, K. SCHAFFNER u. O. JEGER, Helv. **47**, 1883 (1964).
[7] S. MOON u. B. H. WAXMAN, J. Org. Chem. **34**, 288 (1969).
[8] M. L. MIHAILOVIĆ et al., Tetrahedron **25**, 3205 (1969).

Tab. 5 (1. Fortsetzung)

Hydroxy-Verbindung	Reaktions-dauer [Stdn.]	Tetrahydrofuran	Ausbeute [% d.Th.]	Literatur
2-Cyclohexyl-äthanol		*cis-7-Oxa-bicyclo[4.3.0]nonan* *trans-7-Oxa-bicyclo[4.3.0]nonan*	21–38 7–10	[1,2]
4-Phenyl-butanol	18	*2-Phenyl-tetrahydrofuran*	49	[3]
5-Phenyl-pentanol	18	*2-Benzyl-tetrahydrofuran*	50	[3]
Heptandiol-(1,7)		*Tetrahydrofuran-⟨2-spiro-2⟩-tetra-hydrofuran*	29,2	[4]
Octandiol-(1,8)		*Tetrahydrofuran-⟨2-spiro-2⟩-tetra-hydropyran*	39,3	[4]
Decandiol-(1,10)		*1,2-Bis-[tetrahydrofuryl-(2)]-äthan* + *2-Tetrahydrofurfuryl-tetrahydropyran* (threo);(erythro)	27,2 2,2;2,1	[4]
Undecandiol-(1,11)		*1,3-Bis-[tetrahydrofuryl-(2)]-propan* + 4 nicht identifizierte Äther	40,1	[4]
6-Oxo-2,4,4-tri-methyl-3-(3-hydroxy-butyl)-cyclohexen-(1)		*cis(trans)-5-Methyl-tetrahydrofuran--⟨2-spiro-3⟩-6-oxo-2,4,4-trimethyl-cyclohexen-(1)*		[5]

Tab. 6. Oxidation von nichtaktivierten C–H-Gruppen (Teil II)
Oxidation von cycloaliphatischen Hydroxy-Verbindungen zu Tetrahydrofuran-Derivaten in siedendem Benzol

Hydroxy-Verbindung	Reaktions-dauer [Stdn.]	Tetrahydrofuran	Ausbeute [% d.Th.]	Literatur
Cycloheptanol	12¹/₂	*8-Oxa-bicyclo[3.2.1]octan*	15,3	[6,7]
Cyclooctanol	8	*9-Oxa-bicyclo[4.2.1]nonan*	35,2	[6–8]
Cyclohexadecanol		*17-Oxa-bicyclo[12.2.1]heptadecan*	45	[6]
cis-4-Hydroxy-methyl-1-tert.-butyl-cyclohexan		*4-tert.-Butyl-6-oxa-bicyclo[3.2.1]octan*	15	[9]
2-Hydroxymethyl-bicyclo[2.2.1]heptan	12	*2-Oxa-tricyclo[4.2.1.0¹,⁸]nonan*	42,9	[10]

[1] S. Moon u. B. H. Waxmann, J. Org. Chem. **34**, 288 (1969).
[2] M. L. Mihailović et al., Chem. Commun. **1969**, 236.
[3] S. Moon u. P. R. Clifford, J. Org. Chem. **32**, 4017 (1967).
  M. L. Mihailović et al., Tetrahedron **23**, 3095 (1967).
[4] V. M. Mićović et al., Tetrahedron **25**, 985 (1969).
[5] Y. Nakatani u. T. Yamanishi, Tetrahedron Letters **1969**, 1995.
[6] M. L. Mihailović et al., Tetrahedron **24**, 4947 (1968).
[7] A. C. Cope, M. Gordon, S. Moon u. C. H. Park, Am. Soc. **87**, 3119 (1965).
[8] R. M. Moriarty u. H. G. Walsh, Tetrahedron Letters **1965**, 465.
[9] M. L. I. Mimailović, J. Bosnjak u. Z. Ceković, Helv. **57**, 1015 (1974).
[10] K. Kitahonoki u. A. Matsuura, Tetrahedron Letters **1964**, 2263.

Tab. 6 (1. Fortsetzung)

Hydroxy-Verbindung	Reaktions-dauer [Stdn.]	Tetrahydrofuran	Ausbeute [% d. Th.]	Literatur
2-Hydroxymethyl-bicyclo[2.2.2]octan	12	*2-Oxa-tricyclo[4.3.1.0^{1,9}]decan*	38,3	1
2,3-Bis-[hydroxy-methyl]-bicyclo[2.2.2]octan	12	*2,7-Dioxa-tetracyclo[6.2.2.0^{4,11}. 0^{5,9}] dodecan*	14,5	1
2-Hydroxymethyl-adamantan		*Adamantano-[2,3,4-b,c]-tetrahydrofuran*	67	2
1-(2-Hydroxy-äthyl)adamantan	3	*Adamantano-[2,1-b]-tetrahydrofuran*	81	3, 4
2-(2-Hydroxy-äthyl)adamantan	5	*Adamantano-[1,2-b]-tetrahydrofuran*		5
3-Hydroxy-3-methyl-6-bicyclo[3.2.1]octan		*3-Methyl-4-oxa-tricyclo[3.2.1.1^{3,6}]octan*	51	6
7,8-Bis-[hydroxy-methyl]-⟨benzo-bicyclo[2.2.2]octen⟩		*5-Hydroxymethyl-⟨benzo-2-oxa-tricyclo [4.3.1.0^{4,9}]decen-(7)⟩*	25,3	1

[1] K. KITAHONOKI u. A. MATSUURA, Tetrahedron Letters **1964**, 2263.
[2] J. BURKHARD, J. JANKU u. S. LANDA, Collect. czech. Chem. Commun. **39**, 1072 (1974).
[3] A. MICHAEL u. A. McKERVEY, Chem. & Ind. **1967**, 1791.
[4] W. H. W. LUNN, W. D. PODMORE u. S. S. SZINAI, Soc. [C] **1968**, 1657.
[5] J. BURKHARD, J. JANKU u. S. LANDA, Collect. Czech. Chem. Commun. **37**, 3342 (1972).
[6] P. BRUN, M. PALLY u. B. WAEGELL, Tetrahedron Letters **1970**, 331.
P. BRUN u. B. WAEGELL, Bl. **1972**, 1825.

Tab. 6 (2. Fortsetzung)

Hydroxy-Verbindung	Reaktions-dauer [Stdn.]	Tetrahydrofuran	Ausbeute [% d.Th.]	Literatur
2-Hydroxy-2,7,7-trimethyl-bicyclo [3.1.1]heptan		*1,4-Dimethyl-3-oxa-tricyclo [5.2.0.0^{4,9}]nonan*	80–92	1
3,3,8-Trimethyl-11-hydroxymethyl-tricyclo [5.3.1.0^{2,8}] undecan (Iso-longifolol)	24	*11,11,12-Trimethyl-4-oxa-tetracyclo [5.4.2.0^{1,12}.0^{2,6}]tridecan*	30	2,3
		1-Methoxy-4-methoxycarbonyl-2,10-dioxa-tricyclo[5.2.1.0^{5,9}]decen-(3)	60	4
			37	5
		7-Acetyl-4-oxa-7-aza-tricyclo[3.2.1.1^{3,6}] nonan	60	6
endo-3,3-Dimethyl-2-hydroxymethyl-bicyclo[2.2.1] heptan		*2-Methyl-4-oxa-tricyclo[5.2.1.0^{2,6}]decan*		7

[1] T. W. GIBSON u. W. F. ERMAN, Tetrahedron Letters 1967, 905.
[2] S. G. PATNEKAR u. S. C. BHATTACHARYYA, Tetrahedron 23, 919 (1967).
[3] J. LHOMME u. G. OURISSON, Tetrahedron 24, 3177 (1968).
[4] J J. PARTRIDGE, N. K. CHADMA, S. FABER u. M. R. USKOKOVIĆ, Synthetic Commun. 1, 233 (1971).
[5] J. R. HANSON, Tetrahedron 26, 2711 (1970).
[6] F. KHUONG-HUU, C. R. BENNETT, P.-E. FOUCHE u. R. GOUTAREL, C. r. 275, 499 (1972).
[7] J. LHOMME u. G. OURISSON, Tetrahedron 24, 3201 (1968).

Tab. 6 (3. Fortsetzung)

Hydroxy-Verbindung	Reaktions-dauer [Stdn.]	Tetrahydrofuran	Ausbeute [% d.Th.]	Literatur
exo-3,3-Dimethyl-2-hydroxymethyl-bicyclo[2.2.1]heptan		*5,5-Dimethyl-2-oxa-tricyclo [4.2.1.0⁴,⁸]nonan*		1
12-Hydroxy-1α,5α-guajan{6,10-Di-methyl-3-[1-hydroxy-propyl-(2)]-bicyclo[3.5.0]decan}	2	*6,12-Epoxi-1α,5α-guajan(5,9,13-Trime-thyl-3-oxa-tricyclo[8.3.0.0²,⁶]tridecan)*	42	2

Tab. 7. Oxidation von nichtaktivierten C–H-Gruppen (Teil III)
Oxidation von Hydroxy-steroiden zu Epoxi-steroiden

x-Hydroxy-steroid	x,y-Epoxi-steroid	Literatur
2α-	2α,9α-	3,4,5
2β-	2β,19-	6,7,8
3α-	3α,9α-	9,10,11
3β-	3β,55′-	12,13,14
3β-	3β,5β-	15
4α-	4α,9α-	16,17
4β-	4α,9α-	16
4β-	4β,19-	7,16,18
6β-	3β,6β-	19,20,21

1 J. Lhomme u. G. Ourisson, Tetrahedron 24, 3201 (1968).
2 M. V. Kadival, M. S. R. Nair u. S. C. Bhattacharyya, Tetrahedron 23, 1241 (1967).
3 M. Tomoeda u. T. Koga, Tetrahedron Letters 1965, 3231.
4 T. Koga u. M. Tomoeda, Tetrahedron 26, 1043 (1970).
5 T. Koga u. S. Kawashima, Chem. Pharm. Bull. (Tokyo) 20, 21 (1972); C. A. 76, 99891 (1972).
6 P. N. Rao u. J. C. Uroda, Naturwiss. 50, 548 (1963).
7 K. Heusler et al., Helv. 45, 2575 (1962).
8 C. W. Shoppee, T. F. Bellas, J. C. Coll u. R. E. Lack, Soc. [C] 1969, 2734.
9 H. Immer et al., Experientia 16, 530 (1967).
10 A. Bowers u. E. Denot, Am. Soc. 82, 4956 (1960).
11 H. Immer et al., Ang. Ch. 74, 912 (1962); Helv. 45, 753 (1962).
12 M. J. Harrington u. B. A. Marples, Chem. & Ind. 1968, 484.
13 I. G. Guest, J. G. Ll. Jones u. B. A. Marples, Soc. [C] 1969, 2361.
14 J. G. Ll. Jones u. B. A. Marples, Soc. (Perkin I) 1973, 1143.
15 E. Wenkert u. B. L. Mylari, Am. Soc. 89, 174 (1967).
16 K. Heusler, J. Kalvoda, G. Anner u. A. Wettstein, Helv. 46, 352 (1963).
17 K. Heusler u. J. Kalvoda, Helv. 46, 2020 (1963).
18 P. Morand u. A. Polakova-Paquet, Canad. J. Chem. 51, 4098 (1973).
19 K. Heusler u. J. Kalvoda, Helv. 46, 2732 (1963).
20 K. Heusler u. J. Kalvoda, Tetrahedron Letters 1963, 1001.
21 J. R. Bull, P. R. Enslin u. H. M. Lachmann, Soc. [C] 1971, 3929.

Tab. 7 (1. Fortsetzung)

x-Hydroxy-steroid	x,y-Epoxi-steroid	Literatur
6β-	6 β,19-	1—20
7α	9α-	21
7α-	7α,14'-	22,23
11α-	1α,11α-	24,25,26, 27
11α-	1β,11α-	9,24,26
11β-	1α,11α-	25
11β-	1β,11α-	9
11β-	11β,18-	9,28,29,30
11β-	11β,19-	9,29,30
12α-	12α,17'-	30
19-	8β,19-	31
19-	11β,19-	31
20α-	18,20α-	32,33
20β-	18,20β-	28,32,34

[1] K. HEUSLER u. J. KALVODA, Helv. 46, 2732 (1963).
[2] K. HEUSLER u. J. KALVODA, Tetrahedron Letters 1963, 1001.
[3] K. HEUSLER et al., Helv. 45, 2161 (1962).
[4] A. BOWERS et al., Am. Soc. 84, 3204 (1962).
[5] A. BOWERS et al., Chem. & Ind. 1960, 1299.
[6] A. BOWERS et al., J. Org. Chem. 27, 1862 (1962).
[7] B. BERKOZ, E. DENOT u. A. BOWERS, Steroids 1, 251 (1963); C. A. 59, 7588 (1963).
[8] H. UEBERWASSER et al., Helv. 46, 344 (1963).
[9] P. B. SOLLMAN, J. Org. Chem. 28, 3559 (1963).
[10] K. TANABE et al., Chem. pharm. Bull. (Tokio) 10 (11) 1126 (1962); C. A. 60, 8083 (1964).
[11] J. TADANIER, J. Org. Chem. 28, 1744 (1963).
[12] J. KALVODA u. K. HEUSLER, Chem. & Ind. 1963, 1431.
[13] R. M. MORIARTY u. T. D. D'SILVA, J. Org. Chem. 28, 2445 (1963).
[14] X. LUSINCHI u. G. ROBLOT, Bl. 1967, 3498.
[15] J. KALVODA, K. HEUSLER, G. ANNER u. A. WETTSTEIN, Helv. 46, 1017 (1963).
[16] J. F. BAGLI, P. F. MORAND u. R. GAUDRY, J. Org. Chem. 28, 1207 (1963).
[17] D. H. R. BARTON, R. H. HESSE, R. E. O'BRIEN u. M. M. PECHET, J. Org. Chem. 33, 1562 (1968).
[18] P. MORAND u. M. KAUFMANN, J. Org. Chem. 34, 2175 (1969).
[19] B. I. MAKSIMOV, F. A. LURI, N. V. SAMSONOVA u. L. S. MOROZOVA, Pharmac. Chem. J. (USSR) 4, 5 (1970), engl.: 1970, 63.
[20] S. V. SUTHANKAR u. D. V. TELANG, Indian. J. Chem. 9, 780 (1971).
[21] L. KOHOUT, Collect. Czech. Chem. Commun. 37, 2227 (1972).
[22] J. C. KNIGHT, J. L. BELLETIRE u. G. R. PETTIT, Soc. [C] 1967, 2427.
[23] J. FRIED, J. W. BROWN u. L. BORKENHAGEN, Tetrahedron Letters 1965, 2499.
[24] J. KALVODA et al., Helv. 44, 186 (1961).
[25] G. B. SPERO, J. L. THOMPSON, W. P. SCHNEIDER u. F. KAGAN, J. Org. Chem. 28, 2225 (1963).
[26] C. MEYSTRE, J. KALVODA, G. ANNER u. A. WETTSTEIN, Helv. 46, 2844 (1963).
[27] D. BERTIN u. J. PERRONNET, C. 257, 1946 (1963).
[28] P. F. BEAL u. J. E. PIKE, Chem. & Ind. 1960, 1505.
[29] J. KALVODA, K. HEUSLER, G. ANNER u. A. WETTSTEIN, Helv. 46, 618 (1963).
[30] C. R. ENGEL u. G. J. BEAUDOUIN, Tetrahedron Letters 1968, 1887.
[31] D. HAUSER et al., Helv. 47, 1961 (1964).
[32] SCHWEIZ. P. 383953 (1959); US. P. 3040040 (1952), CIBA Corp.; Erf.: O. JEGER, D. ARIGONI, G. ANNER, C. MEYSTRE u. A. WETTSTEIN; C. A. 57, 13849 (1962).
[33] L. VELLUZ, G. MULLER, R. BARDONESCHI u. A. POITTEVIN, C. r. 250, 725 (1960).
[34] G. CAINELLI, M. L. MIHAILOVIĆ, D. ARIGONI u. O. JEGER, Helv. 42, 1124 (1959).

Tab. 7 (2. Fortsetzung)

x-Hydroxy-steroid	x,y-Epoxi-steroid	Literatur
20β-	18, 20β-	1–4
23-	17 β,23-	5
24-	20 ,24	6,7

2. Oxidation aktivierter aliphatischer C–H-Gruppen (Acetoxylierungen)

α) Acetoxylierung in Allylstellung

Bei der Oxidation von Olefinen mit Blei(IV)-acetat erfolgt unter anderem Acetoxylierung in Allylstellung[8]. Der präparative Wert dieser Reaktion ist allerdings nicht sonderlich hoch, nachdem mehrere Konkurrenzreaktionen möglich sind. Zunächst kann die Doppelbindung selbst mit dem Oxidationsmittel reagieren. Dabei werden entweder vicinale oder geminale Diacetoxy-Verbindungen gebildet (s. S. 261), außerdem ist nicht sicher, ob das in Allylstellung acetoxylierte Olefin auch wirklich die Folge eines direkten Angriffs des Blei(IV)-acetats auf die entsprechende C–H-Gruppe ist, oder Addition an eines der beiden sp²-hybridisierten C-Atome der Doppelbindung und γ-Eliminierung von Wasserstoff (s. S. 239) unter Umlagerung der Doppelbindung Allylacetoxylierung vortäuscht[9]:

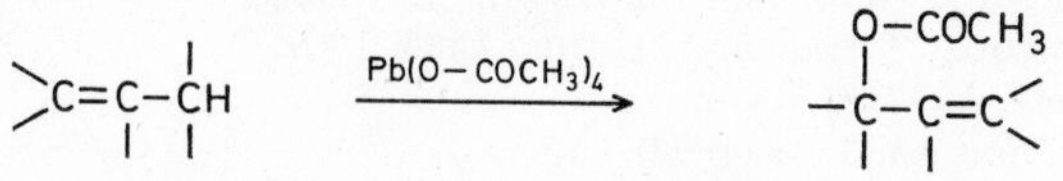

Dieser Reaktionsablauf ist wiederholt nachgewiesen worden, so z. B. beim 2,4,4-Trimethyl-cyclohexen-(1), das bei der Umsetzung mit Blei(IV)-acetat in Essigsäure zu *6-Acetoxy-1,3,3-trimethyl-cyclohexen-(1)* (13% d. Th.) umgesetzt wird[10]:

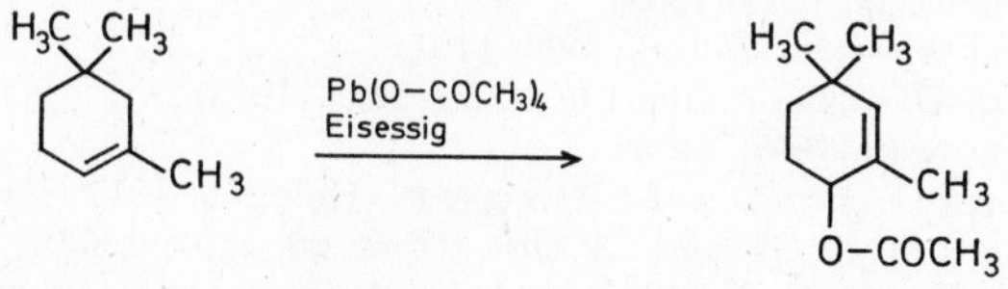

Es ist nicht sicher, ob eine solche Umlagerung grundsätzlich stattfindet[9], oder ob das Lösungsmittel[10] bzw. die Aufarbeitungsmethode diese beeinflussen[11].

Beim Arbeiten in benzolischer Lösung sind die Ausbeuten an Allylacetoxy-Produkt höher als in essigsaurer Lösung, dafür geht die Reaktion in Eisessig rascher. Tab. 8 (S. 221) gibt eine Übersicht der von Blei(IV)-acetat in Allylstellung acetoxylierten Olefine.

[1] G. Cainelli et al., Helv. 44, 518 (1961).
[2] C. Meystre et al., Experientia 17, 475 (1961); Helv. 45, 1317 (1962).
[3] K. Heusler et al., Experientia 16, 21 (1960); Helv. 44, 502 (1961).
[4] K. Heusler et al., Experientia 18, 464 (1962).
[5] Y. Yanuka, S. Sarel u. M. Beckermann, Tetrahedron Letters 1969, 1533.
[6] A. S. Vaidya, S. M. Dixit u. A. S. Rao, Tetrahedron Letters 1968, 5173.
[7] Y. Shalon, Y. Yanuka u. S. Sarel, Tetrahedron Letters 1969, 957.
[8] R. Criegee, A. 481, 263 (1930).
[9] R. Criegee in K. B. Wiberg, "Oxidation in Organic Chemistry", Academic Press, New York 1965.
[10] I. Alkonyi, B. 96, 1873 (1963).
[11] C. Weis, Dissertation, Universität (TH) Karlsruhe 1953.

3 β,7 β- und 3 β,7 α-Diacetoxy-diosgenan[1]:

Pb(O—CO—CH₃)₄ → ... $Pb(O-CO-CH_3)_4$

H₃C—CO—O ... + ... H₃C—CO—O ...

Eine Suspension von 2,2 g 3 β-Acetoxy-diosgenan, 4,4 g Blei(IV)-acetat und 0,55 Calciumcarbonat in 110 ml thiophenfreiem Benzol wird 36 Stdn. unter Rühren zum Sieden erhitzt. Danach wird das gekühlte Reaktionsgemisch mit Äther verdünnt und filtriert und die unlöslichen Anteile mit Äther gewaschen. Die vereinigten Filtrate werden mit Wasser, Natriumhydrogencarbonat-Lösung und wieder Wasser gewaschen und mit Magnesiumsulfat getrocknet. Nach dem Abdestillieren der Lösungsmittel bleibt ein Rückstand (2,55 g), der mit 50–60 ml Methanol behandelt wird. Es bleiben dabei 1,65 g (75% d.Th.) 3 β-Acetoxy-diosgenan ungelöst, die durch Filtration abgetrennt werden. Nach Entfernen des Methanols aus dem Filtrat erhält man 900 mg Rückstand, der über 27 g Aluminiumoxid (Aktivität II) chromatographiert wird. Benzol und Benzol/Äther (9:1) Eluate liefern 340 mg (15,4% d.Th.) Gemisch (α:β = 3:2) [$[\alpha]_D^{20} = -103°$ (c = 1,12)].

Tab. 8. Oxidation aktivierter C–H-Gruppen
Acetoxylierung in Allylstellung

Olefin	β-Acetoxy-olefin	Ausbeute [% d.Th.]	Literatur
Cyclopenten	3-Acetoxy-cyclopenten-(1)	20	2
Cyclohexen	3-Acetoxy-cyclohexen-(1)	max. 59	3, 4, 5
1-Methyl-cyclohexen	3-Acetoxy-3-methyl-cyclohexen-(1)		5
Cyclohepten	3-Acetoxy-cyclohepten-(1)		6
Cycloocten	3-Acetoxy-cycloocten-(1)		6
1-Methyl-4-isopropyl-cyclohexen-(1)	3-Acetoxy-1-methyl-4-isopropyl-cyclohexen-(1)		5, 7
6-Methyl-3-isopropyl-cyclohexen-(1)	6-Acetoxy-6-methyl-3-isopropyl-cyclohexen-(1)		8
3,3,5-Trimethyl-2-formyl-cyclohexadien-(1,4)	6-Acetoxy-3,3,5-trimethyl-2-formyl-cyclohexadien-(1,4)		9
2,7,7-Trimethyl-bicyclo [3.1.1] hepten-(2) (α-Pinen)	4-Acetoxy-4,7,7-trimethyl-bicyclo [3.1.1] hepten-(2)		10,11,12

[1] M. STEFANOVIĆ, A. JOKIĆ, Z. MAKSIMOVIĆ, LJ. LORENC u. M. L. MIHAILOVIĆ, Helv. 53, 1895 (1970).
[2] E. DANE u. K. EDER, A. 539, 207 (1939).
[3] R. CRIEGEE, A. 481, 263 (1930).
[4] C. WEIS, Dissertation, Universität (TH) Karlsruhe 1953.
[5] K. B. WIBERG u. S. D. NIELSEN, J. Org. Chem. 29, 3353 (1964).
[6] A. C. COPE, M. GORDON, S. MOON u. C. H. PARK, Am. Soc. 87, 3119 (1965).
[7] T. ARATANI, J. Chem. Soc. Japan Pure Chem. Sect. 78, 726 (1957); C. A. 54, 1587 (1960).
[8] W. HÜCKEL u. K. KÜMMERLE, J. pr. [2] 160, 74 (1942).
[9] F. BOHLMANN u. G. WEICKGENANNT, B. 107, 1769 (1974).
[10] Y. MATSUBARA, J. Chem. Soc. Japan Pure Chem. Sect. 78, 907 (1957); C. A. 53, 22056 (1959).
[11] R. CRIEGEE, Ang. Ch. 70, 173 (1958).
[12] G. H. WHITHAM, Soc. 1961, 2232.

Tab. 8 (1. Fortsetzung)

Olefin	β-Acetoxy-olefin	Ausbeute [% d.Th.]	Literatur
7,7-Dimethyl-2-methylen-bicyclo [3.1.1]heptan (β-Pinen)	*7,7-Dimethyl-2-acetoxymethyl-bicyclo [3.1.1]hepten-(2)*		[1—4]
4-Methyl-1-isopropyl-cyclohexen-(1)	*3-Acetoxy-4-methyl-1-isopropyl-cyclo-hexen-(1)*		[5]
2,4,4-Trimethyl-cyclohexen-(1)	*6-Acetoxy-1,3,3-trimethyl-cyclohexen-(1)*	13	[6]
trans-Bicyclo[4.4.0]decen-(3)	*3-Acetoxy-trans-bicyclo[4.4.0]decen-(2)*	22	[7]
Inden	*1-Acetoxy-inden*	14	[8]
Cyclopentadien	*5-Acetoxy-cyclopentadien*		[9]
1-Ferrocenyl-cyclopenten	*3-Acetoxy-2-ferrocenyl-cyclopenten-(1)*		[10]
5,6-Dihydro-4H-pyran	*2-Acetoxy-5,6-dihydro-2H-pyran*	31	[11]
2-Oxo-4-methyl-1-isopropyliden-cyclohexan	*1-Acetoxy-2-oxo-4-methyl-1-isopropenyl-cyclohexan*	25	[12]
cis-Octen-(4)	*5-Acetoxy-octen-(3)*	27	[13]
R = OCOCH₃; O,O′-Diacetyl-betulin R = H; O-Acetyl-lupeol			[14]

β) Acetoxylierung von Alkyl-aromaten

Alkyl-aromaten werden von Blei(IV)-acetat unter Acetoxylierung der C–H-Gruppe, an die der Aryl-Rest gebunden ist, oxidiert. Das einfachste System dieser Art ist Toluol, das je nach Reaktionsbedingungen bis zu 30% in *Essigsäure-benzylester* umgewandelt wird[15—20].

[1] Y. MATSUBARA, J. Chem. Soc. Japan Pure Chem. Sect. **75**, 809, 894 (1954); C. A. **49**, 10234, 9568 (1955).
[2] M. P. HARTSHORN u. A. F. A. WALLIS, Soc. **1964**, 5254.
[3] T. SATO, J. Chem. Soc. Japan Pure Chem. Sect. **86**, 252 (1965); C. A. **63**, 4335 (1965).
[4] L. E. GRUENEWALD u. D. C. JOHNSON, J. Org. Chem. **30**, 1673 (1965).
[5] T. SATO, J. Chem. Soc. Japan Pure Chem. Sect. **85**, 889 (1964); C. A. **62**, 13181 (1965).
[6] I. ALKONYI, B. **96**, 1873 (1963).
[7] V. C. E. BURNOP u. R. P. LINSTEAD, Soc. **1940**, 720.
[8] R. CRIEGEE, A. **481**, 263 (1930)
[9] F. V. BRUTCHER u. F. J. VARA, Am. Soc. **78**, 5695 (1956).
[10] S. I. GOLDBERG u. R. L. MATTESON, J. Org. Chem. **33**, 2926 (1968).
[11] C. D. HURD u. O. E. EDWARDS, J. Org. Chem. **19**, 1319 (1954).
[12] L. H. ZALKOW u. J. W. ELLIS, J. Org. Chem. **29**, 2626 (1964).
[13] E. HAHL, Diplomarbeit, Universität (TH) Karlsruhe 1956.
[14] L. R. ROW, C. S. RAO u. T. S. RAMAIH, Ind. J. Chem. **6**, 16 (1968); C. A. **69**, 106912 (1968).
[15] O. DIMROTH u. R. SCHWEIZER, B. **56**, 1375 (1923).
[16] G. W. K. CAVILL u. D. H. SOLOMON, Soc. **1954**, 3943.
[17] D. R. HARVEY u. R. O. C. NORMAN, Soc. **1964**, 4860.
[18] J. M. DAVIDSON u. C. TRIGGS, Chem. & Ind. **1967**, 1361.
[19] J. M. DAVIDSON u. C. TRIGGS, Soc. [A] **1968**, 1331.
[20] E. I. HEIBA, R. M. DESSAU u. W. J. KOEHL, Am. Soc. **90**, 1082 (1968).

Bei 80° und in Anwesenheit von Sauerstoff erhält man außerdem die drei isomeren *Methyl-acetoxymethyl-benzole*[1]. Bei 120°, ebenfalls in Eisessig, wird als weiteres Nebenprodukt *2-Methyl-benzaldehyd* gebildet[2]. Bei einem Sauerstoffdruck von 50 atm. findet keine Acetoxylierung oder Methylierung statt, ein Befund, der als Argument für einen Radikalmechanismus der Acetoxylierung von Alkyl-aromaten benutzt wird[1,3], und damit einen weiteren Beitrag zur Diskussion über den Mechanismus[4,5] darstellt.

Substituenten 1. Ordnung haben einen positiven Einfluß auf die Ausbeute an p-substituierten Acetoxymethyl-benzolen. Während 4-Brom-1-methyl-benzol nur wenig *4-Brom-1-acetoxymethyl-benzol* (5% d.Th.) liefert, beträgt die Ausbeute an *4-Methoxy-1-acetoxymethyl-benzol* 60% d.Th.[6]. Ebenso wirkt sich der Einfluß einer weiteren Phenyl-Gruppe positiv auf die Ausbeute an Acetoxylierungsprodukt aus.

Um die Zersetzung von Blei(IV)-acetat gering zu halten, empfiehlt es sich, die Umsetzung bei 80° in Eisessig vorzunehmen, man erhält dann bei geeigneten Ausgangssubstanzen die Acetoxy-Verbindung in Ausbeuten von über 80% d.Th., so z.B. beim Acenaphthen (*1-Acetoxy-acenaphthen*; ~ 82% d.Th.)[7] oder beim 4-Methoxy-1-benzyl-benzol [*4-Methoxy-1-(α-acetoxy-benzyl)-benzol*; 80% d.Th.][8]. Als Nebenprodukte können geminale Di-acetoxy-Derivate entstehen, die bei der Aufarbeitung zu Aldehyden oder Ketonen hydrolisiert werden.

trans-anti-trans-1-Methoxy-8β,12-diacetoxy-10a-methyl-4b,5,6,6a,7,8,9,10,10a,10b,11,12-dodeca-hydro-chrysen[9]:

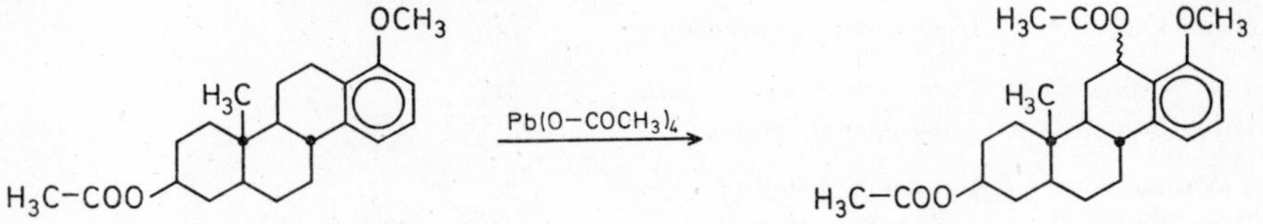

Ein Gemisch aus 0,404 g (1,18 mMol) *trans-anti-trans*-1-Methoxy-8β-acetoxy-10a-methyl-4b,5,6,6a,7,8, 9,10,10a,10b,11,12-dodecahydro-chrysen (F: 149–150°), 0,668 g (1,54 mMol) Blei(IV)-acetat und 1 *ml* Eisessig werden auf dem Wasserbad erhitzt. Nach 5–10 Min. wird die Mischung homogen und bald danach beginnt das Diacetoxy-Derivat auszukristallisieren. Nach insgesamt 20 Min. bei 100° wird das Gemisch abgekühlt, Glycerin zugegeben, um überschüssiges Blei(IV)-acetat zu zerstören und danach 1 *ml* Wasser. Der Kristallbrei wird filtriert und sorgfältig auf dem Filter mit Wasser gewaschen; Rohausbeute: 0,458 g (96% d.Th.). Eine Probe wird chromatographisch an aktivem Aluminiumoxid und Elution mit Benzol und anschließendem mehrmaligem Umkristallisieren aus 95%igem Äthanol gereinigt; F: 205,5–211,7° (teilw. Zers.).

γ) Acetoxylierung von Carbonyl-Verbindungen

Carbonyl-Verbindungen werden von Blei(IV)-acetat unter Acetoxylierung am α-C-Atom oxidiert[10]. Im einfachsten Fall erhält man so aus Aldehyden α-Acetoxy-aldehyde in Ausbeuten von 28–40% der Theorie[11]. Nebenprodukte sind Carbonsäuren und α-Acetoxy-carbonsäuren, allerdings nur beim Arbeiten in Gegenwart von Sauerstoff[12], bei seiner Abwesenheit isoliert man nur die entsprechenden Acetoxylierungsprodukte.

[1] J. M. Davidson u. C. Triggs, Chem. & Ind. 1967, 1361.
[2] D. R. Harvey u. R. O. C. Norman, Soc. 1964, 4860.
[3] J. M. Davidson u. C. Triggs, Soc. [A] 1968, 1331.
[4] E. I. Heiba, R. M. Dessau u. W. J. Koehl, Am. Soc. 90 1082 (1968).
[5] R. Criegee in K. B. Wiberg, "Oxidation in Organic Chemistry", Academic Press, New York · London 1965.
[6] G. W. K. Cavill u. D. H. Solomon, Soc. 1954, 3943.
[7] J. Cason, Org. Syntheses 21, 1 (1941); C. A. 35, 6254 (1941).
[8] M. M. Bokadia, B. R. Brown u. W. Cummings, Soc. 1960, 3308.
[9] W. S. Johnson et al., Am. Soc. 78, 6312 (1956).
[10] O. Dimroth u. R. Schweizer, B. 56, 1375 (1923).
[11] J. J. Riehl, C.r. 250, 4174 (1960).
[12] M. L. Mihailović et al., Tetrahedron 21, 1395 (1965).

Tab.9: Acetoxylierung von durch Aryl-Gruppen aktivierten aliphatischen C-H-Gruppen in Eisessig

Aryl-alkan	Acetoxy-Verbindung	Ausbeute [% d.Th.]	Kp [Torr]	Kp [°C]	Literatur
Toluol	*Essigsäure-benzylester*	10–38		222–223	[1-5]
p-Xylol	*4-Methyl-1-acetoxymethyl-benzol*	47		227–230	[2]
4-Methyl-1-tert.-butyl-benzol	*4-Acetoxymethyl-1-tert.-butyl-benzol*	55	15	142	[2]
4-Methoxy-1-methyl-benzol	*4-Methoxy-1-acetoxymethyl-benzol*	60	23	150 $(n_D^{20} = 1,5118)$	[2, 6]
Äthyl-benzol	*1-Acetoxy-1-phenyl-äthan*	32 (63)[a]		215–216	[2]
Diphenyl-methan	*Acetoxy-diphenyl-methan*	32,7			[1,5,7]
Phenyl-(4-methoxy-phenyl)-methan	*Phenyl-(4-meth-oxy-phenyl)-carbinol*[b]	80		(F: 66–67°)	[8]
Bis-[biphenylyl-(4)]-methan	*Acetoxy-bis-[biphenylyl-(4)]-methan*				[9]
Triphenyl-methan	*Acetoxy-triphenyl-methan*	50			[5,10,11]
Diphenyl-(4-methoxy-phenyl)-methan	*Acetoxy-diphenyl-(4-meth-oxy-phenyl)-methan*	76			[11]
Diphenyl-(4-nitro-phenyl)-methan	*Acetoxy-diphenyl-(4-nitro-phenyl)-methan*	25			[11]
Tetralin	*1-Acetoxy-tetralin*	37			[12]
1-Acetoxy-tetralin	*1,4-Diacetoxy-tetralin*	38			[12]
6-Methoxy-tetralin	*6-Methoxy-1-acetoxy-tetralin*	62	5	118,5 $(n_D^{25} = 1,5348)$	[13]
1,4-Dimethyl-naphthalin	*4-Methyl-1-(acetoxyme-thyl)-naphthalin*	50		(F: 39°)	[14]
2,4'-Dimethoxy-3'-methyl-5-formyl-biphenyl	*2,4'-Dimethoxy-3'-acetoxy-methyl-5-formyl-biphenyl*	52		(F: 109–110°)	[15]

[a] ohne Lösungsmittel   [b] nach Hydrolyse

[1] O. DIMROTH u. R. SCHWEIZER, B. **56**, 1375 (1923)..
[2] G. W. K. CAVILL u. D. H. SOLOMON, Soc. **1954**, 3943.
[3] D. I. DAVIES, Soc. **1963**, 2351.
[4] D. R. HARVEY u. R. O. C. NORMAN, Soc. **1964**, 4860.
[5] E. DETILLEUX u. J. JADOT, Bull. Soc. Roy. Sci. Liege **24**, 366 (1955); C. A. **50**, 16717 (1956).
[6] P. J. ANDRULIS, M. J. S. DEWAR, R. DIETZ u. R. L. HUNT, Am. Soc. 88, 5473 (1966).
[7] L. KRAFT, Dissertation, Universität Würzburg 1932.
[8] M. M. BOKADIA, B. R. BROWN u. W. CUMMINGS, Soc. **1960**, 3308.
[9] C. H. BRIESKORN u. M. GEUTING, Arch. Pharm. **293**, 127 (1960); C. A. **54**, 17 321 (1960).
[10] G. W. K. CAVILL u. D. H. SOLOMON, Soc. **1954**, 3943.
[11] L. KRAFT, Dissertation, Universität Würzburg 1932.
[12] R. CRIEGEE, A. **481**, 263 (1930).
[13] W. S. JOHNSON, J. M. ANDERSON u. W. E. SHELBERG, Am. Soc. **66**, 218 (1944).
[14] R. RIEMENSCHNEIDER, K. NOLDE u. K. HENNIG, M. **104** 987 (1973).
[15] A. OGISO, A. SATO, I. KASHIDA u. Y. SUGIMURA, Chem. Pharm. Bull. (Tokyo) **22**, 144 (1974); C. A. **80**, 120694 (1974).

Tab. 9 (1. Fortsetzung)

Aryl-alkan	Acetoxy-Verbindung	Ausbeute [% d.Th.]	F [° C]	Literatur
	11,12-Dimethoxy-7-acet-oxy-abietatrien-(8,11,13)			1
Flavan	4α-Acetoxy-flavan	61	86–87	2
6-Methyl-flavan	4α-Acetoxy-6-methyl-flavan			3
4-Methoxy-flavan	4'-Methoxy-4α-acetoxy-flavan	36ᵃ	71	2
3',4'-Dimethoxy-6-methyl-flavan	3',4'-Dimethoxy-4α-acet-oxy-6-methyl-flavan			4
Acenaphthen	1-Acetoxy-acenaphthen	80–82	(Kp₅=166–168°)	5–7
Pyracen	1,5- und 1,6-Diacetoxy-pyracen	25	190–192	8
9,10-Dimethyl-anthra-cen	9,10-Bis-[acetoxymethyl]-anthracen	52	224	9
15,16-Dihydro-17H-⟨cyclopenta-[a]-phenanthren⟩	Acetoxy-15,16-dihydro-17H-⟨cyclopenta-[a]-phenanthren⟩	13,3	127–128	10
7-Methyl-⟨benzo-[a]-anthracen⟩	7-Acetoxymethyl-⟨benzo-[a]-anthracen⟩	17	150,5–151,1	11
7,12-Dimethyl-⟨benzo-[a]-anthracen⟩	7,12-Bis-[acetoxymethyl]-⟨benzo-[a]-anthracen⟩	40	167–168	9
3-Methyl-cholanthren	1-Acetoxy-3-methyl-cholanthren	46	177,5–178,5	12
trans-anti-trans-1-Meth-oxy-8β-acetoxy-10α-methyl-4b,5,6,6a,7,8,9,10,10a,10b,11,12-dodecahydro-chrysen	trans-anti-trans-1-Meth-oxy-8β,12-diacetoxy-10α-methyl-4b,5,6,6a,7,8,9,10,10a,10b,11,12-dodecahydro-chrysen	96	205,5–212	13,14

ᵃ in Benzol.

[1] K. Mori u. M. Matsui, Tetrahedron 26, 3467 (1970).
[2] M. M. Bokadia, B. R. Brown u. W. Cummings, Soc. 1960, 3308.
[3] D. D. Berge u. M. M. Bokadia, J. Indian Chem. Soc. 43, 125 (1966).
[4] B. L. Verma u. M. M. Bokadia, J. Indian Chem. Soc. 43, 91 (1966).
[5] L. F. Fieser u. J. Cason, Am. Soc. 62, 432 (1940).
[6] J. Cason, Org. Syntheses 21, 1 (1941); C. A. 35, 6254 (1941).
[7] T. Iwanicka u. W. Ormaniec, Przem. Chem. 46, 145 (1967); C. A. 67, 64 083 (1967).
[8] A. G. Anderson Jr. u. R. G. Anderson, J. Org. Chem. 23, 517 (1958).
[9] G. M. Badger u. J. W. Cook, Soc. 1939, 802.
[10] G. M. Badger, W. Carruthers u. J. W. Cook, Soc. 1952, 4996.
[11] L. F. Fieser u. E. B. Hershberg, Am. Soc. 60, 1893 (1938).
[12] L. F. Fieser u. E. B. Hershberg, Am. Soc. 60, 2542 (1938).
[13] W. S. Johnson, R. Pappo u. A. D. Kemp, Am. Soc. 76, 3353 (1954).
[14] W. S. Johnson, A. D. Kemp, R. Pappo, J. Ackermann u. W. F. Johns, Am. Soc. 78, 6312 (1956).

Tab. 9 (2. Fortsetzung)

Aryl-alkan	Acetoxy-Verbindung	Ausbeute [% d.Th.]	F [° C]	Literatur
trans-syn-cis-1-Methoxy-8β-acetoxy-10a-methyl-4b,5,6,6a,7,8,9,10,10a,11,12-dodecahydro-chrysen	trans-syn-cis-1-Methoxy-8β-12-diacetoxy-10α-methyl-4b,5,6,6a,7,8,9,10,10a,10b,11,12-dodecahydro-chrysen	61	187–189	1
7,8,9,10-Tetrahydro-⟨benzo-[a]-pyren⟩	7-Acetoxy-7,8,9,10-tetra-hydro-⟨benzo-[a]-pyren⟩	36[a]	174–175	2

[a] in Benzol

Zur Herstellung der Acetoxy-carbonyl-Verbindungen, z. B. von Acetoxy-ketonen, läßt man äquimolare Mengen des Ketons und Blei(IV)-acetats in siedendem Lösungsmittel reagieren. Benzol oder Eisessig sind die bevorzugten Lösungsmittel, wobei die Reaktion in Benzol zwar langsamer geht, dafür aber höhere Ausbeuten liefert. So sind die Ausbeuten an *2-Acetoxy-1-oxo-cyclohexan* aus Cyclohexanon in Benzol und Eisessig 74,5 bzw. 25,6% der Theorie[3].

Zusatz von *Bortrifluorid-Diäthylätherat* erhöht die Reaktionsgeschwindigkeit, so daß die Oxidation bei Raumtemperatur durchgeführt werden kann[4], beispielsweise erhält man aus *3β-Acetoxy-11,20-dioxo-5α-pregnan* nach 24 Stdn. bei 70° zu 42% d.Th. *3β,21-Diacetoxy-11,20-dioxo-5α-pregnan*, in Anwesenheit von Bortrifluorid-Diäthylätherat nach 2 Stdn. bei 25° 50–60% der Theorie. Gute Ausbeuten erhält man auch, wenn man als Lösungsmittel eine 5%ige Methanol-Benzol-Lösung nimmt und die Oxidation mit Bortrifluorid-Diäthylätherat katalysiert[5].

Man nimmt an, daß die Acetoxylierung von Carbonyl-Verbindungen über ihre Enolform erfolgt[4,6]. Carbonyl-Verbindungen, z. B. β-Diketone, die bei Raumtemperatur weitgehend in der Enolform vorliegen, reagieren schon bei 10–40° rasch zu den α-Acetoxy-Derivaten[3,7,8,9]. Außerdem wird z. B. 2-Oxo-adamantan, das kein En-ol zu bilden vermag, von Blei(IV)-acetat nicht angegriffen[10]. Schließlich ist die Reaktionsgeschwindigkeit nur von der Keton-, nicht aber von der Blei(IV)-acetat-Konzentration abhängig[11].

2-Acetoxy-1-oxo-1-phenyl-äthan[3]: 11 g (0,09 Mol) Acetophenon werden mit 44,3 g (0,1 Mol) Blei(IV)-acetat in 75 *ml* Benzol 9 Stdn. auf 80° erhitzt. Nachdem alles Blei(IV)-acetat verbraucht ist (negativer Jod-Stärke-Test), wird das Reaktionsgemisch mit Wasser (4 × 50 *ml*) gewaschen, die organische Phase abgetrennt und mit Magnesiumsulfat getrocknet. Das Lösungsmittel wird abdestilliert und der Rückstand i. Vak. destilliert:

Kp$_2$: 50– 56°   4 g (0,033 Mol) Acetophenon
Kp$_2$: 110–114°   8,2 g (79,5% d.Th.) *2-Acetoxy-1-oxo-1-phenyl-äthan*; F: 46°

[1] W. S. JOHNSON, A. D. KEMP, R. PAPPO, J. ACKERMANN u. W. F. JOHNS, Am. Soc. 78, 6312 (1956).
[2] C. A. R. KON u. E. M. F. ROE, Soc. 1945, 143.
[3] G. W. K. CAVILL u. D. H. SOLOMON, Soc. 1955, 4426.
[4] H. B. HENBEST, D. N. JONES u. G. P. SLATER, Soc. 1961, 4472.
[5] J. D. COCKER et al., J. Chem. Soc. 1965, 6.
[6] J. W. ELLIS, Chem. Commun. 1970, 406.
[7] O. DIMROTH u. R. SCHWEIZER, B. 56, 1375 (1923).
[8] R. C. FUSON et al., Am. Soc. 79, 1938 (1957).
[9] R. CHONG, R. R. KING u. W. B. WHALLEY, Chem. Commun. 1969, 1512.
[10] S. MOON u. H. BOHM, J. Org. Chem. 37, 4338 (1972).
[11] K. ICHIKAWA u. Y. YAMAGUCHI, J. chem. Soc. Japan pure Chem. Sect. 73, 415 (1952); C. A. 47, 10 474 (1953).

3β,21-Diacetoxy-11,20-dioxo-5α-pregnan[1]: 0,5 g 3β-Acetoxy-11,20-dioxo-5α-pregnan werden zusammen mit 0,65 g Blei(IV)-acetat 3 Stdn. bei 25° in einer Lösung von 19 ml Benzol und 1 ml Methanol mit 2,5 ml Bortrifluorid-Diäthylätherat gerührt. Nach Versetzen mit Wasser und Extrahieren mit Äther wird das Reaktionsprodukt mit Benzol-Petroläther (Kp: 40-60°) (1:4) versetzt, dabei kristallisieren 497 mg (86% d. Th.) aus; F: 142–144°.

Zur Verbesserung der Ausbeute an Acetoxylierungs-Derivat kann man in manchen Fällen das Verhältnis von normalerweise 1 Moläquivalent Blei(IV)-acetat auf ein Moläquivalent Substrat drastisch erhöhen. Während 19-Acetoxy-3-oxo-D-nor-androsten-(4) bei äquimolarem Umsatz ein Gemisch aus *2α,19-* und *2β,19-Diacetoxy-3-oxo-D-nor-androsten-(4)* zu 24% d. Th. liefert[2], kann die Ausbeute auf 43% d. Th. erhöht werden, wenn man die vierfache Menge Oxidationsmittel zusetzt.[3]

Bei unsymmetrischen Ketonen mit der Reaktionsmöglichkeit an beiden α-C-Atomen, erfolgt normalerweise Acetoxylierung an dem am wenigsten substituierten α-C-Atom[4]. So erhält man bei der Umsetzung von 2-Oxo-butan in Essigsäure (2 Stdn. bei 100°):

2-Oxo-butan (6%), *3-Acetoxy-2-oxo-butan* (12%), *1-Acetoxy-2-oxo-butan* (24%) und *1,3-Diacetoxy-2-oxo-butan* (22%).

Tab. 10. Acetoxylierung von durch Carbonyl-Gruppen aktivierten aliphatischen C–H-Gruppen

Carbonyl-Verbindung	α-Acetoxy-carbonyl-Verbindung	Ausbeute [% d.Th.]	Kp [° C]	[Torr]	F [° C]	Literatur
Propanal	*2-Acetoxy-propanal*	28–40	63–64	16	98– 99[a]	5
2-Methyl-propanal	*2-Acetoxy-2-methyl-propanal*		51–52	12	154–155[a]	5
Aceton	*1-Acetoxy-2-oxo-propan*	22				6,7, vgl. a. 8
	+ 1,3-Diacetoxy-2-oxo-propan	17				6,7, vgl. a. 8
Pentanon-(3)	*2-Acetoxy-3-oxo-pentan*	31,3[b]	56–57	3	($n_D^{20} =$ 1,4181)	9
	+ 2,4-Diacetoxy-3-oxo-pentan	7,5[b]	80	1		9
4-Oxo-2-methyl-penten-(2)	*5-Acetoxy-4-oxo-2-methyl-penten-(2)*	35				10
4,4-Dimethoxy-2-oxo-butan	*1,1-Dimethoxy-2-acetoxy-3-oxo-butan*	33–40	142	15		11,12

[a] als 2,4-Dinitro-phenylhydrazon.
[b] in Benzol.

[1] J. D. Cocker et al., Soc. 1965, 6.
[2] L. R. Axelrod u. P. N. Rao, Tetrahedron 10, 144 (1960).
[3] R. D. Burnett u. D. N. Kirk, Soc. (Perkin I) 1973, 1830.
[4] S. Moon u. H. Bohm, J. Org. Chem. 37, 4338 (1972).
[5] J. J. Riehl, C. r. 250, 4174 (1960).
[6] O. Dimroth u. R. Schweizer, B. 56, 1375 (1923).
[7] E. Detilleux u. J. Jadot, Bull. Soc. Roy. Sci. Liege 24, 366 (1955); C. A. 50, 16717 (1956).
[8] M. L. Mihailović et al., Tetrahedron 21, 1395 (1965).
[9] G. W. K. Cavill u. D. H. Solomon, Soc. 1955, 4426.
[10] E. Detilleux u. J. Jadot, Bull. Soc. Roy. Sci. Liege 29, 208 (1960); C. A. 55, 7275 (1961).
[11] DBP 1011874 (1955), Farbf. Bayer, Erf.: H. Plieninger u. R. Müller; C. A. 53, 15 990 (1959).
[12] N. K. Kochetkov u. E. E. Nifantyev, Ž. obšč. Chim. 30, 1866 (1960); engl.: 1848; C. A. 55, 7406 (1961).

Tab. 10 (1. Fortsetzung)

Carbonyl-Verbindung	α-Acetoxy-carbonyl-Verbindung	Ausbeute [% d.Th.]	Kp [° C]	[Torr]	F [° C]	Literatur
3-Oxo-pentanal	1-Methoxy-1,2-di-acetoxy-3-oxo-pentan	58	128–129	9		1
1,1-Dimethoxy-3-oxo-hexan	1-Methoxy-1,2-di-acetoxy-3-oxo-hexan	42,5	107–108	1		1
2,4-Dioxo-pentan	3-Acetoxy-2,4-dioxo-pentan	25,3[a]	84– 90	7		2,3
Acetessigsäure-äthylester	2-Acetoxy-3-oxo-butansäure-äthyl-ester	42,5	120–122	15		3,4
Malonsäure-diäthylester	α-Acetoxy-malonsäure-diäthylester	79[a]	114–115	5		3
	α-Acetoxy-malon-säurediäthylester	63,5	137–138	17		5
(2-Oxo-2-phenyl-äthylamino)-malonsäure-monoäthylester	α-(2-Oxo-2-phenyl-äthylamino)-α-hydroxy-malonsäure-monoäthylester	25			138–139	6
Acetophenon	2-Acetoxy-1-oxo-1-phenyl-äthan	75[a]	110–114	2		3
1-Oxo-1-phenyl-but n	2-Acetoxy-1-oxo-1-phenyl-butan	34	140–141	10	(n_D^{20}: 1,5124)	7
1-Oxo-1,2-diphenyl-äthan	2-Acetoxy-1-oxo-1,2-diphenyl-äthan	20–85			83	8–11
1-Oxo-2-(3,4-di-methoxy-phenyl)-1-(2,4-dimethoxy-phenyl)-äthan	2-Hydroxy-1-oxo-2-(3,4-dimethoxy-phenyl)-1-(2,4-di-methoxy-phenyl)-äthan[b]	38,1			94	10
3-Oxo-3-phenyl-propanal	3-Methoxy-2,3-di-acetoxy-1-oxo-1-phenyl-propan	52,2	161–163	3	48–49,5	1
3-Oxo-3-phenyl-propansäure-äthylester	2-Acetoxy-3-oxo-3-phenyl-propansäure-äthylester	45	140–143	1		4,12

[a] in Benzol.
[b] nach Hydrolyse.

[1] N. K. Kochetkov u. E. E. Nifantyev, Ž. obšč. Chim. 30, 1866 (1960); engl.: 1848; C. A. 55, 7406 (1961).
[2] W. Cocker u. J. C. P. Schwarz, Chem. & Ind. 1951, 390.
[3] G. W. K. Cavill u. D. H. Solomon, Soc. 1955, 4426.
[4] O. Dimroth u. R. Schweizer, B. 56, 1375 (1923).
[5] M. J. Gortatowski u. M. D. Armstrong, J. Org. Chem. 22, 1217 (1957).
[6] O. Süs, A. 568, 129 (1950).
[7] O. Polansky, E. Schinzel u. F. Wessely, M. 87, 24 (1956).
[8] E. Detilleux u. J. Jadot, Bull. Soc. Roy. Sci. Liege 29, 208 (1960); C. A. 55, 7275 (1961).
[9] G. W. K. Cavill, A. Robertson u. W. B. Whalley, Soc. 1949, 1567.
[10] G. G. Badcock, G. W. K. Cavill, A. Robertson u. W. B. Whalley, Soc. 1950, 2961.
[11] A. Mee, A. Robertson u. W. B. Whalley, Soc. 1957, 3093.
[12] E. Jucker u. A. Lindenmann, Helv. 44, 1249 (1961).

Tab. 10 (2. Fortsetzung)

Carbonyl-Verbindung	α-Acetoxy-carbonyl-Verbindung	Ausbeute [% d.Th.]	Kp [° C]	[Torr]	F [° C]	Literatur
Cyclopentanon	*2-Acetoxy-1-oxo-cyclopentan*		115–117	12		1
3-Oxo-1-methyl-2-[buten-(2)-yl]-4-äthoxycarbonyl-cyclopenten-(1)	*4-Acetoxy-3-oxo-1-methyl-2-[buten-(2)-2-yl]-4-äthoxy-carbonyl-cyclo-penten-(1)*	50	135–140	0,5	(n$_D^{25}$ = 1,4865)	2
1-Oxo-indan	*2-Acetoxy-1-oxo-indan*	35	122–123,5	0,3		1,3
4,6-Dimethoxy-3-oxo-2-acetyl-2,3-dihydro-⟨benzo-[b]-furan⟩	*4,6-Dimethoxy-2-acetoxy-3-oxo-2-acetyl-2,3-dihydro-⟨benzo-[b]-furan⟩*	47,5			162–163	4
	9,11-Diacetoxy-4,12-dioxo-5,9,13-trime-thyl-3-oxa-tricyclo [8.3.0.0²,⁶]tridecan	38ᵃ			166–168	5
1-Oxo-acenaphthen	*2-Acetoxy-1-oxo-acenaphthen*	18	128–130	0,05	71– 72	1
Cyclohexanon	*2-Acetoxy-1-oxo-cyclo-hexan*	61ᵃ	123–126	16		1,6,7
	+ cis-2,6-Diacetoxy-1-oxo-cyclohexan	2,6ᵃ			145–146	
5-Oxo-1,3-dimethyl-cyclohexan	*4-Acetoxy-5-oxo-1,3-dimethyl-cyclohexan*	68ᵃ	108–110	3		8
	+ 4,6-Diacetoxy-5-oxo-1,3-dimethyl-cyclo-hexan	11,5ᵃ	140–142	3	119–120	
3-Oxo-1,5,5-tri-methyl-cyclo-hexen-(1)	*6-Acetoxy-5-oxo-1,3,3-trimethyl-cyclo-hexen-(1)*	78ᵃ			76– 78	9

ᵃ in Benzol.

¹ R. Criegee u. K. Klonk, A. **564**, 1 (1949).
² F. B. La Forge, N. Green u. W. A. Gersdorf, Am. Soc. **70**, 3707 (1948).
³ C. S. Marvel u. C. W. Hinman, Am. Soc. **76**, 5435 (1954).
⁴ F. M. Dean u. K. Manunapichu, Soc. **1957**, 3112.
⁵ T. Sasaki u. S. Eguchi, Bull. Chem. Soc. Japan **41**, 2453 (1968); C. A. **70**, 11831 (1969).
⁶ G. W. K. Cavill u. D. H. Solomon, Soc. **1955**, 4426.
⁷ K. Ichikawa u. Y. Yamaguchi, J. Chem. Soc. Japan Pure Chem. Sect **73**, 415 (1952); C. A. **47**, 10474 (1953).
⁸ G. W. K. Cavill, D. L. Ford, H. Hinterberger u. D. H. Solomon, Chem. & Ind. **1958**, 292; Austral. J. Chem. **13**, 121 (1960); C. A. **54**, 15237 (1960).
⁹ J. W. Ellis, J. Org. Chem. **34**, 1154 (1969).

Tab. 10 (3. Fortsetzung)

Carbonyl-Verbindung	α-Acetoxy-carbonyl-Verbindung	Ausbeute [% d.Th.]	Kp [° C]	Kp [Torr]	F [° C]	Literatur
2-Oxo-4-methyl-1-isopropyliden-cyclohexan	*1-Acetoxy-2-oxo-4-methyl-1-isopropenyl-cyclohexan*[a]					[1]
1,3-Dioxo-2-methyl-cyclohexan	*2-Acetoxy-1,3-dioxo-2-methyl-cyclohexan*[b]	16[c]			94–96	[2]
7-Methoxy-4-oxo-2,2-dimethyl-chroman	*7-Methoxy-3-acetoxy-4-oxo-2,2-dimethyl-chroman*	57			129	[3]
5,7-Dimethoxy-4-oxo-3-(4-methoxy-benzyl)-chroman	*(±)-5,7-Dimethoxy-3-acetoxy-4-oxo-3-(4-methoxy-benzyl)-chroman*	42,5			165	[4]
Cycloheptanon	*2-Acetoxy-1-oxo-cyclo-heptan*	58	120–122	10	$(n_D^{20} = 1{,}4648)$	[5]
	+ 2,7-Diacetoxy-1-oxo-cycloheptan	15	127–128	0,5	$(n_D^{21} = 1{,}4690)$	
Cycloheptandion-(1,2)	*3-Hydroxy-1,2-dioxo-cycloheptan*[d]	6,2	165–170			[6]
5-Oxo-⟨benzo-cyclohepten⟩	*6-Acetoxy-5-oxo-⟨benzo-cyclohepten⟩*	45,3			79–80	[7]
Testosteron [17 β-Hydroxy-3-oxo-androsten-(4)]	*2 β,17 β-Diacetoxy-3-oxo-androsten-(4)*	12			202–204	[8]
	+ Gemisch aus 2 α- und 2 β	35			172–198	
17 β-Acetoxy-3-oxo-androsten-(4)	*2 β,17β-Diacetoxy-3-oxo-androsten-(4)*	25			202–203	[9]
	+2 α,17β-Diacet-oxy-3-oxo-androsten-(4)	17			212–213	
Progesteron [3-Oxo-17 β-acetyl-androsten-(4)]	*2 α-Acetoxy-3-oxo-17β-acetyl-androsten-(4)*	8			198,1–199,6	[8]
	+2 α-Acetoxy-3-oxo-17β-(acetoxy-acetyl)-androsten-(4)	16			165–180	

[a] neben wenig 3-Acetoxy-2-oxo-4-methyl-1-isopropyliden-cyclohexan.
[b] neben einem dimeren Enoläther.
[c] in Benzol.
[d] nach Hydrolyse.

[1] L. H. Zalkow u. J. W. Ellis, J. Org. Chem. **29**, 2626 (1964).
[2] T. A. Spencer, A. L. Hall u. C. Fordham von Reyn, J. Org. Chem. **33**, 3369 (1968).
[3] G. W. K. Cavill et al., Soc. **1954**, 4573.
[4] H. G. Krishnamurty, B. Darkash u. T. R. Seshadri, Indian J. Chem. **12**, 554 (1974).
[5] W. Treibs u. P. Grossmann, B. **90**, 103 (1957).
[6] G. Hesse u. G. Krehbiel, A. **593**, 42 (1955).
[7] P. D. Gardner, Am. Soc. 78, 3421 (1956).
[8] R. L. Clarke, K. Dobriner, A. Mooradian u. C. M. Martini, Am. Soc. **77**, 661 (1955).
[9] F. Sondheimer et al., Am. Soc. **75**, 4712 (1953).

Tab. 10 (4. Fortsetzung)

Carbonyl-Verbindung	α-Acetoxy-carbonyl-Verbindung	Ausbeute [% d.Th.]	F [° C]	Literatur
11 β,17 α-Dihydroxy-3-oxo-17 β-(acet-oxy-acetyl)-androsten-(4)	*11 β,17 α-Dihydroxy-2 α(2 β)-acetoxy-3-oxo-17 β-(acetoxy-acetyl)-androsten-(4)*			1
3-Oxo-cholestan	*2 α-Acetoxy-3-oxo-cholestan*	51ᵃ	123–125	2
3-Oxo-cholesten-(4)	*2 α-Acetoxy-3-oxo-cholesten-(4)*	10–20	141–142	3–5
	4'-Acetoxy-3'-oxo-3',4'-di-hydro-seselin	75	184	6
	10 α-Acetoxy-9-oxo-5 a α,5 b β,8,8,11 a β-pentamethyl-1α-iso-propyl-3 a β-methoxy-carbonyl-10 a α,13 b β-perhydro-⟨cyclo-penta-[a]-chrysen⟩			7
2-Oxo-4,4-dimethyl-5 α-androstan	*3 α-Acetoxy-2-oxo-4,4-dimethyl-5 α-androstan*	58	149–152	8
5-Chlor-17 β-acet-oxy-2-oxo-10 α-androstan	*5-Chlor-3β,17β-di-acetoxy-10 α-andro-stan*			9
17 β-Acetoxy-2-oxo-5 α-östren-(1¹⁰)	*3 α,17 β-Diacetoxy-2-oxo-5 α-östren-(1¹⁰)*	31	147–149	10
	+ 3β,17β-Diacetoxy-2-oxo-5 α-östren-(1¹⁰)	26,6	198–201	
1-Oxo-5 β-cholestan	*2-Acetoxy-1-oxo-5β-cholestan*	28	88–90	11

ᵃ in Gegenwart von Borfluorid-Ätherat.

1 S. Burstein u. H. L. Kimball, Steroids 2, 1 (1963); C. A. 59, 11598 (1963).
2 H. B. Henbest, D. N. Jones u. G. P. Slater, Soc. 1961, 4472.
3 E. Seebeck u. T. Reichstein, Helv. 27, 948 (1944).
4 M. L. Mihailović et al., Helv. 52, 459 (1969).
5 L. F. Fieser u. M. A. Romero, Am. Soc. 75, 4716 (1953).
6 F. Bohlmann u. H. Franke, B. 104, 3229 (1971).
7 L. R. Row, C. S. Rao u. T. S. Ramaih, Indian J. Chem. 6, 16 (1968); C. A. 69, 106912 (1968).
8 A. D. Boul, R. Macrae u. G. D. Meakins, Soc. (Perkin I) 1974, 1138.
9 G. Habermehl u. A. Haaf, Z. Naturf. [b] 23, 880 (1968).
10 J. Fishman, Chem. & Ind. 1962, 1467; J. Org. Chem. 28, 1528 (1963).
11 J. Y. Satoh et al., Bull. Chem. Soc. Japan 46, 3155 (1973); C. A. 80, 37380 (1974).

Tab. 10 (5. Fortsetzung)

Carbonyl-Verbindung	α-Acetoxy-carbonyl-Verbindung	Ausbeute [% d. Th.]	F [°C]	Literatur
17β-Acetoxy-3-oxo-5α-androsten-(1)	4β,17β-Diacetoxy-3-oxo-5α-androsten-(1)	10,5	242–244	1
	+ 4α,17β-Diacetoxy-3-oxo-5α-androsten-(1)	3,6	191–192	
17β-Chloracetoxy-3-oxo-androsten-(4)	2α-Acetoxy-17β-chlor-acetoxy-3-oxo-androsten-(4)	20	189–192	2
	+ 2β-Acetoxy-17β-chloracetoxy-3-oxo-androsten-(4)	32	198–200	
3-Oxo-cholesten-(5)	4α-Acetoxy-3-oxo-cholesten-(5)	30–40ᵃ	160–161	3
3β,20β-Diacetoxy-11-oxo-5α-pregnan	3β,9α,20β-Triacetoxy-11-oxo-5α-pregnan	15ᵇ	(Chloroform = 1,49) 236–239	4
3β-Acetoxy-2-oxo-pregnadien-(5,14)	2β,21-Diacetoxy-20-oxo-pregnadien-(5,14)	47	193–195	5
6-Chlor-17α-acetoxy-3,20-dioxo-pregnadien-(4,6)	6-Chlor-2α,17α-di-acetoxy-3,20-dioxo-pregnadien(4,6)	10	230–232	6
	+ 6-Chlor-2β,17α-diacetoxy-3,20-dioxo-pregnadien-(4,6)	12	238–241	
Progesteron [3,20-Dioxo-pregnen-(4)]	21-Acetoxy-3,20-dioxo-pregnen-(4)	11ᶜ	158–160	7–9
3α-Hydroxy-20-oxo-5β-pregnan	3α-Hydroxy-21-acet-oxy-20-oxo-5β-pregnan	64ᶜ	173–176	7
3β,11α-Dihydroxy-20-oxo-5β-pregnan	3β,11α-Dihydroxy-21-acetoxy-20-oxo-5β-pregnan	26,7	199–200	10
3β-Acetoxy-20-oxo-5α-pregnan	3β,21-Diacetoxy-20-oxo-5α-pregnan	52,8	152–153,5	9
	+ 3β,17,21-Triacetoxy-20-oxo-5α-pregnan	1,9	190–192	

ᵃ Benzol/Eisessig bei 15–25°
ᵇ in Gegenwart von Bortrifluorid-Diäthylätherat; Eisessig/Methanol
ᶜ in Benzol/Methanol in Gegenwart von Bortrifluorid-Diäthylätherat.

[1] S. Kaufmann, J. Org. Chem. 29, 1348 (1964).
[2] R. D. Burnett u. D. N. Kirk, Soc. (Perkin I) 1974, 284.
[3] L. F. Fieser u. R. Stevenson, Am. Soc. 76, 1728 (1954).
[4] J. D. Cocker et al., Soc. 1965, 6.
[5] E. Yoshii u. K. Ozaki, Chem. Pharm. Bull. (Tokyo) 20, 1585 (1972); C. A. 77, 144666 (1972.
[6] T. Abe u. A. Kambegawa, Chem. Pharm. Bull. (Tokyo) 21, 1295 (1973); C. A. 79, 92469 (1973).
[7] J. D. Cocker et al., J. Chem. Soc. 1965, 6.
[8] G. Ehrhart, H. Ruschig u. W. Aumüller, B. 72, 2035 (1939).
[9] T. Reichstein u. C. Montigel, Helv. 22, 1212 (1939).
[10] J. v. Euw, A. Lardon u. T. Reichstein, Helv. 27, 1287 (1944).

Tab. 10 (5. Fortsetzung)

Carbonyl-Verbindung	α-Acetoxy-carbonyl-Verbindung	Ausbeute [% d.Th.]	F [° C]	Literatur
3 β,11 α-Diacetoxy-20-oxo-5 α-pregnan	*3 β,11α,21-Triacetoxy-20-oxo-5α-pregnan*	62	138–140	1
3 α,12 β-Diacetoxy-20-oxo-5 β-pregnan	*3 α,12β,21-Triacetoxy-20-oxo-5 β-pregnan*	46,7	150,5–151	2
11,20-Dioxo-5 α-pregnan	*21-Acetoxy-11,20-dioxo-5 α-pregnan*	59[a]	161,5–163,5	3
3 α-Hydroxy-11,20-dioxo-5 β-pregnan	*3 α-Hydroxy-21-acetoxy-11,20-dioxo-5 β-pregnan*	70,5[a]	137–139	3, 4
3 β-Acetoxy-11,20-dioxo-5α-pregnan	*3β,21-Diacetoxy-11,20-dioxo-5 α-pregnan*	86[a]	142–144	3
3 β-Benzoyloxy-20-oxo-pregnen-(5)	*3 β-Benzoyloxy-21-acetoxy-5-oxo-pregnen-(5)*	39	200–201	5

[a]) in Benzol/Methanol in Gegenwart von Bortrifluorid-Diäthylätherat.

δ) Acetoxylierung von Nitro-alkanen und 2-Methyl-pyrrolen

Neben Phenyl- und Carbonyl-Gruppen aktivieren auch andere Gruppen die Acetoxylierung. Es entstehen dabei aber oft Verbindungen, die selbst leichter als die Ausgangsverbindung oxidiert werden. Ein Beispiel hierfür ist die Oxidation aliphatischer Carbonsäureester[6].

Stabile Acetoxy-Derivate entstehen dagegen bei der Oxidation von Nitro-alkanen (vgl. a. ds. Handb., Bd. X/1, S. 166)[7]:

$$\text{>CH-NO}_2 \xrightarrow{\text{Pb(O-CO-CH}_3)_4} \text{>C}\langle\,^{\text{NO}_2}_{\text{O-CO-CH}_3}$$

Reaktionsprodukte sind geminale Nitro-acetoxy-alkane. Am besten oxidiert man in einem Überschuß des Nitro-alkans, da bei Verwendung von Benzol oder beispielsweise Dichlormethan die Reaktion langsamer abläuft.

Eine andere Gruppe von Verbindungen, die in Eisessig schon bei Raumtemperatur zu den entsprechenden Acetoxy-Derivaten umgesetzt wird, sind 2-Methyl-pyrrole[7]:

$$\underset{\text{H}}{\overset{}{\text{N}}}\text{-CH}_3 \xrightarrow{\text{Pb(O-CO-CH}_3)_4} \underset{\text{H}}{\overset{}{\text{N}}}\text{-CH}_2\text{-O-CO-CH}_3$$

Die Reaktion ist rasch beendet und die Ausbeuten sind gewöhnlich hoch.

---

[1] F. SONDHEIMER, G. ROSENKRANZ, O. MANCERA u. C. DJERASSI, Am. Soc. **75**, 2601 (1953).
[2] L. RUZICKA, P. A. PLATTNER u. J. PATAKI, Helv. **27**, 988 (1944).
[3] J. D. COCKER et al., Soc. **1965**, 6.
[4] J. v. EUW, A. LARDON u. T. REICHSTEIN, Helv. **27**, 1287 (1944).
[5] O. MANCERA, Am. Soc. **72**, 5752 (1950).
[6] W. A. MOSHER u. C. L. KEHR, Am. Soc. **82**, 5342 (1960).
[7] J. J. RIEHL u. F. LAMY, Chem. Commun. **1969**, 406.

Diese bequeme Methode zur Einführung einer Sauerstoffunktion in die α-Methyl-Gruppe von Pyrrolen hat sich bei der Porphyrin-Synthese bewährt. Die Acetoxylierungsprodukte von 5-Methyl-2-äthoxycarbonyl-pyrrolen lassen sich ohne Schwierigkeiten nach Verseifen unter Decarboxylierung in die entsprechenden substituierten Porphine überführen[1-3].

5-Acetoxymethyl-3,4-dipropyl-2-äthoxycarbonyl-pyrrol[1]: Zu einer Lösung von 1,5 g 5-Methyl-3,4-dipropyl-2-äthoxycarbonyl-pyrrol in 50 *ml* Eisessig läßt man bei Raumtemp. unter gutem Rühren eine Lösung von 2,8 g Blei(IV)-acetat in Eisessig langsam zutropfen. Nach ungefähr 1 Stde. ist die Reaktion

Tab. 11. Acetoxylierung von 2-Methyl-pyrrolen zu 2-bzw. 5-Acetoxymethyl-pyrrolen

Methyl-pyrrol	Acetoxymethyl-pyrrole	Ausbeute [% d.Th.]	F [° C]	Literatur
2,4-Dimethyl-3-tert.-butyl-5-äthoxycarbonyl-pyrrol	*4-Methyl-2-acetoxymethyl-3-tert.-butyl-5-äthoxycarbonyl-pyrrol*	65	77–78	4
5-Methyl-4-äthyl-2-tert.-butyloxycarbonyl-pyrrol	*5-Acetoxymethyl-4-äthyl-2-tert.-butyloxycarbonyl-pyrrol*	70	86	5
3,4,5-Trimethyl-2-äthoxycarbonyl-pyrrol	*3,4-Dimethyl-5-acetoxymethyl-2-äthoxycarbonyl-pyrrol*	63,5	132	1,6
3,5-Dimethyl-4-äthyl-2-äthoxycarbonyl-pyrrol	*3-Methyl-5-acetoxymethyl-4-äthyl-2-äthoxycarbonyl-pyrrol*	43–90	126–128	1,2,7
5-Methyl-3,4-dipropyl-2-äthoxycarbonyl-pyrrol	*5-Acetoxymethyl-3,4-dipropyl-2-äthoxycarbonyl-pyrrol*	80,5	97	1
3,5-Dimethyl-4-(2-carboxy-äthyl)-2-äthoxycarbonyl-pyrrol	*3-Methyl-5-acetoxymethyl-4-(2-carboxy-äthyl)-2-äthoxy-carbonyl-pyrrol*	~100	277–278	1
3,5-Dimethyl-4-(2-methoxycarbonyl-äthyl)-2-benzyloxycarbonyl-pyrrol	*3-Methyl-5-acetoxymethyl-4-(2-methoxycarbonyl-äthyl)-2-benzyloxy-carbonyl-pyrrol*	77	109,5–110	8
3,5-Dimethyl-4-(2-äthoxycarbonyl-äthyl)-2-benzyloxycarbonyl-pyrrol	*3-Methyl-5-acetoxymethyl-4-(2-äthoxycarbonyl-äthyl)-2-benzyloxy-carbonyl-pyrrol*	67	121–122	2
3,4,5-Trimethyl-2-tert.-butyloxycarbonyl-pyrrol	*3,4-Dimethyl-5-acetoxymethyl-2-tert.-butyloxycarbonyl-pyrrol*	91	127–128	2
3,5-Dimethyl-4-äthyl-2-benzyloxycarbonyl-pyrrol	*3-Methyl-5-acetoxymethyl-4-äthyl-2-benzyloxycarbonyl-pyrrol*	41,5	120–120,6	9
3,5-Dimethyl-4-propyl-2-benzyloxycarbonyl-pyrrol	*3-Methyl-5-acetoxymethyl-4-propyl-2-benzyloxycarbonyl-pyrrol*	42	122	3

[1] W. SIEDEL u. F. WINKLER, A. **554**, 162 (1943).
[2] E. BULLOCK, A. W. JOHNSON, E. MARKHAM u. K. B. SHAW, Soc. **1958**, 1430.
[3] A. H. JACKSON, P. JOHNSTON u. G. W. KENNER, Soc. **1964**, 2262.
[4] A. TREIBS u. L. SCHULZE, A. **751**, 127 (1971).
[5] M. T. COX, A. M. JACKSON u. G. W. KENNER, Soc. [C] **1971**, 1974.
[6] T. A. MELENTEVA, N. D. PEKEL u. M. BEREZOVSKII, Ž. obšč. Chim. **40**, 165 (1970); engl.: 150; C. A. **72**, 121502 (1970).
[7] A. HAYES, G. W. KENNER u. N. R. WILLIAMS, Soc. **1958**, 3779.
[8] A. F. MIRONOV, T. R. OVSEPYAN, R. P. EVSTIGNEEVA u. N. A. PREOBRAZHENSKII, Ž. obšč. Chim. **35**, 324 (1965); engl.: 324; C. A. **62**, 13113 (1965).
[9] A. F. MIRONOV, B. S. NAUMOVA, R. P. EVSTIGNEEVA u. N. A. PREOBRAZHENSKII, Ž. obšč. Chim. **34**, 3312 (1964); engl.: 3352; C. A. **62**, 4031 (1965).

beendet. Der Eisessig wird bei 40–50° i. Vak. abdestilliert, der Rückstand in Chloroform und Wasser aufgenommen und die wäßrige Lösung noch 2–3mal mit Chloroform ausgeschüttelt. Die vereinigten Chloroform-Auszüge werden mehrmals mit Wasser gewaschen, getrocknet und eingeengt. Nach einigem Stehen erfolgt Kristallisation. Das Kristallisat wird mit wenig Äther angeteigt und filtriert; Ausbeute: 1,5 g (80% d.Th.); F: 97°.

Dieselbe aktivierende Rolle wie der Pyrrol-Ring spielt auch der Furan-Ring[1], so wird 2,5-Dimethyl-furan in Eisessig zu *2,5-Bis-[acetoxymethyl]-furan* oxidiert.

3. Oxidation zu Aldehyden, Ketonen und Carbonsäuren

Die Oxidation von Methyl- und Methylen-Gruppen zu Carbonyl-Gruppen mit Hilfe von Blei(IV)-acetat ist in der Literatur kaum beschrieben. Sie ist im Prinzip dann möglich, wenn der aktivierende Einfluß von benachbarten Gruppen genügend stark ist, um eine zweite Acetoxylierung am gleichen C-Atom zu ermöglichen. Hydrolyse der geminalen Diacetoxy-Verbindung führt dann zur gewünschten Carbonyl-Verbindung. So wird 3,5-Dimethyl-4-äthyl-2-äthoxycarbonyl-pyrrol unter Verbrauch von 2 Mol Blei(IV)-acetat in Eisessig in *3-Methyl-4-äthyl-5-formyl-2-äthoxycarbonyl-pyrrol* (~ 80% d.Th.; F: 90°) übergeführt[2]:

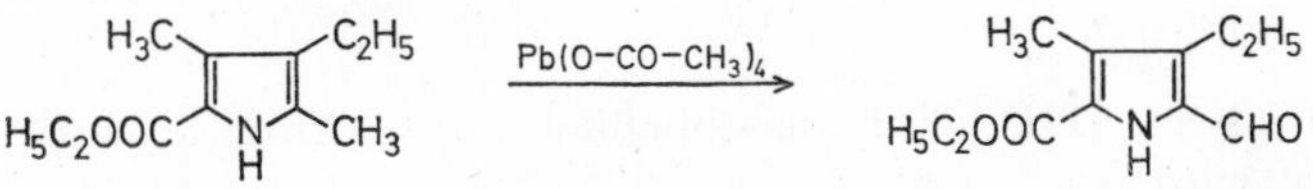

Ähnlich wird 5-Methyl-2-äthoxycarbonyl-pyrrol[2] in *5-Formyl-2-äthoxycarbonyl-pyrrol* und einige Bis-[5-äthoxycarbonyl-pyrrol-(2)]-methane[3] zu den entsprechenden Carbonyl-Verbindungen umgesetzt, wobei zur Einführung der zweiten Acetoxy-Gruppe höhere Temperaturen erforderlich sind[2].

Die Oxidation von Methyl- oder Methylen-Gruppen zu Carbonyl-Gruppen unter Mitwirkung von Blei(IV)-acetat wird häufiger in Kombination mit einem anderen Oxidationsmittel, z. B. Chrom(VI)-oxid, angewendet. Dem Blei(IV)-acetat fällt dann die Aufgabe zu, gezielt die Acetoxy-Gruppe in das Molekül einzuführen, die dann vom zweiten Oxidationsmittel im nächsten Schritt zur Carbonyl-Gruppe umgesetzt wird.

Ebenso kann zur Oxidation der Methyl- zur Formyl-Gruppe auch eine Kombination von Blei(IV)-acetat und -oxid eingesetzt werden.

3-Methyl-4-(2-methoxycarbonyl-äthyl)-formyl-2-benzyloxycarbonyl-pyrrol[4]: 8,1 g Blei(IV)-acetat werden bei Raumtemp. unter Rühren zu einer Lösung von 6 g 3,5-Dimethyl-4-(2-methoxycarbonyl-äthyl)-2-benzyloxycarbonyl-pyrrol in 100 *ml* Essigsäure gegeben. Nach 3 Stdn. werden 5,3 g Blei(IV)-oxid zugegeben, die Mischung 3 Stdn. bei 80° gerührt und das Lösungsmittel i. Vak. abgedampft. Der Rückstand wird mit Äther extrahiert und die Äther-Lösung anschließend mit Wasser, wäßriger Natriumhydrogencarbonat-Lösung und Wasser gewaschen und das Lösungsmittel abgedampft. Es bleibt ein gummiartiger Rückstand, welcher in Benzol/Leichtbenzin (1:1) gelöst und an Aluminiumoxid chromatographiert wird. Eluieren mit Benzol Chloroform liefert eine schwachgefärbte, gummiartige Masse, die langsam kristallisiert. Es wird aus Methanol umkristallisiert (–50°); Ausbeute: 1,5 g (26% d.Th.); F: 78–79°.

Die direkte Oxidation der Methyl-Gruppe zur Carbonyl-Gruppe mit Hilfe von Blei(IV)-acetat gelingt praktisch nicht. Ebenso ist die Oxidation von primären Alkoholen oder Aldehyden mit Blei(IV)-acetat als Methode zur Herstellung von Carbonsäuren nicht bekannt.

---

[1] A. J. Baggaley u. R. Brettle, Soc. [C] **1968**, 969.
[2] W. Siedel u. F. Winkler, A. **554**, 162 (1943).
[3] J. M. Osgerby u. S. F. MacDonald, Canad. J. Chem. **40**, 1585 (1962).
[4] P. S. Clezy, A. J. Liepa, A. W. Nichol u. G. A. Smythe, Austral. J. Chem. **23**, 589 (1970).

4. Oxidation der aromatischen C–H-Gruppe

α) Ersatz von Wasserstoff durch die Acetoxy-Gruppe

Unsubstituierte höherkondensierte aromatische Kohlenwasserstoffe können unter zum Teil milden Bedingungen von Blei(IV)-acetat am Kern acetoxyliert werden[1],[2]. Reines Benzol dagegen reagiert praktisch nicht, außer in Eisessig unter Rückfluß. Mit dem bei der Zersetzung von Blei(IV)-acetat entstehenden Methyl-Radikal wird *Toluol* gebildet, das dann zu *Essigsäure-benzylester* weiterreagiert (18% d. Th.). Auch Naphthalin wird beim Erhitzen mit Blei(IV)-acetat in Eisessig nur in 26%iger Ausbeute zum *1-Acetoxy-naphthalin* umgesetzt[3].

Der Angriff des Blei(IV)-acetat erfolgt vor allem an den meso-C-Atomen kondensierter Systeme. Das ist beim Anthracen am C_9- bzw. C_{10}-Atom[4] oder entsprechend beim Benzo-[a]-pyren (I) am C_6-Atom[5] bzw. beim Dibenzo-[a;i]-pyren (II) am C_5- und C_8-Atom[6]:

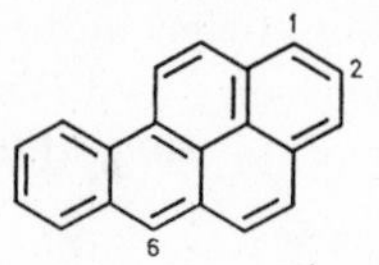

Im Benzo-[a]-anthracen (III) wird ausschließlich am C_7-Atom acetoxyliert, da das C_{12}-Atom abgeschirmt wird[1],[2]:

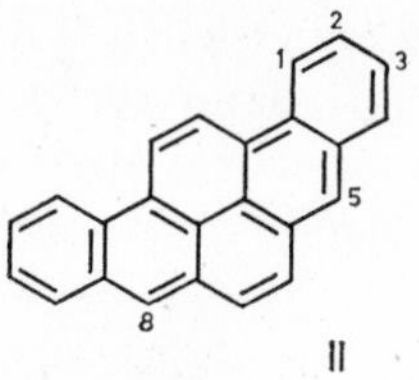

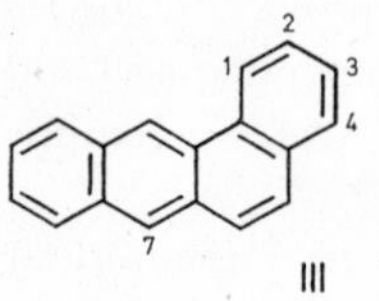

Diese Abschirmung durch den angularen Ring wirkt sich auf die Acetoxylierung von Dibenzo-[a;h]-anthracen (IV) aus, die auch unter schärferen Reaktionsbedingungen zu keinen einheitlichen Acetoxy-Derivaten führt[1]. Dieser Umstand kann dazu benutzt werden, Dibenzo-[a;h]-anthracen von Verunreinigungen, wie z. B. Dibenzo-[a;i]-anthracen zu befreien[1].

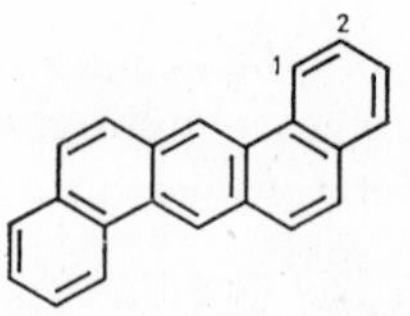

Der erste Schritt bei der Acetoxylierung von Anthracen ist die Addition von zwei Acetoxy-Gruppen zum *9,10-Diacetoxy-9,10-dihydro-anthracen*[4]:

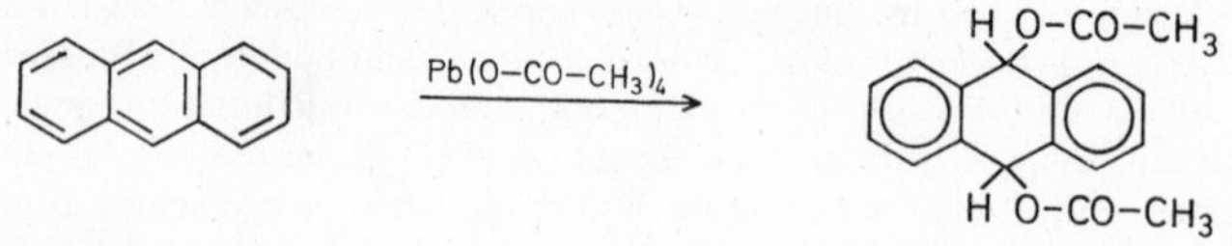

das als Gemisch der beiden *cis-trans*-Isomeren (1:1) anfällt. Beim Kochen in Eisessig wird rasch Essigsäure abgespalten und man isoliert *9-Acetoxy-anthracen* (50–84% d. Th.; F: 134–136°)[7].

[1] L. F. Fieser u. E. B. Hershberg, Am. Soc. **60**, 1893 (1938).
[2] s. a. K. H. Meyer, A. **379**, 37 (1911).
[3] L. F. Fieser, R. C. Clapp u. W. H. Daudt, Am. Soc. **64**, 2052 (1942).
[4] L. F. Fieser u. S. T. Putnam, Am. Soc. **69**, 1038 (1947).
[5] L. F. Fieser u. E. B. Hershberg, Am. Soc. **60**, 2542 (1938).
[6] E. Ünseren u. L. F. Fieser, J. Org. Chem. **27**, 1386 (1962).
[7] B. Rindone u. C. Scolastico, Soc. [C] **1971**, 3983.

Mit überschüssigem Blei(IV)-acetat erhält man *9,9,10-Triacetoxy-9,10-dihydro-anthracen* (in Benzol) bzw. *10-Acetoxy-9-oxo-9,10-dihydro-anthracen* (in Eisessig) und schließlich *Anthrachinon*[1]:

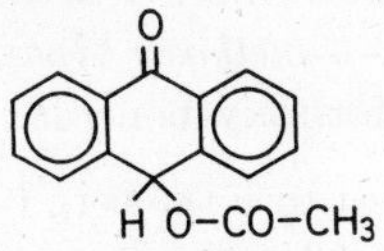

Zusätze von Wasser und Methanol beschleunigen die Oxidation, besonders die Additionsreaktion[2]. Bei der Oxidation mit Blei(IV)-acetat in Benzol/Methanol (1:1) bei Siedetemperatur erhält man *9,10-Diacetoxy-9,10-dihydro-anthracen* (~ 95% d.Th.; *cis*: *trans* = 1:4)[3].

5,8-Diacetoxy-⟨dibenzo-[a;i]-pyren⟩[4]: Die Lösungen von 1,2 g Blei(IV)-acetat in 50 *ml* Essigsäure und 0,75 g Dibenzo-[a;i]-pyren in 300 *ml* Benzol werden zusammengegeben und bei Raumtemp. stehen gelassen. Danach wird die Reaktionsmischung auf die Hälfte ihres Vol. eingeengt und abgekühlt. Das ausgefallene Diacetoxy-Derivat wird aus Xylol umkristallisiert; Ausbeute: 0,765 g (75% d.Th.); F: 332°.

Tab. 12: Acetoxylierung aromatischer Kohlenwasserstoffe

Aromat	Acetoxy-Verbindung	Ausbeute [% d.Th.]	F [° C]	Literatur
Anthracen	*9-Acetoxy-anthracen*		133–134	1
Benzo-[a]-anthracen	*7-Acetoxy-⟨benzo-[a]-anthracen⟩*	52	160–163	5
Benzo-[a]-pyren	*6-Acetoxy-⟨benzo-[a]-pyren⟩*	85	208,5–209,5	6
1-Acetylamino-⟨benzo-[a]-pyren⟩	*1-Acetylamino-6-acetoxy-⟨benzo-[a]-pyren⟩*		325–330	7
6-Acetylamino-⟨benzo-[a]-pyren⟩	*6-Acetylamino-1-acetoxy-⟨benzo-[a]-pyren⟩*		245–254	7

β) Acetoxylierung von substituierten Aromaten unter Weiteroxidation zu Chinonen

Die Acetoxylierung des Benzolkerns unter Ersatz von Wasserstoff gelingt bei Anwesenheit von geeigneten Substituenten. Dazu gehört vor allem die Methoxy-Gruppe, aber auch andere elektronenabgebende Substituenten, wie z. B. die Amino-Gruppe.

Im allgemeinen sind die Ausbeuten an Acetoxylierungsprodukt nicht sonderlich hoch. Bei einem Verhältnis Aromat zu Blei(IV)-acetat von 1:1 bleibt gewöhnlich ein Teil des Ausgangsproduktes unumgesetzt und ein relativ hoher Anteil des Blei(IV)-acetats oxidiert das Primärprodukt weiter zum Chinon oder anderen Produkten:

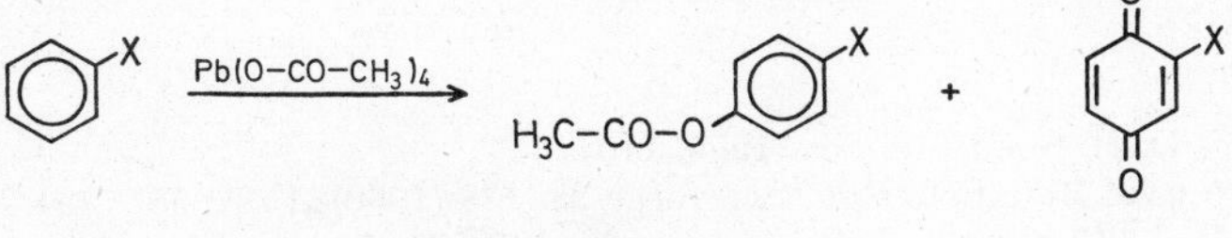

[1] L. F. FIESER u. S. T. PUTNAM, Am. Soc. **69**, 1038 (1947).
[2] L. F. FIESER u. S. T. PUTNAM, Am. Soc. **69**, 1041 (1947).
[3] B. RINDONE u. C. SCOLASTICO, Soc. [C] **1971**, 3983.
[4] E. ÜNSEREN u. L. F. FIESER, J. Org. Chem. **27**, 1386 (1962).
[5] L. F. FIESER u. E. B. HERSHBERG, Am. Soc. **60**, 1893 (1938).
[6] L. F. FIESER u. E. B. HERSHBERG, Am. Soc. **60**, 2542 (1938).
[7] L. F. FIESER u. E. B. HERSHBERG, Am. Soc. **61**, 1565 (1939).

Bei einem höheren Blei(IV)-acetat/Aromat-Verhältnis erhält man vor allem Chinone.

Durch Reaktion des Substrats mit dem Lösungsmittel wird die Palette der möglichen Nebenprodukte noch erhöht. So erhält man *4-Methoxy-biphenyl* bei der Oxidation von Methoxy-benzol in Benzol, *4'-Nitro-4-methoxy-biphenyl* in Nitrobenzol und *4,4'-Dimethoxy-biphenyl* bei einem Überschuß von Methoxy-benzol[1].

Bei der Oxidation der Phenyläther in Eisessig bei Temperaturen oberhalb 80° werden als weitere Nebenprodukte Alkoxy-(diacetoxymethyl)-benzole gebildet, die durch Methylierung und anschließende Diacetoxylierung des Methyl-Substituenten entstehen[2]. Bei der Aufarbeitung hydrolysieren diese Verbindungen zu den entsprechenden Benzaldehyden.

Aufgrund dieser vielen Möglichkeiten zur Nebenproduktbildung können nur solche Alkoxy-aromaten in einigermaßen guter Ausbeute zu einem Hauptprodukt acetoxyliert werden, die besonders aktivierte Stellen am aromatischen Kern haben. Hierzu gehören Naphthalin-Derivate.

4-Anilino-1-acetoxy-naphthalin[3]: Zu einer Suspension von 6,17 g (0,025 Mol) 1-Anilino-naphthalin in 100 *ml* absol. Äther werden 23,25 g (0,053 Mol) Blei(IV)-acetat gegeben. Dieses Gemisch wird 4 Stdn. bei Raumtemp. gerührt. Aus der dunkelbraunen Lösung fallen farblose Kristalle aus. Nach Zugabe von 2 *ml* Glykol wird der Niederschlag abgetrennt, in Chloroform gelöst, die Lösung mit Wasser gewaschen, getrocknet, Chloroform abdestilliert und der Rückstand aus Benzol umkristallisiert; Ausbeute: 5,2 g (68% d. Th.); F: 194–194,5°.

Tab. 13: Acetoxylierung substituierter Aromaten

Methoxy-Verbindung	Acetoxy-Verbindung (und Nebenprodukt)	Ausbeute [% d. Th.]	F [° C]	Literatur
Methoxy-benzol	*4-Hydroxy-1-methoxy-benzol*[a]	97	50–51	1,4
1,2-Dimethoxy-benzol	*3,4-Dimethoxy-1-acetoxy-benzol*	37	44,5	5
1,4-Dimethoxy-benzol	*2,5-Dimethoxy-1-acetoxy-benzol* + *2,5-Dimethoxy-p-benzochinon*	13,2 5,3	66,5–67,5	6
1,3,5-Trimethoxy-benzol	*2,4,6-Trimethoxy-1-acetoxy-benzol* + *2,6-Dimethoxy-p-benzochinon* + *3,5-Dimethoxy-1-acetoxy-methoxy-benzol*	1 22,4 42	249 101	7
1-Methoxy-naphthalin	*1-Methoxy-2-acetoxy-naphthalin* + *4,4'-Dimethoxy-bi-[naphthyl-(1)]*	7,2 51	48–52 255	8
4-Hydroxy-1-methyl-naphthalin	*4-Hydroxy-3-acetoxy-1-methyl-naphthalin*	45	180	9

a nach Hydrolyse

[1] G. W. K. CAVILL u. D. H. SOLOMON, Soc. **1955**, 1404.
[2] J. JADOT u. M. NEURAY, Bull. Soc. Roy. Sci. Liège **29**, 138 (1960); C. A. **55**, 7334 (1961).
[3] H. J. RICHTER u. R. L. DRESSLER, J. Org. Chem. **27**, 4066 (1962).
[4] s. a. D. R. HARVEY u. R. O. C. NORMAN, Soc. **1964**, 4860.
[5] F. R. PREUSS u. L. TAN, Arch. Pharm. **293**, 505 (1960); C. A. **54**, 20953 (1960).
   vgl. a. F. R. PREUSS u. I. JANSHEN, Arch. Pharm. **293**, 933 (1960); C. A. **55**, 5396 (1961).
[6] F. R. PREUSS u. R. MENZEL, Arch. Pharm. **291**, 350, 377 (1958); C. A. **53**, 2143, 5175 (1959).
[7] M. M. BOKADIA, B. R. BROWN u. W. CUMMINGS, Soc. **1960**, 3308.
[8] F. WESSELY, J. KOTLAN u. W. METLESICS, M. **85**, 69 (1954).
[9] A. EBNÖTHER, T. M. MEIJER u. H. SCHMID, Helv. **35**, 910 (1952).

b) Acetoxylierung am sp²-hybridisierten C-Atom unter γ-Wasserstoff-Eliminierung

Viele organische Verbindungen mit einer C=C- oder einer C=N-Doppelbindung und einer zur Doppelbindung benachbarten Gruppe der Form

$$-\overset{|}{\underset{|}{C}}-N \qquad -N\diagdown_{H} \qquad -OH$$

werden von Blei(IV)-acetat unter Acetoxylierung am sp²-hybridisierten C-Atom und γ-Wasserstoff-Eliminierung nach

$$\diagup_{C=\overset{|}{C}-XH} \xrightarrow{Pb(O-CO-CH_3)_4} \overset{H_3C-CO-O}{\underset{|}{-\overset{|}{C}-C=X}}$$

$$\diagup_{C=N-XH} \xrightarrow{Pb(O-CO-CH_3)_4} \overset{H_3C-CO-O}{\underset{|}{-\overset{|}{C}-N=X}}$$

oxidiert. Eine Doppelbindungswanderung nach diesem vereinfachten Schema kann bei der Acetoxylierung von Olefinen beobachtet werden. Die Ausbeuten an in Allylstellung acetoxylierten Olefinen ist meistens nicht sehr hoch, da außerdem additive Bis-[acetoxylierung] an der Doppelbindung erfolgt, abgesehen davon, daß auch Allylsubstitutionsprodukte ohne Doppelbindungswanderung gebildet werden.

Reaktionsprodukte nach obigem Schema erhält man in größerem Ausmaß dann, wenn die Doppelbindung stärker polarisiert ist, wie z. B. in Iminen, oder wenn X = –NR– bzw. -O- ist.

1. Oxidation von En-aminen

Acetoxylierungen von aliphatischen Enaminen, die nach obigem Schema verlaufen, sind nicht bekannt. Dagegen gibt es einige Beispiele von Umsetzungen N-heterocyclischer Verbindungen mit Blei(IV)-acetat, die unter Acetoxylierungen an einem sp²-hybridisierten C-Atom des Ringes und Eliminierung des an den Stickstoff gebundenen Wasserstoffs erfolgen[1]; z. B.:

2-Acetoxy-2,3,4,5-tetraphenyl-2H-pyrrol

4-Acetoxy-2,4,5-triphenyl-4H-imidazol

Am besten reagieren Amino-phenole und Sulfonsäure-arylamide nach diesem Schema. Die Oxidationen führen in diesen Fällen zu *6-Imino-5-acetoxy-cyclohexadienen-(1,3)*[1].

So reagiert 4-Benzolsulfonylamino-3-methyl-1-diphenylmethyl-benzol mit 1 Mol Blei(IV)-acetat bei Raumtemperatur zu *6-Acetoxy-5-benzolsulfonylimino-6-methyl-2-di-*

[1] G. Rio u. M. Masure, Bl. **1972**, 3882.

phenylmethyl-cyclohexadien-(1,3) (71% d.Th.; F: 149–150°)[1]:

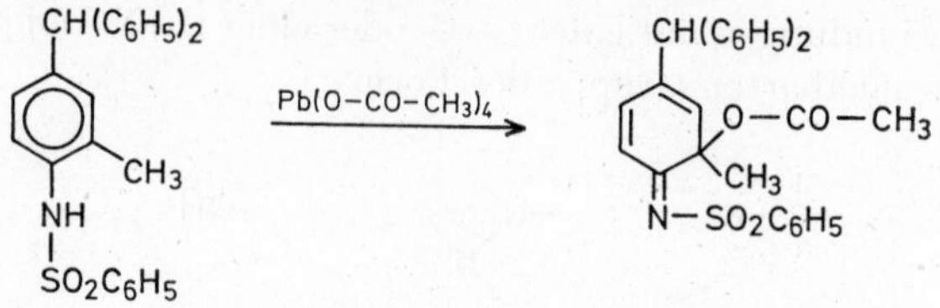

Andere, vor allem in 2,4-Stellung substituierte Sulfonsäure-anilide reagieren ebenso zu den entsprechenden 6-Acetoxy-5-sulfonylimino-cyclohexadienen, die ihrerseits leicht in höhersubstituierte Sulfonsäure-anilide überführt werden können.

6- bzw. 2-Acetoxy-1-sulfonylimino-cyclohexadiene (Chinoliminacetate) werden nämlich von vielen H-aciden-Verbindungen, wie z. B. Salzsäure, Essigsäure, Benzolsulfinsäure, Thiophenol, unter 1,4-Addition, Essigsäure-Abspaltung und Aromatisierung in die 3- bzw. 5-substituierten Ausgangsverbindungen der Blei(IV)-acetat-Oxidation überführt[2]:

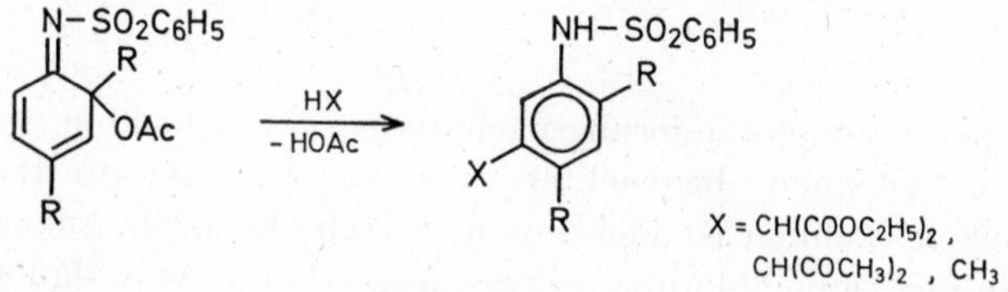

$$X = CH(COOC_2H_5)_2,$$
$$CH(COCH_3)_2, CH_3$$

Analoge Substitutionsprodukte werden auch bei der Einwirkung von Natrium-malonsäure-diäthylester, Natrium-acetylaceton oder Methyl-magnesiumjodid erhalten.

Es empfiehlt sich deshalb, die Oxidation in einem inerten Lösungsmittel, z. B. Chloroform, vorzunehmen und außerdem möglichst niedrige Temperaturen einzuhalten. So werden einige Säureamide bei ihrer Oxidation in Eisessig sofort zu den Säure-3-(bzw. -5)-acetoxy-aniliden umgesetzt[3]. In einigen Fällen reicht die bei der Oxidation freiwerdende Essigsäure schon zur Umlagerung aus. Die Isolierung der 2- bzw. 6-Acetoxy-1-imino-cyclohexadiene gelingt dann bei Zusatz von Calciumcarbonat, das mit der Essigsäure reagiert. So isoliert man bei der Oxidation von 2-(4-Nitro-benzoyl-amino)-1,3,5-tri-methyl-benzol in Chloroform ausschließlich *4-(4-Nitro-benzoylamino)-2-acetoxy-1,3,5-tri-methyl-benzol*. Bei Anwesenheit von Calciumcarbonat erhält man das *6-Acetoxy-5-(4-nitro-benzoylimino)-2,4,6-trimethyl-cyclohexadien-(1,3)* (37% d.Th.)[3].

Tiefe Reaktionstemperaturen sind deshalb erforderlich, weil höhere Temperaturen eine intramolekulare Umlagerung des 6-Acetoxy-5-imino-cyclohexadiens-(1,3) zum Säure-3-(bzw. -5)- acetoxy-anilid auslösen. 6-Acetoxy-5-benzolsulfonylimino-2,6-dimethyl-cyclo-hexadien-(1,3) wird so beim Kochen in Äthanol in *6-Benzolsulfonylamino-4-acetoxy-1,3-dimethyl-benzol* überführt[2].

6-Acetoxy-5-(4-nitro-benzoylimino)-2,4,6-trimethyl-cyclohexadien-(1,3)[3]: Eine Suspension von 1 g 2-(4-Nitro-benzoylamino)-1,3,5-trimethyl-benzol in 25 *ml* Chloroform wird zu einer Lösung von 1,6 g Blei(IV)-acetat in 25 *ml* Chloroform gegeben. Dieses Gemisch wird nach Zugabe von 0,5 g Calcium-carbonat 6 Stdn. bei Raumtemp. gerührt. Danach wird filtriert und aus dem Filtrat das Lösungsmittel abdestilliert. Das erhaltene Rohprodukt wird aus Äthanol umkristallisiert; Ausbeute: 0,45 g (37% d.Th.); F: 152–153,5°.

Für die Umsetzung zu 2- (bzw. 4-)-Acetoxy-1-imino-cyclohexadienen (Chinol-imin-aceta-ten) sind normalerweise alkyl- bzw. aryl-substituierte Säure-anilide am besten geeignet. In

---

[1] R. Adams, E. J. Agnello u. R. S. Colgrove, Am. Soc. **77**, 5617 (1955).
[2] R. Adams u. K. R. Brower, Am. Soc. **78**, 4770 (1956).
[3] R. Adams u. L. M. Werbel, Am. Soc. **80**, 5799 (1958).

einigen Fällen gelingt es allerdings nicht, weder beim Arbeiten in Chloroform noch in Eisessig, die entsprechenden Chinol-Derivate zu isolieren[1]. Ihre Existenz läßt sich dann oft durch Umsetzung in situ mit Chlorwasserstoff zu Säure-3-chlor-aniliden nachweisen[1].

Säure-arylamide mit anderen Substituenten, z. B. 4-Chlor-, 4-Nitro- bzw. 4-Cyan-1-benzolsulfonylamino-benzol liefern amorphe, teerige Oxidationsprodukte[1]. Säure-naphthylamide werden häufig entweder zu Naphthochinon-iminen

NHR →Pb(O—CO—CH₃)₄→ NR ... O

oder bei Substitution in β-Stellung zu Amino-naphthochinonen oxidiert[2]:

NHR →Pb(O—CO—CH₃)₄→ NHR ... O

Tab. 14. Säure-o- (bzw. -p)-acetoxy-dihydroarylamide (Chinol-imin-acetate) durch Oxidation von Säure-arylamiden in Eisessig bei 20°

Amid	Chinol-imin-acetat	Ausbeute [% d. Th.]	F [°C]	Literatur
4-Benzolsulfonylamino-biphenyl	*3-Acetoxy-6-benzolsulfonylimino-3-phenyl-cyclohexadien-(1,4)*	50	127–128	3
2-Benzoylamino-1,3,5-trimethyl-benzol	*5-Acetoxy-6-benzoylimino-1,3,5-trimethyl-cyclohexadien-(1,3)*	31[a]	123,5–125,5	
2-Benzolsulfonylamino-1,3,5-trimethyl-benzol	*5-Acetoxy-6-benzolsulfonylimino-1,3,5-trimethyl-cyclohexadien-(1,3)*	50[b]	142–143	4
2-(4-Nitro-benzolsulfonyl-amino)-1,3,5-trimethyl-benzol	*5-Acetoxy-6-(4-nitro-benzol-sulfonylimino)-1,3,5-trimethyl-cyclohexadien-(1,3)*	34[a]	144–145	1
1-(4-Methyl-benzolsulfonyl-amino)-2-methyl-naphthalin	*2-Acetoxy-1-(4-methyl-benzol-sulfonylimino)-2-methyl-1,2-dihydro-naphthalin*	62[a, c]	159–160	5
1-(4-Methyl-benzolsulfonyl-amino)-2,4-dimethyl-naphthalin	*2-Acetoxy-1-(4-methyl-benzol-sulfonylimino)-2,4-dimethyl-1,2-dihydro-naphthalin*	81[a, c]	159–160	6
5-Benzolsulfonylamino-acenaphthen	*2,2a-Diacetoxy-5-benzolsulfonyl-imino-1,2,2a,5-tetrahydro-acenaphthylen*	18	174–175	7
4-Benzolsulfonylamino-5-methoxy-acenaphthen	*5-Methoxy-5-acetoxy-4-benzol-sulfonylimino-1,2,4,5-tetra-hydro-acenaphthylen*	60,5	184[d]	8

[a] in Chloroform.
[b] Eisessig/Chloroform.
[c] unter Rückfluß.
[d] verschiedene Modifikationen.

[1] R. Adams u. L. M. Werbel, Am. Soc. 80, 5799 (1958).
[2] H. J. Richter u. R. L. Dressler, J. Org. Chem. 27, 4066 (1962).
[3] R. Adams u. K. R. Brower, Am. Soc. 79, 1950 (1957).
[4] R. Adams u. K. R. Brower, Am. Soc. 78, 4770 (1956).
[5] R. Adams u. J. E. Dunbar, Am. Soc. 78, 4774 (1956).
[6] R. Adams u. E. L. de Young, Am. Soc. 79, 705 (1957).
[7] H. J. Richter, R. L. Dressler u. S. F. Silver, J. Org. Chem. 30, 4078 (1965).
[8] H. J. Richter u. W. C. Feist, J. Org. Chem. 26, 3133 (1961).

2. Oxidation von En-olen

α) α-Acetoxy-aldehyde durch Oxidation von stabilen Vinylalkoholen

Aldehyde, die ausschließlich in der Enolform vorliegen, z. B. 2,2-Diaryl-vinylalkohole, werden von Blei(IV)-acetat in Eisessig schon bei 40° praktisch quantitativ zu α-Acetoxy-carbonyl-Verbindungen oxidiert[1]. 2-Hydroxy-1-phenyl-1-(2,4,6-trimethyl-phenyl)-äthylen wird so zu *2-Acetoxy-2-phenyl-2-(2,4,6-trimethyl-phenyl)-acetaldehyd* (86% d.Th.; F: 133-134°) umgesetzt:

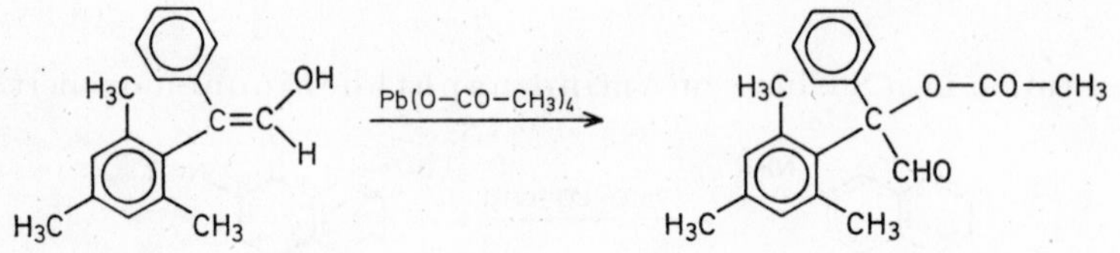

Im Prinzip entspricht diese Reaktion der α-Acetoxylierung von Carbonyl-Verbindungen (s. S. 223) und führte, zusammen mit der Beobachtung, daß diese um so leichter erfolgt, je stärker die Tendenz zum Enolisieren ausgeprägt ist[2] und außerdem die Acetoxylierungsgeschwindigkeit nur von der Konzentration des Ketons abhängt[3], zu der Ansicht, daß die Oxidation zu α-Acetoxy-carbonyl-Derivaten grundsätzlich über den enolisierten Zustand erfolgt und damit dem Mechanismus der Blei(IV)-acetat-Oxidation von alkylierten Monohydroxy-aromaten entspricht[4]:

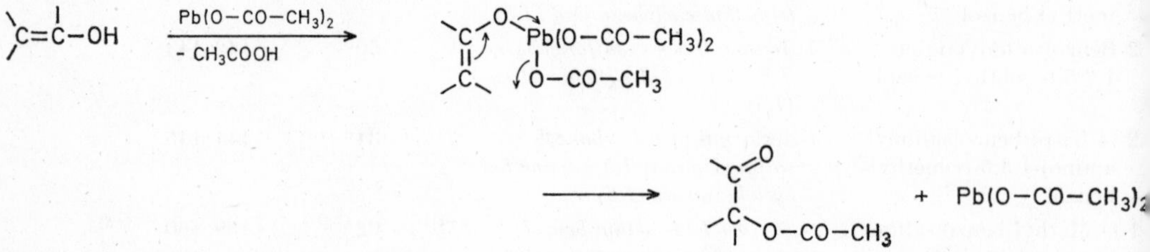

β) 6-Acetoxy-3-oxo-, 6-Acetoxy-5-oxo- bzw. 6,6-Diacetoxy-5-oxo-cyclohexadiene durch Oxidation von ortho- und para-substituierten Phenolen

Blei(IV)-acetat oxidiert in ortho- und para-Stellung substituierte Alkyl-phenole unter Mono- oder Diacetoxylierung am ortho-C-Atom oder Monoacetoxylierung am para-C-Atom des aromatischen Kerns und Dehydrierung am Sauerstoff zu 2- bzw. 4-Acetoxy-1-oxo- oder 2,2-Diacetoxy-1-oxo-cyclohexadienen (o- bzw. p-Chinolacetat oder o-Chinon-diacetat)[5-7]. Dabei werden entweder 1 oder 2 Äquivalent Blei(IV)-acetat verbraucht[5]:

[1] R. C. Fuson et al., Am. Soc. **79**, 1938 (1957).

[2] R. Criegee in K. B. Wiberg, *Oxidation in Organic Chemistry*, Academic Press, New York 1965.

[3] K. Ichikawa u. Y. Yamaguchi, J. Chem. Soc. Japan Pure Chem. Sect. **73**, 415 (1952); C. A. **47**, 10474 (1953).

[4] E. J. Corey u. J. P. Schaefer, Am. Soc. **82**, 918 (1960).

[5] F. Wessely, G. Lauterbach-Keil u. F. Sinwel, M. **81**, 811 (1950).

[6] F. Wessely u. F. Sinwel, M. **81**, 1055 (1950).

[7] W. A. Bubb u. S. Sternmell, Tetrahedron Letters **1970**, 4499.

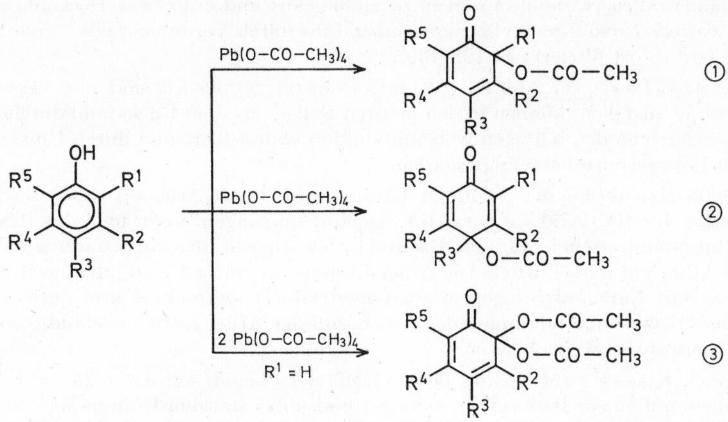

Die **Bildungstendenz** der drei Cyclohexadienone nimmt im allgemeinen in der Reihenfolge ① > ③ > ② ab. So reagieren 2,4,6-substituierte Phenole überwiegend nach ①, zum Teil sogar ausschließlich (vgl. Tab. 15, S. 246 ff.), 2,4-substituierte Phenole ebenfalls überwiegend nach ① neben ③ und p-substituierte Phenole überwiegend nach ③.

Diese Tendenz gilt grundsätzlich bei **primären** oder **sekundären Alkyl-Gruppen**, auch bei verschiedenen Alkyl-Gruppen am gleichen Phenol-Kern. **Tertiäre Alkyl-Gruppen** hingegen beeinflussen die relativen Ausbeuten der Cyclohexadienone, indem sie die Acetoxylierung am selben C-Atom erschweren, wie ein Vergleich der Reaktionsgeschwindigkeit von 2-Hydroxy-1,3,5-trimethyl-benzol und 2-Hydroxy-1,3,5-tri-tert.-butyl-benzol mit Blei(IV)-acetat zeigt[1]. Letzteres reagiert deutlich langsamer. Als allgemein anwendbare Methode zur Oxidation substituierter Phenole hat sich nachstehende Vorschrift bewährt.

2-(bzw. 4)-Acetoxy-1-oxo- bzw. 2,2-Diacetoxy-1-oxo-cyclohexadiene durch Oxidation von Phenolen; allgemeine Arbeitsvorschrift:

mit **Blei(IV)-acetat in Eisessig (Methode A)**[2]: 0,1 Mol Phenol werden in 500 ml Eisessig gelöst und Blei(IV)-acetat im Überschuß (10% bez. auf die zur Oxidation benötigten Menge)[3] zugesetzt. Man läßt die Lösung 24 Stdn. stehen, wobei diese sich mehr oder weniger dunkel färbt. Danach wird der Eisessig bis auf ~ 10% der ursprünglichen Menge i. Vak. abgedampft und 750–1000 ml Wasser zugesetzt, so daß das gebildete Blei(II)-acetat völlig in Lösung geht. Dabei scheidet sich in allen Fällen etwas Blei(IV)-oxid aus und je nach dem verwendeten Phenol eine mehr oder weniger große Menge harziger Produkte. Diese werden zusammen mit dem Blei(IV)-oxid abfiltriert und mit Äther im Soxhlet-Apparat extrahiert. Ebenso wird die wäßrige Lösung mit Äther im Schacherl-Apparat extrahiert. Nach Neutralisieren der vereinigten Äther-Auszüge mit Natriumhydrogencarbonat und Trocknen wird der Äther bei Normaldruck abdestilliert.

Die **Aufarbeitung** hängt stark von den Eigenschaften der Acetoxy-Derivate ab; z. B. kristallisiert *6-Acetoxy-5-oxo-6-phenyl-cyclohexadien* schon aus einer einigermaßen konz. Äther-Lösung aus[4]. Es wird abfiltriert und von der noch anhaftenden Mutterlauge durch Nachwaschen mit etwas kaltem Äther befreit. Zur Entfernung der noch anhaftenden dunkel gefärbten Harze wird das rohe Produkt 1mal aus

---

[1] F. Takacs, M. **95**, 961 (1964).

[2] F. Wessely u. F. Sinwel, M. **81**, 1055 (1950).

[3] Diese hängt ab von der Zahl und der Position der Substituenten. F. Wessely, G. Lauterbach-Keil u. F. Sinwel, [M. **81**, 811 (1950)], teilen die verschiedenen Phenole nach ihrem Maximalverbrauch an Blei(IV)-acetat, ausgedrückt in Moläquivalent aktivem Acetoxyl, in die folgenden Untergruppen ein:

2,4,6-	substituierte Phenole: 2	Mol CH₃COO
2,4- (bzw. 2,6)-	substituierte Phenole: 2,5	Mol CH₃COO
2- (bzw. 6)-	substituierte Phenole: 3	Mol CH₃COO
4-	substituierte Phenole: 4	Mol CH₃COO
2,4,6-	unsubstituierte Phenole: 4–5	Mol CH₃COO

[4] F. Wessely, L. Holzer u. H. Vilcsek, M. **83**, 1253 (1952).

wäßr. Äthanol umkristallisiert, dann in reinem Äthanol gelöst und mit etwas Tierkohle aufgekocht und heiß filtriert. 2-Acetoxy-1-oxo-2-phenyl-cyclohexadien fällt durch Verdünnen mit ~ der 2fachen Menge Wasser aus und wird sofort filtriert; F: 128–130°.

Andere Acetoxy-Derivate, die im Extraktionsmittel gut löslich sind und deshalb nicht beim Einengen der Lösung ausfallen, können in den meisten Fällen aus dem Rückstand durch Destillation i. Hochvak. unzersetzt von den harzigen Nebenprodukten abdestilliert und durch Umkristallisieren aus einem geeigneten Lösungsmittel gereinigt werden.

Die zeitraubende Extraktion der wäßrigen Lösung wird durch Arbeiten im Schacherl-Apparat und des abfiltrierten Blei(IV)-oxid im Soxhlet-Apparat umgangen, wenn man das Reaktionsgemisch nur 2 Stdn. bei Raumtemp. stehen läßt, den Eisessig i. Vak. abzieht, den Rückstand mit Wasser versetzt und 5–6mal mit Äther gut ausschüttelt. Die Äther-Lösung, die unter Umständen noch etwas Blei(IV)-oxid enthält, wird mit Natriumhydrogencarbonat neutralisiert, getrocknet und durch ein Faltenfilter filtriert. Beim anschließenden Abdampfen des Äthers soll der Äther nicht vollständig entfernt werden, da sich sonst schwerlösliche Harze bilden[1].

mit Mennige in Eisessig (Methode B)[2]: 0,1 Mol des Phenols werden in 250 ml Eisessig in einem offenen Rundkolben auf einem Bad auf 60° erwärmt und unter starkem Rühren Mennige portionsweise zugesetzt [insgesamt 10% mehr als maximal benötigt, wobei 1 Mol Mennige einem Mol Blei(IV)-acetat entspricht]. Vor Zugabe einer weiteren Portion Mennige wird das Verschwinden der roten Farbe abgewartet. Nach dem völligen Verbrauch der Mennige wird die Temp. noch 30 Min. auf 60° gehalten, danach erkalten lassen und der Eisessig auf 1/10 des ursprünglichen Volumens i. Vak. abgedampft. Die weitere Aufarbeitung erfolgt wie unter Methode A beschrieben.

Sowohl Methode A als auch B sind ungeeignet, größere Mengen an Phenol zu oxidieren, da hierbei mit zu großen Mengen Lösungsmittel gearbeitet werden muß. Es empfiehlt sich stattdessen, mit einer Aufschlämmung von Blei(IV)-acetat in Eisessig zu oxidieren[3].

mit Blei(IV)-acetat in Eisessig nach der Pastenmethode (Methode C)[1]: Blei(IV)-acetat wird mit wenig Eisessig in einem großen Schliffpulverglas zu einer dicken aber gut rührbaren Paste verarbeitet [bis zu ungefähr 100 g Blei(IV)-acetat auf 20 ml Eisessig]. Das Reaktionsgefäß befindet sich in einem Kältebad und wird mit einem Rührer, einem Tropftrichter und einem in die Paste eintauchenden Thermometer versehen. Das in wenig Eisessig gelöste Phenol wird langsam auf die gerührte Paste aufgetropft und die Temp. unter 50° gehalten. Am Ende der Reaktion überzeugt man sich (feuchtes Kaliumjodid-Stärke-Papier), daß das Oxidationsmittel im Überschuß vorhanden ist. Anschließend wird das Reaktionsprodukt reichlich mit Äther überschichtet, gut geschüttelt und das dabei ausgeschiedene Blei(II)-Salz nochmals mit Äther behandelt. Der Abdampfrückstand der vereinigten Äther-Lösungen wird nach dem Waschen mit wenig Wasser zunächst im Wasserstrahlvak. vom Eisessig befreit und schließlich i. Hochvak. destilliert.

Selbstverständlich ist es nicht unbedingt nötig, das Oxidationsmittel in dieser extremen Pastenkonsistenz vorzulegen. Man kann das Verhältnis von Blei(IV)-acetat zu Eisessig beliebig variieren[4].

Außer Eisessig können andere Lösungsmittel wie Benzol[5] und Chloroform[6] verwendet werden. Man erhält dabei sogar häufig höhere Ausbeuten an Acetoxy-Derivat[6]. Bei der Oxidation von wenig substituierten Phenolen sollte man die Verwendung von apolaren Lösungsmitteln möglichst vermeiden, nachdem die Abhängigkeit vom Substitutionsgrad und dem Verhältnis des Oxidationsmittels zum Phenol die Oxidation in diesen Lösungsmitteln mehr oder weniger – nach einem radikalischen Reaktionsmechanismus – zu Dimerisierungsprodukten führt.

Bei der Oxidation von Phenolen, die aufgrund der Stellung ihrer Substituenten 6,6-Diacetoxy-5-oxo-cyclohexadiene als Reaktionsprodukte erwarten lassen, arbeitet man am besten in einem Lösungsmittelgemisch (5 Teile Essigsäure-äthylester und 1 Teil Methanol)[7].

[1] F. Wessely, L. Holzer u. H. Vilcsek, M. 83, 1253 (1952).
[2] F. Wessely u. F. Sinwel, M. 81, 1055 (1950).
[3] W. Metlesics, E. Schinzel, H. Vilcsek u. F. Wessely, M. 88, 1069 (1957).
[4] F. Wessely, E. Zbiral u. H. Sturm, B. 93, 2840 (1960).
[5] G. W. K. Cavill, E. R. Cole, P. T. Gilham u. D. J. McHugh, Soc. 1954, 2785.
[6] F. Wessely u. E. Schinzel, M. 84, 425 (1953).
[7] F. Takacs, M. 95, 961 (1964).

Bei der Oxidation in Eisessig wird im allgemeinen bei der Aufarbeitung das Lösungsmittel abdestilliert und der Rückstand mit Äther, der die 6,6-Diacetoxy-1-oxo-cyclohexadiene nur schlecht löst, extrahiert. Oxidiert man dagegen sofort in einem Gemisch von Essigsäure-äthylester/Methanol der oben angegebenen Zusammensetzung, dann ist wohl das Blei(IV)-acetat, nicht aber das entstehende Blei(II)-acetat darin löslich. Es wird also aus dem Gleichgewicht entfernt und kann leicht durch Filtration abgetrennt werden. 2- (bzw. 4)-Acetoxy-1-oxo- und 6,6-Diacetyl-5-oxo-cyclohexadiene sind beide in dem Lösungsmittelgemisch leicht löslich. Unerwünschte Nebenprodukte können durch Waschen mit einer gesättigten Natriumhydrogencarbonat-Lösung entfernt werden. Nach dem Trocknen werden 2- (bzw. 4-)-Acetoxy-1-oxo- und 6,6-Diacetyl-5-oxo-cyclohexadiene von den Harzen durch Destillation i. Vak. abgetrennt.

Arylsubstituierte Phenole werden ebenfalls zu den entsprechenden Acetoxy-Derivaten oxidiert[1, 2]. Die Ausbeuten sind gleich hoch, allerdings scheint die Reihenfolge der Bildungstendenzen der Cyclohexadienone in bezug auf das 6,6-Diacetoxy-5-oxo- und das 6-Acetoxy-3-oxo-cyclohexadien umgekehrt zu sein. Während 4-Hydroxy-1-methyl-benzol überwiegend zum *6,6-Diacetoxy-5-oxo-2-methyl-cyclohexadien* oxidiert wird (vgl. Tab. 15, S. 247), isoliert man bei der Oxidation von 4-Hydroxy-biphenyl in Eisessig nur *3-Acetoxy-6-oxo-3-phenyl-cyclohexadien*[1]. 4-Hydroxy-3,5-dimethyl-biphenyl dagegen reagiert „normal" und gibt *5-Acetoxy-6-oxo-1,5-dimethyl-3-phenyl-cyclohexadien*[3]. Brom-[4,5], Formyl-[6,7], Acetyl[6,7], Alkoxycarbonyl[6–8]- und Cyan-substituierte Phenole reagieren in diesem Sinne ebenfalls „normal".

Eine Ausnahme bilden in ortho- oder para-Stellung substituierte Methoxy-phenole, die bevorzugt entweder unter Einführung von Sauerstoff zu Methoxy-benzochinon oxidiert[9] oder unter Eliminierung der 4-Methoxy-Gruppe in die entsprechenden p-Benzochinone umgewandelt werden[10] (s. S. 312).

Einige in 5-Stellung am aromatischen Kern substituierte Phenole wie 3-Hydroxy-4-methyl-benzoesäure-nitril[7], -benzoesäure-äthylester[6] und 4-Brom-2-hydroxy-1-methyl-benzol[4] lassen sich nicht nach den Methoden A–C in die entsprechenden Chinolacetate überführen. Das gleiche gilt für Nitro-Gruppen enthaltende Phenole, die in Eisessig bei Zimmertemperatur kein Blei(IV)-acetat verbrauchen[5,11]. Dieses Verhalten gilt allgemein für Phenole mit Substituenten mit –I- und –M-Effekten in bestimmten Stellungen am Kern. In einigen Fällen gelingt es durch Erhöhen der Reaktionstemperatur die gewünschte Reaktion in Gang zu bringen, aber in einigen hartnäckigen Fällen versagt auch diese Möglichkeit[7], da das Oxidationspotential des Blei(IV)-acetats nicht ausreicht. Man kann jedoch durch Zusatz von Bortrifluorid-Diäthylätherat das Oxidationspotential erhöhen[12], so daß nicht nur Phenole, die sich bei Verwendung von Blei(IV)-acetat allein der Oxidation zu den Chinolen oder Chinonen widersetzen[4,5], oxidiert werden, sondern auch Ausbeuteerhöhungen bei der Umsetzung von Phenolen, die normalerweise nur geringe Mengen an Cyclohexadienonen liefern[13], erreicht werden können. Hierzu gehört 4-Hydroxy-phenylessigsäure, die in Essigsäure ohne

[1] F. WESSELY, L. HOLZER u. H. VILCSEK, M. 83, 1253 (1952).
[2] M. METLESICS, E. SCHINZEL, H. VILCSEK u. F. WESSELY, M. 88, 1069 (1957).
[3] E. ZBIRAL, O. SAIKO u. F. WESSELY, M. 95, 512 (1964).
[4] F. WESSELY, E. ZBIRAL u. J. JÖRG, M. 94, 227 (1963).
[5] F. TAKACS, M. 95, 961 (1964).
[6] F. WESSELY, E. ZBIRAL u. H. STURM, B. 93, 2840 (1960).
[7] E. ZBIRAL, F. WESSELY u. H. STURM, M. 93, 15 (1962).
[8] J. LEITICH u. F. WESSELY, M. 95, 129 (1964).
[9] F. WESSELY u. J. KOTLAN, M. 84, 291 (1953).
   F. R. HEWGILL, B. R. KENNEDY u. D. KILPIN, Soc. 1965, 2904.
   H. SCHMID u. M. BURGER, Helv. 35, 928 (1952).
[10] F. R. HEWGILL u. S. L. LEE, Soc. [C] 1968, 1556.
[11] F. WESSELY, G. LAUTERBACH-KEIL u. F. SINWEL, M. 81, 811 (1950).
[12] E. HECKER u. R. LATTRELL, Ang. Chem. 74, 652 (1962).
[13] E. HECKER u. R. LATTRELL, A. 662, 48 (1963).

Katalysator 4%, in Gegenwart von Bortrifluorid-Diäthylätherat 12% *3-Acetoxy-6-oxo-3-carboxymethyl-cyclohexadien* liefert; ähnlich verhalten sich ihre Ester.

Das optimale Verhältnis von Bortrifluorid-Diäthylätherat zu Phenol ist ungefähr 1,5 : 1 (Mole/Mol). Bei einem höheren Verhältnis sinkt die Ausbeute wieder[1], wahrscheinlich aufgrund von Verlusten an Acetoxy-Derivat durch säurekatalysierte Dienon-Phenol-Umlagerung. Höhere Ausbeuten an Chinol erhält man auch beim Arbeiten in Methanol, so wird 5-Hydroxy-indan in Methanol zu doppelt soviel *6-Acetoxy-3-oxo-bicyclo[4.3.0]nonadien-(1,4)* (43% d.Th.) oxidiert wie in Eisessig (23% d.Th.)[1].

Acetoxy-oxo-cyclohexadiene durch Oxidation von Phenolen mit Blei(IV)-acetat in Gegenwart von Bortrifluorid-Dimethylätherat; Methode D[2]: Eine Suspension von Blei(IV)-acetat in absol. Methanol, der man Bortrifluorid-Dimethylätherat zugesetzt hat, wird auf 0° abgekühlt und unter Rühren innerhalb 40 Min. mit einer absol. methanolischen Lösung des Phenols versetzt (Molverhältnis Bortrifluorid/Phenol 1,5). Nach 1-stdgm. Stehen bei Zimmertemp. wird das Lösungsmittel i. Vak. entfernt, der Rückstand mit Äther aufgenommen und die ätherische Phase mit ges. Natriumhydrogencarbonat-Lösung gesättigt. Nach dem Waschen mit Wasser wird über Natriumsulfat getrocknet und der Äther i. Vak. abgezogen.

Nach dieser Methode erhält man aus 1 g 4-Brom-2-hydroxy-1-methyl-benzol [in 5 *ml* absol. Methanol, oxidiert mit 5 g Blei(IV)-acetat in 20 *ml* absol. Methanol unter Zusatz von 1 *ml* 60%igem Bortrifluorid-Dimethyläther] 0,33 g (25% d.Th.) *2-Brom-5-acetoxy-6-oxo-5-methyl-cyclohexadien-(1,3)*[2].

Während einige Autoren[2,3] bei der Verwendung von Methanol Acetoxy-Derivate isolieren, erhalten andere[4] die dem alkoholischen Lösungsmittel entsprechenden Äther.

Eine Beteiligung des Lösungsmittels an der Reaktion wird häufiger beobachtet. Bei der Oxidation von 2-Hydroxy-1,3,5-trimethyl-benzol in Propionsäure mit Blei(IV)-acetat[5], isoliert man *5-Propanoyloxy-6-oxo-1,3,5-trimethyl-cyclohexadien-(1,3)* (27% d.Th.; F:49–50°); wird mit Blei(IV)-propionat in Eisessig gearbeitet, so erhält man analog *5-Acetoxy-6-oxo-1,3,5-trimethyl-cyclohexadien-(1,3)* (22,5% d.Th.; F: 83°).

Tab. 15. Acetoxy- und Diacetoxy-oxo-cyclohexadiene durch Oxidation von Phenolen

Phenol	Lösungs- mittel[a]	Methode[a] (vgl. S. 243 ff.)	Oxo-cyclohexadien	Ausbeute [% d.Th.]	F [° C]	Literatur
Phenol-1-[14]C	E	A	*6,6-Diacetoxy-5-oxo-cyclohexadien-(1,3)-5-[14]C*	3,5		6
o-Kresol	E	A, B	*5-Acetoxy-6-oxo-5-methyl-cyclohexadien-(1,3)*	22	67–68,5	7
			2-Methyl-p-benzochinon	4		
	E	C	*5-Acetoxy-5-methyl-cyclohexadien-(1,3)*	30[b]		8
			5,5-Diacetoxy-6-oxo-1-methyl-cyclohexadien-(1,3)	2	145–147	

[a] B = Benzol; C = Chloroform; E = Eisessig; EA = Essigsäure-äthylester; M = Methanol.
[b] außerdem wenig Dimeres.

[1] E. Hecker u. R. Lattrell, A. 662, 48 (1963).
[2] F. Wessely, E. Zbiral u. J. Jörg, M. 94, 227 (1963).
[3] F. Takacs, M. 95, 961 (1965).
[4] E. Hecker u. R. Lattrell, Ang. Chem. 74, 652 (1962); A. 662, 48 (1963).
  V. P. Vitullo u. E. Logue, J. Org. Chem. 37, 3339 (1972).
  M. J. Harrison u. R. O. C. Norman, Soc. [C] 1970, 728.
[5] G. W. K. Cavill, E. R. Cole, P. T. Gilham u. D. J. McHugh, Soc. 1954, 2785.
[6] G. Billek, J. Swoboda u. F. Wessely, Tetrahedron 18, 909 (1962).
[7] F. Wessely u. F. Sinwel, M. 81, 1055 (1950).
[8] W. Metlesics, E. Schinzel, H. Vilcsek u. F. Wessely, M. 88, 1069 (1957).

Tab. 15 (1. Fortsetzung)

Phenol	Lösungs-mittel[a]	Methode (vgl. S. 243 ff.)	Oxo-cyclohexadien	Ausbeute [% d.Th.]	F [° C]	Literatur
p-Kresol	E	A	3-Acetoxy-6-oxo-3-methyl-cyclohexadien-(1,4)	14–25	42	[1, 2]
			6,6-Diacetoxy-5-oxo-2-methyl-cyclohexadien-(1,4)	57,5	137–140	[3]
	B	A	2,2'-Dihydroxy-5,5'-dimethyl-biphenyl	0,7	153–154	[4, 5]
	E	D	3-Acetoxy-6-oxo-3-methyl-cyclohexadien-(1,4)	29		[6]
	M	D	3-Methoxy-6-oxo-3-methyl-cyclohexadien-(1,4)	36	62–63	[6, 7]
3-Hydroxy-1,2-dimethyl-benzol	E	A	6-Acetoxy-5-oxo-1,6-dimethyl-cyclohexa-dien-(1,4)	8–12[b]		[6, 8]
4-Hydroxy-1,3-dimethyl-benzol	E	A	6-Acetoxy-5-oxo-2,6-dimethyl-cyclohexa-dien-(1,3)	34	70–71,5	[1]
2-Hydroxy-1,3-dimethyl-benzol	C	C	5-Acetoxy-6-oxo-1,5-dimethyl-cyclo-hexadien-(1,3)	60	36	[9]
3-Hydroxy-1,2,5-trimethyl-benzol	C	C	6-Acetoxy-5-oxo-1,3,6-trimethyl-cyclo-hexadien-(1,3)	35–45	74	[9,10]
2-Hydroxy-1,3,5-trimethyl-benzol	E	A	5-Acetoxy-6-oxo-1,3,5-trimethyl-cyclohexa-dien-(1,3)	50–55	82–84	[1,5]
	E	A	3-Acetoxy-6-oxo-1,3,5-trimethyl-cyclohexa-dien-(1,4)	40	56–57	[2]
	B	A }	5-Acetoxy-6-oxo-1,3,5-trimethyl-cyclohexa-dien-(1,3)	50–65	84–85	[5,11]
	C	A }		50–91	84–85	[5,12]

[a] B = Benzol; C = Chloroform; E = Eisessig; EA = Essigsäure-äthylester; M = Methanol.
[b] nachgewiesen als 2,4-Dinitro-phenylhydrazon/Schwefelsäure.

[1] F. WESSELY u. F. SINWEL, M. 81, 1055 (1950).
[2] F. WESSELY, L. HOLZER u. H. VILCSEK, M. 83, 1253 (1952).
[3] S. GOODWIN u. B. WITTKOP, Am. Soc. 79, 179 (1957).
[4] H. E. BARRON, G. W. K. CAVILL, E. R. COLE, P. T. GILHAM u. D. H. SOLOMON, Chem. & Ind. 1954, 76.
[5] G. W. K. CAVILL, E. R. COLE, P. T. GILHAM u. D. J. McHUGH, Soc. 1954, 2785.
[6] E. HECKER u. R. LATTRELL, A. 662, 48 (1963).
[7] E. HECKER u. R. LATTRELL, Ang. Ch. 74, 652 (1962).
[8] F. WESSELY u. W. METLESICS, M. 85, 637 (1954)
[9] H. BUDZIKIEWICZ, G. SCHMIDT, P. STOCKHAMMER u. F. WESSELY, M. 90, 609 (1959).
[10] J. LEITICH u. F. WESSELY, M. 95, 116 (1964).
[11] G. N. BOGDANOV u. V. V. ERSHOV, Izv. Akad. SSSR, 1962, 2145; engl.: 2052; C. A. 59, 499 (1963).
[12] F. WESSELY u. E. SCHINZEL, M. 84, 425 (1953).

Tab. 15 (2. Fortsetzung)

Phenol	Lösungs-mittel[a]	Methode (vgl. S. 243ff.)	Oxo-cyclohexadien	Ausbeute [% d.Th.]	F [° C]	Literatur
Hydroxy-penta-methyl-benzol	E	C	5-Acetoxy-6-oxo-penta-methyl-cyclohexa-dien-(1,3)	62	53	1
			+ 3-Acetoxy-6-oxo-pentamethyl-cyclo-hexadien-(1,4)	27	eutektisch	1
2-Hydroxy-1-äthyl-benzol	E	C	5-Acetoxy-6-oxo-5-äthyl-cyclohexadien-(1,3)	36	(Kp$_{c,01}$: 75–85°)	2
2-Hydroxy-1-cyclopropyl-benzol	C	A	5-Acetoxy-6-oxo-5-cyclopropyl-cyclo-hexadien-(1,3)	50		3
2-Hydroxy-4-methyl-1-äthyl-benzol	EA/M	D	5-Acetoxy-6-oxo-2-methyl-5-äthyl-cyclo-hexadien-(1,3)	65	(Kp$_{0,001}$: 60–65°)	4
4-Hydroxy-3,5-dimethyl-1-propyl-benzol	C	A	5-Acetoxy-6-oxo-1,5-dimethyl-3-propyl-cyclohexadien-(1,3)	100	(Kp$_{0,005}$: 86–90°; n$_D^{23}$: 1,4969)	5
2-Hydroxy-5-methyl-1,3-di-isopropyl-benzol	B	A	5-Acetoxy-6-oxo-3-methyl-1,5-diiso-propyl-cyclohexadien-(1,3)	96	43–44	6
2-Hydroxy-1,3-diallyl-benzol	C	C	5-Acetoxy-6-oxo-1,5-diallyl-cyclohexadien-(1,3)	35,6		7
2-Hydroxy-3,5-dimethyl-1-tert.-butyl-benzol	E	A	5-Acetoxy-6-oxo-3,5-dimethyl-1-tert.-butyl-cyclohexadien-(1,3)	70	40–42	4
2-Hydroxy-5-methyl-1,3-di-tert.-butyl-benzol	B[b]	A	5-Acetoxy-6-oxo-3-methyl-1,5-di-tert.-butyl-cyclohexadien-(1,3)	24–40	41–43,5	6,8
			6-Acetoxy-3-oxo-6-methyl-2,4-di-tert.-butyl-cyclohexadien-(1,4)	45–53	75–76	
2-Hydroxy-1,3,5-tri-tert.-butyl-benzol	E	A	5-Acetoxy-6-oxo-1,3,5-tri-tert.-butyl-cyclo-hexadien-(1,3)	60	100	4,9

[a] B = Benzol; C = Chloroform; E = Eisessig; EA – Essigsäure-äthylester; M = Methanol.
[b] unter Sauerstoffausschluß.

[1] J. Leitich u. F. Wessely, M. **95**, 129, vgl. a. 116 (1964).
[2] F. Wessely, E. Schinzel, G. Spiteller u. P. Klezl, M. **90**, 96 (1959).
[3] J. R. van der Vecht, H. Steinberg u. T. J. de Boer, Tetrahedron Letters **1970**, 2157.
[4] F. Takacs, M. **95**, 961 (1964).
[5] E. Zbiral, O. Saiko u. F. Wessely, M. **95**, 512 (1964).
[6] G. N. Bogdanov u. V. V. Ershov, Izv. Akad. SSSR **1962**, 2145; engl.: 2052; C. A. **59**, 499 (1963).
[7] E. Zbiral, F. Wessely u. J. Jörg, M. **92**, 654 (1961).
[8] T. Matsuura u. K. Ogura, Tetrahedron **24**, 6157 (1968).
[9] R. A. Bowie u. G. R. Bedford, Tetrahedron Letters **1968**, 5471.

Tab. 15 (3. Fortsetzung)

Phenol	Lösungs-mittel[a]	Methode (vgl. S. 243 ff.)	Oxo-cyclohexadien	Ausbeute [% d.Th.]	F [° C]	Literatur
2-Hydroxy-1,3,5-tri-tert.-butyl-benzol	B[b]	A	5-Acetoxy-6-oxo-1,3,5-tri-tert.-butyl-cyclo-hexadien-(1,3)	57–60	98–99	[1–3]
			+ 3-Acetoxy-6-oxo-1,3,-5-tri-tert.-butyl-cyclo-hexadien-(1,4)	26–30	76–77,5	
4-Hydroxy-1-[2-methyl-butyl-(2)]-benzol	E	A	6,6-Diacetoxy-5-oxo-2-[2-methyl-butyl-(2)]-cyclohexadien-(1,3)	34	96–98	[4]
2-Hydroxy-5-methyl-3-tert.-butyl-1-cyclo-hexyl-benzol	B	A	5-Acetoxy-6-oxo-3-methyl-1-tert.-butyl-5-cyclohexyl-cyclo-hexadien-(1,3)	92	103–104	[2]
2-Hydroxy-5-methyl-1,3-di-cyclohexyl-benzol	B	A	5-Acetoxy-6-oxo-3-methyl-1,5-dicyclo-hexyl-cyclohexadien-(1,3)	91	86	[2]
4-Hydroxy-3,5-dimethyl-1-phenyl-benzol	C	A	5-Acetoxy-6-oxo-1,5-dimethyl-3-phenyl-cyclohexadien-(1,3)	98	(Kp$_{0,01}$: 110–117°)	[5]
4-Hydroxy-3,5-dimethyl-1-(2-phenyl-äthyl)-benzol	C	A	5-Acetoxy-6-oxo-1,5-dimethyl-3-(2-phenyl-äthyl)-cyclohexadien-(1,3)	82	(Kp$_{0,006}$: 110–115°)	[5]
5-Brom-6-hydroxy-1,3-dimethyl-benzol	E	C	1-Brom-5-acetoxy-6-oxo-3,5-dimethyl-cyclohexadien-(1,3)	62,5	(Kp$_{0,001}$: 80–85°)	[6]
4-Nitro-2-hydroxy-1,3,5-trimethyl-benzol	EA/M	D	2-Nitro-5-acetoxy-6-oxo-1,3,5-trimethyl-cyclohexadien-(1,3)	70	(Kp$_{0,001}$: 65–75°)	[7]
			bzw. 2-Nitro-3-acetoxy-6-oxo-1,3,5-trimethyl-cyclohexadien-(1,4)			
2-Hydroxy-4-methoxy-1-methyl-benzol	EA/M	D	2-Methoxy-5-acetoxy-6-oxo-5-methyl-cyclo-hexadien-(1,3)	46	(Kp$_{0,005}$: 90–100°)	[8]

[a] B = Benzol; C = Chloroform; E = Eisessig; EA = Essigsäure-äthylester; M = Methanol.
[b] unter Sauerstoffausschluß.

[1] T. Matsuura u. K. Ogura, Tetrahedron 24, 6157 (1968).
[2] G. N. Bogdanov u. V. V. Ershov, Izv. Akad. SSSR, 1962, 2145; engl.: 2052; C. A. 59, 499 (1963).
[3] M. J. Harrison u. R. O. C. Norman, Soc. [C] 1970, 728.
[4] F. Wessely, J. Kotlan u. F. Sinwel, M. 83, 902 (1952).
[5] E. Zbiral, O. Saiko u. F. Wessely, M. 95, 512 (1964).
[6] F. Wessely, E. Zbiral u. J. Jörg, M. 94, 227 (1963).
[7] F. Takacs, M. 95, 961 (1964).
[8] F. Wessely, J. Swoboda u. V. Guth, M. 95, 649 (1964).

Tab. 15 (4. Fortsetzung)

Phenol	Lösungs-mittel[a]	Methode (vgl. S. 243 ff.)	Oxo-cyclohexadien	Ausbeute [% d. Th.]	F [° C]	Literatur
5-Hydroxy-2-methoxy-1-tert.-butyl-benzol	B	A	*3-Methoxy-5,5-diacet-oxy-6-oxo-2-tert.-butyl-cyclohexadien-(1,3)*	39	114–116 (Zers.)	1
6-Hydroxy-4-methylmercap-to-1,3-di-methyl-benzol	E	C	*5-Acetoxy-2-methyl-mercapto-6-oxo-3,5-dimethyl-cyclohexa-dien-(1,3)*	55	116–117	2
2-Hydroxy-3,5-dimethyl-benzaldehyd	C	C	*5-Acetoxy-6-oxo-3,5-dimethyl-1-formyl-cyclohexadien-(1,3)*	51–60	109–112	3,4
2-Hydroxy-3,5-dimethyl-1-acetyl-benzol	C	C	*5-Acetoxy-6-oxo-3,5-dimethyl-1-acetyl-cyclohexadien-(1,3)*	65	78–80	4
4-Hydroxy-3-methoxy-1-acetyl-benzol	E	A	*6-Acetoxy-6-methoxy-5-oxo-2-acetyl-cyclo-hexadien-(1,3)*	60		5
2-Hydroxy-6-me-thoxy-3,4-dimethyl-benzoesäure-äthylester	M		*2-Methoxy-5-acetoxy-6-oxo-4,5-dimethyl-1-methoxycarbonyl-cyclohexadien-(1,3)*	40	180–186	6
6-Hydroxy-2,5-dimethyl-benzoesäure-methylester	E	C	*5-Acetoxy-6-oxo-2,5-dimethyl-1-methoxy-carbonyl-cyclohexa-dien-(1,3)*	81	Oel	7
2-Hydroxy-3-methyl-benzoesäure-äthylester	E	C	*5-Acetoxy-6-oxo-5-methyl-1-äthoxy-carbonyl-cyclohexa-dien-(1,3)*	45		3
2-Hydroxy-3,5-dimethyl-benzoesäure-äthylester	E	C	*5-Acetoxy-6-oxo-3,5-dimethyl-1-äthoxy-carbonyl-cyclohexa-dien-(1,3)*	50	113–117	4
Pentamethyl-phenol	C	C	*5-Acetoxy-6-oxo-1,2,3,4,5-pentamethyl-cyc-lohexadien-(1,3)*	68	84–86	8
5-Hydroxy-indan	M	D	*6-Methoxy-3-oxo-bi-cyclo[4.3.0]nonadien-(1,4)*	43		9

[a] B = Benzol; C = Chloroform; E = Eisessig; EA = Essigsäure-äthylester; M = Methanol.

---

1 F. R. HEWGILL, B. R. KENNEDEY u. D. KILPIN, Soc. **1965**, 2904.
2 F. TAKACS, M. **95**, 961 (1964).
3 F. WESSELY, E. ZBIRAL u. H. STURM, B. **93**, 2840 (1960).
4 E. ZBIRAL, F. WESSELY u. H. STURM, M. **93**, 15 (1962).
5 M. GROSSA u. F. WESSELY, M. **97**, 1384 (1966).
6 D. H. R. BARTON et al., Soc. [C] **1971**, 2204.
7 J. LEITICH u. F. WESSELY, M. **95**, 129 (1964).
8 M. R. MORRIS u. A. J. WARING, Soc. [C] **1971**, 3269.
9 E. HECKER u. R. LATTRELL, A. **662**, 48 (1963).

Tab. 15 (5. Fortsetzung)

Phenol	Lösungs-mittel[a]	Methode (vgl. S. 243ff.)	Oxo-cyclohexadien	Ausbeute [% d.Th.]	F [° C]	Literatur
6-Hydroxy-tetralin	E	A	*1-Acetoxy-4-oxo-bi-cyclo[4.4.0]decadien-(2,5)*	18–36,5	78–79	[1,2]
	M	D	*1-Methoxy-4-oxo-bi-cyclo[4.4.0]decadien-(2,5)*	42	42–43	[3,4]
4-Hydroxy-1-methyl-naphthalin	C/E	C	*2,2-Diacetoxy-1-oxo-4-methyl-1,2-dihydro-naphthalin*	55	175–177	[5]
7-Hydroxy-6-methoxy-2-methyl-1,2,3,4-tetrahydro-isochinolin	E	C	*6-Methoxy-4a-acetoxy-7-oxo-2-methyl-1,2,3,4,4a,7-hexa-hydro-isochinolin*			[6]
7-Hydroxy-6-methoxy-2-methyl-1-ben-zyl-1,2,3,4-tetrahydro-isochinolin			*6-Methoxy-10-acetoxy-7-oxo-2-methyl-1-benzyl-1,2,3,4,7,10-hexahydro-isochinolin*	14	149–151	[7]
3,17β-Di-hydroxy-östran	E	A	*10β,17β-Diacetoxy-3-oxo-10β-desmethyl-androstadien-(2,5)*	10	197–199	[8]
3-Hydroxy-17β-acetoxy-östran	E	A	*10β,17β-Diacetoxy-3-oxo-10β-desmethyl-androstadien-(2,5)*	19	218–221	[1,9]
	E	D	*10β,17β-Diacetoxy-3-oxo-10β-desmethyl-androstadien-(2,5)*	21	218–221	[3]
	M	D	*10β-Methoxy-17β-acetoxy-3-oxo-10β-desmethyl-andro-stadien-(2,5)*	29	152–154	[3,4]
Oestron (17-Oxo-östran)	E	A	*10β-Acetoxy-3,17-di-oxo-10β-desmethyl-androstadien-(2,5)*	21	237–238	[8,10,11]
3-Hydroxy-17-oxo-18-me-thyl-östra-trien-(1,3,5¹⁰)	E	A	*10β-Acetoxy-3,17-di-oxo-18-methyl-östra-dien-(1,4)*	16	230–231	[12]

[a] B = Benzol; C = Chloroform; E = Eisessig; EA = Essigsäure-äthylester; M = Methanol.

[1] E. HECKER, B. 92, 1386 (1959).
[2] S. GOODWIN u. B. WITKOP, Am. Soc. 79, 179 (1957).
[3] E. HECKER u. R. LATTRELL, A. 662, 48 (1963).
[4] E. HECKER u. R. LATTRELL, Ang. Ch. 74, 652 (1962).
[5] A. EBNÖTHER, T. M. MEIJER u. H. SCHMID, Helv. 35, 910 (1952).
[6] B. UMEZAWA, O. HOSHINO u. Y. YAMANASHI, Tetrahedron Letters 1969, 933.
[7] B. UMEZAWA, T. INONE et al., Chem. Pharm. Bull. (Tokyo) 19, 2138 (1971), C. A. 76, 34077 (1972).
  O. HOSHINO, T. TOSHIOKA u. B. UMEZAWA, Chem. Pharm. Bull. (Tokyo) 22, 1302 (1974).
[8] A. M. GOLD u. E. SCHWENK, Am. Soc. 80, 5683 (1958).
[9] E. HECKER, Ang. Ch. 71, 379 (1959).
[10] E. HECKER, Naturwiss. 46, 514 (1959).
[11] E. HECKER u. E. WALK, B. 93, 2928 (1960).
[12] C. RUFER, E. SCHROEDER u. U. GIBIAN, A. 752, 1 (1971).

3. Oxidation von Hydrazonen[1]

α) Acetoxyaryl- bzw. Acetoxyalkyl-azoalkane durch Oxidation von Keton-hydrazonen

Monosubstituierte Keton-hydrazone werden bei der Oxidation mit Blei(IV)-acetat am Imin-Kohlenstoff acetoxyliert. Gleichzeitig wird der Wasserstoff des Amin-Stickstoffs abstrahiert[2]:

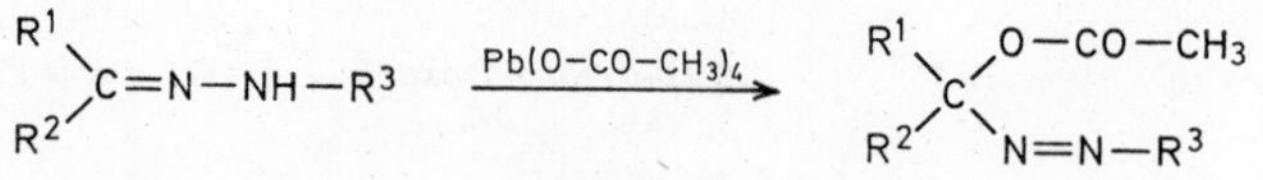

Reaktionsprodukte sind Acetoxyaryl- bzw. Acetoxyalkyl-azoalkane.

Azo-acetate werden auch bei der Oxidation der N,N-disubstituierten Ketonhydrazone erhalten[3], allerdings nach einem etwas komplizierteren Mechanismus. Zunächst wird unter Verbrauch von einem Mol Blei(IV)-acetat die C–N-Bindung gespalten. Dabei wird der Kohlenwasserstoffrest zum Aldehyd oder Keton oxidiert und das N,N-disubstituierte Ketonhydrazon zum N-monosubstituierten Hydrazon dealkyliert. Dieses reagiert dann wie oben angegeben mit einem zweiten Mol Blei(IV)-acetat zur Acetoxy-azo-Verbindung:

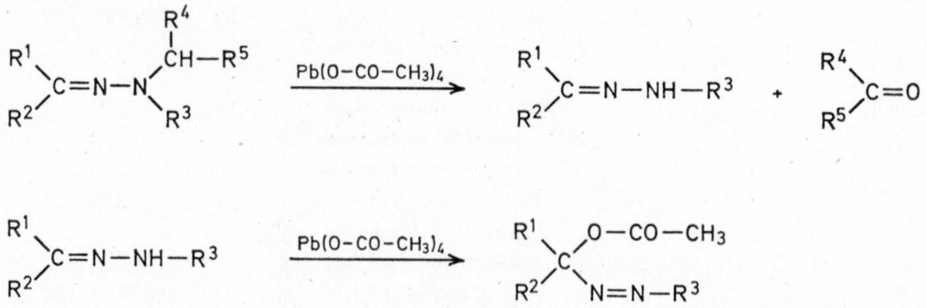

Die Voraussetzung für diesen Reaktionsablauf ist, daß wenigstens einer der beiden Substituenten am Stickstoff eine prim. oder sek. Alkyl-Gruppe ist. Verbindungen mit ausschließlich N–C$_{aryl}$- oder N–C$_{tert}$-Bindungen werden nicht gespalten[3].

Die Bildungsgeschwindigkeit der Acetoxy-azo-Verbindungen aus den Hydrazonen ist selbst bei tiefen Temperaturen – günstige Reaktionstemperatur zwischen 0 und 10° – sehr hoch. Nach dem Blei(IV)-acetat-Verbrauch sind z. B. Aceton-phenylhydrazon oder Aceton-4-nitro-phenylhydrazon schon nach 30 Sek. zu 90 bzw. 95% umgesetzt[2]. Dieser Umstand gestattet es, Hydrazone einzusetzen, die andere mit Blei(IV)-acetat reaktions-

---

[1] Als einziges Aldehydhydrazon liefert Formaldehyd-2,4-dinitro-phenylhydrazon die entsprechende α-Acetoxy-azo-Verbindung (85-90% d. Th.):

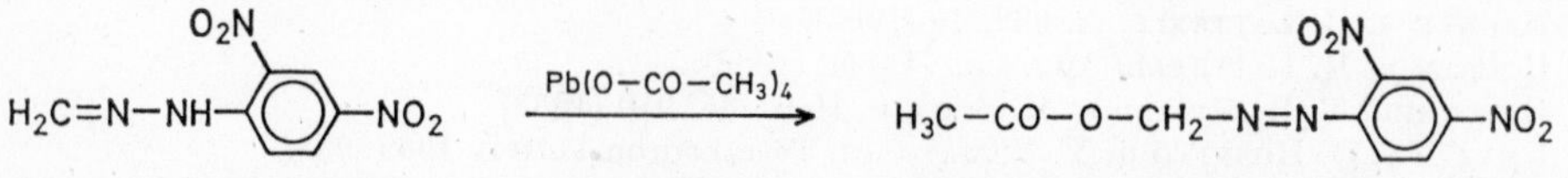

2,4-Dinitro-1-(acetoxymethanazo)-benzol

Benzaldehyd-2,4-dinitro-phenylhydrazon reagiert wie alle anderen Aldehydhydrazone (s. S. 291) zu N'-(2,4-Dinitro-phenyl)-N'-acetyl-N-benzoyl-hydrazin(35-40% d. Th.; F: 160-162°); R. N. Butler, Chem. & Ind. **1973**, 1066.

[2] D. C. Iffland, L. Salisbury u. W. R. Schafer, Am. Soc. **83**, 747 (1961).

[3] D. C. Iffland u. E. Cerda, J. Org. Chem. **28**, 2769 (1963).

fähige Gruppen enthalten, z. B. ungesättigte Hydrazone: So erhält man aus 3-Methyl-hydrazono-cyclohexen-(1) *3-Methanazo-3-acetoxy-cyclohexen-(1)* (Kp$_{3,5}$: 81–81,5°; n$_D^{28}$= 1,4739)[1].

Andere α-β-ungesättigte Keton-hydrazone z. B. 3-Methylhydrazono-1,5,5-trimethyl-cyclohexen-(1) (I) oder 3-Methylhydrazono-1-methyl-cyclopenten-(1) (II) geben jeweils ein Gemisch von isomeren Acetoxy-azo-Verbindungen die sich nur durch die Stellung der Acetoxy-Gruppe im Molekül unterscheiden[1]:

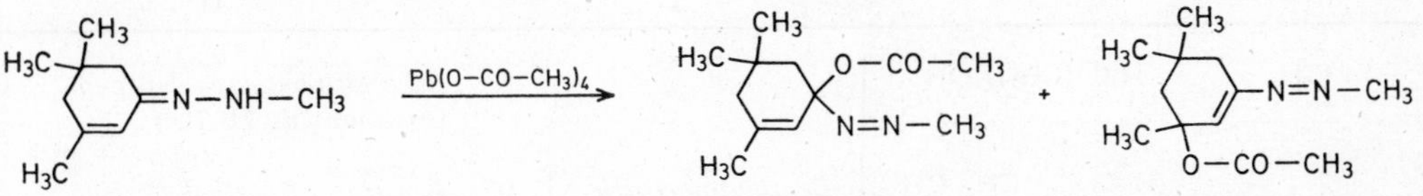

3-Methanazo-3-acetoxy-1,5,5-trimethyl-cyclo-hexen-(1)

1-Methanazo-3-acetoxy-3,5,5-trimethyl-cyclo-hexen-(1)

3-Methanazo-3-acetoxy-1-mehyl-cyclopenten-(1)

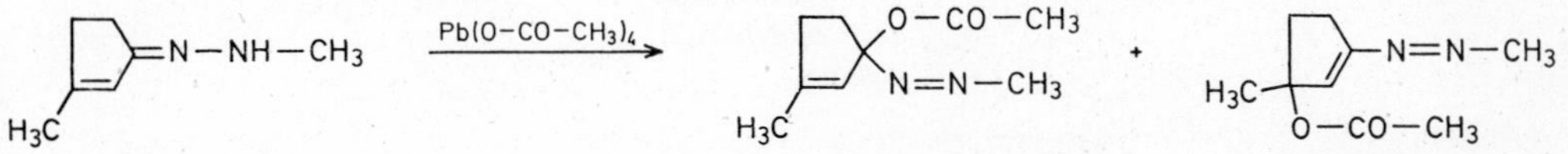

1-Methanazo-3-acetoxy-3-methyl-cyclopenten-(1)

Über die zur Imin-Gruppe in Konjugation befindliche Doppelbindung hinweg wird am β-C-Atom acetoxyliert, vorausgesetzt, dieses ist alkylsubstituiert und trägt keinen Wasserstoff, andernfalls erfolgt unter Dehydrierung Ringschluß zu Pyrazol-Derivaten wie beim Chalcon-phenylhydrazon, das beim Behandeln mit Blei(IV)-acetat zum *1,3,5-Triphenyl-pyrazol* (74% d.Th.; F: 139–140°) umgesetzt wird[2]:

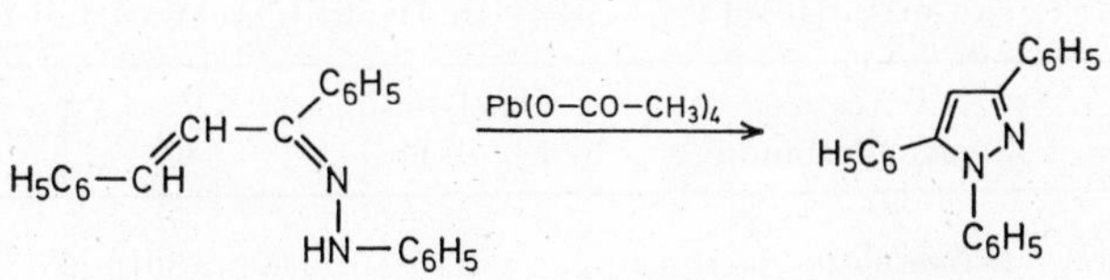

Geeignete Lösungsmittel für die Herstellung der Acetoxy-azo-Verbindungen sind Benzol oder Dichlormethan. Bei Verwendung von Alkoholen erhält man statt der Acetoxy-azo-Verbindungen in Abhängigkeit vom verwendeten Alkohol Alkoxy-azo-Verbindungen in mehr oder weniger guten Ausbeuten[3]. Diese sind abhängig von der Art des Alkohols. Bei primären Alkoholen überwiegt der Anteil an Alkoxy-azo-Verbindungen im Reaktionsprodukt. Bei Verwendung von tertiären Alkoholen isoliert man nur die entsprechenden Acetoxy-azo-Verbindungen, wie das Beispiel der verschiedenen Butanole zeigt[3].

[1] B. T. GILLIS u. M. P. LaMONTAGNE, J. Org. Chem. **33**, 762 (1968).
[2] W. A. F. GLADSTONE u. R. O. C. NORMAN, Soc. [C] **1966**, 1536.
[3] M. J. HARRISON, R. O. C. NORMAN u. W. A. F. GLADSTONE, Soc. [C] **1967**, 735.

Tab. 16. Oxidation von Benzophenon-N-arylhydrazon mit Blei(IV)-acetat in verschiedenen Butanolen[1]

$$(C_6H_5)_2C=N-NH-Ar \xrightarrow{Pb(O-CO-CH_3)_4 \ /R-OH} (C_6H_5)_2C\begin{smallmatrix}O-CO-CH_3\\N=N-Ar\end{smallmatrix} \ + \ (C_6H_5)_2C\begin{smallmatrix}O-R\\N=N-Ar\end{smallmatrix}$$

I   II

Ar	R-OH	Ausbeute [% d.Th.]			
		I		II	
C_6H_5	$H_3C-(CH_2)_3-OH$	*Benzolazo-acetoxy-diphenyl-methan*	8	*Benzolazo-butyloxy-diphenyl-methan* (F: 71–72°)	66
	$(H_3C)_2CH-CH_2-OH$		9	*Benzolazo-(2-methyl-propyl-oxy)-diphenyl-methan* (F: 94–95°)	69
	$H_3C-CH_2-\overset{\underset{\mid}{OH}}{C}H-CH_3$		58	*Benzolazo-butyl-(2)-oxy-diphenyl-methan* (F: 61–63°)	22
$4-NO_2-C_6H_4$	$(H_3C)_3C-OH$	*(4-Nitro-benzolazo)-acetoxy-diphenyl-methan*	72	—	

2-Benzolazo-2-acetoxy-propan[2]: Eine Lösung von 14,8 g (0,1 Mol) Aceton-phenylhydrazon in 25 *ml* Dichlormethan wird während 15 Min. zu einer gerührten Lösung von 49 g (0,11 Mol) Blei(IV)-acetat in 200 *ml* Dichlormethan gegeben. Während der Reaktion wird das Reaktionsgemisch mit einem Eisbad auf 0–10° heruntergekühlt und anschließend noch 15 Min. bei 20–25° gerührt. Die Lösung wird schnell gelb, gleichzeitig fällt ein farbloser Niederschlag von Blei(IV)-acetat aus. Man gibt noch 200 *ml* Wasser unter Rühren hinzu und filtriert von evtl. ausgefallenem Blei(IV)-oxid ab. Die Dichlormethan-Schicht wird abgetrennt, mit Wasser und verd. Natriumhydrogencarbonat-Lösung gewaschen und über Natrium-sulfat getrocknet. Das Lösungsmittel wird i. Vak. abgezogen und der Rückstand i. Vak. destilliert; Ausbeute: 17 g (83% d.Th.); Kp_1: 89°; $n_D^{25} = 1,5152$.

Tab. 17. Acetoxy-azo-Verbindungen durch Oxidation N-monosubstituierter Keton-hydrazone mit Blei(IV)-acetat in Dichlormethan bei 0–10°

Hydrazon	Acetoxy-azo-Verbindung	Ausbeute [% d.Th.]	F [° C]	n_D^{25} [° C]	Literatur
Aceton-phenylhydrazon	*2-Benzolazo-2-acetoxy-propan*	83	(Kp_1: 89°)	1,5152	2
Aceton-(4-brom-phenylhydrazon)	*2-(4-Brom-benzolazo)-2-acetoxy-propan*	90	(Kp_1: 113°)	1,5480	2
Aceton-(2-brom-phenylhydrazon)	*2-(2-Brom-benzolazo)-2-acetoxy-propan*	82[a]	($Kp_{0,001}$: 88–89°)		3
Aceton-(2,4-dinitro-phenylhydrazon)	*2-(2,4-Dinitro-benzol-azo)-2-acetoxy-propan*	89	87–88		2

a in Benzol

[1] M. J. Harrison, R. O. C. Norman u. W. A. F. Gladstone, Soc. [C] **1967**, 735.

[2] D. C. Iffland, L. Salisbury u. W. R. Schafer, Am. Soc. **83**, 747 (1961); dort zahlreiche weitere Beispiele.

[3] R. W. Hoffmann, B. **97**, 2763 (1964).

Tab. 17 (1. Fortsetzung)

Hydrazon	Acetoxy-azo-Verbindung	Ausbeute [% d.Th.]	F [° C]	n_D^{25} [° C]	Literatur
Butanon-(2)-phenyl-hydrazon	2-Benzolazo-2-acetoxy-butan	81	(Kp₁: 100°)	1,5141	[1]
Cyclopentanon-(2,4-dinitro-phenyl-hydrazon)	1-(2,4-Dinitro-benzol-azo)-1-acetoxy-cyclopentan	80	102–103		[1]
Benzophenon-phenyl-hydrazon	Benzolazo-acetoxy-diphenyl-methan	90	101–103		[1]
4-Nitro-benzophenon-benzylhydrazon	(Phenylmethanazo)-acetoxy-phenyl-(4-nitro-phenyl)-methan	76	133		[2]
3-Methoxy-benzo-phenon-benzyl-hydrazon	(Phenylmethanazo)-acetoxy-phenyl-(3-methoxy-phenyl)-methan	72	Oel		[2]
4-(4-Nitro-phenylhydra-zono)-2,3-isopropy-lidendioxy-tetrahy-drofuran	4-(4-Nitro-benzolazo)-4-acetoxy-2,3-isopro-pylidendioxy-tetrahy-drofuran	99	123–124	$[\alpha]_D^{18} = -41,9°$; c = 1,8 in CHCl₃	[3]
α-(4-Nitro-phenylhydra-zono)-α-phenyl-essig-säure-methylester	α-(4-Nitro-benzolazo)-α-acetoxy-α-phenyl-essigsäure-methylester	72	144–148		[4]

Die Vorschrift zur Oxidation disubstituierter Keton-hydrazone ist mit der der N-monosubstituierten identisch außer, daß statt eines Mols Blei(IV)-acetat 2 Mole eingesetzt werden müssen[5].

Tab. 18. Acetoxy-azo-Verbindungen durch Oxidation N,N-disubstituierter Keton-hydrazone mit 2 Mol Blei(IV)-acetat in Dichlormethan bei 0–10°[5]

Hydrazon	Acetoxy-azo-Verbindung	Ausbeute [% d.Th.]	F [° C]
Benzophenon-dimethylhydrazon	Methanazo-acetoxy-diphenyl-methan	75	
Benzophenon-(methyl-tert.-butyl-hydrazon)	(2-Methyl-propan-1-azo)-acetoxy-diphenyl-methan	50	
Benzophenon-(methyl-phenyl-hydrazon)	Benzolazo-acetoxy-diphenyl-methan	56	97–100
Benzophenon-(äthyl-phenylhydrazon)	Benzolazo-acetoxy-diphenyl-methan	50	
Benzophenon-(tert.-butyl-benzyl-hydrazon)	(2-Methyl-propan-2-azo)-acetoxy-diphenyl-methan	47	

Acetoxy-azo-Verbindungen, die bei der Oxidation von aromatischen Keton-arylhydra-zonen gebildet werden, haben die Eigenschaft, unter dem Einfluß von Lewis-Säuren zu 1,3-

[1] D. C. IFFLAND, L. SALISBURY u. W. R. SCHAFER, Am. Soc. 83, 747 (1961); dort zahlreiche weitere Beispiele.
[2] W. A. F. GLADSTONE u. R. O. C. NORMAN, Soc. 1965, 3048.
[3] J. M. J. TRONCHET u. J. TRONCHET, Helv. 53, 1174 (1970).
[4] D. J. GALE u. J. F. K. WILSHIRE, Austral. J. Chem. 26, 2683 (1973).
[5] D. C. IFFLAND u. E. CERDA, J. Org. Chem. 28, 2769 (1963).

Diaryl- bzw. 3-Alkyl-1-aryl-⟨benzo-[c]-pyrazolen⟩ zu cyclisieren[1]. Zu ihrer Synthese braucht man die Acetoxy-azo-Verbindungen nicht erst zu isolieren, sondern setzt dem Reaktionsgemisch direkt die Lewis-Säure, z. B. Bortrifluorid-Diäthylätherat oder Aluminiumchlorid (in siedendem Benzol) zu:

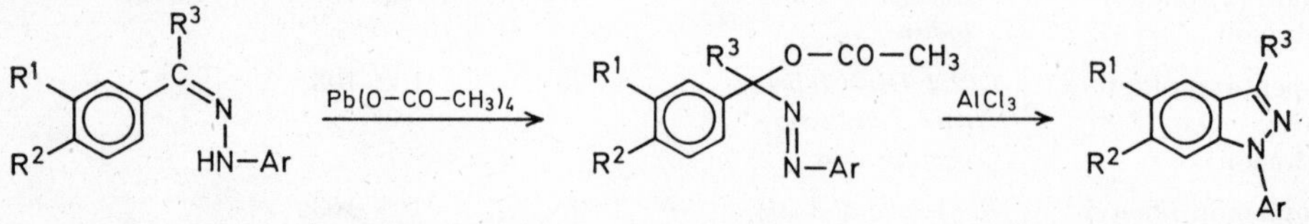

Es lassen sich auch solche Hydrazone zu den Benzo-[c]-pyrazolen umsetzen, deren Acetoxy-azo-Verbindungen unbeständig sind, z. B. Acetophenon-phenylhydrazon oder 4-Nitro-benzophenon-phenylhydrazon.

Im allgemeinen verfährt man so[1], daß zunächst die Acetoxy-azo-Verbindung bei 0–10° in Dichlormethan oder Benzol aus dem Hydrazon hergestellt wird. Danach wird nach Einengen des Reaktionsgemisches Bortrifluorid-Diäthylätherat zugegeben und 15 Min. auf dem Wasserbad erwärmt, auf Eis gegossen und nach allgemein bekannten Methoden aufgearbeitet.

Die Oxidation und Cyclisierung sollte nacheinander und nicht nebeneinander erfolgen. Das System Blei(IV)-acetat Bortrifluorid-Diäthylätherat ist nämlich ein außerordentlich starkes Oxidationsmittel, das Benzo-[c]-pyrazol angreift[1].

Außer Bortrifluorid-Diäthylätherat kann auch Aluminiumchlorid oder – nicht so vorteilhaft – Schwefelsäure verwendet werden. In einigen Fällen wird die Ringschlußreaktion auch durch Basen, z. B. Natriumhydroxid (in Wasser/1,4-Dioxan) oder Natrium-tert.-butanolat in tert. Butanol, katalysiert[2].

Es kann dabei aber auch das Ausgangsketon oder das Arylhydrazon, evtl. sogar ausschließlich, zurückgebildet werden; so z. B. Benzophenon (87%) aus Benzolazo-acetoxy-diphenyl-methan oder 3-Nitro-acetophenon-(4-nitro-phenylhydrazon) (89%) aus 1-(4-Nitro-benzolazo)-acetoxy-1-(3-nitro-phenyl)-äthan. Hohe Ausbeuten an Benzo-[c]-pyrazol aufgrund basischer Katalyse wurden bisher nur bei der Umsetzung von (4-Nitro-benzolazo)-acetoxy-diphenyl-methan zu *3-Phenyl-1-(4-nitro-phenyl)-⟨benzo-[c]-pyrazol⟩* (72% d.Th.; F: 161–162°) und (4-Nitro-benzolazo)-acetoxy-phenyl-(3-nitro-phenyl)-methan zu *5-Nitro-3-phenyl-1-(4-nitro-phenyl-⟨benzo-[c]-pyrazol⟩* (90% d.Th.; F: 239–240°) erhalten. Letztere Umsetzung ist deshalb von Interesse, weil bei saurer Katalyse Ringschluß nur mit dem unsubstituierten Phenylkern zum *3-(3-Nitro-phenyl)-1-(4-nitro-phenyl)-⟨benzo-[c]-pyrazol⟩* (87,5% d.Th.; F: 205–206°) erfolgt[2].

Die Reaktionstemperatur ist weitgehend von der Art des Substituenten abhängig. Bei der Herstellung des Benzo-[c]-pyrazols aus 3-Methoxy-benzophenon-phenylhydrazon ist die Cyclisierung mit Bortrifluorid-Diäthylätherat schon bei Raumtemp. zu erreichen, während vor allem nitrosubstituierte Arylketon-hydrazone nach ihrer Umsetzung mit Blei(IV)-acetat mit der Lewis-Säure auf 100° erhitzt werden müssen[1]. Diese unterschiedlichen Reaktionsbedingungen und die selektive Beteiligung der Benzolkerne am Ringschluß werden über einen elektrophilen Mechanismus erklärt[1].

Von anderen Arylketon-phenylhydrazonen, die ebenfalls in die Benzo-[c]-pyrazole überführt werden können, ist Phenylhydrazono-phenyl-essigsäure-äthylester von Bedeutung. Über die Äthoxycarbonyl-Gruppe in 3-Stellung hat man die Möglichkeit, andere 3-substituierte Benzo-[c]-pyrazole herzustellen[3]:

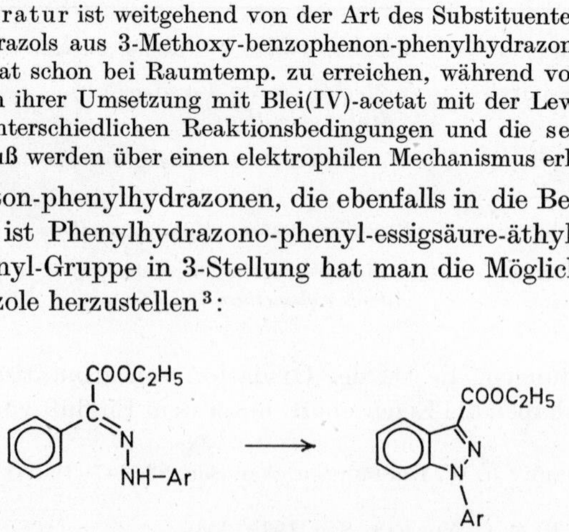

---

[1] W. A. F. Gladstone u. R. O. C. Norman, Soc. **1965**, 3048.
[2] W. A. F. Gladstone, M. J. Harrison u. R. O. C. Norman, Soc. [C] **1966**, 1781.
[3] W. A. F. Gladstone u. R. O. C. Norman, Soc. [C] **1966**, 1527.

Der Ringschluß kann auch unter Beteiligung eines heterocyclischen aromatischen Kerns zustande kommen, auch dann, wenn gleichzeitig ein Benzolkern zur Verfügung steht, wie im 2-(α-Phenylhydrazono-benzyl)-thiophen[1], das zu *1,3-Diphenyl-⟨thieno-[3,2-c]-pyrazol⟩* (74% d.Th.; F: 138–139°) umgesetzt werden kann.

Acetoxy-azo-Verbindungen, die bei Oxidation des 2-Phenylhydrazono-1-oxo- bzw. 2-(4-Nitro-phenylhydrazono)-1-oxo-1,2-diphenyl-äthans entstehen, lassen sich dagegen nicht in die entsprechenden Pyrazole – abgesehen von 7% *1-Phenyl-3-benzoyl-pyrazol* (F: 147 bis 148°) aus 1-Phenylazo-1-acetoxy-2-oxo-1,2-diphenyl-äthan – überführen. Produkte der bortrifluorid-katalysierten Reaktion sind *N-Phenyl-N,N'-dibenzoyl-hydrazin* (I: 50% d.Th.; F: 176–179°) und *N-(4-Nitro-phenyl)-N-acetyl-N'-benzoyl-hydrazin* (II; 87% d.Th.; F: 182–184°)[2]. Letztere Verbindung wird auch direkt bei der Oxidation von 2-(4-Nitro-phenyl-hydrazono)-1-oxo-1,2-diphenyl-äthan mit Blei(IV)-acetat erhalten (34% d.Th.)[2]:

$$H_5C_6-CO-NH-N\begin{smallmatrix}CO-C_6H_5\\ \\C_6H_5\end{smallmatrix} \qquad\qquad H_5C_6-CO-NH-N\begin{smallmatrix}CO-CH_3\\ \\\end{smallmatrix}$$

I   II   NO$_2$

β) Diacyl-hydrazine durch Oxidation von Aldehyd-hydrazonen

Die Oxidation von Aldehyd-hydrazonen zu Acetoxy-azo-Verbindungen gelingt im allgemeinen nicht. Einzige Ausnahme ist Benzaldehyd-phenylhydrazon, das bei der Umsetzung mit Blei(IV)-acetat unter einer Stickstoffatmosphäre bei Raumtemp. neben anderen Produkten *Benzolazoacetoxy-phenyl-methan* (gelbes Öl; Kp$_{0,05}$: 125°) liefert[3,4]. Alle anderen Aldehydhydrazone werden entweder unter Dehydrierung zu Heterocyclen[5] (s. S. 258) oder zu N,N'-Diacyl-hydrazinen[6] umgesetzt:

$$R-CH=N-NH-R^1 \xrightarrow{Pb(O-CO-CH_3)_4} R-\overset{\overset{\displaystyle O}{\|}}{C}-NH-N\begin{smallmatrix}CO-CH_3\\ \\R^1\end{smallmatrix}$$

Zwischenstufe dieser Reaktion ist wahrscheinlich das Acetoxy-hydrazon,

$$R-\overset{\overset{\displaystyle O-CO-CH_3}{|}}{C}=N-NH-R^1$$

das entweder durch direkte Acetoxylierung[7] oder über ein Nitrilimin[3] gebildet wird und sich in das Diacyl-hydrazin umlagert.

N-(4-Nitro-phenyl)-N-acetyl-N'-benzoyl-hydrazin[6]: Eine Suspension von 1 g Benzaldehyd-(4-nitro-phenylhydrazon) und 1,7 g Blei(IV)-acetat in 100 *ml* Eisessig, der 0,5 *ml* Essigsäureanhydrid enthält, wird 15 Min. bei 50° gerührt. Danach wird die klare Lösung 6 Stdn. bei Raumtemp. weitergerührt und unter Kühlen und Rühren in 200 *ml* Wasser gegossen. Dabei fallen 740 mg Rohprodukt (F: 171–173°) aus; nach dem Umkristallisieren aus wäßrigem Äthanol, F: 173–175°. Beim Stehen des

[1] W. A. F. GLADSTONE u. R. O. C. NORMAN, Soc. [C] **1966**, 1527.
[2] W. A. F. GLADSTONE u. R. O. C. NORMAN, Soc. [C] **1966**, 1531.
[3] W. A. F. GLADSTONE, Chem. Commun. **1969**, 179.
[4] W. A. F. GLADSTONE, J. B. AYLWARD u. R. O. C. NORMAN, Soc. [C] **1969**, 2587.
[5] J. D. BOWER u. F. P. DOYLE, Soc. **1957**, 727.
[6] F. L. SCOTT u. R. N. BUTLER, Soc. [C] **1966**, 1202.
[7] A. BHATI, Soc. **1965**, 1020.

Filtrats kristallisieren weitere 65 mg (F: 69–172°). Durch Extraktion mit Äther, Waschen der Äther-Lösung mit Wasser und Natriumhydrogencarbonat-Lösung, Trocknen und Einengen erhält man weitere 120 mg (F: 170–172°) und beim Ansäuern der Hydrogencarbonat-Lösung und Extrahieren mit Äther zusätzlich 70 mg (F: 165–170°) Hydrazin; Gesamtausbeute: 995 mg (83% d.Th.).

Auf ähnliche Weise erhält man z. B.:

N-(4-Nitro-phenyl)-N-acetyl-N'-(4-nitro-benzoyl)-hydrazin[1]; 83% d.Th.; F: 173–175°
N-(2-Methyl-2H-tetrazolyl-(5)]-N-acetyl-N'-(4-brom-benzoyl)-hydrazin[2]; 37% d.Th.; F: 64–66°
N-(4-Nitro-phenyl)-N-acetyl-N'-propanoyl-hydrazin[3]; 74% d.Th.; F: 121–123°.

γ) 3-Acetoxy-4,5-dihydro-3H-pyrazole durch Oxidation von 4.5-Dihydro-1H-pyrazolen

Cyclische Distickstoff-Verbindungen, mit einem Molekülaufbau ähnlich den Keton-hydrazonen, lassen sich ebenso wie diese mit Blei(IV)-acetat zu α-Acetoxy-azo-Verbindungen (s. S. 252) umsetzen[4]:

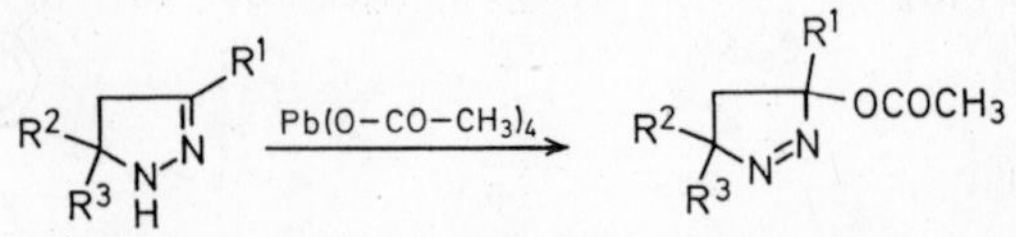

Die Reaktionsbedingungen für die Umsetzung der 4.5-Dihydro-1H-pyrazole sind dieselben, wie für Keton-hydrazone, d. h. 0–10° in Dichlormethan. Temperaturen oberhalb 25° und Anwesenheit von Essigsäure-anhydrid im Blei(IV)-acetat vermindern die Ausbeuten an 3-Acetoxy-4.5-dihydro-3H-pyrazol merklich[5]. Nach dieser Methode erhält man z. B.: aus

3,5,5-Trimethyl-4,5-dihydro-1H-pyrazol   → *3-Acetoxy-3,5,5-trimethyl-4,5-dihydro-3H-pyrazol*[6]
                                              62% d.Th.; Kp₃: 72–76°

3,5-Dimethyl-4,5-dihydro-1H-pyrazol   → *3-Acetoxy-3,5-dimethyl-4,5-dihydro-3H-pyrazol*[6]
                                              53% d.Th.

5-Methyl-3,5-diäthyl-4,5-dihydro-1H-pyrazol → *3-Acetoxy-5-methyl-3,5-diäthyl-4,5-dihydro-3H-pyrazol*[6]; Kp₉,₆:72–76°

3,3-Dimethyl-1,4,5,6a,7-hexahydro-   → *6a-Acetoxy-3,3-dimethyl-3,3a,4,5,6,6a-hexahydro-*
 [cyclopenta-[c]-3H-pyrazol⟩   ⟨*cyclopenta-[c]-3H-pyrazol*⟩[7]; 81% d.Th.

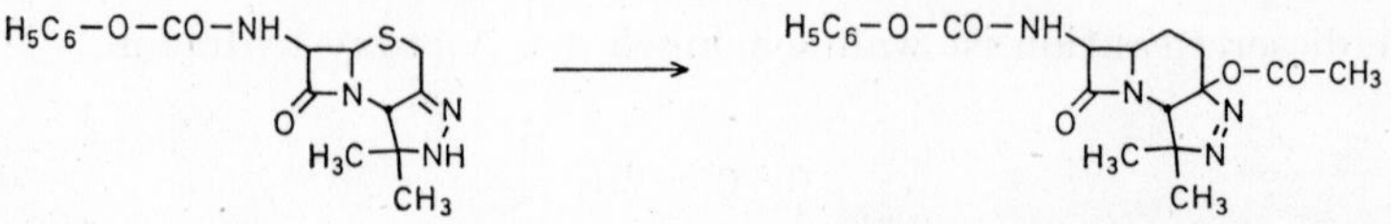

*(4R, 5R)-4-Phenoxycarbonylamino-
8-acetoxy-3-oxo-11,11-dimethyl-6-thia-2,
9,10-triaza-tricyclo[6.3.0.0²,⁵]undecen-(9)*[8]

Als Zersetzungsprodukte der 3-Acetoxy-4,5-dihydro-3H-pyrazole erhält man Acetoxy-cyclopropane, die auf diesem Wege leicht aus den 4,5-Dihydro-1H-pyrazolen zugänglich sind[6]. Die 3-Acetoxy-4,5-dihydro-3H-pyrazole werden nicht isoliert. Man kocht lediglich die eingeengte Reaktionslösung so lange, bis die Gasentwicklung aufhört.

---

[1] F. L. Scott u. R. M. Butler, Soc. [C] **1966**, 1202.
[2] R. N. Butler u. F. L. Scott, Soc. [C] **1968**, 1711.
[3] W. A. F. Gladstone, J. B. Aylward u. R. O. C. Norman, Soc. [C] **1969**, 2587.
[4] J. P. Freeman, J. Org. Chem. 28, 885 (1963).
[5] J. A. Landgrebe u. W. L. Bosch, J. Org. Chem. 33, 1460 (1968).
[6] J. P. Freeman, J. Org. Chem. 29, 1379 (1964), dort zahlreiche weitere Beispiele.
[7] B. R. Davis u. P. D. Woodgate, Soc. [C] **1966**, 2006.
[8] R. J. Stoadley u. N. S. Watson, Soc. (Perkin I) **1974**, 1632.

2-Acetoxy-2-methyl-1-phenyl-cyclopropan[1]: Eine Lösung von 8,0 g (0,05 Mol) 3-Methyl-5-phenyl-4,5-dihydro-1H-pyrazol in 25 *ml* Dichlormethan wird unter Rühren bei 10–15° zu 25 g (0,056 Mol) Blei(IV)-acetat in 200 *ml* Dichlormethan gegeben. Anschließend wird 1 Stde. bei Raumtemp. weitergerührt. Danach wird mit Wasser verdünnt, die organische Schicht abgetrennt und die wäßrige Schicht 2mal mit jeweils 50 *ml* Dichlormethan extrahiert. Die vereinigten organischen Lösungen werden mit Wasser und Bicarbonat-Lösung gewaschen, mit Natriumsulfat getrocknet und eingeengt. Der Rückstand wird unter Rückfluß gekocht bis die Gasentwicklung beendet ist. Danach wird das Reaktionsprodukt fraktioniert destilliert; Ausbeute: 5,8 g (61% d.Th.); $Kp_{0,35}$: 70°.

Die Herstellung von Acetoxy-cyclopropanen geht besonders gut bei in 3- und 5-Stellung arylsubstituierten 4,5-Dihydro-1H-pyrazolen.

Mono- oder dialkylierte 4,5-Dihydro-1H-pyrazole lassen sich nicht in Acetoxy-cyclopropane überführen. Es ist z. B. noch nicht gelungen, aus 3-Acetoxy-5-methyl- bzw. 3-Acetoxy-3,5-dimethyl-4,5-dihydro-3H-pyrazol die entsprechenden Acetoxy-cyclopropane herzustellen[1]. Monoaryl-4,5-dihydro-1H-pyrazole lassen sich nur in geringer Ausbeute in die Acetoxy-aryl-cyclopropane umwandeln.

Diese „Deazotierung" der 4,5-Dihydro-3H-pyrazole zu Cyclopropanen wird dadurch erleichtert, daß über die Kohlenstoffkette die beiden an der Dreiringbildung beteiligten Kohlenstoffatome in einer zueinander günstigen Lage fixiert werden. Eine ähnliche C–C-Verknüpfung nach „Deazotierung" kann auch bei offenkettigen Azo-acetaten erfolgen, wie das Beispiel des 3-Methoxy-17-acetyl-hydrazono-östran zeigt[2]. Bei seiner Oxidation erhält man ein Acetylazo-acetoxy-Derivat (I), das nach 1 stdgm. Kochen in Xylol zu *3-Methoxy-17-acetoxy-17-acetyl-östratrien-(1,3,5^10)* (II) (40% d.Th.) und *3-Methoxy-17-(1-acetoxy-äthoxy)-östratetraen-(1,3,5^10,16* (III) (40% d.Th.) abgebaut wird:

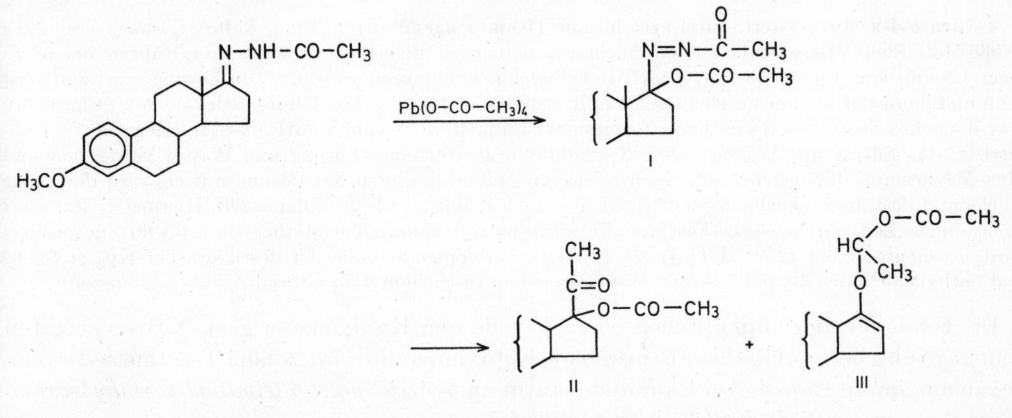

Ähnlich erhält man bei der Oxidation von Benzophenon-benzylhydrazon *1-Acetoxy-1,1,2-triphenyl-äthan* (54% d.Th.; F: 176–178°)[3]:

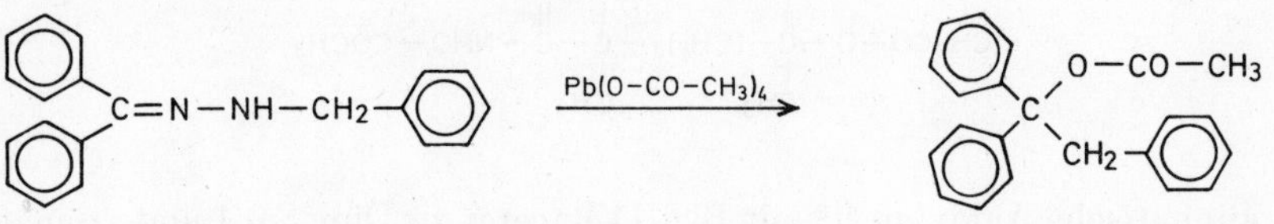

4. Geminale Nitroso-acetoxy-alkane und -cycloalkane durch Oxidation aliphatischer bzw. alicyclischer Ketoxime

Bei der Reaktion aliphatischer oder alicyclischer Ketoxime mit Blei(IV)-acetat in inerten Lösungsmitteln in der Kälte sind 1 Mol des Oxidationsmittels verbraucht. Die Reak-

---

[1] J. P. Freemann, J. Org. Chem. **29**, 1379 (1964); dort zahlreiche weitere Beispiele.
[2] C. G. Pitt, J. Org. Chem. **30**, 3242 (1965).
[3] W. A. F. Gladstone u. R. O. C. Norman, Soc. [C] **1966**, 1531.

17*

tionslösung färbt sich blau. Bei der Aufarbeitung isoliert man geminale Nitroso-acetoxy-alkane oder -cycloalkane als instabile blaue Öle, die sich nach einiger Zeit zersetzen[1,2].

$$\underset{R^2}{\overset{R^1}{>}}C=NOH \quad \xrightarrow{Pb(O-CO-CH_3)_4} \quad \underset{R^2}{\overset{R^1}{>}}C\underset{N=O}{\overset{O-COCH_3}{<}}$$

gem.-Nitroso-acetoxy-alkane; allgemeine Herstellungsvorschrift[3]: In die Aufschlämmung von 11,1 g (25 mMol) Blei(IV)-acetat in 150 ml Äther läßt man bei 0–5° unter Rühren innerhalb von 30 Min. eine Lösung von 25 mMol Ketoxim in 100 ml Äther zutropfen. Man rührt noch 2 Stdn., versetzt mit Wasser und wäscht die organische Phase mit Wasser, Natriumhydrogencarbonat-Lösung und wieder mit Wasser. Nach dem Abziehen des Äthers wird bei 20 Torr mit Wasserdampf destilliert. Man extrahiert das Destillat mit Äther, trocknet die ätherische Lösung mit Magnesiumsulfat und erhält nach Abdestillieren des Äthers das jeweilige gem. Nitroso-acetoxy-alkan als blaues Öl.

Gem. Nitroso-acetoxy-alkane können auch durch Destillation i. Hochvak. gereinigt werden, allerdings muß dabei mit höheren Verlusten gerechnet werden[3].

Außer Äther sind auch Benzol, Dichlormethan, Tetrachloräthylen und andere inerte Lösungsmittel geeignet. Eisessig ist ebenfalls geeignet, allerdings ist die Aufarbeitung aus diesem Lösungsmittel nicht günstig[1].

Bei der Oxidation von 4-tert.-Butyl-cyclohexanonoxim, dessen Sesselform durch die tert.-Butyl-Gruppe stabilisiert ist, isoliert man zwei isomere gem. Nitroso-acetoxy-Derivate (Acetoxy-Gruppe äquatorial bzw. axial)[4].

4-Nitroso-4-acetoxy-1-tert.-butyl-cyclohexan (Isomerengemisch)[4]: Eine kalte Lösung von 30 g (0,068 Mol) Blei(IV)-acetat in 100 ml Dichlormethan wird innerhalb 1 Stde. unter Rühren bei 0° zu einer Lösung von 4 g (0,059 Mol) 4-tert.-Butyl-cyclohexanonoxim getropft. Die Lösung wird zunächst grün und dann tief blau-grün, gleichzeitig fällt Blei(II)-acetat aus. Das Rühren wird noch 2 Stdn. bei 0° und danach 2 Stdn. bei Raumtemp. fortgesetzt. Danach wird vom Blei(II)-acetat (19 g; 86,5%) abfiltriert, das Filtrat mit Wasser, verd. Natriumhydrogencarbonat-Lösung und Wasser gewaschen und über Magnesiumsulfat getrocknet. Nach Filtrieren und Abdampfen des Lösungsmittels wird der grüne Rückstand destilliert; Ausbeute: 9,62 g (71,5% d.Th.); Kp$_{0,09}$: 81–97° (blaues Öl). Hieraus kristallisiert nach einiger Zeit ein farbloses Festprodukt aus, das mit kaltem Petroläther (Kp: 35–60°) gewaschen wird; Ausbeute: 3,3 g (25% d.Th.); F: 79°. Das verbleibende blaue Öl destilliert bei Kp$_{0,05}$: 82–87 und enthält 80% des 4-axial-Acetoxy-Isomeren neben restlichem 4-äquatorial-Acetoxy-Isomeren.

Die Oxidation der aliphatischen oder alicyclischen Ketoxime zu gem.-Nitroso-acetaten gelingt nicht bei sterisch gehinderten Ketoximen. So wird 2,2,6,6-Tetramethyl-cyclohexanonoxim, in Eisessig bei Raumtemperatur zu *6-Acetoxy-2,2,6-trimethyl-heptahydroxam-säure-essigsäure-anhydrid* (84% d.Th.) oxidiert[5]:

$$CH_3CO-O-\underset{\underset{CH_3}{|}}{\overset{\overset{CH_3}{|}}{C}}-(CH_2)_3-\underset{\underset{CH_3}{|}}{\overset{\overset{H_3C}{|}}{C}}-\overset{\overset{O}{||}}{C}-NHO-COCH_3$$

Da zudem aliphatische Aldoxime[6,3] mit Blei(IV)-acetat zu Dimeren I und aromatische und α,β-ungesättigte Aldoxime[7,8] zu Oximanhydrid-N-oxiden II

[1] D. C. Iffland u. G. X. Criner, Chem. & Ind. **1956**, 176.
[2] R. N. Butler, Chem. & Ind. **1972**, 523.
[3] H. Kropf u. R. Lambeck, A. **700**, 1 (1966).
[4] J. W. Lown, Soc. [B] **1966**, 441.
[5] G. Just u. K. Dahl, Tetrahedron Letters **1966**, 2441.; Canad. J. Chem. 48, 966 (1970).
[6] H. Kropf, Ang. Ch. **77**, 1030 (1965).
[7] H. Kropf, Ang. Ch. **77**, 1087 (1965).
[8] H. Kropf u. R. Lambeck, A. **700**, 18 (1966).

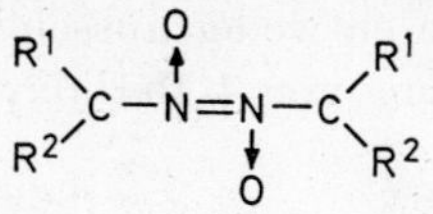

$$\underset{R^2}{\overset{R^1}{>}}C-\overset{\overset{O}{\uparrow}}{\underset{\underset{O}{\downarrow}}{N}}=N-C\underset{R^2}{\overset{R^1}{<}}$$

I

$$\underset{R^2}{\overset{R^1}{>}}C=\overset{\overset{O}{\uparrow}}{N}-O-N=C\underset{R^2}{\overset{R^1}{<}}$$

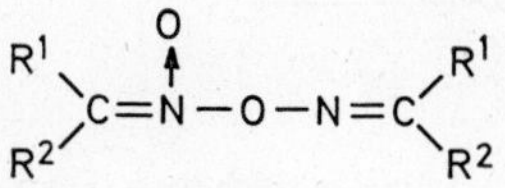

II

oxidiert werden, bleibt die Bildung von geminalen Nitroso-acetoxy-Verbindungen auf ungehinderte aliphatische bzw. cycloaliphatische Ketoxime beschränkt.

Tab. 19. Geminale Nitroso-acetoxy-alkane durch Oxidation von aliphatischen und alicyclischen Ketoximen mit Blei(IV)-acetat

Oxim	gem. Nitroso-acetoxy-alkan	Ausbeute [% d.Th.]	Kp		Literatur
			[° C]	[Torr]	
NOH ‖ $H_3C-C-CH_3$	2-Nitroso-2-acetoxy-propan	23,7–64,2	43	12	1, 2
NOH ‖ $H_3C-C-C_2H_5$	2-Nitroso-2-acetoxy-butan	59	($n_D^{24}=1{,}410$)		1
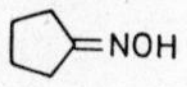 ⬠=NOH	1-Nitroso-1-acetoxy-cyclo-pentan	26,6–40,3	42 ($n_D^{20}=1{,}449$)	0,08	1, 2
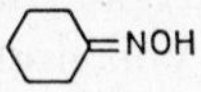 ⬡=NOH	1-Nitroso-1-acetoxy-cyclohexan	35,0–74,8	45–46	0,1	1–3
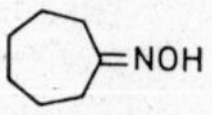 ⬡=NOH	1-Nitroso-1-acetoxy-cyclo-heptan	49,7			1

c) Oxidationen an der C=C-Doppelbindung unter Einführung von zwei Sauerstofffunktionen

1. α, β-Diacetoxy-alkane und Aldehyde bzw. Ketone durch Oxidation von Olefinen

Olefine reagieren mit Blei(IV)-acetat unter Acetoxylierung in Allylstellung (s. S. 220) und unter Oxidation an der Doppelbindung unter Einführung von zwei Sauerstofffunktionen in das Molekül.

Im einfachsten Fall erhält man α, β-Diacetoxy-alkane durch additive Diacetoxylie-rung[4], daneben können auch Carbonyl-Verbindungen entstehen, indem während der Umsetzung Wagner-Meerwein-Umlagerung erfolgt und Diacetoxylierung an nur einem der beiden C-Atome zu geminalen Diacetoxy-Verbindungen führt, die bei der Aufarbeitung zu Aldehyden oder Ketonen hydrolysiert werden[5].

[1] H. KROPF u. R. LAMBECK, A. 700, 1 (1966).
[2] J. W. LOWN, Soc. [B] 1966, 441.
[3] D. C. IFFLAND u. G. X. CRINER, Chem. & Ind. 1956, 176.
[4] O. DIMROTH u. R. SCHWEIZER, B. 56, 1375 (1923).
[5] A. v. WACEK, B. 77, 85 (1944).

Nur in wenigen Fällen erhält man entweder ausschließlich das entsprechende α, β-Diacetoxy-Derivat, wie bei der Umsetzung von 4-Methoxy-1-propenyl-benzol (Anethol)[1],

1,2-Diacetoxy-1-(4-methoxy-phenyl)-propan

oder die entsprechende Carbonyl-Verbindung[2,3], wie beim 4-Methoxy-styrol, das praktisch quantitativ (94% d.Th.) zu *2,2-Diacetoxy-1-(4-methoxy-phenyl)-äthan* (F: 52°) oxidiert wird[2]:

Meistens entstehen alle drei Reaktionsprodukte nebeneinander[2-7].

Bei der Umsetzung von komplizierten Systemen erhöht sich noch die Zahl der möglichen Nebenprodukte. So z. B. bei der Oxidation aryl-substituierter Olefine[8,9], die nicht nur besonders leicht Wagner-Meerwein-Umlagerung erleiden, sondern auch in einer zuerst beim Styrol beobachteten Reaktion neben der Acetoxy- auch die Methyl-Gruppe an die C=C-Doppelbindung anlagern[10-12]:

1-Acetoxy-1-phenyl-propan

Eine andere Verbindungsklasse, die ebenfalls bei der Oxidation mit Blei(IV)-acetat Umlagerung nach Wagner-Meerwein erfährt, sind ungesättigte Terpene[13-15]. Von praktischer Bedeutung ist die Umsetzung von ungesättigten Terpenen vom Typ des Bicyclo [2.2.1]heptens in Eisessig, nachdem als Hauptreaktionsprodukt die dem *2,7-Diacetoxybicyclo[2.2.1]heptan* entsprechenden Verbindungen in 85%iger Ausbeute entstehen[14]; z. B.:

exo-2-syn-7-Diacetoxy-bicyclo[2.2.1]heptan;
Kp_{12}: 132°; $n_D^{20} = 1,4641$

[1] O. Dimroth u. R. Schweizer, B. **56**, 1375 (1923).
[2] R. Criegee, P. Dimroth, K. Noll, R. Simon u. C. Weis, B. **90**, 1070 (1964).
[3] I. Tanaka u. T. Seki, J. Pharm. Soc. Japan **77**, 310 (1957).
[4] R. Criegee, A. **481**, 263 (1930).
[5] C. D. Hurd u. O. E. Edwards, J. Org. Chem. **19**, 1319 (1954).
[6] J. B. Lee u. M. J. Price, Tetrahedron **20**, 1017 (1964).
[7] H. J. Kabbe, A. **656**, 204 (1962).
[8] R. O. C. Norman u. C. B. Thomas, Soc. [B] **1967**, 604.
[9] R. O. C. Norman u. C. B. Thomas, Soc. [B] **1967**, 771.
[10] R. O. C. Norman u. C. B. Thomas, Soc. [B] **1968**, 994.
[11] C. Weis, Dissertation, TH Karlsruhe. 1953,
[12] H. Kropf, J. Gelbrich u. M. Ball, Tetrahedron Letters **1969**, 3427.
[13] T. Aratani, J. Chem. Soc. Japan, pure Chem. Sect. **78**, 1534 (1957); C. A. **54**, 1587 (1960).
[14] K. Alder, F. H. Flock u. H. Wirtz, B. **91**, 609 (1958).
[15] T. Sato, J. Chem. Soc., Japan, pure Chem. Sect. **88**, 1005 (1967); C. A. **69**, 10547 (1968).

In Methanol als Lösungsmittel ist das Hauptreaktionsprodukt *exo-2-syn-7-Dimethoxy-bicyclo[2.2.1]heptan* (43% d.Th.; Kp_{12}: 76–78°; $n_D^{20} = 1,4609$) neben *exo-2-Acetoxy-syn-7-methoxy-bicyclo[2.2.1]heptan* (33% d.Th.; Kp_{12}: 109°; $n_D^{20} = 1,4635$) und Spuren *exo-2-syn-7-Diacetoxy-bicyclo[2.2.1]heptan*. In Benzol entsteht außer *2,7-Diacetoxy-bicyclo[2.2.1]heptan* (I) *7-Acetoxy-tricyclo[2.2.1.0^{2,6}]heptan* (II):

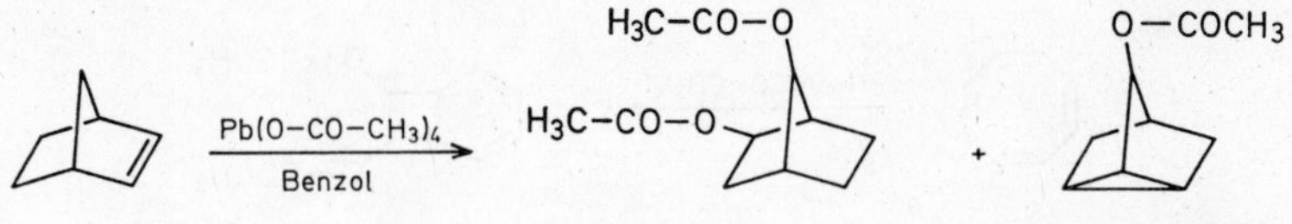

I; 59% d.Th.

II; 26% d.Th.; Kp_{11}: 78°; $n_D^{20} = 1,4702$

Letzterer Verbindungstyp kann bei der Oxidation von Bicyclo[2.2.1]heptadien in Eisessig, Methanol, Äther oder Benzol als Hauptreaktionsprodukt erhalten werden[1].

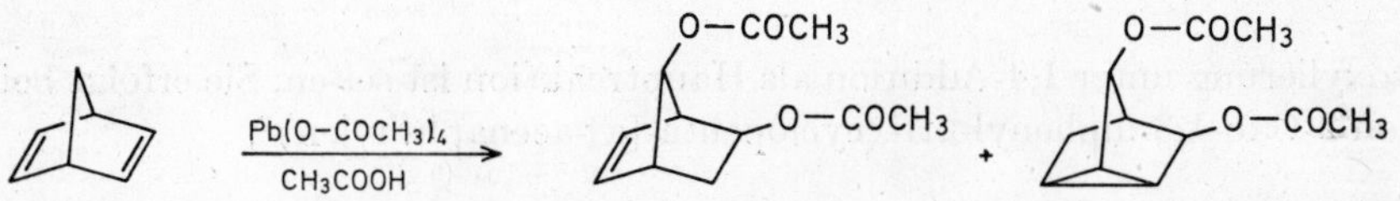

exo-5, syn-7-Diacetoxy-bicyclo[2.2.1]hepten-(2); 25% d.Th.; Kp_3: 90–98°; $n_D^{20} = 1,4690$

3,7-Diacetoxy-tricyclo[2.2.1.0^{2,6}]heptan; 60% d.Th.; Kp_3: 102–103°; $n_D^{20} = 1,4744$

1,3-Diene reagieren fast ausschließlich unter 1,2-Addition, so z.B. 2,3-Dimethylbutadien-(1,3) zu *3,4-Diacetoxy-2,3-dimethyl-buten-(1)* (50,7% d.Th.; Kp: 92–102°)[2]. Butadien selbst kann zur Herstellung von 3,4-Diacetoxy-buten-(1) nicht eingesetzt werden, da es sofort zu hochmolekularen Substanzen polymerisiert. Alicyclische Diene werden vergleichsweise schneller oxidiert. Man isoliert jedoch nur wenig diacetoxyliertes Reaktionsprodukt. Hauptreaktionsprodukte sind meistens gemischte Diolester der Essig- und Glyoxylsäure[2-4],

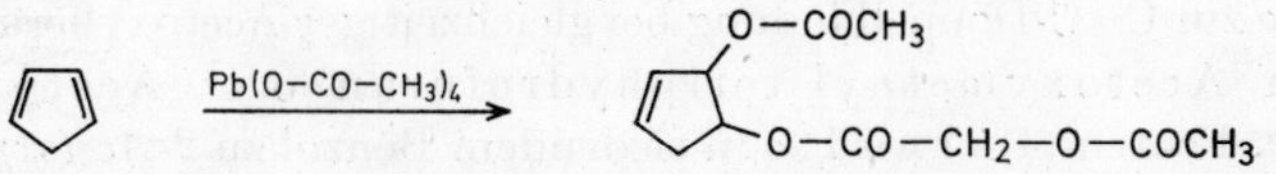

3-Acetoxy-4-acetoxyacetoxy-cyclopenten

deren Entstehen über ein Dioxolenium-Kation als Zwischenstufe erklärt wird[4]:

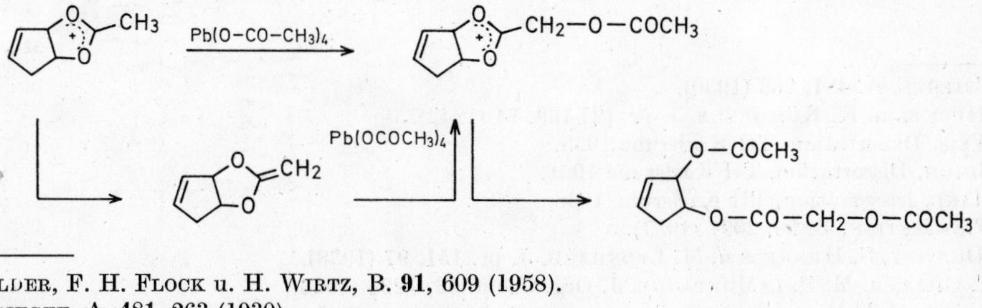

[1] K. ALDER, F. H. FLOCK u. H. WIRTZ, B. **91**, 609 (1958).
[2] R. CRIEGEE, A. **481**, 263 (1930).
[3] T. POSTERNAK u. H. FREIDLI, Helv. **36**, 251 (1953).
[4] F. V. BRUTCHER u. F. J. VARA, Am. Soc. **78**, 5695 (1956).

Ähnliche Glykolsäureester werden auch bei der Oxidation von 4-Methoxy-1-propenyl-benzol, 3,4-Dimethoxy-1-propenyl-benzol[1], 6-Methyl-3-isopropyl-cyclohexen-(1)[2], Styrol, 1,1-Diphenyl-äthylen[3], 2-Acetoxy-propen[4] und Isobuten[5] gebildet.

Cyclooctatetraen wird bei 60–70° in Eisessig zu *7,8-Diacetoxy-bicyclo[4.2.0]octadien-(2,4)* (38% d.Th.; F: 62°) oxidiert[6]. Die Reaktion gelingt bei Raumtemperatur, wenn in 70%iger wäßriger Essigsäure gearbeitet wird. In Benzol muß 8 Stdn. gekocht werden.

$$\text{Cyclooctatetraen} \xrightarrow[\text{Benzol } 80°]{\text{Pb}(O-CO-CH_3)_4} \text{Bicyclooctadien-diacetat (O-COCH}_3)_2$$

In Methanol bei 55° oder in Eisessig in Gegenwart von Bortrifluorid bei Raumtemperatur wird als Reaktionsprodukt *7-Diacetoxymethyl-cycloheptatrien* (36,9% d.Th.; $Kp_{0,1}$: 73–76°; $n_D^{22} = 1,4982$) gewonnen:

$$\text{Cyclooctatetraen} \xrightarrow[\text{HO-COCH}_3/\text{BF}_4]{\text{Pb}(O-CO-CH_3)_4} \text{Cycloheptatrien}-CH(O-COCH_3)_2$$

Diacetoxylierung unter 1,4-Addition als Hauptreaktion ist selten. Sie erfolgt bei der Oxidation von 2-Oxo-1,3-diphenyl-2H-⟨cyclopenta-[a]-acenaphthylen⟩[7],

$$\xrightarrow[\substack{\text{Eisessig} \\ 100°}]{\text{Pb}(O-CO-CH_3)_4}$$

1,3-Diacetoxy-2-oxo-1,3-diphenyl-2,3-di-hydro-1H-⟨cyclopenta-[a]-acenaphthylen⟩

außerdem bei Furanen (s. S. 269) und bei Azinen[8].

2. Acetoxy-tetrahydrofurane und -pyrane durch Oxidation von ungesättigten Alkoholen

Bei der Oxidation von ungesättigten Alkoholen kann bei entsprechender Stellung der Hydroxy-Gruppe zur C=C-Doppelbindung bei gleichzeitiger Acetoxylierung intramolekular Ringschluß zum Acetoxymethyl-tetrahydrofuran oder Acetoxy-tetrahydro-pyran erfolgen[9]. Penten-(4)-ol wird so in siedendem Benzol zu *2-Acetoxymethyl-tetrahydrofuran* und *3-Acetoxy-tetrahydropyran* umgesetzt[10]:

$$H_2C{=}CH-CH_2-CH_2-CH_2-OH \xrightarrow{\text{Pb}(O-CO-CH_3)_4} \text{(Tetrahydrofuran-)}CH_2-O-COCH_3 \;+\; \text{(Tetrahydropyran-)}O-COCH_3$$

20%   32%

[1] R. Criegee, A. **481**, 263 (1930).
[2] W. Hückel u. K. Kümmerle, J. pr. [2] **160**, 74 (1942).
[3] C. Weis, Dissertation, TH Karlsruhe 1953.
[4] R. Simon, Dissertation, TH Karlsruhe 1951.
[5] E. Hakl, Dissertation, TH Karlsruhe 1958.
[6] M. Finkelstein, B. **90**, 2097 (1957).
[7] W. Dilthey, S. Henkels u. M. Leonhard, J. pr. **151**, 97 (1938).
[8] B. T. Gillis u. M. P. laMontague, J. Org. Chem. **33**, 1294 (1968).
[9] H. Immer, M. L. Mihailović, K. Schaffner, D. Arigoni u. O. Jeger, Experientia **16**, 530 (1960); Helv. **45**, 753 (1962).
[10] S. Moon u. J. M. Lodge, J. Org. Chem. **29**, 3453 (1964).

Hexen-(5)-ol wird unter denselben Bedingungen zum *2-Acetoxymethyl-tetrahydropyran* oxidiert[1]:

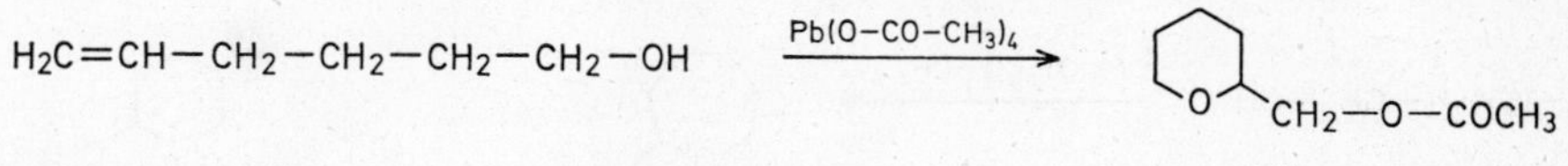
H2C=CH−CH2−CH2−CH2−CH2−OH
Pb(O−CO−CH3)4
CH2−O−COCH3

38 %

Nach der Einwirkung von Blei(IV)-acetat auf 5-Hydroxy-cycloocten in kochendem Benzol werden als Hauptprodukte *2-Acetoxy-9-oxa-bicyclo[4.2.1]nonan* (I) und *2-Acetoxy-9-oxa-bicyclo[3.3.1]nonan* (II) im Verhältnis 40 : 60 bei einer Ausbeute von 70% d.Th. isoliert ($Kp_{0,7}$ des Gemisches 75–76°)[1]:

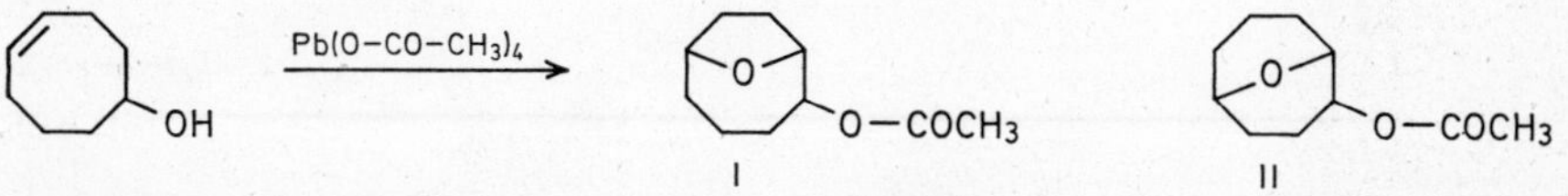
OH
Pb(O−CO−CH3)4
O
O−COCH3
O
O−COCH3

I II

In gleicher Weise entsteht bei der Oxidation des 5-Hydroxy-5-phenyl-cyclooctens in siedendem Chloroform *5-Acetoxy-1-phenyl-9-oxa-bicyclo[4.2.1]nonan* und *4-Acetoxy-1-phenyl-9-oxa-bicyclo[3.3.1]nonan* im Verhältnis 1 : 1 (84% d.Th.; Kp_{22}: 131–135°)[2].

Die Ringschlußreaktion bei der Oxidation ungesättigter Alkohole ist nicht auf 5- oder 6-Hydroxy-alkene beschränkt. Im einfachsten Fall tritt sie bereits bei Allylalkoholen ein. An die Stelle von Ringschluß und Acetoxylierung tritt jedoch Epoxid-Bildung und Doppelbindungswanderung; außerdem werden eine Reihe anderer Reaktionsprodukte erhalten; z. B.[3]:

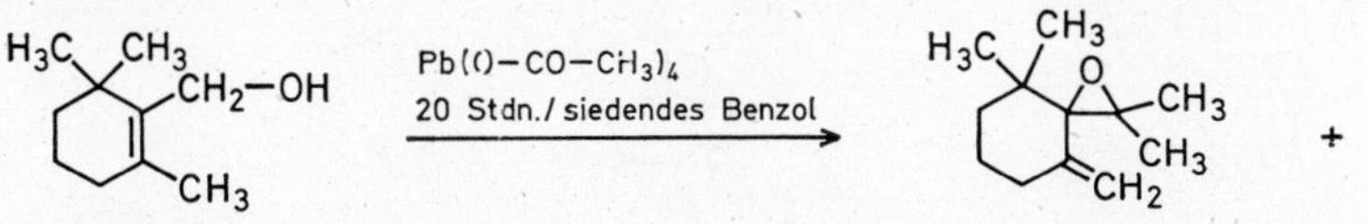
H3C CH3
CH2−OH
CH3
Pb(O−CO−CH3)4
20 Stdn./siedendes Benzol
H3C CH3
O
CH3
CH3
CH2
+

2,2,8,8-Tetramethyl-4-methylen-1-oxa-spiro[2.5]*octan*; 40 % d. Th.

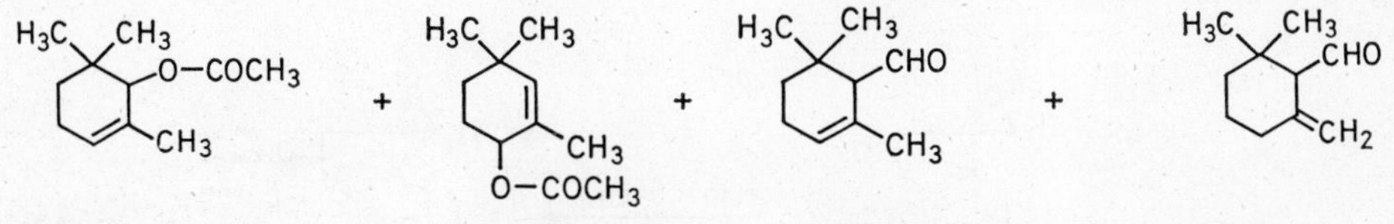
H3C CH3
O−COCH3
CH3
+
H3C CH3
CH3
O−COCH3
+
H3C CH3
CHO
CH3
+
H3C CH3
CHO
CH2

12 % d. Th. 18 % d. Th. 2 % d. Th. 2 % d. Th.

Bei der Oxidation von 2,4-Dien-olen werden dagegen im wesentlichen die entsprechenden Dien-ale erhalten (z. B. aus Nor-*trans-β*-jonol 46% d.Th. *3-[2,6,6-Trimethyl-cyclohexen-(1)-yl]-acrolein*)[3].

Die sterische Anordnung der C=C-Doppelbindung zur Hydroxy-Gruppe scheint bei der Oxidation eine wesentliche Rolle zu spielen. So erhält man z. B. aus Dihydro-γ-jonol 90% d.Th. *4,8,8-Trimethyl-3-oxa-bicyclo[5.4.0]undecen-(1⁷)*:[4]

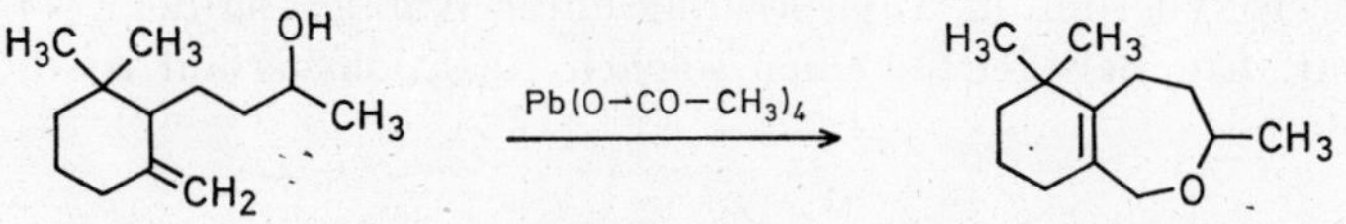
H3C CH3
OH
CH3
CH2
Pb(O−CO−CH3)4
H3C CH3
CH3
O

[1] S. Moon u. L. Haynes, J. Org. Chem. **31**, 3067 (1966).
[2] A. C. Cope, M. A. McKervey u. N. M. Weinshenker, Am. Soc. **89**, 2932 (1967).
[3] J. Ehrenfreund, M. P. Zink u. M. R. Wolf, Helv. **57**, 1098 (1974).
[4] M. P. Zink, J. Ehrenfreund u. M. R. Wolf, Helv. **57**, 1116 (1974).

ein Oxepin-Derivat, das normalerweise erst bei der Oxidation von 7-Hydroxy-1-alkenen gebildet wird; z. B.[1]:

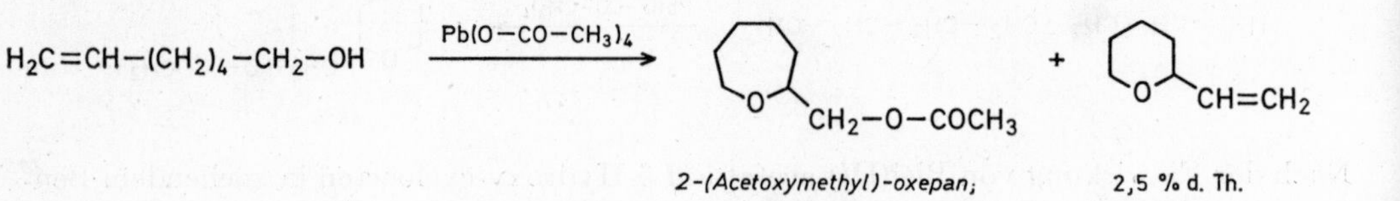

2-(Acetoxymethyl)-oxepan;
43,5 % d. Th.

2,5 % d. Th.

2-Allyl-tetrahydrofuran;
14 % d. Th.

Wie bei anderen Oxidationsreaktionen mit Blei(IV)-acetat gilt für die Acetoxytetrahydrofuran- bzw. -tetrahydropyran-Synthese, daß bei Verwendung von apolaren Lösungsmitteln die Ausbeuten im Durchschnitt höher sind, dafür aber höhere Reaktionstemperaturen im Vergleich zur Umsetzung in einem polaren Medium benötigt werden. So wird 2-Hydroxymethyl-bicyclo[2.2.1]hepten-(5) in Benzol erst bei 80° zu *5-Acetoxy-2-oxa-tricyclo [4.2.1.0^{4,8}]nonan* (37 % d. Th.; F: 50—51°) umgesetzt[2]:

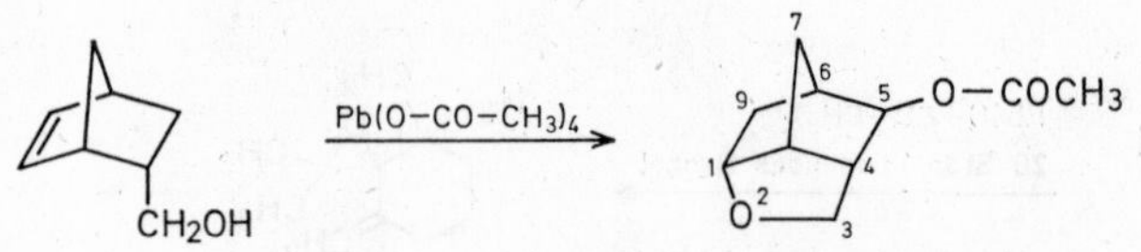

Im Gegensatz dazu erfolgt die Umsetzung von beispielsweise Coriamyrtin zum Acetoxytetrahydrofuran-Derivat in Eisessig bereits bei Raumtemperatur. Die Ausbeute beträgt allerdings nur 20% d. Th. (F: 224–225°)[3]:

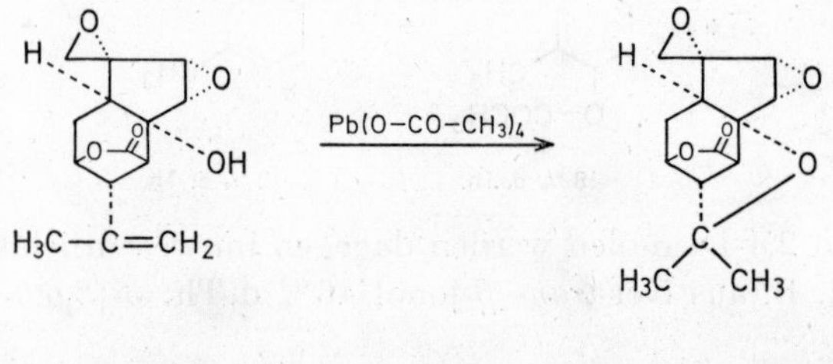

Die Oxidation der ungesättigten Alkohole führt nicht immer zum Acetoxy-Derivat des Tetrahydrofurans bzw. Tetrahydropyrans. Reaktionsprodukt kann auch eine dem Vinyltetrahydrofuran- bzw. -tetrahydropyran entsprechende Verbindung sein, die in Analogie zur Acetoxylierung in Allyl-Stellung unter Wanderung der C=C-Doppelbindung zustande kommt. Ein Beispiel für einen solchen Reaktionsverlauf ist die Oxidation von Guajol[4]:

[1] M. L. Mihailović et al., Helv. 56, 3056 (1973).
[2] R. M. Moriarty u. K. Kapadia, Tetrahedron Letters 1964, 1165.
[3] T. Kariyone u. N. Kawano, J. pharm. Soc. Japan 71, 924 (1951); C. A. 46, 8070 (1952).
   T. Okuda u. T. Yoshida, Tetrahedron Letters 1964, 439, 694; Chem. & Ind. 1965, 37.
[4] C. Ehret u. G. Ourisson, Bl. 1968, 2629.

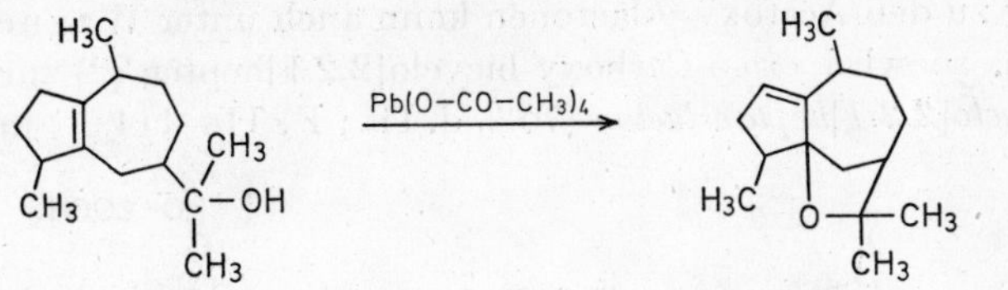

2,6,10,10-Tetramethyl-11-oxa-tricyclo
[7.2.1.0¹,⁵]dodecen-(4)

Der gleiche Reaktionsablauf ist auch bei ungesättigten Mercaptanen möglich; z. B.[1]:

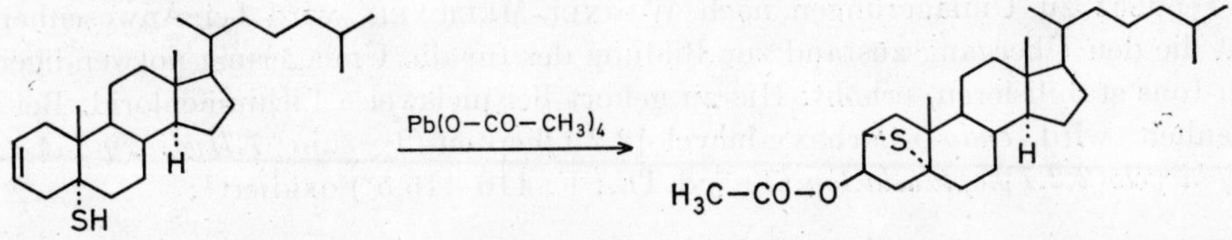

3β-Acetoxy-2α,5-epithio-5α-cholestan[1]: 23,8 g (54 mMole) Blei(IV)-acetat und 7,6 g (76 mMole) Calcium-carbonat werden 1 Stde. in 300 ml Cyclohexan zum Sieden erhitzt. Zu der kochenden Mischung werden 5,4 g (13,4 mMole) 5-Mercapto-5α-cholesten-(2) in 50 ml Cyclohexan tropfenweise zugegeben. Nach 5 Min. Kochen wird filtriert, um den Überschuß an Oxidationsmittel zu entfernen und das Filtrat mit Äther verdünnt. Danach wird mit 10%iger wäßriger Natriumcarbonat-Lösung und Wasser gewaschen und über Natriumsulfat getrocknet. Nach dem Entfernen der Lösungsmittel durch Verdampfen i. Vak. erhält man 6 g Rückstand, der aus Aceton umkristallisiert wird; Ausbeute: 5,3 g (86% d.Th.); F: 120,5–121°.

3. δ-Acetoxy-γ-lactone durch Oxidation von ungesättigten Carbonsäuren

Bei der Oxidation von γ,δ-ungesättigten Carbonsäuren mit Blei(IV)-acetat kann sich die Hydroxy-Gruppe der Carboxy-Funktion ebenso wie die alkoholische Hydroxy-Gruppe bei ungesättigten Alkoholen an der Reaktion beteiligen. Reaktionsprodukte sind δ-Acetoxy-γ-lactone[2,3]; z. B.:

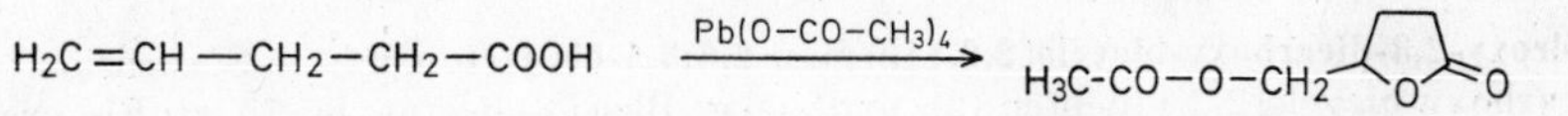

4-Hydroxy-5-acetoxy-1,4-pentanolid

Ein typisches Beispiel ist endo-5-Carboxy-bicyclo[2.2.1]hepten-(2), das mit Blei(IV)-acetat in Benzol oder Pyridin zu 6-Hydroxy-5-acetoxy-2-carboxy-bicyclo[2.2.1]heptan-lacton (80% d.Th.) oxidiert wird[4],

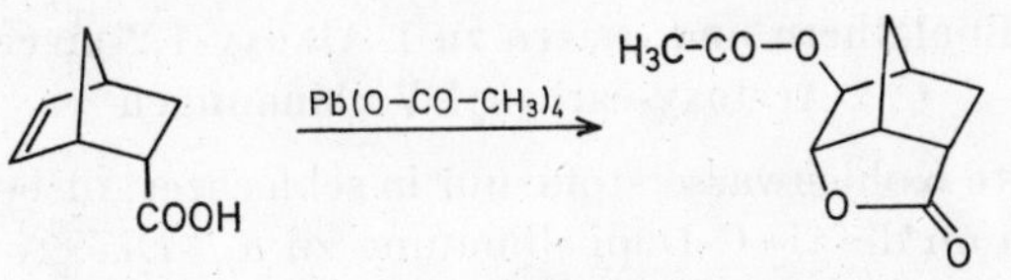

oder Cyclopenten-(2)-yl-essigsäure, die in 8-Acetoxy-3-oxo-2-oxa-bicyclo[3.3.0]octan übergeht (70% d.Th.)[4]:

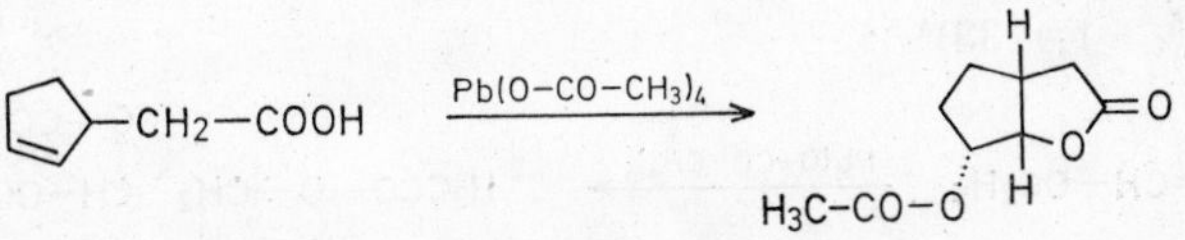

[1] T. KOMENO, M. KISHI u. K. NABEYAMA, Tetrahedron 27, 1503 (1971).
[2] Z. VALENTA, A. H. GRAY, S. PAPADOPOULOS u. C. PODEŠVA, Tetrahedron Letters 1960, 25.
[3] W. A. AYER u. C. E. McDONALD, Canad. J. Chem. 43, 1429 (1965).
[4] R. M. MORIARTY, H. G. WALSH u. H. GOPAL, Tetrahedron Letters 1966, 4363.

Die Umsetzung zu den Acetoxy-γ-lactonen kann auch unter Wagner-Meerwein-Umlagerung erfolgen, so wird *exo*-5-Carboxy-bicyclo[2.2.1]hepten-(2) zum *6-Hydroxy-7-acetoxy-2-carboxy-bicyclo[2.2.1]heptan-lacton* (70% d.Th.; F: 114–114,5°) umgesetzt:

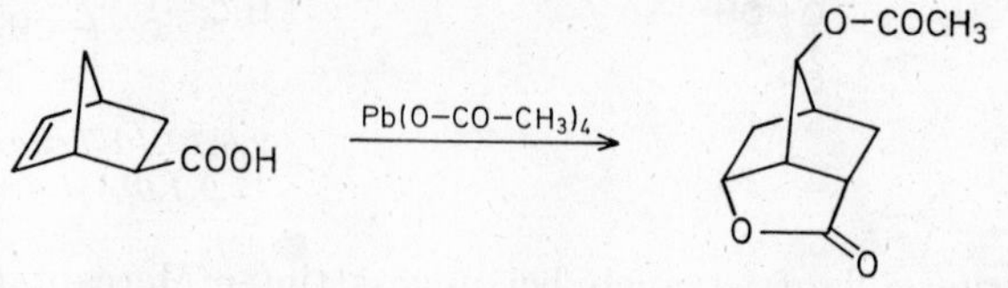

Die Tendenz zu Umlagerungen nach WAGNER-MEERWEIN wird bei Anwesenheit von Ionen, die den Übergangszustand zur Bildung des für die Umlagerung notwendigen Carbenium-Ions stabilisieren, erhöht. Hierzu gehört beispielsweise Lithiumchlorid. Bei seiner Anwesenheit wird *endo*-5-Carboxy-bicyclo[2.2.1]hepten-(2) zum *7-Hydroxy-5-acetoxy-2-carboxy-bicyclo[2.2.1]heptan-lacton* (70% d.Th.; F: 116–116,5°) oxidiert[1]:

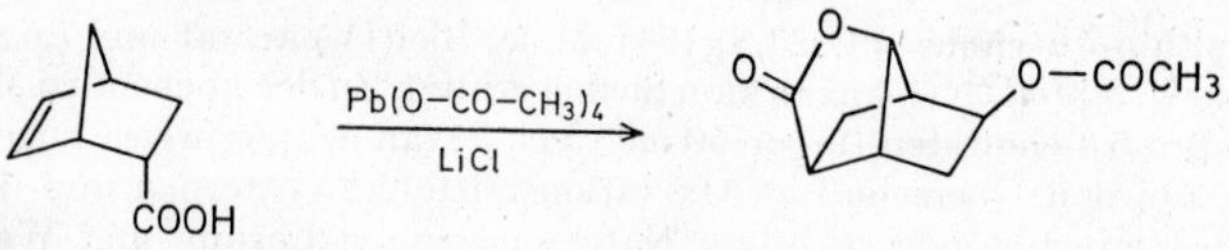

Ungesättigte Dicarbonsäuren, die bezogen auf beide Carboxy-Gruppen eine γ–γ′-C=C-Doppelbindung enthalten, werden zu Dilactonen oxidiert, so liefert 5,6-Dicarboxy-bicyclo[2.2.1]hepten-(2) *5,6-Dihydroxy-2,3-dicarboxy-bicyclo[2.2.1]heptan-2,6; 3,5-bis-lacton*[2]:

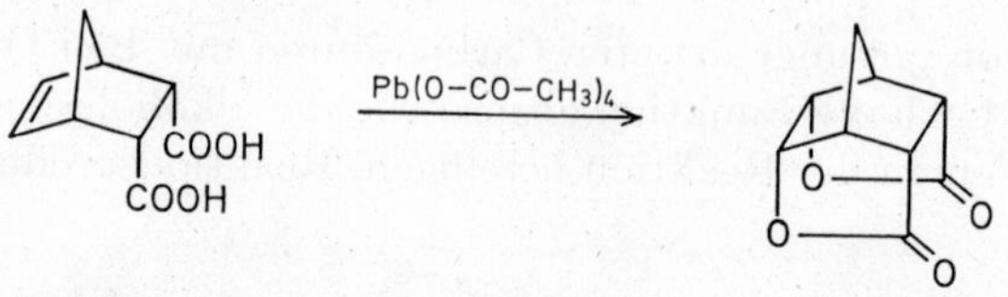

5,6-Dihydroxy-2,3-dicarboxy-bicyclo[2.2.1]heptan-2,6;3,5-bis-lacton[2]: Eine Suspension von 25 g Di-*endo*-5,6-dicarboxy-bicyclo[2.2.1]hepten-(2) und 66 g Blei(IV)-acetat in 75 *ml* Eisessig wird unter Rühren langsam erwärmt. Die Reaktion setzt bei 95–100° ein. Man hält das Gemisch 1 Stde. auf dieser Temp., kühlt ab und verd. die bei der Reaktion entstandene zähe Masse mit Eisessig. Dabei fällt das Bis-lacton in feinen, farblosen Kristallen aus, die aus Wasser umkristallisiert werden; Ausbeute: 60% d. Th.; F: 266°.

4. Oxidation von Enoläthern und -estern zu 1-Alkoxy-1,2-diacetoxy-alkanen bzw. α-Acetoxy-carbonyl-Verbindungen

Während ungesättigte Kohlenwasserstoffe nur in schlechter Ausbeute unter Addition von zwei Acetoxy-Gruppen an die C=C-Doppelbindung zu α,β-Diacetoxy-alkanen, häufig erst bei höherer Temperatur, oxidiert werden[3], reagieren Enoläther schon bei Zimmertemperatur und liefern die 1,2-Additionsprodukte in guter Ausbeute[4]. So erhält man aus Äthylvinyl-äther in Eisessig 70% bzw. in Benzol 89% d.Th. *1-Äthoxy-1,2-diacetoxy-äthan* (Kp_{12}: 103–105°; $n_D^{25} = 1,4133$)[4,5]:

[1] R. M. MORIARTY, H. GOPAL u. H. G. WALSH, Tetrahedron Letters **1966**, 4369.
[2] K. ALDER u. S. SCHNEIDER, A. **524**, 189 (1936).
[3] R. CRIEGEE, A. **481**, 263 (1930).
[4] R. CRIEGEE, P. DIMROTH, K. NOLL, R. SIMON u. C. WEIS, B. **90**, 1070 (1957).
[5] Y. YUKAWA u. M. SAKAI, J. chem. Soc. Japan, pure Chem. Sect. **87**, 81 (1966); C. A. **65**, 16853 (1966).

Auch cyclische ungesättigte Äther wie z. B. 1,4-Dioxen addieren zwei Acetoxy-Gruppen[1]:

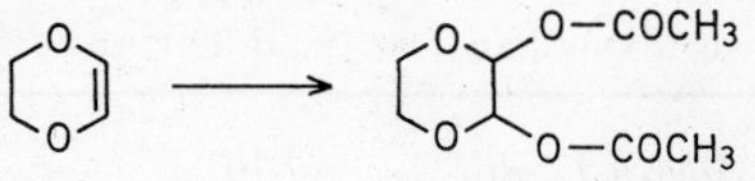

2,3-Diacetoxy-1,4-dioxan

2,3-Diacetoxy-1,4-dioxan[1]: Zu 55 g (0,105 Mol) 85%igem Blei(IV)-acetat in 50 *ml* Eisessig läßt man unter Rühren 9,3 g (0,108 Mol) 1,4-Dioxen zutropfen. Dabei soll die Temp. 40° nicht übersteigen. Der Eisessig wird i. Vak. abgezogen und der Rückstand mit Wasser versetzt. Dabei kristallisieren 7 g Rohprodukt aus. Das wäßrige Filtrat liefert nach 3 tägiger Extraktion mit Äther weitere 8 g. Die Gesamtmenge wird aus heißem Wasser umkristallisiert; Ausbeute: 15,3 g [70% d. Th., bez. auf Blei(IV)-acetat]; F: 104–105°.

Eine Ausnahme macht 5,6-Dihydro-4H-pyran, das in Benzol bei 30° zum *4-Acetoxy-5,6-dihydro-4H-pyran*(I), *2-Acetoxy-5,6-dihydro-2H-pyran* (II) und *2-Diacetoxymethyl-tetrahydrofuran* (III) umgesetzt wird[2]:

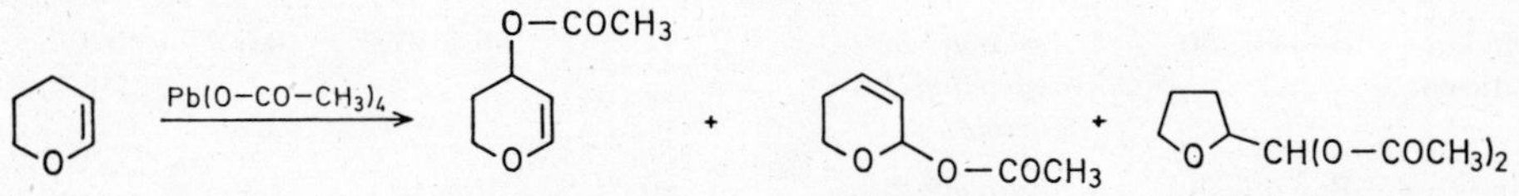

I; 18% d.Th.;   II; 13% d.Th.;   III; 23% d.Th.
Kp$_9$: 69–71°;   Kp$_9$: 72–73°;
n$_D^{28}$ = 1,4532   n$_D^{28}$ = 1,4542

Bei α-unsubstituierten Furanen wird unter 1,4-Addition in 2- und 5-Stellung acetoxyliert. Man erhält das Gemisch der stereoisomeren *2,5-Diacetoxy-2,5-dihydro-furane* (2 : 1) in einer Ausbeute von 69% d.Th.[3]:

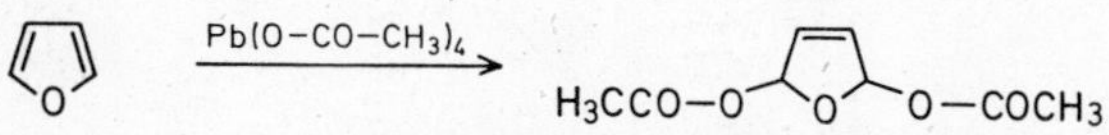

Geeignete Lösungsmittel für die Oxidation der Enoläther sind Benzol oder Eisessig. Bei der Verwendung von Alkoholen wird die Alkoxy-Gruppe an das Äther-C-Atom addiert. Reaktionsprodukte sind dann α-Acetoxy-acetale. So wird 1-Methoxy-3-oxo-buten-(1) in Benzol zum *1-Methoxy-1,2-diacetoxy-3-oxo-butan* (IV) und in Methanol zum *1,1-Dimethoxy-2-acetoxy-3-oxo-butan* (V) oxidiert[4]:

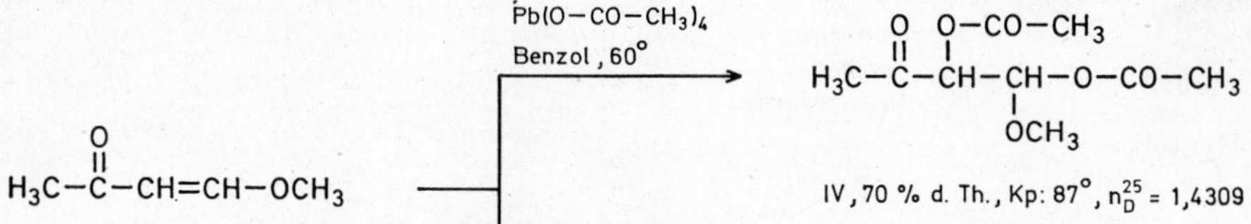

IV, 70 % d. Th., Kp: 87°, n$_D^{25}$ = 1,4309

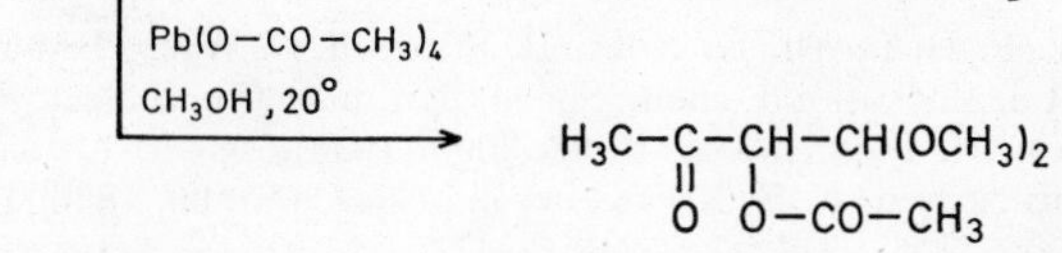

V, 79 % d. Th., Kp$_{12}$: 111°, n$_D^{25}$ = 1,4266

[1] R. Criegee, P. Dimroth, K. Noll, R. Simon u. C. Weis, B. **90**, 1070 (1957).
[2] C. D. Hurd u. O. E. Edwards, J. Org. Chem. **19**, 1319 (1954).
[3] N. Elming u. N. Clauson-Kaas, Acta Chemica Scand. **6**, 535 (1952).
[4] R. Müller u. H. Plieninger, B. **92**, 3009 (1959).

Tab. 20: α-Alkoxy-α,β-diacetoxy-alkane durch Oxidation von Enoläthern mit Blei(IV)-acetat

Enoläther	Reaktions-bedingungen	α-Alkoxy-α,β-di-acetoxy-alkan	Ausbeute [% d.Th.]	Kp [° C]	[Torr]	n_D^{25}	Literatur
Äthyl-vinyl-äther	Eisessig; 30° / Benzol; 30°	1-Äthoxy-1,2-di-acetoxy-äthan	70 / 89	} 103–105	12	} 1,4133	1 / 1,2
1-Methoxy-3-oxo-buten-(1)	Benzol; 65°	1-Methoxy-1,2-di-acetoxy-3-oxo-butan	70	87	1	1,4309	3
	Methanol; 20°	1,1-Dimethoxy-2-acetoxy-3-oxo-butan	79		12	1,4266	3
1-Methoxy-3-oxo-3-phenyl-propen	Eisessig; 50°	3-Methoxy-2,3-di-acetoxy-1-oxo-1-phenyl-propan	65	150–151 (F: 48°)	1		4
5-Methylen-1,3-dioxolan	Benzol; 50°	5-Acetoxy-5-acetoxymethyl-1,3-dioxolan	71	96,5–97,5	0,5	1,4370 (23)	5
2,2-Dimethyl-5-methylen-1,3-dioxolan	Benzol; 50°	5-Acetoxy-2,2-dimethyl-5-acetoxymethyl-1,3-dioxolan	80,5	105–107	1,4		5
[Zuckerstruktur: RO–OCH₃ / OR RO / H₂C–OH]	Benzol; 20°	[Zuckerstruktur: RO–OCH₃ / OR RO OCOR' / H–OH R'=CH₃ / CH₂–OCOCH₃]	60	(F: 146–147°)			6,7
2,3-Dihydro-furan		2,3-Dihydroxy-tetrahydrofuran*					8
1,4-Dioxen	Eisessig; 40°	2,3-Diacetoxy-1,4-dioxan	70	(F: 104–105°)			1
Furan	Eisessig; 60°	cis/trans-2,5-Di-acetoxy-2,5-di-hydro-furan	69	89–93	0,5	1,4536	9
3-Isopropyl-furan	Eisessig; 60°	cis/trans-2,5-Di-acetoxy-3-iso-propyl-2,5-di-hydro-furan	54	88–91	0,1	1,4550	10

* nach Hydrolyse.

[1] R. Criegee, P. Dimroth, K. Noll, R. Simon u. C. Weis, B. 90, 1070 (1957).
[2] Y. Yukawa u. M. Sakai, J. chem. Soc. Japan, pure Chem. Sect. 87, 81 (1966); C. A. 65, 16853 (1966).
[3] R. Müller u. H. Plieninger, B. 92, 3009 (1959).
[4] N. K. Kochetkov u. E. E. Nifantev, Ž. obšč. Chim. 30, 1866 (1960); engl.: 1848; C. A. 55, 7406 (1961).
[5] H. O. L. Fischer, E. Baer u. L. Feldmann, B. 63, 1732 (1937).
[6] B. Helferich u. N. M. Bigelow, Z. physiol. Chem. 200, 263 (1931).
[7] L. Zervas u. I. Papadimitriou, B. 73, 174 (1940).
[8] H. Normant, C. r. 228, 102 (1949).
[9] N. Elming u. N. Clauson-Kaas, Acta chem. Scand. 6, 535 (1952).
[10] N. Elming, Acta chem. Scand. 6, 578 (1952).

Zum Unterschied von Enoläthern werden Enolester nicht zu diacetoxylierten Verbindungen umgesetzt. Unter Abspaltung von Essigsäureanhydrid führt die Oxidation zu α-Acetoxy-carbonyl-Verbindungen[1-3]:

16 β-Acetoxy-17-oxo-5α-androstan[2]:

Eine Lösung von 800 mg 17-Acetoxy-5α-androsten-(16) wird mit 1,2 g Blei(IV)-acetat in 15 *ml* Essigsäure und 0,5 *ml* Essigsäureanhydrid 24 Stdn. unter Stickstoffatmosphäre bei 20° gerührt. Danach wird eine Kochsalz-Lösung zugegeben und mit Äther extrahiert. Die Äther-Phase wird mit Wasser und 2 n Natriumhydrogencarbonat-Lösung gewaschen, getrocknet und der Äther abgedampft; anschließend wird chromatographiert; [2 große Platten, 5 × Benzin/Äther (4:1)] und man erhält 88 mg (9% d.Th.) *16 β-Acetoxyacetoxy-17-oxo-5α-androstan* (F: 115–117°) und 617 mg (74% d.Th.) *16 β-Acetoxy-17-oxo-5α-androstan*; F: 154–155°.

2-Acetoxy-furan, bei dem der Äthersauerstoff die Reaktion beeinflußt, kann auch unter 1,4-Addition reagieren[4]. Als Reaktionsprodukt wird *5-Acetoxy-2-oxo-2,5-dihydro-furan* (88% d.Th.; Kp$_{0,005}$: 72–73°; n$_D^{25}$ = 1,4594) isoliert.

Eine weitere Besonderheit der Furane ist ihre Reaktion mit Blei(IV)-acetat zu 2-Acetoxy-3-oxo-2,3-dihydro-furanen[5]. Erster Schritt dieser Umsetzung ist eine substituierende Acetoxylierung am C–3-Atom, der Addition und Essigsäureanhydrid-Abspaltung zum α-Acetoxy-keton folgen:

Die Herstellung der α-Acetoxycarbonyl-Verbindungen aus den Enolestern kann unter den für Oxidationen mit Blei(IV)-acetat üblichen Bedingungen erfolgen, d. h. im Temperaturbereich bis zu 80° in Eisessig oder einem beliebigen, geeigneten apolaren Lösungsmittel[6].

d) Phosphorsäureester durch Oxidation von Phosphorigsäureestern

Mono-, Di- und Trialkylester der phosphorigen Säure werden mit Blei(IV)-acetat in einem wasserfreien organischen Lösungsmittel zu den entsprechenden Phosphorsäureestern oxidiert[7]:

$$(RO)_3P \xrightarrow{Pb(O-COCH_3)_4} (RO)_3PO$$

[1] W. S. JOHNSON, B. GASTAMBIDE u. R. PAPPO, Am. Soc. **79**, 1991 (1957).

[2] M. G. COMBE, W. A. DENNY, G. D. MEAKINS, Y. MORISAWA u. E. E. RICHARDS, Soc. [C] **1971**, 2300.

[3] T. NAMBARA, Y. MATSUKI u. N. MIYAZUKI, Chem. Pharm. Bull. (Tokyo) **20**, 842 (1972); C. A. **77**, 75587 (1972).

[4] N. ELMING u. N. CLAUSON-KAAS, Acta chem. scand. **6**, 565 (1952).

[5] C. DIEN u. R. E. LUTZ, J. Org. Chem. **22**, 1355 (1957).

[6] J. S. BARAN, J. med. Chem. **10**, 1188 (1967).

[7] K. DIMROTH u. B. LERCH, Ang. Ch. **72**, 751 (1960).

Trialkylester reagieren schon in der Kälte spontan mit dem Oxidationsmittel.

Phosphorsäure-trialkylester; allgemeine Arbeitsvorschrift: Phosphorigsäure-trialkylester und Blei(IV)-acetat werden in Benzol gelöst und abgekühlt. Beide Lösungen werden dann im stöchiometrischen Verhältnis langsam unter Rühren zusammengegeben. Man filtriert vom Blei(II)-acetat ab und arbeitet die Lösung wie üblich auf (Ausbeute: 70–80% d.Th.).

Die Reaktion ist aufgrund der Bildung von Essigsäureanhydrid auch zur Herstellung der äußerst wasserempfindlichen ,,cyclischen" Glykolester der Phosphorsäure geeignet; so erhält man z. B. *2-Äthoxy-1,3,2-dioxaphospholan-2-oxid* (81% d.Th.) aus 2-Äthoxy-1,3,2-dioxaphospholan:

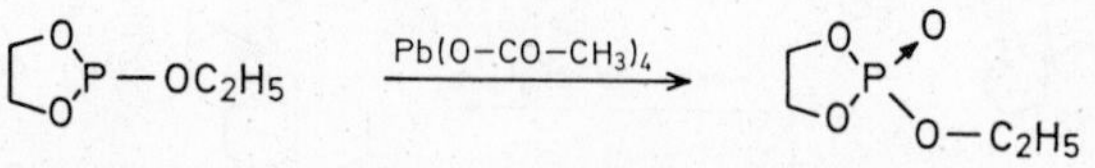

und *2-Äthoxy-4-methoxymethyl-1,3,2-dioxaphospholan-2-oxid* (72% d.Th.) aus 2-Äthoxy-4-methoxymethyl-1,3,2-dioxaphospholan.

Die Oxidation der Dialkylester geht wesentlich langsamer; man kocht deshalb den Ester mit Blei(IV)-acetat in Benzol 1–2 Stdn. unter Rückfluß. Nach Entfernen der Blei-Ionen als Bleisulfat lassen sich die Eisen(III)-salze der Phosphorsäure-dialkylester chromatographisch isolieren; so erhält man z. B.:

Phosphorsäure-diäthylester	85% d.Th.	Phosphorsäure-dibutylester	99% d.Th.
Phosphorsäure-dipropylester	92% d.Th.	Phosphorsäure-dihexylester	77% d.Th.

Cyclische Phosphorigsäure-diester lassen sich auf diesem Wege nicht zu cyclischen Phosphorsäure-diestern oxidieren, man erhält nur uneinheitliche Gemische.

Bei der Oxidation der Monoester verwendet man das Blei(IV)-acetat im Überschuß, den man nach Beendigung der Reaktion mit etwas Glykol zerstört. Aus Phosphorigsäure-butylester-Diammoniumsalz erhält man *Phosphorsäure-butylester-Blei(II)-salz* (72% d.Th.) und aus Phosphorigsäure-cyclohexylester-Diammoniumsalz *Phosphorsäure-cyclohexylester-Blei(II)-salz* (87% d.Th.).

e) Sulfoxide durch Oxidation von Sulfiden (Thioäther)

Blei(IV)-acetat oxidiert Sulfide in polaren Lösungsmitteln zu Sulfoxiden[1], dabei ist die Ausbeute an Sulfoxid stark von der Natur des Lösungsmittels abhängig. Mit steigender Dielektrizitäts-Konstanten des Mediums nimmt die Ausbeute an Sulfoxid zu, wie das Ergebnis von Untersuchungen an Dibutylsulfid in verschiedenen Lösungsmitteln zeigt[2]. Die Ausbeuten an *Dibutylsulfoxid* sind in Benzol 6% d.Th., Tetrachlormethan 11% d.Th., Nitrobenzol 21% d.Th., Essigsäure 36% d.Th. und Acetonitril 55% d.Th..

Konkurrenzreaktion ist die α-Acetoxylierung der Sulfide, die in Benzol und anderen apolaren Lösungsmitteln zur Hauptreaktion wird. Bei der Oxidation von Dibenzylsulfid in Benzol erhält man praktisch quantitativ *α-Acetoxy-dibenzylsulfid*, in Eisessig dagegen *Dibenzylsulfoxid*[1].

5,5-Dimethyl-3-(phenylacetylamino-acetyl)-4-methoxycarbonyl-tetrahydro-1,3-thiazol-1-oxid[3]:

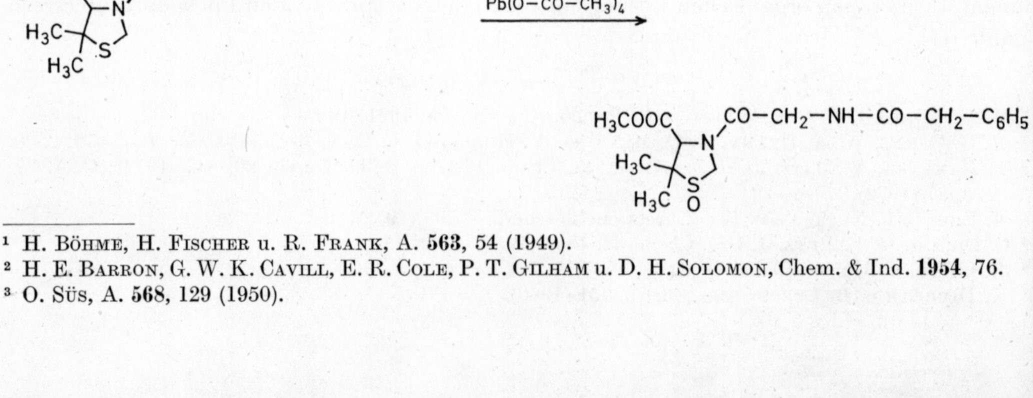

---

[1] H. Böhme, H. Fischer u. R. Frank, A. **563**, 54 (1949).
[2] H. E. Barron, G. W. K. Cavill, E. R. Cole, P. T. Gilham u. D. H. Solomon, Chem. & Ind. **1954**, 76.
[3] O. Süs, A. **568**, 129 (1950).

2,1 g 5,5-Dimethyl-3-(phenylacetylamino-acetyl)-4-methoxycarbonyl-tetrahydro-1,3-thiazol werden in 6 ml Eisessig gelöst, mit 2,7 g Blei(IV)-acetat versetzt und die Mischung unter Rühren und Feuchtigkeits-ausschluß 1 Stde. auf 50° erwärmt. Dabei geht das Blei(IV)-acetat in Lösung. Nach mehrstündigem Stehen bei Zimmertemp. wird die Lösung i. Vak. bis zur Sirupkonsistenz eingedampft, der Sirup mit 10%iger Natriumhydrogencarbonat-Lösung bis zur alkalischen Reaktion versetzt und der entstandene Niederschlag abgesaugt. Dieser wird mit ~ 15 ml Methanol ausgekocht und unter Zusatz von etwas Tierkohle heiß abgesaugt. Beim Abkühlen kristallisiert das Sulfoxid aus, das aus Methanol umkristallisiert wird; Ausbeute: 1 g (45% d.Th.); F: 170–173°.

Bei der Oxidation in kochendem Benzol laufen beide Reaktionen nebeneinander ab; z. B.[1]:

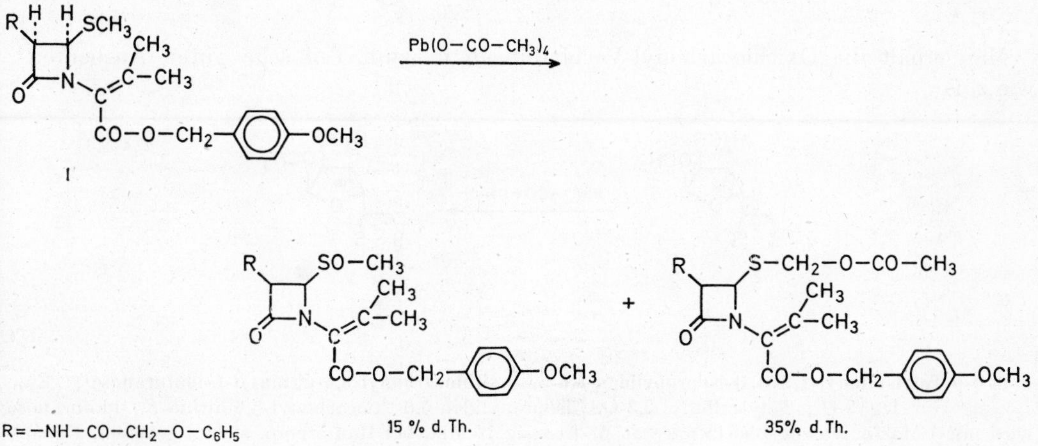

R = −NH−CO−CH₂−O−C₆H₅   15 % d. Th.   35% d. Th.

Phenothiazine werden schon bei Raumtemperatur oxidiert[2].

10-Acetyl-phenothiazin-4-oxid[2]:

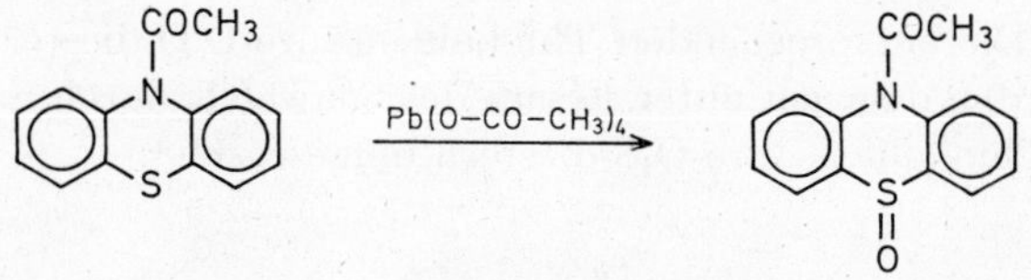

2,4 g 10-Acetyl-phenothiazin werden mit 4,4 g Blei(IV)-acetat in 60 ml Eisessig 5 Stdn. bei Raumtemp geschüttelt; Ausbeute: 1,8 g (70% d.Th.); F: 173°.

Analog erhält man aus 10-Chloracetyl-phenothiazin *10-Chloracetyl-phenothiazin-4-oxid* (86% d.Th.). 10-Dichloracetyl-phenothiazin wird dagegen nicht oxidiert.

f) Trithiokohlensäure-S¹-oxid-S²,S³-diester durch Oxidation von Trithiokohlensäure-diestern

Die Oxidation der Thiocarbonyl-Gruppe zur Oxithiocarbonyl-Gruppe

---

[1] E. G. BRAIN, A. J. EGLINGTON, J. H. C. NAYLER, M. J. PEARSON u. R. SOUTHGATE, Chem. Commun. **1972**, 229.

   J. P. CLAYTON, J. H. C. NAYLER, M. J. PEARSON u. R. SOUTHGATE, Soc. (Perkin I) **1974**, 22.

[2] B. D. PODOLESOV, Kroat. Chem. Acta **40**, 201 (1968); C. A. **70**, 11655 (1969).

gelingt bei der Umsetzung von cyclischen Trithiokohlensäure-diestern in Eisessig[1];

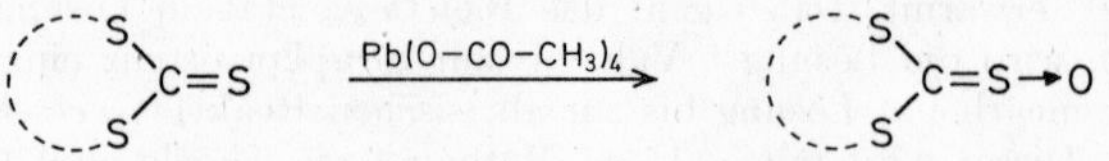

so wird 8-Thiono-7,9-dithia-bicyclo[4.3.0]nonan von Blei(IV)-acetat in Eisessig bei Raumtemperatur in *8-Oxothiono-7,9-dithia-bicyclo[4.3.0]nonan* (F: 96–97°) überführt[2, 3]:

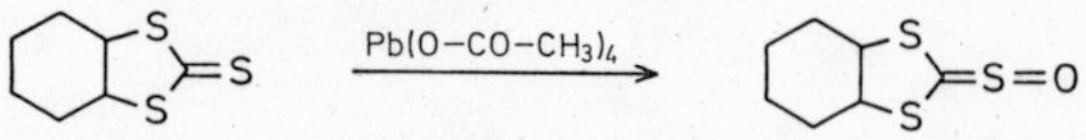

Man erhält die Oxithiocarbonyl-Verbindungen in zum Teil sehr guten Ausbeuten[4], wie z. B.:

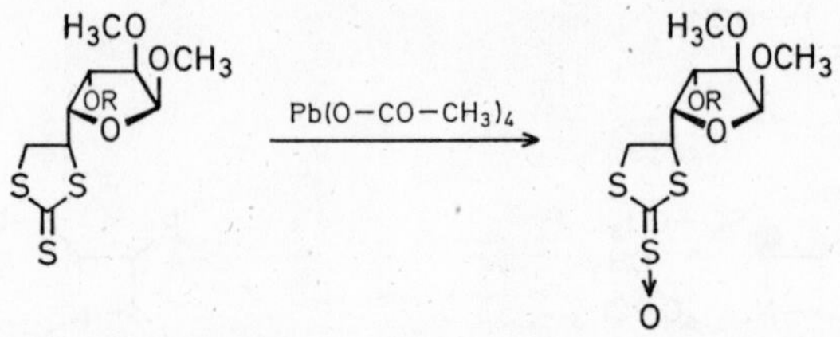

3-O-p-Tolylsulfonyl-1,2-O,O-isopropyliden-5,6-S,S-oxithiocarbonyl-5,6-dithia-β-L-idofuranose[1]: Eine Lösung von 1 g 3-O-p-Tolylsulfonyl-2,3-O,O-isopropyliden-5,6-thiocarbonyl-5,6-dithia-β-L-idofuranose wird mit 1 Moläquivalent Blei(IV)-acetat in Eisessig 10 Min. bei Raumtemp. stehen gelassen. Danach wird Kaliumjodid zugegeben und evtl. freies Jod mit Natriumthiosulfat reduziert. Die Lösung wird 2mal mit 250 *ml* Chloroform extrahiert, die Extrakte 3mal mit je 100 *ml* Wasser gewaschen, über Magnesiumsulfat getrocknet, filtriert und das Chloroform abdestilliert; Ausbeute: 920 mg (89% d.Th.); F: 82–90° (amorph.)

Die Möglichkeit der Oxithiocarbonyl-Bildung gilt nur für die Oxidation der Trithiokohlensäure-diester. Die entsprechenden Thiokohlensäure-O,O-diester bzw. Dithiokohlensäure-O,S-diester werden dagegen unter Ersatz des Schwefels durch Sauerstoff zu Kohlensäure-diestern bzw. Thiokohlensäure-O,S-diestern umgesetzt[1, 3]:

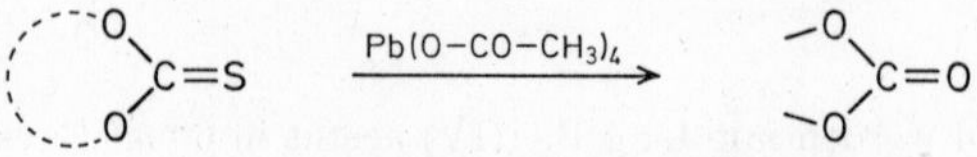

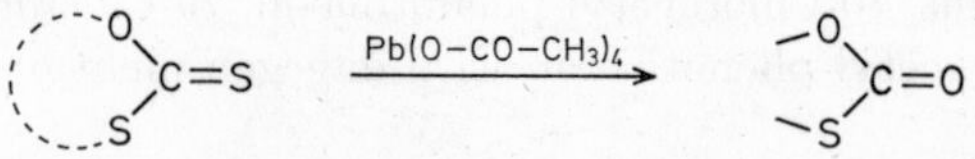

II. Dehydrierungen

a) am Kohlenstoff-Atom

1. unter Ausbildung von C=C-Doppelbindungen

Es gibt nur wenige Beispiele, in denen mit Hilfe von Blei(IV)-acetat die C–C-Einfachbindung zur C=C-Doppelbindung dehydriert wird, so z. B. 3-Oxo-Δ^1-steroide, die zum Teil

[1] W. M. Doane, B. S. Shasha, C. R. Russell u. C. E. Rist, J. Org. Chem. **30**, 3071 (1965).
[2] B. S. Shasha, W. M. Doane, C. R. Russell u. C. E. Rist, Nature **210**, 89 (1966).
[3] T. J. Adley, A. K. M. Anisuzzaman u. L. N. Owen, Soc. [C] **1967**, 807.
[4] W. M. Doane, B. S. Shasha, C. R. Russell u. C. E. Rist, J. Org. Chem. **30**, 3071 (1965).

zu 3 - Oxo - $\Delta^{1,4}$ - steroiden dehydriert werden[1,2]:

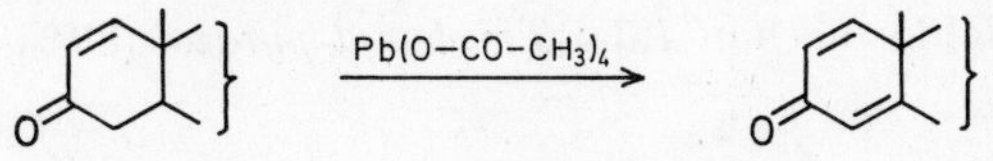

Die Ausbeuten an Dien sind allerdings mäßig und übersteigen nicht 20%[2]. Höhere Ausbeuten an Dehydro-Derivat werden bei der Umsetzung von 7,8,9,10-Tetrahydro-⟨cyclohepta-[d,e]-naphthalin⟩ mit Blei(IV)-acetat in Eisessig erhalten (*7,8-Dihydro-⟨cyclohepta-[d,e]-naphthalin⟩*; 51% d.Th.; F: 129–132°)[3]:

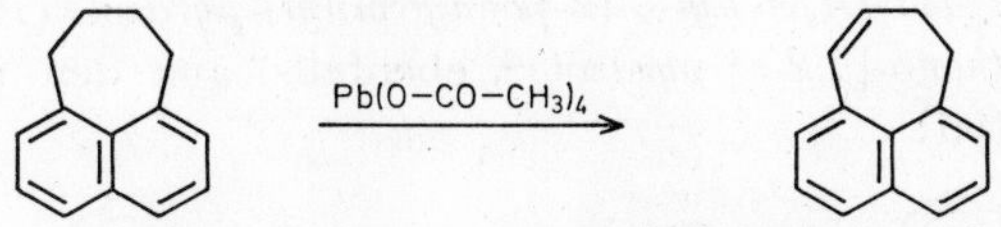

Bei der Dehydrierung von 9-substituierten 9,10-Dihydro-acridinen[4,5] kann man ebenfalls formal von der Einführung der C=C-Doppelbindung sprechen:

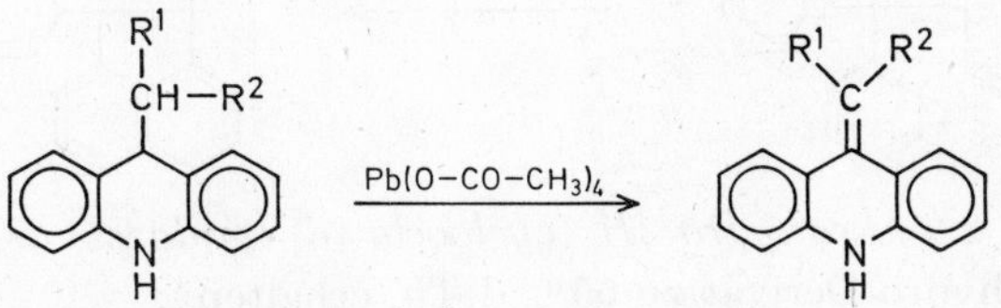

Das zunächst gebildete 9-Alkyliden-acridan steht im Gleichgewicht mit dem 9-substituierten Acridin,

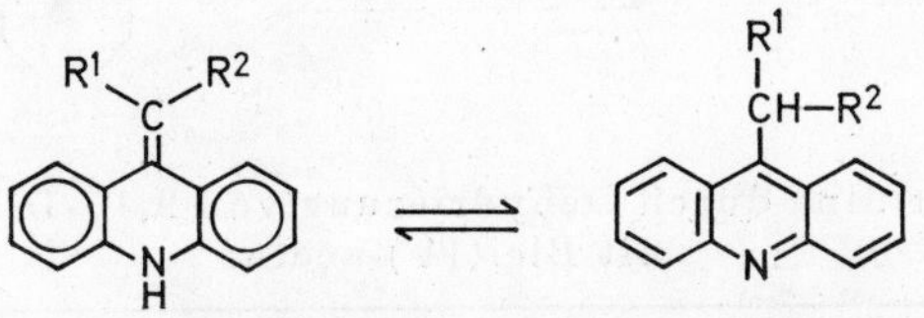

so daß man auch eine 1,4-Dehydrierung statt einer 1,2-Dehydrierung annehmen kann, wie sie bei unsubstituierten 9,10-Dihydro-anthracenen oft beobachtet wird (s. Tab. 21, S. 276).

Zur Dehydrierung läßt man 1 Mol Blei(IV)-acetat bei Raumtemp. auf das in Benzol gelöste Acridan einwirken. Nach 30 Min. ist die Umsetzung beendet und man isoliert die Dehydro-Verbindung in Ausbeuten von durchschnittlich 60% der Theorie.

Die Dehydrierung zur C=C-Doppelbindung gelingt immer dann, wenn die Verbindung dadurch ein ausgedehnteres, mesomeres System erhält. Das ist auch bei der Dehydrierung von 5-Oxo-4-diphenylmethyl-1-äthyl-2-phenyl-4,5-dihydro-imidazol der Fall, das zum *5-Oxo-1-äthyl-4-diphenylmethylen-2-phenyl-4,5-dihydro-imidazol* (60% d.Th., F: 165°) umgesetzt wird[6]:

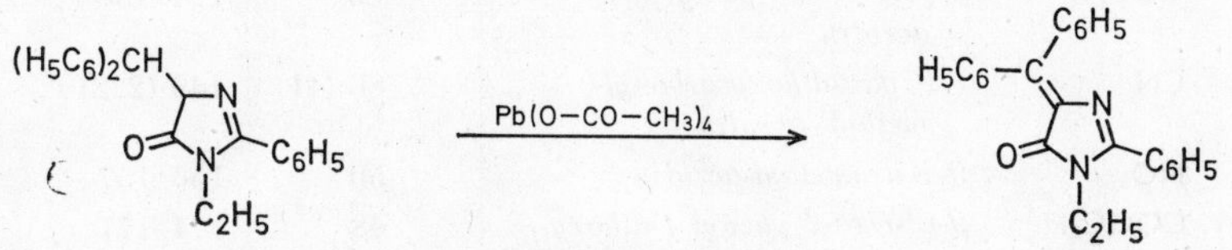

[1] S. BURSTEIN u. R. I. DORFMAN, Am. Soc. **77**, 4668 (1955).
[2] S. KAUFMANN, J. Org. Chem. **29**, 1348 (1964).
[3] P. D. GARDNER u. R. J. THOMPSON, J. Org. Chem. **22**, 36 (1957).
[4] O. DIMROTH u. R. CRIEGEE, B. **90**, 2207 (1957).
[5] F. KRÖHNKE u. H. L. HONIG, A. **624**, 97 (1959).
[6] W. ASKER et al., J. pr. **313**, 585 (1971).

18*

4,5-Dihydro-pyrazole lassen sich zum Teil mit hoher Ausbeute in die entsprechenden Pyrazole überführen. So erhält man z. B. aus 1,3,5-Triphenyl-4,5-dihydro-pyrazol bei Raumtemperatur in Dichlormethan *1,3,5-Triphenyl-pyrazol* (89% d.Th.):

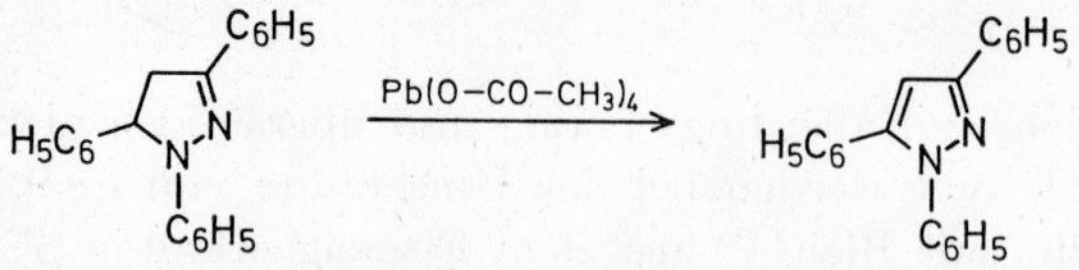

Ferner werden u. a. *3,5-Diphenyl-1-(4-nitro-phenyl)-pyrazol* (88% d.Th.), *3-Methyl-1-phenyl-pyrazol* (83% d.Th.), *1,5-Diphenyl-3-(2-phenyl-vinyl)-pyrazol* (79% d.Th.)[1] und *8,9a-Diphenyl-8H-⟨acenaphtheno-[1,2-c]-pyrazol⟩*[2] ebenfalls aus den entsprechenden 5,6-Dihydro-Derivaten erhalten:

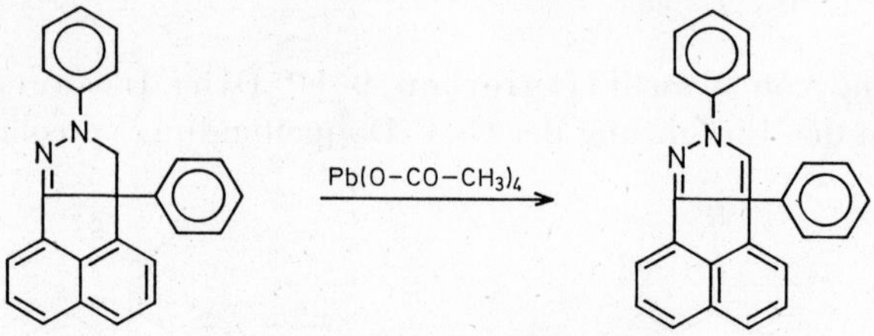

2,3-Diphenyl-4,5,6,7,8,9-hexahydro-2H-⟨cycloocta-[c]-imidazol⟩ (55% d.Th.) wird aus dem entsprechenden Octahydro-Derivat zu 55% d.Th. erhalten[3]:

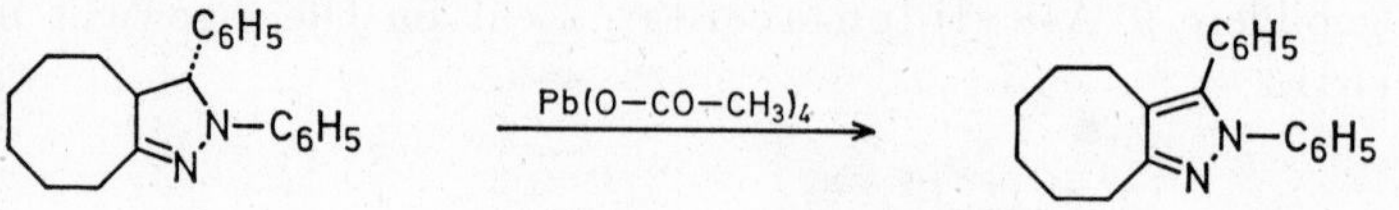

Tab. 21: Acridine durch Dehydrierung von 9,10-Dihydro-acridin mit Blei(IV)-acetat

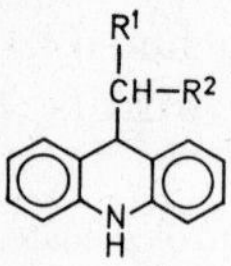 R¹	R²	Acridine	Ausbeute [% d.Th.]	F [° C]	Literatur
COOC₂H₅	COOC₂H₅	*9-Diäthoxycarbonylmethyl-acridin*	—	98 (100–102°)	4, 5
COOC₂H₅	COCH₃	*9-(2-Oxo-1-äthoxycarbonyl-propyl)-acridin*	59	130	4, 5
COCH₃	COCH₃	*9-[2,4-Dioxo-pentyl-(3)]-acridin*	60	184–186	4, 5
COOC₂H₅	CN	*9-(Cyan-äthoxycarbonyl-methyl)-acridin*	80 (41)	149 (222)	4, 5
H	NO₂	*9-Nitromethyl-acridin*	50	156–157	5
COC₆H₅	COOC₂H₅	*9-(2-Oxo-2-phenyl-1-äthoxy-carbonyl-äthyl)-acridin*	48	174–177	5

[1] W. A. F. GLADSTONE u. R. O. C. NORMAN, Soc. [C] **1966**, 1536.
[2] O. TSUGE, I. SHINKAI u. M. TASHIRO, Bl. chem. Soc. Japan **42**, 185 (1969).
[3] R. BAUMES et al., J. heterocycl. Chem. **10**, 763 (1973).
[4] O. DIMROTH u. R. CRIEGEE, B. **90**, 2207 (1957).
[5] F. KRÖHNKE u. H. L. HONIG, A. **624**, 97 (1959).

2. unter Aromatisierung

Die Aromatisierung cyclischer Kohlenwasserstoffe mit Blei(IV)-acetat gelingt nur bei 1,2- bzw. 1,4-Dihydro-aromaten und auch hier nur mit mäßigem Erfolg. Bei cyclischen Monoolefinen überwiegen Substitution des Allyl-Wasserstoffs durch die Acetoxy-Gruppe oder Anlagerung von zwei Acetoxy-Gruppen an die C=C-Doppelbindung, Reaktionen, die auch bei den cyclischen Dienen mit der Aromatisierung in Konkurrenz treten. Einigermaßen glatt verläuft die Dehydrierung des 1,4-Dihydro-naphthalins zum *Naphthalin*[1]. 1,2-Dihydro-naphthalin reagiert erst bei 70° mit merklicher Geschwindigkeit und liefert neben *1,2-Diacetoxy-tetralin* 20% *Naphthalin*. 9,10-Dihydro-anthracen gibt ungefähr 22% *Anthracen*, wenn die Reaktion bei 80° in Benzol durchgeführt wird (in Eisessig entstehen nur Spuren)[1]. Schließlich wird 2-Methoxy-1,4,5,8-tetrahydro-naphthalin in Benzol zu *2-Methoxy-naphthalin* (~ 21% d.Th.) dehydriert[2].

Hohe Ausbeuten an Aromatisierungs-Derivaten sind nur dann zu erwarten, wenn geeignete Substituenten am Ring die Dehydrierung günstig beeinflussen. So erhält man z. B. bei der Umsetzung von 2,4,6-Triphenyl-1-benzoyl-cyclohexadien-(1,3) in Eisessig bei 70° *2,4,6-Triphenyl-benzophenon* (F: 169°) in einer Ausbeute von 81% d.Th.[3]. In solchen Fällen gelingt schließlich auch die Aromatisierung von Tetrahydro-Derivaten[4-7].

3. Phosphorylene durch Dehydrierung von Phosphoniumsalzen

Bei der Oxidation von β-Oxo-alkylphosphoniumsalzen mit Blei(IV)-acetat werden die an das α-C-Atom gebundenen Wasserstoffatome abstrahiert. Es werden Phosphorylene gebildet, bei denen das vor der Oxidation vorliegende Anion an das α-C-Atom getreten ist[8]. Folgende Bruttogleichung gibt den Verlauf der Oxidation wieder:

$$\left[(C_6H_5)_3P^{\oplus}-CH_2-CO-R\right]X^{\ominus} \;+\; Pb(O-COCH_3)_4 \longrightarrow$$

$$(C_6H_5)_3P{=}C\!\!<^{X}_{CO-R} \;+\; Pb(O-COCH_3)_2 \;+\; 2\;HO-COCH_3$$

Mit Hilfe dieser Reaktion gelingt es α-Halogen-β-oxo-phosphorylene herzustellen, wobei das Halogen auch durch halogenähnliche Gruppen ersetzt sein kann. Darüber hinaus ist diese Reaktion nicht nur auf β-Oxo-Verbindungen beschränkt, sondern allgemein auf Phosphoniumsalze anwendbar, die Elektronenacceptorgruppen in β-Stellung aufweisen[9], z. B.: Aminocarbonyl-, Alkoxycarbonyl-, Cyan- oder Sulfon-Gruppen.

Ferner gelingt es α-Halogen-phosphorylene herzustellen, die gegen Halogen empfindliche Gruppierungen z. B. C=C-Doppelbindungen enthalten und damit nach anderen bekannten Methoden[10,11] nicht hergestellt werden können. Da Oxophosphorylene durch Wittig-

[1] R. CRIEGEE, A. **481**, 263 (1937).
[2] A. J. BIRCH, A. R. MURRAY u. H. SMITH, Soc. **1951**, 1945.
[3] H. MEERWEIN, B. **77**, 227 (1944).
[4] R. D. HAWORTH u. G. SHELDRICK, Soc. **1935**, 636.
[5] C. WEIZMANN, E. BERGMANN u. T. BERLIN, Am. Soc. **60**, 1331 (1938).
[6] E. BERGMANN u. F. BERGMANN, Am. Soc. **60**, 1805 (1938).
[7] M. S. NEWMAN, Am. Soc. **62**, 1683 (1940).
[8] E. ZBIRAL, M. **97**, 180 (1966).
[9] E. ZBIRAL u. H. HENGSTBERGER, M. **99**, 429 (1968).
[10] G. MÄRKL, B. **94**, 2996 (1961); **95**, 3003 (1962).
[11] D. B. DENNEY u. S. T. ROSS, J. Org. Chem. **27**, 998 (1962).
     A. J. SPEZIALE u. K. W. RATTS, J. Org. Chem. **28**, 465 (1963).

Reaktion zugänglich sind, gelingt es so nahezu unbeschränkt Chlor- bzw. Brom-vinyl-ketone herzustellen. Dies gilt nicht für die übrigen Halogen- bzw. Halogen-ähn-lichen-phosphorylene (es gelingt z. B. nicht Rhodan-[1], Jod[2]- oder Selencyan-Derivate[1] der Wittig-Reaktion zu unterwerfen).

Weiteroxidation der einmal gebildeten α-Halogen-phosphorylene und Spaltung der P=C-Doppelbindung, wie sie von den Phosphorylenen her bekannt ist[3], findet nicht statt.

α-Halogen-phosphorylene; allgemeine Herstellungsvorschrift: Zu einer Lösung des Phosphoniumsalzes in Chloroform wird unter Rühren eine Lösung von Blei(IV)-acetat in Chloroform gegeben, dabei steigt die Temp. etwas an. Nach Beendigung der Zugabe wird vom ausgeschiedenen Blei(IV)-acetat abgetrennt, das Filtrat mit Wasser gewaschen, mit Natriumsulfat getrocknet und i. Vak. eingedampft, das α-Halogen-phosphorylen-Derivat kristallisiert dabei aus.

Tab. 22: α-Halogen-β-oxo-phosphorylene durch Oxidation von
β-Oxo-alkylphosphoniumsalzen mit Blei(IV)-acetat

$[(H_5C_6)_3\overset{\oplus}{P}-CH_2-R]X^{\ominus}$		$(H_5C_6)_3P=C\begin{smallmatrix}X\\R\end{smallmatrix}$			
R	X		Ausbeute [% d. Th.]	F [° C]	Literatur
CO–CH₃	Cl	Triphenyl-phosphin-1-chlor-2-oxo-propyliden	75	186–188	1
	SCN	Triphenyl-phosphin-1-rhodan-2-oxo-propyliden	80	160–163	1
	SeCN	Triphenyl-phosphin-1-cyan-selen-2-oxo-propyliden	50–60	174 (Zers.)	1
CO–C₆H₅	Br	Triphenyl-phosphin-1-brom-2-oxo-2-phenyl-äthyliden	60	160	1
CO–CH=CH–C₆H₅	Br	Triphenyl-phosphin-1-brom-2-oxo-4-phenyl-buten-(3)-yliden	80	202–204	1
	Cl	Triphenyl-phosphin-1-chlor-2-oxo-2-furyl-(2)-äthyliden		—	1
COOC₂H₅	SCN	Triphenyl-phosphin-α-rhodan-α-äthoxycarbonyl-methylen	65	139–142	1
	SeCN	Triphenyl-phosphin-α-cyan-selen-α-äthoxycarbonyl-methylen	80	134–136	4
CONH₂	SeCN	Triphenyl-phosphin-α-cyan-selen-α-aminocarbonyl-methylen	80	151–153	4
CN	SeCN	Triphenyl-phosphin-α-cyan-selen-α-cyan-methylen	65	160–163	4
	Br	Triphenyl-phosphin-α-brom-α-p-tolylsulfonyl-methylen	25	195–198	4
	SeCN	Triphenyl-phosphin-α-cyan-selen-α-p-tolylsulfonyl-methylen	63	198–199	4

[1] E. Zbiral, M. **97**, 180 (1966).
[2] G. Märkl, B. **94**, 2996 (1961); **95**, 3003 (1962).
[3] E. Zbiral u. E. Werner, M. **97**, 1797 (1966).
[4] E. Zbiral u. H. Hengstberger, M. **99**, 429 (1968).

b) Nitrile durch Dehydrierung prim. Amine

Primäre aliphatische Amine mit einer Methylen-Gruppe in α-Stellung reagieren mit Blei(IV)-acetat unter Dehydrierung zu Nitrilen[1, 2]. Man kann sich diese Reaktion als eine Zweistufen-Dehydrierung vorstellen, die über Aldimine als instabile Zwischenverbindungen führt:

$$R-CH_2-NH_2 \xrightarrow[-H_2]{Pb(O-COCH_3)_4} R-CH=NH \xrightarrow[-H_2]{Pb(O-COCH_3)_4} R-C\equiv N$$

Bei einem Molverhältnis von 1 Mol Amin zu 1 Mol Blei(IV)-acetat ist die Reaktion schon nach einer Stunde bei 80° (kochendes Benzol) beendet. Nach obiger Gleichung erhält man jedoch die doppelte Ausbeute an Nitril (bis zu 65%) bei einem Molverhältnis 1 : 2, allerdings dauert die Reaktion dann erheblich länger.

Nitrile durch Dehydrierung von Aminen; allgemeine Arbeitsvorschrift[2]: 0,1 Mol Amin werden mit 0,2 Mol Blei(IV)-acetat in 100–200 *ml* Benzol unter Rückfluß und Rühren gekocht bis das Oxidationsmittel vollständig verbraucht ist. Nach dem Abkühlen werden 100 *ml* Äther zugegeben, Blei(II)-acetat abfiltriert und einige Male mit Äther gewaschen. Danach wird das Blei(II)-salz in Wasser gelöst und mit Äther extrahiert. Die Äther-Lösungen werden mit der Benzol/Äther-Lösung vereinigt und nacheinander mit 3%iger wäßriger Salzsäure, 5%iger wäßriger Natriumhydrogencarbonat-Lösung und Wasser gewaschen. Dieser neutrale Teil enthält das Nitril und als weiteres Reaktionsprodukt das entsprechende N-Alkyl-acetamid. Sie werden beispielsweise durch Destillation isoliert. Die Salzsäure-Waschlösungen und die Blei(II)-acetat enthaltende Lösung wird mit wäßriger Natronlauge stark alkalisch gemacht und mit Äther extrahiert. Die Äther-Lösung enthält nicht umgesetztes Amin.

Zugabe von Pyridin in großem Überschuß erhöht die Reaktionsgeschwindigkeit beträchtlich, so daß Raumtemperatur ausreicht.

Nebenprodukte sind hochmolekulare Stickstoffverbindungen und bei der Oxidation von Benzylamin 2–4% Benzaldehyd. Weitere Nebenprodukte sind Carbonsäuren aus Aminen bzw. Carbonsäure-alkylamiden. Wird in Gegenwart von Essigsäure oxidiert, so erhält man vorzugsweise Nebenprodukte.

Amine, die am α-C-Atom keinen Wasserstoff besitzen, wie z. B. Triphenylmethyl-amin oder 1-Amino-1,1-diphenyl-äthan, werden ebenfalls am Stickstoff dehydriert[3]. Das intermediär entstehende Nitren geht durch Aryl-Wanderung in ein Arylimin-Derivat über:

$$\underset{\underset{C_6H_5}{|}}{\overset{\overset{C_6H_5}{|}}{R-C-NH_2}} \xrightarrow{Pb(O-CO-CH_3)_4} \underset{}{\overset{\overset{C_6H_5}{|}}{R-C=N-C_6H_5}}$$

$$R = C_6H_5; \textit{ Benzophenon-phenylimin}; 95\% \text{ d.Th.}; \text{ F: } 110\text{–}112°$$
$$R = CH_3; \textit{ Acetophenon-phenylimin}; 70\% \text{ d.Th.}; \text{ F: } 42\text{–}43°.$$

Benzophenon-phenylimin[3]: 0,012 Mol Blei(IV)-acetat werden mit 0,01 Mol Triphenylmethyl-amin in 100 *ml* Benzol 4 Stdn. unter Stickstoff und unter Rückfluß gekocht. Danach wird das Reaktionsgemisch filtriert, mit Glykol, Wasser, einer wäßrigen Natriumcarbonat-Lösung und wieder mit Wasser gewaschen und getrocknet. Der Rückstand wird aus Äthanol umkristallisiert; Ausbeute: 95% d.Th.; F: 110–112°.

c) am Kohlenstoff- und Sauerstoffatom

1. Aldehyde und Ketone durch Dehydrierung von Alkoholen

Alkohole und Blei(IV)-acetat befinden sich allgemein mit Alkoxy-triacetoxy-blei(IV) und Essigsäure im Gleichgewicht:

$$ROH + Pb(O-CO-CH_3)_4 \rightleftharpoons RO-Pb(O-CO-CH_3)_3 + HO-COCH_3$$

In Eisessig als Lösungsmittel liegt dieses Gleichgewicht fast ausschließlich auf der Seite des

---

[1] M. L. Mihailović, A. Stojilković u. V. Andrejević, Tetrahedron Letters **1965**, 461.

[2] A. Stojiljković, V. Andrejević u. M. L. Mihailović, Tetrahedron **23**, 721 (1967).

[3] A. J. Sisti, Chem. Commun. **1968**, 1272.

Blei(IV)-acetats und Alkohols. Deshalb werden Alkohole in essigsaurer Lösung von Blei(IV)-acetat praktisch nicht angegriffen. In apolaren Lösungsmitteln dagegen, z. B. in siedendem Benzol werden sie oxidiert. Dabei sind drei Reaktionstypen möglich:

① Cyclisierung zu in der Hauptsache fünfgliedrigen cyclischen Äthern (s. S. 208).
② Fragmentierung der C–C-Bindung zwischen dem α- und β-C-Atom (s. S. 340).
③ Dehydrierung zu Aldehyden oder Ketonen[1].

Während Cyclisierung und Fragmentierung homolytische Spaltung der Alkoxy-blei(IV)-Verbindung nach

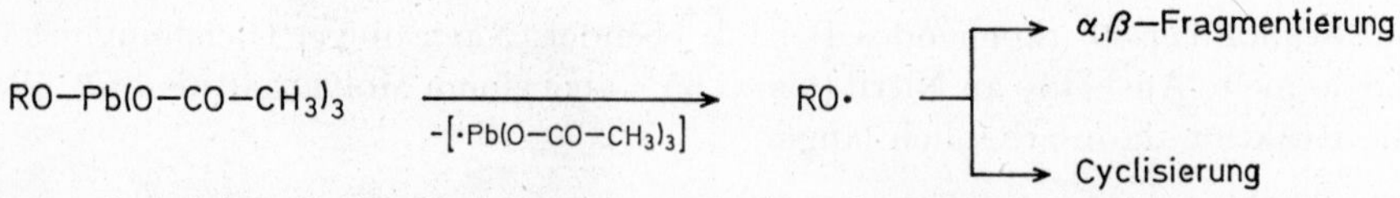

$$RO-Pb(O-CO-CH_3)_3 \xrightarrow[-[\cdot Pb(O-CO-CH_3)_3]]{} RO \cdot \left\{ \begin{array}{l} \longrightarrow \alpha,\beta-\text{Fragmentierung} \\ \\ \longrightarrow \text{Cyclisierung} \end{array} \right.$$

voraussetzen[2], erfolgt die Dehydrierung zu Carbonyl-Verbindungen durch heterolytische Spaltung[3]

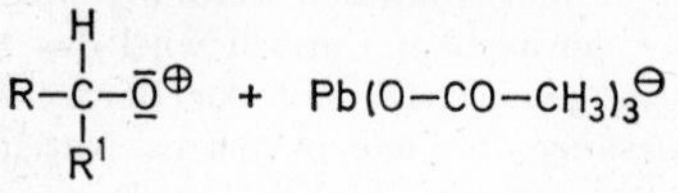

$$R-\overset{\overset{\displaystyle H}{|}}{\underset{\underset{\displaystyle R^1}{|}}{C}}-\bar{\underline{O}}^{\oplus} \; + \; Pb(O-CO-CH_3)_3^{\ominus}$$

und Stabilisierung des Alkoxy-Kations zur Carbonyl-Verbindung unter Abgabe eines Protons

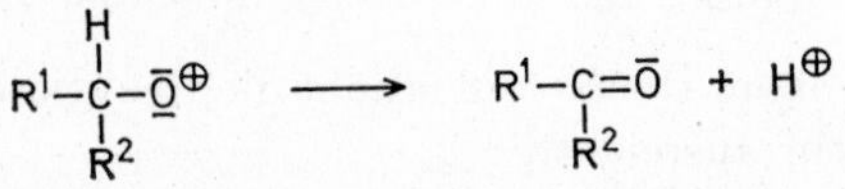

$$R^1-\overset{\overset{\displaystyle H}{|}}{\underset{\underset{\displaystyle R^2}{|}}{C}}-\bar{\underline{O}}^{\oplus} \; \longrightarrow \; R^1-\underset{\underset{\displaystyle R^2}{|}}{C}=\bar{O} \; + \; H^{\oplus}$$

Im Einklang mit diesem Mechanismus steht der Befund, daß mit steigender Polarität und Basizität des Reaktionsmediums, entweder durch das Lösungsmittel[4] oder durch das Substrat[5], die Dehydrierung zum Carbonyl begünstigt ist und Cyclisierung und Fragmentierung benachteiligt sind.

Im einfachsten Fall kann der umzusetzende Alkohol in großem Überschuß ohne ein anderes Lösungsmittel oxidiert werden. Bei gleicher Reaktionstemperatur (80°) geht die Ausbeute an cyclischen Äthern gegenüber der Oxidation in Benzol bei stöchiometrischen Mengen an Alkohol und Blei(IV)-acetat auf die Hälfte zurück. Gleichzeitig nimmt die Ausbeute an Aldehyd oder Keton bei verkürzter Reaktionsdauer um das 6-10fache zu[6].

3α, 20β-Diacetoxy-11-oxo-5β-pregnan[7]: 8 g Blei(IV)-acetat werden zu einer Lösung von 4 g 11β-Hydroxy-3α,20β-diacetoxy-5β-pregnan in 100 ml Benzol gegeben und das Gemisch 18 Stdn. unter Rückfluß gekocht. Danach werden 250 ml Benzol und 1 l Wasser zugegeben. Es wird von den ausgefallenen schwarzbraunen anorganischen Salzen abfiltriert und diese mit Benzol gewaschen. Die vereinigten Benzol-Lösungen werden mit Wasser gewaschen, mit Natriumsulfat getrocknet und das Lösungsmittel i. Vak. abdestilliert. Der feste Rückstand wird aus Methanol umkristallisiert; Ausbeute: 2,76 g; F: 153–155°; $[\alpha]_D = +68°$.

Weitere 650 mg (F: 148–157°) kristallisieren aus der Mutterlauge aus. Schließlich erhält man weitere 170 mg nach Entfernen des Lösungsmittels der Mutterlauge und Chromatographieren des Rückstandes über 30 g Aluminiumoxid; Gesamtausbeute: 89,5% d. Th.

Die Oxidation zu Carbonyl-Verbindungen erfolgt besonders rasch und in guter Ausbeute unter dem Einfluß von Pyridin. Bei Zusatz von Pyridin zu einer benzolischen Lösung

---

[1] R. Criegee, L. Kraft u. B. Rank, A. **507**, 159 (1933).
[2] Zum Schema der Oxidation von Alkanolen s. M. L. Mihailović, L. Žirković, Z. Maksimović, D. Jeremić, Z. Čeković u. R. Matić, Tetrahedron **23**, 3095 (1967), dort auch Literaturzusammenstellung.
[3] R. Criegee, Ang. Ch. **70**, 173 (1958).
[4] R. E. Partch, Tetrahedron Letters **1964**, 3071.
[5] V. M. Mićović u. M. L. Mihailović, R. **71**, 970 (1952); Ber. Chem. Ges. Belgrad **18**, 105 (1953); C. **1955**, 579.
[6] M. L. Mihailović, J. Bošnjak, Z. Maksimović, Ž. Čeković u. L. Lorenc, Tetrahedron **22**, 955 (1966).
[7] A. Bowers u. E. Denot, Am. Soc., **82**, 4956 (1960).

empfiehlt sich, die Base in einem Molverhältnis von [bez. auf Blei(IV)-acetat] 4 einzusetzen. Am besten arbeitet man aber in reinem Pyridin. Nachdem die Ausbeuten an Carbonyl-Verbindung in Pyridin von der Temperatur praktisch unabhängig sind, kann die Oxidation sowohl bei Raumtemperatur[1] als auch bei 100° unter Rückfluß[2] vorgenommen werden. Im letzteren Falle dauert die Reaktion wenige Minuten, während bei Raumtemperatur 10 - 20 Stdn. erforderlich sind. Der Endpunkt der Reaktion wird durch Farbänderung des Reaktionsmediums von tiefrot nach hellgelb angezeigt[1].

2-Isopropyl-1-benzyl-5-formyl-imidazol[3]: Zu einer Lösung von 30 g (0,13 Mole) 5-Hydroxymethyl-2-isopropyl-1-benzyl-imidazol in 100 *ml* trockenem Pyridin werden unter Rühren 75 g Blei(IV)-acetat, in 15%ige Essigsäure gelöst, portionsweise gegeben. Dabei hält man die Temp. bei 25–35°. Man läßt 12 Stdn. stehen, gießt dann die Reaktionslösung in ges. wäßrige Kaliumcarbonat-Lösung und extrahiert mit Benzol. Nach Trocknen und Abdampfen des Lösungsmittels bleibt ein Öl, das bei $Kp_{0,05}$: 124–129° destilliert und beim Stehen nach einiger Zeit kristallisiert; Ausbeute: 22 g (73% d.Th.); F: 60–62°.

Tab. 23. Carbonyl-Verbindungen durch Oxidation von Alkoholen mit Blei(IV)-acetat

Alkohol	Lösungsmittel	Temperatur [° C]	Reaktions-dauer	Carbonyl-Verbindung	Ausbeute [% d.Th.]	Literatur
Butanol	Pyridin	20	10 Stdn.	*Butanal*	70	1
Butanol-(2)	Butanol-(2)	60	20 Min.		95	2
Pentanol	Pyridin	20	10 Stdn.	*Pentanal*	75	4
3-Hydroxy-cyclohexen	Benzol	80	12 Stdn.	*3-Oxo-cyclo-hexen*	58	5
cis-cis-2,6-Dimethyl-3-hydroxymethyl-cyclo-hexen	Pyridin	20	24	*cis,cis-2,6-Dimethyl-3-formyl-cyclohexen*	55	6
5-Hydroxy-cyclooocten	Pyridin	25	12 Stdn.	*5-Oxo-cyclo-octen*	52	5
4-Nitro-benzyl-alkohol	Pyridin	25	>10 Stdn.	*4-Nitro-benz-aldehyd*	80	1
1-Phenyl-äthanol	Benzol/Pyridin	80	20 Min.	*Acetophenon*	65	7
3-Phenyl-allyl-alkohol	Pyridin	25	> 10 Stdn.	*3-Phenyl-acrolein*	91	1
Benzhydrol (Diphenyl-methanol)	Benzol	80	5,5 Stdn.	*Benzo-phenon*	80,2	7
	Benzol/Pyridin	80	1 Stde.		86,8	7
3-Hydroxy-2-oxo-butan	Benzol	50	4 Stdn.	*Butandion*	41	8

[1] R. E. PARTCH, Tetrahedron Letters **1964**, 3071.
[2] M. L. MIHAILOVIĆ, Z. MAKSIMOVIĆ, D. JEREMIĆ, Ž. ČEKOVIĆ, A. L. MILOVANOVIĆ u. L. LORENĆ, Tetrahedron **21**, 1395 (1965); hier auch Oxidation von Äthanol, Propanol, Isopropanol zu *Acetaldehyd, Propanal, Aceton.*
[3] E. F. GODEFROI et al., R. **91**, 1383 (1972).
[4] R. E. PARTCH, J. Org. Chem. **30**, 2498 (1965).
[5] S. MOON u. L. HAYNES, J. Org. Chem. **31**, 3067 (1966).
[6] G. P. KUGATOVA-SHEMYAKINA, Ž. org. Chim. 7, 2522 (1971); engl.: 2621; C. A. **76**, 72080 (1972).
[7] M. L. MIHAILOVIĆ, L. ZIRKOVIĆ, Z. MAKSIMOVIĆ, D. JEREMIĆ, Ž. ČEKOVIĆ u. R. MATIĆ, Tetrahedron **23**, 3095 (1967).
[8] E. BAER, Am. Soc. **62**, 1597 (1940).

Tab. 23 (1. Fortsetzung)

Alkohol	Lösungsmittel	Temperatur [° C]	Reaktions-dauer		Carbonyl-Verbindung	Ausbeute [% d.Th.]	Literatur
Benzoin	Pyridin	25	> 10	Stdn.	*Benzil*	90	1
4,4'-Dimethoxy-benzoin	Essigsäure	50	24	Stdn.	*4,4'-Dimeth-oxy-benzil*	74	2
Benzoin-2,4-dinitrophenyl-hydrazon	Methylen-chlorid	20–40	26	Stdn.	*Benzil-2,4-dinitro-phenyl-hydrazon*	67	3
Phenyl-glykol-säure-methyl-ester	Benzol	80	8	Stdn.	*Phenyl-gly-oxylsäure-methylester*	85,4	4
(±) Phenyl-glykolsäure-(–)-menthyl-ester	Benzol	80	8	Stdn.	*Phenyl-gly-oxylsäure-(–)-men-thylester*	85	5
(±) Phenyl-gly-kolsäure-(+)-neomenthyl-ester	Benzol	80	8	Stdn.	*Phenyl-gly-oxylsäure-(+)-neo-menthyl-ester*	70	5
2-Hydroxyme-thyl-tetra-hydropyran	Pyridin	25	> 10	Stdn.	*2-Formyl-tetra-hydro-pyran*	80	1
2-Hydroxyme-thyl-pyridin					*2-Formyl-pyridin*	65,4	6
3-Hydroxyme-thyl-pyridin					*3-Formyl-pyridin*	77,8	6
4-Hydroxyme-thyl-pyridin					*4-Formyl-pyridin*	68,4	6
3-Fluor-2-(hy-droxymethyl)-pyridin	Chloroform	25	3	Tage	*3-Fluor-2-formyl-pyridin*	41	7
3-Hydroxyme-thyl-1,5-di-phenyl-1,2,4-triazol	Benzol	80	6	Stdn.	*1,5-Di-phenyl-3-formyl-1,2,4-triazol*	50	8
4β-Hydroxy-17β-äthoxy-carbonyl-5α-androstan	Benzol/Pyridin	80			*4-Oxo-17β-äthoxy-carbonyl-5α-an-drostan*	83	9

[1] R. E. PARTCH, Tetrahedron Letters **1964**, 3071.
[2] E. BAER, Am. Soc. **62**, 1597 (1940).
[3] W. A. F. GLADSTONE u. R. O. C. NORMAN, Soc. [C] **1966**, 1531.
[4] E. BAER u. M. KATES, Am. Soc. **67**, 1482 (1945).
[5] V. PRELOG u. H. L. MEIER, Helv. **36**, 320 (1953).
[6] V. M. MIĆOVIĆ u. M. L. MIHAILOVIĆ, R. **71**, 970 (1952).
[7] E. J. BLANZ et al., J. med. Chem. **13**, 1124 (1970).
[8] E. J. BROWNE u. J. B. POLYA, Chem. & Ind. **1960**, 1085; Soc. **1962**, 575.
[9] K. HEUSLER, Tetrahedron Letters **1964**, 3975.

Tab. 23 (2. Fortsetzung)

Alkohol	Lösungsmittel	Temperatur [°C]	Reaktions-dauer	Carbonyl-Verbindung	Ausbeute [% d.Th.]	Literatur
6β-Hydroxy-3β, 17β-diacetoxy-5α-androstan	Benzol/Pyridin	80		3β,17β-Di-acetoxy-6-oxo-5α-androstan	95,5	1
11β-Hydroxy-3β,20β-di-acetoxy-5α-pregnan	Cyclohexan	80	18 Stdn.	3β,20β-Di-acetoxy-11-oxo-5α-preg-nan	53	2
3,6-Bis-[trifluor-methyl]-9-hy-droxymethyl-phenanthren	Pyridin	20	5 Stdn.	3,6-Bis-[tri-fluorme-thyl]-9-for-myl-phe-nanthren	83	3

2. Ketone durch Oxidation sek. Hydroperoxide

Blei(IV)-acetat reagiert stürmisch in der Kälte mit Hydroperoxiden. In einer stark exothermen Reaktion wird pro Mol Peroxid $1/2$ Mol Sauerstoff frei und der sauerstoffhaltige Rest zum Keton dehydriert[4]:

$$\begin{array}{c} R^1 \\ \diagdown \\ CH-OOH \\ \diagup \\ R^2 \end{array} \xrightarrow{Pb(O-CO-CH_3)_4} \begin{array}{c} R^1 \\ \diagdown \\ C=O \\ \diagup \\ R^2 \end{array} + 1/2\ O_2 + Pb(O-COCH_3)_2$$

$$+ O(CH_3CO)_2$$

1-Oxo-tetralin[4]: 16 g 1-Hydroperoxi-tetralin werden in *50 ml* Eisessig unter Rühren und Kühlen portionsweise mit festem Blei(IV)-acetat versetzt. Bei jeder Zugabe findet unter Erwärmung Sauerstoff-Entwicklung statt. Die Temp. wird zweckmäßig bei 30° gehalten. Nach Beendigung der Zugabe wird in Wasser gegossen, das ausgeschiedene Öl in Äther aufgenommen, die Äther-Lösung mit Wasser, dann mit Natriumhydrogencarbonat-Lösung gewaschen und schließlich mit Natriumsulfat getrocknet. Nach dem Abziehen des Äthers wird destilliert; Ausbeute: 9,8.g (70% d.Th.); Kp_{14}: 136–138°.

Analog erhält man aus

1-Hydroperoxi-indan → *1-Oxo-indan*[5]	90% d.Th.	
1-Hydroperoxi-inden → *1-Oxo-inden*[6]	60% d.Th.	$Kp_{0,15}$: 35°

Da die Dialkyl-peroxide nicht von Blei(IV)-acetat angegriffen werden, dient die Reaktion zur Unterscheidung beider Stoffklassen. Außerdem ist die quantitative Bestimmung der Hydroperoxi-Gruppe auf diese Weise möglich[4, 7].

Quantitative Bestimmung der sek. Hydroperoxi-Gruppe[4, 7]: 20 mg Hydroperoxid werden mit *5 ml* n/10 Blei(IV)-acetat versetzt. Nach 30 Min. Stehen bei 20° wird mit 20 *ml* wäßriger Kaliumjodid-Natrium-acetat-Lösung versetzt und das ausgeschiedene Jod mit Thiosulfat titriert[4].

[1] K. HEUSLER, Tetrahedron Letters **1964**, 3975.
[2] K. HEUSLER, J. KALVODA, G. ANNER u. A. WETTSTEIN, Helv. **46**, 352 (1963).
[3] W. T. COLWELL et al., J. med. chem. **15**, 771 (1972).
[4] R. CRIEGEE, H., PILZ u. H. FLYGARE, B. **72**, 1799 (1939).
[5] H. HOCK u. S. LANG, B. **75**, 1051 (1942).
[6] H. HOCK u. F. ERNST, B. **92**, 2723 (1959).
[7] W. PRITZKOW, B. **88**, 572 (1955).

Tertiäre Hydroperoxide lassen sich ebenfalls qualitativ mit Hilfe der Blei(IV)-acetat-Methode über die Sauerstoff-Entwicklung nachweisen[1]. Quantitative Aussagen lassen sich nicht machen, da die Sauerstoff-Entwicklung stark von der Konzentration des Hydroperoxids und des Blei(IV)-acetats sowie vom molaren Verhältnis der beiden Reaktionspartner abhängt[1-3].

Ditertiäre Bishydroperoxide werden unter Verlust eines Mols Sauerstoff bei geeigneter Stellung der beiden Hydroperoxid-Gruppen zueinander zu cyclischen Dialkylperoxiden umgesetzt[4]:

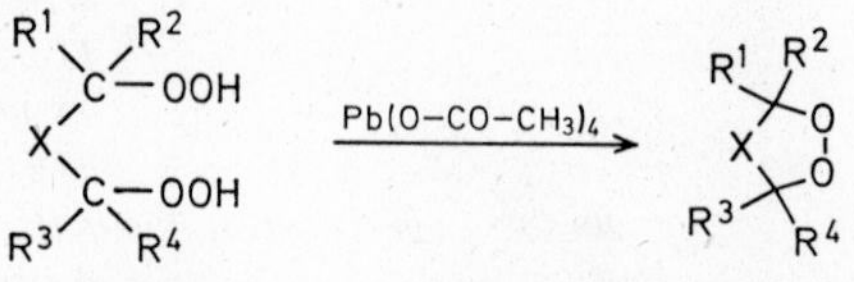

X = CH$_2$ 1,2-Dioxalane[5]
X = -CH$_2$-CH$_2$-   1,2-Dioxane[5]
X = Phenylen-(1,2)-   1,4-Dihydro-⟨benzo-[d]-1,2-dioxine⟩[6]
X = -O-O-   1,2,4,5-Tetraoxane[5]

3. Nitriloxide durch Dehydrierung von syn-Aldoximen

Syn-Aldoxime reagieren mit Blei(IV)-acetat in Dichlormethan bei –78° unter Bildung von Nitriloxiden, Blei(II)-acetat und Essigsäure[7,8]:

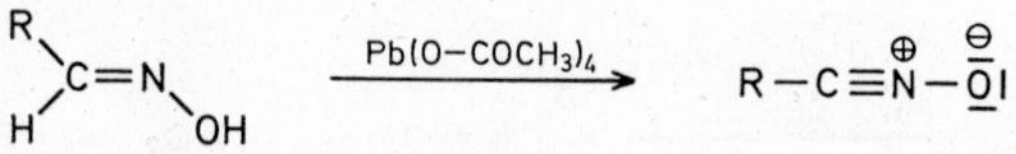

Unter diesen Bedingungen sind die Ausbeuten gewöhnlich hoch (über 80% d.Th.) nehmen aber stark mit höheren Temperaturen ab. Sterisch ungehinderte *syn*-Aldoxime lassen sich beispielsweise bei Raumtemperatur nicht mehr zu den Nitriloxiden dehydrieren, sie geben Reaktionsprodukte, die auch bei der Oxidation von *anti*-Aldoximen entstehen. Das sind entweder Aldoximanhydrid-N-oxide[9] bzw. Aldazin-bis-N-oxide[8,10];

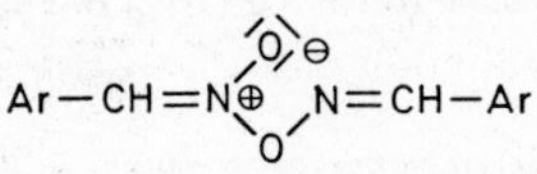

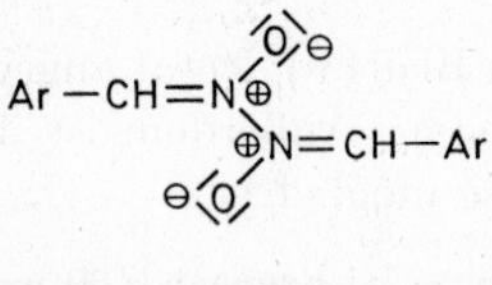

[1] H. Hock u. H. Kropf, B. 91, 1681 (1958).
[2] P. D. Bartlett u. P. Günther, Am. Soc. 88, 3288 (1966).
[3] H. Kropf u. D. Goschenhofer, Tetrahedron Letters 1968, 239.
[4] R. Criegee u. G. Paulig, B. 88, 712 (1955).
[5] R. Criegee u. K. Metz, B. 89, 1714 (1956).
[6] A. Le Berre, C. r. 242, 2576 (1956).
[7] G. Just u. K. Dahl, Tetrahedron Letters 1966, 2441.
[8] G. Just u. K. Dahl, Tetrahedron 24, 5251 (1968).
    Vgl. a. ds.Handb., Bd. X/3, Kap. Nitriloxide, S.837.
[9] H. Kropf u. R. Lambeck, A. 700, 1, 18 (1966).
[10] Der genaue Charakter dieser Dimeren ist noch nicht genau bestimmt.

wenn es sich um ein **aromatisches** *anti*-Aldoxim handelt, oder ein Gemisch vieler Produkte, unter anderem Nitroso-acetate, Nitro-acetate und trisubstituierte Hydroxylamine, wenn aliphatische *anti*-Aldoxime zur Umsetzung gelangen[1].

Bei **sterisch stark gehinderten** *syn*-Aldoximen kann man die Dehydrierung bei Raumtemperatur durchführen. Man erhält zwar die entsprechenden Nitriloxide in geringerer Ausbeute gegenüber einer Arbeitstemperatur von −78°, man kann aber diese Nitriloxide dann unter gewöhnlichen Arbeitsbedingungen isolieren, wie z. B. aus *syn*-O-Methyl-podacarpinaldoxim *4-Methoxy-9-methyl-⟨benzo-bicyclo[4.4.0]decan⟩-9-carbonsäure-nitriloxid*

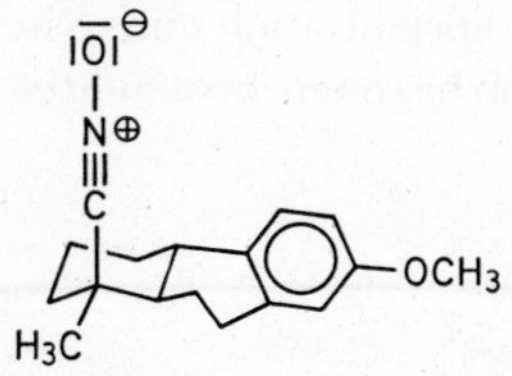

oder aus *syn*-2,4,6-Trimethyl-benzaldehyd-oxim *2,4,6-Trimethyl-benzonitriloxid*:

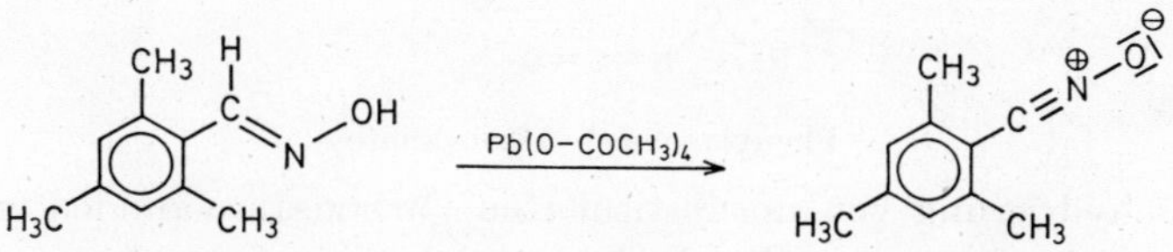

2,4,6-Trimethyl-benzonitriloxid[1]: Eine kalte Lösung von 3,456 g (7,8 mMol) Blei(IV)-acetat in 30 *ml* 1,2-Dichlor-äthylen wird unter Rühren zu einer auf −78° gekühlten Lösung von 1,14 g (7,0 mMol) 2,4,6-Trimethyl-benzaldehydoxim (89% *syn*, 11% *anti*) in 30 *ml* 1,2-Dichlor-äthylen gegeben. Danach wird das Kältebad weggenommen, so daß die Reaktionsmischung sich langsam auf 0° erwärmen kann. Es werden 20 *ml* Äther zugegeben, 5 Min. gerührt und mit weiteren 100 *ml* Äther die Suspension in einem Scheidetrichter mit 25 *ml* eiskaltem Wasser und einer ebenfalls eiskalten ges. Natriumhydrogencarbonat-Lösung (4 × 5 *ml*) gewaschen. Die Äther-Lösung wird über Magnesiumsulfat getrocknet und durch Verdampfen auf ¹/₃ ihres Vol. mit Hilfe eines Stickstoffstromes bei 0° eingeengt. Dabei fällt 80 mg eines Gemisches von *2,4,6-Trimethyl-benzaldehyd-azin-bis-N-oxid* und *2,4,6-Trimethyl-benzoesäure-nitriloxid* (2:1) als feiner Niederschlag an. Beim vollständigen Verdampfen des Lösungsmittels unter Stickstoff bei 0° erhält man 978 mg (87% d.Th. bez. auf das Isomerengemisch und 97% d.Th. bez. auf das *syn*-Aldoxim) *2,4,6-Trimethyl-benzoesäure-nitriloxid*; F:107–109°; nach Umkristallisieren aus Methanol/Wasser F: 111,5–112°.

Wenn die Dehydrierung bei Raumtemperatur vorgenommen wird, sinkt die Ausbeute auf 46% d.Th. und als Nebenprodukt werden größere Mengen *2,4,6-Trimethyl-benzaldehyd-azin-bis-N-oxid* gebildet.

Der Grund für die relative Beständigkeit der sterisch gehinderten Nitriloxide ist ihr Unvermögen sich zu Furoxanen zu dimerisieren. Dagegen sind sie ohne weiteres in der Lage, mit geeigneten, weniger raumausfüllenden Molekülen unter **1,3-dipolarer Addition** zu reagieren, wie z. B. bei der Reduktion mit Borhydrid zum Aldoxim oder bei der 1,3-dipolaren Cycloaddition mit Essigsäure-vinylester zu den diastereomeren **Acetoxy-1,2-oxazolen**[1].

Für das Gelingen der Nitriloxid-Synthese ist es **wichtig**, die Blei(IV)-acetat-Lösung in die vorgelegte Oxim-Lösung einzutropfen und nicht umgekehrt, da dabei das Oxim oxidativ in Stickstoff und Aldehyd gespalten wird[2] (s. S. 393).

---

[1] G. Just u. K. Dahl, Tetrahedron **24**, 5251 (1968).
   Vgl. a. ds.Handb., Bd. X/3, Kap. Nitriloxide, S. 837.
[2] Y. Yukawa, M. Sakai u. S. Suzuki, Bl. Chem. Soc. Japan **39**, 2266 (1966); C.A. **66**, 10695 (1967).

d) an einem Stickstoffatom

1. Acylamine, N,N'-Dialkyl-harnstoffe, Carbamate, 1,3-Oxazine und Pyrimidine durch Dehydrierung von Carbonsäure-amiden

Unsubstituierte Carbonsäure-amide reagieren mit Blei(IV)-acetat unter Dehydrierung zu Nitrenen, die sich in die entsprechenden Isocyanate umlagern[1, 2]:

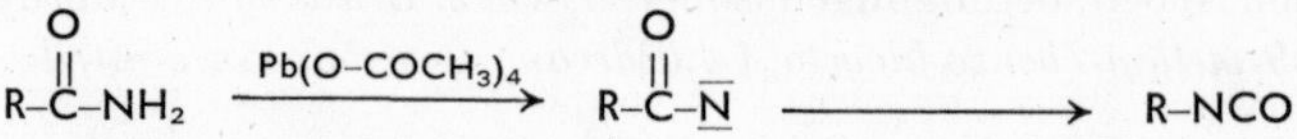

Für einen solchen Reaktionsablauf spricht auch eine Nitren-Isocyanat-Umlagerung, die bei der Oxidation von 2-Phenyl-semicarbazonen beobachtet wird[3]:

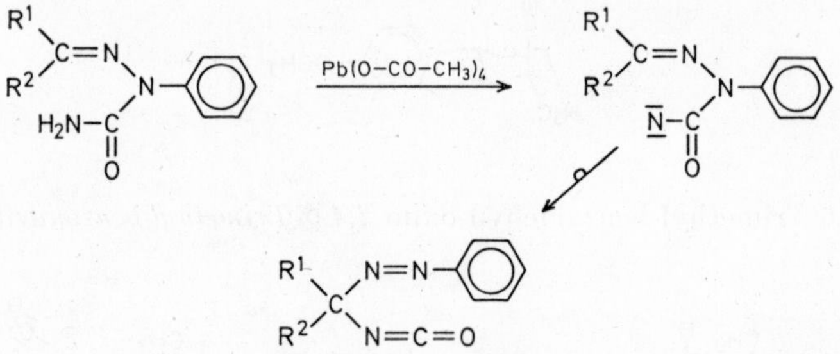

Phenylazomethyl-isocyanate

Das bei der Dehydrierung von unsubstituierten Carbonsäure-amiden entstehende Isocyanat reagiert mit der frei werdenden Essigsäure oder mit dem Lösungsmittel zu Folgeprodukten weiter.

α) Acylamine und N,N'-Dialkyl-harnstoffe

Bei Verwendung von gegen Isocyanat inerten Lösungsmitteln, wie z. B. Benzol, isoliert man als Reaktionsprodukte Acylamine und N,N'-Dialkyl-harnstoffe, die durch Reaktion der frei werdenden Essigsäure mit dem Isocyanat und Weiterreaktion der Zwischenverbindung entstehen[1]:

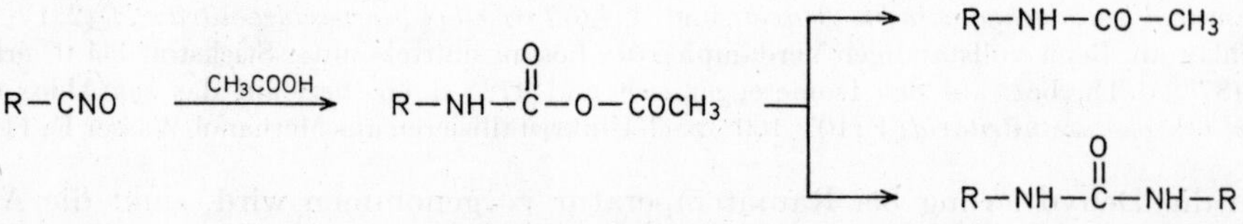

So erhält man aus Pentansäure-amid und Blei(IV)-acetat in siedendem Benzol *Essigsäurebutylamid* (46% d.Th.) und *N,N'-Dibutyl-harnstoff* (5% d.Th.) und aus Hexansäure-amid *Essigsäure-pentylamid* (40% d.Th.) und *N,N'-Dipentyl-harnstoff* (5% d.Th.)[4].

Zur Herstellung der Acetylamine erhitzt man am besten das Carbonsäure-amid mit Blei(IV)-acetat in Benzol, Eisessig oder einem Gemisch der beiden Lösungsmittel auf 80–90°. Die Reaktionszeit kann sehr unterschiedlich sein und hängt stark von dem Substrat ab. In einigen Fällen wirkt der Zusatz von Pyridin beschleunigend. Im allgemeinen kann das Ende der Reaktion am Farbumschlag der Reaktionsmischung von braun nach hellgelb festgestellt werden.

[1] B. Acott u. A. L. J. Beckwith, Chem. Commun. **1965**, 161.
[2] H. E. Baumgarten u. A. Staklis, Am. Soc. **87**, 1141 (1965).
[3] H. Schildknecht u. G. Hatzmann, Ang. Ch. **80**, 287 (1968).
[4] B. Acott, A. L. J. Beckwith u. A. Hassanali, Australian J. Chem. **21**, 185 (1968); C. A. **68**, 86821 (1968).

Die Weiterreaktion des Isocyanats ist nicht notwendigerweise bei Verbrauch des gesamten Blei(IV)-acetats beendet, vor allem dann nicht, wenn man in reinem Benzol arbeitet. So läßt sich oft längere Zeit nach Verbrauch des Blei(IV)-acetats noch Isocyanat spektroskopisch nachweisen. Zugabe von Eisessig zur Vervollständigung der Reaktion wird deshalb empfohlen[1].

Essigsäure-cyclohexylamid[1]: 8 g Blei(IV)-acetat werden zu einer Lösung von 1,95 g Cyclohexancarbonsäure-amid in 150 *ml* Benzol gegeben und die tief gelbe Lösung 12 Stdn. unter Rückfluß gekocht. Anschließend werden 25 *ml* Eisessig zugegeben und weitere 5 Stdn. gekocht. Das erkaltete Gemisch wird mit Wasser und Natriumcarbonat-Lösung gewaschen, getrocknet und eingedampft. Es bleibt ein farbloser fester Rückstand, der mit kaltem Aceton extrahiert wird. 0,14 g (8% d.Th.) *N,N′-Dicyclohexylharnstoff* bleiben ungelöst zurück. Nach dem Umkristallisieren aus Aceton erhält man kleine Prismen (F: 230–231°). Beim Einengen des kalten Extraktes kristallisiert Essigsäure-cyclohexylamid aus; Ausbeute: 1,4 g (65% d.Th.). Umkristallisieren aus Hexan liefert farblose Nadeln; F: 102–104°.

Der bei der Reaktion gebildete N,N′-Dialkyl-harnstoff fällt nur als Nebenprodukt an. Seine Bildung kann praktisch vollständig unterdrückt werden, wenn in reiner Essigsäure gearbeitet wird. Gleichzeitig erhält man höhere Ausbeuten an Acetylamin. Bei Ersatz der Essigsäure durch eine andere Carbonsäure, z. B. Propionsäure, nimmt diese an der Reaktion teil. So erhält man bei der Dehydrierung von Cyclohexancarbonsäure-amid in einem Gemisch von Benzol und Propionsäure neben wenig N,N′-Dicyclohexyl-harnstoff *Essigsäure-* und *Propionsäure-cyclohexylamid*, bei Verwendung reiner Propionsäure ausschließlich *Propionsäure-cyclohexylamid*[1].

Anwesenheit von **aktivierten Methylen-Gruppen** oder **olefinische Doppelbindungen** stören die Reaktion nicht. So erhält man sowohl aus Phenylessigsäure-amid als auch aus Undecen-(10)-säure-amid *Essigsäure-benzylamid* bzw. *10-Acetylamino-decen-(1)* in guter Ausbeute[1]. Schwierigkeiten bereiten allerdings Arylcarbonsäure-amide, α,β-ungesättigte Carbonsäure-amide und andere Verbindungen mit funktionellen Gruppen in unmittelbarer Nachbarschaft zur Amid-Gruppe.

Benzamid beispielsweise wird zu einem roten Harz umgesetzt, einem ähnlichen Produkt, das auch bei der Einwirkung von Blei(IV)-acetat auf Acetanilid erhalten wird[1].

β) Carbamate und N,N′-Dialkyl-harnstoffe

Bei der Oxidation von Carbonsäure-amiden mit Blei(IV)-acetat reagiert das intermediär auftretende Isocyanat bei Anwesenheit von Alkohol zu Carbamaten[2,3]:

$$\underset{\substack{\|\\ R-C-NH_2}}{O} + R^1-OH \quad \xrightarrow{Pb(O-COCH_3)_4} \quad \underset{\substack{\|\\ R-NH-C-OR^1}}{O}$$

In den meisten Fällen genügt es, das Amid mit einem leichten Überschuß an Blei(IV)-acetat und einem etwas größeren Überschuß an Alkohol ~ eine Stunde zum Sieden zu erhitzen. Der vollständige Umsatz des Blei(IV)-acetats wird auch hier durch einen Farbumschlag von braun oder rot nach hellgelb angezeigt[4].

Kohlensäure-cyclohexylester-cyclohexylamid[4]: 1,1 g Cyclohexancarbonsäure-amid, 4,4 g Blei(IV)-acetat und 3 *ml* Cyclohexanol werden in 40 *ml* Benzol 1 Stde. unter Rückfluß gekocht. Nach 20 Min. verschwindet die rote Farbe. Es wird mit Essigsäure-äthylester verdünnt, mit Wasser und wäßr. Natriumhydrogencarbonat-Lösung gewaschen, die Lösung getrocknet und die Lösungsmittel abgedampft. Der ölige Rückstand wird nach einiger Zeit fest und aus wäßr. Methanol umkristallisiert; Ausbeute: 1,63 g (92% d.Th.); F: 76–77°.

[1] B. Acott, A. L. J. Beckwith u. A. Hassanali, Australian J. Chem. **21**, 185 (1968).
[2] B. Acott u. A. L. J. Beckwith, A. Hassanali u. J. W. Redmond, Tetrahedron Letters **1965**, 4039.
[3] H. E. Baumgarten u. A. Staklis, Am. Soc. **87**, 1141 (1965).
[4] B. Acott, A. L. J. Beckwith u. A. Hassanali, Australian J. Chem. **21**, 197 (1968); C. A. **68**, 86822 (1968).

Es ist nicht günstig, die Oxidation in reiner alkoholischer Lösung vorzunehmen, da unter den Reaktionsbedingungen der Alkohol evtl. rascher oxidiert wird als das Amid. So kann aus 5β-Cholansäure-amid in Benzol-Methanol (3 : 1) *23-Methoxycarbonylamino-24-nor-5β-cholan* in 86% d.Th. gewonnen werden, in reiner methanolischer Lösung werden dagegen ~ 80% des Ausgangsamids zurückgewonnen. Dabei wird alles Blei(IV)-acetat verbraucht und die äquivalente Menge Methanol zu Formaldehyd dehydriert[1].

Mit Hilfe dieser einfachen Reaktion lassen sich eine Reihe von Carbamaten herstellen. Amide prim., sek. und auch tert. Carbonsäuren lassen sich gut umsetzen. Ebenso ungesättigte Carbonsäure-amide, wenn die C=C-Doppelbindung nicht in α, β-Stellung zur Amid-Gruppe steht. Selbst Benzamid, das bei der Umsetzung zum Acetanilid praktisch nur harzige Produkte bildet, gibt gute Ausbeuten an Carbamat. Darüber hinaus kann man sowohl prim. als auch sek. Alkohole zur Reaktion einsetzen. Tert.-Butanol reagiert nicht zufriedenstellend unter den sonst üblichen Bedingungen, so isoliert man als Hauptprodukt z. B. bei der Oxidation von Cyclohexancarbonsäure-amid *N,N′-Dicyclohexyl-harnstoff*. In Gegenwart von Pyridin geht dagegen die Ausbeute an Harnstoff-Derivat zugunsten des Urethans zurück[1].

γ) 1,3-Oxazine, Pyrimidine und 2-Hydroxy-1,3-oxazole

Carbonsäure-amide mit einer benachbarten Carboxy- oder einer zweiten Aminocarbonyl-Gruppe werden bei der Behandlung mit Blei(IV)-acetat entweder zu 1,3-Oxazin-

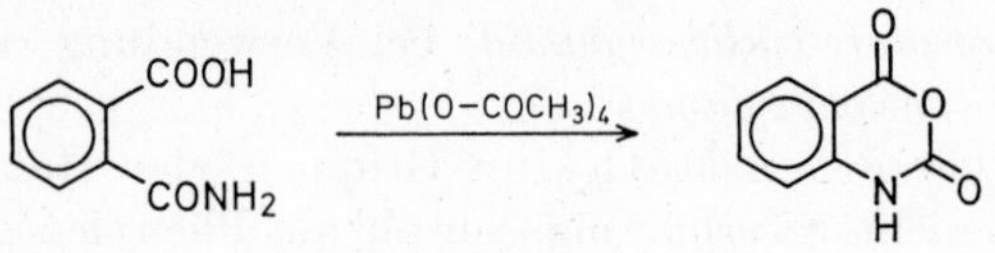

bzw. zu Pyrimidin-Derivaten

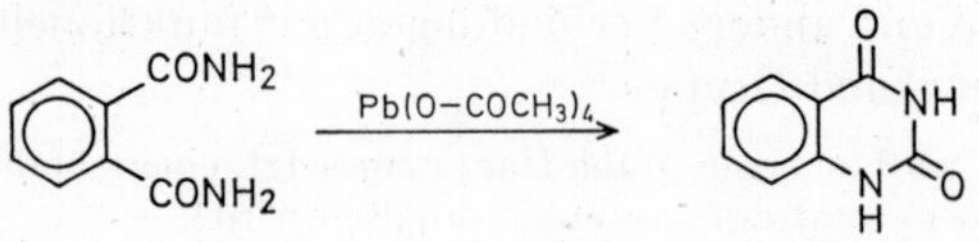

2,4-Dioxo-1,2,3,4-tetrahydro-chinazolin

umgesetzt[2].

2,4-Dioxo-1,4-dihydro-2 H-⟨benzo-1,3-oxazin⟩[2]:   5,4 g Blei(IV)-acetat wird auf einmal zu einer siedenden Suspension von 2 g Phthalsäure-monoamid in 100 *ml* trockenem Benzol gegeben und diese Mischung 48 Stdn. unter Rückfluß gekocht. Danach läßt man abkühlen und filtriert. Der Rückstand wird mit Wasser gewaschen und aus 1,4-Dioxan umkristallisiert; Ausbeute: 0,87 g (44% d.Th.); F: 243–245°.

Statt Benzol können auch andere Lösungsmittel eingesetzt werden. Die Höhe der Ausbeute wird dadurch kaum beeinflußt, wohl aber die Reaktionsgeschwindigkeit. Danach ist Dimethylformamid besonders geeignet. Ersetzt man in obigem Beispiel das Benzol durch Dimethylformamid (20 *ml*), so ist die Reaktion bereits nach 40 Min. bei Raumtemperatur beendet und die Ausbeute beträgt 1,07 g (54% d.Th.).

In Methanol ist die Reaktionsgeschwindigkeit ebenfalls relativ hoch. Höhere Reaktionstemperaturen müssen allerdings vermieden werden, da z. B. in siedendem Methanol nicht das gewünschte 1,3-Oxazin, sondern *Bis-[2-methoxycarbonyl-anilino]-methan* (50% d.Th.; F: 116–117°) entsteht:

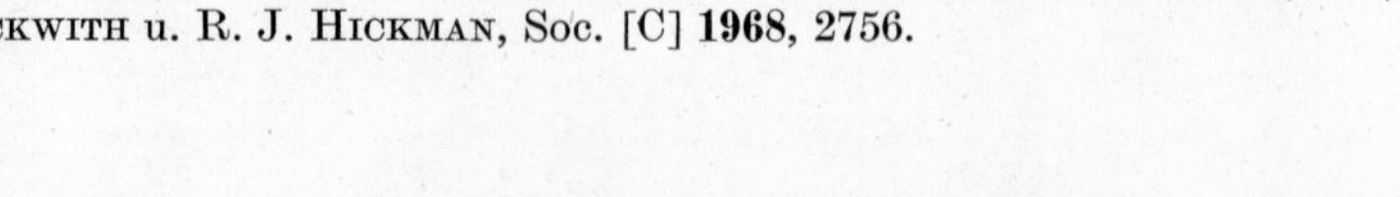

[1] B. Acott, A. L. J. Beckwith u. A. Hassanali, Australian J. Chem. **21**, 197 (1968).
[2] A. L. J. Beckwith u. R. J. Hickman, Soc. [C] **1968**, 2756.

Tab. 24. Carbamate durch Dehydrierung von Carbonsäure-amiden in Gegenwart von Alkoholen

$$R\text{—}CO\text{—}NH_2 \; + \; R^1\text{—}OH \;\xrightarrow{\;Pb(O\text{-}CO\text{-}CH_3)_4\;}\; R\text{—}NH\text{—}CO\text{—}R^1$$

R	R^1	Lösungsmittel	Reaktionszeit [Stdn.]		Ausbeute [% d.Th.]	F [°C]	Literatur
tert.-Butyl	Cyclohexyl	Benzol	0,5	Kohlensäure-cyclohexylester-tert.-butylamid	80		1
Cyclobutyl	tert.-Butyl	a	0,5	Kohlensäure-tert.-butylester-cyclobutylamid	62	81	1,2
Cyclohexyl	Methyl	—	1	Kohlensäure-methylester-cyclohexylamid	96		1
	Äthyl	—		Kohlensäure-äthylester-cyclohexylamid	88		1
Heptadecyl	Äthyl	Benzol	0,75	Kohlensäure-äthylester-heptadecylamid	78		1
Decen-(9)-yl	Äthyl	Benzol	2,5	Kohlensäure-äthylester-decen-(9)-ylamid	66		1
Phenyl	Methyl	—	0,34	Kohlensäure-methylester-anilid	62		1
	tert.-Butyl	a	1,25	Kohlensäure-tert.-butylester-anilid	75,5	133—136	1,2
	Cyclohexyl	—		Kohlensäure-cyclohexylester-anilid	70		1
Cholesten-(5)-yl-(3 β)	Cholesten-(5)-yl-(3 β)	Benzol[b]	1	3 β-Anilinocarbonyloxy-cholesten-(5)	35		1
24-Nor-5 β-cholan-yl-(23)	Methyl	Benzol	4 / 3	23-Methoxycarbonylamino-24-nor-5 β-cholan	86 / 11		1
3 β-Acetoxy-androsten-(5)-yl-(17)	Methyl	—	1	17-Methoxycarbonylamino-3 β-acetoxy-androsten-(5)	57		1

a unter Zusatz von Triäthylamin oder Dimethylformamid.
b unter Zusatz von Pyridin.

1 B. ACOTT, A. L. J. BECKWITH u. A. HASSANALI, Australian J. Chem. 21, 197 (1968).

2 A. A. STAKLIS, Dissertation University of Lincoln Nebraska, 1965; Diss. Abstracts 26, 1354 (1965).

Vor allem die Umwandlung der Dicarbonsäure-diamide in die 2,4-Dioxo-tetrahydro-pyrimidine erfolgt in guten Ausbeuten (80–100% d. Th.) und zeichnet sich durch eine hohe Selektivität aus, wenn aufgrund des Molekülaufbaus des Diamids Isomere zu erwarten sind.

2-Phenyl-bernsteinsäure-diamid wird nur zum *2,6-Dioxo-4-phenyl-hexahydropyrimidin* (80% d.Th.; F: 220–222°) umgesetzt und nicht zum 5-Phenyl-Derivat. Ebenso erhält man aus Pyridin-2,3- bzw.-3,4-dicarbonsäure-diamid ausschließlich *2,4-Dioxo-1,2,3,4-tetrahydro-⟨pyrido-[2,3-d]-pyrimidin⟩* (II; 90% d.Th.; F: 360°) bzw. *2,4-Dioxo-1,2,3,4-tetrahydro-⟨pyrido-[3,4-d]-pyrimidin⟩* (III; 100% d.Th.; F: 365°):

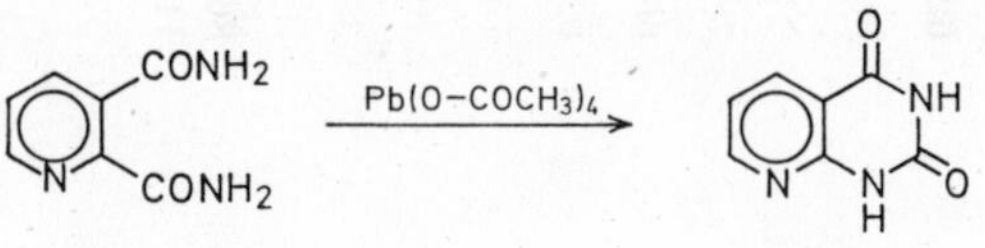

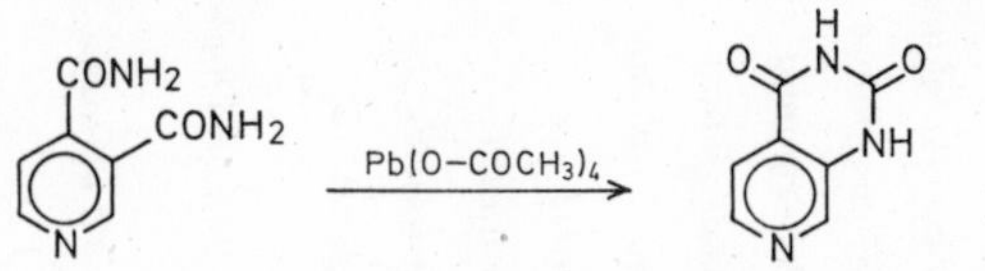

In Anwesenheit von Aminen reagieren diese mit dem intermediär entstehenden Isocyanat unter Bildung von N,N'-Dialkyl-harnstoff. Die Reaktionsbedingungen sind dieselben wie bei der Herstellung der Carbamate (s. S. 287)[1].

$R^1 = $ tert.-C_4H_9; $R^2 = $ tert.-C_4H_9; *N,N'-Di-tert.-butyl-harnstoff* 96% d.Th. F: 240 ± 2°

$R^2 = $ cycl.-C_6H_{11}; *N'-tert.-Butyl-N-cyclohexyl-harnstoff* 88% d.Th. F: 226 ± 2°

$R^2 = $ cycl.-C_6H_{11}-CH_2-; *N'-Cyclohexylmethyl-N-tert.-butyl-harnstoff* 74% d.Th. F: 150–151°

$R^2 = H_3C$-CH_2-CH-; *N'-(1-Phenyl-propyl)-N-tert.-butyl-harnstoff* 97% d.Th. F: 191–193°
|
C_6H_5

Läßt man Blei(IV)-acetat in Pyridin auf β-Hydroxy-carbonsäure-amid einwirken, so kommt es zu intramolekularer Carbamat-Bildung. Oxidationsprodukte sind *2-Oxo-1,3-oxazolidine*[2]:

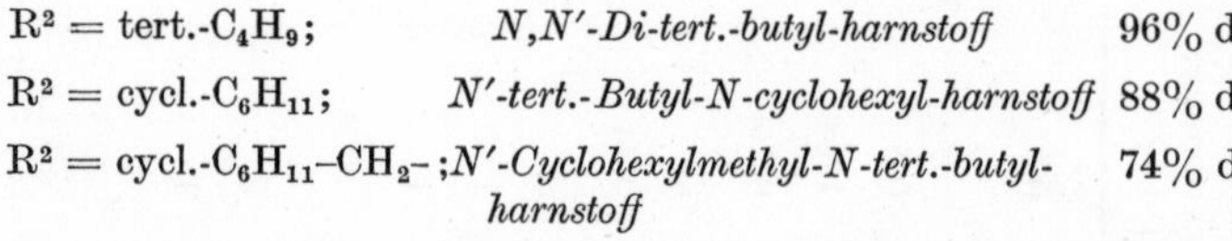

Da die Reaktionsbedingungen relativ milde sind, außerdem das cyclische Carbamat in hoher Ausbeute entsteht, sollte es möglich sein, eine Vielzahl von 2-Oxo-1,3-oxazolidinen auf diesem Wege herzustellen.

2-Oxo-1,3-oxazolidin[2]: 3,4 g (7,66 mMol) Blei(IV)-acetat werden zu einer gerührten Lösung von 0,65 g (7,3 mMol) 3-Hydroxy-propansäure-amid in 36 *ml* Pyridin bei Raumtemp. gegeben. 8 Min. sind zum Lösen des Blei(IV)-acetats erforderlich. Es wird 1 Stde. weitergerührt ehe 4 Tropfen Glykol zugegeben werden. Das Reaktionsgemisch wird i. Vak. eingeengt und der Rückstand in Dichlormethan gelöst.

[1] H. E. Baumgarten u. A. Staklis, Am. Soc. 87, 1141 (1965).
[2] S. S. Simons, Jr., J. Org. Chem. 38, 414 (1973).

Danach trennt man vom ausgeschiedenen Blei(II)-acetat ab und extrahiert das Carbamat mit Wasser aus der organischen Phase. Anschließend wird das Wasser abgedampft und der Rückstand erneut in Dichlormethan aufgenommen. Nach Filtrieren wird das Lösungsmittel abgedampft und der Rückstand mit Essigsäure-äthylester an Florisil chromatographiert. Es wird aus Tetrahydrofuran umkristallisiert; Ausbeute: 0,88 g (79% d.Th.); F: 87,2–87,8°.

2. Diazoverbindungen durch Dehydrierung von Hydrazonen

In der Literatur sind nur wenige Beispiele der Dehydrierung von Hydrazonen zu Diazoverbindungen bekannt. So wird Mesoxalsäure-dinitril-hydrazon von Blei(IV)-acetat in Acrylnitril praktisch quantitativ zu *Dicyandiazomethan* (**hochexplosiv,** schwach gelb) dehydriert (Triphenylphosphin-Addukt, F: 171–173°)[1]:

$$NC\!-\!C(NC)\!=\!N\!=\!NH_2 \xrightarrow{\;Pb(O-COCH_3)_4\;} NC\!-\!C(NC)\!-\!CN_2$$

Hexafluor-2-diazo-propan wird bei der Einwirkung von Blei(IV)-acetat auf Hexafluoraceton-hydrazon in Benzonitril gebildet[2]:

$$F_3C\!-\!C(F_3C)\!=\!N\!=\!NH_2 \xrightarrow{\;Pb(O-COCH_3)_4\;} F_3C\!-\!C(F_3C)\!-\!CN_2$$

Hexafluor-2-diazo-propan ist eine schwach gelbe Flüssigkeit, die bei 12–13° siedet und bei –78° längere Zeit aufgehoben werden kann, ohne daß Zersetzung eintritt.

Die Bildung von Diazo-Verbindungen hängt von ihrer Stabilität und sehr stark von den Reaktionsbedingungen ab. So sollte Blei(IV)-acetat nur in äquimolaren Mengen angewendet werden, weil ein Überschuß die zunächst gebildete Diazo-Verbindung weiteroxidiert (s. S. 395). Reaktions-Produkt ist die geminale Diacetoxy-Verbindung[3]:

$$R_2C\!=\!N\!-\!NH_2 \xrightarrow{\;Pb(O-CO-CH_3)_4\;} R_2C\!=\!N_2 \xrightarrow{\;Pb(O-CO-CH_3)_4\;} R_2C(O-CO-CH_3)_2$$

Aber auch bei stöchiometrischem Verhältnis von Oxidationsmittel zu Substrat kommt es leicht zur Bildung von Nebenprodukten, da die Diazoverbindung unter Deazotierung mit der freien Essigsäure zum Essigsäureester reagieren kann[3]:

$$R_2CN_2 \xrightarrow{\;H_3C-COOH\;} R_2CH\!-\!O\!-\!CO\!-\!CH_3 + N_2$$

Phenyl-diazo-essigsäure-methylester[4]: 22,46 g käufliches Blei(IV)-acetat werden durch Erwärmen auf 40° bei 0,1 Torr 30 Min. von anhaftender Essigsäure befreit. Danach wird unter Stickstoff 100 ml Dichlormethan zugegeben. Das Gemisch wird mit Eis gekühlt und dazu eine Lösung von 5,74 g Phenylglyoxylsäure-methylester-α-hydrazon (Gemisch aus *syn* und *anti*) in 20 ml Dichlormethan unter Rühren während 5 Min. gegeben. Es wird noch weitere 5 Min. gerührt, Celite und 50 ml Wasser zugegeben und die Mischung nach weiteren 5 Min. filtriert. Die Feststoffe werden 2mal mit Dichlormethan gewaschen.

Die beiden flüssigen Phasen des Filtrats werden getrennt, die org. Phase mit Wasser und konz. Natriumchlorid-Lösung gewaschen und mit Magnesiumsulfat getrocknet. Nach Abdampfen des Lösungsmittels wird an einer Kurzweg-Kolonne destilliert; Ausbeute: 5,5 g (97% d.Th.), Siedepunkt bei einer Badtemp. von 62–64° (0,3 µ); $n_0^{25} = 1,5779$.

---

[1] E. Ciganek, Am. Soc. **87**, 652 (1965).
   s. ds. Handb., Bd. X/4, Kap. Aliphatische Diazo-Verbindungen, S. 572.
[2] D. M. Gale, W. J. Middleton u. C. G. Krespan, Am. Soc. **87**, 657 (1965).
   s. ds. Handb., Bd. X/4, Kap. Aliphatische Diazo-Verbindungen, S. 573.
[3] A. Stojilković et al., Tetrahedron **26**, 1101 (1970).
[4] E. Ciganek, J. Org. Chem. **35**, 862 (1970).

3. Aziridine und 2H-Azirine durch Dehydrierung cyclischer N-Amino-Verbindungen in Gegenwart von Olefinen bzw. Acetylenen

Cyclische N-Amino-Verbindungen vom Typ des N-Amino-phthalimids werden von Blei(IV)-acetat zu Aminonitrenen dehydriert[1]:

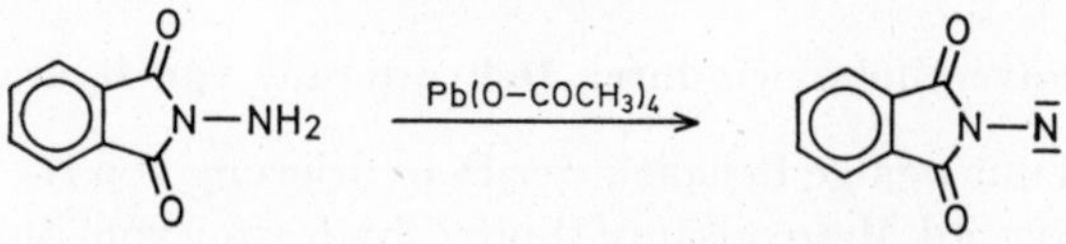

Diese können sich entweder zu Tetrazenen[2-4] dimerisieren oder unter Verlust von Stickstoff zum Imid deaminiert[5] bzw. durch intramolekulare Umlagerung stabilisiert werden. Bei Anwesenheit von Olefinen reagiert die erste Kategorie bevorzugt zu Aziridinen, während intramolekular sich stabilisierende Nitrene im Reaktionsverhalten nicht durch Olefine beeinflußt werden. Zu der ersten Gruppe gehören *N-Amino-phthalimide* (I), *3-Amino-2-oxo-2,3-dihydro-⟨benzo-1,3-oxazole⟩* (II), *1-Amino-2-oxo-1,2-dihydro-chinoline* (III), *3-Amino-2-oxo-2,3-dihydro-4H-⟨benzo-[e]-1,3-oxazine⟩* (IV) oder *3-Amino-4-oxo-3,4-dihydro-chinazole* (V)[3]:

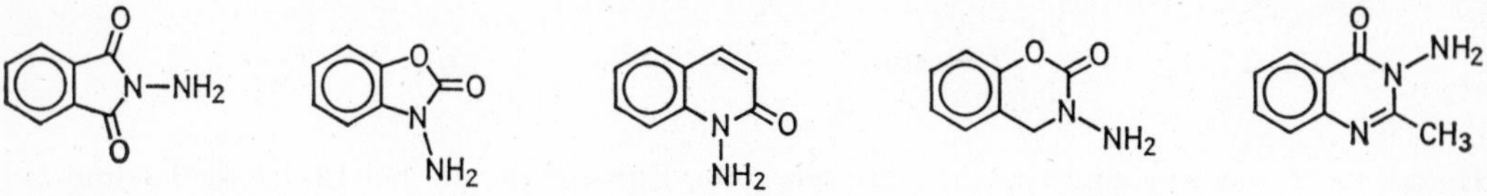

während   *1-Amino-2-oxo-2,3-dihydro-indole*   (VI),   *3-Amino-4-oxo-3,4-dihydro-⟨benzo-[d]-1,2,3-triazine⟩* (VII),   *1-Amino-benzotriazole* (VIII),   *2-Amino-2-H-benzotriazole* (IX)   und *2-Amino-2H-indazole* (X) zur zweiten Gruppe gehören:

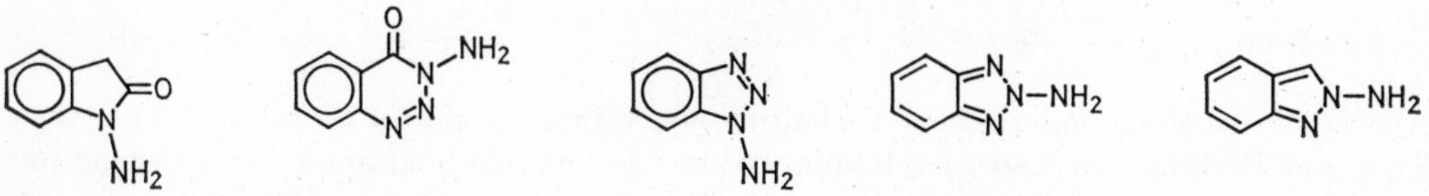

Normalerweise oxidiert man zur Herstellung des Aziridins das Hydrazin in Dichlormethan in Anwesenheit der fünffach molaren Menge des Olefins. Größere Mengen an Olefin wirken sich nicht vorteilhaft aus, geringere Mengen schmälern die Ausbeute.

3-(2-Vinyl-aziridino)-2-oxo-2,3-dihydro-4H-⟨benzo-[e]-1,3-oxazin⟩[6]:

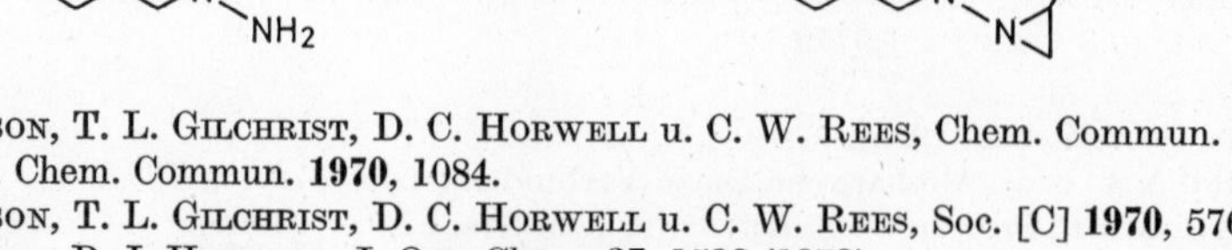

[1] D. J. Anderson, T. L. Gilchrist, D. C. Horwell u. C. W. Rees, Chem. Commun. **1969**, 146.
[2] D. W. Jones, Chem. Commun. **1970**, 1084.
[3] D. J. Anderson, T. L. Gilchrist, D. C. Horwell u. C. W. Rees, Soc. [C] **1970**, 576.
[4] R. C. Kerber u. P. J. Heffron, J. Org. Chem. **37**, 1592 (1972).
[5] K. Sakai u. J. P. Anselme, J. Org. Chem. **37**, 2351 (1972).
[6] R. S. Atkinson u. C. W. Rees, Soc. [C] **1969**, 772.

10 g Butadien werden bei −60° in 30 *ml* Dichlormethan gelöst, die Lösung auf 0° erwärmt und unter kräftigem Rühren 1 g 3-Amino-2-oxo-2,3-dihydro-4H-⟨benzo-[e]-1,3-oxazin⟩ und anschließend innerhalb 3 Min. 3 g Blei(IV)-acetat in kleinen Portionen zugegeben. Zum Schluß wird das Eisbad entfernt, weitere 30 Min. gerührt, filtriert und das Lösungsmittel i. Vak. abdestilliert. Der Rückstand wird an 70 g Aluminiumoxid chromatographiert.

Beim Eluieren mit Benzol/Essigsäure-äthylester (10:1) erhält man ein farbloses Öl (956 mg, 71% d.Th.), das nach einiger Zeit kristallisiert; anschließend wird aus Methanol umkristallisiert (Kühlen auf −60°); Ausbeute: 0,78 g (58% d.Th.); F: 70,5–71°.

Vor allem Acrylsäure-ester und Verbindungen, in denen sich die C=C-Doppelbindung in Konjugation zu einer elektronenentziehenden Gruppe befindet, sind geeignet, stereospezifisch und in guter Ausbeute zu den entsprechenden Aziridinen zu reagieren[1].

Tab. 25. Aziridine durch Dehydrierung von cyclischen N-Amino-Verbindungen
mit Blei(IV)-acetat in Gegenwart von Olefinen

N-Amino-Verbindung	Olefin	Aziridin	Ausbeute [% d.Th.]	F [°C]	Lit.
(Struktur: benzo-1,3-oxazol-2-on, N-NH₂)	2-Methyl-acryl-säure-methylester	3-(2-Methyl-2-methoxycarbonyl-aziridino)-2-oxo-2,3-dihydro-⟨benzo-1,3-oxazol⟩	96	83–85	2
(Struktur: Phthalimid, N-NH₂)	Styrol	Phthalsäure-(2-phenyl-aziridino)-imid	42	152	2
	4-Oxo-2-methyl-penten-(2)	Phthalsäure-(3,3-dimethyl-2-acetyl-aziridino)-imid	88	67–69	2
	Trichlor-äthylen	Phthalsäure-(2,2,3-trichlor-aziridino)-imid	90	96	2
	Benzo-[b]-furan	1-Phthalimido-1a,6b-dihydro-⟨benzofuro-[2,3-b]-aziridin⟩	67	139–142	3
	Stilben	Phthalsäure-(2,3-diphenyl-aziridino)-imid	50	165	4
	Cyclobuten	5-Phthalimido-5-aza-bicyclo[2.1.0]pentan	22	114–116	5
	Cyclooctatetraen	9-Phthalimido-9-aza-bicyclo[6.1.0]nonatrien-(2,4,6)	42	180,5–182	6
(Struktur: 4-oxo-2-methyl-3,4-dihydro-chinoxalin, N-NH₂, N-CH₃)	Butadien	3-(2-Vinyl-aziridino)-4-oxo-2-methyl-3,4-dihydro-chinoxalin	81	93–95	2
	2-Methyl-acryl-säureäthylester	3-(2-Methyl-2-methoxycarbonyl-aziridino)-4-oxo-2-methyl-3,4-dihydro-chinoxalin	62	107–109	2
	cis-Buten-(2)	3-(cis-2,3-Dimethyl-aziridino)-4-oxo-2-methyl-3,4-dihydro-chinoxalin	48	153–154	2
(Struktur: 2-oxo-1,2-dihydro-chinolin, N-NH₂)	2-Methyl-acryl-säuremethyl-ester	1-(2-Methyl-2-methoxycarbonyl-aziridino)-2-oxo-1,2-dihydro-chinolin	57	94–97	2

I. PERSON et al., Bl. **1974**, 635.
D. J. ANDERSON, T. L. GILCHRIST, D. C. HORWELL u. C. W. REES, Chem. Commun. **1969**, 146; Soc. [C] **1970**, 576.
D. W. JONES, Soc. (Perkin I) **1972**, 225.
L. A. CARPINO u. R. K. KIRKLEY, Am. Soc. **92**, 1784 (1970).
A. G. ANDERSON u. D. R. FAGERBURG, Tetrahedron **29**, 2973 (1973).
C. TUSTIN, C. E. MONKEN u. W. M. OKAMURA, Am. Soc. **94**, 5112 (1972).

Man sollte erwarten, daß in Analogie zur Reaktion der Nitrene mit Olefinen bei der Dehydrierung von N-Amino-phthalimid mit Blei(IV)-acetat in Gegenwart von Acetylenen symmetrische 1H-Azirine entstehen,

es werden jedoch nur die isomeren 2H-Azirine erhalten[1,2]:

R¹ = H;	R² = CH₃;	*2-Phthalimido-3-methyl-2H-azirin*	1% d.Th.; F: 131°
	R² = C₃H₇;	*2-Phthalimido-3-propyl-2H-azirin*	5% d.Th.; F: 46–47°
	R² = C₄H₉;	*2-Phthalimido-3-butyl-2H-azirin*	
R¹ = R² = CH₃;		*2-Phthalimido-2,3-dimethyl-2H-azirin*	7% d.Th.; F: 78°
R¹ = R² = C₂H₅;		*2-Phthalimido-2,3-diäthyl-2H-azirin*	15% d.Th.; Oel

die offensichtlich durch sofortige Umlagerung der 1H-Azirine gebildet werden. Der Grund für diese Umlagerung ist der nach BRESLOW antiaromatische Charakter[3] der 1H-Azirine[1].

2-Phthalimido-2H-azirine; allgemeine Arbeitsvorschrift[4]: 1,1 Mole Blei(IV)-acetat werden in kleinen Portionen zu einer Lösung von 1 Mol N-Amino-phthalimid und 5 Mole Alkin in trockenem Dichlormethan gegeben. Die Mischung wird 15 Min. gerührt, Blei(II)-acetat abfiltriert, mit Dichlormethan gewaschen und das Filtrat zusammen mit dem Waschfiltrat eingedampft. Der Rückstand besteht in der Hauptsache aus Phthalimid (60–80%) und Azirin; letzteres wird mit Äther extrahiert und durch Chromatografieren an desaktiviertem, basischem Aluminiumoxid gereinigt.

Die Ausbeuten an Azirin, das auf diese Weise erhalten wird, sind gering und es bildet sich sofort das Aziridin, wenn gleichzeitig Olefin anwesend ist, oder En-ine zur Umsetzung gelangen[4].

In Gegenwart von Sulfoxiden erhält man bei der Dehydrierung der N-Amino-phthalimide oder dem Phthalimid ähnlichen N-Amino-dicarbonsäureimiden N-Phthalimido-sulfoximine[5-8] und zwar auch dann, wenn gleichzeitig Reaktion zu Aziridinen möglich ist; z. B.[6]:

Vinyl-(4-methyl-phenyl)-sulfon-
phthalimidoimid; 92% d.Th.

Zur Herstellung des Sulfoximids gibt man Blei(IV)-acetat zur Lösung des N-Amino-imids oder-lactams.

[1] D. J. ANDERSON, T. L. GILCHRIST u. C. W. REES, Chem. Commun. **1969**, 147.
[2] D. J. ANDERSON et al., Soc. (Perkin I) **1973**, 550.
[3] R. BRESLOW, Ang. Ch. 80, 573 (1968).
    R. BRESLOW, J. BROWN u. J. J. GAJEWSKI, Am. Soc. 89, 4383 (1967).
[4] T. L. GILCHRIST, J. E. GYMER u. C. W. REES, Soc. (Perkin I) **1973**, 550.
[5] D. J. ANDERSON, T. L. GILCHRIST, D. C. HORWELL u. C. W. REES, Chem. Commun. **1969**, 146.
[6] S. COLONNA u. C. J. M. STIRLING, Chem. Commun. **1971**, 1591.
[7] D. J. ANDERSON, D. C. HORWELL, E. STANTON, T. L. GILCHRIST u. C. W. REES, Soc. (Perkin I) **1972**, 1317.
[8] B. STANOVNIK u. M. TISLER, Org. Prepar. u. Proceed. Int. 5, (2) 87 (1973).

Dimethyl-sulfon-(2-oxo-2,3-dihydro-benzo-1,3-oxazolinoimid) [1]:

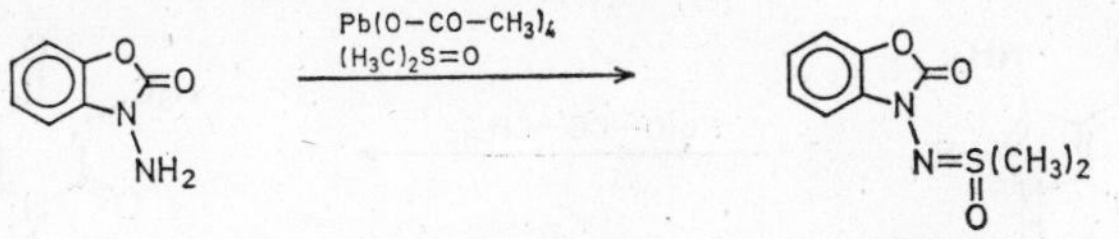

0,5 g (3 mMole) 3-Amino-2-oxo-2,3-dihydro-⟨benzo-1,3-oxazol⟩ werden in 15 ml trockenem Dimethyl-sulfoxid gelöst und hierzu 1,5 g (3,4 mMole) Blei(IV)-acetat während 5 Min. gegeben. Die Mischung wird in 150 ml Wasser gegossen und mit 5 × 50 ml Chloroform extrahiert. Der Extrakt wird mit Wasser gewaschen, getrocknet und das Lösungsmittel abgedampft: Der Rückstand wird aus Chloroform/Petroleum auskristallisiert; Ausbeute: 0,45 g (60% d.Th.); F: 164–165°.

In den Fällen, in denen es Schwierigkeiten bereitet, das Sulfoximid vom Sulfoxid zu trennen, wie bei der Verwendung von Diphenylsulfoxid, legt man das Sulfoxid in geringem Überschuß zusammen mit dem Amino-amid in Dichlormethan vor und gibt die entsprechende Menge Blei(IV)-acetat zu dieser Lösung.

Die Gruppe von N-Amino-heterocyclen, die nicht in Gegenwart von Olefin zu Aziridinen dehydriert werden kann und sich bei Abwesenheit auch nicht unter Dimerisierung zu Tetrazenen oder Deaminierung stabilisiert, reagiert bei Dehydrierung mit Blei(IV)-acetat unter intramolekularer Umlagerung. Fünfring-Verbindungen werden dabei unter Einbau des Nitren-Stickstoffs in Sechsring-Verbindungen umgelagert; z. B.:

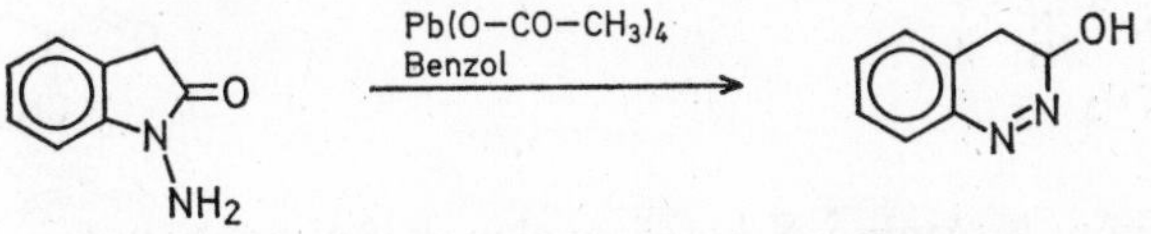

3-Hydroxy-3,4-dihydro-cinnolin [2]

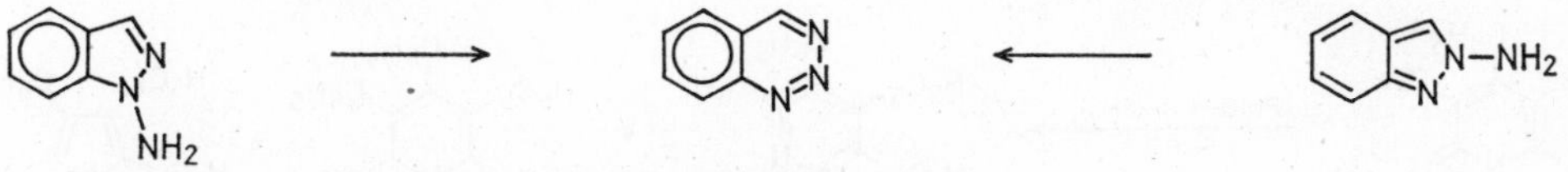

Benzo-[d]-1,2,3-triazin [3]

In 3-Stellung substituierte Aminoindazole können so fast quantitativ in die entsprechenden Benzo-[d]-1,2,3-triazine überführt werden. Das gelingt beim unsubstituierten Aminoindazol nicht so einfach. Hier muß das Indazol langsam zum Blei(IV)-acetat gegeben werden, außerdem dürfen nur sorgfältig getrocknete Lösungsmittel eingesetzt werden. Die Umsetzung sollte zusätzlich in Gegenwart von gemahlenem Calciumoxid vorgenommen werden, um die freiwerdende Essigsäure zu binden. Wenn das unsubstituierte Benzo-[d]-1,2,3-triazin einmal gebildet ist, ist es auch ziemlich stabil (F: 119–120°).

Diese Reaktion des 1-Amino-pyrazols ist allgemeiner Art und wird auch bei kondensierten N-hetrocyclischen Systemen, z. B. beim 1-Amino-⟨pyrazolo-[3,4-d]-pyridazin⟩ beobachtet [4];

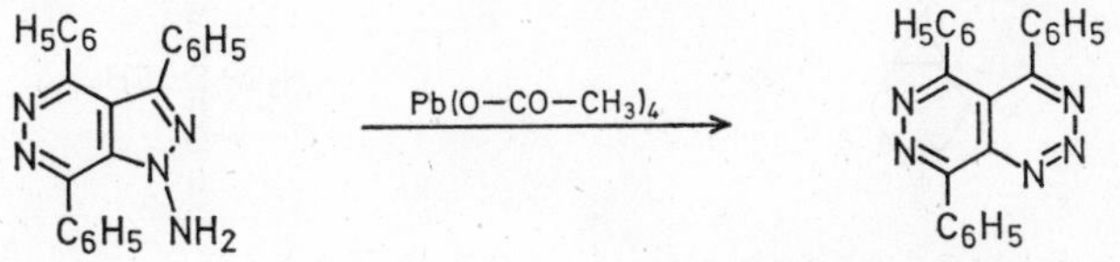

4,5,8-Triphenyl-⟨pyrazidino-[4,5-d]-1,2,3-triazin⟩; 81% d.Th.; F: 246–248°

[1] D. J. ANDERSON, D. C. HORWELL. E. STANTON, T. L. GILCHRIST u. C. W. REES, Soc. (Perk. I) **1972**, 1317.

[2] H. E. BAUMGARTEN, P. L. CREGER u. R. L. ZEY, Am. Soc. **82**, 3977 (1960).

[3] D. J. C. ADAMS et al., Chem. Commun. **1971**, 828.

[4] T. L. GILCHRIST, G. E. GYMER u. C. W. REES, Chem. Commun. **1973**, 819.

Diese Ringerweiterung ist ferner nicht auf N-Amino-Verbindungen beschränkt; z. B.[1]:

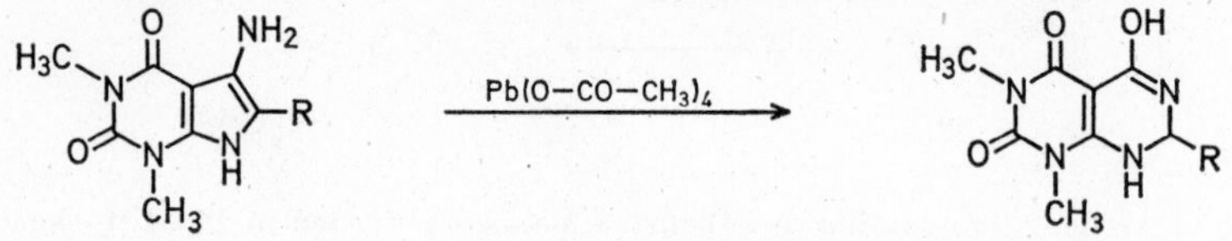

5-Hydroxy-2,4-dioxo-1,3-dimethyl-7-phenyl-1,2,3,4,7,8-hexahydro-⟨pyrimido-[4,5-d]-pyrimidin⟩[1](R= C₆H₅): Zu einer Suspension von 0,81 g (3 mMol) 5-Amino-2,4-dioxo-1,3-dimethyl-6-phenyl-1,2,3,4-tetrahydro-7H-⟨pyrrolo-[2,3-d]-pyridazin⟩ in 30 *ml* Essigsäure werden nach und nach 2 g (5 mMole) Blei (IV)-acetat gegeben. Danach wird 3 Stdn. unter Rühren auf 90° erhitzt. Dabei färbt sich die zunächst gelbe Lösung braun. Das Lösungsmittel wird i. Vak. abgedampft und wenig Wasser zum Rückstand gegeben. Es fällt ein kristallines Produkt an, das aus Dimethyl-formamid umkristallisiert wird; Ausbeute: 0,77 g (90% d.Th.); F: ⟩300°.

Sicherlich erfolgt diese Ringerweiterung nach einem anderem Mechanismus. Wenn die Reaktionstemperatur 65° nicht übersteigt isoliert man ein 1,3-Oxazin-Derivat[1]:

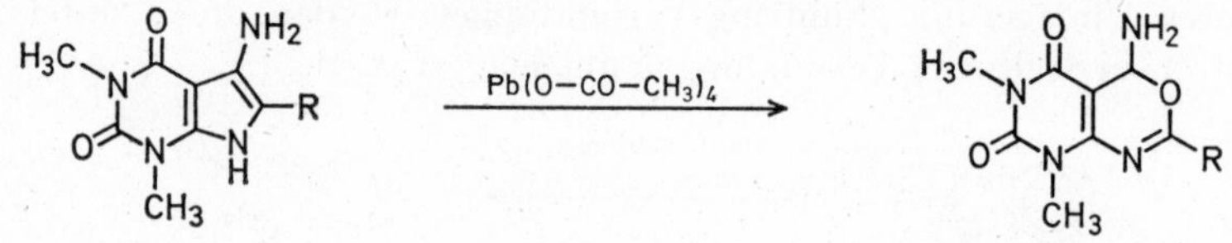

Die Stabilisierung von N-Amino-N-heterocyclen kann auch unter Fragmentierung erfolgen; z. B.[2]:

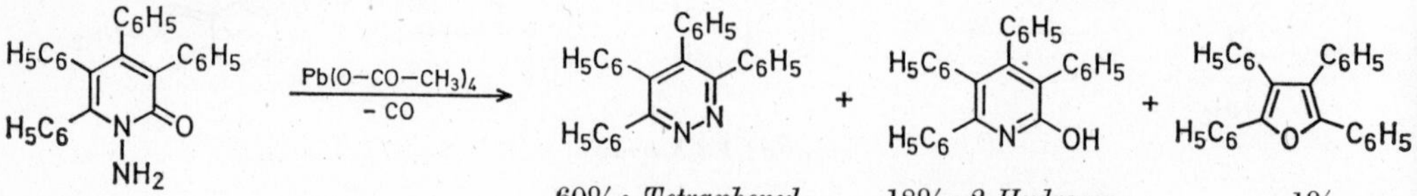

60%; *Tetraphenyl-pyridazin*   18%; *2-Hydroxy-tetraphenyl-pyridin*   1%

In diesem Falle läßt sich die Existenz des intermediär auftretenden Nitrens durch Abfangen mit Olefin oder Sulfoxid nachweisen. Mit Cyclohexen entsteht *1-{7-Aza-bicyclo[4.1.0]heptyl-(7)}-2-oxo-tetraphenyl-1,2-dihydro-pyridin*(I) zu 25% d.Th. und mit Dimethylsulfoxid *Dimethyl-sulfon-(2-oxo-tetraphenyl-1,2-dihydro-pyridinoimid)* (II) zu 84% d.Th.:

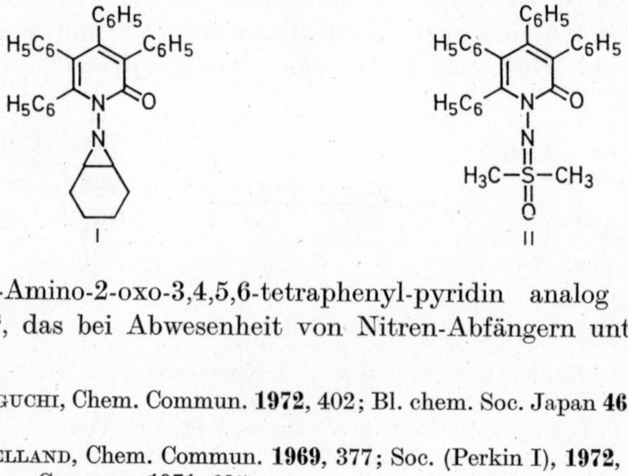

Damit reagiert 1-Amino-2-oxo-3,4,5,6-tetraphenyl-pyridin analog 1-Amino-2-oxo-1,2-dihydro-chinoxalin[3], das bei Abwesenheit von Nitren-Abfängern unter Abspaltung von

[1] F. YONEDA u. M. HIGUCHI, Chem. Commun. **1972**, 402; Bl. chem. Soc. Japan **46**, 3849 (1973); C. A. **80**, 47947 (1974).
[2] C. W. REES u. M. YELLAND, Chem. Commun. **1969**, 377; Soc. (Perkin I), **1972**, 77.
[3] B. ADGER et al., Chem. Commun. **1971**, 695.

Kohlenmonoxid umgelagert wird (max. 70%) in Gegenwart von Sulfoxid aber das entsprechende Sulfonimid bildet (IV; 50% d. Th.):

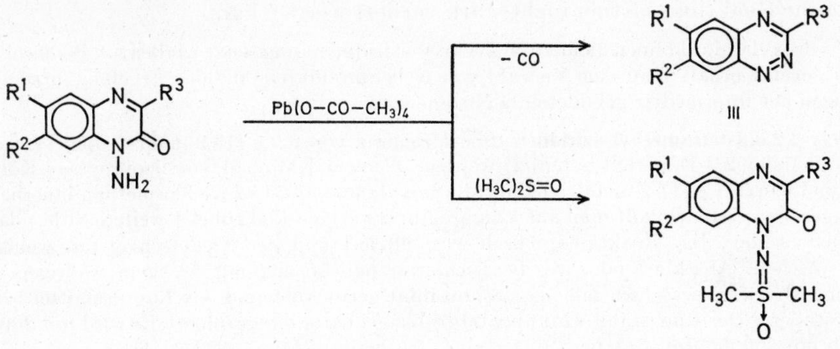
R1
R3
R2
NH2
Pb(O–CO–CH3)4
– CO
(H3C)2S=O
III
H3C–S–CH3
IV

Eine andere Art von Fragmentierung erleidet 3-Amino-4-oxo-3,4-dihydro-⟨benzo-1,2,3-triazin⟩, das bei der Einwirkung von Blei(IV)-acetat Stickstoff abgibt[1]:

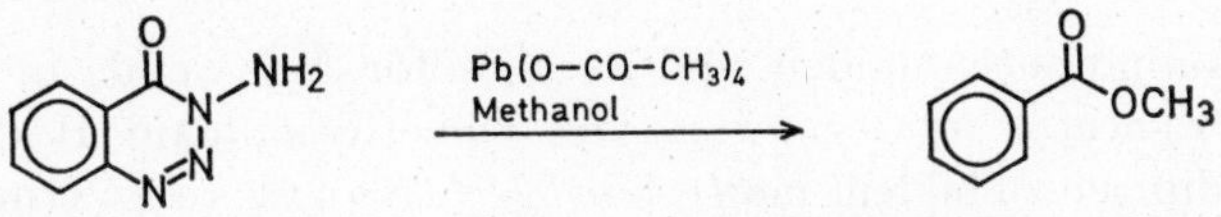
NH2
Pb(O–CO–CH3)4
Methanol
OCH3

oder in Dichlormethan unter Ringverengung zum 3-Oxo-indazol-Derivat, das als Dienophil beispielsweise mit 2,3,4,5-Tetraphenyl-cyclopentadienon nach Diels-Alder in situ reagiert[1]:

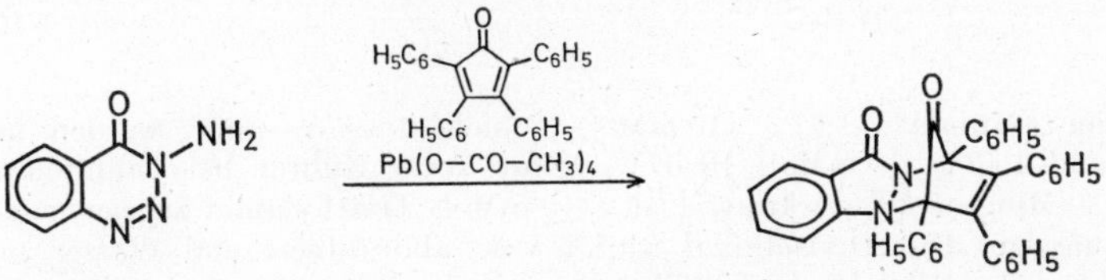
NH2
H5C6
C6H5
Pb(O–CO–CH3)4

7,12-Dioxo-1,9,10,11-tetraphenyl-⟨3,4-benzo-2,6-diaza-tricyclo[5.2.1.0^{2,6}]decadien-(3,8)⟩

4. N-Alkoxy-aziridine durch Dehydrierung von O-Alkyl-hydroxylaminen in Gegenwart von Olefinen

Die Existenz von den N-Nitrenen analogen O-Nitrenen, häufig als mögliche Zwischenstufen bei oxidativen Umsetzungen der O-substituierten Hydroxylamine postuliert, kann ebenfalls durch ihre Umsetzung mit Olefin zu Aziridinen bei der Oxidation geeigneter O-substituierter Hydroxylamine nachgewiesen werden[2–4]:

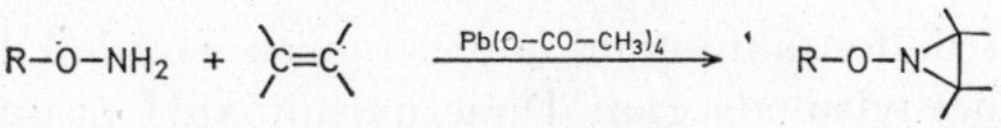
R–O–NH2
Pb(O–CO–CH3)4
R–O–N

Die Durchführung der Umsetzung erfolgt am besten wie bei der Herstellung der Aziridine durch Dehydrierung von N,N-disubstituierten Hydrazinen (s. S. 292). Es empfiehlt sich allerdings die Umsetzung bei möglichst tiefer Temperatur ≦ 0° vorzunehmen, da die intermediär entstehenden O-Nitrene instabiler sind als N-Nitrene. Deshalb ist auch die

---

[1] J. Adamson et al., Soc. [C] **1971**, 981.
[2] S. L. Brois, Am. Soc. **92**, 1079 (1970).
[3] B. V. Ioffe u. E. V. Koroleva, Z. org. Chim. **8**, 1548 (1972); engl.: 1581, Tetrahedron Letters **1973**, 619.
[4] F. A. Carey u. L. J. Hayes, J. Org. Chem. **38**, 3107 (1973).

präparative Anwendbarkeit dieser Methode begrenzt. Es gelingt beispielsweise nur O-Alkyl-hydroxylamine in die entsprechenden N-Alkoxy-aziridine überzuführen, wobei auch der olefinische Reaktionspartner nicht stark variiert werden kann.

O-Aryl-hydroxylamine können nicht zu N-Aryloxy-aziridinen umgesetzt werden[1-4]. Bei ihrer Oxidation mit Blei(IV)-acetat erhält man eine Vielzahl von Nebenprodukten, die das Ergebnis intramolekularer Umlagerungen der intermediär gebildeten O-Nitrene sind.

1-Butyloxy-2,2,3,3-tetramethyl-aziridin[5]: Eine Mischung von 6,2 g (13,9 mMole) Blei(IV)-acetat und 5,7 ml (68,5 mMole) 2,3-Dimethyl-buten-(2) werden in einem Kältebad von Isopropanol/Kohlendioxid abgekühlt und hierzu 1 g (11,2 mMol) O-Butyl-hydroxylamin in 20 ml Dichlormethan innerhalb 1 Stde. langsam zugegeben. Danach läßt man auf Raumtemp. erwärmen und rührt 1 weitere Stde.; dabei bildet sich ein Niederschlag. Das Reaktionsgemisch wird filtriert und der Niederschlag mit wenig Dichlormethan gewaschen. Anschließend wird die Dichlormethan-Lösung mit 5%igem wäßrigem Natriumcarbonat und Wasser gewaschen, mit Magnesiumsulfat getrocknet und das Lösungsmittel bei Normaldruck abdestilliert: Der Rückstand wird über 50 g Silikagel chromatographiert. Es wird mit 200 ml Hexan und danach mit 200 ml Hexan/Äther (9:1) eluiert; Ausbeute: 715 mg (37% d.Th.).

5. N-Sulfonyl-sulfoximine, -sulfimine und N-Aminosulfonyl-sulfimine durch Oxidation von Sulfonsäure-amiden in Gegenwart von Dimethylsulfid und Dimethylsulfoxid

Analog den N-Amino-phthalimiden sind auch Sulfonsäure-amide in der Lage, bei Oxidation mit Blei(IV)-acetat in Gegenwart von Dimethylsulfoxid Hydrazinsulfoxid entsprechende Verbindungen zu bilden; man erhält N-Sulfonyl-sulfoximine[6]:

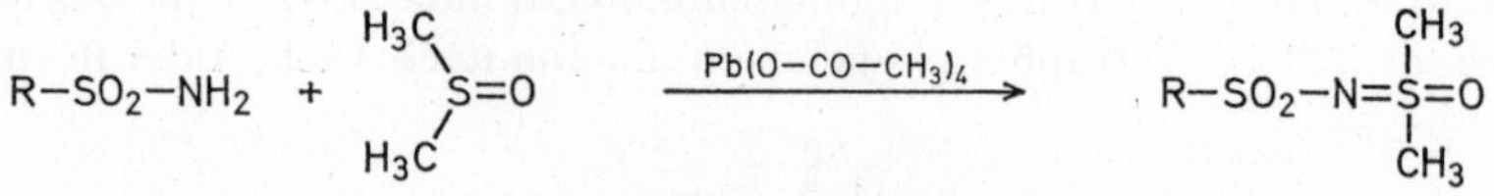

Dimethyl-sulfon-tosylimid[6]: 1,71 g (10 mMol) Toluolsulfonsäure-amid werden in 32 g Dimethylsulfoxid gelöst und 4,43 g (10 mMol) Blei(IV)-acetat unter Rühren bei Raumtemp. zugegeben. Anschließend wird 30 Min. auf 50° erwärmt, 1,01 g (10 mMol) Triäthylamin zugegeben und 1 Stde. weitergerührt. Überschüssiges Dimethylsulfoxid wird i. Vak. abdestilliert und Wasser zu dem Rückstand gegeben. Das unlösliche Produkt wird abfiltriert und aus Äthanol umkristallisiert; Ausbeute: 1,48 g (61% d.Th.); F: 169°.

Nach der gleichen Verfahrensweise kann man die Oxidation mit Dimethylsulfid vornehmen; z. B.:

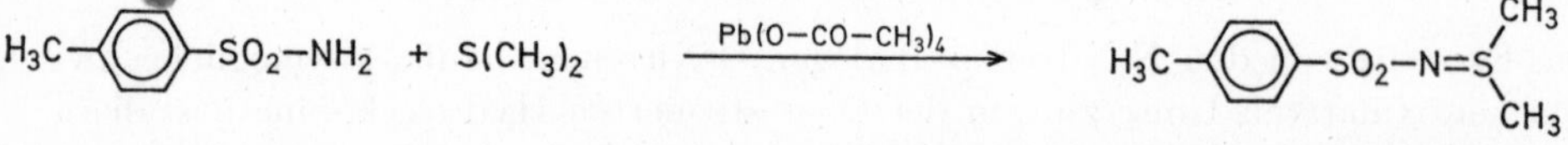

Dimethyl-sulfoxid-tosylimid; 34% d.Th.; F: 161–162°

Die Reaktion mit dem Sulfonsäure-amid läuft so rasch ab, daß die Konkurrenzreaktion, die Oxidation des Dimethylsulfids zum Dimethylsulfoxid[7] praktisch vollständig unterdrückt ist.

Die oxidative Umsetzung gelingt auch mit N,N-disubstituierten Sulfonsäure-amiden. Als zweite Schwefelkomponente beteiligt sich lediglich Dimethylsulfid und nicht Dimethyl-

[1] F. A. Carey u. L. J. Hayes, Am. Soc. **92**, 7613 (1970).
[2] R. Partch, B. Stokes, D. Bergman u. M. Budnik, Chem. Commun. **1971**, 1504.
[3] R. O. C. Norman, R. Purchase u. C. B. Thomas, Soc. (Perk. I) **1972**, 1701.
[4] A. J. Sisti u. S. Milstein, J. Org. Chem. **38**, 2408 (1973).
[5] F. A. Carey u. L. J. Hayes, J. Org. Chem. **38**, 3107 (1973).
[6] T. Ohashi et al., Synthesis **1971**, 96.
[7] H. E. Barron et al., Chem. & Ind. **1954**, 76.

sulfoxid an der Umsetzung, so daß als Reaktionsprodukt nur N-Aminosulfonyl-dimethylsulfimine gebildet werden[1]:

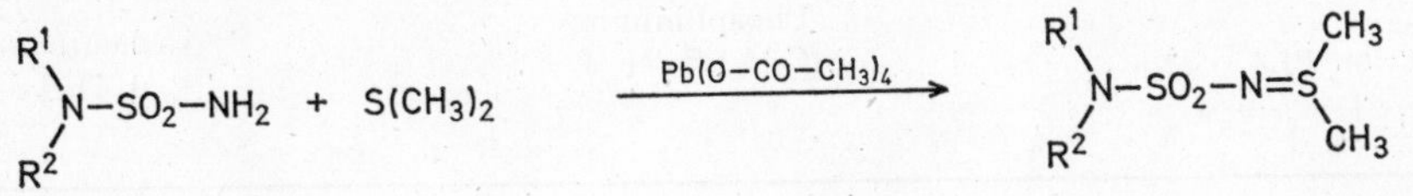

Dimethyl-sulfoxid-piperidinosulfonylimid[1]: 1,64 g (10 mMol) Amino-sulfonsäure-piperidid werden zusammen mit 6,2 g (0,1 Mol) Dimethylsulfid in 30 *ml* Benzol gelöst und dazu unter Rühren bei Raumtemp. langsam 8,87 g (20 mMol) Blei(IV)-acetat gegeben. Danach wird 2 Stdn. weitergerührt, bis die Farbe des Blei(IV)-acetats verschwunden ist. Vom ausgefallenen Blei(II)-acetat wird abfiltriert. Nach dem Abdampfen des Lösungsmittels verbleibt ein Rückstand, der aus Äthanol/Äther (1:2) umkristallisiert wird; Ausbeute: 3,36 g (75% d.Th.); F: 99,5–100,5°.

6. Phosphinimine durch Dehydrierung von Arylamino-phosphoniumsalzen

Analog der Oxidation von β-Oxo-phosphoniumsalzen (s. S. 277)[2], wird auch bei Arylamino-phosphoniumsalzen bei der Oxidation mit Blei(IV)-acetat das dem α–H-Atom entsprechende an den Stickstoff gebundene H-Atom abstrahiert. Substitution eines zweiten Wasserstoffs durch den anionoiden Rest erfolgt allerdings am aromatischen Kern:

$$[(H_5C_6)_3\overset{\oplus}{P}-NH-Ar]\ X^{\ominus} + Pb(O-CO-CH_3)_4 \longrightarrow (H_5C_6)_3P=N-(ArX) + Pb(O-CO-CH_3)_2$$
$$+ 2\ CH_3COOH$$

Als allgemeine Regel für die Substitution am Aromaten gilt, daß bei freier p-Stelle diese zunächst besetzt wird, man erhält Phosphin-p-X-arylimine. Bei besetzter p-Stelle wird in o-Stellung zu Phosphin-o-X-aryliminen oxidiert. Es können auch o–p-disubstituierte Produkte isoliert werden.

Bei der Oxidation von Phosphonium-rhodaniden bzw. -selencyaniden, die aufgrund ihrer Struktur den anionoiden Rest in o-Stellung einbauen, werden heterocyclische Phosphinimin-Derivate isoliert, die durch Umlagerung der entsprechenden Phosphin-o-rhodan- bzw. -o-cyanselen-arylimine entstehen[3]:

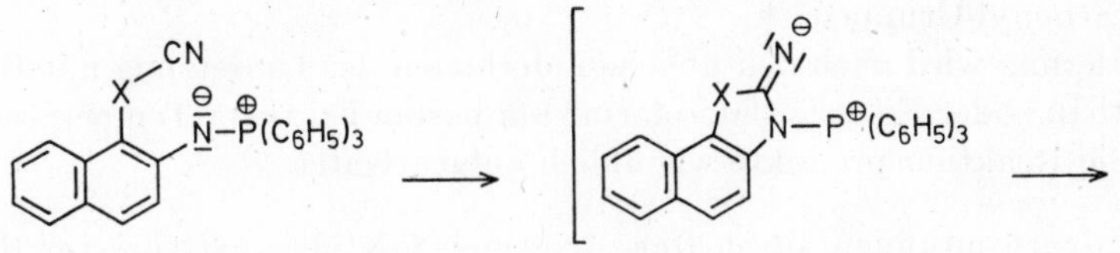

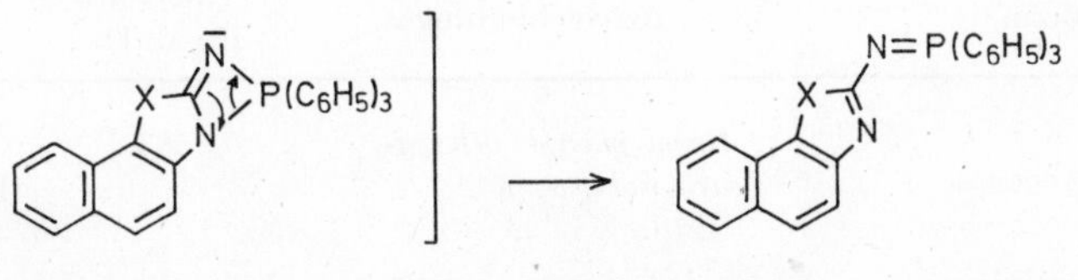

X = S ; *2-Triphenylphosphinylidenamino-⟨naphtho-[2,1-d]-1,3-thiazol⟩*; 60% d.Th.; F: 195°
X = Se; *2-Triphenylphosphinylidenamino-⟨naphtho-[2,1-d]-1,3-selenazol⟩*; 71% d.Th.; F: 211°

Die Ausbeuten an Phosphiniminen betragen durchschnittlich 70%.

---

[1] M. OKAHAVA, K. MATSUNAGA u. S. KOMORI, Synthesis **1972**, 203.
[2] E. ZBIRAL, M. **97**, 180 (1966).
[3] E. ZBIRAL, Tetrahedron Letters **1966**, 2005.

Tab. 26. Phosphin-arylimine durch Oxidation von Arylphosphoniumsalzen[1]

Phosphoniumsalz $[(H_5C_6)_3\overset{\oplus}{P}-NH-R]\ X^{\ominus}$		Phosphinimin $(C_6H_5)_3P=N-R$		Ausbeute [% d.Th.]	F [° C]
R	X	R			
C_6H_5	J	J—⟨⟩—	Triphenyl-phosphin-(4-jod-phenylimin)	60	156–157
	Br	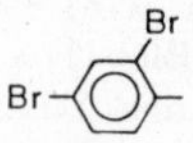 Br—⟨⟩—Br	Triphenyl-phosphin-(2,4-dibrom-phenylimin)	40	176–180
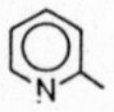 (pyridyl)	J	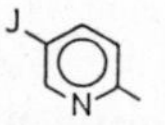 (5-jod-pyridyl)	Triphenyl-phosphin-[5-jod-pyridyl-(2)-imin]	75	208
(naphthyl)	SCN	(naphthyl-SCN)	Triphenyl-phosphin-[4-rhodano-naphthyl-(1)-imin]	65	210
(naphthyl)	J	(naphthyl-J)	Triphenyl-phosphin-[1-jod-naphthyl-(2)-imin]	70	143

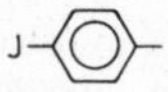

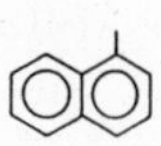

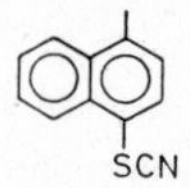

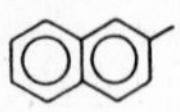

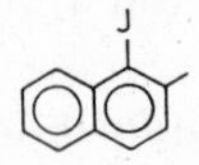

e) an zwei Stickstoffatomen

1. Azoverbindungen durch Dehydrierung von Hydrazinen

N,N'-Disubstituierte Hydrazine lassen sich mit Blei(IV)-acetat zu Azoverbindungen dehydrieren; beispielsweise kann Hydrazobenzol zu 95% d.Th. in *Azobenzol* übergeführt werden[2]:

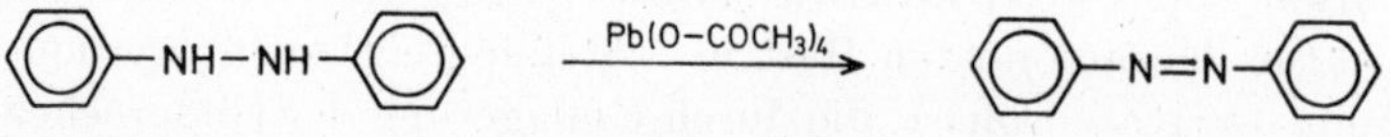

Besonders leicht erfolgt die Dehydrierung, wenn ein oder beide Substituenten über ein Carbonyl-C bzw. Sulfonyl-S an den Stickstoff gebunden sind; z. B. Benzoyl-, Phenylsulfon- oder Äthoxycarbonyl-Gruppen[3,4].

Die Dehydrierung wird nach den üblichen Methoden der Umsetzung mit Blei(IV)-acetat in Dichlormethan[3] oder Eisessig/Chloroform[4] am besten bei tiefer Temperatur (0–20°) ausgeführt und die Reaktionsprodukte wie üblich aufgearbeitet.

Tab. 27. Azoverbindungen durch Dehydrierung N,N'-disubstituierter Hydrazine

Hydrazin	Azoverbindung	Ausbeute [% d.Th.]	F [° C]	Literatur
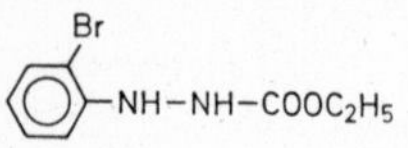 (2-Brom-phenyl)—NH—NH—COOC$_2$H$_5$	(2-Brom-phenyl)-äthoxy-carbonyl-diazen	83	26–26,5 (Kp$_{0,001}$: 90°)	5
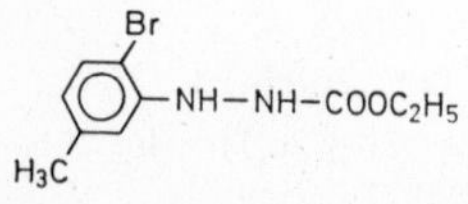 (2-Brom-5-methyl-phenyl)—NH—NH—COOC$_2$H$_5$	(2-Brom-5-methyl-phenyl)-äthoxycarbonyl-diazen	78	50,5–51,5	5

[1] E. Zbiral, Tetrahedron Letters 1966, 2005.
[2] K. H. Pausacker u. J. G. Scroggie, Soc. 1954, 4003.
[3] R. W. Hoffmann, B. 97, 2763, 2772 (1964).
[4] S. Hünig u. G. Kaupp, A. 700, 65 (1966).
[5] R. W. Hoffmann, B. 97, 2763 (1964).

Tab. 27 (1. Fortsetzung)

Hydrazin	Azoverbindung	Ausbeute [% d.Th.]	F [° C]	Literatur
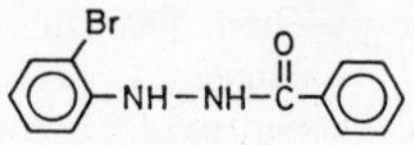	(2-Brom-phenyl)-benzoyl-diazen	72	69–70	1
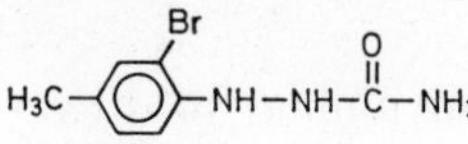	(2-Brom-4-methyl-phenyl)-aminocarbonyl-diazen	51	158–159	1
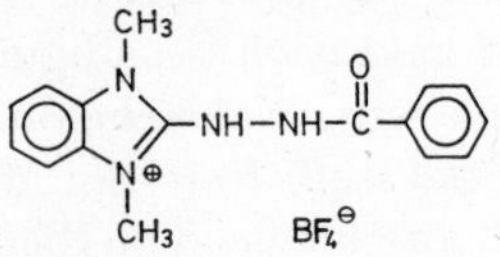	2-Benzoylazo-1,3-dimethyl-benzoimidazolium-tetra-fluoroborat	80	183–185	2

2. Indazole und Dihydropyridazine durch Dehydrierung von Indazolinen und Tetrahydropyridazinen

Analog den offenkettigen Hydrazinen werden auch cyclische Hydrazine, z. B. Indazoline[3] oder Tetrahydropyridazine[4-6] in die entsprechenden cyclischen Azo-Verbindungen überführt:

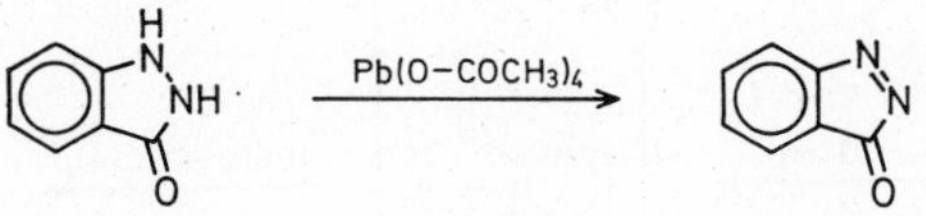

3-Oxo-3H-indazol

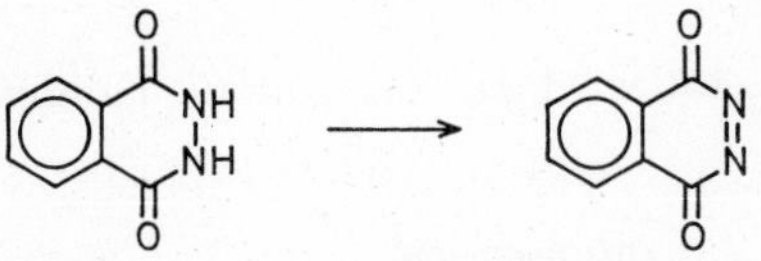

1,4-Dioxo-1,4-dihydro-phthalazin

Nur selten sind die gebildeten Azo-Verbindungen stabil genug, um isoliert werden zu können, wie z. B. 3-Hydroxy-⟨1,2,4-triazino-[5,6-c]-chinolin⟩[7]:

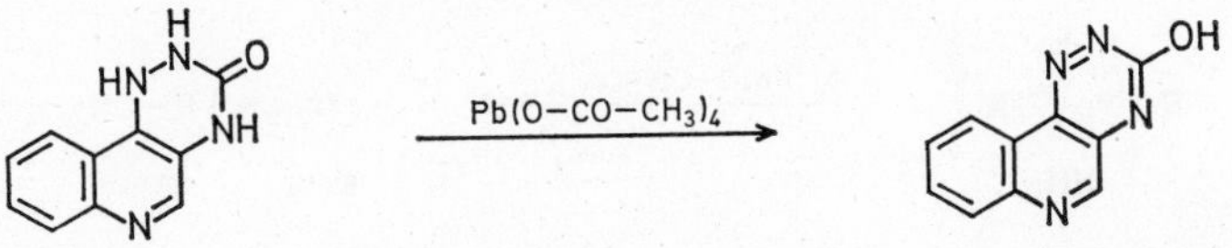

und nur bei sehr vorsichtigem Arbeiten gelingt es, vor allem bei nichtkondensierten Ringsystemen, die cyclische Azo-Verbindung zu erhalten (tiefe Temperaturen sind Vorbedingung).

[1] R. W. HOFFMANN, B. 97, 2772 (1964).
[2] S. HÜNIG u. G. KAUPP, A. 700, 65 (1966).
[3] E. F. ULLMAN u. E. A. BARTKUS, Chem. & Ind. 1962, 93.
[4] R. A. CLEMENT, J. Org. Chem. 25, 1724 (1960).
[5] R. A. CLEMENT, J. Org. Chem. 27, 1115 (1962).
[6] G. ADEMBRI, F. DE SIO, R. NESI u. M. SCOTTON, Soc. [C] 1968, 2857.
[7] G. W. WRIGHT, J. E. GRAY u. C. N. YU, J. med. Chem. 17, 244 (1974).

3-Oxo-4,5-dihydro-3H-pyrazol[1]: Zu einer Suspension von 62 g (0,14 Mol) Blei(IV)-acetat in 200 ml trok-kenem Dichlormethan werden unter Rühren innerhalb 1 Stde. bei −50° bis −60° 6,02 g (0,07 Mol) 3-Oxo-pyrazolidin in 50 ml Dichlormethan gegeben. Das Reaktionsgemisch wird 2 weitere Stdn. bei dieser Temp. gerührt, dann ebenfalls bei dieser Temp. filtriert und 3mal mit je 100 ml kaltem (−70°) Dichlor-methan gewaschen. Die Filtrate werden vereinigt und mit kalter (−30°) 15%iger Weinsäure/Glykol (1:1)-Lösung (2 × 150 ml) und danach mit 150 ml kalter 1:1 Wasser/Glykol-Lösung gewaschen. Die Dichlor-methan-Lösung wird mit Calciumchlorid getrocknet und bei −20 bis −30°/2–5 Torr eingeengt. Es wird der kristalline Rückstand aus Dichlormethan/Äther bei −78° umkristallisiert; Ausbeute: 3,9 g (66% d.Th.); F: 22–23° (Zers. **explosions**artig).

Bei normalen Bedingungen, d. h. Oxidation bei Raumtemperatur nimmt die Reaktion einen anderen Verlauf. Die bei der Oxidation auftretende Färbung, die ein Hinweis auf das Vorliegen der formulierten Reaktionsprodukte ist, verschwindet bald nach Beendigung der Zugabe von Blei(IV)-acetat. Es fallen farblose Niederschläge aus, wahrscheinlich Polymere der cyclischen Azoverbindungen[2]. Außerdem wird Stickstoff frei. Bei der Dehydrierung von 1,4-Dioxo-1,2,3,4-tetrahydro-phthalazin läßt sich anschließend im Reak-tionsprodukt Phthalsäureanhydrid in der dem Stickstoff äquivalenten Menge nachweisen:

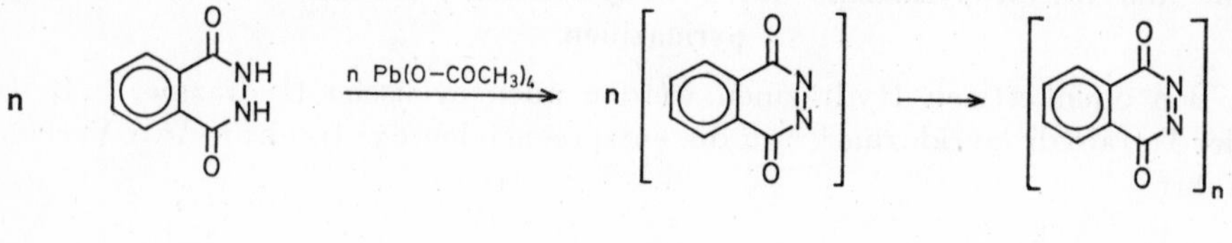

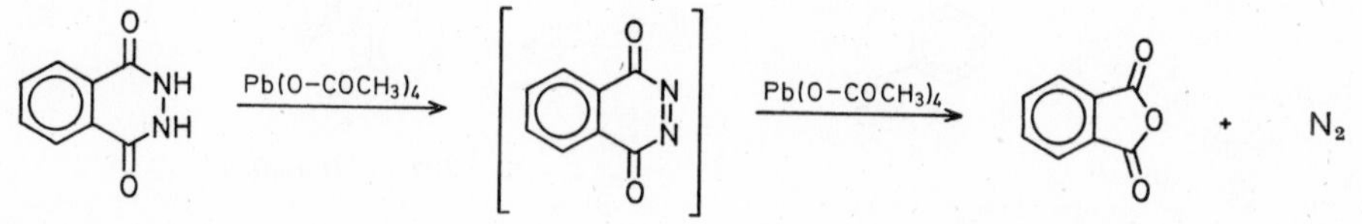

3-Hydroxy-5-phenyl-1,2,4-triazol wird zu *Benzonitril*, Kohlenmonoxid und Stickstoff ab-gebaut[3];

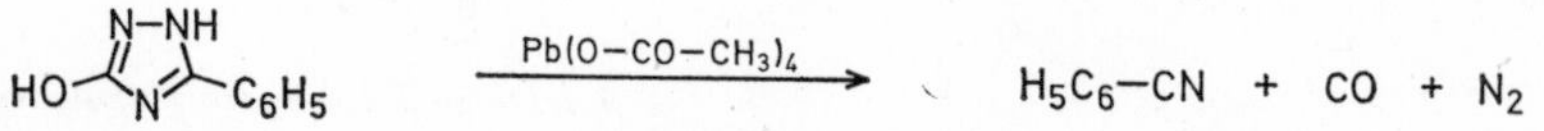

eine Fragmentierung, die auch bei der Blei(IV)-acetat-Oxidation von 4-Amino-4H-1,2,4-triazolen beobachtet wird[4]; z. B.:

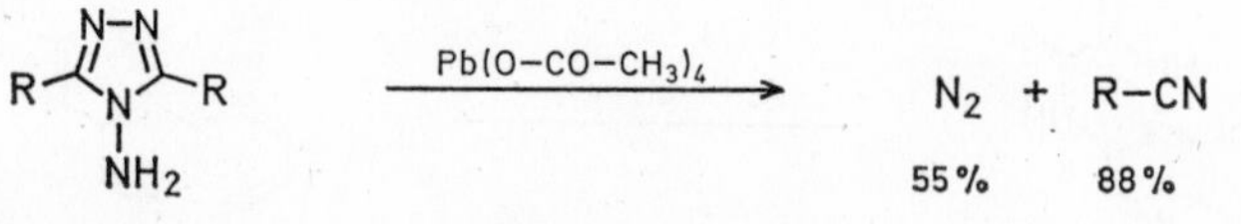

Die intermediär auftretenden Azoverbindungen sind außerordentlich **dienophil** und reagieren in situ mit Butadien[2,5–8], Cyclopentadien[5,6], Anthracen[7,8] und anderen Dienen[6] zu Diels-Alder-Addukten in Ausbeuten bis zu 90%.

---

[1] W. NAGATA u. S. KAMATA, Soc. [C] **1970**, 540.
[2] R. A. CLEMENT, J. Org. Chem. **25**, 1724 (1960).
[3] B. T. GILLIS u. J. G. DAIN, J. Org. Chem. **36**, 518 (1971).
[4] K. SAKAI u. J. P. ANSELME, Tetrahedron Letters **1970**, 3851.
[5] E. F. ULLMAN u. E. A. BARTKUS, Chem. & Ind. **1962**, 93.
[6] B. T. GILLIS u. R. WEINKAM, J. Org. Chem. **32**, 3321 (1967).
[7] R. A. CLEMENT, J. Org. Chem. **27**, 1115 (1962).
[8] G. ADEMBRI, F. DE SIO, R. NESI, M. SCOTTON, Soc. [C] **1968**, 2857.

Relativ stabile Lösungen an cyclischen Diacyldiazenen erhält man bei der Verwendung von Acetonitril oder Aceton als Lösungsmittel. Für die Herstellung der Diels-Alder-Addukte ist allerdings Dichlormethan besser geeignet, da diese in diesem Lösungsmittel besonders rasch gebildet werden[1].

Diels-Alder-Addukte cyclischer Diacyldiazene; allgemeine Arbeitsvorschrift:[1] 10 mMol des cyclischen Hydrazids und 10m Mol des Diens werden in 50 *ml* Dichlormethan, das 1 *ml* Eisessig enthält, bei Raumtemp. gelöst und dazu ein Moläquivalent Blei(IV)-acetat gegeben. Danach wird 7 g neutrales Aluminiumoxid zugegeben und das ganze Reaktionsgemisch i. Vak. zur Trockene bei <40° eingedampft. Der feste Rückstand wird auf eine mit 50 g Aluminiumoxid gefüllte Säule gegeben und mit Tetrachlormethan eluiert und die Addukte umkristallisiert.

Bei größeren Ansätzen wird die Dichlormethan-Lösung mit Wasser gewaschen, eingeengt und das Produkt durch Umkristallisieren gereinigt.

Cyclische Hydrazine der angegebenen Form werden nicht grundsätzlich von Blei(IV)-acetat zu dienophilen Azo-Verbindungen dehydriert. Das Hydrazin-Derivat I liefert, in Gegenwart von Dienen umgesetzt, nicht die gewünschten Addukte, das Hydrazin-Derivat II dagegen in ausgezeichneten Ausbeuten mit Cyclohexadien-(1,3) die tetracyclische Verbindung III (71% d.Th.; F: 259–260°), mit Cyclopentadien-(1,3) das entsprechende Derivat IV (68% d.Th.; F: 228–230°)[2]:

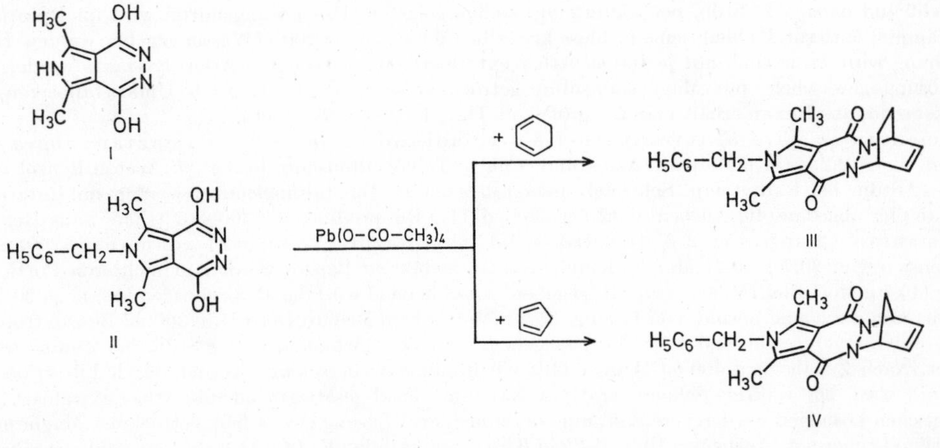

Das Hydrazin I wird offensichtlich an der Pyrrol-Stickstoff-Wasserstoffbindung angegriffen und nicht an der Hydrazin-Stickstoff-Wasserstoffbindung.

Die Dehydrierung eines cyclischen Hydrazins mit Blei(IV)-acetat ist ein wesentlicher Reaktionsschritt bei der Synthese von symmetrischen, sterisch gehinderten Olefinen aus den entsprechenden Ketonen[3-7]. Diese werden zunächst quantitativ mit Hydrazin und Schwefelwasserstoff zu den Tetrahydro-1,3,4-thiadiazolen umgesetzt,[8] und letztere mit Blei(IV)-acetat in Leichtbenzin (Kp: 60–80°) bei 0° zu den cyclischen Azo-Verbindungen.

[1] R. A. CLEMENT, J. Org. Chem. **27**, 1115 (1962).
[2] B. T. GILLIS u. J. C. VALENTOUR, J. heterocycl. Chem. **8**, 13 (1971).
[3] D. H. R. BARTON, E. H. SMITH u. B. J. WILLIS, Chem. Commun. **1970**, 1226.
[4] D. H. R. BARTON u. B. J. WILLIS, Soc. (Perkin I) **1972**, 305.
[5] J. W. EVERETT u. P. J. GARRATT, Chem. Commun. **1972**, 642.
[6] A. P. SCHAAP u. G. R. FALER, J. Org. Chem. **38**, 3061 (1973).
[7] H. SAUTER, H. G. HÖRSTER u. H. PRINZBACH, Ang. Ch. **85**, 1106 (1973).
[8] K. RÜHLMANN, J. pr. **8**, 285 (1959).

Wenn diese einige Zeit in Gegenwart von Triphenylphosphin auf 100° erhitzt werden, bildet sich unter Stickstoffentwicklung Triphenyl-phosphinsulfid und das Olefin; z. B.:

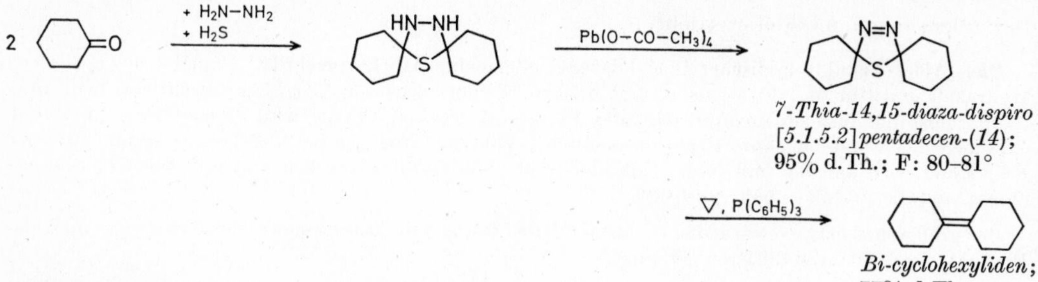

7-Thia-14,15-diaza-dispiro
[5.1.5.2]pentadecen-(14);
95% d.Th.; F: 80–81°

Bi-cyclohexyliden;
77% d.Th.

Bi-adamantyliden[1]:

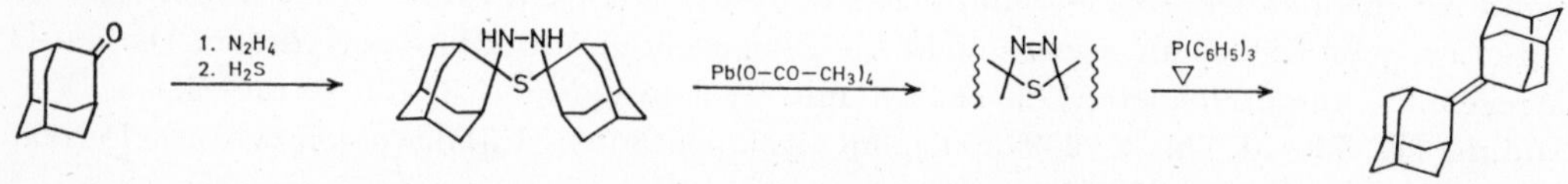

Bis-adamantyliden-hydrazin: 1,3 g (26 mMol) Hydrazin-Hydrat in 15 ml tert.-Butanol werden tropfenweise unter Stickstoff innerhalb 45 Min. zu einer unter Rückfluß kochenden Lösung von 5,22 g (35 mMol) 2-Oxo-adamantan in 60 ml tert.-Butanol gegeben. Anschließend wird noch 12 Stdn. weitergekocht und danach 24 Stdn. bei Raumtemp. stehen gelassen. Das Lösungsmittel wird im Rotations-Verdampfer entfernt. Es bleibt eine farblose kristalline Masse, zu der 200 ml Wasser gegeben werden. Diese Mischung wird dann 4mal mit je 100 ml Äther extrahiert. Die vereinigten Äther-Extrakte werden mit Salzlösung gewaschen, mit Magnesiumsulfat getrocknet und eingeengt. Nach Umkristallisieren des Rückstandes aus Hexan erhält man 5,1 g (98% d.Th.); F: 300–307° (Zers.).

Adamantan-⟨2-spiro-5⟩-tetrahydro-1,3,4-thiadiazol-⟨2-spiro-2⟩-adamantan: Durch eine Lösung von 12,2 g (41 mMol) des Azins und 5 mg p-Toluolsulfonsäure in 300 ml Aceton/Benzol (1:3) wird 12 Stdn. bei Raumtemp. Schwefelwasserstoff geleitet. Die Lösungsmittel werden im Rotations-Verdampfer abgedampft; Ausbeute: 12,8 g (95% d.Th.) Rohprodukt; F: 300–307° (Zers.; aus Hexan).

Adamantan-⟨2-spiro-5⟩-2,5-dihydro-1,3,4-thiadiazol-⟨2-spiro-2⟩-adamantan: Zu einer Suspension von 20,7 g (0,21 mol) Calciumcarbonat in 300 ml Benzol werden in mehreren Portionen 207 g (46,7 mMol) Blei(IV)-acetat bei 0° gegeben. Anschließend wird das Reaktionsgemisch noch 20 Min. gerührt und dann eine Lösung von 11,85 g (35,9 mMol) rohem Dispiro-Derivat in 300 ml Benzol tropfenweise unter Rühren während 1,5 Stdn. zugegeben. Danach rührt man noch 8 Stdn. bei Zimmertemp. weiter. Nach Zugabe von 400 ml Wasser fällt ein brauner Niederschlag aus, der durch Filtration abgetrennt wird. Die wäßrige Schicht wird mit Natriumchlorid gesättigt und mit Äther extrahiert. Die organischen Lösungen werden vereinigt, mit Natriumchlorid-Lösung gewaschen, getrocknet (Magnesiumsulfat) und eingeengt; Ausbeute: 10,94 (94% d.Th.); Rohprodukt; F: 140–145°. Bei der Säulenchromatographie über Silikagel 70:30 Äther-Hexan erhält man ein Produkt mit F: 145–146°.

Bi-adamantyliden: 1,092 g (3,32 mMol) rohes Adamantan-⟨2-spiro-5⟩-2,5-dihydro-1,3,4-thia-diazol-⟨2-spiro-2⟩-adamantan wird mit 2,04 g (7,79 mMole) Triphenylphosphin innig vermischt und 12 Stdn. auf 125–130° unter Stickstoff erhitzt. Säulenchromatographie über Silikagel mit Hexan gibt 0,668 g (74% d.Th.); F: 184–185°.

Von Interesse ist die Dehydrierung des 2,3-Dihydro-⟨benzo-1,2,3-thia-diazol⟩-1,1-dioxids. Wenn die Reaktion unterhalb 10° vorgenommen wird, erhält man das cyclische Azoderivat ⟨Benzo-1,2,3-thiadiazol⟩-1,1-dioxid (I)[2]. Oberhalb dieser Temperatur zersetzt sich I in Lösung und oberhalb ∼ 60° in Substanz. Zersetzungsprodukte sind Stickstoff, Schwefeldioxid und Dehydrobenzol (s. a. S. 397):

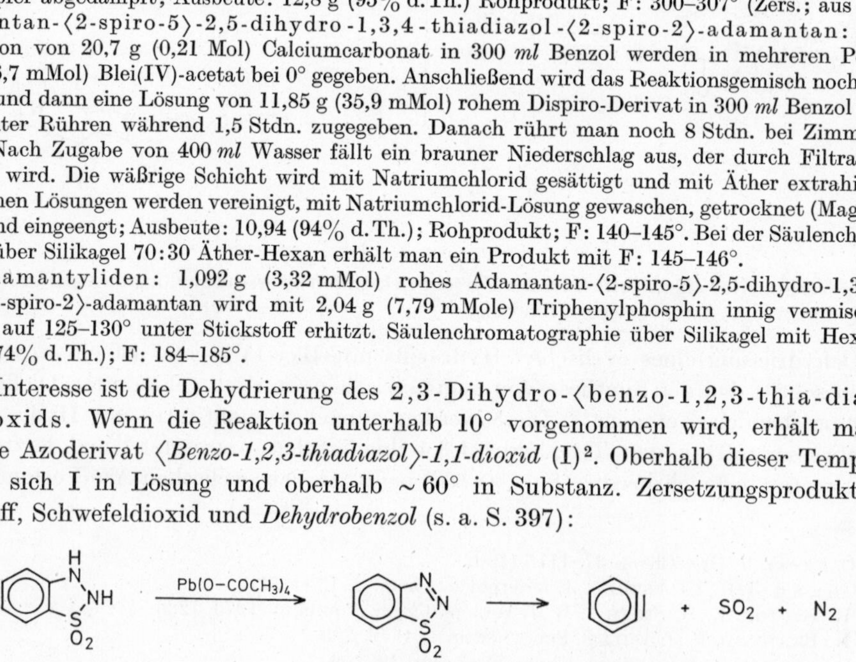

---

[1] A. P. Schaap u. G. R. Faler, J. Org. Chem. **38**, 3061 (1973).

[2] G. Wittig u. R. W. Hoffmann, Ang. Ch. **73**, 435 (1961); B. **95**, 2718 (1962).

Tab. 28: Oxidation von cyclischen Acyl- und Diacylhydrazinen
in Anwesenheit von Dienen

Cyclisches Acyl-hydrazin	Dien	Addukt	Ausbeute [% d.Th]	F [° C]	Literatur
(Struktur, CH₃, HO, N–N–H)	$H_5C_6-CH=CH-CH=CH-C_6H_5$	(Struktur)	78	176–177	1
	$H_2C=C(CH_3)-C(CH_3)=CH_2$	(Struktur)	62	90–91	1
(Struktur, C₆H₅, HO, N–N–H)	(Cyclopentadien)	(Struktur)	50	143–144	1
	(Struktur, CH₃, CH(CH₃)₂)	(Struktur)	60	176–178	1
(Struktur, H₅C₆, O, N–N–NH–H)	(Struktur, $H_3C-C(=CH_2)$, H_2C, –CH=CH₂)	(Struktur)	81	110–112	2
	(Cyclopentadien)	(Struktur)	58	133–134	2
	(Cyclohexadien)	(Struktur)	73	172–174	2
	(Anthracen)	(Struktur)	46	226–227	2
	(Norbornadien)	(Struktur)	27	171–172,5	2
	(Perylen)	(Struktur, –C₆H₅)	59	375–376 (Zers.)	3
(Struktur, H₅C₆, OH, H₅C₆–NH, N–N)	$H_2C=C(CH_3)-C(CH_3)=CH_2$	(Struktur, H₅C₆, CH₃, CH₃)	75	174–175	4

[1] B. T. GILLIS u. R. WEINKAM, J. Org. Chem. **32**, 3321 (1967).
[2] B. T. GILLIS u. J. D. HAGARTY, J. Org. Chem. **32**, 330 (1967).
[3] M. ZANDER, B. **107**, 1406 (1974).
[4] R. SUNDERDIEK u. G. ZIMMER, B. **107**, 454 (1974).

Tab. 28 (1. Fortsetzung)

Cyclisches Acyl-hydrazin	Dien	Addukt	Ausbeute [% d.Th.]	F [° C]	Literatur
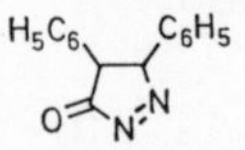 (Struktur: H_5C_6, C_6H_5)	(Cyclopentadien)	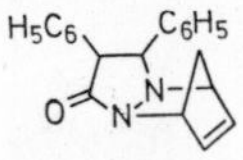 (Struktur: H_5C_6, C_6H_5)	45	150–153	1
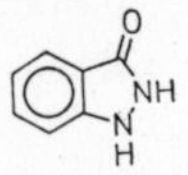 (Struktur)	$H_2C=CH-CH=CH_2$	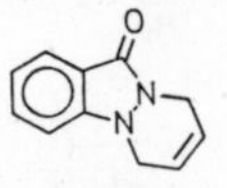 (Struktur)		96–97	2
	(Cyclopentadien)	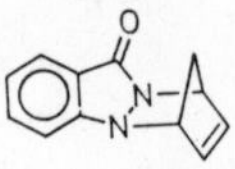 (Struktur)		117–117,5	2
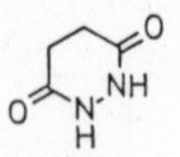 (Struktur)	$H_2C=CH-CH=CH_2$	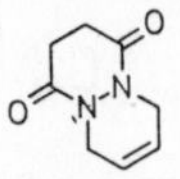 (Struktur)	54	190–193	3
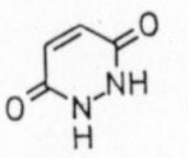 (Struktur)	$H_2C=CH-CH=CH_2$	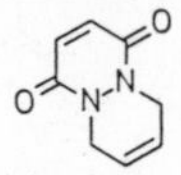 (Struktur)	76	156–157	3
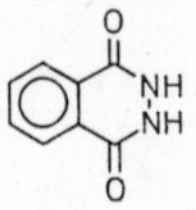 (Struktur)	$H_2C=CH-CH=CH_2$	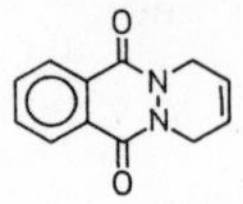 (Struktur)	90	272–275	4
	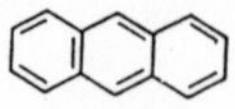 (Anthracen)	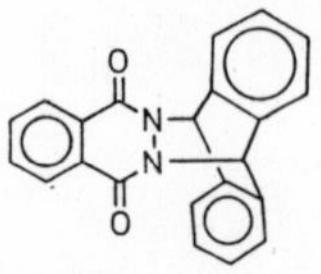 (Struktur)	71	295–298	4

3. Chinondiimine durch Dehydrierung von Diamino-aromaten

Blei(IV)-acetat dehydriert Acyl-, Aroyl-, Alkylsulfonyl-, Arylsulfonyl- und ähnliche Derivate von Diamino-aromaten in Lösung entweder bei Raumtemperatur oder bei leicht erhöhter Temperatur. Reaktionsprodukte sind die entsprechenden Chinon-bis-imine in Ausbeute bis zu 90–95% d.Th.[5]:

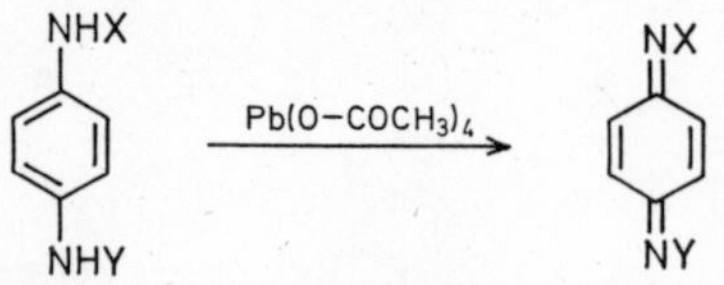

$$NHX\text{-}C_6H_4\text{-}NHY \xrightarrow{Pb(O-COCH_3)_4} NX\text{=}C_6H_4\text{=}NY$$

Substituenten am aromatischen Ring stören die Oxidation gewöhnlich nicht, so werden auch Halogen- oder alkylsubstituierte Diamino-aromaten in guter Ausbeute nach obigem Schema dehydriert[5].

---

[1] B. T. Gillis u. R. Weinkam, J. Org. Chem. 32, 3321 (1967).
[2] E. F. Ullman u. E. A. Bartkus, Chem. & Ind. 1962, 93.
[3] R. A. Clement, J. Org. Chem. 27, 1115 (1962); dort weitere Angaben.
[4] R. A. Clement, J. Org. Chem. 25, 1724 (1960).
[5] R. Adams u. A. S. Nagarkatti, Am. Soc. 72, 4601 (1950).

Die Wahl des Lösungsmittels richtet sich nach den Säureamid-Resten X bzw. Y. Verbindungen mit X = Y = COC_6H_5, $COCOOC_2H_5$ und X = COC_6H_5; Y = $SO_2C_6H_5$ werden am besten in trockenem, thiophenfreiem Benzol bei Rückflußtemperatur, Diaminoaromaten mit X = Y = $COCH_3$ in trockenem, äthanolfreiem Chloroform unter Rückfluß, mit X = Y = $COOC_2H_5$ in absol. Äther bei Raumtemperatur und mit X = Y = RSO_2, wobei R = Alkyl- oder Aryl-, am besten in Eisessig[1] oxidiert.

Während z. B. 1,4-Diamino-benzole ohne Schwierigkeit zu den p-Chinon-bis-iminen oxidiert werden, erhält man bei der Oxidation von 1,2-Bis-[benzolsulfonylamino]-benzol bei der Aufarbeitung nur ein braunes amorphes Produkt, das nicht kristallisiert. Es wird angenommen, daß das gebildete o-Benzochinon-diimin evtl. durch Diensynthese mit einem zweiten Molekül zu höhermolekularen Dimeren reagiert, nachdem am Ring substituierte 1,2-Diamino-benzole ohne weiteres zu isolierbaren Chinon-bis-iminen oxidiert werden[2].

4-Methyl-o-benzochinon-bis-[benzolsulfonylimin][2]: Ein Gemisch aus 9 g (22,5 mMol) 3,4-Bis-[benzolsulfonylamin]-1-methyl-benzol und 10 g (22,5 mMol) Blei(IV)-acetat in 75 *ml* Eisessig wird 30 Min. bei Raumtemp. gerührt. Anschließend werden einige Tropfen Glyzerin der orange gefärbten Suspension zugesetzt und weitere 5 Min. gerührt. Die orangegelben Kristalle werden abfiltriert; Ausbeute: 6 g (67% d.Th.). Es wird aus einem Gemisch von Eisessig und Nitromethan umkristallisiert, wobei die Kristallisation durch kurzes Herunterkühlen in einem Kohlendioxid/Aceton-Kältebad angeregt werden muß; F: 155–160° (Zers.).

Die Oxidation von 4,5-Bis-[benzolsulfonylamino]-1,2-(bzw. -1,3)-dimethyl-benzol wird besser in Essigsäureanhydrid bei 60° vorgenommen. Die Reaktionsprodukte sind dann zwar etwas stärker mit Blei(IV)-acetat verunreinigt, lassen sich aber nach Abdestillieren des Anhydrids durch Waschen mit Wasser gut reinigen[2].

Chinon-bis-imine sind im Gegensatz zu den Diamino-benzolen in fast allen organischen Lösungsmitteln gut löslich. Es ist deshalb gewöhnlich schwer, ein zum Umkristallisieren geeignetes Lösungsmittel zu finden. Entsprechend hoch sind auch die Verluste, vor allem bei der Reinigung von monosubstituierten-Chinon-bis-iminen[2].

Heterocyclische Systeme, die analog den p- oder o-Diamino-benzolen aufgebaut sind, können ebenfalls zu den entsprechenden chinoiden Verbindungen dehydriert werden; z. B.[3,4]:

5-Toluolsulfonylimino-2-oxo-3,3-dimethyl-3,5-dihydro-2H-indol[4]:

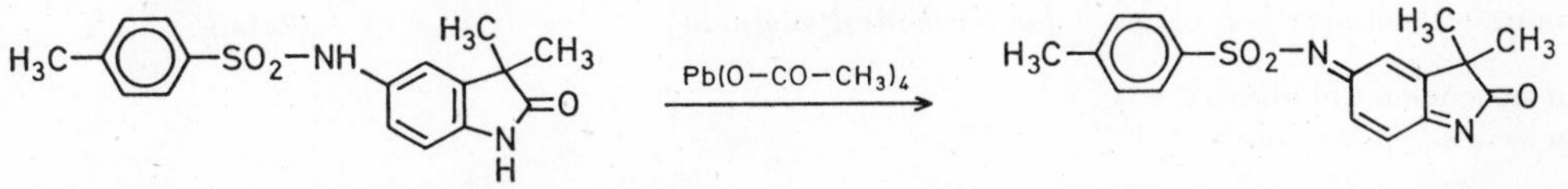

Zu einer Lösung von 1 g 5-Toluolsulfonylamino-2-oxo-3,3-dimethyl-2,3-dihydro-indol in 3 *ml* Eisessig werden unter Rühren 1,1 g Blei(IV)-acetat portionsweise während 1 Min. zugegeben. Es bildet sich sofort ein gelber Niederschlag. Anschließend werden 2 Tropfen Glykol zugegeben und der Niederschlag durch Filtrieren abgetrennt. Es wird aus Benzol umkristallisiert; Ausbeute: 0,4 g (41% d.Th.); F: 226–230°.

R. ADAMS u. J. L. ANDERSON, Am. Soc. **72**, 5154 (1950).

R. ADAMS u. C. N. WINNICK, Am. Soc. **73**, 5687 (1951).

I. BAXTER, D. W. CAMERON u. M. R. THOSEBY, Soc. [C] **1970**, 850.

I. BAXTER, D. W. CAMERON, I. A. MENSAH u. M. R. THOSEBY, Soc. [C] **1971**, 952.

Tab. 29. Chinon-diimine durch Dehydrierung von Diamino-aromaten
mit Blei(IV)-acetat

Diamino-aromat	Chinon-diimin	Ausbeute [% d.Th.]	F [° C]	Literatur
1,4-Bis-[benzolsulfonylamino]-benzol	*p-Benzochinon-bis-[benzolsulfonylimin]*	97	178–179	1
1,4-Bis-[4-chlor-benzolsulfonylamino]-benzol	*p-Benzochinon-bis-[4-chlorbenzolsulfonylimin]*	82	198	2
1,4-Bis-[4-methyl-benzolsulfonylamino]-benzol	*p-Benzochinon-bis-[4-methylbenzolsulfonylimin]*	90	206,5–207,5	1
1,4-Bis-[benzoylamino]-benzol	*p-Benzochinon-bis-[benzoylimin]*	78	140–141,5	3
1,2-Bis-[benzoylamino]-benzol	*o-Benzochinon-bis-[benzoylimin]*	66[a]	136–137 (Zers.)	4
4-Sulfonylamino-1-benzoylamino-benzol	*p-Benzochinon-4-sulfonylimin-1-benzoylimin*	75	102–103	3
2-Chlor-1,4-bis-[methansulfonylamino]-benzol	*2-Chlor-p-benzochinon-bis-[methansulfonylimin]*	85	174–175 (Zers.)	5
2-Chlor-1,4-bis-[benzolsulfonylamino]-benzol	*2-Chlor-p-benzochinon-bis-[benzolsulfonylimin]*	92 / 93	178–179 / 179–180	1 / 6
2-Chlor-1,4-bis-[benzoylamino]-benzol	*2-Chlor-p-benzochinon-bis-[benzoylimin]*	100	127–128,5	3
4-Chlor-1,2-bis-[benzoylamino]-benzol	*4-Chlor-o-benzochinon-bis-[benzoylimin]*	83[b]	98,5–99,5	4
2,3-Dichlor-1,4-bis-[benzolsulfonylamino]-benzol	*2,3-Dichlor-p-benzochinon-bis-[benzolsulfonylimin]*	89	208–209	6
4,5-Dichlor-1,2-bis-[benzolsulfonylamino]-benzol	*4,5-Dichlor-o-benzochinon-bis-[benzolsulfonylimin]*	90	185–186 (Zers.)	7
2,3,5-Trichlor-1,4-bis-[methansulfonylamino]-benzol	*2,3,5-Trichlor-p-benzochinon-bis-[methansulfonylimin]*	90	213,5–216,5	5
2,3,5-Trichlor-1,4-bis-[benzolsulfonylamino]-benzol	*2,3,5-Trichlor-p-benzochinon-bis-[benzolsulfonylimin]*	89	185–186	6
3-Chlor-1,4-bis-[benzolsulfonylamino]-2-benzolsulfonyl-benzol	*3-Chlor-2-benzolsulfonyl-p-benzochinon-bis-[benzolsulfonylimin]*	72	203,5–204,5	8
2-Azido-1,4-bis-[benzolsulfonylamino]-benzol	*2-Azido-p-benzochinon-bis-[benzolsulfonylimin]*	85	129 (Zers.)	9
1,4-Bis-[methansulfonylamino]-2-methoxy-benzol	*2-Methoxy-p-benzochinon-bis-[methansulfonylimin]*	95	209,5–211,5 (Zers.)	5

[a] in siedendem Chloroform.
[b] in siedendem Benzol.

1 R. ADAMS u. A. S. NAGARKATTI, Am. Soc. **72**, 4601 (1950).
s. a. A. G. PINKUS u. T. TSUJI, J. Org. Chem. **39**, 497 (1974).
2 E. A. TITOV u. V. A. KUDINOVA, Z. org. Chim. **1**, 891 (1965); C. A. **63**, 6910 (1963).
3 R. ADAMS u. J. L. ANDERSON, Am. Soc. **72**, 5154 (1950).
4 R. ADAMS u. J. W. WAY, Am. Soc. **76**, 2763 (1954).
5 R. ADAMS u. W. P. SAMUELS, Am. Soc. **77**, 5383 (1955).
6 R. ADAMS, E. F. ELSLAGER u. K. F. HEUMANN, Am. Soc. **74**, 2608 (1952).
7 R. ADAMS u. C. N. WINNICK, Am. Soc. **73**, 5687 (1951).
8 R. ADAMS, T. E. YOUNG u. R. W. P. SHORT, Am. Soc. **76**, 1114 (1954).
9 R. ADAMS u. D. C. BLOMSTROM, Am. Soc. **75**, 3405 (1953).

Tab. 29 (1. Fortsetzung)

Diamino-aromat	Chinon-diimin	Ausbeute [% d.Th.]	F [° C]	Literatur
1,4-Bis-[benzolsulfonylamino]-2-acetoxy-benzol	*2-Acetoxy-p-benzochinon-bis-[benzolsulfonylimin]*			[1]
1,4-Bis-[methansulfonyl amino]-2-phenylmercapto-benzol	*2-Phenylmercapto-p-benzo-chinon-bis-[methansulfonyl-imin]*	88	180–183	[2]
4,4'-Bis-[benzolsulfonyl-amino]-biphenyl	*Diphenochinon-bis-[benzol-sulfonylimin]*	85	200 (Zers.)	[3,vgl. 4]
1,4-Bis-[methansulfonyl-amino]-naphthalin	*Naphthochinon-(1,4)-bis-[methansulfonylimin]*	85 91,5	218–219 205–206 (Zers.)	[5] [6]
1,2-Bis-[benzolsulfonylamino]-naphthalin	*Napthochinon-(1,2)-bis-[benzolsulfonylimin]*	70	171–172	[7]
1,4-Bis-[4-methyl-benzol-sulfonylamino]-naphthalin	*Naphthochinon-(1,4)-bis-[4-methyl-benzolsulfonylimin]*	84	222–223	[5]
1,4-Bis-[benzolsulfonylamino]-2-pyridyl-(2)-naphthalin	*2-Pyridyl-(2)-naphthochinon-(1,4)-bis-[benzolsulfonyl-imin]*	66	192–193 (Zers.)	[8]
9,10-Bis-[benzolsulfonyl-amino]-anthracen	*Anthrachinon-(9,10)-bis-[ben-zolsulfonylimin]*	66	240–241 (Zers.)	[9]
2,7-Bis-[benzolsulfonylamino]-fluoren	*Fluorenchinon-(2,7)-bis-[benzolsulfonylimin]*	94[a]	<200 (Zers.)	[10]
4,5-Bis-[benzolsulfonylamino]-acenaphthen	*Acenaphthenchinon-(4,5)-bis-[benzolsulfonylimin]*	63[b]	153–154	[11]
2-Chlor-1,4-bis-[benzol-sulfonylamino]-5,8-dihydro-naphthalin	*2-Chlor-5,8-dihydro-naphtho-chinon-(1,4)-bis-[benzol-sulfonylimin]*	96	229–230 (Zers.)	[12]
1,4-Bis-[benzolsulfonylamino]-2-methyl-5,8-dihydro-naphthalin	*2-Methyl-5,8-dihydro-naph-thochinon-(1,4)-bis-[benzol-sulfonylimin]*	99	236–237 (Zers.)	[12]
9,10-Bis-[benzolsulfonyl-amino]-1,4-dihydro-anthracen	*1,4-Dihydro-anthrachinon-(9,10)-bis-[benzolsulfonyl-imin]*	94	240–241 (Zers.)	[9]

[a] in Pyridin bei 100°.
[b] in Äther.

---

[1] R. ADAMS u. D. S. ACKER, Am. Soc. **74**, 3657 (1952).
[2] R. ADAMS u. M. D. NAIR, Am. Soc. **79**, 177 (1957).
[3] R. ADAMS u. R. R. HOLMES, Am. Soc. **74**, 3033; vgl. a. 3038 (1952).
[4] R. ADAMS, R. R. HOLMES u. J. W. WAY, Am. Soc. **75**, 5901 (1953).
[5] R. ADAMS u. R. A. WANKEL, Am. Soc. **73**, 131 (1951).
[6] R. ADAMS u. W. P. SAMUELS, Am. Soc. **77**, 5375 (1955).
[7] R. ADAMS u. R. A. WANKEL, Am. Soc. **73**, 2219 (1951).
[8] R. ADAMS u. S. H. POMERANTZ, Am. Soc. **76**, 702 (1954).
[9] R. ADAMS u. W. MOJE, Am. Soc. **74**, 2593 (1952).
[10] H. R. GUTMANN, J. G. BURTLE u. H. T. NAGASAWA, Am. Soc. **80**, 5551 (1958).
[11] H. J. RICHTER u. B. C. WEBERG, Am. Soc. **80**, 6446 (1958).
[12] R. ADAMS u. R. W. P. SHORT, Am. Soc. **76**, 2408 (1954).

f) an einem Stickstoff- und einem Sauerstoffatom

Chinonimine durch Dehydrierung von Amino-phenolen

Sulfonsäure-4-hydroxy-anilide werden von Blei(IV)-acetat schon bei Raumtemperatur zu den entsprechenden p-Benzochinon-mono-sulfonyliminen oxidiert[1]:

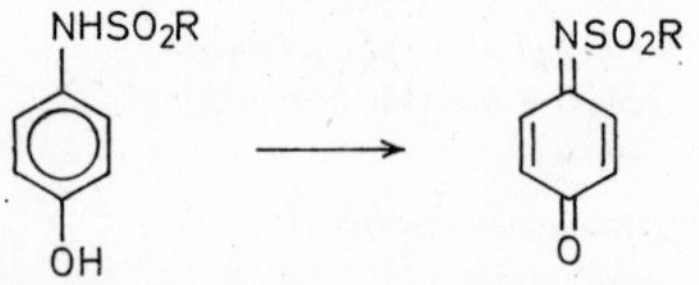

Die gelben bis orange-gelben Chinon-monoimine sind bei Raumtemperatur stabile Verbindungen, die wie die Chinondiimine Chlorwasserstoff, Thiophenol u. a. Verbindungen[2] anlagern und dabei zu den 2-substituierten Amino-phenolen wieder reduziert werden. Im Gegensatz zu den Diiminen werden sie schon durch kochendes Wasser zum p-Chinon hydrolysiert[1].

Benzochinon-monobenzolsulfonylimin[1]: Zu einer Lösung von 10 g (0,044 Mol) Benzolsulfonsäure-4-hydroxy-anilid in 40 *ml* Eisessig wird bei Raumtemp. unter Rühren während 15 Min. 17,6 g (0,03 Mol) festes Blei(IV)-acetat gegeben. Nach 10 Min. beginnt das Chinonimin auszukristallisieren. Nach 30 Min. werden 2 Tropfen und nach weiteren 15 Min. zusätzliche 0,5 *ml* Glykol zugegeben. Es wird noch 10 Min. weitergerührt und dann im Eisbad heruntergekühlt; der Rückstand abfiltriert, getrocknet und aus Cyclohexan/Chloroform umkristallisiert; Ausbeute: 5,7 g (58% d.Th.); F: 134°.

Diese Dehydrierung zu Chinoniminen ist auch auf Carbonsäure-hydroxy-anilide anwendbar, die entsprechend ihrer Löslichkeit auch in Chloroform, Petroläther oder Nitroalkanen oxidiert werden können[3].

Tab. 30: Chinonimine aus Amino-phenolen durch Oxidation mit Blei(IV)-acetat

Amino-phenol	Chinonimin	Ausbeute [% d.Th.]	F [° C]	Literatur
3-Methyl-4-benzolsulfonyl-amino-1-hydroxy-benzol	*3-Methyl-p-benzochinon-4-benzolsulfonylimin*	93	136	1
2,6-Dichlor-4-benzol-sulfonyl-amino-1-hydroxy-benzol	*2,6-Dichlor-p-benzochinon-4-benzolsulfonylimin*	90	162–163	1
4-Benzolsulfonylamino-1-hydroxy-5,8-dihydro-naphthalin	*5,8-Dihydro-naphthochinon-(1,4)-benzolsulfonylimin*	48	135	4
4-Benzolsulfonylamino-1-hydroxynaphthalin	*Naphthochinon-(1,4)-benzol-sulfonylimin*	63,2	152–154	2
2-Acetylamino-1-hydroxy-fluoren	*Fluorenchinon-(1,2)-2-acetylimin*	62	130 (Zers.)	3
2-p-Tosylamino-7-hydroxy-fluoren	*Fluorenchinon-(2,7)-2-p-tosylimin*	66	200 (Zers.)	3
6-Chlor-4-benzolsulfonyl-amino-2-[2-hydroxy-naphthyl-(1)]-phenol	*6-Chlor-2-[2-hydroxy-naphthyl-(1)]-p-benzochinon-4-benzolsulfonylimin*	93	169 (Zers.)	5

[1] R. Adams u. J. H. Looker, Am. Soc. **73**, 1145 (1951).
[2] R. Adams u. L. Whitacker, Am. Soc. **78**, 658 (1956).
[3] H. R. Gutmann, J. G. Burtle u. H. T. Nagasawa, Am. Soc. **80**, 5551 (1958).
[4] R. Adams u. J. D. Edwards, Am. Soc. **74**, 2603 (1952).
[5] E. A. Titov u. G. A. Podobuev, Ž. org. Chim. **7**, 355 (1971); engl.: 350; C. A. **74**, 125052 (1971).

g) am Sauerstoffatom

1. Organische Sauerstoffradikale

Im Gegensatz zu Blei(IV)-oxid, das zur Herstellung von organischen Sauerstoffradikalen aus entsprechenden Hydroxyverbindungen gut geeignet ist, wird Blei(IV)-acetat hierzu seltener benutzt. Stabile Sauerstoffradikale erhält man beispielsweise bei der Einwirkung von Blei(IV)-acetat auf in situ durch Luftoxidation von 4,4'-Bis-[4-hydroxy-2,6-di-tert.-alkyl-phenyl]-aminen hergestellte Chinonimine[1]

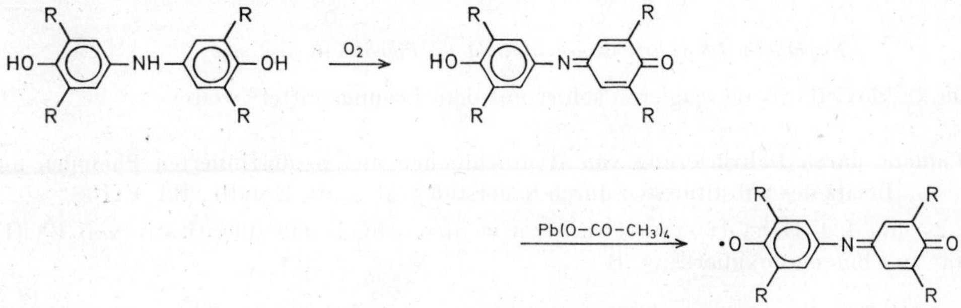

bzw. auf Bis-[4-hydroxy-2,6-di-tert.-alkyl-phenyl]-methane[2]:

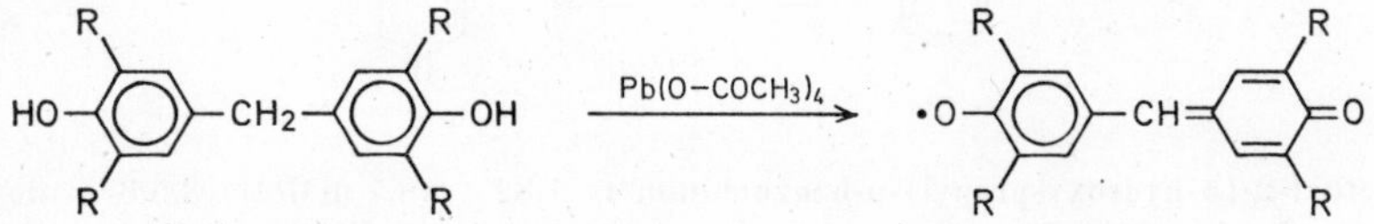

Ein stabiles Sauerstoffradikal entsteht auch bei der Dehydrierung der 1-Hydroxy-benzimidazol-3-oxide[3]:

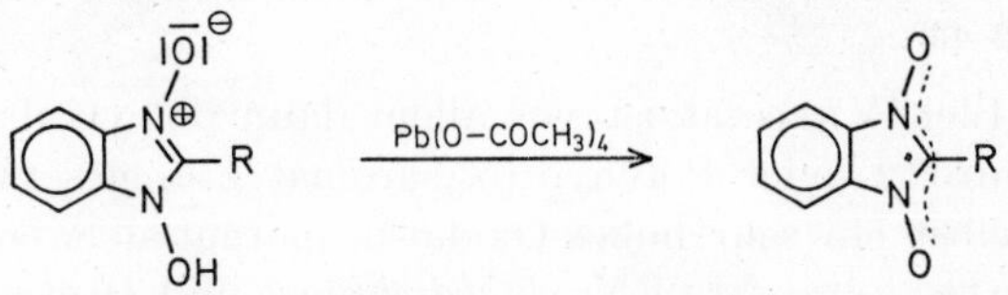

R=CH$_3$; *3-Oxi-2-methyl-benzimidazol-1-oxid*
R=C$_6$H$_5$; *3-Oxi-2-phenyl-benzimidazol-1-oxid*

Am häufigsten wird Blei(IV)-acetat zur Herstellung von Iminoxyl-Radikalen durch Dehydrierung von Oximen verwendet:

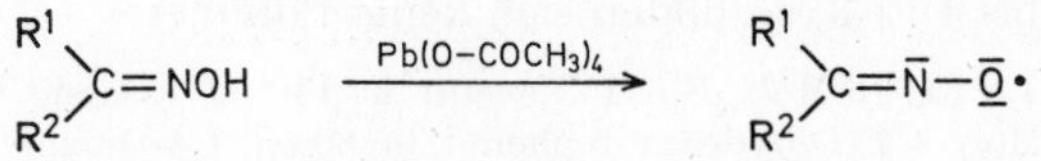

Diese kurzlebigen Radikale werden bei der Einwirkung des Blei(IV)-acetats auf Ketoxime in Benzol oder Dichlormethan bei 0° erhalten[3-5].

Die Kinetik ihres Zerfalls ist 1. Ordnung in bezug auf das Iminoxyl-Radikal. Dabei werden Halbwertszeiten bis zu 10 Min. beobachtet[6].

Die Bildung von Iminoxyl-Radikalen steht in Konkurrenz mit der Bildung von gem. Nitroso-acetoxy-Verbindungen. Erstere werden dann bevorzugt gebildet, wenn entweder,

---

[1] US. P. 3004042 (1961), Shell Oil Co., Erf.: G. M. COPPINGER; C. A. **57**, 12387 (1962).
[2] US. P. 2940988 (1960), Shell Oil Co., Erf.: G. M. COPPINGER; C. A. **54**, 18445 (1960).
[3] H. LEMAIRE u. A. RASSAT, Tetrahedron Letters **1964**, 2245.
[4] M. BETHOUX, H. LEMAIRE u. A. RASSAT, Bl. **1964**, 1985.
[5] B. C. GILBERT, R. O. C. NORMAN u. D. C. PRICE, Proceedings Chem. Soc. **1964**, 234.
[6] B. C. GILBERT u. R. O. C. NORMAN, Soc. [B] **1966**, 86.

wie bei aromatischen Oximen, Konjugation mit dem ungesättigten System das Radikal stabilisiert, oder sterische Gründe die Anlagerung des Acetoxy-Restes verhindern[1].

Den Iminoxyl-Radikalen analoge Radikale werden intermediär bei der Einwirkung von Blei(IV)-acetat auf Naphthalin-1,8-dicarbonsäure-hydroxyimid und Phthalsäure-hydroxyimid erhalten:

Naphthalin-1,8-dicarbonsäure-oxylimid   *Phthalsäure-oxylimid*

Die Imidoxi-Radikale reagieren sofort mit dem Lösungsmittel[2] weiter.

2. Chinone durch Dehydrierung von Hydrochinonen und p-substituierten Phenolen unter Ersatz des Substituenten durch Sauerstoff (vgl. a. ds. Handb., Bd. VII/3)

1,2- und 1,4-Dihydroxy-aromaten werden schnell und quantitativ von Blei(IV)-acetat zu Chinonen oxidiert[3]; z. B.:

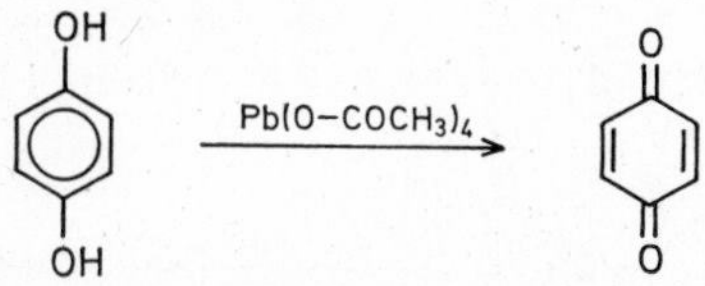

3,5,6-Trimethyl-2-(3-hydroxy-propyl)-p-benzochinon[4]: 1,82 g (8,7 mMol) 3,5,6-Trimethyl-2-(3-hydroxy-propyl)-hydrochinon in 70 *ml* Tetrahydrofuran werden 70 *ml* Wasser und danach 4,43 g (10 m Mol) Blei(IV)-acetat unter Rühren gegeben. Die Reaktionsmischung wird 30 Min. unter Rückfluß gekocht. Anschließend wird wäßrige Natronlauge zugegeben und mit Äther extrahiert. Man erhält nach Entfernen des Äthers ein rotgelbes Öl, das aus Tetrahydrofuran/Heptan auskristallisiert; Ausbeute: 0,95 g (53% d. Th.); F: 42–43°.

Die Oxidation mit Blei(IV)-acetat ist vor allem dann der Oxidation mit Blei(II)-oxid überlegen, wenn Dihydroxy- oder Polyhydroxy-aromaten umgesetzt werden sollen, deren Oxidationsprodukte selbst ein sehr hohes Oxidationspotential haben; z. B. die Bis- und Tris-chinone des Anthracens[3,5-7], *Naphthodichinon*[8] und *Diphenochinon*[9].

Beim *Diphenonchinon*, das bei der Reaktion sofort ausfällt, ist darauf zu achten, daß es umgehend aus der Reaktionslösung entfernt und sofort aus Aceton umkristallisiert wird[9]. Wenn diese Vorsichtsmaßnahmen nicht eingehalten werden, bilden sich braune, in Aceton unlösliche Polymere. Oxidiert man bei einem 4,4'-Dihydroxy-biphenyl-/Blei(IV)-acetat-Verhältnis von 1 : 1,5 bis 1 : 1,3, so bilden sich keine Polymere.

p-Diphenochinon[9]: 7,14 g (0,016 Mol) Blei(IV)-acetat in 140 *ml* Eisessig werden bei 30° mit einer Lösung von 2 g (0,0107 Mol) 4,4'-Dihydroxy-biphenyl in 80 *ml* 1,4-Dioxan unter Rühren innerhalb 1–2 Min. versetzt. Nach weiteren 3–5 Min. wird die ausfallende rotbraune Kristallmasse nach kurzem Abkühlen scharf abgesaugt und sofort aus Aceton umkristallisiert; Ausbeute: 0,9 g (45,5% d.Th.); F: ~ 165° (Zers.; braunviolette Kristalle).

---

[1] J. W. LOWN, Soc. [B] **1966**, 441, 644.
[2] A. CALDER, A. R. FORRESTER u. R. H. THOMSON, Soc. [C] **1969**, 512.
[3] O. DIMROTH, O. FRIEDEMANN u. H. KÄMMERER, B. **53**, 481 (1920).
[4] S. IWABUCHI, M. KOBAYASHI, K. SUZUKI u. K. KOJIMA, Bull. Chem. Soc. Japan **46**, 659 (1973); C. A. **78**, 135817 (1973).
[5] O. DIMROTH u. V. HILCKEN, B. **54**, 3050 (1921).
[6] K. BRASS u. J. STADLER, B. **57**, 128 (1924).
[7] M. TANAKA, Chem. N. **131**, 20 (1925); C. A. **19**, 2822 (1925).
[8] K. ZAHN u. P. OCHWAT, A. **462**, 72 (1928).
[9] K. H. KÖNIG, W. SCHULZE u. G. MÖLLER, B. **93**, 554 (1960).

Als Lösungsmittel sind Eisessig, Benzol, Chloroform oder 1,4-Dioxan geeignet. Bei Schwerlöslichkeit des Substrats kann auch bei höherer Temperatur gearbeitet werden, außerdem kann auch in Suspension oxidiert werden.

2-Butyl-anthracen-1,4;9,10-bis-chinon[1]: Man verreibt 0,65 g (2,2 mMol) 1,4-Dihydroxy-2-butyl-anthrachinon-(9,10) im Mörser unter Zutropfen von 2,5 ml Eisessig mit 1,3 g (3 mMol) Blei(IV)-acetat (Farbumschlag von rotbraun nach gelb) läßt den Ansatz unter öfterem Umrühren 10 Min. stehen und nimmt ihn dann in 50 ml Benzol auf. Die Benzol-Phase wird 3 mal mit je 50 ml Wasser durchgeschüttelt, filtriert, über Natriumsulfat getrocknet und i. Vak. bei 20–30° auf 10 ml eingeengt. Aus dieser Lösung fallen auf Zugabe von 100 ml Petroläther (Kp: 30–40°) 0,5 g (77% d.Th.) Dichinon aus; die 2mal aus Ligroin umkristallisiert werden; F: 140–142°.

p-Chinone werden auch bei der Dehydrierung von höher substituierten Phenolen unter Ersatz des p-Substituenten durch Sauerstoff erhalten:

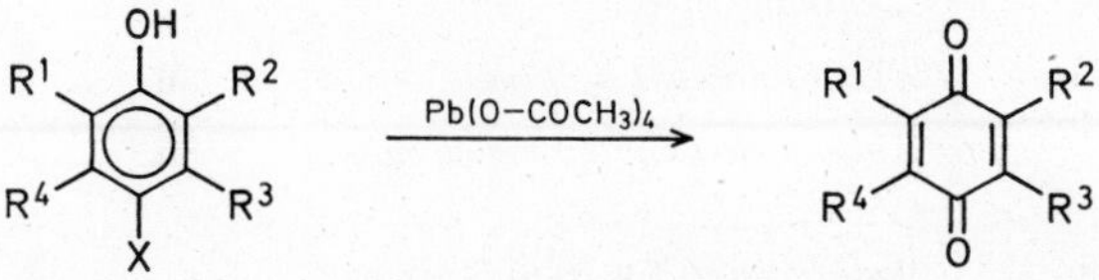

Geeignete p-Substituenten sind Nitro[2-4], Halogen[5,6] oder Methoxy[7-10]. Einige 4-Nitrophenole (z. B. 5-Nitro-2-hydroxy-3-phenyl-biphenyl) gehen schon beim Kochen in Eisessig in 2,6-Diphenyl-p-benzochinon über. Der Stickstoff wird dabei in Form von Stickstoffmonoxid abgespalten[2]. 5-Nitro-2-hydroxy-1,3-bis-[4-methyl-phenyl]-benzol kann allerdings nicht ohne den oxidierenden Einfluß von Blei(IV)-acetat bei Raumtemperatur in 2,6-Bis-[4-methyl-phenyl]-p-benzochinon umgewandelt werden[2].

Substitution in 2- und 6-Stellung ist Voraussetzung für den glatten Ablauf der Chinonbildung, andernfalls kommt es zu Nebenreaktionen, vor allem zu Acetoxylierungen (s. S. 242). Das Lösungsmittel beeinflußt dabei den Verlauf der Reaktion. So erhält man bei der Oxidation von 2-Hydroxy-5-methoxy-1-tert.-butyl-benzol in Eisessig 4-Methoxy-6-tert.-butyl-o-benzochinon und 6-Acetoxy-2-tert.-butyl-p-benzochinon, in Benzol 3-Methoxy-5,5-diacetoxy-6-oxo-1-tert.-butyl-cyclohexadien-(1,3) neben 3-Methoxy-1,5-diacetoxy-6-oxo-5-tert.-butyl-cyclohexadien-(1,3)[7]:

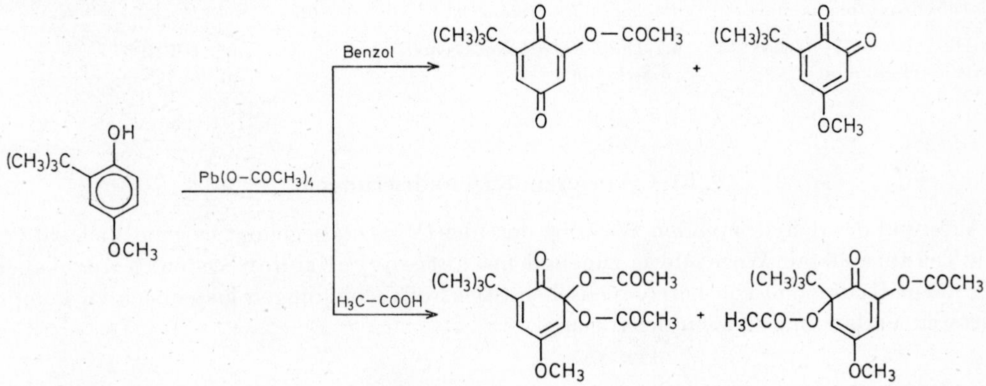

[1] H. Brockmann u. W. Müller, B. **91**, 1920 (1958).
[2] E. C. S. Jones u. J. Kenner, Soc. **1931**, 1842.
[3] J. Kenner u. F. Morton, Soc. **1934**, 679.
[4] P. M. G. Bavin u. J. M. W. Scott, Canad. J. Chem. **36**, 1284 (1958).
[5] F. Wessely, E. Zbiral u. J. Jörg, M. **94**, 227 (1963).
[6] L. Denivelle, J. P. Chalaye u. M. Hedayatullah, C. r. **261**, 5531 (1965).
[7] F. R. Hewgill, B. R. Kennedy u. D. Kilpin, Soc. **1965**, 2904.
[8] F. R. Hewgill u. S. L. Lee, Soc. [C] **1968**, 1556.
[9] N. Nakabayashi, G. Wegner u. H. G. Cassidy, J. Org. Chem. **33**, 2539 (1968).
[10] C. J. R. Adderley u. F. R. Hewgill, Soc. [C] **1968**, 2770.

Tab. 31: Chinone durch Dehydrierung von Hydrochinonen

Hydrochinon	Chinon	Ausbeute [% d.Th.]	F [° C]	Literatur
5,8-Dihydroxy-naphtho-chinon-(1,4)	*Naphthalin-1,4; 5,8-bis-chinon*			1
3,5,3',5'-Tetrachlor-4,4'-dihydroxy-biphenyl	*3,5,3',5'-Tetrachlor-dipheno-chinon*	71	nicht schmelzbar	2
3,5,3',5'-Tetrabrom-4,4'-dihydroxy-biphenyl	*3,5,3',5'-Tetrabrom-dipheno-chinon*	56	nicht schmelzbar	2
3,5,3',5'-Tetrajod-4,4'-dihydroxy-biphenyl	*3,5,3'5'-Tetrajod-dipheno-chinon*	50	nicht schmelzbar	2
1,4-Dihydroxy-9-oxo-fluoren	*9-Oxo-fluoren-1,4-chinon*	56	188–189	3
Alizarin (1,2-Dihydroxy-anthrachinon)	*Anthracen-1,2;9,10-bis-chinon*	85		4
2,3-Dihydro-anthrachinon	*Anthracen-2,3;9,10-bis-chinon*		315 (Zers.)	5
Chinizarin (1,4-Dihydroxy-anthrachinon)	*Anthracen-1,4;9,10-bis-chinon*	65		6
1,4-Dihydroxy-2-butyl-anthrachinon	*2-Butyl-anthracen-1,4; 9,10-bis-chinon*	77		7
2,3-Dibrom-1,4-dihydroxy-anthrachinon	*2,3-Dibrom-anthracen-1,4; 9,10-bis-chinon*			6
1,3,4-Trihydroxy-2-acetyl-anthrachinon	*3-Hydroxy-2-acetyl-anthracen-1,4;9,10-bis-chinon*	60		6
1,4,5-Trihydroxy-anthrachinon	*5-Hydroxy-anthracen-1,4; 9,10-bis-chinon*		220	8
1,4-Dihydroxy-phenanthren-9,10-chinon	*Phenanthren-1,4; 9,10-bis-chinon*			9
1,5-Dihydroxy-phenazin	*Phenazin-1,5-chinon*	95	308 (Zers.)	10
1,7-Dihydroxy-phenazin	*Phenazin-1,7-chinon*	95	305 (Zers.)	10
5,8-Dihydroxy-6,7-diäthoxy-carbonyl-chinolin	*6,7-Diäthoxycarbonyl-chinolin-5,8-chinon*		104–105	11

h) Cyclisierende Dehydrierungen

Aufgrund der dehydrierenden Wirkung des Blei(IV)-acetats gelingt es, eine Vielzahl von zum Teil auf anderem Wege schwer zugänglichen heterocyclischen Systemen aufzubauen. Vor allem Hydrazone von heterocyclischen Stickstoffverbindungen lassen sich zu komplizierteren Verbindungsklassen dehydrieren.

[1] K. Zahn u. P. Ochwat, A. 462, 72 (1928).
[2] K. H. König, W. Schulze u. G. Möller, B. 93, 554 (1960).
[3] G. Jones u. R. K. Jones, Soc. (Perkin I) 1973, 26.
[4] C. F. Koelsch u. R. N. Flesch, J. Org. Chem. 20, 1270 (1955).
[5] M. V. Gorelik, Ž. org. Chim. 1, 2246 (1965); C. A. 64, 11141^d (1966).
[6] M. Tanaka, Chem. N. 131, 20 (1925); C. A. 19, 2822 (1925).
[7] O. Dimroth, O. Friedemann u. H. Kämmerer, B. 53, 481 (1920).
[8] H. Brockmann u. W. Müller, B. 91, 1920 (1958).
[9] O. Dimroth u. V. Hilcken, B. 54, 3050 (1921).
[10] K. Brass u. J. Stadler, B. 57, 128 (1924).
[11] Y. S. Rozum, Ž. obšč. Chim. 25, 611 (1955); engl.: 583; C. A. 50, 3462^a (1956).

1. Lactone durch Dehydrierung von Monocarbonsäuren

Im allgemeinen wirkt Blei(IV)-acetat auf Carbonsäuren decarboxylierend (S. 369). Wenn in γ- oder δ-Stellung zur Carboxy-Gruppe aktivierte C–H-Gruppen stehen, kann es zu Ausweichreaktionen kommen, die zu Lactonen führen. Ein Beispiel hierfür ist die Umsetzung der Biphenyl-2-carbonsäure mit Blei(IV)-acetat in siedendem Benzol. Es entsteht *6-Oxo-6H-⟨dibenzo-[b;d]-pyran⟩* (85% d.Th.)[1, 2]:

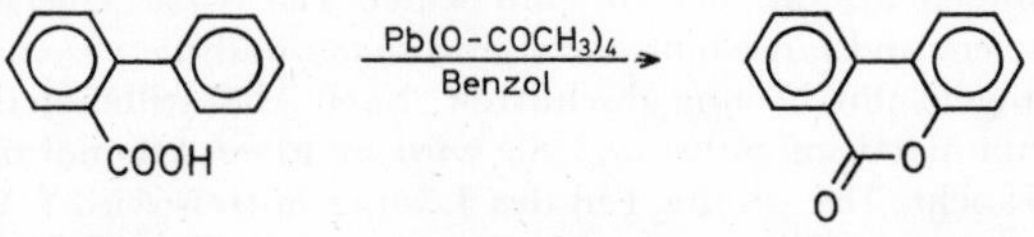

Die Synthese des 6-Oxo-6H-⟨dibenzo-[b;d]-pyrans⟩ gelingt auch, wenn von 2′-substituierten Biphenyl-2-carbonsäuren ausgegangen wird (z. B. 2′-Nitro-, 2′-Chlor-, 2′-Methoxy-, 2′-Methoxycarbonyl-, 2′-Carboxy-).

Zu einem γ-Lacton[3] (*3-Oxo-1-phenyl-1,3-dihydro-⟨benzo-[c]-furan⟩*; 42% d.Th.; F: 115 - 117°) führt die Umsetzung von 2-Benzyl-benzoesäure in siedendem Benzol unter Stickstoff:

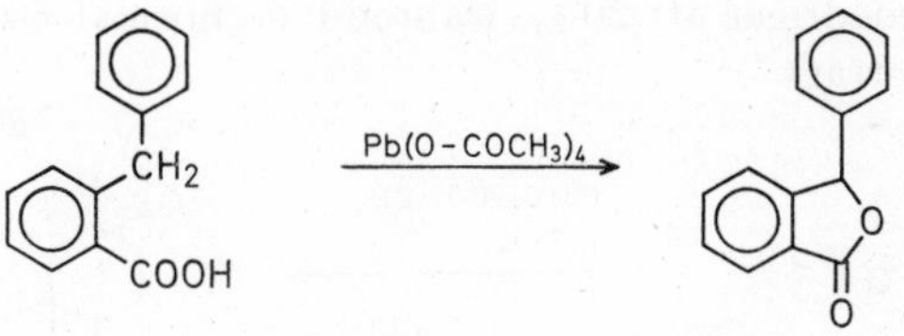

Noch leichter erfolgt die Lacton-Bildung, wenn sich in γ-Stellung ein tertiäres Kohlenstoff-Atom anbietet. Aus 12-Carboxy-18-methoxycarbonyl-18-nor-abietatrien-(8,11,13) erhält man bei der Oxidation mit Blei(IV)-acetat in Benzol unter Stickstoff praktisch quantitativ das *15-Hydroxy-18-methoxycarbonyl-18-nor-abietatrien-(8,11,13)-12-carbonsäure-lacton* (93% d.Th.; F: 198–199°)[4]:

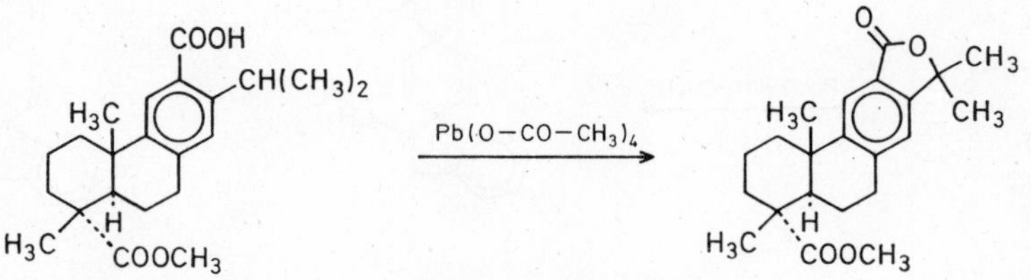

Eine allgemeiner anwendbare Methode, Carbonsäuren oxidativ mit Blei(IV)-acetat (auch tert.-Butylhypochlorit hat sich bewährt) in die entsprechenden γ- (bzw. δ)-Lactone zu überführen, besteht in der Photolyse von Carbonsäure-amiden in Gegenwart eines Überschusses an Blei(IV)-acetat und Jod[5].

[1] D. I. DAVIES u. C. WARING, Chem. Commun. **1965**, 263.
[2] D. I. DAVIES u. C. WARING, Soc. [C] **1967**, 1639.
[3] D. I. DAVIES u. C. WARING, Soc. [C] **1968**, 2337.
[4] R. C. CAMBIE u. R. A. FRANICH, Austral. J. Chem. **27**, 117 (1971).
[5] D. H. R. BARTON, A. L. J. BECKWITH u. A. GOOSEN, Soc. **1965**, 181.

16β-Hydroxy-3β-acetoxy-11-oxo-pregnan-20-carbonsäure-lacton[1]:

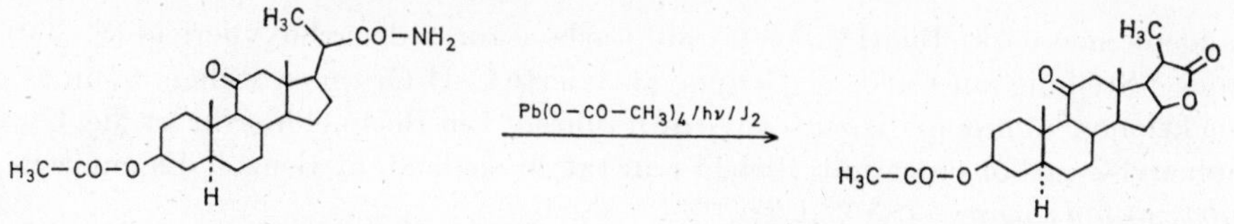

1,5 g, 3β-Acetoxy-11-oxo-20-aminocarbonyl-pregnan, 5 g Blei(IV)-acetat und 3 g Jod werden in 40 ml Benzol in einem Pyrex-Kolben 5 Stdn. bei 15° mit einer 125 Watt Quecksilber-Hochdruck-Lampe bestrahlt. Danach wird filtriert und mit Chloroform gewaschen und die vereinigten Filtrate mit Wasser und wäßriger Natriumhydrogensulfit-Lösung geschüttelt. Nach Abdestillieren des Lösungsmittels i. Vak. erhält man 1,52 g einer gummiartigen Substanz. Sie wird in 40 ml Äthanol mit 2,5 g Kaliumhydroxid in 10 ml Wasser 2 Stdn. gekocht. Der größte Teil des Lösungsmittels wird i. Vak. entfernt, Wasser zugegeben und die wäßrige Lösung mit Essigsäure-äthylester extrahiert. Man erhält eine neutrale und/oder basische Fraktion (68 mg) die verworfen wird. Die wäßrige Phase wird mit 2 n Schwefelsäure angesäuert und 2 Stdn. auf dem Dampfbad erhitzt. Nach Trennung in eine saure und neutrale (Lacton) Fraktion wird letztere mit 4 ml Essigsäureanhydrid und 4 ml Pyridin auf dem Dampfbad 15 Min. erhitzt. Chromatographieren an Aluminiumoxid (Woelm, sauer, Aktivität IV) und Eluieren mit Benzol gibt das Lacton; Ausbeute: 700 mg (47% d.Th.); F: 265–267° (aus Benzol/Cyclohexan).

Die Ausbeute an Lacton ist abhängig von der Acidität der C–H-Bindung. Lactonisierung am tert. Kohlenstoffatom erfolgt leichter und mit größeren Ausbeuten als am prim. Kohlenstoff. So ist die Ausbeute an *8-Oxo-1β-hydroxymethyl-10β-acetoxymethyl-gibban-4α-carbonsäure-lacton* ausgehend niedriger als 20%, während sie normalerweise bei Beteiligung von tert. Kohlenstoff 50% beträgt[2]:

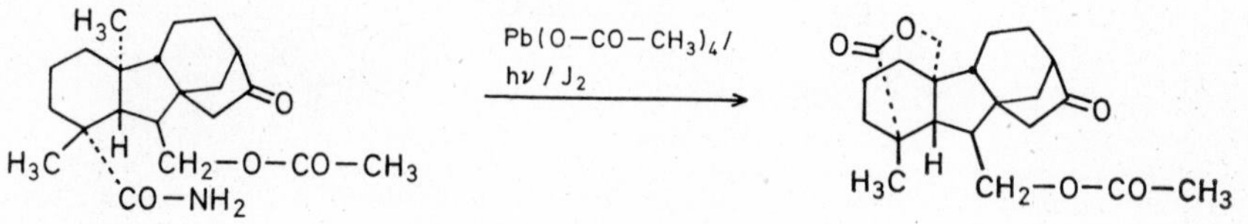

Bei N-monosubstituierten Carbonsäure-amiden erhält man Lactame. Aus Biphenyl-2-carbonsäure-methylamid erhält man beispielsweise, bei gleichzeitiger Acetoxylierung, die beiden Lactame *cis-* und *trans-6-Acetoxy-cyclohexadien-(1,4)-⟨3-spiro-1⟩-3-oxo-2-methyl-2,3-dihydro-1H-isoindol*[3]:

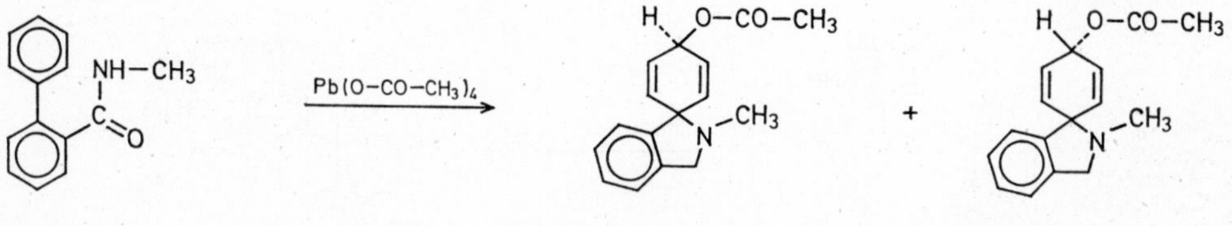

2. Aziridine durch Dehydrierung ungesättigter primärer Amine

Ungesättigte Alkohole können von Blei(IV)-acetat je nach Lage der C=C-Doppelbindung zu Acetoxymethyl-tetrahydrofuran- oder -pyran-Derivaten oxidiert werden, (s. S. 264):

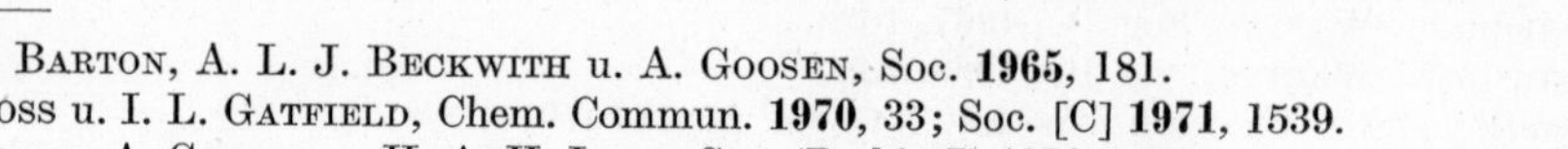

[1] D. H. R. Barton, A. L. J. Beckwith u. A. Goosen, Soc. **1965**, 181.
[2] B. E. Cross u. I. L. Gatfield, Chem. Commun. **1970**, 33; Soc. [C] **1971**, 1539.
[3] S. A. Glover, A. Goosen u. H. A. H. Laue, Soc. (Perkin I) **1973**, 1647.

Eine ähnliche Ringbildung ist auch bei primären Amino- bzw. Aminomethyl-cycloalkenen mit der C=C-Doppelbindung in δ,ε-Stellung möglich[1-4], Reaktionsprodukte sind **Aziridine** des folgenden Typs:

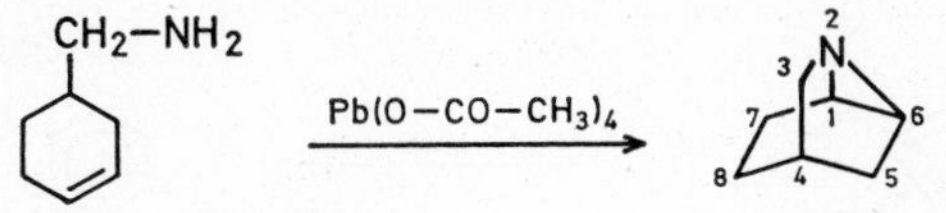

2-Aza-tricyclo[2.2.2.0²,⁶]octan

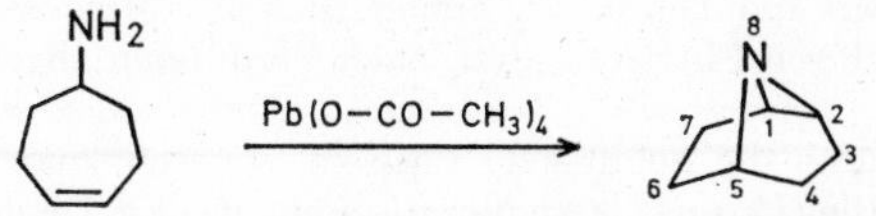

8-Aza-tricyclo[3.2.1.0²,⁸]octan

Als intermediäre Verbindungen werden Nitrene angenommen, die sich an die C=C-Doppelbindung addieren. Sie verhalten sich damit wie Nitrene, die bei der Dehydrierung von beispielsweise N-Amino-phthalimid gebildet werden und ebenfalls mit Olefinen zu Aziridinen reagieren (s. S. 292).

8-Aza-tricyclo[3.2.1.0²,⁸]octan[3]: Zu einer Suspension von 4,44 g (0,04 Mol) 5-Amino-cyclohepten und 11 g (0,08 Mol) trockenes Kaliumcarbonat in 200 ml trockenem Benzol werden 63,4 g (0,16 Mole) Blei(IV)-acetat bei Raumtemp. unter Rühren gegeben. Danach wird das Reaktionsgemisch 90 Min. bei 30–35° gerührt und anschließend, ebenfalls unter Rühren bei 15° 20 ml ges. wäßrige Kaliumcarbonat-Lösung zugegossen. Es wird zentrifugiert und mit Äther gewaschen. Man erhält eine überstehende Lösung, die das Amin (90% Ausbeute) enthält (potentiometrische Titration). Die Benzol/Äther-Lösung wird mit kalter 20%iger wäßriger Weinsäure-Lösung extrahiert, der Extrakt wieder mit Kaliumcarbonat alkalisch gemacht, mit Äther extrahiert und der Äther-Extrakt über Kaliumcarbonat getrocknet und i. Vak. verdampft. Man erhält das Amin, das als Pikrat aus Äthanol umkristallisiert; F: 169–170°.

Diese Bildung verbrückter Aziridine ist auf δ,ε-ungesättigte Amino-cycloalkene beschränkt. 5-Aminomethyl-cyclohepten beispielsweise kann nicht in das Aziridin überführt werden[3].

Amino-cycloalkadiene mit konjugierten C=C-Doppelbindungen in δ,ε-Stellung zur Amino-Gruppe könnten theoretisch auch unter 1,4-Addition reagieren. Einziges Reaktionsprodukt der Umsetzung von 6-Aminomethyl-cycloheptadien-(1,3) ist jedoch *6-Aza-tricyclo[3.2.2.0⁶,⁹]nonen-(3)*[4]:

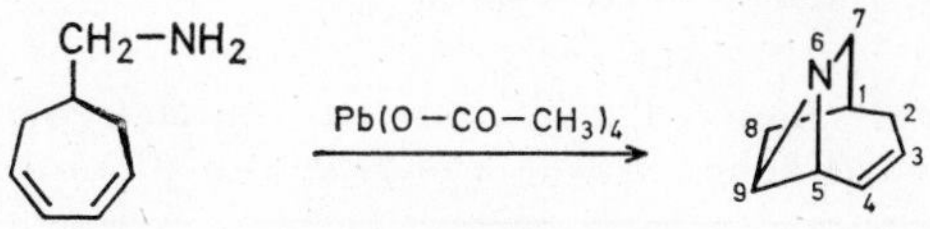

3. Benzimidazole und Benzo-1,3-oxazole durch Dehydrierung von Schiff'schen Basen

Schiff'sche Basen von 1,2-Diamino-benzolen und 2-Amino-phenolen werden besonders glatt unter dehydrierendem Ringschluß von Blei(IV)-acetat zu 2-Aryl-⟨benzimidazol⟩

[1] W. NAGATA et. al., Am. Soc. **89**, 5045 (1967).
[2] W. NAGATA et. al., Am. Soc. **90**, 1650 (1968).
[3] W. NAGATA, T. WAKABAYASHI u. N. HAGA, Synth. Commun. **2**, 11 (1972).
[4] M. NARISADA, F. WATANABE u. W. NAGATA, Synth. Commun. **2**, 21 (1972).

bzw. -⟨benzo-1,3-oxazolen⟩ umgesetzt[1-3]:

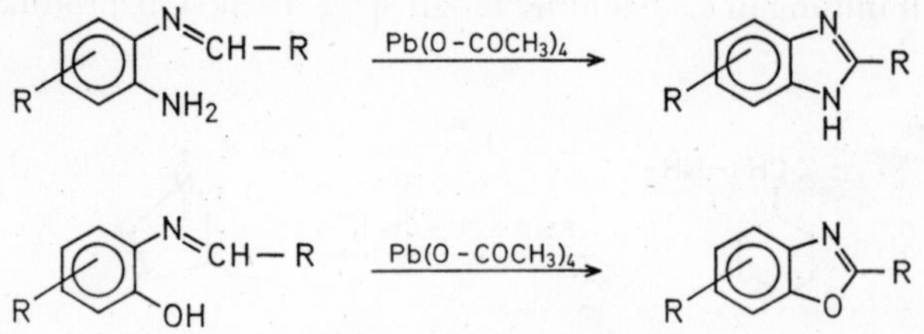

2-Aryl-⟨benzimidazole⟩ bzw. -⟨benzo-1,3-oxazole⟩; allgemeine Arbeitsvorschrift: Man löst oder suspendiert die Schiff'sche Base in Eisessig oder Benzol und gibt unter Rühren ein Moläquivalent Blei(IV)-acetat zu. Dabei steigt die Temp. an. Schon nach 2–3 Min. ist die Umsetzung beendet. Die Umsetzungsprodukte werden durch Filtrieren, evtl. nach Verdünnen abgetrennt und durch Umkristallisieren gereinigt.

Es ist nicht immer notwendig, die Schiff'sche Base zu isolieren, man erhält oft das Imidazol oder 1,3-Oxazol durch Zugabe von Blei(IV)-acetat zu der Mischung des 1,2-Diamino-benzols oder des 2-Aminophenols mit dem Aldehyd.

2-(4-Nitro-phenyl)-⟨benzo-1,3-oxazol⟩[2]: Eine Mischung von 1,5 g 4-Nitro-benzaldehyd und 1,1 g 2-Amino-phenol in 35 *ml* heißem Eisessig wird mit 4,5 g Blei(IV)-acetat versetzt. Nach 20 Min. wird das rohe Oxazol abfiltriert und aus Xylol umkristallisiert; Ausbeute: 80% d.Th.; F: 268°.

Zur Bildung von Benzo-1,3-oxazolen kommt es übrigens auch bei der Oxidation geeigneter (Arylmethylen-amino)- oder Alkylidenamino-benzochinone[4]; z. B.:

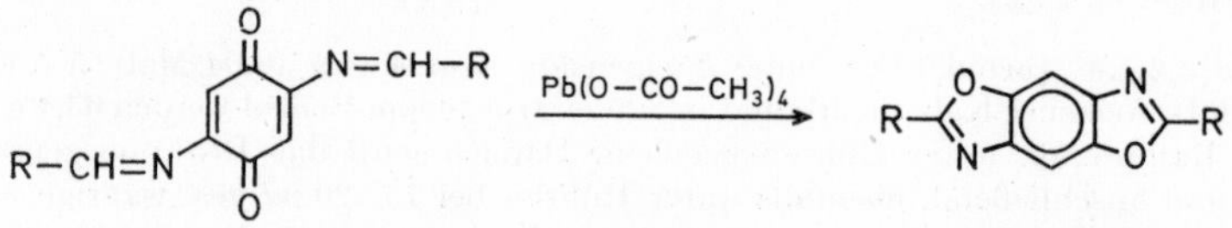

Tab. 32: 2-Aryl-⟨benzimidazole⟩ durch Dehydrierung von Schiff'schen Basen
aus 1,2-Diamino-benzol

-⟨benzimidazol⟩	Ausbeute [% d.Th.]	F [° C]	Literatur
2-(3-Nitro-phenyl)-	95	207–208	2
2-(4-Cyan-phenyl)-	80	260	2
1-Methyl-2-(4-nitro-phenyl)-	47+	214	3
5-(bzw. 6-)-Methyl-2-(4-nitro-phenyl)-	86	205	3

+ Direktoxidation von Amin und Aldehyd; Ausbeute bez. auf Amin.

Tab. 33: 2-Aryl-⟨benzo-1,3-oxazole⟩ durch Dehydrierung von
Schiff'schen Basen aus 2-Amino-phenol

-⟨benzo-1,3-oxazol⟩	Ausbeute [% d.Th.]	F [° C]	Literatur
2-Phenyl-	70	102	2
2-(4-Nitro-phenyl)-	80	268	1, 2
2-(4-Acetamino-phenyl)-	95	212	2

[1] F. F. Stephens, Nature **164**, 243 (1949).
[2] F. F. Stephens u. J. D. Bower, Soc. **1949**, 2971.
[3] F. F. Stephens u. J. D. Bower, Soc. **1950**, 1722.
[4] A. M. Osman u. S. A. Mohamed, VAR J. Chem. **14**, 475 (1971).

Tab. 33 (1. Fortsetzung)

-⟨benzo-1,3-oxazol⟩	Ausbeute [% d. Th.]	F [° C]	Literatur
2-Trichlormethyl-	60	57	1
2-Furyl-(2)-	70	82–84	1
5-Nitro-2-phenyl-	90	172	1
5-Methyl-2-(4-nitro-phenyl)-	90	209	1
5-Sulfonylamino-2-(4-nitro-phenyl)-	90	254–255	1
6-Chlor-2-(4-cyan-phenyl)-	95	194–195	1
2-Pyridyl-(2)-5-methoxycarbonyl-	80	168–169	1
5-Sulfonylamino-2-pyridyl-(2)-	86	∼230	1
1,4-Bis-[benzo-1,3-oxazolyl-(2)]-benzol	84	354	1

4. Triazole durch Dehydrierung N-heterocyclischer Hydrazone und Amidine

Aldehydhydrazone mit einem Stickstoffheterocyclus als Substituenten und dem Ring-stickstoff in Nachbarschaft zum Verknüpfungs-C-Atom, werden von Blei(IV)-acetat unter Ringschluß zu kondensierten N-heterocyclischen Systemen dehydriert, in denen der eine Ring ein 1,2,4-Triazol ist:

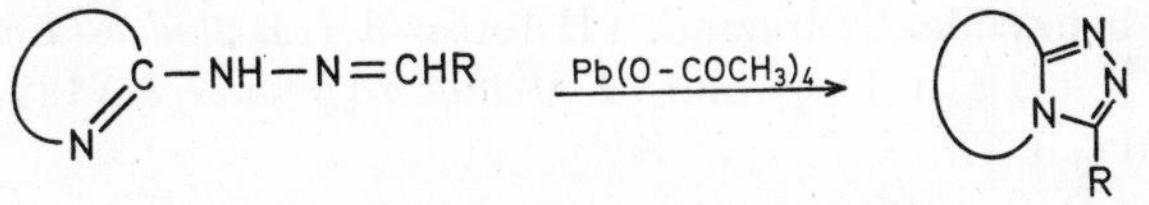

Dasselbe Verhalten zeigen N-heterocyclische Amidine, die ebenfalls unter dem dehydrieren-den Einfluß von Blei(IV)-acetat zu kondensierten 1,2,4-Triazolen cyclisieren:

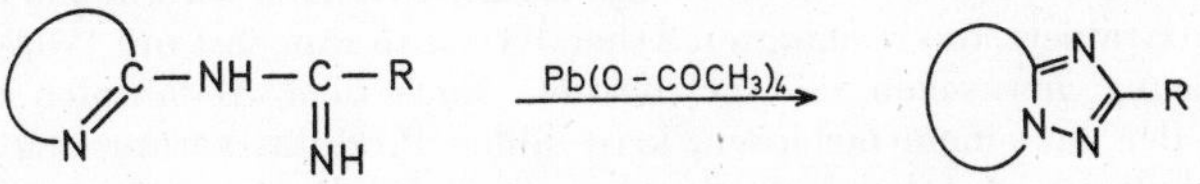

Eine dritte Möglichkeit, durch dehydrierenden Ringschluß mit Blei(IV)-acetat zu 1,2,3-Triazolen zu kommen, besteht in der Oxidation von 2-Amino-1-phenylazo-substituier-ten Ringsystemen; z. B.[2]:

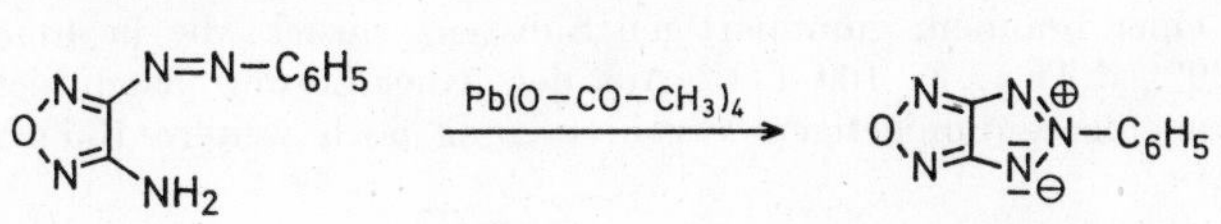

5-Phenyl-⟨1,2,3-triazolo-[4,5-c]-1,2,5-oxadiazol⟩-betain

α) Kondensierte Heterocyclen des Systems CN_4–C_2N_3
3H-⟨1,2,4-Triazolo-[4,3-d]-tetrazole⟩

5-Benzylidenhydrazino-tetrazole können je nach Stellung des N-Substituenten am Tetra-zol auf zweierlei Weise mit Blei(IV)-acetat reagieren, wie das Beispiel der 5-Benzyliden-

---

[1] F. F. STEPHENS u. J. D. BOWER, Soc. 1950, 1722; dort zahlreiche Beispiele.
[2] A. MATSUMOTO, M. YOSHIDA u. O. SIMAMURA, Bl. Chem. Soc. Japan 47, 1493 (1974).

hydrazino-1- und -2-methyltetrazole zeigt. Bei Substitution in 2-Stellung erfolgt Oxidation zum *5-(N¹-Acetyl-N²-benzoyl-hydrazino)-2-methyl-2H-tetrazol*[1]:

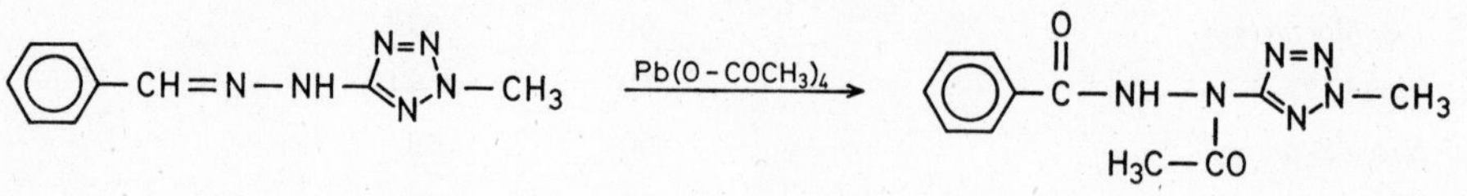

1-Methyl-5-benzylidenhydrazino-1H-tetrazol wird dagegen nur teilweise zum *5-(N¹-Acetyl-N²-benzoyl-hydrazino)-1-methyl-1H-tetrazol* umgesetzt (39% d.Th.; F: 153–155°), 26% werden unter Ringschluß zum *1-Methyl-4-phenyl-1H-⟨triazolo-[4,3-d]-tetrazol⟩* (F: 157°) dehydriert[2]:

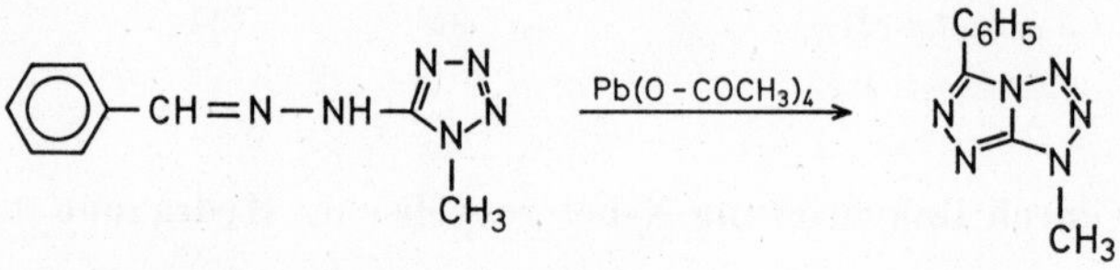

Analog erhält man bei der Umsetzung von 5-(4-Methyl-benzylidenhydrazino)-1-methyl-1H-tetrazol *1-Methyl-5-(4-methyl-phenyl)-1H-⟨triazolo-[4,3-d]-tetrazol⟩* (41% d.Th.) und *1-Methyl-5-[N¹-acetyl-N²-(4-methyl-benzoyl)-hydrazino]-1H-tetrazol* (22% d.Th.) bzw. von 1-Methyl-5-(4-chlor-benzylidenhydrazino)-1H-tetrazol *1-Methyl-5-(4-chlor-phenyl)-1H-⟨triazolo-[4,3-d]-tetrazol⟩* (37% d.Th.) und *1-Methyl-5-[N¹-acetyl-N²-(4-chlor-benzoyl)-hydrazino]-1H-tetrazol* (20% d.Th.).[2]

1-Methyl-5-(4-methyl-phenyl)-1H-⟨triazolo-[4,3-d]-tetrazol⟩[2]: 2,25 g Blei(IV)-acetat werden in 10 *ml* Eisessig suspendiert und in einem Zeitraum von 10 Min. zu einer Lösung von 1 g 5-(4-Methyl-benzyliden-hydrazino)-1-methyl-1H-tetrazol in 30 *ml* Eisessig gegeben. Das Reaktionsgemisch wird zunächst 5 Min. auf 50° erwärmt und dann 1¹/₂ Stdn. bei Raumtemp. gerührt. Danach wird in 250 *ml* Eiswasser gegossen, mit 4 × 100 *ml* Äther extrahiert, die vereinigten Äther-Extrakte zunächst mit Wasser, dann mit Natriumhydrogencarbonat-Lösung gewaschen und getrocknet. Nach dem Abdampfen des Äthers bleibt ein Rückstand (350 mg), der aus einem farblosen, kristallinen Produkt, verunreinigt mit einem gelben Öl besteht. Das Öl wird in 10 *ml* Äther aufgenommen und der Rückstand aus Äther umkristallisiert; Ausbeute: 240 mg (22% d.Th.); F: 156°.

Zur Isolierung des *5-[N¹-Acetyl-N²-(4-methyl-benzoyl)-hydrazino]-1-methyl-1H-tetrazols* säuert man die Natriumhydrogencarbonat-Lösung mit Salzsäure an und extrahiert 3mal mit je 150 *ml* Äther. Danach werden die vereinigten Äther-Extrakte getrocknet und eingedampft. Es bleibt eine farblose Kristallmasse mit kleinen Mengen einer braunen, gummiartigen Substanz zurück, die in 40 *ml* Äther gelöst wird; Ausbeute: 370 mg (29% d.Th.); F: 169–171°. Aus der Äther-Lösung lassen sich durch mehrmaliges Eindampfen und Lösen der gummiartigen Verunreinigung noch weitere 135 mg gewinnen (Gesamtausbeute: 41% d.Th.).

β) Kondensierte Heterocyclen des Systems C₂N₃–C₂N₃

    β₁) *1H-⟨1,2,4-Triazolo[4,3-b]-1,2,4-triazole⟩*

5-Benzylidenhydrazino-3-aryl-4H-⟨1,2,4-triazol⟩ werden durch Dehydrierung mit Blei(IV)-acetat in kondensierte 1,2,4-Triazole überführt. Der Ringschluß findet am N–1

---

[1] R. N. Butler u. F. L. Scott, Soc. [C] **1968**, 1711.
[2] F. L. Scott u. R. N. Butler, Soc. [C] **1966**, 1202.

unter Bildung von 3,6-disubstituierten 1H-⟨1,2,4-Triazolo-[4,3-b]-1,2,4-triazolen⟩ statt[1-3]:

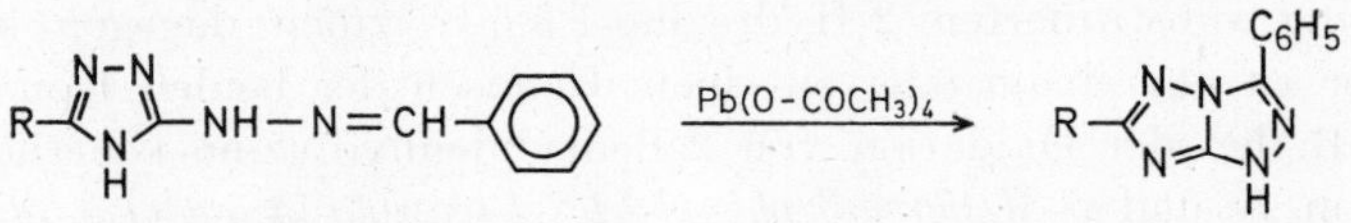

R = C$_6$H$_5$;   3,6-Diphenyl-   92% d.Th.; F: 266–267°
R = 2-OCH$_3$-C$_6$H$_4$; 3-Phenyl-6-(2-methoxy-   } -1H-⟨1,2,4-triazolo-   96% d.Th.; F: 248–250°
                                      phenyl)-   [4,3-b]-1,2,4-triazol⟩[1]
R = 2-Cl-C$_6$H$_4$;   3-Phenyl-6-(2-chlor-phenyl)-}   90% d.Th.; F: 282–283°

Nebenprodukte sind N-Acetyl-hydrazide, die auch bei der Blei(IV)-acetat-Oxidation anderer N′-monosubstituierter[4] und N′,N′-disubstituierter[5] Aldehyd-hydrazone entstehen:

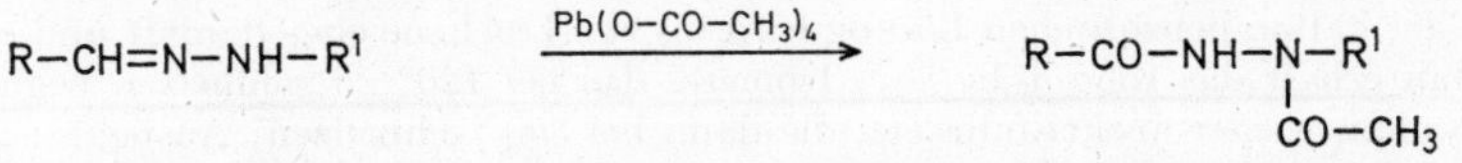

3,6-Diphenyl-1H-⟨1,2,4-triazolo-[4,3-b]-1,2,4-triazol⟩[3]: 3,4 g Blei(IV)-acetat werden innerhalb 10 Min. zu einer Lösung von 2 g Benzaldehyd-[5-phenyl-1,2,4-triazolyl-(3)-hydrazon] in 100 ml Eisessig gegeben und das Reaktionsgemisch 4 Stdn. bei Raumtemp. gerührt. Das Triazolo-triazol fällt als farbloser Niederschlag aus. Dieser wird abfiltriert und dem Filtrat 250 ml Wasser zugegeben. Dabei fällt eine weitere Menge an Cyclisierungsprodukt aus. Es wird aus wäßrigem Methanol umkristallisiert; Ausbeute: 1,7 g (84% d.Th.); F: 266°.

β$_2$) 5H-⟨1,2,4-Triazolo-[4,3-b]-1,2,4-triazole⟩

Bei der Dehydrierung von 3-Benzylidenhydrazino-1H-1,2,4-triazolen erfolgt Ringschluß am N$_2$, Reaktionsprodukte sind 3-Phenyl-5H-⟨1,2,4-triazolo-[4,3-b]-1,2,4-triazole⟩[6]:

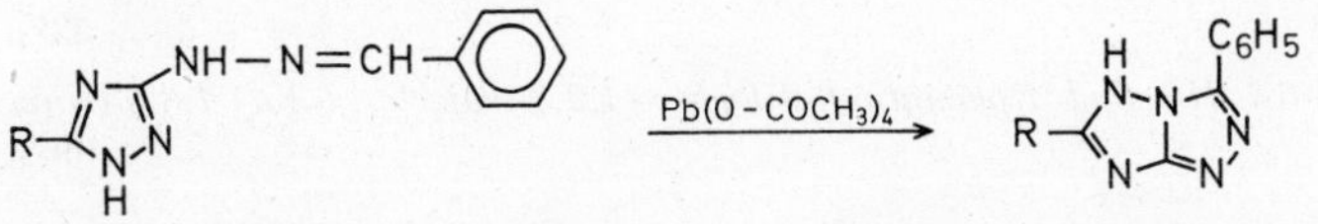

3-Phenyl-5H-⟨1,2,4-triazolo-[4,3-b]-1,2,4-triazol⟩[6]: 4,7 g (0,01 Mol) Blei(IV)-acetat wird zu einer Lösung von 2 g (0,011 Mol) 3-(Benzylidenhydrazino)-1H-1,2,4-triazol in 10 ml Eisessig gegeben und die Reaktionsmischung zum Schluß ∼ 15 Min. auf 80° erhitzt. Nach dem Abkühlen wird die Lösung mit 50 ml Wasser verdünnt und das ausgefallene Produkt aus Äthanol/Wasser umkristallisiert; Ausbeute: 1,5 g (76% d.Th.); F: 268°.

γ) Kondensierte Heterocyclen des Systems C$_2$N$_3$–C$_3$N$_3$
1,2,3-Triazolo-[4,3-a]-1,3,5-triazine

Analog dem C$_2$N$_3$–C$_2$N$_3$ System (S. 320) lassen sich auch kondensierte N-heterocyclische 5-6-Ringsysteme durch Oxidation der entsprechenden Hydrazone mit Blei(IV)-acetat aufbauen. So erhält man ausgehend von 2-Benzylidenhydrazino-1,3,5-triazinen die 1,2,4-Triazolo-[4,3-a]-1,3,5-triazine[7]:

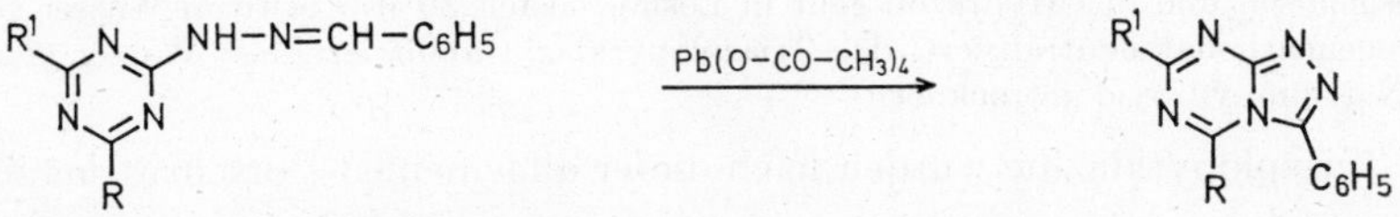

[1] H. GEHLEN u. F. LEMME, A. 703, 116 (1967).
[2] L. E. DEEV, I. B. LUNDINA u. I. Y. POSTOVSKII, Chim. heterocycl. Soed. 1972; 1292; C. A. 77, 164612 (1972).
[3] T. A. F. O'MAHONY, R. N. BUTLER u. F. L. SCOTT, Soc. (Perkin I) 1972, 1319.
[4] R. N. BUTLER, P. O'SULLIVAN u. F. L. SCOTT, Soc. [C] 1971, 2265.
[5] J. B. AYLWARD, Soc. [C] 1970, 1494.
[6] K. T. POTTS u. C. HIRSCH, J. Org. Chem. 33, 143 (1968).
[7] J. KOBE, B. STANOVNIK u. M. TISLER, Tetrahedron 26, 3357 (1970).

Bei symmetrischen 4,6-disubstituierten 2-Hydrazino-1,3,5-triazinen ist die Frage, mit welchem der beiden benachbarten Stickstoff-Atome der Ringschluß erfolgt, egal. Bei nur in 4-Stellung substituierten 2-Hydrazino-1,3,5-triazinen dagegen kann der Ringschluß entweder zu nur einem oder zu einem Gemisch der beiden Isomeren führen. So erhält man z. B. bei der Oxidation von 2-Benzylidenhydrazino-4-methoxy-1,3,5-triazin ein Gemisch von 7- und *5-Methoxy-3-phenyl-⟨1,2,4-triazolo-[4,3-a]-1,3,5-triazin⟩* im Verhältnis 2,5:1.

5-Methoxy- und 7-Methoxy-3-phenyl-⟨1,2,4-triazolo-[4,3-a]-1,3,5-triazin⟩[1]: 6,87 g 2-Benzylidenhydrazino-1,3,5-triazin und 13,3 g Blei(IV)-acetat in 150 ml Benzol werden 3 Stdn. gerührt, anschließend zum Sieden erhitzt und heiß filtriert. Beim Abkühlen kristallisiert das 7-Methoxy-Isomere aus und wird abfiltriert. Wenn das bei der ersten Filtration der heißen Lösung abgetrennte Festprodukt mit Eiswasser ausgezogen wird, erhält man weiteres *7-Methoxy*-Isomeres. Es wird aus Eisessig umkristallisiert oder aus Essigsäure-äthylester und Hexan; Ausbeute: 4,5 g (65% d.Th.); F: 240°.

Das Filtrat der kalten benzolischen Lösung wird bis zur Trockene eingedampft und mit etwas Benzol angerieben. Man erhält das rohe *5-Methoxy*-Isomere, das bei 120° zu schmelzen beginnt und aus der Schmelze in Nadeln wieder auskristallisiert, die dann bei 300° schmelzen; Ausbeute: 2 g (29% d.Th.).

Für die Bevorzugung des N_1-Stickstoffs bei Substitution am C_4 des 1,3,5-Triazin-Ringes gibt es sowohl elektronische als auch sterische Gründe.

Eindeutiger verläuft die Cyclisierung von 2-Benzylidenhydrazino-6-oxo-5-methyl-5,6-dihydro-1,3,5-triazin:

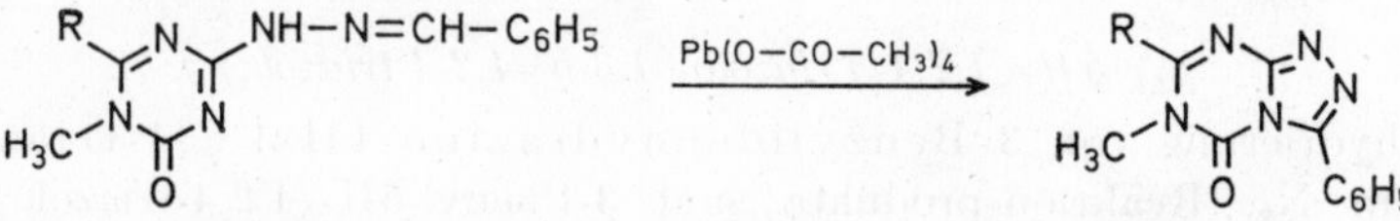

R = H;   *5-Oxo-6-methyl-3-phenyl-5,6-dihydro-⟨1,2,4-triazolo-[4,3-a]-1,3,5-triazin⟩*;

53% d.Th.; F: 200–220°

R = CH₃;   *5-Oxo-6,7-dimethyl-3-phenyl-5,6-dihydro-⟨1,2,4-triazolo-[4,3-a]-1,3,5-triazin⟩*;

69% d.Th.; F: 187–200°

δ) Kondensierte Heterocyclen des Systems C_2N_3–C_4N_2

1,2,4-Triazolo-[4,3-b]-pyridazine werden bei der Dehydrierung von 3-Alkylidenhydrazino-pyridazinen erhalten[2]:

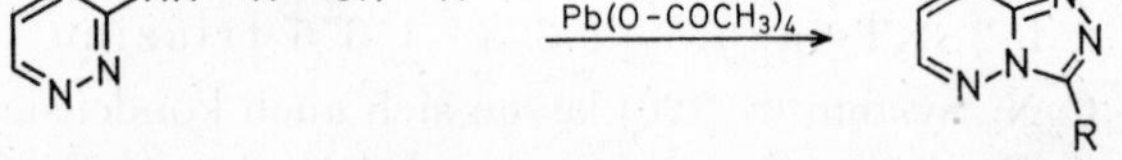

1,2,4-Triazolo-[4,3-b]-pyridazine; allgemeine Herstellungsvorschrift: Eine Suspension des Hydrazons in Eisessig wird mit einem Mol-äquivalent Blei(IV)-acetat unter Rühren versetzt. Dabei erwärmt sich das Reaktionsgemisch und das Hydrazon geht in Lösung. Nach 30 Min. wird in Wasser gegossen, mit Natriumhydrogencarbonat neutralisiert, das Triazolopyridazin abfiltriert, mit Wasser gewaschen und i. Vak. über Natriumhydroxid getrocknet.

Folgende Triazolopyridazine wurden nach dieser allgemeinen Vorschrift hergestellt:

3-Phenyl-⟨1,2,4-triazolo-[4,3-b]-pyridazin⟩-5-oxid[2]	40% d.Th.	F: 154–155°
3-(4-Methoxy-phenyl)-⟨1,2,4-triazolo-[4,3-b]-pyridazin⟩-5-oxid[2]	43% d.Th.	F: 187–188°
3-Methyl-⟨1,2,4-triazolo-[4,3-b]-pyridazin⟩-5-oxid[2]	35% d.Th.	F: 199–200°
3-Chlor-6-methyl-⟨bis-[1,2,4-triazolo] [4,3-b; 3′,4′-f]-pyridazin⟩[3]	45% d.Th.	F: 246° (Zers.)

[1] K. Kobe, B. Stanovnik u. M. Tisler, Tetrahedron 26, 3357 (1970).
[2] A. Pollak, B. Stanovnik u. M. Tisler, J. heterocycl. Chem. 5, 513 (1968).
[3] P. Francavilla u. F. Lauria, J. heterocycl. Chem. 8, 415 (1971).

Die Oxidation der 3-Aminocarbonylimino-pyridazine in Dichlormethan liefert 1,2,4-Triazolo-[2,3-b]-pyridazine[1]:

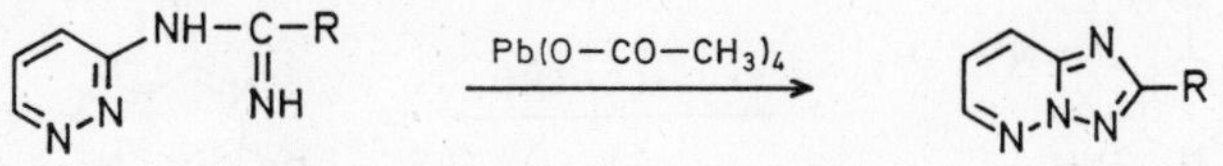

1,2,4-Triazolo-[4,3-a]-pyrimidine werden bei der Einwirkung von Blei(IV)-acetat auf die entsprechenden 2-Alkylidenhydrazino-pyrimidine in Eisessig oder in Benzol gebildet[2]:

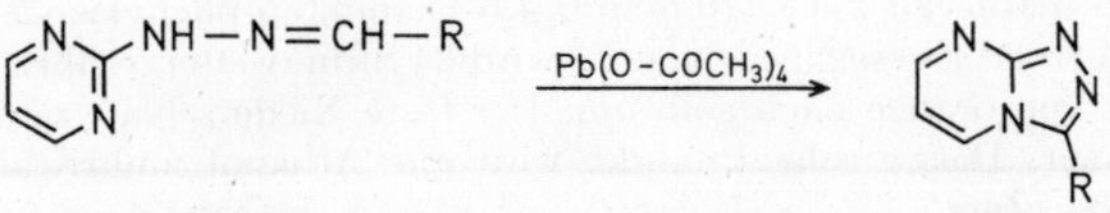

Zur Vervollständigung der Reaktion wird die Reaktionslösung kurz erwärmt. Anschließend wird mit Wasser versetzt. Dabei fallen die 1,2,4-Triazolo-[4,3-a]-pyrimidine aus. Wenn Benzol als Lösungsmittel verwendet wird, kann dieses durch Wasserdampf-Destillation entfernt werden. Die Ausbeuten an rohem Triazolopyrimidin sind gewöhnlich höher als 50% d.Th.; in Tab. 34 (S. 324) sind einige der so hergestellten Verbindungen zusammengestellt.

2-Alkylidenhydrazino-pyrimidine, die in 4- und 6-Stellung unsymmetrisch substituiert sind, können zu einem der beiden oder beiden möglichen Isomeren reagieren. Über Substituenteneinflüsse auf die Richtung des Ringschlusses ist praktisch nichts bekannt.

Man sollte erwarten, daß die Cyclisierung der 2-Alkylidenhydrazino-6-oxo-1-alkyl-1,6-dihydro-pyrimidine einheitlich zu 7-Oxo-7,8-dihydro-⟨1,2,4-triazolo-[4,3-a]-pyrimidinen⟩ führt:

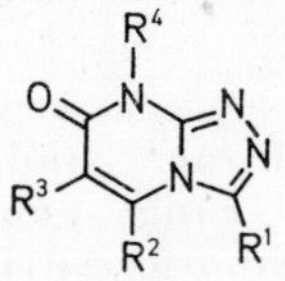

Man findet jedoch im Reaktionsprodukt auch geringe Mengen 5-Oxo-4,5-dihydro-⟨1,2,4-triazolo-[2,3-a]-pyrimidin⟩[3]. So erhält man z. B. bei der Dehydrierung von 2-Benzyliden-hydrazin-6-oxo-1-benzyl-5-äthoxycarbonyl-1,6-dihydro-pyrimidin in Dichlormethan bei Raumtemperatur *5-Oxo-2-phenyl-4-benzyl-6-äthoxycarbonyl-4,5-dihydro-⟨1,2,4-triazolo-[2,3-a]-pyrimidin⟩*:

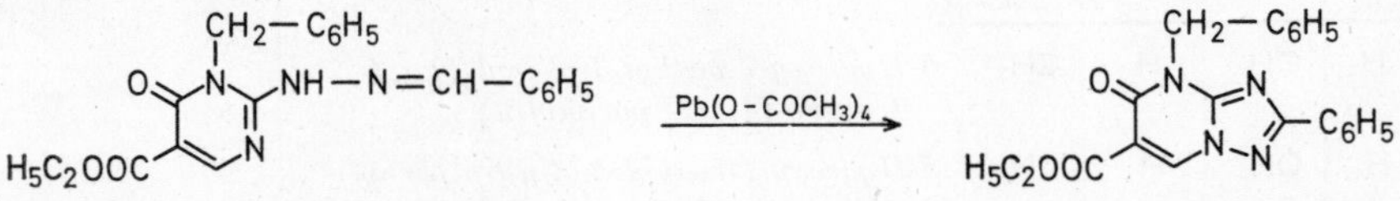

das aufgrund der leichten Isomerisierbarkeit des 7-Oxo-3-phenyl-8-benzyl-6-äthoxy-carbonyl-7,8-dihydro-1,2,4-triazolo-[4,3-a]-pyrimidin (z. B. beim Umkristallisieren) entsteht.

[1] M. ZUPAN, B. STANOVNIK u. M. TISLER, Tetrahedron Letters 1972, 4179.
[2] J. D. BOWER u. F. P. DOYLE, Soc. 1957, 727.
[3] R. G. W. SPICKETT u. S. H. B. WRIGHT, Soc. [C] 1967, 498.

1,2,3-Triazolo-[4,5-d]-pyrimidine sind Reaktionsprodukte der Dehydrierung von 6-Amino-5-phenylazo-pyrimidinen mit Blei(IV)-acetat[1]:

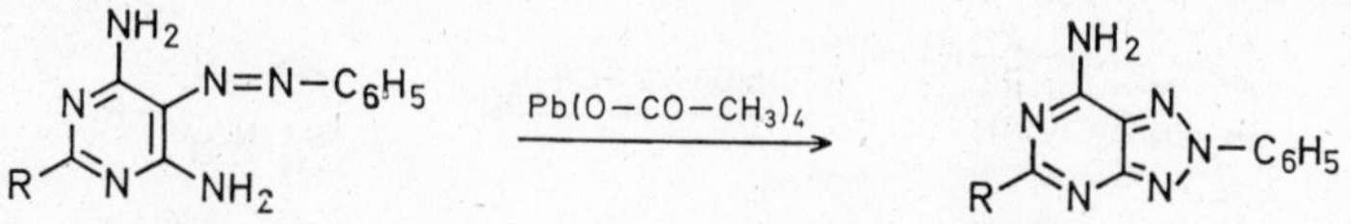

R = C$_6$H$_5$; 7-Amino-2,5-diphenyl-2H-⟨1,2,3-triazolo-[4,5-d]-pyrimidin⟩; 90% d.Th.; F: 277–278° (Zers.)
R = NH$_2$; 5,7-Diamino-2-phenyl-2H-⟨1,2,3-triazolo-[4,5-d]-pyrimidin⟩; 75% d.Th.; F: 350° (Zers.)
R = H;   7-Amino-2-phenyl-2H-⟨1,2,3-triazolo-[4,5-d]-pyrimidin⟩;   86% d.Th.; F: 335° (Zers.)

7-Amino-2,5-diphenyl-⟨1,2,3-triazolo-[4,5-d]-pyrimidin⟩[1]: 4,4 g (10 mMol) Blei(IV)-acetat werden nach und nach innerhalb 5 Min. zu 2,9 g (10 mMol) 4,6-Diamino-5-phenylazo-2-phenyl-pyrimidin unter Rühren mit Stickstoff in 80 ml Eisessig gegeben. Es wird 24 Stdn. weitergerührt. Dabei schlägt die Farbe des Reaktionsgemisches von orange nach gelb um. Der feste Niederschlag wird abfiltriert, mit Wasser gewaschen und getrocknet. Dieses rohe Produkt wird aus Äthanol umkristallisiert; Ausbeute: 2,6 g (90% d.Th.); F: 277–278° (Zers.).

6-Amino-5-phenylazo-2,4-dioxo-1,3-dimethyl-1,2,3,4-tetrahydro-pyrimidin reagiert ebenfalls unter Ringschluß:

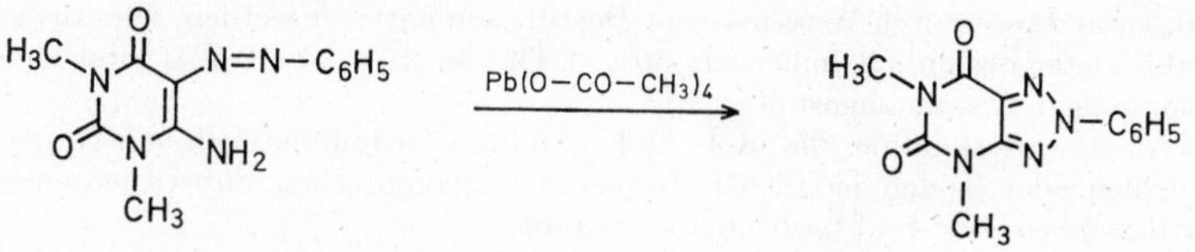

*5,7-Dioxo-4,6-dimethyl-2-phenyl-4,5,6,7-
tetrahydro-2H-⟨1,2,3-triazolo-[4,5-d]-
pyrimidin⟩; 20% d.Th.; F: 207–208°*

2,4,6-Triamino-5-(4-nitro-phenylazo)-pyrimidin kann nicht zum entsprechenden Triazolopyrimidin mit Blei(IV)-acetat cyclisiert werden.

Tab. 34: 1,2,4-Triazolo-[4,3-a]-pyrimidine[2] und 7-Oxo-7,8-dihydro-⟨1,2,4-triazolo-[4,3-a]-pyrimidine⟩[3] durch Dehydrierung von 2-Alkylidenhydrazino-pyrimidinen bzw. 2-Alkylidenhydrazino-6-oxo-1,6-dihydro-pyrimidinen

Hydrazon 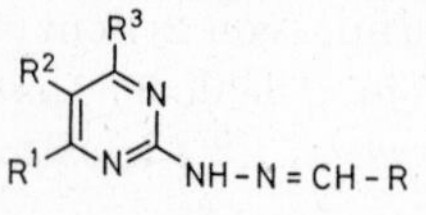				1,2,4-Triazolo-[4,3-a]-pyrimidin 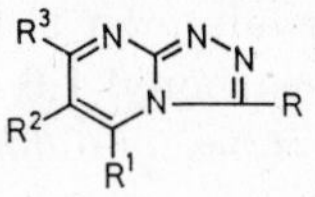	Ausbeute [% d.Th.]	F [° C]
R	R^1	R^2	R^3			
C$_6$H$_5$	OH	H	CH$_3$	5-Hydroxy-7-methyl-3-phenyl-⟨1,2,4-triazolo-[4,3-a]-pyrimidin⟩		> 340
3–NO$_2$–C$_6$H$_4$	OH	H	CH$_3$	5-Hydroxy-7-methyl-3-(3-nitro-phenyl)-⟨1,2,4-triazolo-[4,3-a]-pyrimidin⟩		> 340
C$_6$H$_5$	CH$_3$	H	CH$_3$	5,7-Dimethyl-3-phenyl-⟨1,2,4-triazolo-[4,3-a]-pyrimidin⟩		260
4–Br–C$_6$H$_4$	CH$_3$	H	CH$_3$	5,7-Dimethyl-3-(4-brom-phenyl)-⟨1,2,4-triazolo-[4,3-a]-pyrimidin⟩		286

[1] Y. Maki u. E. C. Taylor, Chem. Pharm. Bull. Tokyo, **20**, 605 (1972); C. A. **77**, 34452 (1972).
[2] J. D. Bower u. F. P. Doyle, Soc. **1957**, 727.
[3] R. G. W. Spickett u. S. H. B. Wright, Soc. [C], **1967**, 498.

Tab. 34 (1. Fortsetzung)

Hydrazon		1,2,4-Triazolo-[4,3-a]-pyrimidin	Ausbeute [% d.Th.]	F [°C]
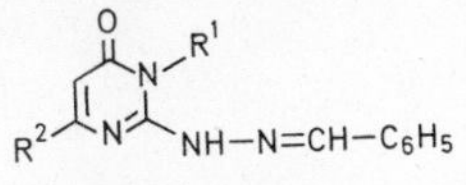		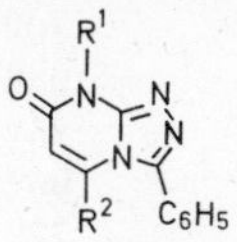		
R¹	R²			
C₂H₅	H	7-Oxo-8-äthyl-3-phenyl-7,8-dihydro-⟨1,2,4-triazolo-[4,3-a]-pyrimidin⟩	31	210–212
CH₂–C₆H₅	H	7-Oxo-3-phenyl-8-benzyl-7,8-dihydro-⟨1,2,4-triazolo-[4,3-a]-pyrimidin⟩	78	191–193
CH₃	CH₃	7-Oxo-5,8-dimethyl-3-phenyl-7,8-dihydro-⟨1,2,4-triazolo-[4,3-a]-pyrimidin⟩	40	254–255
CH₂–C₆H₅	CH₃	7-Oxo-5-methyl-3-phenyl-8-benzyl-7,8-dihydro-⟨1,2,4-triazolo-[4,3-a]-pyrimidin⟩	41	174–177

1,2,4-Triazolo-[2,3-a]-pyrazine erhält man bei der Dehydrierung von 2-(1-Imino-alkylamino)-pyrazinen mit Blei(IV)-acetat[1]:

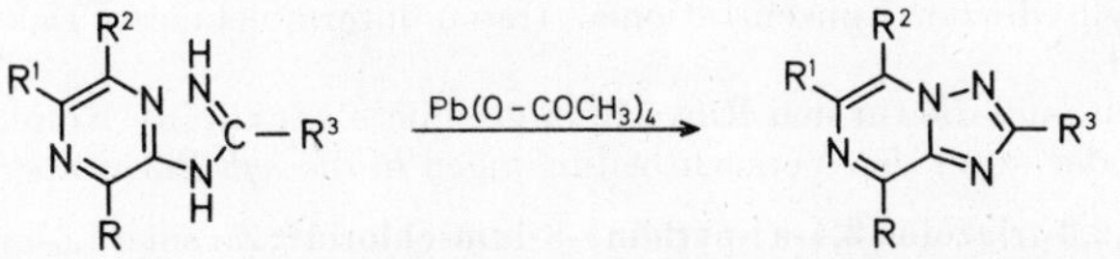

1,2,4-Triazolo-[2,3-a]-pyrazine; allgemeine Herstellungsvorschrift: 4 Mol des Amidins [2-(1-Imino-alkyl-amino)-pyrazin] werden mit 3,5 g (8 mMol) Blei(IV)-acetat 30 Min. in 50 ml Benzol gekocht. Danach wird filtriert, und das Filtrat mit 100 ml 30%iger Natronlauge ausgeschüttelt. Die benzolische Lösung wird über Natriumsulfat getrocknet und das Lösungsmittel abgedampft. Der Rückstand wird mit einem geeigneten Lösungsmittel, z. B. Petroläther oder Äthanol umkristallisiert.

Nach dieser Vorschrift erhält man aus

3-(α-Imino-benzylamino)-2,5-di-methyl-pyrazin → 5,8-Dimethyl-2-phenyl-⟨1,2,4-triazolo-[2,3-a]-pyrazin⟩   56% d.Th. F: 103–104°

3-(α-Imino-benzylamino)-2,3-di-methyl-pyrazin → 5,6-Dimethyl-2-phenyl-⟨1,2,4-triazolo-[2,3-a]-pyrazin⟩   51% d.Th. F: 133–134°

5-(1-Imino-äthylamino)-2,3-di-methyl-pyrazin → 4,5-Dimethyl-2-äthyl-⟨1,2,4-triazolo-[2,3-a]-pyrazin⟩   70% d.Th. F: 238–239°

ε) Kondensierte Heterocyclen des Systems C₂N₃–C₅N

Beim einstündigen Erwärmen eines Gemisches von 5-Nitro-furfural-pyridyl-(2)-hydrazon (9,28 g) und Blei(IV)-acetat (18 g) in Eisessig (800 ml) bildet sich unter dehydrierendem Ringschluß 3-[5-Nitro-furyl-(2)]-⟨1,2,4-triazolo-[4,3-a]-pyridin⟩ (54% d.Th.; F: 275–288°)[2]:

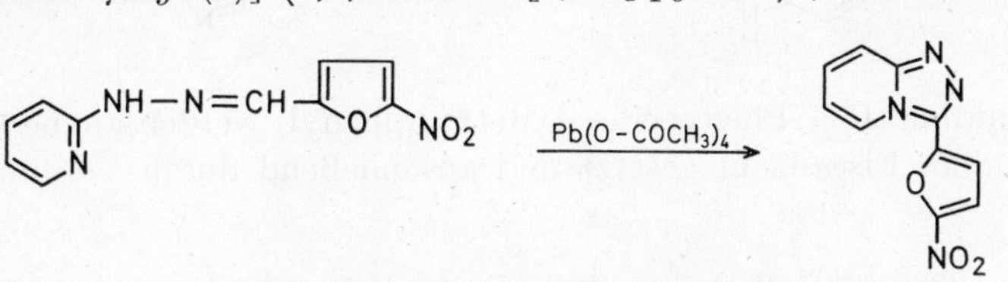

---

[1] G. M. BADGER, P. J. NELSON u. K. T. POTTS, J. Org. Chem. **29**, 2542 (1964).

[2] Brit. P. 1131590 (1968), C. F. Boehringer & Söhne; C. A. **70**, 28926 (1969).

Ähnlich gute Ausbeuten erhält man bei der Herstellung von anderen am Pyridinring substituierten *3-[5-Nitro-furyl-(2)]-⟨1,2,4-triazolo-[4,3-a]-pyridinen⟩*; z. B.:

6-Methyl-	65% d.Th.	F:	233°
7-Methyl-	43% d.Th.	F:	>300°
8-Methyl-	80% d.Th.	F:	248°
5-Chlor-	93% d.Th.	F:	186–189°
6-Nitro-	85% d.Th.	F:	294°
8-Nitro-	95% d.Th.	F:	267°
6-Carboxy-	77% d.Th.	F:	>300°

Die zum gleichen System $(C_2N_3-C_5N)$ gehörenden 1H-⟨1,2,3-Triazolo-[3,4-a]-pyridin⟩-8-ium-Verbindungen werden bei der Dehydrierung der entsprechenden 2-Acyl-pyridinhydrazone mit Blei(IV)-acetat in Eisessig erhalten[1]:

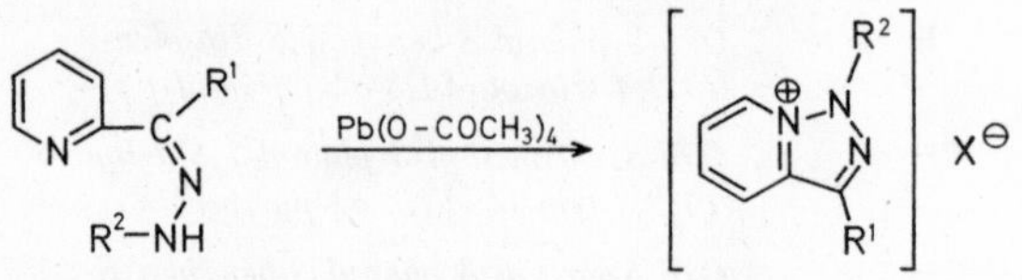

Ihre Herstellung ist von den folgenden Voraussetzungen abhängig:

① R^1 muß entweder ein aliphatischer oder ein aromatischer Rest sein (die Stammsubstanz mit $R^1 = H$ kann nicht zum Triazolopyridiniumsalz umgesetzt werden).

② Es ist günstig, sehr verdünnt zu arbeiten und die Lösung des Phenylhydrazons in der Wärme ganz langsam unter kräftigem Rühren in die Lösung des Blei(IV)-acetats in Eisessig eintropfen zu lassen. Bei höheren Phenylhydrazon-Konzentrationen treten intermolekulare Dehydrierungsprodukte in stärkerem Maße auf.

③ Das Phenylhydrazon muß die für den Ringschluß geeignete sterische Konfiguration besitzen, d. h. die *syn*-Form sein oder unter den Versuchsbedingungen in die *syn*-Form übergehen können.

1,3-Diphenyl-1H-⟨1,2,3-triazolo-[3,4-a]-pyridin⟩-8-ium-chlorid[2]: Zu einer Lösung von 975 mg Blei(IV)-acetat in 150 *ml* Eisessig gibt man bei Zimmertemp. unter kräftigem Rühren tropfenweise eine Lösung von 200 mg reinem 2-Benzoyl-pyridin-phenylhydrazon in 30 *ml* Eisessig. Nach anfänglich vollständiger Entfärbung der orangegelben Lösung entsteht im Laufe der weiteren Umsetzung eine zunehmende Gelbfärbung des Reaktionsgemisches. Abschließend wird 30 Min. zum schwachen Sieden erhitzt.

In die kalte Lösung wird Chlorwasserstoff eingeleitet, vom ausgefallenen Blei(II)-chlorid abfiltriert und i. Vak. auf dem Wasserbad eingedampft. Der ölige Rückstand wird in wenig absol. Äthanol aufgenommen, mit Chlorwasserstoff gesättigt, abfiltriert, mit Aktivkohle kurz aufgekocht und das Filtrat i. Vak. eingeengt. Der ölige Rückstand wird mit Essigsäure-äthylester im Überschuß versetzt. Beim Stehen in der Kälte kristallisiert die Substanz in farblosen Nadeln, die zur Reinigung noch einmal auf dieselbe Weise umkristallisiert werden; Ausbeute: 99 mg (44% d.Th.); F: 201,5° (Zers.).

Analog erhält man

1-Methyl-3-phenyl-1H-⟨1,2,3-triazolo-[3,4-a]-pyridin⟩-8-ium-chlorid	29% d.Th.	Zers. P. 183–184°
1-Methyl-3-phenyl-1H-⟨1,2,3-triazolo-[3,4-a]-chinolin⟩-8-ium-chlorid		Zers. P. 178–179°

1,2,4-Triazolo-[2,3-a]-pyridine erhält man durch Dehydrierung von 2-(1-Imino-alkylamino)-pyridinen mit Blei(IV)-acetat[3]:

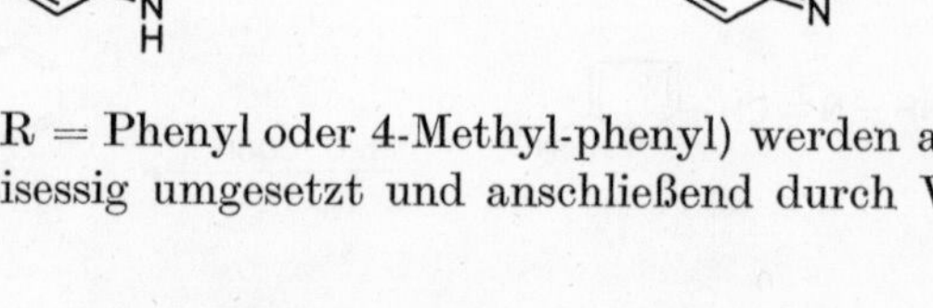

Aromatische Amidine (R = Phenyl oder 4-Methyl-phenyl) werden am besten mit Blei(IV)-acetat in siedendem Eisessig umgesetzt und anschließend durch Verdünnen mit Wasser ausgefällt.

[1] Brit. P. 1131590 (1968), C. F. Boehringer & Söhne; C. A. **70**, 28926 (1969).
[2] R. Kuhn u. W. Münzing, B. **85**, 29 (1952).
[3] J. D. Bower u. G. R. Ramage, Soc. **1957**, 4506.

So erhält man z. B.:

2-Phenyl-⟨1,2,4-triazolo-[2,3-a]-pyridin⟩	64% d. Th.	F: 141°
2-(4-Methyl-phenyl)-⟨1,2,4-triazolo-[2,3-a]-pyridin⟩	60% d. Th.	F: 173°

2-Methyl-⟨1,2,4-triazolo-[2,3-a]-pyridin⟩ ist in Wasser gut löslich. Man setzt daher 2-(1-Imino-äthylamino)-pyridin am besten in siedendem Benzol um und isoliert das Reaktionsprodukt (78% d.Th.) durch Destillation (Kp$_{32}$: 137°; F: 49–50°).

Die Cyclisierung der Amidine zu 1,2,4-Triazolen kann auch auf Isochinoline ausgedehnt werden[1, 2]. Allerdings gelingt es nur, in 2-Stellung substituierte 1,2,4-Triazolo[3,2-a]-isochinoline herzustellen; z. B.:

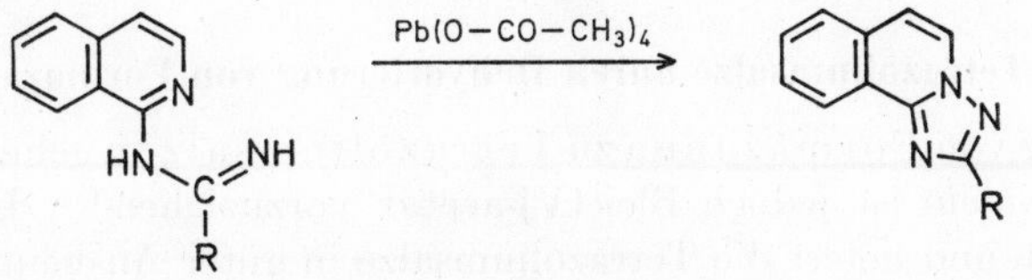

2-Phenyl-⟨1,2,4-triazolo-[3,2-a]-isochinolin⟩[2]: 0,7 g (2,8 mMol) N-Isochinolyl-(1)-benzamidin und 1,7 g (3,2 mMol) Blei(IV)-acetat werden 30 Min. unter Rühren in 25 *ml* Benzol zum Sieden erhitzt. Danach filtriert man bei Raumtemp., wäscht mit Benzol und schüttelt das Filtrat mit 30%iger wäßr. Natronlauge. Die getrocknete Benzol-Lösung hinterläßt beim Eindampfen einen festen Rückstand, der aus Cyclohexan umkristallisiert wird; Ausbeute: 0,55 g (79% d.Th.); F: 159–161°.

Auf analoge Weise erhält man z. B.:

    2-Methyl-⟨1,2,4-triazolo-[3,2-a]-isochinolin⟩   89% d.Th.; F: 88– 89°[2]
    2-Trifluormethyl-⟨1,2,4-triazolo-[3,2-a]-isochinolin⟩ 40% d.Th.; F: 130–132°[1]

Bei der Oxidation von 1-Iminomethylamino-isochinolin wird lediglich *1-Cyanamino-isochinolin* erhalten[2].

ζ) **Kondensierte Heterocyclen des Systems**
C$_2$N$_3$–C$_2$N$_3$–C$_4$N$_2$

Bei der Substitution von 2-Hydrazonyl-Gruppen in 3- und 6-Stellung am Pyridazin-Kern werden unter Verbrauch von 2 Mol Blei(IV)-acetat unter doppeltem Ringschluß Bis-[1,2,4-triazolo]Bis-[4,3-b;3′,4′-f]-pyridazine gebildet[3]:

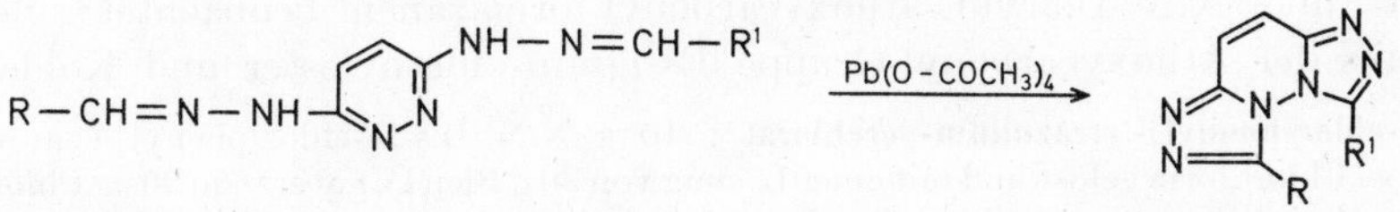

Die Reaktionsbedingungen sind die gleichen wie bei der Umsetzung der einfachen 3-Alkyl-idenhydrazino-pyridazine (S. 322). Man erhält die Bis-[1,2,4-triazolo][4,3-b;3′,4′-f]-pyridazine in ebenso guten Ausbeuten wie die 1,2,4-Triazolo-[4,3-b]-pyridazine, z. B.:

3-Phenyl-⟨bis-[1,2,4-triazolo][4,3-b;3′,4′-f]-pyridazin⟩	62% d.Th.	F: 242–243°
3,6-Diphenyl-⟨bis-[1,2,4-triazolo][4,3-b;3′,4′-f]-pyridazin⟩	70% d.Th.	F: 277–278°

---

[1] H. REIMLINGER, W. R. F. LINGIER u. R. MERENYI, B. **103**, 3817 (1970).
[2] H. REIMLINGER et al., B. **104**, 3965 (1971).
[3] A. POLLAK u. M. TIŠLER, Tetrahedron **22**, 2073 (1966).

Zu einem ebenso hochkondensierten N-heterocyclischen System führt die Oxidation des folgenden Benzaldehydhydrazons[1]:

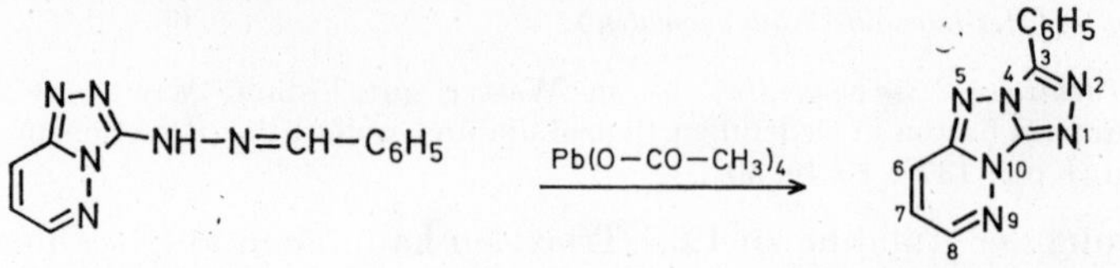

3-Phenyl-⟨1,2,4-triazolo-[4,3-b]-
pyridazino-[2,3-d]-1,2,4-triazol⟩

5. Tetrazoliumsalze durch Dehydrierung von Formazanen

Die Dehydrierung von Formazanen zu Tetrazoliumsalzen gelingt mit vielen Oxidationsmitteln[2]. Allgemein ist jedoch Blei(IV)-acetat vorzuziehen[3,4]. Die Umsetzung läuft gewöhnlich rasch ab und liefert die Tetrazoliumsalze in guter Ausbeute und Reinheit:

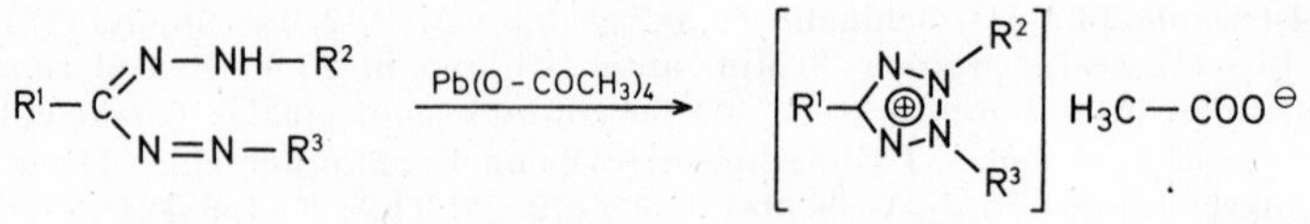

Die Reaktion verläuft unter Verschwinden der roten Farbe der Formazane, gleichzeitig erwärmt sich das Reaktionsgemisch. Als Reaktionsprodukt entstehen zunächst Acetate, die leicht in andere Salze überführt werden können, so z. B. durch Hinzufügen von Salzsäure. Dabei wird das Blei(II) als Chlorid ausgefällt und kann bequem durch Filtration abgetrennt werden.

5-Methyl-2,3-diphenyl-tetrazolium-chlorid[3]: 5 g C-Methyl-N,N′-diphenyl-formazan werden in 30 *ml* trockenem Chloroform gelöst und mit der Lösung von 10 g Blei(IV)-acetat bei 20° versetzt. Die tiefrote Farbe verschwindet sofort. Nach einiger Zeit wird das Lösungsmittel verdampft, der Rückstand in 100 *ml* Wasser aufgenommen und von wenigen Tröpfchen eines rotbraunen Öles abfiltriert. Durch Salzsäure wird die Hauptmenge Blei(II) als Chlorid ausgefällt. Hierauf wird verdampft, in wenig Methanol aufgenommen und vom Rest des Blei(II)-chlorids abfiltriert. Nach Verdampfen des Methanols erhält man 4,6 g (81% d.Th.) Tetrazoliumchlorid. Durch Ausfällen mit Äther aus einer Aceton-Äthanol-Lösung wird das rohe Salz gereinigt; F: 271° (Zers.).

Bei einigen Formazanen wird bei der Oxidation der an das Formylkohlenstoff gebundene Rest R¹ gegen Wasserstoff ausgetauscht. Eine C–C-Spaltung dieser Art wurde bei C-Acetoxy-N,N′-diaryl- und N,N′-Diaryl-C-äthoxycarbonyl-formazanen beobachtet[5]. Bei letzteren entstehen aus der Äthoxycarbonyl-Gruppe Essigsäure-methylester und Kohlendioxid.

2,3-Bis-[4-chlor-phenyl]-tetrazolium-perchlorat[5]: 10 g N,N′-Bis-[4-chlor-phenyl]-C-acetyl-formazan werden in 30 *ml* Chloroform gelöst und mit einer Lösung von 30 g Blei(IV)-acetat in 90 *ml* Chloroform unter Rühren versetzt, dabei erwärmt sich das Reaktionsgemisch. Man läßt 30 Min. stehen und destilliert das Lösungsmittel, zuletzt i. Vak. ab. Der sirupartige Rückstand wird 3mal mit 50 *ml* heißem Wasser ausgezogen; aus der filtrierten wäßrigen Lösung wird mit wenigen Tropfen 70%iger Perchlorsäure das Perchlorat gefällt. Das Salz wird mehrmals aus Wasser/Pyridin (8:1) und zuletzt aus Methanol umkristallisiert; Ausbeute: 75% d.Th.; F: 278° (farblose Kristalle).

¹ L. E. Deev, I. B. Lundina u. I. Y. Postovskii, Chim. heterocycl. Soed. **1972,** 1292; C. A. **77,** 164612 (1972).
² Übersichtsartikel über die Chemie der Formazane u. Tetrazoliumsalze, A. W. Nineham, Chem. Reviews **55,** 355 (1955).
³ R. Kuhn u. D. Jerchel, B. **74,** 941 (1941).
⁴ Y. A. Sedov, A. I. Zabolotskaya u. N. V. Koba, Chim. heterocycl. Soed. **1973,** 1705; C. A. **80,** 82886 (1974).
⁵ B. Hirsch, A. **648,** 151 (1961).

Ähnlich den Formazanen werden Bis-formazane in die entsprechenden Bi-tetrazolium-Salze übergeführt[1]. Eine besondere Stellung nehmen dabei die Bis-formazane vom Typ des 6-Imino-1,3,9,11-tetraphenyl-3,6,9-tricarba-undecaazatetraens-(1,3,8,10) ein. Sie werden unter doppelter C–N-Spaltung oxidiert und liefern je Molekül Bis-formazan 2 Mole disubstituiertes Tetrazol[2]:

$$HN = C\left(-NH-N=C\begin{array}{c} Ar^1 \\ N=N-Ar \end{array}\right)_2 \longrightarrow 2\,Ar^1 \begin{array}{c} N-N-Ar \\ N=N \end{array}$$

Die Ausbeuten z. B. an 2,5-Diphenyl-tetrazol (F: 101,5–102°) sind praktisch quantitativ[3].

Tab. 35: Tetrazoliumsalze durch Dehydrierung von Formazanen mit Blei(IV)-acetat

Formazan			Tetrazoliumsalz	Ausbeute [% d.Th.]	F [° C]	Literatur
$R^1-C\begin{array}{c}N-NH-R^2\\N=N-R^3\end{array}$						
R^1	R^2	R^3				
CH_3	C_6H_5	C_6H_5	5-Methyl-2,3-diphenyl-tetrazolium-chlorid	81	271 (Zers.)	4
$COOC_2H_5$	C_6H_5	C_6H_5	2,3-Diphenyl-5-äthoxy-carbonyl-tetrazolium-chlorid		198–200 (Zers.)	4
C_6H_{13}	C_6H_5	C_6H_5	5-Hexyl-2,3-diphenyl-tetrazolium-chlorid	72	220 (Zers.)	4
$C_{11}H_{23}$	C_6H_5	C_6H_5	5-Undecyl-2,3-di-phenyl-tetrazolium-chlorid	83	141 (Zers.)	4
C_6H_5	C_6H_5	$4-NO_2-C_6H_4$	2,5-Diphenyl-3-(4-nitro-phenyl)-tetra-zolium-chlorid	82	230–232 (Zers.)	5
$4-CN-C_6H_4$	C_6H_5	C_6H_5	2,3-Diphenyl-5-(4-cyan-phenyl)-tetra-zolium-chlorid	71	240 (Zers.)	5
C_6H_5	C_6H_5	Pyridyl-(2)	2,5-Diphenyl-3-pyridyl-(2)-tetrazolium-chlorid	60	245 (Zers.)	5
O-Pentaacetyl-d-galactosyl	C_6H_5	C_6H_5	2,3-Diphenyl-5-(d-O-pentaacetyl-galacto-syl)-tetrazolium-chlorid	71	204	6
H	$2-Cl-C_6H_4$	$2-Cl-C_6H_4$	2,3-Bis-[2-chlor-phenyl]-tetrazolium-perchlorat	60	181	7

[1] D. JERCHEL u. H. FISCHER, A. **563**, 208 (1949).
[2] F. L. SCOTT, D. A. O'SULLIVAN u. J. REILLY, Soc. **1951**, 3508; Chem & Ind. **1952**, 782.
[3] F. L. SCOTT, D. A. O'SULLIVAN u. J. REILLY, Am. Soc. **75**, 5309 (1953).
[4] R. KUHN u. D. JERCHEL, B. **74**, 941 (1941); dort zahlreiche weitere Beispiele.
[5] J. N. ASHLEY, B. M. DAVIS, A. W. NINEHAM u. R. SLACK, Soc. **1953**, 3881; dort zahlreiche weitere Beispiele
[6] G. ZEMPLÉN, L. MESTER u. E. ECKHARDT, B. **86**, 472 (1953).
[7] B. HIRSCH, A. **648**, 151 (1961).

Tab. 35 (1. Fortsetzung)

Formazan	Tetrazoliumsalz	Ausbeute [% d.Th.]	F [° C]	Literatur
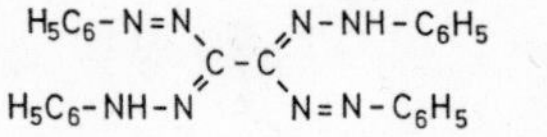 $H_5C_6-N=N$ $C-C$ $N-NH-C_6H_5$ H_5C_6-NH-N $N=N-C_6H_5$	2,3,2′,3′-Tetraphenyl-bi-[tetrazolyl-(5)-ium] dichlorid		265–268	1
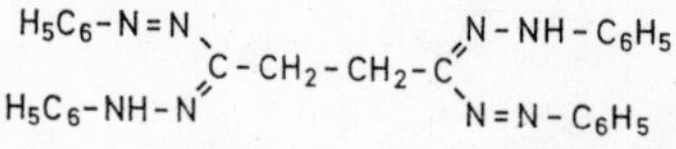 $H_5C_6-N=N$ $C-CH_2-CH_2-C$ $N-NH-C_6H_5$ H_5C_6-NH-N $N=N-C_6H_5$	1,2-Bis-[2,3-diphenyl-tetrazolyl-(5)-ium]-äthan-dichlorid		262	1

1,3,4-Oxadiazole durch Oxidation von Aroylhydrazonen, Semicarbazonen und Kohlensäure-bis-[alkylidenhydraziden]

Bei der Oxidation von Benzoylhydrazin mit einem Überschuß an Blei(IV)-acetat kommt es u.a. zur Bildung von *2,5-Diphenyl-1,3,4-oxadiazol*. Blei(IV)-acetat dehydriert zunächst Benzoylhydrazin (I) zum Benzoyldiimin (II), das unter Verlust von Stickstoff in Benzaldehyd (III) übergeht. Benzaldehyd reagiert mit einem zweiten Molekül Benzoylhydrazin zum Benzyliden-benzoyl-hydrazin (IV), das mit einem weiteren Mol Blei(IV)-acetat zum *2,5-Diphenyl-1,3,4-oxadiazol* (V) dehydriert wird[2]:

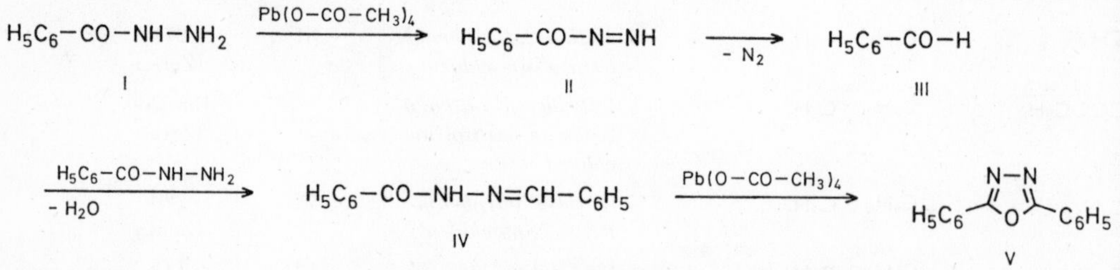

$$H_5C_6-CO-NH-NH_2 \xrightarrow{Pb(O-CO-CH_3)_4} H_5C_6-CO-N=NH \xrightarrow{-N_2} H_5C_6-CO-H$$

I   II   III

$$\xrightarrow[-H_2O]{H_5C_6-CO-NH-NH_2} H_5C_6-CO-NH-N=CH-C_6H_5 \xrightarrow{Pb(O-CO-CH_3)_4} $$

IV

V

Setzt man sofort Aroylhydrazone[3–7] oder entsprechende Verbindungen (z. B. Semicarbazone[8–12] oder Kohlensäure-bis-[alkylidenhydrazide][13,14]) mit Blei(IV)acetat um, so werden die 1,3,4-Oxadiazole in guter Ausbeute erhalten. Die Reaktion wird zweckmäßig bei Raumtemperatur in Dichlormethan oder auch Eisessig mit der äquimolaren Menge Blei(IV)-acetat ausgeführt.

2,5-Difuryl-(2)-1,3,4-oxadiazol[7]:

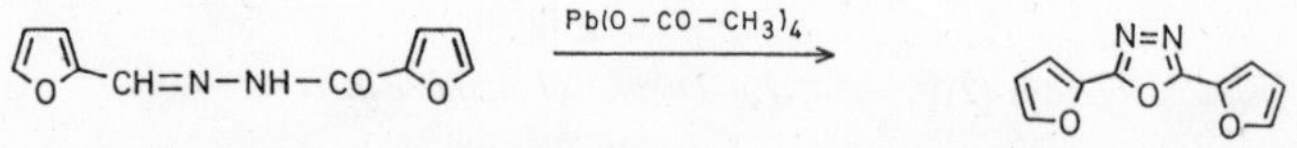

4,43 g (0,01 Mol) Blei(IV)-acetat in 100 *ml* Dichlormethan werden innerhalb 1 Stde. unter kräftigem Rühren zu einer Lösung von 2,04 g (0,01 Mol) 2-Furfuryliden-1-furanoyl-hydrazin in 200 *ml* Dichlor-

[1] D. Jerchel u. H. Fischer, A. **563**, 208 (1949).
[2] J. B. Aylward u. R. O. C. Norman, Soc. [C] **1968**, 2399.
[3] R. W. Hoffmann u. H. J. Luthardt, Tetrahedron Letters **1966**, 411.
[4] R. W. Hoffmann u. H. J. Luthardt, B. **101**, 3851 (1968).
[5] R. W. Hoffmann u. H. J. Luthardt, Tetrahedron Letters **1967**, 3501.
[6] T. Sasaki u. T. Yoshioka, Bull. Chem. Soc. Japan **43**, 2989 (1970); C. A. **73**, 120570 (1970).
[7] H. Saikachi, N. Shimojo u. Y. Uehara, Chem. Pharm. Bull. (Tokyo), **20**, 1663 (1972); C. A. **77**, 126520 (1972).
[8] T. M. Lambe, R. N. Butler u. F. L. Scott, Chem. & Ind. **1971**, 996.
[9] F. L. Scott, T. M. Lambe u. R. N. Butler, Soc. (Perkin I) **1972**, 1918.
[10] A. M. Cameron, P. R. West u. J. Warkentin, J. Org. Chem. **34**, 3230 (1969).
[11] S. L. Lee et al., Chem. Commun. **1970**, 1074.
[12] P. Knittel, S. L. Lee u. J. Warkentin, Canad. J. Chem. **50**, 3248 (1972).
[13] J. Warkentin u. P. R. West, Tetrahedron Letters **1966**, 5815.
[14] P. R. West u. J. Warkentin, J. Org. Chem. **33**, 2089 (1968).

methan gegeben, danach das Reaktionsgemisch mit Wasser gewaschen, über Natriumsulfat getrocknet und das Lösungsmittel abgedampft. Man erhält einen kristallinen Rückstand, der aus Äthanol umkristallisiert wird; Ausbeute: 1,65 g (81% d.Th.); F: 140°.

Für gewöhnlich sind derartige milde Bedingungen ausreichend, um die 1,3,4-Oxadiazol-Synthese durchzuführen. Das gilt auch für die Umsetzung der Aldehydsemicarbazone, die mit einem Mol Blei(IV)-acetat zu 5-substituierten 2-Amino-1,3,4-oxadiazolen führt[1,2] und in der Regel bereits nach 15 Min. bei Raumtemperatur beendet ist.

5-Amino-2-(4-methyl-phenyl)-1,3,4-oxadiazol[2]:

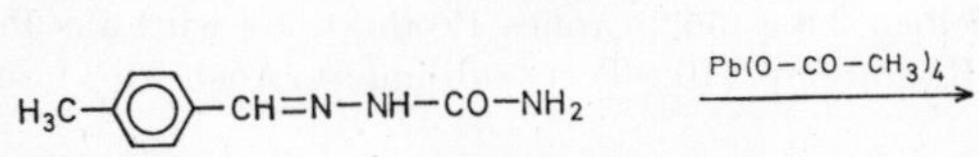

5,5 g Blei(IV)-acetat in 5 ml Eisessig werden innerhalb von 3 Min. unter Rühren zu einer Suspension von 2 g 4-Methyl-benzaldehydsemicarbazon in 15 ml Eisessig gegeben. Danach wird noch 15–20 Min. weitergerührt, währenddessen 1,3 g eines kristallinen Niederschlages ausfällt; F: 262–265°.

Wenn das Filtrat zu 100 ml Eiswasser gegeben wird, fallen weitere 550 mg Produkt aus; Gesamtausbeute: 92% d.Th.; F: 265–267° (aus Äthanol).

Die Oxidation der Ketonhydrazone verläuft nicht wie die der Adehydhydrazone unter Bildung von 1,3,5-Oxadiazolen, sondern führt zu 2,5-Dihydro-1,3,4-oxadiazolen[3-5]. Wird die Oxidation bei –40° durchgeführt, werden zunächst tiefgefärbte Lösungen, die auf die Existenz von Azoacetaten I (s. S. 252) hinweisen, erhalten. Bei Temperaturen oberhalb –20° verschwindet die Färbung rasch und es erfolgt Ringschluß zum 2,5-Dihydro-1,3,4-oxadiazol-Derivat II:

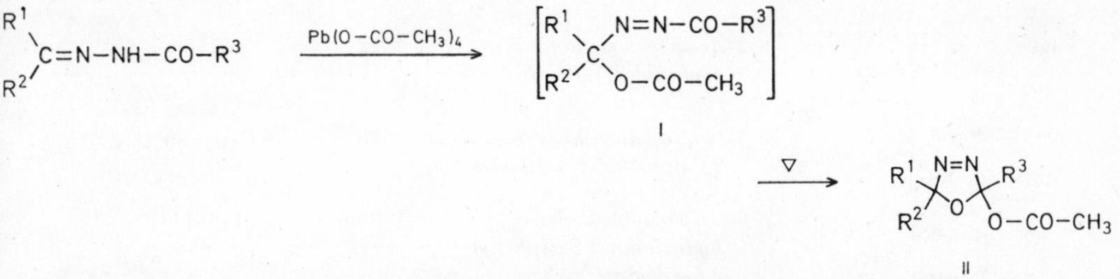

Cyclohexan-⟨spiro-5⟩-2-acetoxy-2-phenyl-2,5-dihydro-1,3,4-oxadiazol[4]:
Zu einer Suspension von 54,0 g (0,25 Mol) Cyclohexanon-benzoylhydrazon in 50 ml wasserfreiem Dichlormethan tropft man bei –40° unter Rühren eine Lösung von 111 g (0,25 Mol) Blei(IV)-acetat in 500 ml absol. Dichlormethan. Man läßt 30 Min. bei –40° nachrühren und danach die tiefrotbraune Reaktionsmischung innerhalb 5 Stdn. auf Raumtemp. kommen. Das ausgeschiedene Blei(II)-acetat wird abgesaugt, das schwach gelbliche Filtrat mehrfach mit Natriumhydrogencarbonat-Lösung und mit Wasser gewaschen. Nach Trocknen über Magnesiumsulfat erhält man beim Einengen i. Vak. 60 g eines orangefarbenen Öls, das bei –20° durchkristallisiert. Es wird 2 mal aus je 1500 ml Petroläther (Kp: 40°) umkristallisiert; Ausbeute: 52 g (76% d.Th.); F: 66,5–67° (Zers.).

Ähnlich reagieren auch Ketonsemicarbazone[6-8] oder Kohlensäure-bis-[alkyliden-hydrazide][9,10]. Sie werden ebenfalls zu 2,5-Dihydro-1,3,4-oxadiazolen umgesetzt. Allerdings kommt es dabei nicht zu acetoxylierten Produkten, nachdem sich die entsprechenden 2-Imino- bzw. 2-Hydrazino-Gruppen ausbilden können. Im Falle der 2-Imino-2,5-dihydro-1,3,4-oxadiazole entsteht durch Hydrolyse in situ die 2-Oxo-Verbindung.

[1] T. M. LAMBE, R. N. BUTLER u. F. L. SCOTT, Chem. & Ind. 1971, 996.
[2] F. L. SCOTT, T. M. LAMBE u. R. N. BUTLER, Soc. (Perkin I) 1972, 1918.
[3] R. W. HOFFMANN u. H. J. LUTHARDT, Tetrahedron Letters 1966, 411.
[4] R. W. HOFFMANN u. H. J. LUTHARDT, B. 101, 3851 (1968).
[5] R. W. HOFFMANN u. H. J. LUTHARDT, Tetrahedron Letters 1967, 3501.
[6] A. M. CAMERON, P. R. WEST u. J. WARKENTIN, J. Org. Chem. 34, 3230 (1969).
[7] S. L. LEE et al., Chem. Commun. 1970, 1074.
[8] P. KNITTEL, S. L. LEE u. J. WARKENTIN, Canad. J. Chem. 50, 3248 (1972).
[9] J. WARKENTIN u. P. R. WEST, Tetrahedron Letters 1966, 5815.
[10] P. R. WEST u. J. WARKENTIN, J. Org. Chem. 33, 2089 (1968).

Cyclohexan-⟨spiro-5⟩-2-oxo-2,5-dihydro-1,3,4-oxadiazol [1]:

$$\text{⟨Cyclohexan⟩=N-NH-CO-NH}_2 \quad \xrightarrow{\text{Pb(O-CO-CH}_3)_4} \quad \text{⟨Cyclohexan⟩} \underset{O}{\overset{N=N}{\diagdown}} \text{C-NH} \quad \xrightarrow[-\text{NH}_3]{\text{H}_2\text{O}} \quad \text{⟨Cyclohexan⟩} \underset{O}{\overset{N=N}{\diagdown}} \text{C=O}$$

zu 5 g (33 mMol) Cyclohexanonsemicarbazon in 300 ml Dichlormethan werden unter Rühren und Durchleiten von Stickstoff bei 0° 30 g (68 mMol) Blei(IV)-acetat gegeben. Nach 30 Min. werden 300 ml Eiswasser und 20 ml 2,4n Salzsäure zugegeben. Es wird 20 Min. weitergerührt und danach vom braunen Niederschlag über Celite abfiltriert. Die organische Phase des Filtrats wird abgetrennt, 2mal mit je 200 ml Eiswasser gewaschen und über Magnesiumsulfat getrocknet. Das Lösungsmittel wird in einem Rotationsverdampfer verdampft. Es bleiben 2,8 g (56%) rohes Produkt. Es wird aus Petroläther (Kp: 40–60°) umkristallisiert und danach bei Raumtemp. (10^{-2} Torr) sublimiert; Ausbeute: 1,86 g (37% d. Th.); F: 59–60°.

Tab. 36: 1,3,4-Oxadiazole durch Dehydrierung von Aroyl-hydrazonen, Semicarbazonen, Kohlensäure-bis-[alkylidenhydraziden]

Hydrazon	....1,3,4-oxadiazol	Ausbeute [% d. Th.]	Zers. P. [° C]	Literatur
⟨Cyclohexan⟩=N-NH-$\overset{O}{\overset{\|}{C}}$-C$_6H_5$	Cyclohexan-⟨spiro-5⟩-2-acetoxy-2-phenyl-2,5-dihydro-	76	66,5–67	1,2
$\underset{H_5C_2}{\overset{H_5C_2}{{}}}$C=N-NH-$\overset{O}{\overset{\|}{C}}$-C$_6H_5$	2-Acetoxy-5,5-diäthyl-2-phenyl-2,5-dihydro-	67	31–32	1
$\underset{H_3C}{\overset{H_5C_6}{{}}}$C=N-NH-$\overset{O}{\overset{\|}{C}}$-C$_6H_5$	2-Acetoxy-5-methyl-2,5-diphenyl-2,5-dihydro-	72	57–58	1,2
(H$_3$C)$_2$C=N-NH, (H$_3$C)$_2$C=N-NH C=O	5-Isopropylidenhydrazono-2,2-dimethyl-2,5-dihydro-	76	(Kp$_5$: 89°)	3,4
(H$_5$C$_6$)$_2$C=N-NH, (H$_5$C$_6$)$_2$C=N-NH C=O	5-(Diphenylmethylen-hydrazono)-2,2-diphenyl-2,5-dihydro-	36,5	113–114	3,4
(H$_5$C$_6$)$_2$C=N-NH, (CH$_3$)$_2$C=N-NH C=O	5-(Diphenylmethylen-hydrazono)-2,2-dimethyl-2,5-dihydro-	82	(F: 110–111°)	4
⟨C$_6$H$_5$⟩-CH=N-NH-⟨furyl⟩-NO$_2$	2-Phenyl-5-[5-nitro-furyl-(2)]-	85	212–214	5
O$_2$N-⟨C$_6$H$_4$⟩-CH=N-NH-⟨furyl⟩	2-[4-Nitro-phenyl]-5-furyl-(2)-	80,8	256	6
H$_3$CO-⟨C$_6$H$_4$⟩-CH=N-NH-CO-CH$_3$	2-Amino-5-[4-methoxy-phenyl]-	89	251–253	7
(H$_3$C)$_2$C=N-NH-CO-NH-CH$_2$-⟨C$_6$H$_5$⟩	2-Benzylimino-5,5-dimethyl-2,5-dihydro-	25	38–39	8

[1] R. W. HOFFMANN u. H. J. LUTHARDT, B. **101**, 3851 (1968).
[2] R. W. HOFFMANN u. H. J. LUTHARDT, Tetrahedron Letters **1966**, 411.
[3] J. WARKENTIN u. P. R. WEST, Tetrahedron Letters **1966**, 5815.
[4] P. R. WEST u. J. WARKENTIN, J. Org. Chem. **33**, 2089 (1968).
[5] T. SASAKI, T. YOSHIOKA u. Y. SUZUKI, Bull. Chem. Soc. Japan, **43**, 2989 (1970); C. A. **73**, 120570 (1970).
[6] H. SAIKACHI, N. SHIMOJO u. Y. UEHARA, Chem. Pharm. Bull. (Tokyo) **20**, 1663 (1972); C. A. **77**, 126520 (1972).
[7] T. M. LAMBE, R. N. BUTLER u. F. L. SCOTT, Chem. & Ind. **1971**, 996.
[8] A. M. CAMERON, P. R. WEST u. J. WARKENTIN, J. Org. Chem. **34**, 3230 (1969).

2,5-Dihydro-1,3,4-oxadiazole sind thermisch nicht beständig[1]. Bei 50–60° zersetzen sie sich unter Stickstoff-Entwicklung und gehen unter Ringverengung in Oxirane über:

$$
\begin{array}{c}
R^1\!-\!\underset{R^2}{\overset{N=N}{\diagup\!\!\diagdown}}\!\underset{O}{\diagup\!\!\diagdown}\!-\!\underset{R^4}{R^3}
\end{array}
\longrightarrow
\begin{array}{c}
R^1 \quad R^3 \\
R^2 \diagdown\!\!\underset{O}{\triangle}\!\!\diagup R^4
\end{array}
$$

Die Oxidation von Keton-aroylhydrazonen mit Blei(IV)-acetat ist deshalb ein bequemer Weg substituierte Oxirane bzw. substituierte 2-Acetoxy-oxirane herzustellen[2]. In solchen Fällen, in denen Diarylketon-aroylhydrazone zur Umsetzung gelangen, erhält man unmittelbar das entsprechende Acetoxy-oxiran.

Bei der Umsetzung in alkoholischer Lösung wird statt der Acetoxy-Gruppe die Alkoxy-Gruppe eingebaut und man erhält Alkoxy-oxirane[3].

Der hier beschriebene Reaktionsablauf der Keton-aroylhydrazone bei der Oxidation mit Blei(IV)-acetat (d. h. Cyclisierung und danach Deazotierung) liegt mit einiger Sicherheit auch dem Reaktionsablauf zugrunde, der bei der Oxidation von Aldehydsemicarbazonen mit einem Überschuß des gleichen Oxidationsmittel bei 0°, in inertem Lösungsmittel und Inertgasatmosphäre Aryl-glyoxylsäure-nitrile entstehen läßt[4].

Es wird angenommen, daß es zunächst zur 1,3,4-Oxadiazol-, dann zur Oxiran-Bildung kommt und schließlich zur Oxidation des Imino-oxirans zum Aryl-glyoxylsäure-nitril:

$$
R^1\!-\!CH\!=\!N\!-\!NH\!-\!CO\!-\!NH_2 \xrightarrow{\;Pb(O-CO-CH_3)_4\;}
\underset{HN}{\overset{N=N}{\diagup\!\!\diagdown}}\!\underset{O}{\triangle}\!-\!R^1
\longrightarrow
\underset{}{\overset{HN}{\diagup\!\!\diagdown}}\!\underset{O}{\triangle}\!-\!R^1
$$

$$
\xrightarrow{\;Pb(O-CO-CH_3)_4\;} R^1\!-\!CO\!-\!CN
$$

Acetoxy-oxirane selbst lagern sich beim Erhitzen auf 170° unter Ringöffnung zu 2-Acetoxy-1-oxo-1-aryl-alkanen um:

$$
\underset{R^2}{\overset{R^1 \quad O-CO-CH_3}{\diagup\!\!\diagdown}}\!\underset{O}{\triangle}\!-\!Ar
\xrightarrow{\;170°\;}
\underset{R^2}{\overset{H_3C-CO-O \quad O}{R^1\!-\!C\!-\!C}}\!\diagdown Ar
$$

so wird 2-Acetoxy-1-methyl-1,2-diphenyl-oxiran praktisch quantitativ (96% d.Th.) zum *2-Acetoxy-1-oxo-1,2-diphenyl-propan* (F: 73–73,5°) umgelagert[2].

Das Umlagerungsprodukt wiederum ist Verbindungen verwandt, die bei der Oxidation von Benzophenon-äthoxycarbonylhydrazon[5] und Benzophenon-4,4-diäthyl-semicarbazon[6] mit Blei(IV)-acetat erhalten werden:

$$
(C_6H_5)_2C\!=\!N\!-\!NH\!-\!COOC_2H_5 \xrightarrow{\;Pb(O-CO-CH_3)_4\;}
\underset{}{\overset{O-COOC_2H_5}{(C_6H_5)_2C\!-\!CO\!-\!CH_3}}
$$

1-Äthoxycarbonyloxy-2-oxo-1,1-diphenyl-propan; 15% d.Th.; F: 84–85°

$$
(C_6H_5)_2C\!=\!N\!-\!NH\!-\!\overset{O}{\overset{\|}{C}}\!-\!N(C_2H_5)_2 \xrightarrow{\;Pb(O-CO-CH_3)_4\;}
\underset{}{\overset{O-CO-N(C_2H_5)_2}{(C_6H_5)_2C\!-\!CO\!-\!CH_3}}
$$

1-Diäthylaminocarbonyloxy-2-oxo-1,1-diphenyl-propan; 63% d.Th.; F: 70–71°

[1] N. P. Gambaryan, L. A. Simonyan u. I. L. Knunyants, Doklady Akad. Nauk, SSSR **155**, 833 (1964); C. A. **60**, 15725[h] (1964).

[2] R. W. Hoffmann u. H. J. Luthardt, Tetrahedron Letters **1966**, 411.

[3] W. A. F. Gladstone u. R. O. C. Norman, Soc. [C] **1966**, 1531.

[4] P. Knittel u. J. Warkentin, Canad. J. Chem. **50**, 4066 (1972).

[5] N. Rabjohn u. M. C. Chaco, J. Org. Chem. **30**, 3227 (1965).

[6] D. C. Iffland u. T. M. Davies, Am. Soc. **85**, 2182 (1963).

7. Andere N-Heterocyclen durch dehydrierenden Ringschluß

Die unterschiedlichsten N-haltigen Verbindungen können mit Blei(IV)-acetat unter intramolekularer Dehydrierung in Heterocyclen überführt werden. Nachdem eine Vielzahl von einzelnen Reaktionstypen eine methodische Erfassung im Rahmen dieser Zusammenstellung nicht zulassen, sollen einige dieser Ringsynthesen in diesem Kapital ohne Ordnungsprinzip aufgeführt werden, um die Vielfalt der Synthesemöglichkeiten von Heterocyclen mit Blei(IV)-acetat aufzuzeigen.

Das ⟨Benzo-[c]-1,2-oxazol⟩-4,7-chinon-System z. B. läßt sich durch Oxidation von 2-Amino-3-acetyl-p-benzochinon in Chloroform aufbauen[1]:

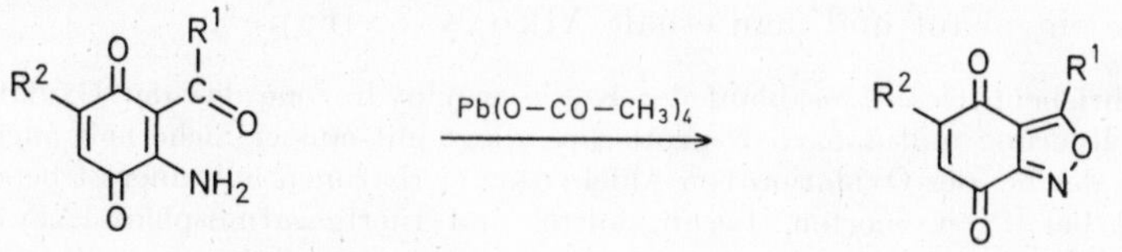

⟨Benzo-[c]-1,2-oxazol⟩-4,7-chinone; allgemeine Herstellungsvorschrift[1]: 5 mMol p-Benzochinon werden unter starkem Rühren in 50–100 ml Chloroform suspendiert und dazu 10 mMol Blei(IV)-acetat gegeben. Man läßt mehrere Stdn. rühren. Zum Schluß gibt man einige ml Glycerin zu, wäscht mehrmals mit Wasser, trocknet und entfernt das Lösungsmittel i. Vak. Den Rückstand suspendiert man in 50 ml Methanol, saugt vom reinen Benzo-[c]-1,2-oxazol-Derivat ab und chromatographiert den Rückstand der Mutterlauge mit Chloroform über Aluminiumoxid (Woelm, neutral Aktivität IV).

Auf diese Weise erhält man z. B.:

5-Anilino-3-methyl-		75% d.Th.; F: 198–200°
5-Anilino-3-methoxy-	-⟨benzo-[c]-1,2-oxazol⟩-	72% d.Th.; F: 128–130°
3-Dimethylamino-5-anilino-	4,7-chiynon	65% d.Th.; F: 180–182°

Bei der Blei(IV)-acetat-Oxidation von 4,6-Diamino-5-nitroso-pyrimidinen werden 7-Amino-⟨1,2,5-oxadiazolo-[3,4-d]-pyrimidine⟩ in ausgezeichneter Ausbeute erhalten[2,3]:

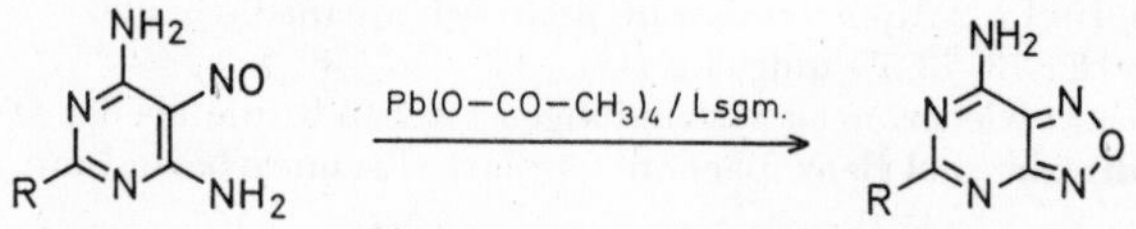

7-Amino-⟨1,2,5-oxadiazolo-[3,4-d]-pyrimidine⟩; allgemeine Arbeitsvorschrift:[2] Zu der Suspension von 4,6-Diamino-5-nitroso-pyrimidin in Eisessig (15 ml/g) werden portionsweise unter Rühren und unter Stickstoff Blei(IV)-acetat in 5%igem molarem Überschuß innerhalb von 30 Min. gegeben. Danach wird noch einige Stdn. weitergerührt, die entstandenen gelben Kristalle abfiltriert, mit Wasser gewaschen und wie unten angegeben, umkristallisiert.

So erhält man u. a.

7-Amino-		82% d.Th.; F: 290° (Zers.; aus Essigsäure)
7-Amino-5-methyl-		86% d.Th.; F: 239–241° (Zers.; aus Äthanol)
5,7-Diamino-	-⟨1,2,5-oxadiazolo-[3,4-d]-	87% d.Th.; F: 340° (aus Wasser/DMF)
7-Amino-5-methylmercapto-	pyrimidin⟩	72% d.Th.; F: 248–249° (aus Wasser/DMF)
7-Amino-5-phenyl-		82% d.Th.; F: 230–232° (aus Äthanol)

[1] W. SCHÄFER, H. W. MOORE u. A. AGUADO, Synthesis **1974**, 30.
[2] E. C. TAYLOR, G. P. BESRDSLEY u. Y. MAKI, J. Org. Chem. **36**, 3211 (1971).
[3] A. MCKILLOP u. R. J. KOBYLICKI, J. Org. Chem. **39**, 2710 (1974).

Diese Cyclisierung läßt sich nicht auf 6-Amino-5-nitroso-2,4-dioxo-1,3-dimethyl-1,2,3,4-tetrahydro-pyrimidin übertragen[1]:

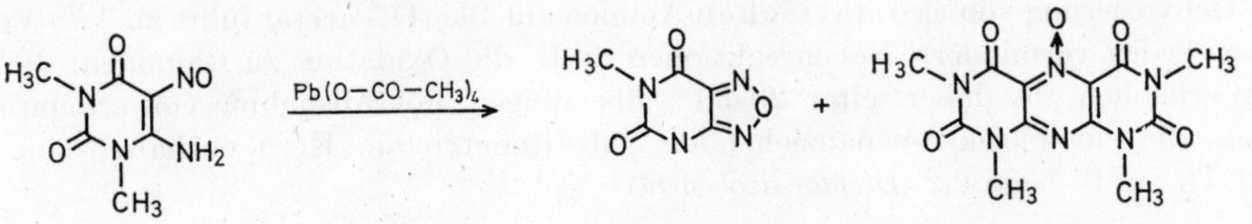

5,7-Dioxo-4,6-dimethyl-4,5,6,7-tetrahydro-⟨1,2,5-oxadiazolo-[3,4-d]-pyrimidin⟩ (Nebenprodukt)

2,4,6,8-Tetraoxo-1,3,7,9-tetramethyl-1,2,3,4,6,7,8,9-octahydro-⟨bis-[pyrimido] [4,5-b;5',4'-e]-pyrazin⟩-5-oxid; 67%

Bei der Oxidation von 5-Chlor-8-anilino-⟨pyrido-[2,3-d]-pyridazin⟩ erfolgt Ringschluß zum *5-Chlor-⟨pyrido-[2,3-d]-benzimidazolo-[1,2-b]-pyridazin⟩*[2]:

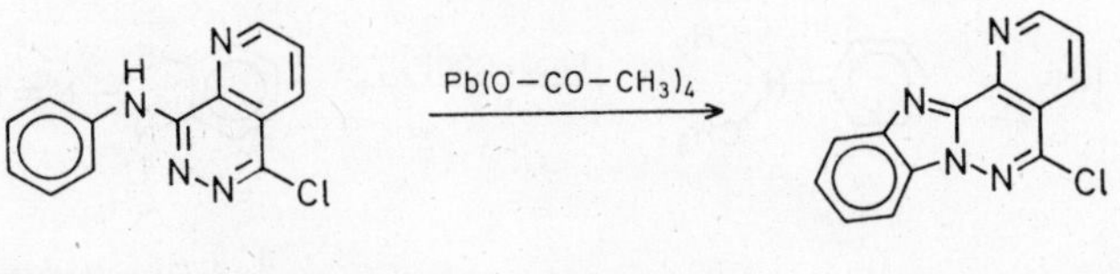

5-Chlor-⟨pyrido-[2,3-d]-benzimidazolo-[1,2-b]-pyridazin⟩: Eine Lösung von 2,56 g 5-Chlor-8-anilino-⟨pyrido-[2,3-d]-pyridazin⟩ in 10 *ml* Eisessig wird unter Rühren mit 4,43 g Blei(IV)-acetat versetzt. Das nach kurzer Zeit in fester Form ausgeschiedene Produkt wird abfiltriert und bei 200°/0,1 Torr durch Sublimation gereinigt; Ausbeute: 2,2 g (86% d.Th.); F: 257–258°.

Ferner sei an dieser Stelle die Oxidation von 2-Nitro-benzaldehyd-methylhydrazon zum *4-Oxo-1-oxi-2-methyl-1,4-dihydro-⟨benzo-[d]-1,2,3-triazinium⟩* erwähnt:

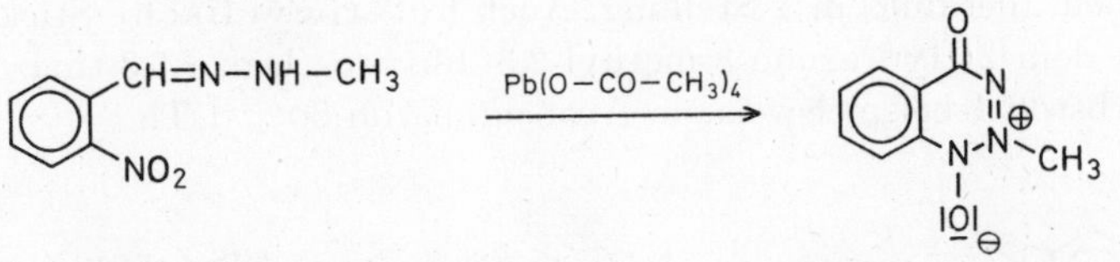

4-Oxo-1-oxi-2-methyl-1,4-dihydro-⟨benzo-[d]-1,2,3-triazinium⟩[3]**:** Eine Lösung von 16 g (36 mMol) Blei (IV)-acetat in 80 *ml* Dichlormethan wird unter Rühren auf einmal zu einer Lösung von 6 g (34 mMol) 2-Nitrobenzaldehyd-methylhydrazin in 400 *ml* Dichlormethan bei Raumtemp. gegeben. Man beobachtet einen Farbumschlag von orange nach gelb. Gleichzeitig beginnt Blei(II)-acetat auszufallen. Es wird noch 15 Min. weitergerührt, 100 *ml* Wasser zugefügt und weitere 15 Min. gerührt. Es wird vom Niederschlag durch Filtration über Kieselgur abfiltriert und die organische Phase abgetrennt. Diese wird mit ges. wäßr. Natriumhydrogencarbonat-Lösung säurefrei gewaschen, dann 2 mal mit je 40 *ml* Wasser und mit Natriumsulfat getrocknet. Das Lösungsmittel wird abdestilliert und der Rückstand mit Benzol/Petroläther (Kp: 60–80°) umkristallisiert; Ausbeute: 5,6 g (95% d.Th.); F: 145–157° (beginnende Zersetzung bei 140°).

[1] E. C. Taylor, Y. Maki u. A. McKillop, J. Org. Chem. **37**, 1601 (1972).
[2] B. Stanovnik u. M. Tisler, M. **101**, 303 (1970).
[3] A. McKillop u. R. J. Kobylecki, J. Org. Chem. **39**, 2710 (1974).

i) Intermolekulare Dehydrierungen

1. Azoverbindungen durch Dehydrierung von Aminen und Hydrazonen

Die Dehydrierung von aromatischen Aminen mit Blei(IV)-acetat führt zu Azo-Verbindungen. Dabei vermindern Nebenreaktionen (z. B. die Oxidation zu Chinonen) die Ausbeuten erheblich, die daher selten 20–30% übersteigen, mit Ausnahme von aromatischen Aminen, die einen elektronenanziehenden Substituenten am Kern enthalten (maximal 56% d.Th.; z. B. beim *2,2'-Dichlor-azobenzol*)[1].

Azo-Verbindungen; allgemeine Herstellungsvorschrift: Zur Lösung des Amins in Eisessig wird die berechnete Menge Blei(IV)-acetat gegeben und das Gemisch bei Raumtemp. stehengelassen, bis alles Blei(IV)-acetat verbraucht ist. Dann wird die Azoverbindung z. B. nach Entfernen des Eisessigs durch Umkristallisieren isoliert und gereinigt.

2-Hydrazono-3-methyl-2,3-dihydro-⟨benzo-1,3-thiazol⟩ kuppelt unter dem dehydrierenden Einfluß von Blei(IV)-acetat in verdünnter Salzsäure mit Phenolen, aromatischen Aminen und aktivierten Methylen-Gruppen zu Farbsalzen blauroter bis blauvioletter Färbung[2]; z. B.:

*2-(4-Dimethylamino-benzolazo)-3-
methyl-⟨benzo-1,3-thiazol⟩-ium-Salz*

Andere Oxidationsmittel wie Mennige, Blei(IV)-oxid, Eisen(III)-chlorid und Wasserstoffperoxid ($+ Fe^{2\oplus}$) haben sich ebenso bewährt. In einer Nebenreaktion wird aufgrund oxidativer Zersetzung Stickstoff frei.

Substituenten 1. Ordnung (z. B. Methyl- oder Methoxy-Gruppen) begünstigen die Kupplung, dagegen wird bei Anwesenheit basizitätsvermindernder Substituenten praktisch kein Farbstoff gebildet. Im allgemeinen erfolgt die Kupplung in β-Stellung. 2-Amino-naphthalin kuppelt allerdings in α-Stellung. Auch heterocyclische Stickstoffverbindungen können mit dem 2-Hydrazono-3-methyl-2,3-dihydro-⟨benzo-1,3-thiazol⟩ kuppeln. So entsteht der Farbstoff I beispielsweise in Ausbeuten von 60% d.Th.:

*1,2-Dimethyl-indol-⟨3-azo-2⟩-
3-methyl-⟨benzo-1,3-thiazolium⟩-Salz; I*

[1] K. H. Pausacker u. J. G. Scroggie, Soc. **1954**, 4003.
    Vgl. ds. Handb., Bd. X/3, Kap. Aromatische Azoverbindungen, S. 371ff., 577ff.
    Vgl. a. E. Baer u. A. L. Tosoni, Am. Soc. **78**, 2857 (1956).
    Vgl. a. M. Hedayatullah, C. Ollé u. L. Denivelle, C. r. [C] **264**, 106 (1967).
[2] S. Hünig u. K. H. Fritsch, A. **609**, 143 (1957).

In Abwesenheit von Kupplungskomponenten ist das bei der Oxidation des 2-Oxo-2,3-dihydro-⟨benzo-1,3-thiazol⟩ entstehende Reaktionsprodukt stark vom p_H-Bereich des Reaktionsmediums abhängig. Im Bereich $p_H = 4,5–9$ werden 45–50% des Stickstoffs in Freiheit gesetzt. Man isoliert Imine der Formel[1]:

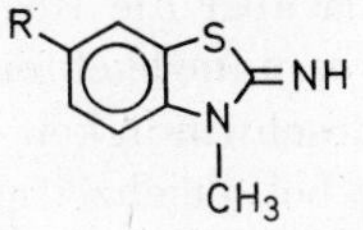

Wahrscheinlich entsteht bei der Oxidation das instabile Tetrazan

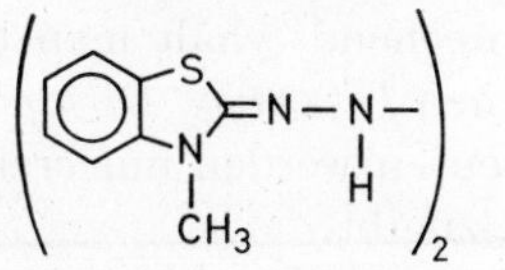

das unter Abspaltung von Stickstoff in das Imin zerfällt. Im schwach sauren Bereich ($p_H = 2–4$) färbt sich das Reaktionsgemisch violett bzw. blau. Es entstehen *1,4-Bis-[3-methyl-⟨benzo-1,3-thiazolyl-(2)⟩]-pentazenium-Salze* (*Pentaaza-pentamethincyanine*):

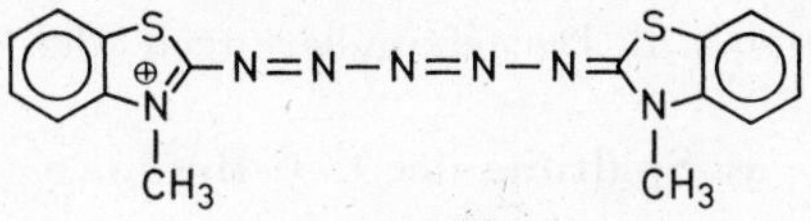

2. N,N′-Dialkoxy-N,N′-diacyl-hydrazine durch Dehydrierung von O-Alkyl-N-acyl-hydroxylaminen

Bei der Umsetzung von 2 Mol O-Alkyl-N-acyl-hydroxylamin mit einem Mol Blei(IV)-acetat bei Raumtemperatur werden unter Dehydrierung und intermolekularer N–N-Verknüpfung N,N′-Dialkoxy-N,N′-diacyl-hydrazine gebildet[2]:

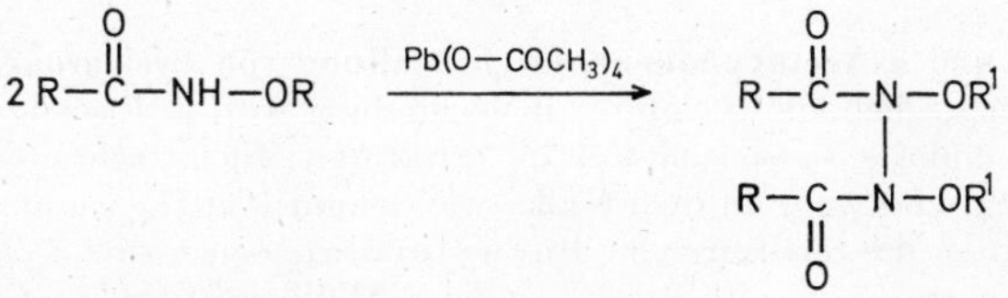

Die Reaktion ist allgemein nach 30 Min. beendet. Man filtriert die Blei(II)-salze ab, wäscht das Filtrat mit Wasser und trocknet. Nach dem Verdampfen des Lösungsmittels bleibt das Hydrazin als farblose Flüssigkeit zurück. Weitere Angaben s. Lit.[2].

N,N′-Dialkoxy-N,N′-diacyl-hydrazine mit aliphatischen Acyl-Gruppen sind thermisch nicht stabil und zersetzen sich bei etwas erhöhter Temperatur. Hydrazine mit aromatischen Acyl-Gruppen zersetzen sich bereits während der Herstellung bei Raumtemperatur unter Abspaltung von Stickstoff.

3. Disulfide durch Dehydrierung von Mercaptanen

1 Mol Blei(IV)-acetat oxidiert 2 Mole Mercaptan zum entsprechenden Disulfid[3]. Die Reaktion läuft auch dann bevorzugt ab, wenn aufgrund der Molekülstruktur andere Reaktionen mit Blei(IV)-acetat zu erwarten sind. So erhält man aus 2-Mercapto-äthanol *Bis-[2-hydroxy-äthyl]-disulfid* (91% d.Th.), obwohl eine Reaktion nach Art der Glykolspaltung denkbar wäre. Daß tatsächlich die Disulfid-Bildung bevorzugt ist, wurde experimentell

---

[1] S. HÜNIG u. H. QUAST, A. **711**, 139 (1968).
[2] J. H. COOLEY, M. W. MOSHER u. M. A. KHAN, Am. Soc. **90**, 1867 (1968).
[3] L. FIELD u. J. E. LAWSON, Am. Soc. **80**, 838 (1958); hier zahlreiche Beispiele.

bewiesen. So erhält man bei Behandlung eines Gemisches aus 0,2 Mol Phenylmercaptan und 2,3-Dihydroxy-2,3-dimethyl-butan (Pinakol) mit 0,1 Mol Blei(IV)-acetat in Benzol *Diphenyldisulfid* (99% d.Th.)[1]. Wie bekannt, erhöht die Anwesenheit von Methanol die Geschwindigkeit der Glykolspaltung, aber selbst in Gegenwart von viel Methanol erreicht die Glykolspaltung maximal 21%. Da aber die Reaktion von Mercaptanen zu Disulfiden wenig bekannt ist, außerdem Arylmercaptane leichter oxidiert werden als Alkylmercaptane[2] und Glykole mit unterschiedlicher Geschwindigkeit gespalten werden[3], sollte man die Reaktion zur Herstellung von Disulfiden bei gleichzeitiger Anwesenheit von Glykolen mit der nötigen Vorsicht anwenden.

Die Tendenz zur Bildung der Disulfide nimmt ab in der Reihenfolge primäres, sekundäres, tertiäres Mercaptan. Entsprechend erhält man bei gleichen Reaktionsbedingungen aus den entsprechenden Mercaptanen *Dipentyl-, Diisopropyl-* und *Di-tert.-butyl-disulfid* mit 83, 71 bzw. 34% d.Th. Die Ausbeuten werden nur erzielt, wenn man Blei(IV)-acetat zur Lösung des Thiols über 2–3 Stdn. zugibt.

III. Fragmentierungen

Die Glykolspaltung, als bekannteste Reaktion des Blei(IV)-acetats, ist eine Fragmentierung. Darüber hinaus gibt es eine Menge anderer Fragmentierungsreaktionen, die von präparativem Interesse sind, so z. B. Decarboxylierungen oder C–N-, C–P-, C–O-, C–S- und S–S-Spaltungen.

a) Spaltung der C–C-Bindung

1. Cyclopropan-Ringspaltung

Alkyl- und Aryl-cyclopropane werden von Blei(IV)-acetat in Eisessig quantitativ unter Aufspaltung des Cyclopropanringes umgesetzt. Reaktionsprodukte sind 1,3-Diacetoxy-alkane und α-Acetoxy-alkene[4]:

$$R-\!\!\triangleleft \xrightarrow{\ Pb(O-COCH_3)_4\ } R-CH=CH-CH_2-O-COCH_3 \ + \ \overset{\displaystyle O-COCH_3}{\underset{\textstyle }{R-CH}}-CH_2-CH_2-O-COCH_3$$

1,3-Diacetoxy-alkane und α-Acetoxy-alkene durch Spaltung von Cyclopropanen; allgemeine Arbeitsvorschrift: 1 Mol der entsprechenden Cyclopropan-Verbindung wird in Eisessig gelöst, mit 1 Mol festem Blei(IV)-acetat versetzt und die Suspension auf 75° erwärmt[4]. Mit fortschreitender Reaktion geht alles Blei(IV)-acetat in Lösung, und zwar in dem Maße, wie es zum Blei(II)-acetat reduziert wird.

Nach dieser Vorschrift ist die Spaltung von Phenylcyclopropan zu *1,3-Diacetoxy-1-phenyl-propan* und *3-Acetoxy-1-phenyl-propen* nach 10 Stdn. beendet. Alkyl-substituierte Cyclopropane setzen sich langsamer um.

Nachdem die Cyclopropan-Spaltung bei einfachen Cyclopropanen (im Gegensatz zu Bicyclo[n.1.0]alkanen) relativ langsam verläuft, werden Cyclopropane mit Substituenten, die empfindlich gegen Blei(IV)-acetat sind (z. B. Carboxy-Gruppe) nicht gespalten. Setzt man z. B. 2-Phenyl-cyclopropan-carbonsäuren mit Blei(IV)-acetat bei 80° in Benzol um, so erhält man das Reaktionsprodukt des intermediär gebildeten Phenylcyclopropyl-Radikals mit dem Lösungsmittel *(trans-1,2-Diphenyl-cyclopropan)*[5].

Sehr widerstandsfähig ist Cyclopropylcarbinol. Selbst nach 18stdgm. Kochen in Benzol haben sich erst ~ 1% zu *1,2,4-Triacetoxy-butan* und 0,5% zu *1,3-Diacetoxy-2-acetoxymethyl-propan* umgesetzt[6]. Ebenso resistent erweist sich der Cyclopropan-Ring im 1-Cyclopropyläthanol und Acetyl-cyclopropan[6].

---

[1] L. Field u. J. E. Lawson, Am. Soc. 80, 838 (1958); hier zahlreiche Beispiele.

[2] M. S. Kharash, W. Nudenberg u. G. J. Mantell, J. Org. Chem. 16, 524 (1951).

[3] R. Criegee, L. Kraft u. B. Rank, A. 507, 159 (1933).

[4] R. J. Ouellette u. D. L. Shaw, Am. Soc. 86, 1651 (1964).

[5] T. Aratani, Y. Nakanisi u. H. Nozaki, Tetrahedron Letters, 1969, 1809.

[6] M. L. Mihailović u. Z. Čeković, Helv. 52, 1146 (1969).

Eine rasch verlaufende Cyclopropan-Spaltung wird nur bei stark gespannten Systemen beobachtet[1,2]. So erhält man z. B. bei der Einwirkung von Blei(IV)-acetat auf Bicyclo[2.1.0]pentan (Hausan) bereits bei Raumtemperatur durch Spaltung der inneren C–C-Bindung *1,3-Diacetoxy-cyclopentan*[1,2], *3-* und *4-Acetoxy-cyclopenten-(2)*[2]:

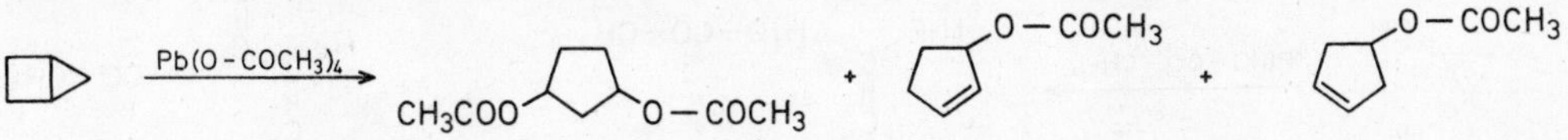

Zur Spaltung von Bicyclo[3.1.0]hexan sind höhere Temperaturen erforderlich, da das System nicht so stark gespannt ist. Aus diesem Grund wird überwiegend die äußere C–C-Bindung des Cyclopropan-Ringes angegriffen[2,3].

Eine besonders rasch verlaufende Cyclopropan-Spaltung wird bei 2-Amino-1-hydroxy-cyclopropanen beobachtet. Innerhalb von wenigen Minuten bei Raumtemperatur ist die Reaktion beendet, die gleichzeitig eine der Glycol-Spaltung analoge Amino-hydroxy-Fragmentierung (s. S. 364) darstellt und zu *β*-Dicarbonyl-Verbindungen führt[4]:

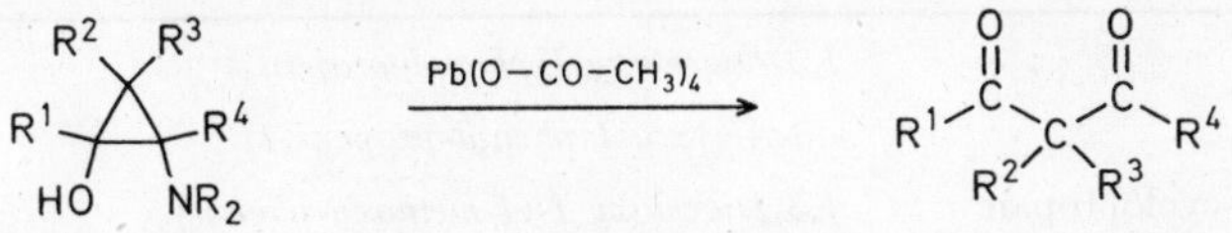

Ebenso eindeutig verläuft auch die Spaltung von Methylencyclopropanen; Reaktionsprodukt dieser Fragmentierung sind 1,3-Diacetoxy-2-methylen-propane, die in zum Teil guter Ausbeute bei der Einwirkung von Blei(IV)-acetat in Eisessig bei 30° gebildet werden[5]:

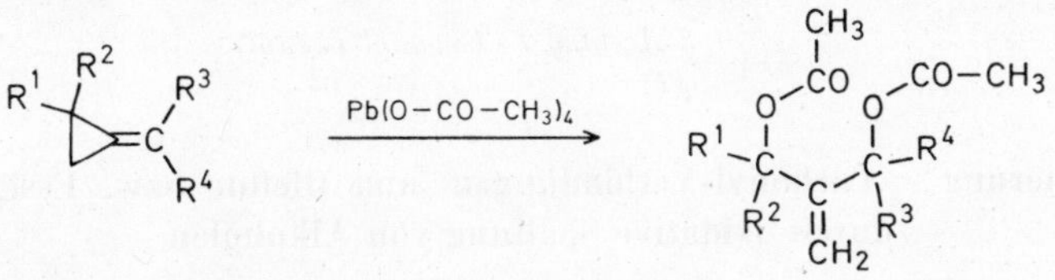

R¹ = R² = R³ = R⁴ = H;	*1,3-Diacetoxy-2-methylen-propan*	60% d.Th.
R¹ = C₆H₅, R² = R³ = R⁴ = H;	*1,3-Diacetoxy-2-methylen-1-phenyl-propan*	70% d.Th.
R¹ = R² = CH₃, R³ = R⁴ = H	*1,3-Diacetoxy-3-methyl-2-methylen-butan*	55% d.Th.
R¹ = R² = H, R³ = R⁴ = CH₃		62% d.Th.

Einfache Amino-propane können bei weiterer Substitution am Cyclopropan je nach Stellung der Substituenten zu unterschiedlichen Reaktionsprodukten umgesetzt werden, wie das Beispiel von 2-Amino-1-phenyl- bzw. 1-Amino-1-phenyl-cyclopropan zeigt[6]:

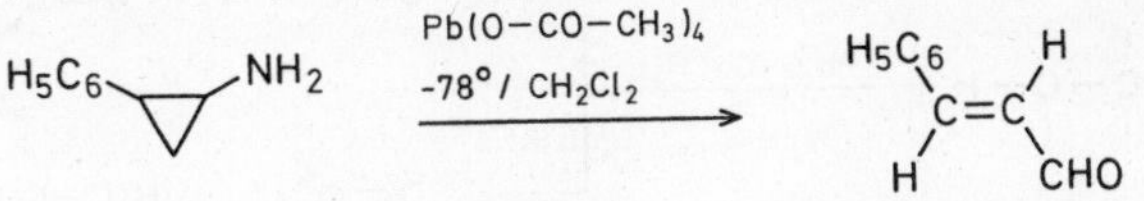

cis, trans   *trans-Zimtaldehyd*; 80% d.Th.

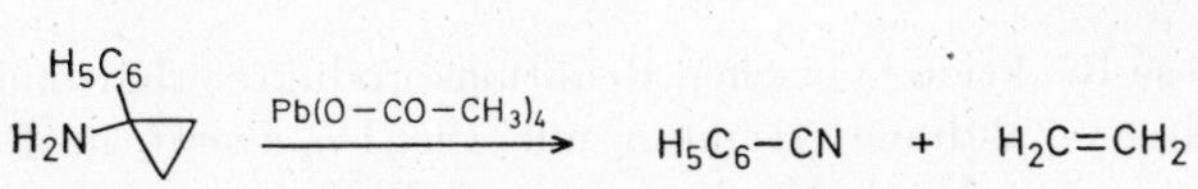

Benzonitril

[1] R. CRIEGEE u. A. RIMMELIN, B. **90**, 414 (1957).
[2] R. J. OUELLETTE, A. SOUTH u. D. L. SHAW, Am. Soc. **87**, 2602 (1965).
[3] S. MOON, J. Org. Chem. **29**, 3456 (1964).
[4] H. J. ROTH, T. SCHRAUTH u. M. H. EL RAIE, Ar. **307**, 489 (1974).
[5] R. NOYORI, Y. TSUDA u. H. TAKAYA, Chem. Commun. **1970**, 1181.
[6] T. HIYAMA, H. KOIDE u. H. NOZAKI, Tetrahedron Letters **1973**, 2143.

Bei der oxidativen Fragmentierung von Cyclopropenen schließlich werden, wie von der Oxidation der Cyclopropane her zu erwarten, 1,1-Diacetoxy-alkene-(2) bzw. 2-Acetoxy-alkadiene-(1,3) isoliert[1]; z. B.:

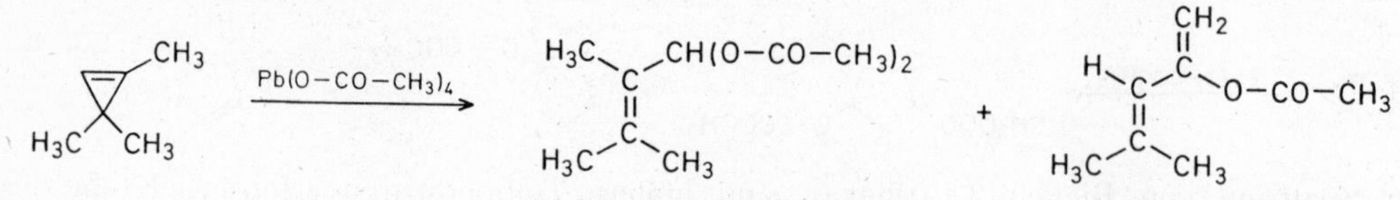

4,4-Diacetoxy-2,3-dimethyl-
buten-(2); Hauptprodukt

2-Acetoxy-4-dimethyl-
pentadien-(1,3)

Tab. 37: 1,3-Diacetoxy-alkane und α-Acetoxy-alkene durch Spaltung
von Cyclopropanen mit Blei(IV)-acetat

Cyclopropan	Spaltprodukte	Verteilung %	Literatur
Phenyl-cyclopropan	1,3-Diacetoxy-1-phenyl-propan	29	2,3
	+ 3-Acetoxy-1-phenyl-propen-(1)	71	
(4-Methoxy-phenyl)-cyclopropan	1,3-Diacetoxy-1-(4-methoxy-phenyl)-propan	20	3
	+ 3-Acetoxy-1-(4-methoxy-phenyl)-propen-(1)	80	
(4-Methyl-phenyl)-cyclopropan	1,3-Diacetoxy-1-(4-methyl-phenyl)-propan	22	3
	+ 3-Acetoxy-1-(4-methyl-phenyl)-propen-(1)	78	

2. α,β-Fragmentierung – Carbonyl-Verbindungen und Olefine bzw. Essigsäure-alkylester durch oxidative Spaltung von Alkoholen

Bei der Oxidation von Alkanolen mit Blei(IV)-acetat sind drei Reaktionstypen möglich.

① In einer Dehydrierungsreaktion wird die Hydroxy-Gruppe in eine Carbonyl-Gruppe umgewandelt (S. 279). Die Reaktion wird durch Anwesenheit von Pyridin stark begünstigt und kann zur Herstellung von Aldehyden oder Ketonen benutzt werden.
② Durch intramolekularen Ringschluß können 5-gliedrige cyclische Äther gebildet werden (S. 208).
③ Fragmentierung der C–C-Bindung zwischen dem α-Carbinol-C-Atom und dem β-C-Atom, unter Bildung von Carbonyl-Verbindungen und Olefinen bzw. Essigsäure-alkylestern[4]:

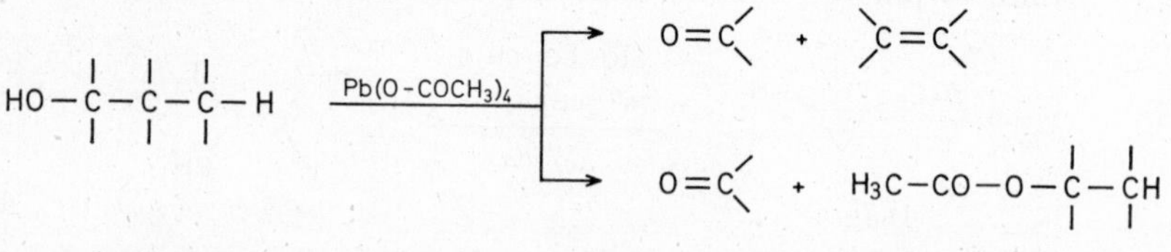

Sämtliche für diese Reaktion typischen Reaktionsprodukte erhält man z. B. bei der Oxidation von 3-Hydroxy-2,2-dimethyl-butan mit Blei(IV)-acetat in Eisessig bei 95–100° (31% d.Th. *Essigsäure-tert.-butylester*, 20% d.Th. *2-Methyl-propen* und 20% d.Th. *Acetaldehyd*)[5].

---

[1] T. Shirafuji u. H. Nozaki, Tetrahedron 29, 77 (1973).
[2] R. J. Ouellette u. D. L. Shaw, Am. Soc. 86, 1651 (1964).
[3] R. J. Ouellette, D. Miller, A. South u. R. D. Robins, Am. Soc. 91, 971 (1969).
[4] W. A. Mosher u. H. A. Neidig, Am. Soc. 72, 4452 (1950).
[5] W. A. Mosher, C. L. Kehr u. L. W. Wright, J. Org. Chem. 26, 1044 (1961).

Für die Cyclisierung und Fragmentierung werden Reaktionsmechanismen angenommen, die homolytische Spaltung des intermediär gebildeten Alkoxy-Radikals zur Voraussetzung haben, während die einfache Dehydrierung zu den entsprechenden Carbonyl-Verbindungen über eine heterolytische Spaltung erfolgt[1]:

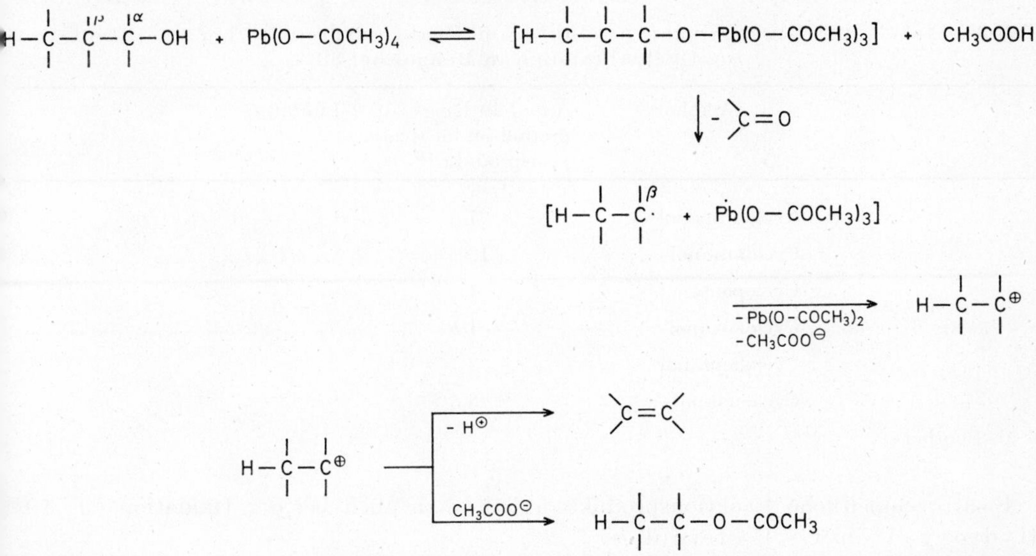

Nach den bisherigen Erfahrungen lassen sich allgemeine Regeln oder Gesetzmäßigkeiten, nach denen bei der Fragmentierung vorzüglich die eine oder andere Stoffklasse gebildet wird, nicht formulieren. Die Möglichkeit, daß ein ganzes Spektrum von Reaktionsprodukten, vor allem bei der Oxidation der einfachen Alkanole entsteht, ist groß und kann besonders gut am Beispiel der Oxidation von Propanol und Isopropanol demonstriert werden[2].

Fragmentierungen zu überwiegend einem Folgeprodukt sind selten und hängen stark von der Konstitution und dem sterischen Aufbau ab. Als präparative Methode läßt sich die Fragmentierung am ehesten verwenden, wenn man am Carbonyl-Abbauprodukt interessiert ist. Die Fragmentierung von 1-Hydroxy-1-allyl-cyclohexan zu *Cyclohexanon* ist hierfür ein Beispiel (in Benzol, 60°, 30 Min.; 80% d.Th.)[3].

Relativ einheitlich verläuft auch die oxidative Fragmentierung der 11-Hydroxy-11,19-cyclo-steroide[4-6]

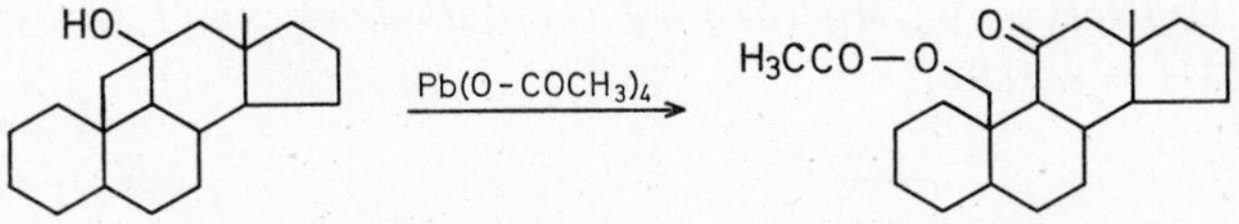

zu den entsprechenden 19-Acetoxy-11-oxo-steroiden. So erhält man aus 11α-Hydroxy-3,20-bis-[äthylendioxy-(1,2)]-11β,19-cyclo-5α-pregnan bei 80° in Benzol 77% *3,20-Bis-[äthylendioxy-(1,2)]-19-acetoxy-11-oxo-5α-pregnan* {77% d.Th.; F: 188–189°; [α]_D + 21,6° (c = 1,44}[4]. Die Einheitlichkeit der Reaktion ist in diesem Fall vom besonderen Aufbau des

---

[1] Gesamtschema siehe M. L. MIHAILOVIĆ, Ž. ČEKOVIĆ, V. ANDREJEVIĆ, R. MATIĆ u. D. JEREMIĆ, Tetrahedron **24**, 4947 (1968); dort auch Literaturzusammenstellung.

[2] M. L. MIHAILOVIĆ, Z. MAKSIMOVIĆ, D. JEREMIĆ, Ž. ČEKOVIĆ, A. MILOVANOVIĆ u. L. LORENC, Tetrahedron **21**, 1395 (1965).

[3] E. A. BRAUDE u. O. H. WHEELER, Soc. **1955**, 320.

[4] H. WEHRLI, M. S. HELLER, K. SCHAFFNER u. O. JEGER, Helv. **44**, 2162 (1961).

[5] M. S. HELLER, H. WEHRLI, K. SCHAFFNER u. O. JEGER, Helv. **45**, 1261 (1962).

[6] B. W. FINUCANE u. J. B. THOMSON, Chem. Commun. **1969**, 380.

Moleküls abhängig und nicht allein mit der Vierringspannung zu erklären, da einfache Cycloalkanole nur in untergeordnetem Maße Ringspaltung erleiden. Aus dem gleichen Grund ist die 6-Ringspaltung bei der Oxidation von Hydroxy-steroiden einheitlicher als beim einfachen Cyclohexanol[1].

Tab. 38: Anteil der Ringspaltungsprodukte am Reaktionsprodukt bei der Oxidation von Cycloalkanolen in Benzol bei 80°

Alkohol	Anteil an Ringspalt-produkten im Reaktionsprodukt [%]	Literatur
Cyclopropanol[a]	37	[2]
Cyclobutanol	15	[3]
Cyclopentanol	4	[3]
Cyclohexanol	1,5	[3]
Cycloheptanol	3	[3]
Cyclooctanol	3,5	[3]

[a] als Phorbol

Relativ einheitliche Reaktionsprodukte erhält man auch bei der Oxidation der 19-Hydroxy-Δ^4- bzw. -Δ^5-steroide[1,4-6].

10-Acetoxy-3-oxo-Δ^4-tigogenin[7]:

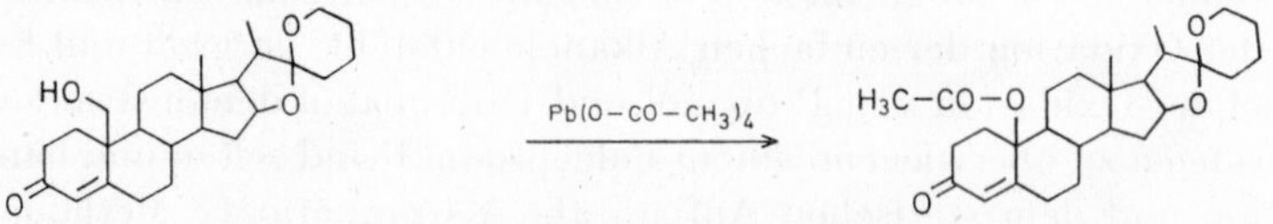

Eine Lösung von 2 g 19-Hydroxy-3-oxo-Δ^4-tigogenin in 50 ml Benzol wird 15 Stdn. mit 4,3 g Blei(IV)-acetat am Sieden gehalten. Danach wird abgekühlt und filtriert. Das bei Einengen der benzolischen Lösung ausfallende Produkt wird wiederholt aus Äthanol umkristallisiert; Ausbeute: 1,6 g (78% d. Th.); F: 186°.

Ebenso erhält man bei der Oxidation von 19-Hydroxy-3,17-bis-[äthylendioxy-(1,2)]-androsten-(5) nach Hydrolyse *6ζ-Hydroxy-3,17-bis-[äthylendioxy-(1,2)]-östren-(5*[10]) [F: 157 - 158°; [α]$_D$ = +73°; (c = 0,92)][1]:

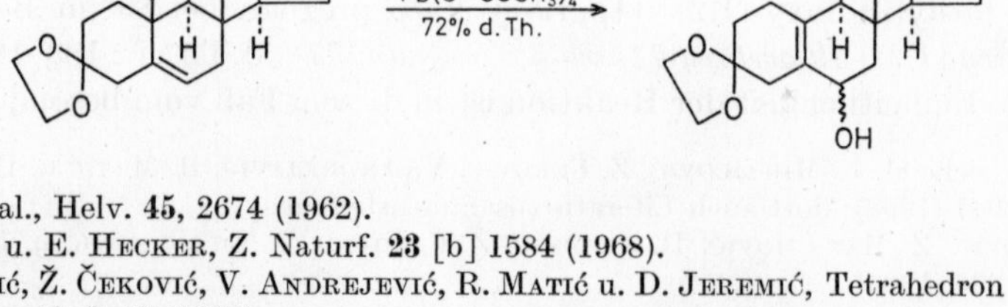

[1] M. Amorosa et al., Helv. **45**, 2674 (1962).
[2] M. Gschwendt u. E. Hecker, Z. Naturf. **23** [b] 1584 (1968).
[3] M. L. Mihailović, Ž. Čeković, V. Andrejević, R. Matić u. D. Jeremić, Tetrahedron **24**, 4947 (1968).
[4] F. Alvarez, Steroids **3**, 13 (1964).
[5] R. M. Moriarty u. K. Kapadia, Tetrahedron Letters **1964**, 1165.
[6] D. Hauser, K. Heusler, J. Kalvoda, K. Schaffner u. O. Jeger, Helv. **47**, 1961 (1964).
[7] S. V. Sunthankar u. D. V. Telang, Indian J. Chem. **9**, 783 (1971).

Die Doppelbindungswanderung läßt sich erklären, wenn man als erstes Reaktionsprodukt ein Allylradikal annimmt, das unter Acetoxylierung am C_6-Atom reagiert.

Nach diesem Schema wird *3β,19-Dihydroxy-17-oxo-androsten-(5)* (90 Min. Kochen) mit Blei(IV)-acetat in *3β-Hydroxy-6β-acetoxy-17-oxo-östren-(5^{10})* umgewandelt[1].

Gute Ausbeuten (63% d. Th.) liefert auch die Oxidation von *19-Hydroxy-3-acetoxy-17-oxo-androstatrien-(3,5,7)* zu *3-Acetoxy-17-oxo-östratetraen-($3,5,7,9^{10}$)*[2], da die damit verbundene Aromatisierung des B-Ringes die Fragmentierung unter Bildung einer C=C-Doppelbindung energetisch begünstigt:

Im allgemeinen wird die Oxidation von Alkoholen mit Blei(IV)-acetat immer dann zu α–β-Fragmentierungen führen, wenn das Fragment $>$C auf irgendeine Weise stabilisiert werden kann. Ob dann bevorzugt das Olefin oder das Acetat gebildet wird, richtet sich nach der Höhe des damit verbundenen Energiegewinns. Diese Zusammenhänge werden bei der Oxidation der **Arylalkanole** deutlich. Danach reagieren primäre und sekundäre Arylalkanole praktisch nicht unter α–β-Fragmentierung[3,4]. Nur 2-Phenyl-äthanol macht eine Ausnahme, das über das Benzylradikal abgebaut wird[3,4]. Die α–β-Fragmentierungsprodukte sind weder einheitlich, noch machen sie insgesamt mehr als 30%, bezogen auf umgesetztes Arylalkanol, aus[5].

Höhere Ausbeuten an Fragmentierungsprodukten werden bei der Oxidation von **tert.-Arylalkanolen** gebildet[3,6–10]. Triphenylmethanol selbst wird z. B. in siedendem Benzol zu *Benzophenon* (47,1% d. Th.) und *Phenol* (38,9% d. Th.) abgebaut, wenn man in Gegenwart von Sauerstoff arbeitet[6]. Dieselben Produkte isoliert man in über 90%iger Ausbeute, wenn die Reaktion unter Inertgasatmosphäre ausgeführt wird[7]. Als erstes Reaktionsprodukt entsteht *Acetoxy-phenoxy-diphenyl-methan*[9], das während der Aufarbeitung zu Benzophenon und Phenol hydrolysiert:

[1] R. Mičkova u. K. Syhora, Collect. czech. Chem. Commun. **34**, 458 (1969); C. A. **70**, 68612 (1969).

[2] G. Kruger, J. Org. Chem. **33**, 1750 (1968).

[3] M. L. Mihailović, L. Živković, Z. Maksimović, D. Jeremić, Ž. Čekovic u. R. Matić, Tetrahedron **23**, 3095 (1967).

[4] W. H. Starnes, J. Org. Chem. **33**, 2767 (1968).

[5] S. Moon u. J. M. Lodge, J. Org. Chem. **29**, 3453 (1964).

[6] R. O. C. Norman u. R. A. Watson, Soc. [B] **1968**, 184.

[7] W. H. Starnes, Am. Soc. **90**, 1807 (1968).

[8] R. O. C. Norman u. R. A. Watson, Soc. [B] **1968**, 692.

[9] W. H. Starnes, Am. Soc. **89**, 3368 (1967).

[10] T. Wirthlin, H. Wehrli u. O. Jeger, Helv. **57**, 351 (1974).

Selbst bei Anwesenheit von Sauerstoff liefern 1,1,2-Triaryl- oder 2,2,2-Trialkyl-1,1-diaryl-äthanole in hohen Ausbeuten α–β-Fragmentierungsprodukte. 2-Hydroxy-2,2-diphenyl-1-(4-methoxy-phenyl)-äthan beispielsweise wird von Blei(IV)-acetat in siedendem Acetonitril praktisch quantitativ zu *Benzophenon* (96,6%) und *4-Methoxy-1-acet-oxymethyl-benzol* (86,8%) oxidiert [1].

4aα-Methyl-7-isopropyl-1-methylen-1,2,3,4,4a,9,10,10a-octahydro-10aβ-phenanthren (II), 1,4aα-Dimethyl-7-isopropyl-2,3,4,4a,9,10- (III) und -3,4,4a,9,10,10a-hexahydro-phenanthren (IV)[2]:

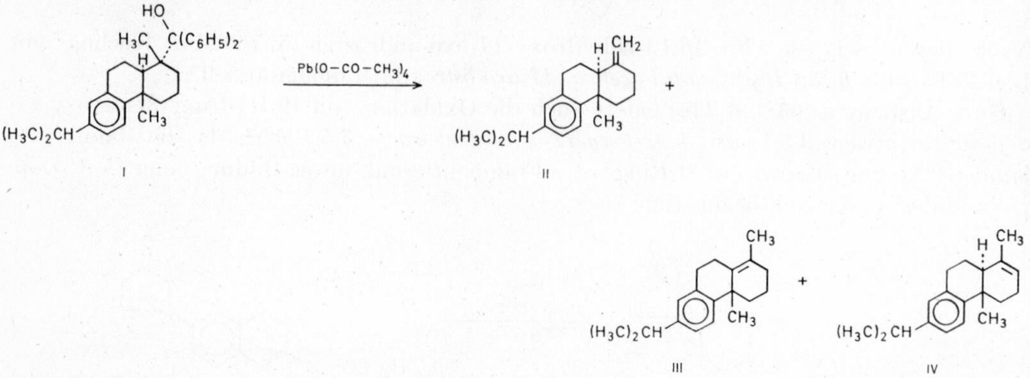

0,9 g Blei(IV)-acetat werden kurz mit 1 g Calciumcarbonat in 25 *ml* abs. Benzol aufgekocht. Dazu gibt man 319 mg 1β,4aα-Dimethyl-1α-(hydroxy-diphenyl-methyl)-7-isopropyl-1,2,3,4,4a,9,10,10a-octahydro-10aα-phenanthren in 5 *ml* Benzol und kocht 8 Stdn. Anschließend filtriert man vom anorganischen Material ab und dampft i. Vak. ein. Zur Entfernung des als Begleitprodukt anfallenden Benzophenons wird das rohe Fragmentierungsprodukt einer Wasserdampfdestillation unterworfen. Die nichtflüchtigen Anteile werden über Kieselgel mit Hexan/Benzol 4:1 isoliert. Man erhält ein Gemisch von II, III und IV, 145 mg (79% d.Th.) mit der Zusammensetzung 78%, 18% und 4% (Kernresonanzspektrum).

3. Glykolspaltung [3]

Die Glykolspaltung nach Criegee [4] ist die bekannteste Reaktion des Blei(IV)-acetats und findet sowohl in der Synthese organischer Verbindungen, als auch in der Konstitutionsermittlung und für analytische Zwecke, vor allem in der Kohlenhydratchemie, Anwendung. Sie verläuft nach der allgemeinen Gleichung:

Reaktionsprodukte sind je nach Art der Glykole Aldehyde, Ketone, Dialdehyde, Oxo-aldehyde, Diketone oder auch cyclische Dicarbonyl-Verbindungen.

Zunächst [5] wurde als Zwischenstufe ein cyclischer Ester angenommen:

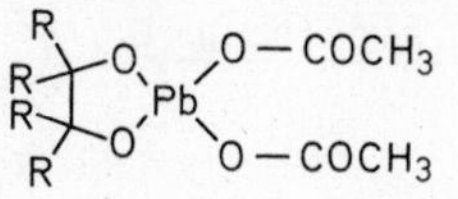

Für eine solche Zwischenstufe spricht die höhere Reaktionsgeschwindigkeit der *cis*-1,2-Diole. Nachdem aber auch Glykole gespalten werden, bei denen die Ausbildung der oben formulierten Zwischenstufe unmöglich ist, wie beim *trans*-9,10-Dihydroxy-dekalin, oder nur unter beträchtlicher Verdrehung des

---

[1] R. O. C. Norman u. R. A. Watson, Soc. [B] **1968**, 692.
[2] T. Wirthlin, H. Wehrli u. O. Jeger, Helv. **57**, 351 (1974).
[3] Übersichtsartikel:
    C. A. Buntan in K. B. Wiberg *"Oxidation in Organic Chemistry"*, Academic Press, New York 1965.
    A. S. Perlin in R. L. Augustine *"Oxidation"*, Marcel Dekker Inc., New York 1969.
    vgl. b. ds. Handb., Bd. VI/1a
[4] R. Criegee, B. **64**, 260 (1931).
[5] R. Criegee, L. Kraft u. B. Rank, A. **507**, 159 (1933).

Moleküls, wie beim *trans*-1,2-Dihydroxy-1,2-dimethyl-cyclopentan oder -cyclohexan, wurden andere Mechanismen diskutiert[1]. Der eine davon verläuft ebenfalls über eine cyclische Zwischenstufe, die nach einem Mehrzentren-Mechanismus in die Spaltprodukte zerfällt:

$$
\begin{array}{c}
H_3C-CO-O \quad\quad O-COCH_3 \\
-C-O-Pb-O \\
-C-O-H---O \quad C-CH_3
\end{array}
\longrightarrow
\begin{array}{c}
C=O \;+\; \quad Pb \quad (H_3C-CO-O,\; O-COCH_3) \\
+ \\
C=O \;+\; \overset{O}{\underset{HO}{C}}-CH_3
\end{array}
$$

I

Nach einer anderen Interpretation wird ein acyclischer Mechanismus angenommen, bei dem das aus dem Blei(IV)-glykolat zu entfernende Proton von einer Brönsted-Base, möglicherweise Essigsäure selbst, oder Wasser, Alkohol oder ein Acetat-Anion, übernommen wird[1]:

$$
I \longrightarrow
\begin{array}{c}
-C-O-Pb(O-COCH_3)_3 \\
H-O-C-
\end{array}
\xrightarrow[-BH]{B^\ominus}
\quad C=O \;+\; O=C \; (O-Pb(O-COCH_3)_3)
$$

In diesem Fall könnten sowohl Glykole mit extremer *cis*- als auch mit extremer *trans*-Lage reagieren, da in beiden Fällen der Übergangszustand ebenen Bau haben kann.

Im allgemeinen erfolgt die Spaltung der *cis*-Glykole schneller als die der *trans*-Glykole. So ist das Verhältnis von k_{cis}/k_{trans} für 1,2-Dihydroxy-cyclohexan und 1,2-Dihydroxy-1,2-dimethyl-cyclohexan ~ 20, für 1,2-Dihydroxy-1,2-dimethyl-cyclopentan ~ 200, 1,2-Dihydroxy-cyclopentan ~ 3000 und für 9,10-Dihydroxy-dekaline ~ 4000. Diese Unterschiede in der Reaktionsgeschwindigkeit können z. B. zur titrimetrischen Bestimmung der *cis*-Glykole benutzt werden[2].

Von dieser allgemeinen Regel gibt es einige Abweichungen. So kehrt sich das Verhältnis k_{cis}/k_{trans} bei den monocyclischen Diolen vom 9-Ring an zugunsten der *trans*-Verbindung um[1]. Ein teilweise abweichendes Verhalten findet man auch bei den Glykolen der Dihydrophenanthren- und Dihydropyren-Reihe[1,3]. Teilweise deshalb, weil nur die 9,10-Dihydroxy-9,10-diaryl-9,10-dihydro-phenanthrene bzw. 4,5-Dihydroxy-4,5-diaryl-4,5-dihydro-pyrene „normales" Verhalten zeigen, indem die *cis*-Isomeren schneller gespalten werden. Die unsubstituierten Glykole bzw. ihre alkylsubstituierten Derivate reagieren „anomal". Die Reaktionsgeschwindigkeit der *trans*-Diole ist höher als die der *cis*-Diole. Eine ähnliche Umkehr der Oxidationsgeschwindigkeiten von *cis*- und *trans*-Diol zeigen ebenfalls 5,6-Dihydroxy-cyclohexadiene-(1,3)[4].

Für die Reaktionsgeschwindigkeiten bei offenkettigen Glykolen gelten folgende Regeln[1]:

① mit zunehmender Länge der C-Ketten steigen die Reaktionsgeschwindigkeiten an

② mit steigender Anzahl der Alkylketten wächst die Oxidationsgeschwindigkeit

③ die Racemformen der sym. disubstituierten Glykole reagieren ~ 40–50 mal schneller als die isomeren *meso*-Formen

④ Glykole mit verzweigten Ketten werden schneller oxidiert als ihre entsprechenden n-Homologen

⑤ ungesättigte oder aromatische Gruppen beschleunigen die Glykolspaltung.

---

[1] R. Criegee, E. Höger, G. Huber, P. Kruck, F. Marktscheffel u. H. Schellenberger, A. **599**, 81 (1956).

[2] R. E. Reeves, Anal. Chem. **21**, 751 (1949).

[3] J. Booth u. E. Boyland, Biochem. J. **44**, 361 (1949).

[4] M. Nakajima, I. Tomida u. S. Takei, B. **92**, 163 (1959).

Semicyclische und cyclische Pinakole

zeigen ein stark ausgeprägtes Minimum der Reaktionsgeschwindigkeit bei allen Fünfring-Verbindungen[1]. Bei Übergang zu kleineren oder größeren Ringen steigt diese dann stark an.

Ein ähnliches Minimum erhält man auch, wenn man die Geschwindigkeit der Glykolspaltung bei Cycloalkandiolen in Abhängigkeit von der Ringgröße aufträgt[1]. Danach reagieren Sechsring-Verbindungen am langsamsten, eine Erscheinung, die auch für substituierte und ungesättigte Cycloalkandiole gilt und außerdem bei bicyclischen Glykolen der Form:

beobachtet wird[2]. Ein hiervon abweichendes Verhalten zeigen solche Sechsring-diole, deren Ring z. B. durch eine 1,4-Brücke in der Wannenform vorliegt[3], wie im *cis*-2,3-Dihydroxy-1,2,3,7,7-pentamethyl-bicyclo[2.2.1]heptan[4] oder im *cis*-7,8-Dihydroxy-2,5-dioxa-bicyclo[2.2.2]octan (Methyl-2,6-anhydro-α-D-altrosid)[5].

Bei substituierten Benzpinakonen wirken Substituenten 1. Ordnung beschleunigend und elektronenanziehende Gruppen hemmend auf die Spaltungsgeschwindigkeit[6].

Es hat nicht an Versuchen gefehlt, andere Kriterien der Molekülstruktur in Korrelation zur Spaltungsgeschwindigkeit der Glykole zu bringen. Eines davon ist die spektroskopisch bestimmbare Entfernung der Hydroxy-Gruppen zueinander. Ein Maß hierfür ist die Größe $\Delta\nu$ [cm^{-1}], die Differenz der Frequenzen der HO- und der O–H $\cdots$ O-Banden im IR-Spektrum von Glykolen, die dem Abstand der beiden Hydroxy-Gruppen voneinander umgekehrt proportional ist[7]. Man kann zwar ein gewisses Korrelationsverhalten der beiden Größen $\Delta\nu$ und k feststellen. Es ist aber nicht absolut, sondern gilt relativ jeweils für homologe Reihen. Es gibt auch hier Ausnahmen, beispielsweise beim 9,10-Dihydroxy-9,10-dihydro-phenanthren[8] und 9,10-Dihydroxy-9,10-dimethyl-9,10-dihydro-phenanthren[1] (s. Tab. 39, S. 348).

Die Geschwindigkeit der Glykolspaltung ist stark vom Lösungsmittel abhängig. In indifferenten Lösungsmitteln wie Benzol, Nitrobenzol, 1,2-Dichlor-äthan oder 1,1,2,2-Tetrachlor-äthan ist sie um ein vielfaches höher als in Eisessig[9]. Zusätze von Wasser, Methanol zu letzterem wirken ebenfalls stark beschleunigend[10-12], dabei ist die Wirkung von Wasser stärker als die von Methanol. Es empfiehlt sich, die Wasserkonzentration unter 15% zu halten, um eine Hydrolyse des Blei(IV)-acetats und damit die Bildung von inaktivem Blei(IV)-oxid zu verhindern.

[1] R. CRIEGEE, E. HÖGER, G. HUBER, P. KRUCK, F. MARKTSCHEFFEL u. H. SCHELLENBERGER, A. **599**, 81 (1956).
[2] R. CRIEGEE u. H. ZOGEL, B. **84**, 215 (1951).
[3] E. L. ELIEL u. C. PILLAR, Am. Soc. **77**, 3600 (1955).
[4] R. CRIEGEE, E. BÜCHNER u. W. WALTHER, B. **73**, 571 (1940).
[5] R. E. REEVES, Am. Soc. **72**, 1499 (1950).
[6] J. P. CORDNER u. K. H. PAUSACKER, Soc. **1953**, 102.
[7] L. P. KUHN, Am. Soc. **76**, 4323 (1954).
[8] E. J. MORICONI, F. T. WALLENBERGER u. W. F. O'CONNOR, Am. Soc. **80**, 656 (1958).
[9] R. CRIEGEE, L. KRAFT u. B. RANK, A. **507**, 159 (1933).
[10] E. BAER, J, M. GROSHEINTZ u. H. O. L. FISCHER, Am. Soc. **61**, 2607 (1939).
[11] J. M. GROSHEINTZ, Am. Soc. **61**, 3379 (1939).
[12] R. CRIEGEE u. E. BÜCHNER, B. **73**, 563 (1940).

Tab. 39: Zusammenhang zwischen Geschwindigkeitskonstanten der Glykolspaltung mit Blei(IV)-acetat in Eisessig bei 20° und den Frequenzdifferenzen freier und gebundener OH-Gruppen

Diol	k [1 mol^{-1} min^{-1}]	$\Delta\nu$ [cm^{-1}]	Literatur
3-Hydroxy-3-hydroxymethyl-pentan	9,1	46	[1]
4,5-Dihydroxy-2,2,4-trimethyl-pentan	150	61	[1]
1-Hydroxy-1-[2-hydroxy-propyl-(2)]-cyclopentan	0,12	44	[1]
1-Hydroxy-1-[2-hydroxy-propyl-(2)]-cyclohexan	2,05	48	[1]
1-Hydroxy-1-[2-hydroxy-propyl-(2)]-cycloheptan	30,5	52	[1]
1,1'-Dihydroxy-bi-cyclopentyl	0,04	36	[1]
1,1'-Dihydroxy-bi-cyclohexyl	11,8	46	[1]
1,1'-Dihydroxy-bi-cycloheptyl	2390	60	[1]
1,1'-Dihydroxy-bi-cyclooctyl	3000	65	[1]
cis-1,2-Dihydroxy-cyclopentan	>10000	61	[1, 2]
trans-1,2-Dihydroxy-cyclopentan	12,8	–	[1, 2]
cis-1,2-Dihydroxy-cyclohexan	5,04	38	[1, 3]
trans-1,2-Dihydroxy-cyclohexan	0,224	33	[1, 3]
cis-1,2-Dihydroxy-cycloheptan	7,7	44	[1, 3]
trans-1,2-Dihydroxy-cycloheptan	1,2	37	[1, 3]
cis-1,2-Dihydroxy-cyclooctan		51	[3]
trans-1,2-Dihydroxy-cyclooctan		43	[3]
cis-1,2-Dihydroxy-cyclononan	2,87	49	[4, 3]
trans-1,2-Dihydroxy-cyclononan	20,7	45	[4, 3]
cis-1,2-Dihydroxy-cyclodecan	2,6	44	[3, 5]
trans-1,2-Dihydroxy-cyclodecan	100	45	[3, 5]
cis-1,2-Dihydroxy-cyclododecan	1,27	38	[3]
trans-1,2-Dihydroxy-cyclododecan	73,6	51	[3]
cis-1,2-Dihydroxy-cyclohexadecan	7,84	40	[3]
trans-1,2-Dihydroxy-cyclohexadecan	91,2	50	[3]
cis-3,4-Dihydroxy-bicyclo[4.3.0]nonan	6,16	40 ± 3	[6]
trans-3,4-Dihydroxy-bicyclo[4.3.0]nonan	0,08		[6]
cis-3,4-Dihydroxy-8-oxa-bicyclo[4.3.0]nonan	5,48[a]	30	[7]
trans-3,4-Dihydroxy-8-oxa-bicyclo[4.3.0]nonan	0,323[a]	34	[7]
2α,3α-Dihydroxy-cis-dekalin	24[a]	45	[8]

[a] bei 25°

[1] R. Criegee, E. Höger, G. Huber, P. Kruck, F. Marktscheffel u. H. Schellenberger, A. 599, 81 (1956).

[2] L. P. Kuhn, Am. Soc. 74, 2492 (1952).

[3] L. P. Kuhn, Am. Soc. 76, 4323 (1954).

[4] V. Prelog, K. Schenker u. W. Küng, Helv. 36, 471 (1953).

[5] V. Prelog, K. Schenker u. H. H. Günthard, Helv. 35, 1598 (1952).

[6] R. Granger, P. F. G. Nau u. C. Francois, C. r. 254, 4043 (1962).

[7] E. L. Eliel u. C. Pillar, Am. Soc. 77, 3600 (1955).

[8] E. Ali u. L. N. Owen, Soc. 1958, 2119.

Tab. 39 (1. Fortsetzung)

Diol	k [1 mol^{-1} min^{-1}]	$\Delta\nu$ [cm^{-1}]	Literatur
$2\,\beta,3\,\beta$-Dihydroxy-*cis*-dekalin	–	33	[1]
$2\,\alpha,3\,\beta$-Dihydroxy-*cis*-dekalin	0,29[a]	30	[1]
$2\,\alpha,3\,\alpha$-Dihydroxy-*trans*-dekalin	8,1[a]	37	[1,2]
$2\,\alpha,3\,\beta$-Dihydroxy-*trans*-dekalin	0,37[a]	30	[1,2]
$2\,\beta,3\,\alpha$-Dihydroxy-*trans*-dekalin	0,028[a]	0	[1,2]
cis-9,10-Dihydroxy-9,10-dihydro-phenanthren	10	38	[3]
trans-9,10-Dihydroxy-9,10-dihydro-phenanthren	157	0	[3]
cis-9,10-Dihydroxy-9,10-dimethyl-9,10-dihydro-phenanthren	7,5	27	[4]
trans-9,10-Dihydroxy-9,10-dimethyl-9,10-dihydro-phenanthren	192	0	[4]
cis-9,10-Dihydroxy-9,10-bis-[4-methyl-phenyl]-9,10-dihydro-phenanthren	402	47	[3]
trans-9,10-Dihydroxy-9,10-bis-[4-methyl-phenyl]-9,10-dihydro-phenanthren	33,9	0	[3]
cis-9,10-Dihydroxy-9,10-bis-[2,4-dimethyl-phenyl]-9,10-dihydro-phenanthren	139	56	[3]
trans-9,10-Dihydroxy-9,10-bis-[2,4-dimethyl-phenyl]-9,10-dihydro-phenanthren	11,2	0	[3]
cis-9,10-Dihydroxy-9,10-bis-[2,4,6-trimethyl-phenyl]-9,10-dihydro-phenanthren	7,28	69	[3]
trans-9,10-Dihydroxy-9,10-bis-[2,4,6-trimethyl-phenyl]-9,10-dihydro-phenanthren			
$3\beta,6\alpha,7\alpha$-Trihydroxy-cholestan	42[a]	46	[5]
$3\beta,6\beta,7\beta$-Trihydroxy-cholestan	160[a]	43	[5]

[a] bei 25°
[b] bei 50°

Die Geschwindigkeit der Glykolspaltung wird auch durch Zusatz von Säuren stark heraufgesetzt. So erhöhen katalytische Mengen von Trichloressigsäure die Glykolspaltung in Essigsäure durchschnittlich auf das 2–2$^{1}/_{2}$ fache[6]. *Trans*-1,6-Dihydroxy-bicyclo[4.4.0]decadien-(3,8), das mit Blei(IV)-acetat in Eisessig praktisch nicht gespalten wird, liefert in Methanol unter Zusatz von Trichloressigsäure das schwerlösliche *4,4,9,9-Tetramethoxy-cyclodecadien-(1,6)* (75% d.Th.)[7]:

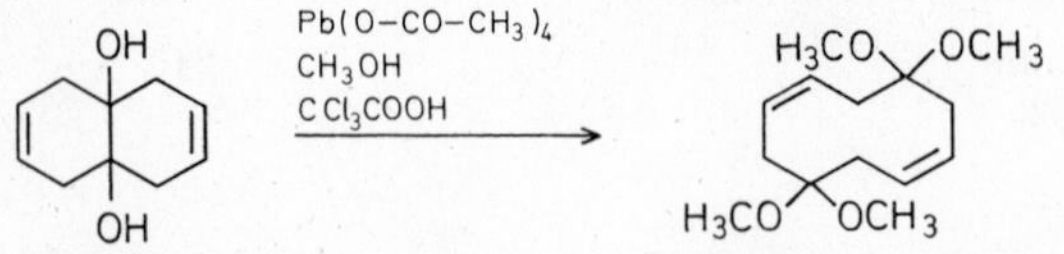

[1] E. ALI u. L. OWEN, Soc. **1958**, 2119.
[2] R. CRIEGEE, E. B. BÜCHNER u. W. WALTHER, B. **73**, 571 (1940).
[3] E. J. MORICONI, F. T. WALLENBERGER u. W. F. O'CONNOR, Am. Soc. **80**, 656 (1958).
[4] R. CRIEGEE, E. HÖGER, G. HUBER, P. KRUCK, F. MARKTSCHEFFEL u. H. SCHELLENBERGER, A. **599**, 81 (1956).
[5] S. J. ANGYAL u. R. J. YOUNG, Am. Soc. **81**, 5251 (1959).
[6] R. P. BELL, V. G. RIVLIN u. W. A. WATERS, Soc. **1958**, 1696.
[7] C. A. GROB u. P. W. SCHIESS, Helv. **43**, 1546 (1960).

Stärkere Säuren wie Schwefel oder Methansulfonsäure haben einen noch größeren positiven Einfluß auf die Geschwindigkeit. Ihre Anwendung ist jedoch begrenzt, da ebenfalls Nebenreaktionen, wie z. B. die Veresterung des Diols mit Essigsäure, katalysiert werden[1].

Natriumacetat und Kaliumacetat wirken ebenfalls katalysierend[2,3]. Die Acetate wirken in Eisessig als Basen, dabei wächst ihr Einfluß mit der Basenstärke. So ist die Oxidationsgeschwindigkeit in einer halbmolaren Kaliumacetat-Eisessig-Lösung beinahe um 2 Zehnerpotenzen höher als in reinem Eisessig. Natriumacetat hat einen etwas geringeren Einfluß, Blei(II)-acetat schließlich kaum noch.

Für die Möglichkeit der basenkatalysierenden Wirkung der Acetate spricht auch die Tatsache, daß verschiedene Diole, die in den üblichen Lösungsmitteln wie Benzol oder Eisessig von Blei(IV)-acetat nicht angegriffen werden, in Pyridin ohne weiteres reagieren[4,5]. Hierzu gehören 1,6-Anhydro-β-D-glucofuranose und 1,6-Anhydro-β-D-galactofuranose[6], ferner die beiden trans-2,3-Dihydroxy-1,7,7-trimethyl-bicyclo[2.2.1]heptane[7], 3β,6β,7α-Trihydroxy-cholestan[8], 4,6-Benzyliden-methyl-α-D-altropyranosid[9] und 2,6-Anhydro-β-D-fructofuranose[10]. Pyridin empfiehlt sich auch dann als Lösungsmittel, wenn die zu oxidierende Verbindung in den anderen gebräuchlichen Lösungsmitteln entweder nicht löslich oder stabil ist, wie z. B. Sucrose oder der Trityläther von Methyl-O-arabopyranosid[4,11].

Charakteristisch für das Arbeiten in Pyridin ist das Verhalten von trans-1,2-Dihydroxy-cyclopentan, das bei einem Verhältnis von 1 : 1 zu Blei(IV)-acetat rasch oxidiert wird. Bei einem Überschuß des Oxidationsmittels von 1–2 Mol geht die Reaktionsgeschwindigkeit stark zurück und steigt erst bei einem Überschuß von 3–4 Mol Blei(IV)-acetat wieder an[5].

Die hier aufgezeigten Einflüsse von Lösungsmitteln oder Zusätzen auf die Geschwindigkeit der Glykolspaltung gelten nur bedingt und Ausnahmen von diesen allgemeinen Regeln sind vor allem dann zu erwarten, wenn sterisch komplizierterer Glykole oxidiert werden sollen. Ein Beispiel hierfür sind bicyclische Glykole mit Hydroxy-Gruppen an Brückenköpfen.

Tab. 40: Reaktionsgeschwindigkeit k von Glykolen mit Blei(IV)-acetat bei 20°

Glykol		Lösungsmittel	k [1 mol^{-1} min^{-1}]	Literatur
Glykol		Eisessig	0,035	[13–15]
		99% Benzol +1% Eisessig	10	[12]
Propandiol-(1,2)		Eisessig	0,31	[15,12]
Butandiol-(1,2)		Eisessig	0,552	[12]
Butandiol-(2,3)	racem	Eisessig	8,8	[12]
	meso	Eisessig	0,37	[12]
Octadecandiol-(9,10)	racem	Eisessig	95,6	[12]
	meso	Eisessig	2,35	[12]

[1] R. P. BELL, V. G. RIVLIN u. W. A. WATERS, Soc. 1958, 1696.
[2] R. CRIEGEE u. E. BÜCHNER, B. 73, 563 (1940).
[3] A. S. PERLIN, Am. Soc. 76, 5505 (1954).
[4] R. C. HOCKETT u. D. F. MOWERY, Am. Soc. 65, 403 (1943).
[5] H. R. GOLDSCHMID u. A. S. PERLIN, Canad. J. Chem. 38, 2280 (1960).
[6] R. J. DIMLER, H. A. DAVIS u. G. E. HILBERT, Am. Soc. 68, 1377 (1946).
[7] S. J. ANGYAL u. R. J. YOUNG, Am. Soc. 81, 5467 (1959).
[8] S. J. ANGYAL u. R. J. YOUNG, Am. Soc. 81, 5251 (1959).
[9] J. HONEYMAN u. C. J. G. SHAW, Soc. 1959, 2454.
[10] H. R. GOLDSCHMID u. A. S. PERLIN, Canad. J. Chem. 38, 2178 (1960).
[11] R. C. HOCKETT u. M. ZIEF, Am. Soc. 72, 2130 (1950).
[12] R. CRIEGEE, E. HÖGER, G. HUBER, P. KRUCK, F. MARKTSCHEFFEL u. H. SCHELLENBERGER, A. 599, 81 (1956).
[13] R. CRIEGEE, L. KRAFT u. B. RANK, A. 507, 159 (1933).
[14] R. P. BELL, J. G. R. STURROCK u. R. L. ST. D. WHITEHEAD, Soc. 1940, 82.
[15] J. P. CORDNER u. K. H. PAUSACKER, Soc. 1953, 102.

Tab. 40 (1. Fortsetzung)

Glykol		Lösungsmittel	k [1 mol^{-1} min^{-1}]	Literatur
1,2-Dihydroxy-1-phenyl-äthan		Eisessig	8,14	1
1-Hydroxy-1-hydroxymethyl-cyclopropan		Eisessig	1050	1
1-Hydroxy-1-hydroxymethyl-cyclobutan		Eisessig	4,7	1
1,2-Dihydroxy-cyclobutan	cis	Eisessig	>10000	1
	trans	Eisessig	6,5	1
7,8-Dihydroxy-bicyclo-[4.2.0] octan	cis	Eisessig	>10000	1
	trans	Eisessig	54	1
1,2-Dihydroxy-cyclopentan	cis	Eisessig	>10000	1, 2
	trans	Eisessig	12,8	1–3
		99% Benzol	7000	1
1,2-Dihydroxy-cyclohexan	cis	Eisessig	5,04	4,5
	trans	Eisessig	0,224	4–6
	cis	99% Benzol	3440	1
	trans	99% Benzol	30	1
1,2-Dihydroxy-cyclononan	cis	Eisessig	2,87	7
	trans	Eisessig	20,7	7
trans-2,3-Dihydroxy-dekalin	cis	99,5% Eisessig	4,6	2
	trans	99,5% Eisessig	0,021	2
2α,3β-Dihydroxy-22a,5α-spirostan (Gitogenin)		99,8% Eisessig	31[a]	8
2α,3α-Dihydroxy-22a,5α-spirostan		99,8% Eisessig	220[a]	8
2-exo-3-exo-Dihydroxy-1,7,7-trimethyl-bicyclo[2.2.1]heptan		Eisessig	>25000	9
Pinakol (2,3-Dihydroxy-2,3-dimethyl-butan)		Eisessig	0,543	5,10
		99% Benzol + 1% Eisessig	133	1
1,2-Dihydroxy-1,2-dimethyl-cyclopentan	cis	99,5% Eisessig	1570	1, 3
	trans	99,5% Eisessig	4,9	
2,2'-Dihydroxy-1,1'-dimethyl-bi-{bicyclo[2.2.1]heptyl-(2)}		99,5% Eisessig	0,0095[a]	2

a) bei 25°
b) bei 50°

[1] R. Criegee, E. Höger, G. Huber, P. Kruck, F. Marktscheffel u. H. Schellenberger, A. 599, 81 (1956); dort weitere Angaben.

[2] R. Criegee, E. Büchner u. W. Walther, B. 73, 571 (1940).

[3] C. A. Bunton u. M. D. Carr, Soc. 1963, 770.

[4] R. Criegee, B. 65, 1770 (1932).

[5] R. Criegee, L. Kraft u. B. Rank, A. 507, 159 (1933).

[6] V. Prelog, K. Schenker u. H. H. Günthard, Helv. 35, 1598 (1952).

[7] V. Prelog, K. Schenker u. W. Küng, Helv. 36, 471 (1953).

[8] C. Djerassi u. R. Ehrlich, J. Org. Chem. 19, 1351 (1954); dort weitere Angaben.

[9] S. J. Angyal u. R. J. Young, Am. Soc. 81, 5467 (1959).

[10] J. P. Cordner u. K. H. Pausacker, Soc. 1953, 102.

Tab. 40 (2. Fortsetzung)

Glykol		Lösungsmittel	k $[1 \text{ mol}^{-1} \text{ min}^{-1}]$	Literatur
3,3′-Dihydroxy-2,2,2′,2′-tetra-methyl-bi-{bicyclo[2.2.1] heptyl-(3)}		99,5% Eiessig	sehr klein[a]	[1]
3,4-Dihydroxy-cyclopenten-(1)	trans	Eisessig	286	[2]
1,2-Dihydroxy-2-(4-methoxy-phenyl)-propan		Eisessig	330	[3]
1,2-Dihydroxy-1-(3,4-dimethoxy-phenyl)-propan		Eisessig	> 300	[4]
1,2-Dihydroxy-indan	cis	Eisessig	27800	[5]
	trans		0,467	[3]
1,2-Dihydroxy-tetralin	cis	Eisessig	40,2	[5]
	trans		1,86	[5]
1,2-Dihydroxy-1,2-diphenyl-äthan	racem	Eisessig	2840	[2,1]
	meso		192	
1,2-Dihydroxy-acenaphthen	cis	Eisessig	40000	[5,3]
	trans		0,3	[3]
1,2-Dihydroxy-1,1,2,2-tetra-phenyl-äthan (Benzpinakol)		Eisessig	6,69	[5,6]
1,2-Dihydroxy-1,1,2,2-tetrakis-[4-methoxy-phenyl]-äthan		Eisessig	10000	[6]
1,2-Dihydroxy-1,2-diphenyl-1,2-dihydro-acenaphthen	cis	Eisessig	33100	[5,7]
	trans		284	
1,2-Dihydroxy-1,2-bis-[2,4-dimethyl-phenyl]-1,2-dihydro-acenaphthen	trans	99,7–99,8% Eiessig	369	[7]
4,5-Dihydroxy-4,5-diphenyl-4,5-dihydro-pyren	cis	99,5% Eiessig	> 93	[2]
	trans	99,5% Eiessig	2,43	
9,9′-Dihydroxy-bi-fluorenyl-(9)		99,5% Eiessig	185	[1]
6b,16b-Dihydroxy-6b,16b-dihydro-⟨dibenzo-[g;p]-chrysen⟩		99,5% Eiessig	208	[1]

[1] R. Criegee, E. Büchner u. W. Walther, B. **73**, 571 (1940).
[2] R. Criegee, E. Höger, G. Huber, P. Kruck, F. Marktscheffel u. H. Schellenberger, A. **599**, 81 (1956).
[3] R. Criegee, B. **65**, 1770 (1932).
[4] R. Criegee, B. **64**, 260 (1931).
[5] R. Criegee, L. Kraft u. B. Rank, A. **507**, 159 (1933).
[6] J. P. Cordner u. K. H. Pausacker, Soc. **1953**, 102.
[7] E. J. Moriconi, W. F. O'Connor, E. A. Keneally u. F. T. Wallenberger, Am. Soc. **82**, 3122 (1960).

Tab. 41: Oxydative Spaltung von Glykolen mit Blei(IV)-acetat

Glykol	Lösungs-mittel	Carbonylverbindung	Ausbeute [% d.Th.]	F* [° C]	Litera-tur
Glykol	Eisessig	*Formaldehyd*	89	180 (pNPH)	1
Pinakol (2,3-Dihydroxy-2,3-dimethyl-butan)	Eisessig	*Aceton*	91	149 (pNPH)	1
1,3-Dihydroxy-4,5-iso-propylidendioxy-1-[2-hydroxy-propyl-(2)]-cyclohexan	Benzol	*5-Hydroxy-3,4-isopropyl-idendioxy-1-oxo-cyclo-hexan; Aceton*	66	79– 79,5	2
2,3,18,19-Tetrahydroxy-2,4,8,13,17,19-hexa-methyl-eicosan	Benzol	*2,6,11,15-Tetramethyl-hexadecan dial; Aceton*			3
1,1'-Dihydroxy-bi-cyclo-butyl	Eisessig	*Cyclobutanon*	85	198–200 (pNPH)	4
1,2-Dihydroxy-indan	Benzol	*2-Formylmethyl-benzaldehyd*	61	(Kp$_{0,4}$: 98°)	5
3-Hydroxy-2,3-diphenyl-1-(α-hydroxy-benzyl)-4-benzyliden-cyclobuten	Benzol	*4-Oxo-2,3-diphenyl-1-benzyliden-cyclobutan + Benzaldehyd*	60		6
5,6-Dihydroxy-4-methyl-3-butyl-hexan-1,4-olid	Benzol	*4-Methyl-2-butyl-4-formyl-butan-1,4-olid*	68	(Kp$_1$: 106–108°)	7
cis(trans)-1,2-Dihydroxy-1,2-diphenyl-acenaph-then	Eisessig	*1,8-Dibenzoyl-naphthalin*	100	188–190	8
cis(trans)-9,10-Dihydroxy-9,10-diphenyl-9,10-di-hydro-phenanthren	Eisessig	*2,2'-Dibenzoyl-biphenyl*	100	168–169	8
3,5,6-Trihydroxy-ergo-stadien-(7,22)	Benzol	*3-Hydroxy-5-oxo-5,6-seco-ergostadien-(7,22)*	93	155–157	9
trans-9,10-Dihydroxy-9,10-dihydro-phenan-thren	Benzol	*2,2'-Diformyl-biphenyl*		65	9
trans(cis)-4,5-Dihydroxy-4,5-dihydro-pyren	Benzol	*4,5-Diformyl-phenanthren*		170–171	10
9,10-Dihydroxy-9,10-di-methyl-9,10-dihydro-phenanthren	Benzol	*2,2'-Diacetyl-biphenyl*	100	92–93	10
cis-2,3-Dihydroxy-bicyclo [2.2.1]-heptan	Benzol	*1,3-Diformyl-cyclopentan*	72	(Kp$_{11}$: 104° n$_D^{20}$ = 1,4696)	11

* pNPH (4-Nitro-phenylhydrazon); PH (Phenylhydrazon)

1 R. Criegee, B. **64**, 260 (1931).
2 H. O. L. Fischer u. G. Dangschat, B. **65**, 1009 (1932).
3 H. Raudnitz u. J. Peschel, B. **66**, 901 (1933).
4 E. Vogel, B. **85**, 25 (1952).
5 P. J. Garratt u. K.P. Vollhardt, Synthesis **1971**, 423.
6 J. Rigaudy, P. Capdeville u. M. Maumy, Tetrahedron Letters **1972**, 4997.
7 S. A. Kazaryan et al., Z. org. Chim. 8, 177 (1972); engl.: 179; C. A. **76**, 112991 (1972).
8 R. Criegee, L. Kraft u. B. Rank, A. **507**, 159 (1933).
9 R. Criegee, B. Marchand u. H. Wannowius, A. **550**, 99 (1942).
10 R. Criegee, E. Höger, G. Huber, P. Kruck, F.Marktscheffel u. H. Schellenberger, A. **599**, 81 (1956).
11 K. Alder u. H. Wirtz, A. **601**, 138 (1956).

Tab. 41 (1. Fortsetzung)

Glykol	Lösungs-mittel	Carbonylverbindung	Ausbeute [% d.Th.]	F [° C]	Literatur
1-Methyl-4-[1,2-dihydroxy-2-(4-methyl-phenyl)-äthyl]-1-[6-methyl-hep-tyl-(2)]-indan	Benzol	*1-Methyl-1-[6-methyl-heptyl-(2)]-4-formyl-indan + 2-Methyl-benzaldehyd*		191 (DNPH)	[1]
(Struktur)	Aceton	*(Struktur)*	86	117–120	[2]
2,3-Dihydroxy-1,9-iso-propylidendioxy-10-oxo-1,2,3,4,4a,9,9a,10-octa-hydro-anthracen		*6-Oxo-11,11-dimethyl-7-formylmethyl-9-formyl-⟨benzo-2,4-dioxa-bicyclo [4.4.0]decen-(9)⟩*			
4,5,6-Trihydroxy-6-phenyl-decen-(4)	Eisessig	*Valerophenon + Butanal*		166 (DNPH) 123 (DNPH)	[3]
1,2-Dihydroxy-cyclohexan	Eisessig	*Hexandial*	50	(Kp$_{14}$: 94–98°)	[4]
1,2-Dihydroxy-cyclohexa-dien-(3,5) (*cis/trans*)	Benzol	*cis-Mucondialdehyd [Hexadien-(2,4)-dial]*	97	99	[5, 6]
cis-1,2-Dihydroxy-1,2,3,4-tetramethyl-cyclobutan	Benzol	*2,5-Dioxo-3,4-dimethyl-hexan*	83	(Kp$_{16}$: 88–89°)	[7]
1,2-Dihydroxy-2,4-di-phenyl-bicyclo [3.3.0] octan	Benzol	*3-Oxo-1-(2-oxo-cyclopentyl)-1,3-diphenyl-propan*	87	98–99	[8]
4-Chlor-2,3-dihydroxy-3-methyl-butansäure-äthylester		*Chloraceton + Glyoxylsäure-äthylester*		125 (DNPH) 124 (DNPH)	[9]
9,10-Dihydroxy-9,10-bis-[phenyläthinyl]-9,10-dihydro-phenanthren	Benzol	*2,2′-Bis-[1-oxo-3-phenyl-propin-(2)-yl]-biphenyl*		117	[10]
2,7-Dihydroxy-6-methyl-7-[3,4-dihydroxy-butyl-(2)]-bicyclo [4.3.0]nonan	1,4-Di-oxan	*2,7-Dihydroxy-6-methyl-7-(1-formyl-äthyl)-bicyclo [4.3.0]nonan + Formaldehyd*	74,5		[11]

[1] H. DANNENBERG u. K. F. HEBENBROCK, A. **662**, 21 (1963).
[2] H. MUXFELDT u. G. HARDTMANN, A. **669**, 113 (1963).
[3] V. FRANZEN, B. **87**, 1478 (1954).
[4] K. ALDER u. H. A. DORTMANN, B. **87**, 1905 (1954).
[5] M. NAKAJIMA, I. TOMIDA, A. HASHIZUME u. S. TAKEI, B. **89**, 2224 (1956).
[6] M. NAKAJIMA, I. TOMIDA u. S. TAKEI, B. **92**, 163 (1959).
[7] R. CRIEGEE u. G. LOUIS, B. **90**, 417 (1957).
[8] H. PAUL, B. **90**, 2764 (1957).
[9] H. BÖHME u. H. SCHNEIDER, B. **91**, 988 (1958).
[10] W. RIED u. A. URSCHEL, B. **91**, 2459 (1958).
[11] H. H. INHOFFEN, H. BURKHARD u. G. QUINKERT, B. **92**, 1564 (1959).

Tab. 41 (2. Fortsetzung)

Glykol	Lösungsmittel	Carbonylverbindung	Ausbeute [% d.Th.]	F* [° C]	Literatur
O_2N— (Struktur: Indol-Gerüst mit N, C_2H_5, OH, CHOH, CH_2–C(=O)OH)	H_2O/ Essigsäure	O_2N— (Struktur: Indol-Gerüst mit N, C_2H_5, O) 10-Nitro-6-oxo-5-äthyl-1,2,3,5,5a,6,6a,7,11c,12-decahydro-⟨indoliz-ino-[1,8a,8,7-m,a,b]-acridin⟩	28	202–203	1
1,2-Dihydroxy-1,2-diada-mantyl-(1)-äthan	Benzol	1-Formyl-adamantan	62	225 DNPH	2
5,6-Dihydroxy-5,6-bis-[chlormethyl]-5,6-di-hydro-4,7-phenanthrolin	Benzol	2,2′-Bis-[chloracetyl]-bi-pyridyl-(3)	75	180–181	3
1,2-Dihydroxy-1-(2-methyl-sulfon-phenyl)-äthan	Benzol	2-Methylsulfon-benzalde-hyd	42	98–99	4
1-Hydroxy-3,4,5-triacet-oxy-1-hydroxymethyl-cyclohexan	Benzol	3,4,5-Triacetoxy-1-oxo-cyclohexan	70		5
2,3,16,17-Tetrahydroxy-2,3,7,12,16,17-hexa-methyl-octadecan	Benzol	6,11-Dimethyl-2,15-dioxo-hexadecan	29	($Kp_{0,05}$: 132–135°)	6
2,3-Dihydroxy-2,5-di-methyl-hexan	Benzol	2-Methyl-butanal; Aceton	23	122–123 (Semi-carbazon)	7
(Struktur: H_3C, COOH, X, OH, OH, H_3C, $CH(CH_3)_2$) Halogen-trihydroxy-abietinsäure	Eisessig/CHCl₃	(Struktur: H_3C, COOH, X, O, H_3C, $CH(CH_3)_2$) X = Cl	80	157–158	8
	Eisessig	X = Br	75	138–145	8
	Eisessig	X = J	70	117–119	8
		9-Chlor(Brom, Jod)-8-oxo-2,6-dimethyl-7-(3-oxo-4-methyl-pentyl)-2-carboxy-bicyclo[4.4.0]decan			
2-Hydroxy-2-hydroxy-methyl-cholestan	Eisessig	2-Oxo-cholestan	90	129–129,5	9

[1] P. Rosenmund u. T. Wieland, B. **93**, 775 (1960).
[2] H. Stetter u. E. Rauscher, B. **93**, 1161 (1960).
[3] B. Eistert u. G. Fink, B. **95**, 2395 (1962).
[4] B. Eistert, W. Schade u. H. Selzer, B. **97**, 1470 (1964).
[5] R. Grewe u. E. Vangermain, B. **98**, 104 (1965).
[6] P. Karrer, F. Benz, R. Morf, H. Raudnitz, M. Stoll u. T. Takahashi, Helv. **15**, 1399 (1932).
[7] P. Karrer u. R. Hirohata, Helv. **16**, 959 (1933).
[8] L. Ruzicka, L. Sternbach u. O. Jeger, Helv. **24**, 504 (1941).
[9] G. Lardelli u. O. Jeger, Helv. **32**, 1817 (1949).

Tab. 41 (3. Fortsetzung)

Glykol	Lösungs-mittel	Carbonylverbindung	Ausbeute [% d.Th.]	F* [° C]	Litera-tur
3,5-Dihydroxy-3-methyl-A-nor-cholestan	Essigsäure/ Salzsäure	*3,5-Dioxo-4,5-seco-cholestan*	89		1
trans-1,6-Dihydroxy-bicyclo[4.4.0]decadien-(3,8)	Trichlor-essigsäure/ Methanol	*1,1,6,6-Tetramethoxy-cyclodecadien-(3,8)*	74	201–202	2
10β-Hydroxy-19-nor-periplogenin	Eisessig	*5,11-Dihydroxy-2,7-dioxo-15-methyl-13-[5-oxo-2,5-dihydro-furyl-(3)]-tricyclo[8.7.0.0¹¹,¹⁵] heptadecan*	54	129/189	3
2-Methyl-5-(1,2-dihydroxy-alkyl)-3-äthoxycarbonyl-furan	Eisessig/ Wasser 50%	*2-Methyl-5-formyl-3-äthoxycarbonyl-furan*	>90		4
2-Alkyl-5-(1,2,3,4-tetra-hydroxy-butyl)-3-äthoxycarbonyl-furan	Essigsäure/ Wasser (1:1)	*2-Alkyl-5-formyl-3-äthoxycarbonyl-furan*	80–85		5
3α,5α,17β-Trihydroxy-3β,14α-dimethyl-A-nor-androstan	Chloro-form/ Essigsäure	*17β-Hydroxy-3-oxo-14α-methyl-androsten-(4)* (nach anschließendem 2–4 Min. Kochen mit methanolischer NaOH)	50	189–191	6
cis-9,10-Dihydroxy-9,10-diaryl-9,10-dihydro-phenanthren	Eisessig bzw. Benzol	*2,2'-Bis-[arylcarbonyl]-biphenyl*			7
1,2-Dihydroxy-1,2-di-phenyl-pyracen	Eisessig	*5,6-Dibenzoyl-acenaphthen*		207–208	8
cis-1,2-Dihydroxy-nonadecen-(10)	Benzol	*Octadecen-(9)-al*	33	65,5–66,5 (DNPH)	9
1,2-Dihydroxy-1,2-di-phenyl-cyclohexan cis trans	Benzol } Benzol }	*1,6-Dioxo-1,6-diphenyl-hexan*	100 90	105–106,5	10 10
cis-1,6-Dihydroxy-2,5-di-phenyl-3,4-diäthoxy-carbonyl-3,4-diaza-bi-cyclo[4.3.0]nonan	Dichlor-methan	*4,8-Dioxo-3,9-diphenyl-1,2-diäthoxycarbonyl-1,2-diaza-cyclononan*	70,8	97,5–102,2	11

[1] H. Schmid u. K. Kägi, Helv. **33**, 1582 (1950).
[2] C. A. Grob u. P. W. Schiess, Helv. **43**, 1546 (1960).
[3] A. v. Wartburg, J. Binkert u. E. Angliker, Helv. **45**, 2139 (1962).
[4] C. H. Eugster, Helv. **40**, 2462 (1957).
[5] R. E. Rosenkranz, K. Allner, R. Good, W. v. Philipsborn u. C. H. Eugster, Helv. **46**, 1259 (1963).
[6] G. R. Pettit u. P. Hofer, Helv. **46**, 2142 (1963).
[7] E. J. Moriconi, F. T. Wallenberger, L. P. Kuhn u. W. F. O'Connor, J. Org. Chem. **22**, 1651 (1957).
[8] H. J. Richter u. F. B. Stocker, J. Org. Chem. **24**, 366 (1959).
[9] H. K. Mangold, J. Org. Chem. **24**, 405 (1959).
[10] P. Tomboulian, J. Org. Chem. **26**, 2652 (1961).
[11] C. G. Overberger u. J. R. Hall, J. Org. Chem. **26**, 4359 (1961).

23*

Tab. 41 (4. Fortsetzung)

Glykol	Lösungs-mittel	Carbonylverbindung	Ausbeute [% d.Th.]	F* [° C]	Litera-tur
1,2-Dihydroxy-1,2-di-dihydro-acenaphthen	Benzol	*1,8-Diformyl-naphthalin*	47,2	227–229	1
cis-6b,12b-Dihydroxy-6b, 12b-dihydro-acenaphtho [1,2-a]acenaphthen	Benzol	*7,14-Dioxo-7,14-dihydro-⟨dinaphtho[1,8,8a-a,b; 1,8,8a-e,f]-cycloocta-tetraen⟩*	81	333–334	2
5β,10β-Dihydroxy-3α, 17β-diacetoxy-östran	Benzol/ Essigsäure	*3α,17β-Diacetoxy-5,10-dioxo-5,10-seco-östran*	55	147–149 [α]D = − 43	3
8α,9α-Dihydroxy-3-meth-oxy-17β-acetoxy-östratrien-(1,3,5¹⁰)	Trichlor-essigsäure/ Methanol	*3-Methoxy-17β-acetoxy-8,9-dioxo-östratrien-(1,3,5¹⁰)*	90	146–148	4
17α-Hydroxy-3β-acetoxy-17β-(1-hydroxy-äthyl)-19-nor-pregnatrien-(5,7,9)	Essigsäure	*3β-Acetoxy-17-oxo-19-nor-androstatrien-(5,7,9)*	78	167–169	5
8α,9α-Dihydroxy-3β-acetoxy-11-oxo-17β-(1-acetoxy-äthyl)-5α-androstan	Benzol	*3β-Acetoxy-8,9,11-trioxo-17β-(1-acetoxy-äthyl)-8,9-seco-5α-androstan*	94	165–172	6
2α,5ξ,10ξ,17β-Tetra-hydroxy-1β-methyl-A-nor-östran	Chloro-form/ Methanol	*2α,17β-Dihydroxy-5,10-dioxo-1β-methyl-5,10-seco-A-nor-östran*	50	149–151 [α]D = −86,3 (c = 0,5)	7
3β,16,17-Trihydroxy-20-oxo-16-methyl-17α-oxa-D-homo-5α-pregnan	Chloro-form	*3β,13α-Dihydroxy-16-oxo-13,17-seco-5α-androstan*	33	190–204	8
	Benzol	*10-Oxo-19β,28-epoxi-5 (101)-a→beo-1αH,5αH, 18αH-25-nor-olean*		271–272	9

[1] J. K. STILLE u. R. T. FOSTER, J. Org. Chem. 28, 2703 (1963).
[2] R. L. LETSINGER u. J. A. GILPIN, J. Org. Chem. 29, 243 (1964).
[3] A. D. CROSS, E. DENOT, R. ACEVEDO, R. URQUIZA u. A. BOWERS, J. Org. Chem. 29, 2195 (1964).
[4] P. KOCOVSKY u. Z. PROCHAZKA, Collect. czech. chem. Commun. 39, 1905 (1974).
[5] H. ILA, V. DABRAL u. N. ANAND, Indian J. Chem. 12, 543 (1974).
[6] S. AOYAMA u. K. SASAKI, Chem. Pharm. Bull. 18, 481 (1970); C. A. 72, 121 778 (1970).
S. AOAYMA, K. KAMATA u. T. KOMENO, Chem. Pharm. Bull. Tokyo 19, 2116 (1971); C. A. 76, 34471 (1972).
[7] K. YOSHIDA, Tetrahedron 25, 1367 (1969).
[8] J. N. GARDNER, F. E. CARLON u. O. GNOJ, J. Org. Chem. 33, 1566 (1968).
[9] S. HUNECK, Tetradron 19, 479 (1963).

Tab. 41 (5. Fortsetzung)

Glykol	Lösungs-mittel	Carbonylverbindung	Ausbeute [% d.Th.]	F* [° C]	Litera-tur
24ξ,25-Dihydroxy-3β-acetoxy-lanosten-(8)	THF	3β-Acetoxy-25,26,27-tris-nor-lanosten-(8)-al-(24)	84	144–145	1
trans-1,2-Dihydroxy-tetralin	Benzol	3-(2-Formyl-phenyl)-propionaldehyd	25	116 (Dioxim)	2
1,2-Dihydroxy-1,2-bis-[tetrahydrofuryl-(2)]-äthan	Eisessig	Tetrahydrofurfural		130–131 (DNPH)	3
1,2-Dihydroxy-1,2-dipentyl-1,2-dihydro-acenaphthen	Benzol	1,8-Dihexanoyl-naphthalin	80	86–86,5	4
Weinsäure-diäthylester	Essigsäure/Wasser	Glykolsäure-äthylester	54	(Kp$_{14}$: 58–62°)	5
trans-1,2-Dihydroxy-indan	Benzol	(2-Formyl-phenyl)-acetaldehyd	60	(Kp$_{0,4}$: 93°)	6
3,4-Dihydroxy-flavan	Eisessig	a) Benzaldehyd b) Salicylaldehyd		237 (DNPH) 252 (DNPH)	7
1,3,4,5-Tetrahydroxy-1-methoxycarbonyl-cyclohexan	Essigsäure/Wasser	3-Hydroxy-3-methoxy-carbonyl-pentandial	98,5		8
1,2,3-Trihydroxy-cyclo-hexan	Benzol ⎫ Eisessig ⎭	Pentandial	50 34	(Kp$_4$: 60–62°)	9 10
2,3,4-Trihydroxy-1-methyl-cyclohexan	Benzol	2-Methyl-pentandial	31,7	192–193 (DNPH)	9
9,10-Dihydroxy-octadecansäure	Eisessig	Nonanal	82	99–100,5 (Semi-carbazon)	11
		Nonanalsäure	90	163–164 (Semi-carbazon)	
9,10-Dihydroxy-stearin-säure	Pb$_3$O$_4$/Essigsäure	Nonanal	94	62–63 (Oxim)	12
		Nonanal-säure	64	40–42	

[1] M. C. Lu, F. Kohen u. R. F. Counsell, J. med. Chem. 14, 136 (1971).
[2] B. K. Blount, Soc. 1933, 553.
[3] C. L. Wilson, Soc. 1945, 52.
[4] B. Bannister u. B. B. Elsner, Soc. 1951, 1061.
[5] L. Vargha u. M. Reményi, Soc. 1951, 1068.
[6] K. T. Potts u. R. Robinson, Soc. 1955, 2675.
[7] M. M. Bokadia, B. R. Brown u. W. Cummings, Soc. 1960, 3308.
[8] E. Baer, J. M. Grosheintz u. H. O. L. Fischer, Am. Soc. 61, 2607 (1939).
[9] G. W. K. Cavill u. D. H. Solomon, Austral. J. Chem. 13, 121 (1960).
[10] A. C. Cope, H. L. Dryden, C. G. Overberger u. A. A. D'Addieco, Am. Soc. 73, 3416 (1951).
[11] Ch. Hsing u. K. Chang, Am. Soc. 61, 3589 (1939).
[12] J. T. Scanlan u. D. Swern, Am. Soc. 62, 2305 (1940).

Tab. 41 (6. Fortsetzung)

Glykol	Lösungs-mittel	Carbonylverbindung	Ausbeute [% d.Th.]	F* [° C]	Litera-tur
9,10,12-Trihydroxy-stearinsäure	Pb_3O_4/ Essigsäure	*Nonen-(2)-al*	67	(Kp$_{0,1}$: 56–58°)	1
		Nonanal-säure	37		
4,5-Dihydroxy-1,3-di-propyl-cyclohexan	Chloro-form	*3,5-Dipropyl-1-formyl-cyclopenten*	80	(Kp$_{3,5}$: 106–107; $n_D^{20} = 1,4730$	2
1-Hydroxy-1-hydroxy-methyl-cyclobutan	Dichlor-methan	*Cyclobutanon*	90,5	(Kp:98–100, $n_D^{25} = 1,4189$)	3
3 α,17α,20β-Trihydroxy-11-oxo-pregnan	Eisessig	*3 α-Hydroxy-11,17-dioxo-etio-cholan*	85	186–187 ([α]$_D^{26}$ +138,3; 1% in Aceton)	4
4,5-Dihydroxy-1,3-dibutyl-(2)-cyclohexan	Chloro-form	*3,5-Dibutyl-(2)-1-formyl-cyclopenten*	63,5	(Kp$_3$: 120–123; $n_D^{25} = 1,4770$)	5
cis-3,4-Dihydroxy-8-oxo-bicyclo[4.3.0]nonan	Eisessig	*2-Formyl-7-oxa-bicyclo [3.3.0]octen-(2)*		204–205 (DNPH)	6
3,4-Dihydroxy-3,4-bis-[methoxy-diphenyl-methyl]-1,2-bis-[di-phenylmethylen]-cyclo-butan		*1,6-Dimethoxy-2,5-dioxo-1,1,6,6-tetraphenyl-3,4-bis-[diphenylmethylen]-hexan*	51	196–197	7
2-Amino-6-hydroxy-8-(1,2,3,4-tetrahydroxy-butyl)-pteridin	H_2O/ CH_3COOH	*2-Amino-6-hydroxy-8-formyl-pteridin*			8
15,16-Dihydroxy-hexa-decansäure-methylester	Eisessig	*15-Oxo-pentadecansäure-methylester*			9
cis-9,10-Dihydroxy-cis, trans-cyclododecadien-(1,5)	Eisessig Xylol	*cis-trans-Dodecadien-(5,9)-dial*	63,5	(Kp$_4$: 147–148; $n_D^{20} = 1,4799$)	10
cis-2,3-Dihydroxy-1,1,4,4-tetramethyl-tetralin	Eisessig	*1,2-Bis-[2-formyl-propyl-(2)]-benzol*	95	(Kp$_{0,4}$: 118–120; $n_D^{25} = 1,5366$)	11
18,19-Dihydroxy-hexatria-contadien-(9,27)	Benzol	*Octadecen-(9)-al*	90	48 (DNPH)	12

[1] J. T. SCANLAN u. D. SWERN, Am. Soc. **62**, 2309 (1940).
[2] J. ENGLISH u. G. W. BARBER, Am. Soc. **71**, 3310 (1949).
[3] J. D. ROBERTS u. C. W. SAUER, Am. Soc. **71**, 3925 (1949).
[4] H. L. HERZOG, M. A. JEVNIK, P. L. PERLMAN, A. NOBILE u. E. B. HERSHBERG, Am. Soc. **75**, 266 (1953).
[5] E. B. REID u. J. F. YOST, Am. Soc. **72**, 5232 (1950).
[6] E. L. ELIEL u. C. PILLAR, Am. Soc. **77**, 3600 (1955).
[7] R. O. UHLER, H. SHECHTER u. G. V. D. TIERS, Am. Soc. **84**, 3397 (1962).
[8] Brit. P. 626171 (1949), Hoffmann-La Roche; C. A. **44**, 3536 (1950).
[9] US. P. 2725393 (1952), National Research Council, Canada, Erf.: R. U. LEMIEUX, C. A. **50**, 13989 (1956).
[10] H. TAKAHASI u. M. YAMAGUCHI, Bl. Chem. Soc. Japan **36**, 1390 (1963); C. A. **60**, 3998^h (1964).
[11] A. W. BURGSTRAHLER u. M. O. ABDEL-RAHMAN, Am. Soc. **85**, 173 (1963).
[12] F. BOUQUET u. C. PAQUOT, Bl. **1949**, 440.

Tab. 41 (7. Fortsetzung)

Glykol	Lösungs-mittel	Carbonylverbindung	Ausbeute [% d.Th.]	F* [° C]	Litera-tur
5,6-Dihydroxy-5-methyl-6,6-diphenyl-hexen-(1)-in-(3)	Eisessig	*Benzophenon* + *5-Oxo-hexen-(1)-in-(3)*		238 (DNPH) 161–162 (DNPH)	1
18,19-Dihydroxy-hexatria-contahexaen-(3,6,9,27,30,33)	Benzol	*Octadecatrien-(9,12,15)-al*	68–86		2
9,10-Dihydroxy-docosan-säure-methylester		*12-Oxo-dodecan-säure-methylester* + *Nonanal*			3
trans-1,6-Dihydroxy-bi-cyclo[4.3.0]nonen-(3)	Trichlor-essigsäure/ Methanol	*4,8-Dioxo-cyclononen-(1)*	45	25	4
8-Hydroxy-8-hydroxy-methyl-tricyclo [8.4.0.0^{2,7}]tetradecen(-1)		*8-Oxo-tricyclo[8.4.0.0^{2,7}] tetradecen-(1)*	100	29	5
2,3,4-Trihydroxy-2,3,4-trimethyl-pentan	Benzol	*2-Hydroxy-3-oxo-2-methyl-butan* (+ *Aceton*)		(Kp: 139–142°; $n_D^{14} = 1,4135$)	6
cis-11,12-Dihydroxy-3,4,5,6,7,8-hexahydro-⟨1,2; 9,10-dibenzo-heptalen⟩	Chloro-form	*5,13-Dioxo-⟨dibenzo-cyclododecadien-(1,4)⟩*		126,5–128	7

Breite Anwendung findet die Glykolspaltung bei der Konstitutionsaufklärung von Poly-hydroxy-Verbindungen und hier vor allem von Kohlenhydraten. Dabei geben Reaktionsgeschwindigkeit, maximaler Blei(IV)-acetat-Verbrauch und Spaltprodukte Auskunft über den Molekülaufbau. Üblicherweise wird die Reaktionsgeschwindigkeit und der Verbrauch des Oxidationsmittels durch jodometrische Titration verfolgt. Daneben können auch potentiometrische[8] oder spektro-photometrische Methoden[9,10] verwendet werden. Zweckmäßig nimmt man hierfür den Bereich[9] von 280–300 nm. Die Blei(IV)-Ab-sorption ist in diesem Bereich zwar nicht maximal, dafür tritt aber keine Störung durch Essigsäure oder Blei(IV)-acetat auf. Ein Vorteil dieser Methode ist, daß man auch hoch-verdünnte Lösungen verwenden kann.

Für die Oxidationsgeschwindigkeit bei Polyhydroxy-Verbindungen gelten die gleichen Gesetz-mäßigkeiten wie für die der einfachen vic. Diole. Wenn zwei benachbarte Hydroxy-Gruppen *cis*-Kon-figuration haben, verläuft die Oxidation schneller, als wenn alle Hydroxy-Gruppen *trans*-Konfiguration zu ihren Nachbarn haben. Zu beachten ist, daß auch α-Hydroxy-aldehyde von Blei(IV)-acetat angegriffen werden. Hierbei ist die Reaktionsgeschwindigkeit sehr oft niedrig, es sei denn, in γ- oder δ-Stellung zur Carbonyl-Gruppe befindet sich eine andere Hydroxy-Gruppe, die die Bildung eines cyclischen Halbacetals erlaubt.

[1] A. A. ANTONOVA u. E. D. VENUS-DANILOVA, Ž. obšč. Chim. **30**, 2872 (1960); engl.: 2850; C. A. **55**, 17563 (1961).
[2] E. J. GANGLITZ u. D. C. MALINS, J. Am. Oil, Chem. Soc. **37**, 425 (1960); C. A. **54**, 23373 (1960).
[3] L. FALKOWSKI, T. ZIMINSKI, W. MECHLINSKI u. E. BOROWSKI, Roczniki Chem. **39**, 225 (1965); C. A. **62**, 16043 (1965).
[4] G. L. BUCHANAN, J. G. HAMILTON u. R. A. RAPHAEL, Soc. **1963**, 4606.
[5] H. CHRISTOL, M. LEVY u. Y. PIETRASANTA, C. r. **258**, 1844 (1964).
[6] J. KAPRON, C. r. **224**, 1434 (1947).
[7] E. YAX u. G. OURISSON, Bl. **1967**, 4153.
[8] R. E. REEVES, Anal. Chem. **21**, 751 (1949).
[9] A. S. PERLIN u. SUZUKI, Canad. J. Chem. **40**, 1226 (1962).
[10] H. MÖHRLE, Ar. **299**, 225 (1966).

Bei der Konstitutionsermittlung[1] über die Spaltprodukte sind Methoden ausgearbeitet worden, die niedrigmolekularen Verbindungen wie Formaldehyd[2] und Kohlendioxid[2-4] quantitativ auch im mikroanalytischen Maßstab zu erfassen. Kohlendioxid entsteht durch Weiteroxidation der Ameisensäure, die bei der Oxidation einer vicinalen Trihydroxy-Verbindung mit 2 Moläquivalent Blei(IV)-acetat anfällt. Durch Zugabe von Kaliumacetat wird die Oxidationsgeschwindigkeit so stark erhöht[4], daß die Verfolgung der Bildung von Kohlendioxid[5], direkt Auskunft über den Oxidationsverlauf und damit über die Konstitution des Polyols gibt.

Zu Fehlschlüssen bei der Konstitutionsermittlung von Kohlenhydraten kann das Verhalten von Pyranosen führen, die während der Oxidation mit Blei(IV)-acetat unter Ringverengung zu Furanosen umgelagert und dann abgebaut werden. Eine solche Ringverengung ist bei der Glucose beobachtet worden[6,7]:

[1] R. C. Hockett, M. T. Dienes u. H. E. Ramsden, Am. Soc. 65, 1474 (1943).
R. C. Hockett u. M. Conley, Am. Soc. 66, 464 (1944).
R. C. Hockett, M. T. Dienes, H. G. Fletcher u. H. E. Ramsden, Am. Soc. 66, 467 (1944).
R. C. Hockett u. H. G. Fletcher, Am. Soc. 66, 469 (1944).
R. C. Hockett, M. H. Nickerson u. W. H. Reeder III, Am. Soc. 66, 472 (1944).
R. C. Hockett u. L. B. Chandler, Am. Soc. 66, 957 (1944).
R. C. Hockett, M. Conley, M. Yusem u. R. I. Mason, Am. Soc. 68, 922 (1946).
R. C. Hockett, H. G. Fletcher, E. L. Sheffield u. R. M. Goepp, Am. Soc. 68, 927 (1946).
R. C. Hockett, H. G. Fletcher, E. L. Sheffield, R. M. Goepp u. S. Soltzberg, Am. Soc. 68, 930 (1946).
R. C. Hockett, M. Zief u. R. M. Goepp, Am. Soc. 68. 935 (1946).
R. C. Hockett u. E. L. Sheffield, Am. Soc. 68, 937 (1946).
G. A. Howard, G. W. Kenner, B. Lithgoe u. A. R. Todd, Soc. 1946, 861.
R. C. Hockett u. F. C. Schaefer, Am. Soc. 69, 849 (1947).
G. Fawaz u. K. Seraidarian, Am. Soc. 69, 966 (1947).
R. E. Deriaz, W. G. Overend, M. Stacey u. L. F. Wiggins, Soc. 1949, 2836.
I. W. Hughes, W. G. Overend u. M. Stacey, Soc. 1949, 2846.
C. E. Becker u. C. E. May, Am. Soc. 71, 1491 (1949).
R. C. Hockett u. M. Zief, Am. Soc. 72, 2130 (1950).
Ch. F. Huebner, R. A. Pankratz u. K. P. Link, Am. Soc. 72, 4811 (1950).
A. B. Foster, W. G. Overend u. M. Stacey, Soc. 1951, 974.
B. H. Alexander, R. J. Dimler u. C. L. Mehltretter, Am. Soc. 73, 4658 (1951).
S. B. Baker, Am. Soc. 74, 827 (1952).
A. S. Perlin, Am. Soc. 76, 2595, 5505 (1954).
G. N. Richards, Soc. 1955, 2013.
A. S. Perlin u. A. R. Lansdown, Canad. J. Chem. 34, 451 (1956).
A. S. Perlin u. C. Brice, Canad. J. Chem. 34, 541 (1956).
A. J. Charlson u. A. S. Perlin, Canad. J. Chem. 34, 1200 (1956).
H. Zinner, G. Rembarz u. H. P. Klöcking, B. 90, 2688 (1957).
H. Zinner, W. Bock u. H. P. Klöcking, B. 92, 1307 (1959).
A. K. Mitra u. A. S. Perlin, Canad. J. Chem. 37, 2047 (1959).
J. N. Baxter u. A. S. Perlin, Canad. J. Chem. 38, 2217 (1960).
H. R. Goldschmid u. A. S. Perlin, Canad. J. Chem. 38, 2280 (1960).
A. S. Perlin u. S. Suzuki, Canad. J. Chem. 40, 1226 (1962).
J. M. Vaughan u. E. E. Dickey, J. Org. Chem. 29, 715 (1964).
[2] A. S. Perlin, Anal. Chem. 27, 396 (1955).
[3] S. Abraham, Am. Soc. 72, 4050 (1950).
[4] A. S. Perlin, Am. Soc. 76, 5505 (1954).
[5] O. Warburg, Über den Stoffwechsel der Tumoren, Springer-Verlag, Berlin 1926.
[6] A. S. Perlin, Canad. J. Chem. 42, 2365 (1964).
[7] W. Mackie u. A. S. Perlin, Canad. J. Chem. 43, 2645 (1965).

Als Beweis für die Umlagerung gilt außer der Tatsache, daß nur 2 statt 3 Mole Blei(IV)-acetat verbraucht werden, die hohe Reaktionsgeschwindigkeit. In 4-Stellung substituierte D-Glucose reagiert langsamer, da hier die Möglichkeit der Ringverengung zum Furanring verbaut ist.

Ein besonderes Problem stellen Polysaccharide dar, da sie in den zur Glykolspaltung allgemein verwendeten Lösungsmitteln praktisch unlöslich sind. Die neutralen Vertreter dieser Verbindungsklasse können in Dimethylsulfoxid oxidiert werden, wenn dieses 15–20% Eisessig enthält, um die Oxidation des Dimethylsulfoxids zu verhindern[1]. Die Reaktion ist schneller als die von Perjodat in wäßriger Lösung, außerdem lassen sich die Polysaccharide durch einfaches Ausfällen mit Alkohol gut isolieren. Die sauren Vertreter verhalten sich demgegenüber untypisch und solche mit einem hohen Gehalt an Uronsäure-Einheiten sind gegen die Oxidation mit Blei(IV)-acetat resistent[1].

Neben Blei(IV)-acetat sind auch andere Oxidationsmittel wie Perjodsäure und ihre Salze[2], Aryljodosoacetate und -benzoate[3], Natriumwismutat[4] und Xenonsäure[5] in der Lage, 1,2-Diole oxidativ zu spalten[6]. Von diesen ist Perjodat das wichtigere Reagenz. Beide Oxidationsmittel, Blei(IV)-acetat und Perjodsäure, ergänzen sich; so reagiert Blei(IV)-acetat mit vielen Diolen, die gegen Perjodat resistent sind. Außerdem oxidiert Blei(IV)-acetat auch solche Verbindungen, die in Wasser unlöslich sind und deshalb von Perjodsäure nicht angegriffen werden. Der Nachteil von Blei(IV)-acetat ist seine geringere Selektivität. Es reagiert mit vielen anderen organischen Verbindungen unter Acetoxylierung, Dehydrierung und Fragmentierung.

Tab. 42: Glykolspaltung von Polyhydroxy-Verbindungen

Polyhydroxy-verbindung	Lösungs-mittel	Molverhält-nis Blei(IV)-acetat/Poly-glykol	Spaltprodukte	Ausbeute [% d.Th.]	F [°C]	Literatur
2,4-Benzyliden-D-glucose-dimethyl-mercaptal	Benzol	1	5-Hydroxy-4,6-di-methylmercapto-2-phenyl-4-formyl-1,3-dioxan	80	168–170 (NPH)	7
1,2,5,6-Tetrabenzyl-D-mannit	Benzol	1	2,3-Dibenzyloxy-propanal	92		8
1,2,5,6-Tetra-benzoyl-mannit	Benzol		d-Glycerinaldehyd		130–131 (Zers.) (Bisulfit)	9
(4-Methyl-phenyl)-1-arabinamin	Eisessig	11	4-Amino-1-methyl-benzol + Formaldehyd			10
3,6-Anhydro-D-galaktose-di-propylmercaptal	Benzol	1	3-Hydroxy-2-for-mylmethoxy-4,4-dipropylmer-capto-butanal	42	($[\alpha]_D^{19}$: +12,1)	11

[1] V. ZITKO u. C. T. BISHOP, Canad. J. Chem. 44, 1749 (1966).
[2] L. MALAPRADE, C. r. 186, 382 (1928); Bl. [4] 43, 683 (1928).
[3] R. CRIGEE u. H. BEUCKER, A. 541, 218 (1939).
[4] W. RIGBY, Soc. 1950, 1907.
[5] B. JASELSKIS u. S. VAS, Am. Soc. 86, 2078 (1964).
[6] C. A. BUNTON in K. B. WIBERG, Oxidation in Organic Chemistry, Academic Press, New York 1965.
[7] H. ZINNER, K. H. ROHDE u. A. MATTHEUS, A. 677, 160 (1964).
[8] H. EIBL u. D. WESTPHAL, A. 738, 161 (1970).
[9] P. BRIGL u. H. GRÜNER, B. 66, 931 (1933).
[10] D. KLEIN, B. 85, 253 (1952).
[11] H. ZINNER, K. H. STARK, E. MICHALZIK u. H. KRISTEN, B. 95, 1391 (1962).

Tab. 42 (1. Fortsetzung)

Polyhydroxy-verbindung	Lösungs-mittel	Molverhält-nis Blei(IV)-acetat/Poly-glykol	Spaltprodukte	Ausbeute [% d.Th.]	F [° C]	Litera-tur
3-Desoxy-D-mannose	Methanol	1	*2-Desoxy-D-ribose*	60	174 (Anilid)	1
2,3-Isopropyliden-D-arabinose-di-methylmercaptal	Benzol	2	*2,2-Dimethyl-5,5-di-methylmercapto-4-formyl-1,3-di-oxolan* (D-*threo*)			2
α-Methyl-d-glucosid	Eisessig	1	*Glyoxal*		278 (4-Ni-tro-phenyl-osazon)	3
1,2; 5,6-Bis-[isopropyliden]-mannit	Benzol		D-*Glycerinaldehyd*	86		4
5,6-Carbonylen-β-methyl-gluco-furanosid	Benzol	2	D-*Erythrose*		160–172 (Phenylosa-zon)	5
1,3-Monobenzyliden-d-sorbit	Eisessig	1	*3,5-Monobenzyliden-1-xylofuranose*		185 (Phe-nylhydrazon)	6
1,2;3,4-Bis-[äthylen]-sorbitol	Eisessig	1	β-*1-Xylose*		127–128,5 (Tetraacetyl)	7
α-Methyl-d-manno-pyranosid	Chloroform	2	*3-Hydroxy-2-(meth-oxy-formyl-meth-oxy)-propanal*	55		8
1,2,5,6-Diisopropy-liden-d-mannitol	Benzol	1	*2,2-Dimethyl-4-formyl-1,3-dioxo-lan*	76	[Kp_8: 38°; [α]_D^{22}: –67,9 (in Benzol)]	9
1,2; 5,6-Bis-[iso-propyliden]-d-mannitol	Essigsäure/Wasser	1	*d-Glycerinaldehyd*	98,8	155–160 (2,4-Dinitro-phenyl-hydrazon)	10
α-Methyl-1-arabin-osepyranosid	Essigsäure/Wasser	3,2	L-*2-(Methoxy-formyl-methoxy)-essigsäure*	98		11
β-Methyl-1-arabin-osepyranosid			D-*2-(Methoxy-for-myl-methoxy)-essigsäure*	95		11

1 G. Rembarz, B. **95**, 1565 (1962).
2 H. Zinner u. H. Kristen, B. **97**, 1654 (1964).
3 P. Karrer u. K. Pfaehler, Helv. **17**, 363 (1934).
4 H. O. L. Fischer u. E. Baer, Helv. **19**, 519 (1936).
5 W. G. Overend, M. Stacey u. L. F. Wiggins, Soc. **1949**, 1358.
6 L. v. Vargha, B. **68**, 18 (1935).
7 H. Appel, Soc. **1935**, 425.
8 W. S. McClenahan u. R. C. Hockett, Am. Soc. **60**, 2061 (1938).
9 E. Baer u. H. O. L. Fischer, Am. Soc. **61**, 761 (1939).
10 E. Baer, J. M. Grosheintz u. H. O. L. Fischer, Am. Soc. **61**, 2607 (1939).
11 J. M. Grosheintz, Am. Soc. **61**, 3379 (1939).

Tab. 42 (2. Fortsetzung)

Polyhydroxy-verbindung	Lösungs-mittel	Molverhält-nis Blei(IV)-acetat/Poly-glykol	Spaltprodukte	Ausbeute [% d.Th.]	F [° C]	Litera-tur
1,5-Dibenzoyl-D-arabitol	Eisessig	2,3	2-Hydroxy-3-oxo-3-phenyl-propanal	57	194–195 (Semi-carbazon)	1
1,3;2,4-Bis-[äthyli-den]-sorbitol	Eisessig		Aldehydo-2,4;3,5-bis-[äthyliden]-L-xylose	89	145–148	2
3,6-Dimethyl-D-glucose	Eisessig	1	2,5-Dimethyl-D-arabinose	90	[n_D^{20} = 1,4637]	3
D-Glucose	Essigsäure/Wasser	2	Di-O-formyl-D-erythrose	80		4,5
L-Arabinose	Essigsäure/Wasser	1	L-Glycerinaldehyd	90		4,5
D-Fructose	Essigsäure/Wasser	2	D-Glycerinaldehyd[a]	89	{$[\alpha]_D^{27}$: +8,3 (c=0,75)}	6
L-Sorbose	Essigsäure/Wasser	2	L-Glycerinaldehyd[a]	82	{$[\alpha]_D^{27}$: −8,6 (c=3,6 in H_2O)}	6
D-Mannose	Essigsäure/Wasser	1	D-Arabinose[a]		156,5–157,5	5
Melibiosehydrat	Essigsäure/Wasser	2	4-O-α-D-Galacto-pyranosyl-D-erythritol[b]		133 {$[\alpha]_D^{25}$: +134 (c=2,0 H_2O)}	7
Maltose	Essigsäure/Wasser	2	2-O-α-D-Gluco-pyranosyl-D-erythritol		147–148 {$[\alpha]_D$: +130 (c=1,8 H_2O)}	7
Cellobiose	Essigsäure/Wasser	2	2-O-β-D-Gluco-pyranosyl-erythritol		185–187 {$[\alpha]_D$: −17 (c=2,0 H_2O)}	7
2-O-(4-O-Methyl-D-glucopyranurono-sido)-D-xylose	Essigsäure/Wasser	2	4-O-Methyl-D-glucuronsäure	51	($[\alpha]_D$: +48)	8
Ribose-5-phosphor-säure			Glycerinaldehyd-3-phosphorsäure			9

[a] nach Hydrolyse der Oxidationsprodukte
[b] nach Reduktion mit Natriumboranat

[1] W. T. Haskins, R. M. Hann u. C. S. Hudson, Am. Soc. 65, 1663 (1943).
[2] R. C. Hockett u. F. C. Schaefer, Am. Soc. 69, 849 (1947).
[3] J. Fried u. D. E. Walz, Am. Soc. 74, 5468 (1952).
[4] A. S. Perlin u. C. Brice, Canad. J. Chem. 33, 1216 (1955).
[5] A. S. Perlin u. C. Brice, Canad. J. Chem. 34, 541 (1956).
[6] A. S. Perlin u. C. Brice, Canad. J. Chem. 34, 85 (1956).
[7] A. J. Charlson u. A. S. Perlin, Canad. J. Chem. 34, 1200 (1956).
[8] P. A. J. Gorin, Canad. J. Chem. 35, 595 (1957).
[9] V. Klybas, M. Schramm u. E. Racker, Arch. Biochem. 80, 229 (1959).

4. Spaltung von α-Amino-hydroxy-alkanen, α-Amino-Ketonen und aromatischen 1,2-Diaminen

Die Glykolspaltung läßt sich auch auf stickstoffhaltige Substanzen übertragen. Eine NH_2- oder NHR- und unter bestimmten Voraussetzungen auch eine NR_2-Gruppe verhält sich wie die entsprechende Hydroxy-Gruppe. So können sowohl 1,2-Diamine als auch 2-Amino-alkohole gespalten werden[1,2].

Zur Spaltung des einfachsten Amino-alkohols, des 2-Amino-äthanols wird zunächst ein Mol Blei(IV)-acetat benötigt. Es entstehen *Formaldehyd* und *Methylenimin*. Letzteres wird mit einem Überschuß an Oxidationsmittel unter Dehydrierung zu *Blausäure* umgesetzt, so daß schließlich 2 Mol Blei(IV)-acetat verbraucht werden[3]:

$$HO-CH_2-CH_2-NH_2 \xrightarrow[-Pb(O-CO-CH_3)_2]{Pb(O-CO-CH_3)_4} H_2C{=}NH + CH_2O + 2\,CH_3COOH$$

$$H_2C{=}NH \xrightarrow[-Pb(O-CO-CH_3)_2]{Pb(O-CO-CH_3)_4} HCN + 2\,CH_3COOH$$

Bei Anwesenheit von Wasser unterbleibt die Bildung der Blausäure, das Imin wird hydrolysiert und als Spaltstücke der 2-Amino-äthanol-Oxidation erhält man 2 Mole *Formaldehyd* und 1 Mol *Ammoniak*:

$$H_2C{=}NH + H_2O \longrightarrow CH_2O + NH_3$$

Außer α-Amino-alkohole mit primären oder sekundären Amino-Gruppen können auch Amino-alkohole mit tertiären Amino-Gruppen mit praktisch gleicher Geschwindigkeit gespalten werden, wenn der tertiäre Stickstoff ein freies Elektronenpaar besitzt, das die Ausbildung von Carbenium-Immonium-Ionen gestattet[4,5],

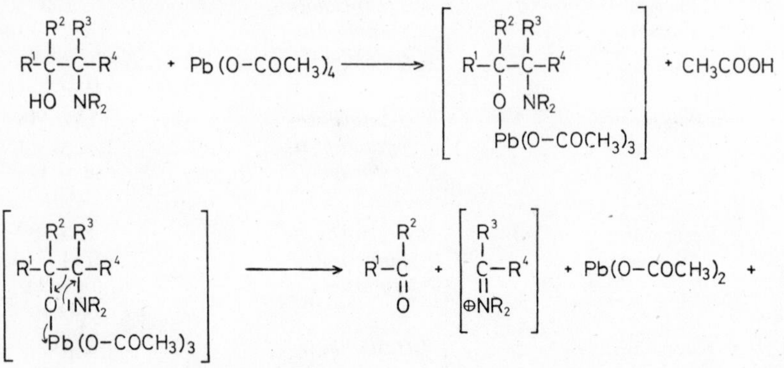

die durch Wasser zur Carbonyl-Verbindung und dem sekundären Amin hydrolysiert werden:

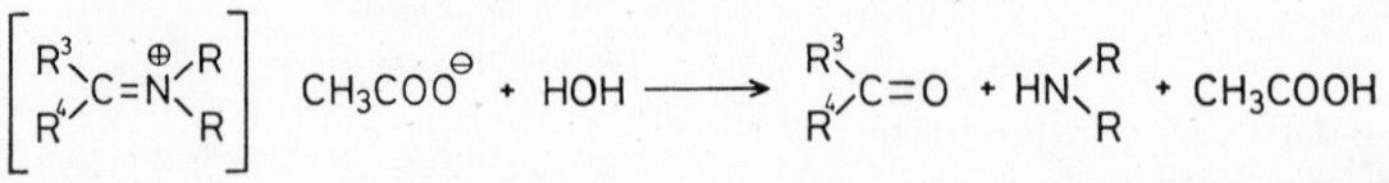

Hiernach werden N-(β-Hydroxy-alkyl)-phthalimido-(I)- und -succinimido(II)-Verbindungen, ebenso wie die in bezug auf die α-Amino-alkanol-Gruppe ähnlich aufgebauten Theobromin- (III) und Theophyllin-Derivate (IV)

[1] Bollinger, Dissertation, Universität Marburg 1936.
[2] R. Criegee, Ang. Chem. 53, 321 (1940).
[3] H. J. Roth u. A. Brandau, Ar. 293, 27 (1960).
[4] N. J. Leonard u. M. A. Rebenstorf, Am. Soc. 67, 49 (1945).
[5] H. J. Roth, Ar. 294, 427 (1961).

I   II   III   IV

nicht gespalten[1,2]. In gleicher Weise sind auch quartäre Ammonium-Verbindungen der Blei(IV)-acetat-Spaltung nicht zugänglich, während Salze von Amino-alkoholen mit prim. und sekundären Amino-Gruppen gespalten werden, allerdings mit entsprechend längeren Reaktionszeiten. Während bei Verwendung der freien Basen in Benzol zwei Stunden bei 60° genügen, erfordert eine quantitative Spaltung der Hydrochloride unter vergleichbaren Bedingungen drei bis vier Stunden[1].

Wie bei den α-Glykolen, so lassen sich auch bei den α-Amino-alkoholen in Abhängigkeit von der Stellung der funktionellen Gruppen zueinander unterschiedliche Spaltungsgeschwindigkeiten beobachten. Beispielsweise wird *cis*-2-Amino-1-hydroxy-cyclohexan ungefähr 20 mal schneller gespalten als *trans*-2-Amino-1-hydroxy-hexan.

Der Unterschied im Reaktionsverhalten ist bei den 2-Amino-1-hydroxy-cyclopentanen in der gleichen Größenordnung, wobei *trans*-2-Amino-1-hydroxy-cyclopentan selbst noch schneller oxidiert wird als *cis*-2-Amino-1-hydroxy-cyclohexan[3]. Aufgrund dieser Unterschiede lassen sich auch bei den Aminoalkanolen Aussagen über Konstitutionsfragen aufgrund von Spaltstücken[4] und von relativen Reaktionsgeschwindigkeiten machen[5–7].

Man sollte dabei aber beachten, daß diese Spaltung nicht 100% spezifisch nur für 2-Amino-alkohole ist, auch 3- und 4-Amino-alkohole liefern bei der Oxidation mit Blei(IV)-acetat die entsprechenden Amin-Bruchstücke – 4-Diäthylamino-butanol beispielsweise *Diäthylamin* – allerdings ist diese Reaktion derart langsam und die Ausbeuten an Dialkylamin so gering, daß eine Verwechslung kaum möglich ist[8].

Sekundäre Amine durch Oxidation von 2-Methylamino-1-hydroxy-1-phenyl-propanen; allgemeine Herstellungsvorschrift[9]:

$$R^1-\underset{\underset{H_3C}{|}}{CH}-\underset{\underset{CH_3}{|}}{N}-\underset{\underset{C_6H_5}{|}}{CH}-\overset{\overset{OH}{|}}{C}-H \xrightarrow{Pb(O-CO-CH_3)_4} R^1-\underset{\underset{R^2}{|}}{CH}-NH-CH_3$$

Zu einer Lösung von 0,05 Mol 2-Methylamino-1-hydroxy-1-phenyl-propan in 100 *ml* Äther wird eine Lösung von 0,05 Mol Blei(IV)-acetat in 50 *ml* Essigsäure-äthylester gegeben. Dann läßt man 4 Stdn. bei 60° rühren, kühlt ab, gibt einen Überschuß an verd. Salzsäure zu und rührt noch 1 Stde. bei Raumtemp.

Ausgefallenes Blei(II)-chlorid wird abfiltriert, die klare organische Schicht abgetrennt und die wäßrige Phase bis zur Trockne eingedampft. Der Rückstand wird in Äthanol aufgenommen und dieser mit Aceton verdünnt. Dabei fällt das Hydrochlorid kristallin aus. Aus der organischen Phase kann man destillativ Acetaldehyd abtrennen. Aus dem Rückstand kann man Benzaldehyd als Phenylhydrazon isolieren.

Statt der freien Basen können auch ihre Hydrochloride zur Spaltung mit Blei(IV)-acetat eingesetzt werden. Man muß dann 6 Stdn. auf 60° in Essigsäure-äthylester erhitzen.

Nach diesem Verfahren erhält man u. a.

1-Methylamino-1-phenyl-äthan   ($R^1 = C_6H_5$; $R^2 = CH_3$); 88% d.Th.; F: 211–212°
                                                                (Hydrochlorid)

1-Methylamino-1,2-diphenyl-äthan   ($R^1 = C_6H_5$; $R^2 = CH_2-C_6H_5$); 92% d.Th.; F: 221–222°
                                                                (Hydrochlorid)

[1] H. J. ROTH u. A. BRANDAU, Ar. **293**, 27 (1960).
[2] H. J. ROTH, Ar. **294**, 427 (1961).
[3] G. E. McCASLAND u. D. A. SMITH, Am. Soc. **73**, 5164 (1951).
[4] G. W. PIGULEWSKI u. I. L. KURANOWA, Ž. prikl. Chim. **28**, 213 (1955); C. A. **49**, 7491 (1955).
[5] T. POSTERNAK, Helv. **33**, 1597 (1950).
[6] M. PESEZ, Bl. **1954**, 520.
[7] M. PESEZ, J. MATHIEU u. A. ALLAIS, Anal. Chim. Acta **20**, 291 (1959); C. A. **54**, 5224 (1960).
[8] N. J. LEONARD u. M. A. REBENSTORF, Am. Soc. **67**, 49 (1945).
[9] L. NEELAKANTAN, J. Org. Chem. **36**, 2256 (1971).

Die Oxidation primärer α-Amino-ketone mit Blei(IV)-acetat liefert je nach Menge des Oxidationsmittels (Molverhältnis 1 oder 2) oder Reaktionsmediums Carbonsäuren, Ester oder α-Acetylamino-ketone[1]:

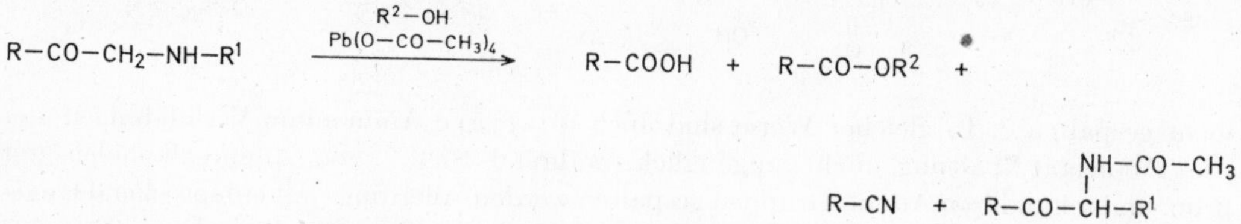

$$R-CO-CH_2-NH-R^1 \xrightarrow[\text{Pb(O-CO-CH}_3)_4]{R^2-OH} R-COOH + R-CO-OR^2 +$$

$$R-CN + R-CO-\overset{\overset{\displaystyle NH-CO-CH_3}{|}}{CH}-R^1$$

Diese vereinfachte Reaktionsgleichung gibt allerdings die bei einer derartigen Umsetzung zu erwartende Stoffverteilung nicht wieder. Zur Ester-Bildung kommt es nur bei Anwesenheit von Alkohol. Wie hoch der Ester-Anteil am Reaktionsprodukt bei Oxidation in Gegenwart von Alkohol ist, ist nicht abschätzbar. 2-Amino-1-oxo-1-phenyl-pentan z. B. wird mit 1 Mol Blei(IV)-acetat in Dichlormethan Äthanol zu 3,1% Benzoesäure, 58% *Benzoesäure-äthylester* und 49% *Butansäure-nitril* umgesetzt. Unter gleichen Bedingungen liefert 2-Amino-1-oxo-1-(4-methyl-phenyl)-propan 19% *4-Methyl-benzoesäure*, 43% Ester, kein Nitril und 10% *2-Acetylamino-1-oxo-1-(4-methyl-phenyl)-propan.*

Cyclische Verbindungen können entweder zu Alkandisäure-alkylester-nitrilen reagieren; z. B.:

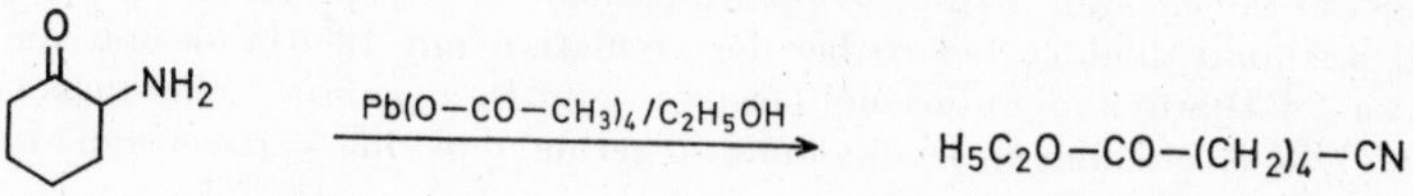

$$\xrightarrow{\text{Pb(O-CO-CH}_3)_4/\text{C}_2\text{H}_5\text{OH}} H_5C_2O-CO-(CH_2)_4-CN$$

Hexandisäure-äthylester-nitril

oder im wesentlichen zu Dicarbonsäureanhydriden, z. B.:

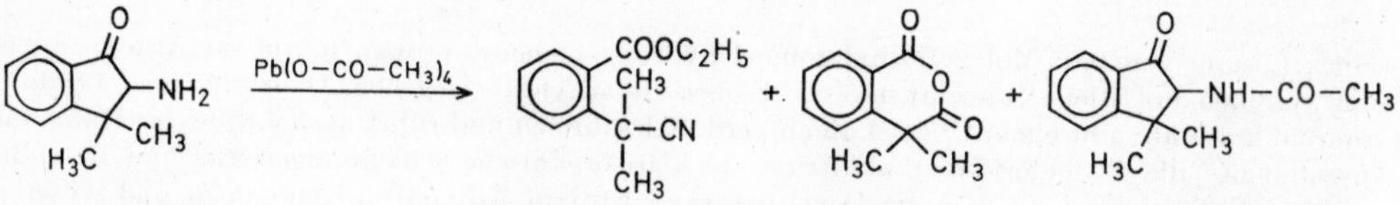

| 2-[2-Cyan-propyl-(2)]-benzoesäure-äthylester | 1,3-Dioxo-4,4-dimethyl-3,4-dihydro-1H-⟨benzo-[c]-pyran⟩ | 2-Acetamino-3-oxo-1,1-dimehyl-2,3-dihydro-indan |

Die Spaltung der α-Amino-ketone ist lediglich dann interessant, wenn man an der Carbonsäure interessiert ist. Etwas eindeutiger, was das stickstoffhaltige Bruchstück betrifft, ist der Abbau tertiärer α-Amino-ketone[2]. Hierbei wird der Stickstoff als sekundäres Amin unter Lösen der α–C–N-Bindung abgespalten:

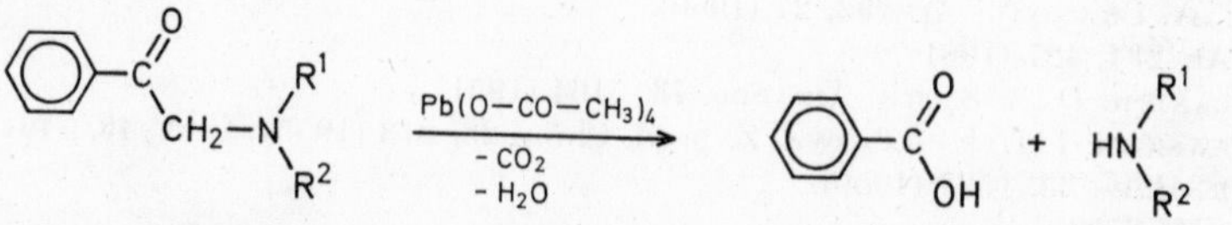

[1] M. E. Baumgarten et al., J. Org. Chem. **36**, 3668 (1971).
[2] H. Möhrle, W. Haug u. E. Federolf, Ar. **306**, 44 (1973).

o-Diamino-aromaten reagieren mit Blei(IV)-acetat unter Spaltung der C–C-Bindung zwischen den beiden Amino-Gruppen. Hauptreaktionsprodukte sind die entsprechenden Derivate des *cis,cis*-Hexadien-(2,4)-disäure-dinitrils[1,2]:

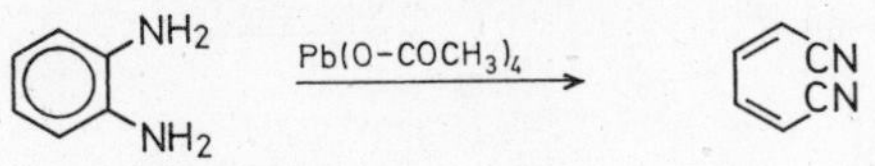

Hexadien-(2,4)-disäure-dinitril (Muconsäure-dinitril): 2,16 g (0,02 Mol) 1,2-Diamino-benzol werden mit 23 g (0,052 Mol) Blei(IV)-acetat in 200 *ml* Äther 3 Stdn. bei Raumtemp. unter Rühren oxidiert; Ausbeute: 1,05 g (50,5% d.Th.); F: 128–129°.

Tab. 43: *cis,cis*-Hexadien-(2,4)-disäure-dinitrile durch Oxidation von o-Diaminoaromaten mit Blei(IV)-acetat

o-Diamino-aromat		Ausbeute [% d.Th.]	F [° C]	Literatur
3,4-Diamino-1-methyl-benzol	*3-Methyl-hexadien-(2,4)-disäure-dinitril*	39,6	56,5–57,5	1, 2
4,5-Diamino-1,2-dimethyl-benzol	*3,4-Dimethyl-hexadien-(2,4)-disäure-dinitril*	39,2	107–108	1, 2
4-Chlor-1,2-diamino-benzol	*3-Chlor-hexadien-(2,4)-disäure-dinitril*	35,9	89–90	1, 2
4,5-Dichlor-1,2-diamino-benzol	*3,4-Dichlor-hexadien-(2,4)-disäure-dinitril*	35,7	50,0–51,5	1, 2
1,2-Diamino-naphthalin	*3-(2-Cyan-phenyl)-acrylnitril*	39,7	70,0–70,5	1, 2
Tetrafluor-1,2-diamino-benzol	*Tetrafluor-hexadien-(2,4)-disäure-dinitril*	70	50,5–52	3

5. Spaltung von α-Hydroxy-ketonen und α-Diketonen

Blei(IV)-acetat oxidiert α-Hydroxy-ketone und α-Diketone unter Spaltung der C–C-Bindung. Dabei entstehen entweder Carbonyl- und Carboxy-Verbindungen[4] oder letztere allein:

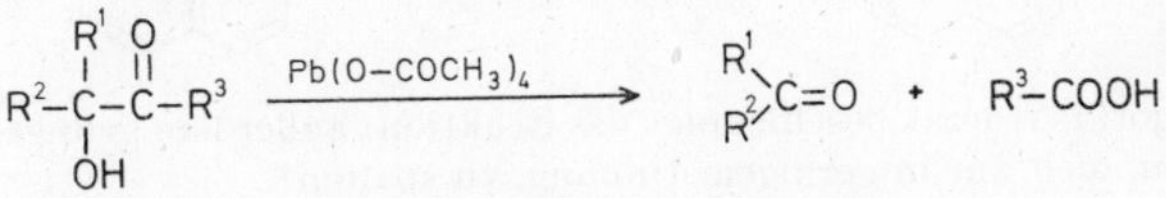

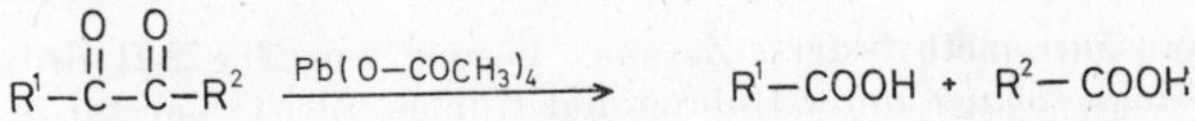

Eine Spaltung nach diesem Schema gelingt immer dann, wenn die Carbonyl-Gruppe die Möglichkeit hat, entweder durch Addition von protischen Substanzen wie z. B. Wasser, Alkohol, Cyanwasserstoff, ein Pseudoglykol zu bilden oder dieses durch Enolisierung der einen oder beider Oxo-Gruppen erreicht wird. Wenn beides nicht möglich ist, kann eventuell keine Reaktion erfolgen, wie bei der Oxidation von Benzil oder Phenanthrenchinon oder aber, und das gilt für α-Hydroxy-ketone, es erfolgt Dehydrierung zu α-Dicarbonyl-Verbindungen, eine Nebenreaktion bei der α-Hydroxy-keton-Spaltung (sie läuft aber viel langsamer als diese ab).

[1] K. NAKAGAWA u. H. ONOUE, Chem. Commun. **1965**, 396.
[2] Belg. P. 709701 (1968), Fisons Pest Control Ltd.
[3] L. S. KOBRINA, N. V. AKULENKO u. G. G. JAKOBSEN, Ž. org. Chim. 8, 2375 (1972); engl.: 2421; C. A. **78**, 58326 (1973).
[4] E. BAER, Am. Soc. **62**, 1597 (1940).

2α,16α,19-Triacetoxy-3,11,20-trioxo-4,4,14α-trimethyl-19-nor-10α-pregnen-(5)[1]:

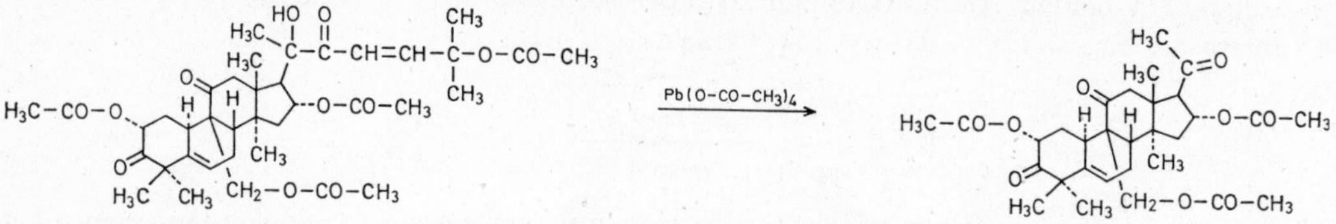

Eine Lösung von 11,4 g 2,16,19-O-Triacetyl-cucurbitasin A in 700 ml Benzol wird unter Rühren zum Sieden erhitzt und 50 ml Benzol abdestilliert. Danach werden auf einmal 13,3 g frisch getrocknetes Blei(IV)-acetat zugegeben und 1 Stde. unter Rückfluß gekocht. 2 ml Glykol werden zugegeben und das Reaktionsgemisch abgekühlt. Danach wird mit 200 ml Wasser versetzt, die organische Lösung abgetrennt; 2mal mit einer ges. Natriumcarbonat (2 × 100 ml), einige Male mit Wasser gewaschen und das Lösungsmittel abdestilliert. Aus Methanol umkristallisiert erhält man 7,1 g (80% d.Th.); F: 243–246°.

Grundsätzlich ist eine Spaltung auch von nicht enolisierbaren Diketonen bei Abwesenheit von protischen Lösungsmitteln nicht auszuschließen. Das zeigt das Beispiel des 2,3-Dioxo-1,7,7-trimethyl-bicyclo[2.2.1]heptans (Campherchinon) das durch 24stündiges Schütteln mit Blei(IV)-acetat in Benzol bei Raumtemperatur zu *1,2,2-Trimethyl-cyclopentan-1,3-dicarbonsäure-anhydrid* (94% d.Th.) oxidiert wird, obwohl keine der Carbonyl-Gruppen die Möglichkeit zur Enolisierung[2] hat:

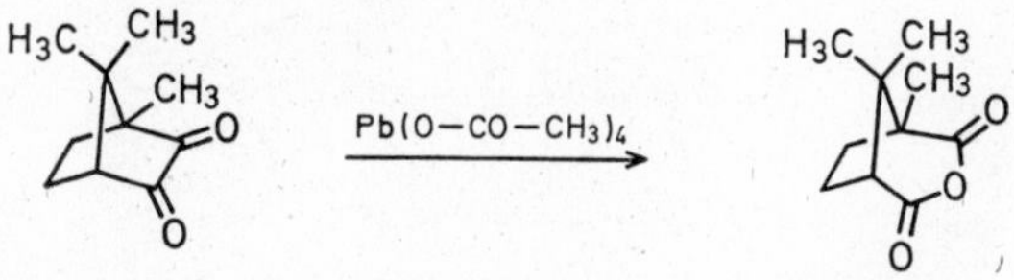

Mit ähnlich hoher Selektivität wird auch Acenaphtenchinon unter C–C-Spaltung zum *Naphtalin-1,8-dicarbonsäure-anhydrid* oxidiert[2]:

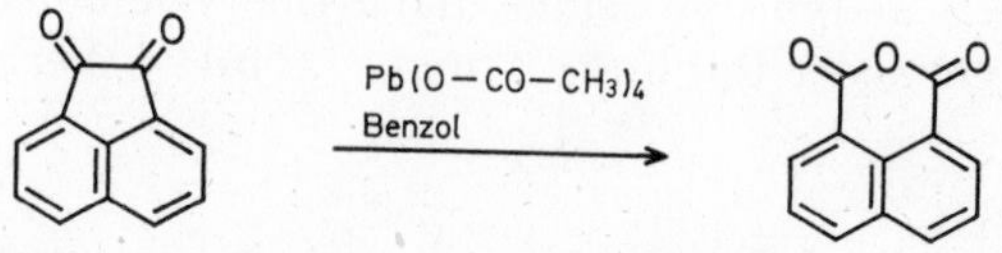

Zusatz von Bortrifluorid-Ätherat beschleunigt die Reaktion; außerdem gelingt es bei seiner Anwesenheit, auch Benzil, wenn auch nur in geringem Umfang, zu spalten[2].

Wird in äthanolischer Eisessig-Lösung bzw. in reinem Alkohol oxidiert, so wird die Carboxy-Verbindung verestert und die Carbonyl-Komponente in das Acetal überführt[3–5].

6,6-Dimethoxy-hexansäure-methylester[5]: Zu einer Lösung von 20 g 2-Hydroxy-1-oxo-cyclohexan in 200 ml Methanol gibt man solange unter Rühren und Kühlen Blei(IV)-acetat in kleinen Portionen, bis ein geringer Überschuß 10 Min. lang bleibt (Jod-Stärke-Papier). Dazu sind ungefähr 80 g Blei(IV)-acetat erforderlich. Der Überschuß wird durch Zugabe von ein paar Tropfen Glycerin abgebaut und eine Lösung von 32 g Schwefelsäure in 80 ml Methanol zugegeben. Nach 2tägigem Stehen wird vom Blei(II)-sulfat abgesaugt und 3mal mit je 25 ml Methanol gewaschen. Filtrat und Waschlösungen werden vereinigt und unter gutem Rühren in 300 ml 30% Natriumcarbonat-Lösung geschüttet. Von etwaigen Feststoffen wird abfiltriert und die klare Lösung 4mal mit je 200 ml Äther extrahiert. Die vereinigten Äther-Auszüge werden mit 100 ml Wasser gewaschen und über Natriumsulfat getrocknet. Äther und noch vorhandenes Methanol werden abdestilliert. An dieser Stelle ist immer noch etwas Wasser vorhanden, das abgetrennt werden muß und ein oder 2mal mit Äther extrahiert wird. Der Äther wird wieder getrocknet und entfernt. Destillation i. Vak. ergibt 21,7 g (65% d.Th.); Kp$_{1,8}$: 79–83°.

---

[1] J. R. Bull u. K. B. Norton, Soc. [C] **1970**, 1592.

[2] L. Canonica, B. Danieli, P. Manitto u. G. Russo, G. **100**, 1026 (1970).

[3] E. Caspi, W. Schmid u. T. A. Wittstruck, Tetrahedron **16**, 271 (1961).

[4] C. D. Hurd u. W. H. Saunders, Am. Soc. **74**, 5324 (1952).

[5] J. R. Hazen, J. Org. Chem. **35**, 973 (1970).

In einer interessanten Reaktionsfolge erhält man bei der Oxidation von $\alpha,\gamma,\delta,\zeta$-Tetraketonen in Eisessig bei Zimmertemperatur *Dehydracetsäure* bzw. ihre Homologen[1]:

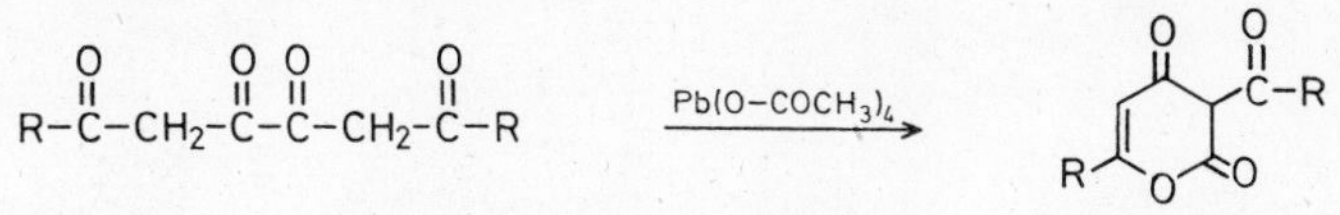

R = CH$_3$; *2,4-Dioxo-6-methyl-3-acetyl-3,4-dihydro-2H-pyran*
R = C$_2$H$_5$; *2,4-Dioxo-6-äthyl-3-propanoyl-3,4-dihydro-2H-pyran*
R = C$_6$H$_5$; *2,4-Dioxo-6-phenyl-3-benzoyl-3,4-dihydro-2H-pyran*
R = OCH$_3$; *2,4-Dioxo-6-methoxy-3-methoxycarbonyl-3,4-dihydro-2H-pyran*

Im ersten Schritt wird das Tetraketon über die Dienolform zu 2 Molen Acylketen gespalten, die dann nach Diels-Alder zur Dehydracetsäure weiterreagieren:

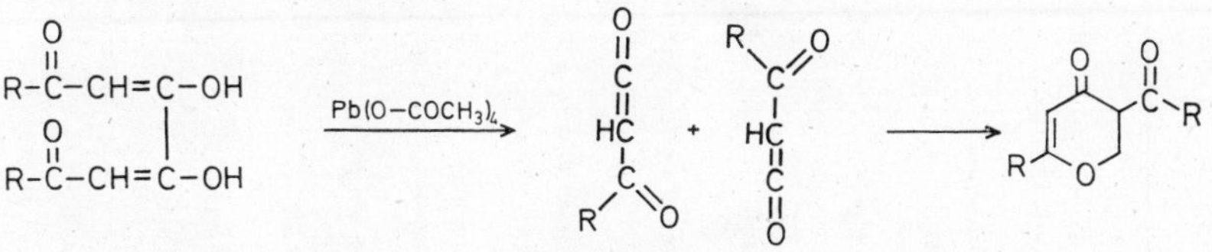

Zu einer Vielzahl von Verbindungen führt die Blei(IV)-acetat-Spaltung von 1,2-Dioxo-cyclohexan[2]. Über einen wahrscheinlich radikalischen Mechanismus erhält man bei der Oxidation in Benzol-Methanol (1 : 1) den *5,6-Dimethoxycarbonyl-decandisäure-dimethylester* zusammen mit dem *2-Acetoxy-* und *2-Methoxy-hexandisäure-dimethylester*:

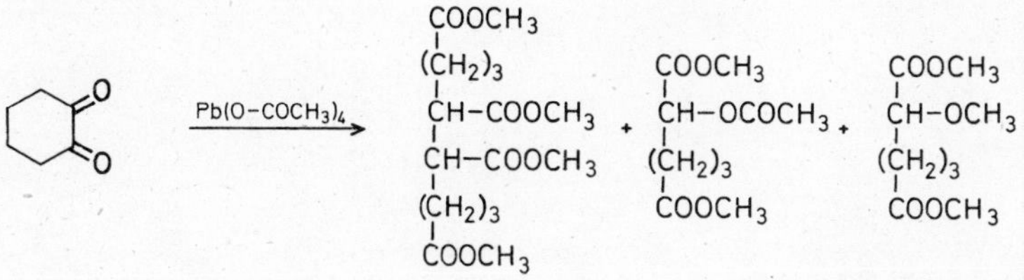

In Dichlormethan mit 2% Äthanol erhält man *2,2',3,3'-Tetra-oxo-bi-cyclohexyl* und *6-Äthoxy-5,8-di-oxo-9-(3-äthoxycarbonyl-propyl)-7-oxa-bicyclo[4.3.0]nonan*

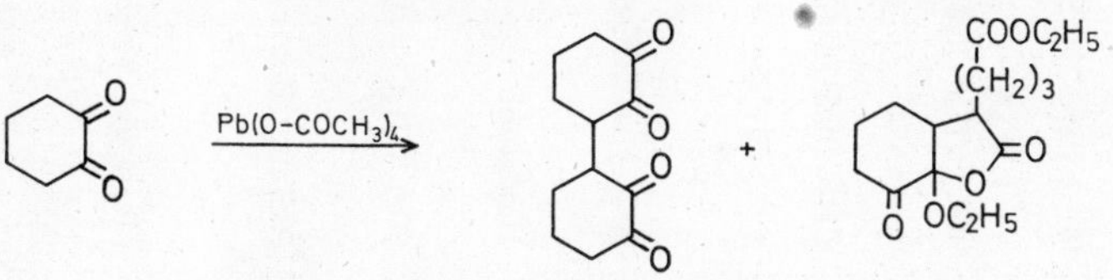

6. Decarboxylierungen

α) Olefine durch Oxidation von Monocarbonsäuren

Blei(IV)-acetat zerfällt beim Erhitzen in Eisessig in Kohlendioxid, Methan, Acetoxy-essigsäure und Diacetoxy-methan[3]. Bei Anwesenheit anderer Carbonsäuren werden diese oxidiert. Ameisensäure reagiert dabei quantitativ zu Kohlendioxid, während höhere Mono-carbonsäuren unter Decarboxylierung eine Vielzahl von Produkten liefern, unter anderem

[1] K. Balenović, Experientia 2, 406 (1946); 67, 282 (1948).
[2] L. Canonica, B. Danieli, P. Manitto, G. Russo, S. Maroni u. T. Salvatori, G. 97, 1370 (1967).
[3] M. S. Kharasch, H. N. Friedlander u. W. H. Urry, J. Org. Chem. 16, 533 (1951).

Tab. 44: Blei(IV)-acetat-Spaltung von α-Hydroxy-ketonen

α-Hydroxy-keton	Reaktionsbedingungen			Spaltprodukte	Ausbeute [% d.Th.]	F [°C]	Literatur
	Lösungsmittel	Temp. [°C]	[Stdn.]				
2-Hydroxy-3-oxo-butan	90% CH₃COOH	30	1/3	Acetaldehyd (als 2,4-Dinitro-phenylhydrazon)	95	162	1
Benzoin	90% CH₃COOH	50–55	1/3	Benzoesäure, Benzaldehyd (als 4-Nitro-phenyl-hydrazon)	74/75	122,5/192	1
	CH₃COOH/Äthanol	50–55	1/2	Benzoesäure-äthylester	84	$(Kp_{756}: 212°)$	
2-Hydroxy-3-oxo-1,1,2,3-tetra-phenyl-propan	90% CH₃COOH	50–55	2	Benzoesäure / 1-Oxo-1,2,2-triphenyl-äthan	81 / 49	118–120 / 130–131	2
1-Hydroxy-2-oxo-1,1,3,3-tetra-phenyl-propan	90% CH₃COOH	50–55	2	Diphenyl-essigsäure / Benzophenon	80 / 68	146–148 / 142–144 (Oxim)	2
2-Hydroxy-1-oxo-cyclooctan	Methanol	25	48	8,8-Dimethoxy-octansäure-methylester	65	$(Kp_{0,5}: 81; n_D^{25} = 1,4321)$	3
2-Hydroxy-3-oxo-1,7,7-trimethyl-bicyclo[2.2.1]heptan	90% CH₃COOH	25	einige Min.	2,2,3-Trimethyl-3-formyl-1-carboxy-cyclohexan	94	76–77,5 (2,4-DPH, F: 220–220,5°)	3
	Äthanol/Benzol			2,2,3-Trimethyl-3-formyl-1-äthoxycarbonyl-cyclohexan	45,7	$(Kp_{0,2-0,3}: 78-83°;$ $n_D^{24} = 1,4692)$ (2,4-DNPH; F: 183–184,5)	
Cortison [17α-Hydroxy-3,11-dioxo-17β-(hydroxyacetyl)-androsten-(4)]	Methanol/Benzol (1:1)	25	16	17α-Hydroxy-3,11-dioxo-ätiocholen-(4)-säure-methylester		212–215	4
Prednison [17α-Hydroxy-3,11-dioxo-17β-hydroxyacetyl-androstadien-(1,4)]	Benzol/Methanol (1:1)	25	16	17α-Hydroxy-3,11-dioxo-ätiocholadien-(1,4)-säure-methylester		206–209	4

[1] E. Baer, Am. Soc. 62, 1597 (1940).

[2] D. Y. Curtin u. S. Leskowitz, Am. Soc. 73, 2633 (1951).

[3] E. Baer, Am. Soc. 64, 1416 (1942).

[4] E. Caspi, W. Schmid u. T. A. Wittstruck, Tetrahedron 16, 271 (1961).

gesättigte Kohlenwasserstoffe, Olefine und Acetoxy-Verbindungen[1] und Verbindungen, die durch Reaktion radikalischer Fragmente mit dem Lösungsmittel entstehen, z. B. *Butyl-benzol* bei der Oxidation von Pentansäure in Benzol[2]. Vor allem primäre und sekundäre Carbonsäuren geben eine Vielzahl von Reaktionsprodukten in einer verhältnismäßig langsam verlaufenden Reaktion, die zwar durch Zusatz von Basen, z. B. Pyridin oder tertiären Aminen beschleunigt werden kann[3], aber dabei nicht in bezug auf die relative Verteilung der Reaktionsprodukte beeinflußt wird[4].

Mit Hilfe von Kupfer(II)-salzen kann die oxidative Decarboxylierung von Mono-carbonsäuren mit Blei(IV)-acetat allerdings so gelenkt werden, daß primäre und sekundäre Monocarbonsäuren praktisch quantitativ zu Olefinen abgebaut werden[2]:

$$R^2-\underset{\underset{R^4}{|}}{\overset{\overset{R^1}{|}}{C}}H-\overset{\overset{R^3}{|}}{\underset{\underset{R^4}{|}}{C}}-COOH \quad \xrightarrow{\underset{Cu(II)}{Pb(O-COCH_3)_4/}} \quad \underset{R^2}{\overset{R^1}{\diagdown}}C=C\underset{\diagdown R^4}{\overset{\diagup R^3}{}} \quad + \quad CO_2$$

Kupfer(II)-salze haben wie Basen eine auf die Reaktionsgeschwindigkeit katalysierende Wirkung, dabei addieren sich die Einflüsse, wenn Kupfer(II)- und z. B. Pyridin gleichzeitig verwendet werden. Eine ähnliche Wirkung haben auch Alkalimetallacetate[5]. Lithiumacetat wirkt stärker als Natriumacetat, das in Benzol eine geringere Löslichkeit hat. Die Reaktionsgeschwindigkeit ist in Chlorbenzol höher als in Benzol.

Sauerstoff hat eine inhibierende oder retardierende Wirkung auf die mit Kupfer(II)-salzen katalysierte Reaktion. Es empfiehlt sich deshalb in einer Schutzgasatmosphäre z. B. Stickstoff oder Argon zu arbeiten, um einen schnellen Ablauf der Reaktion in die gewünschte Richtung zu erreichen.

Bei der Decarboxylierung von tertiären Carbonsäuren z. B. 2,2-Dimethyl-propansäure, 2,2-Dimethyl-butansäure oder 2,2-Dimethyl-pentansäure unter leichtem Sauerstoffüberdruck (3 atü) in Benzol bei 82° erhält man ausschließlich Produkte, die auf intermediär auftretende tertiäre Alkylperoxy- oder Alkyloxy-Radikale zurückgeführt werden können[6]. Reaktionsprodukte der Decarboxylierung von 2,2-Dimethyl-propansäure sind *Di-tert.-butyl-peroxid* (3%); *Aceton* (9%) und *tert.-Butanol* (78%).

Einen negativen Einfluß, vor allem auf die Ausbeuten an Olefin, hat auch Essigsäure, die in einer Konkurrenzreaktion zersetzt wird[5]. So fällt die Ausbeute an *Octen-(1)* bei Decarboxylierung von Nonansäure in Benzol/Chlorbenzol in Anwesenheit von Lithiumacetat bei 82° von 91 auf 62%, wenn die Gesamtacetatmenge, inklusive der aus dem Blei(II)-salz, von 1 Mol auf 3 Mole ansteigt. Diese Störung durch Essigsäure bezieht sich vor allem auf primäre Carbonsäuren, sekundäre Carbonsäuren, z. B. Cyclohexan- oder Cyclobutan-carbonsäure werden selbst bei einem 3- bis 4-fachen Überschuß an Essigsäure selektiv zu *Cyclohexen* bzw. *Cyclobuten* decarboxyliert. Dies hängt mit der relativen Reaktionsgeschwindigkeit verschiedener Carbonsäuren gegenüber Blei(IV)-acetat zusammen, die in der Reihenfolge der Alkylradikale:

Methyl < prim. Alkyl < sek. Alkyl < tert. Alkyl < α-Benzyl

zunimmt[5].

---

[1] W. A. Mosher u. C. L. Kehr, Am. Soc. 75, 3172 (1953).

[2] J. K. Kochi, Am. Soc. 87, 1811, 3609 (1965).

[3] C. A. Grob, M. Ohta u. A. Weiss, Ang. Ch. 70, 343 (1958).

[4] E. J. Corey u. J. Casanova, Am. Soc. 85, 165 (1963).

[5] J. D. Bacha u. J. K. Kochi, Tetrahedron 24, 2215 (1968).

[6] J. K. Kochi, J. D. Bacha u. T. W. Bethea III, Am. Soc. 89, 6538 (1967).

24*

Aufgrund dieser unterschiedlichen Reaktionsgeschwindigkeiten gelingt es, beim Umsatz äquimolarer Mengen einer Dicarbonsäure mit Carboxy-Gruppen an prim. und sek. C-Atomen und Blei(IV)-acetat in Gegenwart von Kupfer(II)-salz, als Reaktionsprodukt lediglich ein Gemisch der doppelbindungsisomeren *cis* und *trans* Alkensäuren zu erhalten[1].

Hepten-(6)-säure-äthylester[2]: 121 g (0,6 Mol) Octandisäure-monoäthylester, 55 g (0,7 Mol) Pyridin, 21 g (0,11 Mol) Kupfer(II)-acetat und 421 g (0,95 Mol) Blei(IV)-acetat werden 2 Stdn. in 2 *l* Benzol gekocht, nachdem vorher die Luft in der Apparatur mit Stickstoff oder Argon verdrängt worden ist. Nach 2 Stdn. wird ein Überschuß an Glykol zugegeben, das Reaktionsgemisch mit Wasser verdünnt und die organische Phase wiederholt mit verd. Salpetersäure oder Perchlorsäure gewaschen, um alle Salze zu entfernen. Nach dem Trocknen wird zunächst das Benzol abdestilliert und danach fraktioniert destilliert; Ausbeute: 33 g (35% d.Th.); Kp$_{23}$: 88–88,5°.

Die Decarboxylierung kann entweder **thermisch**, durch Erhitzen der Reaktionsmischung auf 80°, oder **photochemisch** (ds. Handb., Bd. IV/5) bei tieferen Temperaturen, um 30°, angeregt werden. Der letzteren Möglichkeit wird man sich zweckmäßig dann bedienen, wenn wärmeempfindliche Substanzen umgesetzt werden sollen, außerdem werden häufig bei der photochemisch induzierten Decarboxylierung, vor allem bei tertiären Carbonsäuren, bessere Ausbeuten erzielt[3,4].

Einen großen Einfluß auf die Ausbeute an Olefin hat vor allem das Lösungsmittel. Sorgfältige Untersuchungen bei der Oxidation von Cyclobutancarbonsäuren haben ergeben[5,6], daß es zwei Kategorien von Lösungsmitteln gibt: Olefin-Bildung begünstigende und Esterbildung begünstigende. Zur ersten Kategorie gehören: Essigsäure-äthylester, Benzol, Chlorbenzol, Pyridin und Tetrahydrofuran (60–80% d.Th. *Cyclobuten*). Evtl. gehören in diese Gruppe noch Essigsäure-dimethylamid, Formamid, Dimethylsulfoxid, 1,2-Dimethoxyäthan und Phosphorsäure-tris-[dimethylamid] (35–45% d.Th. Cyclobuten). Zur anderen Kategorie gehören vor allem Acetonitril, Nitrile überhaupt und Sulfolan (Tetrahydrothiophen).

Die oxidative Decarboxylierung zu Olefinen kann in Abhängigkeit von den sterischen Gegebenheiten mit Umlagerung des Kohlenstoffgerüstes verbunden sein. Das ist bei der Oxidation von *cis*-6-Oxo-1-carboxy-spiro[4.4]nonan mit Blei(IV)-acetat in siedendem Benzol der Fall. Einziges Reaktionsprodukt ist *2-Oxo-bicyclo[4.3.0]nonen-(1⁶)*[7]:

β) Olefine durch Oxidation von vic.-Dicarbonsäuren

Vic.-Dicarbonsäuren werden von 1 Mol Blei(IV)-acetat unter **Bis-decarboxylierung** schon unterhalb 50° zu Olefinen oxidiert, wenn dem Reaktionsgemisch ein bis zwei Moläquivalente einer Base, beispielsweise Pyridin oder Trialkylamine zugesetzt werden[8]:

[1] Y. N. Ogibian, M. I. Katsin u. G. I. Nikishin, Izv. Akad. SSSR **1972**, 1225; engl.: 1192; C. A. **77**, 87774 (1972).
[2] J. D. Bacha u. J. K. Kochi, Tetrahedron **24**, 2215 (1968).
[3] J. K. Kochi, J. D. Bacha u. T. W. Bethea III, Am. Soc. **89**, 6538 (1967).
[4] J. K. Kochi, R. A. Sheldon u. S. S. Lande, Tetrahedron **25**, 1197 (1969).
[5] J. K. Kochi u. J. D. Bacha, J. Org. Chem. **33**, 2746 (1968).
[6] s. a. G. E. Gream, C. F. Pincombe u. D. Wege, Austral. J. Chem. **27**, 603 (1974).
   s. a. A. L. J. Beckwith, R. T. Cross u. G. E. Gream, Austral. J. Chem. **27**, 1693 (1974).
[7] R. L. Cargill u. A. M. Foster, J. Org. Chem. **35**, 1971 (1970).
[8] C. A. Grob, M. Ohta u. A. Weis, Ang. Ch. **70**, 343 (1958).

Tab. 45: Olefine durch oxidative Decarboxylierung von Monocarbonsäuren[1]

Carbonsäure	Mole	$Pb(O-COCH_3)_4$	$Cu(O-COCH_3)_2$	Katalysator	Lösungsmittel	Temperatur [°C]	Dauer [Stdn.]	Olefin	Ausbeute [% d.Th.]
Heptansäure	0,21	0,1	0,005	0,014[a]	Chlorbenzol	80	1,5	Hexen-(1)	72
Octansäure	0,2	0,1	0,005	0,015[a]	Chlorbenzol	80	1,5	Hepten-(1)	68
Nonansäure	0,516	0,2	0,046	0,2[b]	Benzol	80	2	Octen-(1)	91
5-Phenyl-pentansäure	0,28	0,22	0,049	0,22[b]	Benzol	80	4,6	4-Phenyl-buten-(1)	65
Cyclohexyl-essigsäure	0,21	0,1	0,005	0,017[a]	Chlorbenzol	30[c]	1	Methylen-cyclohexan	84
2-Äthyl-butansäure	0,201	0,231	0,096		Benzol	80	0,8	cis- und trans-Penten-(2)	72
Cyclobutan-carbonsäure	0,52	0,1	0,005		Benzol	30[c]	1	Cyclobuten	75
Cyclohexan-carbonsäure	0,74	0,2	0,046		Benzol	80	1	Cyclohexen	100
Cyclohexen-4-carbonsäure	0,17	0,2	0,044		CH_3CN/CH_3COOH	82	0,5	Cyclohexadien-(1,4) bzw. -(1,3)	64

[a] Pyridin
[b] Lithiumacetat
[c] photolytisch angeregt (3500 Å)

[1] J. D. BACHA u. J. K. KOCHI, Tetrahedron 24, 2215 (1968).

Tab. 46: Olefine durch oxidative Decarboxylierung von Monocarbonsäuren

Monocarbonsäure	Olefin	Ausbeute [% d.Th.]	F [° C]	Literatur
2,2-Dimethyl-propansäure	*2-Methyl-propen*	37,8		1
3-Phenyl-propansäure	*Styrol*	47		2
2,3,3-Trimethyl-butansäure	*3,3-Dimethyl-buten-(1)*	73	(Kp: 40–42°)	3
2,2-Dimethyl-3-carboxy-1-methoxycarbonyl-cyclopentan	*3,3-Dimethyl-4-methoxycarbonyl-cyclopenten*	73	(Kp: 180–186°)	4
2,3,3-Trimethyl-2-carboxy-bicyclo[2.2.1]heptan	*3,3-Dimethyl-2-methylen-bicyclo [2.2.1]heptan*	77		5
1,7,7-Trimethyl-2-carboxy-*exo* (*endo*)-bicyclo[2.2.1]heptan	*3,3-Dimethyl-2-methylen-bi-cyclo[2.2.1]heptan*	∼55		6
1,4,9-Trimethyl-*trans*-dekalin-7-carbonsäure	*1,7,10-Trimethyl-bicyclo[4.4.0] decen-(3) und -(2)*			7

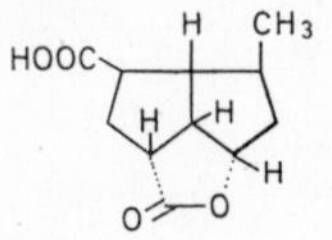

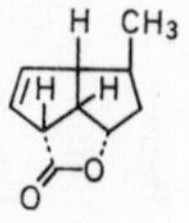

6-Hydroxy-8-methyl-bicyclo [3.3.0]octen-(2)-4-carbonsäure-lacton

31–32 (8)

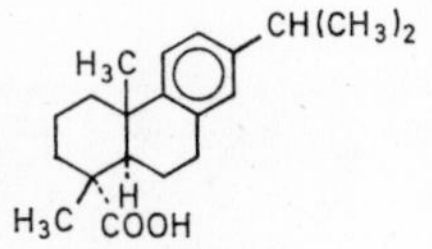

68 (9)

Dehydroabietinsäure

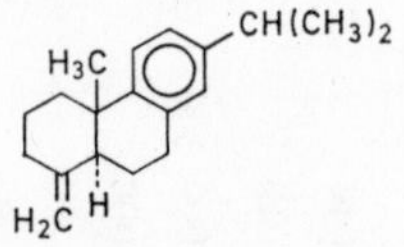

I; *4b-Methyl-8-methylen-2-iso-propyl-4b,5,6,7, 8,8a,9,10-octahydro-phenanthren*

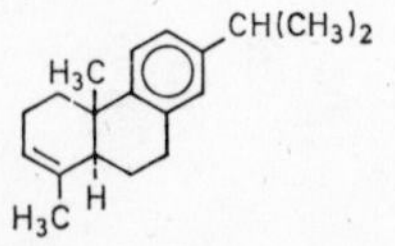

II; *4b,8-Dimethyl-2-isopropyl-4b,5,6,8a,9,10-hexahydro-phenanthren*

(I:II:III 2:2:1)

1 W. A. MOSHER u. C. L. KEHR, Am. Soc. 75, 3172 (1953).
2 J. D. BACHA u. J. K. KOCHI, J. Org. Chem. 33, 83 (1968).
3 A. L. J. BECKWITH, R. T. CROSS u. G. E. GREAM, Austral. J. Chem. 27, 1639 (1974).
4 J. GOLDMANN, N. JACOBSEN u. K. TORSELL, Acta chem. scand. [B] 28, 492 (1974).
5 G. E. GREAM, C. F. PINCOMBE u. D. WEGE, Austral. J. Chem. 27, 603 (1974).
6 G. E. GREAM u. D. WEGE, Tetrahedron Letters 1967, 503.
7 G. WOLFF u. G. OURISSON, Tetrahedron Letters 1968, 3849.
8 T. SAKAN u. K. ABE, Tetrahedron Letters 1968, 2471.
9 J. W. HUFFMANN, J. Org. Chem. 35, 478 (1970).

Tab. 46 (1. Fortsetzung)

Monocarbonsäure	Olefin	Ausbeute [% d.Th.]	F [° C]	Literatur
	 III; *4b,8-Dimethyl-2-isopropyl-4b,5,6,7,9,10-hexahydro-phenanthren*			
3β-Acetoxy-24-carboxy-9,19-cyclo-25,26,27-tris-nor-lanostan	*3β-Acetoxy-9,19-cyclo-24,25,26,27-tetrakris-nor-lanosten-(22)*	95	170–171	1
Cholansäure	*24-Nor-cholen-(22)*	60	74	2
	 5-Methyl-13-isopropyl-tetracyclo [10.2.2.0^{1,10}.0^{4,9}]hexadecadien-(4,13-; bzw. -5,13)-15,16-di-carbonsäure-anhydrid	46,7	66–68	3
o-Methyl-podocarpinsäure 	*6-Methoxy-1,4a-dimethyl-2,3,4,4a,9,10-hexahydro-phenanthren* *+ 6-Methoxy-1,4a-dimethyl-3,4,4a,9,10,10a-hexahydro-phenan-thren* *+ 6-Methoxy-4a-methyl-1-me-thylen-1,2,3,4,4a,9,10,10a-octahydro-phenanthren*	76		4
	2,2,6-endo-Trimethyl-3-methoxy-carbonyl-bicyclo[3.3.0]octen-(4) *+ 2,2,6-endo-Trimethyl-3-methoxy-carbonyl-bicyclo[3.3.0]octen-(5)*			5
	 10-Acetoxy-4a,6a,9,12a-tetra-methyl-9-acetoxymethyl-2-methylen-eicosahydro-Δ^{14}-picen			6

1 A. S. NARULA u. SUKH DEV, Tetrahedron **27**, 1119 (1971).
2 A. S. VAIDYA, S. M. DIXIT u. A. S. RAO, Tetrahedron Letters **1968**, 5173.
3 L. H. ZALKOW u. D. R. BRANNON, Soc. **1964**, 5497.
4 C. R. BENNETT u. R. C. CAMBIE, Tetrahedron **23**, 927 (1967).
5 G. BÜCHI, R. E. ERICKSON u. N. WAKABAYASHI, Am. Soc. **83**, 927 (1961).
6 L. CANONICA, B. DANIELI, P. MANITTO, G. RUSSO, E. BOMBARDELLI u. A. BONATI, G. **98**, 712 (1968).

Unter diesen, gegenüber der Oxidation mit Blei(IV)-oxid[1] schonenden Bedingungen, werden die gebildeten Olefine kaum angegriffen, so daß sie durchweg in guter Ausbeute entstehen.

Als Lösungsmittel sind Benzol oder Acetonitril[2] geeignet, denen man die entsprechende Menge Base zusetzt. Zur Vereinfachung kann man auch direkt die Base, z. B. Pyridin, als Lösungsmittel einsetzen. Besonders rasch erfolgt bei Raumtemperatur die Decarboxylierung in Dimethylsulfoxid oder 1,4-Dioxan[3]. In diesen Lösungsmitteln werden auch solche Dicarbonsäuren zu Olefinen abgebaut, die in Benzol oder Acetonitril nicht reagieren[4,5]. 1,4-Dioxan oder auch Tetrahydrofuran haben außerdem den Vorteil, daß sie mit Blei(IV)-acetat reagieren. Überschüssiges Oxidationsmittel wird dadurch entfernt und die Isolierung der gewünschten Reaktionsprodukte erleichtert[6].

In Analogie zur Decarboxylierung von Monocarbonsäuren unter dem katalysierenden Einfluß von Kupfer(II)-salzen, die durch Sauerstoff inhibiert wird[7], wurden die meisten Bis-decarboxylierungen unter Ausschluß von Sauerstoff durchgeführt. Es hat sich aber gezeigt[8], daß Sauerstoff einen durchaus positiven Einfluß auf die Olefinausbeute haben kann. So erhöht sich die Ausbeute an *1-Acetoxy-5-oxo-8,8-dimethyl-bicyclo[2.2.2]octen-(2)* bei der Oxidation von 1-Acetoxy-5-oxo-8,8-dimethyl-2,3-dicarboxy-bicyclo[2.2.2]octan von 38,4% über 43% auf 52%, wenn unter sonst gleichen Versuchsbedingungen zuerst Stickstoff, dann Luft und schließlich Sauerstoff durch das Reaktionsgemisch geleitet wird[8]. Außerdem erhöht auch ein Überschuß an Oxidationsmittel die Ausbeute unter Verkürzung der Reaktionsdauer. Unter Berücksichtigung dieser Verhältnisse ist die folgende Vorschrift zur Bis-decarboxylierung zu empfehlen[8]:

Bis-decarboxylierung von vic. Dicarbonsäuren; allgemeine Arbeitsvorschrift: Zu vorher durch Durchleiten von Sauerstoff ges. Pyridin (~ 10 ml/g Dicarbonsäure) wird unter weiterem Durchleiten von Sauerstoff und unter Rühren die Dicarbonsäure und Blei(IV)-acetat in 50%igem Überschuß gegeben. Danach wird auf 70° erwärmt bis kein Kohlendioxid mehr frei wird. Nach dem Abkühlen wird das Reaktionsgemisch in einen Überschuß von verd. Salpetersäure gegossen und mit Äther extrahiert. Die Äther-Lösung wird dann mit wäßriger Hydrogencarbonat-Lösung und mit Wasser gewaschen und getrocknet. Nach dem Abdestillieren des Äthers erhält man gewöhnlich schon das reine Olefin.

Im allgemeinen sind die Ausbeuten an Olefin recht gut. Schwierigkeiten bereiten Dicarbonsäuren, die die Carboxy-Gruppen in *endo*-Stellung zu einer γ-Doppelbindung tragen. Hier sind Bis-lactone[9]

4,5-Dihydroxy-cyclohexan-1,2-dicarbonsäure-1,5;2,4-bis-lacton

oder Lactone mit einem Cyclopropan-Ring[10] Hauptreaktionsprodukte:

4-Hydroxy-bicyclo[3.1.0]hexan-2-carbonsäure-lacton

[1] W. v. E. Doering, M. Farber u. A. Sayigh, Am. Soc. **74**, 4370 (1952).

[2] C. A. Grob, M. Ohta u. A. Weiss, Ang. Ch. **70**, 343 (1958).

[3] N.B. Chapman, S. Sotheeswaran u. K. J. Toyne, Chem. Commun. **1965**, 214; J. Org. Chem. **35**, 917 (1970).

[4] G. Smith, C. L. Warren u. W. R. Vaughan, J. Org. Chem. **28**, 3323 (1963).

[5] L. G. Humber, C. Myers, L. Hawkins, C. Schmidt u. M. Boulerice, Canad. J. Chem. **42**, 2852 (1964).

[6] P. H. Nelson, J. W. Murphy, J. A. Edwards u. J. H. Field, Am. Soc. **90**, 1307 (1968).

[7] J. K. Kochi, Am. Soc. **87**, 1811 (1965).

[8] C. M. Cimarusti u. J. Wolinsky, Am. Soc. **90**, 113 (1968).

[9] K. Alder u. S. Schneider, A. **524**, 189 (1936).

[10] L. H. Zalkow u. D. R. Brannon, Soc. **1964**, 5497.

Tab. 47: Olefine durch Oxidation von vic. Dicarbonsäuren

1,2-Dicarbonsäure	Reaktions bedingungen	Olefin	Ausbeute [% d.Th.]	F [° C]	Literatur
Bis-[4-methyl-phenyl]-methylen)-bernsteinsäure	Benzol/Pyridin; 50°	*1,1-Bis-[4-methyl-phenyl]-allen*	17	80,5–82	1
meso-2,3-Diphenyl-bernsteinsäure	Benzol/Pyridin; 80°	*trans-Stilben*	41	122–122,5	2
	Benzol/Pyridin; 80°	*Cyclobuten-[1,2-D₂]*			3
1,3,3-Trimethyl-4-[2-methyl-buten-(1)-yl]-1,2-dicarb-oxy-cyclobutan	Pyridin; 80°	*1,3,3-Trimethyl-4-[2-methyl-buten-(1)-yl]-cyclobuten*	18		4
	Pyridin; 50–53°	*Bicyclo[2.2.0]hexen-(2)*	30–38	(Kp₂₇₇: 43–48)	5
		5-Acetoxy-bicyclo[2.2.0]hexen-(2)	40		6
	Pyridin; 43–45°	*Bicyclo[2.2.0]hexadien-(2,5) (Tetradien)*	20		7
	Pyridin; 70–80°	*Tricyclo[4.2.2.0²,⁵] decadien-(3,9)-7,8-dicarbonsäure-anhydrid*	39,5	166,9–168,7	8
		2a,10b-Dihydro-⟨cyclo-buteno-[l]-phenan-thren⟩			9

1 J. K. CRANDALL, R. A. COLYER u. D. C. HAMPTON, Synth. Commun. **3**, 13 (1973).
2 E. J. COREY u. J. CASANOVA, Am. Soc. **85**, 165 (1963).
3 S. BORCIC u. J. D. ROBERTS, Am. Soc. **87**, 1056 (1965).
4 T. SASAKI, S. EGUCHI, M. OHNO u. T. UMEMURA, J. Org. Chem. **38**, 4095 (1973).
5 R. N. McDONALD u. C. E. REINEKE, Am. Soc. **87**, 2030 (1965).
6 S. MASAMUNE, E. N. CAIN, R. VUKOV, S. TAKADA u. N. NAKATSUKA, Chem. Commun. **1969**, 243.
7 E. E. v. TAMELEN u. B. PAPPAS, Am. Soc. **85**, 3297 (1963).
8 E. GROVENSTEIN Jr., D. V. RAO u. J. W. TAYLOR, Am. Soc. **83**, 1705 (1961).
9 E. VOGEL, W. FRASS u. J. WOLPERS, Ang. Ch. **75**, 979 (1963).

Tab. 47 (1. Fortsetzung)

1,2-Dicarbonsäure	Reaktions-bedingungen	Olefin	Ausbeute [% d.Th.]	F [°C]	Literatur
(Steroid-Struktur, O–COCH₃, COOH/COOH)	1,4-Dioxan; 80–90°	I; 36% F: 112–115° II; 38% F: 138–139° 17β-Acetoxy-3-oxo-6,7-⟨cyclobuteno⟩-androstan			1
(Bicyclische Struktur, COOH/COOH)	Pyridin; 70°	5-Oxo-bicyclo[2.2.1]hepten-(2)	50	165–170	2
Cyclohexen-(4)-1,2-dicarbonsäure	Pyridin; 70°	Cyclohexadien-(1,4)	76		2
(COOC₂H₅, COOH/COOH, CH₃)	Benzol/Pyridin	6-Methyl-3-äthoxy-carbonyl-cyclohexen			3
4-tert.-Butyl-2,3-di-carboxy-1-äthoxy-carbonyl-cyclohexan	Pyridin; 80°	6-tert.-Butyl-3-äthoxy-carbonyl-cyclohexen	40		4
(bicyclische Struktur mit O, COOH/COOH)	Pyridin; 70°	5-Oxo-bicyclo[2.2.2]octen-(2)	51,8	148,5–149,5	2,5
(bicyclische Struktur mit zwei O, COOH/COOH)	Acetonitril/Pyridin; 50°	5,7-Dioxo-bicyclo[2.2.2]octen-(2)	10	97–99	6

¹ P. H. NELSON, J. W. MURPHY, J. A. EDWARDS u. J. H. FRIED, Am. Soc. **90**, 1307 (1968).
² C. M. CIMARUSTI u. J. WOLINSKY, Am. Soc. **90**, 113 (1968).
³ C. A. GROB, M. OTHA u. A. WEISS, Ang. Ch. **70**, 343 (1958).
⁴ G. P. KUGATOVA-SHEMYAKINA u. V. B. BERZIN, Ž. org. Chim. **7**, 2292 (1971); engl.: 2383; C.A. **76**, 45 797 (1972).
⁵ S. GERIBALDI, G. TORRI u. M. AZZARO, Bl. **1973**, 2836.
⁶ C. A. GROB u. A. WEISS, Helv. **43**, 1390 (1960).

Tab. 47 (2. Fortsetzung)

1,2-Dicarbonsäure	Reaktions-bedingungen	Olefin	Ausbeute [% d.Th.]	F [° C]	Literatur
	Pyridin; 70°	 *1-Methoxy-5-oxo-bicyclo [2.2.2]octen-(2)*	36		1
	Benzol/Pyridin; 80°	 *1-Äthoxycarbonyl-bicyclo [2.2.2] octen-(2)*	71	(Kp$_{10}$: 95–96°; n$_D^{21}$ = 1,4749)	2–4
	Benzol/Pyridin; 80°	 *1,6-Diäthoxycarbonyl-bicyclo[2.2.2]octen-(2)*	50	(Kp$_{0,26}$: 86–87°) n$_D^{25}$ = 1,4838)	5
	Benzol/Pyridin 40°	 *9-Oxo-⟨benzo-bicyclo [2.2.2]octadien-(2,5)⟩*	10	56,5-581	6
	Benzol/Pyridin	 *Dibenzo-bicyclo [2.2.2]octatrien*			2
	Pyridin	 *5-Acetoxy-5,9-di-methyl-tetracyclo [10.2.2.0⁴,¹⁰.0⁴,⁹]hexadecen-(11)*		134–135	7

1 I. ALFARO et al., Tetrahedron **26**, 201 (1970).
2 C. A. GROB, M. OHTA u. A. WEISS, Ang. Ch. **70**, 343 (1958).
3 C. A. GROB, M. OHTA, E. RENK u. A. WEISS, Helv. **41**, 1191 (1958).
4 N. B. CHAPMAN, S. SOTHEESWARAN u. K. J. TOYNE, Chem. Commun. **1965**, 214.
5 J. KAZAN u. F. D. GREENE, J. Org. Chem. **28**, 2965 (1963).
6 K. KITAHONOKI u. Y. TAKANO, Tetrahedron Letters **1963**, 1597.
7 L. H. ZALKOV u. N. N. GIROTRA, Chem. & Ind. **1964**, 704.

Tab. 47 (3. Fortsetzung)

1,2-Dicarbonsäure	Reaktions-bedingungen	Olefin	Ausbeute [% d.Th.]	F [° C]	Literatur
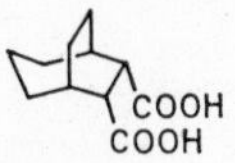	Benzol/Pyridin	 *Bicyclo[3.2.2]nonen-(6)*	33	67–69	1
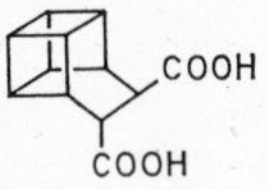	Pyridin/Acetonitril; 50°	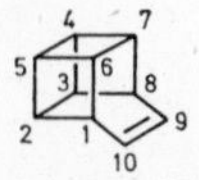 *Pentacyclo[4.4.0.0^{2,5}. 0^{3,8}.0^{4,7}]decen-(9)*	25	61–62	2
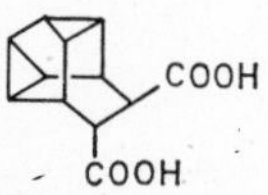	Pyridin/Acetonitril; 55°	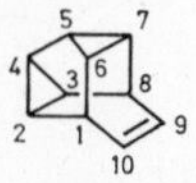 *Pentacyclo[4.4.0.0^{2,4}. 0^{3,8}.0^{5,7}]decen-(9)*	40	59–60	2
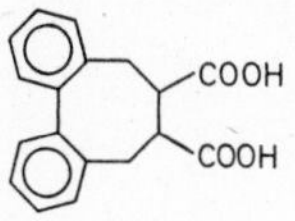		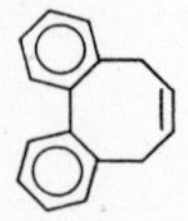 *9,12-Dihydro-⟨dibenzo-[a;c]-cyclooctatetra-en⟩*			3

γ) **Benzol-Derivate durch Oxidation von Cyclohexadien-carbonsäuren**

Während bei der Einwirkung von Blei(IV)-acetat in Gegenwart von Kupfer(II)-salzen primäre oder sekundäre aliphatische Carbonsäuren unter β-Eliminierung zu Olefinen decarboxyliert werden[4], beobachtet man bei der Reaktion von Cyclohexadien-(1,4)-3-carbonsäuren mit Blei(IV)-acetat in Eisessig Aromatisierung unter δH-Eliminierung[5]; z. B.:

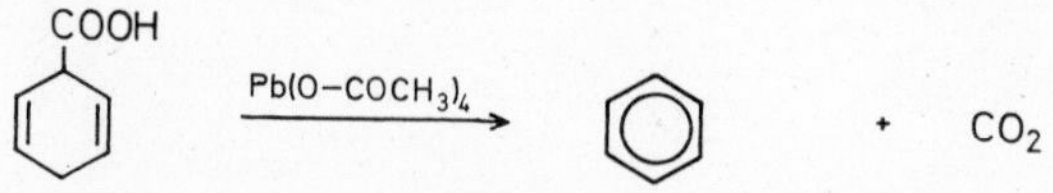

3-Methyl-3-carboxy-cyclohexadien-(1,4) wird so in Eisessig bei 50° zu *Toluol* (70% d.Th.) umgesetzt. Unter den gleichen Bedingungen erhält man aus 1-Methyl-1-carboxy-1,4-dihydro-naphthalin[5] *1-Methyl-naphthalin* und aus 1-Carboxymethyl-1-carboxy-cyclohexadien-(1,4)[6] *Phenyl-essigsäure*.

δ) **Alkyl- und Arylhalogenide durch Oxidation von Carbonsäuren in Gegenwart von Halogensalzen oder Jod (Halodecarboxylierung)**

Die Herstellung von Alkyl- oder Arylhalogeniden aus Carbonsäuren kann unter dem oxidierenden Einfluß von Blei(IV)-acetat auf verschiedenen Wegen erfolgen. Reaktions-

[1] J. B. Hendrickson u. R. K. Boeckman, J. Org. Chem. **36**, 2315 (1971).
[2] W. G. Dauben, G. M. Schallhorn u. D. L. Whalen, Am. Soc. **93**, 1446 (1971).
[3] E. Vogel, W. Frass u. J. Wolpers, Ang. Ch. **75**, 979 (1963).
[4] J. K. Kochi, Am. Soc. **87**, 1811, 3609 (1965).
[5] A. J. Birch, Soc. **1950**, 1551.
[6] H. Plieninger u. G. Ege, B. **94**, 2095 (1961).

partner sind außer der Carbonsäure und Blei(IV)-acetat, Halogen oder Halogensalze. Diese Halodecarboxylierungs-Reaktionen haben gegenüber der Hunsdieker-Reaktion[1], bei der das Silbersalz einer Carbonsäure unter dem Einfluß von Halogen, meistens Brom, zu dem entsprechenden Halogenid unter Verlust der Carboxy-Gruppe umgesetzt wird, den Vorteil, daß sie weniger kostspielig und präparativ einfach durchzuführen sind.

Blei(IV)-acetat reagiert mit Jod bei Bestrahlung (vgl. ds. Handb., Bd. IV/5) nach folgender Gleichung[2,3]:

$$Pb(O-COCH_3)_4 + J_2 \longrightarrow Pb(O-COCH_3)_2 + 2 CH_3J + 2 CO_2$$

Wenn dem Reaktionsgemisch eine andere Carbonsäure zugegeben wird, wird diese bevorzugt decarboxyliert. Mit folgenden Teilschritten wird der Ablauf der Reaktion erklärt[3]:

$$Pb(O-CO-CH_3)_4 + R-COOH \underset{}{\overset{h\nu}{\rightleftharpoons}} Pb(O-CO-CH_3)_3(O-CO-R) + CH_3COOH$$

$$Pb(O-CO-CH_3)_3(O-CO-R) + J_2 \underset{}{\overset{h\nu}{\rightleftharpoons}} Pb(O-CO-CH_3)_3J + H_3C-C\overset{O}{\underset{OJ}{\diagup}}$$

$$Pb(O-CO-CH_3)_4 + J_2 \underset{}{\overset{h\nu}{\rightleftharpoons}} Pb(O-CO-CH_3)_3J + H_3C-C\overset{O}{\underset{OJ}{\diagup}}$$

$$R-COOH + H_3C-C\overset{O}{\underset{OJ}{\diagup}} \underset{}{\overset{h\nu}{\rightleftharpoons}} R-CO-OJ + CH_3COOH$$

$$R-CO-OJ \longrightarrow RJ + CO_2$$

Primäre und sekundäre Carbonsäuren werden so in hoher Ausbeute in die entsprechenden Halogenide überführt. Tertiäre Carbonsäuren lassen sich auf diesem Wege nur unbefriedigend umsetzen, so z. B. 2,2-Dimethyl-propansäure (10% d. Th. *tert.-Butyljodid*). Schwierigkeiten bereiten auch α, ω-Dicarbonsäuren z. B. Glutarsäure (12% d. Th. *1,3-Dijod-propan*) oder Adipinsäure (33% d. Th. *1,4-Dijod-butan*).

Um die entsprechenden Jodide dieser Carbonsäure zu bekommen, kann man letztere mit tert.-Butylhypojodit[4] in die Acyljodide umwandeln, die dann unter Bestrahlung und Decarboxylierung tert.-Alkyljodide oder α, ω-Dijod-alkane geben.

α, ω-Dijod-alkane bzw. Jod-alkane; allgemeine Arbeitsvorschrift: Zu einer 5%igen Suspension von Blei(IV)-acetat (1 Mol) in kochendem Tetrachlormethan wird unter Bestrahlung mit einer Wolframlampe die Carbonsäure (1 Mol) und dann Jod (1 Mol) (ebenfalls in Tetrachlormethan) solange gegeben, bis die Färbung bestehen bleibt. Während der Reaktion wird ein leichter Stickstoffstrom durch das Reaktionsgemisch und zur quantitativen Bestimmung des Kohlendioxids durch eine nachgeschaltete Waschflasche mit wäßriger Bariumhydroxid-Lösung geleitet. Es wird vom Blei(II)-acetat abfiltriert und nach Waschen mit wäßriger Thiosulfat-Lösung und Wasser die organische Phase destilliert.

Die Ausbeute an Kohlendioxid ist gewöhnlich höher als 100%, da immer ein Teil der Acetationen zu Acetylhypojodit umgesetzt wird, das dann zerfällt. Weitere Einzelheiten s. ds. Handb., IV/5, sowie Lit.[2-6].

[1] R. G. JOHNSON u. R. K. INGHAM, Chem. Reviews **56**, 219 (1956).
   C. V. WILSON, Org. Reactions **9**, 332 (1957).
   S. J. CHRISTOL u. W. C. FIRTH, J. Org. Chem. **26**, 280 (1961).
[2] D. H. R. BARTON u. E. P. SEREBRYAKOV, Pr. Chem. Soc. **1962**, 309.
[3] D. H. R. BARTON, H. P. FARO, E. P. SEREBRYKOV u. N. F. WOOLSEY, Soc. **1965**, 2438.
[4] T. ARATANI, Y. NAKANISI u. H. NOZAKI, Tetrahedron Letters **1969**, 1809.
[5] B. WEINSTEIN, A. H. FENSELAU u. J. G. THOENE, Soc. **1965**, 2281.
[6] T. SAKAN u. K. ABE, Tetrahedron Letters **1968**, 2471.

Bei einem Unterschuß an Jod werden nicht Halogenide, sondern Ester der Carbonsäuren erhalten, die man auch als Hauptreaktionsprodukte erhält, wenn die eingesetzten Mengen der folgenden Gleichung entsprechen[1]:

$$2\ Pb(O{-}CO{-}CH_3)_4 \quad + \quad 8\ R{-}COOH \quad \xrightarrow[\substack{-\ PbJ_2 \\ -\ 8\ CH_3COOH}]{+\ J_2}$$

$$3\ R{-}CO{-}OR \quad + \quad 3\ CO_2 \quad + \quad Pb(O{-}CO{-}R)_2$$
$$\quad\quad 71\% \quad\quad\quad\quad\quad 80\% \quad\quad\quad\quad\quad 86\%$$

So erhält man aus Palmitinsäure 71% *Palmitinsäure-pentadecylester*, 80% Kohlendioxid und 86% *Blei(II)-palmitat*.

Diese Carbonsäureester-Synthese entspricht der Simonini-Reaktion[2], und erfordert zur restlosen Umsetzung der Bleisalze Temperaturen oberhalb 100°[1]:

$$2\ Pb(O{-}COCH_3)_4 + 8\ R{-}COOH \xrightarrow{70°/10\ Torr} 2\ Pb(O{-}CO{-}R)_4 + 8\ CH_3COOH$$

$$2\ Pb(O{-}CO{-}R)_4 + J_2 \xrightarrow{85{-}105°} R{-}COOR + 2\ RJ + 3\ CO_2 + 2\ Pb(O{-}CO{-}R)_2$$

$$Pb(O{-}CO{-}R)_2 + 2\ RJ \xrightarrow{105{-}180°} 2\ R{-}COOR + PbJ_2$$

Die Halodecarboxylierung von aliphatischen Carbonsäuren durch Oxidation mit Blei(IV)-acetat in Gegenwart von Halogensalzen kann allgemein mit der folgenden Bruttogleichung wiedergegeben werden[3,4]:

$$R{-}COOH + Pb(O{-}COCH_3)_4 + MX \longrightarrow RX + CO_2 + Pb(O{-}COCH_3)_2 + CH_3COOH + CH_3COOM$$

Hierzu wird einer Lösung aus Carbonsäure und Blei(IV)-acetat in Benzol 1 Äquivalent des Halogenids, am besten Lithiumchlorid, zugesetzt, durch die Mischung Stickstoff oder ein anderes Inertgas geleitet und unter Rühren auf 80° aufgeheizt. Mit Lithiumchlorid bzw. Calciumchlorid ist die Reaktion schon nach wenigen Minuten beendet. Kaliumchlorid oder Natriumchlorid erfordern längere Reaktionszeiten. Geringe Mengen Feuchtigkeit stören nicht. Bei Verwendung von Lithiumchlorid kann der Endpunkt der Reaktion am Verschwinden einer leichten Gelbfärbung erkannt werden.

Die Reaktionsgeschwindigkeit ist abhängig vom Alkyl-Rest und nimmt in folgender Reihe zu:

$$\text{Methyl} \ll \text{prim. Alkyl} < \text{sek. Alkyl} < \text{tert. Alkyl}$$

Aus diesem Grunde sind die Ausbeuten an Alkylchlorid von sekundären und tertiären Carbonsäuren durchweg sehr hoch und die Decarboxylierung von gleichzeitig anwesender Essigsäure (oder auch die Chlorierung von Benzol) eine mögliche Nebenreaktion, gering. Primäre Carbonsäuren werden zwar in hoher Ausbeute in die entsprechenden Chloride

[1] G. B. BACHMANN u. J. W. WITTMANN, J. Org. Chem. **28**, 65 (1963).
[2] A. SIMONINI, M. **13**, 320 (1892); **14**, 81 (1893).
[3] J. K. KOCHI, J. Org. Chem. **30**, 3265 (1965).
[4] J. K. KOCHI, Am. Soc. **87**, 2500 (1965).

überführt, der Anteil an Methylchlorid am Reaktionsprodukt ist hier allerdings höher. Man kann ihn vermindern (z. B.: auf 1%), wenn man das Verhältnis von Carbonsäure zu Blei(IV)-acetat erhöht (von 1 auf 8).

Das Verhältnis von Lithiumchlorid zu Blei(IV)-acetat ist mit 1 Äquivalent/Mol optimal. Mit Erhöhung des Verhältnisses fällt die Ausbeute an Alkylchlorid scharf ab. So ist die Ausbeute an *Butylchlorid* bei der Verwendung von 4 Äquivalenten Lithiumchlorid zur Halodecarboxylierung von Pentansäure gleich Null, dafür wird reichlich Chlor frei. Bei Verwendung einer stöchiometrisch geringeren Menge an Lithiumchlorid erfolgt solange Reaktion, bis das Lithiumchlorid verbraucht ist. Es schließt sich dann die viel langsamer verlaufende einfache Decarboxylierung[1] an, bis alles Blei(IV)-acetat verbraucht ist.

Bei Anwesenheit von Bromid oder Jodid werden Alkylbromide oder Alkyljodide gebildet, so erhält man *Isopropylbromid* bei der Oxidation von 2-Methyl-butansäure in Gegenwart von Lithiumbromid in Ausbeuten von 50–60%. Als Nebenprodukt der Oxidation entsteht Brom, das während der Reaktion wieder verschwindet, in dem es mit der Säure reagiert. Bei der Halodecarboxylierung mit Jodiden werden verhältnismäßig größere Mengen Jod frei, die ebenfalls während der Reaktion zu Nebenprodukten weiterreagieren und dadurch nur geringe Mengen an gewünschtem Jodid entstehen lassen.

Auch bei der Reaktion mit 1 Äquivalent Chlorid werden geringe Mengen Chlor frei, es empfiehlt sich deshalb, vor allem bei der Halodecarboxylierung von primären Carbonsäuren, die im Molverhältnis 1 zum Blei(IV)-acetat eingesetzt werden, Verbindungen zuzusetzen, die das freiwerdende Chlor wegfangen, z. B. 2-Methyl-pentan, um damit die weitere Chlorierung des Produktes zu verhindern.

Außer Benzol kann auch Acetonitril oder ein Hexan-Gemisch als Lösungsmittel genommen werden. Es gelten die gleichen Bedingungen wie bei der Verwendung von Benzol.

Nach Beendigung der Reaktion erhält man oft heterogene Mischungen wegen der ausgefallenen Blei(II)-salze, die allerdings durch überschüssige Säure in Lösung gehalten werden können. Wenn sekundäre oder tertiäre Carbonsäuren decarboxyliert werden sollen, kann man auch Essigsäure zusetzen.

Die Halodecarboxylierung mit Halogensalzen ist sehr empfindlich gegen Sauerstoff und verläuft bei seiner Anwesenheit entschieden langsamer, bzw. kommt zum Stillstand, so z. B. die Halodecarboxylierung von Pentansäure[1]. Nur vollständiges Entfernen von Sauerstoff, z .B. durch Verdrängen mit Stickstoff, bringt die Reaktion wieder in Gang.

Zur Halodecarboxylierung gibt es eine Variante, die vor allem dann anzuwenden ist, wenn größere Mengen an Carbonsäure umzusetzen sind. Da Lithiumchlorid nur wenig in Benzol löslich ist, außerdem thermisch empfindliche Halogenverbindungen nach der bisher beschriebenen Methode mehr oder weniger mit acetoxylierten oder dehydrohalogenierten Reaktionsprodukten verunreinigt sind, arbeitet man zweckmäßigerweise in einem Gemisch von Dimethylformamid und Eisessig (5:1) und verwendet N-Chlor-succinimid als Chlorierungsmittel. Die Reaktion kann unter diesen Bedingungen bei 40–50° ausgeführt werden und ist bereits nach 5–15 Min. beendet.

1-Chlor-bicyclo[2.2.2]octan[2]: 18 g (134 mMol) N-Chlor-succinimid und 3,6 g (23,3 mMol) Bicyclo-[2.2.2]octan-carbonsäure werden in 10 *ml* Dimethylformamid/Eisessig (5:1) gelöst und die Lösung durch wiederholtes Evakuieren und Zugeben von Stickstoff sauerstofffrei gemacht. Danach werden 10 g (22,5 m Mol) Blei(IV)-acetat, stabilisiert mit 15% Essigsäure, zugegeben und erneut entgast. Beim Erwärmen auf 40–50° beginnt die Kohlendioxid-Entwicklung, die nach 5–15 Min. beendet ist. Danach wird abgekühlt und die Lösung mehrmals mit Pentan extrahiert. Die Extrakte werden mit 20% Perchlorsäure, 10% wäßr. Kaliumcarbonat-Lösung und Wasser gewaschen, über Natriumsulfat getrocknet und destilliert. Der Rückstand ist (chromatographisch) reines 1-Chlor-bicyclo[2.2.2]octan; Ausbeute: 3,2 g (95% d.Th.); F: 103–104° (nach Sublimation bei 70°/12 Torr).

---

[1] J. K. Kochi, J. Org. Chem. **30**, 3265 (1965).
[2] K. B. Becker, M. Geisel, C. A. Grob u. F. Kuhnen, Synthesis **1973**, 493.

Tab. 48: Alkylhalogenide durch Oxidation von Carbonsäuren in Benzol bei 81° in Gegenwart von Lithiumchlorid

Carbonsäure (Moläquivalent)	LiCl	Alkylhalogenid	Ausbeute[a] [% d. Th.]	Literatur
Essigsäure (15,5)	2,2	*Methylchlorid*	55	1
Pentansäure (4,45)	1,02	*1-Chlor-butan*	92[b]	2
3-Methyl-butansäure (4,2)	1,07	*1-Chlor-2-methyl-propan*	99[b]	1
Phenyl-essigsäure (3,2) [f]	1,0	*Benzylchlorid*	90–95	3
(4-Chlor-phenyl)-essigsäure (3,2) [f]	1,0	*4-Chlor-benzylchlorid*	90–95	3
(4-Nitro-phenyl)-essigsäure (3,2) [f]	1,0	*4-Nitro-benzylchlorid*	80	3
9-Methyl-6-carboxymethyl-7-oxa-tricyclo[4.3.0.0^{2,9}]nonan[g]		*9-Methyl-6-chlormethyl-7-oxa-tricyclo[4.3.0.0^{3,9}]nonan*	54	4
2-Methyl-butansäure (4,45)	2,44	*2-Chlor-butan*	96	2
Cyclobutan-carbonsäure (2,44)	1,38	*Chlor-cyclobutan*	100	1
Cyclohexan-carbonsäure (3,34)	1,42	*Chlor-cyclohexan*	100	2
2,2-Dimethyl-propansäure (2,1)	1,4	*tert.-Butyl-chlorid*	72[c]	2
2,2-Dimethyl-butansäure (4,0)	1,47	*2-Chlor-2-methyl-butan*	91[d]	2
trans-4-tert.-Butyl-1-carboxy-cyclohexan	1,2	*4-Chlor-1-tert.-butyl-cyclohexan (cis:trans = 66:34)*	76	5,6
10-Methyl-1,2,3,4,5,6,7,8,8a,9,10-10a-dodecahydro-phenanthren-9-carbonsäure		*10-Chlor-9-methyl-1,2,3,4,5,6,7, 8,8a,9,10,10a-dodecahydro-phenanthren*	65,4	7

[a] bez. auf eingesetztes Blei(IV)-acetat
[b] Spuren Chlorbenzol
[c] 9% Isobuten
[d] 4% 2-Methyl-buten-(1) + 4% 2-Methyl-bu ten-(2)
[f] in 17 Vol.-% Essigsäure/Benzol
[g] in CCl$_4$

ε) Essigsäure-alkylester durch Oxidation von Monocarbonsäuren

Die Oxidation von Monocarbonsäuren mit Blei(IV)-acetat mit dem Ziel, diese unter Decarboxylierung zu Acetoxy-alkanen abzubauen, hat, abgesehen von einigen sekundären Carbonsäuren, nur Sinn bei Carbonsäuren, deren Struktur eine Stabilisierung des intermediär entstehenden Bruchstückes, entweder als Radikal[8] oder als Carbeniumion[9], gestattet. Hierzu gehören z. B. α-Aryl-carbonsäuren[9], β,γ-ungesättigte Carbonsäuren[10,3] und Carbonsäuren, die am α–C-Atom einen anderen stabilisierenden Substituenten haben, wie z. B. die (Phenylacetylamino)-essigsäure[11]. Diese Carbonsäuren können entweder in der Wärme bei ~ 80° oder photochemisch (vgl. ds. Handb., Bd. IV/5) durch Bestrahlen bei 30° von Blei(IV)-acetat decarboxyliert werden, wobei im allgemeinen die photochemische

[1] J. K. Kochi, J. Org. Chem. **30**, 3265 (1965).
[2] J. K. Kochi, Am. Soc. **87**, 2500 (1965).
[3] J. D. Bacha u. J. K. Kochi, J. Org. Chem. **33**, 83 (1968).
[4] T. W. Gibson u. W. F. Erman, Tetrahedron Letters **1967**, 905.
[5] M. L. Mihailovic, J. Bosnjak u. Ž. Čeković, Helv. **57**, 1015 (1974).
[6] R. D. Stolow u. T. W. Giants, Tetrahedron Letters **1971**, 695.
[7] H. Christol, D. Moers u. Y. Pietrasanta, Bl. **1969**, 962.
[8] J. K. Kochi, J. D. Bacha u. T. W. Bethea III, Am. Soc. **89**, 6538 (1967).
[9] W. A. Mosher u. C. L. Kehr, Am. Soc. **75**, 3172 (1953).
[10] J. Jaques, C. Weidmann u. A. Horeau, Bl. **1959**, 424.
[11] O. Süs, A. **564**, 137 (1949).

Methode zu höheren Ausbeuten an Acetoxy-alkan führt:

$$R–COOH \xrightarrow{\text{Pb(O-COCH}_3)_4} R–O–COCH_3 + CO_2$$

Die Decarboxylierung der einfachsten α-Aryl-carbonsäure, Phenylessigsäure, erfolgt ungewöhnlich langsam verglichen mit anderen α-Aryl-carbonsäuren. Nach 80 Stdn. bei 81° in einem Gemisch von 30 Vol.-% Eisessig in Benzol sind erst 42% Blei(IV)-acetat umgesetzt, dabei entstehen 62% *Essigsäure-benzylester*, 6% *Benzaldehyd*, 4% *Diacetoxy-phenyl-methan* neben wenig Toluol (3%), *Diphenylmethan* (2%) und *1,2-Diphenyl-äthan* (0,2%)[1].

Eine ebenso langsame Reaktion, die auch nicht durch Zusatz von Kupfer(II)-salzen[2] beschleunigt werden kann, zeigen 4-Chlor- und 4-Nitro-phenylessigsäure. Bestrahlen mit einer Wolframlampe (3500 Å) reduziert zwar die Reaktionszeit beträchtlich [vollständige Reduktion des Blei(IV)-acetat bei 30° nach 7 Stdn.], dafür sinkt die Ausbeute an *Essigsäure-benzylester* und größere Mengen an *Diacetoxy-phenylmethan*, *1,2-Diphenyl-äthan* und *Diphenylmethan* werden isoliert[1].

4-Methoxy-phenylessigsäure und Naphthyl-(1)-essigsäure werden dagegen sofort von Blei(IV)-acetat angegriffen. Die unkatalysierte Reaktion ist nach 90 Min. bzw. 15 Stdn. beendet, dabei wird *4-Methoxy-1-acetoxymethyl-benzol* quantitativ und *1-Acetoxymethyl-naphthalin* in Ausbeuten von 70–80% d.Th. gebildet. Zusatz von Pyridin oder Kupfer(II)-acetat reduziert die Zeit zur Decarboxylierung der 4-Methoxy-phenylessigsäure auf 15 bzw. 60 Min.

Höhere α-Aryl-carbonsäuren oder höhere α-substituierte α-Aryl-carbonsäuren werden sowohl unter dem Einfluß von Wärme als auch photochemisch rasch decarboxyliert. Man erhält Acetoxy-Verbindungen in hoher Ausbeute; z.B.: 84% d.Th. *1-Acetoxy-1-phenyl-propan* bei der unkatalysierten, thermischen Decarboxylierung von 2-Phenyl-butansäure[2].

Pyridin beschleunigt die Decarboxylierung unter Verbesserung der Ausbeuten, ohne die relative Verteilung der Reaktionsprodukte zu ändern. Kupfer(II)-acetat beschleunigt die Reaktion ebenfalls, es werden aber höhere Ausbeuten an Olefin erhalten.

Von den β-ungesättigten Carbonsäuren wird Buten-(3)-säure bei 81° in 17% Essigsäure/Benzol bei einem Säure/Blei(IV)-acetat-Verhältnis von 2,3 innerhalb von 3,8 Stdn. zu 70% *3-Acetoxy-propen-(1)*, 13% *Allylbenzol* und 6% *1-Acetoxy-pentadien-(1,4)* umgesetzt. In Benzol als Lösungsmittel entsteht 66% *1-Acetoxy-pentadien-(1,4)*, 13% *Allylbenzol* und 12% *3-Acetoxy-propen-(1)*.

Kupfer(II)-acetat hat einen stark katalytischen Einfluß. Schon nach 30 Min. erhält man 87% *3-Acetoxy-propen-(1)* und 5% *Allylbenzol*[1].

Sauerstoff hat bei der Oxidation der Buten-(3)-säure weder auf die Decarboxylierungsgeschwindigkeit noch auf die Produkt-Ausbeute oder -Verteilung Einfluß. Bei der Oxidation von anderen β-ungesättigten Carbonsäuren, z. B. Octen-(3)-säure wirkt sich die Anwesenheit von Sauerstoff zwar nicht negativ auf die Geschwindigkeit der Decarboxylierung aus, dafür sinken die Ausbeuten an β-Acetoxy-alkenen stark ab. Bei α-Aryl-carbonsäuren schließlich wirkt Sauerstoff inhibierend[1].

Bei der Oxidation der höheren Alken-(3)-säuren ist zu beachten, daß sie zu einem Gemisch isomerer β-Acetoxy-alkene reagieren, da das Allyl-Radikal zwei Möglichkeiten hat, mit dem Acetoxy-Rest zu reagieren:

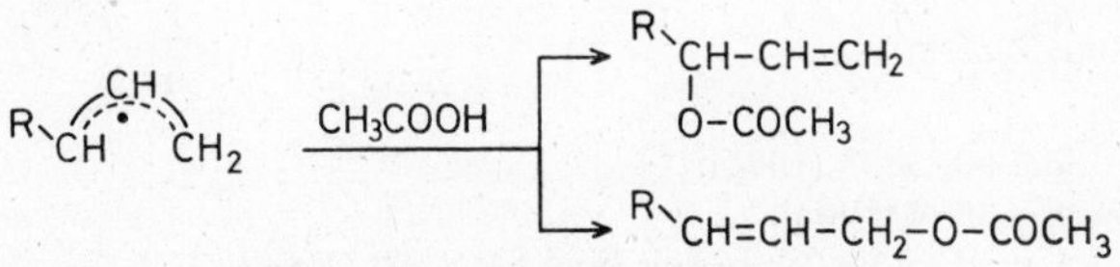

So erhält man z. B. aus Octen-(3)-säure in 17% Eisessig/Benzol bei 81° *3-Acetoxy-hepten-(1)* (21% d.Th.) und *1-Acetoxy-hepten-(2)* (30% d.Th.)[1].

---

[1] J. D. Bacha u. J. K. Kochi, J. Org. Chem. **33**, 83 (1968).
[2] J. K. Kochi, Am. Soc. **87**, 1811 (1965).

Zu Umlagerungen in größerem Umfang kommt es bei Carbonsäuren, die nicht in der Lage sind, durch Konjugation das intermediär auftretende Radikal zu stabilisieren. So z. B. bei β-Aryl-carbonsäuren[1], die nur in geringem Umfang zu den Acetoxy-Verbindungen abgebaut werden und zu einer Vielzahl von Umlagerungsprodukten reagieren.

Tab. 49: Acetoxy-alkane durch Oxidation von Monocarbonsäuren

Carbonsäure	Acetoxy-Verbindung	Ausbeute [% d.Th.]	Literatur
2-Methyl-butansäure	*2-Acetoxy-butan*	55	2
Cyclohepten-(1)-5-carbonsäure	*5-Acetoxy-cyclohepten-(1)*	70	3
2-Carboxy-pentacyclo [7.3.1.1³,⁷0.¹,⁹ 0³,⁷]tetradecan	*2-Acetoxy-pentacyclo [7.3.1.1³,⁷0¹,⁹0³,⁷] tetradecan*	60	4
Buten-(3)-säure	*3-Acetoxy-propen-(1)*	87[a]	5
4-Methoxy-phenylessigsäure	*4-Methoxy-1-acetoxymethyl-benzol*	99	5
Naphthyl-(1)-essigsäure	*1-Acetoxymethyl-naphthalin*	71	5
2-Phenyl-butansäure	*1-Acetoxy-1-phenyl-propan*	90	5
Diphenyl-essigsäure	*Acetoxy-diphenyl-methan*	88	5,6
Triphenyl-essigsäure	*Acetoxy-triphenyl-methan*	95	6
1-Carboxy-homoadamantan	*1-Acetoxy-homoadamantan*	94	7

[a] mit Kupfer(II)-acetat katalysiert.

ζ) Carbonyl-Verbindungen durch Oxidation von $\alpha(\beta)$-Hydroxy-, α-Amino-carbonsäuren und Malonsäure-Derivaten

In α-Hydroxy-carbonsäuren befinden sich 2-Hydroxy-Gruppen in Nachbarschaft zueinander, sie werden deshalb mit derselben Leichtigkeit wie α-Glykole[8] gespalten. Je nach Art der α-Hydroxy-carbonsäure erhält man außer Kohlendioxid Aldehyde oder Ketone

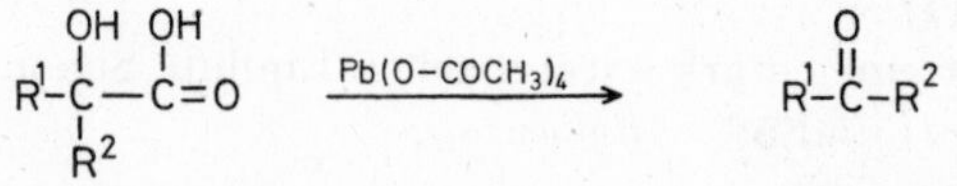

in hoher Ausbeute, unabhängig davon, ob die Umsetzung in protischen oder aprotischen Lösungsmitteln durchgeführt wird. Im Prinzip können deshalb die gleichen Methoden wie zur Glykolspaltung angewendet werden.

3β,20-Dihydroxy-11-oxo-C-nor-5α-pregnan[9]:

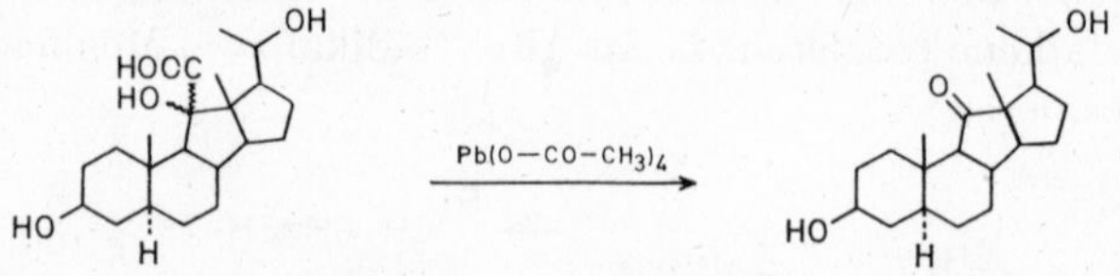

[1] W. H. Starnes, Am. Soc. 86, 5603 (1964).
[2] J. K. Koch, Am. Soc. 87, 3609 (1965).
[3] A. C. Cope, C. H. Park u. P. Scheiner, Am. Soc. 84, 4862 (1962).
[4] L. Birladeanu, T. Hanafusa u. S. Winstein, Am. Soc. 88, 2315 (1966).
[5] J. D. Bacha u. J. K. Kochi, J. Org. Chem. 33, 83 (1968).
[6] W. A. Mosher u. C. L. Kehr, Am. Soc. 75, 3172 (1953).
[7] S.A. Godleski et al., B. 107, 1257 (1974).
[8] R. Criegee, L. Kraft u. B. Rank, A. 507, 159 (1933).
[9] H. Mitsuhashi u. K. Tomimoto, Chem. pharm. Bull. (Tokyo) 19, 1974 (1971); C. A. 76, 4068 (1972).

400 mg 3β,11,12-Trihydroxy-11-carboxy-C-nor-5α-pregnan werden in Eisessig gelöst und zu dieser Lösung 530 mg Blei(IV)-acetat gegeben. Das Reaktionsgemisch bleibt über Nacht bei Raumtemp. stehen. Danach gibt man weitere 140 mg Blei(IV)-acetat zu und läßt weitere 3 Stdn. stehen. Anschließend werden 3 ml Glykol zugegeben, das Reaktionsgemisch i. Vak. auf $^1/_4$ seines Vol. eingeengt und in Eiswasser gegossen. Es wird mit Benzol extrahiert, die benzolische Phase mit Wasser gewaschen und getrocknet (Natriumsulfat), das Lösungsmittel abgedampft. Man erhält eine kristalline Masse, die aus Dichlormethan/Essigsäure-äthylester umkristallisiert wird; Ausbeute: 281 mg (80% d.Th.); F: 170–171°.

Eine weitere Methode zur Herstellung von Carbonyl-Verbindungen ist die Oxidation von β-Hydroxy-carbonsäuren mit Blei(IV)-acetat[1],

$$\underset{\underset{R^2\;R^3}{|\quad|}}{R-\overset{\overset{OH}{|}}{C}-CH-COOH} \xrightarrow{Pb(O-COCH_3)_4} \underset{\underset{R^3}{|}}{R-\overset{\overset{O}{\|}}{C}-CH-R^2} + CO_2$$

nachdem sich die Decarboxy-Verbindung durch Umlagerung zu den entsprechenden Carbonyl-Verbindungen stabilisieren kann. So erhält man aus 3-Hydroxy-2,3,3-triphenyl-propansäure überwiegend *2-Oxo-1,1,2-triphenyl-äthan* (in Benzol 71% d.Th.; in Acetonitril 76% d.Th.)[1]. *2-Hydroxy-1-acetoxy-1,1,2-triphenyl-äthan* entsteht nur wenig (14 bzw. 8%).

α-Aminiono-carbonsäuren werden unter Decarboxylierung und Hydrolyse des stickstoffhaltigen Bruchstückes zum sek. Amin und zur Carbonyl-Verbindung oxidiert[2]. Die stickstofffreien Spaltstücke sind mit denen aus der Oxidation entsprechender α-Hydroxy-carbonsäuren identisch. Die Oxidation kann analog der Spaltung der α-Amino-alkohole (S. 364) durchgeführt werden.

Zur dritten Verbindungsklasse, die unter Decarboxylierung Carbonyl-Verbindungen liefert, gehören Homologe der Malonsäure. Als erstes Produkt bei der Oxidation mit Blei(IV)-acetat in Gegenwart von Pyridin entsteht eine α-Acetoxy-carbonsäure, die bei der Oxidation mit einem 2. Mol Blei(IV)-acetat und hydrolytischer Aufarbeitung zum Keton bzw. Aldehyd reagiert[3]:

$$\underset{R^2}{\overset{R^1}{}}C\underset{\diagdown COOH}{\diagup COOH} \xrightarrow{Pb(O-COCH_3)_4} \underset{R^2}{\overset{R^1}{}}C\underset{\diagdown COOH}{\diagup O-COCH_3} + CO_2$$

$$\underset{R^2}{\overset{R^1}{}}C\underset{\diagdown COOH}{\diagup O-COCH_3} \xrightarrow{Pb(O-COCH_3)_4} \underset{R^2}{\overset{R^1}{}}C=O + CO_2$$

Nonanon-(5)[4]: 6,31 g (0,0292 Mol) Dibutyl-malonsäure werden in 40 ml Benzol und 6 ml ($\sim$0,07 Mol) Pyridin gelöst und dazu 29,8 g (0,0642 Mol) Blei(IV)-acetat gegeben. Die Reaktionsmischung wird erwärmt bis die Kohlendioxid-Entwicklung beginnt. Danach wird die Wärmequelle solange entfernt, bis die Kohlendioxid-Entwicklung aufhört. Anschließend wird 3 Stdn. unter Rückfluß gekocht. Nach dem Abkühlen werden 100 ml Äther zugegeben, danach wird die Lösung filtriert und die abgetrennten Salze mit Äther gewaschen. Die vereinigten Äther-Lösungen werden wie üblich mit 2n Salzsäure-Lösung, Natriumhydrogencarbonat-Lösung und kalter Salzlösung gewaschen und danach über Magnesiumsulfat getrocknet und eingeengt. Der Rückstand wird 30 Min. auf dem Dampfbad in einer Lösung mit 7 g Kaliumhydroxid, 15 ml Wasser und 15 ml Methanol hydrolysiert. Zur kalten Lösung werden 100 ml Äther gegeben und die die wäßrige Lösung mit Kaliumcarbonat gesättigt. Die beiden Phasen werden getrennt und die wäßrige Phase 4mal mit je 50 ml Äther gewaschen. Die vereinigten organischen Lösungen werden über Magnesiumsulfat getrocknet, der Äther abdestilliert und anschließend fraktioniert; Ausbeute: 2,97 g (70% d.Th.).

[1] E. J. Corey u. J. Casanova, Am. Soc. **85**, 165 (1963).

[2] H. J. Roth, Ar. **294**, 427 (1961).

[3] J. Meinwald, J. J. Tufariello u. J. J. Hurst, J. Org. Chem. **29**, 2914 (1964).

[4] J. J. Tufariello u. W. J. Kissel, Tetrahedron Letters **1966**, 6145.

Analog[1] erhält man aus

Äthyl-phenyl-malonsäure	*Propiophenon*	63% d. Th.
Äthyl-butyl-malonsäure	*Heptanon-(3)*	60% d. Th.
Äthyl-(3-methyl-butyl)-malonsäure	*5-Oxo-2-methyl-heptan*	70% d. Th.
Cyclopentan-1,1-dicarbonsäure	*Cyclopentanon*	45% d. Th.
Cyclohexan-1,1-dicarbonsäure	*Cyclohexanon*	50% d. Th.

Tab. 50: Carbonyl-Verbindungen durch Oxidation von α-Hydroxy-carbonsäuren

α-Hydroxy-carbonsäure	Carbonyl-Verbindung	Ausbeute [% d.Th.]	Eigenschaften	Literatur
Mandelsäure	*Benzaldehyd*	100		2
2-Hydroxy-2,3-bis-[4-meth-oxy-phenyl]-propansäure	*1-Oxo-1,2-bis-[4-methoxy-phenyl]-äthan*	98	F: 110–112°	3, vgl. 4
2-Hydroxy-3,3-dimethyl-4-(3,4-dimethyl-phenyl)-butansäure	*2,2-Dimethyl-3-(3,4-dimethyl-phenyl)-propanal*	∼70	Kp$_{20}$: 126° n_D^{25} = 1,5095	5
3-Hydroxy-2,2,4,4-tetra-methyl-1-acetyl-3-carboxy-azetidin	*3-Oxo-2,2,4,4-tetramethyl-1-acetyl-azetidin*	82	F: 41–42°	6
Hydroxy-cyclopropyl-phenyl-essigsäure	*Cyclopropyl-phenyl-keton*	76		7
2-Hydroxy-3a-methyl-2-carboxy-3a,4,7,7a-tetrahydro-indan	*trans-2-Oxo-3a-methyl-3a,4,7,7a-tetrahydro-indan*	85	F: 177–178° (DNPH)	8
2-Hydroxy-2-[5-oxo-2-methyl-tetrahydrofuryl-(3)]-propan-säure	*4-Hydroxy-3-acetyl-pentan-säure-lacton*	47,5	Kp$_{0,07}$: 114–115°	9
3-Hydroxy-2,2,4,4-tetra-methyl-3-carboxy-oxetan	*3-Oxo-2,2,4,4-tetramethyl-oxetan*	57	F: 48° F: 186–187° (Oxim)	10
2,6-Dinitro-5-hydroxy-5-carboxy-tricyclo[4.1.0.0^{2,4}]heptan	*2,6-Dinitro-5-oxo-tricyclo [4.1.0.0^{2,4}]heptan*	39	F: 136–137°	11
2,20 β-Dihydroxy-2-carboxy-A-nor-5α-pregnan	*20 β-Hydroxy-2-oxo-A-nor-5α-pregnan*	94	F: 216–218° ($[\alpha]_D^{25}$ + 43°; c = 0,57 Chloroform	12

[1] J. J. Tufariello u. W. J. Kissel, Tetrahedron Letters 1966, 6145.
[2] L. Vargha, Nature 162, 927 (1948).
[3] E. Rohrmann, R. G. Jones u. H. A. Shonle, Am. Soc. 66, 1856 (1944).
[4] E. R. Bockstahler u. D. L. Wright, Am. Soc. 71, 3760 (1949).
[5] C. Broquet u. J. Bedin, C. r. 261, 1335 (1965).
[6] L. Dallasta u. A. Pedrazzoli, Experientia 26, 1188 (1970).
[7] P. Guillaud, J. L. Pierre u. P. Arnaud, A. di. 6, 275 (1971).
[8] T. M. Dawson et al., Soc. [C] 1971, 1292.
[9] R. Lukes, J. Nemec u. J. Jary, Coll. czech. Chem. Commun. 29, 1663 (1964).
[10] B. L. Murr, G. B. Hoey u. C. T. Lester, Am. Soc. 77, 4430 (1955).
[11] T. J. de Boer u. J. C. von Velzen, R. 83, 477 (1964).
[12] H. R. Nace u. D. H. Nelander, J. Org. Chem. 29, 1677 (1964).

Tab. 50 (1. Fortsetzung)

α-Hydroxy-carbonsäure	Carbonyl-Verbindung	Ausbeute [% d.Th.]	Eigenschaften	Literatur
3-Hydroxy-3-carboxy-A-nor-5α-cholestan	*3-Oxo-A-nor-5α-cholestan*	40		[1]
3-Hydroxy-3-carboxy-2,2-diphenyl-cumaran	*3-Oxo-2,2-diphenyl-cumaran*	93	F: 90°	[2]
10-Hydroxy-9-oxo-1-phenyl-8-oxa-bicyclo[5.3.0]decan	*1-Phenyl-cycloheptan-1,2-carbonsäure-anhydrid*	67	F: 135–137°	[3]

η) Carbonsäuren durch Oxidation von α-Oxo-carbonsäuren

Für die oxidative Spaltung der α-Oxo-carbonsäuren gelten die gleichen Voraussetzungen wie für die Spaltung von α-Hydroxy-carbonyl-Verbindungen (s. S. 367). In inerten Lösungsmitteln findet praktisch keine Reaktion statt. Zur Spaltung kommt es erst bei Anwesenheit von protischen Verbindungen wie Wasser, Alkohol oder Blausäure, die durch Anlagerung an die Carbonyl-Gruppe Pseudoglykole bilden[4]:

$$R-\overset{O}{\underset{}{C}}-\overset{O}{\underset{}{C}}-OH \; + \; R'H \longrightarrow R-\overset{OH}{\underset{R'}{C}}-\overset{OH}{\underset{}{C}}{=}O$$

Unter diesen Bedingungen wird spontan ein Mol Kohlendioxid pro Mol α-Oxo-carbonsäure frei und diese wird zu der um ein C-Atom ärmeren Carbonsäure abgebaut, die je nach Art des pseudoglykolbildenden Agenz in Form der freien Carbonsäure (bei Wasser) oder des Esters (bei Alkohol) isoliert werden kann. In Gegenwart von Blausäure isoliert man α-Oxo-carbonsäure-nitrile der ursprünglichen Säure.

α-Oxo-carbonsäuren mit Wasserstoff in β-Stellung können mit einem zweiten Mol Blei(IV)-acetat reagieren, wenn der β-Wasserstoff besonders aktiviert ist wie z. B. bei der 2-Oxo-3-phenyl-propansäure. Man erhält 2-Acetoxy-2-phenyl-essigsäure (50,6% d.Th.)[4]:

$$\text{Ph}-CH_2-\overset{O}{\underset{}{C}}-COOH \xrightarrow{Pb(O-COCH_3)_4/H_2O} \text{Ph}-\overset{O-COCH_3}{\underset{}{CH}}-COOH$$

Essigsäure-benzylester[4]: Zu einer Lösung von 1,76 g (0,02 Mol) trockener Brenztraubensäure und 2,16 g (0,02 Mol) trockenem Benzylalkohol in 50 *ml* absol. Benzol werden 9,3 g (0,2 Mol + 5%) Blei(IV)-acetat gegeben. Die Temp. der Lösung steigt dabei auf 40°, Kohlendioxid wird frei und Blei(II)-acetat fällt aus. Nach 1 Stde. wird kein Kohlendioxid mehr frei und die Temp. fällt wieder auf 24°. Nach längerem Stehen wird vom Blei(II)-acetat abgetrennt, das Salz mit Benzol gewaschen und die vereinigten Benzol-Lösungen eingeengt. Die Benzol-Lösung wird mit Äther versetzt, eine Zeit stehen gelassen, filtriert, das Lösungsmittel i. Vak. abdestilliert und der Rückstand fraktioniert; Ausbeute: 1,4 g (47% d.Th.); Kp: 202–212°; $n_D^{21} = 1,5150$.

Nach dieser Vorschrift erhält man aus 2-Oxo-3,3-dimethyl-butansäure 37% d.Th. *2,2-Dimethyl-propansäure-benzylester* und aus Phenyl-glyoxylsäure in wäßriger Essigsäure 96,7% d.Th. *Benzoesäure*[4]. Auf ähnliche Weise erhält man ferner aus Fluorenyl-(9)-glyoxylsäure *Fluoren-9-carbonsäure*[5] und aus 6-Acetoxy-1-oxo-5,5,8a-trimethyl-2-(3-acet-

[1] J. F. BIELLMANN u. M. RAJIC, Bl. **1962**, 441.
[2] A. SCHÖNBERG u. K. JUNGHANS, B. **97**, 2539 (1964).
[3] J. DRUEY, E. F. JENNY, K. SCHENKER u. R. B. WOODWARD, Helv. **45**, 600 (1962).
[4] E. BAER, Am. Soc. **62**, 1597 (1940).
[5] B. D. PODOLESOV, Glasnik Hem Drustva Beograd **29**, 51 (1964); C. A. **66**, 85621 (1967).

oxy-1-methyl-2-carboxycarbonyl-cyclopentyl)-dekalin (I) *6-Acetoxy-1-oxo-5,5,8a-trimethyl-2-(3- acetoxy-1-methyl-2-carboxy-cyclopentyl)-dekalin* (II)[1]:

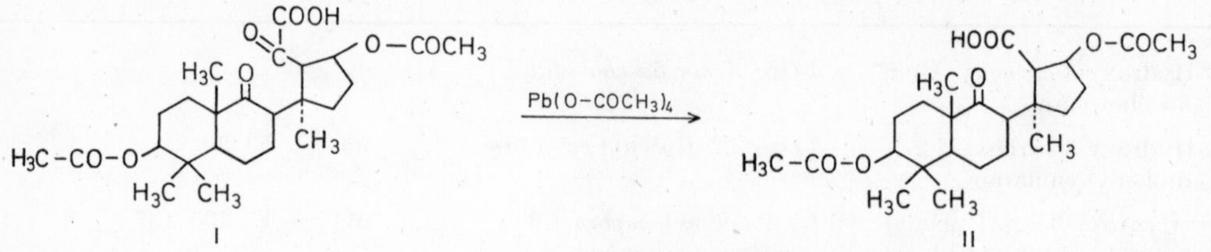

ϑ) Cyclisierende Decarboxylierungen
Synthese von kondensierten Ringsystemen und Lactonen

5-Phenyl-pentansäure wird von 1 Mol Blei(IV)-acetat in siedendem Benzol unter Ausschluß von Sauerstoff decarboxyliert. Hauptprodukt ist *Tetralin* [54% d.Th. bez. auf Blei(IV)-acetat] neben *Butyl-benzol* (4% d.Th.)[2]:

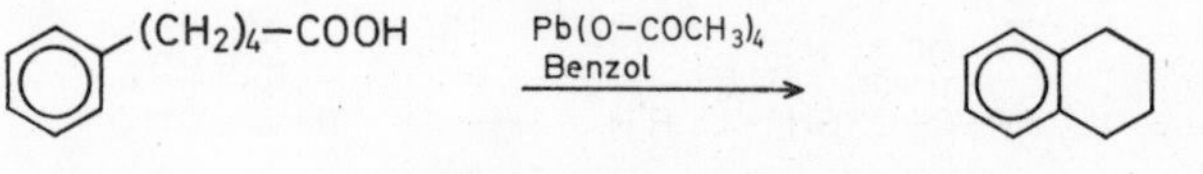

In Cyclohexan betragen die Ausbeuten 50% d.Th. *Tetralin* und 10% d.Th. *Butyl-benzol*[2].

Die Reaktion, wahrscheinlich nach einem radikalischen Mechanismus ablaufend[3,4], kann allgemein, von 5-Aryl-pentansäuren ausgehend, zur Herstellung von kondensierten Tetrahydro-aromaten benutzt werden[2-5]. 5-(4-Nitro-phenyl)-pentansäure wird so zu *6-Nitro-tetralin* (43,9% d.Th.) umgesetzt[4], 5-Naphthyl-(2)-pentansäure zu einem Gemisch von *1,2,3,4-Tetrahydro-phenanthren* (44% d.Th.) und *1,2,3,4-Tetrahydro-anthracen* (10,9% d.Th.)[4] und 5-Phenyl-5-(4-methoxy-phenyl)-pentansäure zu einem Gemisch von *1-(4-Methoxy-phenyl)-tetralin*[4] (21,9% d.Th.) und *6-Methoxy-1-phenyl-tetralin*[4] (32,2% d.Th.).

Die Synthese von höherkondensierten aromatischen Ringsystemen gelingt in zufriedenstellenden Ausbeuten immer dann, wenn dabei ein neuer 6 Ring gebildet wird. So erhält man aus Biphenyl-(2)-propansäure *9,10-Dihydro-phenanthren* (41,7% d.Th.)[6]

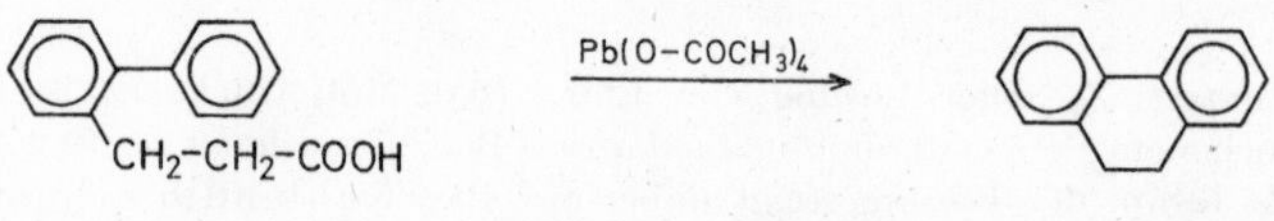

und aus o-Terphenyl-2-carbonsäure *Triphenylen* (100% d.Th.; F: 196–199°)[3]:

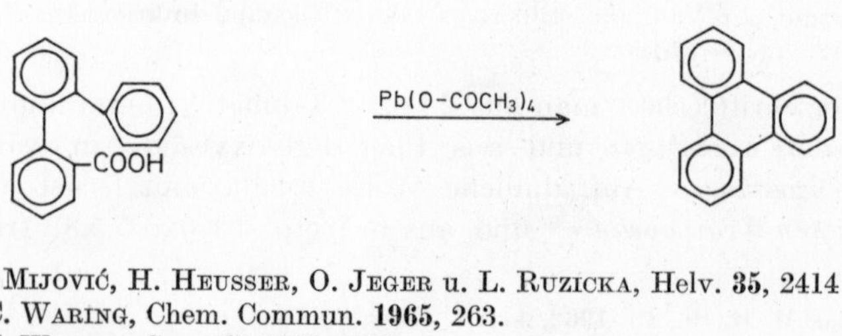

[1] W. VOSER, M. V. MIJOVIĆ, H. HEUSSER, O. JEGER u. L. RUZICKA, Helv. **35**, 2414 (1952).
[2] D. I. DAVIES u. C. WARING, Chem. Commun. **1965**, 263.
[3] D. I. DAVIES u. C. WARING, Soc. [C] **1967**, 1639.
[4] D. I. DAVIES u. C. WARING, Soc. [C] **1968**, 1865.
[5] C. DESCOINS, M. JULIA u. H. VAN SANG, Bl. **1972**, 2037.
[6] D. I. DAVIES u. C. WARING, Soc. [C] **1968**, 2332.

Demgegenüber ist der Ringschluß unter Fünfringbildung nicht sehr ergiebig[1,2], wie das Beispiel der 2-Benzoyl-benzoesäure zeigt, die nur zu 12,2% d.Th. [bez. auf Blei(IV)-acetat] *Fluorenon* liefert[1]:

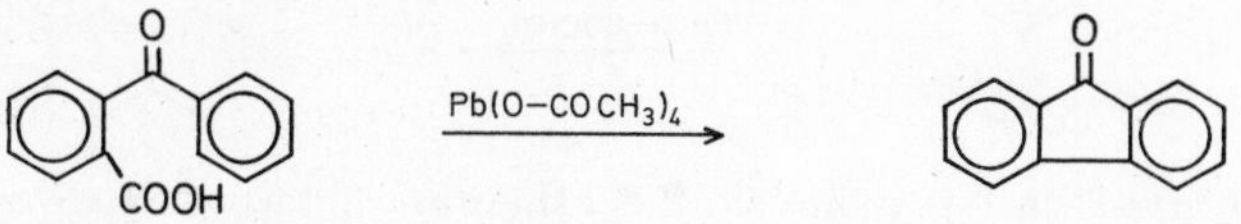

Die diesen Monocarbonsäuren analogen Malonsäuren sind ebenso zum Ringschluß befähigt. Als Reaktionsprodukte erhält man cyclische Verbindungen, die um zwei Wasserstoffatome ärmer sind. So erhält man aus [Biphenylyl-(2)-methyl]-malonsäure *Phenanthren*[3]:

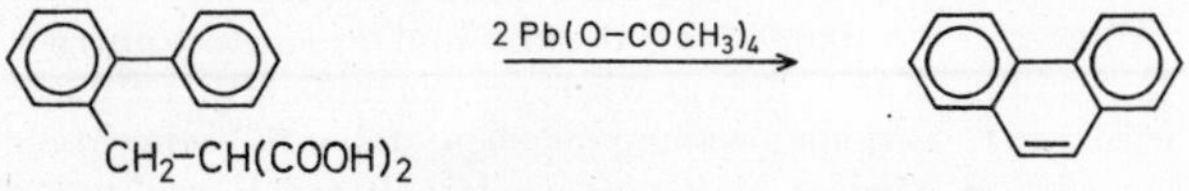

Es werden zwei Mole Blei(IV)-acetat verbraucht[3].

γ- oder δ-Dicarbonsäuren reagieren ebenfalls mit Blei(IV)-acetat. Dabei wird ein Mol Kohlendioxid frei. Reaktionsprodukte sind Lactone. So erhält man aus den beiden stereoisomeren 2,3-Diphenyl-glutarsäuren *trans-3,4-Diphenyl-butyrolacton* in hoher Ausbeute (80% d.Th.)[4]:

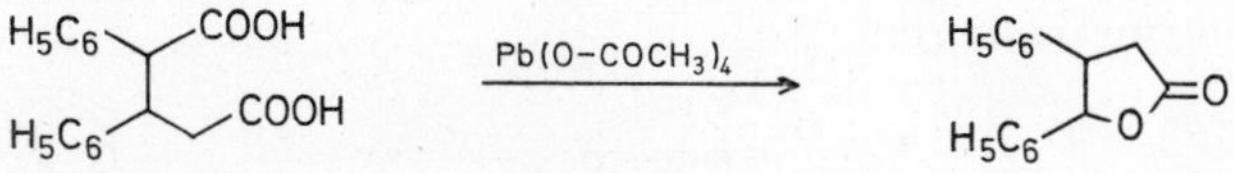

Lactonbildung unter Decarboxylierung gelingt immer dann, wenn eine der beiden Carboxylgruppen entweder an ein Benzyl- oder an ein tertiäres C-Atom gebunden ist oder wenn beide Carboxy-Gruppen durch das Molekülgerüst in einer für die Lacton-Bildung besonders günstigen Lage fixiert sind[5]. So verhält sich Glutarsäure indifferent, während 1,2,2,-Trimethyl-cyclohexan-1,3-dicarbonsäure ohne Schwierigkeit in *3-Hydroxy-2,2,3-trimethyl-cyclohexan-1-carbonsäure-lacton* (70% d.Th.) überführt werden kann (die tert. Carboxy-Gruppe wird abgespalten)[4]:

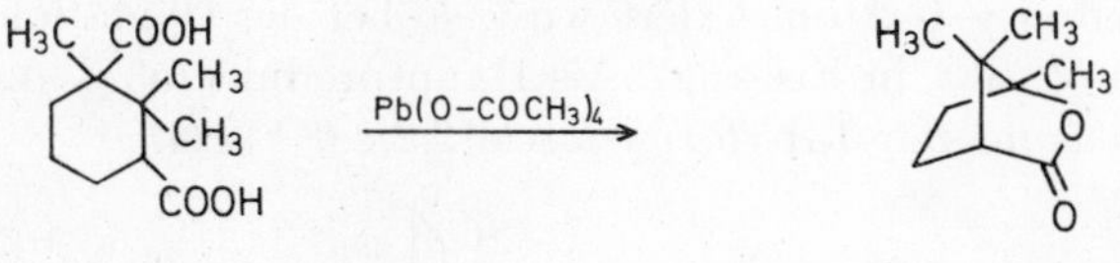

Als δ-Dicarbonsäure reagiert 1,2-Bis-[2-carboxy-propyl-(2)]-benzol zum *3-Oxo-1,1,4,4-tetramethyl-3,4-dihydro-1H-⟨benzo-[c]-pyran⟩*[6]:

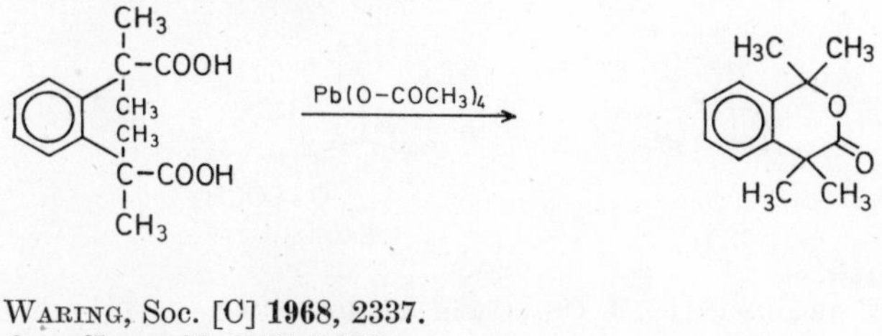

[1] D. I. Davies u. C. Waring, Soc. [C] **1968**, 2337.
[2] W. H. Starnes, J. Org. Chem. **33**, 2767 (1968).
[3] D. I. Davies u. C. Waring, Soc. [C] **1968**, 2332.
[4] L. L. McCoy u. A. Zagalo, J. Org. Chem. **25**, 824 (1960).
[5] M. Gates u. J. L. Zabriskie, J. Org. Chem. **39**, 222 (1974).
[6] L. R. C. Barclay, C. E. Milligan u. N. D. Hall, Canad. J. Chem. **40**, 1664 (1962).

In einer ähnlichen Reaktion erhält man bei der Oxidation von Biphenyl-2,2'-dicarbonsäure *6-Oxo-6H-⟨dibenzo-[b;d]-pyran⟩*[1]:

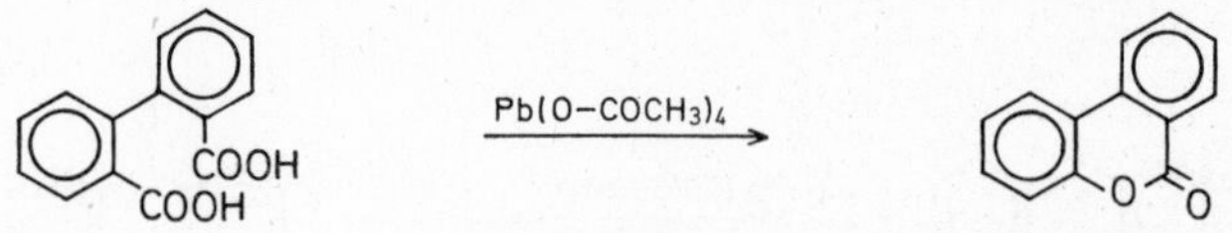

und 3-Carboxymethyl-2-carboxy-bicyclo[2.2.1]heptan liefert *3-Hydroxy-2-carboxymethyl-bicyclo[2.2.1]heptan-lacton* (57% d.Th.)[2]:

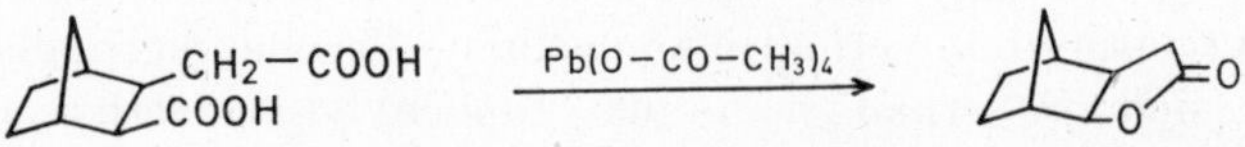

6-Oxo-6H-⟨dibenzo-[b;d]-pyran⟩[1]: Eine Mischung aus 3,0 g (0,0124 Mol) Biphenyl-2,2'-dicarbonsäure, 8,5 g (0,0188 Mol) Blei(IV)-acetat, 3 g (0,038 Mol) Pyridin und 20 *ml* Acetonitril wird unter Durchleiten von Stickstoff zum Sieden erhitzt; Kohlendioxid wird frei. Nach 35 Min. ist die Reaktion beendet. Eine größere Menge Benzol wird zur Reaktionsmischung gegeben, dabei fällt ein dunkelbrauner Niederschlag aus, von dem abfiltriert wird. Der Niederschlag wird wiederholt mit Benzol und die vereinigten Benzol-Lösungen werden mit verd. Salzsäure gewaschen. Nach Abdestillieren des Benzols bleibt ein leicht braun gefärbter fester Rückstand, der in verd. Natronlauge gelöst und mit konz. Salzsäure ausgefällt wird; Ausbeute: 1,21 g (50% d.Th.); F: 92–93°.

Die Bildung von 6-Oxo-6H-⟨dibenzo-[b;d]-pyran⟩ ist nicht nur auf Biphenyl-2,2'-dicarbonsäure beschränkt. Ganz allgemein[3] werden 2-substituierte Biphenyl-2-carbonsäuren unter dem Einfluß von Blei(IV)-acetat zu 6-Oxo-6H-⟨dibenzo-[b;d]-pyran⟩ in mehr oder weniger guter Ausbeute oxidiert:

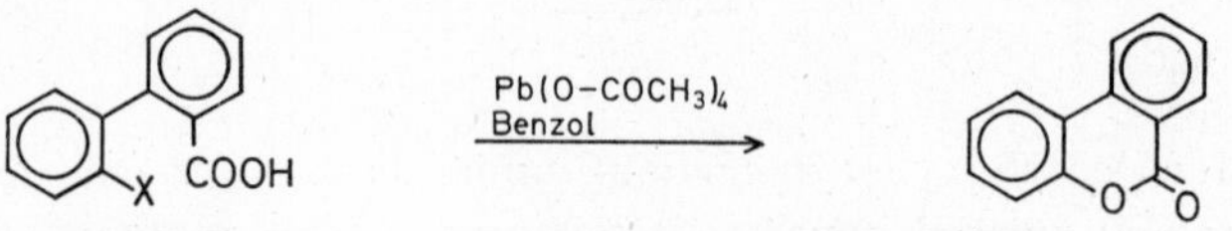

X = H	22% d.Th.	X = Cl	28% d.Th.
NO₂	3,6% d.Th.	= OCH₃	68% d.Th.
		= COOCH₃	19% d.Th.

Die Bildung von Cyclopropanen[4] durch oxidative Decarboxylierung ist nur in ganz speziellen Fällen möglich. Sie gelingt bei γ-ungesättigten Carbonsäuren, bei denen aufgrund eines starren Kohlenstoffgerüstes das α–C-Atom in einer räumlich günstigen Anordnung zum ungesättigten γ–C-Atom fixiert wird, so bei der Oxidation von *exo*-5-Carboxy-bicyclo-[2.2.2]-octen-(2) (60° in Eisessig). Als Hauptprodukt (53% d.Th.) erhält man ein Gemisch der beiden epimeren *3-Acetoxy-tricyclo[2.2.2.0²,⁶]octane*[5]:

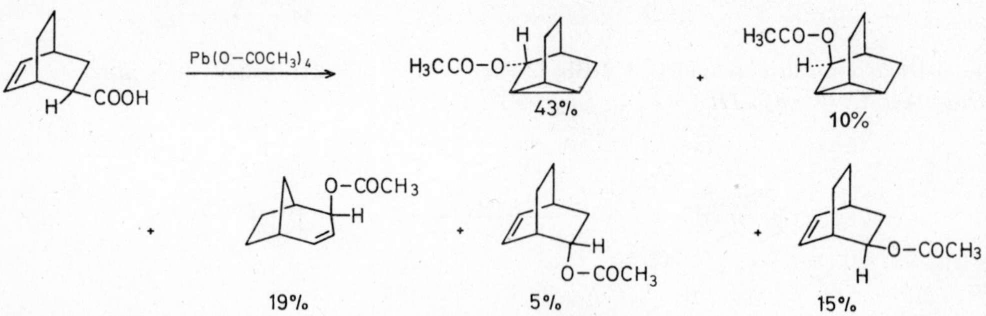

[1] W. R. Moore u. H. Arzoumanian, J. Org. Chem. **27**, 4667 (1962).
[2] M. Gates u. J. L. Zabriskie, J. Org. Chem. **39**, 222 (1974).
[3] D. I. Davies u. C. Waring, Soc. [C] **1967**, 1639.
[4] W. R. Moore u. A. Arzoumanian, J. Org. Chem. **27**, 4667 (1962).
     Vgl. ds. Handb., Bd. IV/3.
[5] N. A. LeBel u. J. E. Huber, Am. Soc. **85**, 3193 (1963).

Die *endo*-Carbonsäure liefert als Hauptprodukt *5-Hydroxy-4-acetoxy-bicyclo[2.2.2]octan-carbonsäure-lacton* (s. S. 267).

b) Spaltung der C–N-Bindung

Die wenigsten oxidativen Spaltungen der C–N-Bindung mit Blei(IV)-acetat sind präparativ interessant. Neben einigen Einzelreaktionen, die unter C–N-Spaltung verlaufen, wie z. B. die Oxidation von Tribenzylamin oder Benzaldehyd-benzylimin zu *Benzaldehyd* und *Benzonitril*[1], die Spaltung von 1,1,4,4-Tetrabenzyl-tetrazen unter Bildung von *Benzylazid*[2]

$$\left[(H_5C_6-CH_2)_2\,N-N=\right]_2 \xrightarrow{Pb(O-COCH_3)_4} H_5C_6-CH_2N_3 \;+\; (H_5C_6-CH_2)_2NH \;+\; H_5C_6\,CHO$$

oder die Aufspaltung des Ringes im 7-Amino-3,6-diphenyl-⟨pyrrolo-[1,2-c]-pyrimidin⟩ zu *6-(2-Phenyl-2-cyan-vinyl)-4-phenyl-pyrimidin*[3],

ist die Spaltung von tert.-Aminen, Oximen, Hydraziden und substituierten Hydroxylaminen untersucht worden. Schließlich erweist sich die Oxidation von 1-Amino-1H-⟨benzo-[d]-1,2,3-triazolen⟩ als ein ausgezeichneter Weg, Dehydroaromaten unter besonders milden Bedingungen herzustellen.

1. Oxidation von tert.-Aminen unter C–N-Spaltung

Gemischte N-alkyl-, N-aryl-substituierte tert.-Amine werden in Anwesenheit von Acetanhydrid schon bei Raumtemperatur in zum Teil ausgezeichneten Ausbeuten durch Blei(IV)-acetat oxidativ zu sek. Aminen entalkyliert, die dann durch Acetylierung dem weiteren Angriff des Oxidationsmittels entzogen werden[4,5].

Essigsäure-N-methyl-anilid[4]: Zu einer Mischung von 6 g (50 mMol) N,N-Dimethyl-anilin in 25 *ml* Chloroform und 10 *ml* Acetanhydrid läßt man unter Rühren und Stickstoffatmosphäre eine Lösung von 22,2 g Blei(IV)-acetat in 50 *ml* Chloroform im Laufe von 30–40 Min. bei Raumtemp. zutropfen. Die Reaktion läuft nach anfänglicher Grünfärbung unter kräftiger Wärmetönung ab. Unter gelegentlichem Kühlen mit Wasser wird eine weitere Stde. gerührt. Vom ausgefallenen Blei(II)-acetat wird abfiltriert, die Chloroform-Lösung mit 200 *ml* Wasser geschüttelt und die Schichten getrennt. In der wäßr. Phase werden Blei(II)-Ionen durch Zugabe von 50 *ml* 2n Schwefelsäure als Blei(II)-sulfat gefällt und in einem aliquoten Teil des Filtrats Formaldehyd als 2,4-Dinitro-phenylhydrazon bestimmt.

Die Chloroform-Lösung wird abgedampft, Essigsäure und Acetanhydrid i. Vak. entfernt und der Rückstand aus Wasser umkristallisiert; Ausbeute: 6,1 g (83% d.Th.); F: 102°.

2. Aldehyde und Ketone durch Oxidation von Oximen

Bei der Einwirkung von Blei(IV)-acetat auf Oxime wird die C=N-Doppelbindung gespalten und als Reaktionsprodukt das entsprechende Aldehyd oder Keton erhalten[6]. Stöchio-

---

[1] A. Stojiljković, V. Andrejević u. M. L. Mikailović, Tetrahedron **23**, 721 (1967).
[2] G. Koga u. J. P. Anselme, Am. Soc. **91**, 4323 (1969).
[3] W. J. Irwin u. D. G. Wibberley, Chem. Commun. **1968**, 878.
[4] L. Horner, E. Winkelmann, K. H. Knapp u. W. Ludwig, B. **92**, 288 (1959); dort zahlreiche Beispiele.
[5] B. Rindone u. C. Scolastico, Tetrahedron Letters **1974**, 3379.
[6] Y. Yukawa, A. Sakai u. S. Suzuki, Bl. Chem. Soc. Japan **39**, 2266 (1966); C. A. **66**, 10695 (1967).

metrisch verbrauchen 2 Mol Oxim 1 Mol Blei(IV)-acetat.

$$\begin{matrix} R^1 \\ R^2 \end{matrix}C{=}NOH \quad + \quad 1/2 \ Pb(O{-}COCH_3)_4 \quad \longrightarrow \quad \begin{matrix} R^1 \\ R^2 \end{matrix}C{=}O \quad + \quad 1/2 \ N_2$$

$$+ \quad 1/2 \quad Pb(O{-}COCH_3)_2 \quad + \quad CH_3COOH$$

Dabei wird die Blei(IV)-acetat-Lösung vorgelegt und langsam über einen längeren Zeitraum hinweg unter Rühren und Erhitzen auf $\sim 70°$ die essigsaure Lösung des Aldoxims bzw. Ketoxims tropfenweise zugegeben. Bei umgekehrtem Vorgehen erhält man je nach der Art des Oxims Nitrosoacetate[1,2] oder Aldoxim-anhydridoxide[3] (s. S. 259). Erstere sind im Falle der Oxidation von 2-Oximino-4-methyl-1-isopropyl-cyclohexan, 2-Oximino-4-methyl-1-isopropyliden-cyclohexan und 3-Oximino-4-methyl-1-isopropyl-cyclohexan die einzigen Reaktionsprodukte, erkennbar an ihrer blauen Farbe und spektroskopisch an der charakteristischen, starken Nitrosobande bei 1565 cm^{-1}.

Für gewöhnlich ist die Umsetzung in weniger als 2 Stdn. beendet. Ausnahmen bilden stark gehinderte oder phenolische Hydroxy-oxime.

Tab. 51: Carbonyl-Verbindungen durch Oxidation von Oximen[4]

Oxim	Carbonyl-Verbindung	Ausbeute[a] [% d.Th.]	F [° C]
$H_3C{-}(CH_2)_7{-}CH{=}NOH$	*Nonanal*	94	63,5
$H_3C{-}(CH_2)_8{-}CH{=}NOH$	*Decanal*	92	67,8
$H_3C{-}(CH_2)_9{-}CH{=}NOH$	*Undecanal*	91	71
$H_3C{-}(CH_2)_{10}{-}CH{=}NOH$	*Dodecanal*	90	72
$H_3CO{-}\langle\bigcirc\rangle{-}CH{=}NOH$	*4-Methoxy-benzaldehyd*	90	60
$(CH_3)_2CH{-}\langle\bigcirc\rangle{-}CH{=}NOH$	*4-Isopropyl-benzaldehyd*	76	60
$H_5C_6{-}CH{=}C{-}CH{=}NOH$ $\quad\quad CH_2{-}(CH_2)_3{-}CH_3$	*2-Benzyliden-heptanal*	73	72
(Cyclohexanon-Oxim mit CH₃) =NOH / CH₃	*2-Methyl-cyclohexanon*	91	43
α-Jonon-oxim	*α-Jonon {2,3,3-Trimethyl-2-[3-oxo-buten-(1)-yl]-cyclohexen-(1)}*	53	89
3-Oximino-cholestan	*3-Oxo-cholestan*	75	200
$\begin{matrix} H_3C \\ H_3C{-}(CH_2)_4 \end{matrix}C{=}NOH$	*Heptanon-(2)*	90	(Kp$_{20}$: 110°)
$\begin{matrix} H_3C \\ H_3C{-}(CH_2)_7 \end{matrix}C{=}NOH$	*Decanon-(2)*	91	45

[a] Versuchsbedingungen: 0,05 Mol Oxim, 0,025 Mol Blei(IV)-acetat; 50 *ml* Eisessig, 70° und 30 Min.

[1] D. C. Iffland u. G. X. Criner, Chem. & Ind. 1956, 176.
[2] H. Kropf u. R. Lambeck, A. 700, 1 (1966).
[3] H. Kropf u. R. Lambeck, A. 700, 18 (1966).
[4] Y. Yukawa, M. Sakai u. S. Suzuki, Bl. Chem. Soc. Japan 39, 2266 (1966); C. A. 66, 10695 (1967).

Tab. 51 (1. Fortsetzung)

Oxim	Carbonyl-Verbindung	Ausbeute[a] [% d.Th.]	F [° C]
⬠=NOH	*Cyclopentanon*	90	56
(Fluorenon-Struktur) NOH	*9-Oxo-fluoren*	89	195
H_5C_6–CH_2 / H_5C_6 C=NOH	*1-Oxo-1,2-diphenyl-äthan*	91	98
H_5C_6–C–CH_2–(CH_2)$_2$–CH_2–C–C_6H_5 ‖ NOH ‖ NOH	*1,6-Dioxo-1,6-diphenyl-hexan*	90	232

[a] Versuchsbedingungen: 0,05 Mol Oxim, 0,025 Mol Blei(IV)-acetat; 50 *ml* Eisessig, 70° und 30 Min

3. Oxidative Deazotierung von Diazomethan-Derivaten

Während aliphatische Diazoketone von Blei(IV)-acetat nicht angegriffen werden[1,2], reagieren Diazomethan und andere Diazoalkane unter Verlust von Stickstoff. Es werden geminale Diacetoxy-Verbindungen unter Verbrauch von 2 Mol Blei(IV)-acetat gebildet. In gleicher Weise reagieren auch Diaryldiazomethane; z. B. Diazo-diphenyl-methan oder Diazo-fluoren zu *Diacetoxy-diphenyl-methan* bzw. *9,9-Diacetoxy-fluoren*[3,4]:

$$
\begin{array}{c}
R^1 \\
\quad\diagdown \\
\quad\quad C=N_2 \\
\quad\diagup \\
R^2
\end{array}
\xrightarrow[-N_2,\ -\ 2\ Pb(O–COCH_3)_2]{2\ Pb(O–COCH_3)_4}
\begin{array}{c}
R^1 \quad\diagdown\quad O–COCH_3 \\
\quad\quad C \\
R^2 \quad\diagup\quad O–COCH_3
\end{array}
$$

Nachdem N_β-unsubstituierte Hydrazone leicht zu Diazo-Verbindungen oxidiert werden können[4], kann man bei der Herstellung von gem. Diacetoxy-Verbindungen auch direkt von den Hydrazonen ausgehen.

Vergleichende Versuche mit Benzophenonhydrazon haben jedoch gezeigt[5,6], daß dabei weitaus mehr Monoacetoxy-Derivat gebildet wird. So erhält man bei der Oxidation von Benzophenonhydrazon mit 5 Molen Blei(IV)-acetat in Dichlormethan nach anschließender Hydrolyse mit wässr. Natronlauge 61% d.Th. *Benzophenon* und 29% *Benzhydrol*, während man bei der Oxidation von Diphenyldiazomethan mit 2 Mol Blei(IV)-acetat unter sonst gleichen Bedingungen 85% Keton und 7% Hydroxyprodukt bekommt. Anwesenheit von Essigsäure erhöht den Anteil an Monoacetoxy-Derivat. Gibt man nämlich zur Oxidation des Diphenyldiazomethans zunächst 2 und dann 10 Mole Essigsäure, steigt der Anteil des Benzhydrols von 51 auf 68% während der Gehalt an Benzophenon von 85% über 44% auf 18% d.Th. abfällt.

Bei Diarylketonhydrazonen ist die Blei(IV)-acetat-Oxidation dadurch eine Methode, um je nach Versuchsbedingungen [höheres Blei(IV)-acetat zu Substrat Molverhältnis und Abwesenheit von Essigsäure gibt mehr diacetoxyliertes Produkt] entweder überwiegend zu Oxo- oder Hydroxy-Verbindungen zu kommen. Bei aliphatischen Hydrazonen ist es eine

[1] A. Y. YAKUBOVICH, S. P. MAKAROW, V. A. GINSBURG, G. J. GAWRILOW u. J. N. MERKULOWA, Dokl. Akad. SSSR 72, 69 (1950); C. A. 45, 2856 (1951).
[2] A. Y. YAKUBOVICH, J. N. MERKULOVA, S. P. MAKAROV u. G. I. GAWRILOV, Ž. obšč. Chim. 22, 2060 (1952); engl. 2115; C. A. 47, 9257ʰ (1953).
[3] R. H. HENSEL, B. 88, 527 (1955).
[4] T. IZUMI, T. IINO u. A. KASAHARA, Bull. Chem. Soc. Japan 46, 2249 (1973).
[5] D. H. R. BARTON, Chem. Commun. 1969, 450.
[6] D. H. R. BARTON, J. F. McGHIE u. P. L. BATTEN, Soc. [C] 1970, 1033.

Methode, um zu Hydroxy-Verbindungen zu kommen. Nebenprodukte sind hier je nach den Reaktionsbedingungen wechselnde Mengen an Olefin[1, 2].

3-(1-Acetoxy-äthyl)-1,2-dipropyl-cyclopropen[3]:

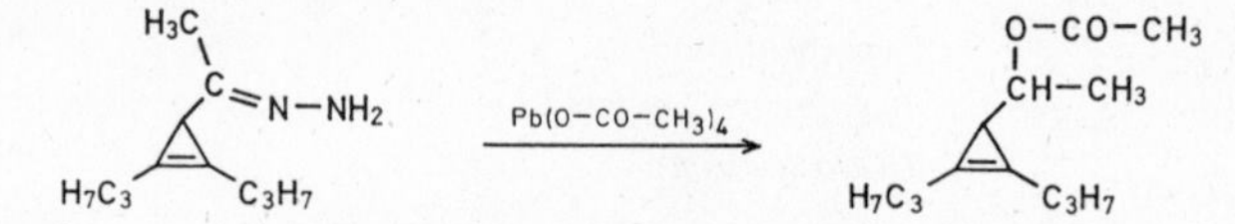

Eine Lösung von 2,7 g (15 mMol) 3-(1-Hydrazono-äthyl)-1,2-dipropyl-cyclopropen in 40 ml Dichlormethan wird innerhalb 90 Min. zu einer eiskalten Lösung von 9,8 g (22 mMol) Blei(IV)-acetat in 80 ml Dichlormethan gegeben. Während der Zugabe wird Stickstoff frei und Blei(II)-acetat fällt als farbloser Niederschlag aus. Nach beendeter Zugabe läßt man innerhalb 30 Min. die Lösung bis auf Raumtemp. kommen, gießt dann in 30 ml Wasser und trennt die Schichten. Die organische Phase wird mit 10% wäßr. Natriumhydrogencarbonat gewaschen, mit Magnesiumsulfat getrocknet und i. Vak. eingeengt. Man erhält ein Öl, das über 30 g Silikagel chromatographiert wird. Eluieren mit 100 ml Hexan gibt 0,2 g eines ungesättigten (unbekannten) Acetats. Eluieren mit 25% Äther in Hexan gibt 1 g (51% d.Th.).

4. Carbonsäuren durch Oxidation von Monoacylhydrazinen

Monoacylhydrazine werden von einem Überschuß (2,5 Mol) Blei(IV)-acetat unter Spaltung der C–N-Bindung zu Stickstoff und Carbonsäuren oxidiert[4]. Zweckmäßigerweise legt man eine Lösung von Blei(IV)-acetat in Benzol, Dichlormethan oder Methanol vor und fügt das Hydrazid bei Raumtemperatur zu. Man erhält so nach hydrolytischer Aufarbeitung die Carbonsäure in Ausbeuten von ~ 90% d.Th. Sie verringert sich auf 25–30% d.Th., wenn man das Hydrazid vorlegt und mit weniger Oxidationsmittel (1,25 Mol) oxidiert. Als Nebenprodukte fallen dann N,N′-Diacyl- bzw. Triacyl-hydrazine an[4]. Im Falle der Umsetzung von 4-Nitro-benzoylhydrazin in Methanol wird *4-Nitro-benzoesäure-methylester* als Hauptreaktionsprodukt (88% d.Th.) erhalten.

Tab. 52: Carbonsäuren durch Oxidation von Acylhydrazinen[5]

Hydrazin	Lösungsmittel	$Pb(O–COCH_3)_4$ (Mol)	Carbonsäure	Ausbeute [% d.Th.]
4-Chlor-benzoyl-	Benzol	2,5	*4-Chlor-benzoesäure*	86
4-Methyl-benzoyl-	Benzol	2,5	*4-Methyl-benzoesäure*	93
4-Methoxy-benzoyl-	Benzol	2,5	*4-Methoxy-benzoesäure*	86
4-Nitrobenzoyl-	Benzol[a]	2,5	*4-Nitro-benzoesäure*	89
	Methanol[a]	2,5		7 (88)[b]

[a] bei 60°
[b] Methylester

5. Nitroso-aromaten und Carbonsäuren durch Oxidation von N-Aryl-N-acyl-hydroxylaminen

Blei(IV)-acetat oxidiert N-Aryl-N-acyl-hydroxylamine unter Spaltung der N–C-Bindung der Acyl-Gruppe zu Nitroso-aromaten und Carbonsäuren[5]:

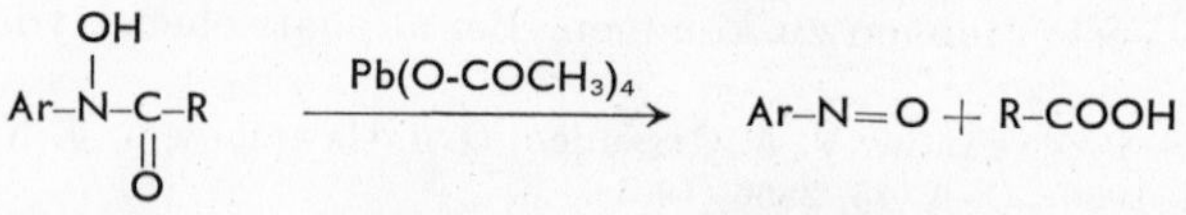

[1] D. H. R. Barton, Chem. Commun. **1969**, 450.
[2] D. H. R. Barton, J. F. McGhie u. P. L. Batten, Soc. [C] **1970**, 1033.
[3] A. E. Feiring u. J. Ciabattoni, J. Org. Chem. **37**, 3784 (1972).
[4] J. B. Aylward u. R. O. C. Norman, Soc. [C] **1968**, 2399.
[5] H. E. Baumgarten, A. Staklis u. E. M. Miller, J. Org. Chem. **30**, 1203 (1965).

Die gleiche Wirkung haben auch andere Oxidationsmittel[1], jedoch verläuft die Umsetzung mit Blei(IV)-acetat besonders rasch – oft nicht einmal eine Minute – und liefert vor allem hohe Ausbeuten, wenn die Oxidation bei tiefen Temperaturen – unter 0° – in Essigsäure oder Äthanol-Essigsäure vorgenommen wird.

Tab. 53: Nitroso-Verbindungen durch Oxidation von N-Aryl-N-acyl-hydroxylaminen[2]

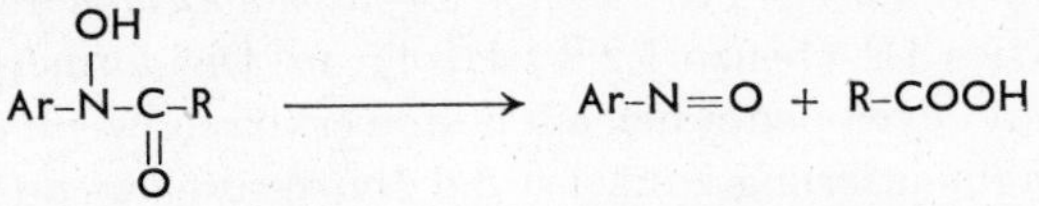

$$\underset{\overset{|}{O}}{\overset{\overset{OH}{|}}{Ar-N-C-R}} \longrightarrow Ar-N=O + R-COOH$$

Ar	R	Lösungsmittel	Temperatur [° C]	Dauer [Min.]	Nitroso-aromat	Ausbeute [% d. Th.]
Phenyl	Phenyl	Essigsäure	30	15	Nitroso-benzol (F: 66–68°)	31
		Essigsäure	30	3		42
		Äthanol	30	2		40
		Essigsäure	14	2		56
		Propionsäure	–20	1/6		58
		Essigsäure/Äthanol	–30	1/3		76
		Essigsäure/Äthanol	–20	1/6		80
	Methyl	Äthanol	–40	1/2		53
		Propionsäure	–10	1/3		68
		Essigsäure/Äthanol	–20	1/4		64
4-Methyl-phenyl	Phenyl	Propionsäure	–20	2	4-Nitroso-1-methyl-benzol (F: 46–48°)	46
		Äthanol/Essig-säure	–40	1/6		50
4-Chlor-phenyl	Methyl	Propansäure	–15	1/3	1-Chlor-4-nitroso-benzol (F: 86–88°)	84

6. Ortho- und peri-Dehydro-aromaten durch Oxidation von 1-Amino-1H-⟨areno-1,2,3-tri-azolen⟩ und 1-Amino-1H-⟨areno-1,2,3-triazinen⟩

1-Amino-1H-⟨benzo-1,2,3-triazol⟩ wird von Blei(IV)-acetat unter sehr milden Bedingungen praktisch quantitativ zum *Dehydrobenzol* umgesetzt, das in situ mit geeigneten Verbindungen, z. B. Dienen, abgefangen werden kann[3-6]:

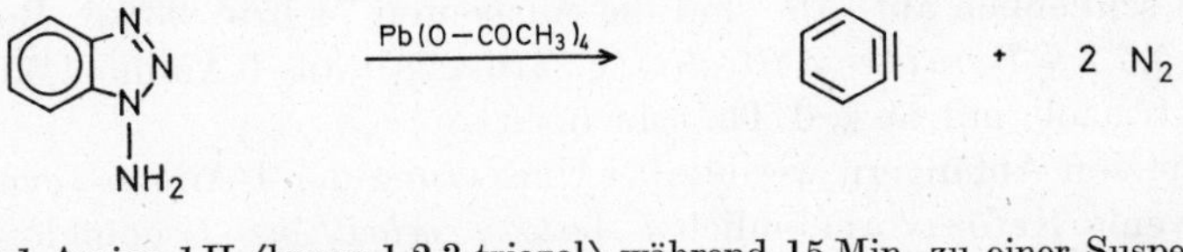

So wird 1 Mol 1-Amino-1H-⟨benzo-1,2,3-triazol⟩ während 15 Min. zu einer Suspension von 2 Molen Blei(IV)-acetat in Benzol gegeben. In Anwesenheit von 5-Oxo-1,2,3,4-tetraphenyl-cyclopentadien entsteht nach Decarbonylierung *1,2,3,4-Tetraphenyl-naphthalin* (95% d. Th.; F: 204–206°).

---

[1] E. BAMBERGER, B. **52**, 1111 (1919).
[2] H. E. BAUMGARTEN, A. STAKLIS u. E. M. MILLER, J. Org. Chem. **30**, 1203 (1965); dort zahlreiche Beispiele.
[3] C. D. CAMPBELL u. C. W. REES, Pr. Chem. Soc. **1964**, 296.
[4] C. W. REES u. R. C. STORR, Soc. [C] **1969**, 765.
[5] D. B. J. EASTON, D. LEAVER u. T. J. RAWLINGS, Soc. (Perkin I) **1972**, 41.
[6] J. W. BARTON u. A. R. GRINHAM, Soc. (Perkin I) **1972**, 634.

Unter den gleichen Bedingungen entsteht aus 1-Amino-5-methyl-1H-⟨benzo-1,2,3-triazol⟩ *6-Methyl-1,2,3,4-tetraphenyl-naphthalin* (98,5% d. Th.; F: 222°)[1] und aus 1-Amino-1H-⟨naphtho-[1,2-d]- und -[2,3-d]-1,2,3-triazol⟩ *1,2,3,4-Tetraphenyl-phenanthren* (86% d. Th.; F: 243–245°) bzw. *1,2,3,4-Tetraphenyl-anthracen* (55% d. Th.; F: 293–294°)[2].

Die Reaktion ist nicht nur auf 1-Amino-1H-⟨arylo-1,2,3-triazole⟩ beschränkt, sondern gelingt auch bei anderen Systemen.

So läßt sich die Bildung von *5,6,7,8-Tetraphenyl-1,4-naphthochinon* durch Oxidation von 1-Amino-4,7-dioxo-4,7-dihydro-1H-⟨benzo-1,2,3-triazol⟩ in Dichlormethan in Gegenwart von 5-Oxo-1,2,3,4-tetraphenyl-cyclopentadien am besten erklären, wenn man annimmt, daß sich bei der oxidativen Fragmentierung zunächst *3,6-Dioxo-cyclohexen-(4)-in-(1)* (Dehydrobenzochinon) bildet, das dann wie die benzoide Dehydroform zum Addukt (40% d. Th.; F: 302–303°) weiterreagiert[3,4].

5,6,7,8-Tetraphenyl-1,4-naphthochinon[4]:

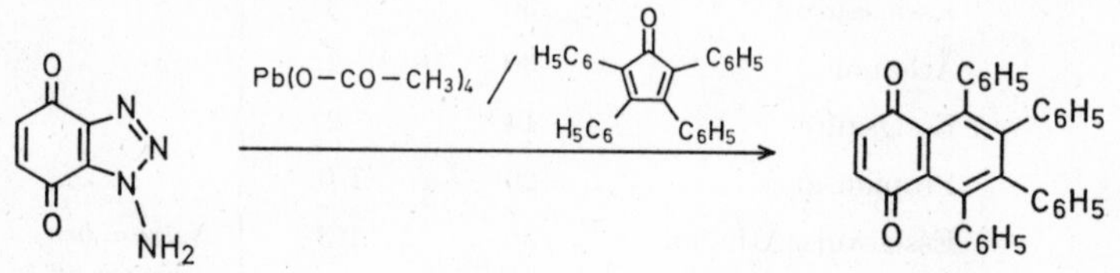

1 g Natriumsulfat und 0,2 g Silberoxid werden zu einer gerührten Suspension von 10 g 1-Amino-4,7-dihydroxy-benzotriazol in 10 *ml* trockenem Tetrahydrofuran gegeben und dieses Gemisch 90 Min. bei Raumtemp. gerührt. Es wird filtriert und das orange-gelbe Filtrat i. Vak. zur Trockene eingedampft. Man erhält ein orange-braunes Öl und ein braunes Festprodukt. Das Öl wird in 5 *ml* trockenem Dichlormethan zusammen mit 0,23 g Tetraphenyl-cyclopentadienon gelöst und dazu 0,28 g Blei(IV)-acetat gegeben. Wenn die Stickstoffentwicklung aufhört, gibt man das Reaktionsgemisch auf eine Säule mit Silikagel (28 × 2,5 cm). Eluieren mit Benzol gibt 0,133 g (57% des eingesetzten) Tetraphenyl-cyclopentadienons; Eluieren mit Benzol/Chloroform 0,108 g (39% d. Th.) 5,6,7,8-Tetraphenyl-1,4-naphthochinon; F: 300–302° (aus Benzol-Petroläther; Kp: 60–80°).

Auch olefinische Systeme wie z. B. 1-Amino-1,4,5,6,7,8-hexahydro-⟨cyclohepta-1,2,3-triazol⟩ oder 1-Amino-4,5,6,7-tetrahydro-1H-⟨benzo-1,2,4-triazol⟩ lassen sich oxidativ zu den entsprechenden Cycloalkinen abbauen. Die Ausbeuten an Reaktionsprodukt sind dabei stark von der Reaktionstemperatur abhängig, wie die Ausbeute an Cycloheptin-Addukt mit 5-Oxo-1,2,3,4-tetraphenyl-cyclopentadien (nach Decarboxylierung 1,2,3,4-Tetraphenyl-6,7,8,9-tetrahydro-5H-⟨cyclohepta-benzol⟩; F: 222–223°) zeigt. Läßt man das Oxidationsmittel bei Raumtemperatur auf ein Gemisch von 1-Amino-1,4,5,6,7,8-hexahydro-⟨cyclohepta-1,2,3-triazol⟩ und 5-Oxo-1,2,3,4-tetraphenyl-cyclopentadien einwirken, bildet sich das Cycloheptin-Addukt in 65%iger Ausbeute. Bei Senken der Reaktionstemperatur auf –25° und schließlich auf –76° sind die Ausbeuten 74 bzw. 93%[5]. Bei –76° ist auch die Ausbeute an *5,6,7,8-Tetraphenyl-tetralin* (F: 276–278°) aus 1-Amino-4,5,6,7-tetrahydro-1H-⟨benzo-1,2,3-triazol⟩ mit 88% d. Th. sehr hoch[5].

In Abwesenheit von Abfängern werden bei Umsetzung der 1-Amino-⟨cycloalkeno-1,2,3-triazole⟩ neben wenig Keton vornehmlich *1-Acetoxy-cycloalkene-(1)* gebildet, da das Cycloalkin schneller mit der freigesetzten Essigsäure reagiert als unter Polymerisation zu Oligomeren, die erhalten werden, wenn die Oxidation in Anwesenheit einer Base, z. B. Pyridin, vorgenomnen wird[5].

[1] C. D. Campbell u. C. W. Rees, Pr. Chem. Soc. **1964**, 296.
[2] C. W. Rees u. R. C. Storr, Soc. [C] **1969**, 765.
[3] C. W. Rees, Chem. Commun. **1969**, 647.
[4] C. W. Rees u. D. E. West, Soc. [C] **1970**, 583.
[5] G. Wittig u. J. Meske-Schüller, A. **711**, 65 (1968).

Demgegenüber zeigen die über die 1-Amino-1H-1,2,3-triazole hergestellten o-Dehydro-aromaten eine starke Tendenz zur Dimerisierung[1]. Wenn 1-Amino-1H-⟨benzo-1,2,3-triazol⟩ in Abwesenheit eines Abfängers in einem inerten Lösungsmittel oxidiert wird, kann man *Biphenylen* (83% d. Th.; F: 110°) isolieren. Dabei haben die Reaktionsbedingungen auf die Höhe der Ausbeute keinen großen Einfluß [83% d. Th. 55° in Benzol, 82% d. Th. bei Raumtemperatur in Tetrachlormethan oder Dichlormethan und 75% d. Th. bei 20° in einem Gemisch von Essigsäureanhydrid-Dichlormethan (1 : 1)].

Als Nebenprodukt kann *Triphenylen* in Ausbeuten von maximal 0,5% d. Th. gebildet werden, außerdem läßt sich bei –78° neben Biphenylen (55% d. Th.) *2-Acetoxy-biphenylen* in geringer Menge nachweisen[1].

Zur Herstellung des Dimeren ist folgende allgemeine Vorschrift zu verwenden, die prinzipiell auch zur Herstellung der Addukte geeignet ist, wenn man dem Reaktionsgemisch den Abfänger im Überschuß zugibt[2].

Biphenylen[1]: 3 mMol 1-Amino-1H-⟨benzo-1,2,3-triazol⟩ werden in 30 *ml* des trockenen Lösungsmittels (Benzol, Tetrachlormethan, Dichlormethan) gelöst und diese Lösung unter Rühren tropfenweise bei 20° zu einer Lösung oder Suspension von 3,5 mMol Blei(IV)-acetat des gleichen Lösungsmittels gegeben. Die Reaktion beginnt sofort unter Stickstoff- und Wärmeentwicklung. Die Aufarbeitung der Reaktionsprodukte beinhaltet die üblichen Vorgänge: Filtration, Abdampfen des Lösungsmittels, Chromatographieren und Eluieren mit Petroläther (Kp: 40–60°). Nach dem Sublimieren oder Umkristallisieren aus Äthanol erhält man *Biphenylen* (75–83% d. Th.; F: 110°) in langen, schwach grünen Nadeln. Bei Sublimation des Rückstandes erhält man *Triphenylen* (F: 194°) in Ausbeuten von unter 0,5%.

Nach dieser Vorschrift erhält[1] man aus

1-Amino-5-methyl-1H-⟨benzo-1,2,3-triazol⟩	→	2,6- und 2,7-Dimethyl-biphenylen	67% d. Th.
1-Amino-7-methyl-1H-⟨benzo-1,2,3-triazol⟩	→	1,5- und 1,8-Dimethyl-biphenylen	51% d. Th.

Analog den 1-Amino-1H-⟨areno-1,2,3-triazolen⟩ reagiert auch 2,3-Dihydro-⟨benzo-1,2,3-thiadiazol⟩-1,1-dioxid, wenn die Oxidation bei Temperaturen oberhalb 10° vorgenommen wird[2].

Unterhalb 10°, z. B. bei –15° in absol. Acetonitril, erhält man das Dehydrierungsprodukt ⟨*Benzo-1,2,3-thiadiazol*⟩-*1,1-dioxid* (99% d. Th.), das in Substanz bei 60° in *Dehydrobenzol*, Stickstoff und Schwefeldioxid zerfällt:

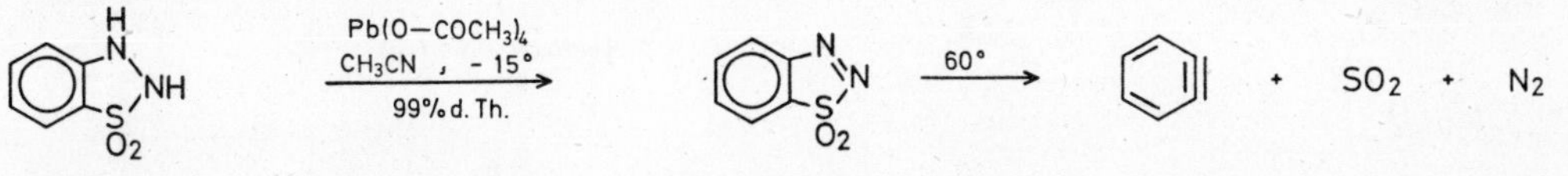

1-Amino-1H-⟨pyridino-[2,3-d]-1,2,3-triazol⟩ und andere kondensierte N-heterocyclische-1-Amino-1,2,3-triazole verhalten sich in Anwesenheit von Dienen bei der Oxidation mit Blei(IV)-acetat, wie entsprechende Dehydroaromaten[3–6]; z. B.:

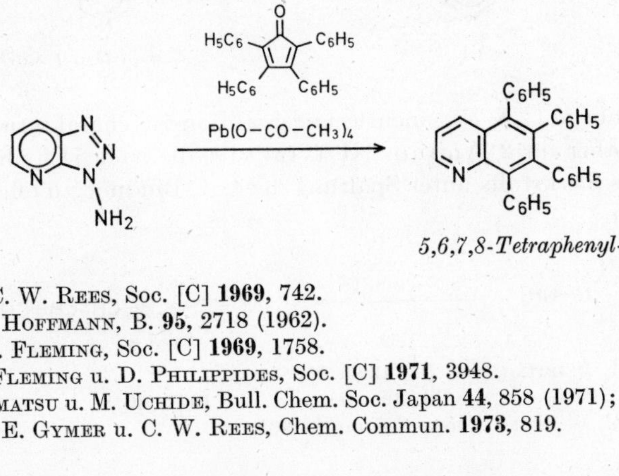

5,6,7,8-Tetraphenyl-chinolin

[1] C. D. CAMPBELL u. C. W. REES, Soc. [C] **1969**, 742.
[2] G. WITTIG u. R. W. HOFFMANN, B. **95**, 2718 (1962).
[3] G. W. J. FLEET u. I. FLEMING, Soc. [C] **1969**, 1758.
[4] G. W. J. FLEET, I. FLEMING u. D. PHILIPPIDES, Soc. [C] **1971**, 3948.
[5] T. SASAKI, K. KANEMATSU u. M. UCHIDE, Bull. Chem. Soc. Japan **44**, 858 (1971); C. A. **75**, 5788 (1971).
[6] T. L. GILCHRIST, G. E. GYMER u. C. W. REES, Chem. Commun. **1973**, 819.

Es ist allerdings nicht gleichgültig, welche C=C-Doppelbindung beiden Ringen gemeinsam angehört. Die Ausbeute an *5,6,7,8-Tetraphenyl-isochinolin* (I) und *1,2,3,4-Tetraphenyl-phenanthridin* (III) ist mit 63% bzw. 70% vergleichsweise hoch gegenüber den Verbindungen II und IV mit nur 4% und 2%[1].

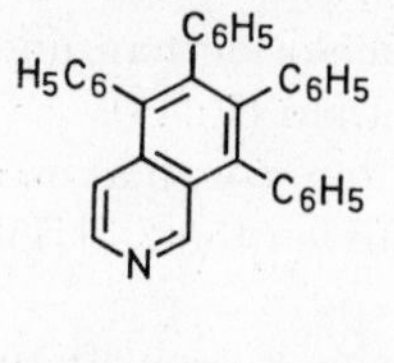

I

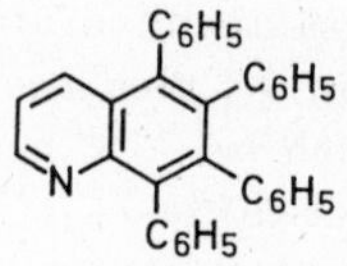

II

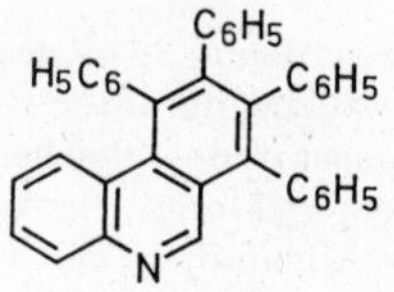

III

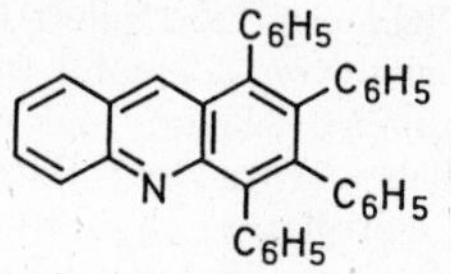

IV

Zum Unterschied von Dehydrobenzol zeigt Dehydropyridin wenig Neigung, unter den Reaktionsbedingungen der Oxidation von 1-Amino-1H-⟨pyridino-[2,3-d]-1,2,3-triazol⟩ (V) bzw. -1H-⟨pyridino-[3,4-c]-1,2,4-triazol⟩ (VI) bei Abwesenheit von Abfängen zu Bi- oder Triphenylen entsprechenden Di- oder Trimeren zu oligomerisieren[2]. Hier nimmt die Reaktion einen anderen Verlauf; z. B.:

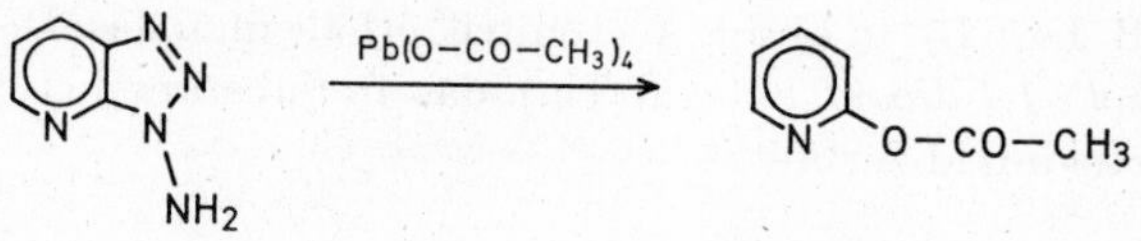

V   *2-Acetoxy-pyridin*

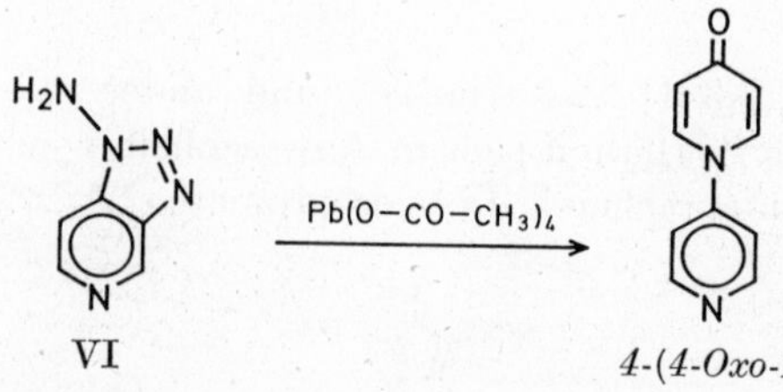

VI   *4-(4-Oxo-1,4-dihydro-pyridino)-pyridin*

Die hier beschriebene C–N-Fragmentierungsreaktion ist charakteristisch für 1-Amino-1H-triazole, nicht aber für 2-Amino-2H-triazole, die nach Dehydrierung und Abspaltung der Hälfte des Stickstoffs unter Spaltung der C–C-Bindung zu offenkettigen Dinitrilen oxidiert werden[3]:

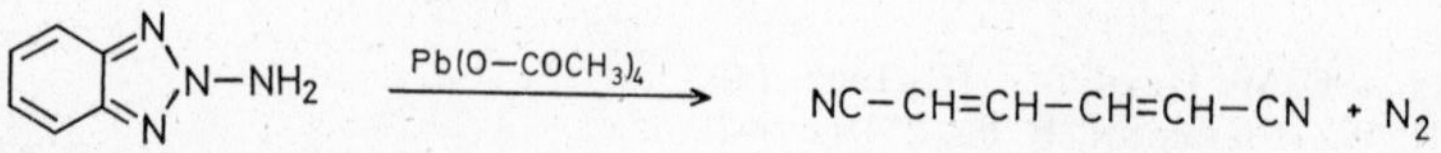

NC—CH=CH—CH=CH—CN + N₂

[1] G. W. J. Fleet u. I. Fleming, Soc. [C] **1969**, 1758.
[2] G. W. J. Fleet, I. Fleming u. D. Philippides, Soc. [C] **1971**, 3948.
[3] C. D. Campbell u. C. W. Rees, Chem. Commun. **1965**, 192.

Dabei wird 2-Amino-2H-⟨benzo-1,2,3-triazol⟩ in Benzol bei Raumtemperatur zu einem Gemisch von *cis, cis-Muconsäure-dinitril* [*cis-cis-Hexadien-(2,4)-disäure-dinitril*; 29% d.Th.; F: 124–127°] und *cis, trans-Muconsäure-dinitril* [*cis,trans-Hexadien-(2,4)-disäure-dinitril*; 18% d.Th.; F: 55–60°] abgebaut[1] und 2-Amino-2H-⟨naphtho-[1,2-d]-1,2,3-triazol⟩ in Dichlormethan zu *cis-3-(2-Cyan-phenyl)-acrylnitril* (58% d.Th.; F: 69–70°)[2]:

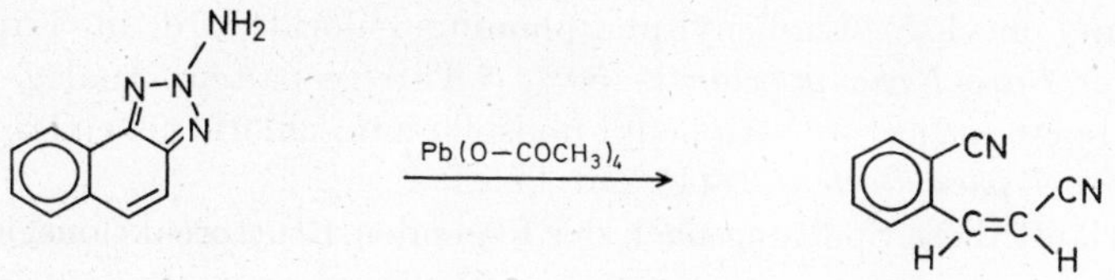

Eine den o-Dehydro-aromaten entsprechende peri-dehydroaromatische Verbindung wird bei der Oxidation von 1-Amino-1H-⟨naphtho-[1,8-d,e]-1,2,3-triazin⟩ erhalten, das unter Stickstoff-Entwicklung zum *1,8-Dehydro-naphthalin* umgesetzt wird[3, 4]:

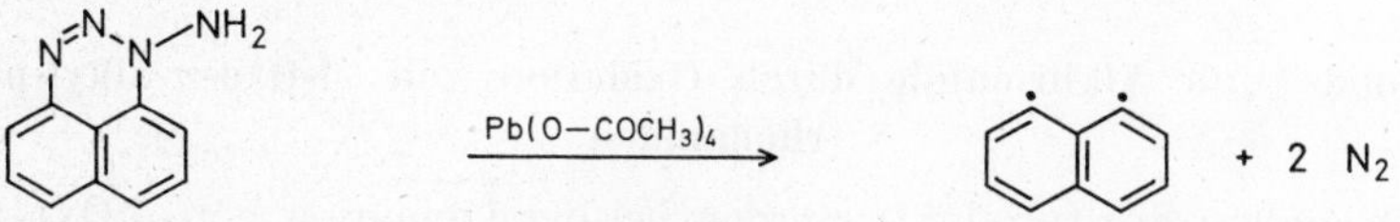

Die Existenz dieses Dehydroaromaten kann ebenfalls über seine Additionsverbindungen nachgewiesen werden. Bei Oxidation in benzolischer Lösung isoliert man *1-Phenyl-naphthalin* (I), *6b,10a-Dihydro-fluoranthen* (II) und *Fluoranthen* (III), das durch Weiteroxidation des Dihydrofluoranthens (II) gebildet wird[4]:

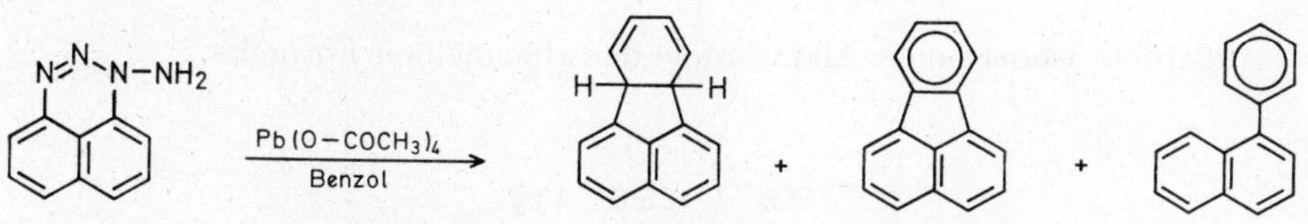

In Anwesenheit eines Abfängers werden die entsprechenden Addukte des 1,8-Dehydro-naphthalins isoliert, z.B. *1,2-Dimethoxycarbonyl-acenaphthylen* (15% d.Th.; F:103–103,5°) bei der Oxidation von 1-Amino-1H-⟨naphtho-[1,8-d,e]-1,2,3-triazin⟩ in Dichlormethan in Anwesenheit von Acetylen-dicarbonsäure-dimethylester[5].

c) Spaltung der C–P-Bindung

1. α-Halogen-carbonyl-Verbindungen durch Oxidation von β-Oxo-α-alkyl-phosphonium-halogeniden

Während bei der Reaktion mit Blei(IV)-acetat β-Oxo-methylenphosphoniumsalze unter Dehydrierung und Einbau des Halogenanions über eine homöopolare Bindung an das α-C-Atom in die α-Halogen-β-oxo-phosphorylene überführt werden (vgl. S. 277), werden α-alkylierte β-Oxo-phosphoniumsalze an der P–C-Bindung gespalten[6].

[1] C. D. CAMPBELL u. C. W. REES, Soc. [C] **1969**, 742.
[2] C. W. REES u. R. C. STORR, Soc. [C] **1969**, 756.
[3] C. W. REES u. R. C. STORR, Chem. Commun. **1965**, 193.
[4] C. W. REES u. R. C. STORR, Soc. [C] **1969**, 760.
[5] R. W. HOFFMANN, G. GUHN, M. PREISS u. B. DITTRICH, Soc. [C] **1969**, 769.
[6] E. ZBIRAL, M. **97**, 180 (1966).

Das phosphorhaltige Spaltprodukt wird dabei zum Phosphinoxid oxidiert. Das zweite Produkt dieser oxidativen Fragmentierung ist nicht einheitlich und wird durch das Anion des Phosphoniumsalzes bestimmt.

So erhält man bei der Oxidation von β-Oxo-α-alkyl-phosphonium-chloriden in Chloroform unter milden Bedingungen (Raumtemperatur) neben Phosphinoxid α-Halogencarbonyl-Verbindungen in guter Ausbeute ($\sim 50\%$ d.Th.).

[4-Oxo-1-phenyl-octyl-(5)]-triphenyl-phosphonium-chlorid wird in Triphenyl-phosphinoxid und *5-Chlor-4-oxo-1-phenyl-octan* ($\sim 50\%$ d.Th.) gespalten. Analog erhält man aus [4-Oxo-1-phenyl-octen-(2)-yl-(5)]-triphenyl-phosphonium-chlorid neben Triphenylphosphinoxid *5-Chlor-4-oxo-1-phenyl-octen-(2)* (45% d.Th.).

Allgemein verläuft diese Spaltung nach der folgenden Bruttoreaktionsgleichung:

$$\left[(H_5C_6)_3 \overset{\oplus}{P}-\underset{\underset{R^2}{|}}{CH}-\overset{\overset{O}{\parallel}}{C}\right] Cl^{\ominus} \xrightarrow[\substack{-Pb(O-CO-CH_3)_2 \\ -O(CO-CH_3)_2}]{Pb(O-CO-CH_3)_4} (H_5C_6)_3PO + R^1-\underset{\underset{R^2}{|}}{\overset{\overset{Cl}{|}}{CH}}-\overset{\overset{O}{\parallel}}{C}$$

2. Allenrhodanide und Alkinsenföle durch Oxidation von β-Oxo-α-alkyl-phosphonium-rhodaniden

Vollkommen andere Spaltprodukte werden bei der Oxidation von β-Oxo-α-alkyl-phosphonium-rhodaniden mit Blei(IV)-acetat erhalten[1, 2].

Es werden Allen-Derivate des Typs

$$\underset{R^2}{\overset{R^1}{\diagdown}}C=C=C\overset{\diagup Alkyl}{\diagdown_{SCN}}$$

gebildet. Außerdem isoliert man Alkinsenföle der allgemeinen Formel

$$SCN-\underset{\underset{R^2}{|}}{\overset{\overset{R^1}{|}}{C}}-C\equiv C-Alkyl$$

Erstere entstehen direkt bei der Spaltung nach der Bruttogleichung

$$SCN^{\ominus}\left[\underset{\underset{Alkyl}{|}}{\overset{\oplus}{P}}CH-\overset{\overset{O}{\parallel}}{C}-\underset{}{\overset{\overset{R^2}{|}}{CH}}-R^1\right] \xrightarrow[\substack{-Pb(O-COCH_3)_2 \\ -2\ CH_3COOH}]{Pb(O-COCH_3)_4} \underset{}{\overset{}{>}}PO + \underset{R^2}{\overset{R^1}{\diagdown}}C=C=C\overset{\diagup SCN}{\diagdown_{Alkyl}}$$

und letztere aus den Allenen durch Cope-Umlagerung:

$$Alkyl-C\underset{\diagdown S-C\equiv N}{\overset{\diagup C\overset{\displaystyle C\diagdown R^2}{\diagup}}{}} \longrightarrow Alkyl-C\equiv C-\underset{\underset{NCS}{|}}{\overset{\overset{R^1}{|}}{C}}-R^2$$

Das Ausmaß der Cope-Umlagerung und damit das Verhältnis von Allen- zu Alkin-Derivat wird von den Resten R^1 und R^2 am Allen-C-Atom beeinflußt. Substitution durch Gruppen

---

[1] E. Zbiral, M. **97**, 180 (1966).
[2] E. Zbiral u. H. Hengstberger, M. **99**, 412 (1968).

mit ausgeprägtem I-Effekt erleichtern die Bildung der Alkinsenföle. Beispielsweise erhält man ausschließlich das Alkin-Derivat, wenn $R^1 = R^2 = CH_3$, geringe Mengen an Allen neben viel Alkin wenn $R^1 = R^2 = (-CH_2-CH_2-CH_2-)$ und bei $R^1 = C_2H_5$ und $R^2 = H$ Allenrhodanid und Alkinsenföl in vergleichbaren Mengen.

Bei Gruppen mit gegenteiligem Effekt z. B. $R^1 = Cl$ bzw. $R^1 = R^2 = H$ wird ausschließlich das Allen-Derivat mit geringen Mengen Alkinsenföl erhalten[1].

Die oxidative Spaltung der P–C-Bindung wird noch komplexer, da auch der Substituent am α-C-Atom des β-Oxo-phosphoniumrhodanids den Typ des Spaltproduktes bestimmt[1]. So erhält man bei der Einwirkung von Blei(IV)-acetat auf α-Methoxy-β-oxo-phosphoniumrhodanide nicht die entsprechenden methoxysubstituierten Allene oder Alkine, sondern α-Methoxy-β-oxo-senföle (I) und/oder α-Methoxy-α-acetylmercapto-β-oxo-Derivate II:

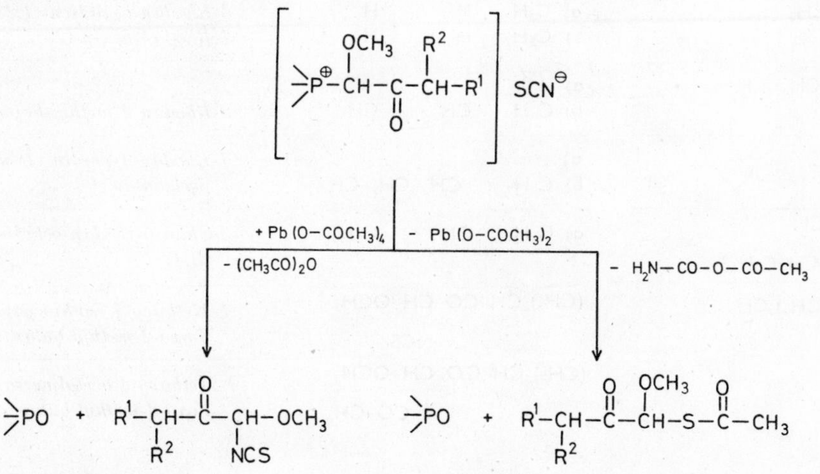

(1-Methoxy-2-oxo-3-methylbutyl)-triphenyl-phosphonium-rhodanid liefert als Hauptprodukt das I entsprechende Spaltstück (*4-Methoxy-4-isothiocyanat-3-oxo-2-methyl-butan*) (1-Methoxy-2-oxo-pentyl)-triphenyl-phosphonium-rhodanid dagegen als Hauptprodukt das II entsprechende Derivat (*1-Methoxy-1-acetylmercapto-2-oxo-pentan*). Möglicherweise wird in beiden Fällen die zu den Endprodukten führende Umlagerungsreaktion durch Schwermetallkationen katalysiert[1].

Oxidation von Phosphonium-rhodaniden mit Blei(IV)-acetat; allgemeine Arbeitsvorschrift[1]: Zu einer ~ 10%igen Lösung des Phosphoniumsalzes in absol. Dichlormethan fügt man unter starkem Rühren tropfenweise eine 20%ige Lösung von Blei(IV)-acetat in Dichlormethan, dabei scheidet sich, manchmal mit Verzögerung, Blei(II)-acetat als farbloser Niederschlag ab.

Nach 15 Stdn. Stehen bei Zimmertemp. wird mit Wasser gut durchgerührt, dann mit Wasser, Natriumhydrogencarbonat-Lösung und wieder mit Wasser gewaschen. Nach dem Trocknen über Natriumsulfat wird das Dichlormethan i. Vak. bei max. 30° Badtemp. abgezogen. Der Rückstand wird zur Abtrennung von *Triphenylphosphinoxid* mehrmals mit Äther-Petroläther-Gemischen ausgelaugt und die vereinigten Lösungen wieder i. Vak. eingedampft. Die hierbei anfallenden öligen Reaktionsprodukte werden einer Kugelrohrdestillation unterworfen. Das dabei erhaltene Rohprodukt wird chromatographisch in reine Bestandteile aufgetrennt.

Alle ungesättigten Spaltprodukte sind zersetzlich und lassen sich nicht über eine Kolonne destillieren oder bei Zimmertemp. aufbewahren.

---

[1] E. ZBIRAL u. H. HENGSTBERGER, M. **99**, 412 (1968).

Tab. 54: Allenrhodanide und Alkinsenföle durch Oxidation von β-Oxo-α-alkyl-phosphonium-rhodaniden[1]

Phosphoniumrhodanid		Spaltprodukt		
		$\begin{matrix} R^1 \\ C=C=C \\ NCS \end{matrix} \begin{matrix} R^2 \\ R^3 \end{matrix}$ a		
$\left[(C_6H_5)_3 \overset{\oplus}{P} - \underset{\underset{}{}}{CH} - \overset{O}{\overset{\|}{C}} - R^2 \right] SCN^{\ominus}$		$R^1 - C \equiv C - \underset{\underset{SCN}{}}{\overset{R^2}{C}} - R^3$ b		
R^1	R^2	R^1	R^2	R^3
C_3H_7	CH_3	a) C_3H_7 H H — 3-Rhodan-hexadien-(1,2)		
		b) C_3H_7 H H — 1-Rhodan-hexin-(2)		
	$(CH_3)_2CH$	a) — — —		
		b) C_3H_7 CH_3 CH_3 — 2-Rhodan-2-methyl-heptin-(3)		
	◇—	a) — — —		
		b) C_3H_7 –CH$_2$–CH$_2$–CH$_2$– — 1-Rhodan-1-pentin-(1)-yl-cyclobutan		
	$\underset{\underset{-CH-C_2H_5}{Cl}}{}$	a) C_3H_7 Cl C_2H_5 — 3-Chlor-5-rhodan-octadien-(3,4)		
OCH_3	$(CH_3)_2CH$	$(CH_3)_2CH-CO-\underset{\underset{NCS}{}}{CH}-OCH_3$ — 4-Methoxy-4-isothiocyanat-3-oxo-2-methyl-butan		
		$(CH_3)_2CH-CO-\underset{\underset{S-CO-CH_3}{}}{CH}-OCH_3$ — 4-Methoxy-4-acetylmercapto-3-oxo-2-methyl-butan		

3. α-Oxo-carbonsäureester durch Oxidation von α-Alkoxy-β-oxo-phosphorylenen

Eine dritte C–P-Spaltungsreaktion erfolgt bei der Oxidation von α-Methoxy-β-oxo-phosphorylenen zu Phosphinoxid und α-Oxo-carbonsäure-methylestern[2,3]:

$$(H_5C_6)_3\overset{\oplus}{P} - \underset{\underset{CO-R}{}}{\overset{\ominus}{C}} - OCH_3 \xrightarrow{Pb(O-CO-CH_3)_4} (H_5C_6)_3PO + R-CO-COOCH_3$$

β-Oxo-phosphorylene dieses Typs lassen sich beispielsweise durch Acylierung von (α-Methoxy-methylen)-triphenyl-phosphoran mittels Carbonsäure-chloriden[4] oder Carbonsäureestern[5,6] aufbauen:

$$2\ (H_5C_6)_3\overset{\oplus}{P} - \underset{\underset{OCH_3}{}}{\overset{\ominus}{C}}H + R-COX \longrightarrow (H_5C_6)_3\overset{\oplus}{P} - \underset{\underset{CO-R}{}}{\overset{\ominus}{C}} - OCH_3 + [(H_5C_6)_3\overset{\oplus}{P} - CH_2-OCH_3]X^{\ominus}$$

Damit ist die Kombination der beiden Reaktionen eine Methode zum Aufbau von α-Oxo-carbonsäuren aus den um ein C-Atom kürzeren Carbonsäuren.

[1] E. Zbiral u. H. Hengstberger, M. 99, 412 (1968).
[2] E. Zbiral u. E. Werner, Tetrahedron Letters 1966, 2001.
[3] E. Zbiral u. E. Werner, M. 97, 1797 (1966).
[4] H. J. Bestmann, Tetrahedron Letters 4, 7 (1960).
[5] G. Wittig u. U. Schöllkopf, B. 87, 1318 (1954).
[6] S. Trippett u. D. M. Walker, Soc. 1961, 1266.

α-Oxo-carbonsäureester aus α-Alkoxy-β-oxo-phosphorylenen und Blei(IV)-acetat; allgemeine Herstellungsvorschrift: α-Alkoxy-β-oxo-phosphorylene werden in wenig Dichlormethan gelöst und dann unter Rühren mit einer Lösung von 1,5–1,75 Mol Blei(IV)-acetat (in Dichlormethan) pro Mol Phosphorylen portionsweise versetzt; bei empfindlichen Systemen evtl. unter Eiskühlung. Gegen Ende der Blei(IV)-acetat-Zugabe scheidet sich in den meisten Fällen ein farbloser Niederschlag von Blei(II)-acetat ab. Nach ∼ 30 Min. ist die Reaktion beendet. Hierauf wird mit Wasser kräftig durchgeschüttelt, bisweilen ausfallende Spuren von Blei(IV)-oxid entfernt, die organische Phase 2 mal mit Wasser, 1 mal mit ges. Natriumhydrogencarbonat-Lösung und dann nochmals mit Wasser gewaschen und über Natriumsulfat getrocknet. Nach Entfernen des Lösungsmittels kristallisiert das Triphenylphosphinoxid aus. Es wird durch wiederholtes Digerieren mit Äther und Petroläther vom α-Oxo-carbonsäureester abgetrennt. Die gesammelten Äther- und Petroläther-Auszüge werden eingeengt und der verbleibende α-Oxo-carbonsäureester destilliert.

Die Ausbeuten an α-Oxo-carbonsäureester liegen im Durchschnitt bei 40% d. Th. (s. Tab. 55), sie lassen sich auf 70–80% d. Th. erhöhen, wenn die Oxidation mit Blei(IV)-oxid vorgenommen wird, das zuvor durch Hydrolyse des Blei(IV)-acetats hergestellt wird[1].

α-Oxo-carbonsäureester aus α-Alkoxy-β-oxo-phosphorylenen und Blei(IV)-oxid; allgemeine Herstellungsvorschrift: Die in Dichlormethan gelösten α-Alkoxy-β-oxo-phosphorylene werden mit überschüssiger Schwefelsäure (4n H_2SO_4, 1:10 verdünnt) kräftig durchgerührt und ins Hydrogensulfat überführt. Dann wird die berechnete Menge Blei(IV)-acetat (2 Mol pro Mol Phosphorylen) in wenig Dichlormethan gelöst und rasch mit Wasser versetzt. Die Blei(IV)-oxid-Suspension wird sodann portionsweise dem Hydrogensulfat zugesetzt. Den Verbrauch an Oxidationsmittel erkennt man am Verschwinden der braunen Farbe und an der Bildung eines farblosen Blei(II)-sulfat-Niederschlages. Nach beendeter Reaktion wird das Blei(II)-sulfat abgesaugt, die Dichlormethan-Phase mit Wasser und ges. Natriumhydrogencarbonat-Lösung gewaschen und wie oben beschrieben aufgearbeitet.

Analog den α-Methoxy-β-oxo-phosphorylenen lassen sich zwar nicht α-Methylmercapto-, wohl aber α-Phenylmercapto-β-oxo-phosphorylene in α-Oxo-thiocarbonsäure-S-phenylester umwandeln. Die Oxidation der Arylmercapto-Verbindungen gelingt nur mit Blei(IV)-acetat und nicht mit Blei(IV)-oxid[1]. So erhält man aus

Triphenyl-(1-phenylmercapto-2-oxo-propyliden)-phosphoran	→ *2-Oxo-thiopropansäure-S-phenylester*	60% d. Th.	F: 200–203°
Triphenyl-(1-phenylmercapto-2-oxo-3-methyl-butyliden)-phosphoran	→ *2-Oxo-3-methyl-thiobutansäure-S-phenylester*	49,2% d. Th.	F: 195–199°
Triphenyl-(1-phenylmercapto-2-oxo-2-cyclobutyl-äthyliden)-phosphoran	→ *2-Oxo-2-cyclobutyl-thioessigsäure-S-phenylester*	59,1% d. Th.	F: 209–212°

Tab. 55: α-Oxo-carbonsäure-methylester durch Oxidation von α-Alkoxy-β-oxo-phosphorylenen mit Blei(IV)-acetat

Phosphorylen $(C_6H_5)_3\overset{\oplus}{P}-\overset{\ominus}{\underset{\underset{CO-R}{|}}{C}}-OCH_3$ R	α-Oxo-carbonsäureester	Ausbeute [% d. Th.]	F [° C]	Literatur
Cyclobutyl-	*Cyclobutyl-glyoxalsäure-methylester*	42,8	159–161[a]	[1,2]
Isopropyl-	*2-Oxo-3-methyl-butansäure-methylester*	53,3	176–178[a]	[1,2]
2-Phenyl-vinyl-	*2-Oxo-4-phenyl-butensäure-methylester*	63,1	71–72	[1,2]
Pyridyl-(3)-	*Pyridyl-(3)-glyoxalsäure-methylester*	35,2	(Kp$_{0,001}$: 70–90°)	[1,2]
Phenyläthinyl-	*2-Oxo-4-phenyl-butinsäure-methylester*	26,6	58–59	[1]

a als 2,4-Dinitro-phenylhydrazon.

[1] E. Zbiral u. E. Werner, M. **97**, 1797 (1966).
[2] E. Zbiral u. E. Werner, Tetrahedron Letters **1966**, 2001.

Tab. 56: α-Oxo-carbonsäureester durch Oxidation von (1-Methoxy-2-oxo-alkyl)-tri-
phenyl-phosphonium-hydrogensulfaten mit Blei(IV)-oxid[1]

$\begin{bmatrix} & \overset{OCH_3}{\underset{\oplus \ \ \|}{}} \\ (C_6H_5)_3P{-}CH{-}CO{-}R \\ R & \end{bmatrix} HSO_4^{\ominus}$	α-Oxo-carbonsäureester	Ausbeute [% d.Th.]	F [°C]
Isopropyl-	2-Oxo-3-methyl-butansäure-methylester	69,3	
Butyl-	2-Oxo-hexansäure-methylester	77,1	
Phenyläthinyl-	2-Oxo-4-phenyl-butinsäure-methylester	33,0	
Bicyclo[2.2.1]hepten-(2)-yl-(5)-	s-Methoxycarbonylacetyl-bicyclo[2.2.1]hepten-(2)	50	(Kp$_{0,001}$: 80–90°)
Pentadien-(1,3)-yl-(1)-	2-Oxo-heptadien-(3,5)-säure-methylester	69,3	60–63

d) Spaltung der C—O-Bindung

1,4-Dioxo-cis-alkene-(2) durch Oxidation von 2,5-Diaryl-furanen

Blei(IV)-acetat oxidiert 2,5-Diaryl-furane zu ungesättigten 1,4-Diketonen[2]. So wird 2,5-Diphenyl-furan bei 30° in Chloroform zu *1,4-Dioxo-1,4-diphenyl-buten* (59% d.Th.) umgesetzt. Aus 2,5-Bis-[4-brom-phenyl]-furan erhält man unter den gleichen Bedingungen *1,4-Dioxo-1,4-bis-[4-brom-phenyl]-buten* (43% d.Th.) neben wenig *trans*-Derivat. Das *1,4-Dioxo-2,3-dimethyl-1,4-diphenyl-trans-buten* (14% d.Th.) wird auch bei der Umsetzung von 3,4-Dimethyl-2,5-diphenyl-furan gebildet. Hauptprodukt ist allerdings auch hier das *cis*-ungesättigte Diketon (35% d.Th.).

Elektronenanziehende Gruppen in 3-Stellung wirken hemmend auf die Spaltung des Furanrings. 3-Chlor-2,5-diphenyl-furan reagiert erst bei Rückflußtemperatur des Chloroforms. Reaktionsprodukt ist *2-Chlor-1,4-dioxo-1,4-diphenyl-cis-buten* (60% d.Th.). 3,4-Dichlor-2,5-diphenyl-furan und 2,5-Diphenyl-3-benzoyl-furan schließlich reagieren unter diesen Bedingungen nicht mehr. Das eingesetzte Blei(IV)-acetat kann praktisch quantitativ wieder zurückgewonnen werden[2].

Aus 2,3,5-Triphenyl-furan in Chloroform unter Rückfluß erhält man *1,4-Dioxo-1,2,4-triphenyl-buten* (53% d.Th.) neben *4-Acetoxy-2,3,5-triphenyl-furan*. Dieselben Produkte werden gebildet, wenn die Umsetzung in siedendem Eisessig vorgenommen wird (36 bzw. 49% d.Th.). Dies ist eine Ausnahme von ähnlichen Umsetzungen in Eisessig. Im allgemeinen erhält man in siedendem Eisessig unter Verbrauch von 2 Mol Blei(IV)-acetat 2-Acetoxy-3-oxo-2,5-diaryl-2,3-dihydro-furane in Ausbeuten bis zu 70%. Die gleichen Produkte erhält man auch in Chloroform als Lösungsmittel, wenn die eingesetzten 2,5-Diaryl-furane in 3-Stellung acetoxyliert sind.

Eine weitere Ausnahme ist 3-Methoxy-2,5-diphenyl-furan, das mit Blei(IV)-acetat in Eisessig zu *2-Methoxy-1,4-dioxo-1,4-diphenyl-cis-buten* oxidiert wird. Die Ausbeute ist allerdings mit 24% d.Th. nicht hoch.

Andere Furane, die unter Ringspaltung wie 2,5-Diaryl-furane reagieren sind:

5-Äthoxy-2-methyl-3-phenyl-furan $\xrightarrow{\text{Benzol 80°}}$ *4-Oxo-3-phenyl-penten-(2)-säure-äthylester*[3]   70% d.Th.; Kp$_{0,3}$: 117–118°

2,5-Bis-[chlormethyl]-furan $\xrightarrow{\text{CHCl}_3}$ *1,6-Diacetoxy-2,5-dioxo-hexen-(3)*[4]   59% d.Th.

[1] E. ZBIRAL u. E. WERNER, M. 97, 1797 (1966).
[2] C. DIEN u. R. E. LUTZ, J. Org. Chem. 22, 1355 (1957).
[3] I. A. DYAKONOV u. M. I. KOMENDANTOV, Ž. obšč. Chim. 31, 3881 (1961); engl.: 3618; C.A. 57, 8405^f (1962).
[4] K. Y. NOVITSKII, V. P. VOLKOV, Y. M. ILINA u. Y. K. YUREV, Ž. obšč. Chim. 33, 1145 (1963); engl.: 1128; C.A. 59, 11394^g (1963).

e) Spaltung der C–S-Bindung

1. Acylale und Disulfide durch Oxidation von Mercaptalen

Fragmentierungen der C–S-Bindung unter dem Einfluß von Blei(IV)-acetat werden bei Mercaptalen beobachtet[1-4]. Reaktionsprodukte sind Acylale und Disulfide:

$$
\begin{array}{c}
R^1 \\ \quad \ \ C \!\!<^{S-R^3}_{S-R^4} \\ R^2
\end{array}
\quad \xrightarrow{\text{Pb}(O-COCH_3)_4} \quad
\begin{array}{c}
R^1 \\ \quad \ \ C \!\!<^{O-COCH_3}_{O-COCH_3} \\ R^2
\end{array}
\quad + \quad R^3-S-S-R^4
$$

Es handelt sich hierbei wahrscheinlich[3] nicht um eine echte Oxidation der Mercaptale, sondern eigentlich um eine intermolekulare Dehydrierung von Mercaptan zu Disulfid (s. S. 337).

Nachdem die Reaktion in Eisessig, nicht aber in Benzol abläuft, muß man annehmen, daß über die Gleichgewichte

$$
\begin{array}{c}
R^1 \\ \quad \ \ C \!\!<^{SR^3}_{SR^4} \\ R^2
\end{array}
+ CH_3COOH \ \rightleftharpoons \
\begin{array}{c}
R^1 \\ \quad \ \ C \!\!<^{O-COCH_3}_{SR^4} \\ R^2
\end{array}
+ HSR^3
$$

$$
\begin{array}{c}
R^1 \\ \quad \ \ C \!\!<^{O-COCH_3}_{SR^4} \\ R^2
\end{array}
+ CH_3COOH \ \rightleftharpoons \
\begin{array}{c}
R^1 \\ \quad \ \ C \!\!<^{O-COCH_3}_{O-COCH_3} \\ R^2
\end{array}
+ HSR^4
$$

Mercaptan frei wird, das dann unter Oxidation zum Disulfid dem Gleichgewicht entzogen wird[3].

Die Reaktion läuft mit hoher Geschwindigkeit ab, wie am Beispiel von Zuckermercaptalen gezeigt werden konnte[1, 2, 4].

In essigsaurer Lösung erfolgt Oxidation zu Disulfiden, in benzolischer Lösung dagegen Glykolspaltung.

2. Carbonyl-Derivate durch Oxidation von Thiocarbonyl-Verbindungen

In einigen Fällen ist es möglich, durch Oxidation Thiocarbonyl-Verbindungen unter Ersatz des Schwefels durch Sauerstoff zu Carbonyl-Derivaten zu kommen. Läßt man beispielsweise Blei(IV)-acetat in Eisessig auf 3-Thiono-1,2-diphenyl-cyclopropen einwirken, dann erhält man nicht, wie auch zu erwarten ist, das entsprechende Sulfoxid (s S. 273), sondern *Diphenyl-cyclopropenon*[5]:

$$
\begin{array}{c}
H_5C_6 \\ \qquad \quad \diagdown \\ \qquad \qquad \triangleright\!=\!S \\ \qquad \quad \diagup \\ H_5C_6
\end{array}
\xrightarrow{\text{Pb}(O-CO-CH_3)_4}
\begin{array}{c}
H_5C_6 \\ \qquad \quad \diagdown \\ \qquad \qquad \triangleright\!=\!O \\ \qquad \quad \diagup \\ H_5C_6
\end{array}
$$

Ähnlich tritt eine C–S-Spaltung bei der Einwirkung von Blei(IV)-acetat auf Monothio- und Dithiocarbonate[6] und ihre Derivate[7] ein. Aus *trans*-1,2-Thiocarbonyldioxy-cyclohexan

[1] C. F. Hübner, R. A. Pankratz u. K. P. Linck, Am. Soc. 72, 4811 (1950).
[2] S. B. Baker, Am. Soc. 74, 827 (1952).
[3] E. J. Bourne, W. M. Corbett, M. Stacey u. R. W. Stephens, Chem. Ind. 1954, 106.
[4] H. Zinner, W. Bock u. H. P. Klöcking, B. 92, 1307 (1959).
[5] J. W. Lown u. T. W. Maloney, J. Org. Chem. 35, 1716 (1970).
[6] T. J. Adley, A. K. M. Anisuzzaman u. L. N. Owen, Soc. [C] 1967, 807.
[7] W. M. Doane, B. S. Shasha, C. R. Russell u. C. E. Rist, J. Org. Chem. 30, 3071 (1965).

in Eisessig entsteht nach Oxidation und Hydrolyse *trans-1,2-Carbonyldioxy-cyclohexan* (55%
d.Th.; 54–55°)

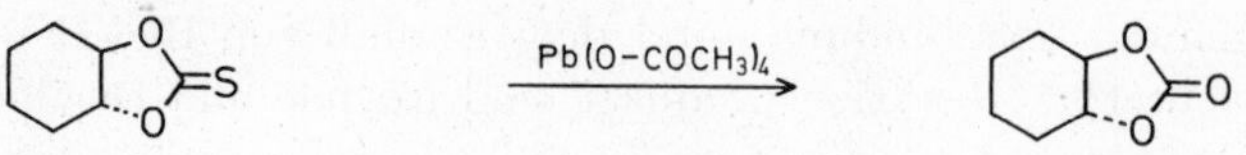

und aus *trans*-8-Thiono-7-oxa-9-thia-bicyclo[4.3.0]nonan   *trans-8-Oxo-7-oxa-9-thia-bicyclo
[4.3.0]nonan*[1].

Die Anwendbarkeit dieser Fragmentierungsreaktion zum Ersatz des Schwefels durch
Sauerstoff in den angegebenen Verbindungsklassen muß aber von Fall zu Fall geprüft
werden. 1,2-Thiocarbonyldioxy-benzol beispielsweise wird unter gleichen Bedingungen
(Essigsäure, Raumtemperatur, 2 Stdn.) zu *Bis-[2-acetoxy-⟨benzo-1,3-dioxol⟩-yl-(2)]-disulfid*
(80% d.Th.; F: 152–153°) oxidiert[1]:

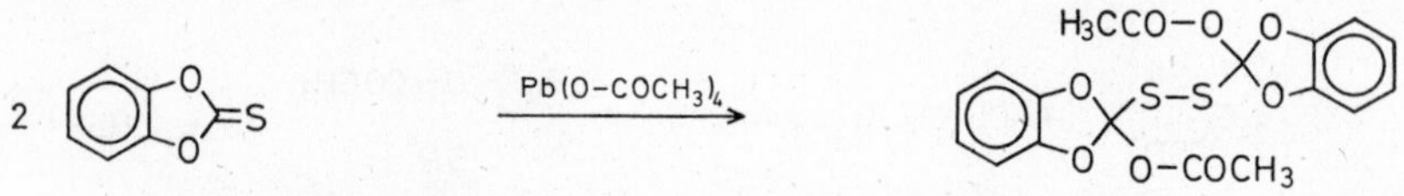

Die Fragmentierung läßt sich nicht auf Trithiocarbonate übertragen, die mit Blei(IV)-
acetat in 2-Oxithiono-1,3-dithiolane übergehen (s. S. 273):

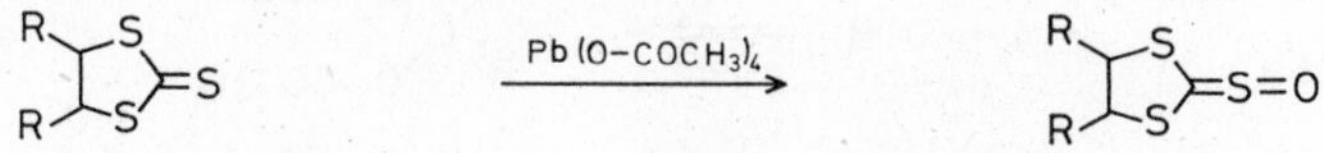

f) Spaltung der S–S-Bindung
Sulfinsäureester durch Oxidation von Disulfiden

Die Oxidation von Disulfiden mit Blei(IV)-acetat führt in einem Gemisch von Chloroform
und Alkohol unter Spaltung der Disulfid-Gruppe zu Sulfinsäureestern[2,3]:

$$R-S-S-R \;+\; 3\,Pb(O-CO-CH_3)_4 \;+\; 4\,CH_3OH \;\longrightarrow\; 2\,R-SO-OCH_3 \;+$$

$$3\,Pb(O-CO-CH_3)_2 \;+\; 4\,CH_3COOH \;+\; 2\,CH_3COOCH_3$$

Mercaptane können direkt eingesetzt werden, da sie unter diesen Bedingungen zu den Disulfiden dehydriert werden[3].

Elektronegative Gruppen am Phenylring aromatischer Disulfide wirken hemmend.
Das geht aus Versuchen mit Bis-[2-(bzw. 4)-nitro-phenyl]-disulfid hervor, dagegen scheinen
sterische Bedingungen einen geringeren Einfluß auf diese Reaktion zu haben.

Die Oxidation wird im allgemeinen nach 2 Varianten vorgenommen[2,3]:

Variante A: Man gibt Blei(IV)-acetat langsam zur Lösung des Disulfids in Chloroform, das einen
großen Überschuß des betreffenden Alkohols enthält. Man läßt die Lösung insgesamt 24 Stdn. unter
Rückfluß kochen.

Variante B: Die Zugabe von Blei(IV)-acetat wird wiederholt, um höhere Ausbeuten an Sulfinsäureester zu erhalten, allerdings auf Kosten des Disulfids, das man häufig beim Arbeiten nach Variante A
wiedergewinnen kann.

Variante A empfiehlt sich vor allem dann, wenn das Disulfid verhältnismäßig teuer ist und sich leicht
zurückgewinnen läßt.

---

[1] T. J. Adley, A. K. M. Anisuzzaman u. L. N. Owen, Soc. [C] **1967**, 807.
[2] L. Field, C. B. Hoelzel, J. M. Locke u. J. E. Lawson, Am. Soc. **83**, 1256 (1961).
[3] L. Field, C. B. Hoelzel u. J. M. Locke, Am. Soc. **84**, 847 (1962).
    L. Field u. J. E. Lawson, Am. Soc. **80**, 838 (1958).

Tab. 57: Sulfinsäureester durch Oxidation von Disulfiden

Disulfid	Lösungsmittel	Sulfinsäureester	Ausbeute [% d.Th.]	Kp [Torr]	Kp [°C]	n_D^{25}	Literatur
Diäthyl-disulfid	$CH_3OH/CHCl_3$	Äthansulfinsäure-methylester	31	29	62	1,4383	1
Diphenyl-disulfid	$CH_3OH/CHCl_3$	Benzolsulfinsäure-methylester	79	0,2	47,5–51	1,5434	2,3
	$H_3C-CH_2-CH_2-OH/CHCl_3$	Benzolsulfinsäure-propylester	87	0,6–2,5	75–102	1,5246–8	2,3
	$(CH_3)_2CH-OH/CHCl_3$	Benzolsulfinsäure-isopropylester	80	0,5	110–117	1,5214–22	2,3
Bis-[2-methyl-phenyl]-disulfid	$CH_3OH/CHCl_3$	2-Methyl-benzolsulfinsäure-methylester	72	0,2	66–71	1,5421–5	2,3
Bis-[4-methyl-phenyl]-disulfid	$CH_3OH/CHCl_3$	4-Methyl-benzolsulfinsäure-methylester	73	0,1	60–65	1,5405–8	2,3
Bis-[2,6-dimethyl-phenyl]-disulfid	$CH_3OH/CHCl_3$	2,6-Dimethyl-benzolsulfinsäure-methylester	79	0,4	95–98	1,5484–8	2,3
Bis-[4-chlor-phenyl]-disulfid	$CH_3OH/CHCl_3$	4-Chlor-benzolsulfinsäure-methylester	62	0,2	70–76	1,5618–27	3
Dinaphthyl-(2)-disulfid	$CH_3OH/CHCl_3$	Naphthalin-(2)-sulfinsäure-methylester	33	(F: 35–36,5°)			2,3
Bis-[benzo-1,3-thiazolyl-(2)]-disulfid	$CH_3OH/CHCl_3$	⟨Benzo-1,3-thiazol⟩-2-sulfinsäure-methylester	61	(F: 72–74,5°)			2,3
	$(CH_3)_3C-OH$	⟨Benzo-1,3-thiazol⟩-2-sulfinsäure-tert.butylester	48	(F: 52–63°)			3

[1] L. Field, J. M. Locke, C. B. Hoelzel u. J. E. Lawson, J. Org. Chem. 27, 3313 (1962).   [2] L. Field, C. B. Hoelzel, J. M. Locke u. J. E. Lawson, Am. Soc. 83, 1256 (1961).   [3] L. Field, C. B. Hoelzel u. J. M. Locke, Am. Soc. 84, 847 (1962).

Schwierigkeiten bei der Aufarbeitung bereiten 2-Methyl-propan-2-sulfinsäureester, da sie sich bei der Destillation zersetzen[1].

Die Oxidation der Disulfide zu den Sulfinsäureestern verläuft besonders glatt und in hohen Ausbeuten bei den Diaryl-disulfiden. Dialkyl-disulfide dagegen können nicht im gleichen Maße selektiv umgewandelt werden. Man erhält eine Vielzahl von Oxidationsprodukten (Sulfilene, Aldehyde und Aldehydacetale[2]), die die Isolierung der Sulfinsäureester erschweren, wenn sie überhaupt gebildet werden. Beispielsweise isoliert man nach der Oxidation von Dibenzyl-disulfid aus dem Reaktionsgemisch außer 21% nicht umgesetztem Disulfid *Dimethylsulfid*, *Benzaldehyd* und *Benzaldehyd-dimethylacetal*. Sulfinsäureester entstehen nicht.

E. Oxidationen mit Blei(IV)-carboxylaten

Blei(IV)-salze anderer Carbonsäuren und Dicarbonsäuren sind prinzipiell zu den gleichen Oxidationsreaktionen wie Blei(IV)-acetat befähigt. Das beweisen Untersuchungen, die mit den verschiedensten Blei(IV)-carboxylaten durchgeführt worden sind[3]. Es soll deshalb auch auf die nähere Beschreibung dieser Versuche nicht eingegangen werden, da in praktisch allen Fällen nach Vorschriften der Oxidation mit Blei(IV)-acetat gearbeitet werden kann.

Eine Ausnahme macht Blei(IV)-trifluoracetat, das reaktionsfreudiger als Blei(IV)-acetat ist und Benzol, Toluol, Phenyl-trifluor-methan und Heptan bereits bei Raumtemperatur trifluoracetoxyliert[4]. Die Oxidationsprodukte entstehen in ungefähr 45%iger Ausbeute und wurden in Form der entsprechenden Hydroxy-Verbindungen isoliert. Ein weiterer Hinweis für die aktivierende Wirkung des Trifluoracetat-Restes auf die Reaktivität des Blei(IV)- ist die Tatsache, daß Blei(IV)-acetat in Trifluoressigsäure, in der Lage ist, Tetramethylsilan, das wegen seiner Stabilität als innerer Standard in der NMR-Spektroskopie Verwendung findet, an der C–Si-Bindung zu spalten[5]. Nachdem die Spaltung in Eisessig nicht zustande kommt, ist anzunehmen, daß diese erst dann erfolgt, wenn wenigstens ein Acetat-Rest gegen einen Trifluoracetat-Rest ausgetauscht ist.

Fast alle in der Literatur bekannten Arbeiten mit Blei(IV)-trifluoracetat oder Blei(IV)-acetat in Trifluoressigsäure beschäftigen sich mit theoretischen Aspekten dieser unterschiedlichen Reaktionsweise[6]. Zusätzliche präparative Möglichkeiten, die sich aus diesem unterschiedlichen Verhalten ergeben, sind nicht systematisch untersucht worden.

---

[1] L. Field, C. B. Hoelzel u. J. M. Locke, Am. Soc. **84**, 847 (1962).
[2] L. Field, J. M. Locke, C. B. Hoelzel u. J. E. Lawson, J. Org. Chem. **27**, 3313 (1962).
[3] R. Criegee, A. **481**, 263 (1930).
  N. Elming u. N. Clauson-Kaas, Acta Chem. Scand. **6**, 535 (1952).
  D. H. Hey, C. J. M. Stirling u. G. H. Williams, Soc. **1954**, 2747.
  G. W. K. Cavill, E. R. Cole, P. T. Gilham u. D. J. McHugh, Soc. **1954**, 2785.
  F. V. Brutcher u. F. J. Vara, Am. Soc. **78**, 5695 (1956).
  R. Criegee, P. Dimroth, K. Noll, R. Simon u. C. Weis, B. **90**, 1070 (1957).
  D. C. Iffland, L. Salisbury u. W. R. Schafer, Am. Soc. **83**, 747 (1961).
  J. P. Freeman, Tetrahedron Letters **21**, 749 (1961).
  N. Finch, C. W. Gemenden, I. Hsiu-Chu Hsu u. W. I. Taylor, Am. Soc. **85**, 1520 (1963).
  Y. Yukawa u. M. Sakai, Bull. Chem. Soc. Japan **36**, 761 (1963); C. A. **59**, 8645 (1963).
  M. Kropf u. R. Lambeck, A. **700**, 1 (1966).
  N. A. Maier, L. I. Guseva u. Y. A. Oldehop, Ž. obšč. Chim. **37**, 2656 (1967); engl.: 2528; C. A. **68**, 10369 (1968).
[4] R. E. Partch, Am. Soc. **89**, 3662 (1967).
[5] R. O. C. Norman u. M. Poustie, Soc. [C] **1969**, 196.
[6] R. O. C. Norman, C. B. Thomas u. J. S. Willson, Soc. [B] **1971**, 518.
  J. R. Campbell et al., Tetrahedron Letters **1972**, 1763.
  J. R. Kalman, J. T. Pinhey u. S. Sternhell, Tetrahedron Letters **1972**, 5369.
  R. O. C. Norman, C. B. Thomas u. J. S. Willson, Soc. (Perkin I) **1973**, 325.

Blei(IV)-carboxylate werden wie Blei(IV)-acetat hergestellt. Es genügt oft, die Suspension von Mennige in der Säure ~ 24 Stdn. bei Raumtemperatur zu schütteln.

Blei(IV)-propionat[1]: In einer Pulverflasche wird ein Teil Mennige mit 3 Tln. trockener Propionsäure geschüttelt und nach mehreren Stunden vom Niederschlag abgesaugt. Das Filtrat kann mit einer weiteren Menge Mennige analog behandelt werden. Anschließend wird das gebildete Rohprodukt aus propionsäure-haltigem Benzol umkristallisiert. Aus 250 g Mennige erhält man so 130 g (71,5% d.Th.) Blei(IV)-propionat.

Um auch den Blei(II)-Anteil zum Teil noch auszunutzen[2], verfährt man wie folgt.

Man sättigt die Blei(II)-propionat-haltigen Mutterlaugen mit Chlor. Dabei entsteht ein Kristallgemisch von Blei(II)-chlorid und Blei(IV)-propionat. Dieses wird mit propionsäure-haltigem Benzol ausgekocht. Beim Erkalten der filtrierten Benzol-Lösung kristallisiert das Blei(IV)-propionat aus.

Da es schwierig ist, die letzten Spuren Chlor z. B. durch Umkristallisieren zu entfernen, sollte besser auf die Ausnutzung der Hälfte des Blei(II)-oxids verzichtet werden.

Die Herstellung von Blei(IV)-salzen höherer Carbonsäuren geschieht zweckmäßig durch Umestern von Blei(IV)-acetat mit der entsprechenden Säure. Dazu erhitzt man das Acetat in der Carbonsäure und destilliert die freiwerdende Essigsäure i.Vak. ab. Man kann die Umesterung auch in einem geeigneten inerten Lösungsmittel vornehmen. Das ist vor allem dann von Vorteil, wenn das herzustellende Blei(IV)-salz einen hohen Schmelzpunkt hat[3].

Zur Herstellung von *Blei(IV)-benzoat* wird Blei(IV)-acetat mit geschmolzener Benzoesäure bei 130° umgesetzt[1, 4, 5]. Vorteilhafter ist es die Umesterung in Chlorbenzol vorzunehmen und die freiwerdende Essigsäure azeotrop mit Chlorbenzol abzudestillieren.

Blei(IV)-benzoat[6]: 112 g (0,25 Mol) Blei(IV)-acetat werden zusammen mit 125 g (1,03 Mol) durch mehrfache Destillation gereinigte Benzoesäure in 500 *ml* absol. Chlorbenzol suspendiert. Die Essigsäure wird über eine 30-*ml*-Füllkörperkolonne mit Dephlegmator bei 30 Torr und 50° Badtemp. zusammen mit Chlorbenzol als azeotropes Gemisch langsam abdestilliert. Nach 6 Stdn. reagiert das Destillat neutral, die Destillation wird daraufhin abgebrochen und das kristalline Blei(IV)-benzoat abfiltriert; Ausbeute: 175 g (99% d.Th.); Zers. P.: 164° (aus Dichlormethan).

Die nach diesen und ähnlichen Methoden hergestellten Blei(IV)-carboxylate sind in Tab. 58 (S. 412) zusammengestellt.

Bei der Herstellung der höheren Blei(IV)-carboxylate sollte man mit der Reaktionstemperatur nicht höher als 100° gehen, um Zersetzungen zu vermeiden. Schon *Blei(IV)-propionat* und *-butyrat* zerfallen deutlich schneller als Blei(IV)-acetat[7].

Genauere Untersuchungen über die Zersetzung und die Struktur der Blei(IV)-carboxylate und des Blei(IV)-trifluoracetats, einschließlich Infrarot-, Ultraviolett- und Elektronenspin-resonanz-Messungen liegen vor[8, 9].

---

[1] R. CRIEGEE, A. 481, 263 (1930).

[2] A. COLSON, C. r. 136. 676, 1664 (1903).

[3] G. B. BACHMANN u. J. W. WITTMANN, J. Org. Chem. 28, 65 (1963).

[4] C. D. HURD u. P. R. AUSTIN, Am. Soc. 53, 1543 (1931).

[5] D. H. HEY, C. J. M. STIRLING u. G. H. WILLIAMS, Soc. 1954, 2747.

[6] R. CRIEGEE, P. DIMROTH, K. NOLL, R. SIMON u. C. WEIS, B. 90, 1070 (1957).

[7] N. A. MAIER, L. I. GUSEVA u. Y. A. OLDEKOP, Ž. obšč. Chim. 37, 2656 (1967); engl.: 2528; C. A. 68, 108369 (1968).

[8] K. HEUSLER u. H. LOELIGER, Helv. 52, 1495 (1969).

[9] H. LOELIGER, Helv. 52, 1516 (1969).

Tab. 58: Blei(IV)-carboxylate durch Umsetzung von Blei(IV)-acetat mit Carbonsäuren

R–COOH R	Blei(IV)-	F [° C]	Literatur
H_3C-CH_2-	-propionat	133,0–133,5	1, 2, 3
$H_3C-(CH_2)_2-$	-butanoat		1, 3, 4
$(CH_3)_2-CH-$	-2-methyl-propanoat	102–103	5
$(CH_3)_3C-$	-2,2-dimethyl-propanoat	173	5
$H_3C-(CH_2)_4-$	-hexanoat	Öl	5
$H_3C-(CH_2)_{10}-$	-dodecanoat	95–97	2, 5
$H_3C-(CH_2)_{12}-$	-tetradecanoat	104–105	2
$H_3C-(CH_2)_{14}-$	-hexadecanoat	104	2, 4, 5
$H_3C-(CH_2)_{16}-$	-octadecanoat	103–104	2, 4
$H_3C-(CH_2)_7-CH=CH-(CH_2)_7-$	-octadecen-(9)-oat	Öl	5
H_5C_6-	-benzoat	180	1, 2, 5, 6, 7
$H_5C_6-CH_2-$	-phenylacetat	170	2
$(C_6H_5)_2CH-$	-diphenylacetat	175–180	2
$(C_6H_5)_2CH-CH_2-$	-3,3-diphenyl-propanoat	109–113	2
	$n = 3;$ -pentandioat	Zers.	5
	$n = 7;$ -nonandioat	260	2
	$n = 8;$ -decandioat	233–236	2

F. Oxidationen mit Phosphatoblei(IV)-säuren

Phosphatoblei(IV)-säuren, eine Klasse von thermisch sehr stabilen anorganischen Blei(IV)-Verbindungen, sind gegen Hydrolyse praktisch unempfindlich und daher besonders gut als Oxidationsmittel in wäßriger oder methanolischer Lösung geeignet[8].

Im einfachsten Fall rührt man zu ihrer Herstellung ein Gemisch von Mennige in 85%iger Phosphorsäure bei 70°. Man erhält dann allerdings ein Gemisch von Blei(II)-phosphat und Phosphatoblei(IV)-säuren mit einem auf den Gesamtbleigehalt bezogenen Blei(IV)-Anteil

[1] R. Criegee, A. 481, 263 (1930).
[2] Y. Yukawa u. M. Sakai, Bull. Chem. Soc. Japan 36, 761 (1963); C. A. 59, 8645 (1963).
[3] N. A. Maier, L. I. Guseva u. Y. A. Oldekop, Ž. obšč. Chim. 37, 2656 (1967); engl.: 2528; C. A. 68, 108369 (1968).
[4] A. Colson, C. r. 136, 1664 (1903).
[5] G. B. Bachmann u. J. W. Wittmann, J. Org. Chem. 28, 65 (1963).
[6] D. H. Hey, C. J. M. Stirling u. G. H. Williams, Soc. 1954, 2747.
[7] R. Criegee, P. Dimroth, K. Noll, R. Simon u. C. Weis, B. 90, 1070 (1957).
[8] F. Huber u. M. S. A. El-Meligy, B. 102, 872 (1969).

von 33%. Das getrocknete luftbeständige Produkt wird direkt für die Oxidationsreaktionen eingesetzt, das Blei(II)-phosphat stört nicht.

Blei(II)-freie Phosphato(IV)-säuren kann man durch Elektrolyse von 85%iger Phosphorsäure an Bleielektroden gewinnen, oder auch durch Umsetzung von Blei(IV)-acetat mit Phosphorsäure. Mit wasserfreier [85%ige Phosphorsäure mit der berechneten Menge Phosphor(V)-oxid] entsteht eine Verbindung der Zusammensetzung $H_2[Pb(H_2PO_4)_6]$ und mit 85%iger oder auch niedrigprozentiger Phosphorsäure ein höherkondensiertes Produkt der Form $H_2[Pb(H_2PO_4)_2(HPO_4)_2]$[1].

Phosphatoblei(IV)-säuren haben nur eine geringe Löslichkeit in Wasser oder organischen Lösungsmitteln. Die Oxidationen können deshalb nicht in homogener Lösung durchgeführt werden. Bei Raumtemperatur erfolgt die Hydrolyse sehr langsam, steigt allerdings mit zunehmender Temperatur unter Abscheidung von Blei(IV)-oxid rasch an. Die Durchführung der Reaktionen ist denkbar einfach.

Oxidationen mit Phosphatoblei(IV)-säuren: Die wäßrige Lösung der zu oxidierenden organischen Verbindung wird unter Rühren – gegebenenfalls unter Eiskühlung – zu einer Aufschlämmung der berechneten oder etwas überschüssigen Phosphatoblei(IV)-säure in Wasser oder Eiswasser gegeben und das Gemisch, falls zur Vervollständigung der Umsetzung erforderlich, anschließend erwärmt.

Analog werden Umsetzungen in Methanol durchgeführt.

I. Oxidationen von C=C-ungesättigten Verbindungen einschließlich Glykolspaltung

Bei der Umsetzung der Phosphatoblei(IV)-säuren mit Olefinen wird unter Addition von $2\ H_2PO_4$-Resten das intermediär nicht isolierbare Zwischenprodukt

gebildet, das sofort in der sauren Lösung zum Glykol hydrolysiert. Das Glykol wird mit überschüssiger Phosphatoblei(IV)-säure praktisch quantitativ analog der Glykolspaltung mit Blei(IV)-acetat zu den Carbonyl-Verbindungen umgesetzt. Nachdem die Reaktion der Phosphatoblei(IV)-säuren mit der C=C-Doppelbindung selektiver zu Glykolen führt als die Reaktion mit Blei(IV)-acetat, sind diese besser zu Strukturuntersuchungen geeignet.

Butanal[2]**:** Zu einer Suspension von 40 g des Phosphatoblei(IV)-säure/Blei(II)-phosphat-Gemisches (aus Mennige und Phosphorsäure) in Methanol wird bei 0° unter Rühren eine Lösung von Octen-(4) in wenig Methanol gegeben, das Gemisch langsam auf 60° erhitzt und nach 2 stdgm. Kochen Blei(II)-phosphat abfiltriert. Aus dem Filtrat wird das Butanal als 2,4-Dinitro-phenylhydrazon ausgefällt; Ausbeute: 4,2 g (83% d. Th.) Butyraldehyd-2,4-dinitro-phenylhydrazon; F: 122°.

II. Dehydrierungen

Hydrochinon wird mit $H_2[Pb(H_2PO_4)_6]$ bei 0° mit merklicher Geschwindigkeit und bei 40° in wenigen Minuten zu *p-Benzochinon* (93% d. Th.) dehydriert[2]:

---

[1] Blei(IV)-phosphat wird von der Firma „Nitrochemie GmbH", Aschau bei Kraiburg, angeboten; Europa-Chemie **1969**, (10) 6.

[2] F. HUBER u. M. S. A. EL-MELIGY, B. **102**, 872 (1969).

Wismut- und Vanadin-Verbindungen als Oxidationsmittel

bearbeitet von

Dr. ARMIN STÖSSEL

BASF AG., Ludwigshafen/Rhein

Mit 2 Tabellen

Literatur berücksichtigt bis Ende 1974.

Inhalt

A. Wismut-Verbindungen als Oxidationsmittel

I. Wismut(III)-oxid bzw. -acetat

Wismut(III)-oxid[1] ist in essigsaurer Lösung ein spezifisches Dehydrierungsmittel für Acyloine (α-Hydroxy-β-oxo-Verbindungen), die zu 1,2-Diketonen dehydriert werden. Die Methode ist vor allem wertvoll für empfindliche Verbindungen. Hydroxy-Gruppen, C=C-Doppelbindungen, Endiole wie Ascorbinsäure und Zucker, die ebenfalls die Gruppe –CO–CHOH– enthalten, werden nicht angegriffen. Die Oxidation ungesättigter Acyloine kann von einer Isomerisierung der entstehenden 1,2-Diketone zum Oxo-enol bzw. Diendiol begleitet sein. Die Ausbeuten liegen bei Steroiden bei 60–70%, sonst bei 90% d.Th.:

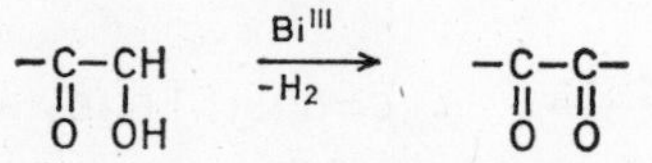

1,2-Diketone aus Acyloinen; allgemeine Arbeitsvorschrift[1]: Zur Dehydrierung wird 1 Tl. Acyloin in 2–5 Tln. Essigsäure gelöst, das 1,2fache der theor. Menge Wismut(III)-oxid zugefügt und unter Rühren 15–30 Min. auf 100° gehalten.

Um eine Verfärbung der Reaktionsprodukte zu verhindern, wird der Zusatz von 2-Äthoxy-äthanol empfohlen (0,5–3fache Vol.-Zugabe zur Essigsäure). Die Aufarbeitung des Zusatzes erfolgt entsprechend den beiden folgenden Beispielen.

Nach diesem Verfahren erhält man aus

Furoin	→ *Furil*[1]	92% d.Th.
4,4'-Dimethoxy-benzoin	→ *4,4'-Dimethoxy-benzil*[1]	97% d.Th.
2α-Hydroxy-3-oxo-17β-acetyl-androsten-(4)	→ *2,3-Dioxo-17β-acetyl-androsten-(4)*[2]	72% d.Th.

Pydidil[3]:

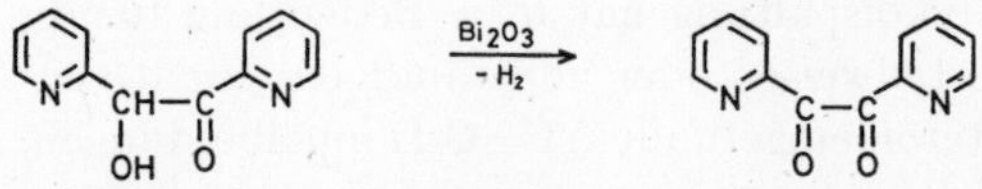

In eine Lösung von 3,75 g Pyridoin in einer Mischung von 8 *ml* Essigsäure und 24 *ml* 2-Äthoxy-äthanol wird unter heftigem Rühren innerhalb 75 Min. bei 103–105° 2,4 g Wismut(III)-oxid eingetragen. Der anfangs schwarze Niederschlag ist am Ende der Reaktion gelblich. Die Reaktionsmischung wird zum Kochen erhitzt, filtriert und abgekühlt. Der kristalline Niederschlag wird abgesaugt; Ausbeute: 3,48 g (92% d.Th.); F: 173–174° (aus Eisessig/1-Äthoxy-äthanol); durch Einengen werden nochmals 0,15 g gewonnen; Gesamtausbeute: 97% d.Th.

2,3-Dihydroxy-17β-acetoxy-östratrien-(1,3,5^10)[2]:

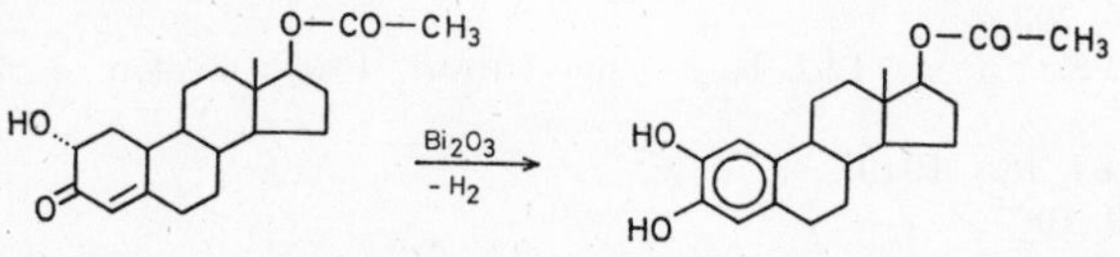

---

[1] W. RIGBY, Soc. **1951**, 793.

[2] P. N. RAO u. L. R. AXELROD, Tetrahedron **10**, 144 (1960).

[3] W. RIGBY, Soc. **1951**, 793.

Zu 590 mg 2 α-Hydroxy-17 β-acetoxy-3-oxo-östren-(4) in 9 ml Eisessig werden 600 mg Wismut(III)-oxid gegeben und unter Rühren auf 100–105° erhitzt. Nach 30 Min. werden nochmals 200 mg Wismut(III)-oxid zugegeben und weitere 30 Min. erhitzt. Es wird mit Essigsäure-äthylester extrahiert, mit Wasser, ges. Natriumcarbonat-Lösung und nochmals mit Wasser neutral gewaschen und mit Natriumsulfat getrocknet. Nach Destillation des Lösungsmittels wird der Rückstand aus Benzol umkristallisiert; Ausbeute: 340 mg (58% d.Th.); F: 180–182°.

Anstelle von Wismut(III)-oxid und Essigsäure kann auch das leicht herstellbare Wismut (III)-acetat verwendet werden. Bisher sind keine Vorteile hinsichtlich der Verwendung von Wismut(III)-oxid bekannt.

Wismut(III)-acetat[1]: 50 g Wismut(III)-oxid werden bei 140–150° mit 300 ml Essigsäure und 35 ml Acetanhydrid bis zur Lösung 90–120 Min. erhitzt. Die Lösung wird filtriert; beim Abkühlen kristallisiert das Acetat aus; Ausbeute: 75 g (90% d.Th.).

Erwähnt sei an dieser Stelle die Dehydrierung von 2-Methyl-propanal zu *2-Methyl-acrolein* und von 2-Methyl-propansäure-nitril zu *2-Methyl-acrylnitril* mit Wismut(III)-oxid[2].

II. Oxidation und Dehydrierung mit Natriummetawismutat(V)

Natriummetawismutat(V) (NaBiO₃)[3,4] spaltet 1,2-Glykole unter Oxidation in guter Ausbeute zu Aldehyden und/oder Ketonen:

$$2 \; -\overset{|}{\underset{HO}{C}}-\overset{|}{\underset{OH}{C}}- \quad \xrightarrow{\text{2 NaBiO}_3} \quad 4 \; \text{\char92}C=O \; + \; [\, Bi_2O_3 \, + \, Na_2O\,] \; + \; 2 \; H_2O$$

Entsprechend werden α-Hydroxy-ketone in Aldehyde oder Ketone bzw. Carbonsäuren

$$-\overset{|}{\underset{OH}{C}}-\overset{|}{C}=O \quad \longrightarrow \quad \text{\char92}C=O \; + \; -COOH$$

und α-Hydroxy-carbonsäuren in die ein C-Atom weniger enthaltenden Aldehyde oder Ketone überführt:

$$-\overset{|}{\underset{OH}{C}}-COOH \quad \longrightarrow \quad \text{\char92}C=O \; + \; CO_2 \; + \; H_2O$$

Diese Methode der Glykolspaltung hat u. a. Bedeutung für die Herstellung von Dial-dehyden sowie für den teilweisen oder vollständigen oxidativen Abbau von Seitenketten in der 17-Stellung von Steroiden gefunden. C=C-Doppelbindungen, Hydroxy- und Aldehyd-Gruppen werden von Natriummetawismutat nicht angegriffen.

Die Oxidationen werden entweder in Essigsäure oder in Wasser und/oder 1,4-Dioxan unter Zugabe von Phosphorsäure durchgeführt.

Oxidation von Glykolen und α-Hydroxy-carbonyl-Verbindungen mit Natriummetawismutat; allgemeine Arbeitsvorschrift[5]:
Natriummetawismutat (NaBiO₃ · 3,5–5 H₂O)[6]:
Herstellung[7]: 170 g Wismut(III)-oxid werden in 1,5 l 40%iger Natronlauge aufgeschwemmt und in der Siedehitze unter kräftigem Rühren durch allmähliche Zugabe von 300 g Brom oxidiert. Der entstandene

[1] W. Rigby, Soc. **1951**, 793.
[2] C. W. Hargis u. H. S. Young, Ind. Eng. Chem. Prod. Res. Develep. **5**, 72–75 (1966); C. A. **64**, 12450ᵃ (1967).
[3] W. Rigby, Nature **164**, 185 (1949).
[4] W. Rigby, Soc. **1950**, 1907.
[5] W. Rigby, Nature **164**, 185 (1949); Soc. **1950**, 1907.
[6] G. Brauer, *Handbuch der präparativen anorganischen Chemie*, 2. Aufl., Bd. I, S. 557, Verlag F. Enke, Stuttgart 1960.
[7] R. Scholder u. H. Stobbe, Z. anorg. Chem. **247**, 396 (1941).

braune Niederschlag wird abfiltriert, mit 40%iger Natronlauge gewaschen und danach in 3 l Wasser aufgeschlämmt. Nun schüttelt man die Suspension einige Zeit, bis die Farbe von braun über hellbraun nach gelb umgeschlagen ist. Der Niederschlag wird nach dem Absitzen filtriert, in 1,5 l 53%iger Natronlauge eingetragen und 30 Min. am Rückfluß gekocht. Der gebildete braune Niederschlag ist nach dem Absitzen gut filtrierbar. Er wird mit 50%iger Natronlauge gewaschen, noch feucht in 3 l Wasser eingetragen und einige Zeit geschüttelt. Wenn sich der gelbe Niederschlag abgesetzt hat, wird er filtriert, mit Wasser gut gewaschen und schließlich auf Ton getrocknet; Ausbeute: 170 g (68% d.Th.).

Gehaltsbestimmung[1]: Der Gehalt an Wismut(V) kann durch Titration von ausgeschiedenem Jod mit Natriumthiosulfat bestimmt werden. In einen mit 50 ml Kaliumjodid-Lösung (3 g) beschickten und unter Bunsenventil mit Kohlendioxid gefüllten 750-ml-Erlenmeyer werden 20–40 ml konz. Salzsäure unter Kühlung und dann die abgewogene Menge Wismutat zugegeben.

Das Gemisch bleibt unter Kohlendioxid stehen, bis völlige Lösung eingetreten ist (5–15 Min.). Es wird mit 250 ml ausgekochtem Wasser zur Erkennung des Umschlages (Färbung durch komplexes Jodowismutat) bei der nachfolgenden Thiosulfattitration verdünnt.

Oxidation:

① In eine Lösung des Glykols bzw. der α-Hydroxy-carbonyl-Verbindung in Eisessig wird unter Rühren oder Schütteln bei Raumtemp. oder etwas erhöhter Temp. ~ die theor. Menge Natriumwismutat eingetragen und so lange gerührt, bis das rotbraune, fein verteilte Wismutat verschwindet und eine farblose, klare Lösung entsteht (wenige Min. bis einige Stdn.).

Das dabei entstandene Wismut(III) kann durch Fällung als Phosphat entfernt werden.

② Natriumwismutat wird unter sonst gleichen Bedingungen wie oben zu einer Lösung des Glykols bzw. der α-Hydroxy-carbonyl-Verbindung in Wasser oder Wasser/1,4-Dioxan in Gegenwart eines geringen Phosphorsäure-Überschusses zugegeben. Die ursprünglich orangegelbe Suspension geht in farbloses Wismut(III)-phosphat über.

Hexandial[2]:

Eine Lösung von 29 g (0,25 Mol) *trans*-1,2-Dihydroxy-cyclohexan in 75 ml Wasser und 100 ml 3,33 m Phosphorsäure wird mit 125 ml Äther überschichtet. Dazu werden in 2 Portionen 0,125 Mol Natriumwismutat bei 30° unter Rühren zugegeben. Sobald die Reaktion beendet ist, werden weitere 0,125 Mol Natriumwismutat (2 Portionen) zugegeben. Nach 1stdgm. Rühren bei 30° wird die Äther-Schicht abgetrennt, die wäßrige Phase 2mal mit je 100 ml Äther ausgeschüttelt, die vereinigten Äther-Extrakte mit Natriumsulfat getrocknet, der Äther abgezogen und der Rückstand i. Vak. destilliert; Ausbeute: 14 g (46% d.Th.); Kp_{12}: 97,5°.

3,11,17-Trioxo-androstadien-(1,4)[3]:

Zu einer Lösung von 1 g 17α-Hydroxy-3,11-dioxo-17β-(hydroxyacetyl)-androstadien-(1,4) in 150 ml Eisessig werden 150 ml Wasser und 18 g Natriumwismutat hinzugefügt und über Nacht bei Raumtemp. gerührt. Durch Filtrieren wird das Natriumwismutat abgetrennt. Filtrat und Niederschlag werden mit Dichlormethan extrahiert, die vereinigten Extrakte mit Wasser säurefrei gewaschen, getrocknet und eingeengt. Nach chromatographischer Trennung an Florisil (eluieren mit Diäthyläther) und Umkristallisieren aus Dichlormethan/Hexan werden 0,45 g (45% d.Th.) erhalten; F: 193–195°.

In Tab. 1 (S. 422) sind einige weitere Oxidationen aufgeführt.

[1] R. SCHOLDER u. H. STOBBE, Z. anorg. Chem. **247**, 396 (1941).
[2] W. RIGBY, Soc. **1950**, 1907.
[3] H. L. HERZOG et al., Am. Soc. **77**, 4781 (1955).

Tab. 1. Aldehyde, Ketone und Carbonsäuren aus Glykolen und α-Hydroxy-carbonyl-
Verbindungen durch Oxidation mit Natriumwismutat

Ausgangsverbindung	Endverbindung	Ausbeute [% d.Th.]	Literatur
9,10-Dihydroxy-stearinsäure	*Nonanal* + *Nonanaldehydsäure*	62 48	1
2,3-Dihydroxy-2,3-dimethyl-butan (Pinakol)	*Aceton*	99	1
Benzoin	*Benzaldehyd* + *Benzoesäure*	79 22	1
2-Hydroxy-butansäure	*Aceton*	82	1
Mandelsäure	*Benzaldehyd*	64	1
3β,17α-Dihydroxy-11-oxo-17β-(hydroxyacetyl)-5α-andro-stan	*3β-Hydroxy-11,17-dioxo-5α-androstan*	68	2

B. Oxidation mit Ammonium (Natrium)-vanadat(V) und Vanadin(V)-oxid

Die Verwendung von Vanadin(V)-Verbindungen als Oxidationsmittel für präparative
Zwecke ist bisher kaum untersucht worden. Die überwiegende Zahl der Arbeiten hat kinetische Untersuchungen zum Inhalt. Die entstehenden Reaktionsprodukte werden dabei im
allgemeinen überhaupt nicht oder nur qualitativ untersucht.

Zur Oxidation werden schwefelsaure oder seltener essigsaure Lösungen von Natrium-
oder Ammonium-vanadat(V) oder Vanadin(V)-oxid verwendet. Kürzlich wurde mit der
Oxidation von Reticulin zu *Isoboldin* mit Vanadin(V)-oxid-trichlorid eine oxidative, intramolekulare C–C-Kupplung beschrieben[3].

Aliphatische, gesättigte Monocarbonsäuren werden mit Ausnahme von Ameisensäure
nicht angegriffen. Verzweigte und ungesättigte Carbonsäuren, Dicarbonsäuren
und Carbonsäuren mit zusätzlicher Sauerstoffunktion dagegen lassen sich je nach
Reaktionsbedingung zu *Acetaldehyd*, *Essigsäure* oder *Ameisensäure* oxidieren und darüber
hinaus zu Kohlendioxid und Wasser abbauen. Aus α-Hydroxy-carbonsäuren entstehen die
um ein C-Atom ärmeren Carbonsäuren. Geradkettige, gesättigte Aldehyde werden
zu *Acetaldehyd*, verzweigte zu Ketonen oxidiert. Acetaldehyd reagiert mit Vanadat(V)-
Lösungen nur unter Einwirkung von Sonnenlicht. Rein grundsätzlich können alle Aliphaten
zu Kohlendioxid abgebaut werden; z. B. Ameisensäure, Oxalsäure, Weinsäure, Butanal etc.
Was erhalten wird, hängt offensichtlich von der Menge des Oxidationsmittels ab. Aus diesem
Grunde wurde in der Tab. 2 (S. 423) nur die Literatur berücksichtigt, die vernünftige
Angaben enthält und zu sinnvollen organischen Verbindungen führt.

Einwertige, primäre Alkohole gehen in den meisten Fällen in die ein C-Atom weniger
enthaltende Carbonsäure über. Olefine werden im allgemeinen zu Ketonen oxidiert.

Der aromatische Kern ist (ausgenommen gleichzeitige Belichtung) gegen Oxidation
durch Vanadat(V)-Lösungen stabil. Seitenketten werden zur Formyl-oder Carboxy-
Gruppe oxidiert bzw. abgebaut.

Aus Cyclohexan- und Cyclopentan-Derivaten mit Sauerstoffunktionen entstehen
unter Ringspaltung Dicarbonsäuren.

[1] W. Rigby, Soc. **1950**, 1907.
[2] W. Klyne u. S. Ridley, Soc. **1956**, 4825.
[3] M. A. Schwartz, Synth. Commun. **3**, 33 (1973).

Oxidation mit Vanadat(V)-Lösung:

Vanadat(V)-Lösung:

① 33 g Ammoniumvanadat(V) werden in einer aus 900 ml Wasser und 100 ml konz. Schwefelsäure hergestellten Schwefelsäure gelöst. Eine dabei auftretende Trübung wird abfiltriert.

② 90 g Vanadin(V)-oxid werden zu einer aus 400 g Wasser und 518 g konz. Schwefelsäure hergestellten Schwefelsäure gegeben.

Oxidation: Die zu oxidierende organische Verbindung wird zu einem Überschuß von Vanadat(V)-Lösung gegeben und unter Rühren einige Stdn. bei 50–100° gehalten.

2-(2-Carboxy-äthyl)-benzoesäure[2]:

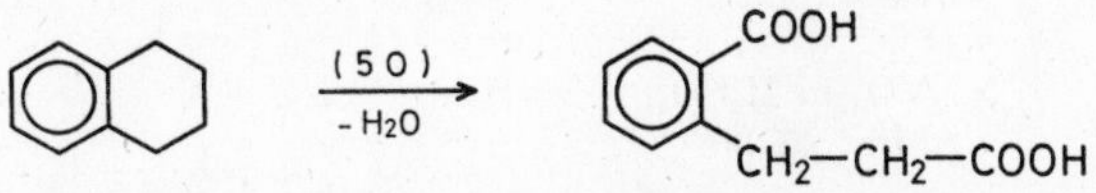

$$\text{Tetralin} \xrightarrow[-H_2O]{(50)} \text{o-}C_6H_4(COOH)(CH_2-CH_2-COOH)$$

In einem mit Thermometer, Rührer und Kühler versehenen 1-l-Kolben werden 500 g einer nach ② erhaltenen Oxidationslösung auf 75° erwärmt. In diese Lösung werden 3 g Tetralin eingetragen und 2 Stdn. auf 75° erhitzt. Nach Abkühlen auf 0–5°, Abfiltrieren und Waschen mit Eiswasser werden 2,2 g (50% d.Th.) erhalten; F: 166°.

Tab. 2. Oxidation mit Vanadin(V)-Lösung

Ausgangsverbindung	Reaktionsbedingungen	Endverbindung	Ausbeute [% d.Th.]	Literatur
$HO-CH_2-COOH$	Vanadatlösung① Wasserbad	*Ameisensäure*	100	3,4
$H_3C-CH(OH)-COOH$	NH_4VO_3 in $HClO_4$, 25°	*Essigsäure*	100	3
		Acetaldehyd	100	5,6
$HOOC-CH_2-CH(OH)-COOH$	NH_4VO_3 in $HClO_4$, Stdn., 25°	*Acetaldehyd*	100	5
$H_5C_6-CH(OH)-COOH$	NH_4VO_3 in $HClO_4$, 25°	*Benzoesäure*	100	3
		Benzaldehyd	100	5,7
$H_3C-CO-COOH$	V_2O_5 in H_2SO_4, 100°	*Essigsäure*	100	8
$H_3C-CO-CH_3$	V_2O_5 in H_2SO_4, Stdn. bis Tage, Raumtemp.	*Essigsäure + Ameisensäure*	100	9
CH_3OH	V_2O_5 in H_2SO_4, 100°	*Ameisensäure*	100	8,10

[1] D. M. WEST u. D. A. SKOOG, Anal. Chem. **31**, 583 (1959).

[2] Holl. P. 6400406 (1964); C. A. **62**, 3942f (1965).

[3] D. M. WEST u. D. A. SKOOG, Anal. Chem. **31**, 583 (1959); auch Oxidation von Oxalsäure, Malonsäure, Maleinsäure, 1,2-Dihydroxy-propan.

[4] K. S. PANWAR u. J. N. GAUR, Ind. J. appl. Chem. **27**, 42 (1964); C. A. **61**, 9377ª (1964); auch Oxidation von Acetaldehyd, Glykolaldehyd.

[5] J. R. JONES u. W. A. WATERS, Soc. **1961**, 630; auch Oxidation von Oxalsäure, Soc. **1961**, 4757; von Propanal, Butanal, 2-Methyl-propanal, Soc. **1963**, 352; von 3-Hydroxy-2-oxo-butan, Soc. **1962**, 1629; von 2-Phenyl-äthanol, 3,3-Dimethyl-2-phenyl-butanol, Soc. **1960**, 2772.

Vgl. a. d. Oxidation von Weinsäure, M. F. SOLLIERS, Bl. Trav. Chim. Lyon 8, 63 (1964).

[6] U. S. MAHNOT, R. SHANKER u. S. N. SWAMI, Z. phys. Chem. **222**, 240 (1963).

[7] R. SHANKER u. S. N. SWAMI, Curr. Sci. **31**, 11 (1962).

[8] A. MORETTÉ u. G. GAUDEFROY, C. r. **237**, 1523; Bl. **1954**, 956, auch Oxidation von Ameisensäure, 2-Methyl-propansäure, Oxalsäure, Malonsäure, Bernsteinsäure, Maleinsäure, Formaldehyd.

[9] G. GAUDEFROY, Ann. pharm. France **13**, 51 (1955).

[10] K. S. PANWAR u. J. N. GAUR, Analytica chim. Acta **33**, 318 (1965), hier auch quantitative Oxidation von Isopropanol zu *Essigsäure* und *Ameisensäure*, von Butanol zu *Propansäure*, von Butanol-(2) zu *Aceton* etc.; von Phenol zu *Maleinsäure* und *Fumarsäure*, Naturwiss. 48, 602 (1961).

Tab. 2 (1. Fortsetzung)

Ausgangsverbindung	Reaktionsbedingungen	Endverbindung	Ausbeute [% d.Th.]	Literatur
$HO-CH_2-CH_2-OH$	Vanadatlösung ②* (S. 423) 60 Min. Wasserbad	*Ameisensäure*	100	1, s. a. 2, 3
$HO-CH_2-CH_2-CH_2-OH$	Vanadatlösung ①* (S. 423) 60 Min. Wasserbad	*Ameisensäure*	100	1
$(H_3C)_2C-C(CH_3)_2$ $\quad$ HO OH	Na_3VO_4 in H_2SO_4, Stdn., 25–30°	*Aceton*	100	4
$HO-CH_2-CH-CH_2-OH$ $\quad\quad$ OH	Vanadatlösung ①* (S. 423), 60 Min., Wasserbad	*Ameisensäure*	100	1, 5, 6
$H_2C=CH_2$	V_2O_5 in H_2SO_4/ 60 Min., 145°	*Acetaldehyd*	14	7
3,3′-Dihydroxy-4,4′-dioxo-β-carotin	V_2O_5 auf Al_2O_3	*3-Hydroxy-4-oxo-Vitamin A-Aldehyd*	60	8
$H_3C-⟨◯⟩-CH_3$	Vanadatlösung ②* (S. 423)/1 Stde., 400°	*4-Methyl-benzoesäure* + *Terephthalaldehydsäure* + *Terephthalsäure*	66 8 26	9, s. a. 10
$HO-⟨◯⟩$	NH_4VO_3 in H_2SO_4, Stdn., 50°	*Hexandisäure*	100	11, s. a. 9
$O=⟨◯⟩$	NH_4VO_3 in H_2SO_4, 30–50°	*Hexandisäure*	95	12, s. a. 9
$⟨◯⟩=O$	NH_4VO_3 in H_2SO_4, 30–50°	*Bernsteinsäure* + *Ameisensäure*	100	12
Chinolin-8-ol OH	0,1 m V_2O_5 in H_2SO_4, 45–90 Min., Wasserbad	*Pyridin-2,3-dicarbonsäure*	100	13

[1] D. M. West u. D. A. Skoog, Anal. Chem. **31**, 583 (1959); auch Oxidation von Oxalsäure, Malonsäure, Maleinsäure, 1,2-Dihydroxy-propan.

[2] J. S. Littler, A. I. Mallet u. W. A. Waters Soc. **1960**, 2761; auch Oxidation von 1,2-Dihydroxy-propan, 2,3-Dihydroxy-2-methyl-butan, 1,2-Dihydroxy-cyclohexan.

[3] J. S. Littler u. W. A. Waters, Soc. **1960**, 2767; auch Oxidation von 1,2-Dihydroxy-propan, 2,3-Dihydroxy-1-methoxy-2,3-dimethyl-butan, 2,3-Dioxo-butan, Äthanol, tert.-Butanol, 2-Methoxy-äthanol.

[4] J. S. Littler u. W. A. Waters, Soc. **1959**, 1299.

[5] D. M. West u. D. A. Skoog, Am. Soc. **82**, 280.

[6] Vgl. a. die Oxidation von Zuckerosatriazolen zu *2-Phenyl-3-carboxy-1,2,3-triazol*; K. S. Panwar u. I. N. Gaur, Ind. J. Appl. Chem. **27**, 13 (1964); C. A. **61**, 14759e (1964).

[7] Belg. P. 592633 (1960); Brit. P. 914561 (1963), Erf.: I. T. Kummer; C. A. **58**, 12423g (1963); auch Oxidation von Propen zu *Aceton*, Buten-(1) zu *Butanon*.

[8] R. Grauyaud u. P. Chardenot, C. r. **245**, 2110 (1957).

[9] Holl. P. 6400406 (1964).

[10] Oxidation von Toluol und Nitro-toluol, P. R. S. Murti u. S. C. Pati, Chem. Ind. **41**, 1722 (1966).

[11] J. S. Littler u. W. A. Waters, Soc. **1959**, 4046.

[12] J. S. Littler u. W. A. Waters, Soc. **1959**, 3014.

[13] N. K. Mathur u. S. P. Bhargava, Ind. J. Chem. **1**, 138 (1963).

Chrom-Verbindungen als Oxidationsmittel

bearbeitet von

Dr. H. G. Bosche

Badische Anilin- & Sodafabrik AG

Ludwigshafen

Mit 9 Tabellen

Literatur berücksichtigt bis 1974; teilweise 1975.

Inhalt

Chrom(VI)-Verbindungen als Oxidationsmittel

Chrom(VI)-Verbindungen in geeigneten Lösungsmitteln sind in der organischen Chemie sehr vielseitig anwendbare Oxidationsmittel. Die Oxidationen verlaufen oft bevorzugt mit hohen Ausbeuten in einer Richtung. Diese Eigenschaft macht Chrom(VI)-Verbindungen zu einem wertvollen Hilfsmittel in der organischen Synthese.

Der Oxidationsverlauf ist im einzelnen oft abhängig von der verwendeten Chrom(VI)-Verbindung. Auch das Lösungsmittel kann Einfluß auf Reaktionsgeschwindigkeit und -verlauf haben. Die Wahl des Lösungsmittels richtet sich meistens nach der Löslichkeit der organischen Verbindung. So werden oft nichtwäßrige, oxidationsbeständige Lösungsmittel oder Lösungsmittelgemische verwendet. Der größte Teil der beschriebenen Reaktionen wurde unter Verwendung von Chrom(VI)-oxid in einem Essigsäure-Wasser-Gemisch durchgeführt. Ferner werden eingesetzt:

① Chrom(VI)-oxid in Eisessig
② Chrom(VI)-oxid in Essigsäureanhydrid (Chromylacetat)
③ Dichromat in wäßriger Schwefelsäure
④ Chromylchlorid
⑤ Chromylacetat

Die Struktur von Chrom(VI)-oxid läßt sich als eine lineare Kette von Chrom- und Sauerstoff-Atomen beschreiben, die abwechselnd aufeinander folgen[1,2]. Jedes Chromatom wird zusätzlich von zwei Sauerstoffatomen flankiert, so daß die CrO_4-Bausteine Tetraederform haben. Chrom(VI)-oxid ist sehr hygroskopisch und löst sich in Wasser unter Depolymerisation.

Chromsäure selbst (H_2CrO_4 oder $CrO_3 \cdot H_2O$) ist nur in Lösung bekannt. Sie zeigt eine ausgesprochene Neigung, durch Eliminierung von Wasser Polysäuren zu bilden:

$$2\ H_2CrO_4 \rightarrow\ H_2O + H_2Cr_2O_7\ \text{(Dichromsäure)}$$
$$3\ H_2CrO_4 \rightarrow 2\ H_2O + H_2Cr_3O_{10}\ \text{(Trichromsäure)}$$
$$4\ H_2CrO_4 \rightarrow 3\ H_2O + H_2Cr_4O_{13}\ \text{(Tetrachromsäure)}$$

Bei höheren Konzentrationen als 0,05 m liegt in Wasser überwiegend das Dichromat-Ion bzw. dessen protonisierte Form vor. In konzentrierten wäßrigen Lösungen bilden sich Polychromate[3].

Außer in Wasser löst sich Chrom(VI)-oxid in Essigsäureanhydrid[4], tert.-Butanol[5] und Pyridin[6] unter Depolymerisation:

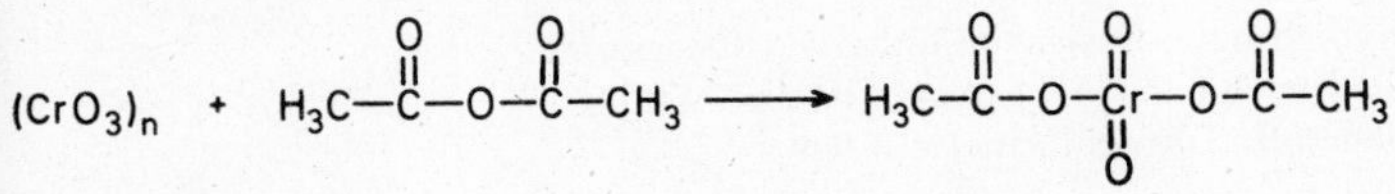

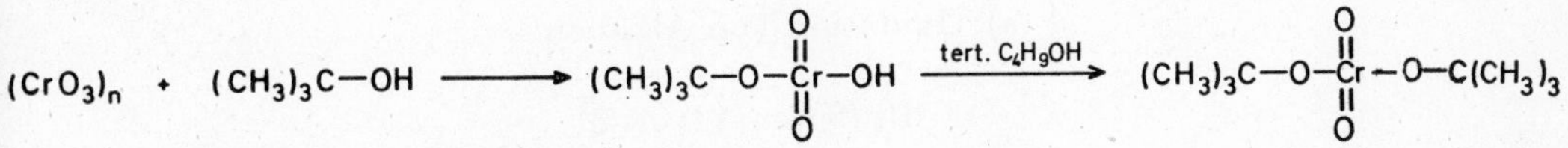

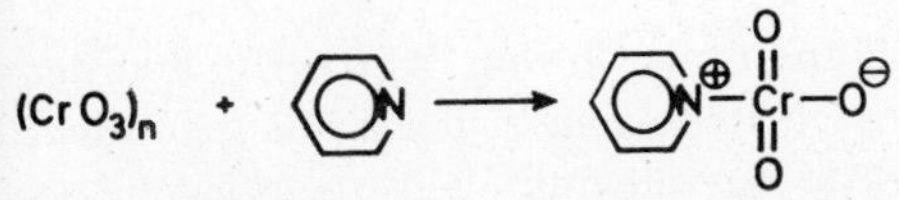

[1] A. Byström u. K. A. Wilhelmi, Acta chem. scand. 4, 1141 (1950).
[2] F. Hanic u. D. Štempelová, Chem. Zvesti 14, 165 (1960); C. A. 54, 20402 (1960).
[3] M. L. Freedman, Am. Soc. 80, 2072 (1958).
[4] H. L. Krauss, Ang. Ch. 70, 502 (1958).
[5] W. Hückel u. M. Blohm, A. 502, 114 (1933).
[6] H. H. Sisler, J. D. Bush u. O. E. Acconntius, Am. Soc. 70, 3827 (1948).
   H. H. Sisler, W. C. L. Ming, E. Metter u. F. R. Hurley, Am. Soc. 75, 446 (1953).

Chrom(VI)-oxid in organischer Lösung kann sich spontan **entzünden**. Beispielsweise wird die **Explosivität** von Chromsäure-Essigsäureanhydrid-Mischungen erwähnt[1].

Eine Lösung aus 100 g Chrom(VI)-oxid in 200 *ml* Wasser mit 700 *ml* Essigsäureanhydrid **explodiert** kurz nach dem Zusammenmischen.

Chromylchlorid wird hergestellt durch Umsetzung von Chrom(VI)-oxid mit Salzsäure oder von Kaliumbichromat mit Natriumchlorid und Schwefelsäure[2]. Die Verbindung ist eine tiefrot gefärbte Flüssigkeit, die zwischen 116 und 118° siedet. Sie löst sich ohne Zers. in Tetrachlormethan, Schwefelkohlenstoff, Nitrobenzol, Antimon(V)-chlorid und ähnlichen Flüssigkeiten, hydrolysiert aber leicht in Wasser.

Chromylacetat wird hergestellt durch Auflösen von Chrom(VI)-oxid in Essigsäureanhydrid[3].

Es ist vorteilhaft, bei der Oxidation organischer Substanzen mit Chrom(VI)-oxid Orthophosphorsäure oder ihre Salze zuzusetzen[4]. Hierdurch wird das gebildete Chrom(III)-Ion als schwerlösliches Phosphat laufend entfernt. Die Methode ist zur Einführung von Oxo-Gruppen besonders geeignet, z. B. zur Herstellung von *Anthrachinon* aus Anthracen.

Über den **Mechanismus** der Oxidation mit Chrom(VI)-Verbindungen siehe Literatur[5].

A. Oxidation reiner C—H-Bindungen

I. Von aliphatischen C–H-Bindungen

Je nach Struktur der zu oxidierenden C–H-Bindung wurde folgende Einteilung gewählt:

① Das wasserstofftragende C-Atom ist mit einem gesättigten Molekülrest verbunden (Alkane).
② Das wasserstofftragende C-Atom steht in Nachbarstellung zu einer C=C-Doppelbindung (Alkene).
③ Das wasserstofftragende C-Atom ist mit einem aromatischen Ring verknüpft (Aryl-alkane).

Zur dritten Klasse gehört die Herstellung aromatischer Carbonsäuren und Aldehyde aus den entsprechenden Kohlenwasserstoffen. Die Oxidation der Stoffklassen ① und ② mit Chrom(VI)-oxid ist für die präparative organische Chemie von geringerem Interesse, da sie im allgemeinen zu einem Gemisch von Oxidationsprodukten führt, die zudem in geringer Ausbeute erhalten werden.

Fünf verschiedene Reagentien werden für Oxidationen von C–H-Bindungen eingesetzt:

① Chrom(VI)-oxid in Wasser, Essigsäure bzw. Essigsäure-Wasser
② Dichromat in Wasser bei erhöhter Temp.
③ Chromylacetat in Essigsäureanhydrid bzw. Essigsäureanhydrid/Essigsäure
④ Chromsäure-di-tert.-butylester in verschiedenen Lösungsmitteln
⑤ Chromylchlorid in Schwefelkohlenstoff, Tetrachlormethan usw.

a) Oxidation von Alkanen

1. Mit Chrom(VI)-oxid

Präparative Anwendung hat die Oxidation von Alkanen mit Chrom(VI)-oxid wegen der Vielzahl der Reaktionen, die auf den ersten Oxidationsschritt folgen, bisher kaum gefunden. Der oxidative Angriff findet wegen der größeren Reaktionsgeschwindigkeit überwiegend an

---

[1] A. E. Dowkins, Chem & Ind. **1956**, 196.
[2] H. H. Sisler, Inorg. Synth. 2, 205 (1946).
    W. H. Hartford u. M. Darrin, Chem. Reviews 58, 1 (1958).
[3] H. L. Krauss, Ang. Ch. **70**, 502 (1958).
[4] US. P. 2794813 (1953), Erf.: N. T. Farinacci; C. A. **51**, 16572[d] (1958).
[5] K. B. Wiberg, *Oxidation in Organic Chemistry*, Part A, Academic Press, New York · London 1965.

tertiären bzw. sekundären C–H-Bindungen statt; so verhalten sich die Oxidationsgeschwindigkeiten[1] an primären, sekundären und tertiären C–H-Bindungen wie $1:10^2:10^3$.

Die Oxidation verläuft über eine C–Cr^{IV}-bzw. C–Cr^V-Bindung[2] als Zwischenstufe. Eine Stütze hierfür ist die Beobachtung, daß Kohlenwasserstoffe mit einem tertiären Kohlenstoffatom zu tertiären Alkoholen oxidiert werden, wenn das Reaktionsprodukt hydrolysiert wird, bevor die Weiteroxidation eintritt[3].

Die Oxidation einer sekundären C–H-Bindung führt zunächst zum Keton, das von Chrom(VI)-oxid zumeist leicht weiteroxidiert wird. Lediglich die Ketone einiger Cycloaliphaten werden nur langsam unter C–C-Spaltung angegriffen, so erhält man z. B. aus 1-Chlor-bicyclo[2.2.1]heptan *1-Chlor-3-oxo-bicyclo[2.2.1]heptan* (I)[4] bzw. aus 2-Acetoxy-1,7,7-trimethyl-bicyclo[2.2.1]heptan *2-Acetoxy-5-oxo-1,7,7-trimethyl-bicyclo[2.2.1]heptan* (II)[5]:

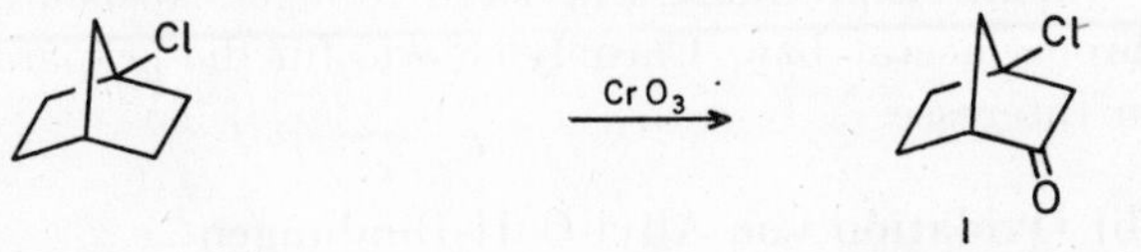

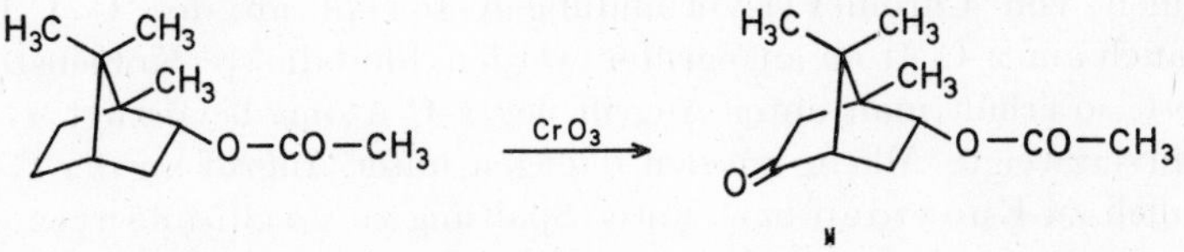

2. mit Dichromat

Kohlenwasserstoffe werden mit Natriumdichromat in Wasser/Essigsäure/Schwefelsäure[6] oxidiert. So erhält man z. B. aus 3-Äthyl-pentan 41% *3-Hydroxy-3-äthyl-pentan* (I) neben 36% *Pentanon-(3)* (III):

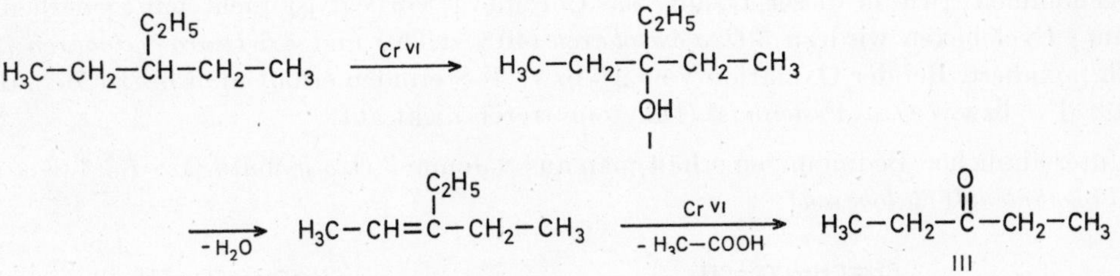

Bei cyclischen Systemen, wie Bicyclo[2.2.1]heptan bzw. 1,7,7-Trimethyl-bicyclo[2.2.1]heptan scheint die Oxidation mit Chrom(VI)-oxid ähnlich zu verlaufen (vgl. oben).

---

[1] G. FOSTER u. W. HICKINBOTTOM, Soc. **1960**, 215,680.

[2] G. E. M. MOUSSA, J. appl. Chem. **12**, 117 (1962).

[3] K. B. WIPERG u. G. FOSTER, Am. Soc. **83**, 413 (1961).
vgl. J. JOVANOVIC, G. SPITELLER u. M. SPITELLER-FRIEDMAN, A. **1973**, 387.
s. a. R. C. BINGHAM u. P. v. R. SCHLEYER, J. Org. Chem. **36**, 1198 (1971); Oxidation der Brückenkopf-C-H-Bindung.

[4] K. B. WIBERG, B. R. LOWRY u. T. H. COLBY, Am. Soc. **83**, 3998 (1961).

[5] H. SCHRÖTTER, M. **2**, 224 (1881).
J. BREDT u. A. GOEB, J. pr. **101**, 273 (1921).

[6] W. F. SAGER u. A. BRADLEY, Am. Soc. **78**, 1187 (1956).

3. Mit Chromylacetat bzw. -chlorid

Die Oxidation einer Anzahl Kohlenwasserstoffe mit Chromylacetat wurde näher untersucht[1,2]. So erhält man z. B. aus:

2,3-Dimethyl-butan →   *3-Oxo-2-methyl-butan*
                        +2,3-Dimethyl-butansäure
                        +2,3-Dimethyl-buten-(2)-säure
2,2-Dimethyl-butan →   *3-Oxo-2,2-dimethyl-butan*
Cyclohexan   →   *Cyclohexanon*

Die Oxidation mit Chromylchlorid benötigt dagegen eine kleine Menge Alken im Ausgangsalkan um anzuspringen[3,4]. So reagiert reines Methyl-cyclohexan bei 35° nicht mit Chromylchlorid; erst nach Zugabe von 1% 1-Methyl-cyclohexen tritt Oxidation zu *2-Oxo-1-methylcyclohexan* ein.

Wegen der Vielfalt der Oxidationsprodukte und deren geringen Ausbeuten ist die Oxidation von Alkanen mit Chromylacetat bzw. Chromylchlorid für die präparative organische Chemie nur von geringem Interesse.

b) Oxidation von Allyl-C–H-Bindungen

Alkene können von Chrom(VI)-Verbindungen sowohl an der C=C-Doppelbindung (s. S. 440) als auch am α–C-Atom angegriffen werden. Sind die sp²-Kohlenstoffatome maximal substituiert, so erhält man unter Angriff des α–C-Atoms bevorzugt α-Oxo-alkene; geradkettige unverzweigte Alkene werden dagegen unter Angriff an der C=C-Doppelbindung vornehmlich zu Epoxiden bzw. unter Spaltung zu Carbonsäuren oxidiert.

Chromylacetat wird zur allylischen C–H-Oxidation praktisch nicht herangezogen[5].

Cyclohexen wird mit Chrom(VI)-oxid zu *3-Oxo-cyclohexen* (37% d.Th.) und *Adipinsäure* (25% d.Th.) oxidiert[6].

Analog erhält man aus 1-Methyl-cyclohexen *3-Oxo-1-methyl-cyclohexen-(1)* (20% d.Th.). Dagegen wird ein Alken von Chromsäure-di-tert.-butylester praktisch nur in Allylstellung angegriffen. Der Angriff kann an beiden Allylstellungen erfolgen, so daß Diketone erhalten werden. Die Oxidation wird allgemein in einem Gemisch aus Benzol und Acetan-hydrid vorgenommen[7] [wie in dieser Lösung das Chrom(VI) vorliegt ist nicht mit Sicherheit bekannt]. Cyclohexen wird zu *3-Oxo-cyclohexen* (40% d.Th.) und *3,6-Dioxo-cyclohexen* (24% d.Th.) oxidiert. Bei der Oxidation von Δ^2- bzw. Δ^5-Steroiden erhält man bis zu 70% d.Th. *3-Oxo-Δ^2-* [8] bzw. *7-Oxo-Δ^5-steroide*[9] (Diketone treten nicht auf).

Unter ähnlichen Bedingungen erhält man aus β-Jonon *3-Oxo-jonon[6-Oxo-1,3,3-trimethyl-2-(3-oxo-butenyl)-cyclohexen]*:

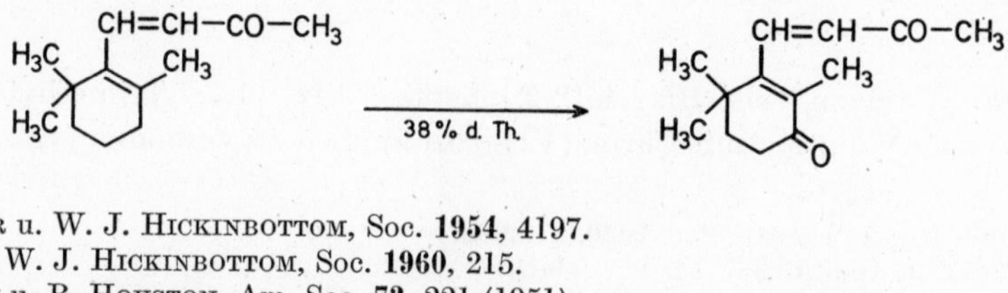

[1] D. P. Archer u. W. J. Hickinbottom, Soc. **1954**, 4197.
[2] G. Foster u. W. J. Hickinbottom, Soc. **1960**, 215.
[3] A. Tillotson u. B. Houston, Am. Soc. **73**, 221 (1951).
[4] C. C. Hobbs u. B. Houston, Am. Soc. **76**, 1254 (1954).
[5] W. Treibs u. H. Schmidt, B. **61**, 459 (1928).
[6] F. C. Whitmore, G. W. Pedlow, Am. Soc. **63**, 758 (1941).
[7] R. V. Oppenauer u. H. Oberrauch, Anal. Asoc. Quin. Arg. **37**, 246 (1949).
[8] J. Faskoš u. J. Joska, Collect. czech. chem. Commun. **37**, 3483 (1972).
[9] T. Kolek u. I. Malunowicz, Bull. Akad. Pol. Sci., Ser. Sci. Chim. **20**, 1009 (1970).
     H. J. Siemann, Z. **11**, 177 (1971).

Dagegen werden bei der Oxidation von 2,6,6-Trimethyl-bicyclo[3.1.1]hepten-(2) (α-Pinen)[1], 1-Methyl-4-isopropyl-cyclohexen[1] bzw. 3β-Acetoxy-cholesten-(5)[2] die entsprechenden Ketone neben den Alkoholen nur in mäßiger Ausbeute erhalten.

Mit Kalium-dichromat erhält man ebenfalls in guten Ausbeuten *15-Oxo-Δ[8(14)]-steroide* bis 60% d.Th.)[3] bzw. *20-Oxo-Δ[18,19]-lupan-Derivate*[4]; auch hier werden keine Dioxo-Derivate erhalten.

Als das selektivste Mittel zur Allyloxidation in der Chrom(VI)-Reihe hat sich der Chrom(VI)-oxid-Pyridin-Komplex erwiesen. Allgemein wird nur das En-on gebildet. Welche Allyl-Stellung angegriffen wird, hängt von der Substitution ab[5]; Allyl-Umlagerungen treten auf. So erhält man z. B. aus

3β,17β-Diacetoxy-androsten-(5)	→ *3β,17β-Diacetoxy-7-oxo-androsten-(5)*	76% d.Th.
Cyclohexen	→ *3-Oxo-cyclohexen*	70% d.Th.
3-Phenyl-cyclohexen	→ *3-Oxo-1-phenyl-cyclohexen*	75% d.Th.

c) Oxidation von Aryl-alkanen
1. Mit Chrom(VI)-oxid

Die Oxidation von Alkyl-Seitenketten in polycyclischen aromatischen Kohlenwasserstoffen mit Chrom(VI)-oxid verläuft wenig befriedigend, wie z. B. die Herstellung von *2,3-Dimethyl-naphthochinon-(1,4)* aus 2,3-Dimethyl-naphthalin zeigt[6].

Seitenketten des Benzols lassen sich dagegen glatt oxidieren. Beispielsweise erhält man aus Toluol *Benzoesäure*[7] und aus m- und p-Xylol *Isophthalsäure* bzw. *Terephthalsäure*[8]. Auch halogen- und nitrosubstituierte Toluole geben die entsprechenden Benzoesäuren[9-11] mit Ausbeuten zwischen 40–50% der Theorie. Als Nebenprodukte werden stets Oxidationsprodukte des aromatischen Ringes erhalten.

Bei längeren Seitenketten findet der erste Angriff am C-Atom in direkter Nachbarstellung zum aromatischen Kern statt. So erhält man z. B. mit Chrom(VI)-oxid in Essigsäure aus Äthylbenzol[12] Propyl-benzol[13] und Octyl-benzol[14] *Benzoesäure*. Tert.-Butyl-benzol, ist infolge des fehlenden H-Atoms am α–C oxidationsbeständig.

Eindeutige Oxidation zeigen die Tetraline; es werden nur 1-Oxo-tetraline erhalten[15]. Auch Indane gehen mit sehr guten Ausbeuten in 1-Oxo-indane (bis 92% d.Th.) über[16].

[1] G. Dupont, R. Dulon u. O. Mondon, Bl. **1952**, 433.

[2] R. V. Oppenauer u. H. Oberrauch, Anal. Asoc. Quin. Arg. **37**, 246 (1949).

[3] C. Y. Cuilleron, M. Fétizon u. M. Golfier, Bl. **1970**, 1193.

[4] S. P. Adhikary, W. Lawrie u. J. McLean, Soc. [C] **1970**, 1030.

[5] W. G. Dauben, M. Lorber u. D. S. Fullerzon, J. Org. Chem. **34**, 3587 (1969).

[6] L. I. Smith u. J. M. Webster, Am. Soc. **59**, 662 (1937).

[7] R. D. Abell, Soc. **1951**, 1379.

[8] R. Fittig, W. Ahrens u. L. Mattheides, A. **147**, 15 (1868).

[9] E. Wroblewsky, A. **168**, 147 (1873).
   F. Beilstein u. A. Kuhlberg, A. **156**, 66 (1870).

[10] O. Kamm u. A. O. Matthews, Org. Synth., Coll. Vol. 1, 392 (1941); *4-Nitro-benzoesäure*.

[11] S. Chidambaram, M. S. V. Pathy u. H. V. K. Udupa, Indian J. appl. Chim. **34**, 1 (1971).
    N. C. Rose, Heteroc. Chem. **6**, 745 (1969).

[12] C. Friedel u. M. Balsohn, Bl. [2] **32**, 615 (1879).

[13] R. Fittig, C. Schaeffer u. J. König, A. **149**, 321 (1869).

[14] E. A. von Schweinitz, B. **19**, 640 (1886).

[15] J. W. Burnham, W. P. Duncan, E. J. Eisenbraun, G. W. Keen u. M. C. Hamming, Am. (Div. Pet. Chem., Prepr.) **18**, 138 (1972).
    W. P. Duncan, J. W. Burnham, E. J. Eisenbraun, M. C. Hamming u. G. W. Keen, Synth. Commun. **3**, 89 (1973).
    D. Nasipuri, I. DeDalal u. D. Roy, Soc. (Perkin I) **1973**, 1754.

[16] W. M. Harms u. E. J. Eisenbraun, Org. Prepr. Proced. Int. **4**, 67 (1972).
    vgl. a. M. Tada u. H. Shinozaki, Chem. Lett. **1972**, 1111; *9-Oxo-4a,5,6,7,8,8a,9,10-octahydro-phenanthren*.

Der oxidative Angriff auf sekundäre Alkyl-Gruppen erfolgt ebenfalls an der C–H-Bindung in α-Stellung zum aromatischen Kern. Die Reaktionsprodukte, im allgemeinen ein Keton und eine Carbonsäure, entstehen vermutlich über einen tertiären Alkohol[1]:

$$H_5C_6-\underset{\underset{H}{|}}{\overset{\overset{R}{|}}{C}}-CH_2-R^1 \xrightarrow{Cr\,VI\,\oplus} H_5C_6-\underset{\underset{OH}{|}}{\overset{\overset{R}{|}}{C}}-CH_2-R^1 \xrightarrow[-H_2O]{} H_5C_6-\overset{\overset{R}{|}}{C}=CH-R^1$$

$$\xrightarrow{Cr\,VI\,\oplus} H_5C_6-\overset{\overset{O}{||}}{C}-R \xrightarrow{Cr\,VI\,\oplus} H_5C_6-COOH$$

Beispielsweise entsteht aus Isopropyl-benzol *2-Hydroxy-2-phenyl-propan* und *Acetophenon*[2] bzw. aus Butyl-benzol *Benzoesäure* und *Acetophenon*[3] (in Essigsäure). Die Oxidation von 4-Methyl-1-isopropyl-benzol zu *4-Methyl-acetophenon*[2] zeigt, daß bei gleichzeitiger Anwesenheit einer primären und einer tertiären C–H-Bindung die tertiäre C–H-Bindung bevorzugt angegriffen wird.

Bei der Oxidation von Diphenylmethanen und 1,1-Diphenyl-alkanen mit Chrom(VI)-oxid wird die Methylen- bzw. Methin-Gruppe zur Carbonyl-Funktion oxidiert. Diphenyl-methan gibt in guter Ausbeute *Benzophenon*[4] und Fluoren das *Fluorenon*[5,6]. Analog erhält man aus Difuryl-(2)-methan 95% d.Th. *Difuryl-(2)-keton*[7]. Der Angriff von Chrom(VI)-oxid auf 1,2-Diaryl-alkane erfolgt zunächst am C-Atom in α-Stellung. Anschließend wird die Kohlenstoffkette zwischen den beiden arylsubstituierten C-Atomen gespalten (z. B. 1,2-Diphenyl-äthan zu *Benzoesäure* und *Benzophenon*)[8].

Bei der Oxidation von Triaryl-methanen erhält man zunächst den tertiären Alkohol, der bei schärferen Reaktionsbedingungen unter Abspaltung einer Aryl-Gruppe ein Diaryl-keton bildet[9,10]. Im Falle von Triphenyl-methan entsteht *Triphenylcarbinol* und *Benzophenon*[11].

Wird Nitro-acenaphthen mit Chrom(VI)-oxid in siedendem Eisessig oxidiert, so wird unter C–C-Spaltung letztlich *Nitro-naphthalin-1,8-dicarbonsäure-anhydrid* (66% d.Th. *4-Nitro-...*) erhalten[12]. Unsubstituiertes Acenaphthen dagegen wird in 67%iger Ausbeute zum *1-Oxo-acenaphthen* oxidiert[13].

[1] K. B. Wiberg, *Oxidation in Organic Chemistry*, Part. A, Academic Press, New York·London 1965.
[2] H. Meyer u. K. Bernhauer, M. **53/54**, 721 (1929).
[3] J. Schramm, M. **9**, 613 (1888).
[4] R. Slack u. W. A. Waters, Soc. **1948**, 1666.
   N. T. Farinacci, O. S. Patent 2794813 (1957).
   S. S. Gitis, A. V. Ivanov, A. S. Glaz, V. F. Adrianov u. A. J. Kaminskij, Ž. org. Chim. **6**, 1262 (1970); *4,4-Bis-[4-nitro-phenylsulfon]-benzophenon* (86%d.Th.).
[5] Y. Ogata, H. Akimoto, J. Org. Chem. **27**, 294 (1962).
[6] L. Friedman, D. L. Fishel u. H. Schechter, J. Org. Chem. **30**, 1453 (1965).
[7] S. Pennanen, Acta chem. scand. **26**, 1961 (1972).
[8] J. Necsoin u. C. D. Nenitzescu, Acad. Rep. Polulare Romine Studii Carcetari Chim. **9**, 225 (1961).
[9] Herstellung von Tris-[4-nitro-phenyl]-carbinol: E. Fischer u. O. Fischer, B. **37**, 3356 (1904).
[10] A. Müller u. A. Horvath, B. **76**, 857 (1943).
[11] W. Heimlain, B. **7**, 1206 (1874).
   A. Bistrzycki, J. Gyr. Ber. **37**, 1252, 3698 (1904).
[12] L. A. Jones, C. T. Joyner, H. K. Kim u. R. A. Kyff, Canad. J. Chem. **48**, 3132 (1970).
   P. H. Grayshan u. A. T. Peters, Soc. [C] **1971**, 3599.
[13] P. Belliard u. E. Marechal, Bl. **1972**, 4255.

2. Mit wäßriger Dichromat-Lösung

Bei der Oxidation von Xylol und ähnlichen Verbindungen mit Chrom(VI)-oxid wird der aromatische Ring mit steigender Säurekonzentration mehr und mehr angegriffen[1]. Dagegen wird in neutralen und schwachsauren Oxidations-Lösungen lediglich die Methyl-Gruppe oxidiert (Oxidation zur Carbonsäure)[2,3]. Die Ausbeute an Carbonsäuren aus den entsprechenden methylsubstituierten Benzolen liegt im allgemeinen höher als bei Einsatz von Chrom(VI)-oxid. Die Ergebnisse sind in Tab. 1 wiedergegeben. Polymethyl-naphthaline werden ohne weiteres zu Polycarboxy-naphthalinen oxidiert[4]; so erhält man z. B. aus 2,4-Dimethyl-1-carboxy-naphthalin mit wäßrigem Natriumbichromat bei 250–280° *1,2,4-Tricarboxy-naphthalin* (79% d.Th.). Mitanwesende Acyl-Gruppen werden bis zur Carbonsäure abgebaut. Während Chrom(VI)-oxid aryl-substituierte Alkane auch unter Angriff des aromatischen Systems oxidiert, kann die Oxidation mit wäßrigen Dichromat-Lösungen so gesteuert werden, daß der aromatische Kern praktisch nicht angegriffen wird (s. Tab. 1).

Tab. 1: Aromatische Carbonsäuren durch Oxidation methyl-substituierter Benzole mit wäßrigem Natriumdichromat[3] (250°, 18 Stdn.)

Benzol-Derivat	Carbonsäure	Ausbeute [% d.Th.]
3-Methyl-1-tert.-butyl-benzol	*3-tert.-Butyl-benzoesäure*	71
2-Chlor-toluol	*2-Chlor-benzoesäure*	98
2-Brom-toluol	*2-Brom-benzoesäure*	92
3-Nitro-toluol	*3-Nitro-benzoesäure*	82
3-Methoxy-toluol	*3-Methoxy-benzoesäure*	70
1-Methyl-naphthalin	*Naphthalin-1-carbonsäure*	95
1,2-Dimethyl-naphthalin	*Naphthalin-1,2-dicarbonsäure-anhydrid*	75
2,3-Dimethyl-naphthalin	*Naphthalin-2,3-dicarbonsäure*	93
1,6-Dimethyl-naphthalin	*Naphthalin-1,6-dicarbonsäure*	97
2,6-Dimethyl-naphthalin	*Naphthalin-2,6-dicarbonsäure*	99
4-Methyl-biphenyl	*Biphenyl-4-carbonsäure*	95
9-Oxo-3-methyl-fluoren	*9-Oxo-fluoren-3-carbonsäure*	88
1-Methyl-phenanthren	*Phenanthren-1-carbonsäure*	91
1-Methyl-7-isopropyl-phenanthren	*Phenanthren-1,7-dicarbonsäure*	89
9,10-Dimethyl-phenanthren	*Phenanthren-9,10-dicarbonsäure-anhydrid*	92
2-Methyl-anthrachinon	*Anthrachinon-2-carbonsäure*	96
2-Methyl-triphenylen	*Triphenylen-2-carbonsäure*	92
6-Methyl-chrysen	*Chrysen-6-carbonsäure*	88
5-Methyl-⟨benzo-[c]-phenanthren⟩	*5-Carboxy-⟨benzo-[c]-phenanthren⟩*	90
3-Methyl-fluoranthen	*3-Carboxy-fluoranthen*	90

Naphthalin-2-carbonsäure[3]: 320 g (2,25 Mol) 2-Methyl-naphthalin, 1050 g (3,5 Mol, 50% Überschuß) Natriumdichromat und 1,8 l Wasser werden in einem 3,25-l-Autoklaven 18 Stdn. bei 250° geschüttelt. Der Reaktor wird bei 60° entleert und der Inhalt zur Entfernung von Chrom(VI)-oxid filtriert. Der feste Anteil wird mit 7 l warmem Wasser gewaschen, bis die gesamte Menge Natriumnaphthoat entfernt ist. Die wäßrige Lösung wird mit Salzsäure (1 : 1) angesäuert. Nachdem die Mischung sich über Nacht abgekühlt hat, wird der Niederschlag abfiltriert, mit Wasser gut gewaschen und an der Luft getrocknet; Ausbeute: 360 g (93% d.Th.); F: 184-185°.

[1] S. G. BRANDENBERGER, L. W. MAAS u. J. DVORETZKY, Am. Soc. **83**, 2146 (1961).

[2] US. P. 2379032 (1945), Allied Chemical & Dye Corp, Erf.: H. OGILVIE u. R. S. WILDER; C. A. **39**, 4631 (1945).

[3] L. FRIEDMAN, D. L. FISHEL u. H. SCHECHTER, J. Org. Chem. **30**, 1453 (1965).

[4] Y. DOZEN, Bull. Chem. Soc. Japan **45**, 518 (1972).

Auf ähnliche Weise erhält man aus 1,2,4,5-Tetramethyl-benzol *Benzol-1,2,4,5-tetracarbonsäure* (∼ 100%/ d. Th.)[1].

Bei längeren Alkyl-Gruppen wird im Gegensatz zum Chrom(VI)-oxid das endständige C-Atom angegriffen[2, 3]. So erhält man z. B. bei 275° für 1 Stde. aus

Äthyl-benzol ——————→ *Phenyl-essigsäure*   89% d.Th.
Propyl-benzol ——————→ *3-Phenyl-propansäure*
Isopropyl-benzol ——————→ *2-Phenyl-propansäure*   24% d.Th.
Butyl-benzol ——————→ *4-Phenyl-butansäure*   14% d.Th.

Phenyl-essigsäure[2]: Eine Mischung von 2,7 g (0,025 Mol) Äthyl-benzol, 13 g (0,050 Mol) Natrium-dichromat und 100 *ml* Wasser wird in einem 300 *ml* Autoklaven rasch auf 275° hochgeheizt und bei dieser Temp. 1 Stde. geschüttelt. Der Autoklav wird schnell abgekühlt und der Inhalt filtriert. Das Filtrat wird mit Äther ausgezogen, um nichtumgesetzten Kohlenwasserstoff zu entfernen, und dann mit 6 n Schwefelsäure angesäuert. Die Carbonsäure wird mit Äther extrahiert und isoliert; Ausbeute: 121 g (89% d.Th.).

2,4-Diäthyl-1-isopropyl-benzol wird von Dichromat in wäßriger Schwefelsäure durch Oxidation einer tertiären und sekundären C–H-Bindung zu einem Lacton (*3-Oxo-1,1-dimethyl-5-carboxy-1,3-dihydro-⟨benzo-[c]-furan⟩*) oxidiert[4]:

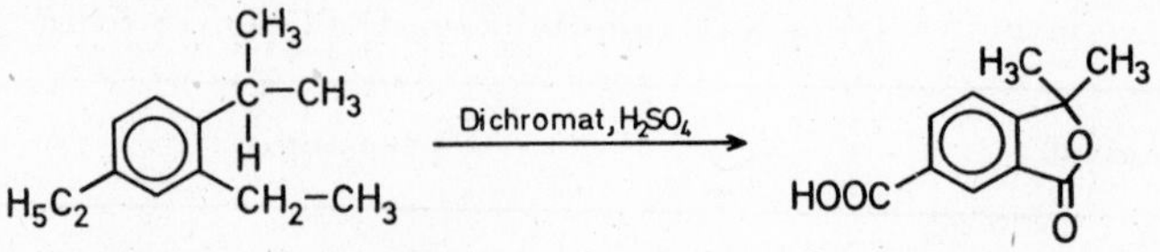

Während 1,2,3,4,5,6,7,8-Octafluor-fluoren mit Dichromat in Essigsäure 74% d.Th. *Octafluor-9-oxo-fluoren* liefert[5] erhält man aus 5-substituierten Acenaphthenen in Salzsäure oder Essigsäure 4-substituierte *Naphthalin-1,8-dicarbonsäure-anhydride*[6]. Zur gleichzeitigen Oxidation einer Methyl- und Methylen-Gruppe s. Lit.[7].

3. Mit Chromylacetat[8]

Die Oxidation substituierter Toluole mit Chromylacetat in Gegenwart von starken Säuren führt zu den entsprechenden Aldehyd-diacetylacetalen (s. Tab. 2).

Tab. 2: Aldehyd-diacetylacetale durch Oxidation von Aryl-alkanen mit Chromylacetat

Verbindung	Reaktions-bedingungen [° C]	[Stdn.]	Aldehyd	Ausbeute [% d.Th.]	Literatur
p-Xylol	5–10	4–5	*Terephthalaldehyd-bis-[diacetylacetal]*	52	8
m-Xylol	5–10	4–5	*Isophthalaldehyd-bis-[diacetylacetal]*	40–50	8
o-Xylol	5–12	6–8	*Phthalaldehyd-bis-[diacetylacetal]*	14	8
4-Nitro-toluol	5–10	2	*4-Nitro-benzaldehyd-diacetylacetal*	65–66	9
2-Nitro-toluol	5–10	3	*2-Nitro-benzaldehyd-diacetylacetal*	36–37	9
4-Brom-toluol	5–10	10 Min.	*4-Brom-benzaldehyd-diacetylacetal*	48–60	10
Methyl-benzonitril	5–10	10 Min.	*4-Diacetoxymethyl-benzonitril*	50–55	10

[1] D. E. Drayer, Hydrocarbon Press **50**, 143 (1971); C. A. **75**, 63331 (1971).
[2] R. H. Reitsema u. N. L. Allphin, J. Org. Chem. **27**, 27 (1962).
[3] L. F. Fieser, W. P. Campbell, E. M. Fry u. M. D. Gates, Am. Soc. **61**, 3216 (1939).
[4] L. Francesconi u. L. Venditti, G. **32**, 309 (1902).
[5] R. Filler u. A. E. Fiebig, Chem. Commun. **1970**, 546.
[6] L. A. Jones, H. K. Kim u. R. Watson, Soc. [C] **1971**, 3891; z. B. *4-Amino*-Derivat (bis 57% d.Th.).
  S. Kovalev et al., Izv. Sib. Akad. SSSR, Ser. Chim. Nauk **1973**, 101; C. A. **78**, 136141 (1973); *4-[2-Phenyl-1,3-oxazoyl-(5)]*-Derivat.
  V. L. Plakitin u. A. D. Isak, Ž. org. Chim. 8, 214 (1972); C. A. **77**, 101267 (1972); *4-Chlor*-Derivat aus dem 4-Sulfo-Derivat (77% d.Th.).
[7] L. Chardonnens u. F. Noël, Helv. **55**, 1910 (1972); 45% d.Th. *9-Oxo-1-methyl-2-carboxy-fluoren*.
[8] J. Thiele u. E. Winter, A. **311**, 356,358 (1900).
[9] T. Nishimura, Org. Syn. Coll. Vol. IV, 713 (1963).
[10] S. V. Liebermann u. R. Connor, Org. Syn. Coll. Vol. II 442 (1943).

Da die Reaktion aromatischer Aldehyde mit Essigsäureanhydrid in Gegenwart einer starken Säure weitaus schneller verläuft als die Weiteroxidation des Aldehyds bleibt die Oxidation fast ausschließlich auf der Aldehyd-Stufe stehen. In Abwesenheit der starken Säure werden die entsprechenden Benzoesäuren erhalten.

Bei der Herstellung der Chromylacetat-Lösung ist darauf zu achten, daß das Chrom(VI)-oxid langsam und unter Kühlung und Rühren zum Acetanhydrid zugegeben wird. Bei umgekehrter Verfahrensweise [Zugabe von Acetanhydrid zum Chrom(VI)-oxid] entzündet sich das Acetanhydrid oft **explosionsartig**. Die Lösung von Chromylacetat in Essigsäureanhydrid verliert ihre Oxidationsfähigkeit nur langsam und scheint unterhalb 50° nicht explosionsgefährlich zu sein[1-3].

4. Mit Chromylchlorid

In inerten Lösungsmitteln wie Schwefelkohlenstoff oder Tetrachlormethan entsteht durch Reaktion von Toluol mit Chromylchlorid zunächst ein Komplex der Zusammensetzung $C_6H_5CH_3 \cdot 2\ CrO_2Cl_2$[4], der nach Behandlung mit Wasser *Benzaldehyd* (90% d.Th.) liefert.

Die Reaktion wird im allgemeinen so durchgeführt, daß eine Lösung von Chromylchlorid in Tetrachlormethan oder Schwefelkohlenstoff zu einer Lösung des Kohlenwasserstoffs im gleichen Lösungsmittel zugegeben wird. Die Reaktion mit den Aryl-alkanen ist gewöhnlich exotherm, so daß das Gemisch gekühlt werden muß. Der Etard-Komplex, der im Normalfall den Kohlenwasserstoff und das Chromylchlorid im molaren Verhältnis 1 : 2 enthält, fällt im Laufe der Reaktion aus. Der braune amorphe Niederschlag wird abfiltriert und mit Wasser oder Natriumhydrogensulfit-Lösung zur Carbonyl-Verbindung umgesetzt. Ein Halogensubstituent in der ortho-Stellung scheint beim Toluol die Chlorierung zu begünstigen. In der Reihe 2-Chlor-, 2-Brom-, 2-Jod-toluol variiert die Zusammensetzung der Reaktionsprodukte von viel Aldehyd und wenig Dichlor-phenyl-methan nach wenig Aldehyd und viel Dichlor-phenyl-methan[5].

4-Jod-benzaldehyd[6]: In eine Lösung von 43,6 (0,2 Mol) 4-Jod-toluol in 150 *ml* Tetrachlormethan wird unter Rühren und Kühlung mit Eiswasser (innerhalb 1 Stde.) eine Lösung von 65,2 g (0,42 Mol) Chromylchlorid in 150 *ml* Tetrachlormethan eingetropft. Die Lösung wird bei Zimmertemp. eine weitere Stde. gerührt und anschließend 20 Stdn. unter Rückfluß zum Sieden erhitzt. Die abgekühlte Lösung wird langsam und unter Rühren in eine Mischung von 60 g Natriumsulfit, 300 g Wasser und 300 g Eis gegossen. Verd. Salzsäure (1 : 1) wird hinzugefügt (um Chromsalze aufzulösen), die organische Phase abgetrennt und die wäßrige Phase mit Tetrachlormethan extrahiert. Die organischen Phasen werden vereinigt, mit Wasser gewaschen, getrocknet und destilliert; Ausbeute: 27–30 g (58–64% d.Th.); Kp$_{25}$: 145–150°; F: 55–65°.

Tab. 3: Carbonyl-Verbindungen durch Oxidation von Aryl-alkanen mit Chromylchlorid

Aromat	Reaktions-bedingungen		Carbonyl-Verbindung	Ausbeute [% d.Th.]	Literatur
	[° C]	[Stdn.]			
Toluol	240–250		*Benzaldehyd*	90	7
o-Xylol	22–25	~16	*2-Methyl-benzaldehyd*	65	6, 8

[1] T. Nishimura, Org. Syn. Coll. Vol. IV, 713 (1963).
[2] S. V. Liebermann, u. R. Connor, Org. Syn. Coll. Vol. II 442 (1943).
[3] D. P. Archer u. W. J. Hickinbottom, Soc. **1954**, 4197.
[4] A. Etard, C. r. 84, 127 (1877).
[5] C. M. Stuart u. W. J. Elliott, Soc. 53, 803 (1888).
[6] O. H. Wheeler, Canad. J. Chem. 36, 667 (1958).
[7] W. H. Hartford u. M. Darrin, Chem. Rev. 58, 34 (1958).
[8] H. D. Law u. F. M. Perkin, Soc. 91, 258 (1907); 93, 1633 (1908).

Tab. 3. (1. Fortsetzung)

Aromat	Reaktions-bedingungen		Carbonyl-Verbindung	Ausbeute [% d.Th.]	Literatur
	[° C]	[Stdn.]			
m-Xylol	22–25	~16	*3-Methyl-benzaldehyd*	60	[1–3]
p-Xylol	22–25	~16	*4-Methyl-benzaldehyd*	70–88	[1,2]
4-Fluor-toluol	22–25	3 (Tage)	*4-Fluor-benzaldehyd*	35	[1]
2-Chlor-toluol	22–25	16 (6)	*2-Chlor-benzaldehyd*	52	[1,2]
2-Brom-toluol	Rückfluß	6	*2-Brom-benzaldehyd*	57	[1]
3-Nitro-toluol	22–25	4 Wochen	*3-Nitro-benzaldehyd*	41	[2]
4-Benzyl-toluol			*4-Methyl-benzophenon*	55	[4]
Diphenylmethan	35–45	~16	*Benzophenon*	100	[2,5]
9-Methyl-anthracen	20–25	2 + 16	*Anthrachinon*	70	[6]
9-Methyl-phenanthren	20–25	2 + 16	*Phenanthren-9-aldehyd* + *Phenanthrenchinon*	30 18	[6] [6]
1-Isopropyl-4-methylen-bicyclo[3.1.0]hexan (Sabinen)	<10	1–2 Tage	*1-Formyl-4-isopropyl-bicyclo [3.1.0]hexan (Sabinenilan-aldehyd)*	~50	[7]

Wie die vorausgegangenen Abschnitte zeigen, resultiert die Behandlung von Arylalkanen mit Chromsäure in einer Oxidation des ring-nächsten Kohlenstoffatoms der aliphatischen Kette und diejenige mit wäßriger Natriumdichromat-Lösung hauptsächlich in einer Oxidation des endständigen Kohlenstoffatoms. Die Oxidationen mit Chromylchlorid spielen sich bevorzugt am zweitnächsten Kohlenstoffatom zum aromatischen Ring ab. Bei der Oxidation von Äthyl-benzol entsteht so *Phenyl-acetaldehyd*.

II. Oxidation der aromatischen C–H-Bindung

Benzol selbst ist verhältnismäßig widerstandsfähig gegenüber Chrom(VI)-oxid. Durch elektropositive Substituenten wie Alkyl-Gruppen wird der Benzolring erheblich empfindlicher, so daß mit steigender Zahl der Alkylsubstituenten und mit steigender Säurekonzentration das Ausmaß des oxidativen Ringabbaus zunimmt[8].

Die Oxidation mehrkerniger aromatischer Kohlenwasserstoffe mit Chrom(VI)-Verbindungen führt in saurem Milieu gewöhnlich zum entsprechenden Chinon (s. Tab. 4, S. 439), unter Verwendung neutraler Lösungen von Chrom(VI)-Verbindungen ist es dagegen möglich, die Seitenketten selektiv zu oxidieren[9].

[1] O. H. Wheeler, Canad. J. Chem. **36**, 667 (1958).
[2] H. D. Law u. F. M. Darrin, Chem. Rev. **58**, 34 (1958).
[3] E. Bornemann, B. **17**, 1464 (1884).
[4] M. Weiler, B. **32**, 1050 (1899).
[5] J. Mecsoin, A. T. Balaban, J. Pascaru, E. Sliam, M. Elian u. C. D. Nenitzescu, Tetrahedron **19**, 1133 (1963); dagegen Triphenylmethan zu *Triphenylcarbinol* (80% d.Th.).
[6] O. H. Wheeler, Canad. J. Chem. **36**, 949 (1958).
[7] G. G. Henderson, G. Robertson u. C. Brown, Soc. **121**, 2717 (1922).
[8] S. G. Brandenberger, L. W. Maas, J. Dvoretzky, Am. Soc. **83**, 2146 (1961).
[9] L. Friedman, D. L. Fishel u. H. Schechter, J. Org. Chem. **30**, 1453 (1965).

Tab. 4: Chinone durch Oxidation von Aromaten mit Chrom(VI)-Verbindungen[1]

Verbindung	Reaktions-bedingungen		Produkt	Ausbeute [% d.Th.]	Literatur
	[° C]	[Stdn.]			
2,3-Dimethyl-naphthalin	RT	3 Tage	*2,3-Dimethyl-naphthochinon-(1,4)*	60–80	2
2-tert.-Butyl-naphthalin	65–70	2	*2-tert.-Butyl-naphthochinon-(1,4)*	31	3
2,3-Diphenyl-naphthalin	~60	1	*2,3-Diphenyl-naphthochinon-(1,4)*	50	4,5
Anthracen	250		*Anthrachinon*	99	6
Chrysen	118	8–9	*Chrysenchinon*	95–96	7
Dinaphtho-[2,3-b; 2,3-d]-furan	RT	16	*⟨Dinaphtho-[2,3-b; 2,3-d]-furan⟩-12,13-chinon*	55	8
Tetramethyl-phenol	40	15 Min.	*Tetramethyl-benzochinon-(1,4)*	50	9
3,5-Diäthoxy-phenol	RT	12	*2,6-Diäthoxy-benzochinon-(1,4)*	30	10
2,4,5-Tribrom-3-hydroxy-1-methoxy-benzol	60	1	*3,5,6-Tribrom-2-methoxy-benzochinon-(1,4)*	36	11,12
2-Brom-3,5-dimethoxy-toluol	90	3–4 Min.	*3-Brom-6-methoxy-2-methyl-benzochinon-(1,4)*	70	13

[1] Weitere höhergliedrige Chinone: A. ZINKE, F. BOSSERT u. E. ZIEGLER, M. 80, 204 (1949).
[2] L. J. SMITH u. J. M. WEBSTER, Am. Soc. 59, 662 (1937).
   A. ZINKE u. W. ZIMMER, M. 82, 348 (1951).
   R. SCHOLL u. C. TÄNZER, A. 433, 180 (1923).
   R. SCHOLL, B. 41, 2328 (1908).
[3] N. G. BROMBY, A. T. PETERS u. F. M. ROWE, Soc. 1943, 144.
[4] H. M. CRAWFORD u. H. B. NELSON, Am. Soc. 68, 134 (1946).
[5] Weitere Naphthochinon-Derivate s.
   C. E. GROVES, A. 167, 357 (1873).
   J. HERZENBERG u. S. RUHEMANN, B. 60, 893 (1927).
   N. A. ORLOW, B. 62, 715 (1929).
   O. KRUBER u. W. SCHADE, B. 68, 11 (1935).
   J. M. HEILBRON u. D. G. WILKINSON, Soc. 1930, 2546; 1932, 2809.
   D. MOLHO u. C. MENTZER, Experientia 6, 11 (1950).
   US. P. 2480072 (1949), W. M. ZIEGLER; C. A. 43, 9085 (1949).
[6] Weitere Anthrachinone s.
   J. FRITZSCHE, J. pr. [1] 106, 287 (1869).
   O. FISCHER u. A. SAPPER, J. pr. [2] 83, 203 (1911).
   H. MEYER u. K. BERNHAUER, M. 53/54, 721 (1929).
   R. ANSCHÜTZ, A. 235, 319 (1886).
   K. ELBS, J. pr. [2] 41, 142 (1890).
   J. DEWAR u. H. O. JONES, Soc. 85, 218 (1904).
   H. LIMPRECHT, A. 312, 103 (1900).
   J. VON BRAUN u. O. BAYER, B. 58, 2667 (1925).
   Sowie Phenanthrenchinone s.
   R. WENDLAND u. J. LA LONDE, Org. Syn. Coll. Vol. IV, 757 (1963).
   R. PSCHORR, B. 39, 3106, 3128 (1906).
   A. ZINKE u. W. ZIMMER, M. 82, 348 (1951).
[7] C. GRAEBE u. F. HÖNIGSBERGER, A. 311, 262 (1907).
[8] R. PUMMERER u. H. PFEIFFER, A. 503, 49 (1933).
[9] L. I. SMITH, J. W. OPIE, S. WAWZONEK u. W. W. PRICHARD, J. Org. Chem. 4, 318 (1939).
[10] E. SPÄTH u. F. WESSELY, M. 49, 229 (1928).
[11] T. L. DAVIS u. V. F. HARRINGTON, Am. Soc. 56, 131 (1934).
[12] Weitere Benzochinone s.
   Y. ASAHINA u. F. FUZIKAWA, B. 67, 167 (1935).
   Y. ASAHINA u. H. NOGAMI, B. 68, 77 (1935).
[13] F. FUZIKAWA, B. 68, 72 (1935).

B. Oxidation der C=C-Doppelbindungen

Der oxidative Angriff auf ein Olefin kann außer auf die allylständige C–H-Bindung auch auf die C=C-Doppelbindung selbst erfolgen. Man erhält verschiedene Oxidationsprodukte: Epoxide, Carbonsäuren oder Ketone als Folgeprodukte einer Spaltung der Doppelbindung; Carbonsäuren oder Ketone unter vorausgegangener Umlagerung des Alkens. Wegen der Mannigfaltigkeit der zu erwartenden Reaktionsprodukte hat praktisch nur die Epoxidierung aromatisch substituierter Äthylene präparative Bedeutung.

I. Verwendung von Chromsäure und Chromylacetat

Die Oxidation von C=C-Doppelbindungen mit Chrom(VI)-oxid verläuft je nach der Verwendung von Essigsäure oder wäßriger Schwefelsäure als Lösungsmittel unterschiedlich, dabei sind die primären Oxidationsschritte in beiden Medien vermutlich identisch.

Tetraphenyl-äthylene werden von Chrom(VI)-oxid in Essigsäure bzw. Acetanhydrid praktisch an der C=C-Doppelbindung angegriffen und man erhält das entsprechende Epoxid[1]. Die Einwirkung einer größeren Menge Oxidationsmittel führt dagegen zur C–C-Spaltung:

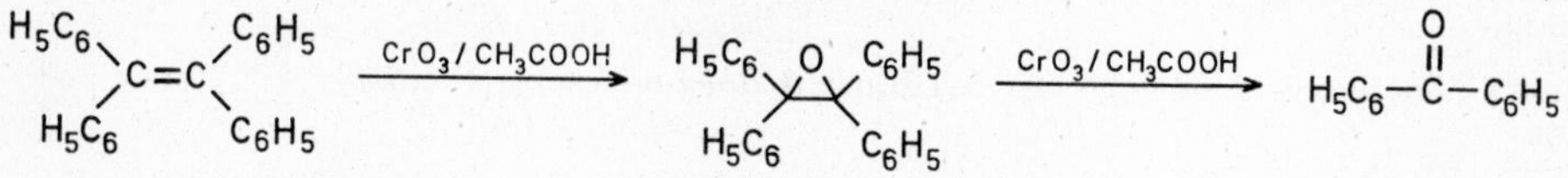

Tetraphenyl-oxiran, I   *Benzophenon*, II

Oxidiert man andererseits mit Chromylacetat in Acetanhydrid, so tritt die Bildung von I zurück zugunsten von III[2]:

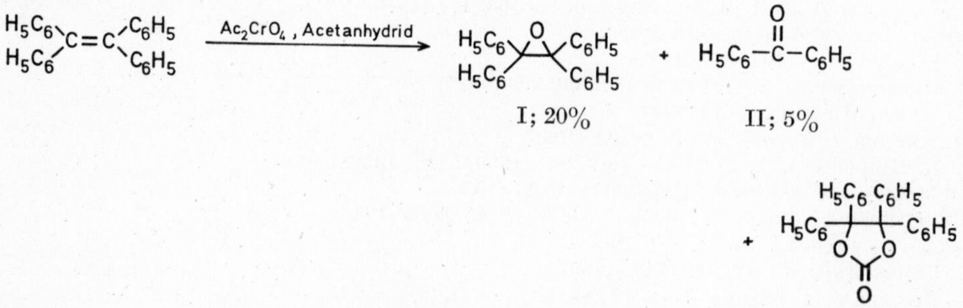

I; 20%   II; 5%

2-Oxo-4,4,5,5-tetraphenyl-1,3-dioxolan; 66% d. Th.; III

Die Ausbeute an III kann durch Zugabe von Acetat-Ionen gesteigert werden. Jedoch scheint die Reaktion auf Tetraphenyl-äthylen beschränkt zu sein.

Triphenyl-(4-methyl-phenyl)-oxiran wird durch Oxidation des 1,2,2-Triphenyl-1-(4-methyl-phenyl)-äthylens mit Chrom(VI)-oxid in Acetanhydrid neben anderen Spaltprodukten erhalten[3]:

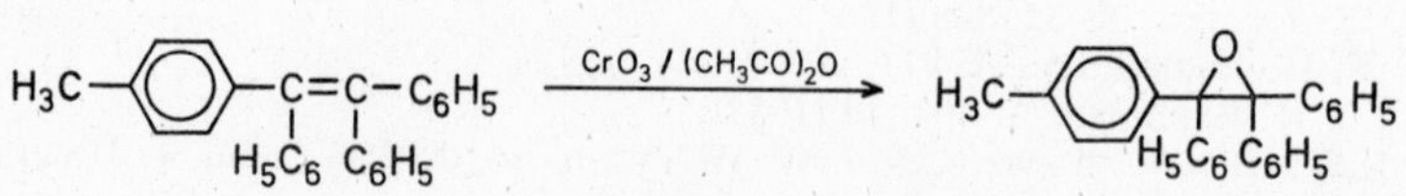

---

[1] W. Bockemuller u. R. Janssen, A. **542**, 166 (1939).
[2] W. A. Mosner, F. W. Steffgen u. P. T. Lansbury, J. Org. Chem. **26**, 670 (1961).
[3] G. E. Moussa, J. appl. Chem. **13**, 470 (1963); wird mit wäßriger Chrom(VI)-oxid-Lösung gearbeitet, so wird kein Epoxid erhalten.

In ähnlicher Weise erhält man aus

1,1,2-Triphenyl-propen-(1)   → *3-Methyl-2,2,3-triphenyl-oxiran*[1,2]

2-Phenyl-1,1-bis-[4-brom-   → *3-Phenyl-2,2-bis-[4-brom-phenyl]-oxiran* (45% d. Th.)[2]
phenyl]-äthylen

2-Methyl-1,1-diphenyl-propen-(1)   → *3,3-Dimethyl-2,2-diphenyl-oxiran*[3]

2-Methyl-1,1-bis-[4-chlor- (bzw.   → *3,3-Dimethyl-2,2-bis-[4-brom- (bzw. -4-chlor-; bzw. -4-methyl)-*
-4-brom; bzw. -4-methyl)-phe-   *phenyl]-oxiran*[3]
nyl]-propen-(1)

3-Methyl-2-phenyl-buten-(2)   → *Trimethyl-phenyl-oxiran* (56% d. Th.)[4]

Diene können mit Chrom(VI)-oxid/Essigsäure mono- und diepoxidiert werden. Die gleichzeitig anwesende Hydroxy-Gruppe wird, falls möglich, gleichzeitig mitoxidiert; so erhält man z. B. aus:

6-Hydroxy-3,3,6-trimethyl-   → *6-Hydroxy-4,5-epoxi-3,3,6-trimethyl-hepten-(1)*[5]
heptadien-(1,4)

3-Hydroxy-2,6,6,9-tetramethyl-   → *8,9-Epoxi-7-oxo-1,4,4,8-tetramethyl-cyclo-undecadien-(1,5)*
cycloundecatrien-(1,4,8)   *+ 4,5;8,9-Bis-[epoxi]-4,8,11,11-tetramethyl-cycloundecen*[6]

Als Beispiel für den komplizierten Reaktionsablauf bei Olefinen sei die Oxidation von 3β-Acetoxy-cholesten-(8¹⁴) angeführt[7]:

---

[1] G. E. MOUSSA, J. appl. Chem. **9**, 385 (1962).
[2] G. E. M. MOUSSA u. S. O. ABDALLA, J. appl. Chem. **20**, 256 (1970).
  s. a. G. E. MOUSSA u. N. F. EIWEISS, J. appl. Chem. **20**, 281 (1970).
[3] W. J. HICKINBOTTOM u. G. E. MOUSSA, Soc. **1957**, 4195.
[4] G. E. M. MOUSSA u. N. F. EIWEISS, J. appl. Chem. **19**, 313 (1969).
[5] A. F. THOMAS u. W. PAWLAK, Helv. **54**, 1822 (1971).
[6] P. S. KALSI, U. S. KUNIA u. M. S. WADIA, Chem. Ind. **1971**, 31.
  vgl. a. G. S. AULAKH, P. S. KALSI u. M. S. WADIA, Chem. & Ind. **1970**, 802.
[7] H. E. STAVELEY u. G. N. BOLLENBACK, Am. Soc. **65**, 1285 (1943).

Wird statt in Essigsäure bzw. Acetanhydrid in wäßrigem Milieu gearbeitet, sind gewöhnlich oxidative Aufspaltungen der C=C-Doppelbindung und oxidative Umlagerungen die Folge[1-8]. So erhält man aus

2-Methyl-propen-(1)　→　*Aceton + Essigsäure + 2-Methyl-propansäure*[3]

2-Methoxy-7-oxo-4b,8-dimethyl-8-allyl-4b,5,6,7,8,8a,9,10-octahydro-phenanthren　→　*2-Methoxy-7-oxo-4b,8-dimethyl-8-(2-carboxy-äthyl)-4b,5,6,7,8,8a,9,10-octahydro-phenanthren* (72% d. Th.)[9]

2,4,4-Trimethyl-penten-(2)　→　*2,2-Dimethyl-propansäure + Aceton + 2,2,3,3-Tetramethyl-butansäure*[4]

1,1,2-Triphenyl-propen-(1)　→　*Triphenyl-acrylsäure*[5]
Aceton + Benzophenon[6]

5-Chlor-acenaphthylen　→　*4-Chlor-naphthalin-1,8-dicarbonsäure*[10]

5-Nitro-acenaphthylen　→　*4-Nitro-naphthalin-1,8-dicarbonsäure*[11]

Vitamin A-Säure　→　*β-Retinonsäure[10,15-Dioxo-3,7,11,11-tetramethyl-hexadecatetraen-(2,4,6,8)-säure]*[12]

Werden Benzofurane bzw. Indole mit Chrom(VI)-oxid in Essigsäure oxidiert, so wird die C=C-Doppelbindung des Enoläthers bzw. Enamins aufgespalten, im ersteren Fall allerdings unter vorheriger C–C-Neuknüpfung; z. B.:

2,2′-Dibenzoyloxy-4,4′-dimethyl-benzil[14]

---

[1] G. E. Moussa, J. appl. Chem. **13**, 470 (1963); Wird mit wäßriger Chrom(VI)-oxid-Lösung gearbeitet, so wird kein Epoxid erhalten.
[2] O. Zeidler u. F. Zeidler, A. **197**, 243 (1879).
[3] A. Butleroff, Soc. **25**, 295 (1872).
[4] W. J. Hickinbottom u. D. G. M. Wood, Soc. **1951**, 1600.
[5] G. E. Moussa, J. appl. Chem. **9**, 385 (1962).
[6] W. J. Hickinbottom u. G. E. Moussa, Soc. **1957**, 4195.
[7] C. F. Koelsch u. R. V. White, Am. Soc. **65**, 1639 (1943).
[8] H. Wieland, O. Schlichting u. R. Jacobi, Z. Physiol. Chem. **161**, 80 (1926).
[9] J. W. ApSimon, P. Baker, J. Buccini, J. W. Hooper u. S. Macauly, Canad. J. Chem. **50**, 1944 (1972).
[10] V. G. Usachenko u. G. P. Petrenko, Ukr. Chim. Ž. **36**, 1181 (1970); mit Bichromat/Essigsäure.
[11] E. N. Telnjuk u. G. P. Petrenko, Ž. org. Chim. **6**, 1491 (1970).
[12] U. Schwieter, W. Arnold, W. E. Oberhäusli, N. Regassi u. W. Vetter, Helv. **54**, 2447 (1971).
[13] K. Ishizumi, K. Mori, S. Inaba u. H. Yamamoto, Chem. Pharm. Bull. **21**, 1027 (1973).
vgl. a. K. Ishizumi, S. Inaba u. H. Yamamoto, J. Org. chem. **38**, 2617 (1973).
s. a. S. Inaba, K. Ishizumi, T. Okamoto u. H. Yamamoto, Chem. Pharm. Bull. **20**, 1628 (1970)
s. a. H. Yamamoto, C. Saito, S. Inaba, M. Yamamoto, Y. Sakai u. T. Komatsu, Arzneim. Forsch. **23**, 1266 (1973).
[14] H. Ishii, Y. Ishikawa, K. Mizukami, H. Mitsui u. H. Ikeda, Chem. Pharm. Bull. **19**, 970 (1971).

Analog verhält sich 1,2,9-Triphenyl-⟨pyrazolo-[2,3-a]-chinolin⟩[1]:

1-(2-Oxo-1,2-diphenyl-äthylidenamino)-2-oxo-
1,2-dihydro-chinolin

Bei vielen Oxidationen mit wäßriger Chrom(VI)-oxid-Lösung werden Epoxide als Zwischenstufe gebildet, die sich durch Säurekatalyse in Carbonyl-Verbindungen umlagern[2]; z. B.:

2,2,6,6-Tetramethyl-4-formyl-heptan [3]

Rein aliphatische Alkene werden mit Chromylacetat in der Regel ebenfalls zu Epoxiden oxidiert (Ausbeuten bis 25% d.Th.)[4-6]. Gut bewährt hat sich der Chrom(VI)-oxid-Pyridin-Komplex zur Oxidation von 4-Hydroxy-alkenen zu 4-Oxo-epoxiden (z. B. 2-Oxo-1-oxiranyl-cycloalkane)[7].

Bei der Oxidation von Cyclohexen entsteht das Epoxid nur in geringer Ausbeute; Penten-(2) oder Octen-(1) werden nicht mehr in Epoxide übergeführt.

Durch Einwirkung von Chromyltrichloracetat, gelöst in einem Gemisch aus Aceton und Tetrachlormethan, werden cyclische Alkene unter Bildung des Dialdehyds aufgespalten[8].

Heptandial[8]: Eine Lösung aus 48 g (0,48 Mol) Chrom(VI)-oxid und 150 g (0,48 Mol) Trichloressigsäure-anhydrid in 800 ml Tetrachlormethan läßt man zusammen mit einer Lösung von 16,5 g (0,15 Mol) Cyclohepten in 200 ml abs. Aceton innerhalb 60 Min. unter Kühlung, Feuchtigkeitsausschluß und kräftigem Rühren in einen 3-l-Dreihalskolben tropfen. Danach wartet man 15. Min. und tropft dann innerhalb 1 Stde. eine frisch bereitete Lösung von 50 g wasserfreier Oxalsäure in 350 ml abs. Aceton hinzu. 3 Stdn. wird unter Wasserkühlung weitergerührt (die Lösung ist zum Schluß grün). Über eine 30-cm-Raschig-Kolonne wird Aceton und ein Teil des Tetrachlormethans abdestilliert (Achtung Siedeverzug). Sind insgesamt 500 ml abdestilliert und der restliche Kolbeninhalt wasserdampfdestilliert. Zunächst gehen 500 ml Tetrachlormethan/Chloroform über, danach fängt man 1500 ml weiteres Destillat auf. Man trennt beide Phasen, sättigt die wäßrige Phase mit Kochsalz und schüttelt 5mal mit je 150 ml Wasser aus. Die vereinigten organischen Phasen werden mit Natriumsulfat getrocknet, filtriert und das Lösungsmittel unter Zusatz von festem Natriumhydrogencarbonat bis zum Endvol. von 150–200 ml abgezogen, filtriert nochmals, wäscht mit Äther bzw. Tetrachlormethan und destilliert restliches Lösungsmittel ab. Anschließend wird i. Vak. fraktioniert; Ausbeute: 14,4 g (68% d.Th.); Kp$_{16}$: 120–125°.

Analog erhält man aus

Cyclohexen	→	*Hexandial*	46% d.Th.
Cyclooocten	→	*Octandial*	61% d.Th.

[1] C. L. PEDERSEN u. O. BUCHARDT, Acta chem. scand. **24**, 834 (1970).
[2] W. J. HICKINBOTTOM u. D. G. M. WOOD, Nature **168**, 33 (1951).
  J. ROČEK u. J. C. DROZD, Am. Soc. **92**, 6668 (1970); Epoxide sind Primärprodukte.
  vgl. dagegen G. E. M. MOUSSA u. S. O. ABDALLA, J. appl. Chem. **20**, 256 (1970); Epoxid-Bildung soll eine sekundäre Reaktion sein.
[3] P. D. BARTLETT, G. L. FRAZER u. R. B. WOODWARD, Am. Soc. **63**, 495 (1941).
[4] W. J. HICKINBOTTOM, D. PETERS u. D. G. M. WOOD, Soc. **1955**, 1360; 20% *3,3-Dimethyl-2-isopropyl-oxiran.*
[5] A. BEYERS u. W. J. HICKINBOTTOM, Soc. **1948**, 1334; 21% *2-Methyl-2-(2,2-dimethyl-propyl)-oxiran.*
[6] W. J. HICKINBOTTOM u. D. G. M. WOOD, Soc. **1951**, 1600.
[7] R.G. CARLSON, J. H. A. HUBER u. D. E. HENTON, Chem. Commun. **1973**, 223.
[8] H. SCHILDKNECHT u. W. FÖTTINGER, A. **659**, 20 (1962).

II. mit Chromylchlorid

Bei der Einwirkung von Chromylchlorid auf Alkene-(1) und Cycloalkene werden in schlechten Ausbeuten u. a. Chlorhydrine erhalten[1].

Die Reaktion von Chromylchlorid mit 1,1-disubstituierten Äthylenen und mit Styrol-Derivaten führt zu Carbonyl-Verbindungen[2, 3]. So erhält man aus 2-Methyl-penten-(1) das *2-Methyl-pentanal*[2], aus 1-Phenyl-propen-(1) das *Phenyl-aceton* bzw. aus Styrol ein Gemisch aus *Benzaldehyd, Acetophenon* und *Phenylacetaldehyd*[4].

C. Oxidation von C—O-Verbindungen

I. von Alkoholen

Sehr große Bedeutung für die präparative Chemie hat die Verwendung von Chrom(VI)-Verbindungen zur Oxidation primärer und sekundärer Alkohole erlangt. Aldehyde und Ketone lassen sich auf diese Weise in guter Ausbeute herstellen. Als Reagentien wurden verwendet:

① Chrom(VI)-oxid
   gelöst in Wasser bzw. wäßriger Essigsäure
   gelöst in einem Wasser/Aceton-Gemisch
② Dichromat in Essigsäure
③ Chrom(VI)-oxid-Pyridin-Komplex
④ Chromsäure-tri-tert.-butylester

Beim Arbeiten mit Chrom(VI) in wäßrigem Milieu ist es oft vorteilhaft, etwas Mineral-säure als Katalysator hinzuzusetzen.

a) mit Chrom(VI)-oxid

1. in Wasser bzw. saurer Lösung

Die Oxidation sekundärer Alkohole zu den entsprechenden Carbonyl-Verbindungen verläuft im allgemeinen glatt und mit praktisch quantitativer Ausbeute, wenn das Molekül keine anderen oxidationsempfindlichen Gruppen wie C=C-Doppelbindungen, phenolische Hydroxy-Gruppen oder aber Amino-Gruppen enthält.

Nebenprodukte (tert.-Alkohole; Ketone bzw. Aldehyde) zur erwarteten Carbonyl-Verbindung können infolge oxidativer Spaltung von C–C-Bindungen gebildet werden. So erhält man aus 1-Hydroxy-2,2-dimethyl-1-phenyl-propan neben *1-Oxo-2,2-dimethyl-1-phenyl-propan* die Spaltprodukte (60–70% d.Th.) *Benzaldehyd* und *tert. Butanol*[5, 6]:

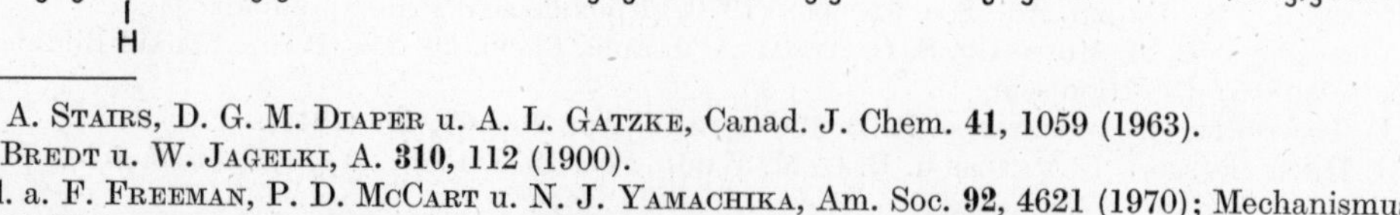

$$H_5C_6-\underset{H}{\overset{OH}{C}}-C(CH_3)_3 \xrightarrow{Cr^{VI}} H_5C_6-\overset{O}{\overset{\|}{C}}-C(CH_3)_3 + C_6H_5CHO + (CH_3)_3COH$$

[1] R. A. STAIRS, D. G. M. DIAPER u. A. L. GATZKE, Canad. J. Chem. **41**, 1059 (1963).
[2] J. BREDT u. W. JAGELKI, A. **310**, 112 (1900).
   vgl. a. F. FREEMAN, P. D. McCART u. N. J. YAMACHIKA, Am. Soc. **92**, 4621 (1970); Mechanismus.
[3] K. B. WIBERG, B. MARSCHALL u. G. FOSTER, Tetrahedron Letters **1962**, 345.
[4] F. FREEMAN u. N. J. YAMACHIKA, Am. Soc. **92**, 3730 (1970).
[5] J. HAMPTON, A. LEO u. F. H. WESTHEIMER, Am. Soc. **78**, 306 (1956).
[6] J. J. CAWLEY u. F. H. WESTHEIMER, Am. Soc. **85**, 1771 (1963).

Dagegen tritt beim 4-Hydroxy-3-methyl-hexan bzw. 3-Hydroxy-2,2-dimethyl-hexan keine nennenswerte C–C-Spaltung ein[1,2]:

$$\begin{array}{c}\text{OH}\\|\\H_3C-CH_2-CH-CH-CH_2-CH_3\\|\\CH_3\end{array}\xrightarrow{\text{Cr VI}}\begin{array}{c}H_3C-CH_2-C-CH-CH_2-CH_3\\\|\quad|\\O\;\;CH_3\end{array}$$

4-Oxo-3-methyl-hexan

$$+\quad\begin{array}{c}\text{OH}\\|\\H_3C-CH_2-CH-CH_3\end{array}\quad+\quad\begin{array}{c}O\\\|\\H_3C-CH_2-C-CH_3\end{array}$$

Butanol-(2)   *Butanon*

$$\begin{array}{c}H_3C\;\;\text{OH}\\|\quad|\\H_3C-C-CH-CH_2-CH_2-CH_3\\|\\H_3C\end{array}\xrightarrow{\text{Cr VI}}\begin{array}{c}H_3C\;\;O\\|\quad\|\\H_3C-C-C-CH_2-CH_2-CH_3\\|\\H_3C\end{array}$$

3-Oxo-2,2-dimethyl-hexan

$$+\quad(CH_3)_3C-OH\quad+\quad H_3C-CH_2-CH_2-CHO$$

tert.-Butanol   *Butanal*

Allgemein können weniger empfindliche sekundäre Alkohole durch stöchiometrische Mengen Chrom(VI)-oxid/Wasser/Diäthyläther bei 30°, empfindliche dagegen bei 0° umgesetzt werden[3].

Cyclopropanole erleiden Ringspaltung; so erhält man z. B. aus 1-Hydroxy-1-phenyl-cyclopropan 43% d.Th. *3-Oxo-3-phenyl-propanol*[4].

Zur Kinetik und zum Mechanismus der Oxidation von 1,2-Diaryl-äthanolen s. Lit.[5]. Die Spaltungsreaktion bei den Alkyl-phenyl-carbinolen läßt sich durch Zugabe von Mangan(II)-Ionen weitgehend unterdrücken[6,7].

Octanon-(2)[8]: 120 g (147 *ml*) Octanol-(2) werden unter kräftigem Rühren innerhalb 1,5 Stdn. in eine Lösung von 90 g $Na_2Cr_2O_7 \cdot 2\,H_2O$ und 120 g (66 *ml*) konz. Schwefelsäure in 600 *ml* Wasser eingetropft. Die Mischung wird auf einem siedenden Wasserbad 2 Stdn. unter Rückfluß erhitzt. Anschließend wird das Keton durch Wasserdampfdestillation ausgetrieben und destilliert; Ausbeute: 110–115 g (92–96% d.Th.); Kp: 172–173°.

Hexanon-(3)[1]: Eine Lösung von 80 g (0,8 Mol) Chrom(VI)-oxid in 50 *ml* Wasser und 125 *ml* Eisessig wird unter Rühren tropfenweise zu einer Lösung von 168 g (1,4 Mol) Hexanol-(3) in 100 *ml* Eisessig innerhalb 5,8 Stdn. hinzugefügt. Die Temp. der Mischung wird stets unter 30° gehalten. Die ölige Schicht, die sich beim Verdünnen der Reaktionsmischung mit Wasser bildet, wird abgetrennt, zuerst mit Hydrogencarbonat-Lösung und dann mit Wasser gewaschen. Die wäßrige Schicht wird einer Wasserdampfdestillation unterworfen und die ölige Schicht, nachdem sie wie vorher gewaschen wurde, mit der Hauptmenge vereinigt. Das Produkt wird getrocknet und über eine Kolonne destilliert; Ausbeute: 100 g (63% d.Th.); 11 g (7% d.Th.) Hexanol-(3) werden zurückgewonnen.

[1] W. A. MOSHER u. E. O. LANGERAK, Am. Soc. **71**, 286 (1949).
[2] H. A. NEIDIG, D. L. FUNCK, R. ELRICH, R. BAKER u. W. KREISER, Am. Soc. **72**, 4617 (1950).
[3] H. C. BROWN, C. P. GERY u. K. T. LUI, J. Org. Chem. **36**, 387 (1971).
[4] J. ROČEK, A. M. MARTINEZ u. G. E. CUSHMAC, Am. Soc. **95**, 5425 (1973).
[5] P. M. NAVE u. W. S. TRAHANOVSKY, Am. Soc. **92**, 1120 (1972).
[6] J. HAMPTON, A. LEO u. F. H. WESTHEIMER, Am. Soc. **78**, 306 (1956).
[7] J. J. CAWLEY u. F. H. WESTHEIMER, Am. Soc. **85**, 1771 (1963).
[8] F. G. MANN u. J. W. G. PORTER, Soc. **1944**, 456.

Tab. 5: Ketone durch Oxidation sekundärer Alkohole mit Chrom(VI)-oxid in Wasser bzw. wäßriger Essigsäure

Alkohol	Reaktions-bedingungen		Keton	Ausbeute [% d.Th.]	Literatur
	[Stdn.]	[° C]			
Pentanol-(2)	–	–	*Pentanon-(2)*	74	1
Pentanol-(3)	–	–	*Pentanon-(3)*	57	1
Hexanol-(2)	–	–	*Hexanon-(2)*	80	2
2-Hydroxy-3-methyl-pentan	–	–	*2-Oxo-3-methyl-pentan*	81	3
Hexanol-(3)	–	50–55	*Hexanon-(3)*	85	4
Heptanol-(2)	1	70–80	*Heptanon-(2)*	70	5, s.a. 6
2-Hydroxy-3,3-dimethyl-pentan	–	–	*2-Oxo-3,3-dimethyl-pentan*	36	7
3-Hydroxy-2,4-dimethyl-pentan	–	–	*3-Oxo-2,4-dimethyl-pentan*	74	8
2-Hydroxy-3-methyl-heptan	3–5	50	*2-Oxo-3-methyl-heptan*	68	9
3-Hydroxy-2,4-dimethyl-hexan	–	–	*3-Oxo-2,4-dimethyl-hexan*	68	10
1,1-Difluor-1-nitro-2-hydroxy-propan	–	25	*1,1-Difluor-1-nitro-aceton*	84	11
Octanol-(3)	0,5	50	*Octanon-(3)*	91	12
3-Hydroxy-7-methyl-octadien-(1,6)	–	–	*3-Oxo-7-methyl-octadien-(1,6)*	56	13
Cyclohexanol	2 (2)	25/90	*Cyclohexanon*	85	14
2-Hydroxy-1-methyl-cyclohexan	12 5	80 10	*2-Oxo-1-methyl-cyclohexan*	85	15
3-Hydroxy-1-methyl-cyclohexan	–	60	*3-Oxo-1-methyl-cyclohexan*	90	16, s.a. 17
4-Hydroxy-1-methyl-cyclohexan	16	5–60	*4-Oxo-1-methyl-cyclohexan*	74	18, s.a. 19

[1] C. R. Yohe, H. U. Louder u. G. A. Smith, J. Chem. Educ. **10**, 374 (1933).
[2] V. Grignard u. M. Fluchaire, A. ch. [10] **9**, 5 (1928).
   G. W. Bennett u. F. Elder, J. Chem. Educ. **13**, 273 (1936).
[3] R. B. Wagner u. J. A. Moore, Am. Soc. **72**, 974 (1950).
[4] L. I. Smith, H. E. Ungnade, W. M. Lauer u. R. M. Leekley, Am. Soc. **61**, 3079 (1939).
[5] M. L. Sherrill, Am. Soc. **52**, 1982 (1930).
[6] W. A. Mosher u. E. O. Langerak, Am. Soc. **71**, 286 (1949).
[7] F. C. Whitmore u. C. E. Lewis, Am. Soc. **64**, 2964 (1942).
[8] F. C. Whitmore u. E. E. Stahley, Am. Soc. **55**, 4153 (1933).
[9] S. G. Powell, Am. Soc. **46**, 2514 (1924).
[10] W. G. Young u. J. D. Roberts, Am. Soc. **67**, 319 (1945).
[11] A. V. Fokin, V. A. Komarov, S. M. Davydova, K. V. Frisina u. K. A. Abdulganieva, Ž. org. Chim. **7**, 1165 (1971); C. A. **75**, 109786 (1971).
[12] Y. R. Naves, Helv. **26**, 1034 (1943).
[13] O. P. Vig, M. S. Bhatia, A. S. Dhindsa u. O. P. Chugh, Indian J. Chem. **11**, 104 (1973).
[14] A. E. Osterberg u. E. C. Kendall, Am. Soc. **42**, 2616 (1920).
[15] F. K. Signaigo u. P. L. Cramer, Am. Soc. **55**, 3326 (1933).
   E. W. Warnhoff, D. G. Martin u. W. S. Johnson, Org. Synth. **37**, 8 (1957).
[16] J. E. Nickels u. W. Heintzelman, J. Org. Chem. **15**, 1142 (1950).
[17] E. R. Ebersole; C. A. **41**, 2010 (1947).
[18] H. E. Ungnade u. A. D. McLaren, J. Org. Chem. **10**, 29 (1945).
[19] H. Pines, A. Edeleanu u. V. N. Ipatieff, Am. Soc. **67**, 2193 (1945).

Tab. 5 (1. Fortsetzung)

Alkohol	Reaktions-bedingungen		Keton	Ausbeute [% d.Th.]	Literatur
	[Stdn.]	[° C]			
4-Hydroxy-1,3-dimethyl-cyclohexan	15 Min.	42–48	4-Oxo-1,3-dimethyl-cyclohexan	79	1
4-Hydroxy-1-isopropyl-cyclohexan	–	55–60	4-Oxo-1-isopropyl-cyclohexan	82	2
4-Hydroxy-1-propyl-cyclohexan	10 Min.	50	4-Oxo-1-propyl-cyclohexan	87	3
2-Hydroxy-4-methyl-1-isopropyl-cyclohexan	–	–	2-Oxo-4-methyl-1-isopropyl-cyclohexan	94	4
4-Hydroxy-bicyclohexyl	1½	15–18	4-Oxo-bi-cyclohexyl	87	5
2-Hydroxy-dekalin	–	–	2-Oxo-dekalin	94	6, s.a. 7
2-Methyl-1-(1-hydroxy-äthyl)-benzol	1	60	2-Methyl-acetophenon	60	8
1-Hydroxy-1-phenyl-pentan	3	25–30	1-Oxo-1-phenyl-pentan	93	9
1,5-Dimethyl-4-(1-hydroxy-äthyl)-cyclohexen	–	–	1,5-Dimethyl-4-acetyl-cyclohexen	70	10
2-Hydroxy-1-phenyl-cyclohexan	1	50	2-Oxo-1-phenyl-cyclohexan	80	11
4-Hydroxy-1-phenyl-cyclohexan	16	5–60	4-Oxo-1-phenyl-cyclohexan	40	12
1-Hydroxy-acenaphthen	1	28–32	1-Oxo-acenaphthen	65	13
3-(1-Hydroxy-äthyl)-biphenyl	1	40–45	3-Acetyl-biphenyl	81	14
3,5-Dihydroxy-cyclo-penten	1	0–5	3,5-Dioxo-cyclopenten	79	15
5-Hydroxy-3-oxo-1-(6-äthoxycarbonyl-hexyl)-cyclopenten	–	0	3,5-Dioxo-1-(6-äthoxycarbonyl-hexyl)-cyclopenten	90	16
5-Hydroxy-1-methyl-cyclopenten	1½	20–30	5-Oxo-1-methyl-cyclopenten	67	17

[1] E. C. Kornfeld, R. G. Jones u. T. V. Parke, Am. Soc. 71, 150 (1949).
[2] R. B. Frank, R. E. Berry u. O. L. Shotwell, Am. Soc. 71, 3889 (1949).
[3] B. Gauthier, C. r. 218, 650 (1944).
[6] A. S. Hussey u. R. H. Baker, J. Org. Chem. 25, 1434 (1960).
[5] C. H. Shunk u. A. L. Wilds, Am. Soc. 71, 3946 (1949).
[4] H. Adkins u. G. F. Hager, Am. Soc. 71, 2965 (1949).
[7] R. Ya. Levina, S. G. Kulikow u. Y. A. Bedow, Ž. obšč. Chim. 19, 304 (1949); C. A. 43, 6607 (1949).
[8] G. Lock u. R. Schreckeneder, B. 72, 516 (1939).
[9] H. A. Neidig, D. L. Funck, R. Uhrich, R. Baker u. W. Kreiser, Am. Soc. 72, 4617 (1950).
[10] G. P. Kugatova, L. I. Rozhkova, V. N. Gramenitskaya u. V. M. Andreev, Ž. org. Chim. 7, 80 (1971); C. A. 74, 111623 (1971).
[11] C. C. Price u. J. V. Karabinos, Am. Soc. 62, 1159 (1940).
[12] H. E. Ungnade, J. Org. Chem. 13, 361 (1948).
[13] L. F. Fieser u. J. Cason, Am. Soc. 62, 432 (1940).
[14] W. F. Huber, M. Renoll, A. G. Rossow u. D. T. Mowry, Am. Soc. 68, 1109 (1946).
[15] G. H. Rasmusson, H. O. House, E. F. Zaweski u. C. H. DePuy, Org. Synth. 42, 36 (1962).
[16] C. J. Sih, R. G. Salomon, P. Price, G. Peruzzoti u. R. Sood, Chem. Commun. 1972, 240.
   vgl. a. P. Crabbé, G. A. Garcia u. C. Rius, Soc. (Perkin I) 1973, 810.
[17] E. Dane, J. Schmitt u. C. Rautenstrauch, A. 532, 29 (1937).

Tab. 5 (2. Fortsetzung)

Alkohol	Reaktions-bedingungen		Keton	Ausbeute [% d.Th.]	Literatur
	[Stdn.]	[° C]			
1,3-Dichlor-propanol-(2)	16–17	20–25	*1,3-Dichlor-aceton*	75	1, s.a. 2
1-Chlor-pentanol-(2)	–	–	*1-Chlor-pentanon-(2)*	83	3
2-Hydroxy-1-methoxy-propan	24	RT	*Methoxy-aceton*	29	4
2-Hydroxy-1-methoxy-cyclohexan	–	12–65	*2-Methoxy-1-oxo-cyclohexan*	46	5
4-Hydroxy-1-methoxy-cyclohexan	–	70	*4-Methoxy-1-oxo-cyclohexan*	65	6
2-Hydroxy-3-äthoxy-1-phenoxy-propan	–	–	*3-Äthoxy-1-phenoxy-aceton*	–	7
Glycerin		–	*1,3-Dihydroxy-aceton*	–	8
1,2-Bis-[4-hydroxy-cyclo-hexyl]-äthan	–	25	*1,2-Bis-[4-oxo-cyclohexyl]-äthan*	45	9
Tetramethyl-3-äthinyl-1-[3-hydroxy-butin-(1)-yl]-siloxan	–	–	*Tetramethyl-3-äthinyl-1-[3-oxo-butin-(1)-yl]-siloxan*	73	10
Ricinolsäure	2	25	*2-Oxo-ölsäure*	15	11
3-Hydroxy-hexen-(4)-in-(1)	4	5	*3-Oxo-hexen-(4)-in-(1)*	80	12
3-Hydroxy-1-(2-chlor-phenyl)-propin-(1)	1	15	*3-Oxo-3-(2-chlor-phenyl)-propin*	65	13
5-Hydroxy-hexen-(cis-2)-säure	–	–	*5-Oxo-hexen-(cis)-2-säure*	–	14
5-Hydroxy-hexen-(5)-säure-äthylester	–	–	*5-Oxo-hexen-(5)-säure-äthylester*	–	15
9,12-Dihydroxy-octadecan-säure	–	–	*9,12-Dioxo-octadecansäure*	–	16
4-Hydroxy-4-phenyl-butin-(2)-säure-methylester	–	–	*4-Oxo-4-phenyl-butin-(2)-säure-methylester*	–	17
4-Hydroxy-heptin-(2)-säure-methylester	1	30	*4-Oxo-heptin-(2)-säure-methylester*	45	18

[1] J. B. CONANT u. O. R. QUAYLE, Org. Synth. Coll. Vol. I, 211 (1941).
[2] J. B. CONANT u. O. R. QUAYLE, Org. Synth. Coll. Vol. I, 206 (1932).
[3] R. C. ELDERFIELD u. C. RESSLER, Am. Soc. 72, 4059 (1950).
[4] R. P. MARIELLA u. J. L. LEECH, Am. Soc. 71, 3558 (1949).
[5] H. ADKINS, R. M. ELOFSON, A. G. ROSSOW u. C. C. ROBINSON, Am. Soc. 71, 3622 (1949).
[6] L. HELFER, Helv. 7, 950 (1924).
[7] Schweiz. P. 228337 (1943), J. R. Geigy A.-G.; C. A. 43, 3460 (1949).
[8] K. HEYNS u. O. STÖCKEL, A. 558, 200 (1947).
[9] H. H. UNGNADE, Am. Soc. 70, 3523 (1948).
[10] C. J. SIH R. G. SALOMON, P. PRICE, G. PERUZZOTI u. R. SOOD, Cem. Commun. 1972, 240.
  vgl. a. I. CRABBÉ, G. A. GARCIA u. C. RIUS, Soc. (PERKIN I) 1973, 810.
[11] G. W. ELLIS, Soc. 1950, 9.
[12] K. BOWDEN, I. M. HEILBRON, E. R. H. JONES u. B. C. L. WEEDON, Soc. 1946, 39.
[13] A. W. JOHNSON, Soc. 1947, 1626.
[14] C. M. HARRIS u. T. M. HARRIS, J. Org. Chem. 36, 2181 (1971).
[15] O. P. VIG, A. S. DHINDSU, A. V. VIG u. O. P. CHUG, J. INDIAN Chem. Soc. 49, 163 (1972).
[16] U. VALCAVI, Farm., Ed. Sci. 27, 610 (1972).
[17] A. W. NINEHAM u. R. A. RAPHAEL, Soc. 1949, 118.
[18] E. R. H. JONES, T. Y. SHEN u. M. C. WHITING, Soc. 1950, 236.

Tab. 5 (3. Fortsetzung)

Alkohol	Reaktions-bedingungen		Keton	Ausbeute [% d.Th.]	Literatur
	[Stdn.]	[°C]			
2-Hydroxy-4-phenyl-butansäure-tert.-butyl-amid	4	kochen	*2-Oxo-4-phenyl-butansäure-tert.-butylamid*	87	1
2-Methoxy-1-(1-hydroxy-äthyl)-benzol	–	30–50	*2-Methoxy-acetophenon*	–	2
2-Nitro-1-(1-hydroxy-äthyl)-benzol	3,5	60	*2-Nitro-acetophenon*	–	3
Benzoin	(in Äther)	20	*Benzil*	96	4
11-Hydroxy-10-äthyl-10,11-dihydro-5H-⟨di-benzo-[a;d]-cyclo-heptatrien⟩			*11-Oxo-10-äthyl-10,11-di-hydro-5H-⟨dibenzo-[a;d]-cycloheptatrien⟩*	60	5
Phenyl-(2-methoxy-phenyl)-carbinol	–	–	*2-Methoxy-benzophenon*	90–95	6
5-Hydroxy-10-methyl-12-carboxy-5H-⟨tribenzo-cycloheptatrien⟩			*5-Oxo-10-methyl-12-carboxy-5H-⟨tribenzo-cycloheptat-ien⟩*	96	7
Fluorenol	–	–	*Fluorenon*	–	8
2-Hydroxy-1-pyridyl-(2)-propan	–	60–70	*Pyridyl-(2)-aceton*	80–90	9
2-Hydroxy-2-(4-nitro-phenyl)-1-pyridyl-(2)-äthan	–	70–90	*2-Oxo-2-(4-nitro-phenyl)-1-pyridyl-(2)-äthan*	40	10
1-Hydroxy-1-[1-methyl-pyrrolidinyl-(2)]-butan	–	60–70	*1-Oxo-1-[1-methyl-pyrroli-dinyl-(2)]-butan*	40	11
4-Hydroxy-tetrahydro-pyran	2	20	*4-Oxo-tetrahydropyran*	80	12
5-Hydroxy-2,4-dioxo-tetra-hydroimidazol	2,5	90	*Trioxo-tetrahydroimidazol (Parabansäure)*	60	13
5-Hydroxy-2,4-dioxo-1,3-dimethyl-tetrahydro-imidazol	0,5	95	*Trioxo-1,3-dimethyl-tetra-hydroimidazol*	30	13

[1] J. ANATOL u. A. MEDÈTE, Synthesis **1971**, 538 (dort zahlreiche Beispiele); C. r. [C] **272**, 1157 (1971); Bl. **1472**, 189.

[2] A. KLAGES u. A. EPPELSHEIM, B. **36**, 3584 (1903).

[3] A. H. FORD-MOORE u. H. N. RYDEN, Soc. **1946**, 679.

[4] T. L. Ho, Chem. Ind. **1972**, 807.

[5] T. BILLÉ-SAMÉ u. E. D. BERGMANN, Bl. **1972**, 4215.

[6] R. STÖRMER u. E. FRIDERICH, B. **41**, 332 (1908).

[7] W. TOCHTERMANN, D. SCHÄFER u. C. ROHR, B. **104**, 2923 (1971).

[8] P. BARBIER, A. ch. [5] **7**, 500 (1876).

[9] O. KNUDSEN, B. **28**, 1765 (1895).

[10] R. KNICK, B. **35**, 1165 (1902).
    H. H. UNGNADE, Am. Soc. **70**, 3523 (1948).

[11] K. HESS, A. EICHEL u. C. UIBRIG, B. **50**, 358 (1917).
    E. R. EBERSOLE; C. A. **41**, 2010 (1947).

[12] R. M. KANOJIA u. R. E. ADAMS, Org. Prepr. Proced. Int. **4**, 59 (1972).

[13] H. BILTZ u. M. KOBEL, B. **54**, 1820, 1833 (1921).

Tab. 5 (4. Fortsetzung)

Alkohol	Reaktions-bedingungen		Keton	Ausbeute [% d.Th.]	Literatur
	[Stdn.]	[° C]			
6,6-Dichlor-3-hydroxy-bicyclo[3.1.0]hexan			*6,6-Dichlor-3-oxo-bicyclo [3.1.0]hexan*	62	1
7-Hydroxy-3-(triphenyl-methoxymethyl)-bicyclo [3.3.0]octan			*7-Oxo-3-(triphenylmethoxy-methyl)-bicyclo[3.3.0]octan*	70	2
3,6-Dihydroxy-2-benzyl-2-aza-bicyclo[2.2.1]heptan			*3,6-Dioxo-2-benzyl-2-aza-bicyclo[2.2.1]heptan*		3
3-Hydroxy-8,8-dimethyl-8-aza-bicyclo[3.2.1] octan (Tropin)	4	60–70	*3-Oxo-8,8-dimethyl-8-aza-bicyclo[3.2.1]octan (Tropinon)*	80	4
3-Hydroxy-8-aza-bicyclo [3.2.1]octan	4	50–65	*3-Oxo-8-aza-bicyclo[3.2.1] octan (Nortropinon)*	>90	5
3-Hydroxy-9-methyl-9-aza-bicyclo[3.3.1]nonan	5	50–55	*3-Oxo-9-methyl-9-aza-bicyclo [3.3.1]nonan (N-Methyl-grandtolin)*	30	6
Codein	–	–	*Codeinon*		7
exo-2-Hydroxy-1,7,7-tri-methyl-bicyclo[2.2.1] heptan (Borneol)	1,5	>95	*2-Oxo-1,7,7-trimethyl-bicyclo [2.2.1]heptan*	80	8
2-Hydroxy-4-methyl-1-isopropyl-cyclohexan	1	55	*2-Oxo-4-methyl-1-isopropyl-cyclohexan (Menthon)*	85	9
3-Thujosanol			*3-Thujosanon (5-Oxo-4,7,11, 11-tetramethyl-tricyclo [5.4.0.0^{1,3}]undecan)*	85	10
			6-Oxo-tricyclo[2.2.1.0^{2,7}] heptan		11
			3-Oxo-tricyclo[4.2.1.0^{2,9}] nonadien-(4,7)		12
			4-Oxo-⟨benzo-tetracyclo[5.2.1. 0^{2,10}.0^{3,6}]decen-(8)⟩		13

1 I. Fleming u. E. J. Thomas, Tetrahedron 28, 4984 (1972).

2 W. Holick, E. F. Jenny u. K. Heusler, Tetrahedron Letters 1973, 3421.

3 P. S. Portoghese u. D. L. Lattin, J. heterocycl. Chem. 9, 395 (1972).

4 R. Willstätter, B. 29, 397 (1896).

5 R. Willstätter, B. 29, 1581 (1896).

6 G. Ciamigian u. P. Silber, B. 29, 490 (1896).

7 DRP 408870 (1921), E. Merck, Erf.: W. Krauss; Frdl. 14, 1303.

8 J. Bredt u. A. Goeb, J. pr. 101, 284 (1921).

9 L. T. Sandborn, Org. Synth. Coll. Vol. I, 340 (1937).

10 S. P. Acharya u. H. C. Brown, J. Org. Chem. 35, 3874 (1970).

11 R. K. Lustgarten, Am. Soc. 93, 1275 (1971).

12 M. Sakai, D. L. Harris u. S. Winstein, J. Org. Chem. 37, 2631 (1972).

13 I. Murata u. Y. Sugihara, Tetrahedron Letters 1972, 3785.

Tab. 5 (5. Fortsetzung)

Alkohol	Reaktions-bedingungen		Keton	Ausbeute [% d.Th.]	Literatur
	[Stdn.]	[°C]			
3β-Hydroxy-17β-(1-Hydro-xy-äthyl)-androstan			*3-Oxo-17β-acetyl-androstan*		1
18-Jod-3β-acetoxy-17β-(1-hydroxy-äthyl)-androstan			*18-Jod-3β-acetoxy-17β-acetyl-androstan*	100	2
2-Deutero-3β,17β-di-hydroxy-androstan			*2-Deutero-3,17-dioxo-androstan*		3
3β-Hydroxy-17-oxo-andro-stan	1,5	0–5	*3,17-Dioxo-androstan*	96	4
3β,6β-Dihydroxy-17-oxo-androstan			*3β-Hydroxy-6,17-dioxo-androstan*	36	5
3β-Hydroxy-17β-äthyl-5α-androstan	4	25	*3-Oxo-17β-äthyl-5α-androstan*	80	6
3β,7α-Dihydroxy-6-methyl-17β-acetyl-androstan			*5α-Hydroxy-6α,7α-epoxi-3-oxo-6β-methyl-17-acetyl-androstan* + *6α,7α-Dihydroxy-3-oxo-6β-methyl-17β-acetyl-androsten-(4)*	38	7
6β,11α-Dihydroxy-4,4,14α-trimethyl-17β-äthyl-androstan			*6,11-Dioxo-4,4,14α-trimethyl-17β-äthyl-androstan*		8
3α,11α,18-Trihydroxy-17β-(1-hydroxy-äthyl)-androstan			*3,11-Dioxo-17β-(1-hydroxy-äthyl)-androstan-18-säure-lacton*	32	9
3β-Hydroxy-16α,17α-cyclopentylidendioxy-17β-acetyl-androsten-(5)			*16α,17α-Cyclopentylidendioxy-3-oxo-17β-acetyl-androsten-(4)*	57	10
3α-Hydroxy-3β,17β-di-acetoxy-7α,8α-cyclo-propa-androstan			*3β,17β-Diacetoxy-3-oxo-7α,8α-cyclopropa-androstan*	63	11

1 A. S. VAIDYA, P. N. CHAUDHARI u. A. S. RAO, Indian J. Chem. **11**, 645 (1973).
2 C. MONNERET, J. EINHORN, P. CHOAY u. Q. K. HUU, C. r. [C] **275**, 221 (1972).
3 T. NAMBARA, H. HOSODA, T. ANGYO u. S. IKEGAWA, Chem. Pharm. Bull. **20**, 2256 (1972); C. A. **78**, 4409 (1973).
4 W. S. JOHNSON, W. A. VREDENBURGH u. J. E. PIKE, Am. Soc. **82**, 3409 (1960).
5 M. DAVIS u. V. PETROW, Soc. **1949**, 2536.
6 L. RUZICKA, M. W. GOLDBERG u. E. HARDEGGER, Helv. **22**, 1298 (1939).
7 J. IRIARTE, J. N. SHOOLERY u. C. DJERASSI, J. Org. Chem. **27**, 1139 (1962).
8 J. R. BULL u. C. J. VAN ZYL, Tetrahedron **28**, 3957 (1972).
9 K. HEUSLER, J. KALVODA, C. MEYSTRE, P. WIELAND, G. ANNER, A. WETTSTEIN, G. CAINELLI, D. ARIGONI u. O. JEGER, Helv. **44**, 502 (1961).
10 A. A. AKHREM, V. A. DUBROVSKIJ, A. V. KAMERNICKIJ u. N. S. PAVLOVA-GRISINA, Izv. Akad. SSSR **1970**, 895; C. A. **73**, 35611 (1970).
11 W. G. DAUBEN u. D. S. FULLERTON, J. Org. Chem. **36**, 3277 (1971).

Tab. 5 (6. Fortsetzung)

Alkohol	Reaktions-bedingungen		Keton	Ausbeute [% d. Th.]	Literatur
	[Stdn.]	[° C]			
3β,17α-Dihydroxy-17β-äthinyl-androsten-(5)			*17β-Hydroxy-3-oxo-17α-äthinyl-androsten-(4)*		1
3β-Hydroxy-cholestan	6	25–30	*3-Oxo-cholestan*	83–84	2
	1	40–50		60	3
3β-Hydroxy-2,2-dimethyl-cholestan			*3-Oxo-2,2-dimethyl-cholestan*	75	4
5α-Nitro-3β-hydroxy-6-oxo-cholestan			*5α-Nitro-3,6-dioxo-cholestan*		5
5,6-Dibrom-3β-hydroxy-cholestan	6	25	*5,6-Dibrom-3-oxo-cholestan*	70	6
3β,5α,6β-Trihydroxy-cholestan			*3β,5α-Dihydroxy-6-oxo-cholestan*	65	7
3β,5β,6α-Trihydroxy-10α-ergostadien-(7,22)			*3β,5β-Dihydroxy-6-oxo-10α-ergostadien-(7,22)*	20	8
			+ *5β-Hydroxy-3,6-dioxo-10α-ergostadien-(7,22)*	33	
3α,7α,12α-Trihydroxy-cholansäure-äthylester	2	–5	*3α,12α-Dihydroxy-7-oxo-cholansäure*	50	9
3β-Hydroxy-5β,6β-cyclo-propa-cholestan			*3-Oxo-5β,6β-cyclopropa-cholestan*		10
4aα-Hydroxy-6β-acetoxy-A-homo-5α-cholestan			*6β-Acetoxy-4a-oxo-A-homo-5α-cholestan*		11
4-Fluor-3,17α-dihydroxy-östratrien-(1,3,5¹⁰)			*4-Fluor-3-hydroxy-17-oxo-östratrien-(1,3,5¹⁰)*		12

Die Reaktion primärer Alkohole verläuft nicht so glatt wie diejenige sekundärer. Während Ketone verhältnismäßig stabil sind gegen einen oxidativen Angriff, werden die Aldehyde leicht zu den entsprechenden Carbonsäuren weiteroxidiert. Darüber hinaus werden

---

[1] Fr. P. 840854 (1939), Ciba; C. A. **34**, 1821 (1940).
[2] W. F. Bruce, Org. Synth. Coll. Vol. II, 139 (1943).
[3] O. Diels u. E. Abderhalden, B. **39**, 884 (1906).
[4] P. Beak u. T. L. Chaffin, J. Org. Chem. **35**, 2275 (1970).
[5] C. R. Eck u. B. Green, Chem. Commun. **1972**, 537.
[6] L. Ruzicka, H. Brüngger, E. Eichenberger u. J. Meyer, Helv. **17**, 1413 (1934). R. Schönheimer, J. biol. Chem. **110**, 461 (1935).
[7] B. Ellis u. V. Petrow, Soc. **1939**, 1078.
[8] P. A. Mayor u. G. D. Meakins, Soc. **1960**, 2792.
[9] W. M. Hoehn u. J. Linsk, Am. Soc. **67**, 312 (1945).
[10] L. Kohout u. J. Fajkos, Collect czech. chem. Commun. **37**, 3490 (1972).
[11] H. Velgová, V. Černy u. F. Šorm, Collect czech. chem. Commun. **38**, 2751 (1973).
[12] M. Neeman, Y. Osawa u. T. Mukai, Soc. (Perkin I) **1972**, 2297.

oft kleine Ausbeuten an Aldehyd bzw. Carbonsäure erhalten, was hauptsächlich auf folgende Nebenreaktion zurückgeht[1]:

$$R-CH_2-OH \longrightarrow R-CHO$$

$$R-CHO \quad + \quad R-CH_2-OH \quad \rightleftharpoons \quad R-\overset{\overset{\displaystyle H}{|}}{\underset{\underset{\displaystyle OH}{|}}{C}}-O-CH_2-R$$

$$R-\overset{\overset{\displaystyle H}{|}}{\underset{\underset{\displaystyle OH}{|}}{C}}-O-CH_2-R \quad + \quad Cr^{VI} \quad \longrightarrow \quad R-\overset{}{\underset{\underset{\displaystyle O}{\parallel}}{C}}-O-CH_2-R$$

Tab. 6: Aldehyde durch Oxidation primärer Alkohole mit Chrom(VI)-oxid in Wasser bzw. wäßriger Essigsäure

Alkohol	Reaktions-bedingungen		Aldehyd	Ausbeute [% d.Th.]	Literatur
	[Stdn.]	[° C]			
Äthanol	0,5	78	*Acetaldehyd*	72	2–4
Propanol	0,75	95	*Propanal*	49	5,6
2-Methyl-propanol	–	90	*2-Methyl-propanal*	64	7–9
2-Methyl-butanol	0,75	95–140	*2-Methyl-butanal*	52	10
3-Methyl-butanol	–	–	*3-Methyl-butanal*	60	11–13
Pentanol	–	100	*Pentanal*	50	14
Hepten-(2)-ol	0,25	5–20	*Hepten-(2)-al*	75	15
Octen-(4)-ol	–	7–14	*Octen-(4)-al*	35	16
Nonen-(2)-ol	0,25	5–20	*Nonen-(2)-al*	50	15
3,7-Dimethyl-octadien-(2,6)-ol	0,5	30	*3,7-Dimethyl-octadien-(2,6)-al (Citral)*	42	17

[1] W. A. Mosher u. D. M. Preiss, Am. Soc. 75, 5605 (1953).
[2] R. Fricke u. L. Havestadt, Ang. Ch. 361, 546 (1923).
[3] E. Wertheim, Am. 44, 2658 (1922).
[4] L. Gattermann u. H. Wieland, Die Praxis des organischen Chemikers, 32. Aufl., S. 187, de Gruyter, Berlin 1947.
[5] A. Lieben u. S. Zeisel, M. 4, 14 (1883).
[6] C. D. Hurd u. R. N. Meinert, Org. Synth. Coll. Vol. II, 541 (1943).
[7] A. Pfeiffer, B. 5, 699 (1872).
[8] W. Fossek, M. 2, 614 (1881).
[9] A. Lipp, A. 205, 2 (1880).
[10] E. J. Badin u. E. Pacsu, Am. Soc. 67, 1352 (1945).
[11] L. Bouveault u. L. Rousset, Bl. [3] 11, 300 (1894).
[12] C. H. van Marle u. B. Tollens, B. 36, 1342 (1903).
[13] L. Kohn, M. 17, 126 (1896).
[14] R. Kuhn u. C. Grundmann, B. 70, 1894 (1937).
[15] R. Delaby u. S. Guillot-Allegre, Bl. 53, 301 (1933).
    C. J. Martin, A. I. Schepartz u. B. F. Daubert, Am. Soc. 70, 2601 (1948).
[16] M. Jacobson, Am. Soc. 72, 1489 (1950).
[17] M. Stoll u. A. Commarmont, Helv. 32, 1355 (1949).

Tab. 6 (1. Fortsetzung)

Alkohol	Reaktions-bedingungen [Stdn.]	[°C]	Aldehyd	Ausbeute [% d.Th.]	Literatur
trans-4,5-Dibrom-buten-(3)-ol			trans-4,5-Dibrom-buten-(3)-al		[1]
9-Acetoxy-8-methyl-4-äthyl-nonadien-(4,8)-ol			9-Acetoxy-8-methyl-4-äthyl-nonadien-(4,8)-al	92	[2]
3,3,3-Trifluor-propanol	–	70–85	3,3,3-Trifluor-propanal	57	[3]
(Struktur: H₃C–CO–N-bicyclus mit CH₂–OH)			7-Formyl-3-acetyl-3-aza-bicyclo[4.3.0]nonan		[4]
(Struktur: Lacton-bicyclus mit CH₂–OH und Tetrahydropyranyl-O)			7-[Tetrahydropyranyl-(2)-oxy]-2-oxo-6-formyl-2-oxa-bicyclo[3.3.0]octan	95	[5]
6-Chlor-2-nitro-benzyl-alkohol	–	–	6-Chlor-2-nitro-benzaldehyd	87	[6]
2-Chlor-buten-(2)-ol	–	–	2-Chlor-buten-(2)-al		[7]
4-Methyl-1-hydroxy-methyl-naphthalin	–	60–65	4-Methyl-1-formyl-naphthalin	84	[8]

Aldehyd und Alkohol reagieren in einer Gleichgewichtsreaktion zum Halbacetal, das dann zum Ester dehydriert wird. Die Nebenreaktion hat präparative Bedeutung erlangt[9–11]. Durch Entfernung des Aldehyds während der Reaktion wird das fragliche Gleichgewicht nach links verschoben und die Esterbildung weitgehend unterdrückt. Wegen der größeren Flüchtigkeit des entstehenden Aldehyds ist es in vielen Fällen möglich, ihn mit einem

[1] M. V. Mavrov u. V. F. Kucherov, Izv. Akad. SSSR 1973, 1442; C. A. 77, 100667 (1972).

[2] C. A. Henrick, F. Schaub u. J. B. Siddall, Am. Soc. 94, 5374 (1972).

[3] A. L. Henne, R. L. Pelley u. R. M. Alm, Am. Soc. 72, 3370 (1950).

[4] H. J. Trede, E. F. Jenny u. K. Heusler, Tetrahedron Letters 1973, 3425.

[5] E. J. Corey et al., Am. Soc. 93, 1490 (1971).

[6] L. Gindraux, Helv. 12, 921 (1929).

[7] M. Julia, C. r. 234, 2615 (1952).

[8] K. Ziegler u. P. Tiemann, B. 55, 3406 (1932).

[9] G. R. Robertson, Org. Synth. Coll. Vol. I, 138 (1941).

[10] 3-Fluor-propansäure aus 3-Fluor-propanol (80% d.Th.); E. Gryszkiewicz-Trochimowsky, R. 66, 430 (1947).
    Butin-(3)-säure aus Butin-(3)-ol-(1) (28% d.Th.); J. Heilbron, E. R. H. Jones u. F. Sondheimer, Soc. 1949, 604.

[11] H. Berner, L. Berner-Fenz, R. Binder, W. Graf, T. Grutter, C. Pascual u. H. Wehrli, Helv. 53, 2252 (1970).
    Zur Bildung von Lactamen aus Amin und Alkohol s. A. A. Ponomarev, M. V. Noricina u. A. P. Krivenko, Chim. heterocycl. Soed. 1970, 1051; C. A. 75, 48802 (1971).
    vgl. a. A. Balsamo, P. Crotti, M. Ferretti, B. Macchia u. F. Macchia, Chim. Ind. (Milano) 54, 527 (1972); Herstellung von 2-Hydroxy-2-phenyl-1-carboxy-cyclohexan.

Inertgasstrom aus der Reaktionslösung auszutreiben (s. Tab. 6, S. 453f., sowie die Arbeitsvorschriften in Organic Synthesis über *Propanal*[1] und *Propinal*)[2].

2. unter Verwendung von Aceton/Wasser als Lösungsmittel

Zur Oxidation von Alkoholen mit Chrom(VI)-oxid in Aceton/Wasser wird Chrom(VI)-oxid in verdünnter Schwefelsäure gelöst und mit einer Lösung des Alkohols in Aceton vermischt[3]. Die Methode hat zwei Vorteile:

①Die Reaktionsgeschwindigkeit der Oxidation ist in Aceton größer als in Essigsäure.

②Bei der Oxidation sekundärer Alkohole wird das entstehende Keton infolge der hohen Aceton-Konzentration gegen Weiteroxidation geschützt.

Durch entsprechende Wahl der Konzentrationsverhältnisse kann meist eine Trennung des Reaktionsgemisches in zwei Phasen bewirkt werden. Die leichtere Schicht enthält die organische Verbindung, gelöst in Aceton. Die schwerere besteht aus einer wäßrigen Lösung der Chromsalze. Die Ausbildung zweier Phasen ist hinsichtlich des Oxidationsschutzes für das Keton von Vorteil. Wenn das Keton besonders oxidationsempfindlich ist, führt man zweckmäßigerweise die Chrom(VI)-oxid-Lösung so zu, daß eine Berührung mit der leichteren Schicht weitgehend vermieden wird. Die Oxidationsreaktionen verlaufen am günstigsten im Temperaturbereich von 0–20°. Das Keton wird meistens in guter Ausbeute erhalten.

Weniger gebräuchlich ist die Oxidation primärer Alkohole, die zu Carbonsäuren führt.

Octin-(3)-on-(2)[3]: Eine Lösung von 10,3 g Chrom(VI)-oxid in 30 *ml* Wasser und 8,7 *ml* Schwefelsäure wird innerhalb 2 Stdn. in eine Lösung von 15 g Octin-(3)-ol-(2) in 30 *ml* Aceton bei 5–10° eingerührt. Die Mischung wird weitere 30 Min. gerührt, mit 250 *ml* Wasser verdünnt und mit Äther extrahiert. Nach Abdampfen des Äthers wird destilliert; Ausbeute: 11,5 g (80% d.Th.); Kp_{14}: 70,5–71,5°.

Auf ähnliche Weise erhält man aus 12-Hydroxymethyl-trypticen *12-Formyl-trypticen* (85% d.Th.)[4].

Ungewöhnlich ist dagegen die Oxidation von 5α,17β-Dihydroxy-androsten-(2) zum *5α-Hydroxy-3,7-dioxo-androsten-(2)*[5]; während 3-Oxo-8α-methyl-17β-(1-hydroxy-äthyl)-androsten-(4) bei 5° in guten Ausbeuten *3-Oxo-8α-methyl-17β-acetyl-androsten-(4)* liefert[6, vgl. a. 7].

3. Oxidation mit dem Chrom(VI)-oxid-Pyridin Komplex

Der Einsatz vom Chrom(VI)-oxid-Pyridin-Komplex dient der selektiven Oxidation alkoholischer Gruppen (Alkanole, Cycloalkanole, Alkenole, Cycloalkenole)[8–10]. Sie bewährt

---

[1] C. D. Hurd u. R. N. Meinert, Org. Synth. Coll. Vol. II, 541 (1943).

[2] J. Sauer, Org. Synth. Coll. Vol. IV, 813 (1963).

[3] K. Bowden, J. M. Heilbron, E. R. H. Jones u. B. C. L. Weedon, Soc. **1946**, 39.

[4] V. R. Skvarchenko, B. H. Nguyen, V. N. Kokin u. R. Y. Levina, Ž. org. Chim. 7, 1951 (1971).

[5] J. R. Hanson u. A. G. Ogilvie, Soc. (Perkin I) **1972**, 590.

[6] G. Amiard, R. Heymés u. T. van Thuong, Bl. **1972**, 272.

[7] A. L. Johnson, J. Med. Chem. 15, 784 (1972); *5α,6,6-Trifluor-3-oxo-17β-acetyl-androstan*.
   A. A. Akhrem, A. V. Kamernitskii, A. A. Obynochnyi u. I. G. Reshetova, Izv. Akad. SSSR **1972**, 1622; C. A. **77**, 140403 (1972); *6α,17α-Isopropylidendioxy-3-oxo-17β-pyrazolyl-(5)-androsten-(4)*.

[8] G. J. Poos, G. E. Arth, R. E. Beyler u. L. H. Sarett, Am. Soc. **75**, 422 (1953).

[9] H. H. Sisler, J. D. Bush u. O. E. Acconntius, Am. Soc. **70**, 3827 (1948).

[10] vgl. die Tab. 7 u. 8, S. 457, 459.

sich ferner besonders bei der Oxidation säureempfindlicher Alkohole bzw. von Verbindungen mit weiteren leicht oxidierbaren Gruppen.

Die Reaktion erfordert normalerweise einen dreifachen Überschuß an Oxidationsmittel und eine Reaktionszeit von 15–22 Stdn. bei Zimmertemperatur. Die lange Reaktionszeit, der erhöhte Aufwand bei der Aufarbeitung des Reaktionsgemisches und die **Explosionsgefahr** bei der Herstellung des Chrom(VI)-oxid-Pyridin-Komplexes sind Nachteile der Methode.

2-Methoxy-benzaldehyd[1]:

Chrom(VI)-oxid-Bis-pyridin-Komplex: 50 g Chrom(VI)-oxid werden innerhalb 1 Stde. in 600 ml Pyridin eingerührt; dabei soll die Temp. 30° nicht überschreiten. Der Niederschlag wird abfiltriert, 2mal mit abs. Benzol und 2mal mit abs. Diäthyläther gewaschen. Danach wird i. Vak. getrocknet; Ausbeute: 74 g.

Der leicht gelblich-gefärbte Komplex hält sich wochenlang in trockener Atmosphäre.

2-Methoxy-benzaldehyd: 7,7 g (3 mMol) Chrom(VI)-oxid-Pyridin-Komplex in 50 ml Aceton werden mit 2,75 g (1 mMol) 4-Methoxy-benzylalkohol versetzt. Man überläßt die Lösung bei 25° 17 Stdn. sich selbst. Man filtriert und engt die Lösung auf 5 ml ein, nimmt mit 60 ml Äther auf, wäscht mit 6 × 15 ml Wasser nach und trocknet über Magnesiumsulfat. Nach dem Abdestillieren des Äthers verbleibt ein Öl, das destilliert wird; Ausbeute: 2,44 g (84% d. Th.); Kp: 243–244°; F: 37°.

3-Oxo-androsten-(5)[2]:

1 g (3,87 mMol) Chrom(VI)-oxid-Bis-pyridin-Komplex (frisch hergestellt) werden bei 0° in 40 ml Dichlormethan gelöst und die Lösung 10 Min. gerührt. Zur erhaltenen dunkelroten Lösung wird unter Rühren eine Lösung von 200 mg 3β-Hydroxy-androsten-(5) in 5 ml Dichlormethan bei 0° zugetropft. Die Lösung färbt sich grau und man rührt weitere 10 Min. bei 0°. Danach wird filtriert, das kalte Filtrat wird 3mal mit 10 ml Wasser gewaschen und danach sehr rasch 3mal mit je 10 ml 3%iger Salzsäure sowie 3mal 10 ml Wasser. Die Lösung wird über Magnesiumsulfat getrocknet und das Lösungsmittel abgezogen. Der Rückstand wird aus warmem Methanol umkristallisiert; Ausbeute: 106 mg (90% d. Th.); F: 114–117°.

Ungewöhnlich ist, daß bei der Oxidation von z. B. 3β-Hydroxy-17-oxo-androsten-(5) ohne C=C-Doppelbindungsverschiebung *3,17-Dioxo-androsten-(5)* entsteht; Chrom(VI)-oxid/Pyridin scheint somit das Oxidationsmittel der Wahl zu sein[2].

Sekundäre Hydroxy-Gruppen werden ebenfalls selektiv unter Erhalt des Sulfid-Schwefelatoms angegriffen; z. B.[3]:

2,6-Dioxo-9-thia-bicyclo[3.3.1]*nonan*

---

[1] J. R. Holum, J. Org. Chem. **26**, 4814 (1961).

[2] J. B. Jones u. K. D. Gordon, Canad. J. Chem. **50**, 2712 (1972).

[3] D. D. MacNicol, P. H. McCabe u. R. A. Raphael, Synth. Commun. **2**, 185 (1972).

Tab. 7: Oxo-steroide aus Hydroxy-steroiden durch Oxidation mit dem Chrom(VI)-
oxid-Pyridin-Komplex[1]

Alkohol	Keton	Ausbeute [% d. Th.]	Literatur
	 2,2-Äthylendioxy-5,8-dioxo-4a-methyl-1,2,3,4,4a,4b,5,6,7,8,8a,9-dodecahydro-phenanthren	89	2
	 2-Methoxy-4b,8-dimethyl-3-isopropyl-8-formyl-4b,5,6,7,8,8a,9,10-octahydro-phenanthren	gut	3
	 8-Hydroxy-2,2-äthylendioxy-5-oxo-4a-methyl-1,2,3,4a,4b,5,6,7,8,8a,9-dodeca-hydro-phenanthren + *2,2-Äthylendioxy-5,8-dioxo-4a-methyl-1,2,3,4a,4b,5,6,7,8,8a,9-docecahydro-phenanthren* + *5-Hydroxy-2,2-äthylendioxy-8-oxo-4a-methyl-1,2,3,4a,4b,5,6,7,8,8a,9-dodeca-hydro-phenanthren*	87 (73:16:17)	2

[1] Zur Oxidation auf dem Gebiet der Prostaglandine s. E. J. COREY u. G. MOINET, Am. Soc. **95**, 6831 (1973).

[2] G. J. POOS, G. E. ARTH, R. E. BEYLER u. L. H. SARETT, Am. Soc. **75**, 422 (1953).

[3] T. MATSUMOTO, S. IMAI, T. MATSUBAYASHI, T. TSUNENAYA u. K. FUKUI, Chem. Lett. **1972**, 1159.

Tab. 7 (1. Fortsetzung)

Alkohol	Keton	Ausbeute [% d.Th.]	Literatur
	17α-Hydroxy-3,3-äthylendioxy-11-oxo-17β-[2-hydroxymethyl-1,3-dioxolanyl-(2)]-androsten-(5)	89	1
	6β-Hydroxy-3,11,17-trioxo-androsten-(4)	55	2
H₅C₆—H₂C—O—	*7β-Hydroxy-3-benzyloxy-17-oxo-östratrien-(1,3,5¹⁰)*	25	3
	6,6-Difluor-3,17-dioxo-androsten-(4)	100	4
	9α-Acetamino-3,11,17-trioxo-androsten-(2)	45	5
	3-Oxo-cholesten-(4)	87	6
	3-Methoxy-17a-oxo-D-homo-14β-östratrien-(1,3,5¹⁰)	70	7

1 W. S. Allen, S. Bernstein u. R. Littell, Am. Soc. 76, 6116 (1954).
2 J. Urech, E. Vischer u. A. Wettstein, Helv. 43, 1077 (1960).
3 J. Iriate, H. J. Ringold u. C. Djerassi, Am. Soc. 80, 6105 (1958).
4 G. A. Boswell, A. L. Johnson u. J. P. McDevitt, J. Org. Chem. 36, 575 (1971).
5 J. M. Teulon, T. T. Thang u. F. Winternitz, C. r. [C] 272, 1524 (1971).
6 K. E. Stensio, Acta chem. scand. 25, 1125 (1971).
7 S. N. Ananchenko, R. N. Chigir u. I. V. Torgov, Izv. Akad. SSSR 1973, 1628; C. A. 79, 115762 (1973).

Tab. 8: Aldehyde und Ketone nichtsteroider Struktur aus den entsprechenden Alkoholen durch Oxidation mit Chrom(VI)-oxid-Pyridin Komplex

Alkohol	Carbonyl-Verbindung	Ausbeute [% d. Th.]	Literatur
2-Hydroxy-octan	*2-Oxo-octan*	> 90	1
Cyclohexanol	*Cyclohexanon*	45	2
3,4-Dihydroxy-4-methyl-1-tert.-butyl-cyclohexan	*4-Hydroxy-3-oxo-4-methyl-1-tert.-butyl-cyclohexan*	60	3
Cycloheptanol	*Cycloheptanon*	63	2
Cyclooctanol	*Cyclooctanon*	72	2
3-Hydroxy-cyclononen	*3-Oxo-cyclononen*	61	4
3-(4-Methyl-phenyl)-butanol	*3-(4-Methyl-phenyl)-butanal*	73	5
Benzylalkohol	*Benzaldehyd*	63	2
4-Isopropyl-benzylalkohol	*4-Isopropyl-benzaldehyd*	83	2
3-Hydroxy-benzylalkohol	*3-Hydroxy-benzaldehyd*	75	2
3-Nitro-benzylalkohol	*3-Nitro-benzaldehyd*	50	2
3,4-Methylendioxy-benzylalkohol	*3,4-Methylendioxy-benzaldehyd*	85	2
Diphenyl-carbinol	*Benzophenon*	71	2
[3-Methyl-naphthyl-(2)]-[2,3-dimethyl-naphthyl-(1)]-carbinol	*2,3-Dimethyl-1-[2-methyl-naphthoyl-(2)]-naphthalin*	90	6
Geraniol	*Geranial [3,7-Dimethyl-octadien-(2,6)-al]*	66	2
Nerol	*Neral [3,7-Dimethyl-octadien-(2,6)-al]*	83	2
6-Hydroxy-2-methyl-hexen-(2)	*5-Methyl-hexen-(4)-al*	75	7
3-Phenyl-allylalkohol	*Zimtaldehyd*	81	2
	1-Methyl-1-acetyl-spiro[2.2]pentan	92	8
	2-Benzyloxy-8,8-äthylendioxy-4-oxo-1-methyl-dekalin	> 90	1
	2-Oxo-1,7-dimethyl-7-tosyloxymethyl-bicyclo[2.2.1]heptan		9
	11-Oxo-tetracyclo[6.2.1.1^{3,6}.0^{2,7}]dodecen-(4)	91	10

1 R. RATCLIFFE u. R. RODEHORST, J. Org. Chem. **35**, 4000 (1972).
2 W. S. ALLEN, S. BERNSTEIN u. R. LITTEL, Am. Soc. **76**, 6116 (1954).
3 P. H. LEWIS, S. MIDDLETON u. M. ROSSER, Austral. J. Chem. **24**, 865 (1971).
4 G. MEHTA, Org. Prep. Proced. **2**, 245 (1970).
5 O. P. VIG, A. K. VIG u. G. P. CHUGH, Indian J. Chem. **10**, 571 (1972).
6 M. S. NEWMANN u. W. M. HUNG, Org. Prep. Proced. **4**, 227 (1972).
7 O. P. VIG, M. S. BHATIA, A. S. DHINDSA u. O. P. CHUGH, Indian J. Chem. **11**, 104 (1973).
8 R. MAURIN u. M. BERTRAND, Bl. **1970**, 2261; dort zahlreiche weitere Beispiele.
9 O. R. RODIG u. R. J. SYSKO, J. Org. Chem. **36**, 2324 (1971).
10 J. HAYWOOD-FARMER, H. MALKUS u. M. A. BATTISTE, Am. Soc. **94**, 2209 (1972).

b) Oxidation mit Dichromat in Essigsäure

Bei der Oxidation von gesättigten, primären Alkoholen zu Aldehyden werden bei Verwendung von Kaliumdichromat/Eisessig höhere Ausbeuten erhalten als bei Einsatz von Chrom(VI)-oxid/Eisessig[1,2].

Aldehyde durch Oxidation von primären Alkoholen; allgemeine Arbeitsvorschrift[3]: Ein Gemisch aus 10 g (0,34 Mol) zu feinem Pulver zerriebenen Kaliumdichromat und 500 ml Eisessig wird auf 95–100° erhitzt. Eine Lösung von 0,1 Mol des prim. Alkohols in 150 ml Eisessig wird unter Rühren zugefügt. Die Mischung wird 3–8 Min. auf Reaktionstemp. gehalten und dann abgekühlt. Sie wird mit einer großen Menge Wasser verdünnt und der Aldehyd anschließend abgesaugt (falls er fest und unlöslich ist) oder mit Äther extrahiert. So erhält man u. a. aus

Alkohol	Aldehyd	Ausbeute [% d.Th.]	Literatur
Pentanol	*Pentanal*	65	3
3-Methyl-butanol	*3-Methyl-butanal*	63	3
2-Äthyl-hexanol	*2-Äthyl-hexanal*	68	3
Dodecanol	*Dodecanal*	55	3
Hexadecanol	*Hexadecanal*	61	3
Octadecanol	*Octadecanal*	65	3
Allylalkohol	*Acrolein*	100	3
Zimtalkohol	*Zimtaldehyd*		2
Benzylalkohol	*Benzaldehyd*	86	3
4-Methoxy-benzyl-alkohol	*4-Methoxy-benzaldehyd*		2
4-Chlor-butanol	*4-Chlor-butanal*	62	3

Mit dem Pyridin-Bichromat-Komplex lassen sich ebenfalls aus primären Alkoholen die entsprechenden Aldehyde gewinnen[4]. Aus sekundären Alkoholen lassen sich mit Bichromat in saurer Lösung leicht die entsprechenden Ketone erhalten. Eventuell vorhandene Carboxy-Gruppen können dabei abgespalten werden. Aus Hydrochinonen entstehen Chinone. So erhält man z. B. aus

1-Hydroxy-2,2-dimethyl-1-(4-methyl-phenyl)-propan → *1-Oxo-2,2-dimethyl-1-(4-methyl-phenyl)-propan*[5]   61% d.Th.
1-(4-Hydroxy-cyclohexyl)-adamantan → *1-(4-Oxo-cyclohexyl)-adamantan*[6]   97% d.Th.
2-Hydroxy-1-carboxy-cyclotridecan → *Cyclotridecanon*[7]   90% d.Th.
3-Hydroxy-bicyclo[4.2.1]nonan → *3-Oxo-bicyclo[4.2.1]nonan*[8]   81% d.Th.
4,7-Dihydroxy-2-phenyl-indol → *4,7-Dioxo-2-phenyl-4,7-dihydro-indol*[9]
5,8-Dihydroxy-chinoxalin → *5,8-Dioxo-5,8-dihydro-chinoxalin*[10]

[1] K. BOWDEN, J. M. HEILBRON, E. R. H. JONES u. B. C. L. WEEDON, Soc. **1946**, 39.
[2] D. G. LEE u. U. A. SPITZER, J. Org. Chem. **35**, 3589 (1970).
[3] M. I. BOWMAN, C. E. MOORE, H. R. DEUTSCH u. J. L. HARTMANN, Trans. Kentucky Acad. Sci. **14**, 33 (1953).
[4] W. M. COATES u. J. R. CORRIGAN, Chem. & Ind. **1969**, 1594.
[5] N. I. TYUNKINA, V. N. SOSNOVSKAYA, S. D. PIROZHKOV u. A. L. LIBERMAN, Izv. Akad. SSSR **1973**, 149; C. A. **78**, 135771 (1973).
[6] F. N. STEPANOV, J. I. SREBRODOLSKIJ, E. I. DIKOLENKO u. I. F. ZIBOROVA, Ž. org. Chim. **6**, 1619 (1970); C. A. **73**, 109356 (1970).
[7] H. D. SCHARF u. R. KLUR, A. **739**, 166 (1970).
[8] C. W. JEFFORD, H. BURGER u. F. DEALY, Helv. **56**, 1083 (1973).
[9] G. MALESANI, G. CHIARELOTTO, G. MARCOLIN u. G. RODIGHIERO, Farm. Ed. Sci. **25**, 972 (1970); C. A. **74**, 87741 (1971).
[10] G. MALESANI, F. MARCOLIN u. G. RODIHIERO, J. med. Chem. **13**, 161 (1970); C. A. **72**, 78973 (1970).

c) Oxidation mit Chromsäure-tert.-butylester

Für die Überführung primärer Alkohole zu Aldehyden ist die Verwendung von Chromsäure-tri-tert.-butylester als Oxidationsmittel besonders vorteilhaft[1]. So erhält man z. B. aus Hexadecanol mit Chromsäure-tri-tert.-butylester in Petroläther *Hexadecanal* (80–85% d.T.) bzw. aus Benzylalkohol *Benzaldehyd* (94% d.Th.).

Zur Oxidation sekundärer Alkohole ist die Methode den anderen kaum überlegen. Aus Cyclohexanol erhält man 89% d.Th. *Cyclohexanon*[2].

Hexadecanal[1]:

Chromsäure-tri-tert.-butylester: Zu 370 g (5 Mol) tert. Butanol werden innerhalb 10 Min. unter Kühlung 185 g (1,85 Mol) Chrom(VI)-oxid zugefügt. Da oberhalb 60° *explosions*artige Zersetzung eintreten kann, darf während der Reaktion die Temperaturgrenze nicht überschritten werden. Die rote Lösung wird mit 1,5 l Petroläther (Kp: 30–70°) verdünnt und das gebildete Wasser mit wasserfreiem Natriumsulfat entfernt.

Hexadecanal: Eine Lösung von 182 g (0,75 Mol) Hexadecanol in 1 l Petroläther (Kp: 30–70°) wird mit der Chromsäure-tri-tert.-butylester-Lösung vermischt und 14 Tage lang stehengelassen. Während der ersten 24 Stdn. läuft die Reaktion bis zu einem Umsatz von 80–85% ab. Danach wird sie sehr langsam. Während der letzten Phase kann die Reaktion durch Erhitzen der Lösung beschleunigt werden.

Der Mischung wird in einem 6-l-Kolben 1 l Wasser zugesetzt. Anschließend wird unter Umrühren portionsweise Oxalsäure eingetragen, um restliches Chrom(VI) zu zersetzen. Die Petroläther-Phase ist grün wegen darin gelöster Chrom(III)-salze. Diese werden durch Zugabe von 250 ml Schwefelsäure und 500 ml Essigsäure und anschließender 4 stdgr. intensiver Durchmischung entfernt. Die organische Schicht wird abgetrennt und über Nacht stehengelassen. Nach der Filtration durch etwas Natriumsulfat wird die Lösung zur Entfernung von Palmitinsäure (2,4 g) mit 2 n Natriumcarbonat-Lösung und dann mit verd. Salzsäure und Wasser gewaschen. Nach dem Trocknen über Natriumsulfat wird das Lösungsmittel abdestilliert. Der Rückstand (174 g) wird in warmem Benzol gelöst und 2 Tage bei 0° stehengelassen. Der farblose Niederschlag (137 g; F: 70,5–72°), der aus dem Trimeren des Aldehyds besteht, wird abfiltriert. Durch Einengung des Filtrats und anschließendes vierwöchiges Stehenlassen werden zusätzliche 34 g (F: 70–72°) gewonnen; Gesamtausbeute: 171 g (94% d.Th.).

II. Oxidation von Verbindungen mit Carbonyl-Gruppen

a) von Aldehyden

Im allgemeinen sind Carbonsäuren präparativ leichter zugänglich als die zugehörigen Aldehyde[3], daher ist die Oxidation von Aldehyden mit Chrom(VI)-oxid nicht sehr gebräuchlich. Allgemein verlaufen die Oxidationen glatt wie nachstehende Aufstellung zeigt:

Heptanal	→ *Heptansäure*[4]	
Octanal	→ *Octansäure*[5]	70% d.Th.
4-Nitro-benzaldehyd	→ *4-Nitro-benzoesäure*[6,7]	
Furfurylalkohol	→ *Furfural*[8]	75% d.Th.
2-Äthyliden-butin-(3)-al	→ *2-Äthyliden-butin-(3)-säure*[9]	
2-Formyl-adamantan	→ *2-Carboxy-adamantan*[10]	70–75% d.Th.
al-D-Arabinose	→ *D-Arabonsäure*[11]	74% d.Th.

[1] R. V. Oppenauer u. H. Oberrauch, An. Soc. quim. arg. **37**, 246 (1949).

[2] T. Sugu; C. A. **55**, 3464 (1961).

[3] Kinetik, Mechanismus: J. Roček u. C. S. Ny, J. Org. Chem. **38**, 3348 (1972).

Kinetik, Mechanismus, Einfluß von Struktur und Lösungsmittel: S. V. Anantakrishnan u. V. Sathyabhama, Indian J. Chem. **10**, 168 (1972).

Mechanismus: C. Goswami u. K. K. Banerji, Bull. Chem. Soc. Japan **45**, 2925 (1972).

[4] H. Grimshaw u. C. Schorlemmer, A. **170**, 141 (1873).

[5] A. Darapsky u. W. Engles, J. pr. **146**, 238 (1936).

[6] O. Fischer, B. **14**, 2525 (1881).

[7] P. Friedländer, B. **14**, 2577 (1881).

[8] C. D. Hurd, J. W. Garrett u. E. N. Osborne, Am. Soc. **55**, 1082 (1933).

[9] I. Heilbron, E. R. H. Jones u. M. Julia, Soc. **1949**, 1430.

[10] A. H. Alberts, H. Wynberg u. J. Strating, Synth. Commun. **2**, 79 (1972).

J. Sharp, H. Wynberg u. J. Strating, R. **89**, 18 (1970).

D. Farcasiu, Synthesis **1972**, 615.

[11] H. Zimmer u. H. Nehring, Z. **10**, 394 (1970).

b) von Ketonen

Bei der Oxidation von Ketonen mit Chrom(VI)-oxid wird allgemein die C–C-Kette unter Bildung zweier Carbonsäuren gespalten. Beispielsweise entsteht aus Pentanon-(3) *Propionsäure* und *Essigsäure*[1], aus Cyclohexanon *Adipinsäure* zusammen mit etwas *Glutar-* und *Bernsteinsäure*[2] bzw. aus 4,4'-Dinitro-3,3',5,5'-tetramethyl-benzil 87% d.Th. *4-Nitro-3,5-dimethyl-benzoesäure*[3].

D. Oxidation am Schwefel

Bei der Oxidation von Sulfiden mit Chrom(VI)-oxid entstehen die Sulfone mit zum Teil sehr guten Ausbeuten, wie die Tab. 9 zeigt.

Tab. 9: Sulfone aus Sulfiden durch Oxidation mit Chrom(VI)-oxid

Sulfid	Sulfon	Ausbeute [% d.Th.]	Literatur
Diphenylsulfid	*Diphenylsulfon*	100	4
Dibenzylsulfid	*Dibenzylsulfon*	18	5
4-(Methylmercapto)-benzonitril	*4-(Methylsulfon)-benzonitril*		6
Bis-[4-(4-nitro-phenylmercapto)-phenyl]-methan	*Bis-[4-(4-nitro-phenylsulfon)-phenyl]-methan*	90	7
Bis-[2,4,6-trinitro-3-methyl-phenyl]-sulfid	*Bis-[2,4,6-trinitro-2-methyl-phenyl]-sulfon*	97	8
2,4-Bis-[difluormethylmercapto]-toluol	*2,4-Bis-[difluormethylsulfon]-toluol*	86	9
(2-Chlor-äthyl)-(1,2,2-trifluor-1,2-dichlor-äthyl)-sulfid	*(2-Chlor-äthyl)-(1,2,2-trifluor-1,2-dichlor-äthyl)-sulfon*	86	10
4-Methyl-9-oxo-9H-thioxanthen	*4-Methyl-9-oxo-9H-thioxanthen-10,10-dioxid*	90	11
9-Oxo-9H-thioxanthen	*9-Oxo-9H-thioxanthen-10,10-dioxid*		12
2-Nitro-9-oxo-9H-thioxanthen	*2-Nitro-9-oxo-9H-thioxanthen-10,10-dioxid*		13
Dibenzo-thiophen	*⟨Dibenzo-thiophen⟩-5,5-dioxid*		14, 15
Dibenzo-1,2-dithiin	*⟨Dibenzo-1,2-dithiin⟩-9,9,10,10-tetraoxid*		16
2,4-Dihydroxy-5-(trifluormethyl-mercapto)-pyrimidin	*2,4-Dihydroxy-5-(trifluormethylsulfon)-pyrimidin*		17

[1] W. F. Sager u. A. Bradley, Am. Soc. 78, 1187 (1956).
[2] F. Mareš, J. Roček u. J. Sicher, Collect. czech. chem. Commun. 26, 2355 (1961).
[3] T. Banas u. Z. Skrowaczewskaska, Rocz. Chem. 46, 179 (1972).
[4] J. Stenhouse, A. 140, 290 (1866).
[5] R. L. Shriner, H. C. Struck u. W. J. Jorison, Am. Soc. 52, 2060 (1930).
[6] N. P. Buu-Hoi u. J. Lecoco, Bl. 1946, 139.
[7] A. S. Glaz et al., Ž. org. Chim. 7, 365 (1971); C. A. 74, 14057 (1971).
[8] G. P. Sharnin u. V. V. Nurgatin, Ž. org. Chim. 8, 1493 (1972); C. A. 77, 113951 (1972).
[9] L. N. Sedova, L. Z. Gandelsman, L. A. Aleksseva u. L. M. Jagupolskij, Ž. org. chim. 6, 568 (1970); C. A. 72, 31366 (1970).
[10] A. M. Aleksandrov u. L. H. Yagupolskij, Ž. org. chim. 6, 249 (1970); C. A. 72, 110708 (1970).
[11] N. Rasanu, Rev. Chim. 21, 203 (1970).
[12] C. Gräbe u. O. Schultess, A. 263, 10 (1891).
[13] F. Mayer, B. 42, 3047 (1909).
[14] J. Stenhouse, A. 156, 333 (1870).
[15] C. Gräbe, A. 174, 188 (1874).
[16] C. Gräbe, A. 179, 182 (1875).
[17] A. Haas u. W. Hinsch, B. 105, 1768 (1972); mit Chromschwefelsäure.

Hexachlor-⟨naphtho-[1,8-c]-1,2-dithiol⟩ wird dagegen mit Chrom(VI)-oxid in Essigsäure nur bis zum *Hexachlor-⟨naphtho-[1,8-c]-1,2-dithiol⟩-1-oxid* (38% d.Th.) oxidiert[1]:

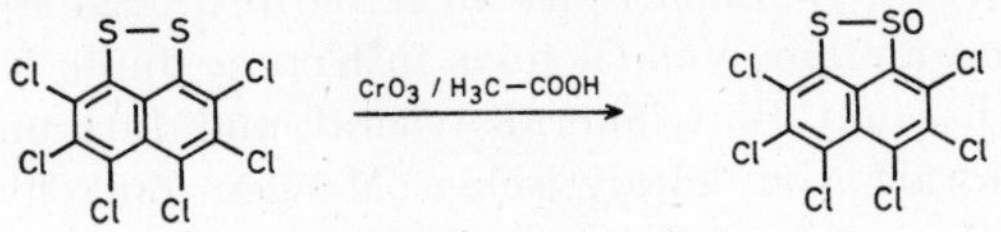

E. Oxidation am Stickstoff

Alkyl-aryl-amine (mono- und dialkyliert) werden mit Chrom(VI)-oxid entweder zur entsprechenden Carbonyl-Verbindung oder zum aliphatischen Amin oxidiert[2]:

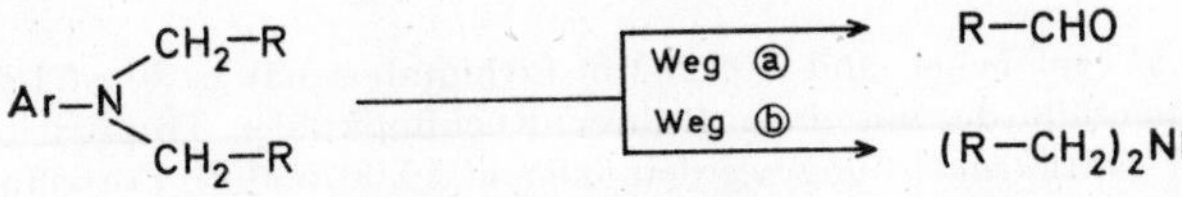

Die größte Zahl der untersuchten Amine reagiert nach Weg ⓐ zu den entsprechenden Aldehyden (bis zu 37% d.Th.). Der Reaktionsweg ⓑ wird begünstigt, wenn die zu oxidierende Verbindung in para-Stellung substituiert ist. In jedem Fall werden geringe Mengen Chinone und Kondensationsprodukte gebildet. Aliphatische Amine werden unter den gleichen Versuchsbedingungen nicht oxidiert.

Die Reaktion ⓐ wird zum Abbau aliphatischer Amine benutzt[3]. Hierzu wird zunächst das aliphatische Amin mit 4-Chlor-1,3-dinitro-benzol zum entsprechenden N-Alkyl-N-(2,4-dinitro-phenyl)-amin umgesetzt, das dann mit Chrom(VI)-oxid in 12 n Schwefelsäure zur Carbonyl-Verbindung und 2,4-Dinitro-anilin oxidiert wird:

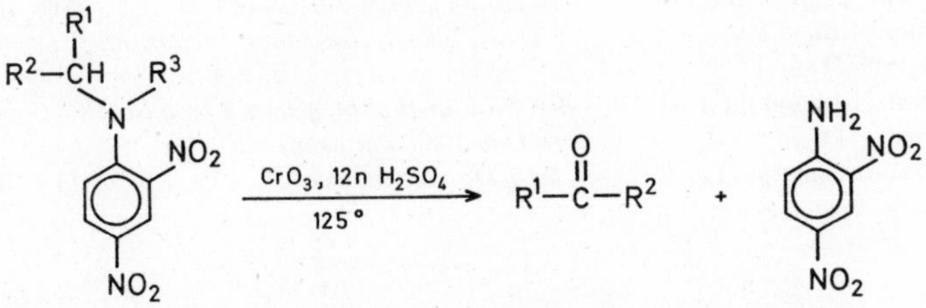

Mit gutem Erfolg wird Chrom(VI)-oxid zur Dehydrierung von nichtaromatischen Aza-heterocyclen eingesetzt; z. B.[4]:

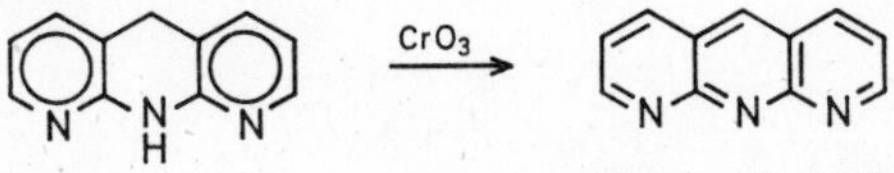

Bis-pyrido-[2,3-b; 3′,2′-e]-pyridin

Zur Herstellung von 3H-Diazirinen[5] aus entsprechenden Hydrazinen, von Nitro-Verbindungen[6] aus Nitroso-Derivaten sowie zur Otto-Reaktion von Strychnin[7] (Diphenochinon-bis-iminium-Salze als Resultat) s. Literatur.

---

[1] E. KLINGSBERG, Tetrahedron **28**, 963 (1972).

[2] F. W. NEUMANN u. C. W. GOULD, Anal. Chem. **25**, 751 (1953).

[3] A. T. BOTTINI u. R. E. OLSEN, J. Org. Chem. **27**, 452 (1962).

[4] S. CARBONI, A. SETTIMO, D. BERTINI, C. MORI u. I. TONETTI, J. heterocycl. Chem. **8**, 637 (1971).

S. CARBONI, A. SETTIMO u. I. TONETTI, J. heterocycl. Chem. **7**, 875 (1970).

[5] S. D. ISAEV et al., Ž. org. Chim. **9**, 724 (1973); *Adamantan-⟨2-spiro-3⟩-3H-diazirin* (91% d.Th.).

[6] L. BIRKHOFER u. M. FRANZ, B. **104**, 3062 (1971).

[7] K. REHSE, Ar. **303**, 518 (1970).

F. Oxidation am Bor

Die Oxidation von Organo-boranen führt zu Ketonen[1]. Sie stellt gleichzeitig eine geeignete Methode zur Umwandlung von Olefinen in Ketone durch Hydroborierung dar. Das Olefin wird in Äthyläther mit Bortrifluorid-Ätherat und Lithiumboranat oder mit Natriumboranat in Gegenwart von katalytischen Mengen Zinkchlorid hydroboriert. Anschließend wird mit wäßriger Chrom(VI)-oxid-Lösung oxidiert.

2-Oxo-1-methyl-cyclohexan[1]:

$$\text{(1-Methyl-cyclohexen)} \quad + \quad LiBH_4 \longrightarrow \text{(2-Methyl-cyclohexyl-}BH_2\text{)} \xrightarrow{Cr\ VI} \text{(2-Oxo-1-methyl-cyclohexan)}$$

4,8 g (0,05 Mol) 1-Methyl-cyclohexen und 0,0225 Mol Lithiumboranat in 30 *ml* Diäthyläther werden in einen 200-*ml*-Kolben eingefüllt, der mit einem Rührer, Rückflußkühler, Tropftrichter und Thermometer ausgestattet ist. Zur Reaktionsmischung werden 0,95 *ml* (0,0075 Mol) Bortrifluorid-Ätherat in 4 *ml* Äther innerhalb 15 Min. bei 25–30° zugefügt. Nach 2 Stdn. wird das überschüssige Hydrid durch Zugabe von 5 *ml* Wasser zerstört. Die Chrom(VI)-oxid-Lösung [hergestellt aus 11,0 g (0,0369 Mol) $Na_2Cr_2O_7 \cdot 2\ H_2O$ und 8,25 *ml* (0,1474 Mol) 96%iger Schwefelsäure und mit Wasser auf 45 *ml* verdünnt] wird innerhalb 15 Min. bei 25–30° in die Lösung unter Rühren eingetropft. Anschließend wird 2 Stdn. unter Rückfluß erhitzt, die obere Schicht abgetrennt, die wäßrige Phase 2mal mit 10 *ml* Äther extrahiert, die ätherische Phase getrocknet, der Äther abgedampft und der Rückstand destilliert; Ausbeute: 4,36 g (78% d.Th.); Kp_{24}: 63–64°.

Analog erhält man aus

Cyclohexen	→ *Cyclohexanon*[1]	60–65% d.Th.
1-Methyl-cyclopenten	→ *2-Oxo-1-methyl-cyclopentan*[1]	83% d.Th.
3-Methyl-cyclohexen	→ *2- + 3-Oxo-1-methyl-cyclohexan*[2]	
1-Phenyl-cyclohexen	→ *2-Oxo-1-phenyl-cyclohexan*[1]	63% d.Th.
Bicyclo[4.2.0]octen-(7)	→ *7-Oxo-bicyclo[4.2.0]octan*[3]	60% d.Th.
7-Phenyl-bicyclo [4.2.0]octen-(1)	→ *2-Oxo-7-phenyl-bicyclo[4.2.0]octan*[3]	
6-Methyl-bicyclo[4.4.0] decen-(1)	→ *9-Oxo-2-methyl-bicyclo[4.4.0]decan*[4] (*8-Oxo-1-methyl-dekalin*)	
3-Oxo-androsten-(14)	→ *3,15-Dioxo-androstan*[5]	11% d.Th.

[1] H. C. Brown u. C. P. Gary, Am. Soc. **83**, 2951 (1961).
[2] J. Barry, A. Horeau u. H. B. Kagan, Bl. **1970**, 989.
[3] W. R. Moore u. W. R. Moser, J. Org. Chem. **35**, 908 (1970).
[4] A. S. Samson u. R. Stevenson, Org. Prep. Proced. Int. 5, 59 (1973).
[5] P. C. Scholl u. M. R. van de Mark, J. Org. Chem. **38**, 2376 (1973).

Mangan-Verbindungen als Oxidationsmittel in der organischen Chemie

bearbeitet von

Dr. Diether Arndt

Badische Anilin- und Sodafabrik AG.,
Ludwigshafen/Rhein

Mit 41 Tabellen

Literatur berücksichtigt bis 1974.

Inhalt

Mangan-Verbindungen als Oxidationsmittel in der organischen Chemie

Die zahlreichen Untersuchungen über Oxidationsreaktionen organischer Verbindungen mit Mangan-Verbindungen, über Reaktionsbedingungen und -mechanismus, sind in der Literatur weit verstreut.

Allerdings existieren über Mangen(IV)-oxid[1], Kaliumpermanganat[2] und die dreiwertigen Mangan-Komplexsalze[2] Review-Artikel und Monographien (vgl. a. Bibliographie, S. 669 ff.). Besonders über die Oxidationen mit Permanganat und Mangan(IV)-oxid liegt umfangreiches präparatives Erfahrungsmaterial vor. Eine lückenlose Literaturzusammenstellung der präparativen Anwendung des Mangans mit seinen verschiedenen Wertigkeitsstufen für die Oxidation organischer Verbindungen wird hier nicht angestrebt.

Neben der Oxidationsreaktion mit Mangan(IV)-oxid und Kaliumpermanganat wird in diesem Handbuch auch über die bisher kaum bedeutsame präparative Anwendung von Mangan(III)-, (V)- und (VI)-Verbindungen berichtet. Anhaltspunkte für eine in Zukunft steigende Verwendung der Mangan(III)-Verbindungen sind zu erkennen (Vorteil: Löslichkeit in Wasser bzw. in gewissen Fällen in organischen Lösungsmitteln). Die Mangan(III)-Salze zeigen im allgemeinen bei der Oxidation organischer Substrate eine wesentlich geringere Selektivität als Mangan(IV)-oxid und Permanganat, vielfach sind sie aber nur in stark sauren Medien zu verwenden.

Das Arbeiten mit Manganat(V) und (VI) ist wegen deren ausschließlicher Verwendbarkeit in alkalischen Medien eingeschränkt. Sie zeigen im allgemeinen bisher keine Vorteile gegenüber z. B. Kaliumpermanganat. Außerdem ist ihre Herstellung schwierig. Über das Verhalten von Mangan(III)-oxid gegen organische Verbindungen s. Lit.[3].

A. Oxidation mit Mangan(III)- und Mangan(IV)-Komplexsalzen

Nur wenige Publikationen behandeln die Oxidation mit Mangan-Komplexen der Oxidationsstufen + 3 und + 4 in präparativer Sicht. Dagegen sind viele Oxidationsreaktionen zum Studium der Reaktionskinetik und zur Aufklärung der Mechanismen durchgeführt worden (diese Arbeiten werden allgemein im folgenden lediglich zitiert).

Die für die genannten Arbeitsgebiete verwendeten Oxidantien sind im wesentlich folgende:

Mangan(III)-acetat-Dihydrat $[Mn(CH_3COO)_3 \cdot 2H_2O]$
Komplexionen des Mangan(III)-pyrophosphats, z. B. $[Mn(H_2P_2O_7)_3]^{3\ominus}$
Mangan(III)-sulfat $[Mn_2(SO_4)_3]$
Mangan(III)-fluorid (MnF_3, als Fluorierungsmittel).

Außerdem werden die weniger wichtigen Verbindungen vom Mangan(III)

Mangan(III)-acetylacetonat $[Mn(C_5H_7O)_3]$
Kalium-*trans*-1,2-diamino-cyclohexan-tetraacetato-manganat(III) $\{K[Mn(C_{14}H_{22}N_2O_8)] \cdot 2,5H_2O\}$

---

[1] S. P. KORSHUNOV u. L. I. VERESHCHAGIN, Russ. Chem. Rev. **35**, 942 (1966).
 O. METH-COHN u. H. SUSCHITZKY, Chem. & Ind. **1969**, 443.
[2] K. B. WIBERG, *Oxidation in organic Chemistry*, Bd. V, Tl. A, S. 2–68, 186–241, Academic Press, New York · London 1965.
[3] vgl. S. 477.

sowie vom Mangan(IV) als Oxidationsmittel eingesetzt:

Mangan(IV)-acetat, -sulfat bzw. -fluorid.

Es ist anzunehmen, daß in Zukunft noch andere komplizierter zusammengesetzte Mangan(III)- bzw. Mangan(IV)-Komplexverbindungen für spezielle Oxidationsreaktionen organischer Substrate angewandt werden (vgl. [1]). Die bis jetzt bekannten Fluoro-, Chloro-, Cyano-, Oxalato- usw. Komplexe sind wegen der negativen Eigenschaften der Salze keine geeigneten Oxidantien[2]. Abgesehen davon, daß alle Komplexsalze vom Mangan(III) und Mangan(IV) mehr oder weniger stark hydrolyseempfindlich sind, sind sie zum Teil auch lichtempfindlich und zersetzen sich leicht. Auf das biochemisch interessante Oxidationsmittel Mangan(IV)-hämatoporphyrin[3] sei hingewiesen[4].

I. Herstellung und Eigenschaften der Komplexsalze

a) Mangan(III)-Komplexe[1]

Mangan(III)-acetat-Dihydrat [Mn (CH$_3$COO)$_3 \cdot$ 2H$_2$O] [5, s. a. 6-10]: 98 g (0,4 Mol) gepulvertes Mangan(II)-acetat-Tetrahydrat [Mn(CH$_3$COO)$_2 \cdot$ 4H$_2$O] werden in 500 ml Eisessig eingetragen. Die Mischung wird gerührt und zum Rückfluß (~ 110°) erhitzt. Dann werden innerhalb 20 Min. 16 g (0,1 Mol) gemahlenes Kaliumpermanganat durch den Kühler in 1-g-Portionen bei 110° eingeführt. Nach weiterem 20–30 Min. Rückflußkochen wird die Mischung auf 15° abgekühlt (Eisbad) und mit 85 ml Wasser versetzt. Nach 16 stdgm. Rühren wird das auskristallisierte Mn(CH$_3$COO)$_3 \cdot$ 2H$_2$O abfiltriert, mit 100 ml kaltem Eisessig und Äther gewaschen und an der Luft getrocknet: Ausbeute: 120–125 g (90–95% d. Th.; rotbraunes Pulver).

Gehalt an Mangan(III) wird jodometrisch bestimmt. Eine evtl. Umkristallisation geschieht aus Eisessig-Wasser (Volumenverhältnis 5 : 1)[9].

Eine **reaktivere** Form wird erhalten, wenn man eine dem Hydratwasser des Mangan(II)-acetats äquivalente Menge an Acetanhydrid zugibt[7].

Wasserfreies Mangan(III)-acetat kann man direkt aus Mangan(II)-nitrat-Hexahydrat [Mn(NO$_3$)$_2 \cdot$ 6H$_2$O] und Essigsäureanhydrid[6, 11] oder aus wasserfreiem Mangan(II)-acetat erhalten[12].

Mangan(III)-acetat, wasserfrei[12]: Wasserfreies Mangan(II)-acetat wird in Eisessig (mit 7% Acetanhydrid) gelöst und mit fein gemahlenem Kaliumpermanganat versetzt. Man schüttelt 15 Min. bei Raumtemp., 15 Min. bei 40° und engt danach die Mischung auf 40% ihres Volumens ein. Nach 3 Tagen wird das Kristallisat abgesaugt, mit Eisessig und Diäthyläther gewaschen und über Kyliumhydroxid i. Vak. getrocknet. Weitere Herstellungsverfahren werden in der Literatur beschrieben[13-15].

Mangan(III)-acetat-Dihydrat bildet braune Kristalle, die von kaltem Wasser sofort hydrolytisch zersetzt werden.

[1] G. DAVIES, Coordin. Chem. Rev. **4**, 199 (1969).

[2] KIRK-OTHMER, *Encyclopedia of chemical technology*, Bd. 13, S. 8, Interscience Publ., New York · London · Sydney 1967.

[3] P. A. LOACH u. M. CALVIN, Biochemistry **2**, 361 (1963).

[4] K. B. WIBERG, *Oxidation in organic chemistry*, Tl. A, S. 240, Academic Press, New York · London 1965.

[5] H. FINKBEINER u. A. T. TOOTHAKER, J. Org. Chem. **33**, 4350 (1968).

[6] E. I. HEIBA, R. M. DESSAU u. W. J. KOEHL, Am. Soc. **91**, 143 (1969).

[7] J. B. BUSH u. H. FINKBEINER, Am. Soc. **90**, 5903 (1898).

[8] H. FINKBEINER u. J. B. BUSH, Discuss. Faraday Soc. **46**, 155 (1968).

[9] P. J. ANDRULIS, M. J. S. DEWAR, R. DIETZ u. R. L. HUNT, Am. Soc. **88**, 5478 (1966).

[10] O. T. CHRISTENSEN, Z. anorg. Ch. **27**, 325 (1901).

[11] G. BRAUER, *Handbuch der präparativen anorganischen Chemie*, Bd. 2, S. 1282f., Ferdinand Enke Verlag, Stuttgart 1962.

[12] R. E. V. D. PLOEG, R. W. D. KORTE u. E. C. KOOYMAN, J. Catalysis **10**, 52 (1968).

[13] R. N. MEHROTRA, Z. physik. Chem. **43**, 141, 144 (1964).

[14] E. HECKER u. R. LATTRELL, A. **662**, 58 (1963).

[15] N. V. SIDGWICK, *The chemical elements and their compounds*, Bd. 2, S. 1277, At the Clarendon Press, Oxford 1950.

In der Literatur werden zahlreiche Methoden zur Herstellung von *Mangan(III)-sulfat* [$Mn_2(SO_4)_3$] beschrieben. Kristallines Mangan(III)-sulfat erhält man durch Zersetzung von Kaliumpermanganat in Schwefelsäure bei 60–70° (*Explosionsgefahr!*)[1]. Allgemein jedoch stellt man verdünnte Lösungen von Mangan(III)-sulfat[2–9] durch Umsetzung einer verdünnten Kaliumpermanganat-Lösung mit einer Mangan(II)-Suspension her.

In der Technik bedient man sich meist einer Mangan(III)-sulfat-Paste[10].

Eine Reihe von Arbeiten beschäftigt sich mit der elektrolytischen Herstellung von *Mangan(III)-sulfat*[11–13]. Mangan-Lösungen, die durch anodische Auflösung von Mangan in Schwefelsäure beträchtliche Konzentrationen an Mangan(III)- und Mangan(IV)-Ionen enthalten, werden als wertvolle Oxidantien empfohlen.

Mangan(III)-sulfat bildet grüne zerfließliche Kristalle (Zers.: 160°), die sich in Wasser zersetzen, in Salzsäure und verd. Schwefelsäure lösen, jedoch nicht in konz. Schwefelsäure[14]. Die Verbindung (vermutlich Komplex) ist stabil in $> 60\%$iger Schwefelsäure[15,16].

Als oxidierendes Agens wird das Komplexion [$Mn(SO_4)_2OH_2$]$^\ominus$ vermutet[16–18]. Die Farbe des Mangan(III) in konz. Schwefelsäure[14] ist kirschrot[9]. In 2,40–7,44 m Schwefelsäure[14] und 0,138–0,364 m Mangan(II)-Lösung (15°) beträgt die Gleichgewichtskonstante[19] der Reaktion

$$2\,Mn^{3\oplus} + 2\,H_2O \;\rightleftharpoons\; MnO_2 + Mn^{2\oplus} + 4\,H^\oplus$$

$$K^s = (1,8 \pm 0,2) \cdot 10^6$$

Mangan(III)-pyrophospat [$Mn_2(H_2P_2O_7)_3$] in Lösung erhält man u. a. durch Elektrooxidation einer Mangan(II)-sulfat-Lösung in Schwefelsäure und in Gegenwart von Pyrophosphat[20].

Die Herstellung einer verd. *Natrium-mangan(III)-pyrophosphat-Lösung* kann durch elektrometrische Titration einer auf $p_H = 6$ (verd. Schwefelsäure) eingestellten Lösung von $MnSO_4 \cdot 4\,H_2O$ und $Na_4P_2O_7 \cdot 10\,H_2O$ mit verd. Kaliumpermanganat-Lösung erfolgen[5,9].

[1] G. Brauer, *Handbuch der präparativen anorganischen Chemie*, Bd. 2, S. 1280 f., Ferdinand Enke Verlag, Stuttgart 1962.

[2] A. R. J. P. Ubbelohde, Soc. **1935**, 1605.

[3] J. S. Littler, Soc. **1962**, 832, 2190.

[4] R. G. Selim u. J. J. Lingane, Anal. chim. Acta **21**, 536 (1959).

[5] A. Y. Drummond u. W. A. Waters, Soc. **1953**, 442.

[6] Kirk-Othmer, *Encyclopedia of chemical technology*, Bd. 13, S. 8, Interscience Publ., New York · London · Sydney 1967.

[7] N. V. Sidgwick, *The chemical elements and their compounds*, Bd. 2, S. 1278, At the Clarendon Press, Oxford 1950.

[8] K. B. Wiberg, *Oxidation in organic chemistry*, Tl. A., S. 193, Academic Press, New York · London 1965.

[9] T. A. Turney, *Oxidation mechanisms*, S. 46, Butterworths, London 1965.

[10] US. P. 2462050 (1949), B. G. Zimmerman; C. **1950** I, 343.

[11] N. J. Kharabadze, Elektrokhim. Margantsa, Akad. Nauk Gruz. SSR **2**, 255 (1963); C. A. **62**, 4906 (1965).

[12] M. S. Venkatachalapathy, R. Ramaswamy u. H. V. K. Udupa, Bull. Acad. Polon. Sci. Sér. Sci. Chim. 8, 361 (1960); C. A. **56**, 12787 (1962).
  S. Chidambaram, M. S. V. Pathy u. H. V. K. Udupa, J. elektroch. Soc. India **17**, 95 (1968).

[13] R. Ramaswamy, M. S. Venkatachalapathy u. H. V. K. Udupa, J. Electrochem. Soc. **110**, 202 (1963). Ind. P. 66175 (1960), H. V. K. Udupa u. M. S. Venkatachalapathy; C. A. **55**, 15421 (1961).

[14] R. C. Weast, *Handbook of chemistry and physics*, The Chemical Rubber Co., Cleveland, Ohio 1969.

[15] W. A. Waters, Quart. Rev. **12**, 296 (1958).

[16] A. R. J. P. Ubbelohde, Soc. **1935**, 1605.

[17] G. V. Bakore u. M. S. Bararia, Z. physik. Chem. (Leipzig) **229**, 245 (1965).

[18] J. W. Ladbury u. C. F. Cullis, Chem. Reviews 58, 427 (1958).

[19] G. Davies, Coordin. Chem. Rev. **4**, 220 (1969).

[20] H. Diebler u. N. Sutin, J. phys. Chem. **68**, 174 (1964).

$Mn(H_3P_2O_7)^\ominus$ bis $[Mn(H_2P_2O_7)_3]^{3\ominus}$ bilden stabile Lösungen[1-3] bis $p_H = > 6$. Pyrophosphat besitzt infolge Chelatbildung eine **stabilisierende** Wirkung auf das Mangan(III)-Ion, so daß es auch in Lösungen mit wesentlich niedrigerer Säurestärke existieren kann. Bei p_H <6 läuft ohne Stabilisierung eine Disproportionierungsreaktion[4] ab:

$$2Mn^{3\oplus} \rightleftharpoons Mn^{2\oplus} + Mn^{4\oplus}$$

$$Mn^{4\oplus} + 2H_2O \longrightarrow MnO_2 + 4H^\oplus$$

Die Stabilität einer derartigen $Mn_2(H_2P_2O_7)_3$-Lösung wurde näher untersucht[5, s. a. 6]. Der p_K-Wert der Reaktion

$$Mn(H_2P_2O_7)_3{}^{3\ominus} \rightleftharpoons Mn(HP_2O_7)_2{}^{3\ominus} + H_4P_2O_7$$

wird mit 4,25 angegeben (25°)[7].

Mangan(III) kann also in stark sauren Lösungen in Gegenwart von überschüssigem Mangan(II) oder in neutralen Lösungen durch Komplexbildung mit Fluorid- oder Pyrophosphat-Liganden stabilisiert vorliegen[2, 7, 8]. In der Literatur finden sich zahlreiche Angaben über die Herstellung von *Mangan(III)-fluorid* (MnF_3)[9-12].

Da Mangan(III)-fluorid organische Verbindungen zu fluorieren vermag, ist sein Einsatz als Oxidationsmittel beschränkt.

Es wird bei hochsiedenden Verbindungen eingesetzt [bei höheren Temperaturen erfolgt geringere C–C-Spaltung als bei der Anwendung von Kobalt(III)-fluorid]. Die entstehenden Fluorierungsprodukte sind unvollständig fluoriert. Mangan(III)-fluorid reagiert mit Benzol, Alkohol, Chloroform und Äther[13] erst ab ~ 100°.

Tris-[2,4-pentandionato]-mangan(III) [Mangan(III)-acetylacetonat; $Mn(C_5H_7O_2)_3]$ (Herstellung s.[9,14-16]) bildet braunschwarze Kristalle (F:172°). Die Verbindung ist trocken relativ stabil, sie ist unlöslich in Wasser, löslich in organischen Lösungsmitteln, was manchmal bei gewissen Oxidationen vorteilhaft sein kann. Der Komplex ist ein bekannter Katalysator in Polymerisations-, Autoxidations- und Peroxid-Reaktionen[18]. Über die Komplexbildungskonstante in Perchloratmedium[7] und über thermodynamische Daten s. Lit.[19].

[1] W. A. Waters, Quart. Rev. **12**, 281, 296 (1958).
[2] K. B. Wiberg, *Oxidation in organic chemistry*, Tl. A., S. 8, 193. Academic Press, New York · London 1965.
[3] T. A. Turney, *Oxidation mechanisms*, S. 46, Butterworths, London 1965.
[4] A. R. J. P. Ubbelohde, Soc. **1935**, 1605.
[5] H. Ikegami; C. A. **45**, 4171 (1951).
[6] Gmelins *Handbuch der anorganischen Chemie*, Phosphor, Teil C, S. 230, Verlag Chemie, Weinheim 1965.
[7] G. Davies, Coordin. Chem. Rev. **4**, 200, 221 (1969).
[8] J. P. Candlin, K. A. Taylor u. D. T. Thompson, *Reaction of transition-metal complexes*, S. 176, Elsevier Publ. Co., Amsterdam · London · New York 1968.
[9] Kirk-Othmer, *Encyclopedia of chemical technology*, Bd. 13, S. 8, Interscience Publ., New York · London · Sydney 1967.
[10] N. I. Gubkina, S. V. Sokolov u. E. I. Krylov, Russ. Chem. Rev. **35**. 932, 933 (1966); C. A. **66**, 54654 (1967).
[11] G. Brauer, *Handbuch der präparativen anorganischen Chemie*, Bd. 1, S. 241, Ferdinand Enke Verlag, Stuttgart 1960.
[12] R. C. Weast, *Handbook of chemistry and physics*, The Chemical Rubber Co., Cleveland, Ohio 1969.
[13] N. I. Gubkina, S. V. Sokolov u. E. I. Krylov, Russ. Chem. Rev. **35**, 932, 933 (1966).
[14] J. Kleinberg, Inorganic Syntheses, Bd. 7, 183, McGraw-Hill Book, Co., Inc., New York 1963.
[15] J. H. Harwood, *Industrial applications of the organometalic compounds*, S. 372f., Chapman and Hall, London 1963.
[16] N. V. Sidgwick, *The chemical elements and their compounds*, Bd. 2, S. 1277, At the Clarendon Press, Oxford 1950.
[18] Theilheimer, Bd. **25** (1971).
[19] S. J. Ashcroft u. C. T. Mortimer, *Das Basiswissen der Chemie in Schwerpunkten*, S. 550, Georg Thieme Verlag, Stuttgart 1973.

Kalium-*trans*-1,2-diamino-cyclohexan-tetraacetato-manganat(III)
$\{K[Mn(C_{14}H_{22}N_2O_8)]\} \cdot 2{,}5\,H_2O\}^1$ stellt ein mäßig starkes 1-Elektron-Oxidans dar, das für Redoxreaktionen in einem weiten p_H-Bereich verwendbar ist (vgl. dagegen die weniger beständigen Sulfato- und Pyrophosphato-Komplexe). Über die Komplexbildungskonstante in Perchloratmedium[2] s. Literatur.

Über die Elektrooxidation von Mangan(II)-Ionen zur dreiwertigen Oxidationsstufe in Perchloratmedien werden in der Literatur zahlreiche Angaben gemacht[3-7].

Maximal 10^{-3} molare Mangan(III)-perchlorat-Lösungen wurden auch durch Zusammengeben saurer Permanganat- und Mangan(II)-Lösungen erhalten ($Mn^{2\oplus}$ in 25-fachem Überschuß, 4 m Säure)[8, s.a. 2,9,10].

Über spektralphotometrische Untersuchungen und die Hydrolyse des Mangan(III) siehe Literatur[2,11].

b) Mangan(IV)-Komplexe

Auch Mangan(IV)-acetat $[Mn(CH_3COO)_4]$ wurde als Oxidationsmittel für organische Verbindungen herangezogen[7,12,13].

Mangan(IV)-fluorid (MnF_4) ist ein sehr starkes Fluorierungsmittel[14]. Es *entzündet* sich spontan bei Kontakt mit Wasser und reagiert bei 20° mit Petroläther unter *Entflammung*.

c) Oxidationspotentiale[2,9,11]

$$Mn^{3\oplus} + e^{\ominus} \;\rightleftharpoons\; Mn^{2\oplus} \qquad\qquad \text{[2,15, 16, 11]}$$

$$E° = + 1{,}51\ V \qquad\qquad \text{[11, 15, 16]}$$

$$+ 1{,}49\ V \qquad\qquad \text{[1]}$$

$$+ 1541{,}5 \pm 0{,}3\ mV \text{ (in}$$
$$\text{wäßr. 3 m } HClO_4)^{3, s. a. 9}$$

$$Mn(OH)_3 + e^{\ominus} \;\rightleftharpoons\; Mn(OH)_2 + OH^{\ominus}$$

$$- 0{,}4\ V \qquad\qquad \text{[15]}$$

$$+ 0{,}1\ V \qquad\qquad \text{[16]}$$

[1] R. E. HAMM u. M. A. SUWYN, Inorg. Chem. **6**, 139 (1967).
   B. L. POH u. R. STEWART, Canad. J. Chem. **50**, 343a (1972).

[2] G. DAVIES, Coordin. Chem. Rev. **4**, 200, 202, 218 (1969).

[3] L. CIAVATTA u. M. GRIMALDI, J. Inorg. Nucl. Chem. **31**, 3071 (1969).

[4] C. F. WELLS u. D. MAYS, Soc. [A] **1968**, 577, 1622.

[5] C. F. WELLS u. G. DAVIES, Soc. [A] **1967**, 1858.

[6] C. F. WELLS u. G. DAVIES, Nature **205**, 692 (1965).

[7] H. DIEBLER u. N. SUTIN, J. phys. Chem. **68**, 174 (1964).

[8] D. R. ROSSEINSKY, Soc. **1963**, 1181.

[9] K. B. WIBERG, *Oxidation in organic chemistry*, Tl. A., S. 10, 187, 192, 210, Academic Press, New York · London 1965.

[10] J. P. FACKLER u. I. D. CHAWLA, Inorg. Chem. **3**, 1130 (1964).

[11] T. A. ZORDAN u. L. G. HEPLER, Chem. Reviews **68**, 745 (1968).

[12] S. A. ZONIS u. V. M. LEBEDEVA, Izvest. Akad. Nauk Kirgiz. SSR, Ser. Estestven. i Tekhn. Nauk **3**, 51 (1961); **4**, 83 (1962); C. A. **56**, 5878 (1962); C. A. **59**, 33 55 (1963).

[13] S. A. ZONIS u. A. G. PESINA, Ž. obšč. Chim. **20**, 1223 (1950).

[14] N. I. GUBKINA, S. V. SOKOLOV u. E. I. KRYLOV, Russ. Chem. Rev. **35**, 932, 933 (1966)

[15] R. C. WEAST, *Handbook of chemistry and physics*, The Chemical Rubber Co., Cleveland, Ohio 1969.

[16] KIRK-OTHMER, *Encyclopedia of chemical technology*, Bd. 13, S. 8, Interscience Publ., New York · London · Sydney 1967.

$$Mn(H_3P_2O_7)_3 + e^\ominus \rightleftharpoons Mn(H_3P_2O_7)_2 + H_3P_2O_7^\ominus$$

$$E \sim + 1,0 \text{ V} \qquad \qquad \text{1}$$

$$+ 1,1{-}1,2 \text{ V} \qquad \qquad \text{2}$$

$$+ 1,15 \text{ V} \qquad \qquad \text{3}$$

$$[Mn\ CyDTA]^\ominus + e^\ominus \rightleftharpoons [Mn\ CyDTA]^{2\ominus}$$

$$+ 0,814 \text{ V} \qquad \qquad \text{4}$$

Das Oxidationspotential von Mangan(IV)-acetat ist höher als das von Mangan(III)-acetat[5, 6]. Redoxpotentiale $Mn^{2\oplus}/Mn^{3\oplus}$ und $Mn^{3\oplus}/Mn^{4\oplus}$ s. Lit.[7].

II. Oxidation bzw. Dehydrierung

Die Oxidationsverfahren mit Mangan(III)- und Mangan(IV)-Komplexverbindungen stehen in präparativer Sicht noch am Anfang der Entwicklung. Die in der Literatur genannten Ausbeuten und Reaktionsbedingungen lassen sich sicherlich noch optimieren. Bei den bisherigen Versuchen wurde in erster Linie auf die Aufklärung der Kinetik und der Mechanismen Wert gelegt. Darüber existiert eine umfangreiche Literatur. Aber auch technische Anwendungsmöglichkeiten sind beschrieben worden, so z. B. die Pfropfcopolymerisation von Vinylmonomeren auf Cellulose, die von einer schwefelsauren Mangan(III)-sulfat-Lösung initiiert wird[8]. Der Nachteil der Oxidation mit Mangan(III) scheint in der Vielzahl der entstehenden Produkte zu liegen. Das Lösungsmittel greift häufig selbst in das Reaktionsgeschehen ein. Außerdem sind die Resultate der Untersuchungen der einzelnen Autoren manchmal widersprüchlich[9-11].

Über die analytische Bestimmung von Mangan(III) siehe Literatur[6,12-15].

a) Kinetische Untersuchungen

Über 1- und 2-Elektronenaustauschreaktionen werden in der Literatur zahlreiche Angaben gemacht[1, 6, 16-20]. Die Oxidation von Alkoholen kann entweder ionisch [Verlust des C–H-Wasserstoffs (→ Carbonyl-Verbindungen)] oder radikalisch [→ C–C-Spaltung; Oxidation von Milchsäure mit Mn(III)-pyrophosphat][6,16] ablaufen. Zahlreiche Arbeiten befassen sich praktisch nur mit kineti-

[1] J. W. COOK u. W. CARRUTHERS, Progress in organic Chemistry; Bd. 5, S. 1, W. A. WATERS Homolytic oxidation processes, Butterworths, London 1961.

[2] W. A. WATERS, Quart. Rev. 12, 296 (1958).
   T. A. TURNEY, Oxidation mechanisms, S. 46, Butterworths, London 1965.

[3] A. Y. DRUMMOND u. W. A. WATERS, Soc. 1953, 441.

[4] R. E. HAMM u. M. A. SUWYN, Inorg. Chem. 6, 139 (1967).

[5] S. A. ZONIS u. V. M. LEBEDEVA, Izvest. Akad. Nauk Kirgiz. SSR, Ser. Estestven. i Tekhn. Nauk 3, 51 (1961); C. A. 56, 5878 (1962).

[6] K. B. WIBERG, Oxidation in organic chemistry, Tl. A., S. 25, 185, 195, 198, 219, 221, 228, 235, 238, Academic Press, New York · London 1965.

[7] GMELIN, Mn Tl. B., S. 249, 264 (1973).

[8] H. SINGH, R. T. THAMPY u. V. B. CHIPALKATTI, J. Polymer Sci., A 3, 4289 (1965).
   R. M. LIVSHITS u. Z. A. ROGOVIN, Chim. Volokna (Chemie-Fasern) 1963, 38; C. A. 58, 8052 (1963).

[9] H. FINKBEINER u. J. B. BUSH, Discuss. Faraday Soc. 46, 150 (1968).

[10] R. E. v. D. PLOEG, R. W. D. KORTE u. E. C. KOOYMAN, J. Catalysis 10, 52 (1968).

[11] M. OKANO u. T. ARATAMI, Juki Gosei Kagaku Kyokai Shi 30, 6566 (1972).

[12] R. v. HELDEN u. E. C. KOOYMAN, R. 80, 57 (1961).

[13] G. J. MISRA u. J. P. TANDON, Indian J. Chem. 5, 343 (1967).

[14] G. DAVIES, Coordin. Chem. Rev. 4, 200 (1969).

[15] G. DAVIES, L. J. KIRSCHENBAUM u. K. KUSTIN, Inorg. Chem. 7, 147 (1968).

[16] C. L. JAIN, R. SHANKER u. G. V. BAKORE, Indian J. Chem. 7, 160 (1969).
   Allgemeines Verhalten von Mn-Ionen in Lösung, s. W. S. TRAHANOVSKY, Oxidation in organic Chemistry, Tl. B, Kap. 2, S. 106, Academic Press, New York · London 1973.

[17] R. STEWART, Oxidation mechanisms, applications to organic chemistry, S. 6, W. A. Benjamin, Inc,. New York · Amsterdam 1964.

[18] J. B. BUSH u. H. FINKBEINER, Am. Soc. 90, 5903, 5904 (1968).

[19] M. G. VINOGRADOV, S. P. VERENCHIKOV u. G. I. NIKISHIN, Kinet. Katal. 12, 45 (1971).

[20] J. ROCEK u. A. E. RADKOWSKY, J. Org. Chem. 38, 89 (1973).

schen Untersuchungen von Oxidationsreaktionen mit Mangan(III)- bzw. (IV)-Komplexverbindungen[1].

R. E. V. D. PLOEG, R. W. D. KORTE u. E. C. KOOYMAN, J. Catalysis 10, 52 (1968).

K. B. WIBERG, Oxidation in organic chemistry, Tl. A., S. 8, Academic Press, New York · London 1965.

H. FINKBEINER u. J. B. BUSH, Discuss. Faraday Soc. 46, 156 (1968).

E. I. HEIBA, R. M. DESSAU u. W. J. KOEHL, Am. Soc. 91, 140 (1969).

P. J. ANDRULIS, M. J. S. DEWAR, R. DIETZ u. R. L. HUNT, Am. Soc. 88, 5473, 5483 (1966).

B. CAPON, M. J. PERKINS u. C. W. REES, Organic reaction mechanisms 1967; S. 424f., Interscience Publ., London · New York · Sydney 1968.

G. PRASAD, Bl. chem. Soc. Japan 38, 882 (1965); C. A. 63, 6370 (1965).

R. N. MEHROTRA, Z. physik. Chem. 43, 141 (1964).

R. v. HELDEN u. E. C. KOOYMAN, R. 80, 57 (1961).

R. v. HELDEN, A. F. BICKEL u. E. C. KOOYMAN, R. 80, 1237, 1257 (1961).

S. A. ZONIS u. V. M. LEBEDEVA, Izvest. Akad. Nauk Kirgiz. SSR, Ser. Estestven. i Tekhn. Nauk 2, 85, 95 (1960); 3, 51 (1961); 4, 83 (1962); C. A. 55, 25853 (1961); 56, 5878 (1962); 59, 3355 (1963).

S. A. ZONIS u. Y. I. KORNILOVA, Ž. obšč. Chim. 20, 1252 (1950); engl.: 1301; Chem. Techn. 6, 683 (1954).

W. A. WATERS, Ang. Ch. 77, 868 (1965); Quart. Rev. 12, 296 (1958).

R. G. R. BACON, Chem. and Ind. 1962, 19f.

J. P. CANDLIN, K. A. TAYLOR u. D. T. THOMPSON, Reaction of transition-metal complexes, S. 176, Elsevier Publ. Co., Amsterdam · London · New York 1968.

C. L. JAIN, R. SHANKER u. G. V. BAKORE, Indian J. Chem. 7, 159 (1969).

P. LEVESLEY u. W. A. WATERS, Soc. 1955, 217.

T. A. TURNEY, Oxidation mechanisms, S. 46, Butterworths, London 1965.

S. PATAI, The chemistry of the carbonyl group, J. Rocek, Oxidation of aldehydes by transition metals S. 490, Interscience Publ., London · New York 1966.

J. W. COOK u. W. CARRUTHERS, Progress in organic chemistry; Bd. 5, S. 1, 28, W. A. WATERS Homolytic oxidation processes, Butterworths, London 1961.

A. Y. DRUMMOND u. W. A. WATERS, Soc. 1953, 435, 442, 2836, 3119; 1954, 2456; 1955, 497.

R. STEWART, Oxidation mechanisms, applications to organic chemistry, S. 105, W. A. Benjamin, Inc., New York · Amsterdam 1964.

P. LEVESLEY, W. A. WATERS u. A. N. WRIGHT, Soc. 1956, 840.

J. S. LITTLER, A. I. MALLET u. W. A. WATERS, Soc. 1960, 2761.

H. LAND u. W. A. WATERS, Soc. 1957, 4312; 1957, 4312.

B. V. BAKORE u. M. S. BARARIA, Z. physik. Chem. (Leipzig) 229, 245 (1965).

T. J. KEMP u. W. A. WATERS, Soc. 1964, 339, 1192, 1489.

J. S. LITTLER, Soc. 1962, 832, 2190.

M. S. VENKATACHALAPATHY, R. RAMASWAMY u. H. V. K. UDUPA, Bull. Acad. Polon. Sci., Ser. Sci. Chim. 6, 487 (1958); 7, 629 (1959); C. A. 53, 3853 (1959); 54, 22461 (1960).

T. SHONO, K. YAMANOI, K. SHINRA u. T. MATUSHITA, Kogyo Kagaku, Zaschi 70, 2062 (1967); C. A. 68, 114985 (1968).

M. S. SUWYN u. R. E. HAMM, Inorg. Chem. 6, 139, 142 (1967).

G. DAVIES u. K. KUSTIN, Trans. Faraday Soc. 65, 1630 (1969).

C. F. WELLS, C. BARNES u. G. DAVIES, Trans. Faraday Soc. 64, 3069 (1968).

C. F. WELLS u. G. DAVIES, Trans. Faraday Soc. 63, 2737 (1967).

G. DAVIES, Coordin. Chem. Rev. 4, 221 (1969).

H. DIEBLER u. N. SUTIN, J. phys. Chem. 68, 174 (1964).

S. A. ZONIS u. A. G. PESINA; C. A. 46, 3496 (1952).

C. F. WELLS u. C. BARNES, Soc. [A] 1971, 430, 1405.

K. K. BANERJI, P. NATH u. G. V. BAKORE, Z. Naturf. 266, 30 (1971).

L. J. CHINNU, Selections of oxidents in synthesis, oxidation at the carbon atom in J. S. BELEW, Oxidation in organic chemistry, M. Dekker, New York 1971.

M. AKONO u. T. ARATANI, Yuki Gosei Kagaku Kyokai Shi 30, 566 (1972); Zusammenfassung über Mangan(III)-oxid.

J. S. LITTLER, Tetrahedron 27, 81 (1971).

C. F. WELLS u. C. BARNES, Soc. [A] 1971, 430, 1405; Trans Faraday Soc. 67, 3297 (1971).

C. F. WELLS u. D. WHATLEY, Trans. Faraday Soc. 68, 434 (1972).

G. DAVIES, Inorg. Chem. 11, 2488 (1972).

BANERJI et al., Bull. Chem. Soc. Japan 43, 2027 (1970); Canad. J. Chem. 48, 2414 (1970); Z. Naturf. 26b, 318 (1971).

M. G. VINOGRADOV et al., Izv. Akad. SSSR, Ser. Khim. 1972, 982.

Mangan(III)-Ionen treten in zahlreichen Oxidationsreaktionen als Katalysator auf (z. B. bei Autoxidationen). Sie werden häufig erst während des Reaktionsablaufs erzeugt, z. B. Guyard-Reaktion[1,2], Oxalat-Oxidation[1-4], Phenol-Oxidation[1] und Seitenkettenoxidation aromatischer Kohlenwasserstoffe (z. B. Toluol)[5].

Bei der Reduktion von Mangandioxid durch Citronensäure entstehen Mangan(III)-Ionen, die die Reaktion beschleunigen[6]. Ähnliche Erscheinungen gelten auch für das Mangan(IV)-Ion.

Ein interessantes Beispiel für die unterschiedliche Wirkung von mono- und divalenten Elektronen-Oxidantien[7] ist folgendes: Chrom(VI)-oxid oxidiert in Gegenwart eines großen Überschusses an Mangan(II)-Ionen Milchsäure in 94%iger Ausbeute, in Abwesenheit von Mangan(II)-Ionen hingegen in 27,3%iger Ausbeute zu *Acetaldehyd*.

Im zweiten Falle wirkt Chrom(VI)-oxid als divalentes Elektronen-Oxidans in der Hauptsache unter C–H-Spaltung (Brenztraubensäure), im ersten Fall wirkt das Mangan(III)-Ion, das durch Oxidation mit dem Chrom(VI)-oxid entstanden ist, als 1-Elektronenoxidans unter C–C-Spaltung (Acetaldehyd) auf die Milchsäure ein.

Über die Beeinflussung der Oxidation von Äpfelsäure, Malonsäure und Oxalsäure durch Mangan(II)- bzw. (III)-Ionen siehe Literatur[8]. Zur Verbesserung der Ausbeute bei der Phenol-Kupplung mit Hilfe von Mangan(II)-Zusatz s. Lit.[9].

b) Oxidation bzw. Dehydrierung mit Mangan(III)- bzw. (IV)-Verbindungen

Die Reaktion von Mangan(III)-acetat mit aromatischen Kohlenwasserstoffen und ihren Heteroatome enthaltenden Derivaten kann offensichtlich nach den bisherigen Erkenntnissen[10] über 3 Wege verlaufen:

① Ein freier Radikalmechanismus, ausgelöst durch Carboxymethyl-Radikale ($\cdot CH_2$–COOH), führt durch Kernaddition zu Verbindungen des Typs Ar–CH_2COOH und Ar–CH_2–O–$COCH_3$. Die $\cdot CH_2$–COOH-Radikale werden sehr wahrscheinlich durch Thermolyse von Mangan(III)-acetat geliefert[11,12]. Aus Toluol entstehen so über die Kernaddition eines Carboxymethyl-Radikals (zu vermutlich einem Cyclohexadienyl-Radikal) und nachfolgende Mangan(III)-Oxidation isomere (Methylphenyl)-essigsäuren als Hauptprodukt. Diese können über den postulierten Weg des thermischen Zerfalls eines Mangan(III)-Salzes und der Oxidation von entstandenen Methylbenzyl-Radikalen durch Mangan(III)-Ionen isomere Essigsäure-methyl-benzylester ergeben[11]. Bei Anwesenheit von Kaliumacetat vergrößert sich das Verhältnis (Methyl-phenyl)-essigsäure: Essigsäure-methyl-phenylester stark. Wenn Acetanhydrid als Lösungsmittel verwendet wird, wird die Bildung von Essigsäure-methyl-benzylester aus Toluol vollständig unterdrückt und die einzigen Produkte sind: (Methylphenyl)-essigsäuren und Produkte der Benzyl-Oxidation[12].

② Seitenketten können ebenfalls durch die Carboxy-methyl-Radikale acetyliert werden. Aus Toluol bildet sich vermutlich über ein Benzyl-Radikal durch Mangan(III)-Oxidation, *Essigsäure-benzylester*.

③ Neben dem freien Radikalmechanismus kann unter bestimmten Voraussetzungen [z. B. niedriges Ionisationspotential des Substrats (≤ 8 eV)] auch der Elektronen-transfermechanismus ablaufen. Es bilden sich den –CH_2–O–CO–CH_3-Addukten gegenüber bevorzugt die Seitenkettenacetate, z. B. aus 4-Methoxy-1-methyl-benzol *4-Methoxy-1-acetoxymethyl-benzol*:

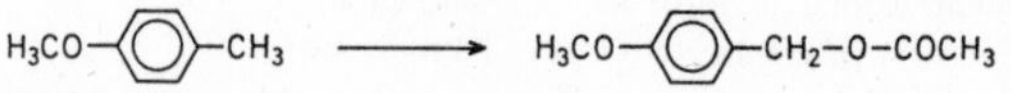

$$H_3CO-\bigcirc-CH_3 \longrightarrow H_3CO-\bigcirc-CH_2-O-COCH_3$$

Das ist mit der Reaktivität des Carboxymethyl-Radikals nicht vereinbar. Dieses reagiert z. B. mit dem Kern schneller als mit der Methyl-Gruppe[10]. Die Bildung von Acetoxy-aromaten wird ebenfalls

[1] K. B. Wiberg, *Oxidation in organic chemistry*, Tl. A., S. 9, 65, 237, Academic Press, New York · London 1965.

[2] J. W. Ladbury u. C. F. Cullis, Chem. Reviews 58, 413, 416.

[3] I. G. Tishchenko, L. S. Novikov u. I. I. Korsak, Ž. org. Chim. 8, 727 (1972).

[4] R. V. Kozlenkova, V. V. Komzolkin u. A. N. Baskirov, Neftchmia 10, 707 (1970).

[5] C. F. Cullis u. J. W. Ladbury, Soc. 1955, 555.

[6] Y. K. Gupta u. R. S. Awasthi, Pr. nation. Acad. India A 29, 331 (1960); C. A. 56, 1138 (1962).

[7] C. L. Jain, R. Shanker u. G. V. Bakore, Indian J. Chem. 7, 159 (1969).

[8] T. J. Kemp u. W. A. Waters, Soc. 1964, 3101, 3193.
Y. K. Gupta u. R. Dutta, C. A. 54, 24075, 17019 (1960).

[9] H. Tanaka, J. Sakata u. R. Senga, Bull. Chem. Soc. Japan 43, 212 (1970).

[10] E. I. Heiba, R. M. Dessau u. W. J. Koehl, Am. Soc. 91, 138ff. (1969).

[11] R. E. v. d. Ploeg, R. W. d. Korte u. E. C. Kooyman, J. Catalysis 10, 55, 57 (1968).

[12] H. Finkbeiner u. J. B. Bush, Discuss. Faraday Soc. 46, 150, 152, 156 (1968).

durch einen solchen Mangan(III)-Oxidationsmechanismus erklärt, z. B. *1-Acetoxy-2-methyl-naphthalin* aus 2-Methyl-naphthalin:

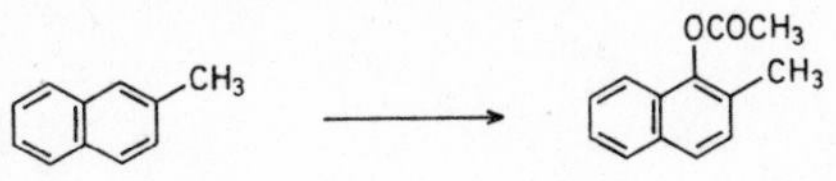

Über die Beeinflussung des freien Radikalmechanismus und des Elektronentransfer-mechanismus durch Acetat-Ionen und Acetanhydrid liegen Ergebnisse vor[1]; z. B. werden bei der Oxidation des 2-Methyl-naphthalins mit Mangan(III)-acetat die Ausbeuten an 2-Acetoxymethyl-naphthalin und 1-Acetoxy-2-methyl-naphthalin stark gesenkt. Dagegen steigt die Ausbeute an *2-Methyl-1-acetoxymethyl-naphthalin.* 4-Methoxy-1-methyl-benzol liefert hauptsächlich *4-Methoxy-1-acetoxymethyl-benzol.* In Gegenwart von Kaliumacetat wächst jedoch der Anteil an *4-Methoxy-1-methyl-x-acetoxymethyl-benzol.* Acetanhydrid und wasserfreies Mangan(III)-acetat machen sie zu Hauptprodukten. Nach den bisherigen Erkenntnissen beruht die Bildung von $-CH_2-OCOCH_3$-Addukten also auf einem freien Radikalmechanismus, die Bildung der Acetoxy-aromaten auf einem Elektronentransfer-mechanismus und die Acetoxymethyl-Bildung vermutlich auf beiden Mechanismen [vgl. die komplizierte Oxidation mit Mangan(III)-acetat, die zu einer ganzen Serie von Produkten führt; die Herstellung gewünschter Verbindungen läßt sich jedoch lenken][2].

Über die kinetischen Untersuchungen, die präparativen Bedingungen und die Ergebnisse der Oxidation zahlreicher Verbindungen {z. B. Benzol, p-Xylol, Chlorbenzol, 1,4-Dichlor-benzol, Äthoxy-benzol, 1,2-, 1,3-, 1,4-Dimethoxy-benzol, Toluol, 2-Methyl-1-isopropyl-benzol, 2-Methyl-naphthalin, Methoxy-benzol, 4-Methoxy-1-methyl-benzol, 1- und 2-Methoxy-naphthalin, N,N-Dimethyl-, N,N-Diäthyl-anilin, Benzo-[a]-anthracen} liegen zahlreiche Arbeiten vor[1-7].

Ein Vergleich dieser Publikationen mit den z. T. unterschiedlichen Auffassungen über das Reaktionsgeschehen macht die noch am Beginn befindliche Entwicklung auch in prä-parativer Sicht deutlich[8-10].

Essigsäure-benzylester, -(methyl-benzylester) und (Methyl-phenyl)-essigsäure:

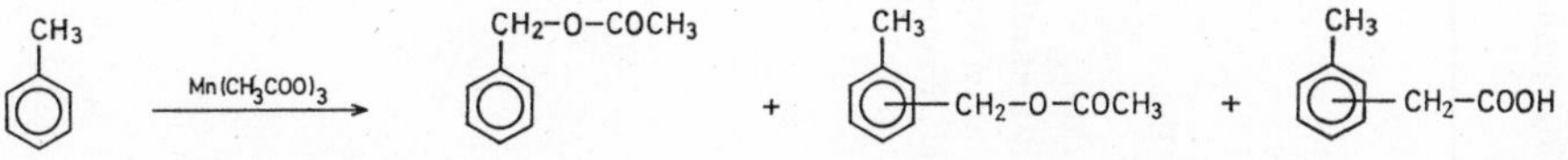

92,8 g (0,4 Mol) Mangan(III)-acetat (wasserfrei)[1] und 433 g (4,7 Mol) Toluol werden in 2,5 *l* Eisessig auf 110° unter Stickstoff erhitzt. Nach 24 Stdn. ist die braune Farbe des Mangan(III)-Ions verschwunden. Man gießt in viel Wasser und extrahiert mehrmals mit Diäthyläther. Die ätherische Schicht wird mit Natriumhydrogencarbonat-Lösung gewaschen und über wasserfreiem Magnesiumsulfat oder Natrium-sulfat getrocknet. Der Äther wird über eine Kolonne sorgfältig abdestilliert. Der Rückstand (Toluol

(Forts. S. 489.)

[1] E. I. HEIBA, R. M. DESSAU u. W. J. KOEHL, Am. Soc. **91**, 138, 140, 144 (1969).
[2] H. FINKBEINER u. J. B. BUSH, Discuss. Faraday Soc. **46**, 150, 154 (1968).
[3] R. E. v. D. PLOEG, R. W. D. KORTE u. E. C. KOOYMAN, J. Catalysis **10**, 52 (1968).
[4] P. J. ANDRULIS, M. J. S. DEWAR, R. DIETZ u. R. L. HUNT, Am. Soc. **88**, 5478 (1966).
[5] T. ARATANI u. M. J. S. DEWAR, Am. Soc. **88**, 5481 (1966).
[6] P. J. ANDRULIS u. M. J. S. DEWAR, Am. Soc. **88**, 5483 (1966).
[7] R. N. VOLKOV u. G. I. POPOVA, Ž. org. Chim. **7**, 981 (1971).
    Vgl. a. D. I. DIMITROV, Z. I. RALTCHEVSKII u. A. D. STEFANOVA, M. **104**, 288 (1973); Oxidation von Isopropyl-benzol in Gegenwart von Pyridincarbonsäuren.
[8] E. I. HEIBA u. R. M. DESSAU, Discuss. Faraday Soc. **46**, 189 (1968).
[9] C. F. WELLS u. C. BARNES, Discuss. Farasay Soc. **46**, 193 (1968).
[10] H. FINKBEINER, Discuss. Faraday Soc. **46**, 194 (1968).

Tab. 1: Oxidationen von Olefinen bzw. Aromaten mit Mangan(III)- und (IV)-Komplexen

Ausgangs-Verbindung	Reaktionsbedingungen	Mn-Komplex:Substrat	Endprodukt	Ausbeute [% d.Th.]	Bemerkungen	Literatur
a) mit Mangan(III)-acetat **1. von Olefinen** *α) rein aliphatische*						
$H_{13}C_6-CH=CH_2$	0,1 m Lösung Olefin/ Eisessig, N_2, + $KOOCCH_3$ (300 g/l CH_3COOH), Rückfluß. Nach Verschwinden der braunen Mn(III)-Farbe 1 Stde., 135°	2:1	*γ-Hexyl-butyrolacton*	74	auch Mangan(III)-propionat eingesetzt	1, 2, s.a. 3
$H_7C_3-CH=CH-C_3H_7$; *trans*			*β,γ-Dipropyl-butyrolacton*	44		
(Cyclooctene)			*(2-Hydroxy-cyclooctyl)-essig-säure-lacton*	62		
(Benzene)	Essigsäure/N_2 70°, 8 Stdn.		*3-Hydroxy-cyclohexen*	68		4
β) aromatisch substituierte $\underset{H_5C_6-C=CH}{\overset{R^1\,R^2}{\mid\;\mid}}$ R¹ | R² H | H H | CH₃ CH₃ | H			(Lactonstruktur mit R^2, R^1, H_5C_6) *γ-Phenyl-butyrolacton* *β-Methyl-γ-phenyl-butyrolacton* *γ-Methyl-γ-phenyl-butyrolacton*	60 79 74	auch Mangan(III)-propionat eingesetzt viele weitere Beispiele	1, 2, s.a. 3 1, 2 1, 2, s.a. 5

1 E. I. Heiba, R. M. Dessau u. W. J. Koehl, Am. Soc. **90**, 5905 (1968).
2 J. B. Bush u. H. Finkbeiner, Am. Soc. **90**, 5903 (1968).
3 H. Finkbeiner u. J. B. Bush, Discuss. Faraday Soc. **46**, 150 (1968).
4 J. R. Gilmore u. J. M. Mellor, Soc. [C] **1971**, 2355.
5 A. Kasahara, R. Seito u. T. Izumi, Bull. Chem. Soc. Japan **46**, 2610 (1973).

Tab. 1 (1.Fortsetzung)

Ausgangs-Verbindung	Reaktionsbedingungen	Mn-Komplex:Substrat	Endprodukt	Ausbeute [% d.Th.]	Bemerkungen	Literatur
2. von Aromaten α) reine Aromaten						
	1,78 g Anthracen/11,6 g 75%ige Mn(OOCCH₃)₃/100 *ml* CH₃COOH, 100° (50°, 4,5 Stdn.)		*Anthrachinon*	97	bei weniger Oxidationsmittel *9-Acetoxy-anthracen*	1
	15 Stdn., 100°		*9-Acetoxy-phenanthren*	80		1
	Eisessig, 100°	2 : 1	 *Benzo-[a]-anthrachinon*	41	bez. auf Mn(III)	2
β) funktionell substituierte Aromaten R = Cl	1,4 g Aromat, 2 g Mn(OOCCH₃)₃ · 2H₂O 5 *ml* (CH₃CO)₂O, 20 *ml* CH₃COOH, 30 Min.		*(2,5-Dichlor-phenyl)-essigsäure* *2,5-Dichlor-benzaldehyd-diacetylacetal*	58 6	Ausbeuten bez. auf Mn(III)	3, s. a.4

[1] S. A. Zonis, Sbornik Statej Obshchei Khim. **2**, 1091 (1953); C. A. **49**, 5414 (1955).
[2] T. Aratani u. M. J. S. Dewar, Am. Soc. **88**, 5479 (1966).
[3] H. Finkbeiner u. J. B. Bush, Discuss. Faraday Soc. **46**, 150 (1968).
[4] R. E. v. d. Ploeg, R. W. d. Korte u. E. C. Kooyman, J. Catalysis **10**, 52 (1968).

Tab. 1 (2. Fortsetzung)

Ausgangs-Verbindung	Reaktionsbedingungen	Mn-Komplex:Substrat	Endprodukt	Ausbeute [% d.Th.]	Bemerkungen	Literatur
	0,36 m Aromat/CH₃COOH + 0,07 m Mn(OOCCH₃)₃ · 2H₂O/CH₃COOH, 90°, 66 Stdn.		*Essigsäure-(methoxy-phenylester)* (78% ortho, 17% para)	84	Ausbeuten bez. auf Mn(III)	[1–3]
	Eisessig, 100°	2 : 1	*Tris-[2,4-dimethoxy-phenyl]-carbinol*	66 (roh)	Ausbeute bez. auf Mn(III) 1,4-Dimethoxy-benzol wird schlecht oxidiert	[2]
γ) alkyl-substituierte Aromaten						
	0,86 g Xylol, 2 g Mn(OOCCH₃)₃ · 2H₂O	2 : 1	*Essigsäure-4-methyl-benzylester*	13	Ausbeute bez. auf Mn(III)	[3,5]
	2 ml (CH₃–CO)₂O, 20 ml CH₃COOH, 60 Min.		*Essigsäure-2,5-dimethyl-benzylester*	61		
			Fluorenon	80	s. a. Oxidation von Triphenylmethan, 1,2-Diphenyl-äthan	[4]

[1] E. I. Heiba, R. M. Dessau u. W. J. Koehl, Am. Soc. 91, 138 (1969).
[2] R. Aratani u. M. J. S. Dewar, Am. Soc. 88, 5479, 5481 (1966).
[3] H. Finkbeiner u. J. B. Bush, Discuss. Faraday Soc. 46, 150 (1968).
[4] S. A. Zonis, Sbornik Statei Obskchei Khim. 2, 1091 (1953); C. A. 49, 5414 (1955).
[5] A. Duopchenko u. J. G. D. Schulz, J. Org. Chem. 37, 2564 (1972).

Tab. 1 (3. Fortsetzung)

Ausgangs-Verbindung	Reaktionsbedingungen	Mn-Komplex:Substrat	Endprodukt	Ausbeute [% d.Th.]	Bemerkungen	Literatur
	15 Stdn., 100°		*Acenaphthen-chinon-(1,2)*	80		1
	70°	2:1	*Essigsäure-4-methoxy-benzylester* + *4-Methoxy-benzaldehyd*	58 / 12	Ausbeute bez. auf Mn(III)	2, vgl. a. 3, 4
3. von Diolen, Hydroxy-ketonen und Carbonsäuren						
	Eisessig, 100°, CO_2	2:1	$R^1-\overset{O}{\overset{\|}{C}}-R^2$ (I) $R^3-\overset{O}{\overset{\|}{C}}-R^4$ (II)	25–95		5
	Eisessig, 100°	4:1	$H_5C_6-\overset{O}{\overset{\|}{C}}-C\equiv C-\overset{O}{\overset{\|}{C}}-C_6H_5$ *1,4-Dioxo-1,4-diphenyl-butin* ($R^1=H$; $R^2=C_6H_5$)	58	weitere Beispiele	5
	Eisessig, 80°	2:1	*3,4-Diacetoxy-2,2,5,5-tetra-phenyl-2,5-dihydro-furan*	67 (roh)	neben Benzophenon und 1,4-Diacetoxy-tetraphenyl-butin	5

[1] S. A. ZONIS, Sbornik Statěi Obskchěi Khim. 2, 1091 (1953); C. A. 49, 5414 (1955).

[2] P. J. ANDRULIS, M. J. S. DEWAR, R. DIETZ u. R. L. HUNT, Am. Soc. 88, 5473 (1966).

[3] H. FINKBEINER u. J. B. BUSH, Discuss. Faraday Soc. 46, 150 (1968).

[4] E. I. HEIBA, R. M. DESSAU u. W. J. KOEHL, Am. Soc. 91, 138 (1969).

[5] S. A. ZONIS u. Y. I. KORNILOVA, Ž. obšč. Chim. 20, 1252 (1950); engl.: 1301; Chem. Techn. 6, 683 (1954).

Tab. 1 (4. Fortsetzung)

Ausgangs-Verbindung			Reaktionsbedingungen	Mn-Komplex:Substrat	Endprodukt	Ausbeute [% d.Th.]	Bemerkungen	Literatur
$R^1-\overset{R^2}{\underset{OH}{C}}-\overset{O}{\overset{\|}{C}}-R^3$								
R¹	R²	R³						
H	C₆H₅	C₆H₅	80°, 5 Stdn., 80%ige CH₃COOH	2:1	*Benzil* $R^1-\overset{O}{\overset{\|}{C}}-\overset{O}{\overset{\|}{C}}-R^3$	90		[1]
H	4-OCH₃-C₆H₄	4-OCH₃-C₆H₄	80°, 6 Stdn., 80%ige CH₃COOH	2:1	*4,4'-Dimethoxy-benzil*	89		
H	(furyl)	(furyl)	80°, 3 Stdn., Cl₂CH-CHCl₂	2:1	*Furil*	76		
C₆H₅	C₆H₅		Eisessig, 100°, 20 Stdn.	2:1	R^1-CO-R^2 *Benzophenon*	60	+ *Benzoesäure*	[2]
C₆H₅	4-OCH₃-C₆H₄	4-OCH₂-C₆H₄		2:1	*4-Methoxy-benzo-phenon*	50	+ *4-Methoxy-benzoe-säure*	
(structure)			Essigsäure, 100°	2:1	*6-Methoxy-3-oxo-2-(2,4-dimethoxy-benzyliden)-2,3-dihydro-⟨benzo-[b]-furan⟩*	59	weitere Beispiele	[3,4]

[1] S. A. ZONIS u. Y. I. KORNILOVA, Ž. obšč. Chim. **20**, 1252 (1950); engl.: 1301; Chem. Techn. **6**, 683 (1954).   [3] K. KUROSAWA, Bl. chem. Soc. Japan **42**, 1456 (1969).

[2] S. A. ZONIS, Ž. obšč. Chim. **24**, 814 (1954); engl: 815; Chem. Techn. **6**, 683 (1954).   [4] K. KUROSAWA, Y. SASAKI u. M. IKEDA, Bull. Chem. Soc. Japan **46**, 1498 (1973).

Tab. 1 (5. Fortsetzung)

Ausgangs-Verbindung	Reaktionsbedingungen	Mn-Komplex:Substrat	Endprodukt	Ausbeute [% d.Th.]	Bemerkungen	Literatur
	3 g Säure, 3 g Mn(OOCCH$_3$)$_3$ · 2 H$_2$O 1 ml (CH$_3$CO)$_2$O, 20 ml CH$_3$COOH, 20 Min. Rückfluß		*Essigsäure-benzylester*	49	Ausbeute bez. auf Mn(III)	[1]
4. Spezielle Reaktion						
	1 g Äther, 4,5 g Mn(OOCCH$_3$)$_3$ · 2 H$_2$O 25 ml CH$_3$COOH, 30°, ~ 2 Stdn.		*2,6-Dimethyl-p-benzochinon*	93		[2]
			3,3′,5,5′-Tetramethyl-diphenochinon	57		

[1] H. FINKBEINER u. J. B. BUSH, Discuss. Faraday Soc. **46**, 155 (1968).   [2] H. FINKBEINER u. A. T. TOOTHAKER, J. Org. Chem. **33**, 4349 (1968).
S. a. K. KUROSAWA u. J. HIGUCHI, Bull. Chem. Soc. Japan **45**, 1132 (1972).

Tab. 1 (6. Fortsetzung)

Ausgangs-Verbindung	Reaktionsbedingungen	Mn-Komplex:Substrat	Endprodukt	Ausbeute [% d.Th.]	Bemerkungen	Literatur
b) mit Mangan(III)-sulfat						
R1, R2 = CH3	1. Elektrooxidation z. B. 55%ige H_2SO_4, 50°, 50 A, 3,6–3,8 V. 5 A/dm² Bleielektroden 2. Oxidation, 25–30°				techn. Verwendung von $MnSO_4$ in Kombination mit Elektrooxidation	[1, 2, vgl. 3]
R1: H R2: H			*Benzaldehyd*	Stromausbeute: 75		
R1: H R2: CH3			*4-Methyl-benzaldehyd*	60	Auch analog Oxidation isomerer Xylole	[1, 2]
c) mit Tris-[2,4-pentadionato]-mangan(III)						
R = CH3	CS_2, N_2, schwacher Rückfluß, ~ 0,3 m Phenol	1,3 : 1	*4,4'-Dihydroxy-3,3',5,5'-tetra-methyl-biphenyl* + Oligomere	48 23	neben 3%	[4,5]

[1] R. RAMASWAMY, M. S. VENKATACHALAPATHY u. H. V. K. UDUPA, J. Electrochem. Soc. 110, 202 (1963).
Ind. P. 66175 (1960), H. V. K. UDUPA u. M. S. VENKATACHALAPATHY; C. A. 55, 15 421 (1961).

[2] F.-T. SU u. W.-C. CH'EN, C. A. 54, 22 460 (1960).

[3] US. P. 2462050 (1949), B. G. ZIMMERMAN; C. A. 1950 I, 343.

[4] M. J. S. DEWAR u. T. NAKAYA, Am. Soc. 90, 7134 (1968).

[5] L. J. Chin, Selectin of oxidants in Synthesis, M. Dekker Verlag, New York 1972.

Tab. 1 (7. Fortsetzung)

Ausgangs-Verbindung	Reaktionsbedingungen	Mn-Komplex:Substrat	Endprodukt	Ausbeute [% d.Th.]	Bemerkungen	Literatur
R = (CH₃)₃C	CS₂, N₂, schwacher Rückfluß, ~ 0,3 m Phenol, 3 Stdn.	2 : 1	4,4'-Dihydroxy-3,3',5,5'-tetra-tert.-butyl-biphenyl	74	–	[1]
	CH₃CN, N₂, schwacher Rückfluß, ~ 0,3 m Phenol, 5 Stdn.	1,2 : 1	2,2'-Dihydroxy-bi-naphthyl-(1)	69		[1]
R–SH			R–S–S–R	85—99	z. B. Dipentyl-disulfan	[2]
d) mit Mangan(III)-fluorid						
F₃C–N=N–CH₂–CH₂–Cl	Stahlapparatur 1 Stde., N₂, 200° (oder 120°, 10 Stdn.)	23 : 1	Trifluormethyl-(2-fluor-2-chlor-äthyl)-diazen + Trifluormethyl-(2,2-difluor-2-chlor-äthyl)-diazen + Trifluormethyl-(1,2-difluor-1-chlor-äthyl)-diazen	25 10 20		[3]

[1] M. J. S. Dewar u. T. Nakaya, Am. Soc. 90, 7134 (1968).
[2] T. Nakaya, H. Arabori u. M. Imoto, Bull. Chem. Soc. Japan 43, 1888, 1999 (1970).
[3] A. S. Filatov, S. P. Makarov u. Y. Yakubovich, Ž. obšč. Chim. 38, 40 (1968); engl.: 39.

Tab. 1 (8. Fortsetzung)

e) mit Mangan(IV)-acetat

Ausgangs-Verbindung	Reaktionsbedingungen	Mn-Komplex:Substrat	Endprodukt	Ausbeute [% d.Th.]	Bemerkungen	Literatur
$\begin{array}{c} R \quad R \\ | \quad | \\ HO-C-C-OH \\ | \quad | \\ R^1 \; R^1 \end{array}$	10^{-4} m Diol, 30 ml Eisessig	1 : 1			weitere Beispiele	[1]
R¹ R²						
CH₃ C₆H₅	15 Min., 50° (20°, 3,5 Stdn.)		Acetophenon			
H C₆H₅	50°, 30 Min.		Benzaldehyd			
-(CH₂)₂-	80°, 4 Stdn.		Hexandial			

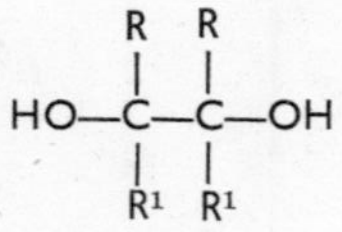

1 S. A. Zonis u. A. G. Pesina, Ž. obšč. Chim. 20, 1180 (1950); engl.: 1223; C. A. 45, 1558 (1951).

+ neutrale Reaktionsprodukte) wird fraktioniert destilliert, die Fraktionen einzeln mittels Gaschromatographie, IR und NMR analysiert. Ausbeute:

67% d.Th. *Essigsäure-methyl-benzylester* (2-Derivat 58%; 3-Derivat 23%; 4-Derivat 19%);
$\qquad$ Kp$_{13-15}$: 103–110°
10% d.Th. *Essigsäure-benzylester*
7% d.Th. *Methyl-benzaldehyd*
3% d.Th. *Benzaldehyd*

In der wäßrigen Schicht sind geringe Mengen (Methyl-phenyl)-essigsäuren vorhanden.

Über das Verhältnis Essigsäure-benzylester zu den Essigsäure-(4-methyl-benzylestern) und (Methyl-phenyl)-essigsäuren und den Einfluß von Kaliumacetat auf die Menge an (Methyl-phenyl)-essigsäuren siehe Literatur[1]. Bei der Oxidation mit Mangandioxid-Suspensionen in Eisessig und in Gegenwart von etwas Acetanhydrid (Rückfluß) erhält man die Essigsäure-methylbenzylester nur in 10%iger Ausbeute[2]. Zum Einfluß von Zusätzen (z. B. Schwefelsäure) auf die Produktverteilung und den Mechanismus der Oxidation von Toluol mit Mangan(III)-acetat s. Lit.[3].

Über den Mechanismus nach ② (S. 478) bestehen verschiedene Meinungen[4,5,2]. Bei dem freien Radikalmechanismus mit Carboxymethyl-Radikalen[5,2] wird das Vorhandensein eines divalenten Elektronen-Oxidans als elektrophiles Agens angenommen (vgl. a. [6]).

B. Oxidation mit Mangan(IV)-oxid

I. Eigenschaften und Herstellung[7]

a) Eigenschaften

Mangandioxid (MnO$_{1,7-2}$) kommt in der Natur als Braunstein in verschiedenen Formen vor: Pyrolusit (β-MnO$_2$), Psilomelan usw.[8-11]

[1] E. I. HEIBA, R. M. DESSAU u. W. J. KOEHL, Am. Soc. **91**, 138 (1969).

[2] H. FINKBEINER u. J. B. BUSH, Discuss. Faraday Soc. **46**, 150 (1968).

[3] J. HANOTIER, M. HANOTIER-BRIDOUX u. P. DE RADRITZKY, Soc. (Perkin II) **1973**, 381.

[4] E. I. HEIBA, R. M. DESSAU u. W. J. KOEHL, Am. Soc. **90**, 5905 (1968).

[5] J. B. BUSH u. H. FINKBEINER, Am. Soc. **90**, 5903, 5904 (1968).

[6] J. B. BUSH, H. FINKBEINER, E. I. HEIBA, R. M. DESSAU u. W. J. KOEHL, Nachr. Chem. Techn. **16**, 426 (1968).

[7] F. A. COTTON u. G. WILKINSON, *Anorganische Chemie*, S. 781, 784f., Verlag Chemie, Weinheim/Bergstr. 1967.

J. O. HAY in KIRK-OTHMER, *Encyclopedia of chemical technology*, Bd. 13, S. 19–21, Interscience Publ., New York · London 1967.

K. A. HOFMANN, *Anorganische Chemie*, S. 649ff., Friedrich Vieweg u. Sohn, Braunschweig 1963.

I. NARAY-SZABO, *Anorganische Chemie*, Bd. 2, S. 718—720, Akademie-Verlag, Berlin 1962.

G. BRAUER, *Handbuch der präparativen anorganischen Chemie*, Bd. 2, S. 1274, Ferdinand Enke Verlag, Stuttgart 1962.

H. BODE, Ang. Ch. **73**, 553 (1961); Symposium über Braunstein, Ang. Ch. **73**, 439 (1961).

O. GLEMSER, G. GATTOW u. H. MEISICK, Z. anorg. Ch. **309**, 1 (1961).

G. GATTOW u. O. GLEMSER, Z. anorg. Ch. **309**, 121 (1961).

[8] A. G. BETECHTIN, *Lehrbuch der speziellen Mineralogie*, S. 312f., 349ff., VEB Deutscher Verlag für Grundstoffindustrie, Leipzig 1964.

H. v. PHILIPSBORN, *Erzkunde*, S. 33ff., Ferdinand Enke Verlag, Stuttgart 1964.

[9] G. GATTOW u. O. GLEMSER, Z. anorg. Ch. **309**, 121 (1961).

[10] H. BODE, Ang. Ch. **73**, 553 (1961).

[11] J. O. HAY in KIRK-OTHMER, *Encyclopedia of chemical technology*, Bd. 13, S. 19, Interscience Publ., New York-London 1967.

Von synthetischem Braunstein ist ebenfalls eine Reihe von Phasen mit mehr oder weniger breiten Homogenitätsbereichen bekannt (α-, β-, γ-MnO$_2$ usw.[1-6]). Zur Psilomelan-Gruppe gehören auch verschiedene Mangan(IV)-oxid-Hydrate, z. B. ein Monohydrat, das der Meta-mangansäure (H$_2$MnO$_3$) entspricht, die im Labor als schokoladebraunes Gel gewonnen werden kann[7]. Eine Verbindung mit der stöchiometrischen Zusammensetzung MnO$_2$ ist nicht bekannt; stets ist Sauerstoff-Defizit zu beobachten. Strukturell können Wasser, Hydroxyl-Ionen und andere Fremdionen vorhanden sein[1,8-11]. Oxidationspotentiale und andere physikalische und chemische Eigenschaften variieren daher stark je nach der chemischen Zusammensetzung und der Struktur der betr. „MnO$_2$"-Probe, die z. B. aus kristallinen bis amorphen Varianten bestehen kann[12]. Als allgemeine Formel für „MnO$_2$" gibt man

$$Mn_{n-z}(OH)_2 \cdot mH_2O$$

an[8,13]. Der Stöchiometrie der Formel MnO$_2$ kommt die β-Form des Pyrolusit am nächsten. Über die Strukturen von MnO$_2$ und die Polymorphie s. Literatur[14-16]

Das Redox-System

$$MnO_2 + 4\,H^\oplus + 2\,e^\ominus \rightleftharpoons Mn^{2\oplus} + 2\,H_2O$$

hat in saurer Lösung das Reduktionspotential[17-20]: $+1,239$ V (1,208, 1,231-1,244 V).
In alkalischer Lösung

$$MnO_2 + 2\,H_2O + 2\,e^\ominus \rightleftharpoons Mn(OH)_2 + 2\,OH^\ominus$$

ist das Reduktionspotential[1,12,20]: $-0,05$ V ($-0,03$ V).

Mangan(IV)-oxid ist in Wasser unlöslich, der 4-wertige Zustand dadurch stabilisiert. Das Mangan(IV)-Ion ist in Lösung instabil.

Mangandioxid ist trotzdem ein sehr nützliches Reagens in der präparativen organischen Chemie und stellt ein interessantes Beispiel für ein Oxidans dar, das durch eine Phasengrenzfläche wirksam ist[21-23].

[1] G. GATTOW u. O. GLEMSER, Z. anorg. Ch. **309**, 121, 149 (1961).
[2] W. F. PICKERING, Rev. Pure Appl. Chem. **16**, 192 (1966).
[3] G. GATTOW, Ang. Ch. **63**, 439 (1961).
[4] V. A. KOMAROV, N. P. TIMOFEEVA u. T. M. MORISHKINA, Ž. obšč. Chim. **26**, 393 (1956); engl.: 415.
[5] J. O. HAY in KIRK-OTHMER, *Encyclopedia of chemical technology*, Bd. 13, S. 21, Interscience Publ., New York · London 1967.
[6] J. C. BLOCH, J. BOISSIER u. G. OURISSON, Bl. **1961**, 540.
[7] N. V. SIDGWICK, *The chemical elements and their compounds*, Bd. 2, S. 1272, Clarendon Press, Oxford, 1962.
[8] J. BRENET, Chimia **23**, 444 (1969).
[9] J. BRENET et al., Electrochim. Acta **13**, 2167 (1968).
[10] K. leTRAN u. J. BRENET, C. r. [C] **263**, 1 (1966).
[11] O. GLEMSER, G. GATTOW u. H. MEISICK, Z. anorg. Ch. **309**, 2 (1961).
[12] J. O. HAY in KIRK-OTHMER, *Encyclopedia of chemical technology*, Bd. 13, S. 19, Interscience Publ., New York · London 1967.
[13] Fr. P. 1525333 (1968), J. P. BRENET; C. A. **71**, 23 327 (1969).
[14] S. P. KORSHUNOV u. L. I. VERESHCHAGIN, Russ. Chem. Rev. **35**, 943 (1966); C. A. **66**, 54653 (1967).
[15] R. GIOVANOLI, Chimia **23**, 470 (1969).
[16] J. C. BLOCH, J. BOISSIER u. G. OURISSON, Bl. **1961**, 540.
[17] T. A. ZORDAN u. L. G. HEPLER, Chem. Rev. **68**, 739 (1968).
   s. a. GMELIN, Mr, Tl Cl, S. 126, 130, 320, 341, 21 J (1973).
[18] *Handbook of chemistry and physics*, The Chemical Rubber Co., Cleveland, Ohio 1969/70.
[19] J. AMBROSE, A. K. COVINGTON u. R. H. THIOSK, Trans Faraday Soc. **1969**, 1897.
[20] Die Werte beziehen sich auf durch Zersetzung von Mangan(II)-nitrat hergestellten Pyrolusit (β-MnO$_2$).
[21] W. A. WATERS, Quart. Rev. **12**, 281 (1958).
[22] R. G. R. BACON, Chem. and Ind. **1962**, 19.
[23] D. DOLLIMORE u. K. H. TONGE, Soc. [B] **1967**, 1380.

Mangan(IV)-oxid in der Form des Pyrolusits ist ein ziemlich guter elektrischer Leiter[1]. Beim Erhitzen der Mangan(IV)-oxide bilden sich u. a. auch Mn_2O_3, Mn_3O_4, MnO usw.

b) Herstellung des aktiven Mangan(IV)-oxids[2]

Nachstehend wird die Herstellung einer aktiven (nicht-stöchiometrischen) Mangan(IV)-oxid-Form und anderer Typen mit z. T. unterschiedlichen Eigenschaften in der Oxidationskraft beschrieben, die z. B. für die Herstellung hochempfindlicher ungesättigter Aldehyde geeignet sind. Durch die ungewöhnlich milden Bedingungen, unter denen hier (im Vergleich mit anderen oxidativen Methoden) gearbeitet wird, vermeidet man eine denkbare Weiteroxidation, so daß ungesättigte Aldehyde und Ketone gewonnen werden können, die mit anderen Methoden nur schwierig herzustellen wären. Ein einfaches Verfahren zur Herstellung von aktiven Mangan(IV)-oxid s. Lit.[3]

Mangan(IV)-oxid:

Verfahren ① (nach ATTENBUROW)[4-7]: Eine Lösung von 1110 g Mangan(II)-sulfat-Tetrahydrat in 1,5 l Wasser und eine Lösung von 468 g Natriumhydroxid in 1,17 l Wasser werden gleichzeitig innerhalb 1 Stde. unter Rühren zu einer heißen Lösung von 960 g Kaliumpermanganat in 6 l Wasser gegeben. Man rührt 1 Stde. nach, zentrifugiert den Niederschlag ab, wäscht, bis das Waschwasser farblos ist, trocknet bei 100–120° und vermahlt zu einem feinen Pulver. Das Produkt enthält 3–4% fest gebundenes Wasser[8-10].

Verfahren ②[8-10]: Zu einer Lösung von 960 g Kaliumpermanganat in 6 l Wasser wird eine Lösung von 850 g Mangan(II)-sulfat-Hydrat in 1,8 l Wasser und eine Lösung von 460 g Natriumhydroxid in 1,17 l Wasser vom gleichen Zeitpunkt an zugetropft. Die Temp. wird auf 80–90° gehalten. Die erste Lösung wird innerhalb 60 Min., die letztere innerhalb 45 Min. zugegeben. Man rührt eine weitere Stde. bei 90° und saugt das Mangan(IV)-oxid-Hydrat ab. Man wäscht dieses dann mit heißem Leitungswasser frei von Permanganat (das Waschwasser soll lackmusneutral reagieren) und beläßt es 24 Stdn. unter Absaugen auf der Nutsche. Der zerkleinerte, feuchte Filterkuchen (er enthält 40–60% Wasser) wird in einer verschlossenen Flasche aufbewahrt. Die Aktivierung erfolgt portionsweise durch azeotrope Destillation mit Benzol. Man umgeht so langwierige Trocknungs- und Mahlprozesse. Bei hinreichender Rührgeschwindigkeit (Klumpen müssen zerteilt werden) und ausreichender Wärmezufuhr ist die Destillation nach 1 Stde. beendet. Derart aktivierte Proben können direkt benutzt oder unter Benzol aufbewahrt werden. Den noch nicht aktivierten Filterkuchen und das unter Benzol aufbewahrte Material können mindestens bis zu einem Jahr verwendet werden.

Ausführung der Destillation: In einem 250-*ml*-Kolben, versehen mit einer Dean-Stark-Falle, mit einem Kühler und einem Magnetrührer, werden 150 *ml* Benzol und 25 g wasserhaltiges Mangan(IV)-oxid stark gerührt und das Wasser azetrop abdestilliert.

Zu aktivem Material kommt man auch durch extraktive Entfernung des Wassers aus dem feuchten Filterkuchen mit hydrophilen Lösungsmitteln wie z. B. Acetonitril[11].

---

[1] N. V. SIDGWICK, *The chemical elements and their compounds*, Bd. 2, Clarendon Press, Oxford 1962.
A. F. WELLS, *Structural Inorganic Chemistry*, S. 371, Clarendon Press, Oxford 1950.
J. O. HAY in KIRK-OTHMER, *Encyclopedia of chemical technology*, Bd. 13, S. 9, 16, Interscience Publ., New York · London 1967.
[2] S. P. KORSHUNOV u. L. I. VERESHCHAGIN, Russ. Chem. Rev. 35, 942 (1966).
J. C. BLOCH, J. BOISSIER u. G. OURISSON, Bl. 1961, 540.
O. GLEMSER, G. GATTOW u. H. MEISICK, Z. anorg. Ch. 309, 8 (1961).
[3] L. A. CARPINO, J. Org. Chem. 35, 3971 (1970).
[4] R. O. C. NORMAN, *Principles of organic synthesis*, S. 523, Methuen Co., Ltd., London 1968.
[5] S. R. SANDLER u. W. KARO, *Organic functional group preparations*, S. 147, Academic Press, New York 1968.
[6] L. F. FIESER u. M. FIESER, *Reagents for organic synthesis*, S. 637, John Wiley and Sons, Inc., New York 1967.
[7] J. ATTENBUROW et al., Soc. 1952, 1104.
[8] J. M. GOLDMAN, J. Org. Chem. 34, 1979, 3289 (1969).
[9] E. P. PRATT u. J. F. von DE CASTLE, J. Org. Chem. 26, 2973 (1961).
[10] E. P. PRATT u. S. P. SUSKIND, J. Org. Chem. 28, 638 (1963).
[11] J. M. GOLDMAN, J. Org. Chem. 34, 3289 (1969).

Verfahren (3)[1,2]: Zu einer Mangan(II)-sulfat-Lösung wird eine konz. wäßr. Lösung von Kalium-permanganat bei 90° unter Rühren zugetropft, bis die blaßrosa Farbe des Permanganats bestehen bleibt. Man rührt noch 15 Min. bei 90° nach, filtriert, wäscht den Filterkuchen mit heißem Wasser, dann mit Methanol und Äther, und trocknet bei 120–130° auf konstantes Gewicht (α-Form)[1,2]. Bei der Umsetzung wird die Lösung stark sauer:

$$2\ MnO_4^{\ominus} + 3\ Mn^{2\oplus} + 7\ H_2O \longrightarrow 5\ MnO_2 \cdot H_2O + 4\ H^{\oplus}$$

Die Eigenschaften des Produktes sind anders, wenn während der Fällung das System durch Zusatz einer Base genügend alkalisch bleibt[3]; es soll die γ-Form vorliegen[2,4].

Verfahren (4): Mangan(II)-carbonat oder Mangan(II)-oxalat werden bei 220–280° innerhalb 18 Stdn. thermisch zersetzt[5]. Ein aktiveres Mangan(IV)-oxid erhält man durch anschließendes Waschen mit verd. wäßr. Salpetersäure und Trocknen[6–8] bei 230°.

Mangan(II)-oxalat-Dihydrat wird in einer dünnen Schicht (1–2 cm) 2 Stdn. auf 250° erhitzt. Man läßt das Oxid an der Luft abkühlen[9]. Bei der Pyrolyse von Mangan(II)-nitrat-Hexahydrat[10,11, s.a., 12–15] entsteht nach 20 Stdn. bei 350° $MnO_{1,839-1,990}$ (β-MnO_2 Pyrolusit und α-Mn_2O_3).

Über die Herstellung von Mangan(IV)-oxid aus Mangan(II)-nitrat in Gegenwart von Ozon, Sauerstoff bzw. Perchlorsäure s. Lit. [16–19].

Im folgenden wird kurz auf einige andere Verfahren zur Herstellung von Mangan(IV)-oxid eingegangen.

Ein Mangan(IV)-oxid der Zusammensetzung $Mn_7O_{13} \cdot 5\ H_2O$, das offenbar für Oxidations-reaktionen gut geeignet ist, wird in der Literatur beschrieben[20].

Außer durch Oxidation des Mangan(II)-Ions mit Oxidationsmitteln wie Permanganat, Sauerstoff, Ozon, u.s.w., kann auch von der anderen Seite des Redoxsystems ausgegangen werden.

Um den Schwierigkeiten beim Arbeiten mit zu feinpulvrigem Mangan(IV)-oxid zu entgehen, kann das als Nebenprodukt bei der Permanganat-Oxidation von 4-Methyl-pyridin angefallene Mangan(IV)-oxid verwendet werden[21], wobei gewisse Vorsichtsmaßnahmen zu beachten sind.

Ferner können zur Reduktion von Permanganat auch Allylalkohol[22], Äthanol (in wäßr. Natrium-hydrogencarbonat- bzw. Kaliumcarbonat-Lösung)[23], Wasserstoffperoxid[24–26] und Natriumhydrogensulfit

[1] G. Gattow u. O. Glemser, Z. anorg. Ch. 309, 121, 132 (1961).
[2] J. C. Bloch, J. Boissier u. G. Ourisson, Bl. 1961, 540.
[3] J. Attenburow et al., Soc. 1952, 1094.
[4] G. Gattow u. O. Glemser, Z. anorg. Ch. 309, 22 (1961).
[5] J. Lamure u. C. Iltis, C. r. [C] 264, 583 (1967).
[6] W. P. Pickering, Rev. Pure Appl. Chem. 16, 190 (1966).
[7] R. M. Evans, Quart. Rev. 13, 68 (1959).
[8] M. Harfenist, A. Bavley u. A. Lazier, J. Org. Chem. 19, 1608 (1954).
[9] B. Hughes u. H. Suschitzky, Soc. 1965, 878.
[10] G. Hahn u. W. Dusdorf, Acta chim. (Budapest) 56, 99 (1968); C. A. 69, 81366 (1968).
[11] G. Gattow u. O. Glemser, Z. anorg. Ch. 309, 129 (1961).
[12] J. O. Hay in Kirk-Othmer, Encyclopedia of chemical technology, Bd. 13, S. 16, 19, Interscience Publ., New York · London 1967.
[13] O. Meth-Cohn u. H. Suschitzky, Chem. & Ind. 1969, 443.
[14] O. Glemser u. H. Meisick, Naturwiss. 44, 614 (1957).
[15] H. T. Larkins, H. S. Young u. A. G. Akin; C. A. 71, 31891 (1969).
[16] J. S. Belew u. C. Tek-Ling, Chem. & Ind. 1967, 1958.
[17] H. J. Espensen u. H. Taube, Inorg. Chem. 4, 704 (1965).
[18] J. Marcy u. F. Matthes, Wiss. Z., T. H. Leuna-Merseburg 10, 107 (1968); C. A. 70, 102 563 (1969).
[19] DBP. 1268604 (1968), P. Faber; C. A. 69, 44936 (1968).
[20] R. Giovanoli, E. Stahli u. W. Feitknecht, Chimia 23, 264 (1969).
[21] A. M. Tyabji, B. 92, 2677 (1959).
[22] R. J. Gritter u. T. J. Wallace, J. Org. Chem. 24, 1051 (1959).
[23] H. Finkbeiner u. A. T. Toothaker, J. Org. Chem. 33, 4350 (1968).
[24] J. O. Hay u. Kirk-Othmer, Encyclopedia of chemical technology, Bd. 13, S. 10, Interscience Publ., New York · London.
[25] A. S. Lyubimov, Y. V. Egorov u. E. J. Krylov, Izv. Akad. SSSR, Neorg. Mater. 2, 2175 (1966); C. A. 66, 61331 (1967).
[26] G. Sterr u. A. Schmier, Z. anorg. Ch. 368, 225 (1969).

in Schwefelsäure)[1] dienen. Auch die Zersetzung von Permanganat durch Schwefelsäure über die Stufe des Mangan(VII)-oxids[2] wurde zur Herstellung von Mangan(IV)-oxid herangezogen. Alle diese Verfahren haben jedoch für die präparative Herstellung von aktivem Mangan(IV)-oxid kaum eine Bedeutung.

Die Ermittlung des im Mangan(IV)-oxid für die Oxidation verfügbaren Sauerstoffes[3-7] kann z. B. manganometrisch oder jodometrisch erfolgen[8-10].

Einige Patente[11] befassen sich mit der industriellen Herstellung des Mangan(IV)-oxids sowie dessen Regenerierung bei technischen Prozessen[12-14].

c) Allgemeine Hinweise

Die Geschwindigkeit, Spezifität und Ausbeute hängen außer von der Qualität des Oxidans auch von dem Mengenverhältnis Mangan(IV)-oxid/Substrat, von Reaktionstemperatur und -dauer, von der Art des Lösungsmittels und (vor allem) vom Reaktionspartner ab.

1. Variation des Mangan(IV)-oxid-Typs

Die „Aktivität" des Mangan(IV)-oxids hängt sehr stark von der Herstellungsweise ab[15-17]. Bei höheren Temperaturen sorgfältig getrocknete Proben liefern z. B. niedrigere Ausbeuten.

Zwischen der chemischen und elektrochemischen Reaktivität („Aktivität") und den katalytischen Eigenschaften des Mangan(IV)-oxids bestehen Zusammenhänge. Struktur [ob z. B. reaktives α- und γ-Mangan(IV)-oxid oder reaktionsträges β-Mangan(IV)-oxid vorliegen][16] und Oberflächeneigenschaften (Porosität, Hydroxy-Gruppen, Austausch und Adsorption von Ionen) und weitere physikalisch-chemische Eigenschaften (z. B. Fehlordnung, elektrische Leitfähigkeit) beeinflussen den Reaktionsmechanismus aktiver Mangan(IV)-oxid-Typen[18-21]. Auch das Alter kann, wie folgendes Beispiel zeigt, einen wesent-

[1] M. IWANAMI, T. NUMATA u. M. MURAKAMI, Bl. chem. Soc. Japan **41**, 163 (1968).

[2] O. GLEMSER u. H. MEISICK, Naturwiss. **44**, 614 (1957).
  Zur Oxidation von Hydroginen bereites MnO_2 s. L. A. CARPINO, J. Org. Chem. **35**, 3971 (1970).

[3] M. J. KATZ, R. C. CLARKE u. W. F. NYE, Anal. Chem. **28**, 507 (1956).

[4] S. P. KORSHUNOV u. L. I. VERESHCHAGIN, Russ. Chem. Rev. **35**, 943 (1966); C. A. **66**, 54653 (1967).

[5] D. DOLLIMORE u. K. H. TONGE, Soc. [B] **1967**, 1382.

[6] J. M. KOLTHOFF, F. B. SANDELL, E. J. MEEHAN u. S. BRUCKENSTEIN, *Quantitative chemical analysis*, S. 835, The Macmillan Co., New York 1969.

[7] A. D. WILSON, Analyst **89**, 571 (1964).

[8] G. JANDER, F. JAHR u. H. KNOLL, *Maßanalyse*, Sammlung Göschen, Bd. **221**, S. 69; Bd. **221 a**, S. 125; Walter de Gruyter u. Co., Berlin 1969.

[9] H. LUX, *Praktikum der quantitativen anorganischen Analyse*, S. 121; Bergmann-Verlag, München 1967.

[10] O. GLEMSER, G. GATTOW u. H. MEISICK, Z. anorg. Ch. **309**, 8 (1961).

[11] DDRP. 62046 (1968); US. P. 3 0049 (1961); 2956860 (1960); 2822243, 2614030 (1952); 2608466 (1962); Fr. P. 1253363 (1961); 1199077 (1959); H. JENKEL, K. ROSSTENTSCHER, E. KOENIG, R. SCHRADER, J. BRUECKEL u. G. WERNER; C. A. **70**, 59484 (1969).

[12] US. P. 2731478 (1956); Erf.: J. KAMLET; C. A. **50**, 13994 (1956).

[13] Tschechosl. P. 127047 (1968), J. MYL u. D. KULDA; C. A. **70**, 49088 (1969).

[14] H. T. LARKINS, H. S. YOUNG u. A. G. AKIN, C. A. **71**, 31891 (1969).

[15] S. P. KORSHUNOV u. L. I. VERESHCHAGIN, Russ. Chem. Rev. **35**, 943 (1966); C. A. **66**, 54653 (1967).

[16] J. C. BLOCH, J. BOISSIER u. G. OURISSON, Bl. **1961**, 540.

[17] O. GLEMSER, G. GATTOW u. H. MEISICK, Z. anorg. Ch. **309**, 9 (1961).

[18] J. BRENET, Chimia **23**, 444 (1961).

[19] J. BRENET et al., Elektrochim. Acta **13**, 2167 (1968)

[20] K. leTRAN u. J. BRENET, C. r. [C] **263**, 1 (1966).

[21] W. P. PICKERING, Rev. Pure Appl. Chem. **16**, 190 (1966).

lichen Einfluß ausüben:

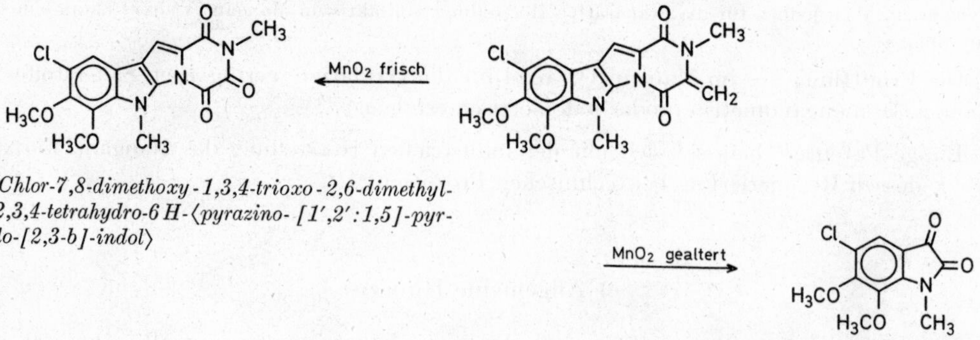

MnO₂ frisch

9-Chlor-7,8-dimethoxy-1,3,4-trioxo-2,6-dimethyl-
1,2,3,4-tetrahydro-6H-⟨pyrazino-[1',2':1,5]-pyr-
rolo-[2,3-b]-indol⟩

MnO₂ gealtert

5-Chlor-6,7-dimethoxy-
2,3-dioxo-1-methyl-2,3-
dihydro-indol

Selbstverständlich ist die Reaktivität auch vom durchschnittlichen Oxidationsgrad abhängig[1].

Manche Autoren vermuten, daß kationische Verunreinigungen im Mangan(IV)-oxid (wahrscheinlich nicht andere Oxidationsstufen des Mangans[2]) für den Ablauf der heterogenen Reaktion zwischen organischem Substrat und Mangan(IV)-oxid eine Rolle spielen könnten. Offensichtlich beeinflussen Oberflächeneigenschaften des Mangan(IV)-oxids Geschwindigkeit und Richtung vieler Reaktionen entscheidend. Zur Klärung des Problems sind genauere Untersuchungen der Feinstruktur des Mangan(IV)-oxids in Beziehung zu seiner Oxidationskraft erforderlich[3] (s. S. 490).

Eine Aktivitätsreihe der am häufigsten verwendeten Mangan(IV)-oxid-Typen wurde aufgestellt[2].

Die Reduktion von γ-Mangan(IV)-oxid mit Zimtalkohol in Xylol bei 90° führt je nach Dispersionsgrad zu γ- bzw. α-MnO(OH) unter verschiedenen Phasenreaktionen[4].

2. Variation der Menge

Die einzusetzende Menge an Oxidans ist abhängig von der Partikelgröße des Mangan(IV)-oxids, weil die Oxidation in neutralen Solventien eine heterogene Reaktion ist[2]. Die optimalen Mengenverhältnisse für die Oxidation von α,β-ungesättigten Alkoholen sind 1 : 10 bei Raumtemperatur und 1 : 4–6 bei Siedetemperatur[5]. Man nimmt an, daß der Gesamtvorgang der Reaktion in drei Stufen abläuft:

① Adsorption des Substrats aus der Lösung an der Oberfläche des Mangan(IV)-oxids
② Oxidation des Substrats
③ Desorption des Reaktionsprodukts in die Lösung.

Gesättigte Verbindungen, die weniger leicht absorbiert werden, reagieren langsamer[6]. Plausibel ist demnach z. B. die abnehmende Oxidierbarkeit der Alkohole[7] in der Reihenfolge:

mehrfach konjugierte Carbinole > Benzyl- und Furylalkohole > Vinyl- und Äthinylcarbinole

---

[1] J.-J. LARAGNE u. J. BRENET, Bl. 1968, 3499.
[2] S. P. KORUSHUNOV u. L. I. VERESHCHAGIN, Russ. Chem. Rev. 35, 943 (1966); C.A. 66, 54653 (1967).
[3] D. DOLLIMORE u. K. H. TONGE, Soc. B. 1967, 1380.
[4] R. GIOVANOLI, K. BERNHARD u. W. FEITKNECHT, Helv. 51, 355 (1968).
[5] L. F. FIESER u. M. FIESER, Advanced organic chemistry, S. 302, Reinhold Publ. Co., Chapman and Hall Ltd., New York · London 1961.
[6] S. BALL, T. W. GOODWIN u. R. A. MORTON, Biochem. J. 42, 516 (1948).
[7] M. HARFENIST, A. BAVLEY u. W. A. LAZIER, J. Org. Chem. 19, 1608 (1954).

Die Verdrängung von adsorbierten Molekülen der Ausgangsverbindung durch das Reaktionsprodukt, das ständige Vorhandensein von Wasser an der Mangan(IV)-oxid-Oberfläche (auch in „wasserfreien" Medien, ist wegen der Oxidation Wasser vorhanden) und dessen Eingreifen in den Reaktionsmechanismus sind weitere Faktoren für den Reaktionsverlauf. Besonders scheinen, wie schon erwähnt, kationische Verunreinigungen mit Elektronenacceptor-Eigenschaften die Redoxreaktion zu beschleunigen[1]. Vermutlich liegen auf der Oberfläche des Oxidans verschieden aktive Zentren vor, deren Häufigkeit und Komplexbildungsvermögen mit Substratmolekülen die Reaktionsgeschwindigkeit beeinflussen. Verschiedene Beobachtungen führen zu der Annahme, daß zwischen den adsorbierten Substratmolekeln und der durch Metallionen verunreinigten Oberfläche des Oxidans ein Radikalmechanismus abläuft[2-8].

3. Variation des Lösungsmittels

Polare Lösungsmittel (z. B. Alkohole) können die Oberfläche von Mangan(IV)-oxid desaktivieren. Auch polarisierbare Lösungsmittel werden bevorzugt adsorbiert (z. B. Benzol). Für die aktivierten Varianten des polaren Adsorptionsmittels Mangan(IV)-oxid gilt in etwa folgende elutrope Reihe :

Petroläther, Cyclohexan, Tetrachlormethan, Benzol, Chloroform, Diäthyläther, Essigsäure-äthylester, Aceton, Wasser, Eisessig, Pyridin.

Am häufigsten werden hydrophobe Lösungsmittel verwendet. Geeignete und auch häufig eingesetzte Lösungsmittel sind z. B. Hexan, Dichlormethan, Tetrahydrofuran, Acetonitril, tert.-Butanol, Isopropanol, Dimethylsulfoxid. Das Mengenverhältnis Mangan(IV)-oxid: Lösungsmittel für die Oxidation organischer Substrate liegt meist bei 1 g: 10–20 *ml*.

In der Literatur wird wiederholt über den u. U. entscheidenden Einfluß des Lösungsmittels auf die Entstehung des Endproduktes hingewiesen. So wird beispielsweise 2,4,6-Trimethyl-phenol in Chloroform oder Aceton zum Polyäther I, in Benzol dagegen unter Entalkylierung zum Polyäther II oxidiert[9,10]:

Häufig kann durch Verwendung eines anderen Lösungsmittels die Ausbeute einer Reaktion ganz erheblich verbessert werden. Auf präparative Einzelheiten, z. B. Sauerstoff-Ausschluß, Wasser-Freiheit usw. wird auf die Originalliteratur verwiesen. Es soll jedoch erwähnt werden, daß besonders aktive Formen von Mangan(IV)-oxid z. B. Petroläther in einigen Fällen zur Entzündung gebracht haben. Vorsichtsmaßnahmen zur Vermeidung zu heftiger

[1] R. J. Gritter, G. D. Dupre u. T. J. Wallace, Nature 202, 179 (1964).
   s. a. H. S. Passelt et al., Environ. Sci. Techn. 2, 1087 (1968).
[2] T. K. Hall u. P. R. Story, Am. Soc. 89, 6760, 6761 (1967).
[3] W. F. Pickering, Rev. Pure Appl. Chem. 16, 194 (1966).
[4] E. F. Pratt u. T. P. McGovern, J. Org. Chem. 29, 1540 (1964).
   L. F. Fieser u. M. Fieser, *Reagents for organic synthesis*, S. 640, John Wiley and Sons, Inc., New York 1967.
[5] E. F. Pratt u. S. P. Suskind, J. Org. Chem. 28, 638 (1963).
[6] E. F. Pratt u. J. F. v. de Castle, J. Org. Chem. 26, 2973 (1961).
[7] D. Dollimore u. K. H. Tonge, Soc. [B] 1967, 1380.
[8] S. P. Korshunov u. L. I. Vereshchagin, Russ. Chem. Rev. 35, 945 (1966); C. A. 66, 54653 (1967).
   s. a. J. A. Fatiadi, Soc, [B] 1971, 889.
[9] US. P. 3220979 (1965), Sun Oil Co., Erf.: E. J. Mc Neils; C. A. 64, 6843 (1966).
[10] S. P. Korshunov u. L. I. Vereshchagin, Russ. Chem. Rev. 35, 944 (1966); C. A. 66, 54653 (1967)

Reaktionen sind daher oft nötig (Kühlung, geeignete Rühr- oder sonstige Mischvorrichtungen, Art und Regelung der Zugabe, inerte Gasatmosphäre).

4. Variation von Temperatur und Zeit

Reaktionsdauer (bis zu einer optimalen Ausbeute) und Reaktionstemperatur sind nicht unmittelbar voneinander abhängig, sondern auch eine Funktion der Aktivität des Mangan(IV)-oxids, der Eigenschaften des Substrats und der Mengenverhältnisse der Komponenten[1]. α,β-ungesättigte Alkohole werden für gewöhnlich in Minuten bis wenigen Stunden bei Raumtemperatur umgesetzt. Die Oxidation von N-Alkyl-anilinen und Hydroxysteroiden braucht dagegen bis zu einem Tag. C–C-Spaltungsreaktionen sind bei 80–100° nach 10–20 Stdn. beendet. Andere Verbindungen erfordern Reaktionszeiten von mehreren Tagen und länger. Zu lange Reaktionszeiten können manchmal zu unerwünschten Neben- und Weiterreaktionen, z. B. zu teilweiser Zersetzung, führen[2].

Erhöhung der Temperatur auf 70–120° verkürzt die Reaktionszeit merklich. Ausbeute, Reinheit des Produkts und die Selektivität können sich indessen u. U. vermindern[3,4].

5. Reaktionsmechanismus

Über die vermuteten grundlegenden Vorgänge – freier Radikalmechanismus und Adsorption – finden sich Angaben in der Literatur[5,6].

Am Modell der Oxidation von α-deuterierten Benzylalkoholen wurde ein wichtiger Beitrag für die Aufklärung des Mechanismus der Oxidation polarer organischer Verbindungen mit Mangan(IV)-oxid geleistet[7].

Insgesamt muß gesagt werden, daß noch keine vollständige Klarheit über den Reaktionsmechanismus besteht.

6. Allgemeine Arbeitsvorschrift

Eine allgemein gültige Vorschrift für die Oxidation mit Mangan(IV)-oxid kann nicht gegeben werden, da die experimentellen Bedingungen, besonders bezüglich der präparativen Aufarbeitung der Oxidationsprodukte, zu unterschiedlich sind (Die Isolierung geschieht häufig durch geeignete präparative chromatographische Methoden).

Es muß mit allem Nachdruck darauf hingewiesen werden, daß Literaturangaben i. a. nur dann reproduziert werden können, wenn die experimentellen Angaben – besonders hinsichtlich der Herstellung des Mangan(IV)-oxids – genau befolgt werden.

Nachfolgend werden in tabellarischer Form präparativ interessante Beispiele wiedergegeben.

Zwischen die Tabellen sind vereinzelt Herstellungsvorschriften eingestreut, die für gewisse Verbindungsklassen als repräsentativ angesehen werden können oder besonders gute Ausbeuten liefern. Im übrigen sei eindringlich auf die in den Tabellen zitierte Originalliteratur verwiesen. Auch die allgemeinen Angaben auf den S. 493 ff. können herangezogen werden. Sehr empfehlenswert ist ein Studium der Übersichtsartikel (s. S. 669).

---

[1] T. A. Turney, *Oxidation mechanisms*, S. 190, Butterworths, London 1965.
[2] R. W. Murray u. A. M. Trozzolo, J. Org. Chem. **26**, 3111 (1961).
    L. F. Fieser u. M. Fieser, *Reagents for organic synthesis*, S. 640, John Wiley and Sons, New York 1967.
[3] Newer preparative methods in organic chemistry, Chem & Ind. **1958**, 246.
[4] M. Z. Barakat, M. F. Abdel-Wahab u. M. M. El-Sadr, Soc. **1956**, 4685.
[5] T. J. Wallace, J. Org. Chem. **31**, 1217 (1966).
[6] S. P. Korshunov u. L. I. Vereshchagin, Russ. Chem. Rev. **35**, 945 (1966); C. A. **66**, 54653 (1967).
[7] J. M. Goldman, J. Org. Chem. **34**, 3289 (1969).

Hat man sich für Mangan(IV)-oxid als Oxidationsmittel entschieden, so sind Vorversuche zu empfehlen. Durch physikalisch-chemische Meßmethoden (IR usw.) lassen sich Verlauf und Ende einer Reaktion am einfachsten bestimmen.

Als Beispiel für eine Arbeitsvorschrift, die häufig verwendet werden kann, sei folgende wiedergegeben.

Oxidation mit Mangan(IV)-oxid nach Attenburow; allgemeine Arbeitsvorschrift[1, s. a. 2]: Ein Gewichtsteil der zu oxidierenden Verbindung wird in Chloroform gelöst und mit 10 Gew.-Tln. eines aktiven Mangan(IV)-oxids nach ATTENBUROW[3] (s. S. 497) 4–24 Stdn. bei Raumtemp. geschüttelt. Nach dem Abfiltrieren wird der Rückstand 3mal mit der gleichen Menge an siedendem Chloroform extrahiert. Das aus dem mit den Extrakten vereinigten Filtrat gewonnene Rohprodukt kann säulenchromatographisch gereinigt werden.

II. Oxidation

a) Oxidation im Kohlenstoffteil des Moleküls

1. Oxidation von Alkyl-Gruppen in α-Stellung zur C=C-Doppelbindung unter Erhaltung der C=C-Doppelbindung

α) Olefine

Isolierte und konjugierte Olefine lassen sich mittels Mangandioxid unter Erhaltung der C=C-Doppelbindung oxidieren. So kann man Isobuten mittels Braunstein in *2-Methylacrolein*[2, 4] überführen:

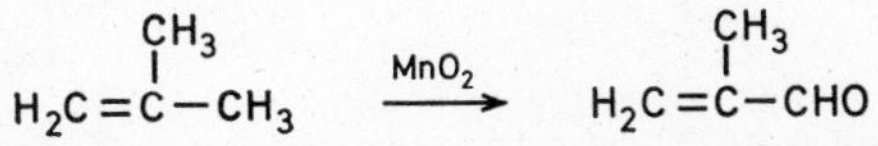

Das Oxidationsmittel greift nur die in α-Stellung zur C=C-Doppelbindung stehenden Methyl- oder Methylen-Gruppen an. Als Beispiel für den Angriff an der Methylen-Gruppe kann die Oxidation des Vitamin A_1-acetats zu *3-Oxo-vitamin A_1* gelten[5-10]:

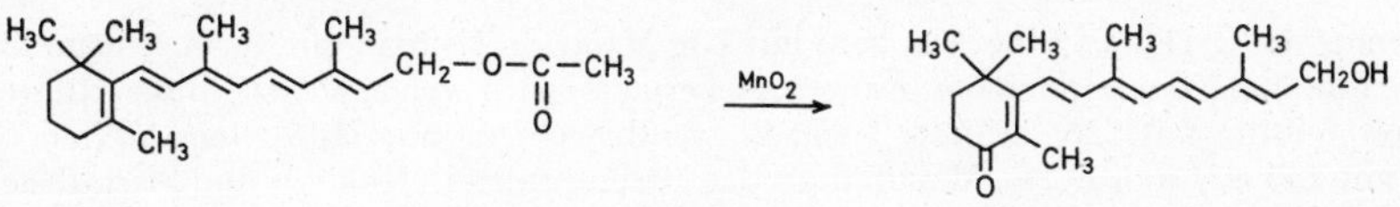

β) Aromatische Systeme

Da sich die Methyl- bzw. Methylen-Gruppen in aromatischen Systemen ebenfalls in α-Stellung zur C=C-Doppelbindung befinden, lassen sich diese, ebenso wie die Olefine, durch Mangandioxid zu Aldehyden bzw. Ketonen oxidieren. Als Ausgangsverbindungen eignen sich alkylierte Benzole oder kondensierte Aromaten, die außerdem noch andere nicht oxidierbare Substituenten, wie Nitro-, Chlor-, Sulfo-, Carboxy- oder Äther-Gruppierungen enthalten können. Auch Diarylmethane lassen sich oft mit guten Ausbeuten durch Mangandioxid in die entsprechenden Ketone überführen. Diese Oxidationsreaktionen sind nicht auf carbocyclische Systeme beschränkt, sondern auch alkylierte Heterocyclen oder

[1] A. W. DAWKINS u. J. F. GROVE, Soc. [C] **1970**, 372, 374.
[2] S. P. KORSHUNOV u. L. I. VERESHCHAGIN, Russ. Chem. Rev. **35**, 948 (1966); C. A. **66**, 54653 (1967).
[3] J. ATTENBUROW et al., Soc. **1952**, 1104.
[4] R. HÜTTEL u. H. CHRIST, B. **97**, 1451 (1964).
[5] W. F. PICKERING, Rev. Pure Appl. Chem. **16**, 191, 197 (1966).
[6] R. K. BARUA u. M. G. R. NAIR, Nature **193**, 165 (1962).
[7] H. B. HENBEST, E. R. H. JONES u. T. C. OWEN, Soc. **1957**, 4910.
[8] R. M. EVANS, Quart. Rev. **13**, 68 (1959).
[9] P. MEUNIER, R. MALLEIN, J. JOUANNETEAU u. G. ZWINGELSTEIN, Bull. Soc. Chim. biol. **33**, 306 (1951); C. A. **46**, 2526 (1952).
[10] A. B. BARUA u. M. C. GHOSH, Tetrahedron Letters **1972**, 1823.

Ferrocene lassen sich vielfach in Carbonyl-Verbindungen überführen. Die wichtigsten Reaktionstypen sind in nachstehendem Schema zusammengestellt:

$$\text{C}_6\text{H}_5\text{—CH}_3 \xrightarrow{MnO_2} \text{C}_6\text{H}_5\text{—CHO} + \text{C}_6\text{H}_5\text{—COOH}$$

Benzaldehyd   *Benzoesäure*

$$\text{C}_6\text{H}_5\text{—CH}_2\text{—CH}_3 \xrightarrow{MnO_2} \text{C}_6\text{H}_5\text{—}\underset{\underset{\text{O}}{\parallel}}{\text{C}}\text{—CH}_3$$

Acetophenon

$$\text{C}_6\text{H}_5\text{—CH}_2\text{—C}_6\text{H}_5 \xrightarrow{MnO_2} \text{C}_6\text{H}_5\text{—CO—C}_6\text{H}_5$$

Benzophenon

$$\text{N-C}_5\text{H}_4\text{—CH}_3 \xrightarrow{MnO_2} \text{N-C}_5\text{H}_4\text{—COOH}$$

Isonicotinsäure

Die Oxidation der Methyl- zur Aldehyd-Gruppe kann weitergehen, so daß man, je nach Reaktionsbedingungen, Aldehyd, Carbonsäure oder ein Gemisch aus beiden erhalten kann. Für die Oxidation einer Methylen- und einer Methyl-Gruppe werden nachstehend zwei ausführliche Beispiele angegeben.

Benzophenon[1-3]: 1 g Diphenylmethan wird mit 10 g Mangan(IV)-oxid gut vermischt und in einem 125-*ml*-Erlenmeyerkolben, der mit einem Bunsen-Sicherheitsventil versehen ist, unter Rühren mit einem Magnetrührer 6 Stdn. auf 125° erhitzt. Danach extrahiert man mit Hilfe eines Soxhlet-Apparates 12 Stdn. lang mit 250 *ml* Chloroform. Man dampft das Lösungsmittel i. Vak. ab und kristallisiert das Reaktionsprodukt um; Ausbeute: 0,8 g (74% d. Th.).

Als Beispiel für die Oxidation von heteroaromatischen Systemen läßt sich die Herstellung von *Isonicotinsäure* anführen.

Isonicotinsäure[1, 4-7]: In einem Dreihalskolben mit Rückflußkühler, Thermometer und Rührer, werden 440 g Schwefelsäure, 220 *ml* Wasser und 9 *ml* 4-Methyl-pyridin gegeben. Man gibt portionsweise 350 g Mangan(IV)-oxid hinzu und erhitzt die Mischung unter kräftigem Rühren 160 Min. auf 95°. Zur Aufarbeitung wird das Reaktionsgemisch mit konz. Natronlauge auf genau $p_H = 3{,}5$ gebracht und der Niederschlag abfiltriert. Der Filterkuchen wird alkalisch eingestellt ($p_H = 9$) und das darin enthaltene 4-Methyl-pyridin mit Wasserdampf übergetrieben. Der zurückbleibende Kuchen wird heiß filtriert und mit heißem Wasser gut gewaschen. Das klare Filtrat wird zusammen mit der Waschlauge auf $p_H = 3{,}5$ gebracht und auf 20° abgekühlt, wobei Isonicotinsäure erhalten wird; Ausbeute: 42 g (84% d. Th.).

Weitere Beispiele, die für die hier behandelte Oxidation charakteristisch sind, können der Tab. 2 (S. 499) entnommen werden.

[1] S. P. Korshunov u. L. I. Vereshchagin, Russ. Chem. Rev. **35**, 949 (1966); C. A. **66**, 54 653 (1967).
[2] W. P. Pickering, Rev. Pure Appl. Chem. **16**, 192 (1966).
[3] E. F. Pratt u. S. P. Suskind, J. Org. Chem. **28**, 638 (1963).
[4] M. Levi u. C. Ivanov, Farmatsiya (Sofia) **15**, 85 (1965); C. A. **63**, 11492 (1965).
[5] M. Harfenist, A. Bavley u. W. A. Lazier, J. Org. Chem. **19**, 1608 (1954).
[6] J. Fried u. D. E. Schumm, Am. Soc. **89**, 5508, 5509 (1967).
[7] A. M. Tyabji, B **92**. 26 JJ (1959).

Tab. 2: Aldehyde, Ketone und Carbonsäuren durch Oxidation von Alkyl-aromaten und -heteroaromaten mit Mangandioxid

Ausgangsverbindung	Reaktions-bedingungen	Endprodukt	Ausbeute [% d. Th.]	Literatur
Toluol	H_2SO_4	*Benzaldehyd* + *Benzylalkohol*		1
	H_2SO_4; 40°; MnO_2: Substrat = 0,3:1	*Benzaldehyd* + *Benzoesäure*		2, 3
	H_2SO_4; HNO_3	*4-Nitro-1-methyl-benzol* +*2,4-Dinitro-benzaldehyd*		1, 4
Nitro-methyl-benzole	H_2SO_4	Nitro-benzaldehyde		5
	H_2SO_4; 60°	*5-Methoxy-2,4-di-tert.-butyl-benzaldehyd*		1, 6
		7-Methyl-12-formyl-⟨benzo-[a]-anthracen⟩		7

R¹	R²	R³	R⁴				
Cl	H	H	H	ohne Lösungsmittel, 125°; MnO_2:Substrat = 10:1	*4-Chlor-benzophenon*	63	8—10
Cl	H	H	Cl		*4,4'-Dichlor-benzophenon*	83	8—10
OCH_3	H	H	OCH_3		*4,4'-Dimethoxy-benzophenon*	73	8—10
H	COOH	COOH	H		*3,3'-Dicarboxy-benzophenon*		11
C≡C–C₆H₅	H	H	C≡C–C₆H₅		*4,4'-Bis-[phenyl-äthinyl]-benzophenon*	62	12,vgl.13

[1] S. P. KORSHUNOV u. L. I. VERESHCHAGIN, Russ. Chem. Rev. **35**, 948 (1966); C. A. **66**, 5465 3(1967). V. Migradichion, Org. Synth. **1**, 100 (1957).

[2] F. KLAGES, *Lehrbuch der organischen Chemie*, Bd. 1/1, S. 244; Bd. 1/2, S. 978, de Gruyter, Berlin 1959.

[3] P. H. GROGGINS, *Unit processes in organic synthesis*, S. 506, McGraw Hill Book Co., New York 1958.

[4] T. URBANSKY, A. SEMEZUK u. H. KAWKA, Biul. Wojskowej Akad. Techn. **9**, 35 (1960).

[5] DRP. 175295 (1903), BASF; C. **1906** II, 1598.

[6] F. CARPENTER, W. EASTER u. T. F. WOOD, J. Org. Chem. **16**, 586 (1951).

[7] J. FRIED u. D. E. SCHUMM, Am. Soc. **89**, 5508 (1967).

[8] W. F. PICKERING, Rev. Pure Appl. Chem. **16**, 194 (1966).

[9] E. F. PRATT u. S. P. SUSKIND, J. Org. Chem. **28**, 638 (1963).

[10] S. P. SUSKIND, Dissertation Abstr. **23**, 3132 (1963); C. A. **59**, 7414 (1963).

[11] Jap. P. 6582/66, Asahi Chem. Ind. Co. Ltd.

[12] N. I. MYAKINA u. I. L. KOTLYAREVSKII, Izv. Akad. SSSR **1973**, 1405.

[13] Y. LEPAGE u. L. LEPAGE-LOMME, C. r. [C] **274**, 2212 (1972); Herstellung von *1-Phenyl-2,3-dibenzoyl-naphthalin* aus 1-Phenyl-2,3-dibenzyl-naphthalin.

Tab. 2 (1. Fortsetzung)

Ausgangsverbindung	Reaktions-bedingungen	Endprodukt	Ausbeute [% d.Th.]	Lite-ratur
	ohne Lösungsmittel, 25°	 *1-Benzoyl-naphthalin*	71	1—3
	H_2SO_4, 95°, MnO_2: Substrat = 45:1	*Isonicotinsäure*	83	4—7
	ohne Lösungsmittel, 125°, MnO_2: Substrat = 10:1	 *4-Benzoyl-pyridin*	72	1—3
	ohne Lösungsmittel	*2,4-Diamino-5-(3,4,5-trimethoxy-benzoyl)-pyrimidin*		8
Methyl-ferrocen	Methyl-cyclohexan bzw. $CHCl_3$, RT; MnO_2: Substrat = 5:1	*Formyl-ferrocen*	52	9,10
1,1'-Dimethyl-ferrocen		*1'-Methyl-1-formyl-ferrocen*	52	9,10
Diferrocenyl-methan		*Diferrocenyl-keton*	72	9,10
1,2-Diferrocenyl-äthan		*1,2-Dioxo-1,2-diferro-cenyl-äthan* + *Formyl-ferrocen*	40 29	11

[1] W. F. Pickering, Rev. Pure Appl. Chem. **16**, 194 (1966).

[2] E. F. Pratt u. S. P. Suskind, J. Org. Chem. **28**, 638 (1963).

[3] S. P. Suskind, Dissertation Abstr. **23**, 3132 (1963); C. A. **59**, 7414 (1963).

[4] S. P. Korshunov u. L. I. Vereshchagin, Russ. Chem. Rev. **35**, 948 (1966); C. A. **66**, 54653 (1967).

[5] M. Levi u. C. Ivanov, Farmatsiya (Sofia) **15**, 85 (1965); C. A. **63**, 114 92 (1965).

[6] A. M. Tyabji, B. **92**, 2677 (1959).

[7] M. Levi u. S. Levi, Farmatsiya (Sofia) 8, 20 (1958); C. A. **53**, 18951 (1959).

[8] A. Brossi, E. Grunsberg, M. Hoffer u. S. Teitel, J. Med. Chem. **14**, 58 (1971).

[9] K. L. Rinehart, A. F. Ellis, C. J. Michejda u. P. A. Kittle, Am. Soc. **82**, 4112 (1960); **79**, 3290 (1957).

[10] A. F. Ellis, Dissertation Abstr. **24**, 510 (1963).

[11] A. N. Nesmejanov, E. G. Perevalova u. T. T. Tsiskardze, Izv. Akad. SSSR **1966**, 2209; Bl. Acad. Sci. **1966**, 2136; C. A. **66**, 85846 (1967).
s. a. T. H. Barr u. W. E. Watts, J. Organometall. Chem. **9**, 3 (1967).

Tab. 2 (2. Fortsetzung)

Ausgangsverbindung	Reaktions-bedingungen	Endprodukt	Ausbeute [% d. Th.]	Lite-ratur
(2,4-Dichlor-toluol)	H_2SO_4; 80°	2,4-Dichlor-benzoesäure	80	1,2
O_2N—⟨ ⟩—CH_3	H_2SO_4	O_2N—⟨ ⟩—COOH 4-Nitro-benzoesäure		1,3,4

2. Oxidation von aromatischen Systemen unter Verlust der Aromatizität

Braunstein als Oxidationsmittel kann unter geeigneten Bedingungen auch den aromatischen Kern angreifen. Daher können höher annellierte Aromaten in Chinon-Derivate überführt werden; z. B.[5]:

$$\text{(9,10-Dimethyl-benzo[a]anthracen)} \xrightarrow{MnO_2} \text{(Chinon-Derivat)}$$

7,12-Dioxo-7,12-dihydro-⟨benzo-[a]-anthracen⟩

Ebenso gelang die Oxidation von heteroaromatischen Systemen in die zugehörigen Oxo-Derivate.

Tab. 3: Oxidation aromatischer Systeme mit Mangandioxid unter Verlust der Aromatizität

Ausgangsverbindung	Reaktions-bedingungen	Endprodukt	Ausbeute [% d. Th.]	Literatur
⟨Furfural⟩	HCl (35%ig), 0–10° dann RT, MnO_2: Substrat = 4:1	4-Chlor-5-hydroxy-2-oxo-2,5-dihydro-furan	80	6–8
	HCl (38%ig), 0–10°, dann RT, danach 60–100°; MnO_2: Substrat = 6:1	3,4-Dichlor-5-hydroxy-2-oxo-2,5-dihydro-furan	75	6–8

[1] S. P. Korshunov u. L. I. Vereshchagin, Russ. Chem. Rev. 35, 948 (1966); C. A. 66, 54653 (1967).
[2] I. K. Feldman et al., Ž. obšč. chim. 15, 962 (1945).
[3] I. K. Feldman, A. Voropaeva u. L. Rabinovich, Trudy Leningrad, Khim. Farm. Inst. 1962, 29; C. A. 61, 1790 (1964).
[4] Y. B. Likhttsinder, R. M. Levit u. V. I. Žaionts, Ž. prikl. Chim. 34, 947 (1961); engl: 914.
[5] J. Fried u. D. E. Schumm, Am. Soc. 89, 5508 (1967).
[6] L. F. Fieser u. M. Fieser, Reagents for organic synthesis, S. 637, John Wiley and Sons, Inc., New York 1967.
[7] M. Yanagida, J. Pharm. Soc. Japan 72, 1383 (1952).
[8] Y. Hachihama, T. Shono u. S. Ikeda, J. Org. Chem. 29, 1371 (1964).

Tab. 3 (1. Fortsetzung)

Ausgangsverbindung	Reaktions-bedingungen	Endprodukt	Ausbeute [% d.Th.]	Literatur
R = H ; Y = O	CH₃CN, kochen; MnO₂: Substrat = 14:1	*Cumarin* (F: 70–71°)	93	1
R = H ; Y = S		*Thiocumarin* (F: 80–81°)	93	
R = C₆H₅ ; Y = S		*2-Phenyl-thiochromon* (F: 126–127°)	98	
	CH₃CN, kochen; MnO₂: Substrat = 14:1	*1-Oxo-1H-⟨benzo-[c]-thiin⟩* (F: 80–81°)	96	1
Y = O	CH₃CN, kochen; MnO₂: Substrat = 14:1	*Xanthon* (F: 170–171°)	96	1
Y = S		*Thioxanthon* (F: 210–212°)	96	
Y = Se		*Selenoxanthon* (F: 190–191°)	99	

3. Oxidation und oxidative Spaltung von Aminen

Die Oxidation von tertiären Aminen kann je nach Reaktionsbedingungen zu einer Reihe von Produkten mit unterschiedlicher Ausbeute führen.

Generell kommen drei verschiedene Oxidationsprodukte vor. Entweder tritt eine Spaltung des Moleküls ein oder die zum Stickstoff α-ständige Methyl-Gruppe wird zur Oxo-Gruppe oxidiert. Bei der Molekülspaltung unterscheidet man zwei Arten: die α-Spaltung, bei der das entsprechende sekundäre Amin und der Aldehyd entsteht, und die β-Spaltung, bei der man über das Enamin N-substituiertes Formamid und Aldehyd erhält:

¹ I. DEGANI u. R. FOCHI, Ann. Chimica **58**, 251 (1968); C. A. **69**, 86764 (1968).

1-Formyl-piperidin[1]:

$$\langle\ \rangle N-CH_2-CH_2-N\langle\ \rangle \xrightarrow{MnO_2} 2\ \langle\ \rangle N-CHO$$

5 g 1,2-Dipiperidino-äthan werden in 250 ml Dichlormethan gelöst und 18 Stdn. mit 100 g Mangan(IV)-oxid bei 20° geschüttelt. Man filtriert den Niederschlag und extrahiert 12 Stdn. im Soxhlet mit Methanol. Die Lösungen werden vereinigt und das Lösungsmittel abdestilliert; Ausbeute: 3,0 g (50% d.Th.); Kp$_{10}$: 105°.

Benzaldehyd und Ameisensäure-dibenzylamid[2,3]:

$$\begin{array}{c} H_5C_6-CH_2 \\ \diagdown \\ N-CH=CH-C_6H_5 \\ \diagup \\ H_5C_6-CH_2 \end{array} \xrightarrow{MnO_2} H_5C_6-CHO\ +\ \begin{array}{c} H_5C_6-CH_2 \\ \diagdown \\ N-CHO \\ \diagup \\ H_5C_6-CH_2 \end{array}$$

Man löst 1 g ω-Dibenzylamino-styrol in 200 ml Chloroform und rührt die Lösung 30 Min. mit 10 g Mangan(IV)-oxid. Im IR-Spektrum ist danach keine Ausgangssubstanz mehr zu erkennen.

Aus 200 mg des Reaktionsgemisches wird mit 2,4-Dinitro-phenylhydrazin der *Benzaldehyd* gefällt; Ausbeute: 166 mg (77% d.Th.).

Ein anderer Teil (500 mg) des Reaktionsgemisches wird mit 30 ml wäßr. Natriumhydrogensulfit-Lösung und Äther durchgeschüttelt. Man trennt die Äther-Phase ab und engt ein. Man erhält Ameisensäure-dibenzylamid, welches aus Benzol/Petroläther umkristallisiert werden kann; Ausbeute: 300 mg (75% d.Th.); F: 52°.

Tab. 4 gibt einen Überblick über die verschiedenen Reaktionsprodukte.

Tab. 4: Oxidation und oxidative Spaltung von Aminen mit Mangandioxid

Ausgangsverbindung	Reaktionsbedingungen	Endprodukt	Literatur
α-Spaltung			
$\begin{array}{c}R^2\\ \diagdown \\ N-R^3\\ \diagup \\ R^1\end{array}$ $R^1=R^2=R^3=\ C_3H_7-C_8H_{17}$	Cyclohexan, 20°, MnO$_2$: Substrat = 12,5–25 : 1	$\begin{array}{c}R^2\\ \diagdown \\ N-CHO\end{array}$ + sek. Amin + HCO$-$NR$_2$ R^1	4,5
$R^1=R^2=CH_3$; $R^3=H_3C-\underset{\underset{CH_3}{\mid}}{\overset{\overset{CH_3}{\mid}}{C}}-CH_2-\underset{\underset{CH_3}{\mid}}{\overset{\overset{CH_3}{\mid}}{C}}-$		*2-Methylamino-2,4,4-tri-methyl-pentan*	4,5
$Ar-N\begin{array}{c}\diagup R^1\\ \diagdown R^2\end{array}$	CHCl$_3$, 20°, MnO$_2$: Substrat = 50 : 1, bzw. 100 : 1	Amin + R$-$CHO	3, s. a. 6–8
$\langle\bigcirc\rangle-CH_2-N\begin{array}{c}\diagup CH_3\\ \diagdown C_2H_5\end{array}$		Amin + *Benzaldehyd*	1

[1] E. F. CURRAGH, H. B. HENBEST u. A. THOMAS, Soc. **1960**, 3559.

[2] THEILHEIMER **1967**, 21.

[3] H. B. HENBEST u. A. THOMAS, Soc. **1957**, 3032; Chem. & Ind. **1956**, 1097.

[4] H. B. HENBEST u. M. J. W. STRATFORD, Soc. [C] **1966**, 995.

[5] Nachr. Chem. Techn. **14**, 281 (1966).

[6] S. P. KORSHUNOV u. L. I. VERESHCHAGIN, Russ. Chem. Rev. **35**, 952 (1966); C. A. **66**, 54653 (1967).

[7] R. M. EVANS, Quart. Rev. **13**, 61 (1959).

[8] H. B. HENBEST, Chem. & Ind. **1958**, 246.

Tab. 4 (1. Fortsetzung)

Ausgangsverbindung	Reaktionsbedingungen	Endprodukt	Literatur

β-Spaltung

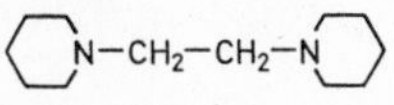	CH_2Cl_2, 20°, MnO_2: Substrat = 20 : 1	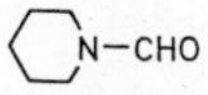 *1-Formyl-piperidin*	1
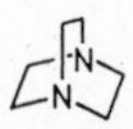	CH_2Cl_2, 20°, MnO_2: Substrat = 70 : 1	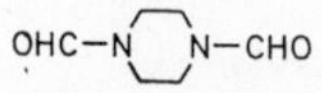 *1,4-Diformyl-piperazin* (9% d.Th.)	1
Ar—N⟨R¹ R² Ar=C_6H_5 R¹=R²=C_2H_5	$CHCl_3$, 20°, MnO_2: Substrat = 50 : 1, bzw. 100 : 1	*Ameisensäure-anilid* H_5C_6—N—CHO ∣ CH_3 + *Ameisensäure-N-äthyl-anilid*	2 s.a. 3—6 1—7
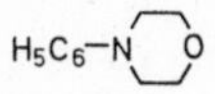 H_5C_6—N⟨ ⟩O	$CHCl_3$, 20°, MnO_2: Substrat = 50 : 1	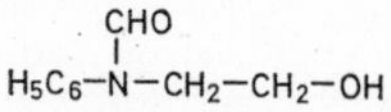 CHO ∣ H_5C_6—N—CH_2—CH_2—OH *2-(N-Formyl-anilino)-äthanol*	2
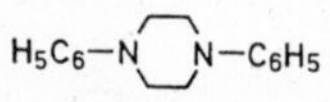 H_5C_6—N⟨ ⟩N—C_6H_5	$CHCl_3$, 20°, MnO_2: Substrat = 50— 100 : 1	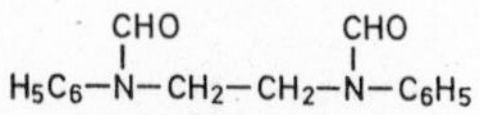 CHO ∣ CHO ∣ H_5C_6—N—CH_2—CH_2—N—C_6H_5 *1,2-Bis-[N-formyl-anilino]-äthan* (80% d.Th.)	1—5
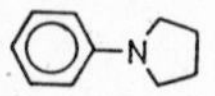 ⟨ ⟩—N⟨ ⟩	$CHCl_3$, 200°, MnO_2: Substrat = 50 : 1	*Ameisensäure-anilid*	2
$(H_5C_6$—$CH_2)_2$N—CH=CH—C_6H_5	$CHCl_3$, RT, MnO_2: Substrat = 10 : 1	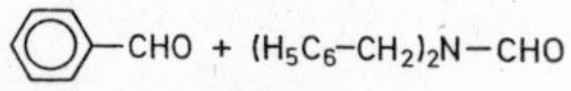 ⟨ ⟩—CHO + $(H_5C_6$—$CH_2)_2$N—CHO *Benzaldehyd* (77% d.Th.) + *Ameisensäure-dibenzyl-amid* (75% d.Th.)	2
⟨ ⟩—CH_2—N⟨ ⟩N—CH_2—⟨ ⟩	CH_2Cl_2, 20°, MnO_2: Substrat = 70 : 1	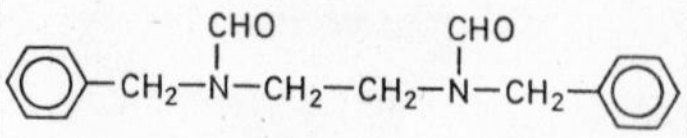 CHO ∣ CHO ∣ ⟨ ⟩—CH_2—N—CH_2—CH_2—N—CH_2—⟨ ⟩ *1,2-Bis-[N-benzyl-N-formyl-amino]-äthan*	1

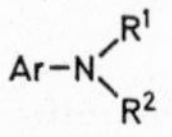

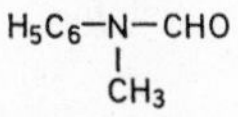

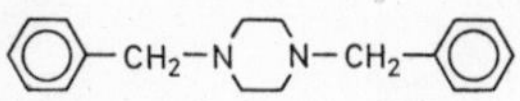

1 E. F. Curragh, H. B. Henbest u. A. Thomas, Soc. **1960**, 3559.
2 H. B. Henbest u. A. Thomas, Soc. **1957**, 3032; Chem. & Ind. **1956**, 1097.
3 S. P. Korshunov u. L. I. Vereshchagin, Russ. Chem. Rev. **35**, 952 (1966); C. A. **66**, 54653 (1967).
4 R. M. Evans, Quart. Rev. **13**, 61 (1959).
5 H. B. Henbest, Chem. & Ind. **1958**, 246.
6 Nachr. Chem. Techn. **14**, 281 (1966).
7 H. B. Henbest u. M. J. W. Stratford, Soc. [C] **1966**, 995.

Tab. 4 (2. Fortsetzung)

Ausgangsverbindung	Reaktionsbedingungen	Endprodukt	Literatur

Oxidation

| 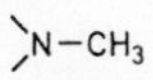 | CHCl$_3$, 20°, MnO$_2$: Substrat = 50–100 : 1 | 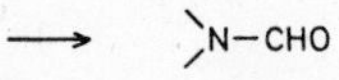 $\longrightarrow$ >N–CHO | 1–4 |
| $>$N–CH$_3$ | | | |

| H$_3$CO- ... CH$_2$–COOH, CH$_3$, CH$_2$-⬡-Cl | CHCl$_3$, 20°, MnO$_2$: Substrat = 10 : 1 | H$_3$CO- ... CH$_2$–COOH, CH$_3$, CO-⬡-Cl | 5 |

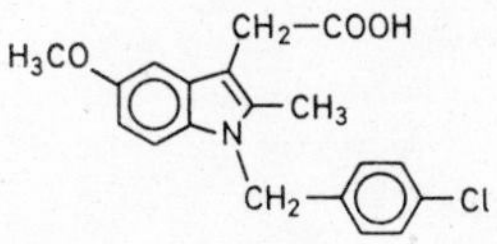

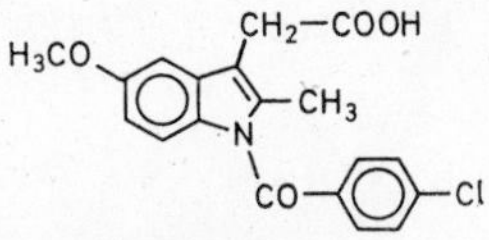

5-Methoxy-2-methyl-3-carboxymethyl-1-(4-chlor-benzoyl)-indol

b) Oxidation primärer Alkohole zu Aldehyden

Die Oxidation von primären Alkoholen mit Mangan(IV)-oxid führt zwar in unterschiedlichen Ausbeuten zu Aldehyden,

$$\text{R–CH}_2\text{–OH} \xrightarrow{\text{MnO}_2} \text{RCHO}$$

kann aber auf eine Vielzahl verschieden gebauter Alkohole angewendet werden.

1. Aliphatische und alicyclische Alkohole

Rein aliphatische oder auch alicyclische Alkohole können mit Mangan(IV)-oxid zu den entsprechenden Aldehyden oxidiert werden. Ebenso gelingt die Oxidation bei Alkoholen, die in der C-Kette Amino-Gruppen enthalten, obwohl hierbei die Ausbeuten oftmals gering sind.

In Tab. 5 sind einige ausgewählte Beispiele für die Oxidation von den entsprechenden aliphatischen und alicyclischen Alkoholen angegeben.

Tab. 5: Aldehyde durch Oxidation von primären Alkoholen mit Mangan(IV)-oxid

Ausgangsverbindung	Reaktionsbedingung	Endprodukt	Ausbeute [% d. Th.]	Literatur
R–CH$_2$OH				
R = CH$_3$		*Acetaldehyd*		6
R = C$_2$H$_5$	CCl$_4$, RT, MnO$_2$: Substrat = 5 : 1	*Propanal*	78	7

[1] H. B. HENBEST u. A. THOMAS, Soc. **1957**, 3032; Chem. & Ind. **1956**, 1097.
[2] S. P. KORSHUNOV u. L. I. VERESHCHAGIN, Russ. Chem. Rev. **35**, 952 (1966); C. A. **66**, 54653 (1967).
[3] R. M. EVANS, Quart. Rev. **13**, 61 (1959).
[4] H. B. HENBEST, Chem. & Ind. **1958**, 246; Soc. **1960**, 3559; Soc. **1967**, 995.
[5] Brit. P. 1050738 (1966), Merck u. Co. Inc.; C. A. **62**, 4009 (1965).
[6] M. Z. BARAKAT, M. F. ABDEL-WAHAB u. M. M. EL-SADR, Soc. **1956**, 4685.
[7] R. J. GRITTER u. T. J. WALLACE, J. Org. Chem. **24**, 1051 (1959).

Tab. 5 (1. Fortsetzung)

Ausgangsverbindung	Reaktionsbedingungen	Endprodukt	Ausbeute [% d.Th.]	Literatu
R–CH$_2$OH R = C$_3$H$_7$	Benzol, RT, MnO$_2$-Säule	*Butanal*	70	1,
R = ▷	Pentan, 20°, MnO$_2$: Substrat = 10 : 1	*Formyl-cyclopropan*	61	2,3
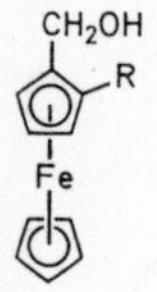 R=CHO	CHCl$_3$, 20°, MnO$_2$: Substrat=12:1	*1,2-Diformyl-ferrocen*	93	4,5
R=COOCH$_3$		*2-Formyl-1-methoxy-carbonyl-ferrocen*	96	6

2. Ungesättigte Alkohole

Primäre ungesättigte Alkohole lassen sich mit Braunstein unter Erhalt ihres π-Systems zu den entsprechenden ungesättigten Aldehyden oxidieren (s. Tab. 6, S. 507).

cis- und trans-Citral [3,7-Dimethyl-octadien-(trans,cis-2,6)-al][7]:

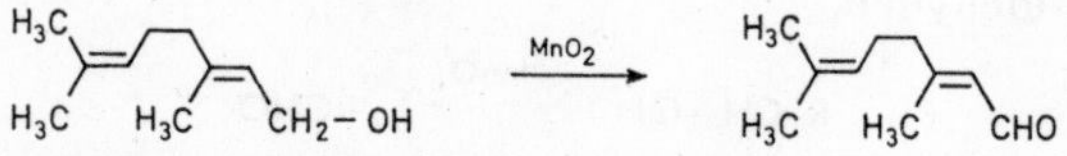

Zur Lösung von 1–5 g Geraniol in 20 *ml* Dichlormethan gibt man 5–10 Gew.Tle. Mangan(IV)-oxid. Die Temp. soll währenddessen nicht über 30° ansteigen. Man schüttelt nun bei 20° kräftig (unter Stickstoff) und filtriert. Der Rückstand wird gut mit Äther nachgewaschen und die vereinigten Filtrate i. Vak. zur Trockene eingeengt; Ausbeute: 80% d.Th.

Im NMR-Spektrum zeigt sich, daß das Reaktionsprodukt zu 35% aus *cis-* und zu 65% aus *trans*-Citral besteht.

Als Beispiel der Oxidation für Alkohole mit C=C-Doppelbindungen als auch mit C≡C-Dreifachbindungen sei Dodecen-(2)-tetrain-(4,6,8,10)-ol angeführt.

Dodecen-(2)-tetrain-(4,6,8,10)-al[8]:

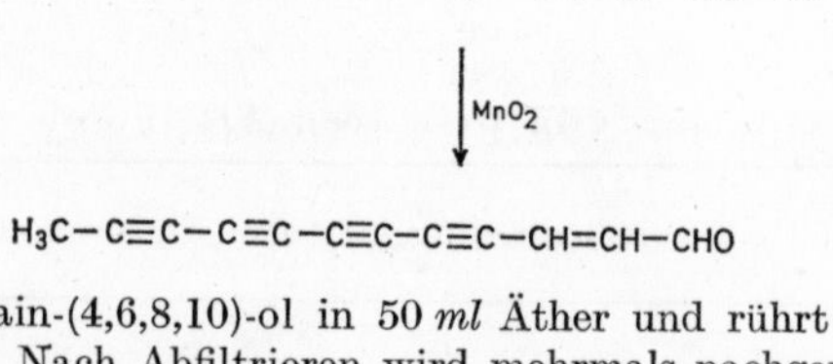

$$H_3C-C≡C-C≡C-C≡C-C≡C-CH=CH-CH_2-OH$$

$$\downarrow MnO_2$$

$$H_3C-C≡C-C≡C-C≡C-C≡C-CH=CH-CHO$$

Man löst 1 g Dodecen-(2)-tetrain-(4,6,8,10)-ol in 50 *ml* Äther und rührt die Lösung 1 Stde. mit 10 g aktiviertem Mangan(IV)-oxid. Nach Abfiltrieren wird mehrmals nachgewaschen. Die Filtrate werden zur Trockene eingedampft; der Aldehyd durch Chromatographie und Kristallisation gereinigt; Ausbeute: 630 mg (64% d.Th.).

[1] I. T. Harrison, Pr. chem. Soc. **1964**, 110.
[2] L. F. Fieser u. M. Fieser, *Reagents for organic synthesis*, S. 638, John Wiley and Sons, Inc., New York 1967.
[3] L. Crombie u. J. Crossley, Soc. **1963**, 4983.
[4] S. I. Goldberg u. W. D. Bailey, Am. Soc. **93**, 1046 (1971).
[5] J. H. Peet u. B. W. Rockett, Soc. (Perkin I) **1973**, 106.
[6] T. Shirafuji, A. Odaira, Y. Yamamoto u. H. Nozaki, Bull. Chem. Soc. Japan **45**, 2884 (1972).
[7] E. J. Corey, N. W. Gilman u. B. E. Ganem, Am. Soc. **90**, 5616 (1968).
[8] F. Bohlmann, U. Hinz, A. Seyberlich u. J. Repplinger, B. **97**, 809, 811 (1964).

Zur Herstellung von *Allethrin-(E)-al* s. Lit.[1-3]:

Tab. 6: Ungesättigte Aldehyde durch Oxidation ungesättigter Alkohole mit Mangan(IV)-oxid

Ausgangsverbindung	Reaktionsbedingungen	Endprodukt	Ausbeute [% d. Th.]	Literatur
R–CH=CH–CH$_2$–OH		R–CH=CH–CHO		
R= H	Petroläther (Kp: 40–60°), 20°, N$_2$ MnO$_2$: Substrat = 10 : 1	Acrolein	60	4
	verschiedene Bedingungen und MnO$_2$-Typen; MnO$_2$: Substrat = 5–15 : 1		99	5–7
R= C$_2$H$_5$	Äther, 25°, MnO$_2$: Substrat = 10 : 1	*cis-Penten-(2)-al*	42	8
R= H$_2$C=CH-(CH$_2$)$_5$–	Äther, RT, MnO$_2$: Substrat = 10 : 1	*Decadien-(cis-2,9)-al*	60	9
R= H$_3$CO–CH$_2$–	Benzol, RT, MnO$_2$: Substrat = 10 : 1	*4-Methoxy-buten-(2)-al*	70	10
R= H$_3$CO–(CH$_2$)$_7$–	Leichtpetroleum (Kp: 40–60°), RT, MnO$_2$: Substrat = 13 : 1	*10-Methoxy-trans-decen-(2)-al*	62	11
R= Cl	Na$_2$SO$_4$, H$_2$SO$_4$, 52°, N$_2$, i. Vak.	*3-Chlor-acrolein*	65	12
R= (CH$_2$)$_6$–COOC$_2$H$_5$	CHCl$_3$	*Decen-(9)-10-al-1-säure-äthylester*	87 (*cis*)	13

[1] A. Kobayashi, K. Yamashita, K. Oshima u. I. Yamamoto, Agric. Biol. Chem. **35**, 1961 (1971).

[2] D. P. Popa, L .A. Salej, V. V. Titov u. G. B. Lazurevskii, Ž. obšč. Chim. **40**, 1413 (1970), engl.: 3197.

[3] T. Kato, S. Kanno, M. Tanemura, A. Kurozumi u. Y. Kitahara, Bull. Chem. Soc. Japan **44**, 3182 (1971).

[4] S. R. Sandler u. W. Karo, *Organic Functional Group Preparations*, S. 147, Academic Press, New York 1968.

[5] R. M. Evans, Quart. Rev. **13**, 63 (1959).

[6] W. F. Pickering, Rev. Pure Appl. Chem. **16**, 7, 191 (1966).

[7] R. J. Gritter u. T. J. Wallace, J. Org. Chem. **24**, 1051 (1959).
J. Attenburrow et al., Soc. **1952**, 1104

[8] D. A. Thomas u. W. K. Warburton, Soc. **1965**, 2988.

[9] F. Bohlmann, C. Zdero u. U. Niedballa, B. **101**, 2987 (1968).

[10] A. Arai u. I. Ichikizaki, Bl. chem. Soc. Japan **34**, 1571, 1578 (1961).

[11] S. A. Barker, A. B. Foster, D. C. Lamb u. L. M. Jackman, Tetrahedron **18**, 1778 (1962).

[12] DAS. 1081874 (1960) ≡ Fr. P. 1133735 ≡ Brit. P. 772108 ≡ US. P. 2811563 ≡ Schweiz. P. 336812, Farmaceutici Italia, Soc. anon.; Erf.: R. Sollazo u. A. Vercellone; C. A. **51**, 13904 (1957).
R. Sollazzo u. A. Vercellone, Chimica e Ind. **38**, 591 (1956).

[13] J. Katzuke, H. Shimomura u. M. Matzui, Agric. Biol. Chem. **36**, 1997 (1972).

Tab. 6 (1. Fortsetzung)

Ausgangsverbindung	Reaktionsbedingungen	Endprodukt	Ausbeute [% d.Th.]	Literatur
H₃C, CH₃ — CH₂—OH (7,7-Dimethyl-bicyclo[2.2.1]hepten, CH₂OH)		*7,7-Dimethyl-2-for-myl-bicyclo[2.2.1] hepten-(2)*	sehr gut	1
R^1, R^2 C=CH–CH₂OH		R^1, R^2 C=CH–CHO		2
R^1: CH₃ R^2: (H₃C)₂CH–(CH₂)₃–	Petroläther, RT, MnO₂: Substrat = 5 : 1	*3,7-Dimethyl-octen-(2)-al*	80	3
R^1: CH₃ R^2: (H₃C)₂C=CH–(CH₂)₂–	1. Hexan, 0°, MnO₂: Substrat = 12 : 1 2. Hexan, RT, MnO₂: Substrat = 4 : 1	*3,7-Dimethyl-octadien-(2,6)-al (Geranial; Citral a)*	61–79	4,5
R^1: CH₃ (decalin structure with CH₂–CH₂–CH₂, =CH₂, H₃C, H₃C CH₃)	Aceton, RT, MnO₂: Substrat = 15 : 1	(aldehyde product structure) *1,7,7-Trimethyl-2-[3-methyl-4-formyl-buten-(3)-yl]-3-methylen-bicyclo[4.4.0]decan*		6
R^1: CH₃ H₃C, H₃C epoxide –(CH₂)₂–	Äther, RT, MnO₂: Substrat = 10 : 1	*6,7-Epoxi-3,7-dimethyl-octen-(2)-al*	50–60	7
—(CH₂)₅—	Aceton, RT, MnO₂: Substrat = 10 : 1	*Cyclohexyliden-acetal-dehyd*	80	8
H₂C=C–CH₂OH | R		H₂C=C–CHO | R		2–8

[1] Y. MATZUKARA, W. MINEMATSU u. S. IKEDA, Yuki Gosei Kagaku Kyokai Shi 29, 877 (1971).

[2] C. D. ROBESON, Organic Chem. Bulletin 32, Nr. 1 (1960), Firmenschrift Destillation Products Industries (Eastmann Kodak Company).
L. J. Chinn in J. S. BELEW Oxidation in organic Chemistry, Marcel Dekker Inc. New York 1971.

[3] R. HEILMANN u. R. GLENAT, Bl. 1955, 1586.

[4] E. J. COREY, N. W. GILMAN u. B. E. GANEM, Am. Soc. 90, 5616 (1968).

[5] M. HARFENIST, A. BAVLEY u. W. A. LAZIER, J. Org. Chem. 19, 1608 (1954).

[6] G. OHLOFF, A. 617, 134 (1958).
J. R. HANSON u. B. ACHILLADELIS, Tetrahedron Letters 1967, 1295.

[7] M. MOUSSERON-CANET, M. MOUSSERON u. C. LEVALLOIS, Bl. 1964, 297.

[8] M. VISCONTINI u. H. P. BURGHERR, Helv. 40, 881 (1957).

Tab. 6 (2. Fortsetzung)

Ausgangsverbindung	Reaktionsbedingungen	Endprodukt	Ausbeute [% d.Th.]	Literatur
$H_2C=C-CH_2OH$, R; R = (2-substituted 1,3-dioxolanyl-cyclopentane with CH₃)	Leichtpetroleum	$H_2C=C-CHO$ structure *3-Methyl-1-(1-formyl-vinyl)-2-[1,3-dioxolanyl-(2)]-cyclopentan*	58	1
R = (decalin with CH₃ and CH₂)	CHCl₃, RT, MnO₂: Substrat = 12 : 1	*rac.-α-Costal* [9-Methyl-3-(1-formyl-vinyl)-5-methylen-dekalin]	63	2
$R^2\ R^1$ $C=C-CH_2-OH$ R^3	Benzol/N₂/MnO₂: Substrat = 10 : 1	$R^2\ R^1$ $C=C-CHO$ R^3	bis 50	3–7
H_5C_2, CH_2-CH_2, H $C=C$ $C=C$ H_3C H H_5C_2 CH_2-OH	Hexan, 0°	*7-Methyl-3-äthyl-nona-dien-(trans-2, cis-6)-al*	94	8, vgl.9,10

3. Alkohole mit konjugierten Bindungssystemen

In Tab. 7 sind einige Beispiele der Oxidation von primären Alkoholen mit konjugierten C=C-Doppel- und C≡C-Dreifachbindungen aufgeführt.

Tab. 7: Konjugiert ungesättigte Aldehyde aus konjugiert ungesättigten Alkoholen durch Oxidation mit Mangandioxid

Ausgangsverbindung	Reaktions-bedingungen	Endprodukt	Ausbeute [% d.Th.]	Literatur
R–CH=CH–CH=CH–CH₂–OH, R = H	CH₂Cl₂, 20°, Ausschluß von Licht, MnO₂: Substrat = 10 : 1	*Pentadien-(2,4)-al*	60	11

1 G. W. K. Cavill u. F. B. Whitfield, Pr. chem. Soc. **1962**, 380.
2 J. A. Marshall u. R. D. Carroll, Tetrahedron Letters **1965**, 4223.
   A. S. Bawdekar et al., Tetrahedron **23**, 993 (1967).
3 D. Miller, L. Mandell u. R. A. Day, J. Org. Chem. **36**, 1683 (1971).
4 J. H. Tumlinson, R. C. Gueldner, D. D. Hardee, A. C. Thompson, P. A. Hedin u. J. P. Minyard, J. Org. Chem. **36**, 2616 (1971).
5 T. Oritami u. K. Yamashita, Agric. Biol. Chem. (Tokyo) **34**, 1184 (1970).
6 E. J. Corey u. K. Achiwa, Tetrahedron Letters **1970**, 2245.
7 H. Nakamura, H. Yamamoto u. H. Nozaki, Tetrahedron Letters **1973**, 111.
8 E. J. Corey, J. A. Katzenellenbogen, S. A. Roman u. N. W. Gilman, Tetrahedron Letters **1971**, 1821.
9 O. P. Rig u. R. C. Anand, J. Indian Chem. Soc. **47**, 851 (1970).
10 E. J. Corey, u. H. J. Yamamoto, Am. Soc. **92**, 6637 (1970).
11 E. E. Boehm u. M. C. Whiting, Soc. **1963**, 2541.

Tab. 7 (1. Fortsetzung)

Verbindung	Reaktions-bedingungen	Endprodukt	Ausbeute [% d. Th.]	Literatur
R–CH=CH–CH=CH–CH₂OH R = H₃C, CH₃ cyclohexen ring with CH₃	CCl₄, 60°	5-[2,6,6-Trimethyl-cyclo-hexen-(1)-yl]-pentadien-(2,4)-al	84	1
R = H₃C–(C≡C)₃–	Äther, RT, MnO₂: Substrat = 5 : 1	Dodecadien-(2,4)-triin-(6,8,10)-al	60	2
R–CH=CH–Ċ(R¹)=CH–CH₂OH		R–CH=CH–Ċ(R¹)=CH–CHO		
R¹ / **R**				
CH₃ / H	CH₂Cl₂, 20°, Ausschluß von Licht, MnO₂: Substrat = 10 : 1	3-Methyl-cis-pentadien-(2,4)-al	63	3
H₃C–CH=CH–	Leichtpetroleum (Kp: 40–60°), RT, MnO₂: Substrat = 5 : 1	3-Methyl-octatrien-(2,4,6)-al	80	4, 5
(C₂H₅O)₂CH–Ċ(CH₃)=CH–	Petroläther/Äther, RT, MnO₂: Substrat = 5 : 1	8,8-Diäthoxy-3,7-dimethyl-octatrien-(2,4,6)-al	70	6
H₃C, CH₃ cyclohexyl ring with CH₃	CCl₄	3-Methyl-5-(2,6,6-tri-methyl-cyclohexyl)-pentadien-(2,4)-al	62	7
H₃C, CH₃ cyclohexen ring with CH₃	Petroläther (Kp: 30–60°), N₂, RT, Lichtausschluß, MnO₂: Substrat = 10 : 1	3-Methyl-5-[2,6,6-tri-methyl-cyclohexen-(1)-yl]-pentadien-(2,4)-al	cis: 25–30 trans: 25–30	8–10

[1] P. J. V. D. TEMPEL u. H. O. HUISMAN, Tetrahedron **22**, 293 (1966).
[2] F. BOHLMANN, U. HINZ, A. SEYBERLICH u. J. REPPLINGER, B. **97**, 809 (1964).
[3] E. E. BOEHM u. M. C. WHITING, Soc. **1963**, 2541.
[4] B. C. L. WEEDON u. R. J. WOODS, Soc. **1951**, 2687; **1953**, 3286.
[5] E. A. BRAUDE u. W. F. FORBES, Soc. **1953**, 2208.
[6] Brit. P. 1059675 (1976), Hoffmann-La Roche & Co. AG; C. A. **62**, 14736 (1965).
[7] P. E. BLATZ, P. BALASUBRAMANIYAN u. V. BALASUBRAMANIYAN, Am. Soc. **90**, 3283 (1968).
[8] N. L. WENDLER, H. L. SLATES, N. R. TRENNER u. M. TISHLER, Am. Soc. **73**, 719 (1951).
[9] H. O. HOUSE, *Modern synthetic reactions*, S. 87, W. A. Benjamin, Inc., New York·Amsterdam 1965.
[10] U. SCHWIETER, C. V. PLANTA, R. RÜEGG u. O. ISLER, Helv. **45**, 528 (1962).

Tab. 7 (2. Fortsetzung)

Ausgangsverbindung	Reaktions-bedingungen	Endprodukt	Ausbeute [% d.Th.]	Literatur
(Struktur)	Pentan, RT, MnO_2: Substrat = 20:1	*Vitamin-A-Aldehyd*	25–100 (je nach MnO_2-Typ)	1–5
(Struktur)	Lichtausschluß; MnO_2: Substrat = 6:1	*5,6-Epoxi-vitamin-A-Aldehyd*		6,7
(Struktur)	Pentan, RT, MnO_2: Substrat = 23:1	*3,4-Dehydro-vitamin-A-Aldehyd*	43	8,3, s.a. 9
9-*cis*	Petroläther (Kp: 40–60°), N_2, Lichtausschluß, RT, MnO_2: Substrat = 23:1	*9-cis-3,4-Dehydro-vitamin-A-Aldehyd*	85	10
C_6H_5	Aceton, RT, MnO_2: Substrat = 15:1	*3-Methyl-5-phenyl-penta-dien-(2,4)-al*	83	11
(Struktur)	Leichtpetroleum (Kp: 40–60°), 20°, MnO_2: Substrat = 5:1	*3-Methyl-5-(2,4,6-tri-methyl-phenyl)-pentadien-(2,4)-al*	80	12
(Struktur)	Petroläther (Kp: 40–60°), Kochen, MnO_2: Substrat = 11:1	*3-Methyl-5-[2,4,4-tri-methyl-1-thia-cyclohexen-(2)-yl-(3)]-pentadien-(2,4)-al*	93 (roh)	13

[1] H. B. Henbest, E. R. H. Jones u. T. C. Owen, Soc. **1957**, 4909 ff.

[2] W. F. Pickering, Rev. Pure Appl. Chem. **16**, 191, 197 (1966).

[3] L. F. Fieser u. M. Fieser, *Reagents for organic synthesis*, S. 637, John Wiley and Sons, Inc., New York 1967.

[4] C. D. Robeson, W. P. Blum, J. M. Dieterle, J. D. Cawley u. J. G. Baxter, Am. Soc. **77**, 4120 (1955).

[5] US. P. 3367985 (1968), F. Hoffmann-La Roche Inc., Erf.: J. D. Surmatis, C. A. **68**, 114786 (1968).

[6] F. B. Jungalwala u. H. R. Cama, Biochem. J. **95**, 17 (1965).

[7] P. Meunier, R. Mallein, J. Jouaneteau u. G. Zwingelstein Bull. Soc. Chim. biol. **33**, 306 (1951); C. A. **46**, 2526 (1952).

[8] K. R. Farrar, J. C. Hamlet, H. B. Henbest u. E. R. J. Jones, Soc. **1952**, 2667.

[9] H. R. Cama, P. D. Dalvi, R. A. Morton, M. K. Salah, G. R. Steinberg u. A. L. Stubbs, Biochem. J. **52**, 535 (1952).

[10] U. Schwieter, C. v. Planta, R. Rüegg u. O. Isler, Helv. **45**, 528, 538 (1962).

[11] G. Köbrich, A. **648**, 120, 123 (1961).

[12] K. R. Bharucha u. B. C. L. Weedon, Soc. **1953**, 1576.

[13] J. L. Baas, A. Davies-Fidder, F. R. Visser u. H. O. Huisman, Tetrahedron **22**, 265, 273 (1966).

Tab. 7 (3. Fortsetzung)

Ausgangsverbindung	Reaktionsbedingungen	Endprodukt	Ausbeute [% d.Th.]	Literatur
[Struktur: H₃C, CH₃, CH₃-CH₂-CH=C-CH=CH-CH=CH-CH=C-CH₂OH mit Cyclohexen-Ring]	Petroläther (Kp: 40–50°), RT, MnO₂: Substrat = 6 : 1	[Struktur] 2,6-Dimethyl-8-[2,6,6-trimethyl-cyclohexen-(1)-yl]-octatrien-(2,4,6)-al	90 (roh)	1, s. a. 2
$R-C\equiv C-CH=CH-CH_2-OH$ R = H (trans)	CH₂Cl₂, 20°, MnO₂: Substrat = 10 : 1	$R-C\equiv C-CH=CH-CHO$	43	3
	Äther, RT, MnO₂: Substrat = 10 : 1	Penten-(trans-2)-in-(4)-al	38	4, s. a. 5
R = $H_3C-CH=CH-CH=CH-C\equiv C-$	CH₂Cl₂, 20°, MnO₂: Substrat = 10 : 1	Decadien-(cis-2,cis-8)-diin-(4,6)-al	95	3
R = $H_3C-C\equiv C-C\equiv C-C\equiv C-$	Äther, RT, MnO₂: Substrat = 10 : 1	Dodecen-(2)-tetrain-(4,6,8,10)-al	64	6
R = $H_2C=C-[C\equiv C]_3-$	Äther, RT, MnO₂: Substrat = 20 : 1	Tridecadien-(2,12)-tetrain-(4,6,8,10)-al		7

[1] Fr. P. 1090211 (1955), F. Hoffmann-La Roche Co.
[2] V. L. KHRISTOFOROV, E. N. ZVONKOVA, V. P. VARLAMOV, O. N. SOROKINA u. R. P. EVSTIGNEEVA, Ž. Org. Chim. 9, 1844 (1973).
[3] I. BELL, E. R. H. JONES u. M. C. WHITING, Soc. 1958, 1313, 1323; Chem. & Ind. 1956, 549.
[4] F. BOHLMANN u. H.-G. VIEHE, B. 88, 1347 (1955).
[5] L. F. FIESER u. M. FIESER, Reagents for organic Synthesis, S. 640, John Wiley and Sons, Inc., New York 1967.
[6] F. BOHLMANN, U. HINZ, A. SEYBERLICH u. J. REPPLINGER, B. 97, 809 (1964).
[7] F. BOHLMANN, C. ARNDT, H. BORNOWSKI u. K. M. KLEINE, B. 95, 1318 (1962).

Tab. 7 (4. Fortsetzung)

Ausgangsverbindung	Reaktions-bedingungen	Endprodukt	Ausbeute [% d.Th.]	Literatur
$R = H_2C=CH-C\equiv C\overset{\text{S}}{\diagdown}$	Äther, RT, MnO$_2$: Substrat = 34 : 1	5-[Buten-(3)-in-(1)-yl]-2-[4-formyl-buten-(3)-in-(1)-yl]-thiophen	61	1
$R-C\equiv C-CH=\overset{R^1}{\underset{\|}{C}}-CH_2OH$		$R-C\equiv C-CH=\overset{R^1}{\underset{\|}{C}}-CHO$	bis 70	2–4
$R-C\equiv C-\overset{R^1}{\underset{\|}{C}}=CH-CH_2OH$		$R-C\equiv C-\overset{R^1}{\underset{\|}{C}}=CH-CHO$	bis 70	1, 5, 6
$Ar-CH=CH-CH_2OH$ Ar = C_6H_5	Petroläther (Kp: 40–60°), RT, MnO$_2$: Substrat = 10 : 1	$Ar-CH=CH-CHO$	75	7, s. a. 8, 9
	CH$_2$Cl$_2$, 15°	Zimtaldehyd [s. a. 12, 13]	76	10
	Hexan, kochen, MnO$_2$: Substrat = 8 : 1		94	11
	Benzol, 81° (azeotrope Destillation), MnO$_2$: Substrat = 4 : 1		82	14
	Äther, RT, MnO$_2$: Substrat = 4 : 1		77	15

1 F. Bohlmann, P.-H. Bonnet u. H. Hofmeister, B. 100, 1200 (1967).
2 R. Ahmad u. B. C. L. Weedon, Soc. 1953, 3286.
3 R. M. Evans, Quart. Rev. 13, 62 (1959).
4 F. Bohlmann u. H.-C. Hummel, B. 101, 2506 (1968).
5 E. E. Boehm, V. Thaller u. M. C. Whiting, Soc. 1963, 2535.
6 Brit. P. 1 059 675 (1967), Hoffmann-La Roche & Co. AG.; C. A. 62, 14 736 (1965).
7 S. R. Sandler u. W. Karo, Organic Functional Group Preparations, S. 147, Academic Press, New York 1968.
8 L. F. Fieser u. M. Fieser, Advanced organic chemistry, S. 302, Reinhold Publishing Corp., Chapman and Hall Ltd., New York·London 1961.
9 J.-C. Bloch, J. Boissier u. G. Ourisson, Bl. 1961, 540.
10 R. O. C. Norman, Principles of organic synthesis, S. 523, Methuen Co., Ltd., London 1968.
11 J. S. Belew u. C. Tek-Ling, Chem. & Ind. 1967, 1958.
12 J. Attenburrow, A. F. B. Cameron, J. H. Chapman, R. M. Evans, B. A. Hems, A. B. A. Jansen u. T. Walker, Soc. 1952, 1096, 1104.
13 D. Dollimore u. K. H. Tonge, Soc. [B] 1967, 1380.
14 E. F. Pratt u. J. F. v. de Castle, J. Org. Chem. 26, 2973 (1961).
15 M. Harfenist, A. Bavley u. W. A. Lazier, J. Org. Chem. 19, 1608 (1954).
   R. Giovanolo, E. Stähli, u. W. Feitknecht, Chimia 23, 264 (1969).

Tab. 7 (5. Fortsetzung)

Ausgangsverbindung			Reaktions-bedingungen	Endprodukt	Ausbeute [% d.Th.]	Literatur

R¹ R² und R für die Ausgangsverbindung:

$$\underset{R}{\overset{R^1}{>}}C=C-CH_2OH \qquad R^2$$

$$\underset{R}{\overset{R^1}{>}}C=C-CHO \qquad R^2$$

R	R¹	R²				
C_6H_5	C_6H_5	H	Petroläther, RT, MnO₂: Substrat = 2:1	3,3-Diphenyl-propenal	83	1
C_6H_5	4 - Cl-C_6H_4	C_6H_5	Aceton, RT, MnO₂: Substrat = 10:1	cis-2,3-Diphenyl-3-(4-chlor-phenyl)-propenal	93 (trans-: 62–97% d.Th.)	2
H	4 - CH_3O-C_6H_4	F	Äther bzw. Petrol-äther, RT, MnO₂: Substrat = 5–7:1	2-Fluor-3-(4-methoxy-phenyl)-propenal	62	3

4. Oxidation primärer Alkohole mit aromatischen Substituenten am α-Kohlenstoff-Atom

Alkohole mit aromatischen oder heteroaromatischen Substituenten in α-Stellung zur Hydroxy-Gruppe können auf die gleiche Weise zu den entsprechenden Aldehyden oxidiert werden wie primäre Alkohole mit konjugierten C=C-Doppelbindungen. Der aromatische Rest kann benzoider, sowie nicht benzoider Natur sein [4-6].

$$Ar-CH_2-OH \xrightarrow{MnO_2} Ar-CHO$$

4-Substituierte Benzaldehyde; allgemeine Herstellungsvorschrift [4-7]:

$$R-\bigcirc-CH_2-OH \xrightarrow{MnO_2} R-\bigcirc-CHO$$

Eine Lösung von 1 mMol Benzylalkohol in 40 ml Chloroform, Äther oder Hexan wird bei Raumtemp. mit 1,0 g Mangan(IV)-oxid kräftig gerührt. Die Reaktionsdauer schwankt je nach der gewünschten Ausbeute (61–89%) zwischen 1 und 24 Stdn. Die Lösung wird dann abfiltriert und der Rückstand mehrmals mit Chloroform und Äthanol nachgewaschen. Man versetzt die vereinigten Filtrate mit 9 ml 2,4-Dinitro-phenylhydrazin und läßt 1 Stde. stehen. Mittels eines Luftstroms wird auf das halbe Vol. eingeengt und der ausgefallene Niederschlag abfiltriert. Man wäscht einmal mit Äthanol, das eine Spur Pyridin enthält und zuletzt mit Äthanol; so erhält man z. B. als 2,4-Dinitro-phenylhydrazone:

4-Chlor-benzaldehyd [4-6]	77% d.Th.
4-Methoxy-benzaldehyd [4-6]	79% d.Th.
4-Nitro-benzaldehyd [4-7]	81% d.Th.
4-Isopropyl-benzaldehyd [4-6]	82% d.Th.

Ist der Substituent nicht benzoider Natur bzw. heteroaromatisch, so verläuft die Oxidation mit Mangan(IV)-oxid ebenfalls mit befriedigenden Ausbeuten (s. Tab. 8, S. 515).

[1] R. Heilmann u. R. Glenat, Bl. **1955**, 1586.
[2] D. Y. Curtin, H. W. Johnson u. E. G. Steiner, Am. Soc. **77**, 4566 (1955).
[3] E. Elkik, Bl. **1964**, 2258.
[4] E. F. Pratt u. J. F. v. de Castle, J. Org. Chem. **26**, 2973 (1961).
[5] L. F. Fieser u. M. Fieser, Reagents for organic synthesis, S. 637, John Wiley and Sons, Inc., New York 1967.
[6] J. F. v. de Castle, Dissertation Abstr. **25**, 2769 (1964); C. A. **62**, 6377 (1965).
[7] M. Harfenist, A. Bavley u. W. A. Lazier, J. Org. Chem. **19**, 1608 (1954).

Tab. 8: Aldehyde durch Oxidation primärer Alkohole mit aromatischen Substituenten am α-Kohlenstoff-Atom mit Mangandioxid

Ausgangsverbindung	Reaktions-bedingungen	Endprodukt	Ausbeute [% d.Th.]	Literatur
a) benzoide Systeme				
Ar–CH$_2$–OH		Ar–CHO		
Ar = C$_6$H$_5$	CHCl$_3$, 25°, MnO$_2$: Substrat = 10:1 (MnO$_2$ nach Ozon-Methode)		82	1, vgl. 2, 3
	Benzol, 81° (azeo-trope Destillation), MnO$_2$: Substrat = 4:1	*Benzaldehyd* s. a. [8, 9, 10]	68	4
	Äther oder CHCl$_3$, RT, MnO$_2$: Sub-strat = 10:1		61–89	5
	Äther, RT, MnO$_2$: Substrat = 4:1		80	6, 7
Ar = 4-CH$_3$O–C$_6$H$_4$	Benzol, 81° (azeo-trope Destillation), MnO$_2$: Substrat = 4:1	*4-Methoxy-benzaldehyd*	79	4, 8, 9
Ar = 3,4-(CH$_3$O)$_2$–C$_6$H$_3$	CHCl$_3$, RT, MnO$_2$: Substrat = 10:1	*3,4-Dimethoxy-benzal-dehyd*	58	5
	Äther, RT, MnO$_2$: Substrat = 4:1		80	6
Ar = 4-(H$_5$C$_6$)$_3$Pb–C$_6$H$_4$	Äther, RT, MnO$_2$: Substrat = 3:1	*Triphenyl-(4-formyl-phenyl)-blei*	50	10
Ar = C$_6$(CH$_3$)$_5$	Benzol/N$_2$/MnO$_2$: Substrat = 10:1	*Pentamethyl-benzal-dehyd*	86	7
Ar = 2-CH$_3$S–C$_6$H$_4$	MnO$_2$: Substrat = 2:1	*2-Methylthio-benzaldehyd*	82	11

[1] J. S. BELEW u. C. TEK-LING, Chem. & Ind. **1967**, 1958.

[2] R. J. GRITTER, G. D. DUPRE u. T. J. WALLACE, Nature **202**, 179 (1964).

[3] R. J. GRITTER u. T. J. WALLACE, J. Org. Chem. **24**, 1051 (1959).

[4] E. F. PRATT u. J. F. V. DE CASTLE, J. Org. Chem. **26**, 2973 (1961); C. A. **56**, 367 (1962).

[5] R. J. HIGHET u. W. C. WILDMANN, Am. Soc. **77**, 4399 (1955).

[6] M. HARFENIST, A. BAVLEY u. W. A. LAZIER, J. Org. Chem. **19**, 1608 (1954).

[7] H. H. WASSERMANN, P. S. MARIANO u. P. M. KEEHN, J. Org. Chem. **36**, 1765 (1971).

[8] J. F. VAN DE CASTLE, Dissertation Abstr. **25**, 2769 (1964); C. A. **62**, 6377 (1965).

[9] L. F. FIESER u. M. FIESER, *Reagents for organic synthesis*, S. 638, John Wiley and Sons, Inc., New York 1967.

[10] W. GERRARD u. D. B. GREEN, J. Organometal. Chem. **7**, 91 (1967).

[11] V. J. TRAYNELLIS u. D. M. BORGNAES, J. Org. Chem. **37**, 3824 (1972).

Tab. 8 (1. Fortsetzung)

Ausgangsverbindung	Reaktions-bedingungen	Endprodukt	Ausbeute [% d.Th.]	Literatur
Ar–CH$_2$–OH Ar = (CH$_2$OH / –CH$_2$–CH$_2$–)	Benzol, RT, MnO$_2$: Substrat = 9 : 1	*1,2-Bis-[2-formyl-phenyl]-äthan*		1
H$_5$C$_6$–CHD–OH H$_5$C$_6$–CD$_2$–OH	Benzol, RT, N$_2$, MnO$_2$: Substrat = 11 : 1, 1 Stde.	*α-Deutero-benzaldehyd*	60	2

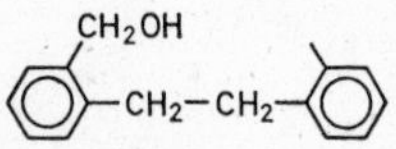

b) nicht benzoide Systeme

(Ferrocen, CH$_2$OH, Fe, R)		(Ferrocen, CHO, Fe, R)		
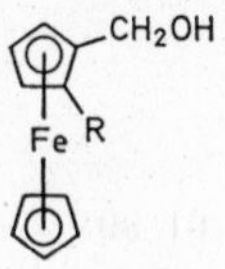 R = H	CHCl$_3$, kühlen, MnO$_2$: Substrat = 5 : 1	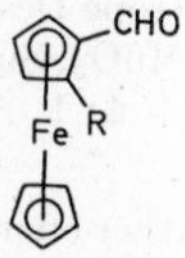 *Formyl-ferrocen*	98 (roh)	3
R = CH$_3$	CHCl$_3$, kochen, MnO$_2$: Substrat = 5 : 1	*(+)-2-Methyl-1-formyl-ferrocen*	93	4

c) heteroaromatische Systeme

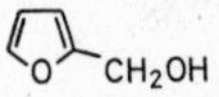 (Furyl, CH$_2$OH)	Äther, RT, MnO$_2$: Substrat = 4 : 1	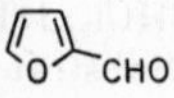 (Furyl, CHO) *Furfural*	69	5
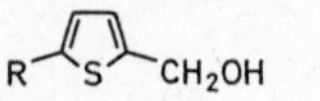 (R–S–CH$_2$OH) R = Ferrocenyl	CHCl$_3$, RT, MnO$_2$: Substrat = 10 : 1	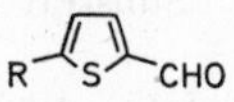 (R–S–CHO)	65	6
(N,O-heterocycle, R, CH$_2$OH) R = H	CHCl$_3$, kochen, MnO$_2$: Substrat = 10 : 1	(N,O-heterocycle, R, CHO) *5-Formyl-1,2-oxazol*	52 (roh)	7
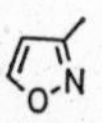 R = (oxazolyl)	Aceton, RT, , MnO$_2$: Substrat = 7 : 1	*5-Formyl-bi-[1,2-oxazolyl-(3)]*	65	8

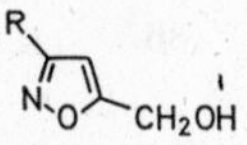

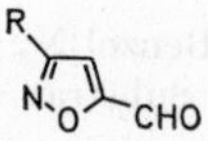

1 H. W. BERSCH, K.-H. FISCHER u. V. BANNIZA, Ar. **294**/66, 602, 606 (1961).
2 J. M. GOLDMAN, J. Org. Chem. **34**, 3289 (1969).
3 J. K. LINDSAY u. C. R. HAUSER, J. Org. Chem. **22**, 355 (1957).
4 K. SCHLÖGL, M. FRIED u. H. FALK, M. **95**, 576 (1964).
5 M. HARFENIST, A. BAVLEY u. W. A. LAZIER, J. Org. Chem. **19**, 1608 (1954).
6 H. EGGER u. K. SCHLÖGL, M. **95**, 1751 (1964).
7 G. ALEMBRI, P. SARTI-FANTONI, F. DE SIO u. P. F. FRANCHINI, Tetrahedron **23**, 4697 (1967).
8 G. GAUDIANO, A. QUOLICO u. A. RICCA, Tetrahedron **7**, 24 (1959).

Tab. 8 (2. Fortsetzung)

Ausgangsverbindung	Reaktions-bedingungen	Endprodukt	Ausbeute [% d.Th.]	Literatur
R^1: CH$_2$–OH, R^2: H	Äther, Aceton oder CCl$_4$, RT, MnO$_2$: Substrat = 6 : 1	2-Formyl-imidazol	70 (roh)	1–4
R^1: H, R^2: CH$_2$–OH	1,4-Dioxan, 0°, MnO$_2$: Substrat = 10 : 1	4-Formyl-imidazol	59	5, s.a. 6, 7
	CCl$_4$, RT, MnO$_2$: Substrat = 8 : 1	3-Formyl-⟨benzo-[b]-furan⟩	52	8
		7-Methoxy-5-allyl-2-(3,4-methylendioxy-phenyl)-3-formyl-⟨benzo-[b]-furan⟩	80	9
	Äther, RT, MnO$_2$: Substrat = 6 : 1	2-Formyl-indol	65	10,11
	CCl$_4$, RT, MnO$_2$: Substrat = 10 : 1	1-Methoxy-3-formyl-carbazol (Murraganin)	50	12, 13

[1] H. Schubert u. W. D. Rudorf, Ang. Ch. 78, 715 (1966).
[2] P. Fournari, P. de Cointet u. E. Laviron, Bl. 1968, 2438.
[3] A. M. Rozhkov, U. G. Kolmakova u. V. P. Mamaev, Izv. Sib. Otd. Akad. SSSR, Ser. Chim. Nauk 1972, 144; C. A. 77, 139895 (1972).
[4] H. Link u. K. Bernauer, Helv. 55, 1053 (1972).
[5] E. P. Papadopoulos, A. Jarrar u. C. H. Issidorides, J. Org. Chem. 31, 615 (1966).
  L. F. Fieser u. M. Fieser, Reagents for organic synthesis, S. 642, John Wiley and Sons, Inc., New York 1967.
[6] A. M. Simonov u. V. A. Anisimova, Chim. geteroc. Soedn. 1971, 669; C. A. 76, 126866 (1972).
[7] A. M. Simonov u. I. G. Uryukina, Chim. geteroc. Soed. 1971, 570; C. A. 76, 25242 (1972).
[8] L. Capuano, B. 98, 3659 (1965).
[9] R. S. McCredie, E. Ritchie u. W. C. Taylor, Austral. J. Chem. 22, 1011 (1969).
[10] J. Harley-Mason u. E. H. Pavri, Soc. 1963, 2565.
[11] G. A. Bhat u. S. Siddappa, Soc. [C] 1971, 178.
[12] D. P. Chakraborty u. B. K. Chowdhury, J. Org. Chem. 33, 1265 (1968).
[13] D. P. Chakraborty, A. Islam u. P. Bhattacharyga, J. Org. Chem. 38, 2728 (1973).

Tab. 8 (3. Fortsetzung)

Ausgangsverbindung	Reaktionsbedingungen	Endprodukt	Ausbeute [% d.Th.]	Literatur
(RO-4H-Pyron-CH₂OH) z. B.; R = CH₃	Benzol, kochen, MnO₂: Substrat = 10 : 1	(RO-4H-Pyron-CHO) 5-Methoxy-2-formyl-4H-pyron	70 (roh)	1
	tert. Butanol, RT, MnO₂: Substrat = 4 : 1		60 (roh)	2
(Pyridin R², R³, R, R¹, CH₂OH) z. B.: R | R¹ | R² | R³ — H H H H	CHCl₃, kochen, MnO₂: Substrat = 5 : 1	(Pyridin R², R³, R, R¹, CHO) 2-Formyl-pyridin		3, vgl. 4
(Pyridin CH₂OH, R¹, R², R³) z. B.: R¹ | R² | R³ — H H H	Benzol, kochen	(Pyridin CHO, R¹, R², R³) 4-Formyl-pyridin	73	5, 6
[CH₂OH, OCH₃ Pyridinium N⊕H] Cl⊖	C₂H₅OH, H₂SO₄, kochen, MnO₂: Substrat = 1 : 1	(CHO, OCH₃ Pyridin) 3-Methoxy-4-formyl-pyridin	60	7
(CH₂OH-Pyridin-N-oxid)	CHCl₃, kochen, MnO₂: Substrat = 5 : 1	(CHO-Pyridin-N-oxid) 2-Formyl-pyridin-N-oxid 3-Formyl-pyridin-N-oxid 4-Formyl-pyridin-N-oxid	51—69	5

[1] H.-D. BECKER, Acta chem. scand. 16, 78 (1962); 15, 684 (1961); Svensk Kem. Tidskr. 72, 608 (1960).
[2] J. H. LOOKER u. D. SHANEYFELT, J. Org. Chem. 27, 1894 (1962).
[3] A. J. LIN, K. C. AGRAWAL u. A. C. SARTORELLI, J. Med. Chem. 15, 615 (1972).
[4] P. J. BEEKY u. F. SONDHEIMER, Ang. Ch. 85, 406 (1973).
[5] E. P. PAPADOPOULOS, A. JARRAR u. C. H. ISSIDORIDES, J. Org. Chem. 31, 615 (1966).
   L. F. FIESER u. M. FIESER, Reagents for organic synthesis, S. 642, John Wiley and Sons, Inc., New York 1967.
[6] N. A. DOKTOROVA, M. Y. KARPEISKII, N. S. PADYUKOVA, K. F. TURDIN u. V. L. FLORENTEV, Chim. getoroc. Soed. 1971, 365; C. A. 76, 3655 (1972).
[7] D. HEINERT u. A. E. MARTELL, Tetrahedron 3, 49 (1958).

Tab. 8 (4. Fortsetzung)

Ausgangsverbindung	Reaktions-bedingungen	Endprodukt	Ausbeute [% d.Th.]	Literatur
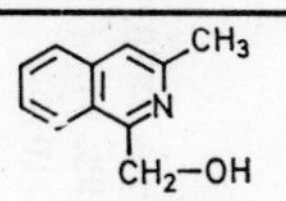		3-Methyl-1-formyl-isochinolin	gut	1
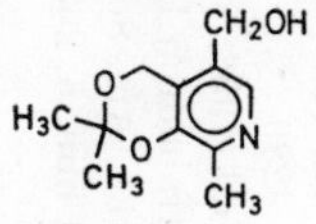	CHCl₃, RT, MnO2: Substrat = 4 : 1	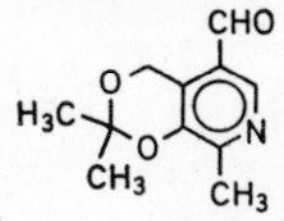 2,2,8-Trimethyl-5-formyl-4H-⟨1,3-dioxino-[4,5-c]-pyridin⟩	87	2
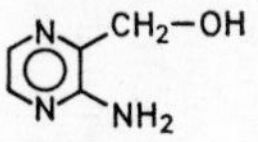	CHCl₃/MnO₂: Substrat = 6 : 1	3-Amino-2-formyl-pyrazin	84	3
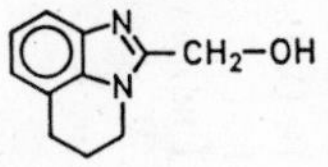	CHCl₃	5-Formyl-1,2-dihydro-3H-⟨imidazolo-[5,4,3-i,j]-chinolin⟩		4

5. Oxidation primärer Diole

Die Oxidation mit Mangan(IV)-oxid ist nicht nur auf primäre Monoalkohole beschränkt, sondern läßt sich auch auf primäre Diole anwenden. Dabei treten drei mögliche Endprodukte auf.

① Nur eine der beiden primären Alkohol-Gruppierungen wird zur Aldehyd-Gruppe oxidiert; z. B.[5]:

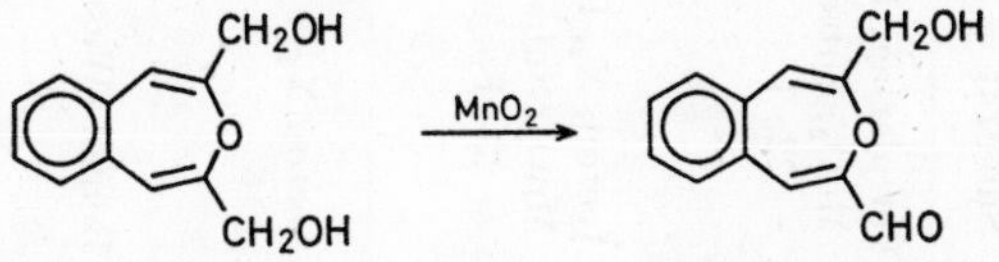

4-Hydroxymethyl-2-formyl-[3]-benzoxepin; 91% d.Th.

② Beide primären Hydroxy-Gruppen werden zur Aldehyd-Gruppe oxidiert; z. B.: Oxidation von 1,2-Bis-[hydroxymethyl]-ferrocen und 2,6-Bis-[hydroxymethyl]-pyridin.

1,2-Diformyl-ferrocen[6,7]:

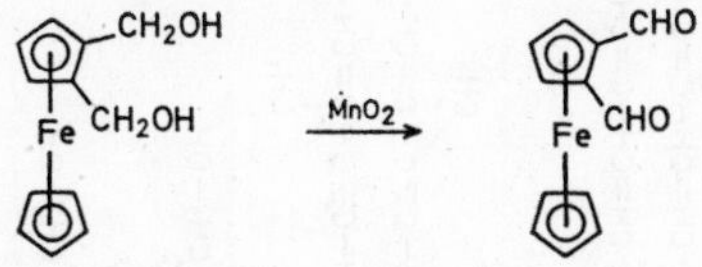

Forts. S. 222

¹ K. C. Agraval, R. J. Sushley, S. R. Lipsky, J. R. Wheaton u. A. C. Sartorelli, J. Med. Chem. 15, 192 (1972).

² P. D. Sattsangi, C. J. Argondelis, J. Org. Chem. 33, 1338 (1968).

³ A. Albert u. K. Ohta, Soc. [C] 1971, 2357.

⁴ V. G. Poludnenko, A. M. Simonov u. L. G. Kogutnitskaya, Chim. geteroc. Soed. 1971, 967; C. A. 76, 34175 (1972).

⁵ M. J. Jorgenson, J. Org. Chem. 27, 3224 (1962).

⁶ G. Marr, B. W. Rockett u. A. Rushworth, J. Organometal. Chem. 16, 142, 146 (1969).

⁷ J. Tirouflet, C. Moise u. M. G. Champetier, C. r. [C] 262, 1889 (1966).

Tab. 9: Aldehyde durch Oxidation primärer Diole mit Mangandioxid

Ausgangsverbindung	Reaktionsbedingungen	Endprodukt	Ausbeute [% d.Th.]	Literatur
HO–CH₂–(CH₂)₃–CH=CH–CH=CH–CH₂–OH	Äther, RT, MnO₂: Substrat = 5:1	HO–CH₂–(CH₂)₃–CH=CH–CH=CH–CHO 9-Hydroxy-nonadien-(trans-2,trans-4)-al	86	[1–3]
HO–CH₂–C=CH–C≡C–CH=C–CH₂–OH (CH₃, CH₃)	Aceton, RT, MnO₂: Substrat = 15:1	OHC–C=CH–C≡C–CH=C–CHO (CH₃, CH₃) 2,7-Dimethyl-octadien-(2,6)-in-(4)-dial	95 (rein) 97 (roh)	[4–6]
HO–CH₂–C=CH–CH=CH=CH–C=CH–C≡C–CH₃ (CH₃, CH₃)	Petroläther, RT, MnO₂:Substrat = 22:1	2,6,11,15-Tetramethyl-hexadecahexaen-(2,4,6,10,12,14)-in-(8)-dial	60	[7]
HO–CH₂–C=CH–C≡C–CH=C–CH₃ (CH₃, CH₃)	Aceton, N₂, RT, MnO₂: Substrat = 23:1	OHC–C=CH–CH=CH–C=C–CH=CH–C=CH–CHO (CH₃, CH₃) 2,6,11,15-Tetramethyl-hexadecapentaen-(2,6,8,10,14)-di-in-(4,12)-dial	94	[8,9]
(1,6-Bis(hydroxymethyl)cycloheptatrien)	Aceton/N₂	1,6-Diformyl-cycloheptatrien	70	[10,11]
HO–CH₂—⟨furan⟩—CH₂–OH	Benzol (Wasser-frei)	2,5-Diformyl-furan		[12]

[1] L. D. BERGELSON, E. v. DYATLOVITSKAYA u. M. M. SHEMYAKIN, Izv. Akad. SSSR, Ser. Khim. Nauk 1964, 2003; engl.: 1904.
[2] D. H. MILES, P. LOEW, W. S. JOHNSON, A. F. KLUGE u. J. MAINWALD, Tetrahedron Letters 1972, 3019.
[3] U. T. BHALERAO u. H. RAPPOPORT, Am. Soc. 93, 5311 (1971).
[4] H. H. INHOFFEN, O. ISLER, G. v. D. BEY, G. RASPÉ, P. ZELLER u. R. AHRENS, A. 580, 7 (1953).
[5] DAS. 1028988 (1958) ≡ Fr. P. 1096247 ≡ Brit. P. 744887; 744890 ≡ Schweiz. P. 317448 ≡ US. P. 2809216, M. Hoffmann-La Roche und Co. Erf.: H. H. INHOFFEN, O. ISLER u. P. ZELLER; C. A. 52, 436 (1958).
[6] Fr. P. 1096247 (1955), F. Hoffmann-La Roche und Co.
[7] H. H. INHOFFEN u. G. RASPÉ, A. 592, 216, 220 (1955).
[8] R. AHMAD u. B. C. L. WEEDON, Soc. 1953, 3286.
[9] R. AHMAD u. B. C. L. WEEDON, Chem. & Ind. 1952, 882.
[10] E. VOGEL, R. FELDMANN u. H. DUWEL, Tetrahedron Letters 1970, 1941.
[11] J. A. ELIX, M. V. SARGENT u. F. SONDHEIMER, Am. Soc. 92, 973 (1970).
[12] A. F. OLEINIK u. K. Y. NOVITSKIJ, Ž. org. Chim. 6, 2632 (1970).

Tab. 9 (1. Fortsetzung)

Ausgangsverbindung	Reaktionsbedingungen	Endprodukt	Ausbeute [% d.Th.]	Literatur
[Struktur: Imidazol-diol, HO-CH$_2$ / HO-CH$_2$ mit N, H]	DMSO, MnO$_2$: Substrat = 10:1	*4,5-Diformyl-imidazol*	45	1
[Struktur: Pyridin, CH$_2$OH, CH$_2$OH, HO, H$_3$C, N]	verd. H$_2$SO$_4$, RT, MnO$_2$: Substrat = 1:1	*3-Hydroxy-2-methyl-5-hydroxymethyl-4-formyl-pyridin* [Struktur: CHO, CH$_2$OH, HO, H$_3$C, N]	80–90	2–4
[Struktur: Pyridinium, CH$_2$OH, CH$_2$OH, HO, R, N⊕, H, Cl⊖] R = H	verd. H$_2$SO$_4$, RT, MnO$_2$: Substrat = 1:1	*3-Hydroxy-5-hydroxymethyl-4-formyl-pyridin* [Struktur: CHO, CH$_2$OH, HO, R, N]	75–79	5,s.a. 6–8
R = CH$_3$	verd. H$_2$SO$_4$, RT, 75 Sek. MnO$_2$: Substrat = 6:1	*3-Hydroxy-2-methyl-5-hydroxymethyl-4-formyl-pyridin*	77	9,s.a. 8,10
[Struktur: Pyridin, CH$_2$-CH$_2$-OH / CH$_2$-OH, N]		*4-Oxo-1,2-dihydro-4H-⟨pyrido-[3,4-c]-pyran⟩* [Struktur]	28	11

1 H. SCHUBERT u. W. D. RUDOLF, Z. 11, 175 (1971).
2 M. VISCONTINI, C. EBNÖTHER u. P. KARRER, Helv. 34, 1834 (1951).
3 L. F. FIESER u. M. FIESER, Reagents of organic Synthesis, S. 637, JOHN WILEY and SONS, Inc., New York 1967.
4 T. I. BESEDINA, Y. N. BRENSOV, M. Y. KARPEISKII, N. A. STAMBOLIEVA, K. F. TURCHIN u. V. L. FLORENTEV, Chim. heteroc. Soed. 1971, 368; C. A. 76, 3653 (1972).
5 P. F. MÜHLRADT, Y. MORINO u. E. E. SNELL, J. Med. Chem. 10, 341, 344 (1967).

6 M. IKAWA u. E. E. SNELL, Am. Soc. 76, 637 (1954).
7 S. A. HARRIS u. A. N. WILSON, Am. Soc. 63, 2526 (1941).
8 Belg. P. 572518 (1958); E. Merck.
9 H. AHRENS u. W. KORYTNYK, J. heterocyc. Chem. 4, 625 (1967).
10 R. H. WILEY u. G. IRICK, J. Med. Pharm. Chem. 5, 49, 50 (1962).
11 J. POLKY, R. PAHLBOM, K. H. HASSELGREN u. J. L. G. NILSSON, Acta chem. scand. 25, 735 (1971).

Zu einer Lösung von 0,83 g (0,0034 Mol) 1,2-Bis-[hydroxymethyl]-ferrocen in 50 *ml* Chloroform gibt man 10 g aktiviertes Mangan(IV)-oxid, rührt die Mischung 24 Stdn. bei Raumtemp., filtriert ab und engt das rot gefärbte Filtrat i. Vak. ein. Das hierbei zurückbleibende dunkelrote Öl wird an Aluminiumoxid chromatographiert. Das 1,2-Diformyl-ferrocen wird mit einem Benzol/Äther-Gemisch eluiert; Ausbeute: 0,72 g (88% d. Th.); F: 171° (rote Nadeln; aus Petroläther).

2,6-Diformyl-pyridin[1]:

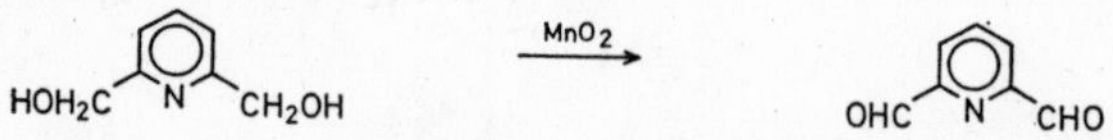

Zu einer Lösung von 5,7 g 2,6-Bis-[hydroxymethyl]-pyridin in 500 *ml* Chloroform wird 60 g frisch aktiviertes Mangan(IV)-oxid gegeben. Die Suspension wird 5 Stdn. unter Rückfluß gut gerührt. Man filtriert und wäscht den Rückstand 5 mal mit je 100 *ml* Äther nach. Die vereinigten Filtrate werden i.Vak. eingeengt und der feste Rückstand mehrmals aus Petroläther umkristallisiert; Ausbeute: 3 g (54% d.Th.); F: 122–123°.

③ Die beiden entstehenden Formyl-Gruppen disproportionieren und die entstehenden Hydroxy-carbonsäuren bilden ein Lacton; z. B.: *1-Oxo-1,3-dihydro-⟨naphtho-[1,8a,8-c,d]-pyran⟩*[2]

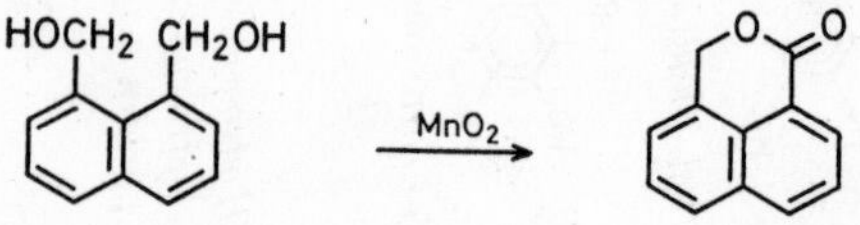

Weitere Beispiele zur Oxidation von Diolen können der Tab. 9 (S. 520) entnommen werden.

c) Oxidation sekundärer Alkohole zu Ketonen

Sekundäre Alkohole werden mit Mangan(IV)-oxid zu den entsprechenden Ketonen oxidiert:

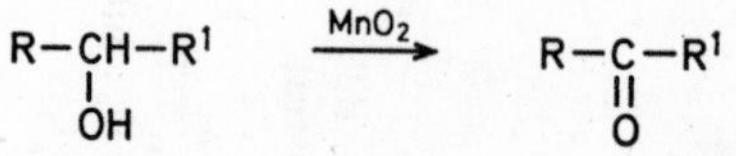

Durch die große Variationsbreite der Reste R und R[1] ergibt sich ein großer Anwendungsbereich dieser Methode.

1. Aliphatische und alicyclische sekundäre Alkohole

Die Oxidation von sekundären aliphatischen oder alicyclischen Alkoholen verläuft ohne Schwierigkeiten zu den entsprechenden Ketonen. In Tab. 10 sind einige Beispiele zusammengestellt.

Tab. 10: Ketone durch Oxidation sekundärer Alkohole mit Mangandioxid

Ausgangsverbindung		Reaktionsbedingungen	Endprodukt	Ausbeute [% d.Th.]	Literatur
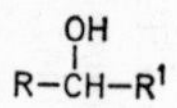 $R-\overset{OH}{\underset{}{CH}}-R^1$			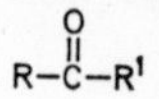 $R-\overset{O}{\overset{\|\|}{C}}-R^1$		
R	R[1]				
CH_3	CH_3	CCl_4, RT, MnO_2: Substrat = 5 : 1	*Aceton*	62	3–5

[1] E. P. PAPADOPOULOS, A. JARRAR u. C. H. ISSIDORIDES, J. Org. Chem. **31**, 615 (1966).
    L. F. FIESER u. M. FIESER, *Reagents for organic synthesis*, S. 642, John Wiley and Sons, Inc., New York 1967.
[2] S. HAUPTMANN + A. BLASKOVITS, Z. Chem. **6**, 466 (1966).
[3] R. J. GRITTER u. T. J. WALLACE, J. Org. Chem. **24**, 1051 (1959).
[4] M. Z. BARAKAT, M. F. ABDEL-WAHAB u. M. M. EL-SADR, Soc. **1956**, 4685.
[5] J. F. VAN DE CASTLE, Dissertation Abstr. **25**, 2769 (196ä); C. A. **62**, 6377 (1965).

Tab. 10 (1.Fortsetzung)

Ausgangsverbindung	Reaktionsbedingungen	Endprodukt	Ausbeute [% d.Th.]	Literatur
OH R–CH–R' R $\mid$ R¹ –(CH₂)₆–	Benzol (azeotrope Destillation), MnO₂: Substrat = 8 : 1	*Cycloheptanon*	67	1–3
▷ $\mid$ ▷	Pentan, 20°, MnO₂: Substrat = 10 : 1	*Dicyclopropyl-keton*	51	2, 4
OH H₃C CH₃ H₃C CH₃	Äther/MnO₂: Substrat 4 : 1	H₃C CH₃ H₃C CH₃ *2-Oxo-1,3,5,7-tetra-methyl-tricyclo [5.1.0.0³,⁵]octan*	43	5
OH S		*6-Oxo-3-thia-tricyclo [5.2.1.0¹,⁵]octan*	50	6

2. Sekundäre Alkohole mit olefinischen Gruppen[7]

Sind in den Substituenten am sek. Carbinol-C-Atom C=C-Doppelbindungen, C≡C-Dreifachbindungen oder konjugierte Doppel- und Dreifachbindungen vorhanden, so erfolgt die Oxidation zu Ketonen unter Erhalt dieser Bindungsordnung.

1-Oxo-1-cyclohexen-(1)-yl-buten-(2)[2, 8]:

OH
CH–CH=CH–CH₃ $\longrightarrow$ C–CH=CH–CH₃

15 g 1-Hydroxy-1-cyclohexen-(1)-yl-buten-(2) werden in 1 l Petroläther (Kp: 40–60°) mit 100 g Mangan(IV)-oxid gut durchgerührt. Man filtriert und wäscht den Rückstand sorgfältig mit Petroläther nach, engt die vereinigten Filtrate i. Vak. zur Trockene ein und fraktioniert; Ausbeute: 12 g (80% d.Th.); $Kp_{0,3} = 64$–65°.

In Tab. 11 (S. 524) sind weitere Beispiele angegeben.

[1] J. F. VAN DE CASTLE, Dissertation Abstr. 25, 2769 (1964); C. A. 62, 6377 (1965).
[2] L. F. FIESER u. M. FIESER, *Reagents for organic synthesis*, S. 636, John Wiley and Sons, Inc., New York 1967.
[3] I. T. HARRISON, Pr. chem. Soc. 1964, 110.
[4] L. CROMBIE u. J. CROSSLEY, Soc. 1963, 4983.
[5] M. GORDON, W. HOWELL, C. H. JACKSON u. J. B. STOTHERS, Canad. J. Chem. 49, 143 (1971).
[6] C. R. JOHNSON u. W. D. KINGSBURG, J. Org. Chem. 38, 1803 (1973).
[7] F. SONDHEIMER, Am Soc. 77, 4145 (1955).
[8] E. A. BRAUDA u. J. A. COLES, Soc. 1952, 1430.

Tab. 11: Ungesättigte Ketone durch Oxidation entsprechender sek. Alkohole mit Mangan(IV)-oxid

Ausgangsverbindung	Reaktions-bedingungen	Endprodukt	Ausbeute [% d.Th.]	Literatur
$H_3C-CH=C-CH-CH_3$ (mit CH_3 und OH)	Pentan, RT, MnO₂: Substrat = 2:1	$H_3C-CH=C-C-CH_3$ (mit CH_3 und $=O$) *4-Oxo-3-methyl-penten-(2)*	*trans:* 72	1–3
	Pentan, RT, MnO₂: Substrat = 3:1	*4-Oxo-bicyclo[3.2.0]hepten-(2)*	85	4–6
	CH₂Cl₂, RT, MnO₂: Substrat = 8:1	*10-Oxo-7-phenyl-bicyclo [5.3.0]decen-(1)*		7–10
	Petroläther (Kp: 30–60°), RT, MnO₂: Substrat = 11:1	*3-Oxo-2-diphenylmethy-len-bicyclo[2.2.1]heptan*	83	11,12

¹ H. O. House u. R. S. Ro, Am. Soc. **80**, 2428 (1958).
² A. S. Medvedeva, M. F. Shostakovskii u. L. P. Safronova, Ž. Org. Chim. **7**, 897 (1971).
³ T. Kato, H. Maeda, M. Tsunakawa u. J. Kitahara, Bull. chem. Soc. Japan **44**, 3437 (1971).
⁴ L. A. Paquette u. O. Cox, Am. Soc. **89**, 5633 (1967).
⁵ Z. Goldschmidt, K. Gutman, Y. Bakal u. A. Worchel, Tetrahedron Letters **1973**, 3759.
⁶ B. Fraser-Reid, B. J. Carthy, N. L. Holder u. M. Yunker, Canad. J. Chem. **49**, 3038 (1971).
⁷ D. H. R. Barton, J. N. Gardner, R. C. Petterson u. O. A. Stamm, Soc. **1962**, 2708.
⁸ S. Masamune, M. Suda, H. Ona u. L. M. Leichter, Chem. Commun. **1972**, 1268.
⁹ S. Fujita, T. Kawajuti u. H. Nozaki, Tetrahedron Letters **1971**, 1119.
¹⁰ J. A. Marshall u. R. A. Ruden, J. Org. Chem. **37**, 659 (1972).
¹¹ R. A. Finnegan, W. H. Mueller u. R. S. McNess, J. Organometal. Chem. **4**, 261 (1965).
¹² R. B. Kelly u. J. Eber, Canad. J. Chem. **50**, 3272 (1972).

Tab. 11 (1. Fortsetzung)

Ausgangsverbindung	Reaktionsbedingungen	Endprodukt	Ausbeute [% d.Th.]	Literatur
(Dioxolan mit C_2H_5, $CH_2-CH=CH_2$, $CH_2-CH-OH$)	1,2-Dichlor-äthan/ MnO_2: Substrat = 10:1	7,7-Äthylendioxy-3-oxo-nonen-(1)	82	[1]
CH_3 $H_2C=CH-C=CH-CH_2-CH_2-CH-CH_3$	$CHCl_2$, 20°, Lichtausschluß, MnO_2: Substrat = 18:1	$H_2C=CH-C=CH-C-CH_2-CH_2-CH_3$ (mit CH_3 und O) 5-Oxo-trans-1,2-dimethyl-octadien-(3,7)	14	[2,3]
H_3CO (Ring) — OH	$CHCl_3$, RT, MnO_2: Substrat = 10:1	H_3CO (Cycloheptadienon) 1-Methoxy-5-oxo-cyclo-heptadien-(1,3)	50	[4,5]
CH_3 $R-CH=CH-C=CH-CH=CH-CH-CH_3$ (mit OH) R = H	Leichtpetroleum, N_2, RT, MnO_2: Substrat = 10:1	CH_3 O $R-CH=CH-C=CH-CH=CH-C-CH_3$ 7-Oxo-3-methyl-octatrien-(1,3,5)	57	[6]
R = C$_6$H$_5$	$CHCl_3$, RT, MnO_2: Substrat = 10:1	(7-Oxo-3-methyl-octatrien-(1,3,5))	80	[7]
R = C_6H_5	Leichtpetroleum, (Kp: 60–80°), 20°, MnO_2: Substrat = 9:1	7-Oxo-3-methyl-1-phenyl-octatrien-(1,3,5)	77	[6–9]

[1] G. SAUCY, W. KOCH, M. MÜLLER u. A. FÜRST, Helv. 53, 964 (1970).
[2] E. E. BOEHM, V. THALLER u. M. C. WHITING, Soc. 1963, 2535.
[3] M. SAKAKIBARA u. M. MATZUI, Agric. Biol. Chem. 37, 905 (1973).
[4] O. L. CHAPMAN, D. J. PASTO u. A. A. GRISWOLD, Am. Soc. 84, 1213 (1962).
[5] Z. HORII, Y. NAKASHITA u. C. IWATA, Tetrahedron Letters 1971, 1167.
[6] J. ATTENBURROW, et al., Soc. 1952, 1096, 1106.
[7] Schweiz. P. 291187 (1953). Glaxo Laboratories Ltd.,
[8] B. C. L. WEEDON u. R. J. WOODS, Soc. 1951, 2687; 1953, 3286.
[9] E. A. BRAUDE u. W. F. FORBES, Soc. 1953, 2208.

Tab. 11 (2. Fortsetzung)

Ausgangsverbindung	Reaktionsbedingungen	Endprodukt	Ausbeute [% d. Th.]	Literatur
$R–CH=CH–\overset{CH_3}{C}=CH–CH=CH–\overset{OH}{CH}–CH_3$ $R = 2-CH_3–C_6H_4$	Leichtpetroleum (Kp: 40–60°), 20°, MnO_2: Substrat = 25:1	7-Oxo-3-methyl-1-(2-methyl-phenyl)-octatrien-(1,3,5)	50	1
	CH_2Cl_2/MnO_2: Substrat = 10:1	6-Oxo-4-methyl-1-[2-hydroxy-propyl-(2)]-cyclohexen		2
		8-Hydroxy-6-oxo-1-methyl-8-isopropenyl-5-methylen-cyclodecen	gut	3
	Aceton, N_2, MnO_2: Substrat = 25:1	Sintaxanthin	75	4

[1] K. R. BHARUCHA u. B. C. L. WEEDON, Soc. 1953, 1571.
[2] W. SKORIANETZ, H. GIGER u. G. OHLOFF, Helv. 54, 1797 (1971).
[3] T. W. SAM u. J. K. SUTHERLAND, Chem. Commun. 1972, 424.
[4] H. YOKOYAMA u. M. J. WHITE, J. Org. Chem. 30, 3995 (1965).

Tab. 11 (3. Fortsetzung)

Ausgangsverbindung	Reaktionsbedingungen	Endprodukt	Ausbeute [% d.Th.]	Literatur
(Struktur: cyclohexyl mit H₃C, CH₃, OH, CH₃ – CH=CH–C(CH₃)=CH–CH=CH–CH–CH₃ mit OH)	CCl₄, bzw. Leichtpetroleum (Kp: 40–60°), N₂, RT, MnO₂: Substrat = 10:1	(Struktur entsprechend)	87 (roh)	1, vgl. 2
	Petroläther (Kp: 40–60°), Benzol, CHCl₃ oder 1,4-Dioxan, 0°, RT oder kochen, MnO₂: Substrat = 10–151:	*7-Oxo-3-methyl-1-(1-hydroxy-2,2,6-trimethyl-cyclohexyl)-octatrien-(1,3,5)*	43–86	3
$HC{\equiv}C-CH=CH-CH=CH-CH-CH_3$ (mit OH)	Äther, 25°, MnO₂: Substrat = 12:1	*7-Oxo-octadien-(3,5)-in-(1)*	80	4
$(H_3C)_2CH-C-C{\equiv}C-C=CH-CH=CH-CH-CH_3$ (mit OH, CH₃, C(CH₃)₃)	Petroläther/MnO₂: Substrat = 10:1	*9-Hydroxy-2-oxo-6,10,10-trimethyl-9-isopropyl-undecadien-(3,5)-in-(7)*	65	4,5
(Struktur: cyclohexyl mit H₃C, CH₃, OH, CH₃ – C(CH₃)=C–C≡C–CH=CH–CH–CH₃ mit OH)	CCl₄, bzw. Leichtpetroleum (Kp: 40 bis 60°), N₂, RT, MnO₂: Substrat = 10:1	*7-Oxo-3-methyl-1-(1-hydroxy-2,2,6-trimethyl-cyclohexyl)-octadien-(3,5)-in-(1)*	67	1

[1] J. ATTENBURON et al., Soc. 1952, 1099.

[2] L. JAEGER u. P. KARRER, Helv. 46, 687 (1963).

[3] Brit. P. 674089 (1952), Glaxo Laboratories Ltd. Erf.: R. M. EVANS; C. A. 47, 6985 (1953).

[4] O. P. H. AUGUSTYN et al., Soc. [C] 1971, 1878.

[5] M. F. SHOSTAKOWSKII, T. A. FAVORSKAYA, A. S. MEDVEDEVA, L. P. SOFRONOVA u. V. K. VORONOV, Ž. org. Chim. 6, 2377 (1970); C. A. 74, 64134 (1971).

Tab. 11 (4. Fortsetzung)

Ausgangsverbindung R	R¹	Reaktionsbedingungen	Endprodukt	Ausbeute [% d.Th.]	Literatur
			$R-C≡C-\overset{\overset{O}{\|}}{C}-R^1$		
H	CH₃	Toluol, kochen, MnO₂: Substrat = 5:1 [+ NH(C₂H₅)₂]	1-Diäthylamino-3-Oxo-butin	83	1
C₄H₉	CH₃	Petroläther, RT, MnO₂: Substrat = 10:1	2-Oxo-octin-(3)	100	2,3
Br–(furyl)	CH₃	Benzol, kochen, MnO₂: Substrat = 4:1	3-Oxo-1-[5-brom-furyl-(2)]-butin	88	4,5
Br–(furyl)	C₂H₅	Benzol, kochen, MnO₂: Substrat = 4:1	3-Oxo-1-[5-brom-furyl-(2)]-pentin-(1)	80	
Br–(furyl)	C₃H₇	Benzol, kochen, MnO₂: Substrat = 4:1	3-Oxo-1-[5-brom-furyl-(2)]-hexin-(1)	82	
H₂C=CH–	C₃H₇	Äther, RT, MnO₂: Substrat = 4:1	5-Oxo-octen-(1)-in-(3)	51–86	6
(1-hydroxy-2,2,6-trimethyl-cyclohexyl)	CH₃	CCl₄, bzw. Petroläther (Kp: 40–60°), N₂, RT, MnO₂: Substrat = 10:1	3-Oxo-1-(1-hydroxy-2,2,6-trimethyl-cyclohexyl)-butin	65	2

1 DBP. 948871 (1956), BASF, Erf.: H. PASEDACH, M. SEEFELDER, H. SPÄNIG u. A. WEICKMANN; C.A. 53, 3066 (1959).

2 J. ATTENBURROW et al. Soc. 1952, 1096.

3 L. F. FIESER u. M. FIESER, Advanced organic chemistry, S. 303, Reinhold Publishing Corp., New York 1961.

4 L. I. VERESHCHAGIN u. S. P. KORSHUNOV, Ž. org. Chim. 1, 955 (1965); engl.: 963.

5 K. E. SCHULTE, J. REISCH, W. HERRMANN u. G. BOHN, Ar. 296, 463 (1963).

6 R. I. KATKEVICH, N. V. SUSHKOVA, V. N. LUZENINA, S. P. KORSHUNOV u. A. I. VERESHCHAGIN, Ž. org. Chim. 3, 1076 (1967); engl.: 1037.

Tab. 11 (5. Fortsetzung)

Ausgangsverbindung $R^1-CH(OH)-R^2$		Reaktionsbedingungen	Endprodukt R^1-CO-R^2	Ausbeute [% d.Th.]	Literatur
R^1	R^2				
$H_3C-CH=C(CH_3)-$	$-C(CH_3)=CH-CH_3$	Pentan, RT	4-Oxo-3,5-dimethylheptadien-(2,5)	80	[1]
(Cyclopentenyl)	$-CH=CH-CH_3$	Leichtpetroleum, N_2, MnO_2; Substrat = 8:1	1-Oxo-1-cyclopenten-(1)-yl-buten-(2)	60	[2]
(Cyclohexenyl)	$-CH=CH_2$	Leichtpetroleum (Kp: 40–60°), N_2, RT, Lichtausschluß, MnO_2; Substrat = 10:1	3-Oxo-3-cyclohexen-(1)-yl-propen	90	[3,4]
$H_3C-C≡C-C≡C-$	$-CH=CH-(CH_2)_5-CH=CH_2$ cis	Äther, RT, MnO_2; Substrat = 10–12:1	8-Oxo-heptadecadien-(cis-9,16)-diin-(4,6)	59	[5,6]
$H_3C-C≡C-C≡C-$	$-CH=CH-C_6H_5$	Aceton, RT, MnO_2; Substrat = 10:1	6-Oxo-8-phenyl-octen-(7)-diin-(2,4)	64	[7]

[1] US. P. 3121752, California Research Corp., Erf.: L. DE VRIES; C. A. 60, 11915 (1964).

[2] E. A. BRAUDE u. W. F. FORBES, Soc. 1953, 2208.

[3] E. A. BRAUDE u. J. A. COLES, Soc. 1952, 1430.

[4] L. F. FIESER u. M. FIESER, Reagents for organic synthesis, S. 638, John Wiley and Sons, Inc., New York 1967.

[5] F. BOHLMAN, C. ZDERO u. U. NIEDBALLA, B. 101, 2987 (1968).

[6] L. I. VERESHCHAJN, L. P. KIRILLOVA, A. V. RECHKINA u. N. M. KUIMOVA, Ž. org. Chim. 7, 907 (1971); C. A. 75, 63517 (1971).

[7] Fr. P. 1453843 (1966), Produits Chimiques Pechiney-Saint-Gobain, Erf.: R. C. CHRETIEN u. G. WETROFF; C. A. 66, 37760 (1967).

Tab. 11 (6. Fortsetzung)

Ausgangsverbindung $R^1-\underset{\underset{H}{|}}{\overset{\overset{OH}{|}}{C}}-R^2$		Endprodukt $R^1-\overset{\overset{O}{\|}}{C}-R^2$	Reaktionsbedingungen	Ausbeute [% d.Th.]	Literatur
R^1	R^2				
$H_5C_6-C\equiv C-$	$\underset{-C=CCl_2}{\overset{CH_3}{|}}$	5,5-Dichlor-3-oxo-4-methyl-1-phenyl-penten-(4)-in-(1)	Aceton	94	1
	$-CH=CH-$ (Furyl)	3-Oxo-1-phenyl-5-furyl-penten-(4)-in-(1)	Aceton, RT, MnO₂: Substrat = 10:1	32	2
$H_5C_2O-C\equiv C-$	$-CH=CH-CH_3$	1-Äthoxy-3-oxo-hexen-(4)-in-(1)	CH₂Cl₂, RT, MnO₂: Substrat = 10:1	40	3,4 vgl.5
$H_3CO-C\equiv C-$	$-CH=CH-CH_3$	1-Methoxy-3-oxo-hexen-(4)-in-(1)	1,1-Dichlor-äthan, kühlen, RT, MnO₂: Substrat = 10:1	50	5
$H_2C=CH-C\equiv C-$	$-CH=CH-$ (Furyl)	3-Oxo-1-furyl-(2)-heptadien-(1,6)-in-(4)	Äther, RT, MnO₂: Substrat = 4:1	51–86	6,7
(2-Äthinyl-cyclohexen-1-yl)-C≡C-	$-C\equiv C-$ HC≡C-	3-Oxo-1,5-bis-[2-äthinylcyclohexen-(1)-yl]-pentadiin	Äther, RT	85	2,8
$H_3C-C\equiv C-C\equiv C-$	(Thienyl)	1-Oxo-1-thienyl-(2)-hexadiin-(2,4)	Äther	gut	9–11
(cyclisches Diin-Alkohol, OH)		9-Oxo-5,6;12,13-bis-[butandiyl-(1,4)]-cyclo-tridecadien-(5,12)-tetrain-(1,3,7,10)	Äther, RT	90	12–14

[1] M. Julia u. C. B. du Jassonneix, C. r. 253, 872 (1961).
[2] Belg. P. 683176 (1965), Produits Chimiques Pechiney-Saint-Gobain, Erf.: R. Chretien, F. d'Ognyu. G. Wetroff.
[3] L. F. Fieser u. M. Fieser, Reagents for organic synthesis, S.638, John Wiley and Sons, Ins., New York 1957.
[4] G. Stork u. M. Tomasz, Am. Soc. 86, 471 (1964).
[5] T. P. C. Mulholland, R. J. W. Honeywood, H. D. Preston u. D. T Rosevear, Soc. 1965, 4939.
[6] R. I. Katkevich, N. V. Sushkova, V. N. Luzenina, S. P. Korshunov u. A. I. Vereshchagin, Z. org. Chim. 3, 1076 (1967); engl. 1073

[8] E. Müller u. A. Segnitz, A. 1973, 1583.
[9] V. I. Knutov u. A. S. Nakhmanovich, Izv. Akad. SSSR 1971, 2069.
[10] A. S. Nakhmanovich, AV. N. Elokhina u. R. V. Karnaukhova, Chim. geteroc. Soed. 1971, 920.
[11] H. Saikachi u. T. Kitagawa, J. pharm. Soc. Japan 91, 454 (1971).
[12] Belg. P. 683176 (1965), Produits Chimiques Pechiney-Saint-Gobain, Erf.: R. Chretien, F. d'Ognyu. G. Wetroff.
[13] G. M. Pilling u. F. Sondheimer, Am. Soc. 93, 1977 (1971).
[14] G. P. Catterrell, G. H. Mitchel, F. Sondheimer u. G. M. Pilling, Am. Soc. 93, 259 (1971).

3. Sekundäre Alkohole mit aromatischen oder heteroaromatischen Substituenten am α-Kohlenstoffatom

Die Substituenten am sekundären Carbinol-Kohlenstoffatom können bei der Oxidation mit Mangan(IV)-oxid sowohl aromatischer, d. h. benzoider oder auch nicht benzoider, als auch heteroaromatischer Natur sein. Die Oxidation verläuft analog wie bei den konjugierten Dienen.

Im folgenden sei als Beispiel die Oxidation von Alkoholen mit nur einem bzw. mit zwei aromatischen Resten gezeigt.

1-Benzoyl-cyclohepten[1]:

Eine Lösung von 40 g α-Cyclohepten-(1)-yl-benzylalkohol in 2 l Petroläther (Kp: 40–60°) wird mit 180 g aktiviertem Mangan(IV)-oxid 4 Tage unter Stickstoff geschüttelt. Man filtriert ab und dampft das Filtrat ein; Ausbeute: 25 g (60% d. Th.); $Kp_{0.005}$: 15°.

Xanthon[2–4]:

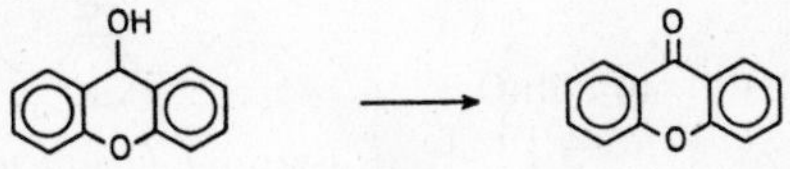

2 g 9-Hydroxy-xanthen werden in 20 ml absol. Benzol mit 2 g aktiviertem Mangan(IV)-oxid 1 Stde. unter Rückfluß gekocht. Man filtriert ab und engt das Filtrat ein; Ausbeute: ~ 100% d. Th.

Wird dieselbe Reaktion in 50–100 ml absol. Äther ausgeführt, wobei das Reaktionsgemisch 20 Min. auf der Schüttelmaschine geschüttelt und anschließend 24 Stdn. stehengelassen wird, erhält man Xanthon in 91% Ausbeute.

Tab. 12 (S. 532) enthält weitere Oxidationen von Verbindungen dieser Klasse.

---

[1] E. A. Braude u. W. P. Forbes, Soc. **1953**, 2208.

[2] E. F. Pratt u. J. F. v. de Castle, J. Org. Chem. **26**, 2973 (1961).

[3] D. L. Turner, Am. Soc. **76**, 5175 (1954).

[4] M. Z. Barakat, M. F. Abdel-Wahab u. M. M. El-Sadr, Soc. **1956**, 4685.

35*

Tab. 12: Ketone durch Oxidation aromatisch substituierter sekundärer Alkohole

Ausgangsverbindung	Reaktions-bedingungen	Endprodukt	Ausbeute [% d. Th.]	Literatur

a) Aryl-carbinole

Ausgangsverbindung:

$$\underset{\text{Ar-CH-R}}{\overset{\text{OH}}{|}}$$

Endprodukt:

$$\underset{\text{Ar-C-R}}{\overset{O}{\|}}$$

Ar	R	Reaktions-bedingungen	Endprodukt	Ausbeute [% d. Th.]	Literatur
H₃CO–⟨⟩– (3,4-Dimethoxyphenyl)	–CH₃	Aceton, RT, N₂, MnO₂: Substrat = 10:1	3,4-Dimethoxy-1-acetyl-benzol	89	1
	–C₂H₅		3,4-Dimethoxy-1-propanoyl-benzol	90	1
–C₆H₅	–CH–C₆H₅ (CH₃)	Benzol, azeotrope Destillation, MnO₂: Substrat = 4:1	1-Oxo-1,2-diphenyl-propan	95	2–4
–C₆H₅	H₅C₆–(azabicyclo N)	CH₂Cl₂/MnO₂: Substrat = 10:1	3-Phenyl-2-benzoyl-1-aza-bicyclo[2.2.2]octen-(2)	100	5
(2-naphthyl)	–CH₂–CH₂–⟨furyl⟩		3-Oxo-3-naphthyl-(2)-1-furyl-(2)-propan	59	6–9
[4.4]paracyclophan-ol		CHCl₃, 40°, MnO₂: Substrat = 10:1	1-Oxo-[4.4]paracyclophan	67	10
acenaphthenol		Benzol, azeotrope Destillation, MnO₂: Substrat = 4:1	1-Oxo-acenaphthen	71	2
octahydro-anthracenol		Benzol, RT, MnO₂: Substrat = 1:1	1-Oxo-1,2,3,4,5,6,7,8-octahydro-anthracen	50	6

1 E. ADLER u. H.-D. BECKER, Acta chem. scand. **15**, 849 (1961).
2 E. F. PRATT u. J. F. v. DE CASTLE, J. Org. Chem. **26**, 2973 (1961).
3 L. F. FIESER u. M. FIESER, *Reagents for organic synthesis*, S. 637, John Wiley and Sons, Inc., New York 1967.
4 J. F. VAN DE CASTLE, Dissertation Abstr. **25**, 2769 (1964); C. A. **62**, 6377 (1965).
5 D. L. COFFEN u. D. G. KORZAN, J. Org. Chem. **36**, 390 (1971).
6 D. L. TURNER, Am. Soc. **76**, 5175 (1954).
7 Z. HORII, Y. OZAKI, S. YAMAMURA, M. HANAOKA u. T. MOMOSE, Chem. Pharm. Bull. **19**, 2200 (1971).
8 M. S. ALLEN, A. J. GASKELL u. J. A. JOULE, Soc. [C] **1971**, 736.
9 C. P. SNYDER, W. E. BONDINELL u. H. RAPOPORT, J. Org. Chem. **36**, 3951 (1971).
10 D. J. CRAM u. K. C. DEWHIRST, Am. Soc. **81**, 5936, 5964, 5968 (1959).

Tab. 12 (1. Fortsetzung)

Ausgangsverbindung	Reaktions-bedingungen	Endprodukt	Ausbeute [% d.Th.]	Literatur
(Struktur: Trimethoxy-substituiertes Tetralin-lacton mit HO-Gruppe)	CHCl₃, kochen, MnO₂: Substrat = 5 : 1	(Struktur) *6,7-Dimethoxy-4-oxo-3-hydroxymethyl-1-(3,4,5-trimethoxy-phenyl)-2-carboxy-tetralin-lacton (DMA-Podophyllo-toxon)*	50	1
(Struktur: Indol-Derivat mit OH, R¹, R)	CHCl₃, RT, MnO₂: Substrat = 10 : 1 bzw. CHCl₃, RT, MnO₂: Substrat = 7 : 1 (bzw. 7–9 : 1)	(Struktur: Oxo-Derivat)	35–40	2–4
(Struktur: Flavan-Derivat mit OH, OCH₃)	CHCl₃	(Struktur) *(±)2,3-cis-3,7,8,3′,4′-Pentamethoxy-4-oxo-flavan*		5
(Struktur: C₆H₅–CH(OH)–CH=CH–R) R = CH₃ (cis; trans)	Aceton, 20°, MnO₂: Substrat = 10 : 1	(Struktur: C₆H₅–CO–CH=CH–R) *1-Oxo-1-phenyl-trans-buten-(2)* bzw. *1-Oxo-1-phenyl-cis-buten-(2)*	70 75	6, 7
R = C₆H₅	Benzol, azeotrope Destillation, 81°, MnO₂: Substrat = 4 : 1	*Chalcon*	90	8, 9

¹ E. SCHREIER, Helv. 47, 1529 (1964).

² A. B. A. JANSEN, J. M. JOHNSON u. J. R. SURTEES, Soc. 1964, (Suppl. 1), 5573.

³ Brit. P. 791 805 (1958), Eli Lilly & Co., Erf.: E. C. KORNFELD, D. E. MORRISON, G. B. KLINE u. E. J. FORNEFELD; C. A. 52, 16369 (1958).

⁴ DAS. 1059455 (1959), Eli Lilly & Co., Erf.: E. C. KORNFELD, D. E. MORRISON, B. KLINE u. E. J. FORNEFELD; C. A. 52, 9217 (1958).

⁵ J. W. CLARK-LEWIS u. V. NAIR, Tetrahedron Letters 1966, 5467.
   N. INONE u. S. ITO, Chem. & Ind. 1965, 1387.

⁶ K. R. BHARUCHA, Soc. 1956, 2446.

⁷ M. YOSHIMOTO, T. HIRAOKA u. Y. KISHIDA, Chem. Pharm. Bull. 18, 2469 (1970).

⁸ E. F. PRATT u. J. F. v. DE CASTLE, J. Org. Chem. 26, 2973 (1961).

⁹ J. F. VAN DE CASTLE, Dissertation Abstr. 25, 2769 (1964); C. A. 62, 6377 (1965).

Tab. 12 (2. Fortsetzung)

Ausgangsverbindung	Reaktions-bedingungen	Endprodukt	Ausbeute [% d.Th.]	Literatur
	Äther, RT, MnO$_2$: Substrat = 8 : 1	*Flavon*	50	1

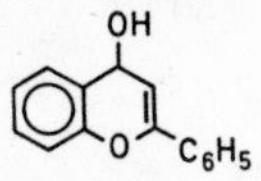

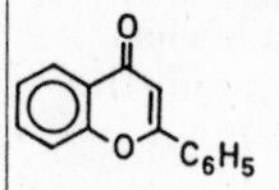

Ar	R			
C$_6$H$_5$	H	CHCl$_3$, MnO$_2$: Substrat = 5 : 1	*3-Oxo-3-phenyl-propin*	50–80	2
	CH$_3$	Aceton, 20°, MnO$_2$: Substrat = 10 : 1	*1-Oxo-1-phenyl-butin-(2)*	80	3
C$_6$H$_5$	$-$C≡C$-$C≡C$-$CH$_3$	Aceton, RT, MnO$_2$: Substrat = 10 : 1	*1-Oxo-1-phenyl-octatriin-(2,4,6)*	49	4,5
	$-$C≡C$-$$-$Br	Benzol, kochen, MnO$_2$: Substrat = 4 : 1	*5-Oxo-5-phenyl-1-[5-brom-furyl-(2)]-penta-diin*	68	6

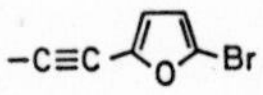

b) Diaryl-carbinole

Ar	Ar^1			
C$_6$H$_5$	C$_6$H$_5$	Benzol, azeotrope Destillation, MnO$_2$: Substrat = 4 : 1	*Benzophenon*	92	7,8
		Benzol, kochen, MnO$_2$: Substrat = 6 : 1		87	9,10
4-Cl–C$_6$H$_4$	4-Cl–C$_6$H$_4$	Benzol, azeotrope Destillation, MnO$_2$: Substrat = 4 : 1	*4,4′-Dichlor-benzophenon*	96	7,8,10
4-NO$_2$–C$_6$H$_4$	4-NO$_2$–C$_6$H$_4$		*4,4′-Dinitro-benzophenon*	94	
4OCH$_3$–C$_6$H$_4$	4-CH$_3$O–C$_6$H$_4$		*4,4′-Dimethoxy-benzophenon*	93	
4-CH$_3$–C$_6$H$_4$	4-CH$_3$–C$_6$H$_4$		*4,4′-Dimethyl-benzophenon*	88	

[1] B. J. Bolger, K. G. Marathe, E. M. Philbin, T. S. Wheeler u. C. P. Lillya, Tetrahedron 23, 341 (1967).
[2] M. Barrele u. R. Glenat, Bl. 1967, 453.
[3] K. R. Bharucha, Soc. 1956, 2446.
[4] Fr. P. 1453842 (1966), Produit Chimiques Pechiney-Saint-Gobain, Erf.: R. C. Chretien u. G. Wetroff; C. A. 66, 55230 (1967).
[5] F. Bohlman u. K.-M. Kleine, B. 95, 39 (1962).
[6] L. I. Vereshchagin u. S. P. Korshunov, Ž. org. Chim. 1, 955 (1965), engl.: 965.
[7] E. F. Pratt u. J. F. v. de Castle, J. Org. Chem. 26, 2973 (1961).
[8] L. F. Fieser u. M. Fieser, Reagents for organic synthesis. S. 637, John Wiley and Sons, Inc., New York 1967.
[9] M. Z. Barakat, M. F. Abdel-Wahab u. M. M. El-Sadr, Soc. 1956, 4685.
[10] J. F. van de Castle, Dissertation Abstr. 25, 2769 (1964); C. A. 62, 6377 (1965).

Tab. 12 (3. Fortsetzung)

Ausgangsverbindung	Reaktions-bedingungen	Endprodukt	Ausbeute [% d.Th.]	Literatur
	Äther, RT, MnO₂: Substrat = 10 : 1		86	1, 2
	Benzol, azeotrope Destillation, MnO₂: Substrat = 4 : 1	*Fluorenon*	84	3

c) nichtbenzoide aromatische Systeme

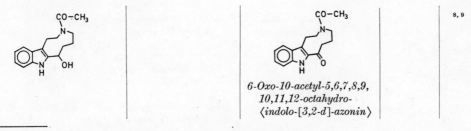

Ferrocenyl	H	CHCl₃, RT, MnO₂: Substrat = 2–3 : 1	*3-Oxo-3-ferrocenyl-propin*	>70	4
Ferrocenyl	Ferrocenyl	CHCl₃, RT	*3-Oxo-1,3-diferrocenyl-propin*		5

	1,2-Dichlor-äthan, RT, MnO₂: Substrat = 20 : 1	*1,2-[1,4-Dioxo-butandiyl-(1,4)]-ferrocene*		6
	CHCl₃/MnO₂: Substrat = 5 : 1	*1-Ferrocenoyl-isochinolin*	100	7

d) heteroaromatische Alkohole

				8, 9
		6-Oxo-10-acetyl-5,6,7,8,9, 10,11,12-octahydro-⟨indolo-[3,2-d]-azonin⟩		

1 M. Z. BARAKAT, M. F. ABDEL-WAHAB u. M. M. EL-SADR, Soc. 1956, 4685.
2 J. F. VAN DE CASTLE, Dissertation Abstr. 25, 2769 (1964); C. A. 62, 6377 (1965).
3 E. F. PRATT u. J. F. V. DE CASTLE, J. Org. Chem. 26, 2973 (1961).
4 K. SCHÖGL u. A. MOHAR, M. 93, 861 (1962).
5 H. EGGER u. K. SCHÖGL, M. 95, 1750 (1964).
6 H. EGGER u. H. FALK, M. 97, 1590 (1966).
7 F. D. POPP u. E. B. MOYNAKAN, J. heteroc. Chem. 7, 739 (1970).
8 G. H. FOSTER, J. HARLEY-MASON u. W. R. WATERFIELD, Chem. Commun. 1967, 21.
9 G. A. KLIMOV, M. N. TILICHENKO u. L. A. TIMOFEEVA, Chim. geteroc. Soed. 1971, 1218; C. A. 76, 153638 (1972).

Tab. 12 (4. Fortsetzung)

Ausgangsverbindung	Reaktions-bedingungen	Endprodukt	Ausbeute [% d.Th.]	Literatur
		1,3-Dioxo-1,3-bis-[6-methyl-pyridyl]-propan	50	1
CH₃	Benzol, kochen, MnO₂:Substrat = 3 : 1	2-Acetyl-furan	77	2
C₂H₅		2-Propanoyl-furan	87	2
C₄H₉		2-Pentanoyl-furan	80	2
	CHCl₃; Benzol (1 : 1), RT, MnO₂: Substrat = 1 : 1	2,2'-Furil [Dioxo-1,2-difuryl-(2)-äthan]	88	3
	Leichtpetroleum, RT, MnO₂: Substrat = 10 : 1	4-Oxo-2-methyl-4-furyl-(2)-buten-(2)	50	4
−C≡CH	CHCl₃, RT, MnO₂: Substrat = 10 : 1	3-Oxo-3-furyl-(2)-propin (+trimeres Derivat 20%)	5	5
	Benzol, kochen, MnO₂: Substrat = 4 : 1	3-Oxo-3-furyl-(2)-1-[5-brom-furyl-(2)]-propin	70	2, vgl. a. 7
−C≡C−C₆H₅	Benzol, kochen, MnO₂: Substrat = 3 : 1	3-Oxo-1-phenyl-3-furyl-(2)-propin	85	6, vgl. a. 7
	Benzol, kochen, MnO₂: Substrat = 2 : 1	3-Oxo-1-(4-chlor-phenyl)-3-furyl-(2)-propin	70−90	7
	Benzol, kochen, MnO₂: Substrat = 2 : 1	3-Oxo-1-(3-brom-phenyl)-3-furyl-(2)-propin	70−90	7
	Benzol, kochen, MnO₂: Substrat = 2 : 1	3-Oxo-3-furyl-(2)-1-[5-brom-furyl-(2)]-propin	70−90	7
		3-Oxo-1-(4-methyl-phenyl)-3-furyl-(2)-propin	70−90	7

¹ L. CAPUANO u. F. JAMAIGNE, B. 96, 798 (1963).

² L. I. VERESHCHAGIN u. S. P. KORSHUNOV, Ž. org. Chim. 1, 955 (1965); engl.: 963.

³ D. L. TURNER, Am. Soc. 76, 5175 (1954).

⁴ P. A. FINAN u. G. A. FOTHERGILL, Soc. 1962, 2262.

⁵ T. SATAKI u. Y. SUZUKI, Tetrahedron Letters 1967, 3137.

⁶ L. I. VERESHCHAGIN, S. P. KORSHUNOV, V. I. SKOBLIKOVA u. T. V. LIPOVICH, Ž. org. Chim. 1, 1089 (1965); engl.: 1099.

⁷ S. A. HILLERS, L. I. VERESHCHAGIN, K. K. VENTERS, S. P. KORSHUNOV, V. V. CIRULE u. D. O. LOLUA, Doklady Akad. SSSR 164, 99 (1965); Dokl. Chem. 1965, 833; C. A. 63, 16283 (1965).

Tab. 12 (5. Fortsetzung)

Ausgangsverbindung	Reaktions-bedingungen	Endprodukt	Ausbeute [% d.Th.]	Literatur
R — (furyl)-CH–R (OH)	(furyl)-C(=O)–R			
–C≡C–C≡C–(C₆H₄)–CH₃	Äther, RT, MnO₂: Substrat = 5:1	5-Oxo-1-(4-methyl-phenyl)-5-furyl-(2)-pentadiin	96	1,2
–(–C≡C–)₃–C₆H₅	Äther, RT	7-Oxo-1-phenyl-7-furyl-(2)-heptatriin-(1,3,5)		2,3
–C≡C–C≡C–(thienyl)	Äther, RT, MnO₂: Substrat = 5:1	5-Oxo-5-furyl-(2)-1-thienyl-(2)-pentadiin	92	1,2
–C≡C–C≡C–(6-methyl-pyridyl)	Äther, RT, MnO₂: Substrat = 5:1	5-Oxo-5-furyl-(2)-1-[6-methyl-pyridyl-(3)]-pentadiin	71	1,2
(thienyl)-CH(OH)–C≡C–(furyl)-Br	Benzol, kochen, MnO₂: Substrat = 4:1	3-Oxo-1-[5-brom-furyl-(2)]-3-thienyl-(2)-propin	65	4
(Zederon-Ausgangsverbindung)	CHCl₃, RT, MnO₂: Substrat = 10:1	Zederon		5
H₃C–(furyl)-CH(OH)–CH=C(CH₃)–CH₃	Leichtpetroleum, RT, MnO₂: Substrat = 10:1	H₃C–(furyl)-C(=O)–CH=C(CH₃)–CH₃ 1-Oxo-3-methyl-1-[5-methyl-furyl-(2)]-buten-(2)	54	6
R–(thienyl)-CH(OH)–R¹		R–(thienyl)-C(=O)–R¹		
R = C₆H₅, R¹ = CH₃	CH₂Cl₂, RT, MnO₂:	5-Phenyl-2-acetyl-thiophen	69	7
H₅C₆–CH(OH)–, R¹ = C₆H₅	Substrat = 10:1	2,5-Dibenzoyl-thiophen	45	7

[1] L. I. VERESHCHAGIN, S. P. KORSHUNOV, R. I. KATEVICH u. T. V. LIPOVICH, Ž. org. Chim. 3, 932 (1967); engl.: 896, 898.

[2] R. I. KATKEVIČ, S. P. KORSHUNOV, L. I. VERESHCHAGIN u. V. N. DUDARIKOVA, Chim. i chim. Technol. 12, 285 (1969); C. A. 71, 21951 (1969).

[3] L. I. VERESHCHAGIN, S. P. KORSHUNOV, V. I. SKOBLIKOVA u. T. V. LIPOVICH, Ž. org. Chim. 1, 1089 (1965); engl.: 1099.

[4] L. I. VERESHCHAGIN u. S. P. KORSHUNOV, Ž. org. Chim. 1, 955 (1965); engl.: 963.

[5] H. HIKINO, S. TAKAHASHI, Y. SAKURAI, T. TAKEMOTO u. N. S. BHACCA, Chem. Pharm. Bull. (Tokyo) 16, 1086 (1968); C. A. 69, 77527 (1968).

[6] P. A. FINAN u. G. A. FOTHERGILL, Soc. 1962, 2262.

[7] K. E. SCHULTE, J. REISCH, W. HERRMANN u. G. BOHN, Ar. 296, 461 (1963).

4. Sekundäre Alkohole mit einer Carbonyl-Gruppe am β-Kohlenstoffatom

Sekundäre α-Carbonyl-alkohole werden ohne Schwierigkeiten zu den entsprechenden α-Dicarbonyl-Verbindungen oxidiert (s. Tab. 13).

Tab. 13: α-Diketone durch Oxidation von sekundären α-Carbonyl-alkoholen mit Mangandioxid

Ausgangsverbindung	Reaktions-bedingungen	Endprodukt	Ausbeute [% d. Th.]	Literatur
R: C$_2$H$_5$ / R^1: C$_2$H$_5$	CHCl$_3$ (Äther), kochen, MnO$_2$: Substrat = 5:1	*Hexandion-(3,4)*	52	1
R: C$_3$H$_7$ / R^1: C$_3$H$_7$		*Octandion-(4,5)*	58	
R: H / R^1: −CH$_2$−CH=CH$_2$	CCl$_4$, 25°, MnO$_2$: Substrat = 8:1	*3,5-Dioxo-1-allyl-cyclopenten*	60	2
R: CH$_3$ / R^1: −(CH$_2$)$_3$−CH=CH$_2$	CHCl$_3$, RT	*3,5-Dioxo-2-methyl-1-penten-(4)-yl-cyclopenten*	60	3,4
	Aceton, RT, MnO$_2$: Substrat = 5:1	*3-Acetoxy-1,1,3-trimethyl-2-(3-oxo-butenyl)-cyclohexan*	91	5
	CCl$_4$, RT, MnO$_2$: Substrat = 6:1	*2,5-Dioxo-3,7,7-trimethyl-bicyclo[4.1.0]hepten-(3)*	62	6

[1] E. P. PAPADOPOULOS, A. JARRAR u. C. H. ISSIDORIDES, J. Org. Chem. **31**, 615 (1966).
    L. F. FIESER u. M. FIESER, *Reagents for organic synthesis*, S. 642, John Wiley and Sons, Inc., New York 1967.
[2] M. ELLIOTT, N. F. JANES, K. A. JEFFS, L. CROMBIE, R. GOULD u. G. PATTENDEN, Tetrahedron Letters **1969**, 373.
[3] M. ELLIOTT, Soc. **1965**, 3097.
[4] L. CROMBIE et al., Soc. [C] **1971**, 9.
[5] G. OHLOFF u. S. MIGNAT, A. **652**, 115 (1962).
[6] E. J. COREY u. H. J. BURKE, Am. Soc. **78**, 174 (1956).

Tab. 13 (1. Fortsetzung)

Ausgangsverbindung	Reaktions-bedingungen	Endprodukt	Ausbeute [% d.Th.]	Literatur
H₃CO—CO—CH₂, CH₃, OH, CH₃	CHCl₃, RT, MnO₂: Substrat = 12 : 1	H₃CO—CO—CH₂, CH₃, O, CH₃ *4-Oxo-1,5-dimethyl-anti-9-methoxycarbonyl-methyl-bicyclo[3.3.1]nonen-(2)*	60	1
H₃C, COOCH₃, CH₃, OH, H₃C CH₃		H₃C, COOCH₃, CH₃, O, H₃C CH₃ *4-Oxo-1,3,7,7-tetramethyl-2-methoxycarbonyl-bi-cyclo[4.4.0]decen-(2)*	100	2
Ar—CH—CO—R | OH		Ar—CO—CO—R		
Ar: C₆H₅ R: C₆H₅	CHCl₃, kochen, MnO₂: Substrat = 6 : 1	*Benzil*	80	3, s. a. 4, 5
H₃CO—⟨⟩—, H₃CO R: CH₃	Aceton, RT, MnO₂: Substrat = 7 : 1	*1,2-Dioxo-1-(3,4-di-methoxy-phenyl)-propan*	91	6
H₃CO, OH, OCH₃, CH, OCH₃, H₃CO, O, OCH₃	CH₂Cl₂	H₃CO, O, OCH₃, C, OCH₃, H₃CO, O, OCH₃ *2,4,6-Trimethoxy-3-oxo-2-(3,4-dimethoxy-ben-zoyl)-2,3-dihydro-⟨benzo-[b]-furan⟩*		7
H₃C—C—CH=CH—CH=CH—CH—CH₃ (O, OH)	Äther, 25°, MnO₂: Substrat = 12 : 1	H₃C—C—CH=CH—CH=CH—C—CH₃ (O, O) *2,7-Dioxo-octadien-(3,5)*	40	8

1 J. Martin, W. Parker u. R. A. Raphael, Soc. [C] 1967, 348.
2 Y. Kitahara, T. Kato, T. Suzuki, S. Kanno u. M. Tanemura, Chem. Commun. 1969, 342.
3 M. Z. Barakat, M. F. Abdel-Wahab u. M. M. El-Sadr, Soc. 1956, 4685.
4 E. F. Pratt u. J. F. v. de Castle, J. Org. Chem. 26, 2973 (1961).
5 J. F. van de Castle, Dissertation Abstr. 25, 2769 (1964); C. A. 62, 6377 (1965).
6 E. Adler u. H.-D. Becker, Acta chem. scand. 15, 849 (1961).
7 M. D. X. Donnelly, T. P. Lavin, D. P. Melody u. E. M. Philbin, Chem. Commun. 1965, 460.
8 DAS. 1103916 (1961), Eastman Kodak Co., Erf.: C. D. Robeson u. A. J. Chechak; C. A. 54, 2179 (1960).

5. Oxidation gemischter und rein sekundärer Alkohole

α) Primäre und sekundäre alkoholische Gruppen in einem Molekül

Enthält das Molekül sowohl eine primäre als auch eine sekundäre Hydroxy-Gruppe, so hängt es von den Reaktionsbedingungen und der Reaktivität ab, ob die primäre oder die sekundäre Alkohol-Gruppierung zum Aldehyd bzw. dem entsprechenden Keton oxidiert wird.

Beim 1-Hydroxy-3-hydroxymethyl-5-phenyl-cyclohexen[1] wird lediglich die sekundäre alkoholische Gruppe, im 3β-Hydroxy-17-(2-hydroxy-äthyliden)-androsten-(5) jedoch die primäre Hydroxy-Gruppe oxidiert:

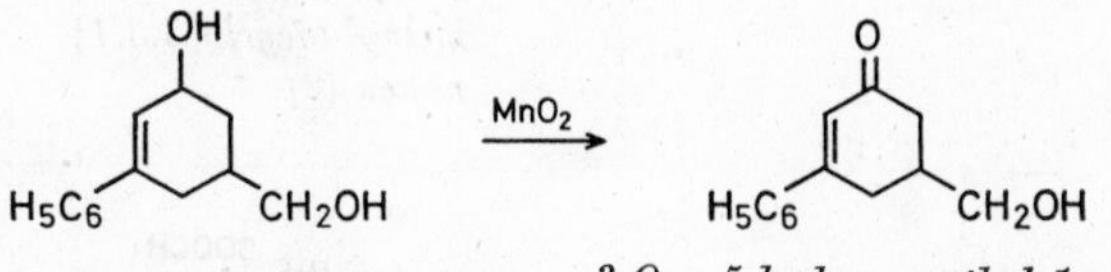

3-Oxo-5-hydroxymethyl-1-phenyl-cyclohexen

3β-Hydroxy-17-formylmethylen-androsten-(5) [2, vgl. 3]:

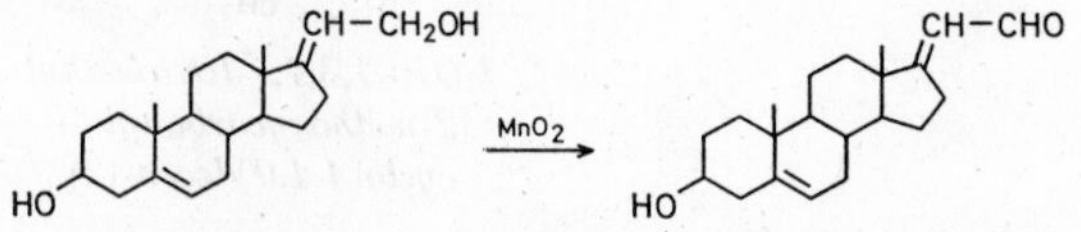

Eine Lösung von 0,8 g 3β-Hydroxy-17-(2-hydroxy-äthyliden)-androsten-(5) (F: 193–196°) in 80 ml Chloroform wird mit 8 g Mangan(IV)-oxid 5 Stdn. bei Raumtemp. geschüttelt. Man filtriert, wäscht mehrmals mit Chloroform nach und engt die vereinigten Filtrate ein. Der kristalline Rückstand wird 24 Stdn. bei Raumtemp. mit einem Pyridin-Essigsäureanhydrid-Gemisch acetyliert. Man kristallisiert mehrmals aus Methanol um; Ausbeute: 65% d. Th.; F: 186–187°.

Bei entsprechender Wahl der Reaktionsbedingungen werden beide Hydroxy-Gruppen oxidiert und man erhält Oxo-aldehyde.

Einige weitere Beispiele sind in Tab. 14 (S. 541) aufgeführt.

β) Alkohole, die zwei sekundäre Hydroxy-Gruppen enthalten

Sind zwei sekundäre alkoholische Gruppen im Molekül vorhanden, so erfolgt die Oxidation mit Mangan(IV)-oxid an der reaktiveren Stelle. Daher kann durch Ausnutzung der unterschiedlichen Reaktivität das entsprechende Hydroxy-keton erhalten werden. Ebenso kann die Oxidation von 1,3-Dihydroxy-Verbindungen zu β-Diketonen führen; z. B.:

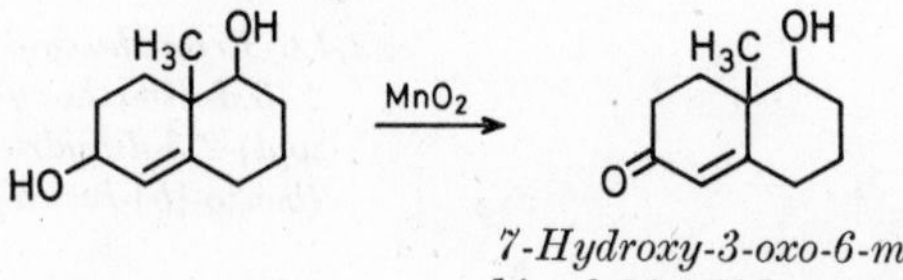

*7-Hydroxy-3-oxo-6-methyl-
bicyclo[4.4.0]decen-(1)*

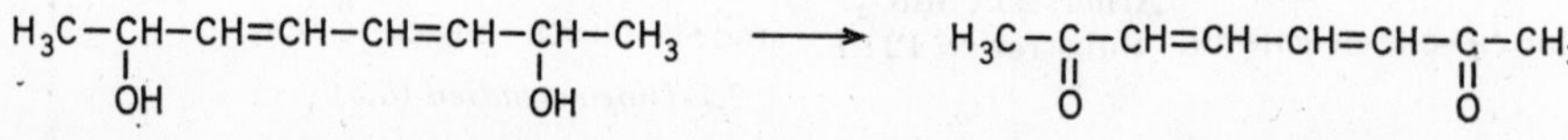

2,7-Dioxo-octadien-(3,5)[4]: Eine Lösung von 150 mg 2,7-Dihydroxy-octadien-(3,5) in 15 ml Aceton wird mit 3 g Mangan(IV)-oxid 24 Stdn. bei Raumtemp. gut geschüttelt. Man filtriert und wäscht den Rückstand sorgfältig mit Aceton nach. Man engt die vereinigten Filtrate i. Vak. zur Trockene ein. Der Rückstand wird aus Äthanol umkristallisiert; Ausbeute: 106 mg (70% d. Th.); F.: 124°.

[1] Fr. P. 1189982 (1959), Centre National de la Recherche Scientifique, Erf.: S. Julia; C. A. **56**, 1366 (1962).

[2] US. P. 2786855 (1957), Syntex, S. A., Erf.: F. Sondheimer u. G. Rosenkranz; C. A. **51**, 13947 (1957).

[3] F. Sondheimer, C. Amendolla u. G. Rosenkranz, Am. Soc. **75**, 5930 (1953).

[4] US. P. 3194803 (1964), F. B. Colten; C. A. **63**, 8453 (1965).

Ausgangsverbindung	Reaktions-bedingungen	Endprodukt	Ausbeute [% d.Th.]	Literatur
trans / *cis* (Cyclohexyl-C(=CH₂)-CH₂OH mit OH)	CHCl₃, RT, MnO₂: Substrat = 12:1	2-(*trans*-2-Hydroxy-cyclohexyl)-acrolein (Cyclohexyl-OH, C(=CH₂)-CHO)	83 / 32	[1]
(Cyclohexen mit CH₃, CH₂-OH, HO)	Aceton/MnO₂: Substrat = 6:1	5-Hydroxy-2-methyl-1-formyl-cyclohexen (CH₃, CHO, HO)	65	[2, s. a. 3]
(Tropolon-Derivat, HOCH₂, OH, =O)		*Formyl-tropolon* (OHC, OH, =O)		[4,5]
Ar-CH-CH₂OH mit OH; R = H; Ar = H₃CO-/H₃CO-C₆H₃	Aceton, RT, N₂, MnO₂: Substrat = 11:1	3-Hydroxy-1-oxo-1-(3,4-dimethoxy-phenyl)-propan (Ar-C(=O)-CH(R)-CH₂OH)	94	[6]
R = 2-OCH₃-C₆H₄	Aceton, RT, N₂, MnO₂: Substrat = 10:1	3-Hydroxy-2-(2-methoxy-phenoxy)-1-oxo-1-(3,4-dimethoxy-phenyl)-propan	91	[6]

[1] J. A. MARSHALL u. N. COHEN, J. Org. chem. **30**, 3475 (1965); Tetrahedron Letters **1964**, 1998.

[2] T. M. DAWSON, J. DIXON, P. S. LITTLEWOOD u. B. LYTHGOE, Soc. [C] **1971**, 2352.

[3] H. H. INHOFFEN, W. KREISLER u. M. NAZIR, A. **755**, 1 (1972).

[4] E. SEBE, S. MATSUMOTO, Y. ITSUNO u. S. KASUGA, Formosan Sci. **15**, 131 (1961); C. A. **59**, 2703 (1963).

[5] D. LLOYD, *Carbocyclic non-benzoid aromatic compounds*, S. 140, Elsevier Publ. Co., Amsterdam 1966.

[6] E. ADLER u. H.-D. BECKER, Acta chem. scand. **15**, 849 (1961).

Tab. 14 (1. Fortsetzung)

Ausgangsverbindung	Reaktionsbedingungen	Endprodukt	Ausbeute [% d.Th.]	Literatur
		3-Oxo-2,6-dimethyl-9-[1-hydroxy-propyl-(2)]-bicyclo[4.4.0]decen-(1)	27	[1]
	CH₂Cl₂, N₂, RT, MnO₂: Substrat = 8:1	6-Oxo-3,7-dimethyl-9-[2,6,6-trimethyl-cyclo-hexen-(1)-yl]-nonatrien-(2,4,7)-al	hoch	[2,3]
	CHCl₃, 20°, MnO₂: Substrat = 11:1	3-Oxo-2,6-dimethyl-9-(1-formyl-äthyl)-bicyclo[4.4.0]decen-(1)	48	[4,5]
	MnO₂: Substrat = 10:1	2-Äthoxy-5-oxo-6-hydroxy-methyl-5,6-dihydro-2H-pyran (Hexenopyrano-Sedulose)	82	[6]

[1] E. Elkik, Bl. 1964, 2258.
[2] US. P. 3429928 (1969), Hoffmann-La Roche, Erf.: J. D. Surmatis; C. A. 70, 87997 (1969).
[3] M. Sakakibaram u. M. Matsui, Agric. Biol. Chem. 37, 1131 (1973).
[4] H. Bruderer, D. Arigoni u. O. Jeger, Helv. 39, 858 (1956).
[5] R. M. Evans, Quart. Rev. 13, 63, 64 (1959).
[6] B. Fraser-Reid, A. McLean, E. W. Usherwood u. M. Yunker, Canad. J. Chem. 48, 2877 (1970).

Tab.15: Hydroxy-ketone und Diketone durch Oxidation di-sek.
Diole mit Mangandioxid

Ausgangsverbindung	Reaktions-bedingungen	Endprodukt	Ausbeute [% d.Th.]	Literatur
	Benzol, RT, MnO₂: Substrat = 10:1	*9-Oxo-4-(3-hydroxy-butanoyl)-8-oxa-bicyclo [5.3.0]decen-(3)*	53	1, vgl. 2
	Äther, RT, MnO₂: Substrat = 10:1	*10-Hydroxy-2-oxo-6,9,10-trimethyl-undecadien-(3,5)*	85 (roh)	3, 4
	CHCl₃, 20°, MnO₂: Substrat = 10:1	*9,10-Dihydroxy-4-benzyl-oxy-5-oxo-9-methyl-5,8,8a,9,10,10a-hexa-hydro-anthracen*	58	5
	CHCl₃, RT, MnO₂: Substrat = 10:1	*7-Hydroxy-3-oxo-6-methyl-bicyclo[4.4.0]decen-(1)*	74	6—8

¹ H. MINATO u. I. HORIBE, Soc. **1965**, 7009.
² Jap. P. Anm. 4260/68 (1968), Shionoyi Co. Ltd.
³ US. P. 3117982 (1964), Roussel-UCLAF, Erf.: D. H. R. BARTON; C. A. **58**, 13872 (1963).
⁴ D. H. R. BARTON u. M. MOUSSERON-CANET, Soc. **1960**, 271.
⁵ M. N. KOLOSOV, S. A. POPRAVKO, V. G. KOROBKO, M. G. KARAPETYAN u. M. M. SHEMYKIN, Ž. obšč. Chim. **34**, 2547 (1964); engl.: 2570.
⁶ F. SONDHEIMER u. D. ELAD, Am. Soc. **79**, 5542 (1957).
⁷ H. BRUDERER, D. ARIGONI u. O. JEGER, Helv. **39**, 858 (1956).
⁸ R. M. EVANS, Quart. Rev. **13**, 61 (1959).

Tab. 15 (1. Fortsetzung)

Ausgangsverbindung	Reaktions-bedingungen	Endprodukt	Ausbeute [% d.Th.]	Literatur
	CHCl₃	*7-Hydroxy-2-oxo-1,7a-di-methyl-2,3,4,4a,4b,5,6, 7,8,8a,9,10-dodecahy-dro-phenanthren*		1, 2
	Benzol, kochen, MnO₂: Substrat = 10:1	*Epieuryopsonol*	40	3
		7,10-Dioxo-tricyclo[4.4.1. 0¹,⁶]undecatrien-(2,4,8)	∼100	4
H₃C–CH–CH=CH–CH=CH–CH–CH₃ (mit OH an beiden CH)	Aceton, 20°, MnO₂: Substrat = 20:1	H₃C–C–CH=CH–CH=CH–C–CH₃ (mit O an beiden C) *2,7-Dioxo-octadien-(3,5)*	70	5–9
R¹–CH–R (OH) R: H₂C=CH–CH–C≡C–C≡C– (OH) R¹: –CH=CH–C₇H₁₅ *cis*	Äther, RT, MnO₂: Substrat = 1:1 MnO₂ muß neutral sein	R¹–C–R (O) *1-Hydroxy-3,8-dioxo-hep-tadecan-(cis-9)-diin-(4,6) (Dioxo-falcarin)*		10

[1] N. K. CHAUDHURI u. P. C. MURKHARJI, J. indian chem. Soc. **33**, 81 (1956).
[2] A. A. AKHREM u. Y. A. TITOV, *Total synthesis of steroids*, S. 242, Israel program for scientific translations, Jerusalem 1969.
[3] E. A. RIVETT u. G. R. WOOLARD, Tetrahedron **23**, 2431 (1967).
[4] E. VOGEL, E. LOHMAR, W. A. BÖLL, B. SÖHNGEN, K. MÜLLER u. H. GÜNTHER, Ang. Ch. **83**, 401 (1971).
[5] R. AHMAD, F. SONDHEIMER, B. C. L. WEEDON u. R. J. WOODS, Soc. **1952**,4089.
[6] D. E. LOEBER, S. W. RUSSELL, T. P. TANKE, B. C. L. BEEDON u. J. DIMENT, Soc. [C] **1971**, 404.
[7] G. SAUCY u. R. BORER, Helv. **54**, 2121 (1971).
[8] J. M. MELLOR u. C. F. WEBB, Soc. (Perkin I) **1972**, 211.
[9] E. I. TITOVA et al., Ž. org. Chim. **9**, 1683 (1973).
[10] F. BOHLMANN u. H. BORNOWSKI, B. **94**, 3189 (1961).

Tab. 15 (2. Fortsetzung)

Ausgangsverbindung	Reaktions-bedingungen	Endprodukt	Ausbeute [% d.Th.]	Literatur
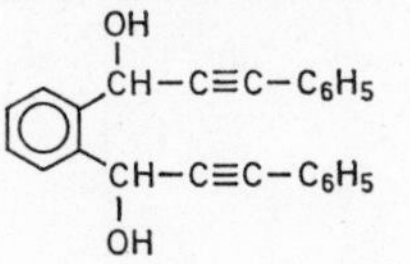 OH CH–C≡C–C₆H₅ / CH–C≡C–C₆H₅ OH	Aceton/MnO₂: Substrat = 3:1	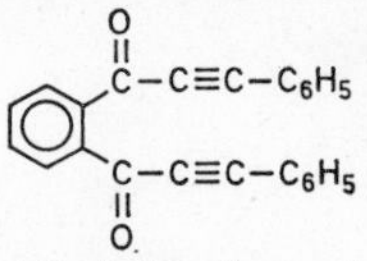 $C-C≡C-C_6H_5$ / $C-C≡C-C_6H_5$ *1,2-Bis-[phenyl-propin-oyl]-benzol*	97	1–5
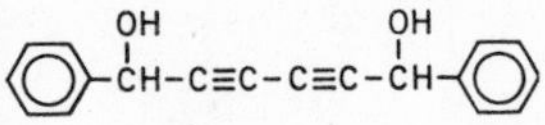 OH OH CH–C≡C–C≡C–CH		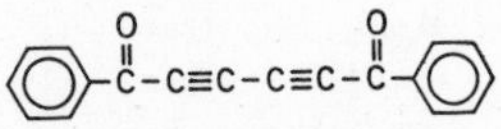 $C-C≡C-C≡C-C$ *1,6-Dioxo-1,6-diphenyl-hexadiin-(2,4)*		6
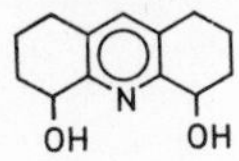 (structure) OH OH		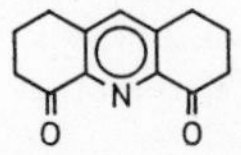 (structure) *4,5-Dioxo-1,2,3,4,5,6,7,8-octahydro-acridin*	58	7

6. Oxidation von Naturstoffen mit alkoholischen Gruppen

Wegen der sehr schonenden Oxidation (z. B. bei ∼23°) wird Mangandioxid vor allem in der Reihe der Naturstoffe als Oxidationsmittel für alkoholische Gruppen eingesetzt; speziell zur Herstellung von Oxo-steroiden (s. Tab. 16, S. 546).

Als weiteres Beispiel sei die Oxidation von Codein angeführt.

6-Oxo-N-methyl-7,8-dehydro-morphin (Codeinon)[8]:

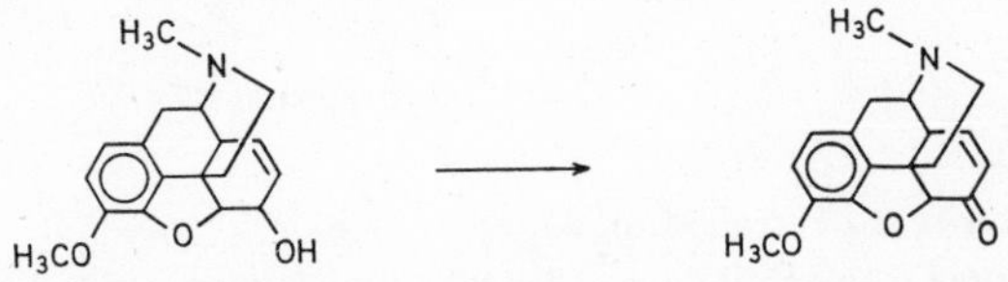

Man löst 206 mg Codein in 25 ml Chloroform, versetzt die Lösung mit 2 g Mangan(IV)-oxid und rührt 20 Min. lang. Das Reaktionsgemisch wird durch eine Glasfilternutsche filtriert und das Mangan(IV)-oxid 2mal mit Chloroform gewaschen. Man engt die Filtrate i. Vak. ein, wobei man das Codeinon als leicht bräunlich gefärbtes, kristallines Material erhält; Ausbeute: 96% d.Th.; F: 176–177°.

Auf ähnliche Weise erhält man[9]:

14-Hydroxy-6-oxo-N-methyl-7,8-dehydro-morphin	75% d.Th.	F: 185–187°
14-Hydroxy-3-oxo-N-acetyl-7,8-dehydro-morphin	50% d.Th.	F: 222–223°
14-Hydroxy-3-oxo-N-äthyl-7,8-dehydro-morphin	83% d.Th	Zers. p.: 230°
14-Hydroxy-3-oxo-N-propyl-7,8-dehydro-morphin	100% d.Th.	F: 178°

[1] E. MÜLLER, A. SEGNITZ et al., A. **754**, 64 (1971).
[2] H. A. STAAB u. B. DRAEGER, B. **105**, 2320 (1972).
[3] E. MÜLLER u. W. WINTER, A. **761**, 14 (1972).
[4] E. MÜLLER u. W. WINTER, B. **105**, 2523 (1972).
[5] E. MÜLLER u. A. SEGNITZ, B. **106**, 35 (1973).
[6] I. IWAI, Y. OKAJIMA u. T. KONOTSUNE, J. pharm. Soc. Japan **78**, 505 (1958); C. A. **52**, 17200 (1958).
[7] L. I. VERESHCHAGIN, S. P. KOSHUNOV, V. I. Skoblikova u. T. V. LIPOVICH, Ž. org. Chim. **1**, 1089 (1965); engl.: 1099.
[8] R. J. HIGHEIT u. W. WILDMANN, Am. Soc. **77**, 4399 (1955).
[9] A. C. CURIE, G. T. NEWBOLD u. F. S. SPRING, Soc. **1961**, 4693.

Tab. 16: Oxidation von Naturstoffen mit alkoholischen Gruppen mit Mangandioxid[1-21]

Ausgangsverbindung	Reaktions-bedingungen	Endprodukt	Ausbeute [% d.Th.]	Literatur
	DMF, RT	3β-Hydroxy-17-oxo-androsten-(5)	66	[22]
	Benzol, kochen, MnO₂: Substrat = 10:1	3,20-Dioxo-pregnatrien-(4,6,16)	27	[23,24]
	Benzol, kochen MnO₂:Substrat = 5:1	3,17-Dioxo-androstadien-(4,6)	55	[25]
	Hexan (Acetonitril), 20°, MnO₂: Substrat = 20:1	17-Oxo-5α-androstan	99	[22,26]
	Acetonitril, 20°, MnO₂: Substrat = 20:1	3,17-Dioxo-5α-androstan	100	[22,27]

[1] S. V. Kessar u. A. L. Rampal, Tetrahedron 24, 887 (1968).
[2] S. V. Kessar, Y. P. Gupta u. A. L. Rampal, Tetrahedron Letters 1966, 4319.
[3] F. Kagan, B. J. Magerlein u. R. D. Birkenmeyer, J. Org. Chem. 28, 3477 (1963).
[4] US. P. 2786855 (1957), Syntex, S. A., Erf.: F. Sondheimer u. G. Rosenkranz; C. A. 51, 13947 (1957).
[5] O. L. Chapman, D. J. Pasto u. A. A. Griswold, Am. Soc. 84, 1213 (1962).
[6] D. Taub, R. H. Pettebone, N. L. Wendler u. M. Tishler, Am. Soc. 76, 4094 (1954).
[7] P. N. Rao u. L. R. Axelrod, J. Org. Chem. 26, 2552 (1961).
[8] A. A. Akhrem u. T. K. Ustynyuk, Izv. Akad. SSR 1966, 942; engl.: 905.
[9] M. L. Lewbart u. V. R. Mattox, J. Org. Chem. 28, 1773 (1963).
[10] F. Sondheimer u. G. Rosenkranz, Experientia 9 (1953).
[11] P. Westerhof u. E. H. Reerink, R. 79, 794 (1960).
[12] F. Sondheimer, O. Mancera, M. Urquiza u. G. Rosenkranz, Am. Soc. 77, 4145 (1955).
[13] F. Neumann et al., Am. Soc. 77, 5676 (1955).
[14] O. Mancera, G. Rosenkranz u. F. Sondheimer, Soc. 1953, 2189.
[15] US. P. 2877242 (1959), Syntex, S. A., Erf.: F. Sondheimer, O. Mancera u. G. Rosenkranz; C. A. 53, 20141 (1959)
[16] R. M. Evans, Quart Rev. 13, 61 (1959).
[17] R. M. Dodson, A. H. Goldkamp u. R. D. Muir, Am. Soc. 82, 4026 (1960).
[18] R. J. Higheit u. W. C. Wildmann, Am. Soc. 77, 4399 (1955).

(Forts. 547)

Tab. 16 (1. Fortsetzung)

Ausgangsverbindung	Reaktions-bedingungen	Endprodukt	Ausbeute [% d.Th.]	Literatur
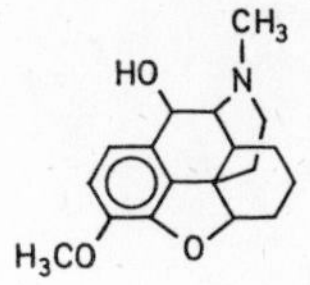	CHCl₃, RT, MnO₂: Substrat = 10:1	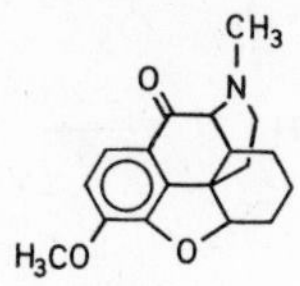 *3-Methoxy-10-oxo-N-methyl-morphin*	37	1
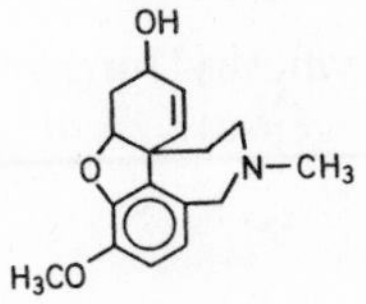	CHCl₃ (äthanol-frei), RT, MnO₂: Substrat = 10:1	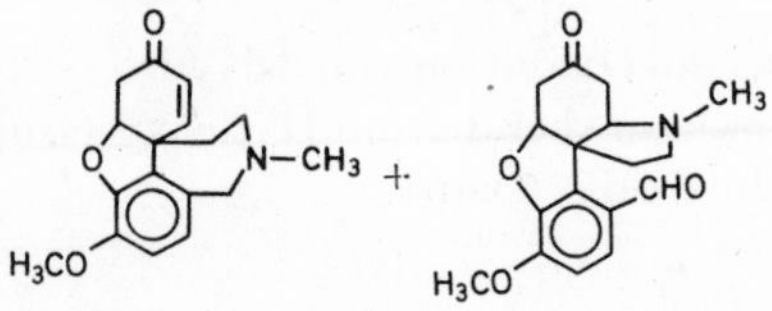 I II I; *Narwedin* II; *11-Methoxy-7-oxo-4-methyl-14-formyl-⟨benzo-tricyclo [7.3.0.0¹,⁵]dodecen-(11)⟩*	I: 16 II: 60	2, 3
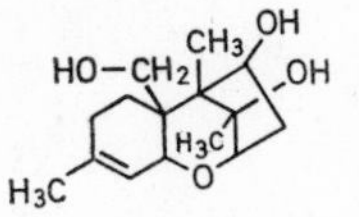	CHCl₃, RT, MnO₂: Substrat = 10:1	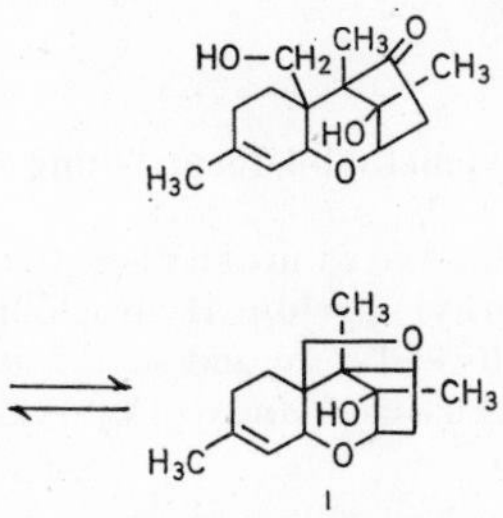	(I) 89	1
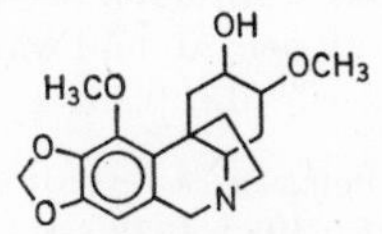	CHCl₃, RT, MnO₂: Substrat = 8:1	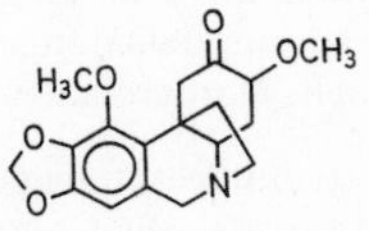	33	4

¹ A. W. Dawkins u. J. F. Grove, Soc. [C] 1970, 369.
² J. G. Bhandarkar u. G. W. Kirby, Soc. C 1970, 592.
³ W. Döpke u. M. Bienert, Tetrahedron Letters 1970, 3245.
⁴ E. W. Warnhoff u. W. C. Wildmann, Am. Soc. 82, 1472.

Forts. von S. 546

¹⁹ A. C. Curie, G. T. Newbold u. F. S. Spring, Soc. 1961, 4693.
²⁰ J. G. Bhandarkar u. G. W. Kirby, Soc. [C] 1970, 592.
²¹ D. C. Aldridge, J. R. Hanson u. T. P. C. Mulholland, Soc. 1965, 3539, 3540, 3545.
²² I. T. Harrison, Pr. chem. Soc. 1964, 110.
²³ F. Sondheimer, C. Amendolla u. G. Rosenkranz, Am. Soc. 75, 5930 (1953).
²⁴ R. Micková u. K. Sykora, Collect. Czech. Chem. Commun. 36, 2517 (1971).
²⁵ A. Smit u. P. Westerhof, R. 82, 1107 (1963).
²⁶ L. F. Fieser u. M. Fieser, *Reagents for organic synthesis*, S. 636, John Wiley and Sons, Inc., New York 1967.
²⁷ P. N. Rao u. J. E. Burdett, Synthesis 1971, 377.

35*

d) Oxidation primärer Alkohole und Aldehyde zu Carbonsäuren bzw. deren Derivaten

Primäre Alkohole können bei entsprechender Reaktionsdauer mit Mangan(IV)-oxid zu Carbonsäuren oxidiert werden:

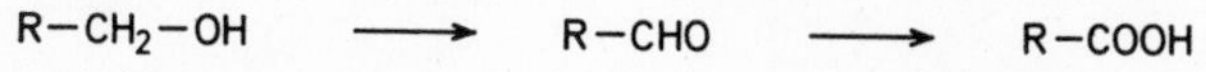

$$R-CH_2-OH \longrightarrow R-CHO \longrightarrow R-COOH$$

Durch die unterschiedliche Reaktivität mehrerer primärer alkoholischer Gruppen gelingt es nur eine Hydroxy-Gruppe zur Carboxy-Gruppe zu oxidieren.

Als Beispiel sei die Oxidation von 3-Hydroxy-2-methyl-4,5-bis-[hydroxymethyl]-pyridin-Hydrochlorid erwähnt, bei der die Hydroxy-Gruppe in 5'-Stellung, im Gegensatz zu der in 4'-Stellung, nicht oxidiert wird:

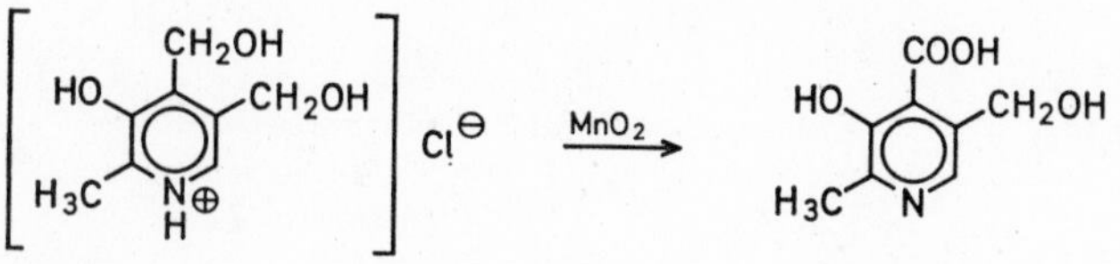

3-Hydroxy-2-methyl-5-hydroxymethyl-4-formyl- und -4-carboxy-pyridin[1]:

3-Hydroxy-2-methyl-5-hydroxymethyl-4-formyl-pyridin: Man löst 0,794 g 3-Hydroxy-2-methyl-4,5-bis-[hydroxymethyl]-pyridin-Hydrochlorid (Pyridoxin-Hydrochlorid)in 30 *ml* Wasser. Hierzu gibt man 0,25 *ml* konz. Schwefelsäure und schüttelt bei Raumtemp. mit 5 g aktiviertem Mangan(IV)-oxid 75 Sek. lang. Das überschüssige Mangan(IV)-oxid wird sofort abfiltriert. Man wäscht mehrmals mit insgesamt 40 *ml* Wasser nach.

Die vereinigten Filtrate werden auf 5 *ml* eingeengt, wobei die freie Base auszukristallisieren beginnt. Man gibt noch ∼ 5 *ml* Wasser zu, um das Mangan(II)-sulfat in Lösung zu halten, filtriert ab und wäscht mit einigen Tropfen Wasser nach. Man trocknet i.Vak. über Phosphor(V)-oxid; Ausbeute: 0,432 g.

Wird zur Mutterlauge 4 g Natriumacetat gegeben und 60 Min. im Kühlschrank belassen, so erhält man weitere 0,066 g sehr reinen Pyridoxals. Die Gesamtausbeute erhöht sich damit auf 0,498 g (77% d.Th.).

3-Hydroxy-2-methyl-5-hydroxymethyl-4-carboxy-pyridin: 0,991 g 3-Hydroxy-2-methyl-4,5-bis-[hydroxymethyl]-pyridin-Hydrochlorid (Pyridoxin-Hydrochlorid) wird zu einer äthanol. Kaliumhydroxid-Lösung (1 g Kaliumhydroxid auf 100 *ml* abs. Äthanol) gegeben und mit 10 g aktiviertem Mangan(IV)-oxid 3 Stdn. bei Raumtemp. unter Feuchtigkeitsausschluß gerührt. Die Mangan(II)-Salze werden durch Zugabe von 5 *ml* 30%igem Wasserstoffperoxid zurück oxidiert. Die Lösung wird sofort heiß filtriert. Der Rückstand wird mit heißer 0,1 n äthanol. Kaliumhydroxid-Lösung gewaschen, das Waschwasser mit dem Filtrat vereinigt und die Lösung mit konz. Salzsäure neutralisiert. Dabei fällt etwas Mangang(II)-oxid aus, das abfiltriert wird. Die Carbonsäure fällt aus, wenn die Lösung mit konz. Salzsäure auf $p_H = 4$ gestellt wird. Man läßt über Nacht bei 0° stehen, filtriert ab und wäscht mit Eiswasser, Äthanol und Äther nach und trocknet sorgfältig; Ausbeute: 0,727 g (82% d.Th.); F: 242° (Zers.); F: 256° (aus kochendem Wasser).

Die Ausbeute dieser Reaktionen kann wesentlich dadurch gesteigert werden, daß die entstehende Carboxy-Gruppe gleich innerhalb der Reaktion verestert wird.

Der Tab. 17 (S. 549) können weitere Beispiele entnommen werden.

---

[1] H. AHRENS u. W. KORYTNYK, J. heterocycl. Chem. 4, 625 (1967).

Tab. 17: Carbonsäuren durch Oxidation von Alkoholen bzw. Aldehyden mit Mangandioxid

Ausgangsverbindung	Reaktions-bedingungen	Endprodukt	Ausbeute [% d.Th.]	Literatur
	alkalisches Medium	5-Benzyloxy-2-carboxy-4H-pyron		1
	NaCN, CH₃COOH, CH₃OH, 20–25°, MnO₂: Substrat = 12 : 1	3,7-Dimethyl-octadien-(2,6)-säure-methylester	85–95	2, 3
	NaCN, CH₃OH, CH₃COOH, Lichtausschluß, 20–25°, 19 Stdn., MnO₂: Substrat = 14 : 1	Vit. A-Säure-methylester	>90	4, 5
	Leichtpetroleum (Kp: >120°), kochen, MnO₂: Substrat = 6 : 1	Benzoesäure	75	6,7, 8. a. 2, 8
	NaCN, CH₃OH, CH₃COOH, 20–25°, MnO₂: Substrat = 12 : 1	Zimtsäure-methylester	>95	4, 9, 10
		Furan-2-carbonsäure-methylester	>95	4, 9
$HOCH_2-CH_2-CH_2-CH_2-CHO$ $\rightleftharpoons$	CHCl₃, RT	Pentan-1,5-olid	90	11

¹ I. Ichimoto, T. Wachino, K. Fujil u. C. Tatsumi, Nippon Nogeikagaku Kaishi, **41**, 317 (1967); C. A. **68**, 29525 (1968).
² E. J. Corey, N. W. Gilman u. B. E. Ganem, Am. Soc. **90**, 5616 (1968).
³ W. Sucrow u. W. Richter, B. **103**, 3771 (1970).
⁴ A. B. Barua, M. C. Ghosh u. K. Goswami, Biochem. J. **113**, 447 (1969).
⁵ L. M. Riddiford, A. M. Ajami, E. J. Corey, H. Yamamoto u. J. E. Anderson, Am. Soc. **93**, 1815 (1971).
⁶ R. L. Augustine, *Oxidation, Techniques and application in organic synthesis*, Bd. 1, S. 84, Marcel Dekker, Inc., New York 1969.
⁷ A. Misono, T. Osa, S. Koda u. Y. Sato, Bl. chem. Soc. Japan **40**, 1553 (1967); C. A. **67**, 99820 (1967).
⁸ R. J. Highet u. W. C. Wildman, Am. Soc. **77**, 4399 (1955).
⁹ M. Z. Barakat, M. F. Abdel-Wahab u. M. M. El-Sadr, Soc. **1956**, 4685.
¹⁰ P. H. Bonnet u. F. Bohlmann, B. **104**, 1616 (1971).
¹¹ D. F. Jones, J. F. Grove u. J. MacMillan, Soc. **1964**, 1835.

Tab. 17 (1. Fortsetzung)

Ausgangsverbindung	Reaktions-bedingungen	Endprodukt	Ausbeute [% d.Th.]	Literatur
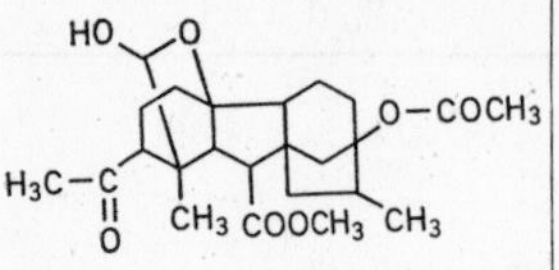	CHCl₃, 18°, MnO₂: Substrat = 8 : 1	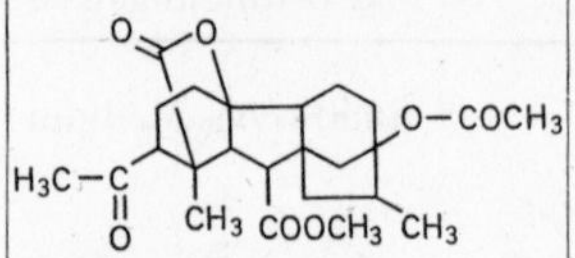 *Gibban (Epimere)*	90	1
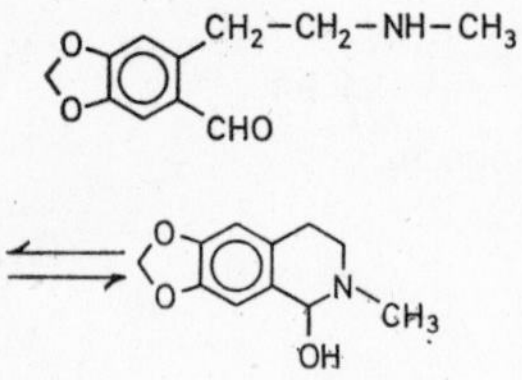	CHCl₃, RT	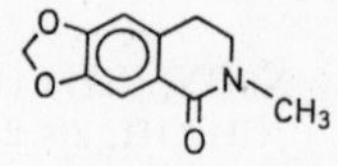 *6,7-Methylendioxy-1-oxo-2-methyl-1,2,3,4-tetra-hydro-isochinolin*	76	2
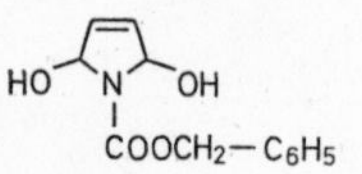	CHCl₃, RT, MnO₂: Substrat = 10 : 1	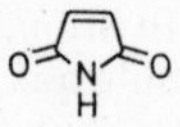 *Maleinsäure-imid*		3

e) Oxidation von Hydrochinonen und Phenolen

Bei Hydrochinonen läuft die Oxidation mit Mangan(IV)-oxid über das Semichinonanion-Radikal zu den entsprechenden Chinonen; z. B.:

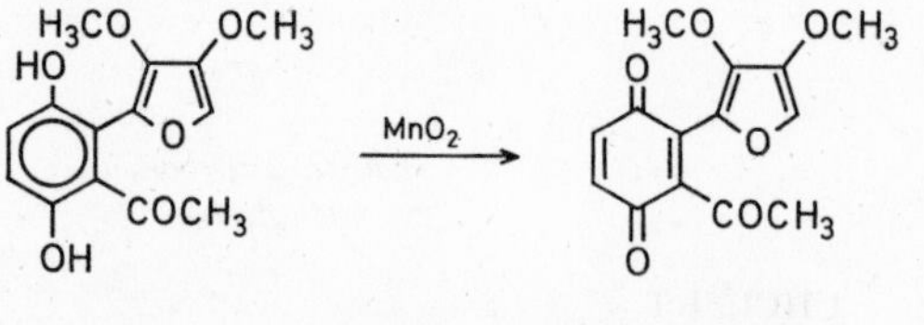

3-Acetyl-2-[3,4-dimethoxy-furyl-(2)]-p-benzochinon[4]: Man löst 2,65 g 3-Acetyl-2-[3,4-dimethoxy-furyl-(2)]-hydrochinon in 150 ml Chloroform und versetzt mit 10 g aktivem Mangan(IV)-oxid. Dann wird die Lösung 15 Min. heftig geschüttelt und anschließend durch eine mit Celit bedeckte Nutsche abfiltriert. Der Filterkuchen wird so lange mit Chloroform gewaschen, bis das Filtrat nicht mehr rot gefärbt ist. Die gesamte, tiefrot gefärbte Lösung wird i. Vak. eingeengt und der Rückstand in möglichst wenig abs. Äther gelöst.

Man läßt einige Zeit bei –15° stehen, wobei das Chinon in rubinroten Kristallen anfällt und kristallisiert aus Benzol/Methylcyclohexan um; Ausbeute: 2,09 g (80% d.Th.); F: 87°.

Dagegen sind die Oxidationsprodukte von Phenolen reine Reaktionsfolgeprodukte der intermediär entstehenden Aroxyle. Erstens können diese Radikale dimerisieren und wie beim 4-Brom-2,6,-di-tert.-butyl-phenol mit einem weiteren gleichen Molekül unter Abspaltung von Brom zum *3,3',5,5'-Tetra-tert.-butyl-diphenochinon* weiterreagieren.

¹ A. V. Robertson, J. E. Francis u. B. Witkop, Am. Soc. 84, 1712 (1962).
² P. H. Bonnet u. F. Bohlmann, B. 104, 1616 (1971).
³ W. Sucrow u. W. Richter, B. 103, 3771 (1970).
⁴ C. H. Eugster u. P. Bossherd, Helv. 46, 816, 820, 846 (1963).

3,3′,5,5′-Tetra-tert.-butyl-diphenochinon[1, 2]:

$$2 \quad (CH_3)_3C-\underset{(CH_3)_3C}{\overset{}{HO-\text{⟨⟩}-Br}} \longrightarrow (CH_3)_3C,\ C(CH_3)_3 \quad O=\text{⟨⟩}=\text{⟨⟩}=O \quad (CH_3)_3C,\ C(CH_3)_3$$

Eine Lösung von 2,85 g (10 mMol) 4-Brom-2,6-di-tert.-butyl-phenol wird mit 20 g aktiviertem Mangan(IV)-oxid 35 Min. geschüttelt. Man filtriert ab und wäscht mit 50 *ml* Benzol nach. Das dunkelbraun gefärbte Filtrat wird zur Trockene eingedampft. Man wäscht mit 20 *ml* Methanol, filtriert und trocknet bei 105°; Ausbeute: 1,8 g (92% d.Th.); beim Erhitzen bildet die Substanz rot-braune Kristalle; F: 245–246°.

Bietet man hingegen dem intermediär auftretenden Radikal in der Reaktion einen Alkohol oder ein Phenol als Reaktionspartner an, reagiert es mit diesem; z. B.[3–5]:

$$\underset{(CH_3)_3C}{\overset{(CH_3)_3C}{HO-\text{⟨⟩}-C(CH_3)_3}} + ROH \longrightarrow \underset{(CH_3)_3C}{\overset{(CH_3)_3C}{O=\text{⟨⟩}\overset{OR}{\underset{C(CH_3)_3}{}}}}$$

3-Aryloxy-6-oxo-1,3,5-tri-tert.-butyl-cyclohexadiene-(1,4); allgemeine Arbeitsvorschrift[3]: 2,26 g (10 mMol) 2,4,6-Tri-tert.-butyl-phenol werden in eine Suspension von 12 g aktiviertem Mangang(IV)-oxid in 100 *ml* Benzol gegeben. Man schüttelt das Reaktionsgemisch unter Stickstoff 1 Min.; dann wird 1 g Phenol bzw. Phenol-Derivat in 5 Portionen innerhalb 30 Min. zugegeben. Nach jeder Zugabe wird das Reaktionsgemisch einige Min. lang gut durchgeschüttelt. Nach der letzten Zugabe von Phenol verschwindet die blaue Farbe der Lösung. Man filtriert durch eine Glasfilternutsche ab und engt das gelb gefärbte Filtrat i.Vak. bei Raumtemp. zur Trockene ein. Hierbei hinterbleibt ölig oder fest das entsprechende Chinon; Ausbeute: 70–98% d.Th.

Tab. 18 gibt einen Überblick über weitere analog geartete Reaktionen.

Tab. 18: Chinone und Chinon-Derivate durch Oxidation von Phenolen mit Mangandioxid

Ausgangsverbindung		Reaktionsbedingungen	Endprodukt	Ausbeute [% d.Th.]	Literatur
R¹	R²				
Cl	Cl	halbkonz. HCl, 25–50°, MnO₂: Substrat = 5 : 1	*2,3-Dichlor-p-benzochinon*		6
CN	CN		*2,3-Dicyan-p-benzochinon*		7
COCH₃	(H₃CO, OCH₃ furyl)	CHCl₃, RT, MnO₂: Substrat = 4 : 1	*3-Acetyl-2-[3,4-dimethoxyfuryl-(2)]-p-benzochinon*	80	8

[1] E. McNelis, J. Org. Chem. **31**, 1259 (1966).
US. P. 3 281 435 (1966), Sun Oil Co., Erf.: E. J. McNelis; C. A. **66**, 2374 (1967).
[2] W. I. Taylor u. A. R. Battersby, *Oxidative coupling of Phenols*, S. 9, Marcel Dekker, Inc., New York 1967.
[3] H.-D. Becker, J. Org. Chem. **29**, 3069, 3070 (1964).
[4] Fr. P. 1 434 526 (1966), General Electric Co., Erf.: H.-D. Becker; C. A. **66**, 10740 (1967).
[5] L. F. Fieser u. M. Fieser, *Reagents for organic synthesis*, S. 637, John Wiley and Sons, Inc., New York 1967.
[6] W. Ried u. R. Dietrich, A. **649**, 63 (1961).
[7] Brit. P. 1 086 164 (1967), Syntex Corp., C. A. **64**, 20 186 (1966).
[8] C. H. Eugster u. P. Bosshard, Helv. **46**, 816, 846 (1963).

Tab. 18 (1. Fortsetzung)

Ausgangsverbindung	Reaktions-bedingungen	Endprodukt	Ausbeute [% d.Th.]	Literatur
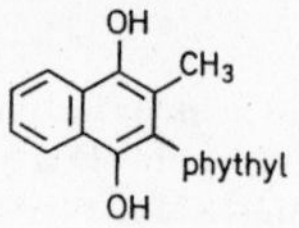 (Naphthalindiol mit CH$_3$, phythyl)	Hexan, Äther, Petroläther, Benzol, Toluol, Xylol	*2-Methyl-3-phythyl-naphthochinon-(1,4)*		1, 2
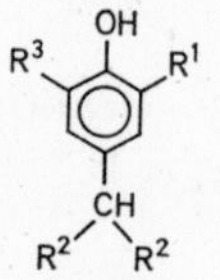 (Phenol R^3, R^1, CH(R^2)$_2$)	Benzol, RT, MnO$_2$: Substrat = 10:1	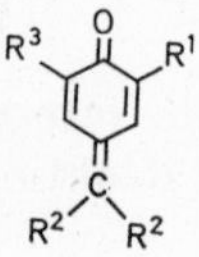 (Chinon R^3, R^1, =C(R^2)$_2$)	80–100	3, 4
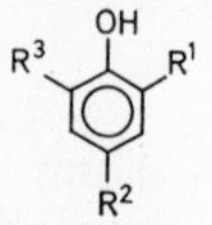 (Phenol R^3, R^1, R^2)	Benzol/CH$_3$OH (1:1), RT, HClO$_4$, MnO$_2$: Substrat = 11–14:1	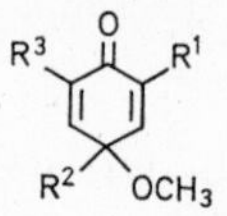 (Chinon R^3, R^1, R^2, OCH$_3$)	86–98	5, 6
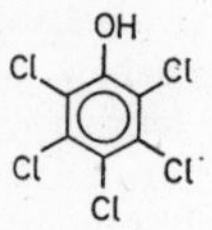 (Pentachlorphenol)	Benzol, N$_2$, RT, MnO$_2$: Substrat = 8:1	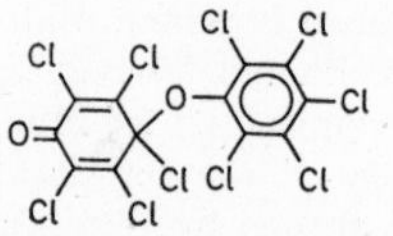 *Pentachlor-6-(pentachlorphenoxy)-3-oxo-cyclohexadien-(1,4)*	45 (roh)	3, 7, 8
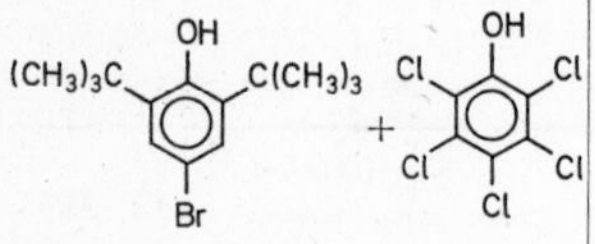 (CH$_3$)$_3$C-...-C(CH$_3$)$_3$, Br + Tetrachlorphenol (Cl)	Benzol, N$_2$, RT, MnO$_2$: Substrat = 10:1	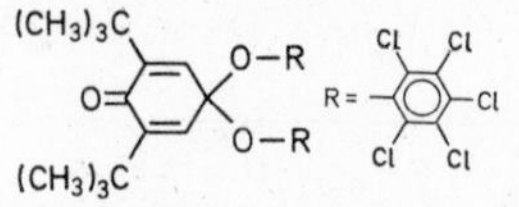 *6,6-Bis-[pentachlor-phenoxy]-3-oxo-2,4-di-tert.-butyl-cyclohexadien-(1,4)*	83 (roh)	3, 7, 8

f) Oxidation von Aminen unter Ersatz des Stickstoffs durch Sauerstoff

Unterwirft man primäre Amine der Oxidation mittels Mangan(IV)-oxid, so wird die Amin-Funktion abgespalten und durch Sauerstoff ersetzt; man erhält die entsprechenden Aldehyde bzw. Ketone; z. B.:

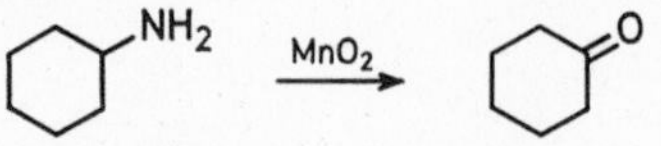

(Cyclohexylamin) $\xrightarrow{\text{MnO}_2}$ (Cyclohexanon)

Cyclohexanon

1 Jap. P. Anm. 19460/67 (1967), Teikoku Chem. Ind. Co. Ltd.
2 T. Takada u. S. Ohki, Chem. Pharm. Bull. 21, 1369 (1973).
3 H.-D. Becker, J. Org. Chem. 32, 2943 (1967).
4 C. M. Orlando, J. Org. Chem. 35, 3714 (1970).
5 Belg. P. 700138 (1967), W. F. Koch.
6 H. Dietl u. H. S. Young, J. Org. Chem. 37, 1672 (1972).
7 E. McNelis, J. Org. Chem. 31, 1259 (1966); vgl. a. Soc. 88, 1074 (1966).
  US. P. 3281435 (1966), Sun Oil Co., Erf.: E. J. McNelis; C. A. 66, 2374 (1967).
8 W. I. Taylor u. A. R. Battersby, *Oxidative coupling of phenols*, S. 915, Marcel Dekker, Inc., New York 1967.

Oxidiert man aromatische Amine, so läuft die Oxidation zu den Chinonen weiter:

Die Ausbeuten sind oft sehr mäßig, so daß man lukrativeren Verfahren den Vorzug geben wird (zu beiden Reaktionen s. Lit.[1]).

Tab. 19: Aldehyde durch Oxidation primärer Amine mit Mangandioxid

Reaktionsprodukt	Reaktions-bedingungen	Endprodukt	Ausbeute [% d.Th.]	Literatur
$H_3C-CH_2-NH_2$	H_2O, kochen	*Acetaldehyd*	50	2, vgl. 3
$H_5C_6-CH_2-NH_2$	$CHCl_3$, RT, MnO_2: Substrat = 10 : 1	*Benzaldehyd*	34	4, 2, 5
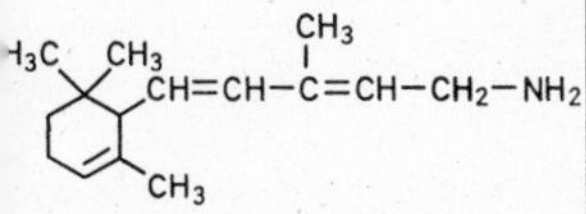 (Struktur: 3,7-dimethyl-cyclohexenyl-pentadienylamin)	Hexan, RT, MnO_2: Substrat = 10 : 1	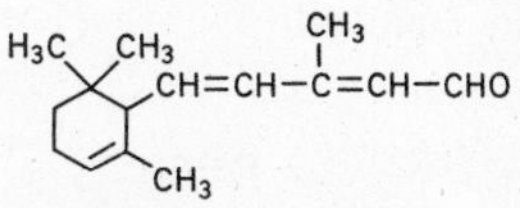 (Struktur) *3-Methyl-5-[2,4,4-tri-methyl-cyclohexen-(1)-yl-(3)]-pentadien-(2,4)-al*	35	6
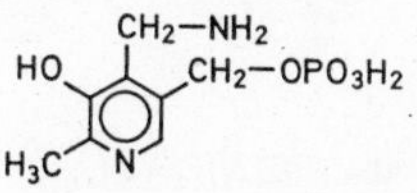 (Struktur: Pyridoxamin-phosphat)	H_2O, 60°, MnO_2: Substrat = 0,4 : 1	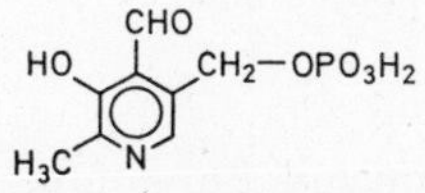 (Struktur) *Codecarboxylase (3-Hy-droxy-2-methyl-5-phos-phoryloxymethyl-4-for-myl-pyridin)*	88	7—10

[1] US. P. 2731478 (1956), J. KAMLET; C. A. **50**, 13994 (1956).
Brit. P. 1151673 (1969), Institut Przemyslu Organ. Fuji Photo Film Co. Ltd.; C. A. **63**, 8264 (1965).
P. H. GROGGINS, *Unit processes in organic synthesis*, S. 503, 506, Mc Graw Hill BookCo., Inc., New York 1958.
M. L. B. FIGINI, Anales Fac. Quim. Farm., Univ. Chile **16**, 49 (1964); C. A. **64**, 12581 (1966).
[2] R. L. AUGUSTINE, *Oxidation, techniques and applications in organic synthesis*, Bd. 1, S. 97, Marcel Dekker, Inc., New York 1969.
[3] M. Z. BARAKAT, M. F. ABDEL-WAHAB u. M. M. EL-SADR, Soc. **1956**, 4685.
[4] R. J. HIGHET u. W. C. WILDMANN, Am. Soc. **77**, 4399 (1955).
[5] Niederl. Appl. Nr. 6715508 (1967), R. J. Reynolds Tobacco Co., USA.
[6] US. P. 2891986 (1959), NOPCO Chemical Co. Erf.: D. R. GRASSETTI u. H. C. KLEIN; C. A. **53**, 22068 (1959).
[7] A. N. WILSON u. S. A. HARRIS, Am. Soc. **73**, 4693 (1951).
[8] L. F. FIESER u. M. FIESER, *Reagents for organic synthesis*, S. 636, John Wiley and Sons, Inc., New York 1967.
[9] M. IKAWA u. E. E. SNELL, Am. Soc. **76**, 637 (1954).
[10] E. A. PETERSON, H. A. SOBER u. A. MEISTER, Biochem. Prepar. **3**, 34 (1953).

g) Oxidation ausschließlich am Heteroatom

Organo-phosphor- und -schwefel-Verbindungen lassen sich ebenfalls mit Mangan(IV)-oxid oxidieren. So erhält man z. B. aus den Phosphinen die entsprechenden Phosphinoxide :

$$\begin{array}{c} R^1 \\ R^2\!-\!P \\ R^3 \end{array} \xrightarrow{\text{MnO}_2} \begin{array}{c} R^1 \\ R^2\!-\!P=O \\ R^3 \end{array}$$

und aus Thioäthern die entsprechenden Sulfoxide:

$$R\!-\!S\!-\!R^1 \xrightarrow{\text{MnO}_2} R\!-\!S\!\begin{array}{c} R^1 \\ \diagdown \\ O \end{array}$$

Sulfoxide: allgemeine Herstellungsvorschrift[1–4]: Man löst den Thioäther in Petroläther und schüttelt die Lösung 72–85 Stdn. mit aktiviertem Mangan(IV)-oxid. Man filtriert und wäscht den Filterkuchen gut nach. Das Reaktionsprodukt erhält man durch kontinuierliche Extraktion des Filterkuchens mit Benzol. Man engt ein und erhält das Sulfoxid, das durch Umkristallisieren oder durch Destillation gereinigt werden kann.

Werden hingegen Mercaptane mittels Mangan(IV)-oxid oxidiert, so erhält man keine Sulfonsäuren, sondern Disulfide:

$$2\ R\!-\!SH \xrightarrow{\text{MnO}_2} R\!-\!S\!-\!S\!-\!R$$

Disulfide; allgemeine Herstellungsvorschrift[5]: In eine Suspension von Mangan(IV)-oxid in Chloroform (1 g auf 10 *ml* Chloroform) wird das Mercaptan eingetragen (Mangandioxid: Substrat = 5 : 1). Man erhitzt 5–6 Stdn. unter Rühren. Nach Abfiltrieren und Waschen des Filterkuchens mit Äther werden die vereinigten Filtrate i.Vak. eingeengt. Hierbei hinterbleibt ein Rückstand, der durch Kristallisation oder Destillation gereinigt werden kann.

Tab. 20: Oxidation von Phosphor- bzw. Schwefel-Atom mit Mangandioxid

Ausgangsverbindung	Reaktions-bedingungen	Endprodukt	Ausbeute [% d.Th.]	Literatur
a) Oxidation am Phosphoratom				
$(H_5C_6)_3P$	Leichtpetroleum (Kp: >120°), kochen, MnO$_2$: Substrat = 6 : 1	*Triphenylphosphinoxid*	75	6
	Petroläther (Kp: 98°), kochen, MnO$_2$: Substrat = 2 : 1		65	7

[1] A. V. Robertson, J. E. Francis u. B. Witkop, Am. Soc. 84, 1712 (1962).
[2] L. F. Fieser u. M. Fieser, *Reagents for organic synthesis*, S. 637, John Wiley and Sons, Inc., New York 1967.
[3] R. O. C. Norman, *Principles of organic synthesis*, S. 523, Methuen Co., Ltd., London 1968.
[4] D. Edwards u. J. B. Stenlake, Soc. 1954, 3272.
[5] E. P. Papadopoulos, A. Jarrar u. C. H. Issidorides, J. Org. Chem. 31, 615 (1966).
[6] M. Z. Barakat, M. F. Abdel-Wahab u. M. M. El-Sadr, Soc. 1956, 4685.
[7] J. S. Belew u. C. Tek-Ling, Chem. & Ind. 1967, 1958.

Tab. 20 (1. Fortsetzung)

Ausgangsverbindung	Reaktions-bedingungen	Endprodukt	Ausbeute [% d.Th.]	Literatur
$H_2C{=}CH{-}PR_2$ $R = C_3H_7$	Petroläther, 40°, MnO_2: Substrat $= 6 : 1$	*Dipropyl-vinyl-phosphin-oxid*	97	1
$R = C_5H_{11}$		*Dipentyl-vinyl-phosphin-oxid*	95	1
$R = H_2C{=}CH{-}$; C_6H_5		*Phenyl-divinyl-phosphin-oxid*	92	1
$(H_5C_6)_2P{-}X$ $X = (CH_3)_3C{-}NH{-}$	Benzol, kochen, MnO_2: Substrat $= 6 : 1$ Benzol, 50°, MnO_2: Substrat $= 1 : 1$	*Diphenyl-phosphinsäure-tert.-butylamid*	66	2
$X =$ (Azepan-N-)		*Diphenyl-phosphinsäure-azepanolid*	93	2
$X = (CH_3)_2N{-}NH{-}$		*Diphenyl-phosphinsäure-N′,N′-dimethyl-hydrazid*	45	3

$(H_5C_6)_2P{-}N{-}P(C_6H_5)_2$
    $\mid$
    C_2H_5
	Benzol, kochen, MnO_2: Substrat $= 1 : 1$	$(H_5C_6)_2P{-}N{-}P(C_6H_5)_2$ mit zwei P=O und C_2H_5
		
		Bis-[diphenylphosphinyl]-äthyl-amin
			47	4

cyclisches $P{-}O{-}C_6H_5$ (1,3,2-Dioxaphosphinan)	Benzol, Kühlung, MnO_2: Substrat $= 5 : 1$	P=O Derivat mit OC_6H_5 *2-Phenoxy-1,3,2-dioxa-phosphinan-2-oxid*		5

b) Oxidation am Schwefelatom

Ausgangsverbindung	Reaktions-bedingungen	Endprodukt	Ausbeute [% d.Th.]	Literatur
$R{-}SH$ $R = C_{16}H_{33}$	Xylol (entgast), 55°, gute Rührung (1000 Min.), MnO_2: Substrat $= 1 : 1$	$R{-}S{-}S{-}R$ *Dihexadecyl-disulfid*	100	6, 7
$R = H_2C{=}CH{-}CH_2{-}$	$CHCl_3$, kochen, MnO_2: Substrat $= 5 : 1$	*Diallyl-disulfid*	66	7
$R = H_5C_6{-}CH_2{-}$	$CHCl_3$, kochen, MnO_2: Substrat $= 5 : 1$	*Dibenzyl-disulfid*	82	7
	Xylol, 55°, gut Rühren, MnO_2: Substrat $= 1 : 1$		84	6, 7

1 M. I. KABACHNIK, C. JUNG-Yü u. E. N. TSVTEKOV, Doklady Akad. SSSR **135**, 603 (1960, engl.: 1309).
2 N. L. SMITH u. H. H. SISLER, J. Org. Chem. **26**, 5149 (1961).
3 R. P. NIELSEN u. H. H. SISLER, Inorg. Chem. **2**, 756, 757 (1963).
4 G. EWART, A. P. LANE, J. MCKENCHIE u. D. S. PAYNE, Soc. **1964**, 1543.
5 D. C. AYRES u. H. N. RYDON, Soc. **1957**, 1114.
6 T. J. WALLACE, J. Org. Chem. **31**, 1217 (1966).
7 E. P. PAPADOPOULOS, A. JARRAR u. C. H. ISSIDORIDES, J. Org. Chem. **31**, 615 (1966).

Tab. 20 (2. Fortsetzung)

Ausgangsverbindung	Reaktions-bedingungen	Endprodukt	Ausbeute [% d.Th.]	Literatur
H_5C_6—SH	Xylol, 50°, gut Rühren, MnO_2: Substrat = 1 : 1	Diphenyl-disulfid	89	1, 2
	Benzol, Cellusolve-F-Lösung, 50°, – Dean-Stark-Falle		79	3
	$CHCl_3$, kochen, MnO_2: Substrat = 5 : 1		92	2
HS–CH_2–CH_2–CH_2–CH_2–SH	Xylol, gut Rühren, 50°, MnO_2: Substrat = 1 : 1	Tetrahydro-1,2-dithiin	74	1, 2
R–SH + R^1–SH	Benzol, Cellusolve-F-Lösung, 50°, Dean-Stark-Falle	R–S–S–R^1	50–60	3
R_2S R = C_4H_9—	Leichtpetroleum (Kp: 40–60°), RT, MnO_2: Substrat = 10–15 : 1	Dibutyl-sulfoxid	71	4–6
R = H_2C = CH—CH_2—		Diallyl-sulfoxid	74	4–6

III. Dehydrierung

a) Dehydrierung mittels Mangan(IV)-oxid unter Erhalt der Anzahl der Kohlenstoffatome

1. Dehydrierung von Stereoidalkoholen und Stereoidketonen

Eine Vielzahl von Dehydrierungen wurden an Stereoiden vorgenommen. Dabei kann eine Verschiebung der C=C-Doppelbindung eintreten, so daß die neu entstandene C=C-Doppelbindung zur bereits vorhandenen konjugiert ist; z. B.:

3-Oxo-17β-acetyl-androstadien-(4,6); 34% d.Th.

Geht man von Steroidalkoholen aus, kann gleichzeitig zur Dehydrierung die alkoholische Gruppe zum entsprechenden Keton oxidiert werden (vgl. a. Tab. 21, S. 557).

[1] T. J. Wallace, J. Org. Chem. 31, 1217 (1966).
[2] E. P. Papadopoulos, A, Jarrar u. C. H. Issidorides, J. Org. Chem. 31, 615 (1966).
[3] H. G. Thompson, Dissertation Abstr. 23, 1521 (1962); C. A. 58, 7797ᵃ (1963).
[4] D. Edwards u. J. B. Stenlake, Soc. 1954, 3272.
[5] L. F. Fieser u. M. Fieser, Reagents for organic synthesis, S. 637, John Wiley and Sons, Inc., New York 1967.
[6] R. O. C. Norman, Principles of organic synthesis, S. 523, Methuen Co., Ltd., London 1968.

Tab. 21: Ungesättigte Steroidketone durch Dehydrierung

Ausgangsverbindung	Reaktions-bedingungen	Endprodukt	Ausbeute [% d.Th.]	Literatur
	Benzol, 60°, MnO$_2$: Substrat = 10 : 1	17-Hydroxy-3-oxo-17-butyl-östradien-(4,6)		1
	1,4-Dioxan, HC(OC$_2$H$_5$)$_3$, p-Toluolsulfonsäure, 25°, MnO$_2$, Essig-säure	6-Chlor-17β-acetoxy-3-oxo-17α-methyl-androstadien-(4,6)		2
	Benzol, 72°, MnO$_2$: Substrat = 10 : 1	3-Oxo-22α-spirostadien-(4,6)		3, 4
	Benzol, 23°, MnO$_2$: Substrat = 10 : 1			3, 4
	Benzol, 60°, MnO$_2$: Substrat = 10 : 1	3-Oxo-17β-acetyl-andro-stadien-(4,6)	34	4, 8, a, 5

2. Dehydrierung unter Beteiligung eines Heteroatoms

Unterwirft man sekundäre Amine einer Reaktion mit Mangan(IV)-oxid, erfolgt keine Oxidation, sondern eine Dehydrierung zu Iminen. Dabei kann die –C–N-Sequenz in ketten-förmigen, als auch in cyclischen Molekülen stehen.

Imine; allgemeine Herstellungsvorschrift[6–8]:

$$R-CH_2-NH-R^1 \quad \xrightarrow{MnO_2} \quad R-CH=N-R^1$$

1 US. P. 2874170 (1959), G. D. Searle & Co., Erf.: F. B. COLTEN; C. A. 53, 13213 (1959).
2 H. ELS, Helv. 48, 989 (1965).
3 R. M. EVANS, Quart. Rev. 13, 66 (1959).
4 F. SONDHEIMER, C. AMENDOLLA u. G. ROSENKRANZ, Am. Soc. 75, 5930 (1953).
5 B. J. ARNOLD u. P. G. SAMMES, Chem. Commun. 1972, 30.
6 E. F. PRATT u. T. P. MC GOVERN, J. Org. Chem. 29, 1540 (1964).
7 W. F. PICKERING, Rev. Pure Appl. Chem. 16, 192 (1966).
8 T. P. MC GOVERN, Dissertation Abstr. 23, 2700 (1963).

Man löst 0,05 Mol des Amins in 500 *ml* Benzol, versetzt die Lösung mit 0,4 Mol Mangan(IV)-oxid und rührt mittels eines Magnetrührers kräftig durch; gleichzeitig wird das entstehende Wasser bei 81° abdestilliert. Man filtriert durch eine mit Celit bedeckte Nutsche ab und wäscht mit Benzol nach. Das Lösungsmittel der vereinten Filtrate wird i. Vak. weitgehend abdestilliert. Der Rest noch anhaftenden Lösungsmittels wird im Luftstrom entfernt.

Das zurückbleibende Imin wird durch Umkristallisieren oder durch Destillieren gereinigt.

Unter gewissen Voraussetzungen kann die Dehydrierung in cyclischen Molekülen mit –C–N-Sequenz eine Aromatisierung zur Folge haben.

1,3,5-Triphenyl-pyrazol[1]:

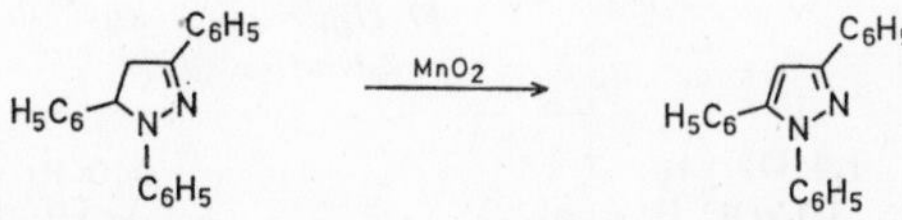

Man rührt 2 g (0,006 Mol) 1,3,5-Triphenyl-4,5-dihydro-pyrazol zusammen mit 10 g aktiviertem Mangan(IV)-oxid 5 Stdn. bei Raumtemp. in abs. Benzol, filtriert und engt das Filtrat i. Vak. ein. Zur Reinigung wird mehrmals umkristallisiert; Ausbeute: 1,85 g (93% d. Th.); F: 137°.

In Tab. 22 sind einige weitere Beispiele aufgeführt.

Tab. 22: **Imine durch Dehydrierung von Aminen mit Mangandioxid**

Ausgangsverbindung	Reaktions-bedingungen	Endprodukt	Ausbeute [% d. Th.]	Literatur
	Benzol, 81°, MnO₂: Substrat = 8 : 1	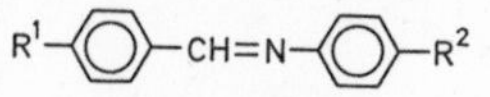	70–92	[2–5]
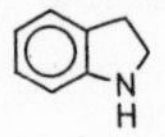		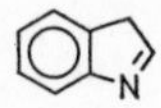 *3H-Indol* (bzw. *1H-Indol*)	59	[2–4, 6, 7]
	Benzol, kochen, MnO₂: Substrat = 8 : 1	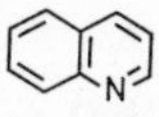 *Chinolin*	79	[2–4]
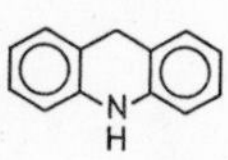		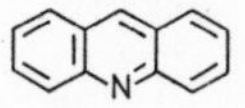 *Acridin*	93	[2, 3, 8–11]
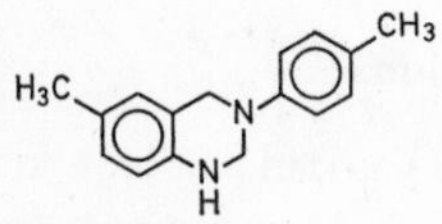	Benzol/Äther, RT	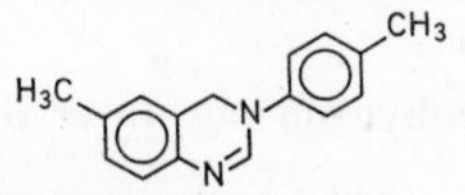 *6-Methyl-3-(4-methyl-phenyl)-3,4-dihydro-chinazolin*	81	[12]

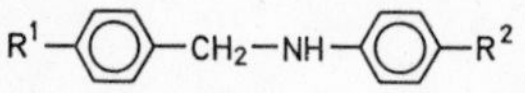

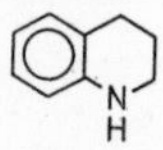

[1] I. Bhatnagar u. M. V. George, Tetrahedron **24**, 1294 (1968).
[2] E. F. Pratt u. T. P. Mc Govern, J. Org. Chem. **29**, 1540 (1964).
[3] W. F. Pickering, Rev. Pure Appl. Chem. **16**, 192 (1966).
[4] T. P. Mc Govern, Dissertation Abstr. **23**, 2700 (1963).
[5] J. S. Sandhu, S. Mohan, P. S. Sethi u. A. L. Kapoor, Indian J. Chem. **9**, 504 (1971).
[6] E. C. Kornfeld u. N. J. Bach, Chem. & Ind. **1971**, 1233.
[7] R. Filber, S. M. Woods u. A. F. Freudenthal, J. Org. Chem. **38**, 811 (1973).
[8] P. Franchetti u. M. Grifantini, J. heteroc. Chem. **7**, 1295 (1970).
[9] G. W. H. Cheeseman u. M. Rafig, Soc. [C] **1971**, 2732.
[10] S. V. Kessar, R. Gopal u. M. Singh, Tetrahedron **29**, 167 (1973).
[11] S. V. Kessar u. G. S. Joshi, Tetrahedron **29**, 419 (1973).
[12] H. M. Fales, Am. Soc. **77**, 5118 (1955).

Tab. 22 (1. Fortsetzung)

Ausgangsverbindung	Reaktions-bedingungen	Endprodukt	Ausbeute [% d. Th.]	Literatur
	Benzol, kochen, MnO_2: Substrat = 10 : 1	*7-Chlor-5-phenyl-3H-⟨ben-zo-[c]-1,4-diazepin⟩*		1
	$CHCl_3$, kochen, MnO_2: Substrat = 9 : 1	*3,4-Dihydro-⟨ferroceno-[c]-pyridin⟩*	33	2
	Petroläther (Kp: 30–50°), kochen, MnO_2: Substrat = 1 : 1	*1,2-Bis-[2-hydroxy-3,5-di-tert.-butyl-phenylimino]-äthan*	26	3
	Benzol, kochen, MnO_2: Substrat = 4 : 1	*p-Benzochinon-phenyl-imin*	70	4
	Benzol, kochen, MnO_2: Substrat = 5 : 1	*p-Benzochinon-bis-[phenyl-imin]*	91	4

1 Fr. P. 1502298, 1499512 (1967), G. F. FIELD u. L. H. STERNBACH; C. A. **68**, 69059 (1968).

2 K. SCHLÖGL, M. FRIED u. H. FALK, M. **95**, 576 (1964).

3 H. HAEUSSLER u. H. JADAMUS, B. **97**, 3051 (1964).

4 I. BHATNAGAR u. N. V. GEORGE, J. Org. Chem. **33**, 2410 (1968).

3. Dehydrierung ausschließlich am Heteroatom

Setzt man primäre Amine einer Dehydrierungsreaktion mit Mangan(IV)-oxid aus, erhält man Dimerisierung unter Bildung einer Azo-Gruppe:

$$2\ R\text{–}NH_2 \xrightarrow{\ MnO_2\ } R\text{–}N\text{=}N\text{–}R$$

Ist die N–N-Sequenz wie in Hydrazinen schon vorgebildet, erfolgt die Dehydrierung mittels Mangan(IV)-oxid zu der analogen Azoverbindung:

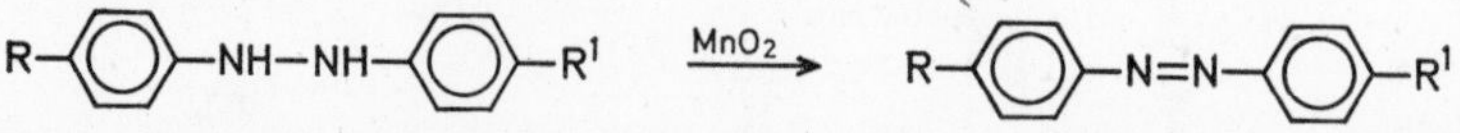

Azo-Verbindungen; allgemeine Herstellungsvorschrift[1, 2]: 0,05 Mol Amin und 0,4 Mol Mangan(IV)-oxid werden in 500 ml Benzol mit einem Magnetrührer kräftig durchmischt. Das ebenfalls entstehende Wasser wird bei 81° abdestilliert. Man filtriert die Reaktionsmischung durch eine mit Celit bedeckte Glasfilternutsche und wäscht mit Benzol nach. Das Lösungsmittel wird i. Vak. entfernt, der letzte Rest im Luftstrom. Das Reaktionsprodukt wird durch Kristallisation oder durch Destillation gereinigt.

Bei unsymmetrischen Hydrazinen kann die Dehydrierung wie bei primären Aminen verlaufen, also unter Dimerisierung zu den entsprechenden Tetrazenen.

Bei geeignetem Bau des Moleküls, wie in den Ketonhydrazonen, kann mit Mangan(IV)-oxid eine Diazo-Verbindung hergestellt werden; z. B.:

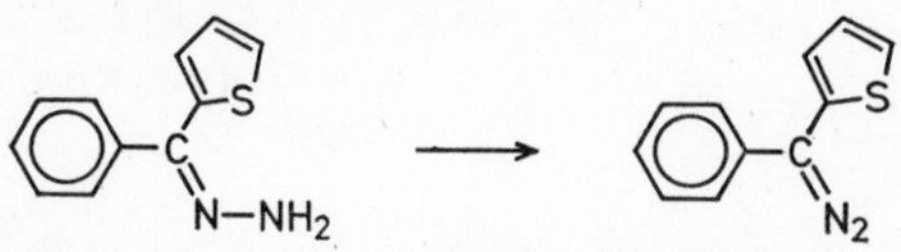

Phenyl-thienyl-(2)-diazomethan: 10 g 2-Benzoyl-thiophen-hydrazon werden in 100 ml Chloroform gelöst und mit 10,0 g Mangan(IV)-oxid 1 Stde. bei Raumtemp. kräftig gerührt. Die rot gefärbte Lösung wird filtriert und i. Vak. eingeengt.

Als Rückstand isoliert man eine rote Flüssigkeit, die sich bei dem Versuch einer Destillation zersetzt.

Tab. 23: Azo-Verbindungen aus den entsprechenden Aminen bzw. Hydrazinen

Ausgangsverbindung	Reaktions-bedingungen	Endprodukt	Ausbeute [% d.Th.]	Literatur
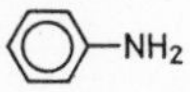	Benzol, kochen, MnO$_2$: Substrat = 8:1; Benzol, kochen, MnO$_2$: Substrat = 5–6:1	*Azobenzol*	>90	3, 4, vgl. a, 5–7
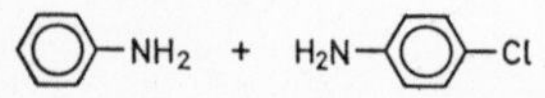	Benzol, MnO$_2$ im Überschuß	*4-Chlor-azobenzol*	35,5	8
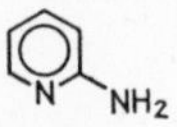	Benzol, kochen, MnO$_2$: Substrat = 2–3:1	*2,2'-Azo-pyridin*	>90	3

[1] E. F. PRATT u. T. P. Mc GOVERN, J. Org. Chem. **29**, 1540 (1964).

[2] T. P. Mc GOVERN, Dissertation Abstr. **23**, 2700 (1963).

[3] O. H. WHEELER u. D. GONZALES, Tetrahedron **20**, 189 (1964).

[4] J. MARCH, *Advanced organic chemistry, reactions, mechanisms and structure*, S. 889, McGraw-Hill Book Co., New York 1968.

[5] E. F. PRATT u. T. P. McGOVERN, J. Org. Chem. **29**, 1540 (1964).
   L. F. FIESER u. M. FIESER, *Reagents for organic synthesis*, S. 640, John Wiley and Sons, Inc., New York 1967.

[6] R. L. AUGUSTINE, *Oxidation, techniques and applications in organic synthesis*, Bd. 1, S. 98, Marcel Dekker, Inc., New York 1969.

[7] T. P. Mc GOVERN, Dissertation Abstr. **23**, 2700 (1963).

[8] O. H. WHEELER, Chem. & Ind., **1965**, 1769.

Tab. 23 (1. Fortsetzung)

Ausgangsverbindung	Reaktions-bedingungen	Endprodukt	Ausbeute [% d.Th.]	Literatur
(Imidazol, $N=CH-C_6H_5$; H_5C_6, NH_2)	Benzol, kochen, MnO_2: Substrat $= 2-3:1$	3,3'-Bis-[benzyliden-amino]-5,5'-diphenyl-2,2'-azo-imidazol	28	1
$R^1-\langle\bigcirc\rangle-NH-NH-\langle\bigcirc\rangle-R$		$R^1-\langle\bigcirc\rangle-N=N-\langle\bigcirc\rangle-R$	95–99	2–5
(dibenzo-diazepin, N–N, H H)	CH_2Cl_2, $0°$, MnO_2: Substrat $= 2:1$	(dibenzo-diazocin, N=N) *5,8-Dihydro-⟨dibenzo-[d;f]-1,2-diazocin⟩*	50	6
$R-C=N-NH-C_6H_5$ $R-C=N-NH-C_6H_5$	Benzol, RT, MnO_2: Substrat $= 5:1$	$R-C-N=N-C_6H_5$ $\parallel$ $R-C-N=N-C_6H_5$ *1,2-Bis-[benzolazo]-äthylene*	90–94	7
$R-\langle\bigcirc\rangle-CH=N-NH-C_6H_5$		$R-\langle\bigcirc\rangle-CH-N=N-C_6H_5$ $R-\langle\bigcirc\rangle-CH-N=N-C_6H_5$ *1,2-Bis-[benzolazo]-diaryl-äthane*	60–90	7
$(H_5C_6)_2C=N-NH_2$	Äther, RT, MnO_2: Substrat $= 10:1$	$(H_5C_6)_2C=N-N=C(C_6H_5)_2$ *Benzophenonazin*	52	8
(Fluoren, N, NH₂)		(Fluorenazin, N–N) *Fluorenonazin*	58	8
$O\langle\rangle N-NH_2$ (Morpholin)		$O\langle\rangle N-N=N-\langle\rangle O$ *Dimorpholino-diazen*	80	9
$\langle\rangle N-NH_2$ (Azepan)	Benzol, RT, MnO_2: Substrat $= 5:1$	$\langle\rangle N-N=N-\langle\rangle$ *Bis-[hexahydroazepino]-diazen*	86	9
$(H_5C_6)_2N-NH_2$		$(H_5C_6)_2N-N=N-N(C_6H_5)_2$ *Tetraphenyl-tetrazen-(2)*	76	9

1 H. Beyer, A. Hetzheim, H. Honeck, D. Ling u. T. Pyl, B. 101, 3151 (1968).
2 E. F. Pratt u. T. P. McGovern, J. Org. Chem. 29, 1540 (1964).
  L. F. Fieser u. M. Fieser, Reagents for organic synthesis, S. 640, John Wiley and Sons, Inc., New York 1967.
3 R. L. Augustine, Oxidation, techniques and applications in organic synthesis, Bd. 1, S. 98, Marcel Dekker, Inc., New York 1969.
4 T. P. McGovern, Dissertation Abstr. 23, 2700 (1963).
5 T. R. Lynch, F. N. Lachlan u. Y. K. Sin, Canad. J. Chem. 49, 1598 (1971).
6 L. A. Carpino, Am. Soc. 85, 2145 (1963).
7 I. Bhatnagar u. M. V. George, J. Org. Chem. 32, 2252 (1967).
8 M. Z. Barakat, M. F. Abdel-Wahab u. M. M. El-Sadr, Soc. 1956, 4685.
9 I. Bhatnagar u. M. V. George, J. Org. Chem. 33, 2410 (1968).

Tab. 23 (2. Fortsetzung)

Ausgangsverbindung	Reaktions-bedingungen	Endprodukt	Ausbeute [% d.Th.]	Literatur
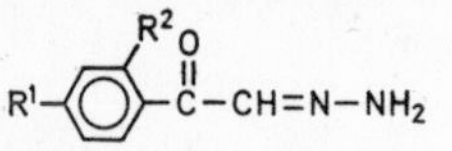 R^1—⬡(R^2, O, C)—CH=N—NH₂	CHCl₃, RT, (20°)	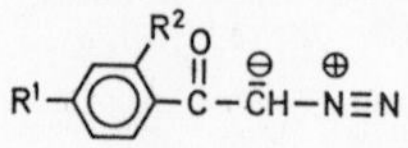 R^1—⬡(R^2, O, C)—$\overset{\ominus}{C}$H—N$\overset{\oplus}{=}$N *Diazoacetophenone*	80–100	1–4
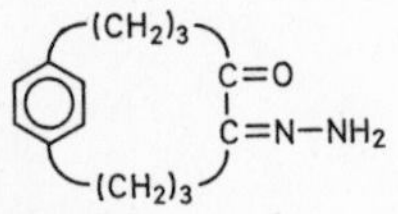 ⬡(CH₂)₃, C=O, C=N—NH₂, (CH₂)₃	Äther, 25°, KOH, MnO₂: Substrat = 3:1, MnO₂/ KOH = 10:1	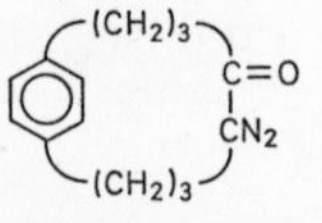 ⬡(CH₂)₃, C=O, CN₂, (CH₂)₃ *1,4-[5-Diazo-4-oxo-octan-diyl-(1,8)]-benzol*	nicht isoliert	5,2
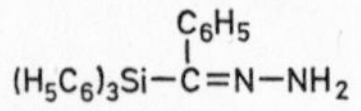 $(H_5C_6)_3Si$—$\overset{C_6H_5}{C}$=N—NH₂	Petroläther, RT	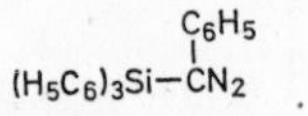 $(H_5C_6)_3Si$—$\overset{C_6H_5}{C}N_2$ *Triphenylsilyl-phenyl-diazomethan*	95	6
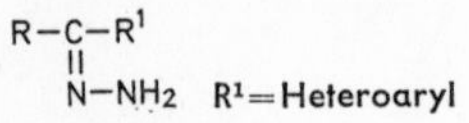 R—C—R^1, N—NH₂ R^1=Heteroaryl	Äther CHCl₃, RT, MnO₂: Substrat = 5:1 (4:1), wäßr. MgSO₄	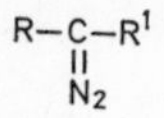 R—C—R^1, N₂	50–82	7–9
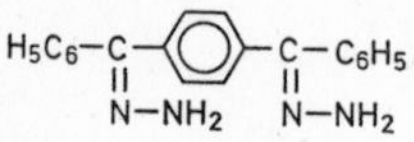 H_5C_6—C—⬡—C—C_6H_5, N—NH₂ N—NH₂	Äther, KOH, C₂H₅OH, RT, MnO₂: Substrat = 3:1	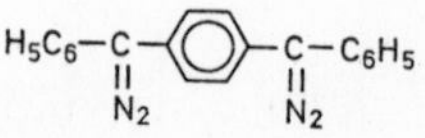 H_5C_6—C—⬡—C—C_6H_5, N₂ N₂ *1,4-Bis-[α-diazo-benzyl]-benzol*	92	10,2

b) Dehydrierung unter Neuknüpfung einer C–X- oder einer C–C-Bindung

1. Dehydrierung unter Neuknüpfung einer C-X-Bindung

Die Dehydrierung mit Mangan(IV)-oxid kann in einigen Fällen zu einer Neuknüpfung einer C–C-Bindung führen; z. B.:

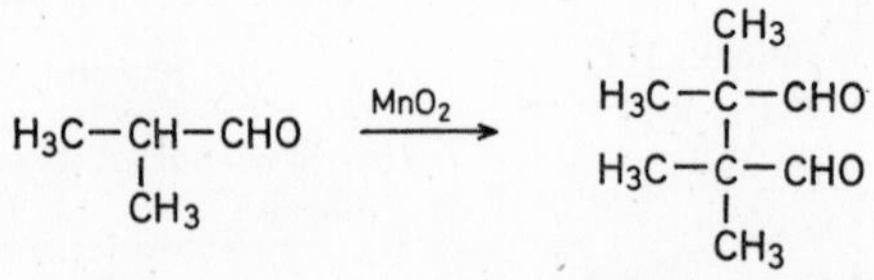

$$H_3C-CH-CHO \xrightarrow{MnO_2} \begin{array}{c} CH_3 \\ | \\ H_3C-C-CHO \\ | \\ H_3C-C-CHO \\ | \\ CH_3 \end{array}$$
$$\underset{CH_3}{|}$$

Tetramethyl-butandial

[1] J. MARCH, *Advanced organic chemistry, reactions, mechanisms and structure*, S. 889, McGraw-Hill Book Co., New York 1968.
[2] E. F. PRATT u. T. P. McGOVERN, J Org. Chem. **29**, 1540 (1964). L. F. FIESER u. M. FIESER, *Reagents for organic synthesis*, S. 637, 640, John Willey and Sons, Inc., New York 1967.
[3] S. HAUPTMANN, M. KLUGE, K.-D. SEIDIG u. H. WILDE, Ang. Ch. **77**, 678 (1965).
[4] H. MORRISON, S. DANISHEFSKY u. P. YATES, J. Org. Chem. **26**, 2617 (1961).
[5] N. L. ALLINGER, L. A. FREIBERG, R. B. HERMANN u. M. A. MILLER, Am. Soc. **85**, 1171, 1175 (1963).
[6] K. D. KAUFMANN, B. AURÄTH, P. TRÄGER u. K. RÜHLMANN, Tetrahedron Letters **48**, 4973 (1968).
[7] J. B. F. N. ENGBERTS, G. v. BRAGGEN, J. STRATING u. H. WYNBERG, R. **84**, 1610 (1965).
[8] T. SASAKI, S. EGUCHI u. A. KOJIMA, Bl. chem. Soc. Jap. **41**, 1658 (1968).
[9] B. EISTERT u. E. ENDERS, A. **734**, 56 (1970).
[10] R. W. MURRAY u. A. M. TROZZOLO, J. Org. Chem. **29**, 1268 (1964).

Die Neuknüpfung ist sowohl bei aliphatischen als auch bei aromatischen Verbindungen möglich, sie kann als Dimerisation zweier Dehydrierungsprodukte betrachtet werden. In Tab. 24 sind einige Beispiele zusammengefaßt.

Tab. 24: Dehydrierung unter Neuknüpfung einer C–C-Bindung

Ausgangsverbindung	Reaktions-bedingungen	Endprodukt	Ausbeute [% d.Th.]	Literatur
$H_3C-CH-CHO$ CH_3	THF, 100°, MnO$_2$: Substrat = 3 : 1	Tetramethyl-butandial + 2-(2-Methyl-propenyloxy)2-methyl-propanal		1
R^1 $CH-CO-R^3$ R^2	THF, 100°, MnO$_2$: Substrat = 3 : 1	$R^2-C-CO-R^3$ ...		1, 2
N-Methansulfonyl-norisoboldin Ausgangsverbindung	CHCl$_3$, MnO$_2$-Dünnschicht-kieselgel	N-Methansulfonyl-norisoboldin	40	3, 4
Fluoren	Biphenyl/Benzol (20 : 1), 211°, MnO$_2$: Substrat = 2 : 1	Bi-fluorenyliden	51	5–8
Benzol	AlCl$_3$	p-Polyphenyle	38	9–12
Naphthol-(2)	Benzol, 60°, MnO$_2$: Substrat = 2 : 1	2,2'-Dihydroxy-binaphthyl-(1)		

1 Niederl. P. 6715509 (1968), R. J. Reynolds Tobacco Co., USA.
2 Niederl., Appln. Nr. 6715507/8 (1967), R. J. Reynolds Tobacco Co.
3 B. Franck, G. Dunkelmann u. H. J. Lubs, Ang. Ch. 79, 989 (1967).
4 S. M. Kupchan u. A. J. Liepa, Am. Soc. 95, 4062 (1973).
5 R. L. Augustine, Oxidation, techniques and applications in organic synthesis, Bd. 1, S. 45, Marcel Dekker, Inc., New York 1969.
6 E. F. Pratt u. S. P. Suskind, J. Org. Chem. 28, 638 (1963).
7 L. F. Fieser u. S. T. Putnam, Am. Soc. 69, 1038 (1947).
8 S. P. Suskind, Dissertation Abstr. 23, 3132 (1963), C. A. 59, 7414 (1963).
9 S. P. Korshunov u. L. I. Vereshchagin, Russ. Chem. Rev. 35, 943 (1966); C. A. 66, 54653 (1967).
10 P. Kovacic u. J. Oziomek, J. Org. Chem. 29, 100 (1964).
11 US. P. 3300536 (1967), C. Sun Oil Co., Erf.: E. J. McNellis; C. A. 66, 85647 (1967).
12 S. Tokita u. N. Gotoh, Yuki Gosei Kagaku Kayokai Shi 29, 605 (1971).

2. Dehydrierung unter Ringschluß

Die Dehydrierung mit Mangan(IV)-oxid kann nicht nur intermolekular (S. 562) eine C–C-Neuknüpfung, sondern auch intramolekular eine C–N-, C–O- oder N–N-Neuknüpfung beinhalten.

1,3,5-Triphenyl-pyrazol[1]:

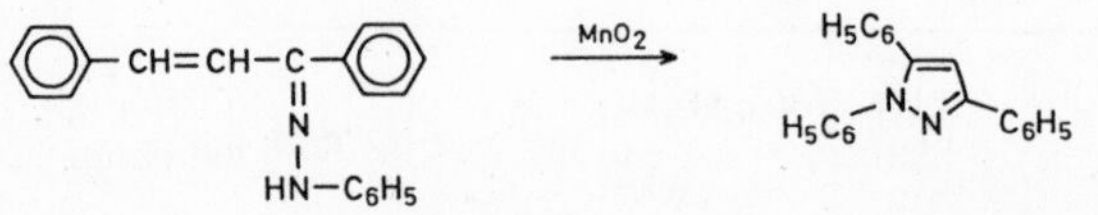

2 g Chalkon-phenylhydrazon werden in 150 ml abs. Benzol 5 Stdn. mit 10 g Mangan(IV)-oxid bei Raumtemp. geschüttelt. Die erhaltene Lösung wird filtriert und eingeengt; Ausbeute: 1,45 g (73% d. Th.); F: 137°.

Als Nebenprodukt entstehen 0,1 g (10% d. Th.) *Biphenyl*, das aus der Mutterlauge isoliert werden kann.

Dibenzo-pyridazin[2]:

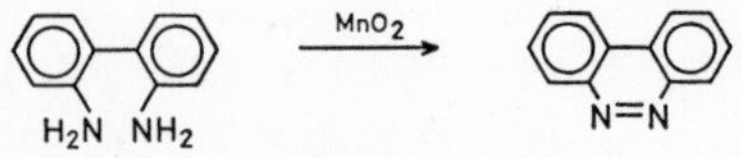

2 g 2,2′-Diamino-biphenyl werden mit 16 g Mangan(IV)-oxid in 125 ml Benzol 4 Stdn. unter Rückfluß erhitzt. Dann wird filtriert und eingeengt. Hierbei hinterbleibt eine rotbraun gefärbte zähe Masse, die an Aluminiumoxid chromatographiert wird. Zunächst eluiert man mit Benzol/Petroläther (Kp: 60–80) (3 : 1) 0,5 g Ausgangsmaterial (F: 78°).

Bei weiterem Eluieren mit Benzol erhält man Dibenzopyridazin; Ausbeute: 0,8 g (55% d.Th.); F: 157°.

Tab. 25: Intramolekulare Dehydrierung unter C–N-, C–O- bzw. N–N-Neuknüpfung

Ausgangsverbindung	Reaktions-bedingungen	Endprodukt	Ausbeute [% d.Th.]	Literatur
Ar–NH–CH$_2$–CH$_2$–CH$_2$–NH–Ar	CCl$_4$, –20° bis –10°, MnO$_2$: Sub-strat = 7–10 : 1	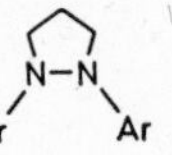 *1,2-Diaryl-pyrazolidine*	10–45	3–5
X=H	Benzol, RT, MnO$_2$: Substrat = 5 : 1, 5 Stdn.	*1,3,5-Triphenyl-pyrazol*	73	1
X=NO$_2$		*1,3-Diphenyl-5-(3-nitro-phenyl)-pyrazol*	61	1

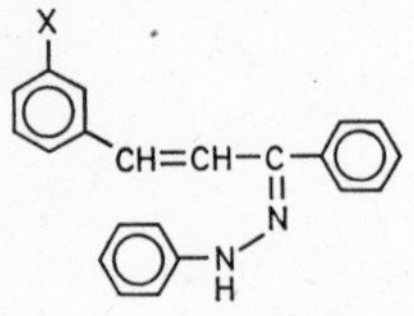

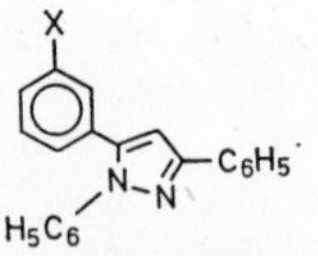

[1] I. Bhatnagar u. M. V. George, Tetrahedron **24**, 1293 (1968).
[2] I. Bhatnagar u. M. V. George, J. Org. Chem. **33**, 2410 (1968).
[3] R. Daniels u. B. D. Martin, J. Org. Chem. **27**, 178 (1962).
[4] G. Wittig, W. Joos u. P. Rothfelder, A. **610**, 190 (1957).
[5] L. F. Fieser u. M. Fieser, *Reagents for organic synthesis*, S. 637, John Wiley and Sons, Inc. New York 1967.

Tab. 25 (1. Fortsetzung)

Ausgangsverbindung	Reaktions-bedingungen	Endprodukt	Ausbeute [% d. Th.]	Literatur
R¹–N(–CH₂–R²)(aryl)–NH₂ (R¹, N–CH₂–R², NH₂ substituted benzene)	CHCl₃, 20°, MnO₂: Substrat = 10 : 1	R¹, R² benzimidazole	15–20	1, 2
R¹, R²-substituted pyridine with C(=N–N(H)–R³)–CO–C₆H₅	CHCl₃, MnO₂ : Substrat = 1,5 : 1	R¹, R² triazolo-pyridine –CO–C₆H₅, N=N	bis 60	3
R²–C=N–NH–R R¹–C=N–NH–R R — R¹ — R² H — H — R³–⟨aryl⟩ C₆H₅ — C₆H₅ — C₆H₅	CHCl₃ Benzol, kochen, MnO₂: Substrat = 13 : 1	R² triazole N-N-N–NH₂ *1-Amino-4-aryl-1H-1,2,3-triazol* R¹, R² triazole N=N–N–R *2,4,5-Triphenyl-2H-1,2,3-triazol*	35–45 85	4 5
H₅C₆–N=N–C(–SH)=N–NH–C₆H₅	wäßriges NH₃	*5-Thiono-2,3-diphenyl-tetrazol-betain*		6
⟨benzene⟩(–N=CH–⟨C₆H₄⟩–NO₂)(–OH)	Benzol, 10°, MnO₂: Substrat = 4 : 1	benzoxazole–⟨C₆H₄⟩–NO₂ *2-(4-Nitro-phenyl)-⟨benzo-1,3-oxazol⟩*	75	7
O₂N–⟨furyl⟩–CH=N–NH–CS–SR	Äther, RT, MnO₂: Substrat = 10 : 1 oder Hexan, RT, MnO₂: Substrat = 14 : 1	O₂N–⟨furyl⟩– thiadiazole N–N S –SR *5-Alkylmercapto-2-[5-nitro-furyl-(2)]-1,3,4-thiadiazol*		8, 9
HO–H₂C–⟨cyclopropane(R,R)⟩–CH₂–OH		cyclic ether(R,R)–O–OH + lactone(R,R)–O=O		9

[1] O. Meth-Cohn, H. Suschnitzky u. M. E. Sutton, Soc. [C] 1968, 1722, 1725.
[2] O. Glemser u. H. Meisiek, Naturwiss. 44, 614 (1957).
[3] B. Eistert u. E. Endres, A. 734, 56 (1970).
[4] S. Hauptmann, H. Wilde u. K. Moser, Tetrahedron Letters 34, 3295 (1967).
[5] I. Bhatnagar u. M. V. George, J. Org. Chem. 32, 2252 (1967).
[6] W. S. McDonald, H. M. N. H. Irving, G. Raper u. D. C. Rupainwar, Chem. Commun. 1969, 392.
[7] I. Bhatnager u. M. V. George, Tetrahedron 24, 1293 (1968).
[8] Jap. P. 24905/64 (1964), Eisai K. K.
[9] G. Maier u. T. Sayrac, B. 101, 1354 (1968).

Tab. 25 (2. Fortsetzung)

Ausgangsverbindung	Reaktions-bedingungen	Endprodukt	Ausbeute [% d.Th.]	Literatur
(CH₂)ₙ mit OH, C–CH₂OH, CH₂	Benzol, RT, MnO₂: Substrat = 15:1 (13:1)	(CH₂)ₙ Lacton mit CH₂	61–87	1
		n = 4; *8-Oxo-9-methylen-7-oxa-bicyclo[4.3.0]nonan* n = 5; *9-Oxo-10-methylen-8-oxa-bicyclo[5.3.0]decan*		
CH₃, OH, H₂C OH, C–CH₂OH, CH₂	Benzol, RT	CH₃ Lacton H₂C OH CH₂	83	2
		d,l-1,4-Dihydroxy-6-methyl-3-(1-carboxy-vinyl)-10-methylen-dekalin-lacton (d,l-Telekrin)		
CH₂–R, COOH	Chlor-benzol, 135° MnO₂: Substrat = 10:1	R		
R = H		*Phthalid*	17	3
R = CH₃		*1-Methyl-phthalid*	62	3
HO–⟨⟩–⟨⟩ COOH	Äther, RT, MnO₂: Substrat = 10:1	spiro structure	25	4,5
		6-Oxo-cyclohexadien-(1,4)-⟨3-spiro-1⟩-phthalan		
HO, CH₂OH, CH₂OH, H₃C, N⊕H Cl⊖	verd. H₂SO₄, RT, MnO₂: Substrat = 6:1 (75 Sek.)	HO, HO, H₃C furo structure	77	6
		1,7-Dihydroxy-6-methyl-1,3-dihydro-⟨furo-[3,4-b]-pyridin⟩		

1 J. A. Marshall u. N. Cohen, J. Org. Chem. 30, 3475 (1965); Tetrahedron Letters 30, 1998 (1964).
2 J. A. Marshall, N. Cohen u. A. R. Hochstetter, Am. Soc. 88, 3408 (1966).
3 O. Meth-Cohn, H. Suschnitzky u. M. E. Sutton, Soc. [C] 1968, 1722, 1725.
4 D. H. Hey, J. A. Leonard u. C. W. Rees, Soc. 1963, 5263.
5 W. I. Taylor u. A. R. Battersby, Oxidative coupling of phenols, S. 9, Marcel Dekker, Inc., New York 1967.
6 H. Ahrens u. W. Korytnyk, J. Heterocyclic Chem. 4, 625 (1967).

Tab. 25 (3. Fortsetzung)

Ausgangsverbindung	Reaktions-bedingungen	Endprodukt	Ausbeute [% d.Th.]	Literatur
	Aceton, Äther, RT	(±)-*Dehydro-griseofulvoxin {2-Methoxy-6-oxo-4-methyl-cyclohexadien-(1,4)-⟨3-spiro-2⟩-8-chlor-5,7-dimethoxy-4-oxo-⟨benzo-1,3-dioxin⟩}*	85	1
	Aceton, RT, MnO₂: Substrat = 10 : 1	(±)-*Dehydro-griseofulvin {4-Methoxy-6-oxo-2-methyl-cyclohexadien-(1,4)-⟨3-spiro-2⟩-7-chlor-4,6-dimethoxy-3-oxo-2,3-dihydro-⟨benzo-[b]-furan⟩}*	95—100 (roh)	2—4
	Benzol, RT, MnO₂: Substrat = 3 : 1	*Picrolichinsäure {4-Meth-oxy-6-oxo-2-pentyl-cyclohexadien-(1,4)-⟨3-spiro-3⟩-6-hydroxy-2-oxo-4-pentyl-5-carboxy-2,3-dihydro-⟨benzo-[b]-furan⟩}*	17—23	5

¹ J. R. Lewis u. J. A. Vickers, Chem. Ind. **1963**, 780.
² D. Taub, C. H. Kuo, H. L. Slates u. N. L. Wendler, Tetrahedron **19**, 4, 13 (1963).
³ J. R. Lewis, Chem. & Ind. **1964**, 1674.
⁴ H. Hart, G. J. Karabatsos u. A. J. Waring, *Advances in alicyclic chemistry*, Bd. 1, S. 237, Academic Press, New York · London 1966.
⁵ T. A. Davidson u. A. I. Scott, Soc. **1961**, 4075; Pr. chem. Soc. **1960**, 391.

Tab. 25 (4. Fortsetzung)

Ausgangsverbindung	Reaktions-bedingungen	Endprodukt	Ausbeute [% d. Th.]	Literatur
H_2N NH_2	Benzol, kochen, MnO_2: Substrat = 8 : 1	N=N *Dibenzo-pyrazin*	55	1
$-CH_2-N$ NH_2		CH_2-N *9-(2-Tetrahydropyrrolino-methyl-phenylimino)-1,2,3,9-tetrahydro-⟨pyrrolo-[2,1-b]-chinazolin⟩*	90	2
$R^1-N-CH_2-R^2$ COOH R				
R R^1 R^2				
H H H	Benzol, 20°, MnO_2: Substrat = 10 : 1	*4-Oxo-4H-⟨benzo-[d]-1,3-oxazin⟩*	52	2
NO_2 CH_3 H	$CHCl_3$, RT, MnO_2: Substrat = 10 : 1	R^1 R^2 O_2N *6-Nitro-4-oxo-1-methyl-1,4-dihydro-2H-⟨benzo-[d]-oxazin⟩*	25–64	2

[1] I. BHATNAGAR u. M. V. GEORGE, J. Org. Chem. **33**, 2410 (1968).

[2] O. METH-COHN, H. SUSCHNITZKY u. M. E. SUTTON, Soc. [C] **1968**, 1722, 1725

Tab. 25 (5. Fortsetzung)

Ausgangsverbindung	Reaktions-bedingungen	Endprodukt	Ausbeute [% d.Th.]	Literatur
$HO-CH_2-(CH_2)_3-CH=CH-CH_2-OH$	Äther, RT, MnO$_2$: Substrat = 10:1	*Tetrahydropyranyl-(2)-acetaldehyd*		1
		9-Oxo-5-methyl-3-(2-methyl-propyl)-2-oxa-bicyclo [4.4.0]decen-(7)		2
	Aceton/Äther, RT	*rac.-Dehydrogriseoful-voxin {5-Methoxy-6-oxo-2-methyl-cyclohexadien-(1,4)-⟨3-spiro-2⟩-8-chlor-5,7-dimethoxy-4-oxo-⟨benzo-[d]-1,3-dioxin⟩}*	85	3
	CHCl$_3$, 20°, MnO$_2$: Substrat = 10:1	*6-Oxo-cyclohexadien-(1,4)-⟨3-spiro-5⟩-2-methansul-fonyl-8-hydroxy-7-me-thoxy-2,3,4,5-tetrahydro-1H-⟨benzo-[b]-azepin⟩*	21	4

IV. Spezielle Oxidations- und Dehydrierungs-Reaktionen

Viele Oxidationsreaktionen mit Mangan(IV)-oxid können keinem bestimmten Reaktions-typ zugeordnet werden, sie wurden daher tabellarisch zusammengefaßt (Tab. 26, S. 570ff.).

1 J. COLONGE, G. DESCOTES u. J. MOURIER, Bl. **1963**, 551.
2 A. J. BIRCH, P. L. MACDONALD u. V. H. POWELL, Tetrahedron Letters **1969**, 351.
3 J. R. LEWIS, Chem. & Ind. **1964**, 1674.
4 B. FRANK u. H. J. LUBS, A. **720**, 132, 143 (1968); Ang. Ch. 80, 238 (1968).

Tab. 26: Spezielle Oxidationsreaktionen mit Mangan(IV)-oxid

Ausgangsverbindung	Reaktionsbedingungen	Endprodukt	Ausbeute [% d.Th.]	Literatur
a) Ringverengung				
		3,7,12,16-Tetramethyl-1,18-bis-[4-hydroxy-5-oxo-1-methyl-3-isopropenyl-cyclopentadien-(1,3)-yl-(2)]-octadecanonaen		[1]
	Aceton, 30–32°	11 β-Hydroxy-17 β-propionyloxy-1,2-dioxo-A-nor-an-drosten-(3⁵)	27	[2]
	CHCl$_3$, kochen, MnO$_2$: Substrat = 8:1	Thiophen-2-aldehyd	71	[3,4]
	CH$_3$CN (bzw. CHCl$_3$), kochen, MnO$_2$: Substrat = 14:1	I: 4-Phenyl-2H-thia-chromon　　II; 3-Phenyl-2-formyl-⟨benzo-[b]-thiophen⟩	I: 79 (31) II: 20 (54)	[5]

[1] R. Holzel, A. P. Leftwick u. B. C. L. Weedon, Chem. Commun. 1969, 128.
[2] T. Kubota, Chem. Pharm. Bull. (Tokyo) 13, 50 (1965); C. A. 62, 13203 (1965).
[3] I. Degani, R. Fochi u. C. Vincenzi, G. 97, 398, 402, 404 (1967).
[4] F. Boccuzzi, J. Degani u. R. Fochi, Ann. chim. [Roma] 62, 528 (1972).
[5] I. Degani u. R. Fochi, Ann. Chimica 58, 251 (1968); C. A. 69, 86764 (1968).

Tab. 26 (1. Fortsetzung)

Ausgangsverbindung	Reaktionsbedingungen	Endprodukt	Ausbeute [% d.Th.]	Literatur
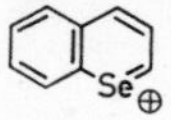 *(Selenophenium-Struktur)*	CH_3CN (bzw. $CHCl_3$), kochen, MnO_2: Substrat = 14:1	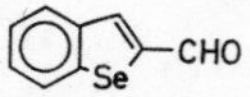 *(Struktur mit CHO)* 2-Formyl-⟨benzo-[b]-selenophen⟩	89	[1]
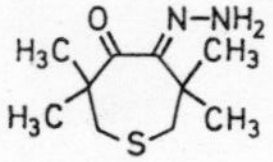 *(Dimethyl-thiepanon-hydrazon-Struktur)*		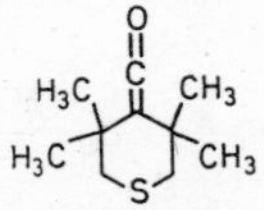 *(Struktur)* 3,3,5,5-Tetramethyl-4-carbonylen-thian		[2]

b) Ringspaltung

Ausgangsverbindung	Reaktionsbedingungen	Endprodukt	Ausbeute [% d.Th.]	Literatur
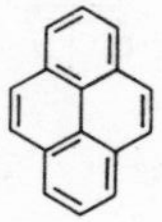 *(Pyren-Struktur)*	$Cl-CH_2-CH_2-Cl$, H_2SO_4, Dispersionsmittel, 30–80° (KOCl/KOH, 60–70°)	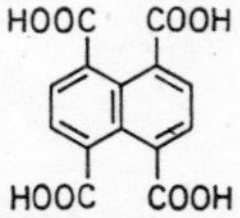 *(Struktur)* Naphthalin-1,4,5,8-tetracarbonsäure		[3]
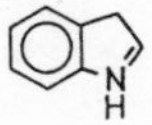 *(Indol-Struktur)*	Petroläther (Kp: 40–100°), Benzol, kochen, MnO_2:Substrat = 10:1	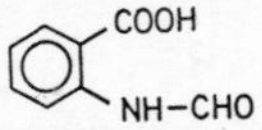 *(Struktur)* 2-Formylamino-benzoesäure	76	[4, 5]
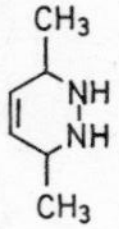 *(Dihydropyridin-Struktur)*		Hexadien-(2,4)		[6]

[1] I. DEGANI u. R. FOCHI, Ann. Chimica 58, 251 (1968); C. A. 69, 86 764 (1968).
[2] A. DE GROOT, J. A. BOERMA, J. DE VALK u. H. WYNBERG, J. Org. Chem. 33, 4025 (1968).
[3] USSR. P. 198326 (1967); V. L. PLAKIDIA; C. A. 68, 49355 (1968).
[4] B. HUGHES u. H. SUSCHITZKY, Soc. 1965, 878.
[5] A. S. JONES, R. T. WALKER u. A. R. WILLIAMSON, Soc. 1963, 6033.
[6] J. A. BERSON u. S. S. OLIN, Am. Soc. 91, 777 (1969).

Tab. 26 (2. Fortsetzung)

Ausgangsverbindung	Reaktionsbedingungen	Endprodukt	Ausbeute [% d.Th.]	Literatur
C_6H_5 — — C_6H_5 (N=N)	Benzol, RT, MnO_2: Substrat = 5:1	$CO-C_6H_5$ / $CO-C_6H_5$ *1,2-Dibenzoyl-cyclopropan*	20	1
(furan)—CHO	konz. HCl, 0–10°, MnO_2: Substrat = 4:1	OHC—C=CH—COOH, Cl *3-Chlor-malein-3-aldehyd-1-säure* + Cl Cl HO O *3,4-Dichlor-5-hydroxy-2-oxo-2,5-dihydro-furan*	83	2
				3
e) Umlagerungen				
	$CHCl_3$, 0°	OH *7-Hydroxy-bicyclo[2.2.1]heptadien* $\xrightarrow{45°}$ OH *3-Hydroxy-2-oxa-tri-cyclo[3.2.1.0³,⁷]octen-(6)* $\xrightarrow{140°}$ O O *7,9-Dioxatetracyclo[4.3.0.0¹,³.0²,⁸]nonen-(4)*		4—7

¹ G. MAIER, B. **98**, 2438 (1965).
² Jap. P. Anm. 2464/64, Ajinomoto Co., Ltd.
³ L. F. FIESER u. M. FIESER, *Reagents for organic synthesis*, S. 637, John Wiley and Sons, Inc., New York 1967.
⁴ T. K. HALL u. P. R. STORY, Am. Soc. **89**, 6759 (1967).
⁵ Nachr. Chem. Techn. **16**, 42 (1968).
⁶ B. CAPON u. C. W. REES, *Organic reaction mechanics*, S. 471, Interscience Publishers, London 1968.
⁷ Tschechosl. P. 127047 (1968). J. MYL u. D. KULDA; C. A. **70**, 49088 (1969).

Tab. 26 (3. Fortsetzung)

Ausgangsverbindung	Reaktionsbedingungen	Endprodukt	Ausbeute [% d.Th.]	Literatur
	CHCl₃, RT, MnO₂: Substrat = 10:1	I 3,4-Seco-12,13-epoxy-15-oxo-trichothecen-(9)-3,9-dial-(15→4→3-hemiacetal)	6	1
		II 5,9-Dimethyl-6-hydroxymethyl-3,4-diformyl-2-oxa-bicyclo[4.4.0]decadien-(2,9)	5	
		III 3,4-Seco-12,13-epoxy-15-hydroxy-trichothecen-(9)-3,4-dial-(15→4→3-hemiacetal)	33	
		IV 3,4-Seco-12,13-epoxy-3,15-dihydroxy-trichotheceen-(9)-4-säure-(4→15-lacton)	32	

¹ A. W. DAWKINS u. J. F. GROVE, Soc. [C] 1970, 369.

C. Oxidation mit Manganat(V)

Für die Oxidation von organischen Verbindungen mit Mangan(V)-Salzen finden sich in der Literatur bis jetzt kaum Beispiele[1], abgesehen von der Bildung des Manganats bei einigen Permanganat-Oxidationen[2-5]. Infolgedessen wird hier nur auf die Herstellung von Mangan(V)-Verbindungen eingegangen[2,6-12].

Kaliummanganat(V) *(K$_3$MnO$_4$)*[13]:

① $2 KMnO_4 + 4 KOH \longrightarrow 2 K_3MnO_4 + 2 H_2O + O_2$

Im Silber-Schiffchen erhitzt man ein Gemisch von Kaliumpermanganat mit leicht pulverisierbarem, völlig wasserfreiem Kaliumhydroxid (Molverhältnis Mn:K = 1:3,01) im Sauerstoff-Strom zunächst ~ 5 Stdn. auf 300°. Dabei wird die Hauptmenge an Wasser bereits abgespalten. Dann wird die Temp. langsam erhöht (~ 100°/Stde.) und 10 Stdn. bei 800° gehalten (Stickstoff-Atmosphäre). Das Reaktions-produkt wird unter Stickstoff auf 20° abgekühlt, Man erhält praktisch formelreines Kaliummanganat (mikrokristallin, sehr hygroskopisch; türkisfarben).

② $2 MnCO_3 + 3 K_2CO_3 + 1,5 O_2 \longrightarrow 2 K_3MnO_4 + 5 CO_2$

Reaktionsbedingungen: Luftstrom, 780°, 60 Stdn.

Natriummanganat(V) *(Na$_3$MnO$_4$)*[13]:

$$2 MnO_2 + 6 NaOH + 1/2 O_2 \longrightarrow 2 Na_3MnO_4 + 3 H_2O$$

Ein Gemisch von Mangan(III)-oxid [aus Mangan(II)-carbonat, 10 Stdn., 650° oder Mangan(IV)-oxid][11,13] und völlig wasserfreiem Natriumhydroxid (Mn:Na = 1:3,00; vorher bei ~ 400° völlig entwässert) wird im Sauerstoff-Strom mit einer Aufheizgeschwindigkeit von 100°/Stde. auf 800° erhitzt, 5 Stdn. getempert und auf 20° abgeschreckt (Produkt gesintert, dunkelgrün).

Das Manganat-Ion (blau) ist nur in Lösungen mit einer $OH^{\ominus}$-Konzentration von mehr als 8 n bei 0° einigermaßen stabil[1,6,14]. In 4 n Hydroxid-Lösung läuft die Disproportionie-rungsreaktion

$$2 MnO_4^{3\ominus} + 2 H_2O \longrightarrow MnO_4^{2\ominus} + MnO_2 + 4 OH^{\ominus}$$

innerhalb weniger Minuten ab[4]. Die Oxidationskraft nimmt in der Reihe

$$MnO_4^{\ominus} > MnO_4^{2\ominus} > MnO_4^{3\ominus}$$

ab[1,4,6] (steigende negative Ladungsdichte der Anionen).

[1] J. S. Pode u. W. A. Waters, Soc. **1956**, 717.

[2] K. B. Wiberg u. R. Stewart, Am. Soc. **77**, 1793 (1955).

[3] R. Stewart, Am. Soc. **79**, 3060 (1957).

[4] K. B. Wiberg, *Oxidation in organic chemistry*, Tl. A., S. 8, Academic Press, New York-London 1965.

[5] T. A. Zordan u. L. G. Hepler, Chem. Reviews **68**, 739, 740, 744 (1968).

[6] W. A. Waters, Quart. Rev. **12**, 296 (1958).

[7] Kirk-Othmer, *Encyclopedia of chemical technology*, Bd. 13, S. 8, Interscience Publ., New York · London · Sydney 1967.

[8] US. P. 2940821/2 (1960), Carus Chemical Co., Erf.: M. B. Carus u. A. H. Reidies; C. A. **54**, 25634 (1960).
US. P. 2940823 (1960), Carus Chemical Co., Erf.: A. H. Reidies u. M. B. Carus; C. A. **54**, 25634 (1960).

[9] A. Carrington u. M. C. R. Symons, Soc. **1956**, 3373.

[10] K. Teske u. H.-A. Lehmann, Chem. Techn. **17**, 493, 494 (1965).

[11] G. Brauer, *Handbuch der präparativen anorganischen Chemie*, Bd. 2, S. 1282f., Ferdinand Enke Ver-lag, Stuttgart 1962.

[12] R. Scholder, D. Fischer u. H. Waterstradt, Z. anorg. Chem. **277**, 235 (1954).
R. Scholder u. H. Waterstradt, Z. anorg. Ch. **277**, 172 (1954).

[13] R. Scholder u. U. Protzer, Z. anorg. Ch. **369**, 324, 325 (1969).

[14] T. A. Turney, *Oxidation mechanisms*, S. 46, Butterworths, London 1965.

Das Standardreduktionspotential (bzw. mit umgekehrter Reaktionsgleichung und umgekehrtem Vorzeichen das Oxidationspotential)[1] der Halbreaktion (in stark alkalischem Medium)

$$MnO_4^{3\ominus}(aq) + 2\ H_2O\ (fl) + e^\ominus \longrightarrow MnO_2\ (krist.) + 4\ OH^\ominus\ (aq)$$

wird als $E° = + 0,9$ V angegeben[1].

Die Elektronenkonfiguration des Mangan(V) ist d^2, $KZ = 4$, tetraedrisch. Über thermodynamische Daten z. B. [1-3] und weitere Angaben über physikalische (z. B. Spektren) und chemische Eigenschaften[3-7], informiere man sich in der Literatur.

D. Oxidation mit Manganat(VI)-Ionen

Zwar wird Manganat(VI) etwas häufiger als Manganat(V) für Oxidationsversuche in der organischen Chemie verwendet. Es ist jedoch darauf hinzuweisen, daß die Oxidationsreaktionen des Manganat(VI) unspezifischer ablaufen und dem wesentlich vielseitigeren Permanganat ähnlich sind, allerdings eine erheblich geringere Reaktivität besitzen.

Bisher hat die Verwendung von Manganat(VI) als Oxidationsmittel im Vergleich zu der des Permanganats keine Vorteile aufweisen können (vgl. z. B. Hydroxylierungsreaktion mit Olefinen)[8]. Manganat(VI) ist überdies nur in alkalischen Medien und nicht oberhalb 50° verwendbar, außerdem ist es in organischen Lösungsmitteln unlöslich[9].Dementsprechend wird diese Art der Oxidation organischer Verbindungen hier nur sehr kurz abgehandelt.

I. Herstellung und Eigenschaften

Kaliummmanganat(VI) *(K₂MnO₄)*[10]:

$$4\ KMnO_4 + 4\ KOH \longrightarrow 4\ K_2MnO_4 + 2\ H_2O + O_2$$

Mechanismus[4-6]; freie Reaktionsenthalpie[4]: $\Delta G = -25,0$ kcal. Carbonsäuren verursachen sofortige Disproportionierung des Manganat(VI)-Ions. Daher muß Kohlendioxid ausgeschlossen werden: Wasser und Lösungsmittel müssen vor Gebrauch ausgekocht werden. 65 ml Wasser werden in einem 500-ml-Erlenmeyerkolben auf 65° erwärmt. Dann wird eine Mischung von 75 g (1,35 Mol) Kaliumhydroxid und 10 g (0,063 Mol) Kaliumpermanganat vorsichtig in kleinen Portionen unter Rühren zugegeben. Der Inhalt wird nun unter Rückfluß erhitzt [aufgesetzter Kühler mit Natronkalk- oder Ascarite-Rohr (NaOH auf Asbest)]. Nach 15 Min. verschwindet die Farbe des Permanganat-Ions. Die nunmehr grüne Lösung wird sofort auf ihr ursprüngliches Volumen durch Zugeben einer 70° heißen 2n Kaliumhydroxid-Lösung gebracht. Dann kühlt man den Inhalt rasch auf –80° ab (Trockeneis-Aceton) und läßt die Temp. innerhalb 2 Stdn. bis auf –5° ansteigen. Die während dieser Zeit ablaufende Kristallisation des Rohprodukts kann durch gelegentliches Schütteln beschleunigt werden. Man kühlt noch so lange, bis die Lösung viskos wird und fast erstarrt. Das Produkt wird unter trockener Atmosphäre abfiltriert.

Der Filterrückstand wird schnell nacheinander mit folgenden Waschlösungen gewaschen:
50 ml 40%ige Kaliumhydroxid-Lösung (gekühlt auf –10°)
50 ml Methanol + 0,5 g Kaliumhydroxid (gekühlt auf –15°)
100 ml trockener Äther (gekühlt auf –20°)

[1] T. A. ZORDAN u. L. G. HEPLER, Chem. Reviews 68, 739, 740, 744 (1968).
[2] H. PETERS u. E. TAPPE, Monatsber. Deutsche Akad. Wiss. Berlin 9, 684 (1967).
[3] A. CARRINGTON u. M. C. R. SYMONS, Soc. 1956, 3373.
[4] T. A. TURNEY, Oxidation mechanisms, S. 46, Butterworths, London 1965.
[5] K. B. WIBERG, Oxidation in organic chemistry, Tl. A.,S. 8, Academic Press, New York · London 1965.
[6] W. A. WATERS, Quart. Rev. 12, 296 (1958).
[7] J. S. F. PODE u. W. A. WATERS, Soc. 1956, 717.
[8] F. D. GUNSTONE, Adv. Org. Chem., Bd. 1, 109, 110 (1960).
[9] H. H. APPEL u. Y. NAGAI, Scientia 26, 37 (1959); C. A. 56, 5807 (1962).
[10] R. SCHOLDER, D. FISCHER u. H. WATERSTRADT, Z. anorg. Ch. 277, 235 (1954).
R. SCHOLDER u. H. WATERSTRADT, Z. anorg. Ch. 277, 172 (1954).

Das dunkelgrüne Produkt wird über Phosphor(V)-oxid i. Vak. getrocknet; Ausbeute: 10,5 g (85% d. Th.). Das Produkt kann aus 50%iger Kaliumhydroxid-Lösung umkristallisiert und wie o. a. isoliert werden[1]. Weitere Herstellungsvorschriften werden in der Literatur beschrieben[2-9]: Manganat(VI)-Lösung frei von Permanganat-Ionen[10, s. a. 11-13]; techn. Verfahren[14-16].

Kaliummanganat(VI) bildet schwarz-grüne rhombische Kristalle (Zers. P.: 190–200°)[1, 17, vgl. a. 18] und löst sich in Kaliumhydroxid-Lösungen[17].

Über die Analyse von Kaliummanganat(VI) s. Literatur (titrimetrisch[5,6,19], kolorimetrisch[6], spektral-photometrisch[20]).

Über den Einfluß der Reaktionsparameter auf die Bildung von Kaliummanganat(VI) aus Braunstein und Kaliumhydroxid s. Literatur[18].

Über die Herstellung von Bariummanganat(VI) s. Literatur[1,5,21].

II. Oxidation[5,6,22]

Die durch alkalische Manganat(VI)-Lösungen erfolgenden Oxidationen können in 2 Gruppen aufgeschlüsselt werden:

① Verbindungen, die durch einen 1-Elektrontransfer Mn(VI) → Mn(V) oxidiert werden: α-Hydroxy-carbonsäuren, Ameisensäure, Ketone, Oxo-carbonsäuren und Phenole[23]

② Verbindungen, die durch den direkten Übergang Mn(VI) → Mn(IV) oxidiert werden ($MnO_4^{2\ominus}$ reagiert als 2-Äquivalentoxidans): Alkohole, 1,2-Diole, Olefine und ungesättigte Carbonsäuren. 2-Äquivalentoxidationen in einem Schritt können als Sauerstofftransfer- und als 2-Elektronentransfermechanismen ablaufen.

[1] R. S. NYHOLM u. P. R. WOOLLIAMS, Inorg. Synth. 11, 56 (1968).
[2] L. KOLDITZ, Anorganikum, S. 670, VEB Deutscher Verlag der Wissenschaften, Berlin 1967.
[3] L. F. FIESER u. M. FIESER, Reagents for organic synthesis, S. 938f., John Wiley and Sons, Inc., New York · London · Sydney 1967.
[4] G. BRAUER, Handbuch der präparativen anorganischen Chemie, Bd. 2, S. 1282f., Ferdinand Enke Verlag, Stuttgart 1962.
[5] W. RIGBY, Soc. 1956, 2453.
[6] J. S. F. PODE u. W. A. WATERS, Soc. 1956, 717.
[7] G. D. BOEF, H. J. V. D. BEEK u. T. BRAAF, R. 77, 1064 (1958).
[8] N. V. SIDGWICK, The chemical elements and their compounds, Bd. 2, S. 1277 ‚At the Clarendon Press, Oxford 1950.
[9] K. B. WIBERG u. R. STEWART, Am. Soc. 77, 1793 (1955).
[10] T. A. TURNEY, Oxidation mechanisms, S. 46, Butterworths, London 1965.
[11] E. KAHANE u. A. SIMENAUER, Bl. 1954, 517.
[12] A. L. J. BECKWITH u. J. E. GOODRICH, Austral. J. Chem. 18, 1023 (1965).
[13] A. CARRINGTON u. M. C. R. SYMONS, Soc. 1956, 3373.
[14] G. DUQUENOY, C. R. 268, 828 (1969).
[15] S. PRASAD u. K. P. SRIVASTAVA, J. indian chem. Soc. News 20, 51 (1957).
[16] US. P. 2940821/2 (1960), Carus Chemical Co. Erf.: M. B. CARUS u. A. H. REIDIES; C. A. 54, 25634 (1960).
   US. P. 2940823 (1960), Carus Chemical Co. Erf.: A. H. REIDIES u. M. B. CARUS; C. A. 54, 25634 (1960).
[17] Ullmanns Encyklopädie der techn. Chemie, Bd. 12, S. 230, Urban u. Schwarzenberg, München · Berlin 1960.
[18] K. TESKE u. H.-A. LEHMANN, Chem. Techn. 17, 493, 494 (1965).
[19] R. SCHOLDER, D. FISCHER u. H. WATERSTRADT, Z. anorg. Ch. 277, 235 (1954).
   R. SCHOLDER u. H. WATERSTRADT, Z. anorg. Ch. 277, 172 (1954).
[20] K. B. WIBERG, Oxidation in organic chemistry, Tl. A., S. 8, Academic Press, New York · London 1965
[21] E. J. BARAN u. P. J. AYMONINO, B. 101, 3337, 3338 (1968).
[22] J. KENYON u. M. C. R. SYMONS, Soc. 1953, 2129, 3580.
[23] Nur 1-Elektron-entziehende Ionen wie Mn$^{3\oplus}$, [Fe(CN)$_6$]$^{3\ominus}$ oxidieren die Verbindungen der Gruppe 1. Man nimmt an, daß Permanganat und Manganat(VI) in diesem Fall nur als 1-Elektron-entziehende Oxidantien wirken.

Von den aliphatischen Verbindungen werden gesättigte geradkettige Carbonsäuren, Äther-Verbindungen und tertiäre einwertige Alkohole durch Manganat(VI) nicht oxidiert (ähnliche Verhältnisse bei schwach alkalischen Permanganat-Lösungen)[1-3].

An einigen Aldehyden wurden lediglich kinetische Untersuchungen mit Kaliummanganat(VI) durchgeführt (z. B.: Benzaldehyd, 3- und 4-Methoxy-, 3- und 4-Chlor-, 4-Nitro-, 3,4-Methylendioxy-benzaldehyd)[2,4]. Das gleiche gilt für Äthanol, Glykol, Glycerin, Rohrzucker, D-Glucose und Aceton[5]. Einige Vertreter verschiedener Verbindungsklassen wurden hinsichtlich ihrer Oxidierbarkeit durch Kaliummanganat(VI) in 1 n und 10 n Kalilauge bei einem großen Überschuß an organischem Substrat untersucht[3]. Das Manganat(VI)-Ion wird je nach Bedingungen (1 n bzw. 10 n Kalilauge) und der Art des Substrats direkt oder über die Stufe des Manganats(V) zu Mangan(IV)-oxid reduziert. So reduzieren in 10 n Kalilauge Ameisensäure, einige Carbonylverbindungen (Aceton, Cyclohexanon, 2-Oxo-propansäure, 3-Oxo-pentansäure, 3-Oxo-heptandisäure), Glykolsäure und Milchsäure das Manganat(VI)-Ion über die Stufe des Manganats(V) zu Mangan(IV)-oxid, dagegen ungesättigte Carbonsäuren [Fumarsäure, Buten-(2)-säure, Zimtsäure], primäre (Methanol, Äthanol, Benzylalkohol, 4-Hydroxy-butansäure) und sekundäre (Isopropanol) Alkohole und Diole [Butandiol-(1,2) und -(2,3)] direkt zu Mangan(IV)-oxid. Phenole reduzieren nur zur Manganat(V)-Stufe.

Tab. 27: Manganat(VI) als Oxidationsmittel

Ausgangs-Verbindungen		Reaktions-bedingungen	Oxidations-produkt	Ausbeute [% d.Th.]	Be-merkungen	Literatur
a) Unter Erhaltung des C-Gerüstes $R-CH-CH_2-CH_2-COOH$ mit R^1			OH $R-C-CH_2-CH_2-COOH$ mit R^1			2,7-9
R	R^1					
CH_3	C_6H_5	① 0,04 Mol Säure in verd. alkalischer Lösung[1] von 0,04 K_2MnO_4, 90°, 10-30 Min. (Farbe verschwindet)	*4-Hydroxy-4-phenyl-pentansäure* [auch die (+) Hydroxy-carbonsäure]	Verfahren vgl.[6] ① Gut 60	keine β-Hydroxy-carbonsäuren	

[1] W. A. WATERS, Quart. Rev. 12, 296 (1958).
[2] K. B. WIBERG, *Oxidation in organic chemistry*, Tl. A., S. 8, Academic Press, New York · London 1965.
[3] J. S. F. PODE u. W. A. WATERS, Soc. 1956, 717.
[4] K. B. WIBERG u. R. STEWART, Am. Soc. 77, 1793 (1955).
[5] B. V. TRONOV u. D. ESENGULOV, Uch. Zap. Khim. Fak., Kirg. Univ. Sb. Statei Molodykh. Uch. 1965, 17; C. A. 66, 85973 (1967).
[6] A. L. J. BECKWITH u. J. E. GOODRICH, Austral. J. Chem. 18, 1023 (1965).
[7] J. KENYON u. M. C. R. SYMONS, Soc. 1953, 2129, 3580.
[8] W. A. WATERS u. P. B. D. DE LA MARE, Ann. Rep. Progr. Chem. 50, 151 (1953).
[9] T. A. TURNEY, *Oxidation mechanisms*, S. 46, Butterworths, London 1965.

Tab. 27 (1. Fortsetzung)

Ausgangs-Verbindungen	Reaktions-bedingungen	Oxidations-produkt	Ausbeute [% d.Th.]	Be-merkungen	Literatur
R—CH—CH$_2$—CH$_2$—COOH $\mid$ R^1 **R** $\quad$ **R^1**					
C$_2$H$_5$ $\quad$ C$_6$H$_5$	② kombiniertes Verfahren: Lösung von 0,0167 Mol KMnO$_4$, 6 g KOH	*4-Hydroxy-4-phenyl-hexansäure*	Verfahren ② 70–80	auch als Lactone zu erhalten (in saurer Lösung beim Aufarbeiten bei ① Konfigurations-erhaltung bei ② Race-misie-rung	
C$_4$H$_9$ $\quad$ C$_6$H$_5$	100 *ml* H$_2$O tropfenweise unter starkem Rühren bei 40° zu Lösung von 0,02 Mol Säure, 40 g KOH, 50 *ml* H$_2$O (6 Min.) + 100 *ml* 6n H$_2$SO$_4$ (neutralisieren) 10 Min. 90°	*4-Hydroxy-4-phenyl-octansäure*			
(CH$_3$)$_2$CH—COOH	Verf. ①, ②	OH H$_3$C—C—COOH $\mid$ CH$_3$ *2-Hydroxy-2-methyl-propansäure*	70–90		1, 2–4
[Bicyclisches Alken mit 2 COOH]	wäßr. KOH, 0 bis –3°	HO—,COOH / HO—,COOH *5,6-Dihydroxy-2,3-dicarboxy-bicyclo[2.2.1]heptan*	50		5–8
b) unter C-C-Spaltung [Cyclohexen] oder [Cyclohexanon] oder [Cyclohexan mit R] R = OH; NH$_2$	alkalische Lösung	*Adipinsäure* *(Hexandisäure)*			9

[1] A. L. J. BECKWITH u. J. E. GOODRICH, Austral. J. Chem. **18**, 1023 (1965).
[2] W. A. WATERS u. P. B. D. DE LA MARE, Ann. Rep. Progr. Chem. **50**, 151 (1953).
[3] T. A. TURNEY, *Oxidation mechanisms*, S. 46, Butterworths, London 1965.
[4] K. B. WIBERG, *Oxidation in organic chemistry*, Tl. A., S. 8, Academic Press, New York · London 1965.
[5] W. RIGBY, Soc. **1956**, 2453.
[6] F. D. GUNSTONE, Adv. Org. Chem. Bd. **1**, 109, 110 (1960).
[7] L. F. FIESER u. M. FIESER, *Reagents for organic synthesis*, S. 938f., John Wiley and Sons, Inc., New York · London · Sydney 1967.
[8] J. S. F. PODE u. W. A. WATERS, Soc. **1956**, 717.
[9] H. H. APPEL u. Y. NAGAI, Scientia **26**, 37 (1959); C. A. **56**, 5807 (1962).

E. Oxidation mit Mangan(VII)-Verbindungen

Von den meisten Elementen des Periodensystems zeichnet sich das Mangan durch eine große Mannigfaltigkeit hinsichtlich seiner Oxidationsstufen aus. Naturgemäß besitzen diese unterschiedliche Oxidationspotentiale. Bei den höheren Oxidationsstufen ist das Oxidationsvermögen mit der ersten Stufe der Reduktion des Mangans keineswegs erschöpft. Gegebenenfalls kann die nächstniedere Stufe ein zweites Mal eine Oxidation herbeiführen, wozu leichter zu oxidierende Gruppen geeignet sind. Es verdient hervorgehoben zu werden, daß die Oxidation mit Permanganat in den meisten Fällen nur bis zum Mangan(IV)-oxid führt[1]. Eine Variation des p_H-Wertes bedeutet hier demnach nicht in erster Linie eine Beeinflussung des Oxidationspotentials im Sinne der Nernst'schen Gleichung, sondern man findet eine unterschiedliche Bereitschaft des Substrat-Moleküls zur Oxidation. Daß dem p_H-Wert gravierende präparative Einflüsse zukommen, zeigt z. B. die Oxidation des 2-Phenyl-pyridins. Hier entsteht in (heißer) alkalischer Lösung die *Benzoesäure*, wohingegen in saurer Lösung der Pyridin-Ring stabil bleibt (es bildet sich in sehr guter Ausbeute *Pyridin-2-carbonsäure*)[2]:

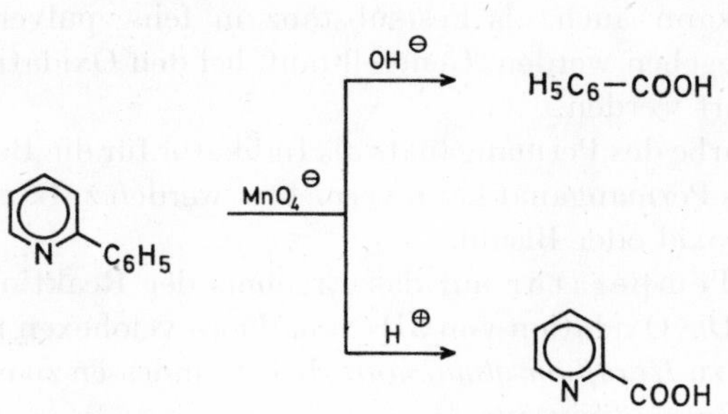

Genau umgekehrt bleibt bei der alkalischen Oxidation von Chinolin (bzw. Isochinolin) der Pyridin-Ring stabil und es bildet sich in guten Ausbeuten die *Pyridin-2,3-* (bzw. *-3,4-) dicarbonsäure*[2]. Deutlicher zeigt die Oxidation von Naphthalin, daß die Reaktion in saurer Lösung einen Schritt weiter geht[3]:

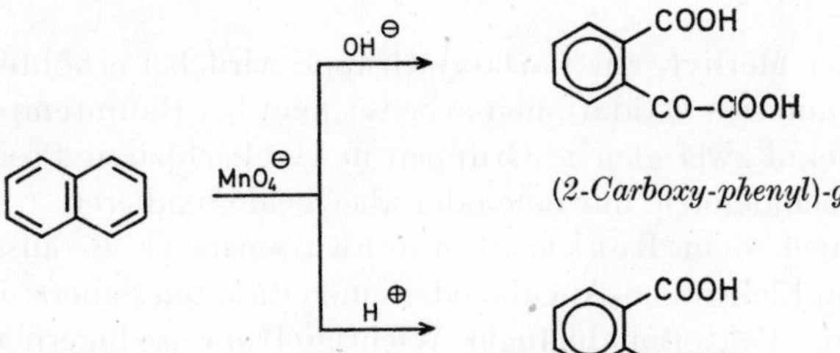

(2-Carboxy-phenyl)-glyoxylsäure

Phthalsäure

---

[1] R. STEWART, *Oxidation Mechanisms, Applications to Organic Chemistry* in: *Frontiers in Chemistry*, S. 158, W. A. Benjamin Inc., New-Amsterdam 1964.

[2] A. ALBERT, *Heterocyclic Chemistry*, 2. Aufl., The Athlone Press, London 1968.

[3] A. TIPSOV, *Oxidation of polycyclic aromatic Hydrocarbons*, S. 46, 47, 49, 52, Academic Press, New York 1965.

In welcher Weise der p_H-Wert die Reaktion beeinflussen kann, zeigen die nachstehenden Beispiele (vgl. auch S. 582, Tab. 28). Vom Standpunkt des Permanganat-Ions aus bedeutet eine Variation des p_H-Wertes unterschiedliche Reaktionswege. In stark alkalischer Lösung wird es zum grünen Manganat-Ion reduziert. Dieses Ion ist instabil in Lösungen mit einem $p_H < 12$. Das Manganat disproportioniert, wenn man in neutraler Lösung arbeitet und es entsteht Mangan(IV)-oxid und Permanganat. Dies schließlich kann in saurer Lösung durch Jodid oder Oxalat zu Mangan(II) reduziert werden und eignet sich als schonendes Oxidationsmittel.

Interessant für den präparativ arbeitenden Chemiker sind solche Beeinflussungen der Reaktion, die sich reproduzierbar für Ausbeute und/oder Reaktionsrichtung auswerten lassen. So kann z. B. die Anwesenheit von Metall-Ionen die Richtung der Reaktion beeinflussen[1]. Die Auswahl an Lösungsmitteln wird beschränkt durch:

① die Löslichkeit des Permanganats (Kaliumpermanganat ist z. B. auch löslich in Aceton oder Pyridin[2])
② die Gefahr, daß das Lösungsmittel selbst, wenigstens zum Teil, oxidiert oder anderweitig in die Reaktion einbezogen wird.

Verwendet wurden Wasser, Pyridin, Aceton oder Essigsäure.

Das Permanganat kann auch als Festsubstanz in feingepulverter Form der zu oxidierenden Lösung zugegeben werden. Generell muß bei den Oxidationsreaktionen mit Permanganat stark gerührt werden.

Vielfach kann die Farbe des Permanganats als Indikator für die Beendigung der Reaktion dienen. Überschüssiges Permanganat kann vernichtet werden z. B. mit Methanol, Schwefeldioxid, Wasserstoffperoxid oder Bisulfit.

Einen Einfluß der Temperatur auf das Ergebnis der Reaktion findet man z. B. bei Spaltungsreaktionen. Die Oxidation von 3H-Nonafluor-cyclohexen mit Permanganat führt beispielsweise bei 100° zu *Hexafluor-glutarsäure*, bei 80° indessen zu einem anderen Produkt, vermutlich 2H-Heptafluor-adipinsäure[3]:

Die Oxidation der Methyl- zur Carboxy-Gruppe wird bei erhöhter Temperatur durchgeführt, bei vielen anderen Oxidationen arbeitet man bei Raumtemperatur oder darunter.

Enthält das Molekül zwei gleiche Gruppen in vergleichbaren Positionen, so kann man durch Wahl der Stöchiometrie nur eine oder aber beide oxidieren.

Für die Frage nach dem Reaktionsmechanismus ist es ausschlaggebend, ob die Oxidation eine reine Elektronen-Abgabe oder einen direkten Sauerstoff-Transfer darstellt[4]. Dies ist von mehreren Faktoren abhängig. Wichtige Hinweise liefern kinetische Messungen, ^{18}O-Tracer-Untersuchungen und Versuche mit Deuterium-markierten Verbindungen. Auch die sterischen Eigenschaften des Reaktionsproduktes können für derartige Überlegungen von Belang sein[4].

---

[1] H. Feuer, *The Chemistry of the Nitro and Nitroso Groups*, Bd. I, Interscience Publ., London 1969.
[2] B. Bentley, *Techniques of Organic Chemistry*, Bd. II/2, Interscience, New York 1950.
[3] D. E. M. Evans u. J. C. Tatlow, Soc. **1955**, 1184.
   s. a. S. T. Akei, M. Nakajima u. I. Tomida, B. **89**, 263 (1956).
[4] W. A. Waters, Quart. Rev. **12**, 290 (1958).

So führt die Oxidation von Cyclohexen mit Kaliumpermanganat zu *Cyclohexandiol-(1,2)*. Die Tatsache, daß hier ausschließlich die *cis*-Verbindung entsteht sowie kinetische Messungen und Untersuchungen mit markierten Verbindungen machen folgenden Mechanismus für die Oxidation von Olefinen wahrscheinlich:

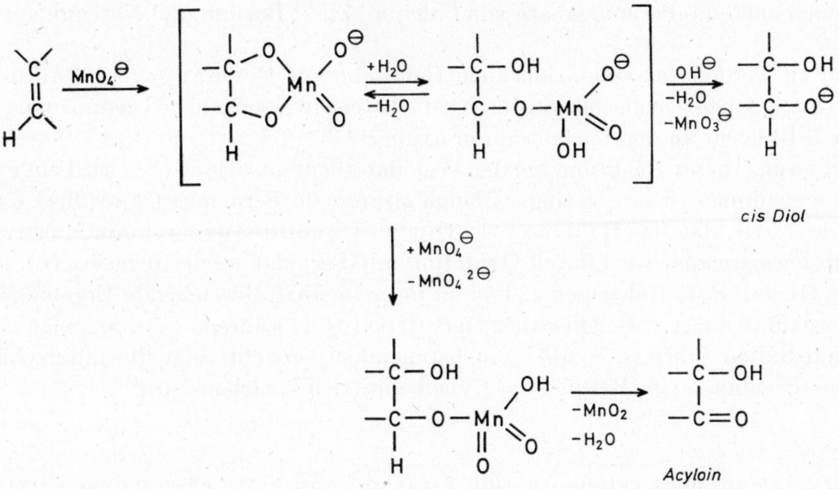

cis Diol

Acyloin

Ein cyclischer Ester ist auch bei der Oxidation mit Osmium(VIII)-oxid als (nicht isolierbare) Zwischenstufe zu beobachten[1, 2] (vgl. S. 861).

Bei der Oxidation von Benzaldehyd entsteht *Benzoesäure*. Diese bimolekulare Reaktion, die unter Säurekatalyse verläuft, stellt einen Sauerstoff-Transfer vom Mangan zum Kohlenstoff dar. Versuche mit D-markierten Substanzen (C_6H_5CDO) machen folgenden Mechanismus wahrscheinlich[1, 3, 4]:

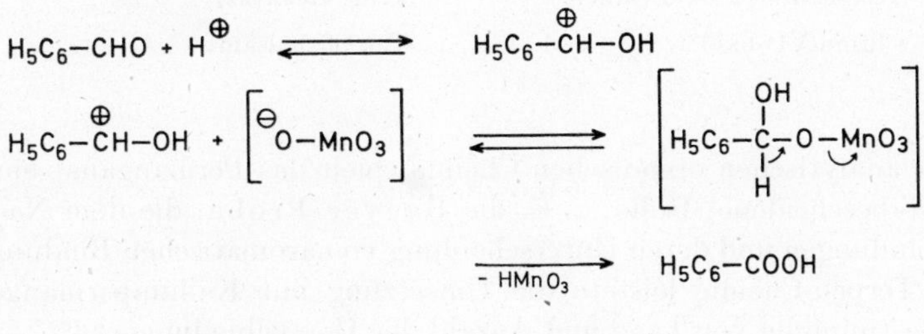

$$H_5C_6-CHO + H^\oplus \rightleftharpoons H_5C_6-\overset{\oplus}{C}H-OH$$

$$H_5C_6-\overset{\oplus}{C}H-OH + [\overset{\ominus}{O}-MnO_3] \rightleftharpoons [H_5C_6-\underset{H}{\overset{OH}{C}}-O-MnO_3]$$

$$\xrightarrow{-HMnO_3} H_5C_6-COOH$$

Bei der Oxidation von Mandelsäure ist der erste Schritt deren Umwandlung zu *Phenylglyoxylsäure*[5]:

$$H_5C_6-\underset{OH}{CH}-COOH \longrightarrow H_5C_6-CO-COOH$$

[1] W. A. WATERS, Quart. Rev. **12**, 290 (1958).
[2] H. B. HENBEST, W. R. JACKSON u. B. ROBB, Soc. **1966**, 803.
[3] S. PATAI, *The chemistry of the carbonyl group*, Interscience Publ., London 1966.
[4] K. B. WIBERG u. R. STEWART, Am. Soc. **77**, 1786 (1955).
[5] L. F. FIESER, *Experiments in organic chemistry*, 3. Aufl., S. 202, D. C. Heath u. Co., Boston 1955.

In saurer Lösung erleidet diese eine Decarboxylierung zu *Benzaldehyd*, der dann zur *Benzoesäure* weiter oxidiert wird. Die als Primärprodukt angenommene Phenyl-glyoxyl-säure ist stabiler in alkalischem Medium und kann bei der Oxidation von Mandelsäure mit einem Äquivalent Permanganat in guter Ausbeute isoliert werden[1].

Über radikalische Mechanismen siehe Originalliteratur[2,3].

In den meisten Fällen wird zur Oxidation Kaliumpermanganat eingesetzt. Gelegentlich kommen auch die Permanganate von Calcium, Zink, Barium und Natrium zur Anwendung.

Ab und zu werden zur Oxidation auch Gemische aus Permanganat/Perjodat verwendet. Durch solche Gemische wurden beispielsweise wasserlösliche Olefine im p_H-Bereich zwischen 7–10 leicht zu den Carbonsäuren oxidiert[4, s. a. 5–7].

Zur Erklärung dieser Reaktion, bei der Perjodat allein unwirksam ist, wird ein cyclischer Prozeß angenommen: das in geringer Menge anwesende Permanganat oxidiert das Olefin zum Glykol, das über das Hydroxy-keton zur Carbonsäure weiteroxidiert wird; das reduzierte Permanganat wird durch Oxidation mit Perjodat wieder regeneriert[4].

Andere Oxidationsmittel zeigen z. T. vom Permanganat abweichende Ergebnisse[8]. Wasserstoffperoxid oxidiert z. B. Thioäther zu Sulfoxiden, während Permanganat eine Stufe weiter zum Sulfon führt (s. S. 647). Nachstehende Übersicht zeigt die unterschiedlichen Oxidations-Ergebnisse am Beispiel der Cycloheptatrien-7-carbonsäure[9].

Tab. 28: Oxidation von Cycloheptatrien-7-carbonsäure mit verschiedenen Oxidationsmitteln[9]

Oxidationsmittel	Produkt
Kaliumpermanganat (sauer)	Tropyliumsalze, Benzaldehyd, Phenylessigsäure
Kaliumpermanganat (neutral)	Benzaldehyd
Kaliumpermanganat (alkalisch)	Terephthalsäure
Blei(IV)-acetat	Tropyliumsalze
Wasserstoffperoxid (sauer)	keine Reaktion
Chrom(VI)-oxid	Terephthalsäure

Auch in der analytischen organischen Chemie spielt das Permanganat eine (wenn auch vergleichsweise bescheidene) Rolle; z. B. die Baeyer-Probe, die dem Nachweis olefinischer Doppelbindungen und deren Unterscheidung von aromatischen Bindungen dient. Vor allem in der Terpen-Chemie leistete die Umsetzung mit Kaliumpermanganat wichtige Dienste zur Bestimmung von Lage und Anzahl der Doppelbindungen[6,10, s. a. 11].

[1] L. F. Fieser, *Experiments in organic chemistry*, 3. Aufl., S. 202, D. C. Heath u. Co., Boston 1955.
[2] K. H. Heckner, R. Landsberg u. S. Dalchau, Z. physik. Chem. **72**, 649 (1968).
[3] S. Patai, *The chemistry of the carbonyl group*, Interscience Publ., London 1966.
[4] R. U. Lemieux u. E. von Rudloff, Canad. J. Chem. **33**, 1701 (1955).
[5] E. von Rudloff, Canad. J. Chem. **43**, 2660 (1965).
[6] E. P. Jones u. J. A. Stolp, J. Am. Oil Chem. Soc. **35**, 71 (1958); C. A. **52**, 5855 (1958).
[7] R. G. Powell, C. R. Smith, C. A. Glass u. I. A. Wolff, J. Org. Chem. **31**, 528 (1966).
[8] H. A. Neidig, Proc. Penna Acad. Sci. **24**, 122 (1950); C. A. **46**, 5558c (1952).
[9] M. J. S. Dewar, C. R. Ganellin u. R. Pettit, Soc. **1958**, 55.
[10] K. T. Potts in B. Bentley, *Techniques of Organic Chemistry*, Bd. 11/2, S. 824ff., Interscience, New York 1950.
[11] K. Alder u. R. Schmitz-Josten, A. **595**, 4 (1955).

Das Beispiel des α-Ionons möge dies verdeutlichen[1]:

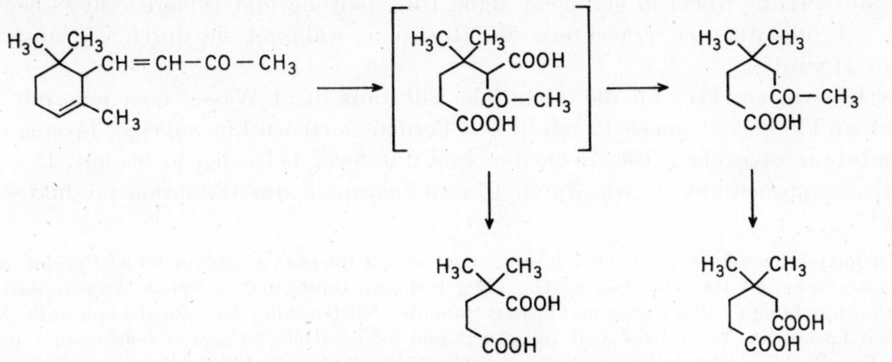

Bei der Oxidation von Porphyrinen mit Permanganat entstehen Pyrrol-polycarbon-säuren, die ebenfalls der Strukturbestimmung dienen können[2].

Die Frage, welche Verbindungen mit Permanganat oxidiert werden können, läßt sich nur grob generalisierend beantworten[3], da sehr viele Parameter in das Reaktionsgeschehen eingreifen (s. S. 579 ff.). Rein phänomenologisch lassen sich zwei große Gruppen unterscheiden:

① Reaktionen am Kohlenstoff ohne Spaltung des Kohlenstoff-Gerüstes.
② Reaktionen von kohlenstoff- und heterofunktionellen Gruppen.

I. Oxidation ohne Spaltung des C-Gerüstes

a) Oxidation am gesättigten C-Atom

1. am primären C-Atom

α) der Methyl-Gruppe

Bei der Oxidation aryl- bzw. heteroaryl-substituierter Methyl-Gruppen mit Permanganat entstehen Carbonsäuren. Es genügt, in wäßriger oder alkalischer Lösung, also bei kleinem Oxidationspotential zu arbeiten, was für die Erhaltung des C-Gerüstes von Bedeutung sein kann. Steht die Methyl-Gruppe am Heteroatom oder an einem (anellierten) Cycloaliphaten, so tritt eine Oxidation selbst bei hohem Permanganat-Überschuß nicht ein. Daher gelingt es in diesen Fällen andere Gruppen zu oxidieren, ohne daß die Methyl-Gruppe angegriffen wird.

Dagegen wird die Methyl-Gruppe der Acetyl-aromaten und -heteroaromaten zur Carboxy-Gruppe oxidiert (s. S. 594):

$$Ar-CO-CH_3 \xrightarrow{MnO_4^{\ominus}} Ar-CO-COOH$$

Auch kondensierte aromatische Systeme mit Methyl-Gruppen am Aromaten geben diese Reaktion; z. B.[4]:

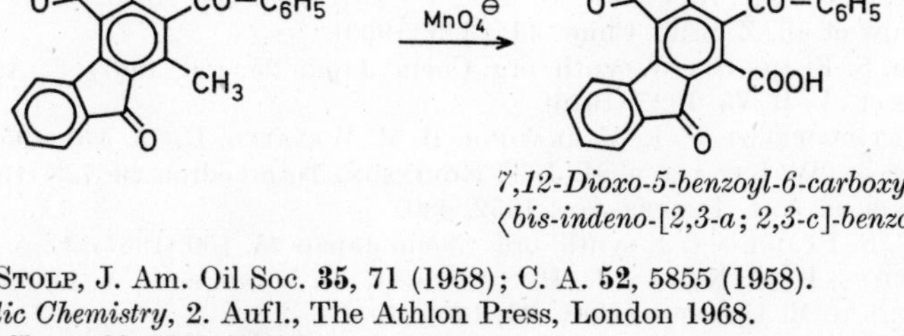

7,12-Dioxo-5-benzoyl-6-carboxy-7,12-dihydro-⟨bis-indeno-[2,3-a; 2,3-c]-benzol⟩

---

[1] E. P. Jones u. J. A. Stolp, J. Am. Oil Soc. **35**, 71 (1958); C. A. **52**, 5855 (1958).
[2] A. Albert, *Heterocyclic Chemistry*, 2. Aufl., The Athlon Press, London 1968.
[3] L. S. Levitt, J. Org. Chem. **20**, 1297 (1955).
[4] L. Chardonnens, F. Schardoret, L. Salamin u. P. Sunder-Plasmann, Helv. **53**, 2150 (1970).

Die Oxidation von Toluol[1] und substituierten Toluolen[2] führt stufenweise zu den Benzoesäuren, wobei in geringem Maße Ringspaltung und Dimerisierung[3] beobachtet wird. +I-Substituenten erleichtern die Reaktion, während sie durch –I-Substituenten erschwert wird[2].

Als Lösungsmittel für die organische Substanz dient Wasser oder eine mit Wasser mischbare Flüssigkeit (meist Pyridin). Das Permanganat wird in wäßriger Lösung oder als Festsubstanz zugegeben. Die Ausbeuten sind durchweg befriedigend bis gut. Der Einfluß des Reaktionsmediums wurde durch Chromatographie des Oxidationsproduktes untersucht[4].

3-Phenoxy-benzoesäure[5]: Zu einer Lösung von 50 g 3-Phenoxy-toluol in 90 ml Pyridin gibt man portionsweise bei 80–100° eine Lösung von 124 g Kaliumpermanganat in 150 ml Wasser. Man läßt die Reaktionsmischung 6 Stdn. stehen und filtriert dann den Niederschlag nach Zugabe von wäßr. Natrium-carbonat-Lösung ab. Das Filtrat wird angesäuert und die erhaltene 3-Phenoxy-benzoesäure aus Petroläther (Kp: 40–60°) umkristallisiert; Ausbeute: 41 g (71% d.Th.); F: 145,5–147°.

Die Oxidation von Methyl-Gruppen bei erhöhter Temperatur in wäßriger oder alkalischer Lösung führt u. a. zu den in Tab. 29 gezeigten Verbindungen.

Tab. 29: Oxidation Methyl-substituierter Aromaten zu Carbonsäuren

Ausgangsverbindung	Oxidationsprodukt	Ausbeute [% d.Th.]	Literatur
Toluol	*Benzoesäure*	93	6
4-Methyl-benzoesäure	*Terephthalsäure*	91	7, s. a. 8
5-Methyl-1,3-di-tert.-butyl-benzol	*3,5-Di-tert.-butyl-benzoesäure*	86	9, s. a. 10
1,3-Dimethyl-5-tert.-butyl-benzol	*5-tert.-Butyl-isophthalsäure*		11
1,2-Dimethyl-4-tert.-butyl-benzol	*4-tert.-Butyl-phthalsäure*	50	12
1,2,4-Trimethyl-benzol	*Benzol-1,2,4-tricarbonsäure*		13, s. a. 14
2-Fluor-4-nitro-toluol	*2-Fluor-4-nitro-benzoesäure*	50	15
2,6-Difluor-toluol	*2,6-Difluor-benzoesäure*	62	16
2,4-Difluor-toluol	*2,4-Difluor-benzoesäure*		17

[1] C. F. Cullis u. J. W. Ladbury, Soc. **1955**, 555.
[2] C. F. Cullis u. J. W. Ladbury, Soc. **1955**, 1407.
[3] A. R. Inarndar, S. M. Kulkarni u. K. S. Nargund, J. indian. chem. Soc. **44**, 398 (1967); C. A. **67**, 73418 (1967). s. a. W. Griehl, B. **80**, 410 (1947).
[4] D. I. Dimitrov, Nachr. Akad. Wiss. SSSR, Abt. Ch. Wiss. **1960**, 1668; C. A. **83231**, 55 (1961).
[5] Fr. P. 1398558 (1964), The Brit. Petroleum Co. Ltd., Erf.: C. F. Forster.
[6] A. N. Nesmejanow, N. A. Volkenau u. E. I. Sirotkina, Izv. Akad. SSSR **1967**, 1170.
[7] A. J. Kretow et al., Ž. prikl. Chim. **33**, 2329 (1960).
[8] Y. Dozen u. S. Fujichima, J. synth. org. Chem. Japan **25**, 150 (1967); C. A. **66**, 115095 (1967).
[9] J. Burgers et al., R. **75**, 1327 (1956).
[10] H. van Hartingsfeldt, P. E. Verkade u. B. M. Wepster, R. **75**, 349 (1956).
[11] B. J. Armitage, W. Kenner u. M. J. T. Robinson, Tetrahedron **20**, 723 (1964).
[12] B. W. Larner u. A. T. Peters, Soc. **1952**, 680.
[13] Y. Dozen u. S. Fujichima, J. synth. org. Chem. Japan **25**, 150 (1967); C. A. **66**, 115095 (1967).
[14] E. C. Hutchins, K. M. Nelson, C. H. Smith u. R. E. Dunbar; C. A. **49**, 8898ᵃ (1955).
[15] H. Goldstein u. M. Urvater, Helv. **34**, 1350 (1951).
[16] J. Thomas u. J. Canty, J. Pharm. Pharmacol. **14**, 587 (1962).
[17] G. Lock, M. **90**, 680 (1959).

Tab. 29 (1. Fortsetzung)

Ausgangsverbindung	Oxidationsprodukt	Ausbeute [% d.Th.]	Literatur
2-Nitro-3-methoxy-toluol	*2-Nitro-3-methoxy-benzoesäure*	63–79	1
2,6-Dimethoxy-toluol	*2,6-Dimethoxy-benzoesäure*	55	2, 3
2,5-Diphenyl-p-xylol	*2,5-Diphenyl-terephthalsäure*	90–92	4
2,3-Diphenyl-p-xylol	*2,3-Diphenyl-terephthalsäure*	70–80	5
3-Methoxy-1,2,4-trimethyl-benzol	*3-Methoxy-benzol-1,2,4-tricarbonsäure*	18	6
2-Fluor-1,3,5-trimethyl-benzol	*2-Fluor-benzol-1,3,5-tricarbonsäure*	60	7
2,3,5-Trimethyl-anisol	*6-Methoxy-benzol-1,2,4-tricarbonsäure*	20	8
4-Methyl-benzolsulfonsäure	*4-Sulfo-benzoesäure*		9
Bis-[4-methyl-benzolsulfonyl]-amin	*Bis-[4-carboxy-benzolsulfonyl]-amin*		10
2-Chlor-6-nitro-toluol	*2-Chlor-6-nitro-benzoesäure*	75	11, s, a, 12, 13
2-(2-Methyl-phenyl)-pyridin	*2-Pyridyl-(2)-benzoesäure*	32	14

Wie aus Tab. 29 hervorgeht, können mehrere Methyl-Gruppen im Molekül nacheinander zur Carboxy-Gruppe oxidiert werden; z. B.[15-20]:

Benzol-1,2,4-tricarbonsäure

Brommethyl-[21], Dimethylaminomethyl-[22] und Formyl[23]-Gruppen werden neben der Methyl-Gruppe gleichfalls zur Carbonsäure oxidiert.

[1] J. L. WARNELL, Biochem. Prepar. **6**, 20 (1958).
[2] A. KREUCHUNAS, J. Org. Chem. **21**, 368 (1956).
[3] N. J. CARTWRIGHT, J. J. JONES u. D. MARMION, Soc. **1952**, 3499.
[4] F. EBEL u. W. DEUSCHEL, B. **89**, 2794 (1956).
[5] L. u. H. CHARDONNEU, Helv. **41**, 2109 (1958).
[6] D. GARDNER, J. F. GROVE u. D. ISMAY, Soc. **1954**, 1817.
[7] F. MICHEEL u. W. BUSSE, B. **90**, 2049 (1957).
[8] J. R. BETHELL u. P. MAITLAND, Soc. **1962**, 3751.
[9] Jap. P. 3292/68 (1965), K. K. UBE KOSAN.
[10] N. N. DYCHANOW u. A. J. ROSZENKO, Ž. Org. Chim. **1**, 270 (1965).
[11] J. A. McLUBKIN, R. Y. MOIR u. G. A. NEVILLE, Canad. J. Chem. **48**, 942 (1970).
[12] B. V. SHETTY et al., J. Med. Chem. **13**, 886 (1970).
[13] J. FETTER, K. HARSNYI, J. NYITRAI u. K. LAMPERT, Acta Chim. Acad. Sci. Hung. **78**, 325 (1973).
[14] C. K. BRADSCHER u. C. F. VOIGT, J. Org. Chem. **36**, 1603 (1971).
[15] Y. DOZEN u. S. FUJISHIMA, J. synth. org. Chem. Japan **25**, 150 (1967); C. A. **66**, 115095 (1967).
[16] L. CHARDONNENS u. J. HUGER, Helv. **53**, 843 (1970).
[17] B. M. MIKHAILOV u. K. L. CHERKOSOVA, Izv. Akad. SSSR **1971**, 1244; C. A. **75**, 76883 (1971).
[18] O. E. PARIS, J. Chem. Engng. Data **15**, 459 (1970).
[19] V. I. TROITSKAYA, A. I. BURMAKOV, L. S. KUDRGATSEVA u. L. M. YAKUPOLSKII, Ukr. Chim. Ž. **37**, 868 (1971); C. A. **76**, 47370 (1972).
[20] M. M. KOTON u. F. S. FLORINSBII, Ž. Org. Chim. **6**, 688 (1970); C. A. **72**, 90000 (1970).
[21] E. G. KLEINSCHMITT u. H. BRÄUNINGER, Pharmazie **24**, 29 (1969).
[22] K. P. KLEIN, R. L. VAULX u. C. R. HAUSER, Am. Soc. **88**, 5802 (1966).
[23] A. MARTINI u. N. P. BUU-HOI, Bl. **1969**, I, 187.

Soll in einem Toluidin die Methyl-Gruppe (und nur diese) oxidiert werden, so muß während der Oxidation die Amino-Gruppe geschützt werden. Am bequemsten erreicht man dies durch Acetylierung, da die Acetyl-Gruppe nur dann oxidiert wird, wenn sie Substituent eines Aromaten ist; z. B.:[1, s. a. 2,3]:

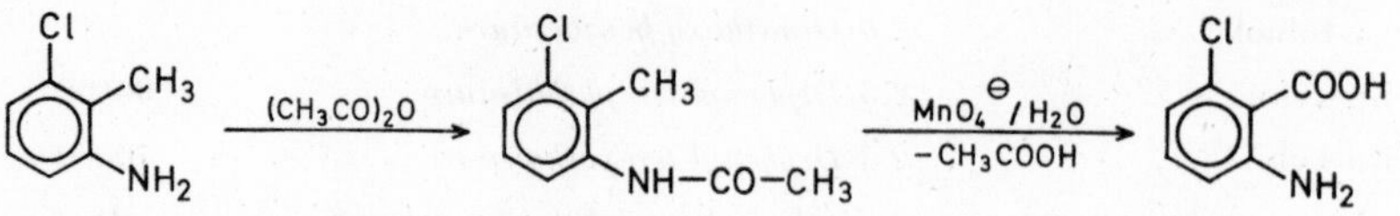

6-Chlor-2-amino-benzoesäure[1]:

6-Chlor-2-acetylamino-toluol: Eine Lösung von 70,8 g (0,5 Mol) 6-Chlor-2-amino-toluol in 70 *ml* Eisessig wird unter Rühren mit 52,0 g (0,51 Mol) Essigsäureanhydrid versetzt. Die erhaltene Lösung wird 30 Min. unter Rückfluß gekocht. Danach gießt man die Lösung in 500 *ml* Wasser und sammelt und trocknet das ausgeschiedene N-Acetyl-Derivat.

6-Chlor-2-acetylamino-benzoesäure: Unter kräftigem Rühren suspendiert man das N-Acetyl-Derivat in 2 l einer 0,25n Magnesiumsulfat-Lösung. Die Suspension wird auf 85° erhitzt. Dann gibt man nach und nach insgesamt 240 g festes Kaliumpermanganat zu der sehr stark gerührten Suspension. Während der Zugabe (1,5 Stdn.) soll die Temp. 85–90° betragen. Die Mischung wird noch 1,5 Stdn. bei dieser Temp. gerührt und der Permanganat-Überschuß durch tropfenweise Zugabe einer ges. Natriumhydrogensulfit-Lösung zerstört. Die Mischung wird filtriert und der Filterkuchen (Braunstein) 2mal mit warmem Wasser unter Rühren extrahiert. Man säuert die vereinigten Filtrate mit 20%iger Schwefelsäure an, wobei sich die N-Acetyl-carbonsäure abscheidet.

6-Chlor-2-amino-benzoesäure: Die N-Acetyl-carbonsäure wird noch feucht mit 400 *ml* konz. Salzsäure vermischt und unter Rühren für 8 Stdn. bei 70–80° gehalten. Die Mischung wird dann gekühlt und das farblose Hydrochlorid gesammelt. Dieses wird in 300 *ml* Wasser suspendiert und mit festem Natriumacetat-Trihydrat versetzt, bis ein pH von ~ 5 erreicht ist. Die unlösliche *6-Chlor-2-amino-benzoesäure* wird gesammelt und aus Äthanol umkristallisiert; Ausbeute: 53,2 g (62% d.Th., bez. auf 6-Chlor-2-amino-toluol); F: 239–240°.

Bei der Oxidation von o-Xylolen kann die primär entstandene Phthalsäure in einer Folgereaktion das entsprechende **Anhydrid** bilden. So erhält man z. B. bei der Oxidation von 3-Fluor-1,2-dimethyl-benzol in Ausbeuten über 80% d.Th. das *3-Fluor-phthalsäure-anhydrid*[4].

Auch in folgendem Fall tritt im Anschluß an die Oxidation ein Ringschluß ein und es bildet sich das *7-Nitro-saccharin*[5]:

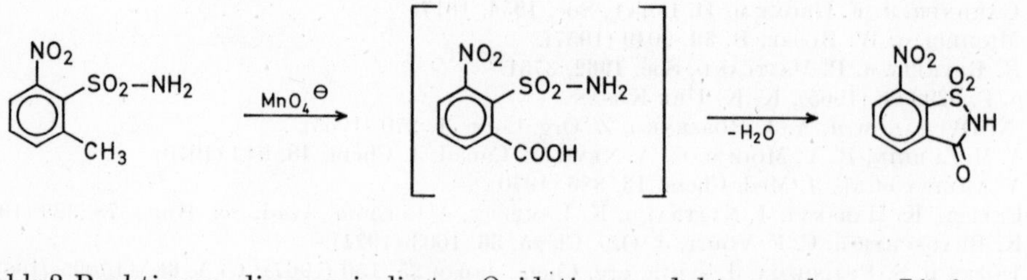

Ringschluß-Reaktionen, die vom isolierten Oxidationsprodukt ausgehen, s. Lit.[6].

---

[1] J. R. PIPER u. F. J. STEVENS, J. Org. Chem. **27**, 3134 (1962).
[2] E. COHEN, B. KLARBERG u. J. R. VAUGHAN, Am. Soc. **81**, 5508 (1959).
[3] P. ROSENMUND u. H. FRANKE, B. **96**, 1741 (1963).
[4] M. S. NEWMAN u. E. H. WIESEMAN, J. Org. Chem. **26**, 3208 (1961).
[5] G. H. HARMOR, J. Pharm. Sci. **52**, 603 (1963).
[6] N. S. DOKUNICHIN, Z. Z. MOISYEVA u. S. N. BURENKO, Ž. obšč. Chim. **31**, 3985 (1961); engl.: 3716.

Über die Oxidation von Toluolen, die z. B. NO_2-[1], SO_2–CHF_2-[2], SO_3H-[1], OCH_3-[3], Cl-[3], SO_2NH_2-[4,5] und $(CH_3)_3Si$[6]-Gruppen enthalten, sowie über methyl-substituierte und Biphenyle [7-9] s. Literatur.

Biphenyl-2,5′-dicarbonsäure[7]: Zu einer kochenden Lösung von 56 g 2,5′-Dimethyl-biphenyl in 610 *ml* Pyridin gibt man unter Rühren eine Lösung von 325 g Kaliumpermanganat in 3,2 *l* Wasser. Die Dauer der Zugabe soll 105 Min. betragen. Die Permanganat-Lösung wird heiß gehalten, um Kristallisation zu vermeiden. Nach 75 Min. mäßigen Siedens unter Rückfluß wird 1 *l* heißes Wasser zugegeben. Man saugt die feste Masse ab und extrahiert sie 2mal mit 0,3%iger Kalilauge. Die vereinigten farblosen Filtrate engt man auf ~ 2 *l* ein und säuert unter Kühlung an; Ausbeute: 57 g (75% d. Th.); F: 267–269°.

In ähnlicher Weise erhält man

5-Nitro-biphenyl-2,2′-dicarbonsäure[10];   45% d. Th.;   F: 65–66°
4-Acetylamino-biphenyl-2′,3-dicarbonsäure[9];   70% d. Th.;   F: 247°

Bei der Oxidation von 2,2-Bis-[4-methyl-phenyl]-butan[11] zu *2,2-Bis-[4-carboxy-phenyl]-butan* kann sowohl Chromsäure als auch Permanganat als Oxidationsmittel dienen:

Auch auf Phenoläther ist die Methode anwendbar[12,13]; z. B.:

4,5-Dimethoxy-3-(2-methoxy-4-carboxy-phenoxy)-benzoesäure

Analog verlaufen folgende Oxidationen:

1,4-Bis-[3,4-dimethyl-phenoxy]-benzol   → *1,4-Bis-[3,4-dicarboxy-phenoxy]-benzol* [14,15]
10-Acetyl-2,8-dimethyl-10H-phenoxazin → *10-Acetyl-2,8-dicarboxy-10H-phenoxazin* [14]

Methyl-phenothiazine werden von Permanganat zunächst am Schwefel oxidiert[16] (s. S. 649).

---

[1] G. H. Harmor u. N. Farraj, J. pharm. Sci. **54**, 1265 (1965).
[2] R. v. Poucke, R. Pollet u. A. De Cat, Tetrahedron Letters **1965**, 403.
[3] US. P. 3135659 (1964), Wallace u. Tierman Inc., Erf.: L. A. Campanella u. E. E. Hays; C. A. **61**, 4372 (1964).
[4] Fr. P. 1509 M (1961), S. A. Laboratores Corbiere u. Pansements Brevetes Corbiere, Erf.: E. Cuinguet.
[5] US. P. 3255198 (1960), Merck Co., Erf.: J. B. Bicking u. F. E. Novello; C. A. **64**, 17615 (1966).
[6] H. Hopf u. P. Gallegra, Helv. **51**, 553 (1968).
[7] E. K. Weisburger u. J. H. Weisburger, J. Org. Chem. **23**, 1193 (1958).
[8] P. M. Everitt, Shiu May Loh u. E. E. Turner, Soc. **1960**, 4587.
[9] E. Boyland u. J. W. Gorrod, Soc. **1962**, 2209.
[10] P. M. Everitt, S. M. Loh u. E. E. Turner, Soc. **1960**, 4587.
[11] US. P. 2848486 (1955), Am. Cyanamid Co., Erf.: J. C. Petropoulas; C. A. **53**, 3154 (1958).
[12] M. M. Koton u. F. S. Florinskij, Ž. org. Chim. **4**, 774 (1968); C. A. **69**, 18808 (1968).
[13] M. Tomita, T. Kikuchi, K. Bessho, T. Hori u. Y. Innbuchi, Chem. pharm. B ull. (Japan) **11**, 1484 (1963).
[14] R. Hazard et al., C. r. **252**, 4166 (1961); **255**, 1263 (1961).
    J. De Antoni, Bl. **1963**, 2874.
    Fr. P. 1336070 (1961), Laboratories u. Cie., Erf.: R. Hazard, C. A. **60**, 2958 (1964),
[15] B. F. Malichenko, L. N. Vilenskaya u. G. P. Tataurov, Ž. org. Chim. **9**, 338 (1973).
[16] DDR P. 50611 (1965), H. Wunderlich u. A. Stark; C. A. **66**, 18576 (1967).

Anstelle der Methyl- kann auch eine Chlormethyl-Gruppe[1] im Phenoläther oxidiert werden.

Die Oxidation substituierter Benzophenone[2-6] kann außer mit Kaliumpermanganat mit Chrom(VI)-oxid, Salpetersäure und Sauerstoff (vorzugsweise) durchgeführt werden:

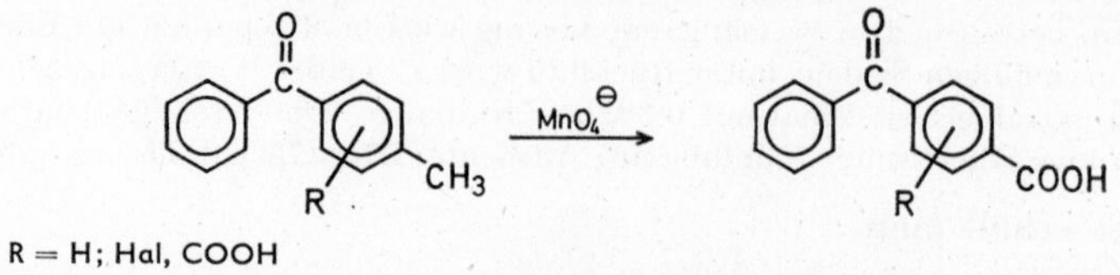

R = H; Hal, COOH

Bei der Oxidation von 3,3′,4,4′-Tetramethyl-benzophenon mit Kaliumpermanganat in Wasser und/oder Essigsäure[3] erhält man ein Isomerengemisch bestehend aus *4′-Methyl-3,3′,4-tricarboxy-benzophenon* und *3′-Methyl-3,4,4′-tricarboxy-benzophenon*.

3-Methyl-9-oxo-2-benzoyl-fluoren, dessen Methyl- zur Carboxy-Gruppe oxidiert werden kann, wurde so in *6,11,13-Trioxo-11,13-dihydro-13H-⟨indeno-[1,2-b]-anthracen⟩* über-geführt[7, 8. a. 8]:

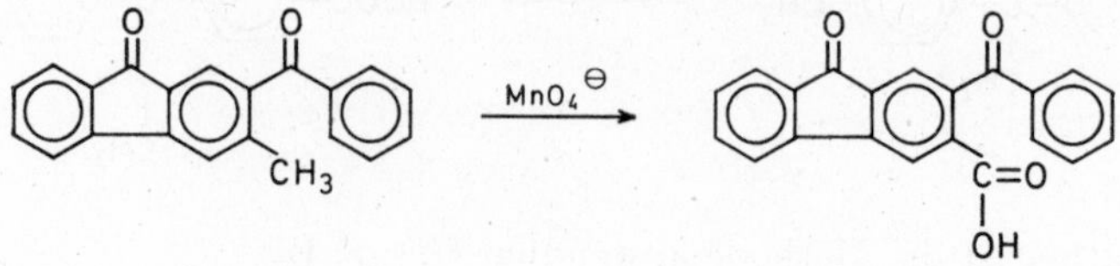

Auf analoge Weise erhält man das *3,6,9,12-Tetraoxo-3,6,9,12-tetrahydro-⟨(cyclopenta-[a]-fluoreno)-[1,2-l;9,10-a]-(cyclopenta-[a]-fluoren)⟩*[9]:

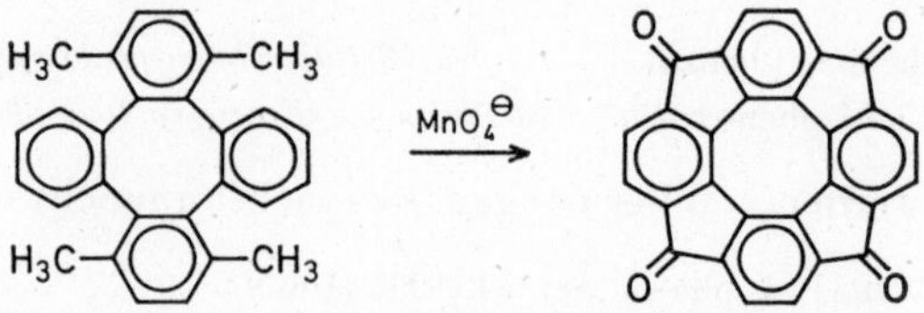

5,6-Dimethyl-phthalsäureanhydrid wird mit wäßrigem Permanganat unter Spaltung des Anhydrid-Rings mit guten Ausbeuten zu *Benzol-1,2,4,5-tetracarbonsäure*[10] oxidiert. Analog erhält man *4-Methoxy-benzol-1,2,3-tricarbonsäure* aus 6-Methoxy-3-methyl-phthalsäure-

[1] Jap. P. 29941/68 (1965); Mitsubishi Electric Co.
[2] US. P. 2967187 (1958), Standard Oil Co., Erf.: C. Serres u. E. K. Fields; C. A. **55**, 17609 (1961).
[3] Niederl. P. 6414315 = US. P. 3287373 (1963), Gulf Research and Development Co., C. A. **64**, 2021 (1966).
[4] N. S. Dokunichin, B. V. Salov u. A. S. Glagoleva, Ž. obšč. Chim. **34**, 995 (1964); engl.: 987.
[5] USSR. P. 173744 (1964), N. S. Dokunikhin u. E. I. Mostoslavskaya, C. A. **64**, 2034 (1966).
[6] US. P. 2967187 (1959), Standard Oil Co., Erf.: C. Serres u. E. K. Fields; C. A. **55**, 17609 (1961).
[7] L. Chardonnens u. R. Dousse, Helv. **51**, 900 (1968).
[8] W. Tochtermann, C. Degel u. G. H. Schmiedt, B. **105**, 1431 (1972).
[9] D. Hellwinkel u. G. Reiff, Ang. Ch. **82**, 516 (1970).
[10] Fr. P. 1409396 (1965), Soc. d'El. chim. d'El. chim. metallurgie et des Acies Elier. d'Ugine, Erf.: F. Weiss, A. Isard u. A. Lantz; C. A. **64**, 3431 (1966).

anhydrid[1]. Bei der Oxidation von 1,1,4-Trimethyl-phthalon bleibt die Lacton-Gruppierung erhalten[2]:

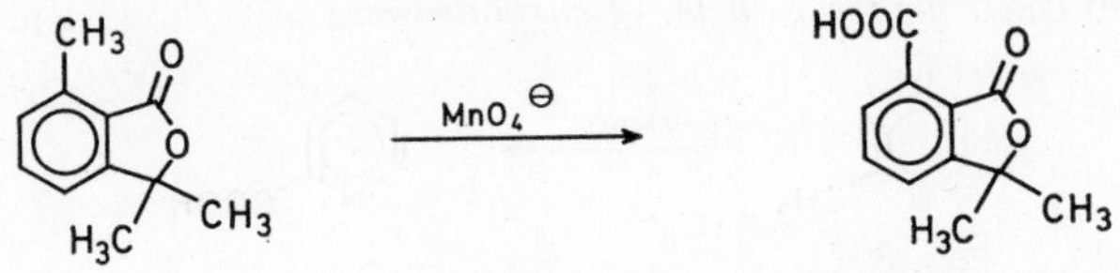

3-Oxo-1,1-dimethyl-4-carboxy-1,3-dihydro-⟨benzo-[c]-furan⟩

Auch Phosphinoxide[3-5] und Phosphinsäuren[6] können an einer (im Phenyl-Substituenten stehenden) Methyl-Gruppe oxidiert werden. Auch hier widersteht eine Methyl-Gruppe an anderer Stelle, beispielsweise am Phosphor-Atom, der Oxidation[5]:

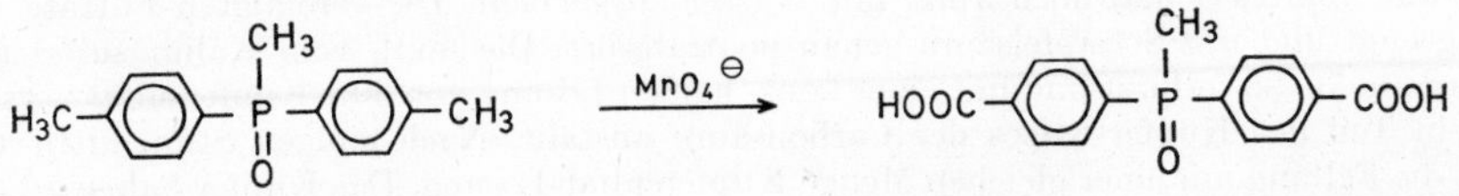

Methyl-bis-[4-carboxy-phenyl]-phosphinoxid

Arsine, die mit einer 4-Methyl-phenyl-Gruppe substituiert sind, werden ebenfalls zur entsprechenden Carbonsäure oxidiert[7]. Eine ggf. gleichzeitig erfolgte Oxidation des Arsen-Atoms kann mit Schwefeldioxid wieder rückgängig gemacht werden (s. a. S. 669).

(Methyl-phenyl)-phosphine werden unter gleichzeitiger Oxidation des Phosphors oxidiert[8] (s. a. S. 668); z. B.:

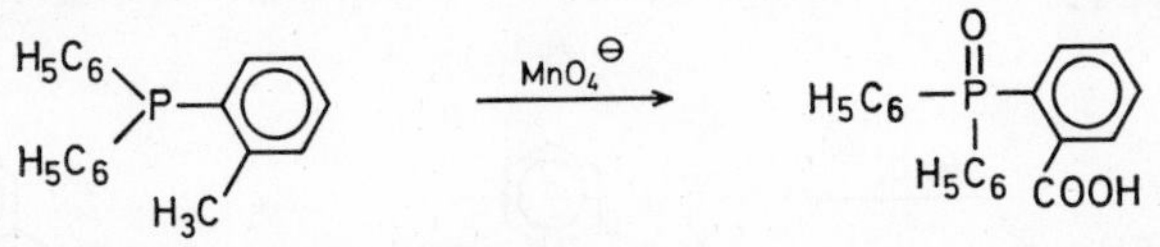

Die analoge Reaktion findet bei Äthyl-phenyl-arsinen statt[9,10]. Auch bei Cobalt-acidium-Salzen wurde eine entsprechende Oxidation beobachtet[11,12].

Bei folgender Reaktion beobachtet man, daß nur eine der Methyl-Gruppen oxidiert wird[13]; daneben wird die *exo*-Methylen-Gruppe oxidativ abgespalten[vgl. a. 14]:

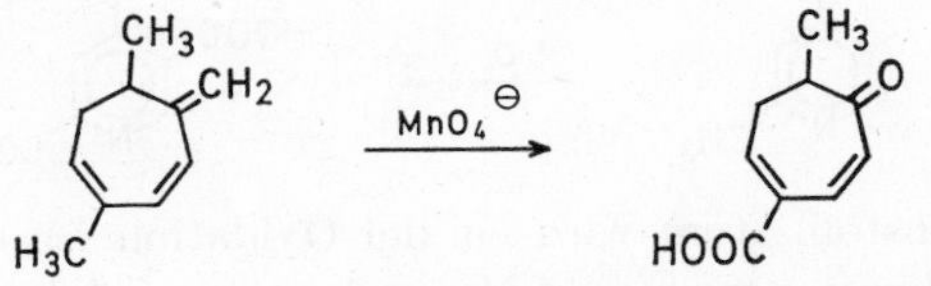

5-Oxo-6-methyl-2-carboxy-cycloheptadien-(1,3)

[1] E. Sherman u. A. P. Dunlop, J. Org. Chem. **25**, 1309 (1960).
[2] R. N. Volkov u. S. V. Zavgorodnij, Ž. obšč. Chim. **31**, 2629 (1961); engl.: 2454.
[3] L. Horner, P. Beck u. R. Luckenbach, B. **101**, 2899 (1968).
[4] N. A. Adrova, M. M. Koton u. L. K. Prochorova, Doklady Akad. SSSR **177**, 579 (1967); C. A. **66**, 18920 (1967).
[5] P. W. Morgan u. B. C. Herr, Am. Soc. **74**, 4526 (1952).
[6] L. D. Freedman u. O. Doak, J. Org. Chem. **29**, 1983 (1964).
[7] J. F. Cratilov u. L. V. Inov, Ž. obšč. Chim. **39**, 1064 (1969); engl.: 1036.
[8] R. S. Davidson, R. A. Sheldon u. S. Tripett, Soc. **1966**, 722.
[9] A. S. Gelfond et al., Ž. obšč. Clim. **42**, 1962 (1972); engl.: 1955.
[10] Y. F. Gatilev u. F. D. Yamkusker, Ž. obšč. Chim. **43**, 1132 (1973); engl. 1123.
[11] N. El-Murr u. R. Dabard, C. r. [C] **272**, 1989 (1971.
[12] J. E. Sheats u. M. D. Rausch, J. Org. Chem. **35**, 3245 (1970).
[13] A. M. Kutnevich u. D. V. Tishchenko, Ž. org. Chim. **3**, 444 (1967); C. A. **67**, 2806 (1967).
[14] K. Kohara, Bull. Chem. Soc. Japan **42**, 3229 (1969).

Auch dann, wenn die Methyl-Gruppe an einem Heteroaromaten, z. B. Pyridin steht, kann sie mit Kaliumpermanganat zur Carboxy-Gruppe oxidiert werden. So liefert die Oxidation von α- und γ-Picolin die *Pyridin-2- bzw. -4-carbonsäure*:

$$\text{N}-\text{CH}_3 \quad \xrightarrow{\ \text{MnO}_4{}^\ominus\ } \quad \text{N}-\text{COOH}$$

Pyridin-2-carbonsäure[1]: In einem Zweihalskolben mit Rückflußkühler wird eine Lösung von 60 g Kaliumpermanganat in 2 l Wasser zum Sieden erhitzt. Man entfernt die Flamme und läßt langsam 50 g α-Picolin zulaufen, wobei der Kolbeninhalt in schwachem Sieden bleiben soll. Nach 0,5 Stdn. fügt man in Abständen von 10–15 Min. je 20 g feingepulvertes Permanganat zu (Gesamt-Permanganatmenge: 180 g) und läßt in den Pausen je 20 ml verd. Schwefelsäure langsam durch den Kühler zutropfen. Anschließend erhitzt man so lange zum Sieden, bis sich die Lösung entfärbt hat. Nach dem Abkühlen wird der Braunstein abfiltriert und noch 3mal mit Wasser ausgekocht. Die vereinigten Filtrate werden auf 700 ml eingeengt und mit Schwefelsäure genau neutralisiert. Die (evtl. vom Kaliumsulfat abfiltrierte) Lösung wird auf 70–80° erhitzt und mit einer konz. heißen Lösung von 30 g Kupfersulfat versetzt, wobei zunächst ein Teil des Kupfer-Salzes der Carbonsäure ausfällt. Nach einigen Stdn. filtriert man und wiederholt die Fällung mit einer gleichen Menge Kupfersulfat-Lösung. Das Kupfer-Salz wird aus heißem Wasser umkristallisiert.

Dann schlämmt man das Kupfersalz in der 8fachen Menge siedenden Wassers auf, dem man etwas Blei(II)-acetat und Tierkohle zugesetzt hat. Danach leitet man einige Stdn. Schwefelwasserstoff ein. Das Kupfersulfid wird abfiltriert und 2–3mal mit Wasser ausgekocht. Die vereinigten Filtrate werden eingeengt und die Carbonsäure aus 1,4-Dioxan umkristallisiert; F: 136°.

Mehrfach methyl-substituierte Pyridine werden zu den entsprechenden Pyridin-carbonsäuren oxidiert. Dabei kommt es häufig zur Bildung eines Substanzgemisches; so erhält man z. B. aus 2,6-Methyl-pyridin *2-Methyl-pyridin-6-carbonsäure* neben *Pyridin-2,6-dicarbonsäure*[2], vgl. a. [3], [4]:

$$\text{H}_3\text{C}-\text{N}-\text{CH}_3 \quad \xrightarrow{\ \text{MnO}_4{}^\ominus\ } \quad \text{H}_3\text{C}-\text{N}-\text{COOH} \quad + \quad \text{HOOC}-\text{N}-\text{COOH}$$

Bei der Oxidation der Methyl-Gruppen in 2,5-Dimethyl-4-benzyl-pyridin wird gleichzeitig die Benzyl- zur Benzoyl-Gruppe oxidiert und man erhält *4-Benzoyl-pyridin-2,5-dicarbonsäure*[5]:

$$\begin{array}{c}\text{CH}_2-\text{C}_6\text{H}_5 \\ \text{H}_3\text{C}- \\ \text{N}-\text{CH}_3\end{array} \quad \xrightarrow{\ \text{MnO}_4{}^\ominus\ } \quad \begin{array}{c}\text{CO}-\text{C}_6\text{H}_5 \\ \text{HOOC}- \\ \text{N}-\text{COOH}\end{array}$$

Das sekundäre Kohlenstoff-Atom wird bei der Oxidation vor den tertiären angegriffen. Durch die Wahl der Kaliumpermanganat-Menge kann man daher gezielt oxidieren.

Ist nicht beabsichtigt durch genaue Befolgung der Stöchiometrie die selektive Oxidation einer bestimmten Gruppe zu bewirken, kann ein Permanganat-Überschuß für die erzielte Ausbeute von Vorteil sein.

Abhängig von ihrer Stellung im Pyridin sind die Methyl-Gruppen unterschiedlich reaktiv[5-7]; am empfindlichsten gegen die Oxidation mit Permanganat ist die 3-Methyl-Gruppe, während Methyl-Gruppen in 2- und 4-Stellung vergleichbare Reaktivität zeigen.

[1] F. Hein u. F. Melchar, Pharmazie 9, 455 (1954).
    Jap. P. 2669 (1950), M. Suzumura.
[2] M. Szafran u. B. Brzezinski, Ann. Soc. chim. Polonorum 43, 653 (1969); C. A. 71, 81102 (1969).
[3] M. Fujimoto, Pharm. Bull. (Japan) 4, 77 (1956); C. A. 51, 5069 (1967).
[4] M. Szafram u. B. Brzezinski, Roszniki Chem. 44, 1959 (1970).
[5] M. S. Postakoff u. L. A. Gajvoronskaja, Ž. obšč. Chim. 32, 76 (1962); engl.: 74.
[6] I. L. Kotlyarevskij u. E. D. Vasileva, Izv. Akad. SSSR. 1834, (1961); C. A. 56, 1165 (1962).
[7] N. S. Prostakov, L. A. Sacharanova u. L. M. Kirillova, Ž. obšč. Chim. 34, 3231 (1964); engl.: 3274.

Die unterschiedliche Oxidierbarkeit sowie den Einfluß einer Nitro-Gruppe veranschaulicht die Oxidation folgender Nitro-methyl-pyridine in wäßriger Lösung bei 90°[1], [vgl. a. 2]:

5-Nitro-6-methyl-pyridin-2-carbonsäure

5-Nitro-4,6-dimethyl-pyridin-2-carbonsäure   3-Nitro-2,6-dimethyl-pyridin-4-carbonsäure

3-Nitro-4-methyl-pyridin-2-carbonsäure   3-Nitro-2-methyl-pyridin-4-carbonsäure

Zur Oxidation weiterer methyl-substituierter Pyridine siehe Tab. 30.

Tab. 30: Oxidation Methyl-substituierter Pyridine zu Carbonsäuren

Ausgangsverbindung	Oxidationsprodukt	Ausbeute [% d. Th.]	Literatur
6-Chlor-2-methyl-pyridin	6-Chlor-pyridin-2-carbonsäure	61	[3–9]
6-Acetylamino-2-methyl-pyridin	6-Acetylamino-pyridin-2-carbonsäure + 6-Amino-pyridin-2-carbonsäure		[10]
5-Sulfo-2-methyl-pyridin	5-Sulfo-pyridin-2-carbonsäure	70–80	[5]
4-Methyl-pyridin-2-carbonsäure	Pyridin-2,4-dicarbonsäure		[5]
Methyl-pyridin	Pyridin-4-carbonsäure (Isonicotinsäure)		[11]
4-Methyl-3-phenyl-pyridin	3-Phenyl-pyridin-4-carbonsäure	65	[12, 13]
3-Brom-4-methyl-pyridin	3-Brom-pyridin-4-carbonsäure	96	[14]
3,5-Dibrom-4-methyl-pyridin	3,5-Dibrom-pyridin-4-carbonsäure	36	[14]

[1] E. V. Brown u. R. H. Neil, J. Org. Chem. **26**, 3546 (1961).
[2] A. D. Campbell, E. Quan, S. Y. Chovi, L.W. Deady u. R. A. Shanks, Austral. J. Chem. **24**, 377 (1971). L. D. Deady, R. A. Shanks, A. D. Campbell u. S. Y. Chooi, Austral. J. Chem. **24**, 385 (1971).
[3] M. P. Cava u. N. K. Bhattacharyya, J. Org. Chem. **23**, 1287 (1958).
[4] V. A. Portnyagina u. V. K. Kap, Ukr. chim. Z. **32**, 1306 (1966); C. A. **67**, 3058 (1967).
[5] J. Delarge, Farmaco Ed. sci. **22**, 1069 (1967); C. A. **68**, 104913 (1968).
[6] S. D. Mošákij, G. A. Zaleskij, A. F. Parlenkov u. J. N. Ivaščenko, Chim. geteroc. Soed. **1970**, 791.
[7] F. L. Setliff u. G. O. Rankin, J. Chem. Eng. Data **17**, 515 (1972).
[8] F. L. Setliff u. D. W. Price, J. Chem. Eng. Data **18**, 449 (1972).
[9] F. L. Setliff, J. Chem. Eng. Data **15**, 590 (1970).
[10] G. Ferrari u. E. Marcon, Farmaco Ed. sci. **14**, 594 (1959).
[11] S. P. Dutta, Indian J. Appl. Chem. **28**, 104 (1965).
[12] J. N. Chatterjea u. K. Prasad, B. **93**, 1740 (1960); s. a. P. Vakulik u. J. Kuthan, Collect. czech. chem. Commun. **25**, 1591 (1960).
[13] P. Doyle u. R. R. J. Yates, Tetrahedron Letters **1970**, 3371.
[14] M. K. Palat, L. Novacek u. M. Celadnik, Collect. czech. chem. Commun. **32**, 1191 (1967).

Tab. 30 (1. Fortsetzung)

Ausgangsverbindung	Oxidationsprodukt	Ausbeute [% d.Th.]	Literatur
2,5-Dimethyl-4-phenyl-pyridin	*4-Phenyl-pyridin-2,5-dicarbonsäure*	93	1
3-Methyl-2-phenyl-pyridin	*2-Phenyl-nicotinsäure*	–	2
2,3,6-Trimethyl-pyridin	*Pyridin-2,3,6-tricarbonsäure*	–	3, vgl. 1
	+ 2-Methyl-pyridin-3,6-dicarbonsäure		
2,5-Dimethyl-4-benzyl-pyridin	*4-Benzoyl-pyridin-2,5-dicarbonsäure*	93	4,5
2,3-Dimethyl-6-äthyl-pyridin	*2-Methyl-pyridin-3,6-dicarbonsäure*	–	3
2,6-Dimethyl-4-pyridyl-(3)-pyridin	*4-Pyridyl-(3)-pyridin-2,6-dicarbonsäure*	30	6
	+ 6-Methyl-4-pyridyl-(3)-pyridin-2-carbonsäure	30	

Auch methyl-substituierte Pyridin-N-oxide werden leicht zu Carbonsäuren oxidiert[7-10]; z. B.:

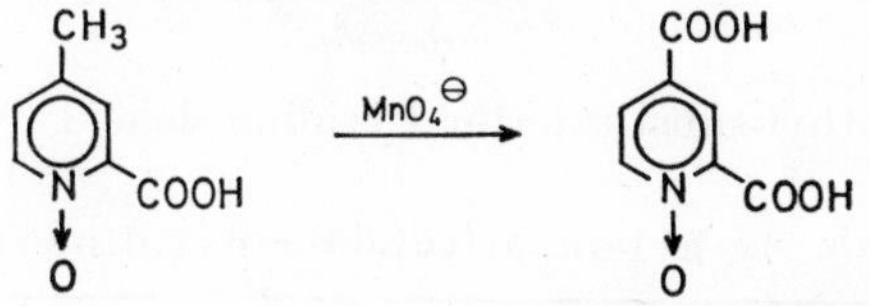

Pyridin-2,4-dicarbonsäure-N-oxid

Die Oxidation von Methyl-Gruppen anderer sechsgliedriger und fünfgliedriger Stickstoffheteroaromaten verlaufen in der Regel nicht so glatt bzw. mit mäßigen bis schlechten Ausbeuten. Zum Beispiel erhält man bei der Oxidation von 2,5-Dimethyl-pyrazin in schlechten Ausbeuten die *Pyrazin-2,5-dicarbonsäure*[11] neben wenig Monocarbonsäure. Besser sind die Ausbeuten bei der Oxidation von 5-Methyl-2-hydroxymethyl-pyrazin[11, vgl. a. 12-14]:

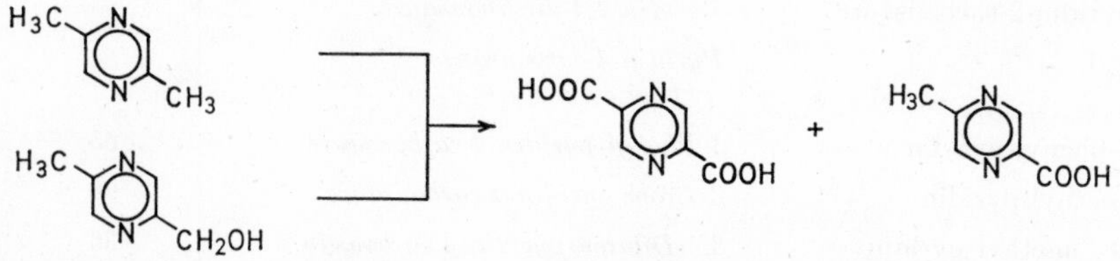

[1] N. S. Prostakov u. L. A. Gajvoronskaja, Ž. obšč. Chim. **32**, 76 (1962).
[2] R. A. Abramowicz, A. D. Notation u. G. C. Seng, Tetrahedron Letters 8, 1 (1959).
[3] I. L. Kotljarevskij u. E. D. Vasileva, Izv. Akad. SSSR **1961**, 1834; C. A. **56**, 11565 (1962).
[4] N. S. Prostakov, L. A. Shakparonova u. L. M. Kirillova, Ž. obšč. Chim. **34**, 3231 (1964); engl.: 3274.
[5] N. S. Prostakov, N. M. Mikhailova u. Y. M. Talanov, Chim. geteroc. Soed. **1970**, 1359; C. A. **74**, 53448 (1971).
[6] F. Kuffner u. F. Straberger, M. 88, 793 (1957).
[7] M. Szafran u. Z. Sarbak, Roczniki Chem. **43**, 309 (1969).
[8] J. Suszko u. M. Szafran, Roczniki Chem. **38**, 1793 (1964).
[9] F. Kuffner u. F. Straberger, M. 88, 793 (1957).
[10] L. Achremowicz et al., Roczniki Chem. **42**, 1499 (1968); C. A. **70**, 47329 (1969).
[11] D. Pitre, S. Boveri u. E. B. Grabitz, B. **99**, 364 (1966).
[12] O. Červinka, V. Dudek u. J. Šmidrkal, Z. Ch. **11**, 11 (1971).
[13] N. S. Prostakov, L. A. Gajvoronskaja, L. M. Kirillova u. M. K. S. Mochomon, Chim. geteroc. Soed. **1970**, 782; C. A. **73**, 120467 (1970).
[14] W. Pfleiderer, H. Zondler u. R. Mengel, A. **741**, 64 (1970).

Weiter können oxidiert werden:

2,6-Dimethyl-pyrazin	→ *6-Methyl-pyrazin-2-carbonsäure*[1,2]	58% d.Th.
Methyl-pyrimidine	→ Pyrimidin-carbonsäuren[3,4]	mäßig
6-Methyl-2,4-diphenyl-1,3,5-triazin	→ *2,4-Diphenyl-1,3,5-triazin-6-carbonsäure*[5,s.a.6,7]	53% d.Th.
2-Methyl-⟨pyrido-1,3-thiazol⟩	→ *2-Carboxy-⟨pyrido-1,3-thiazol⟩*[8]	43% d.Th.
3-Methyl-4,5-diphenyl-pyrazol	→ *4,5-Diphenyl-pyrazol-3-carbonsäure*[9,s.a.10,11]	54% d.Th.
Methyl-tetrazole	→ Tetrazol-carbonsäuren[12]	
Methyl-purin-N-oxide	→ *Carboxy-purin-N-oxide*[13]	bis 30% d.Th.

Pyrazol-3,4,5-tricarbonsäure entsteht bei der oxidativen Abspaltung des Hetero-Ringes und gleichzeitiger Oxidation der Methyl-Gruppen am Pyrazol[14,s.a.15]:

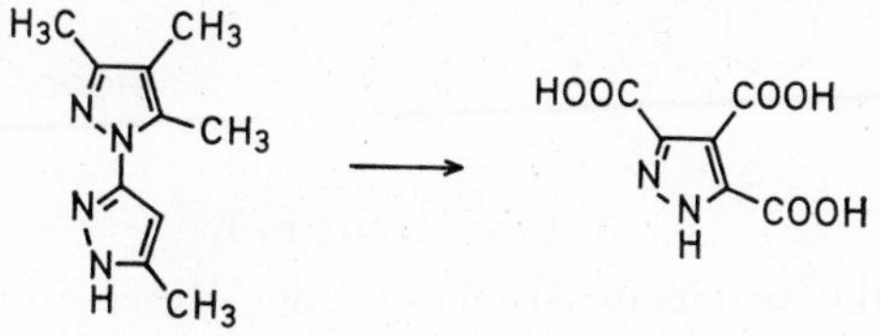

Bei der Oxidation von 2,4-Diamino-6-methyl-pteridin mit Kaliumpermanganat in heißem Wasser, bei der *2,4-Diamino-6-carboxy-pteridin* erhalten wird, brauchen die Amino-Gruppen nicht maskiert zu werden[16].

Auch bei Heteroaromaten sind Methyl- und Acetyl-Gruppen die nicht am aromatischen System stehen gegen Permanganat resistent[17–19]. Das gilt allgemein auch für Methyl-Gruppen am Stickstoff eines 5-Ring-Heteroaromaten; z. B.:

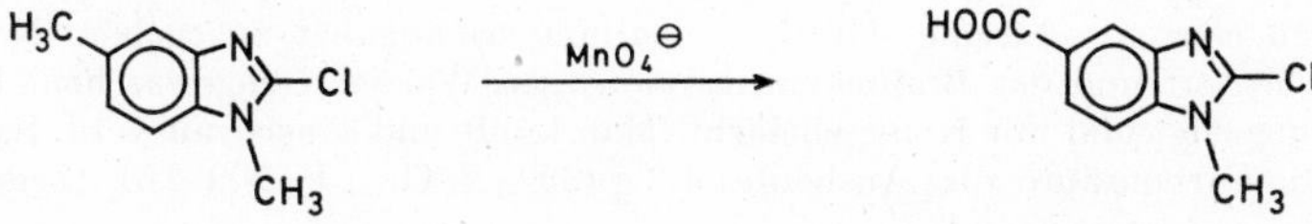

2-Chlor-1-methyl-5-carboxy-benzimidazol[18–22]

[1] D. Pitre, S. Boveri u. E. B. Grabitz, B. **99**, 364 (1966).
[2] T. Ishiguro, M. Matsumura u. H. Murai, J. pharm. Soc. Japan **80**, 314 (1960); C. A. **54**, 18531 (1964).
[3] H. Vandenhaeghe u. M. Claesen, Bull. Soc. chim. belges **66**, 276 (1957).
[4] A. R. Schütte u. W. Woltersdorf, A. **684**, 209 (1965).
[5] E. F. J. Duynstee, R. **80**, 563 (1961).
[6] R. Meder u. G. Roth, B. **91**, 911 (1958).
[7] E. A. Zvezchina, A. F. Pozanskij u. A. M. Simonov, Chim. geteroc. Soed. **1969**, 934.
[8] S. G. Fridman, Ž. obšč. Chim. **26**, 864 (1956); C. A. **50**, 14753 (1956).
[9] W. E. Parham u. W. R. Hasek, Am. Soc. **76**, 799 (1954).
[10] J. A. Moore u. R. W. Medeiros, Am. Soc. **81**, 6026 (1959).
[11] V. Evdokinoff, G. **90**, 1133 (1960).
[12] H. Behringer u. H. J. Fischer, B. **94**, 1572 (1961).
[13] A. Giner-Sorolla, C. Gruyte, M. L. Cox u. J. C. Parham, J. Org. Chem. **36**, 1228 (1971).
[14] A. N. Kost et al., Doklady Akad. SSSR **179**, 337 (1968); C. A. **69**, 59149ʰ (1968).
[15] T. N. Vereshchagina u. V. A. Lopyrev, Chim. geteroc. Soed. **1970**, 1695.
[16] D. J. Brown u. B. T. England, Soc. **1965**, 1530.
[17] R. Hazard et al., C. r. **252**, 4166 (1961); **255**, 1263 (1961).
      J. De Antoni, Bl. **1963**, 2874.
      Fr. P. 1336070 (1961), Laboratories Bruneau u. Cie., Erf.: R. Hazard; C. A. **60**, 2958 (1964).
[18] A. M. Simonov u. A. N. Lomakin, Ž. obšč. Chim. **32**, 2228 (1962); engl.: 2194.
[19] A. V. Elcov, Ž. obšč. Chim. **32**, 1525 (1962); engl.: 1511.
[20] M. Israel u. A. R. Day, J. Org. Chem. **24**, 1455 (1959).
[21] B. C. Bishop, A. S. Jones u. J. C. Tatlow, Soc. **1964**, 3076.
[22] USSR P. 184868 (1965), O. V. Lebedev et al.; C. A. **67**, 90809 (1967).

Die Permanganat-Oxidation von 5-Methyl-⟨benzo-2,1,3-thiadiazol⟩ führt nicht zur 5-Carbonsäure, sondern es tritt Spaltung des Benzol-Rings ein und man erhält die *1,2,5-Thiadiazol-3,4-dicarbonsäure*[1]:

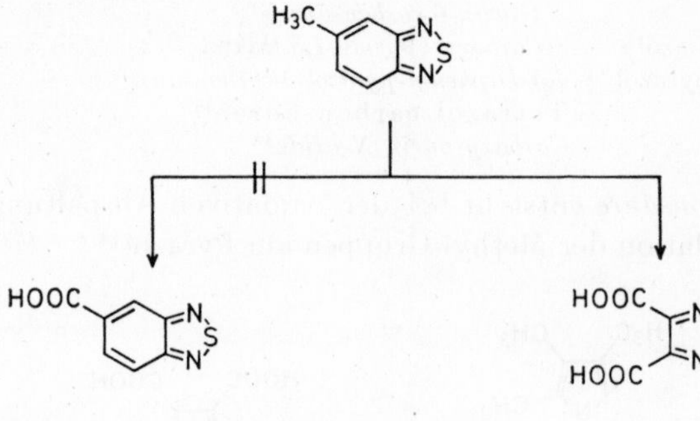

β) Acet'yl-Gruppen

Eine Acetyl-Gruppe, die an einem Aromaten oder Heteroaromaten steht, wird durch Permanganat zur Oxalyl-Gruppe oxidiert[2-5]:

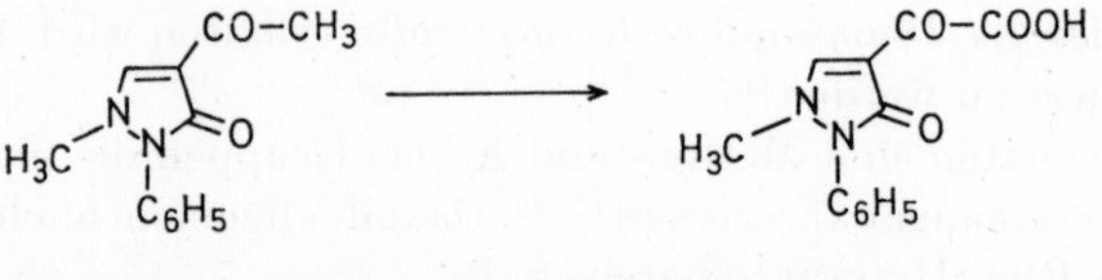

3-Oxo-1-methyl-2-phenyl-4-oxalyl-2,3-dihydro-1H-pyrazol[6]: In eine ~ 40° warme Lösung von 5 g 3-Oxo-1-methyl-2-phenyl-4-acetyl-2,3-dihydro-1H-pyrazol und 0,5 g Kaliumhydroxid in 200 ml Wasser wird unter Rühren eine ges. Lösung von 7,5 g Kaliumpermanganat zugegeben. Nach vollständiger Entfärbung wird filtriert und der Braunstein mit warmem Wasser nachgewaschen. Das gelbe Filtrat wird auf 100 ml eingeengt und mit Kohle entfärbt. Man kühlt und säuert mit verd. Salzsäure an. Nach kurzer Zeit fällt die Carbonsäure aus; Ausbeute: 4,3 g (80% d.Th.); F: 208–210° (Zers.).

Von der Oxalyl-Stufe ausgehend ist der entsprechende Aldehyd durch eine Decarboxylierung zugänglich:

$$H_3C-CO-\cdots \xrightarrow{MnO_4^{\ominus}} HOOC-CO-\cdots \xrightarrow[-CO_2]{} OHC-\cdots$$

Diese Reaktion ist dann wichtig, wenn (z. B. beim Biphenylen) die direkte Einführung der Aldehyd-Gruppe nach Vilsmeier-Haack nicht möglich ist.

Biphenylenyl-(2)-glyoxylsäure[2]:

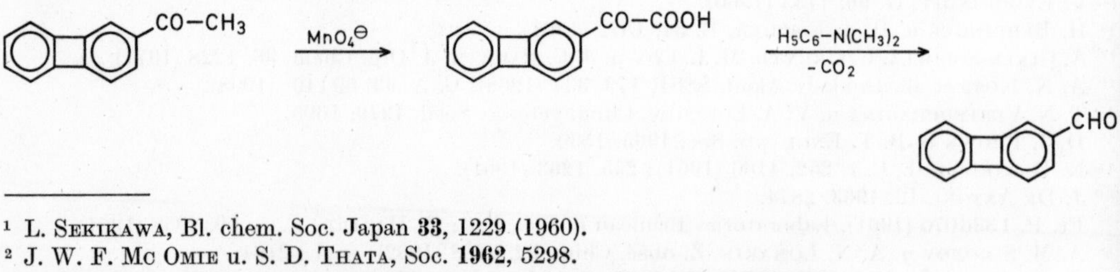

[1] L. Sekikawa, Bl. chem. Soc. Japan **33**, 1229 (1960).
[2] J. W. F. Mc Omie u. S. D. Thata, Soc. **1962**, 5298.
[3] J. Cymerman, J. W. Loder u. B. Moore, Austral. J. Chem. **9**, 222 (1956).
[4] R. Schwarz u. K. Capete, M. **83**, 883 (1952).
[5] A. Kjaer u. P. O. Larsen, Acta chem. scand. **17**, 2397 (1963).
[6] K. Bodendorf u. A. Popelak, A. **566**, 84 (1950).

Man gibt eine Lösung von 5 g Kaliumpermanganat in 250 *ml* Wasser langsam unter Rühren zu einer Mischung von 1,5 g 2-Acetyl-biphenylen, 2,0 g Kaliumhydroxid, 200 *ml* Pyridin und 100 *ml* Wasser. Die Temp. soll 10–15° betragen. Man rührt 2 Stdn. beseitigt den Permanganat-Überschuß durch Zugabe von Natriumhydrogensulfit, filtriert und säuert das Filtrat mit 10n Salzsäure an. Hierbei fallen 0,25 g (15% d.Th.) *Biphenylen-2-carbonsäure* aus. Man filtriert, extrahiert das Filtrat mit Äther und dampft ein; Ausbeute: 0,84 g (49% d.Th.) *Biphenylen-2-glyoxylsäure* (orangefarben).

Beim Erhitzen mit N,N-Dimethyl-anilin auf 130° geht die Glyoxylsäure in *Biphenylen-2-aldehyd* (21% d.Th.) über[1].

Durch erneute Oxidation wird der Aldehyd in die Carbonsäure überführt.

Gemeinsam mit der Acetyl-Gruppe werden am Aromaten bzw. Heteroaromaten stehende Methyl-Gruppen zur Carboxy-Gruppe oxidiert[1–3]. So geht z. B. 3-Methyl-2-acetyl-thiophen in *Thiophen-2,3-dicarbonsäure* über[4].

Gelegentlich läßt sich der Aldehyd zusammen mit der Carbonsäure (z. B. *2-Nitro-1-formyl-* und *2-Nitro-1-carboxy-naphthalin* aus 2-Nitro-1-acetyl-naphthalin) isolieren[5].

Alkalische Permanganat-Oxidation des 2,4-Diäthyl-acetophenons führt unter oxidativem Abbau der Äthyl-Gruppen zu *1,2,4-Tricarboxy-benzol*[6]. In gepuffertem Milieu hingegen erhält man ein Gemisch aus *4-Äthyl-1,2-diacetyl-benzol* und *1,2,4-Triacetyl-benzol*:

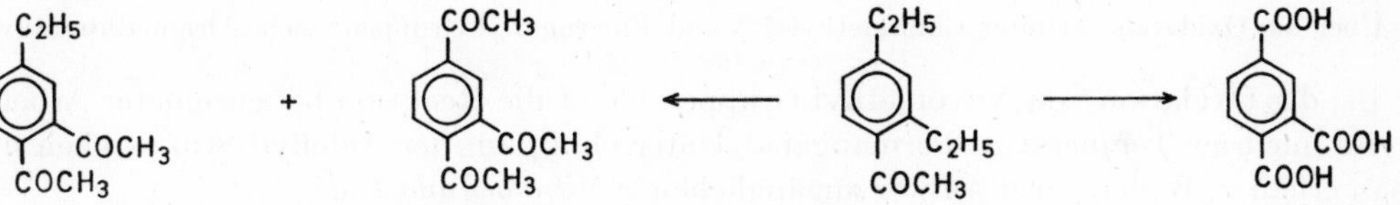

γ) XCH₂-Gruppe

Auch Verbindungen mit der allgemeinen Formel R–CH₂X (X = Halogen oder NO₂) sind mit Kaliumpermanganat zu Carbonsäuren[7–10] oxidierbar.

Sind, sowohl Methyl- als auch Chlormethyl-Gruppen im Molekül, so können beide mit alkalischem Permanganat oxidiert werden[11]; z. B.:

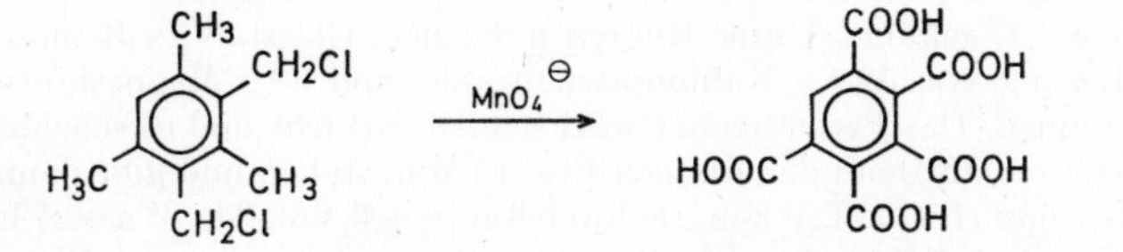

Benzol-1,2,3,4,5-pentacarbonsäure

Entsprechend liefert die Oxidation von 4-Chlormethyl-toluol in Ausbeuten von 65,4% sehr reine *Terephthalsäure*[12].

[1] J. W. F. McOmie u. S. D. Thata, Soc. **1962**, 5298.
[2] F. Binns u. G. A. Swan, Soc. **1962**, 2831.
[3] H. J. Teuber u. H. Hochmuth, Tetrahedron Letters **1964**, 325.
[4] S. D. Loiwal u. N. C. Jain, Indian J. Chem. **1**, 119 (1963); C. A. **60**, 1861 (1964).
[5] R. D. Topsom u. J. Vaughan, Soc. **1957**, 2842.
[6] H. Hopff u. J. Grasshoff, Helv. **47**, 1333 (1964).
[7] E. G. Kleinschmitt u. H. Bräuninger, Pharmazie **24**, 29 (1969).
[8] S. S. Kukalenko u. V. I. Sukhodolova, Chim. geteroc. Soed. **1972**, 45.
[9] R. A. Balani u. S. Sethna, J. Indian Chem. Soc. **48**, 411 (1971).
[10] S. Hauptmann, H. Bier u. H. Faust, J. pr. **311**, 705 (1969).
[11] J. Hirao, T. Matsuura u. K. Ota, J. Soc. org. synth. Chem. Japan **23**, 248 (1965); C. A. **63**, 531 (1965).
[12] E. Profft, Chem. Techn. **5**, 503 (1953).

Wird im 7,7-Dimethyl-1-chlormethyl-tricyclo[2.2.1.0^{2,6}]heptan die Chlormethyl-Gruppe oxidiert, so können drei Reaktionsprodukte (95% d. Th.) isoliert werden[1]:

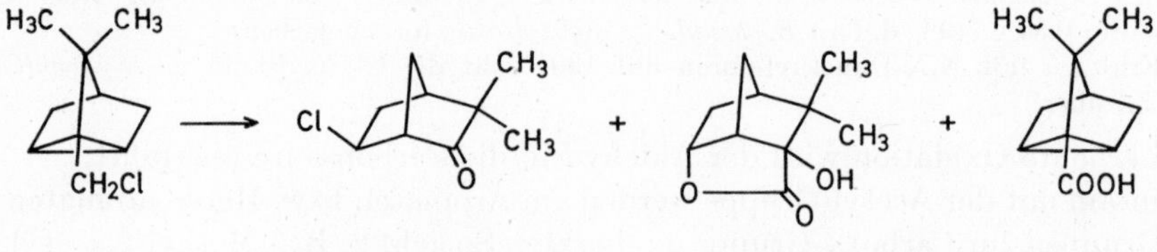

5-Chlor-3-oxo-2,2-dimethyl-bicyclo[2.2.1]heptan   *2,6-Dihydroxy-3,3-dimethyl-bicyclo[2.2.1]heptan-2-carbon-säure-1,6-lacton*   *7,7-Dimethyl-1-carb-oxy-tricyclo[2.2.1.0$^{2.}$]heptan*

Chlormethyl-substituierte Paracyclophane werden ebenfalls über den Aldehyd zur Carbonsäure oxidiert[2].

Über die Oxidation weiterer Chlormethyl-[3-5] und Fluormethyl-Gruppen[6] siehe Originalliteratur.

Bei der Oxidation von Nitromethyl-Gruppen bleibt die Reaktion bei geeigneter Arbeitsweise (niedrige Temperatur, Permanganat-Unterschuß) auf der Aldehyd-Stufe stehen und man erhält z. B. den sonst schwer zugänglichen *2-Nitro-benzaldehyd*[7].

2-Nitro-benzaldehyd[7]:

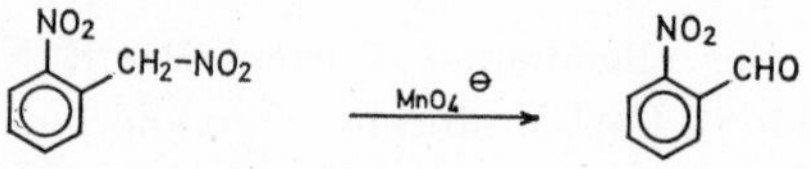

91 g pulverisiertes 2-Nitro-1-nitromethyl-benzol werden mit 20 g reinem Natriumhydroxid in 1 l Leitungswasser unter Rühren bei Raumtemp. gelöst. Hierzu sind wenigstens 30 Min. erforderlich. Die Lösung wird dann auf 5–10° gekühlt. Unter Rühren mit einem Glasstab gießt man innerhalb 1 Min. die auf 3–5° gekühlte Lösung von 52,5 g Kaliumpermanganat und 30 g Magnesiumsulfat-Heptahydrat in 1,5 l Leitungswasser hinzu. Das Permanganat wird schnell entfärbt und es scheidet sich Braunstein ab. Nach gutem Durchrühren läßt man den dünnen Brei 15 Min. stehen und gibt dann 50 ml Methanol und 200 ml verd. Schwefelsäure (1 Vol.-Teil konz. Schwefelsäure + 3 Vol.-Tle. Wasser) hinzu. Der Braunstein geht schnell in Lösung. Der 2-Nitro-benzaldehyd wird abgesaugt, mit wenig Wasser gewaschen und an der Luft getrocknet; Ausbeute: 62–65,5 g (83–87% d.Th.); F: 40°. Eine weitere Reinigung kann durch Destillation i. Vak. erfolgen.

Untersuchungen zur Kinetik der alkalischen Permanganat-Oxidation von Phenyl-nitromethan, bei der *Benzaldehyd* entsteht, deuten auf ein cyclisches Zwischenprodukt hin[8].

Selbst wenn X ein weniger einfacher Ligand ist, führt die Oxidation der CH$_2$X-Gruppe zur Carbonsäure.

[1] B. H. JENNINGS, S. FACEY, D. GOLDSTEIN u. D. STEVENSON, J. Org. Chem. **33**, 1996 (1968).
[2] A. T. BLOMQUIST u. B. H. SMITH, Am. Soc. **82**, 2073 (1960).
[3] R. DRAN u. T. PRANGE, Bl. **1967**, 4469.
[4] E. S. CAMAN u. E. S. GOLOVCHINSKAYA, Ž. obšč. Chim. **33**, 3342 (1963); engl.: 3269.
[5] DDR P. 10505 (120) (1952/1955), E. PROFFT u. W. KRÜGER; C. A. **53**, 299 (1959).
[6] L. M. JAGUPOLSKIJ, B. E. GRUZ u. L. I. KATERINENKO, Ž. obšč. Chim. **38**, 1732 (1968); engl.: 1688.
[7] H. CASSEBAUM, J. pr. [4] **29**, 59 (1965).
[8] F. FREEMAN u. A. YERAMYAN, Tetrahedron Letters **1968**, 4783.

So erhält man z. B. bei der Oxidation von 1-[Puryl-(6)-methyl]-pyridinium-jodid in 77%
Ausbeute die *Purin-6-carbonsäure*[1]:

Die Oxidation der Hydroxymethyl-Gruppe mit Permanganat zu Carbonsäuren wird
auf S. 609ff. eingehend besprochen.

2. Oxidation am sekundären C-Atom

α) im Aliphaten

Sekundäre C-Atome werden allgemein mit Permanganat zur Keton-Funktion oxidiert:

$$R-CH_2-R^1 \longrightarrow R-\overset{\overset{\textstyle O}{\|}}{C}-R^1$$

Hiermit ergibt sich die Möglichkeit, Benzophenone aus Diphenylmethanen herzustellen[2].

Da sekundäre C-Atome von Permanganat vor tertiären angegriffen werden, ist es möglich
während der Oxidation sekundärer tertiäre C-Atome unverändert zu lassen. Oxidiert man
z. B. 2,5-Dimethyl-4-benzyl-pyridin mit Kaliumpermanganat im Unterschuß, so bleiben
die beiden Methyl-Gruppen erhalten und es entsteht das *2,5-Dimethyl-4-benzoyl-pyridin*[2] in
guter Ausbeute.

2,5-Dimethyl-4-benzoyl-pyridin[3]: 25,7 g fein gepulvertes Kaliumpermanganat werden unter starkem
Rühren in kleinen Portionen zu einer 60° warmen Mischung von 50,5 g Magnesiumnitrat-Hexahydrat,
200 *ml* Wasser und 20 g 2,5-Dimethyl-4-benzyl-pyridin zugegeben und danach die Mischung 2 Stdn.
bei 60° gerührt, dann auf 90° erhitzt und rasch filtriert. Der Braunstein wird mit Äther gewaschen und
das Filtrat gleichfalls mit Äther extrahiert. Aus den Äther-Extrakten erhält man 17 g des Ketons;
F: 47° (aus Gasolin).

Bei der Weiteroxidation des 2,5-Dimethyl-4-benzoyl-pyridins werden die Methyl-Gruppen
zu Carboxy-Gruppen oxidiert[4, vgl. 5, 6]:

4-Benzoyl-2,5-dicarboxy-pyridin

[1] A. GIENER-SORBOLLA, I. ZIMMERMANU u. A. BENDICH, Am. Soc. **81**, 2515 (1959).
[2] H. W. BEATTLE u. R. H. F. MANSKE, Canad. J. Chem. **42**, 223 (1964).
  Jap. P. 6582/66 (1966), Asahi Chem. Ind. Co.; C. A. **65**, 5416 (1966).
  s. a. F. S. BABICHEV, V. N. BUBNOVSKAYA u. N. M. MARTYAKO, Ukr. chim. Ž. **35**, 817 (1969); C. A. **72**,
    3435 (1970).
[3] N. S. PROSTAKOV, L. A. SHAKHPARONOVA u. L. M. KIRILLOVA, Ž. obšč. Chim. **34**, 3231 (1964); engl. 3274.
[4] N. S. PROSTAKOV, S. S. MAIZ, V. P. ZVOLINSKIJ u. G. I. ČERENKOVA, Chim. geteroc. Soed. **1970**, 779.
[5] L. CHARDONNES u. F. NOEL, Helv. **55**, 1910 (1972).

Entsprechend verläuft die Oxidation folgender Verbindungen:

2-Benzyl-pyridin	→ *2-Benzoyl-pyridin*[1]	80% d.Th.
4-Methyl-2-benzyl-pyridin	→ *4-Methyl-2-benzoyl-pyridin*[2]	53% d.Th.
	+ *2-Benzoyl-pyridin-4-carbonsäure*[1]	17% d.Th.

Oxidiert man *1,2-Diphenyl-äthan* mit wäßrigem Kaliumpermanganat, so entsteht über das primär gebildete 1-Oxo-1,2-diphenyl-äthan das *Benzil*[3, s. a. 4].

Dem zweiten Schritt dieser Reaktion analog ist die Oxidation des Pyrazols I zum α-Diketon II (*1,3-Diphenyl-4-phenyloxalyl-pyrazol*)[5]:

Als Folgereaktion können bei geeigneter Substitution Ringschlüsse eintreten[6].

Alkyl-Benzole ergeben bei der Permanganat-Oxidation Benzoesäure. Die Reaktion verläuft über die vielfach isolierbaren Phenone, z. B.:

Propyl-benzol → *Propiophenon* → *Benzoesäure* + *Essigsäure*[7]
Äthyl-benzol → *Acetophenon* → *Benzoesäure*[7]

Durch Zusatz von Aluminiumsulfat läßt sich im folgenden Falle das Verhältnis der beiden Oxidationsprodukte variieren[8]:

4-Nitro-1-äthyl-benzol → *4-Nitro-acetophenon*[9-11] → *4-Nitro-benzoesäure*[8].

Durch Oxidation der Äthyl-Gruppen in 2,8-Diäthyl-10-acetyl-phenoxazin erhält man *2,8,10-Triacetyl-phenoxazin*[12]:

Die Reaktion erfolgt in wäßrigem Pyridin bei erhöhter Temperatur.

[1] E. H. HUNTRESS u. H. C. WALTER, Am. Soc. **70**, 3702 (1948).
   K. E. CROOK u. S. M. McELVAIN, Am. Soc. **52**, 4006 (1930).
[2] Fr. P. 1468611 (1967), J. A. PHELISSE, B. BROSSARD u. M. GAIGNOU; C. A. **68**, 87175 (1968).
[3] V. L. KNORRE u. N. M. EMANUEL, Kinetika i Kataliz **2**, 816 (1961).
   V. L. KNORRE, Kinetika i Kataliz **4**, 815 (1963); C. A. **60**, 7890 (1964).
[4] H. SAYINOME, J. Org. Chem. **23**, 1044 (1958).
[5] Y. HAYASHI u. R. ODA, Tetrahedron Letters **1969**, 854.
[6] Schweiz. P. 398596 (1961), I. R. Geigy AG., Erf.: W. GRAF, E. SCHMID u. W. STOLL; C. A. **65**, 2227 (1966).
   s. a. Belg. P. 599584 (1961), I. G. Geigy AG.
     DBP. 1244188(1958), I. R. Geigy AG., Erf.: W. GRAF, E. SCHMID u. W. STOLL; C. A. **67**, 108744 (1967).
[7] C. F. CULLIS u. J. W. LADBURY, Soc. **1955**, 4186.
[8] P. M. KOTSCHERGING et al., Ž. prikl. Chim. **32**, 1806 (1959).
[9] R. L. AUGUSTINE u. W. G. PIERSON, J. Org. Chem. **34**, 1070 (1969).
[10] A. M. SLADKOW u. S. V. VITT, Ž. obšč. Chim. **26**, 1130 (1956); C. A. **50**, 16704 (1956).
[11] R. RIEMSCHNEIDER u. B. DIEDRICH, A. **646**, 18 (1961); Naturwiss. **47**, 279 (1960).
[12] R. HAZARD et al., C. r. **252**, 4166 (1961); **255**, 1263 (1961).
   J. DE ANTONI, Bl. **1963**, 2874.
   Fr. P. 1336070 (1961), Laboratories Bruneau u. Cie., Erf.: R. HAZARD; C. A. **60**, 2958 (1964).

(Äthyl-phenyl)-phosphinoxide ergeben die entsprechenden (Acetyl-phenyl)-phosphin-oxide[1]; z. B.:

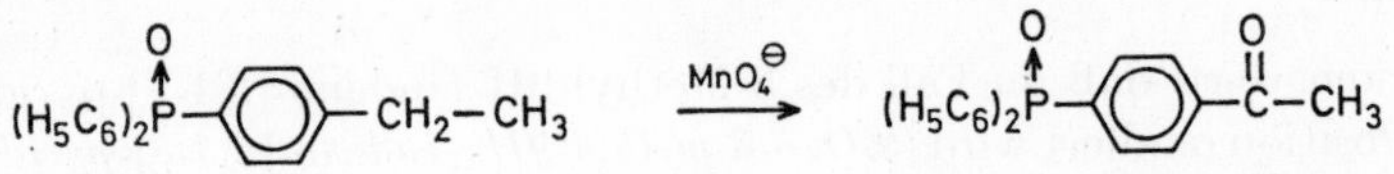

$(H_5C_6)_2P\text{—}\langle\rangle\text{—}CH_2\text{—}CH_3 \xrightarrow{MnO_4^\ominus} (H_5C_6)_2P\text{—}\langle\rangle\text{—}C\text{—}CH_3$

Diphenyl-(4-acetyl-phenyl)-phosphinoxid

β) im Cycloaliphaten

Auch dann, wenn die sekundäre Methylen-Gruppe Bestandteil eines Cycloaliphaten ist, kann sie mit Permanganat zur Keton-Gruppe oxidiert werden[2]. Von Ausnahmen abgesehen arbeitet man in alkalischer, neutraler oder schwach saurer Lösung. Auch hier können neben der Oxidation der sekundären CH$_2$-Gruppe andere oxidierbare Gruppen angegriffen werden. Die Oxidation des folgenden Tricyclus erfolgt in schwach saurem Milieu[3, s. a. 4]:

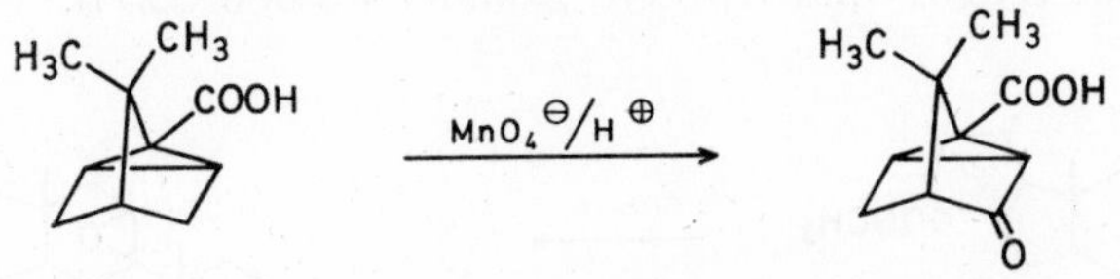

$\xrightarrow{MnO_4^\ominus/H^\oplus}$

3-Oxo-7,7-dimethyl-1-carboxy-tricyclo [2.2.1.0^{2,6}]heptan

7H-Benzo-[c]-xanthen[5] und 4-Oxo-4-xanthyl-(2)-butansäure[6] werden an der dem Sauerstoff gegenüberliegenden sekundären CH$_2$-Gruppe oxidiert und man erhält *7-Oxo-7H-⟨benzo-[c]-xanthen⟩* bzw. *2-(3-Carboxy-propanoyl)-xanthon*.

Ferner erhält man durch Oxidation von sekundären Methylen-Gruppen die folgenden Ketone:

Chinacridinchinon[7]	80% d.Th.
9-Oxo-dehydroabietinsäure-methylester[8]	65% d.Th.
6-Oxo-5-methyl-11-phenyl-5,6-dihydro-11H-⟨indolo-[3,2-c]-chinolin⟩[9]	80% d.Th.
Saccharin[10]	75% d.Th.
5-Chlor-saccharin[10]	75% d.Th.
6-Fluor-4-oxo-3-(4-fluor-phenyl)-1,2-dihydro-chinazol[11]	76% d.Th.
9-Oxo-3-methyl-9H-⟨indeno-[2,1-c]-pyridin⟩[12]	70% d.Th.
9-Oxo-3-carboxy-9H-⟨indeno-[2,1-c]-pyridin⟩[12]	75% d.Th.
7,8-Methylendioxy-10-methyl-1-äthyl-1,2,3,5,10,10a-hexahydro-⟨pyrrolo-[1,2-b]-isochinolin⟩[13]	80% d.Th.
2-Oxo-1-methyl-4-phenyl-1,2-dihydro-chinazol[14]	63% d.Th.

[1] G. P. Schiemenz u. H. Kaack, A. **1973**, 1494.
[2] K. V. Dvornikova et al., Ž. org. Chim. 8, 1042 (1972); C. A. **77**, 61291 (1972).
[3] A. Gebhardt-Schmitz, H. Menniken, F. Schmitz u. P. u. M. Lipp, Tetrahedron Letters **1962**, 227.
[4] B. H. Jennings, S. Facey, D. Goldstein u. D. Stevenson, J. Org. Chem. **33**, 1996 (1968).
[5] M. Gindy, M. S. Faltaons u. J. M. Dwidar, M. **91**, 523 (1960).
[6] A. M. El-Abbady, S. Ayoub u. F. G. Baddar, Soc. **1960**, 2556.
[7] US. P. 3251845 (1962), DuPont, Erf.: E. Jaffe; C. A. **65**, 9069 (1966).
[8] J. W. Huffman u. R. F. Stockel, J. Org. Chem. 28, 506 (1963).
[9] J. T. Braunholtz u. F. G. Mann, Soc. **1955**, 381.
[10] Y. Nitta et al., J. pharm. Soc. Japan 84, 493 (1964).
[11] W. V. Farrar, Soc. **1954**, 3253.
[12] N. S. Prostakov, K. Dzon Matju u. V. A. Kuricev, Chim. geteroc. Soed. **1967**, 876; C. A. **69**, 18982 (1968).
[13] S. Takagi u. S. Uyeo, Soc. **1961**, 4350.
[14] H. Ott u. M. Denzer, J. Org. Chem. **33**, 4263 (1968).

6-Oxo-6H-⟨dibenzo-[b;d]-pyran⟩ [1]   60% d.Th.
2,7-Dichlor-9-oxo-4-carboxy-fluoren [2]   60% d.Th.
5,6-Dioxo-5,6-dihydro-⟨dibenzo-[b;f]-oxepin⟩ [3]   gut
10-Oxo-minovincin [4]

Es ist bemerkenswert, daß im Fall des 3-Methyl-9H-⟨indeno-[2,1-c]-pyridins⟩ zunächst (bei 60°) die 9-Position oxidiert wird (9-Oxo-3-methyl-9H-⟨indeno-[2,1-c]-pyridin⟩), ohne daß die Methyl-Gruppe angegriffen würde. Erst bei 95° wird auch diese oxidiert und es entsteht 9-Oxo-3-carboxy-9H-⟨indeno-[2,1-c]-pyridin⟩ [5, vgl. 6,7]:

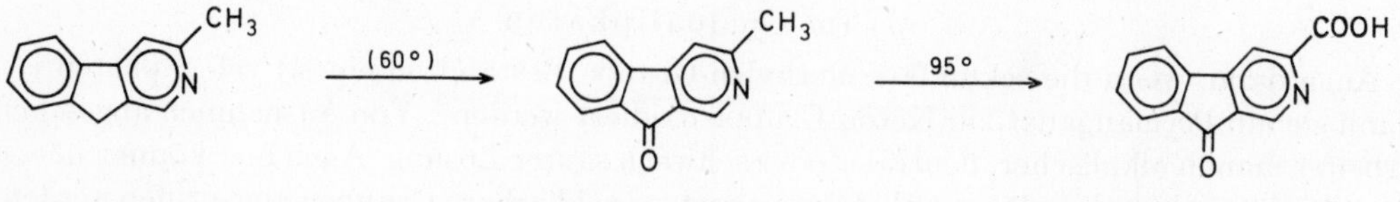

Wenn das Molekül neben der sekundären CH_2-Gruppe eine C=C-Doppelbindung enthält, kann ein Gemisch aus Keton und Epoxid gebildet werden[8]; z. B.:

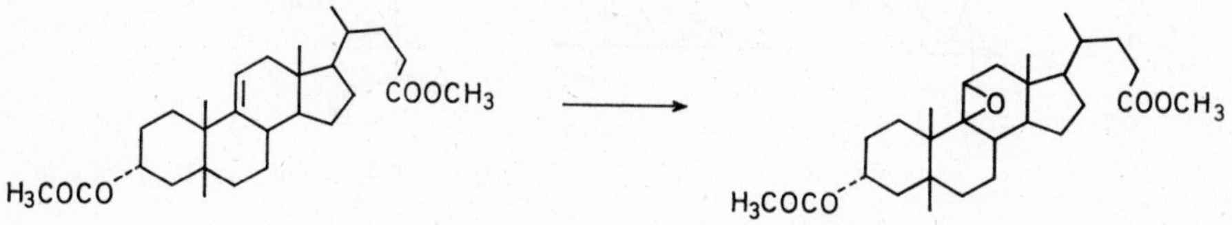

3α-Acetoxy-9,11-epoxi-17β-[4-methoxycarbonyl-butyl-(2)]-androstan

+

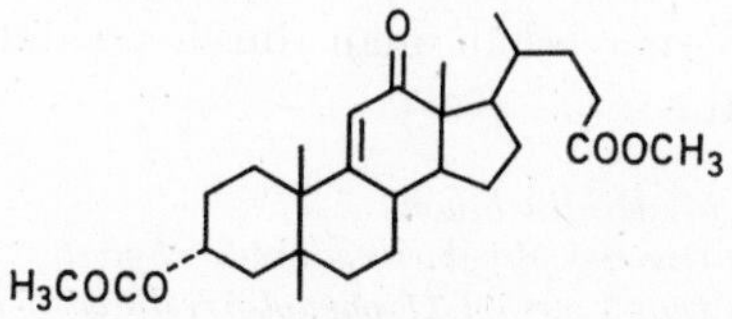

3α-Acetoxy-12-oxo-17β-[4-methoxycarbonyl-butyl-(2)]-androsten-(9^11)

3. Oxidation am tertiären C-Atom

Die Oxidation tert. C–H-Bindungen läßt sich durch folgende allgemeine Gleichung darstellen:

[1] G. W. K. Cavill et al., Soc. 1958, 1544.
[2] W. Schidlo u. A. Sieglitz, B. 96, 2595 (1963).
[3] A. H. Rees, Chem. & Ind. 1957, 76.
[4] H. Meisel u. W. Döpke, Pharm. 26, 182 (1971).
[5] N. S. Prostakov, K. Dzon Matju u. V. A. Kuricev, Chim. geteroc. Soed. 1967, 876; C. A. 69, 18982 (1968).
[6] L. Legrand u. N. Lozack, Bl. 1972, 3892.
[7] N. S. Prostakov, A. V. Varlamov u. V. P. Zvolinskij, Chim. geteroc. Soed. 1972, 1578.
[8] J. M. Constantin u. L. H. Sarett, Am. Soc. 74, 3908 (1952).

Sie wird in neutralem[1-4] oder alkalischem[5] Milieu durchgeführt. Als Primärschritt wird, analog der Chromsäure-Oxidation, eine Wasserstoff-Abstraktion angenommen; Einzelheiten zum Mechanismus vgl. Originalliteratur[5].

Die Permanganat-Oxidation ist beispielsweise geeignet zur Herstellung substituierter Milchsäuren aus den entsprechenden Propansäuren[3]; z. B.:

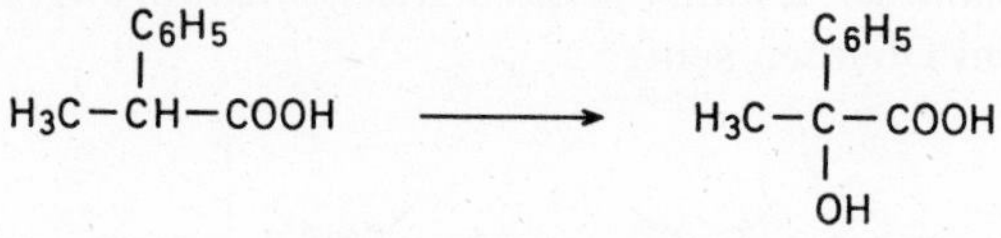

$$C_6H_5 \quad\quad\quad C_6H_5$$
$$H_3C-CH-COOH \longrightarrow H_3C-C-COOH$$
$$OH$$

2-Hydroxy-2-phenyl-propansäure[3]: Innerhalb 20 Min. wird tropfenweise bei ∼ 40° eine wäßrig. Lösung von Kaliumpermanganat (6,3 g/100 *ml* Wasser) und 20 g Kaliumhydroxid zu einer Lösung von 1,56 g 2-Phenyl-propansäure in wäßr. Kalilauge (40 g/50 *ml* Wasser) gegeben. Die erhaltene grüne Lösung wird in einem Eisbad gekühlt und mit Schwefeldioxid entfärbt. Man entfernt das Mangandioxid, extrahiert mit Äther, trocknet über Mangansulfat und destilliert das Produkt, nach Entfernen des Lösungsmittels, im leichten Vakuum; Ausbeute: 1,7 g (90% d.Th.).

Auch geminale Hydroxy-carboxy-bicyclen wurden auf diese Weise aus den entsprechenden Carbonsäuren hergestellt[6]; z. B.:

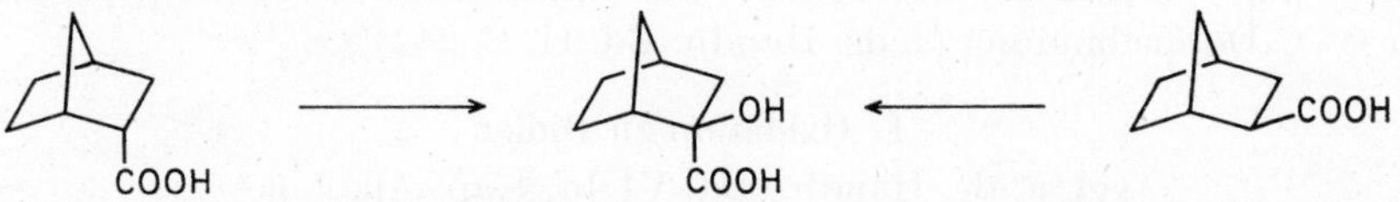

Bei der Oxidation von Bicyclo[2.2.1]heptan-2-carbonsäure wird sowohl die *endo-* als auch die *exo-*Form, letztere jedoch wird mit geringerer Ausbeute zum *2-Hydroxy-2-carboxy-bicyclo[2.2.1]heptan* oxidiert[6].

In wenigen Fällen tritt bei der Permanganat-Oxidation eine Dehydrierung ein[7]; z. B.:

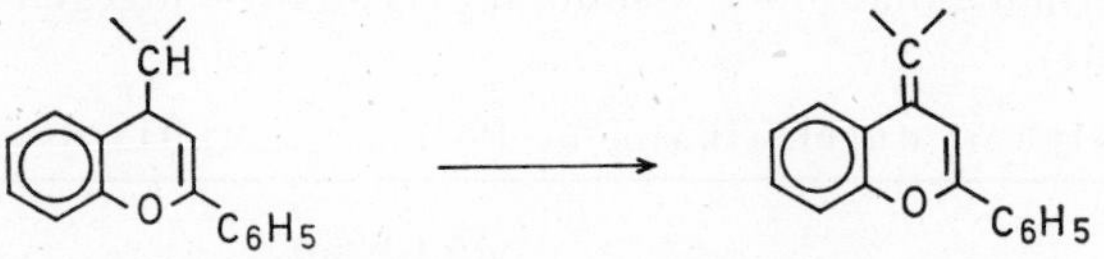

4-Alkyliden-2-phenyl-4H-chromen

Eine Dehydrierung erfolgt auch bei der Umsetzung von Tripyrryl-(2)-methanen mit Kaliumpermanganat[8]:

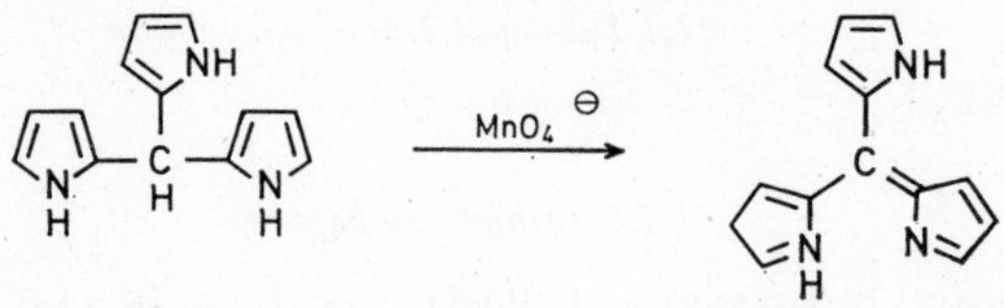

2-[Dipyrryl-(2)-methylen]-2H-pyrrol

[1] T. E. BEZMENOVA, V. G. GUTYRJA u. N. M. KAMAKIN, Ukr. chim. Ž. **30**, 1183 (1964); C. A. **62**, 9090 (1965).
[2] H. K. HALL, J. Org. Chem. **25**, 42 (1960).
[3] J. KENYON u. M. C. R. SYMONS, Soc. **1953**, 2129.
[4] G. COMBES, D. BILLET u. C. MENTZER, Bl. **1959**, 2014.
[5] K. B. WIBERG u. A. S. FOX, Am. Soc. **85**, 3487 (1963).
[6] H. KWART u. G. D. NULL, Am. Soc. **82**, 2348 (1960).
[7] F. KRÖHNKE u. K. DICKORÉ, B. **92**, 46 (1959).
[8] A. J. CASTRO, A. H. CORWIN, J. F. DECK u. P. E. WEI, J. Org. Chem. **24**, 1437 (1959).

b) Oxidation am olefinischen C-Atom

Auf S. 581 wird anhand der Oxidation von Olefinen zu Diolen ein denkbarer Mechanismus dieser Reaktion diskutiert.

Man nimmt an, daß das Primärprodukt ein Epoxid ist, dessen Ring zum Glykol aufgespalten wird. Das 1,2-Glykol kann zu 2-Hydroxy-1-oxo-Verbindungen weiter oxidiert werden. Beide Substanzklassen können je nach Reaktionsführung Hauptprodukte der Permanganat-Oxidation von Olefinen sein:

Weist ein Molekül mehrere Doppelbindungen auf, so werden diese gelegentlich zu verschiedenen Gruppierungen oxidiert. Als Beispiel hierfür sei die Oxidation des Cyclopentadiens zu einem Gemisch aus *1,2,3,4-Tetrahydroxy-cyclopentan* und *1,2-Dihydroxy-3,4-epoxi-cyclopentan*[1], angeführt.

Die Oxidation der Olefine erfolgt in neutraler bis schwach alkalischer Lösung im allgemeinen bei tiefen Temperaturen. Ein Zusatz von Magnesiumsulfat kann von Vorteil sein.

Die Umsetzung von Kaliumpermanganat mit Olefinen dient auch zum qualitativen Nachweis einer C=C-Doppelbindung (s. ds. Handb. Bd. II, S. 282f.).

1. Oxidation zu Diolen
(vgl. a. ds. Handb., Bd. VI/1a, Kap. Alkohole)

α) Aliphatische C=C-Doppelbindungen

Eine systematische Untersuchung[2] der Oxidation von Olefinen zu 1,2-Glykolen ergab, daß z. B. die Oxidation von Diphenylmethylen-cyclobutan durch elektrophile Agenzien (z. B. Peressigsäure, Chromsäure oder Ozon) mit einer Umlagerung verbunden ist. Bei Oxidationen mit Permanganat oder Osmium(VIII)-oxid hingegen bleibt das C-Gerüst erhalten[2] (vgl. Tab. 31).

Tab. 31: *cis*-1,2-Glykole durch alkalische Permanganat-Oxidation von Olefinen

Olefin	Glykol	Ausbeute [% d.Th.]	Literatur
7,7-Diphenyl-hepten-(6)-säure	*6,7-Dihydroxy-7,7-diphenyl-heptansäure*	60	[3]
1,4-Dinitrato-buten-(2)	D,L-*Erythrit-dinitrat*	71	[4, vgl.a. 5, 6]
1,4-Dibrom-buten-(2)	*1,4-Dibrom-2,3-dihydroxy-butan*	90–95	[7]
5-Hydroxy-penten-(3)-aldehyd-dimethylacetal	*2-Desoxy*-D,L-*ribose*	40	[8, vgl. 9, 10]
Hepten-(4)-ol(1)	*1,4,5-Trihydroxy-heptan*		[11, 8 ,a. 12]

[1] H. Z. Sable, T. Anderson, B. Tolbert u. T. Posternak, Helv. **46**, 1157 (1963).
[2] S. H. Graham u. A. J. S. Williams, Soc. **1959**, 4066.
[3] R. Neher, Helv. **46**, 1083 (1963).
[4] D. E. Ames, T. G. Goodburn, A. W. Jevans u. J. F. McGhi, Soc. **1968**, 268.
[5] A. M. Korolev u. L. T. Eremenko, Izv. Akad. SSSR **1972**, 663; C. A. **77**, 87737 (1972).
[6] O. K. Matsumoto u. K. Fukui, Chem. Letters **1972**, 29.
[7] C. M. Foltz u. B. Witkop, Am. Soc. **79**, 201 (1957).
[8] K. Zeile u. A. Heussner, B. **90**, 1869 (1957).
[9] J. Yoshimura, K. Kubayashi, K. Sato u. M. Funabashi, Bull. Chem. Soc. Japan **45**, 1806 (1972).
[10] A. Rosenthal u. K. Shuda, J. Org. Chem. **37**, 4391 (1972).
[11] C. Y. Hopkins u. M. J. Chisholm, Canad. J. Chem. **42**, 2224 (1964).
[12] O. P. Vig, J. Chander u. B. Ram, J. Indian Chem. Soc. **49**, 793 (1972).

Tab. 31 (1. Fortsetzung)

Olefin	Glykol	Ausbeute [% d.Th.]	Literatur
4-Vinyl-pyridin	*Pyridyl-(4)-glykol*		1
1-Benzoyloxycarbonyl-2,5-dihydro-pyrrol-2-carbonsäure-amid	*3,4-Dihydroxy-1-benzoyloxycarbonyl-tetrahydropyrrol-2-carbonsäure-amid*	52	2
1,4-Diphenyl-buten-(2)	*2,3-Dihydroxy-1,4-diphenyl-butan*	30–40	3
16-Hydroxy-hexadecen-(9)-säure	*9,10,16-Trihydroxy-hexadecansäure*	50	4
cis-Propenyl-benzol	*cis-1,2-Dihydroxy-1-phenyl-propan*	42	5, 6
Fumardialdehyd-tetramethylacetal	*2,3-Dihydroxy-butandial-tetramethyl-acetal*	30–40	7

Bei geeigneter Substitution kann im Anschluß an die Oxidation Ringschluß erfolgen[8–11,s.a.12]. Beispielsweise entsteht aus Hexadecen-(3)-säure das *4-Hydroxy-2-oxo-5-dodecyl-tetrahydrofuran*[8]:

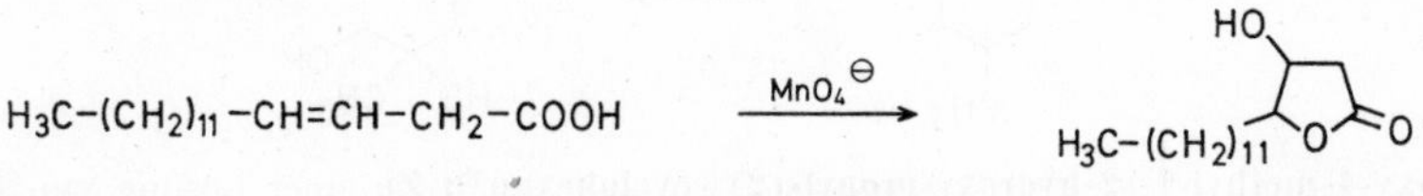

Ebenso findet bei der Oxidation von 1,5-Dienen Ringschluß statt und es entstehen die 2,5-Bis-[hydroxymethyl]-tetrahydrofurane. Die Reaktion verläuft streng stereospezifisch[13].

Ist der Abstand der gebildeten Hydroxy-Gruppe zur Carboxy-Gruppe zu groß, so tritt kein Ringschluß ein und man erhält die Dihydroxy-carbonsäuren[14, 15]; z. B. *9,10-Dihydroxy-stearinsäure*[14]. Auch Glycerin-monoester können aus den entsprechenden ungesättigten Vorstufen hergestellt werden[16].

Ungesättigte Systeme mit Aryl- bzw. Cycloalkyl-Substituenten, die als Substituenten aromatischer Systeme auftreten, werden ebenfalls zu 1,2-Glykolen oxidiert. Diese Reaktion ist für Alken-(1)-yl-benzole[17–19] und -heteroaromaten[20, 21], ferner Kohlenhydrate [22, 23] und Steroide[24] beschrieben.

[1] J. YOSHIMURA, K. KOBAYASHI, K. SATO u. M. FUNABASHI, Bull. Chem. Soc. Japan 45, 1806 (1972).
[2] C. B. HUDSON, A. V. ROBERTSON u. W. R. J. SIMPSON, Austral. J. Chem. 21, 769 (1968).
[3] R. NEHER, Helv. 46, 1083 (1963).
[4] D. E. AMES, T. G. GOODBURN, A. W. JEVANS u. J. F. McGHI, Soc. 1968, 268.
[5] C. M. FOLTZ u. B. WITKOP, Am. Soc. 79, 201 (1957).
[6] T. MATSUMOTO, K. HIDUKA, T. NAKAYAMA u. K. FUKUI, Chem. Letters 1972, 1.
[7] K. ZEILE u. A. HEUSSNER, B. 90, 1869 (1957).
[8] C. Y. HOPKINS u. M. J. CHISHOLM, Canad. J. Chem. 42, 2224 (1964).
[9] Jap. P. 2131/67 (1963), Osaka City; C. A.
[10] M. JULIA u. A. GUY-ROUAULT, C. r. 258, 3728 (1964).
[11] L. BIRKOFER u. W. GIESSLER, A. 665, 125 (1963).
[12] M. A. PANYUKOVA u. V. I. AZAROVA, Ž. obšč. Chim. 33, 4004 (1963); engl.: 3940.
[13] E. KLEIN u. W. ROJAHN, Tetrahedron 21, 2353 (1965).
[14] J. C. TRAYNARD, Bl. 1952, 323.
[15] D. F. EWING u. C. Y. HOPKINS, Canad. J. Chem. 45, 1259 (1967).
[16] G. A. SEREBRENNIKOVA et al., Ž. org. Chim. 3, 2099 (1967); C. A. 66, 65028 (1967).
[17] J. G. DUFF u. J. M. PEPPER, Canad. J. Chem. 34, 842 (1956).
[18] C. J. W. BROOKS u. W. L. STAFFORD, Soc. 1963, 758.
[19] M. SVOBODA u. J. LIEHER, Chem. Listy 49, 1375.
[20] H. S. AARON et al., J. Org. Chem. 30, 1331 (1965).
[21] US. P. 3407186 (1965), Polaroid Corp., Erf.: H. C. HAAS; C. A. 70, 12141 (1969).
[22] M. MIYANO u. A. A. BENSON, Am. Soc. 84, 59 (1962).
[23] R. J. FERRIER u. N. PRASAD, Soc. 1969, 575.
[24] J. HEER u. K. MIESCHER, Helv. 34, 359 (1951).

Als ein Beispiel aus der Steroid-Reihe, sei hier die Oxidation von 21-Acetoxy-3,11-dioxo-20-cyan-pregnen-(17[20]) mit Kaliumpermanganat zu *17α,20-Dihydroxy-21-acetoxy-3,11-dioxo-20-cyan-pregnan* genannt. Für die Permanganat-Oxidation von β-Ionen nimmt man einen Angriff auf die außerhalb des Ringes stehende Doppelbindung an[1].

β) Alicyclische C=C-Doppelbindungen

C=C-Doppelbindungen eines Ringsystems lassen sich mit Permanganat zu *cis* 1,2-Glykolen umsetzen. Ist das Ringsystem mit oxidierbaren Gruppen substituiert, so müssen diese vor einer Oxidation geschützt werden. Als Schutz für Aldehyd-Gruppen bietet sich deren Umwandlung in das Acetal an[2] (vgl. S. 602, Tab. 31).

Als Beispiel für die Reaktion verschiedener Cyclopentene[3-7] und Cyclohexene[8-12] sei hier die Oxidation von 1-Methyl-4-[2-hydroxy-propyl-(2)]-cyclohexen-(1) (Terpineol) angeführt[13]:

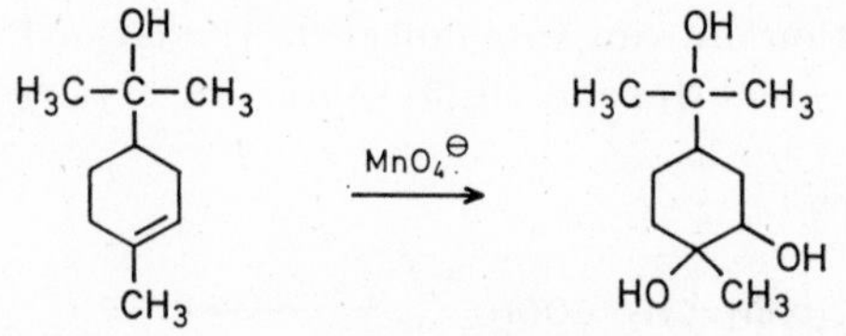

3,4-Dihydroxy-4-methyl-1-[2-hydroxy-propyl-(2)]-cyclohexan[13]: Zu einer Lösung von 100 g Kaliumpermanganat in 4 l Wasser läßt man unter Wasserkühlung 75 g 1-Methyl-4-[2-hydroxy-propyl-(2)]-cyclohexen (Terpineol) tropfen. Das Reaktionsgemisch erwärmt sich und erstarrt vorübergehend. Nach 2 Stdn. wird filtriert, der Braunstein mit Wasser ausgekocht (2mal) und Filtrat und Extrakte vereinigt. Unter Einleiten von Kohlendioxid wird eingeengt und der verbleibende Sirup mit warmem Äthanol extrahiert. Es hinterbleibt eine dunkle Masse, die beim Erkalten erstarrt. Die bei 170–180°/11–12 Torr übergehende Fraktion wird mit wenig Äther angerieben, filtriert und kristallisiert aus Äther/Äthanol um; F: 120,5° (farblose Kristalle).

Entsprechend erhält man *Tetrachlor-cis-1,2-dihydroxy-cyclohexan* aus 3,4,5,6-Tetrachlor-cyclohexen[14] und Inosite[15] aus Kondurit (3,4,5,6-Tetrahydroxy-cyclohexenen).

3′,4′-Dihydroxy-4,6-dimethoxy-2′,3-dioxo-4′-methyl-grisan (*3,4-Dihydroxy-2-oxo-4-methyl-cyclohexan-⟨1-spiro-2⟩-4,6-dimethoxy-3-oxo-2,3-dihydro-⟨benzo-[b]-furan⟩*) kann durch Hydroxylierung des entsprechenden Grisens mit Zinkpermanganat erhalten werden[16]:

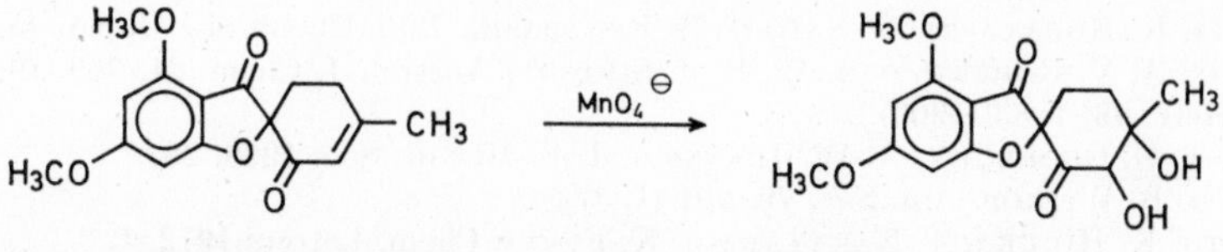

[1] C. W. J. Brooks, G. Eglington u. D. S. Magrill, Soc. **1961**, 308.
[2] I. G. Molotkovskij, L. E. Nikulina u. L. D. Bergelson, Izv. Akad. SSSR **1967**, 9277; C. A. **68**, 29219 (1968).
[3] H. Z. Sable et al., Helv. **46**, 1157 (1963).
[4] G. Kresze u. R. Rubner, B. **102**, 1280 (1969).
[5] S. David, M. C. Lepine u. A. Lukineau, Bl. **1972**, 3580.
[6] J. P. Vidal, R. Granger, J. P. Girard, J. C. Rossi u. C. Saklayrolles, C. r. [C] **274**, 965 (1972).
[7] F. G. Cocu u. T. Posternak, Helv. **55**, 2828 (1972).
[8] M. H. Benn, B. Chatamra u. A. S. Jones, Soc. **1960**, 1014.
[9] H. Hayatsu u. S. Iida, Tetrahedron Letters **13**, 1031 (1969).
[10] M. Nakajima, A. Hasegawa u. N. Kurihara, B. **95**, 2708 (1962).
[11] V. B. Muchalin u. A. I. Kornilov, Ž. obšč. Chim. **43**, 218 (1973).
[12] R. Schwesinger u. H. Prinzbach, Ang. Ch. **84**, 990 (1972).
  E. Vogel, H. J. Altenbach u. C. D. Sommerfeld, Ang. Ch. **84**, 986 (1972).
[13] M. Lipp, F. Dallacker u. H. Pauling, A. **644**, 37 (1961).
[14] M. Nakajima, I. Tomida u. S. Takei, B. **92**, 163 (1959).
[15] M. Nakajima, I. Tomida u. S. Takei, B. **92**, 173 (1959).
[16] F. M. Dean u. K. Manunapichu, Soc. **1957**, 3112.

Auch höhergliedrige Cycloalkene liefern Glykole, wobei eine unterschiedliche Reaktivität der C=C-Doppelbindungen je nach sterischer Anordnung beobachtet wird. So greift Kaliumpermanganat oder Osmium(VIII)-oxid *cis, trans, trans*-Cyclododecatrien-(1,5,9) selektiv an der *trans*-Doppelbindung an[1–3] und man erhält *9,10-Dihydroxy-cyclododecadien-(trans-1,cis-5)*. Schließlich können auch Azulene[4] und Steroide[5, 6] an Doppelbindungen im Ringgerüst hydroxyliert werden.

16α,17α-Dihydroxy-3β-acetoxy-20-oxo-pregnen-(5)[5]: Eine Lösung von 18 g Kaliumpermanganat in 1,05 l 85%igem wäßr. Aceton wird innerhalb 45 Min. zu einer eiskalten Lösung von 40 g 3 β-Acetoxy-20-oxo-pregnadien-(5,16) in 1,2 l Aceton und 8 *ml* Essigsäure gegeben. Nachdem man den Permanganat-Überschuß mit Schwefeldioxid zerstört hat, wird die Lösung von anorganischen Salzen abdekantiert und i. Vak. eingeengt. Man behandelt mit 2 l Äther und wäscht die Lösung mit Wasser, Natriumhydrogencarbonat, wieder mit Wasser und trocknet. Man engt auf 400 *ml* ein und erhält 14,7 g Kristalle (F: 140–170°). Weitere 13,8 g (F: 170–185°) werden aus der Mutterlauge erhalten. Die vereinigten Produkte werden aus Methanol umkristallisiert; Ausbeute: 8 g (40% d.Th.) F: 210–212°.

Die ungesättigte Gruppierung kann ferner Bestandteil eines Bicyclus sein. So gelingt die Oxidation von Bicyclo[2.2.1]heptenen[7, 8] und 2,6,6-Trimethyl-bicyclo[2.2.1]hepten-(2)[9] sowie höher-kondensierter Alicyclen[10, 11] mit Permanganat zu den entsprechenden 1,2-Diolen. Die Oxidation von Bicyclo[2.2.2]octen mit Permanganat liefert allerdings nur 20% d.Th. *cis-2,3-Dihydroxy-bicyclo[2.2.2]octan* [Osmium(VIII)-oxid 34% d.Th.][12]:

Zahlreich sind die Oxidationen ungesättigter Fünf-[13–18] und Sechsring-[19–23] Heterocyclen sowie der Lactone[24]. So wurden u. a. aus den entsprechenden ungesättigten Verbindungen hergestellt:

cis-3,4-Dihydroxy-2,5-dimethoxy-tetrahydrofuran[13, 25, 26]
cis-3,4-Dihydroxy-tetrahydropyran[22, s. a. 24]

[1] M. Ohno u. S. Torimitsu, Tetrahedron Letters **1964**, 2259.
s. a. Jap. P. 3376/68 (1964), Toyo Rayon Co., Ltd.
[2] W. P. Weber u. J. P. Shepherd, Tetrahedron Letters **1972**, 4907.
[3] K. A. Powell, A. L. Hughes, H. Katchian, J. F. Jerauld u. H. Z. Sable, Tetrahedron **28**, 2019 (1972).
[4] W. Treibs, B. **90**, 761 (1958).
[5] G. Cooley, B. Ellis, F. Hartley u. V. Petrow, Soc. **1955**, 4373.
[6] A. E. Hydora, J. N. Korzun u. J. R. Moetz, Steroids **3**, 493 (1964).
[7] J. Paasivirta u. R. Laatikainen, Suomi Kemi [B] **45**, 333 (1972).
[8] A. S. J. Chan u. W. P. Cochrane, Chem. & Ind. **1970**, 1568.
[9] R. G. Carlson u. J. K. Pierce, J. Org. Chem. **36**, 2319 (1971).
[10] W. Herz u. V. Barkurao, J. Org. Chem. **36**, 3271, 3899 (1971).
[11] D. Brewster et al., Chem. Commun. **1972**, 1235.
[12] H. M. Walborsky u. D. F. Loncrini, Am. Soc. **76**, 5396 (1954).
[13] J. C. Sheehan u. B. M. Bloom, Am. Soc. **74**, 3825 (1952).
[14] N. Yota u. P. Yates, Tetrahedron **19**, 849 (1963).
[15] J. T. Nielsen, N. Elming u. N. Clauson-Kaas, Acta chem. scand. **12**, 63 (1958).
[16] US. P. 2748147 (1956), S/A Sadolin u. Holmblad; Erf.: N. Klauson-Kaas; C. A. **51**, 4437 (1957).
[17] J. Srogel u. F. Liska, Collect. czech. chem. Commun. **29**, 1277 (1964).
[18] D. Gagnaire u. P. Vottero, Bl. **1963**, 2779.
[19] M. H. Benn, B. Chatamra u. A. S. Jones, Soc. **1960**, 1014.
[20] H. Hayatsu u. S. Iido, Tetrahedron Letters **1969**, 1031.
[21] P. Howgate, A. S. Jones u. J. R. Tittensor, Soc. **1968**, 275.
[22] O. Heuberger u. L. N. Owen, Soc. **1952**, 910.
[23] F. Baranton, G. Fontaine u. P. Maitte, Bl. **1968**, 4203.
[24] H. P. Kaufmann u. I. Rose, J. pr. 4 **15**, 121 (1962).
[25] G. Buchi, E. Demole u. A. F. Thomas, J. Org. Chem. **38**, 123 (1973).
[26] K. Koja, M. Tamiguchi u. S. Yamada, Tetrahedron Letters **1971**, 263.

Oxidiert man die Pyrimidinbase Thymin mit Kaliumpermanganat bei $p_H = 7$, so erfolgt auch hier primär Hydroxylierung an der C=C-Doppelbindung zu *cis-5,6-Dihydroxy-2,4-dioxo-5-methyl-hexahydropyrimidin*[1,2]. Daneben entsteht *5-Hydroxy-2,4,6-trioxo-5-methyl-hexahydropyrimidin*[2] bzw. durch Hydrolyse Harnstoff und andere Produkte[1,3]. Ist das Thymin in 1 Stellung substituiert, so wird nur noch der entsprechende Harnstoff gebildet.

Selektiv erfolgt diese Oxidation in der betreffenden Nucleinsäure[2].

2. Oxidation zu Epoxiden (Oxiranen)

Wie auf S. 602 gezeigt, führt die Oxidation von Olefinen mit Permanganat vermutlich über Epoxide, deren hydrolytische Spaltung dann das 1,2-Glykol bildet. Ein starkes Argument für diese Annahme ist die Tatsache, daß die Hydroxylierung einer C=C-Doppelbindung zum gleichen Produkt führt wie die hydrolytische Spaltung des entsprechenden, auf anderem Wege hergestellten Epoxids.

Obgleich es in Einzelfällen möglich ist, die Umsetzung von Olefinen und Cycloolefinen zum Epoxid zu führen, hat das Verfahren bisher keine breite Anwendung in der präparativen organischen Chemie gefunden. Folgende Oxirane sind aus den entsprechenden Olefinen hergestellt worden:

9,10-Epoxi-stearinsäure[4]	—
Tetrafluor-oxiran[5]	20% d.Th.
3α-Acetoxy-9β,11β-epoxi-cholsäure-methylester[6]	31% d.Th.
5,8-Dihydroxy-6,7-epoxi-8,9-dimethyl-2-[2-hydroxy-propyl-(2)]-dekalin[7]	30—40% d.Th.
2-Fluor-2-methyl-oxiran[5]	20% d.Th.

3. Oxidation zu α-Hydroxy-ketonen

Bevor bei der Oxidation mit Permanganat C–C-Spaltung eintritt, werden in der Regel α-Hydroxy-ketone gebildet:

Ist das Molekül des Ausgangsolefins nicht exakt symmetrisch, so werden Stellungs-isomere erhalten.

Den Einfluß des p_H-Wertes auf die Oxidation zeigt folgendes Beispiel: Oxidiert man das Kaliumsalz der Ölsäure bei $p_H = 9$–9,5, so bildet sich *Hydroxy-oxo-stearinsäure* in guter

[1] M. H. Benn, B. Chatamara u. A. S. Jones, Soc. **1960**, 1014.
[2] H. Hayatsu u. S. Iido, Tetrahedron Letters **1969**, 1031.
[3] P. Howgate, A. S. Jones u. J. R. Tittensor, Soc. **1968**, 275.
[4] N. P. Bulackij, Ž. obšč. Chim. 2, 2260 (1966).
[5] G. G. Belen'kii, L. S. German u. I. L. Knunyants, Izv. Akad. SSSR **1968**, 554; C. A. **68**, 12353 (1968).
[6] J. M. Constantin u. L. H. Sarett, Am. Soc. 74, 3908 (1952).
[7] E. v. Rudloff, Tetrahedron Letters **1966**, 993.

Ausbeute; in stärker alkalischem Milieu entsteht *9,10-Dihydroxy-stearinsäure*[1]. Über weitere Beispiele der alkalischen oder neutralen Permanganat-Oxidation zu α-Hydroxy-ketonen vgl. Originalliteratur[2-8, s. a. 9].

Auch hydrierte Heteroaromaten können zu α-Hydroxy-oxo-Verbindungen oxidiert werden, wie die Bildung von *5-Hydroxy-5-methyl-barbitursäure* aus Thymin zeigt[10,11].

Oxidiert man 1,3,3,3-Tetrafluor-1-alkoxy-2-trifluormethyl-propen bei 100–110° in neutraler wäßriger Lösung, so entstehen in guten Ausbeuten *3,3,3-Trifluor-2-hydroxy-2-trifluor-methyl-propansäureester*[12]:

$$\begin{array}{c} F_3C \\ \\ F_3C \end{array}\!\!\!>\!C\!=\!CF\!-\!OR \quad\longrightarrow\quad F_3C\!-\!\underset{\underset{OH}{|}}{\overset{\overset{CF_3}{|}}{C}}\!-\!COOR$$

c) Oxidation an der C≡C-Dreifachbindung

Während die Permanganat-Oxidation von Olefinen zu Diolen, Epoxiden oder α-Hydroxy-oxo-Verbindungen führen kann, liefern Acetylene oft nur mit mäßigen Ausbeuten 1,2-Diketone[13]:

$$R\!-\!C{\equiv}C\!-\!R \quad\longrightarrow\quad R\!-\!\underset{\underset{O}{\|}}{C}\!-\!\underset{\underset{O}{\|}}{C}\!-\!R$$

Den Einfluß des p_H-Wertes zeigt die Oxidation von Octadecin-(9)-säure, die in neutraler Lösung ($p_H = 7$–$7,5$) in ausgezeichneter Ausbeute zu *9,10-Dioxo-stearinsäure* führt. Bei höheren oder niedrigeren p_H-Werten wird keine Dioxo-carbonsäure isoliert, da sie nur in neutralem Milieu beständig ist und sich unter sauren oder alkalischen Bedingungen oxidativ zersetzt[14]. Die Oxidation von α,α'-Dihydroxy-alkin-Derivaten ist stark von der Struktur und den Reaktionsbedingungen abhängig[15,16].

Die Oxidation der C≡C-Dreifachbindung mit Permanganat führt letztlich wie die Oxidation der C=C-Doppelbindung zur C–C-Spaltung[15] (s. S. 646).

[1] J. E. COLEMAN et al., Am. Soc. **78**, 342 (1956).
[2] US. P. 2894964 (1957), Ethicon Inc., Erf.: J. NICHOLS u. E. S. SCHIPPER; C. A. **54**, 1316 (1960).
[3] V. I. PANSEVIC-KOLJADA u. T. A. GALYSEVA, Ž. obšč. Chim. **30**, 469 (1960); engl.: 491.
[4] W. A. CRAMP et al., Soc. **1960**, 4257.
[5] M. O. FARCOQ u. S. M. OSMAN, R. **78**, 864 (1959).
[6] M. MATSUI, M. UCHIYAMA u. H. YOSHIOKA, Agric. biol. Chem. **27**, 554 (1963).
  s. a. Jap. P. 3296/68 (1965), Semitomo Kagaku, Erf.: K. K. KOGYO.
[7] B. ELLIS, F. HARTLEY, V. PETROW u. D. WEDLAKE, Soc. **1955**, 4383.
[8] S. M. OSMAN u. M. AHMAD, Fette, Seifen, Anstrichmittel **68**, 600 (1966).
[9] Belg. P. 695272 (1967), Soc. d'Etud. Scientifiques et industrielles de l'Ile de France.
[10] H. HAYATSU u. S. IIDO, Tetrahedron Letters **1969**, 1031.
[11] J. CADET u. R. EPSZTEIN, C. r. [C] **271**, 1632 (1970).
[12] USSR. P.-Anm. 194084 (1966), Ural Polytech. Inst., Erf.: S. V. SOKOLOV, W. S. PLASHKIN u. S. M. KIROV; C. A. **68**, 591326 (1968).
[13] W. J. NIKITIN u. S. D. SAWRANSKAYA, Ž. obšč. Chim. **23**, 1330 (1953).
[14] N. A. KHAN u. M. S. NEWMAN, J. Org. Chem. **17**, 1063 (1952).
[15] G. DUPONT, R. DULOU u. D. LEFORT, Bl. **1949**, 789; **1951**, 755.
[16] H. FIESSELMANN u. K. SASSE, B. **89**, 1791 (1956).

Tab. 32: 1,2-Diketone (70–96% d.Th.) durch Permanganat-Oxidation von Alkinen

Acetylen	1,2-Diketon	Literatur
Bis-[1-acetoxy-cyclohexyl]-acetylen	*1,2-Dioxo-1,2-bis-[1-acetoxy-cyclohexyl]-äthan*	1
5-Phenyl-2-phenyläthinyl-furan	*1,2-Dioxo-2-phenyl-1-[2-phenyl-furyl-(5)]-äthan*	2, s. a. 3
Octadecin-(9)-säure	*9,10-Dioxo-stearinsäure*	4–6
3,6-Diacetoxy-3,6-dimethyl-octin-(4)	*3,6-Diacetoxy-4,5-dioxo-3,6-dimethyl-octan*	7
3,6-Diacetoxy-3,6-diäthyl-octin-(4)	*3,6-Diacetoxy-4,5-dioxo-3,6-diäthyl-octan*	7

d) Oxidation am Aromaten

Unterwirft man Aromaten einer kräftigen Oxidation mit Permanganat, so tritt Reaktion entweder unter Erhaltung oder unter Verlust des aromatischen Systems ein; z. B.:

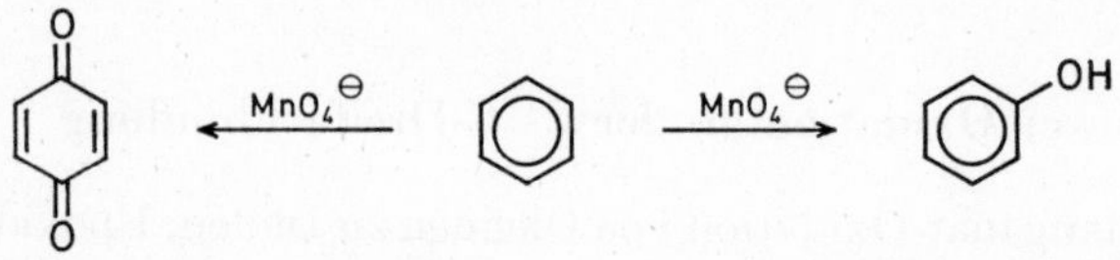

An kondensierten aromatischen oder heteroaromatischen Systemen kann zudem Aufspaltung eines der Ringe eintreten. So führt beispielsweise die oxidative Aufspaltung von Naphthalinen in saurer Lösung zu *Phthalsäure*. Diese Reaktion verläuft über *Phenylglyoxylsäure* als Zwischenprodukt, das beim Arbeiten in alkalischer Lösung isoliert werden kann. Solche Spaltungsreaktionen erfolgen meist bei höherer Temperatur und werden daher später eingehender besprochen werden (s. S. 624 ff.).

Teilweise entstehen bei der Einwirkung von Permanganat auf substituierte Benzole Benzoesäuren; deren Bildung durch Annahme eines Biphenyl-Derivats als Zwischenprodukt erklärt wird. Der eine Benzol-Ring des Biphenyls wird dann weiter abgebaut. Dehydrierende Dimerisierungen, wie sie in diesem Fall angenommen wurden, sind z. T. in präparativem Maßstab durchgeführt worden (s. S. 622 ff.).

Anders als die aliphatische entfärbt die aromatische Bindung bei der Baeyer-Probe eine Permanganat-Lösung nicht.

1. Oxidation unter Erhaltung des aromatischen Charakters

Schwefelsaure Permanganat-Lösungen oxidieren Benzoesäure zu *2-, 3- und 4-Hydroxybenzoesäure*:

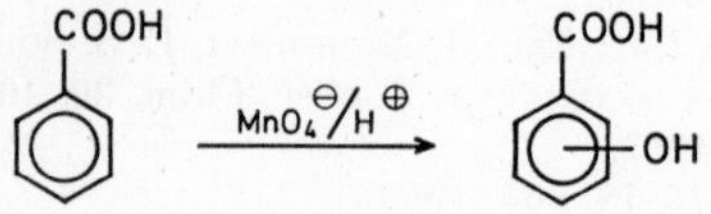

Entscheidend für diese Reaktion ist der Einfluß der Säure. Bei 95° ist die Oxidation innerhalb von 3 Stdn. beendet[8]. Leichter erfolgt diese Reaktion an der Phthalsäure[9]. Hier

[1] H. Fiesselmann u. K. Sasse, B. **89**, 1791 (1956).
[2] S. Holand u. R. Epztein, C. r. **259**, 2876 (1964).
[3] S. Holand u. R. Epsztein, Bl. **1971**, 1694.
[4] N. A. Khan u. M. S. Newman, J. Org. Chem. **17**, 1063 (1952).
[5] J. E. Coleman, C. Ricciati u. D. Swern, Am. Soc. **78**, 5342 (1956).
[6] D. N. Grindley u. S. A. El Sarray, J. Am. Oil Chem. Soc. **49**, 338 (1972).
[7] G. Dupont, R. Dulou u. D. Lefort, Bl. **1949**, 789; **1951**, 755.
[8] A. Leman u. M. T. Montaigne, C. r. **231**, 412 (1950).
[9] A. Leman u. M. Delannoy, C. r. **218**, 322 (1944).

beginnt die Oxidation bei einem anfänglichen p_H-Wert von 1,8 (schwefelsauer) schon bei $\sim 45°$ und ist bei 75° innerhalb einer Min. zu 75% beendet. Es ist zu beachten, daß bei 72–85° ($p_H = 0{,}8$–$1{,}8$) Ringspaltung eintritt.

Setzt man Anthracene oder Hydroxy- und Halogen-naphthaline mit Kaliumpermanganat in heißem Acetanhydrid um, so entstehen in schlechten Ausbeuten die entsprechend substituierten Essigsäuren[1].

2. Oxidation unter Verlust des aromatischen Charakters

Der aromatische Charakter kann entweder durch oxidativen Abbau des Ringes (s. S. 638) oder durch Verlust von zwei π-Elektronen, wobei z. B. Benzochinone entstehen, verloren gehen:

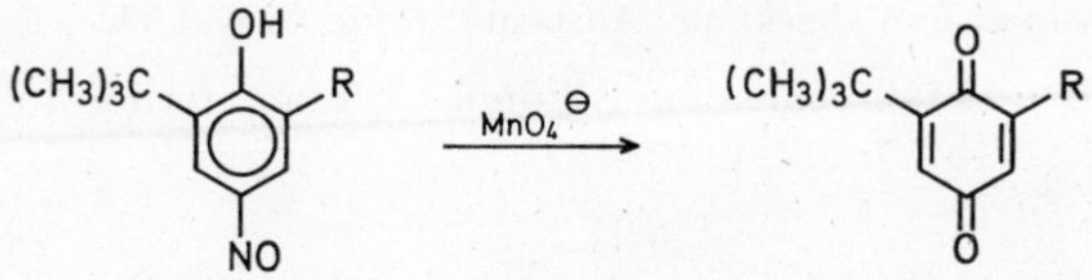

Gelegentlich tritt neben der Oxidation zum Chinon Ringspaltung auf. So entsteht beispielsweise bei der Oxidation von Phenanthren in neutralem Milieu als Hauptprodukt das *Phenanthrenchinon* neben *Biphenyl-2,2'-dicarbonsäure*. Letztere wird zum Hauptprodukt beim Arbeiten in alkalischem Milieu[2]:

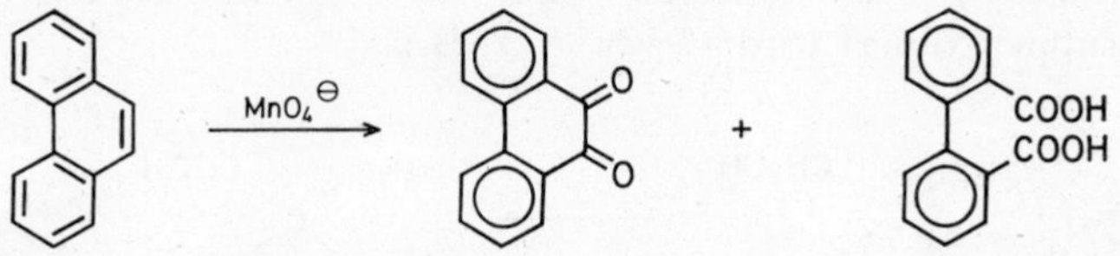

Bei der Oxidation von N-Heteroaromaten erhält man dagegen Lactame; z. B.[3]:

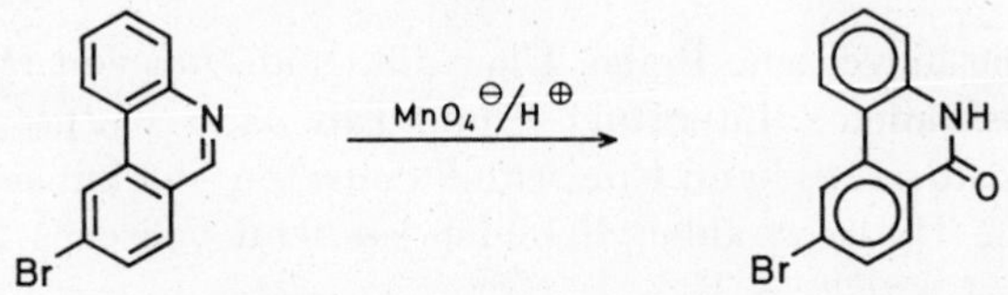

9-Brom-6-oxo-5,6-dihydro-phenanthridin

e) Oxidation von Alkoholen

1. Primäre Alkohole

α) Oxidation primärer Alkohole zum Aldehyd

Im allgemeinen hat die Oxidation von Alkoholen zu Aldehyden mit Kaliumpermanganat keine Bedeutung. Nur wenn der primär entstehende Aldehyd gegen überschüssiges Permanganat relativ beständig ist, z. B. bei verschiedenen Indolaldehyden[4-6], können die Aldehyde isoliert werden.

---

[1] A. R. Inamdar, S. N. Kulkarni u. K. S. Nargund, J. indian chem. Soc. **44**, 398 (1967); C. A. **67**, 73413 (1967).

[2] M. M. Dashevskii u. L. A. Alekseeva, Ž. prikl. Chim. **42**, 2369 (1969); C. A. **72**, 31494 (1970).

[3] H. Gilman u. J. Esch, Am. Soc. **77**, 6379 (1955).

[4] W. I. Taylor, Helv. **33**, 164 (1950).

[5] E. Hardegger u. H. Corrodi, Helv. **37**, 1826 (1954).

[6] Belg. P. 638366 (1962), Sandoz S. A., Erf.: A. Hofmann u. F. Troxler; C. A. **62**, 4008 (1965).

β) Oxidation primärer Alkohole zur Carbonsäure

Weitaus häufiger als die partielle Oxidation primärer Alkohole ist deren Umwandlung zur Carbonsäure in nicht-saurem Milieu:

$$R-CH_2OH \rightarrow R-COOH$$

R kann den unterschiedlichsten Systemen angehören. Die Ausbeuten sind gut. Gegebenenfalls ist der zeitweilige Schutz anderer oxidierbarer Gruppen erforderlich, z. B. bei der Herstellung von *2-Amino-dodecansäure*.

2-Benzoylamino-dodecansäure[1]: 7 g 2-Benzoylamino-dodecanol, in einer Lösung von 1 g Natriumhydroxid in 200 *ml* Wasser suspendiert, werden mit 5,2 g festem Kaliumpermanganat so langsam oxidiert, daß die Temp. nicht über 40° ansteigt. Man rührt anschließend solange, bis die Temp. auf 18° abgesunken ist, filtriert, versetzt das klare Filtrat mit etwas Methanol und filtriert abermals. Danach wird mit Salzsäure angesäuert und abgekühlt; Ausbeute: 6,8 g (93% d.Th.); F: 107–109°.

Durch Oxidation des entsprechenden Alkohols können ferner folgende Carbonsäuren gewonnen werden:

3-Äthyl-heptansäure[2]	79 % d. Th.
Mevalonsäure-5-phosphat[3] (*3-Hydroxy-5-phosphoryloxy-3-methyl-butansäure*)	68 % d. Th.
3,3-Dimethyl-pentansäure[4]	62 % d. Th.

sowie (über das N-maskierte Zwischenprodukt) und unter Verwendung von Bariumpermanganat: *α-Methyl-serin*[5] (*2-Amino-3-hydroxy-2-methyl-propansäure*).

Enthält das zu oxidierende Molekül mehr als eine prim. Hydroxy-Gruppe, so kann durch entsprechende Wahl der Stöchiometrie die Oxidation so gelenkt werden, daß nur eine primäre Hydroxy-Gruppe oxidiert wird[5, 6, s. a. 7, 8]; z. B.:

3-Hydroxy-2,2-dimethyl-propansäure

Das gleiche gilt für die bicyclische Reihe. Über die Oxidation von Hydroxymethyl-cycloalkanen bzw. -bicycloalkanen s. Literatur[9–11] und Tab. 33 (S. 612).

Werden 1,4-Diole oxidiert, so kann Ringschluß eintreten: der zunächst durch halbseitige Oxidation entstandene Hydroxy-aldehyd bildet ein semicyclisches Halbacetal, das zum Lacton weiter oxidiert wird[10]; z. B.:

γ-Butyrolacton

---

[1] E. Pfeil u. H. Barth, A. **593**, 81 (1955).
[2] R. Paul u. S. Tchelitcheff, Bl. **1956**, 869.
[3] C. D. Foote u. F. Wold, Biochemistry **2**, 1254 (1963).
[4] A. Brandström, Acta chem. scand. **13**, 608 (1959).
[5] H. N. Cristensen, Biochem. Prepar. **6**, 49 (1958).
[6] Fr. P. 1473892 (1965), Roussel-Uclaf; C. A. **67**, 64028 (1967).
[7] D. Palm, A. A. Smucker u. E. F. Snell. J. Org. Chem. **32**, 826 (1967).
[8] F. Dallacker u. J. Bloemen, M. **92**, 640 (1961).
[9] H. D. Holtz u. L. M. Stock, Am. Soc. **86**, 5183 (1964).
[10] I. A. Dyakonov u. E. M. Kharicheva, Ž. Org. Chim. **4**, 249 (1968); C. A. **68**, 104579 (1968).
[11] H. D. Holtz u. L. M. Stock, Am. Soc. **86**, 5188 (1964).

Auch in der aromatischen Reihe[1-4] wird Permanganat zur Oxidation von Hydroxymethyl-Gruppen zur Carboxy-Gruppe eingesetzt.

6,7-Dicarboxy-2,3-dihydro-⟨benzo-1,4-dioxin⟩[3]:

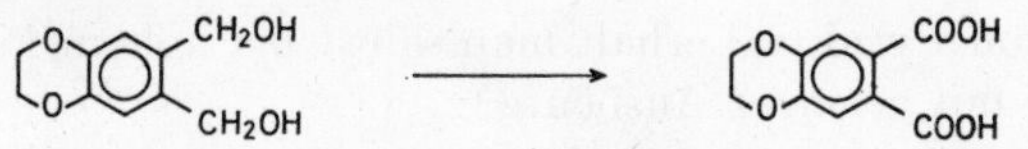

Zu einer siedenden Lösung von 98 g 6,7-Bis-[hydroxymethyl]-2,3-dihydro-⟨benzo-1,4-dioxin⟩, 15 g Kaliumhydroxid und 1 l Wasser läßt man unter intensivem Rühren eine Lösung von 330 g Kaliumpermanganat in 1,5 l Wasser tropfen, beseitigt evtl. vorhandenen Überschuß an Permanganat durch Zugabe von Methanol und filtriert heiß. Man kocht den Rückstand 2 mal mit Kalilauge aus und säuert mit verd. Schwefelsäure an. Nach mehrstdg. Stehen wird abfiltriert und unter Zusatz von A-Kohle umkristallisiert; Ausbeute: 53 g (90% d.Th.); F: 242–243°.

Will man in Kohlenhydraten die primäre Alkohol-Gruppe (und nur diese) oxidieren, so müssen alle übrigen Positionen geschützt werden. Die Schutzgruppen müssen sich anschließend leicht wieder abspalten lassen[5-10]. In diesem Sinne brauchbar sind z. B. Isopropyliden-, Benzyliden- oder Äthyliden-Derivate[6].

1-[6-Amino-puridino-(9)]-2′,3′-O-isopropyliden-5′-carboxy-5-desmethyl-ribose (2′,3′-O-Isopropyliden-5′-carboxy-adenosin)[11, 12, s, a, 13]:

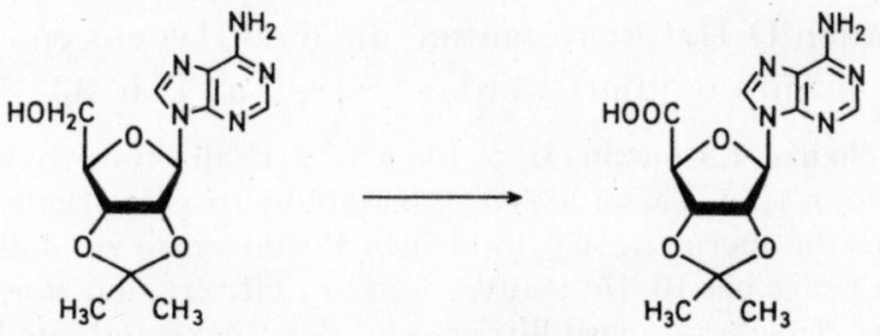

2,05 g 2′,3′-O-Isopropyliden-adenosin werden unter Erwärmen in 700 ml Wasser gelöst. Man läßt die Lösung auf Raumtemp. kommen und gibt innerhalb 2 Stdn. unter Rühren 1,12 g Kaliumhydroxid und 4,29 g Kaliumpermanganat zu. Man rührt 3 Tage bei Raumtemp., zerstört das überschüssige Permanganat mit Wasserstoffperoxid, filtriert den Braunstein ab und engt die Lösung i. Vak. auf ~ 150 ml ein. Man kühlt auf 0° und stellt mit verd. Salzsäure auf p_H = 4,6. Die Carbonsäure scheidet sich analysenrein ab; Ausbeute: 1,50 g (69% d.Th.); F: 276° (Zers.).

Nach ähnlichem Verfahren lassen sich aus den entsprechenden Hydroxymethyl-Verbindungen folgende Carbonsäuren herstellen:

4-Oxo-2,5-dimethyl-1-phenyl-3-carboxy-tetrahydropyrazol[14]	—
3-Benzyloxy-2-carboxy-pyridin[15, s, a, 16]	80 % d. Th.
2-Pyridyl-(2)-propionsäure[17]	37 % d. Th.
4-Nitro-5-methyl-2-carboxy-pyridin[18]	70 % d. Th.

---

[1] J. J. Brown u. G. T. Newbold, Soc. **1952**, 4878.

[2] M. G. Rudenko u. I. G. Turjancik, Neftechimiya 5, 256 (1965).

[3] F. Dallacker u. J. Bloemen, M. 92, 640 (1961).

[4] S. Terashima u. S. Yamada, Chem. Pharm. Bull. (Tokyo) 16, 2064 (1968); C. A. 70, 38056 (1969).

[5] T. Naka, T. Hashizume u. M. Nishimura, Tetrahedron Letters **1971**, 95.

[6] C. L. Mehltretter, Adv. Carbohydrate Chem. 8, 236 (1953).

[7] K. P. Link u. H. M. Sell, Biochem. Prepar. 3, 74 (1953).

[8] R. Cherry u. P. W. Kent, Soc. **1962**, 2507.

[9] J. Yoshimura, T. Nakagawa u. T. Sato, Bl. chem. Soc. Japan 35, 467 (1962).

[10] Y. Hirasaka, C. A. 60, 4233 (1960).

[11] R. R. Schmidt, U. Schloz u. D. Schwille, B. 101, 590 (1968).

[12] P. J. Harper u. A. Hampton, J. Org. Chem. 35, 1688 (1970).

[13] D. J. Brown u. B. T. England, Soc. **1965**, 1530.

[14] J. Ledrut u. G. Combes, Bl. **1957**, 877.

[15] J. T. Sheehan, J. Org. Chem. 31, 636 (1966).

[16] US. P. 3291805 (1965), E. R. Squibb Sons, Erf.: M. A. Ondetti u. J. T. Sheehan, C. A. 67, 21835 (1967).

[17] F. H. McMillan u. J. A. King, Am. Soc. 73, 3165 (1951).

[18] J. Koncewicz u. Z. Skrowaczeska, Roczniki Chem. 42, 1873 (1968).

3-Carboxy-pyridazin[1]   45 % d. Th.
2-Hydroxy-4-carboxy-chinolin[2]   —
8-Carboxy-purin[3]   80 % d. Th.
Carboxy-benzimidazole[4]   50—60 % d. Th.

Bei der Oxidation von Pyridoxal erhält man selbst bei hohem Permanganat-Überschuß
die Dicarbonsäure nur mit geringer Ausbeute[5]:

3-Hydroxy-2-methyl-   *3-Hydroxy-2-methyl-*   *3-Hydroxy-2-methyl-*
5-hydroxymethyl-4-   *5-hydroxymethyl-4-*   *4,5-dicarboxy-pyridin*
carboxy-pyridin   *carboxy-pyrıdin-4,5'-*
                              lacton

Ist die 3-Hydroxy-Gruppe hingegen veräthert, so erhält man die Dicarbonsäure in guter
Ausbeute[5].

Schließlich können auch O-Heteroaromaten, die eine Hydroxymethyl-Gruppe enthalten,
zur betreffenden Carbonsäure oxidiert werden[6,7] (vgl. a. Tab. 33, S. 614).

2-Carboxy-2,3-dihydro-⟨benzo-1,4-dioxin⟩[7]:   100 g   2-Hydroxymethyl-2,3-dihydro-⟨benzo-1,4-di-
oxin⟩ werden unter Rühren in 1,5 l Wasser, das 52 g Kaliumhydroxid enthält, suspendiert und auf 5° abgekühlt. Man fügt 200 g Kaliumpermanganat in kleinen Portionen so zu, daß die Temp. 15° nicht übersteigt (~ 2–3 Stdn.). Man rührt bei 10–15° weitere 6 Stdn., filtriert und säuert mit Salzsäure an. Nach
dem Stehen über Nacht im Eisschrank wird filtriert und der Rückstand aus Benzol/Ligroin umkristallisiert; Ausbeute: 65 g (55% d.Th.); F: 118–119°.

Tab. 33: Carbonsäuren aus prim. Alkoholen durch Oxidation mit Permanganat

Ausgangs-verbindung	Reaktions-bedingungen	Carbonsäure	Ausbeute [% d.Th.]	F [° C]	Literatur
F OCH₃ HO-CH₂-CH-CH-CH₂OH	Ba(MnO₄)₂/ Ba(OH)₂ Raumtemp.	*3-Fluor-2-methoxy-bernsteinsäure*	17	–	8, 9
OCH₃ HO-CH₂-C-CH₂OPO₃H₂ OCH₃	über das Ketal	*3-Hydroxy-2-oxo-propansäure*	92	–	10,11
(C₂H₅)₂Si(-CH₂-CH₂-CH₂-OH)₂		*Diäthyl-bis-[2-carb-oxy-äthyl]-silicium*	40	65—67	12

[1] US. P. 2728768 (1955), W. J. Leanza u. E. F. Rogers; C. A. **50**, 10800 (1956).
[2] R. J. Chudger u. K. N. Trivedi, Indian J. Appl. Chem. **33**, 17 (1970).
[3] A. Albert, Soc. **1960**, 4705.
[4] S. Takahashi u. H. Kano, J. Org. Chem. **30**, 1118 (1965).
[5] D. Palm, A. A. Smucker u. E. E. Snell, J. Org. Chem. **32**, 826 (1967).
[6] J. Koo, S. Avakian u. G. J. Martin, Am. Soc. **77**, 5373 (1955).
[7] S. A. Harrison u. D. Aelony, J. Org. Chem. **27**, 3311 (1962).
[8] R. Cherry u. P. W. Kent, Soc. **1962**, 2507.
[9] A. P. Desai, J. G. Vasi u. K. A. Thaker, J. Indian Chem. Soc. **47**, 117 (1970).
[10] C. E. Ballou, Biochem. Prepar. **7**, 66 (1960).
[11] C. E. Ballou u. R. Hesse, Am. Soc. **78**, 3718 (1956).
[12] G. S. Smirnova, D. N. Andreev u. E. A. Belinka, Ž. obšč. Chim. **41**, 2684 (1971); engl.: 2718.

Tab. 33 (1. Fortsetzung)

Ausgangs-verbindung	Reaktions-bedingungen	Carbonsäure	Ausbeute [% d.Th.]	F [° C]	Literatur
(CH₃)₃Ge–CH₂–CH₂–CH₂–OH		3-Trimethylgerma-nyl-propansäure	69	–	1
(Struktur)	H₂O/KOH, Kühlung	Kalium-3,4; 5,6-di-O-isopropyli-den-N-acetyl-D-glucosaminat	95	203–204	2
(Struktur, CH₂OH)	H₂O/KOH	1-Carboxy-bicyclo[2.2.2]octan	53	187–188	3
(Struktur, CH₂OH / CH₂OH)		1,4-Dicarboxy-bicyclo[2.2.2]octan	85	391–393	3
H₇C₃–C(CH₂OH)(CH₂OH)–CH₃	KMnO₄-Überschuß	2-Methyl-2-hydroxy-methyl-pentan-säure	38	60– 61	4
(Struktur, Trimethyl)		2,3,6-Trimethyl-benzoesäure			5
(Struktur, Triazin-CH₂OH)		2-Carboxy-1,3,5-triazin	–	–	6
HO–CH₂–...–CH₂–OH (Thiophen, Cl, Cl)		2,5-Dichlor-3,4-di-carboxy-thiophen	69	–	7
(Struktur, CH₂–OH)		7-Carboxy-⟨benzo-1--aza-bicyclo[2.2.2]octen⟩			8
(Struktur, CH₂OH)		2-Carboxy-2,3-di-hydro-⟨benzo-[b]-furan⟩	–	117,2–118	9
(Struktur, C(CH₃)₃, CH₂OH, NO₂)		2-Nitro-5-tert.-butyl-benzoesäure	27	138–143	10

¹ M. Krumpolc u. V. Chvalovský, Collect czech. chem. Commun. 37, 1392 (1972).
² J. Yoshimura, T. Nakagawa u. T. Sato, Bl. chem. Soc. Japan 35, 467 (1962); C.A. 48, 9895 (1954).
³ H. D. Holtz u. L. M. Stock, Am. Soc. 86, 5183 (1964).
⁴ Fr. P. 1473892 (1965), Roussel-Uclaf; C. A. 67, 64028 (1967).
⁵ A. Uzarewicz, Roczniki Chem. 37, 1637 (1963).
⁶ E. Haruki, H. Imanaka u. E. Imoto, Bl. chem. Soc. Japan 41, 1368 (1968); C. A. 69, 96530 (1968).
⁷ T. Sone, Y. Abe u. T. Oikawa, J. chem. Soc. Japan, pure Chem. Sect. 92, 1193 (1971).
⁸ A. D. Yamina, K. F. Turchin, E. E. Mikhlina, L. N. Yakontov u. Y. N. Sheinker, Chim. geteroc. Soed. 1972, 222.
⁹ S. A. Harrison u. D. Aelony, J. Org. Chem. 27, 3311 (1962).
¹⁰ G. S. Skinner u. H. C. Zell, Am. Soc. 77, 5441 (1955).

Tab. 33 (2. Fortsetzung)

Ausgangs-verbindungen	Reaktions-bedingungen	Carbonsäure	Ausbeute [% d.Th.]	F [° C]	Literatur
	H₂O/Aceton, 60°/MgSO₄	*4,5-Dimethoxy-2-hydroxymethyl-isophthalsäure-3,2′-lacton (4-Meconin-carbon-säure)*	~ 25	220–222 (Zers.)	1
	heißes H₂O	*2,4-Diamino-7-carboxy-pteridin*	61	300 (Zers.)	1

2. Sekundäre Alkohole

Die Oxidation sekundärer Alkohole führt zu Ketonen. Die Ausbeuten sind meist gut.

Die Wahl der Temperatur und des p_H-Wertes hängt von der Struktur der zu oxidierenden Verbindung ab. So decarboxyliert in saurer Lösung die bei der Oxidation von Mandelsäure primär gebildete Phenylglyoxylsäure zum *Benzaldehyd,* der dann zu *Benzoesäure* oxidiert wird[2]:

In alkalischer Lösung dagegen kann *Phenyl-glyoxylsäure* abgefangen werden.

Zum Mechanismus der Oxidation von Hydroxy-ketonen zu Diketonen in saurer[3,4] bzw. nicht saurer Lösung s. Literatur[5,6].

1,3-Diketone durch Oxidation von β-Hydroxy-ketonen; allgemeine Arbeitsvorschrift[3]: 0,243 Mol β-Hydroxy-keton werden in 250 *ml* 4n Schwefelsäure suspendiert und unter Rühren mit 0,24 Mol Kaliumpermanganat oxidiert; während der Oxidation soll die Temp. 25° betragen. Nach der langsamen Zugabe des Permanganats, wird 2 Stdn. nachgerührt und anschließend Natriumbisulfit zugegeben. Man extrahiert mit Äther, wäscht den Extrakt 2mal mit 1n Natronlauge und Wasser, trocknet und destilliert. In einigen Fällen empfiehlt es sich, die Oxidation mit dem Rohprodukt zu wiederholen.

[1] J. J. Brown u. G. T. Newbold, Soc. **1952**, 4878.
[2] D. Palm, A. A. Smucker u. E. F. Snell, J. Org. Chem. **32**, 826 (1967).
[3] L. Fieser, *Experiments in organic Chemistry,* 3. Aufl., D. C. Heath u. Co., Boston 1955.
[4] A. T. Nielsen, C. Gibbons u. C. A. Zimmerman, Am. Soc. **73**, 4696 (1951).
[5] K. H. Taffs et al., J. Org. Chem. **26**, 462 (1961).
[6] R. Stewart, Am. Soc. **79**, 3057 (1957).
[7] V. I. Esafov, I. F. Utrochina, L. M. Lepkhina u. E. M. Korpinskaya, Izv. Vyss. Uch. Zav., Chim. Tekhnol. **15**, 382 (1972); C. A. **77**, 4799 (1972).

Nach dieser Vorschrift erhält man z. B. aus

5-Hydroxy-3-oxo-2,2,4-trimethyl-octan	→ *3,5-Dioxo-2,2,4-trimethyl-octan*	41% d.Th.
5-Hydroxy-3-oxo-2,4,4-trimethyl-6-äthyl-decan	→ *3,5-Dioxo-2,4,4-trimethyl-6-äthyl-decan*	45% d.Th.
1-Hydroxy-3-oxo-2,2,4-trimethyl-1-phenyl-pentan	→ *1,3-Dioxo-2,2,4-trimethyl-1-phenyl-pentan*	52% d.Th.
2-Hydroxy-4-oxo-3,3,5-trimethyl-1-phenyl-hexan	→ *2,4-Dioxo-3,3,5-trimethyl-1-phenyl-hexan*	56% d.Th.
2-Hydroxy-4-oxo-6-methyl-3-isopropyl-heptan	→ *2,4-Dioxo-6-methyl-3-isopropyl-heptan*	67% d.Th.
6-Hydroxy-4-oxo-2-methyl-5-isopropyl-dodecan	→ *4,6-Dioxo-2-methyl-5-isopropyl-dodecan*	75% d.Th.

Aus α-Hydroxy-carbonsäuren erhält man analog α-O x o - c a r b o n s ä u ren in z. T. guten Ausbeuten; z. B.:

2-Hydroxy-glutarsäure	→ *2-Oxo-glutarsäure*
2-Hydroxy-pentansäure	→ *2-Oxo-pentansäure*
2-Hydroxy-3-methyl-butansäure	→ *2-Oxo-3-methyl-butansäure*
2-Hydroxy-4-methyl-pentansäure	→ *2-Oxo-4-methyl-pentansäure*
2-Hydroxy-propansäure-äthylester	→ *2-Oxo-propansäure-äthylester*
2-Hydroxy-hexacosansäure-methylester	→ *2-Oxo-hexacosansäure-methylester*

Aus Hydroxy-aldehyden[1] und α-Hydroxy-nitro-Verbindungen[2] entstehen bei der Permanganat-Oxidation die entsprechenden Oxo-carbonsäuren; Lactone können unter Ringspaltung ebenfalls in Oxo-carbonsäuren überführt werden[3, 4, s. a. 5].

Auch T r i c y c l a n e[3,6–8] und H e t e r o c y c l e n[9] mit sekundärer Hydroxy-Gruppe sowie S t ä r k e[10, s. a. 11] werden zu den entsprechenden Ketonen bzw. Chinonen oxidiert.

f) Oxidation von Phenolen

Die Oxidation von Phenolen mit Permanganat spielt keine Rolle. Als Beispiel sei hier lediglich die Oxidation von 3,4-Dihydroxy-⟨chinoxalino-[2,3-a]-phenazin⟩ genannt[12]:

3,4-Dioxo-3,4-dihydro-⟨chinoxalino-[2,3-a]-phenazin⟩

g) Oxidation von Aldehyden bzw. deren Derivate

Die Umsetzung von Aldehyden mit Permanganat führt zu Carbonsäuren:

$$R-CHO \longrightarrow R-COOH$$

[1] C. W. Smith, D. G. Norton u. S. A. Ballard, Am. Soc. **73**, 5273 (1951).
[2] V. V. Perekalin et al., Doklady Akad. SSSR **166**, 1129 (1966); C. A. **64**, 15734 (1966)
   Zur Oxidation von Nitro-alkanolen zu *Nitro-oxo-alkanen* s. J. M. Larkin u. K. L. Krunz, Am. (Div. Pat. Chem., Prepr.) [B] **17**, 38 (1972).
[3] K. Alder, R. Hartmann u. W. Roth, B. **93**, 2271 (1960).
[4] E. D. Bergmann u. Z. Pelchowicz, Am. Soc. **75**, 4281 (1953).
[5] F. Weygand, H. Weber u. E. Maekawa, B. **90**, 1879 (1957).
[6] P. Yates u. P. Eaton, Tetrahedron **12**, 13 (1961).
[7] T. G. Traylor u. A. W. Baker, Am. Soc. **85**, 2746 (1963).
[8] S. K. Cristol et al., J. Org. Chem. **28**, 1374 (1963).
[9] K. B. Shaw, Canad. J. Chem. **43**, 3112 (1965).
[10] Abstr. Pap. 144th Meeting Am. Chem. Soc.
[11] P. G. Dayton, J. Org. Chem. **21**, 1535 (1956).
[12] B. Eistert, H. Fink u. H. K. Werner, A. **657**, 131 (1962).

Die Reaktion kann gleichermaßen mit aliphatischen, aromatischen oder heteroaromatischen Aldehyden durchgeführt werden. Aldehyd-acetale müssen vor der Oxidation gespalten werden[1]. Die Carboxy-Funktion steht am Ende der Oxidationskette:

$$R-CH_2-OH \longrightarrow R-CHO \longrightarrow ROOH$$

Dementsprechend muß ein Aldehyd als (oft nicht isolierbare) Zwischenstufe z. B. bei der Oxidation von primären Alkoholen (s. S. 609ff.) angenommen werden.

Die Carboxy-Gruppe kann nicht ohne C–C-Spaltung weiter oxidiert werden. Es sind aber Folgereaktionen denkbar (z. B. Bruch des C-Gerüstes), die durch geeignete Reaktionsbedingungen verhindert werden müssen. Beispielsweise wird bei der Herstellung von *2-Phenyl-4-carboxy-2H-1,2,3-triazol*[2] ebenso in alkalischem Milieu oxidiert, wie bei der von *4-Oxo-2,5-dimethyl-1-phenyl-3-carboxy-pyrrolidin* aus 4-Oxo-2,5-dimethyl-1-phenyl-3-formyl-pyrrolidin[3]:

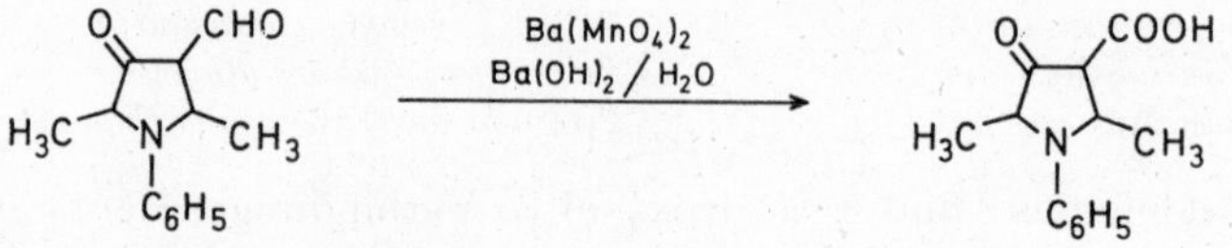

Um die Oxidation der Methyl-Gruppen beim Tetramethyl-terephthaldialdehyd zu verhindern, wird mit einem Unterschuß an Permanganat oxidiert[4, 5]:

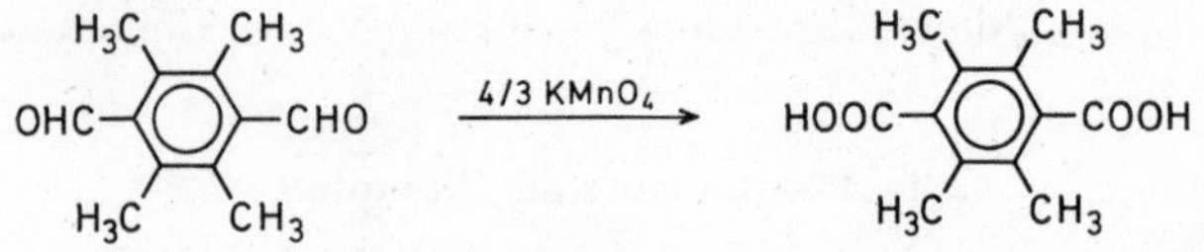

Tetramethyl-terephthalsäure

Wie z. B. *2-Phenyl-adipinsäure*[6] aus 2-Phenyl-adipindialdehyd und *Pentadecandisäure*[7] aus Pentadecanaldehydsäure entstehen die Carbonsäuren[8, s. a. 9] aus den zugehörigen Aldehyden:

$$OHC-(CH_2)_{13}-COOR \longrightarrow HOOC-(CH_2)_{13}-COOR$$

Enthält das Molekül neben der Carbonyl- eine weitere oxidierbare Gruppe, so kann die Reaktion an beiden erfolgen. Beispielsweise entsteht bei der Oxidation von 5-Hydroxy-5-phenyl-pentanal in sehr guter Ausbeute die *5-Oxo-5-phenyl-pentansäure*[10].

5-Oxo-5-phenyl-pentansäure[10]:

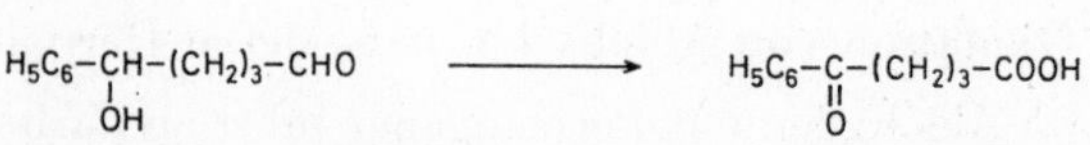

Man suspendiert 2 g 5-Hydroxy-5-phenyl-pentanal in 30 *ml* Wasser und versetzt die Suspension mit zwei Tropfen 10%iger Natronlauge. Nun gibt man bei Raumtemp. unter Schütteln eine ges. Lösung von Kaliumpermanganat portionsweise hinzu, bis die Farbe 30 Min. lang bestehen bleibt. Man säuert nun

[1] V. R. Mandapur et al., Tetrahedron **20**, 2601 (1964).
[2] J. L. Riebsomer u. G. S. Mrell, J. Org. Chem. **13**, 807 (1948).
[3] J. Ledrut u. G. Combes, Bl. **1967**, 877.
[4] Brit. P. 811967 (1957), Esso Research a. Engn. Co., Erf.: L. A. Mikeska u. D. F. Koenecke; C. A. **53**, 14315 (1961).
[5] Österr. P. 241441/2 (1962), Parke Davis.
[6] S. Hauptmann, F. Brandes, E. Brauer u. W. Gabler, J. pr. **4**, 56 (1964).
[7] Brit. P. 857163 ≡ Fr. P. 1208243 (1958), Council of Sci. a. Ind. Res., Erf.: B. B. Ghatgey et al., C. A. **55**, 14315 (1961).
[8] USSR. P. 176283 (1963), E. P. Fokin et al., C. A. **64**, 11145 (1966).
[9] J. Schreiber u. C. G. Wermuth, Bl. **1965**, 2242.
[10] C. W. Smith, D. G. Norton u. S. A. Ballard, Am. Soc. **73**, 5273 (1951).

mit verd. Schwefelsäure an und gibt bis zur vollständigen Lösung des Mangan(IV)-oxids eine 30%ige Natriumhydrogensulfit-Lösung hinzu. Das kristalline Produkt wird abfiltriert und aus Benzol umkristallisiert; Ausbeute: 2 g (90% d.Th.); F: 126,5–127°.

Einige Aldehyde sind so beständig, daß sie in Gegenwart von Permanganat isoliert werden können.

Tab. 34: Carbonsäuren durch Permanganat-Oxidation von Aldehyden

Aldehyd	Carbonsäure	F [° C]	Literatur
C_6H_5 NC–CH–$(CH_2)_4$–CHO	6-Cyan-6-phenyl-hexansäure	92– 93	1
CN $(C_6H_5)_2$–C–CH_2–CH_2–CHO	4-Cyan-4,4-diphenyl-butansäure	161–163	1
C_6H_5 NC–C–CH_2–CH_2–CHO C_6H_{11}	4-Cyan-4-cyclohexyl-4-phenyl-butansäure	182	1
H_3COOC–$(CH_2)_2$–CH–CH_2–CHO CH_3	3-Methyl-hexandisäure-6-methylester	(Kp_{12}: 145–150°)	2
F_3C–CF_2–CHS	Pentafluor-thiopropansäure	66	3
CH_2OH H_3C–CH_2–C–CHO CH_2OH	2,2-Bis-[hydroxymethyl]-butansäure	118–120	4, 5
NH–CH–CHO CH_2 CH_3	2-[Anthrachinoyl-(1)-amino]-butansäure	203–204	6–8
NH–CH–CHO CH_2 CH_3 H_5C_6–CO–NH	2-[4-Benzoylamino-anthrachinoyl-(1)-amino]-butansäure	227–227,5	6

Auch CH_2–CHO-Gruppen, die an Heterocyclen (z. B. Indole[9], Isatine[10], Flavine[11]) stehen, werden zu den entsprechenden Essigsäuren oxidiert.

Eine eingehende Untersuchung des Mechanismus[12], anhand der Oxidation aromatischer Aldehyde bei p_H = 5–13 unter Zuhilfenahme markierter Verbindungen, machte wahrscheinlich, daß in neutraler Lösung die Oxidation über ein Ester-Zwischen-

[1] G. Poulain, C. r. 257, 703 (1963).
[2] V. R. Mandapur et al., Tetrahedron 20, 2601 (1964).
[3] N. H. Ray, Soc. 1963, 1440.
[4] O. Neunhoeffer u. H. Neunhoeffer, B. 95, 102 (1962).
[5] P. Biumbergs, M. P. La Montagne u. J. I. Stevens, J. Org. Chem. 37, 1248 (1972).
[6] USSR. P. 176283 (1963), E. P. Fokin et al., C. A. 64, 11145 (1966).
[7] P. L. Chien u. C. C. Cheng, J. Med. Chem. 13, 867 (1970).
[8] M. Nakazaki, K. Yamamoto u. M. Ito, Chem. Commun. 1972, 433.
[9] Brit. P. 1050731 (1963), Merck; C. A. 62, 4009 (1965).
[10] R. L. Autrey u. F. C. Tahk, Tetrahedron Letters 1967, 901.
[11] W. Föry, R. E. MacKenzie u. D. B. McCormick, J. Heteroc. Chem. 5, 625 (1968).
[12] K. B. Wiberg u. R. Stewart, Am. Soc. 77, 1786 (1955).

produkt abläuft. Der geschwindigkeits-bestimmende Schritt ist die Abspaltung des Aldehyd-Wasserstoffs als Proton:

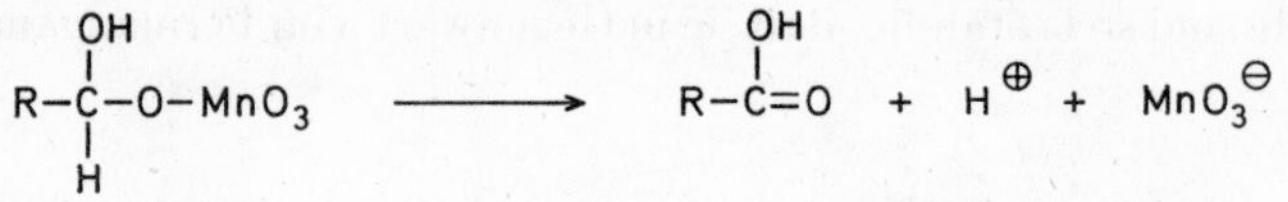

$$R-\underset{\underset{H}{|}}{\overset{\overset{OH}{|}}{C}}-O-MnO_3 \longrightarrow R-\overset{\overset{OH}{|}}{C}=O \;+\; H^{\oplus} \;+\; MnO_3^{\ominus}$$

Für die Oxidation in alkalischer Lösung wird dagegen ein radikalischer Mechanismus vorgeschlagen [1].

Als Lösungsmittel dient häufig Aceton/Wasser; die Temperaturen reichen von Raumtemperatur bis zum Siedepunkt des Lösungsmittels.

Bei geeignetem Bau des Moleküls kann im Anschluß an die Oxidation der Aldehyd-Gruppe ein Ringschluß erfolgen; so erhält man aus dem Aldehyd I das *1-Hydroxy-4,5,7-trimethoxy-3-oxo-1-methyl-1,3-dihydro-⟨benzo-[c]-furan⟩* [2]:

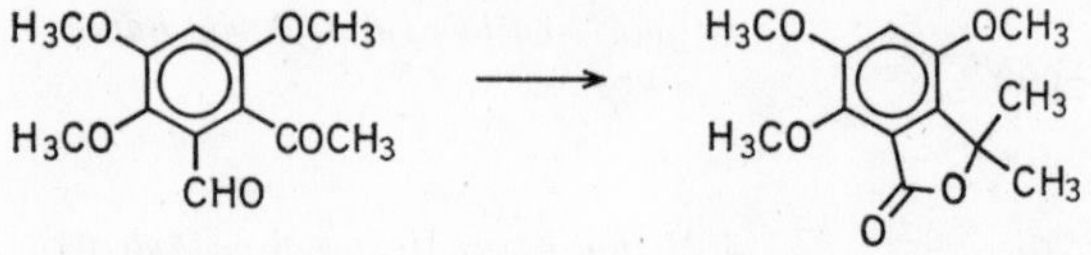

Auch eine Verseifung kann ggf. als Folgereaktion beobachtet werden [3, s. a. 4, 5].

2,3-Dimethoxy-benzoesäure [6–9]:

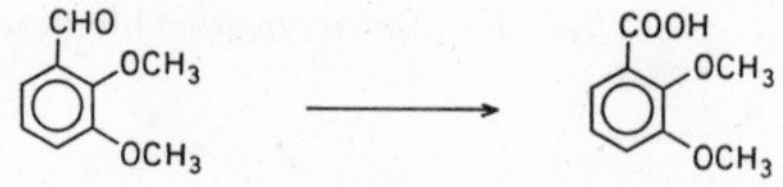

121 g 2,3-Dimethoxy-benzaldehyd in 1 *l* Wasser werden bei 70–80° unter starkem Rühren innerhalb 1 Stde. mit einer ges. wäßr. Lösung von 202 g Kaliumpermanganat versetzt. Nach einer weiteren Stde. wird abfiltriert und der Niederschlag mit siedendem Wasser gewaschen. Die vereinigten Filtrate werden gekühlt und mit konz. Salzsäure angesäuert. Der farblose Niederschlag wird filtriert, mit kaltem Wasser gewaschen und i. Vak. über Phosphor(V)-oxid getrocknet; Ausbeute: 104 g (78% d.Th.); F: 124–125°. Aus den Mutterlaugen können weitere 3 g Carbonsäure gewonnen werden.

Auch heteroaromatische Aldehyde werden zu Carbonsäuren oxidiert. In diesem Zusammenhang verdient Beachtung, daß 2-Formyl-pyrrol ohne Beeinflussung der Aldehyd-Funktion mit rauchender Salpetersäure zu x-Nitro-2-formyl-pyrrol nitriert werden kann, um dann anschließend mit Permanganat zum *x-Nitro-2-carboxy-pyrrol* oxidiert zu werden [10]:

[1] K. B. WIBERG u. R. STEWART, Am. Soc. **77**, 1786 (1955).
[2] F. M. DEAN, D. R. RANDELL u. G. WINFIELD, Soc. **1961**, 792.
[3] S. HAUPTMANN, F. BRANDES, E. BRAUER u. W. GABLER, J. pr. **4**, 56 (1964).
[4] I. G. MOLOTKOVSKIJ, L. E. NIKULINA u. L. D. BERGELSON, Izv. Akad. SSSR **1967**, 9277; C. A. **68**, 29219 (1968).
[5] S. S. LELE et al., J. Org. Chem. **21**, 1293 (1956).
[6] B. WEINSTEIN u. T. A. HYLTON, Tetrahedron **20**, 1725 (1964).
[7] V. P. GOLENDEEV, Ž. obšč. Chim. **25**, 574 (1955).
[8] S. P. BORTNIK, M. A. LANDAU, B. V. SIRYACHENKO, S. S. DUBOV u. N. N. YAROVENKO, Ž. org. Chim. 8, 340 (1972); C. A. **76**, 126538 (1972).
[9] T. R. GOVINDACHARI, S. J. PATANKOV u. S. VISWANATHAN, Indian J. Chem. **9**, 507 (1971).
[10] P. FOURNARI u. J. TIROUFLET, Bl. **1963**, 484.

Analog läßt sich auch 3,4-Dibenzyloxy-benzaldehyd mit Salpetersäure nitrieren. Erst Permanganat oxidiert die Aldehyd- zur Carboxy-Gruppe[1] (*3,4-Dibenzyloxy-benzoesäure*).

1-Formyl-azulen und 2,4-Dimethyl-7-isopropyl-1-formyl-azulen (I), nicht aber der durch die 4-ständige Methyl-Gruppe sterisch gehinderte Aldehyd III können mit Permanganat in Pyridin, einer gleichzeitig intensiven und schonenden Oxidationsmethode, in die entsprechenden Carbonsäuren überführt werden[2]:

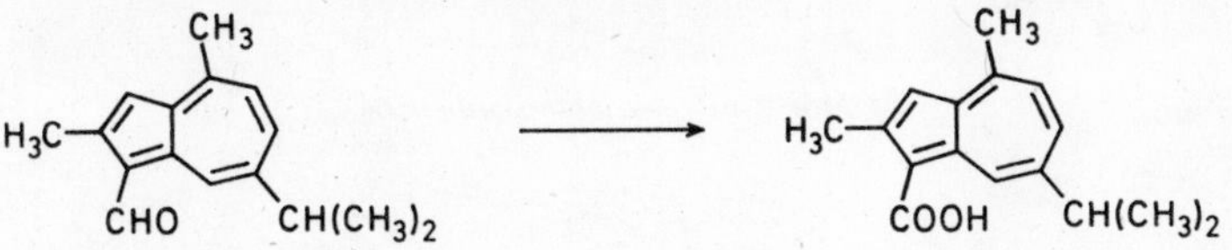

I   →   II

2,4-Dimethyl-7-isopropyl-1-carboxy-azulen

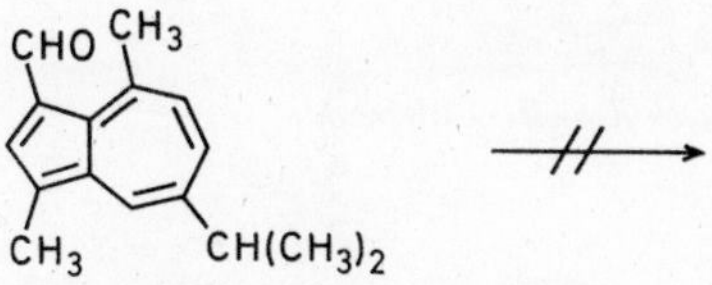

III   —//→

Nicht so erfolgreich läßt sich folgendes Amid-acetal oxidieren[3, vgl. a. 4, 5]:

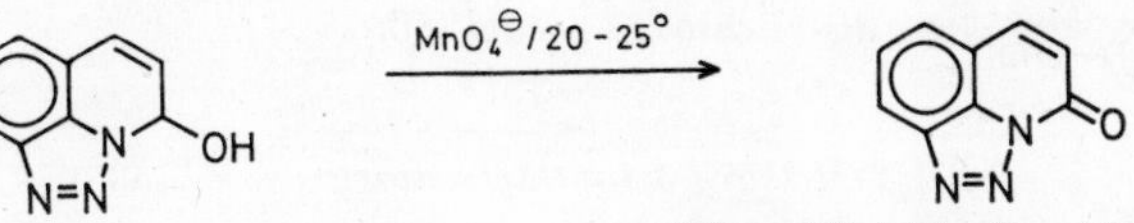

$MnO_4^{\ominus}$ / 20 – 25°

4-Oxo-4H-⟨chinolino-[1,8a,8-c,d]-1,2,3-triazol⟩;
18% d.Th.

Tab. 35: Carbonsäuren durch Oxidation von Aldehyden mit Permanganat

Aldehyd	Carbonsäure	F [°C]	Ausbeute [% d.Th.]	Literatur
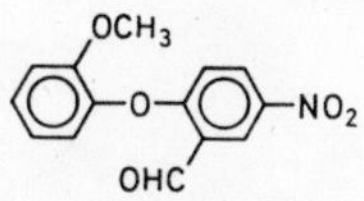 (Struktur: OCH₃, O, NO₂, OHC)	*5-Nitro-2-(2-methoxy-phenoxy)-benzoesäure*	184	90	6, s. a. 7
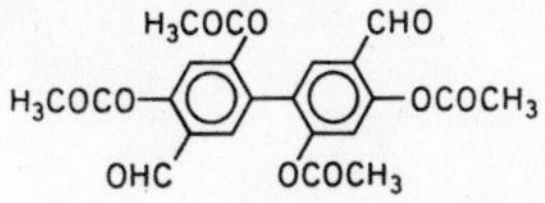 (Struktur: H₃COCO, CHO, H₃COCO, OCOCH₃, OHC, OCOCH₃)	*2,2′,4,4′-Tetraacetoxy-biphenyl-5,5′-dicarbonsäure*	300	39	8
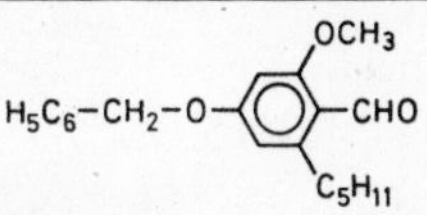 (Struktur: H₅C₆–CH₂–O, OCH₃, CHO, C₅H₁₁)	*2-Methoxy-4-benzoyloxy-6-pentyl-benzoesäure*	62–63	37	9

[1] S. M. Gadekar u. A. M. Kotsen, J. Heteroc. Chem. **5**, 129 (1968).
[2] W. Treibs, C. Vollrad u. M. Reimann, A. **648**, 164 (1961).
[3] A. V. Eltsov, V. N. Khokhlov u. T. Levandovskaya, Ž. org. Chim. **7**, 2201 (1971).
[4] S. V. Kessar, N. Parkash u. G. S. Joshi, Soc. (Perkin I) **1973**, 1158.
[5] G. H. Sankey u. K. D. E. Whiting, J. Heteroc. Chem. **9**, 1049 (1972).
[6] M. J. Bevis, E. J. Forbes u. B. C. Uff, Tetrahedron **25**, 1585 (1969).
[7] T. Kametani u. K. Fukomoto, Soc. **1964**, 6141.
[8] J. W. A. Simon, N. Creasey, W. Marlow, K. Y. Sim u. W. B. Whalley, Soc. **1965**, 4156.
[9] T. A. Davidson u. A. L. Scott, Soc. **1961**, 4075.

Tab. 35 (1. Fortsetzung)

Aldehyd	Carbonsäure	F [° C]	Ausbeute [% d.Th.]	Literatur
(H₃C–CH–CH₂)₂N–⟨⟩–CHO mit Cl	4-(Bis-[2-chlor-propyl]-amino)-benzoesäure		69	1
NO₂, Cl, CHO, H₃CO	4-Chlor-2-nitro-5-methoxy-benzoe-säure	159	70	2, s. a. 3
F–⟨⟩–CHO mit F	2,4-Difluor-benzoesäure	185	89	4
H₃C, CH₃, –NH–⟨⟩–CHO	4-(2,3-Dimethyl-anilino)-benzoe-säure			5
(NC–CH₂–CH₂)₂N–⟨⟩–CHO mit CH₃	4-(Bis-[2-cyan-äthyl]-amino)-2-methyl-benzoesäure		19,5	6
OHC–⟨⟩–O–⟨⟩–CHO	Bis-[4-carboxy-phenyl]-äther		44	7
OCH₃, CHO structure	2-Methoxy-3,4-methylendioxy-benzoesäure	153–154	81	8
CHO, Br structure	6-Brom-3,4-methylendioxy-benzoesäure	203,8	79,4	9
H₃CO, OCH₃, OH, CHO xanthon	3-Hydroxy-1,8-dimethoxy-4-carboxy-xanthon	240–245 (Zers.)	70	10
CHO, S, S, CHO structure	4,8-Dicarboxy-⟨benzo-[1,2-b; 4,5-b']-di-thiophen⟩	>365		11,12

1 G. I. Prasmickene et al., Izv. Akad. SSSR 1969, 643; C. A. 71, 30178 (1969).
2 E. N. Glibin u. O. F. Ginzburg, Ž. org. Chim. 4, 888 (1968); C. A. 69, 18791 (1968).
3 R. A. Heacock et al., Am. Soc. 85, 1825 (1963).
4 G. Lock, M. 90, 680 (1959).
5 Österr. P. 241441/2 (1962), Parke Davis.
6 B. P. Asthana u. P. I. Ittyerah, J. indian. chem. Soc. 45, 741 (1968).
7 M. G. Rudenko u. I. G. Turjancik, Neftechimiya 5, 256 (1965); C. A. 63, 4197 (1965).
8 F. Beninoton u. R. D. Morin, J. Org. Chem. 27, 142 (1960).
9 F. Dallacker, A. 633, 14 (1960).
10 J. C. Roberts u. J. G. Underwood, Soc. 1962, 2060.
11 M. Hébert u. C. Caullet, C. r. 273, 1451 (1971).
12 K. I. Vakhreeva, A. E. Lipkin, T. B. Ryskina u. N. I. Skachova, Chim. Farm. Ž. 7, 24 (1973); C. A. 78, 147712 (1973).

Tab. 36: Heteroaromatische Carbonsäuren durch Permanganat-Oxidation
entsprechender Aldehyde

Aldehyd	Carbonsäure	Ausbeute [% d.Th.]	F [°C]	Literatur
	1-Phenyl-3-carboxy-pyrazol			[1-3]
	4-Chlor-2,3,5-tricarboxy-pyrrol			[4, s.a. 5-8]
	1-(4-Chlor-benzyl)-3-carboxy-1H-⟨pyrrolo-[2,3-b]-pyridin⟩	90	–	[9, 10]
	4-Carboxy-2-benzyl-1,3-thiazol	–	167	[11]
	4-Carboxy-1,2,3-triazol	83	218–219	[7, 12]
	2,6-Dihydroxy-8-carboxy-purin	56	273	[13]
	5-Carboxy-pyrimidin	72	266–269	[14]

h) Dehydrierungen

1. zum Aromat

Cycloalkene lassen sich mit Permanganat in guten Ausbeuten zum entsprechenden Aromaten dehydrieren[15-17].

[1] I. L. Finar u. M. Manning, Soc. 1961, 2733.
[2] L. S. Davies u. G. Jones, Soc. [C] 1971, 759.
[3] A. S. Sarenko, L. S. Efros u. I. Y. Kvitko, Pharm. Chem. J. 1970, 488.
[4] R. Nicolaus, G. 83, 239 (1953).
[5] R. A. Nicolaus u. I. Mangoni, G. 86, 757 (1956).
[6] R. A. Nicolaus u. R. Nicoletti, Ann. Chim. Rome 47, 167 (1957).
[7] R. H. Wiley et al., Am. Soc. 76, 4933 (1954).
[8] I. Y. Kvitko u. E. A. Panfilova, Chim. geteroc. Soed. 1973, 507; C. A. 79, 31775 (1973).
[9] R. Danieli u. A. Rici, Synthesis 1973, 46.
[10] K. T. Potts u. C. Loredetti, J. Org. Chem. 34, 3221 (1969).
[11] I. Simiti u. G. Hintz, Pharm. 27, 146 (1972).
[12] H. E. Khadem, D. Horotu u. M. H. Meshreki, Carbohydr. Res. 16, 409 (1971).
[13] H. Bredereck u. B. Föhlisch, B. 95, 414 (1962).
[14] H. Bredereck, G. Simchen, H. Wagner u. A. A. Santos, A. 766, 73 (1972).
[15] A. Albert u. G. B. Barlin, Soc. 1963, 5156.
[16] C. F. H. Allen u. J. A. van Allan, J. Org. Chem. 17, 845 (1952).
[17] B. Marchand, B. 91, 405 (1958).

Dehydro-abietinsäure-methylester (1,4a-Dimethyl-7-isopropyl-1-methoxycarbonyl-1,2,3,4,4a,9,10,10a-octahydro-phenanthren) [1]:

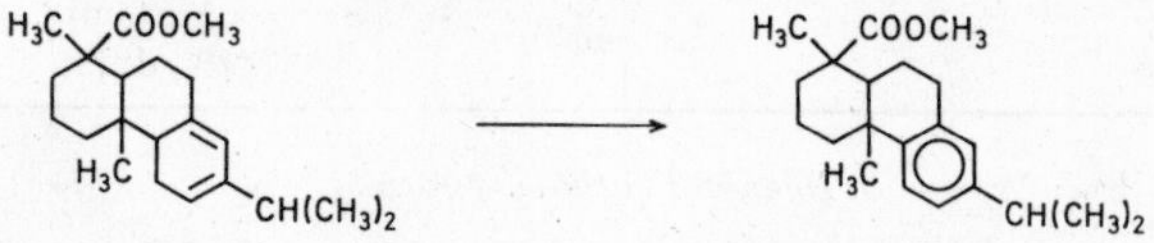

Man schüttelt 500 *ml* Aceton mehrere Stdn. mit 20 g Kaliumpermanganat und filtriert anschließend durch eine Glasfritte. Eine Lösung von 3,16 g Laevopimarsäure-methylester in 100 *ml* Aceton werden sodann bei −15° mit der vorher bereiteten Permanganat-Lösung nach Maßgabe des Verbrauchs versetzt: zuerst werden 10-*ml*-Portionen, ab 60 *ml* solche von 1 *ml* zugefügt. Die Reaktion ist beendet, wenn ∼ 70 *ml* der acetonischen Permanganat-Lösung zugegeben sind. Man saugt das Mangan(IV)-oxid ab, wäscht mit Aceton nach und destilliert dieses dann ab. Das zurückbleibende zähflüssige Öl wird in Cyclohexan aufgenommen. Man filtriert, läßt das Lösungsmittel verdunsten und verreibt den Rückstand mit wenig Methanol. Der hierbei entstandene Kristallbrei wird abgesaugt, mit wenig Methanol gewaschen und getrocknet; Ausbeute: 2,3 g (76% d.Th.); F: 63–65°.

Dehydrierende Aromatisierungen wurden auch bei hydrierten Pyrimidinen[2] und anderen hydrierten Heteroaromaten durchgeführt[3,4].

2. Dehydrierende Dimerisierung

Bei der dehydrierenden Dimerisierung mit Permanganat kann die Neuknüpfung der C–C-Bindung inter- oder intramolekular erfolgen. Bei intermolekularen Prozessen tritt neben der Verknüpfung zweier gleicher Moleküle auch Reaktion zweier ungleicher Moleküle ein:

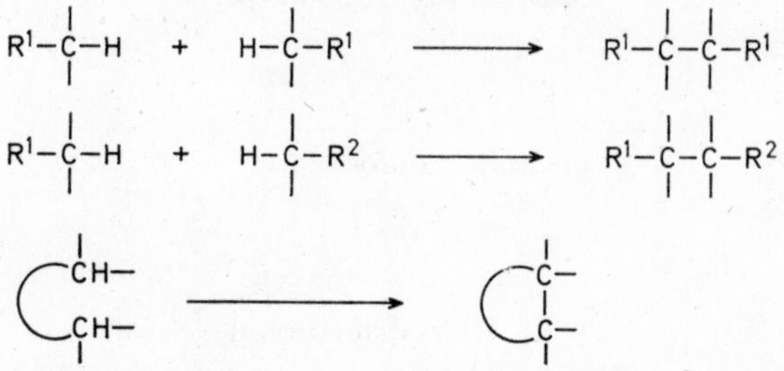

Eine intermolekulare Reaktion kann z. B. stattfinden bei der Oxidation von 2-Hydroxy-2′,4,4′-trimethoxy-benzoin, das je nach Reaktionsbedingungen (Lösungsmittel/Temperatur) verschiedenartige Oxidationsprodukte liefern kann.[5] In guter Ausbeute (69%) bildet sich *1,1,2,2-Tetraphenyl-äthan*, wenn man das Kaliumsalz des Diphenylmethans in flüssigem Ammoniak mit Kaliumpermanganat umsetzt. Andere Oxidationsmittel liefern das gleiche Derivat, jedoch mit geringerer Ausbeute[6].

Unter ähnlichen Bedingungen können Carbonsäure-nitrile umgesetzt werden[6]. Auch Natriumacetylenide[7], Pterine[8], N-substituierte β-Naphthylamine[9-11] sowie substituierte

---

[1] B. MARCHAND, B. **91**, 405 (1958).
[2] H. BREDERECK, R. GOMPPER u. H. HERLINGER, Ang. Ch. **70**, 571 (1958).
[3] C. ALBERTI u. C. TIRONI, Farmaco (Pavia), Ed. sci. **17**, 468 (1962).
[4] F. KRÖHNKE u. I. VOGT, A. **600**, 228 (1956).
[5] H. SUGINOME, J. Org. Chem. **23**, 1044 (1958).
[6] E. M. KAISER, Am. Soc. **89**, 3659 (1967).
[7] H. H. SCHLUBACH u. V. WOLF, A. **568**, 141 (1950).
[8] M. VISCONTINI u. M. PIRAUX, Helv. **46**, 1537 (1963).
[9] R. F. BRIDGER et al., J. Org. Chem. **33**, 4329 (1968).
[10] Brit. P. 1117714 (1966), Mobil Oil Corp.; C. A. **69**, 68785 (1968).
[11] R. F. GRIDGEV, J. Org. Chem. **35**, 1746 (1970).

Anthracene[1] sind oxidativ dimerisiert worden. Bei der Oxidation von Alkyl-benzolen in siedendem Essigsäureanhydrid erfolgt gleichfalls Dimerisierung[2,vgl. 3,4]; dabei wird nur mit kleinen Permanganat-Mengen gearbeitet. Verknüpft werden die Benzyl-Kohlenstoffatome; leider sind die Ausbeuten nicht hoch. So erhält man aus

Toluol	→	*1,2-Diphenyl-äthan*
Äthyl-benzol	→	*2,3-Diphenyl-butan*
Propyl-benzol	→	*3,4-Diphenyl-hexan*

Eine dehydrierende Dimerisierung zwischen zwei Partnern unterschiedlicher Spezies tritt ein, wenn man Naphthaline in Essigsäureanhydrid mit Kaliumpermanganat bei erhöhter Temperatur oxidiert. Hierbei entstehen Naphthylessigsäuren; ist das Naphthalin in 1-Stellung substituiert, so werden 4-substituierte Naphthyl-(1)-essigsäuren erhalten:

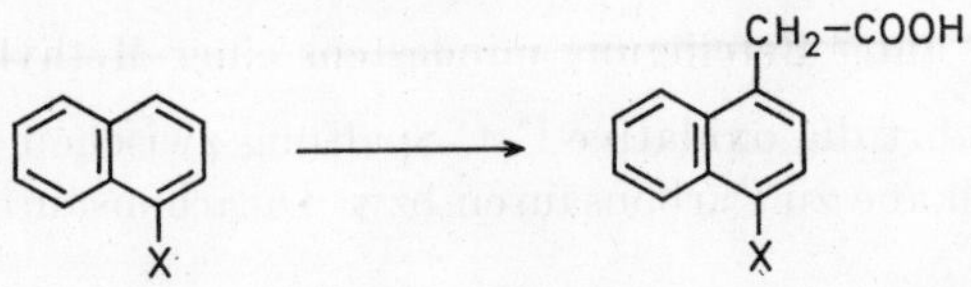

Substitution des Naphthalins in 2-Stellung liefert 2-substituierte Naphthyl-(1)-essigsäuren. Auch *Anthryl-(1)-essigsäure* (F: 187°) und *Acenaphthenyl-(5)-essigsäure* (F: 174°) wurden so hergestellt.

Erfolgt die Dehydrierung intramolekular, so tritt allgemein Ringschluß ein[5]; z. B.:

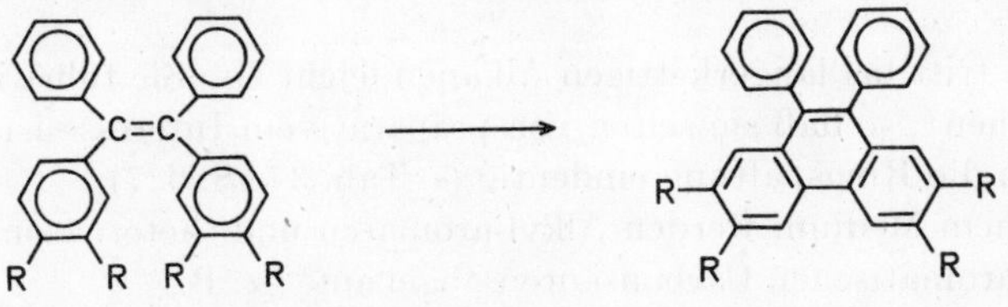

2,3,6,7-Tetraäthoxy-9,10-diphenyl-phenanthren[5]: Auf dem siedenden Wasserbad löst man 50 mg Kaliumpermanganat in 20 *ml* Essigsäure und 200 mg 1,2-Diphenyl-1,2-bis-[3,4-diäthoxy-phenyl]-äthylen im selben Solvens. Die beiden Lösungen werden zusammen gegeben und man rührt 15 Min. auf dem siedenden Wasserbad. Danach ist die Farbe des Permanganats verschwunden. Anschließend wird Wasser zugegeben; Phenanthren (130 mg) fällt aus. Umkristallisiert wird aus 25 *ml* Äthanol bei 90°. Man erhält 80 mg praktisch reines Phenanthren-Derivat, das leicht rosa gefärbt ist.
100 mg sehr reines Produkt erhält man, wenn man 250 mg aus 1 *ml* Benzol umkristallisiert; F: 198°.

Auch heterocyclische Systeme können bei der intramolekularen Dehydrierung gebildet werden. Beispielsweise entstehen bei der Oxidation von im Phenyl-Ring hydroxy-substituierten Benzophenonen die entsprechenden Xanthone[6,7]:

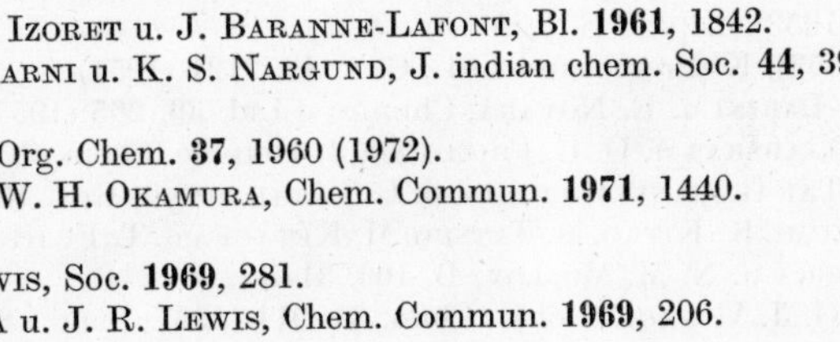

[1] J. Rigaudy, G. Gauquis, G. Izoret u. J. Baranne-Lafont, Bl. **1961**, 1842.
[2] A. R. Inamdar, S. M. Kulkarni u. K. S. Nargund, J. indian chem. Soc. **44**, 398 (1967); C. A. **67**, 73413 (1967).
[3] H. A. P. de Jongh et al., J. Org. Chem. **37**, 1960 (1972).
[4] T. L. Ito, F. C. Baldwin u. W. H. Okamura, Chem. Commun. **1971**, 1440.
[5] J. Gardent, Bl. **1962**, 1049.
[6] J. E. Atkinson u. J. R. Lewis, Soc. **1969**, 281.
[7] J. W. A. Findlay, P. Gupta u. J. R. Lewis, Chem. Commun. **1969**, 206.

Entsprechend führt die Oxidation der Schiff'schen Basen von 2-Amino-phenol in Aceton zu Benzo-1,3-oxazolen[1].

II. Oxidation unter Spaltung des Kohlenstoffgerüsts

Einen breiten Raum nehmen die Oxidationen mit Permanganat ein, die unter Spaltung einer Bindung verlaufen.

Die Spaltung wird auch zur Strukturaufklärung verwendet.

a) Oxidativer Abbau der gesättigten C–C-Bindung

1. C-C-Spaltung unter Beteiligung mindestens einer Methylen- bzw. Methyl-Gruppe

Im allgemeinen führt die oxidative C–C-Spaltung zwischen zwei Methylen-Gruppen der Alkane bzw. Cycloalkane zu Carbonsäuren bzw. Dicarbonsäuren[2, s. a. 3,4]:

$$R-CH_2-CH_2-R^1 \xrightarrow{MnO_4^{\ominus}} R-COOH \; + \; R^1-COOH$$

$$(H_2C)_n \overset{CH_2}{\underset{CH_2}{\big<}} \xrightarrow{MnO_4^{\ominus}} HOOC-(CH_2)_n-COOH$$

Die Reaktion tritt bei längerkettigen Alkanen leicht ein. Sie führt in der Regel zu Carbon-säure-Gemischen[5], so daß sie selten von präparativem Interesse ist. In einigen Fällen ver-läuft dagegen die Ringspaltung eindeutig (s. Tab. 37; S. 627).

In alkalischem Medium werden Alkyl-aromaten und -heteroaromaten meist zu den ent-sprechenden aromatischen Carbonsäuren abgebaut[6]; z. B.:

$$HOOC-\langle\bigcirc\rangle-(CH_2)_n-COOH \xrightarrow{MnO_4^{\ominus}} HOOC-\langle\bigcirc\rangle-COOH$$

Terephthalsäure

Ebenso erhält man *Pyridin-4-carbonsäure*[7,8] aus 4-Äthyl-pyridin und *2-Nitro-benzoesäure* aus 2-Nitro-1-äthyl-benzol[9, vgl. a. 10–12].

Nur in Ausnahmefällen läßt sich die oxidative C–C-Spaltung auf der Aldehyd-Stufe anhalten[13,14].

[1] I. Y. POSTOVSKII, L. N. PUSHKINA u. S. A. MAZALOV, Ž. obšč. Chim. **32**, 2617 (1962); engl.: 2578.
[2] R. GRANGER, H. ORZALESI u. J. P.-CHAPAT, C. r. **256**, 1963.
[3] J. P. VOLKOV u. L. N. CHACATURJAN, Ž. org. Chim. **4**, 1398 (1968).
[4] T. BRUZZESE et al., Atti Accad. naz. Lincei **30**, 55 (1961); C. A. **56**, 8585[d] (1962).
[5] O. NEUNHOEFFER u. J. RATHS, J. pr. **42**, 84 (1955).
[6] N. P. BUU-HOI et al., C. r. **240**, 442 (1955).
[7] Fr. P. 1080741 (1953), Lepetit S. p. A.
[8] Ind. P. 47596 (1953), K. Premchand Ltd.; C. A. **48**, 2121 (1954).
[9] D. CATTAPAN, G. LARINI u. E. NOVARA, Chimica e Ind. **39**, 265 (1957).
[10] Y. KIM, V. GRUKLIAUSKAS u. O. U. FRIEDMAN, J. Heteroc. Chem. **9**, 481 (1972).
[11] E. SAFRONIE, E. TÁRÁKÁSANU-MICHÁILÁ u. C. TÁRÁKÁSANU, Rev. Roum. Chim. **15**, 1913 (1970).
[12] S. I. NAITO, S. OZUMI, K. KITAO, M. TETSUO, M. KÉTAURA u. T. FUJITA, J. Pharm. Soc. **60**, 1257 (1971).
[13] H.-B. DUTSCHEWSKA u. N. M. MOLLOV, B. **100**, 3145 (1967).
[14] T. T. DUMPIS u. G. J. VANAG, Ž. obšč. Chim. **31**, 911 (1961); engl.: 841.

2. C-C-Spaltung unter Beteiligung einer Methin-Gruppe

Die Oxidation unter Beteiligung einer tert.-C–H-Bindung führt zu Ketonen; z. B. erhält man *Acetophenon* bei der Oxidation von Isopropylbenzol[1]:

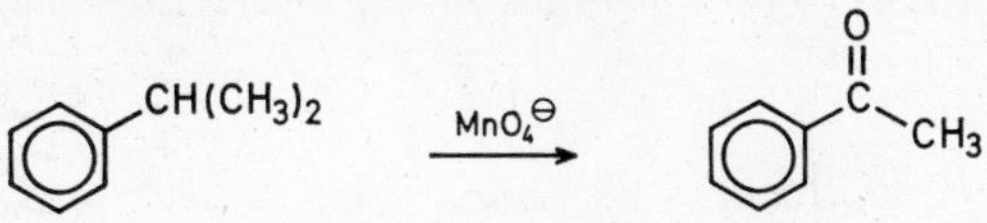

Über die Oxidation zweier Bicyclen, die unter anderem auch zu Anthrachinon führt, siehe Originalliteratur[2,3]. Weitere Beispiele finden sich in Tab. 37 (S. 627).

3. C-C-Spaltung bei Alkoholen, Äthern, Sulfiden und Aminen

Die Permanganat-Oxidation verschiedener Äther, Sulfide, Amine und nicht-primärer Alkohole führt ebenfalls unter Spaltung des Kohlenstoff-Gerüsts zu Carbonsäuren. So gehen Tetrahydrofuran-2-carbonsäureester in das Lacton des *2-Hydroxy-glutarsäure-1-esters* und unter Ringspaltung in dessen offenkettige Form über[4]:

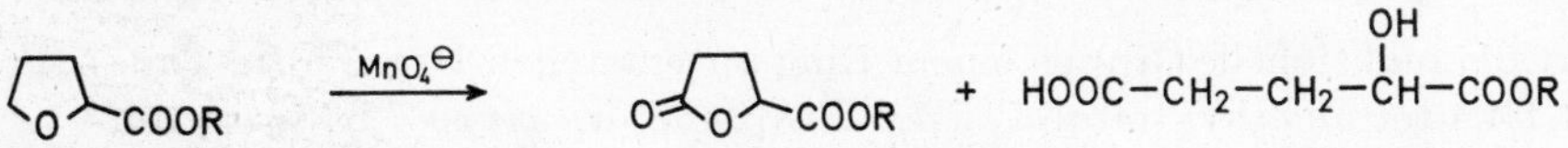

N-Alkyl-amine lassen sich mit Permanganat entalkylieren[5].

Die Oxidation von 5-Äthylmercaptomethyl-thiophen-2-carbonsäure führt unter Abspaltung des Äthylmercapto-Restes direkt zur *Thiophen-2,5-dicarbonsäure*[6]. Weitere Beispiele siehe Tab. 37 (S. 627). Über die Umsetzung von Ozoniden mit Permanganat siehe Originalliteratur[7].

4. Oxidation von Lactonen

Lactone werden in alkalischem Milieu mit Permanganat umgesetzt. Dabei spaltet das Lacton primär zur Hydroxy-carbonsäure auf, die dann zur Dicarbonsäure oxidiert wird; dies kann gelegentlich experimentell bewiesen werden:

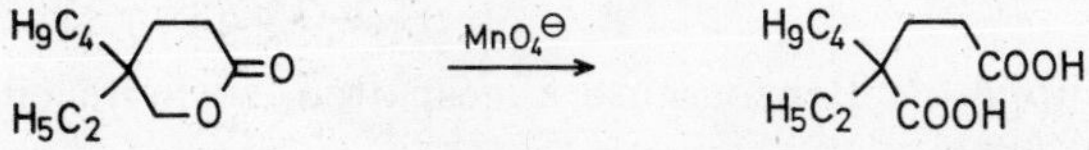

2-Äthyl-2-butyl-glutarsäure[8]: Eine Lösung von 4-Hydroxymethyl-4-äthyl-octansäure-lacton in Kaliumhydroxid wird bei 50° unter Rühren mit Kaliumpermanganat portionsweise versetzt. Das überschüssige Permanganat wird mit Äthanol zerstört und das Mangan(IV)-oxid abfiltriert. Danach wird mit Salzsäure angesäuert und die Lösung i. Vak. eingeengt. Die Temp. soll 55° nicht übersteigen. Man rührt anschließend noch 105 Min. und arbeitet wie üblich auf; Ausbeute: 80,5% d.Th.

Entsprechend werden Phthalide zu Phthalsäuren oxidiert; z. B.:

4,6-Dimethoxy-phthalid	→ *3,5-Dimethoxy-phthalsäure*[9]	90% d.Th.
4-Chlor-5-methoxy-phthalid	→ *3-Chlor-4-methoxy-phthalsäure*[10]	70% d.Th.
4-(2-carboxy-phenyl)-phthalid	→ *2,2′,3-Tricarboxy-biphenyl*[11]	—

[1] C. F. Cullis u. J. W. Ladbury, Soc. **1955**, 4186.
[2] G. Wittig et al., B. **93**, 951 (1960).
[3] S. J. Cristol u. R. K. Bly, Am. Soc. **82**, 6155 (1960).
[4] Jap. P.-Anm. 8212/64 (1960) Noguchi Kenkyusho.
[5] S. Rossi u. W. Butta, Ann. Chimica **52**, 381 (1962).
[6] Y. L. Goldfarb, G. I. Goruskina u. B. P. Fedenov, Izv. Akad. SSSR **1959**, 2021; C. A. **54**, 9879 (1960).
[7] S. D. Razmovskij et al., Ž. org. Chim. **2**, 1942 (1966)
[8] J. Cason, K. W. Kraus u. W. D. MacLeod, J. Org. Chem. **24**, 392 (1959).
[9] H. Brockmann, F. Kluge u. H. Muxfeldt, B. **90**, 2302 (1957).
[10] C. A. Bühler u. R. L. Pruett, Am. Soc. **73**, 5506 (1951).
[11] T. Bozzo-Balbi, G. **81**, 125 (1951).

Ähnlich verläuft auch die Oxidation von *cis*-3-Hydroxy-cyclopentancarbonsäure-lacton zur *2-Methyl-3-carboxy-hexandisäure*[1]. Ist die Lacton-Gruppierung Bestandteil eines polycyclischen Systems so führt auch in diesem Fall die Permanganat-Oxidation zur Öffnung des Lactonrings; so läßt sich z. B. *5-Oxo-3-carboxy-tricyclo[2.2.1.0²,⁶]heptan* in guten Ausbeuten gewinnen[2]:

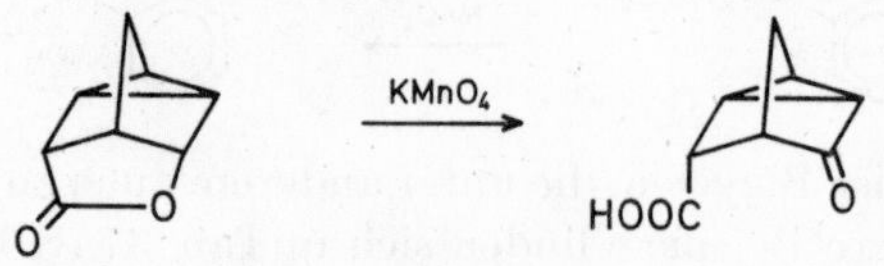

5. C-C-Spaltung bei Oxo-Verbindungen

Bei meist höherer Temperatur können auch Ketone unter Verkürzung der C-Kette in Carbonsäuren überführt werden[3-5]; z. B. erhält man aus:

2-Methoxy-4,5-methylendioxy-acetophenon   →   *2-Methoxy-4,5-methylendioxy-benzoesäure*[6]
2-Diphenylphosphonyl-acetophenon   →   *2-Diphenylphosphonyl-benzoesäure*[7]; 80% d.Th.
6-Methoxy-2,4-dimethyl-1,3-diacetyl-benzol   →   *6-Methoxy-2,4-dimethyl-isophthalsäure*[8]

Gehört die funktionelle Gruppe einem Ring an, entstehen Dicarbonsäuren. So spaltet 2-Oxo-1,1,4,4-tetramethyl-tetralin zu *1,2-Bis-[2-carboxy-propyl-(2)]-benzol* auf[9, 8.a.10, 11]:

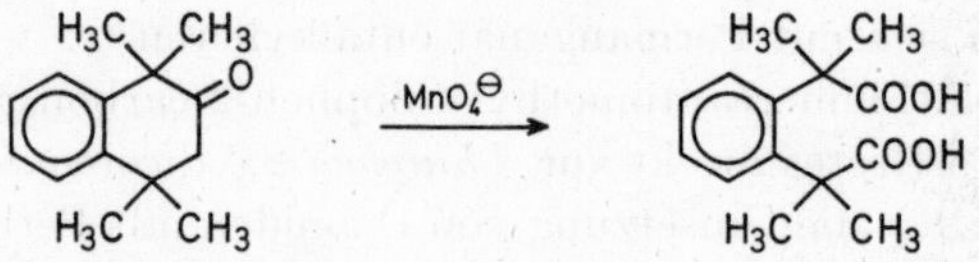

Eine tertiäre Gruppierung am Kohlenstoff-Atom neben der Oxo-Funktion bedingt die Bildung einer Oxo-carbonsäure; z. B.[12,13]:

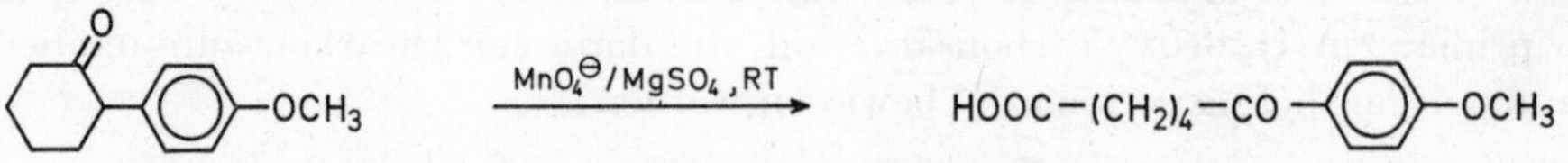

6-Oxo-6-(4-methoxy-phenyl)-hexansäure

Wird eine Benzyl-Gruppe als Benzoesäure abgespalten, so kann eine Dehydrierung eintreten[14].

Durch die Permanganat-Oxidation von α-Brom-ketonen in saurer Lösung lassen sich α-Brom-alkansäuren herstellen[15].

Dem Strukturbeweis von 3,5-Diacyl-pyrazolen diente deren Oxidation zu *Pyrazol-3,5-dicarbonsäuren*[16].

[1] T. Tanaka, Bl. chem. Soc. Japan **35**, 1890 (1962).
[2] vgl. S. 625.
[3] W. Baker, J. F. W. McOmie u. R. J. G. Searle, Soc. **1962**, 2633.
[4] K. P. Mathel u. S. Sethna, J. indian chem. Soc. **42**, 86 (1965).
[5] H. Stetter u. H.-J. Sandhagen, B. **100**, 2837 (1967).
[6] K. Fukui u. T. Matsumoto, Bl. chem. Soc. Japan **35**, 1931 (1962).
[7] R. S. Davidson, R. A. Sheldon u. S. Trippett, Soc. **1966**, 722.
[8] S. B. Bhatta u. K. Venkataraman, Indian J. Chem. **3**, 92 (1965).
[9] L. R. C. Barclay, N. D. Hall u. J. W. Maclean, Tetrahedron Letters **1961**, 243.
[10] H. A. Bruson, *Advanced Organic Chemistry*, Reinhold Publ. Co., New York 1961.
[11] Y. Kashman u. E. D. Kaufman, Tetrahedron **27**, 3437 (1971).
[12] E. R. Clark u. I. G. B. Howes, Soc. **1956**, 1152.
[13] J. B. Lambert, D. S. Bailey u. C. E. Mixau, J. Org. Chem. **37**, 377 (1972).
[14] J. A. Moore et al., J. Org. Chem. **34**, 887 (1969).
[15] Jap. P. 19109/63 (1961), Chugai Pharm. Co. Ltd., Erf.: Y. Tajika, K. Oshima u. S. Funakoshi; C. A. **60**, 2778 (1964).
[16] N. K. Kocetkov, L. Ambrus u. T. I. Ambrus, Ž. obšč. Chim. **29**, 2964 (1959); engl.: 2927.

Tab. 37: Oxidativer Abbau der gesättigten C–C-Bindung zu Carbonsäuren

Ausgangsverbindung	Oxidationsprodukt	Ausbeute [% d. Th.]	Literatur
	Cycloheptan-cis-1,2-dicarbonsäure		1, s. a. 2
H₅C₆ C₆H₅	1,2-Diphenyl-1,2-bis-[2-carboxy-phenyl]-äthylen	◦ 68	3
	6-Hydroxy-5-methyl-3-[diphenyl-hydroxy-methyl]-1,2,4-triazin oder 6-Hydroxy-3-[diphenyl-hydroxy-methyl]-5-carboxy-1,2,4-triazin	50	4
	5-Carboxy-2H-tetrazole	~100	5
	3,3′,4,4′-Tetramethyl-benzophenon	78,5	6, 7
$(H_5C_2O-\bigcirc-)_2$ CH–CH₂–NO₂	4,4′-Diäthoxy-benzophenon	100	8
	Pyridin-2-carbonsäure		9–11
1-Carboxy-cycloheptylglyoxylsäure	1,1-Dicarboxy-cycloheptan		12
1,2-Dihydroxy-1-methyl-cyclohexan	6-Oxo-heptansäure	57	13

1 R. Granger, H. Orzalesi u. J. P. Chapat, C. r. 256, 190 (1963).
2 F. Sorm et al., Collect. chzech. chem. Commun. 20, 227 (1955).
3 M. Stiles, U. Burckhardt u. A. Haag, J. Org. Chem. 27, 4715 (1962).
4 R. Metze u. G. Rolle, B. 91, 422 (1958).
5 Jap. P.-Anm. 18313/65 (1962), Shionogi u. Co., Ltd., Erf.: H. Kano u. H. Nishimura; C. A. 63, 18103 (1965).
6 J. Heerema, G. N. Bollenback u. C. B. Linn, Am. Soc. 80, 5555 (1958).
7 M. I. Taha, Soc. 1961, 2468.
8 T. A. Jakob, G. B. Bachman u. H. B. Hass, J. Org. Chem. 16, 1572 (1951).
9 A. A. Petrov u. V. Dyudvig, Ž. obšč. Chim. 25, 739 (1955).
10 O. S. Otroshchenko, A. S. Sadykov u. A. A. Ziyaev, Ž. obšč. Chim. 31, 678 (1961); engl.: 621.
11 G. Y. Dukur, A. M. Kats, T. M. Kupcha u. I. B. Mazheika, Chim. geteroc. Soed. 1973, 1073.
12 G. S. Saharia u. B. R. Sharma, J. sci. Ind. Research (India) 21, 480 (1962).
13 H. Adkins u. A. K. Roebuck, Am. Soc. 70, 4041 (1948).

Tab. 37 (1. Fortsetzung)

Ausgangsverbindung	Oxidationsprodukt	Ausbeute [% d. Th.]	Literatur
	Cinchomeronsäuren	51—94	1, 2
	2-Hydroxy-3-phenyl-chinoxalin	23	3, 4
	3-Methyl-2-(3-carboxy-propyl)-benzoesäure	17	5
	Bicyclo[3.3.0]octan-2,4-dicarbonsäure		6
	1,2-Dimethyl-cis-1,2-dicarboxy-cyclo-propan	95	7

b) Oxidativer Abbau der C=C-Doppelbindung

Die zwei bei der Spaltung der C=C-Doppelbindung gebildeten Bruchstücke werden unter den herrschenden Reaktionstemperaturen über die Alkohol-Stufe hinaus oxidiert. Ist die C=C-Doppelbindung Bestandteil eines Ringsystems, so entsteht ein acyclisches Molekül. Dies wird an nachfolgenden Reaktionen veranschaulicht:

$$R^1-CH=CH-R^2 \xrightarrow{MnO_4^{\ominus}, \triangledown, H^{\oplus}} R^1-COOH + R^2-COOH$$

[1] M. GADEKAR u. J. L. FREDERICK, J. Heteroc. Chem. **5**, 125 (1968).
[2] A. DE MUMO, V. BERTINI u. G. DENTI, Int. J. Sulfur Chem. [A] **1972**, 25.
[3] E. GROVENSTEIN, W. POSTMAN u. J. W. TAYLOR, J. Org. Chem. **25**, 68 (1960).
  W. L. F. ARMAROGO, T. J. BATTERHAM, K. SHOFIELD u. R. S. THEOBALD, Soc. **1966**, 1433.
[4] C. S. TSAI u. C. REYES-ZAMORA, J. Org. Chem. **37**, 2725 (1972); Glucopyranoside.
[5] M. GHOSAL, B. SINHA u. P. BAGCHI, J. Org. Chem. **23**, 584 (1958).
[6] L. D. GAVRILOVA, L. I. u. I. V. KALECIC, Neftechimiya **7**, 691 (1967).
[7] H. STELTER u. H. J. OVERHOFF, A. **738**, 42 (1970).

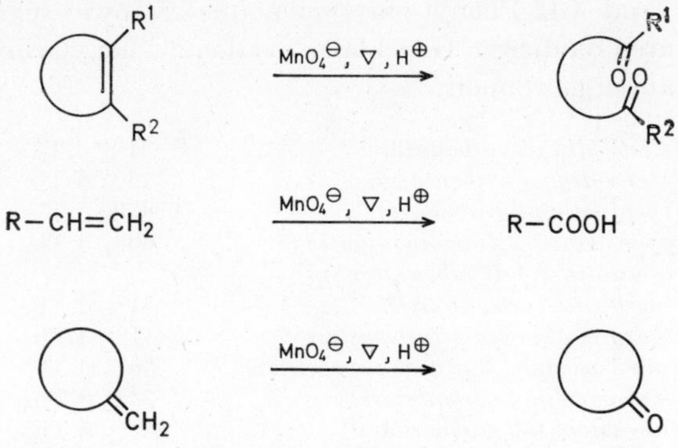

1. Doppelbindung zwischen zwei sekundären, mittelständigen Kohlenstoff-Atomen

α) Offenkettige Alkene

Bei der Permanganat-Oxidation von Verbindungen, die eine Styryl-Gruppe tragen, bilden sich nach dem Bruch der C=C-Doppelbindung zwei Carbonsäuren[1-3]; z. B.:

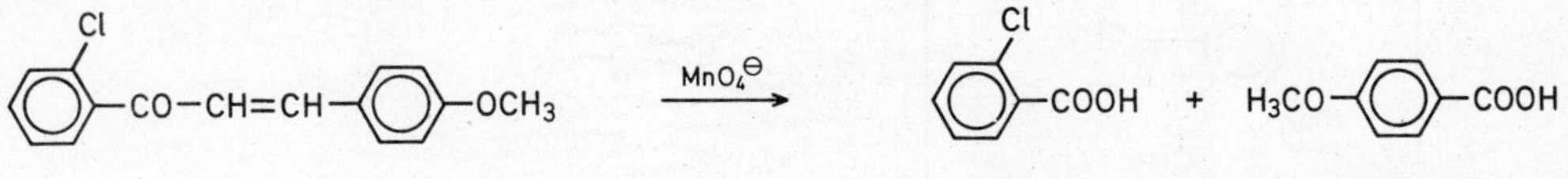

2-Chlor-benzoesäure   *4-Methoxy-benzoesäure*

Es können nach dieser Methode auch cyclische Dicarbonsäuren, z. B. *trans,cis,trans-3,4 Diphenyl-1,2-dicarboxy-cyclobutan* (*trans-anti-trans-Truxinsäure*) erhalten werden[4, 5].

Auch wenn die 2-Phenyl-vinyl-Gruppe Substituent eines Heteroaromaten ist, bildet sich die Carbonsäure[6].

Chinolin-4,6-dicarbonsäure[7]:

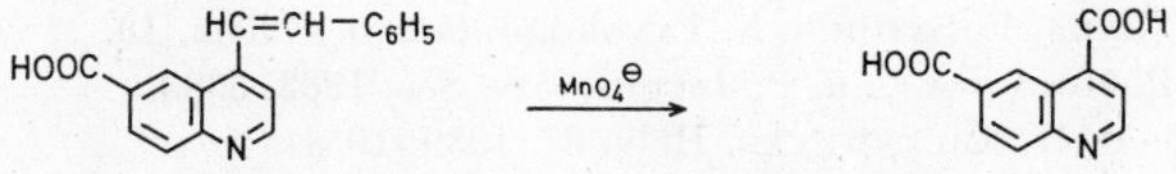

Zu einer Mischung aus 10 g 4-(2-Phenyl-vinyl)-chinolin-6-carbonsäure und 250 *ml* 50%igem wäßrigem Pyridin gibt man innerhalb 2 Stdn. bei 0° 14 g Kaliumpermanganat. Man rührt weitere 2 Stdn. und läßt die Mischung Raumtemp. annehmen. Man läßt über Nacht stehen und fügt 20 *ml* 20%ige Kalilauge zu. Die Lösung wird mit Natriumhydrogensulfit behandelt, filtriert und mit konz. Salzsäure auf $p_H = 5$ gestellt. Der Niederschlag wird nacheinander mit Wasser und Äthanol gewaschen und dann getrocknet; Ausbeute: 6,0 g (76% d.Th.); F: 300°.

---

[1] V. F. BELAEV, N. M. JACEVIS u. N. A. SOKOLOV, Ž. obšč. Chim. **32**, 2022 (1962); engl.: 2003.

[2] J. M. BIRCHALL, T. CLARKE u. R. N. HASZELDINE, Soc. **1962**, 4977.

[3] A. R. BATTERSBY u. B. J. T. HARPER, Soc. **1962**, 3526.

[4] J. R. VAN DER VECHT, H. STEINBERG u. T. J. DE BOER, Tetrahedron Letters **1970**, 2157.

[5] S. KIKHOWA, F. OMAE u. N. YAGI, J. Chem. Soc. Japan, Pure Chem. Sect. **90**, 1255 (1969).

[6] N. S. PROSTAKOV u. V. A. KURICEV, Chim. geteroc. Soed. **1968**, 124; C. A. **68**, 104932 (1968).

[7] A. P. SHROFF, H. JALEEL u. F. M. MILLER, J. Pharm. Sci. **55**, 844 (1966).

Ähnlich lassen sich 2- und 4-(2-Phenyl-vinyl)-chinoline[1-3] sowie -pyridine[4-6] zu den entsprechenden Carbonsäuren oxidieren. Gleichfalls aus den 2-Phenyl-vinyl-Verbindungen wurden folgende Carbonsäuren gewonnen:

⟨Benzo-[a]-acridin⟩-2-carbonsäure[7]	31% d. Th.
⟨Benzo-[c]-acridin⟩-7-carbonsäure[7]	75% d. Th.
⟨Benzo-[f]-chinolin⟩-2-carbonsäure[8]	85% d. Th.
⟨Benzo-[g]-chinolin⟩-2,4-dicarbonsäure[9]	60% d. Th.
6-Nitro-chinoxalin-2,3-dicarbonsäure[10-12]	
5-Methyl-pyridin-2-carbonsäure[13]	51% d. Th.
6,7-Dimethoxy-isochinolin-1-carbonsäure[14]	41% d. Th.
4-Acetamino-3-phenyl-1,3-oxazol-5-carbonsäure[15]	56% d. Th.
2,6-Diphenyl-pyridin-4-carbonsäure[16]	72% d. Th.
4-Acetamino-chinolin-2-carbonsäure[17]	82% d. Th.
6-Methoxy-chinolin-4-carbonsäure[18]	70–90% d. Th.
⟨Imidazo-[c]-pyridin⟩-2-carbonsäure[19]	
3-Methyl-2-carboxy-⟨benzo-[f]-chinolin⟩[20]	
2,5-Dicarboxy-⟨1,3-thiazolo-[4,5-d]-1,3-thiazol⟩[21]	65% d. Th.

Unter bestimmten Voraussetzungen entsteht bei der Permanganat-Oxidation (2-Phenyl-vinyl)-substituierter Heterocyclen statt der freien Carbonsäure ein um ein C-Atom ärmeres Carbonsäure-Derivat[22, s. a. 23]; z. B.:

2-Oxo-1,3,3-trimethyl-5-tert.-butyl-2,3-dihydro-indol

[1] A. P. Shroff, H. Jaleel u. F. M. Miller, J. Pharm. Sci. **55**, 844 (1966).

[2] H. Irving, u. A. R. Pinnington, Soc. **1954**, 3782.

[3] J. J. Beereboom, Am. Soc. **85**, 3525 (1963).

[4] N. S. Prostakov u. V. A. Kuricev, Chim. geteroc. Soed. **1968**, 124; C. A. **68**, 104932 (1968).

[5] N. S. Prostakov, S. M. Sipen, V. P. Zvolinskii u. V. V. Dorogov, Chim. geteroc. Soed. **1972**, 91; C. A. **76**, 153538 (1972).

[6] T. Kametani, H. Takeda, F. Satoh u. S. Tanako, J. heteroc. Chem. **10**, 77 (1973).

[7] N. P. Buu-Hoi, J. P. Hoeffinger u. P. Jacquignon, Soc. **1963**, 5383.

[8] M. Häring, B. Prijs u. H. Erlenmeyer, Helv. **37**, 1339 (1954).

[9] A. B. Lal u. N. Singh, B. **98**, 2427 (1965).

[10] J. Klicnar, F. Kosek u. S. Panusova, Collect. czech. chem. Commun. **29**, 206 (1964).

[11] T. G. Koksharova, V. N. Konyukov, Z. V. Pushkareva u. T. A. Pryakhina, Chim. geteroc. Chim. 7, 261 (1970); C. A. **76**, 153715 (1971).

[12] C. S. Oh u. C. V. Greco, J. heteroc. Chem. **7**, 261 (1970).

[13] H. Möhrle u. C. Karl, Ar. **301**, 728 (1968).

[14] A. R. Battersby, G. C. Davidson u. J. C. Turner, Soc. **1961**, 3899.

[15] G. Desimoni u. P. Grunanger, G. **97**, 25 (1967).

[16] M. N. Tilicenko, Ž. obšč. Chim. **31**, 1558 (1961); engl.: 1446.

[17] R. Royer, Soc. **1949**, 1803.

[18] K. N. Campbell et al., J. Org. Chem. **11**, 803 (1964).

[19] W. Knobloch u. H. Kühne, J. pr. 4 **17**, 199 (1962).

[20] N. S. Prostakov et al., Chim. geteroc. Soed. **1972**, 1400.

[21] J. R. Johnson, H. D. Rotenberg u. R. Ketcham, Am. Soc. **92**, 4046 (1970).

[22] N. I. Grineva, A. D. Tiscenko u. V. I. Ufimcev, Ž. obšč. Chim. **32**, 1919 (1962); engl.: 1896.

[23] W. Ried u. R. Bender, B. **90**, 2650 (1957).

An Stelle der 2-Phenyl-vinyl- kann auch eine andere ungesättigte Gruppe oxidiert werden; beispielsweise entsteht aus Pentafluor-propenyl-benzol die *Pentafluor-benzoesäure*[1, s. a. 2, 3].

Langkettige Olefine werden gleichfalls oxidativ abgebaut[4, s. a. 5]. Enthält das Molekül zwei C=C-Doppelbindungen, so können beide oxidiert werden[6].

Die Oxidation unter C–C-Spaltung ist auch möglich, wenn eines der olefinischen C-Atome eine funktionelle Gruppe trägt[7-12]. Bei entsprechendem Bau des Moleküls entsteht im Anschluß an die Oxidation ein Lactol[13]. Eine Decarboxylierung tritt ein bei der Herstellung von *5-Nitro-4-methyl-1,3-thiazol*[14]. Schließlich sei auf die Oxidation des 1,3-Bis-[4-phenoxy-phenyl]-propens hingewiesen, bei der *4-Phenoxy-benzoesäure* und *4-Phenoxy-acetophenon* entstehen[15, s. a. 16,17].

Die oxidative Spaltung verläuft über einen Aldehyd[18,19], der gelegentlich isoliert werden kann[20] (vgl. Synthese von *4-Nitro-thionaphthen-2-aldehyd*[21]). Zum Teil entsteht auch ein Gemisch aus Aldehyd und Carbonsäure[22].

2-Nitro-benzaldehyd und 2-Nitro-benzoesäure[22]: 10 g 2-Nitro-zimtsäure werden zu einer Lösung von 6 g Natriumcarbonat in 750 *ml* Wasser gegeben, 200 *ml* Benzol zugegeben und die Lösung auf ~ 10° abgekühlt. Man läßt nun unter starkem Rühren 250 *ml* einer 6%igen Kaliumpermanganat-Lösung zulaufen und hält die Temp. durch Zugabe von Eis bei ~ 10°. Man rührt noch 1. Stde., filtriert das Mangandioxid ab und wäscht mit 50 *ml* Benzol nach. Die Benzol-Phase wird abgetrennt, die wäßrige Phase mit 2 × 50 *ml* Benzol ausgeschüttelt, die Benzol-Phase getrocknet und das Benzol abdestilliert. Der Rückstand wird in 10 *ml* Toluol gelöst, mit 70 *ml* Petroläther (Kp: 40–60°) versetzt und die Lösung auf 0° abgekühlt; Ausbeute: 5 g (64% d.Th.) *2-Nitro-benzaldehyd* (F: 43°).

Aus der angesäuerten wäßrigen Phase extrahiert man mit Äther 1,7 g (20% d.Th.) *2-Nitro-benzoesäure* (F: 146°).

Bei der Oxidation von 1-Naphthyl-(2)-buten-(1) mit Bariumpermanganat erhält man ein Gemisch aus *2-Formyl-naphthalin* und *Naphthalin-2-carbonsäure*[23].

Liegt ein tertiäres olefinisches Kohlenstoff-Atom vor, so kann die Oxidation sowohl an der C=C-Doppelbindung als auch an der C–C-Einfachbindung stattfinden (s. z. B.[24]) (s. a. S 633).

[1] J. M. BIRCHALL, T. CLARKE u. R. N. HASZELDINE, Soc. **1962**, 4977.
[2] S. CORSANO u. M. BONANOMI, Ann. Chimica **52**, 689 (1962).
[3] J. BURDON u. J. C. TATLOW, J. appl. Chem. 8, 293 (1958).
[4] US. P. 3217046 (1962), US Secr. of Agriculture, Erf.: K. L. MIKOLAJCZAK; C. A. **64**, 3870 (1966).
[5] G. DUPONT, R. DULOU u. C. PIGEROL, C. r. **240**, 628 (1955).
[6] P. CAPELLA et al., Chimica e Ind. **45**, 1212 (1963).
[7] V. P. MAMAEV u. N. N. SUVOZOV, Ž. obšč. Chim. **26**, 538 (1956); C. A. **51**, 2616 (1957).
[8] W. SCHIDLO u. A. SIEGLITZ, B. **96**, 2595 (1963).
[9] I. L. KNUNYANTS, B. L. DYATKIN u. E. P. MOCHALINA, Izv. Akad. SSSR **1962**, 1483; C. A. **58**, 1324 (1963).
[10] G. GAUDIANO, M. ACAMPORA u. P. BRAVO, G. **96**, 1492 (1966).
[11] D. BEKE, D. KORBONITZ u. R. KORNIS-MARKOVITS, A. **626**, 225 (1959).
[12] Jap. P. 23347/67 (1965), Fujisawa Pharm. Co. Ltd.
[13] F. M. DEAN u. D. R. RANDELL, Soc. **1961**, 798.
[14] D. W. HENRY, J. Med. Chem. **12**, 303 (1969).
[15] I. G. TURYANICHIK u. M. G. RUDENKO, Izv. Akad. SSSR **1965**, 2172; C. A. **64**, 11111 (1966).
[16] R. GIGER u. D. BEN-ISHAI, Israel J. Chem. **5**, 253 (1967).
[17] T. G. MELENTJEVA et al., Ž. obšč. Chim. **33**, 2126 (1963); engl.: 2072.
[18] W. RIED u. R. BENDER, B. **90**, 2650 (1957).
[19] W. RIED u. R. M. GROSS, B. **90**, 2646 (1957).
[20] R. RÜEGG et al., Helv. **42**, 847 (1959).
[21] V. P. MAMAEV u. O. P. SKURKO, Chim. geteroc. Soed. **1965**, 516; C. A. **64**, 675 (1966).
[22] W. DAVEY u. J. R. GWILT, Soc. **1950**, 204.
[23] G. B. PICKERING u. J. C. SMITH, R. **69**, 535 (1950).
[24] A. I. KACHINIASVILI u. G. S. GLONTI, Ž. obšč. Chim. **34**, 3135 (1964); engl.: 3184.

β) Cycloalkene

Die Permanganat-Oxidation der Cycloalkene, halogen-substituierter Cycloalkene und der Cycloalkene mit Hydroxy- oder Oxo-Gruppen in Nachbarstellung zur C=C-Doppelbindung, führt unter Spaltung der C=C-Doppelbindung zu α, ω-Dicarbonsäuren; z. B.:

Bicyclo[3.3.0]octan-2,4-dicarbonsäure[1]

Cycloocten	→	*Octandisäure*[2]; 69% d.Th.
6-Methyl-bicyclo[4.3.0]nonen-(2)	→	*1-Methyl-1,2-bis-[carboxymethyl]-cyclopentan*[3]
Bicyclo[2.2.1]hepten	→	*Cyclopentan-cis-1,2-dicarbonsäure*[4,5]; 95% d.Th.
Cyclopenten-4-carbonsäure	→	*3-Carboxy-glutarsäure*[6] *(Carballylsäure)*; 66% d.Th.
Cyclooctatrien-(1,3,5)	→	*Cyclobutan-cis-1,2-dicarbonsäure*[7]; 39% d.Th.

Entsprechend wurden weiterhin hergestellt:

Bis-[dichlormethylen]-bernsteinsäure[8]

2,3,4,5-Tetrachlor-adipinsäure[9,10]; 27% d.Th.

Octafluor-adipinsäure[11]; 35% d.Th.

2H-Heptafluor-adipinsäure[11,12]; 61% d.Th.

2H,2H-Hexafluor-adipinsäure[11]; 60% d.Th.

3-Chlor-pentafluor-glutarsäure[13,14]; 55% d.Th.

Tetrafluor-bernsteinsäure[15,16]

Hexafluor-glutarsäure[12]; 80–85% d.Th.

2,2-Difluor-bernsteinsäure[17]; 79% d.Th.

Über die Oxidation des 9,10,11,12-Tetrachlor-tetracyclo[6.4.0.0^{2,7}.0^{3,6}]dodecens-(10) siehe Original-literatur[18].

Der bei der oxidativen Ringspaltung primär gebildete Dialdehyd kann isoliert werden, wenn Permanganat im Unterschuß eingesetzt wird[19]; z. B.:

1,3-Diformyl-cyclopentan, 54–66% d.Th.

Führt man diese Reaktion in alkalischem statt in neutralem Milieu durch, so wird die C=C-Doppelbindung lediglich hydroxyliert[19, 20] (vgl. S. 602ff.).

[1] L. D. Gavrilov, L. I. Verescagin u. I. V. Kalecic, Ž. org. Chim. **3**, 1437 (1967), engl.: 1362.

[2] DBP. 890950 (1953), BASF, Erf.: W. Reppe, K. Klager u. O. Schlichting; C. A. **50**, 16840^d (1956).

[3] N. A. Chafisova, E. S. Balenkova u. S. I. Chromov, Neftechimya **5**, 184 (1965).

[4] S. F. Birch, W. J. Oldham u. E. A. Johnson, Soc. **1947**, 818.

[5] O. L. Chapman u. D. J. Pasto, Chem. & Ind. **1961**, 53.

[6] K. C. Murdock u. R. B. Angier, J. Org. Chem. **27**, 2395 (1962).

[7] A. C. Cope et al., Am. Soc. **74**, 4867 (1952).

[8] A. Fujino, Y. Nagata u. T. Sakan, Bl. chem. Soc. Japan **38**, 295 (1965).

[9] M. Nakajima, I. Tomida u. A. Hashizume, Scient. Insect. Contr., **21**, 14 (1956).

[10] S. Takai, M. Nakajima u. I. Tomido, B. **89**, 263 (1956).

[11] D. E. M. Evans, W. J. Feast, R. Stephens u. J. C. Tatlow, Soc. **1963**, 4828.

[12] D. E. M. Evans u. J. C. Tatlow, Soc. **1955**, 1184.

D. R. Sayers, R. Stephens u. J. C. Tatlow, Soc. **1964**, 3035.

[13] R. E. Banks, A. C. Harrison u. R. N. Haszeldine, Soc. **1966**, 2102.

[14] Belg. P. 555010 (1957), Intren. Min. a. Chem. Co., Erf.: J. L. Purvis.

[15] I. L. Knunyants et al., Izv. Akad. SSSR 1962, 2141.

[16] E. J. P. Fear, J. Thrower u. J. Veith, J. appl. Chem. **5**, 589 (1955).

[17] M. S. Raasch, R. E. Miegel u. J. E. Castle, Am. Soc. **81**, 2678 (1959).

[18] I. A. Akhtar, G. I. Fray u. J. M. Yarrow, Soc. **1968**, 812.

[19] K. B. Wiberg u. K. A. Saegebarth, Am. Soc. **79**, 2822 (1957).

[20] A. Uzarewicz, I. Uzarewicz u. Y. Zachrewicz, Roczniki Chem. **39**, 24 (1965); C. A. **62**, 16074 (1965).

Auch wenn der Cyclus zwei (isolierte) C=C-Doppelbindungen enthält, ist deren Oxidation (hier zur Tetracarbonsäure) möglich. So liefert z. B. das Diels-Alder-Addukt von Cyclopentadien und Bicyclo[2.2.1]heptadien (I) die *Bicyclo[3.3.0]octan-1,3,4,6-tetracarbonsäure*[1, 2]:

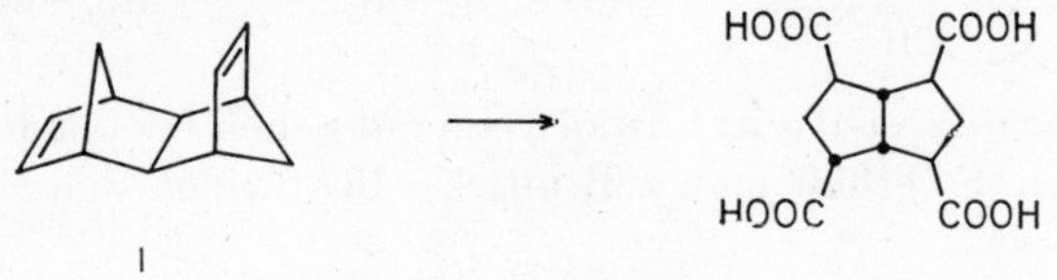

Bicyclo[3.3.0]octan-1,3,4,6-tetracarbonsäure[1]: Eine Suspension von 10,0 g Tetracyclo[6.2.1.1$^{3, 6}$.0^{2,7}] dodecadien-(4,9) in 1 l Wasser wird innerhalb 2 Stdn. in kleinen Portionen mit 54 g feingepulvertem Kaliumpermanganat versetzt; die Temp. der Reaktionslösung sollte 50° nicht überschreiten. Nach weiteren 2 Stdn. starken Rührens ist die Lösung entfärbt. Das ausgefallene Mangan(IV)-oxid wird abfiltriert, mit 200 ml heißem Wasser gewaschen, die Filtrate i. Vak. auf ~ 60 ml eingeengt und vorsichtig mit 30 ml konz. Salzsäure angesäuert. Man läßt 12 Stdn. stehen, filtriert und trocknet an der Luft; Ausbeute: 8,3 g (46% d.Th.); Zers. p.: 263–264° (i. Vak.).

Die oxidative Spaltung von 3,3,6,6-Tetrafluor-1,2,4,5-tetrachlor-cyclohexadien-(1,4) mit Kaliumpermanganat führt zur *2,3-Difluor-bernsteinsäure* (57% d.Th.)[3].

Schließlich sei der oxidative Abbau des Dibenzo-[b;f]-thiepins erwähnt, der in Aceton zu *Bis[2-carboxy-phenyl]-sulfid*, in Wasser hingegen zu *Thioxanthon* führt[4, 5]:

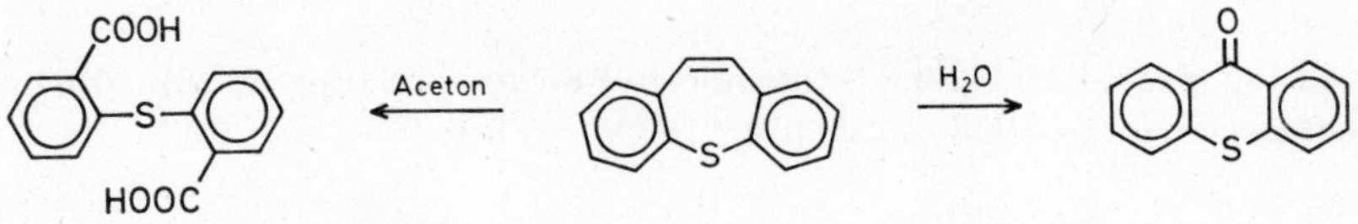

und von Porphyrinen zu Pyrrolcarbonsäure[6, vgl. 7].

2. Doppelbindung zwischen einem tertiären und einem sekundären C-Atom

Ist eines der die Doppelbindung bildenden Kohlenstoff-Atome tertiär, so kann die Ringspaltung mit Permanganat zu ω-Oxo-carbonsäuren führen (vgl. S. 626). Diese Reaktion wird durchweg in nicht-saurem Medium vorgenommen und kann z. B. zur Herstellung folgender offenkettiger Oxo-carbonsäuren dienen:

16-Hydroxy-5-oxo-hexadecansäure[8]; 75% d.Th.   *15-Oxo-palmitinsäure*[10]; 33% d.Th.
6-Oxo-2-methyl-heptansäure[9]; 71% d.Th.   *2-Acetyl-benzoesäure*[11]; 40% d.Th.

Aus Cycloalkenen, die an der C=C-Doppelbindung eine Kette mit endständiger Carboxy-Funktion bzw. eine Methyl-Gruppe tragen, entstehen entsprechend Oxo-α,ω-dicarbon-

[1] P. YATES, E. S. HAND u. G. B. FRENCH, Am. Soc. **82**, 6347 (1960).
[2] E. R. HANNA, K. T. FINLEY, W. H. SAUNDERS u. V. BOEKELHEIDE, Am. Soc. **82**, 6342 (1960).
[3] E. F. WITUCKI, G. L. ROWLEY, N. N. OGIMASCHI u. M. B. FRAENKEL, J. Chem. Eng. Data **16**, 373 (1971).
[4] E. D. BERGMANN u. M. RABINOVITZ, J. Org. Chem. **26**, 828 (1960).
[5] W. TREIBS u. R. PESTER, Tetrahedron Letters **1960**, 5.
[6] R. A. NICOLAUS, L. MANGONI u. L. CAGLIOTI, Ann. Chimica **46**, 793 (1956).
[7] I. B. LUNDINA, L. E. DEEV, E. G. KOVALEV u. I. Y. POSTOVSKII, Chim. geteroc. Soed. **1973**, 285.
[8] S. D. SABNIS, H. H. MATHUR u. S. C. BHATTACHARYYA, Soc. **1965**, 4580.
[9] L. BLAHA, J. WEICHET u. B. KAKAC, Collect. czech. chem. Commun. **30**, 1214 (1965).
[10] L. PICHAT u. J. P. GUERMONT, Bl. **1965**, 328.
[11] G. BERTI u. F. MANCINI, G. **88**, 714 (1958).

säuren[1] bzw. ω-Acetyl-carbonsäuren[2-4]. Letzteres ist ein Weg, um ^{14}C-markierte langkettige Acetyl-carbonsäuren herzustellen:

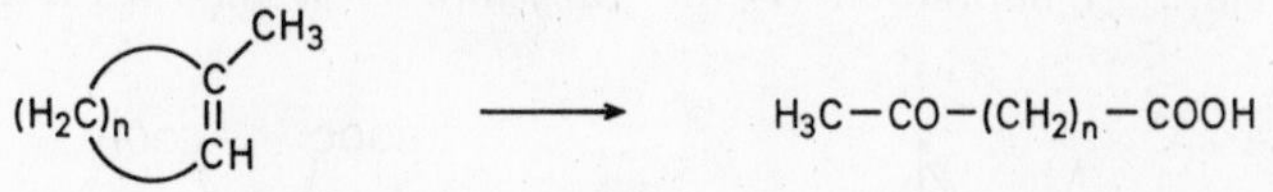

Symmetrische Dioxo-α,ω-dicarbonsäuren entstehen bei der Ringspaltung von Bis-[cycloalkenyl]-alkanen. So erhält man z.B. aus 1,6-Bis-[cyclohexen-(1)-yl]-hexan die *6,13-Dioxo-octadecandisäure*[5].

Entsprechend verlaufen folgende Oxidationen mit Permanganat:

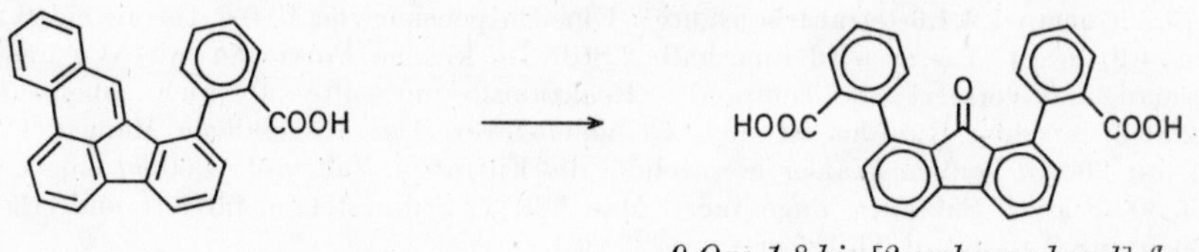

9-Oxo-1,8-bis-[2-carboxy-phenyl]-fluoren[6]

10-Cyclohexenyl-decansäure	→	*6-Oxo-hexadecandisäure*[1]
11-Cyclohexenyl-undecen-(1)	→	*6-Oxo-hexadecandisäure*[1]

Auch *Carboxy-benzophenon* konnte durch Permanganat-Oxidation gewonnen werden[7], vgl.[8,9].

Über analoge Ringspaltungen bei Steroiden[10-13, s. a. 14] und Terpenen[15-20] siehe Originalliteratur.

Die Spaltung von 4-Oxo-2,6,8,8-tetramethyl-bicyclo[4.2.0]octen-(2) führt zu *4-Oxo-1,3,3-trimethyl-1-carboxymethyl-cyclobutan*[21] (80% d.Th.):

Beim oxidativen Abbau von Vitamin D_3 isoliert man ein 2-Oxo-bicyclo[4.3.0] nonan-Derivat[22].

[1] M. S. R. NAIR, B. B. GHOTGE u. S. C. BHATTACHARYYA, Indian J. Chem. 2, 355 (1964).
[2] D. R. SAYERS, R. STEPHENS u. J. C. TATLOW, Soc. 1964, 3035.
[3] H. MURAMATSU, K. INUKAI u. T. UEDA, Bl. chem. Soc. Japan 41, 2129 (1968).
[4] L. Pichat u. J. P. GUERMONT, Bl. 1965, 328.
[5] A. KREUCHUNAS, Am. Soc. 75, 4278 (1953).
[6] L. CHARDONNENS u. W. HAMMER, Helv. 49, 1850 (1966).
[7] L. G. ABOOD, J. Med. Chem. 1968, 1041.
[8] A. GAMBACORTA, R. NICOLETTI u. A. ORATORE, Chim. Ind. (Milano) 54, 997 (1972).
[9] J. C. KOFFEL, L. JUNG u. P. CORDIER, Bl. 1971, 4320.
[10] A. A. AMOS u. P. ZIEGLER, Canad. J. Chem. 38, 1130 (1960).
[11] H. L. SLATES u. N. L. WENDLER, Am. Soc. 81, 5472 (1959).
[12] M. E. WALL et al., Am. Soc. 85, 1844 (1963).
[13] R. U. LEMIEUX u. D. VON RUDLOFF, Canad. J. Chem. 33, 1701, 1710, 1714 (1955); 34, 1413 (1956).
[14] R. C. CAMBIE, K. N. JOBLIN u. N. K. CALLUM, Austral. J. Chem. 23, 1439 (1970).
[15] I. A. POPLAVSKAYA u. M. I. GORJAEV, Ž. obšč. Chim. 33, 1492 (1963); engl.: 1465.
[16] X. A. DOMINGUEZ u. G. LEAL, J. Chem. Educ. 40, 347 (1963).
[17] L. VAN THOI, A. ch. 10, 35 (1955).
[18] C. M. MURPHY, J. G. O'REAR u. W. A. ZISMAN, Ind. eng. Chem. 45, 119 (1953).
[18] C. DJERASSI u. D. TURCH, Am. Soc. 83, 4609 (1961).
[19] M. HARISPE, D. MEA u. A. HEREAU, Bl. 1964, 1035.
[20] L. H. BRIGGS et al., Soc. 1962, 1840.
[21] G. BIANCHETTI et al., G. 97, 564 (1967).
[22] C. BARON u. J. BIDALLIER, Bl. 1959, 1330.

Die bei der oxidativen Ringspaltung erhaltenen Oxo-carbonsäuren können in Dicarbonsäuren überführt werden. Bei der Permanganat-Oxidation des Dodecafluor-methyl-cyclosexen-(1)[1] und des Octafluor-methyl-cyclobuten-(1)[1] wurden direkt die *Octafluor-adipinsäure* bzw. die *Tetrafluor-bernsteinsäure* erhalten:

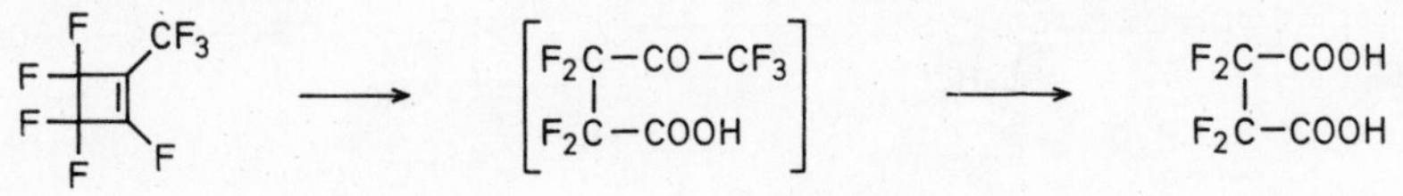

3. Doppelbindung zwischen zwei tertiären Kohlenstoff-Atomen

Wird die C=C-Doppelbindung von zwei tertiären C-Atomen gebildet, so entsteht bei deren Oxidation ein 1,2-Diketon. Folgende Oxidationen wurden so durchgeführt:

3-Oxo-1,2-diphenyl-cyclohexen-5-carbonsäure → *4-Oxo-2-(2-oxo-2-phenyl-äthyl)-4-phenyl-butansäure*[2]
1,2-Diphenyl-3-benzoyl-cyclopropen → *Tribenzoyl-methan*[3]

Weniger einfach gebaute Systeme und Steroide[4,5] sind ebenfalls zu Diketonen oxidiert worden; z. B.[6]:

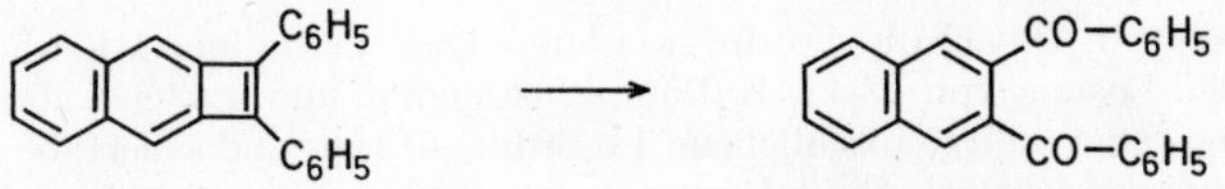

2,3-Dibenzoyl-naphthalin, 80% d. Th.

Cyclopropane werden gleichfalls zu Diketonen aufgespalten[7].

Auch Cycloalkene, die an den en-C-Atomen eine Alkyl- (oder Aryl-)mercapto-Gruppe tragen, werden durch Permanganat zum Keton oxidiert[8].

Anders verläuft die Reaktion bei 5-Cyclohexen-(1)-yl-3-phenyl-1,2-oxazol und der entsprechenden Cyclopenten-(1)-yl-Verbindung. Hier entsteht die *3-Phenyl-1,2-oxazol-5-carbonsäure*[9]:

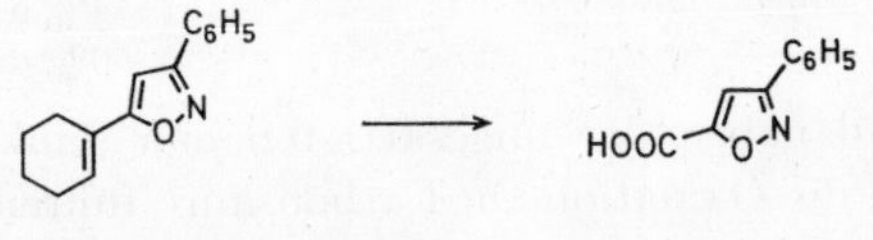

Auch Allene bilden bei der Permanganat-Oxidation Ketone. Hier wird das mittlere C-Atom als Kohlendioxid herausgespalten, und das Allen zerfällt in (ggf. zwei isomere) Ketone[10]:

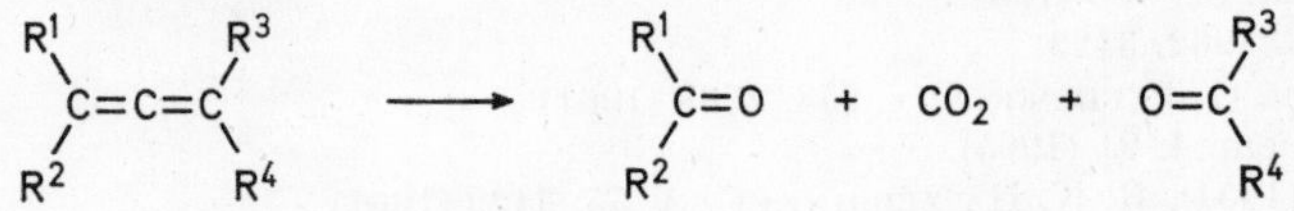

[1] R. N. Haszeldine u. J. E. Osborne, Soc. **1956**, 61.
[2] L. Jung, C. r. **254**, 1292 (1962).
[3] N. Obata u. I. Moritani, Bl. chem. Soc. Japan **39**, 1975 (1966).
[4] J. Heer u. K. Miescher, Helv. **34** (1951).
[5] G. T. Poos et al., Am. Soc. **76**, 5031 (1954).
[6] M. P. Cava, B. Hwang u. J. P. van Meier, Am. Soc. **85**, 4032.
[7] I. A. Djakonov, M. O. Komendatov, I. Gochmanova u. R. Kostikov, Ž. obšč. Chim. **29**, 3848 (1959); engl.: 3809.
[8] K. E. Rapp et al., Am. Soc. **74**, 656 (1952).
[9] V. N. Cistokletov, A. T. Troscenko u. A. A. Petrov, Ž. obšč. Chim. **34**, 1891 (1964); engl. 1903.
[10] S. Patoni, *The chemistry of alkenes*, S. 1117, Interscience Publ. J. Wiley and Sons, New York 1964.

Diese Reaktion kann auch auf Kumulene übertragen werden. Im Fall des Tetraphenyl-hexapentaens ist es möglich, die Oxidation (unter milden Bedingungen) auf der Stufe des *1,6-Dihydroxy-1,1,6,6-tetraphenyl-hexadiin-(2,4)* anzuhalten[1]:

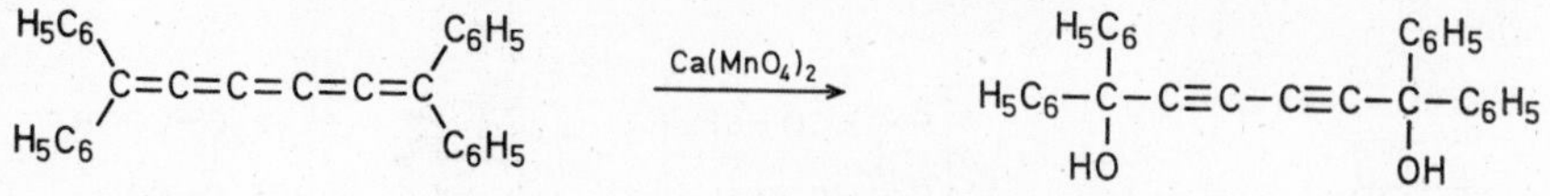

$$H_5C_6\diagdown C=C=C=C=C=C\diagup C_6H_5 \xrightarrow{\text{Ca(MnO}_4)_2} H_5C_6-\underset{\underset{HO}{|}}{C}-C\equiv C-C\equiv C-\underset{\underset{OH}{|}}{C}-C_6H_5$$

with H_5C_6 and H_5C_6 on the left, C_6H_5 and C_6H_5 on the right, and H_5C_6 / C_6H_5 on the product.

4. Endständige C=C-Doppelbindungen

Bei der Permanganat-Oxidation endständiger C=C-Doppelbindungen entstehen Carbon-säuren oder (und) Ketone (vgl. S. 606). Dabei kann gleichzeitig eine andere Funktion oxidiert und eine eventuell vorhandene mittelständige C=C-Doppelbindung oxidativ angegriffen werden. U. a. wurden folgende Umsetzungen durchgeführt:

α,ω-Diolefine   →   α,ω-Dicarbonsäuren[2]
ω-Vinyl-carbonsäuren   →   α,ω-Dicarbonsäuren[3,4]

Die Umsetzung kann auch mit an den terminalen Kohlenstoff-Atomen halogenierten Verbindungen ausgeführt werden[5-8].

Pentafluor-propansäure[9]: Innerhalb 5 Stdn. werden 20,8 g Pentafluor-1-jod-buten-(1) tropfenweise unter Rühren zu einer Lösung von 62,4 g Kaliumpermanganat und 4,53 g Kaliumhydroxid in 300 *ml* Wasser bei 90° gegeben; man erhitzt anschließend 1,5 Stdn. auf 120° und säuert die Lösung mit Schwefel-säure an. Der Permanganat-Überschuß wird mit Schwefeldioxid zerstört und die Lösung mit Kalilauge alkalisch gestellt. Man engt bis zur beginnenden Kristallisation (Kaliumsulfat) ein, filtriert und säuert abermals mit Schwefelsäure an. Man extrahiert dann 48 Stdn. lang mit Äther und trocknet die ätherische Lösung über Magnesiumsulfat.

Der Äther wird abdestilliert und anschließend fraktioniert. Die Fraktion vom Kp: 109,5–110,5° wird mit 10%iger Natriumcarbonat-Lösung genau neutralisiert und eingedampft; Ausbeute: 2,8 g (22% d.Th.); Kp: 95,5–95,7°.

Entsprechende Abbau-Reaktionen führen zu:

Trifluor-3,3-dichlor-propansäure[10]	62% d. Th.
Difluor-2,3,3-trichlor-propansäure[11]	74% d. Th.
3,3,3-Trichlor-propansäure[12, 8, a, 13]	56% d. Th.

Auch wenn das Molekül neben der ungesättigten eine funktionelle Gruppe oder ein Heteroatom enthält, kann die Oxidation zur Carbonsäure führen; z. B.:

N-Methyl-N-allyl-guanidin-sulfat	→	*Kreatin (N-Methyl-N-carboxymethyl)-guanidin*[14]
Hexadecen-(1)-on-(3)	→	*2-Oxo-pentadecansäure*[15, vgl. a, 16, 17]; 62% d.Th.

[1] S. Patoni, *The chemistry of alkenes*, S. 1117, Intersciences Publ. J. Wiley and Sons, New York, 1964.
[2] F. Drahowzal, M. **82**, 785 (1951).
[3] G. Stallberg, C. **1962**, 3423.
[4] A. Guillemont u. G. Pfeiffer, C. r. **253**, 2538 (1961).
[5] Adv. Fluorine Chem. **4**, 91 (1965).
[6] Brit. P. 824230 (1954), R. N. Haszeldine; C. A. **55**, 3429 (1961).
[7] I. A. D'yakonov u. T. V. Domareva, Ž. obšč. Chim. **25**, 1435 (1955); C. A. **50**, 7716 (1956).
[8] R. N. Haszeldine, Soc. **1955**, 4302.
[9] R. N. Haszeldine u. K. Lleedham, Soc. **1953**, 1548.
[10] R. N. Haszeldine, Soc. **1955**, 4291.
[11] R. N. Haszeldine u. J. E. Osborne, Soc. **1955**, 3880.
[12] US. P. 2724005 (1951), Dow Chem. Co., Erf.: T. Houtman; C. A. **50**, 10122 (1965).
[13] Jap. A. S. 2460/64 (1964), Asahi Chem. Ind. Co. Ltd.; Erf.: R. Wakasa u. K. Saotome; C. A. **60**, 14392 (1964).
[14] K. Zeile u. H. Meyer, H. **131**, 256 (1938).
[15] H. P. Kaufmann u. W. Stamm, B. **91**, 2121 (1958).
[16] B. Eliasson, G. Odham u. B. Petterson, Acta chem. scand. **25**, 3405 (1971).
[17] C. M. Starks, Am. Soc. **93**, 195 (1971).

Über die Umsetzung acyclischer Monoterpene mit Permanganat/Perjodat siehe Originalliteratur[1].

C=C-Doppelbindungen, die am Ende einer an einem cyclischen System stehenden aliphatischen Seitenkette stehen, lassen sich ebenfalls mit Permanganat oxidieren. Aus den entsprechenden Vinyl- bzw. Divinyl-Verbindungen wurden z. B. hergestellt:

2,2′-Dimethoxy-5,5′-dimethoxycarbonyl-biphenyl[2]
5-Methoxy-2-methyl-3-(2-oxo-2-carboxy-äthyl)-1-(4-chlor-benzoyl)-indol[3]
1-Methyl-3-carboxymethyl-pyrrolidin[4]; *51%* d.Th.
7-(Piperidinomethyl)-1-aza-bicyclo[3.2.1]octan-6-carbonsäure-äthylester[5]; *20%* d.Th.
2,3-Diphenyl-propansäure[6]
2-[1-Methyl-pyrrolidinyl-(3)]-propansäure[7]; *41%* d.Th.
3-Hydroxy-chinuclidin-3-carbonsäure[8]; *37%* d.Th.

Bei folgenden Umsetzungen erfolgt außer der Oxidation der Vinyl-Gruppen gleichzeitig noch eine andere Reaktion:

Abbau der mittelständigen olefinischen Gruppierung[9, s. a. 10]; z. B.:

Oxiran-2,3-dicarbonsäure

Abspaltung eines Substituenten in 9-Stellung[11], z. B.:

3-Allyl-9-alkyl-fluoren → *9-Oxo-fluoren-3-carbonsäure;* 11% d.Th.

Aufspaltung eines Cyclobutan-Ringes[12]; z. B.:

3,3,4,4,-Tetrafluor-1,2-divinyl-cyclobutan → *Tetrafluor-bernsteinsäure;* 19% d.Th.

Enthält das Cycloalkan lediglich eine Vinyl-Gruppe, so können mitunter beide oder nur eines der Kohlenstoff-Atome abgespalten werden, so daß ein Gemisch aus Carbonsäure (Abspaltung eines Kohlenstoff-Atoms) und Keton (Abspaltung beider Kohlenstoff-Atome) entstehen kann; z. B.[13 vgl. 14, 15]:

4-Methyl-1-cyan-2-carboxy-bicyclo[2.1.1]hexan; 44% d.Th.

4-Methyl-1-cyan-2-oxo-bicyclo[2.1.1]hexan; 6% d.Th.

Oxo- und Carboxy-Produkt erhält man gleichfalls nebeneinander bei der Oxidation von 5-Acetamino-2-methoxy-1-allyl-naphthalin bei −10° in Äthanol. Dabei werden trotz dreifachem Permanganat-Überschuß *5-Acetamino-2-methoxy-1-formyl-naphthalin* und *5-Acetamino-2-methoxy-1-carboxymethyl-naphthalin* in vergleichbaren Mengen erhalten[16].

[1] E. V. RUDLOFF, Canad. J. Chem. **43**, 2660 (1965).
[2] J. RUNEBERG, Acta chem. scand. **12**, 188 (1958).
[3] Fr. P. 1534459 (1966), Merck and Co., Erf.: J. M. CHERMADA u. M. SLETZINGER; C. A. **71**, 81158 (1969).
[4] A. D. JANINA u. M. V. RUBTSOV, Ž. obšč. Chim. **29**, 485 (1959); engl.: 485
[5] V. J. FURSTATOVA, E. E. MICHLINA u. M. V. RUBTSOV, Ž. obšč. Chim. **29**, 3263 (1959); engl.: 3227.
[6] T. ANDO u. N. TOKURA, Bl. chem. Soc. Japan **31**, 1026 (1958).
[7] A. D. JANINA u. M. V. RUBTSOV, Ž. obšč. Chim. **32**, 1789 (1962); engl.: 1774.
[8] M. V. RUBTSOV, L. N. JAKONTOV u. L. I. MASTAFANOVA, Ž. obšč. Chim. **33**, 1180 (1963); engl.: 1160.
[9] F. BOHLMANN u. H. JASTROW, B. **95**, 1320 (1962).
[10] F. BOHLMANN et al., B. **95**, 1320 (1962).
[11] O. G. AKPEROV u. S. T. ACHMEDOV, Ž. obšč. Chim. **4**, 2009 (1968); C. A. 1949.
[12] R. E. PUTNAM, J. L. ANDERSON u. W. H. SHARKEY, Am. Soc. **83**, 386 (1961).
[13] A. CAINCROSS u. E. P. BLANCHARD. Am. Soc. **88**, 496 (1966).
[14] R. T. ARNOLD u. C. HOFFMANN, Synth. Commun. **2**, 27 (1972).
[15] M. KITADANI, K. ITO u. A. YASHIKOSHI, Bull. Chem. Soc. Japan **44**, 3431 (1971).
[16] T. MATSUMOTO u. A. SUZUKI, Bl. chem. Soc. Japan **33**, 33 (1960).

Auch eine Nitro-Gruppe kann an der C=C-Doppelbindung stehen[1]; z. B. liefert die vorsichtige Oxidation des Styrols I *3-Jod-2-nitro-4,5-dimethoxy-benzaldehyd* (II):

Auch Phenyl-substituierte Fluoralkene wurden einer entsprechenden Umwandlung unterworfen[2-4].

Die Oxidation von Methylen-Gruppen ist u. a. zur Herstellung **bicyclischer Ketone** verwendet worden[5-11]; z. B.:

2-Oxo-5,5-dimethyl-bicyclo[2.1.1]hexan; 59% d.Th.

5. Konjugierte, aromatische und heterocyclische Doppelbindung

Konjugierte Doppelbindungssysteme lassen sich unter Spaltung zu ω-Oxo-carbonsäuren oxidieren; z. B.[12-14 vgl.15]:

4-Oxo-2-[2-acetoxy-propyl-(2)]-   *Oxalsäure*
pentansäure

Bei der Oxidation der Cycloheptatrien-(1,3,5)-7-carbonsäure erhält man in Abhängigkeit vom p_H-Wert[16, s. a. 17]:

sauer: *Tropyliumsalz, Benzaldehyd, Phenylessigsäure*
neutral: *Benzaldehyd*
alkalisch: *Terephthalsäure*

---

[1] R. A. Heacock et al., Am. Soc. **85**, 1825 (1963).
[2] L. A. Errede u. J. P. Cassidy, J. Org. Chem. **28**, 1059 (1963).
[3] R. Miravalles u. A. J. Guillarmod, Helv. **49**, 2313 (1966).
[4] B. R. Letchford et al., Chem. & Ind. **1962**, 1472.
[5] J. J. Beereboom, Am. Soc. **85**, 3525 (1963).
[6] J. L. Charlton, P. de Mayo u. L. Skatterbol, Tetrahedron Letters **1965**, 4579.
[7] J. Meinwald u. P. G. Gassman, Am. Soc. **82**, 2857 (1960).
[8] Brit. P. 1086978 (1965), Shionogi; C. A. **68**, 87019 (1968).
[9] M. S. Baird u. C. B. Reese, Chem. Commun. **1972**, 523.
[10] J. W. Wildes, N. H. Martin, C. G. Pitt u. M. E. Wall, J. Org. Chem. **36**, 721 (1971).
[11] A. Nickon, T. Nishida, J. Frank u. R. Muneyucki, J. Org. Chem. **36**, 1075 (1971).
[12] K. Gollnik, G. Schade u. S. Schroeter, Tetrahedron **22**, 139 (1966).
[13] S. W. Pelletier et al., Tetrahedron Letters **1968**, 3819.
[14] T. Nozoe u. K. Kitahara, Chem. & Ind. **1962**, 1192.
[15] V. G. Pesin, A. M. Khalezskii u. I. G. Vitenberg, Ž. obšč. Chim. **32**, 3505 (1962); engl.: 3440.
[16] M. J. S. Dewar, C. R. Gamellin u. R. Pettit, Soc. **1958**, 55.
[17] C. R. Ganellin u. R. Pettit, Soc. **1958**, 576.

Cyclooctatetraen kann in saurer (nicht aber in neutraler oder alkalischer) Lösung zum Tropylium-Ion oxidiert werden[1]. Das Tropylium-Ion, das nur in 5%iger Ausbeute isoliert wurde, könnte ein Zwischenprodukt der Permanganat-Oxidation von Cyclooctatetraen zur Terephthalsäure sein[2].

Die Struktur des Valenztautomeren des Cyclooctatetraens mit 2-Cyan-oxiranen wurde über eine Oxidation mit Permanganat bewiesen[3].

Oxidiert man aromatische Systeme mit Permanganat, so kann der Ring aufgespalten und eine Dicarbonsäure gebildet werden; z. B.:

Hexadien-(2,4)-disäure (Muconsäure)

Meist wird in nicht-saurer Lösung bei höherer Temperatur gearbeitet. Phthalsäuren bilden sich bei der oxidativen Aufspaltung des Naphthalin-Systems.

4-Sulfo-phthalsäure[4]: Zu einer heißen Lösung von 50 g Schäffers Salz (Natrium-Salz der 2-Hydroxy-naphthalin-6-sulfonsäure) in 400 ml Wasser gibt man unter starkem Rühren in kleinen Portionen 170 g feingepulvertes Kaliumpermanganat. Am Schluß der Zugabe soll eine leichte Permanganat-Färbung bestehen bleiben. Man heizt, rührt für weitere 30 Min. und filtriert vom Braunstein ab. Dieser wird auf dem Filter 3mal mit je 15–20 ml heißem Wasser gewaschen. Der Permanganat-Überschuß wird mit wenig Schäffers Salz zerstört. Der hierbei entstandene Braunstein wird abfiltriert.

Das Filtrat wird mit 20%iger Schwefelsäure kongosauer gemacht, 5 Min. mit 0,5 g Tierkohle gekocht, filtriert und bis zur beginnenden Kristallisation eingeengt.

Die Ausbeute an ungereinigter Sulfophthalsäure beträgt 50–70 g; weiteres Einengen des Filtrates liefert zusätzliche 28–30 g gelbliches Produkt. Eine Reinigung kann erfolgen durch Umkristallisieren aus Wasser/Äthanol; Ausbeute: 30 g (55% d.Th.).

In manchen Fällen kann als Zwischenprodukt eine Phenylglyoxylsäure isoliert werden. Ist die Spaltung auf einen Ring beschränkt, können Isomerengemische des Zwischenprodukts gebildet werden; z. B.[5]:

(3-Brom-2-carboxy-phenyl)-glyoxylsäure	*(6-Brom-2-carboxy-phenyl)-glyoxylsäure*

Eine systematische Untersuchung an Methoxy-naphthalinen ergab, daß mit überschüssigem alkalischem Permanganat hauptsächlich derjenige Ring oxidiert wird, der die Methoxy-Gruppe trägt[6]. Sind beide Ringe mit Methoxy-Gruppen substituiert, so erweist sich der in β-Stellung substituierte als beständiger[6]. 1,4-Dimethyl-substituiertes Naphthalin liefert *1,2-Diacetyl-benzol*[7, s. a. 8].

[1] C. R. Granellin u. R. Pettit, Am. Soc. **79**, 1767 (1957).
 s. a. M. J. S. Dewar u. R. Pettit, Soc. **1956**, 2026.
[2] G. Schröder, *Cyclooctatetraen*, Verlag Chemie GmbH., Weinheim/Bergstr. 1965.
[3] G. Bianchi, R. Gandolfi u. P. Grünanger, Chimica Ind. **49**, 757 (1967).
[4] I. S. Ioffe u. N. I. Devyatova, Ž. obšč. Chim. **32**, 2111 (1962); engl.: 2085.
[5] E. N. Marwell et al., J. Org. Chem. **24**, 224 (1959).
[6] O. B. Maksimov, N. P. Krasovskaya u. V. E. Sapovalov, Izv. Akad. SSSR **1969**, 719; C. A. **71**, 38538 (1969).
[7] R. Riemschneider u. S. Foerster, M. **93**, 616 (1962).
[8] D. Klamann u. U. Krämer, Erdöl Kohle **15**, 262 (1962).

Folgende Oxidationen wurden durchgeführt:

5-Brom-2,3-dihydroxy-naphthalin   → *3-Brom-phthalsäure* [1]
1-Nitro-3-methyl-4-isopropyl-naphthalin → *Phthalsäure* [2] [über *2-(2-Methyl-propanoyl)-benzoesäure*]
1-Methoxy-naphthalin   → *Phthalsäure* (86% d.Th.) + *3-Methoxy-phthalsäure* (14%
                                                      d.Th.) [3]

2-Methoxy-naphthalin   *Phthalsäure* (93% d.Th. + *4-Methoxy-phthalsäure*
                       (7% d.Th.) [3]
1,4-Dimethoxy-naphthalin   → *Phthalsäure* (100% d.Th.) [3]
2,3-Dimethoxy-naphthalin   → *Phthalsäure* (100% d.Th.) [3]

Die alkalische Permanganat-Oxidation von halogenierten Naphthalin-dicarbonsäure-anhydriden führt zu Benzol-1,2,3-tricarbonsäuren, da der Anhydrid-Ring geöffnet und einer der 6-Ringe oxidiert wird [4].

Bei der alkalischen Oxidation von 2- oder 4-Nitro-phenol bildet sich *3-(bzw. 5-)-Nitro-2-hydroxy-benzoesäure*. Bei dieser Reaktion muß man intermediär eine Dimerisierung zum Biphenyl-Derivat annehmen [5].

Beim Dodecafluor-tetralin werden beide Ringe gespalten und man erhält *Octafluor-adipinsäure* [6]. Ähnlich dürfte die Bildung von *3-Äthyl-adipinsäure* aus 5,7,10,12-Tetrahydroxy-6,11-dioxo-2-äthyl-1,2,3,4,6,11-hexahydro-tetracen zu denken sein [7].

Bei der Umsetzung von 3-Oxo-8-methyl-1-carboxy-2,3-dihydro-1H-⟨benzo-[e]-inden⟩ (I) mit Kaliumpermanganat in schwefelsaurer Lösung entsteht durch Oxidation die *Benzolpentacarbonsäure* [8]:

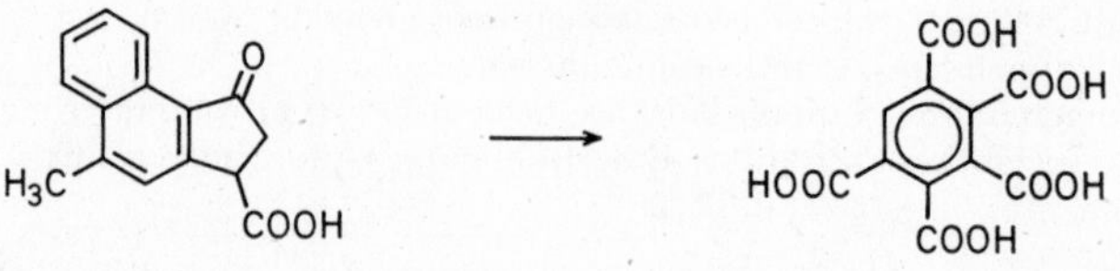

Eine Aufspaltung des 5-Ringes tritt auch ein bei Indanonen [9],[10] und Indenen [11].

Der oxidative Abbau von 1,8,10,11-Tetramethoxy-benzanthron liefert *5,7,8-Trihydroxy-anthrachinon-1-carbonsäure*, der von 1,8,11-Trimethoxy-benzanthron die *5,8-Dihydroxy-anthrachinon-1-carbonsäure* [12], s. a. [13].

Oxidiert man Phenanthren in wäßrig-alkalischer Lösung bei 60–80°, so entsteht in guter Ausbeute (92% d.Th.) *Biphenyl-2,2'-dicarbonsäure* [14],[15]:

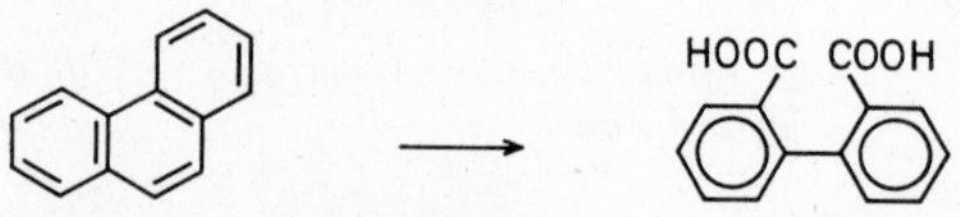

[1] L. Prajer-Janczewska, Roczniki Chem. **36**, 645 (1962); C. A. **59**, 3842 (1963).
[2] E. N. Marwell et al., J. Org. Chem. **24** 224 (1959).
[3] O. B. Maksimov, N. P. Krasovskaya u. V. E. Sapovalov, Izv. Akad. SSSR **1969**, 719; C. A. **71**. 38538 (1969).
[4] M. M. Dashevsky u. G. P. Petrenko. Ž. obšč. Chim. **25**, 1139 (1955).
[5] V. Evdokinoff u. M. A. Chibbaro, Ann. Chimica **142**, 69 (1952).
[6] B. Gething, C. R. Patrick u. J. C. Tatlow, Soc. **1962**, 186.
[7] H. Brockmann u. P. Boldt, B. **94**, 2174 (1961).
[8] S. M. Makar, H. F. Bassilios u. A. F. Salem, Soc. **1958**, 2437.
[9] T. P. Ivanov, M. **97**, 1499 (1966).
[10] A. Marsili u. M. Isola, Tetrahedron Letters **1965**, 3023.
[11] E. LeGoff, Am. Soc. **84**, 1505 (1962).
[12] A. Brüm u. C. H. Eugster, Helv. **52**, 165 (1969).
[13] L. D. Gluzman, V. S. Leiba, D. N. Davidyan u. V. I. Titova, Ž. prikl. Chim. **44**, 1396 (1971); C. A. **75**, 88376 (1971).
[14] USSR.-P.-Anm. 179298 (1964), M. M. Dashewskii u. L. A. Alekseeva; C. A. **65**, 2176 (1966).
[15] J. Burdon, B. L. Kane u. J. C. Tatlow, Soc. [C] **1971**, 1601.

Die Oxidation einfacher Heterocyclen kann unter Aufspaltung des Ringes zu offen-kettigen Verbindungen führen; z. B.[1]:

$$\text{(Pyran-CHO)} \longrightarrow \begin{array}{l} H_2C-COOH \\ | \\ H_2C-COOH \end{array}$$

Bernsteinsäure

Ist der Heterocyclus an einen Benzol-Ring kondensiert, so besteht die Möglichkeit, daß nur einer der Ringe aufgespalten wird. Die Richtung wird in erster Linie von den Reaktions-bedingungen bestimmt. Wird der aromatische Ring aufgespalten, so entsteht eine 1,2-Di-carbonsäure[2-8]. Gleichzeitig kann an anderen Gruppen am Heterocyclus eine Verände-rung eintreten. Ein Beispiel hierfür ist die Herstellung der *2,3-Dihydroxy-pyrazin-5,6-di-carbonsäure*[9, s. a. 10].

Auch Phenazine können oxidiert werden; dabei erhält man *Pyrazin-2,3,5,6-tetracarbon-säure*.

Pyrazin-2,3,5,6-tetracarbonsäure[11]:

$$\text{(2-Amino-3-hydroxy-phenazin)} \longrightarrow \begin{array}{l} HOOC \\ HOOC \end{array}\text{(Pyrazin)}\begin{array}{l} COOH \\ COOH \end{array} \longleftarrow \text{(2,3-Diamino-phenazin)}$$

In einem Dreihalskolben mit Rührer und Rückflußkühler wird eine Lösung von 7,5 g 2,3-Diamino-phenazin oder 2-Amino-3-hydroxy-phenazin und 5 g Kaliumhydroxid in 1,5 l Wasser unter Rühren und Erhitzen auf dem Dampfbad mit insgesamt 70 g Kaliumpermanganat in Portionen von 2–5 g versetzt.

Nach ~ 4 Stdn. wird vom Braunstein abgesaugt und durch Suspendieren in siedendem Wasser extrahiert. Die Extraktion wird so oft wiederholt, bis eine Probe keine Farbreaktion mit Eisen(III)-sulfat mehr gibt. Die vereinigten Filtrate werden dann i. Vak. auf 200–250 *ml* eingeengt. Man säuert vorsichtig mit konz. Salpetersäure an (pH = 4–5; ~ 20 *ml* Salpetersäure), kocht auf, um das Kohlen-dioxid vollständig zu vertreiben und gibt 125 *ml* 10%ige Silbernitrat-Lösung zu.

Das Silbersalz der Tetracarbonsäure wird abfiltriert, mit Wasser gewaschen und in siedender 2n Salz-säure suspendiert. Man wiederholt dies, bis das Filtrat farblos ist. Die vereinigten Filtrate werden dann mit 1–2 g Tierkohle behandelt. Die so erhaltene leicht gelbe Lösung wird i. Vak. zur Trockene gebracht. Der Rückstand kann aus Aceton/Benzol umkristallisiert werden; Ausbeute: 6,8 g (75% d.Th.); F: 205° (Zers.).

Bei der Oxidation von Chinolizinium-Salzen spaltet der Benzol-Ring auf und es entstehen Pyridin-carbonsäuren[12]. Weitere Beispiele s. Tab. 38 (S. 642).

Mitunter bleibt bei der Oxidation statt des Hetero- der aromatische Ring erhalten[13].

---

[1] US. P. 3100798 (1960), Esso Research and Eng. Co., Erf.: M. S. KONECKY; C. A. **60**, 410 (1964).
[2] R. DELABY, R. DAMIENS u. M. ROBBA, C. r. **247**, 822 (1958).
[3] D. BOUTTE, G. QUEGUINER u. P. PASTEUR, C. r. [C] **273**, 1529 (1971).
   A. GODARD, G. QUEGUINER u. P. PASTEUR, Bl. **1971**, 906.
[4] T. KOSUGE, H. ZENDA u. Y. SUZUKI, Chem. Pharm. Bull. (Tokyo) **18**, 1068 (1970).
[5] E. G. BARTSCH, A. GALLOCH u. P. SARTORI, B. **105**, 3463 (1972).
[6] K. E. CHIPPENDALE, B. IDDON u. H. SUCHITZKY, Soc. (Perlin I) **1972**, 2030.
[7] M. HIEDA, K. OMURA u. S. YURUGI, Yakugaku Zasshi **92**, 1372 (1972); C. A. **78**, 43402 (1973).
[8] V. M. POTAPOV, G. V. KIRYUSHKINA u. G. P. TOKMAKOV, Chim. geteroc. Soed. **1972**, 1656; C. A. **78**, 84226 (1973).
[9] H. I. X. MAGER u. W. BERENDS, R. **77**, 842 (1958).
[10] H. I. X. MAGER u. W. BERENDS, R. **78**, 5 (1959).
[11] H. I. X. MAGER u. W. BERENDS, R. **76**, 28 (1957).
[12] O. WESTPHAL, G. FELIX u. A. JOOS, Ang. Ch. **81**, 85 (1969).
[13] I. W. ELLIOT u. P. YARES, J. Org. Chem. **26**, 1287 (1961).

N-Benzyl-chinolinium-Salze werden mit Calcium-permanganat in *2-(Benzyl-formyl-amino)-3-äthoxy-4-methyl-benzoesäure* (40 % d. Th.) überführt[1]:

Entsprechend verlaufen folgende Umsetzungen:

Chinolin   → *2-Nitro-benzoesäure*[2]
Thionaphthen   → *2-Sulfo-benzoesäure*[3]
4-Hydroxy-2-phenyl-3-acetyl-chinolin   → *N-Benzoyl-anthranilsäure*[4]; 30 % d. Th.

Auch Ringkontraktionen sind bei der Permanganat-Oxidation von Heterocyclen beobachtet worden[5-9]; z. B.:

3-Hydroxy-1-oxo-3-phenyl-2,3-dihydro-1 H-isoindol

Tab. 38: Carbonsäuren durch oxidative Ringspaltung mit Permanganat

Ausgangs-Substanz	Reaktionsbedingungen	Oxidationsprodukt	Ausbeute [% d. Th.]	Literatur
4-Phenyl-chinolin	H₂O/kochen	*4-Phenyl-pyridin-2,3-dicarbonsäure*	61	10, s. a. 11
2-(4-Methyl-phenyl)-4-carboxy-chinolin	5%ige KOH	*2-(4-Methyl-phenyl)-⟨benzo-1,3-oxazol⟩*		12
		2-(4-Methyl-phenyl)-pyridin-4,5-dicarbonsäure		12
3-Methoxy-2-methyl-4-carboxy-chinolin	Ba(OH)₂, Ba(MnO₄)₂, Eiskühlung	*3-Methoxy-pyridin-4,5,6-tricarbonsäure*		13
Heptafluor-isochinolin	Aceton	*2,5,6-Trifluor-pyridin-3,4-dicarbonsäure*	52	14, 15

[1] M. C. L. COX, E. M. DIAMOND u. P. R. LEVY, R. 87, 1174 (1968).
[2] T. KOSUGE u. S. MIYASHITA, Pharm. Bull. (Japan) 2, 397 (1954).
[3] US. P. 2642458 (1950), Erf.: F. B. ERICKSON; Monsanto Chem. Co., C. A. 48, 5219 (1954).
[4] G. SINGH u. G. V. NAIR, Am. Soc. 78, 6105 (1956).
[5] R. CIUSA u. D. BUONO, G. 80, 846 (1950).
[6] J. GRIPENBERG u. J. MARTINKALA, Acta chem. scand. 19, 1051 (1965).
[7] A. MARSILI u. P. RICCI, Ann. Chimica 52, 112 (1962).
[8] C. DJERASSI et al., Am. Soc. 77, 484 (1955).
[9] W. DAVIES, T. H. RAMSAY u. E. R. STOVE, Soc. 1949, 2633.
[10] C. F. KOELSCH u. A. F. STEINHAUER, J. Org. Chem. 18, 1516 (1953).
[11] G. JUPPE, W. HAFFERL u. K. H. BLOSS, B. 101, 1917 (1968).
[12] V. PARRINI, Ann. Chimica 47, 1374 (1957).
[13] DRP. 719889 (1939), I. G. Farb., Erf.: W. SALZER u. H. HENECKA; C. A. 37, 5419 (1943).
[14] R. D. CHAMBERS et al., Soc. 1966, 2331.
[15] Brit. P. 1151863 (1965), Imperial Smelting Co., Ltd., Erf.: R. D. CHAMBERS, B. IDDON, W. K. R. MUSZROVE u. R. A. STOREY; C. A. 71, 38819 (1969).

Tab. 38 (1. Fortsetzung)

Ausgangs-Substanz	Reaktionsbedingungen	Oxidationsprodukt	Ausbeute [% d. Th.]	Literatur
Benzo-[e]-pyrimidin		*Pyrimidin-5,6-dicarbon-säure*		1
Benzo-2,1,3-thiadiazol	H_2O/60°	*2,1,3-Thiadiazol-dicarbon-säure*	75	2, s, a, 3
4-Nitro-⟨benzo-2,1,3-thiadiazol⟩	$P_H = 6-7$	*1,2,5-Thiadiazol-dicarbon-säure*		4
1,5,6-Trimethyl-⟨benzo-1,2,3-triazol⟩	H_2O/100°	*1-Methyl-1,2,3-triazol-4,5-dicarbonsäure*	22	5
Phenazin		*Chinoxalin-2,3-dicarbon-säure*	70–80	6
Chinoxalin	H_2O/90°	*Pyrazin-2,3-dicarbonsäure*	62–67	7
2-Acetylamino-chinoxalin		*2-Amino-pyrazin-5,6-dicarbonsäure*	60	8
Pyrrolo-[2,1-c]-benzo-1,2,4-triazin	H_2O/kochen	*1,2,4-Triazin-3,5,6-tri-carbonsäure*	68	9,10
5-Amino-benzo-thiazol	H_2O/kochen, Na_2CO_3	*1,2-Thiazol-4,5-dicarbon-säure*	78	11
Acridin		*Chinolin-2,3-dicarbon-säure*	90	12
1,8-Phenanthrolin	H_2O/NaOH; 80–90°	*2,4'-Bi-pyridyl-3,3'-dicarbonsäure*	86	13, 14
1,5-Phenanthrolin	H_2O/KOH/Raumtemp.	*2,3'-Bi-pyridyl-3,2'-dicarbonsäure*	85	15

[1] H. Vanderhaeghe u. M. Claesen, Bull. Soc. chim. belges **66**, 276 (1957).

[2] V. G. Pesin, A. M. Khaletskii u. E. K. Dyachenko, Ž. obšč. Chim. **32**, 3505 (1962); engl.: 3440.

[3] V. G. Pesin u. L. A. Kaukhova, Chim. geteroc. Soed. **1972**, 1503.

[4] Belg. P. 580842 (1959), Merck and Co., Inc.; Erf.: M. Charmack, D. Shew u. L. M. Weinstock.

[5] G. W. E. Plaut, Am. Soc. **76**, 5801 (1954).

[6] L. Yosioka u. H. Otomasu, Pharm. Bull. Japan **5**, 277 (1957).

[7] A. O. Fitton u. R. R. Smalkey in *Practical heterocyclic chemistry*, S. 108, Academic Press, London-New York 1968.

[8] E. Felder, D. Pitré u. E. B. Grabitz, Helv. **47**, 873 (1964).

[9] H. Gross u. J. Gloede, Ang. Ch. **75**, 376 (1963).

[10] H. Gross, B. **95**, 2270 (1962).

[11] A. Adams u. R. Slack, Soc. **1959**, 3061.

[12] G. Queguiner, J. u. P. Pastour, C. r. **263**, 307 (1966).

[13] R. F. Homer, Soc. **1958**, 1574.

[14] H. Reimlinger, F. Billiau, M. A. Peiren u. R. Merenyi, B. **105**, 108 (1972).

[15] C. Schöpf et al., A. **559**, 41 (1948); C. R. Smith, Am. Soc. **52**, 397 (1930); **53**, 280 (1931).

Oxidiert man 4-Hydroxy-4H-thiopyran, so entsteht über das isolierbare *4H-Thiopyron Mesoxalsäure*[1]:

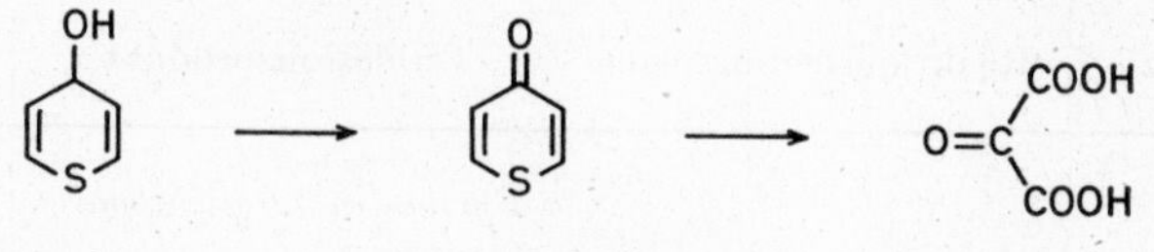

Derartige Reaktionen können auch mit kondensierten Sauerstoff-Heterocyclen durchgeführt werden. Beispielsweise wurde *Tetrafluor-salicylsäure* (64% d.Th.) durch Oxidation des 5,6,7,8-Tetrafluor-2-methyl-3-äthoxycarbonyl-chromons erhalten[2].

Aus Phenylbutazon entsteht in schwefelsaurer Lösung *Azobenzol, Butansäure* und *Kohlendioxid*[3]. Auch Furan[4-6] und Thiophen-[7,8] Ringe sowie Thiazole[9] können oxidativ gespalten werden; z. B. entsteht aus 3-Benzoylamino-3-furyl-(2)-propansäure die *2-Benzoylamino-bernsteinsäure.*

Benzoylamino-bernsteinsäure (N-Benzoyl-asparaginsäure)[10]:

Man gibt zu einer Mischung aus 0,009 Mol 3-Benzoylamino-3-furyl-(2)-propansäure und 100 *ml* Wasser so lange 40%ige Kalilauge bis vollständige Lösung eingetreten ist. Nachdem man zur Lösung weitere 0,5 *ml* Kalilauge gegeben hat, versetzt man unter Kühlen und starkem Rühren in kleinen Anteilen mit einer Lösung von 7,4 g Kaliumpermanganat in 200 *ml* Wasser.

Ist die Lösung farblos geworden, filtriert man das Mangan(IV)-oxid ab und engt das Filtrat i. Vak. auf ein kleines Volumen ein. Man leitet Chlorwasserstoff durch die Lösung und fällt das Amin als Hyrochlorid durch Kühlen; Ausbeute: 74% d.Th. (Monohydrat); F: 165—166°.

Analog entsteht aus 4-Oxo-2-methyl-2-[5-methyl-furyl-(2)]-pentan *4-Oxo-2,2-dimethylpentansäure*[11] und aus 2-Furyl-(2)-bi-cyclopropyl *2-Carboxy-bi-cyclopropyl*[12].

Der Furan-Ring kann auch zur Carboxy-Gruppe abgebaut werden, ohne daß gleichzeitig im Molekül vorhandene andere Heterocyclen angegriffen werden; z. B. liefern 5-Furyl-(2)-pyrazole Pyrazol-5-carbonsäuren[10]:

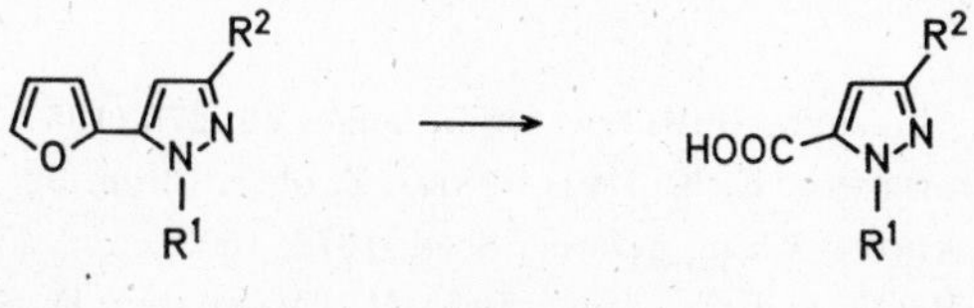

[1] V. S. Egorova, Ž. obšč. Chim. **30**, 107 (1960); engl.: 113.

[2] A. T. Prudchenko et al., Chim. geteroc. Soed. **1968**, 967; C. A. **70**, 106308 (1969).

[3] W. Awe u. H. J. Kienert, Pharm. Acta Helv. **38**, 805 (1963).

[4] A. P. Terentev u. R. A. Graceva, Ž. obšč. Chim. **32**, 2231 (1962); engl.: 2197; **30**, 2925, 3711 (1960); engl.: 2901, 3675.

[5] A. P. Salchinokin, L. B. Lapkova u. A. P. Arestenko, J. appl. Chem. USSR **28**, 197 (1955); C. A. **49**, 11618 (1955).

[6] H. E. Holmquist et al., Am. Soc. **81**, 3681 (1959).

[7] V. N. Ivanova, Ž. obšč. Chim. **28**, 1232 (1958); C. A. **52**, 20114 (1958).

[8] US. P. 3437686 (1966), Ashland Oil & Refining Co., Erf.: R. C. Slagel; C. A. **70**, 114621 (1969).

[9] A. Takamizawa, Y. Sato u. S. Tanaka, Tetrahedron Letters **1964**, 2803.

[10] A. P. Terentjev, R. A. Graceva u. V. A. Dorochov, Ž. obšč. Chim. **29**, 3474 (1959); engl.: 3438.

[11] J. K. Jurev et al., Ž. obšč. Chim. **30**, 411 (1960); engl.: 434.

[12] A. P. Mescerjakov, V. G. Gluchovcev u. N. N. Lemin, Izv. Akad. SSSR **1961**, 1901; C. A. **56**, 8663 (1962).

Entsprechend erhält man aus

5-Phenyl-1-benzoyl-3-furyl-(2)-pyrrolidin → *5-Phenyl-1-benzoyl-pyrrolidin-3-carbonsäure*[1]
2-Oxo-5-carboxy-4-furyl-(2)-2,3-dihydro-1,3-oxazol → *2-Oxo-2,3-dihydro-1,3-oxazol-4,5-dicarbonsäure*[2]
1-Benzoyl-2-furyl-(2)-pyrrol → D,L-*Prolin*[3]; 62 % d. Th.

Nach der Umsetzung mit Silberfluorid zu II und dessen Oxidation mit Kaliumpermanganat erhält man aus Tetrachlor-thiophen (I) das *Bis[difluor-carboxy-methyl]-sulfid* (40 %
d. Th.) (III)[4]:

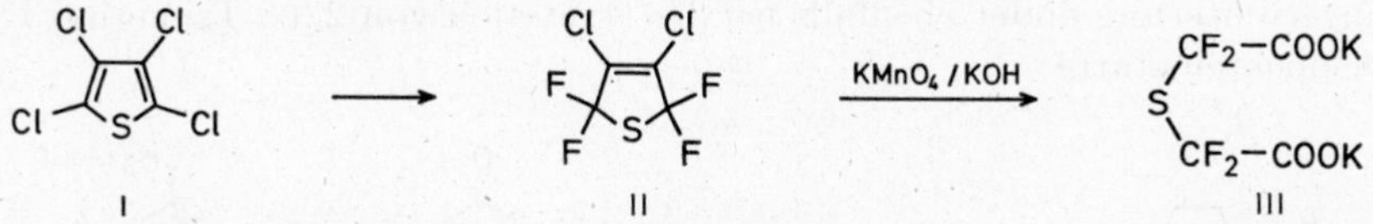

Oxidiert man Terpyridyl-(2,2',4',2'') mit Permanganat, so bleibt einer der Pyridin-Ringe
erhalten und es entstehen *Pyridin-2-carbonsäure* und *Pyridin-2,5-dicarbonsäure*[5]:

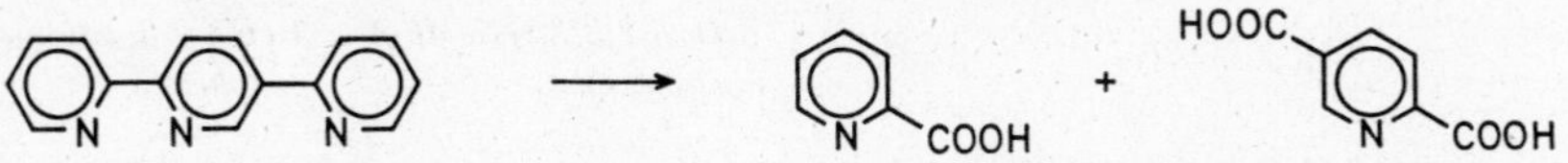

Ähnlich entsteht *3-Nitro-thiophen-2-carbonsäure* aus 3,5'-Dinitro-bithienyl-(2,2')[6].

Die Permanganat-Oxidation des 7-Hydroxy-6-oxo-5-isopropyl-2-carboxy-6H-⟨cyclo-
hepta-[6]-thiophens⟩ führt zu *Thiophen-2,3,5-tricarbonsäure*[7]; Oxidation mit Wasserstoffperoxid dagegen ergibt IV:

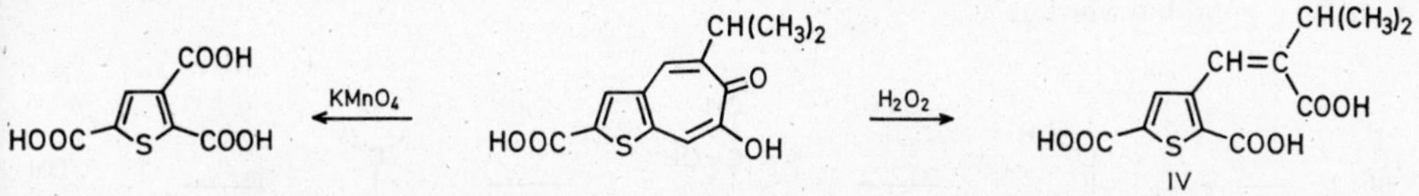

Thymidin, Cytosin und Uracil werden primär unter Hydroxylierung der Doppelbindung
oxidiert (s. S. 604). Danach wird der Pyrimidin-Ring aufgespalten und man erhält schließlich *Harnstoff*[8],[9] s. a. [10-13]

6. Abbau von Cycloalkenen mit anschließender Wiedercyclisierung

Bei geeignetem Bau des Moleküls kann der Oxidation ein erneuter Ringschluß folgen.
Außer bei Heterocyclen [14-16] wurden solche Ringschlüsse auch in der Carbocycli-
schen Reihe beobachtet; z. B. entsteht aus 3,4-Dioxo-1,2-diphenyl-cyclobutan *Benzoe-*

[1] A. P. TERENTJEV, R. A. GRACEVA u. L. M. VOLKOVA, Doklady Akad. SSSR 140, 610 (1961).
[2] T. INUI et al., Bl. chem. Soc. Japan 41, 2148 (1968); 30 % d. Th.
[3] A. P. TERENTJEV, R. A. GRACEVA u. L. M. VOLKOVA, Ž. obšč. Chim. 31, 2826 (1961); engl.: 2634.
[4] US. P. 3437686 (1966), Ashland Oil & Refining Co., Erf.: R. C. SLAGEL; C. A. 70, 114621 (1969).
[5] W. H. F. SASSE u. C. P. WHITTLE, Austr. J. Chem. 16, 31 (1963).
[6] A. E. LIPHIN, Ž. obšč. Chim. 33, 196 (1963); engl.: 188.
[7] K. OGURA, Bl. chem. Soc. Japan 35, 808 (1962).
[8] B. CHATAMRA u. A. S. JONES, Soc. 1963, 811.
[9] P. HOWGATE, A. S. JONES u. J. R. TITTENSOR, Soc. 1968, 275.
[10] A. S. JONES u. R. T. WALKER, Soc. 1963, 3554.
[11] J. SLOUKA, J. pr. [4] 16, 220 (1962).
[12] J. A. HYATT u. J. S. SWENTAN, J. Org. Chem. 37, 3216 (1972).
[13] H. REIMLINGER et al., B. 104, 3925 (1971).
[14] C. H. EUGSTER u. P. BOSSHARD, Chimica 15, 528 (1961).
[15] J. RIGAUDY u. P. AUBRIN, C. r. 257, 933 (1963).
[16] R. RIEMSCHNEIDER, E. HORNER u. F. HERZEL, M. 92, 777 (1961).

säure[1, s. a. 2]   und   aus   Hexamethyl-bicyclo[2.2.0]hexadien   *4-Oxo-1,2,5,6,7-pentamethyl-bicyclo[3.2.0]heptadien-(2,6)*[3] (51 % d. Th.):

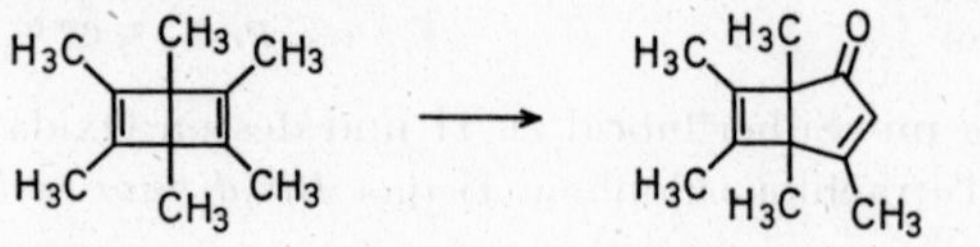

Eine Ringerweiterung findet ebenfalls bei der Oxidation von 2,3,3-Trimethyl-1-carboxy-methyl-cyclopenten statt[4]:

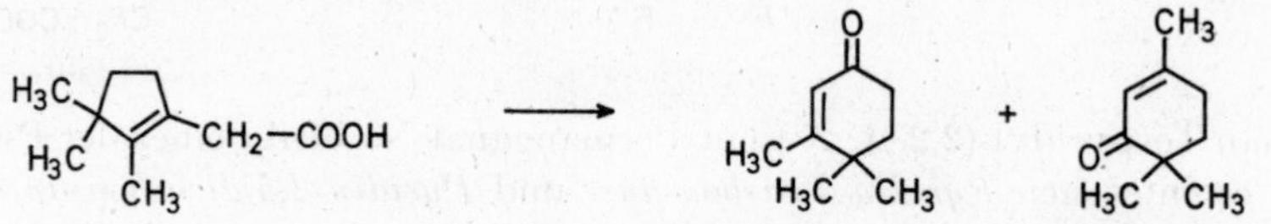

6-Oxo-2,3,3-trimethyl-   3-Oxo-1,4,4-trimethyl-
cyclohexen   cyclohexen

Spirocyclische Dilactone sind gleichfalls auf diesem Wege hergestellt worden[5, 6].

c) Oxidativer Abbau der C≡C-Dreifachbindung

Beim oxidativen Abbau von Acetylenen können Carbonsäuren wahrscheinlich auf folgendem Weg gebildet werden[7]

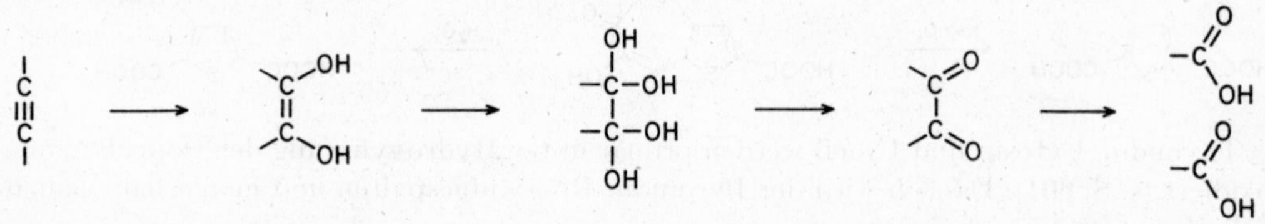

Hinweise auf den Mechanismus der Reaktion ergeben sich bei der Oxidation des 2-Methyl-2-(phenyl-äthinyl)-tetrahydrofurans[8, vgl. 9]:

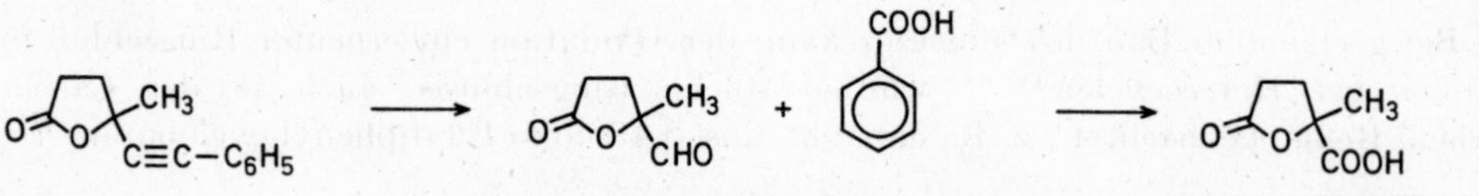

2-Methyl-5-Oxo-2-   Benzoesäure   2-Methyl-5-Oxo-2-
formyltetrahydrofuran   carboxytetrahydrofuran

Alle drei nach obigem Reaktionsschema auftretenden Produkte konnten nachgewiesen werden.

[1] A. T. Blomquist u. E. A. Lalancette, Am. Soc. **83**, 1387 (1961).
[2] H. Hornino, J. chem. Soc. Japan **90**, 85 (1969).
[3] H. N. Junker, W. Schäfer u. H. Niedenbrück, B. **100**, 2508 (1967).
[4] R. P. Gandhi, B. Vig u. S. M. Mukherji, J. indian chem. Soc. **36**, 299 (1959).
[5] A. Marsili u. M. Isola, Tetrahedron **23**, 1037 (1967).
[6] A. Mersili, J. Org. Chem. **32**, 240 (1967).
[7] V. I. Niktin u. S. D. Savramskaya, Ž. obšč. Chim. **23**, 1393 (1953).
[8] T. A. Favorskaya u. Hsu Ting-Yu, Ž. obšč. Chim. **31**, 86 (1961); engl.: 82.
[9] M. S. Svareberg, A. A. Dameneva, R. Z. Sagedeev u. I. L. Katjurevskij, Izv. Akad. SSSR **1969**, 2546.

Durch oxidativen Abbau einer C≡C-Dreifachbindung sind z. B. hergestellt worden:

2,3-Dihydroxy-2-methyl-pentansäure[1, s. a. 2]	50 % d. Th.
2,3-Isopropylidendioxy-2-methyl-pentansäure[1]	51 % d. Th.
Cyclopropyl-phenyl-glykolsäure[3]	30 % d. Th.
4-Hydroxy-4-carboxy-1,2,3,4-tetrahydro-⟨cyclopenta-[a]-inden⟩[4]	–
3-Phenyl-4,5-dihydro-1,2-oxazol-5-carbonsäure[5]	–
Pentafluor-benzoesäure[6, 7]	72 % d. Th.
2-Oxo-3,4-diphenyl-3-benzyl-butansäure[8]	–

Die Permanganat-Oxidation von 2-Oxo-1-methyl-1-äthinyl-cycloheptan führt über verschiedene Zwischenstufen letztlich zu *Adipinsäure* und *Essigsäure*[9]; zur analogen Oxidation von Cycloalkinen s. Lit.[10]

Der oxidative Abbau der C≡C-Dreifachbindung mit Permanganat dient auch der Strukturaufklärung[11–13].

III. Oxidationen an Fremdatomen

a) Oxidationen am Schwefel

1. Bildung von Sulfoxiden und Sulfonen

Sulfoxide können mit Hilfe von Permanganat nur aus Thioaromaten mit 4-wertigem Schwefel hergestellt werden; z. B.[14]:

R = C₂H₅	*1-Äthyl-3,5-diphenyl-1,2,4,6-thiatriazin-1-oxid*	91% d.Th.
R = CH(CH₃)₂	*1-Isopropyl-3,5-diphenyl-1,2,4,6-thiatriazin-1-oxid*	92% d.Th.
R = C₄H₉	*1-Butyl-3,5-diphenyl-1,2,4,6-thiatriazin-1-oxid*	89% d.Th.

[1] L. D. Bergelson, S. G. Batrakov u. A. N. Grigoryan, Izv. Akad. SSSR **1962**, 1617; C. A. **58**, 4416 (1963).

[2] R. G. Powell, C. R. Smith, C. A. Glass u. I. A. Wolff, J. Org. Chem. **31**, 528 (1966).

[3] S. B. Kadin u. J. G. Cannon, J. Org. Chem. **27**, 240 (1962).

[4] L. G. Abodd, J. Med. Chem. **1968**, 1041.

[5] V. N. Chistokletov, A. T. Troscenko u. A. A. Petrov, Doklady Akad. SSSR **135**, 631 (1960); C. A. **55**, 11393 (1961).

[6] J. M. Birchald, F. T. Bowden, R. N. Haszeldine u. A. P. B. Lever, Soc. **1967**, 747.

[7] J. A. Meschino u. J. N. Plampin, J. Org. Chem. **36**, 3636 (1971).

[8] T. Ando u. N. Takura, Bl. chem. Soc. Japan **31**, 351 (1958).

[9] T. A. Favorskaya u. B. N. Samusik, Ž. obšč. Chim. **32**, 2128 (1962); engl.: 2100.

[10] W. Treibs u. R. Pester, Tetrahedron Letters **1960**, 5.

[11] F. Bohlmann, H. Bornowski u. H. Schönowsky, B. **95**, 1733 (1962).

[12] F. Bohlmann, K. M. Kleine u. H. Bornowski, B. **95**, 2934 (1962).

[13] L. B. Sokolov et al., Ž. obšč. Chim. **2**, 615 (1966).

Im allgemeinen erhält man aus Thioäthern mit Permanganat sofort die Sulfone[1-25]; auch Sulfoxide werden so zu Sulfonen oxidiert:

$$R-S-R^1$$
$$\xrightarrow{\text{KMnO}_4}$$
$$R-SO-R^1$$
$$R-SO_2-R^1$$

2-Chlormethyl-(4-methyl-phenyl)-sulfon[26]: 60 g 2-Chlormethyl-(4-methyl-phenyl)-sulfid werden in der gleichen Menge Eisessig gelöst und unter gutem Rühren mit einer Lösung von 50 g Kaliumpermanganat in 400 ml verd. Schwefelsäure bei 20° oxidiert. Nach üblicher Aufarbeitung wird das Rohprodukt aus 50%igem Äthanol umkristallisiert; Ausbeute: 58,2 g (82,8% d.Th.); F: 78,5°.

Die Oxidation von Diarylsulfiden zu Sulfonen mit Permanganat wird ebenfalls in Eisessig durchgeführt[27].

Ohne Komplikation verläuft auch die Synthese des *Bis-[pyridyl-(2)-methyl]-sulfons* aus Bis-[pyridyl-(2)-methyl]-sulfid[28].

Ist das Schwefelatom Bestandteil eines nicht aromatischen Ringes, so kann es zum Sulfon oxidiert werden; z. B.:

4-Oxo-1,3-thiazolidin-1,1-dioxid[29]

1   US. P. 569020 (1966), E. R. Squibb and Sons, Erf.: J. Kraocho.
2   E. Larson, Tetrahedron 24, 6197 (1968).
3   US. P. 3341521 (1965), E. R. Squibb and Sons, Erf.: J. Bernstein; C. A. 68, 95875 (1968).
4   US. P. 3296272 (1964), Dow Chem. Comp., Erf.: H. Johnston; C. A. 66, 104903 (1967).
5   US. P. 3161680 (1962), Pfizer and Co. Inc., Erf.: J. M. McManus; C. A. 62, 9071 (1965).
6   Brit. P. 1098209 (1966), Shell, Erf.: B. Cross; C. A. 69, 36177 (1968).
7   G. Buchmann u. H. Franz, Z. 6, 107 (1966).
8   S. Oae u. S. Kawamura, Bl. Chem. Soc. Japan 36, 163 (1963).
9   US. P. 3184475 (1961), Monsanto Co., Erf.: C. J. Eby u. E. J. Prill; C. A. 63, 4211 (1965).
10   J. Fakstorp, Acta chem. scand. 10, 15 (1956).
11   E. D. Pozidaev u. S. V. Gorbacev, Z. prikl. Chim. 38, 2529 (1965); C. A. 62, 8982 (1965).
12   G. Pagani u. St. Malorana, Chimica e Ind. 49, 1347 (1967).
13   R. M. Mamedov u. B. F. Fedorov, Izv. Akad. SSSR 1964, 698; C. A. 61, 3092 (1964).
14   E. Jones u. I. M. Moidie, 1967, 1443.
15   I. Ugi u. E. Wischöfer, B. 95, 136 (1962).
16   D. A. Johnson, C. A. Panetta u. D. E. Cooper, J. Org. Chem. 28, 1927 (1963).
17   A. A. Ponomarev u. I. S. Monachova, Ž. obšč. Chim. 34, 1246 (1964); engl. : 1242.
18   I. L. Segal u. I. L. Postovskij, Chim. geterocikl. Soed. 1965, 449.
19   A. B. Foster et al., Chem. & Ind. 1956, 1144.
20   O. Hromatka u. R. Haberl, M. 85, 1082 (1954).
21   A. R. Surrey, W. G. Webb u. R. M. Gesler, Am. Soc. 80, 3469 (1958).
22   Schweiz. P. 442312 (1963), Dr. A. Wander AG., Erf.: J. Schmutz u. F. Hunziker; C. A. 69, 36195 (1968).
23   I. T. Kay, D. J. Lorejoy u. S. Glue, Soc. [C] 1970, 445.
24   A. Nudelman u. D. J. Cram, J. Org. Chem. 34, 3659 (1969).
25   A. Gomes u. M. M. Joullie, J. Heteroc. Chem. 6, 729 (1969).
26   K. Klamann u. H. Bertsch, B. 88, 201 (1955).
27   B. H. Baker, M. V. Querry u. A. F. Kadish, J. Org. Chem. 15, 402 (1950).
28   G. Buchmann u. H. Franz, Z. 6, 107 (1966).
29   A. R. Surrey u. R. A. Cutler, Am. Soc. 76, 578 (1954).

Analoge Reaktionen wurden mit Penicillinen[1, 2], S-haltigen Sechs-[3-5] und Achtringen [6, 7] ausgeführt.

Der Thiophen-Schwefel (quasi-aromatischer Ring) bleibt dagegen bei der Synthese von Thienyl-(2)-sulfonen unverändert[8-10, s. a. 11,12].

Enthält das Molekül zwei Schwefelatome, so können beide[13-16] oder nur eines[17,18] zum Sulfon oxidiert werden. Besitzt der zu oxidierende Thioäther weitere oxidierbare Gruppen, so können diese mitoxidiert werden; z. B.[19]:

Um die Oxidation auf die Thioäther-Gruppierung zu beschränken gibt es verschiedene Möglichkeiten. Man arbeitet mit einem Unterschuß an Permanganat. So läßt sich u. a. das Thiamin-Derivat II aus dem Pyrimidin I herstellen[20]:

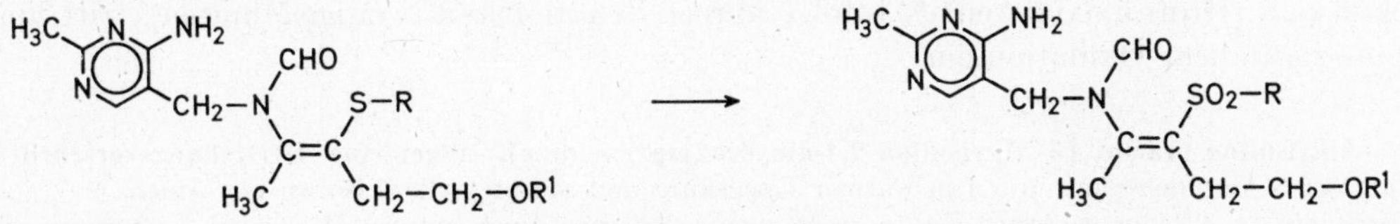

Analog kann so 5-(4-Methoxy-phenylmercapto)-thiophen-2-aldehyd unter Erhalt der Oxo-Gruppe zum *5-(4-Methoxy-phenylsulfon)-thiophen-2-aldehyd* oxidiert werden[19]. Eine unerwartete Reaktion tritt beim 2-(4-Hydroxy-phenyl)-thienyl-(2)-sulfid, also der entsprechenden Verbindung mit freier phenolischer Hydroxy-Gruppe, ein. Hier wird an Stelle des erwarteten Sulfons ein Polymeres gebildet[19].

Bei der Oxidation der 2-Alkyl-, 2-Acyl- oder 2-Halogen-phenothiazine kann ein Schutz des Stickstoffs durch Acylierung von Vorteil sein, oder aber man arbeitet unterhalb 60°[21,22]. So wird 2-Methylmercapto-phenazin bei 20-30° in Essigsäure zu *2-Methyl-*

[1] D. A. JOHNSON, C. A. PANETTA u. D. E. COOPER, J. Org. Chem. 28, 1927 (1963).
[2] I. UGI u. E. WISCHÖFER, B. 95, 136 (1962).
[3] B. LOEV, J. Org. Chem. 28, 2160 (1963).
[4] O. HROMATKA u. R. HABERL, M. 85, 1082 (1954).
[5] H. B. HENBEST u. S. A. KHAN, Chem. Commun. 1968, 1036.
[6] A. A. PONOMAREV u. I. S. MONACHOVA, Ž. obšč. Chim. 34, 1246 (1964); engl.: 1242.
[7] USSR P. 191545 (1966), A. I. ABDULLAEV et al., C. A. 68, 69060 (1968).
[8] T. NAITO, S. NAKAGAWA u. K. TAKAHASHI, Chem. Pharm. Bull. (Tokyo) 16, 148 (1968).
[9] E. JONES u. I. M. MOIDIE, Soc. 1967, 1443.
[10] B. P. FEDOROV u. F. M. STOJANOVIC, Ž. obšč. Chim. 32, 1518 (1962); engl.: 1504.
[11] Brit. P. 851564 (1958), Sandoz Ltd.; C. A. 55, 14483 (1961).
[12] C. S. MAHAJANSHETTI u. L. D. BASANAGOUDAR, Canad. J. Chem. 45, 1807 (1967)·
[13] J. BÜCHI, H. R. FÜEG u. A. AEBI, Helv. 42, 1368 (1959).
[14] US. P. 3355498 (1965), DuPont, Erf.: I. PASCAL u. R. B. WARD; C. A. 68, 39107 (1968).
[15] USSR. P. 191545 (1966), A. I. ABDULLAEV et al.; C. A. 68, 69060 (1968).
[16] B. GAUTHIER u. C. VANISCOTTE, Bl. 1956, 30.
[17] L. FIELD u. R. B. BARBEC, J. Org. Chem. 34, 36 (1969).
[18] A. FERRETTI u. G. TESI, Chem. & Ind. 1964, 1987.
[19] B. F. FEDPROV u. F. M. STOYANOVIC, Ž. obšč. Chim. 31, 238 (1961); engl.: 222.
[20] Jap. P.-Anm. 715/68 (1965), Tanabe Ltd.
[21] Fr. P. 1460136 (1965), Arzneimittelwerk Dresden, Erf.: H. WUNDERLICH u. A. STARK; C. A. 67, 21911 (1967).
[22] DDR. P. 15856 (1965), H. WUNDERLICH u. A. STARK; C. A. 66, 76022 (1967).

sulfon-phenazin[1] oxidiert. Dagegen sollten bei der Herstellung von *2,8-Diamino-thianthren-5,5;10,10-bis-[dioxid]* beide Amino-Gruppen geschützt werden[2]:

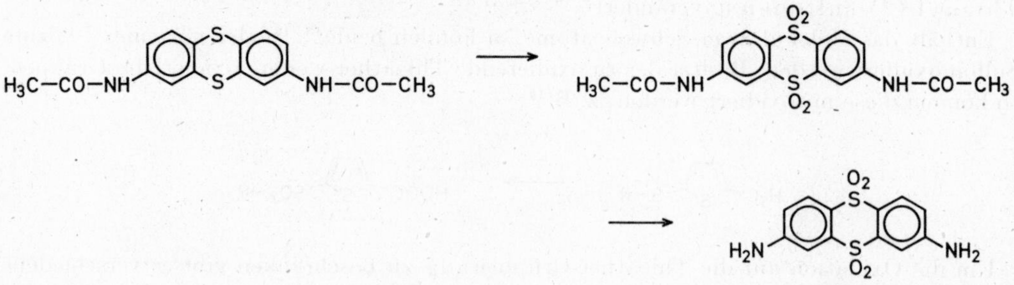

S-Alkyl-substituierte Pyrimidin-Basen lassen sich auch mit 40%igem Permanganat Überschuß zu Sulfonen oxidieren[3-6]. Infolge kurzer Reaktionszeit (wenige Minuten)[7] tritt hier keine zusätzliche Oxidation ein.

5-Alkylsulfon-uracile (5-Alkylsulfon-2,4-dihydroxy-pyrimidine); allgemeine Herstellungsvorschrift[4]: Man löst 5-Alkylmercapto-uracil in warmer Essigsäure und versetzt die Lösung mit einem 40%igen Überschuß an 3%iger wäßriger Kaliumpermanganat-Lösung. Nach einigen Min. wird die Lösung mit Schwefeldioxid entfärbt und i. Vak. bei 40° eingeengt. Durch Behandeln mit warmem Wasser wird das Produkt von anorganischen Anteilen befreit (Ausbeute: ~ 50% d.Th.).

Auch das 1-Phenyl-4-mercaptomethyl-phthalazin läßt sich mit Permanganat zum *4-Methylsulfon-1-phenyl-phthalazin* oxidieren[8].

Sulfone können auch durch Permanganat-Oxidation von Sulfoxiden (zumeist in Essigsäure) erhalten werden; z. B.:

(2,6-Dijod-4-nitro-phenyl)-(4-äthoxy-phenyl)-sulfon[7]	85% d.Th.
4-Oxo-2-trichlormethyl-tetrahydro-1,3-thiazol-1,1-dioxid[9]	25% d.Th.
4-Methylsulfon-chinolin[10]	44% d.Th.
Bis-[4-acetamino-2-methyl-phenyl]-sulfon[11]	74% d.Th.
5-Methylsulfon-3-phenyl-1,3-thiazol-4-carbonsäure[12]	87% d.Th.

Bei den nachstehend genannten Beispielen kann bei Permanganat-Überschuß gleichzeitig mit der Sulfoxid- auch die Hydroxy-Gruppe (diese zur Oxo-Funktion) oxidiert werden, wogegen stöchiometrische Permanganat-Mengen nur das Sulfoxid zum Sulfon oxidieren[13]:

---

[1] Brit. P. 1098209 (1966), Shell, Erf.: B. Cross; C. A. **69**, 36177 (1968).
[2] T. Kawai u. T. Ueda, J. pharm. Soc. Japan **80**, 1648 (1960).
[3] Schweiz. P. 433341 (1963), Cilag Chemie, Erf.: E. Habicht u. R. Zubiani; C. A. **68**, 114627 (1968).
[4] J. M. Carpenter u. G. Shaw, Soc. **1965**, 3987.
[5] Belg. P. 507350 (1962; tschech. Prior.)
[6] A. R. Surrey u. R. A. Cutler, Am. Soc. **76**, 578 (1954).
[7] P. Block u. J. L. Balmat, Am. Soc. **72**, 5638 (1950).
[8] E. Hayashi, T. Higashino, E. Oishi u. M. Sano, J. pharm. Soc. Japan **87**, 687 (1967).
[9] D. C. Bishop, R. E. Bowman, A. Campbell u. W. A. Jones, Soc. **1963**, 2381.
[10] G. B. Barlin u. W. V. Brown, Soc. **1969**, 921.
[11] M. Balasubramanian u. V. Baliah, Soc. **1955**, 1251.
[12] T. Naito, S. Nakagawa u. K. Takahashi, Chem. Pharm. Bull. (Tokyo) **16**, 148 (1968).
[13] H. Bredereck, A. Wagner u. A. Kottenhahn, B. **93**, 2415 (1960).

ω-Phenylsulfon-acetophenon	50% d.Th.
(4-Methyl-phenylsulfon)-aceton	56% d.Th.
1-Hydroxy-1-phenyl-2-tert.-butylsulfon-äthan	
2-Hydroxy-3-phenylsulfon-2-methyl-propansäure-methylester	
2-Hydroxy-3-(4-methyl-phenylsulfon)-2-methyl-propansäure-methylester	95% d.Th.
2-Hydroxy-3-(4-methyl-phenylsulfon)-butansäure-methylester	76% d.Th.

2. Bildung von Sulfonsäure-amiden

Bei der Oxidation von Sulfinsäure- und Sulfensäure-amiden mit Permanganat (meist in Aceton bei nur leicht erhöhter Temperatur) entstehen die Sulfonsäure-amide[2]:

$$R-S-NH_2 \longrightarrow R-SO_2-NH_2 \longleftarrow R-SO-NH_2$$

Phenylmethansulfonsäure-amid[3]: Man löst 3,2 g Phenylmethansulfinsäure-amid in wäßrigem Aceton und oxidiert so lange mit festem Kaliumpermanganat, bis keine Entfärbung mehr stattfindet. Nach Filtration vom Braunstein wird das Aceton i. Vak. entfernt, der Rückstand mehrmals mit Äther extrahiert und der Äther-Rückstand aus Äthanol/Wasser mehrmals umkristallisiert; F: 100–101°.

Analog erhält man z. B.:

6-Äthoxy-⟨benzo-1,3-thiazol⟩-2-sulfonsäure-amid[4,5]	
(4-Nitro-benzolsulfonylamino)-essigsäure[6]	
Benzo-1,3-thiazol-2-sulfonsäure-amid[4]	
5-Chlor-⟨benzo-1,3-thiazol⟩-2-sulfonsäure-amid[4]	60–70% d.Th.
6-Acetamino-⟨benzo-1,3-thiazol⟩-2-sulfonsäure-amid[4]	
4- und 6-Methyl-⟨benzo-1,3-thiazol⟩-2-sulfonsäure-amid[4]	
5-Nitro-2-[alkyl(aryl)-sulfinyl]-arensulfonsäure-amid[7]	76–96% d.Th.

2,4-Dimethoxy-pyrimidin-6-sulfonsäure-amid[8]: Eine Suspension von 7,5 g (0,04 Mol) 2,4-Dimethoxy-pyrimidin-6-sulfensäure-amid in 100 *ml* Wasser wird unter Rühren durch tropfenweise Zugabe von 101 *ml* 0,4m Kaliumpermanganat-Lösung (15 Min.) oxidiert, die Temp. soll 30° nicht übersteigen. Man rührt weitere 15 Min. und gibt einen Überschuß ges. Natriumhydrogensulfit-Lösung zu. Der Niederschlag wird gesammelt und zuerst mit 1n Salzsäure und dann mit kaltem Wasser gewaschen. Das Sulfonsäure-amid wird getrocknet und in absol. Äthanol gelöst. Nach Behandlung mit Norit wird das Produkt durch Zugabe von Petroläther (Kp: 30–60°) ausgefällt; Ausbeute: 5,51 g (64% d.Th.); F: 188–189°.

Zur Oxidation von Sulfiminen zu Sulfoximinen vgl. Originalliteratur[9–11].

---

[1] J. GOERDELER u. D. LOEVENICH, B. **87**, 1079 (1954).
[2] W. E. TRUCE u. A. M. MURPHY, Chem. Reviews **48**, 117 (1951).
[3] H. SEILER u. H. ERLENMEYER, Helv. **40**, 88 (1957).
[4] J. KORMAN, J. Org. Chem. **23**, 1768 (1958).
[5] US. P. 2868800 (1954), Upjohn Co., Erf.: J. KORMANN; C. A. **53**, 6260 (1959).
[6] H. BAGANZ u. H. PEISSER, Ar. **289**, 262 (1956).
[7] A. W. WAGNER u. R. BANHOLZER, B. **96**, 1177 (1963).
[8] S. B. GREENBAUM, Am. Soc. **76**, 6052 (1954).
[9] G. KRESCE u. B. WUSTROW, B. **95**, 2652 (1962).
[10] R. APPEL u. W. BÜCHER, B. **95**, 855 (1962).
[11] H. R. BENTLEY u. J. K. WHITEHEAD, Soc. **1950**, 2081.

Tab. 39: Sulfone durch Permanganat-Oxidation von Thioäthern

Thioäther	Reaktions-bedingungen	Sulfon	Ausbeute [% d. Th.]	F [° C]	Literatur
[(H₅C₂)₂N−CH₂−CH₂−]₂S	H₂SO₄, RT	Bis-[2-diäthylamino-äthyl]-sulfon	50	204	1
(HO−CH₂−CH₂−)₂S	H₂SO₄, 40°	Bis-[2-hydroxy-äthyl]-sulfon	90	Oel	2
(H₅C₂OOC−CH₂−)₂S		Bis-[äthoxycarbonylmet-hyl]-sulfon			3
H₃COOC−CH₂−CH−COOCH₃ | S−CH₃		Methylsulfon-bernstein-säure-dimethylester	74	96	4
(Aziridin mit S−CH₃, N−C(CH₃)₃)	CH₃COOH	2-Methylsulfon-1-tert.-butyl-aziridin	29	46–48,5	5
H₅C₆−CH−CH₂−COOCH₃ | S−CH₃		3-Methylsulfon-3-phenyl-propansäure-methylester	69	118	4, s. a. 6, 7
(H₅C₆−CO−CH₂−)₂S	CH₃COOH	Bis-[2-oxo-2-phenyl-äthyl]-sulfon		148	8
HO−CH₂−CH−CH−CH−CH−CH−S−C₈H₁₇ | | | | | OH OH OH OH S−C₈H₁₇	CH₃COOH	1,1-Bis-[octylsulfon]-1-desoxy-glucose	66	151–152,5	9
(Thiacyclooctadien-Ring mit S)	H⊕	Thiacyclooctadien-(2,5)-1,1-dioxid	79	60–61	10
(Isothiochroman-Ringsystem mit O)		4-Oxo-isothiochroman-2,2-dioxid	78	154	11, val. a, 12
R−CH₂−S−CH₃		Methyl-(2,4- oder 2,6-dihalogen-benzyl)-sulfon	93		13,14
(Thienyl)CH₂−S−CH₂(Thienyl)	CH₃COOH	Bis-[thienyl-(2)-methyl]-sulfon	–	147–148	15

¹ J. FAKSTORP, Acta chem. scand. 10, 15 (1956).
² E. D. POZHIDAEV u. S. V. GORBACEV, Z. prikl. Chim. 38, 2529 (1965); C. A. 64, 6467 (1966).
³ M. V. MUCHINA, E. JU. CECHANOVIC u. I. JA. POSTOVSKIJ, Chim. i chim. Technol. 9, 586 (1966).
⁴ P. BRACO et al., G. 98, 1046 (1968).
⁵ T. CHEN, H. KATO u. M. OHTA, Bl. chem. Soc. Japan 41, 712 (1968).
⁶ R. N. HASZELDINE, R. B. RIGBY u. A. E. TIPPING, Soc. (Perlin I) 1973, 676.
⁷ R. ANDRISANO, A. S. ANGELONI u. A. FINI, Tetrahedron 28, 2681 (1972).
⁸ J. D. LOUDON u. L. B. YOUNG, Soc. 1963, 5496.
⁹ B. GAUTHIER u. C. VANISCOTTE, Bl. 1956, 30.
¹⁰ A. A. PONOMAREV u. I. S. MONACHOVA, Ž. obšč. Chim. 34, 1246 (1964); engl.: 1242.
¹¹ G. PAGANI u. ST. MALORANA, Chimica e Ind. 49, 1347 (1967).
¹² D. A. PULMAN u. D. A. WHITING, Soc. (Perkin I) 1973, 410.
¹³ R. DRAN u. P. CATSOULACOS, C. r. 258, 4576 (1964).
¹⁴ Jap. P. 1 274 577 (1966), Takeda, Erf.: H. HIRANO et al.; C. A. 69, 96 239 (1968).
¹⁵ E. JONES u. I. M. MOIDIE, Soc. 1967, 1443.

Tab. 39 (1. Fortsetzung)

Thioäther	Reaktions-bedingungen	Sulfon	Ausbeute [% d.Th.]	F [° C]	Literatur
⟨S⟩–CH₂–S–CH₂–⟨S⟩	CH₃COOH	[Thienyl-(2)-methyl]-[thienyl-(3)-methyl]-sulfon		131–133	[1]
(Benzimidazol)–CH₂–S–CH₂–⟨S⟩	CH₃COOH	[Thienyl-(2)-methyl]-[benzoimidazolyl-(2)-methyl]-sulfon		209–211	[2]
(Thiazolidinon ring, R², R¹) R¹ = 4-Cl–C₆H₄, R² = H,	CH₃COOH; 30°	4-Oxo-2-(4-chlor-phenyl)-tetrahydro-1,3-thiazol-1,1-dioxid	90	172 –173,5	[3]
R¹ = 3,4-Cl₂–C₆H₃, R² = H	CH₃COOH; 30°	4-Oxo-2-(3,4-dichlor-phenyl)-tetrahydro-1,3-thiazol-1,1-dioxid	83	172,4–172,4	[3]
R¹ = 4-C₃H₇S–C₆H₄, R² = –CH₂–CH₂–OC₂H₅	CH₃COOH; 25°	4-Oxo-3-(2-äthoxy-äthyl)-2-(propylmercapto-phenyl)-tetrahydro-1,3-thiazol-1,1-dioxid			[4]
R¹ = CH₃O–CH₂–CH₂–CH₂, R² = 4-CH₃CONH–C₆H₄		4-Oxo-2-(3-methoxy-propyl)-3-(4-acetamino-phenyl)-tetrahydro-1,3-thiazol-1,1-dioxid			[4]
(Thiazinone ring, R¹, R²) R¹ = H, R² = 4-Cl–C₆H₄	CH₃COOH; 30°	4-Oxo-2-(4-chlor-phenyl)-tetrahydro-1,3-thiazin-1,1-dioxid	95	173 –173,6	[5, s. a. 6]
R¹ = H, R² = 4-Br–C₆H₄		4-Oxo-2-(4-brom-phenyl)-tetrahydro-1,3-thiazin-1,1-dioxid	89	176,1–177,1	
R¹ = CH₃, R² = 2-Cl–C₆H₄		4-Oxo-3-methyl-2-(2-chlor-phenyl)-tetrahydro-1,3-thiazin-1,1-dioxid	86	172,8–175,4	
(Benzothiazoline) CH₃, C₆H₅, S–CH₂–CH₂–N(C₂H₅)₂		4-Methyl-2-(2-diäthyl-amino-äthyl)-2-phenyl-2,3-dihydro-⟨benzo-1,3-thiazol⟩-1,1-dioxid			[7, 1]

[1] E. Jones u. I. M. Moidie, Soc. 1967, 1443.
[2] R. M. Mamedov u. B. F. Fedorov, Izv. Akad. SSSR 1964, 698; C. A. 61, 3092 (1964).
[3] A. R. Surrey u. R. A. Cutler, Am. Soc. 76, 578 (1954).
[4] US. P. 3377355 (1967), Sterling Drug Inc., Erf.: A. R. Surrey; C. A. 69, 59227 (1968).
[5] A. R. Surrey, W. G. Webb u. R. M. Gesler, Am. Soc. 80, 3469 (1958).
[6] M. H. Benn u. R. E. Mitchell, Canad. J. Chem. 50, 2195 (1972).
[7] US. P. 2569020 (1966), E. R. Squibb and Sons, Erf.: J. Krapcho.

Tab. 39 (2. Fortsetzung)

Thioäther	Reaktions-bedingungen	Sulfon	Ausbeute [% d.Th.]	F [° C]	Literatur
	CH₃COOH, 35°	4-Oxo-3-methyl-2-(4-chlor-phenyl)-2,3-dihydro-4H-⟨benzo-[e]-1,3-thiazin⟩-1,1-dioxid	60	169–170	1
	CH₃COOH	1,4-Diäthyl-7-oxa-2,5-dithia-bicyclo[2.2.1] heptan-2,2; 5,5-bis-dioxid	50	194	2
		Tetrafluor-1,2-bis-[phenyl-sulfon]-cyclobuten	65	57	3
		Octafluor-1,2-bis-[benzyl-sulfon]-cyclohexen	79	98	3
	CH₃COOH, 20°	Penicillansäure-tert.-butylamid	45	198–199	4–6 vgl. 7, 8
		5-Methylsulfon-3-phenyl-4-carboxy-1,2-thiazol	71	184–187	9
	CH₃COOH	5-Amino-2-alkylsulfon- bzw. -2-alkenylsulfon-1,3,4-thiadiazol			10
R = Pyridyl–(2)	CH₃COOH, 60°	3-Methylsulfon-5-pyridyl-(2)-1,2,4-triazol	85	114–121	11–14
R = 4-Cl–C₆H₄	CH₃COOH	3-Methylsulfon-5-(4-chlor-phenyl)-1,2,4-triazol	50	183–185	15

[1] B. LOEV, J. Org. Chem. 28, 2160 (1963).
[2] O. HROMATKA u. R. HABERL, M. 85, 1082 (1954).
[3] A. FERRETTI u. G. TESI, Chem. & Ind. 1964, 1987.
[4] I. UGI u. E. WISCHÖFER, B. 95, 136 (1962).
[5] J. C. SHEEHAN u. C. A. PANETTA, J. Org. Chem. 38, 940 (1973).
[6] H. N. PANDEY u. J. R. VISHNU, J. Indian. Chem. Soc. 49, 171 (1972).
[7] A. BIEZAIS-ZIRNIS u. A. FREDJA, Acta chem. scand. 25, 1171 (1971).
[8] K. R. HENERY-LOGAN u. C. G. CHEN, Tetrahedron Letters 1973, 1103.
[9] T. NAITO, S. NAKAGAWA u. T. TAKAHASHI, Chem. Pharm. Bull. (Tokyo) 16, 148 (1968).
[10] Brit. P. 851564 (1958), Sandoz Ltd; C. A. 55, 14483 (1961).
[11] V. J. RAM u. H. N. PANDY, Agric. Biol. Chem. 37, 575 (1973).
[12] T. TANAKA, Yakugaku Zasshi 91, 393 (1971).
[13] E. RUSSO, M. SANTAGATI u. G. PAYSPALARDO, A. ch. 62, 351 (1972)
[14] L. A. VLASOVA, E. M. SHAMAEVA, G. B. AFANASEVA u. J. Y. POSTOVSKII, Pharm. Chem. J. 5, 473 (1971).
[15] I. L. SEGAL u. I. L. POSTOVSKIJ, Chim. geteroc. Soed. 1965, 449.

Tab. 39 (3. Fortsetzung)

Thioäther	Reaktions-bedingungen	Sulfon	Ausbeute [% d.Th.]	F [°C]	Literatur
(Triazol, S–CH₃, R = 4-OCH₃-C₆H₄)	CH₃COOH	3-Methylsulfon-5-(4-methoxy-phenyl)-1,2,4-triazol	70	165–165,5	1
(Pyridin-Cl, S–R², R¹ = H, R² = C₂H₇)	schw. alkal.	2,4,5-Trichlor-3-äthyl-sulfon-pyridin		87	2,3
(R¹ = Cl, R² = C₃H₇)	schw. alkal.	2,4,5,6-Tetrachlor-3-propylsulfon-pyridin		163–172	2,3
(Pyridin, S–R², X = Cl; R¹ = H, R₂ = C₁₂H₂₅)	Eisessig, 20°	2,3,5-Trichlor-4-dodecyl-sulfon-pyridin		46	2, vgl. 4
(R² = CH₂–C₆H₅)		2,3,5-Trichlor-4-benzyl-sulfon-pyridin		111	
(X = Br; R¹ = Br, R² = CH₃)		2,3,5,6-Tetrabrom-4-methylsulfon-pyridin		165	
H₅C₆–³⁵S–C₆H₅	CH₃COOH, Spur H₂SO₄	Diphenylsulfon-³⁵S	44	122–123,5	5
H₂N–⟨⟩–S–⟨⟩–NO₂		(4-Amino-phenyl)-(4-nitro-phenyl)-sulfon			6, vgl. 7
HOOC-⟨S⟩-S-⟨⟩-OCH₃	CH₃COOH; 20°	5-(4-Methoxy-phenyl-sulfon)-thiophen-2-carbonsäure	85–100	225–226	8
R–S-⟨S,N⟩-NH₂, R = 2-Cl-C₆H₅	CH₃COOH; 25–30°	2-Amino-5-(2-chlor-phenylsulfon)-1,3-thiazol	70	233–234	9

1 I. L. SEGAL u. I. L. POSTOVSKIJ, Chim. geteroc. Soed. 1965, 559.
2 US.P.3371011 (1966), s.a. 3296272 (1964), Dow Chem. Co., Erf.: H. JOHNSTON; C. A. 69, 59109 (1968).
3 US. P. 3296272 (1964), Dow Chem. Co., Erf.: H. JOHNSTON; C. A. 66, 104903 (1967).
4 G. W. H. CHEESEMAN u. R. A. GODWIN, Soc. [C] 1971, 2973.
5 S. OAE u. S. KAWAMURA, Bl. chem. Soc. Japan 36, 163 (1963).
6 T. NAITO, S. NAKAGAWA u. T. TAKAHASHI, Chem. Pharm. Bull. (Tokyo) 16, 148 (1968).
7 S. M. YARNAL u. V. V. BADIGER, Indian J. Chem. 11, 211 (1973).
8 B. F. GEDPROV u. F. M. STOYANOVIC, Ž. obšč. Chim. 31, 238 (1961); engl.: 222.
9 C. S. MAHAJANSHETTI u. L. D. BASANAGOUDAR, Canad. J. Chem. 45, 1807 (1967).

Tab. 39 (4. Fortsetzung)

Thioäther	Reaktions-bedingungen	Sulfon	Ausbeute [% d.Th.]	F [° C]	Literatur
R–S–[thiazol]–NH₂ R = 2,3-Cl₂–C₆H₄	CH₃COOH; 20–25°	2-Amino-5-(2,3-dichlor-phenylsulfon)-1,3-thiazol	78	223–225	1
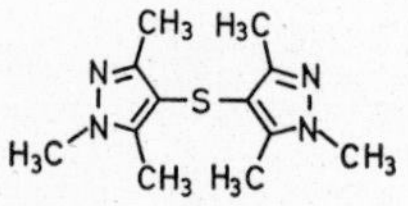 [bis-trimethylpyrazolyl sulfide structure]	CH₃COOH	Bis-[1,3,5-trimethyl-pyrazol-(3)]-sulfon	96	99–100	2

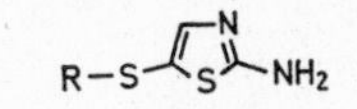

3. Bildung von Sulfonsäuren

a) Sulfonsäuren aus Mercaptanen

Bei der Umsetzung von Mercapto-heteroaromaten bzw. -aromaten mit Permanganat in alkalischer Lösung werden Sulfonsäuren erhalten:

$$R-SH \longrightarrow R-SO_3H$$

Pyridin-2,3-disulfonsäure [3]:

15 g 2-Mercapto-pyridin-3-sulfonsäure werden in 300 ml Wasser gelöst und mit 3,5 g Natriumhydroxid versetzt. Alsdann wird unter Rühren mit einer Lösung von 28 g Kaliumpermanganat in 500 ml Wasser versetzt. Nach 24 Stdn. wird der eventuell vorhandene Permanganat-Überschuß durch Zugabe von Äthanol zerstört, man filtriert das Mangan(IV)-oxid ab und engt das Filtrat ein. Man läßt die Lösung eine Säule mit Amberlite IR 120 passieren und engt bis zur beginnenden Kristallisation ein; Ausbeute: 17,2 g–18,2 g (80–85% d.Th.).

Entsprechend gewinnt man *3-Carboxy-pyridin-2-sulfonsäure* zu 94% d.Th. Anstelle Mercapto-substituierter Pyridine können auch entsprechend substituierte Pyrimidine [4, s. a. 5] und 1,3,5-Triazine [5, 6] oxidiert werden.

Die durch Permanganat-Oxidation gewonnene *4-Hydroxy-6-methyl-pyrimidin-2-sulfonsäure* zersetzt sich bei 60–80° unter Abspaltung von Schwefeldioxid [4].

Oxidiert man 2-Oxo-4-thiono-1,2,3,4-tetrahydro-pyrimidine bei 0° in neutraler wäßriger Lösung, so entstehen rasch und in hohen Ausbeuten die entsprechenden Sulfonate, die als Zwischenstufen für 4-substituierte Pyrimidinnucleotide und -nucleoside interessant sind [8, 9]:

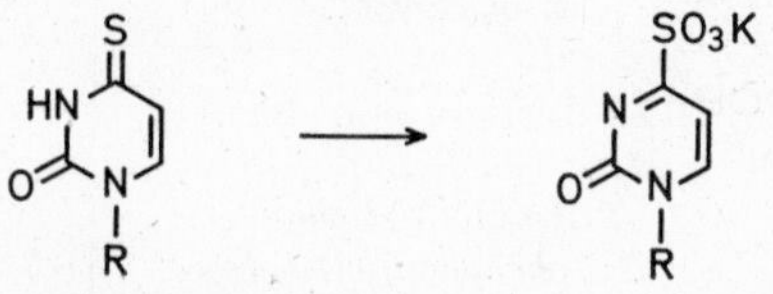

[1] C. S. Mahajanshetti u. L. D. Basanagoudar, Canad. J. Chem. 45, 1807 (1967).
[2] I. I. Grandberg, Ž. obšč. Chim. 31, 548 (1961); engl.: 505.
[3] J. Delarge u. C. L. Lapiere, Bull. Soc. chim. belges 75, 321 (1966). s. a. J. Delarge, J. Pharm. Belg. 22, 257 (1967).
[4] J. A. Levin u. V. A. Kuchtin, Ž. obšč. Chim. 32, 1709 (1962); engl.: 1692.
[5] Jap. P.-Anm. 26303/67 (1963), Tanabe Pharm. Co., Ltd., C. A. 69, 52157 (1968).
[6] E. A. Falko, E. Pappas u. G. H. Hitchings, Am. Soc. 78, 1938 (1956).
[7] M. Gianturco, G. 82, 595 (1952).
[8] H. Hayatsu u. M. Yano, Tetrahedron Letters 1969, 755.
[9] M. Sono u. H. Hayatzu, Chem. Pharm. Bull. 21, 995 (1973).

Bei der Oxidation von Alkyl-thiophenolen mit einem Permanganat-Überschuß in wäßriger Lösung tritt neben der Oxidation der Mercapto- ein Abbau der Alkyl-Gruppe ein, bei Einsatz äquimolarer Permanganat-Mengen wird nur der Schwefel oxidiert[1]; z. B.:

$$\text{HOOC}\!-\!\!\langle\bigcirc\rangle\!\!-\!\text{SO}_3\text{H} \quad\xleftarrow[\text{(Überschuß)}]{\text{KMnO}_4}\quad \text{R}\!-\!\!\langle\bigcirc\rangle\!\!-\!\text{SH} \quad\xrightarrow[\text{(äquimol.)}]{\text{KMnO}_4}\quad \text{R}\!-\!\!\langle\bigcirc\rangle\!\!-\!\text{SO}_3\text{H}$$

Die Oxidation von Mercapto-Gruppen zur Sulfonsäure in alkalischem Medium ist auch mit Fünfring-Heterocyclen[2-7] durchgeführt worden. 6-Mercapto-purin[8] sowie ein modifiziertes Biotin[9] wurden der Reaktion gleichfalls unterworfen.

β) Sulfonsäuren aus Spaltungsreaktionen

Unterwirft man Benzo-[b]-thiophen der Oxidation mit wäßrigem Permanganat, so wird der Fünfring aufgespalten und es bildet sich *2-Sulfo-benzoesäure*[10]:

$$\langle\text{Benzo[b]thiophen}\rangle \longrightarrow \langle\text{Benzol}\rangle\!\!<\!\!\begin{array}{l}\text{COOH}\\\text{SO}_3\text{H}\end{array}$$

Enthält das Ringsystem zwei ortho-ständige Schwefel-Atome, so kann *Benzol-1,2-disulfonsäure* entstehen[11].

Ein Disulfid als Zwischenprodukt wird bei der Herstellung von *Naphthalin-1,8-disulfonsäure* aus dem Naphthylamin I angenommen[12]:

$$\underset{\text{I}}{\langle\text{HO}_3\text{S},\ \text{NH}_2\text{-Naphthalin}\rangle} \xrightarrow[\text{2. Na}_2\text{S}_2]{\text{1. NaNO}_2} \underset{\text{II}}{\left[\langle\text{HO}_3\text{S},\ \text{S}-\text{Naphthalin}\rangle\right]_2} \xrightarrow{\text{KMnO}_4} \langle\text{HO}_3\text{S},\ \text{SO}_3\text{H-Naphthalin}\rangle$$

4. Bildung von Sulfonaten aus Sulfinaten

Sulfinsäuren lassen sich durch alkalisches Permanganat bei leicht erhöhter Temperatur zur Sulfonsäure oxidieren[13-15]. Beim 4-Dodecyl-benzolsulfinsäure-Salz bleibt der Alkyl-Rest erhalten und es entsteht in guter Ausbeute das *Natrium-4-dodecyl-benzolsulfonsäure-Salz*.

[1] A. Kuliev, A. B. Kuliev u. F. N. Mamedov, Ž. org. Chim. **1**, 1787 (1965).
[2] A. J. Blackman, E. J. Browne u. J. B. Polya, Soc. **1967**, 661.
[3] G. Grandolini, G. **90**, 1221 (1960).
[4] J. A. Levin u. V. A. Kuchtin, Ž. obšč. Chim. **34**, 502 (1964); engl.: 504.
[5] V. A. Ignatov, P. A. Pirogov u. M. S. Feldstein, Ž. org. Chim. **4**, 2025 (1967); C. A. **70**, 28859 (1969).
[6] T. Uno, S. Akihama u. K. Arakawa, J. pharm. Soc. Japan **82**, 257 (1962).
[7] I. Tanasescu u. I. Denes, B. **90**, 495 (1957).
[8] I. L. Doerr, I. Wempen, D. A. Clarke u. J. J. Fox, J. Org. Chem. **26**, 3401 (1961).
[9] K. Hofmann, A. Bridgwater u. A. E. Axelrod, Am. Soc. **71**, 1253 (1949).
[10] E. E. Gilbert, *Sulfonation and related reactions*, S. 224, Intersc. Publ., New York 1965.
[11] W. E. Parham, P. L. Stright u. W. R. Hasek, J. Org. Chem. **24**, 262 (1959).
[12] B. I. Karavaev u. A. A. Spryskov, Ž. obšč. Chim. **26**, 501 (1956); C. A. **50**, 13835 (1956).
[13] W. E. Truce u. J. F. Lyons, Am. Soc. **73**, 126 (1951).
[14] R. N. Usgaonkar u. G. V. Jadhav, J. indian chem. Soc. **36**, 176 (1959).
[15] M. A. Sabol u. K. K. Anderson, Am. Soc. **91**, 3603 (1969).

Natriumsalz der 4-Dodecyl-benzolsulfonsäure[1]: 17,0 g (0,055 Mol) 4-Dodecyl-benzolsulfinsäure, gelöst in 200 *ml* 2%iger Natronlauge werden mit einem 4%igen Überschuß Natriumpermanganat-Lösung bei ~ 35–40° oxidiert.

Man läßt über Nacht stehen, reduziert das überschüssige Permanganat mit Natriumsulfit, kocht die Lösung auf und filtriert heiß. Das Filtrat wird mit Schwefelsäure neutralisiert und zur Trockne gebracht. Man extrahiert den Rückstand mit heißem Äthanol und erhält so das Natriumsalz der 4-Dodecyl-benzolsulfonsäure; Ausbeute: 13,4 g (70% d.Th.).

5. Bildung cyclischer Sulfate aus cyclischen Sulfiten

Cyclische Schwefligsäureester können durch Permanganat in Essigsäure zu cyclischen Schwefelsäureestern oxidiert werden:

5,5-Dimethyl-1,3,2-dioxathian-2,2-dioxid (Schwefelsäure-cycl.-2,2-dimethyl-propan-1,3-diylester)[2]:

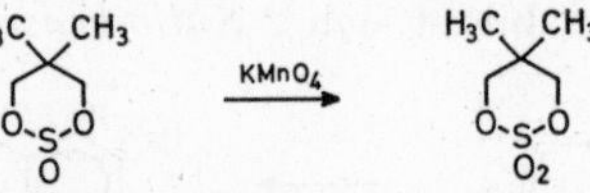

Man gibt langsam unter Rühren und Kühlen (0°) eine filtrierte Lösung von 9 g Calciumpermanganat in 9 *ml* Wasser zu einer Lösung des 5,5-Dimethyl-1,3,2-dioxathian-2-oxids (5 g) in 25 *ml* Eisessig. Die Temp. soll hierbei 15° nicht übersteigen. Das Ende der Reaktion ist an einer permanenten Rosafärbung der Lösung zu erkennen. Man schüttet dann in eine eiskalte Lösung von 50 g Natriumcarbonat in 100 *ml* Wasser, zerstört den Permanganat-Überschuß mit Natriummetabisulfit, extrahiert 6mal mit je 100 *ml* Äther, trocknet über Magnesiumsulfat und bringt zur Trockne; Ausbeute: 30% d.Th.; F: 79–80°.

Tab. 40: Cyclische Schwefelsäureester durch Oxidation entsprechender Schwefligsäureester

Cyclischer Schwefelsäureester	F [° C]	Ausbeute [% d.Th.]	Literatur
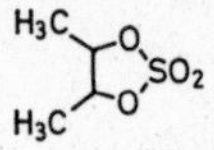 *Schwefelsäure-cycl.-butan-2,3-diylester*	48–49,5	54,3	3, 4
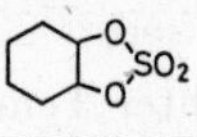 *Schwefelsäure-cycl.-cyclohexan-cis-1,2-diylester*	37	33	2,3,5
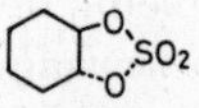 *Schwefelsäure-cycl.-cyclohexan-trans-1,2-diylester*	55	30	2,3
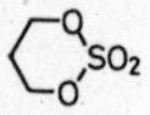 *Schwefelsäure-cycl.-propan-1,3-diylester*	61–62	33	2
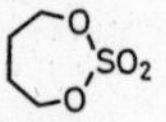 *Schwefelsäure-cycl.-butan-1,4-diylester*	44–45	56	3
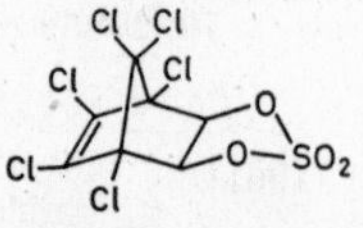 *Schwefelsäure-1,2,3,4,7,7-hexachlor-bicyclo[2.2.1]hepten-(2)-5,6-diylester*	–	46	6

[1] W. E. Truce u. J. F. Lyons, Am. Soc. **73**, 126 (1951).
[2] J. S. Brimacombe et al., Soc. **1960**, 201.
[3] J. Lichtenberger u. J. Hincky, Bl. **1961**, 1495.
[4] H. K. Garner u. H. J. Lucas, Am. Soc. **72**, 5497 (1950).
[5] A. B. Forster et al., Chem. Ind. **1956**, 1144.
[6] S. E. Forman, A. J. Durnetaki, M. V. Cohen u. R. A. Olofson, J. Org. Chem. **30**, 169 (1965).

6. Austausch von Schwefel- gegen Sauerstoff-Funktionen

Gelegentlich wird bei der Permanganat-Oxidation Mercapto- oder Thiono-Schwefel gegen Sauerstoff ausgetauscht:

$$R-SH \longrightarrow R-OH$$

$$\underset{/}{\overset{\backslash}{C}}=S \longrightarrow \underset{/}{\overset{\backslash}{C}}=O$$

Der Austausch erfolgt meist in alkalischem[1-4,5 vgl. 6, 7] oder organischem[8, 9] Medium bei leicht erhöhter Temperatur.

Mit Permanganat läßt sich der Mercapto-Schwefel in 2-Mercapto-4-oxo-3-aryl-3,4-dihydro-chinazolinen[3] ebenso durch Sauerstoff ersetzen wie in Mercapto-1,3,5-triazinen[1,10]:

Mit Permanganat-Überschuß erfolgt bei 1,3,5-Triazinen außerdem auch Abbau eventuell vorhandener ungesättigter Seitenketten. Man gewann so z. B. die *3,5-Dihydroxy-1,2,4-triazin-carbonsäure*[2].

Auch im Tris-[4-methyl-phenyl]-phosphinsulfid wird außer dem Austausch des Schwefels die Oxidation der drei Methyl-Gruppen beobachtet[8]. Allerdings ist trotz hohem Permanganat-Überschuß das Hauptprodukt das *Tris-[4-methyl-phenyl]-phosphinoxid*[8].

Die fragliche Thioketon-Gruppierung kann auch einem Ringsystem angehören[11-17]. Beim Trithiocarbonsäure-cycl.-cyclohexan-1,2-diylester führt die Oxidation mit Permanganat zu einem Austausch des Schwefels gegen Sauerstoff[18]. Abspaltung des gesamten Schwefels beobachtet man auch bei der Umsetzung von Methyl-4,6-O-benzyliden-α-D-glucopyranosid-2,3-sulfit[19].

Bei nachstehender Reaktion kann durch Wahl der Stöchiometrie erreicht werden, daß nur eines der Schwefel-Atome gegen Sauerstoff ausgetauscht wird[9]:

[1] Jap. P. 19267 (1958), Dainiton, Erf.: K. K. Seiyaku.

[2] J. Slpuka, J. pr. 4 16, 220 (1962).

[3] G. R. Dave, G. S. Mewwada u. G. C. Amin, Acta chim. Akad. Sci. hung. 34, 101 (1962); C. A. 59, 627 (1963).

[4] I. Tanasescu u. I. Denes, B. 90, 495 (1957).

[5] J. Brelivet u. J. Teste, Soc. 1972, 2289.

[6] A. Marei u. M. M. A. El Sukkary, UAR. J. Chem. 14, 101 (1971); C. A. 77, 126472 (1972).

[7] I. S. Ioffe, A. B. Tomčin u. E. A. Rusakov, Ž. obšč. Chim. 39, 2345 (1969); engl.: 2280.

[8] L. Maier, Helv. 47, 120 (1964).

[9] Y. Mollier, N. Lozach u. F. Terrier, Bl. 1963, 157.

[10] S. Watanabe u. T. Ueda, Chem. Pharm. Bull. (Japan) 11, 1551 (1963).

[11] L. Legrand u. N. Lozach, Bl. 1964, 1787.

[12] L. Legrand u. N. Lozach, Bl. 1967, 2067.

[13] J. Schoen, Roczniki Chem. 35, 967 (1961).

[14] L. Legrand, Bl. 1960, 337.

[15] C. Parkanyi, Collect. czech. chem. Commun. 26, 998 (1961).

[16] J. Wortmann, G. Kiel u. G. Gattow, Z. Naturf. 23b, 1546 (1968).

[17] M. Ebel, L. Legrand u. N. Lozach, Bl. 1963, 161.

[18] B. S. Shasha, W. M. Doane, C. R. Ruswell u. C. E. Rist, Nature 10, 89 (1966).

[19] J. S. Brimacombe et al., Soc. 1960, 201.

Beim Sulfonsäure-chlorid I findet mit Permanganat eine Austauschreaktion unter Bildung von *2-Oxo-7,7-dimethyl-1-carboxy-bicyclo[2.2.1]heptan statt*[1]:

$$\text{(Struktur I)} \quad \xrightarrow{MnO_4^{\ominus}} \quad \text{(Struktur)}$$

7. Spezielle Oxidationen

Bis-{4-chlor-4,7,7-trimethyl-bicyclo[4.1.0]heptyl-(3)}-disulfid wird bei der Oxidation mit Permanganat zu *3,3-Dimethyl-cyclopropan-cis-1,2-dicarbonsäure* abgebaut[2, s.a. 3]:

$$\text{(Struktur)} \quad \longrightarrow \quad \text{(Struktur)}$$

Eine dehydrierende Dimerisierung kann in alkalischer Lösung an der 2-Mercapto-hexansäure stattfinden[4]:

$$\underset{\underset{C_4H_9}{|}}{HOOC-CH-SH} \quad \longrightarrow \quad \underset{\underset{C_4H_9}{|} \quad \underset{C_4H_9}{|}}{HOOC-CH-S-S-CH-COOH}$$

Bis-[1-carboxy-pentyl]-disulfid

b) Oxidationen am Stickstoff

1. Dehydrierungen

Permanganat kann auf NH-Gruppen und deren Nachbaratome dehydrierend wirken; z. B.:

$$-NH-XH \quad \longrightarrow \quad -N=X-$$

Als Reaktionsprodukte können dabei u. a. **Diazene** und **Heteroaromaten** erhalten werden.

α) Dehydrierung in ringförmigen Molekülen

Als Lösungsmittel für die Dehydrierung dient fast immer Aceton; die Ausbeuten sind befriedigend bis sehr gut. Auf diesem Wege wurde z. B. eine Doppelbindung in Diaziridine eingeführt[5-7]:

$$\underset{HN-NH}{\overset{R^1 \quad R^2}{\diagdown/}} \quad \longrightarrow \quad \underset{N=N}{\overset{R^1 \quad R^2}{\diagdown/}}$$

3,3-Dialkyl-3H-diazirine

[1] P. D. Bartlett u. L. H. Knox, Org. Synth. **45**, 55 (1965).
[2] J. Krupovic u. E. Myslinski, Roczniki Chem. **36**, 1575 (1962).
[3] E. J. Corey u. H. J. Burke, Am. Soc. **78**, 174 (1956).
[4] Belg. P. 706048 (1966).
[5] S. R. Paulsen, Ang. Chem. **72**, 781 (1960).
[6] A. Jankowski u. S. R. Paulsen, Ang. Ch. **76**, 229 (1964).
[7] DAS. 1118787 (1960), Bergwerksverband GmbH., Erf.: S. Paulsen; C. A. **56**, 11597 (1962).

Aus 1,2-Dihydro-pyrimidinen entstehen bei der Permanganat-Oxidation Pyrimidine[1-4]; z. B.:

R = H; *4-Phenyl-pyrimidin*
R = C$_6$H$_5$; *4,6-Diphenyl-pyrimidin*

Bei der Dehydrierung von 2-Trichlormethyl-2,3-dihydro-⟨benzo-1,3-thiazol⟩ zu *2-Trichlormethyl-⟨benzo-1,3-thiazol⟩* mit einem Permanganat-Unterschuß und bei tiefen Temperaturen wird das Schwefel-Atom[5] nicht oxidiert.

Neben der Dehydrierung kann auch Abspaltung einer Gruppierung[6-10]

2-Phenyl-8-carboxy-chinolin

oder der Bruch eines ankondensierten Ringes[8, s. aber 11] erfolgen:

4-Methyl-3-(2-acetoxy-äthyl)-2-phenyl-chinolin

Tab. 41: Ungesättigte Ringverbindungen durch Permanganat-Oxidation
von Stickstoff-Heterocyclen

Ausgangsverbindung	Reaktions-bedingungen	Reaktionsprodukt	Ausbeute [% d. Th.]	F [° C]	Literatur
		1-Oxo-3-methyl-1,5,6,7-tetrahydro-⟨pyrrolo-[1,2-c]-pyrimidin⟩	47	100–102	12, 13

[1] V. P. MAMAEV u. E. A. GRACEVA, Chim. geterocikl. Soed. **1968**, 516; C. A. **72**, 121474 (1970).
[2] H. BREDERECK, R. GOMPPER u. H. HERLINGER, B. **91**, 2832 (1958).
[3] S. GRONOWITZ u. J. RÖE, Acta chem. scand. **19**, 1741 (1965).
[4] E. C. TAYLOR, K. L. PERLMAN, Y. H. KIM, J. P. SWORD u. P. A. JACOBI, Am. Soc. **95**, 6413 (1973).
[5] D. T. MANNING u. C. B. STROW, J. Org. Chem. **32**, 2731 (1967).
[6] L. S. POVAROV, V. I. GRIGOS u. B. M. MIKHAILOV, Izv. Akad. SSSR **1966**, 144; C.A. **64**, 12638 (1966).
[7] L. S. POVAROV, Izv. Akad. SSSR **1966**, 337.
[8] L. S. POVAROV, V. I. GRIGOS, I. P. JAKOVLEV u. B. M. MIKHAILOV, Izv. Akad. SSSR **1966**, 146; C. A. **64**, 15835 (1966).
[9] V. I. GRIGOS, L. S. POVAROV u. B. M. MIKHAILOV, Izv. Akad. SSSR. **1965**, 2163; C. A. **64**, 9680 (1966).
[10] U. HABERMAK u. F. KRÖHNKE, B. **106**, 1549 (1973).
[11] S. C. BELL, P. H. L. WEI u. S. J. CHILDRESS, J. Org. Chem. **29**, 3206 (1964).
[12] W. SCHUETT u. H. RAPOPORT, Am. Soc. **84**, 2266 (1962).
[13] C. BODEA, T. PANEA u. V. FÁRCÁSAN, Rev. Roum. Chim. **15**, 1923 (1970).

Tab. 41 (1. Fortsetzung)

Ausgangsverbindung	Reaktions-bedingungen	Reaktionsprodukt	Ausbeute [% d.Th.]	F [° C]	Literatur
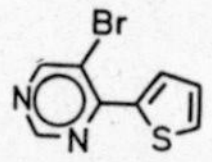 *(Struktur: 4-Brom-pyrimidin mit Thienyl)*	Aceton.	5-Brom-4-thienyl-(2)-pyrimidin	41	208–210	1
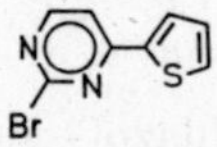 *(Struktur: 2-Brom-pyrimidin mit Thienyl)*		2-Brom-4-thienyl-(2)-pyrimidin	74	122–125	1
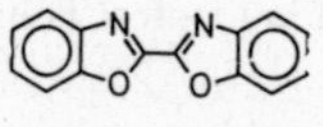 *(Struktur: Bi-benzoxazolyl)*	Aceton	Bi-[benzo-1,3-oxazolyl-(2)]			2
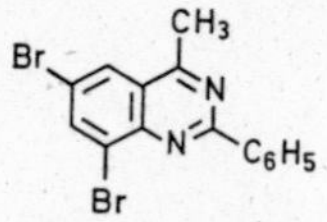 *(Struktur: 6,8-Dibrom-4-methyl-2-phenyl-chinazolin)*	CHCl₃	6,8-Dibrom-4-methyl-2-phenyl-chinazol-N-oxid	82	154–155	3
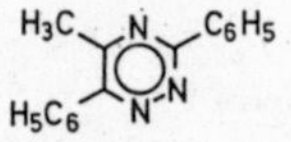 *(Struktur: Triazin)*	Aceton, siedend	5-Methyl-3,6-diphenyl-1,2,4-triazin-1-oxid	73	123–124	4
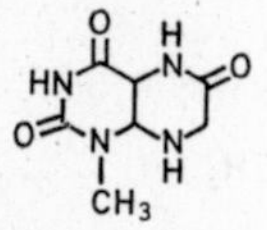 *(Struktur: Pteridin)*	NaOH	1-Methyl-2,4,6-trioxo-hexahydropteridin	40	335–338 (Zers.)	5

β) Dehydrierende Cyclisierung

Bei geeignetem Bau des Moleküls kann dessen Oxidation mit Permanganat zu einem Ringschluß führen[6–10]; so erhält man z. B.:

5-Oxo-1-phenyl-2-(4-hydroxy-2-carboxy-phenyl)-4-acetyl-tetrahydro-1,2,3-triazin[6]   50% d.Th.
6-Aryl-⟨benzimidazo-[1,2-c]-chinazoline⟩[7]
5-Phenyl-2-tetrazolyl-(5)-tetrazol[11]   70% d.Th.

γ) Dehydrierende Dimerisierung

Die Dehydrierung kann statt innerhalb eines Moleküls auch zwischen zwei Molekülen der gleichen Spezies erfolgen, so daß nach dem allgemeinen Schema

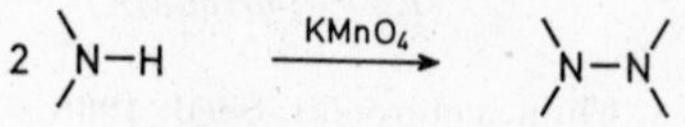

$$2 \quad \diagdown\!\!N\!\!-\!\!H \quad \xrightarrow{KMnO_4} \quad \diagdown\!\!N\!\!-\!\!N\!\!\diagup$$

[1] S. GRONOWITZ u. J. RÖE, Acta Chem. scand. 19, 1741 (1965).
[2] I. MURASE, Bl. chem. Soc. Japan 32, 827 (1959).
[3] A. KÖVENDI u. M. KIRCZ, B. 98, 1049 (1965).
[4] C. M. ATKINSON u. H. D. COSSEY, Soc. 1962, 1805.
[5] W. PFLEIDERER, B. 90, 2604 (1957).
[6] J. POSKICIL u. Z. J. ALLAN, Chem. Listy 50, 111 (1956).
[7] M. DAVIS u. F. G. MANN, Soc. 1962, 945.
[8] DDR P. 51315 (1964), H. GOLDNER, G. DIETZ u. E. CARSTENS; C. A. 66, 95093 (1967).
[9] Schweiz. P. 398596 (1961), I. R. Geigy AG., Basel; Erf.: W. GRAF, E. SCHMID u. W. STOLL; C. A. 65, 2227 (1966).
[10] R. KREHER u. H. WISSMANN, B. 106, 3097 (1973).
[11] V. A. GRAKAUSKAS, A. J. TOMASEWSKI u. J. P. HORWITZ, Am. Soc. 80, 3155 (1958).

eine Dimerisierung stattfindet. Derartige Dimerisierungen sind mit primären und sekundären Aminen und mit N,N-Dialkyl-hydrazinen durchgeführt worden:

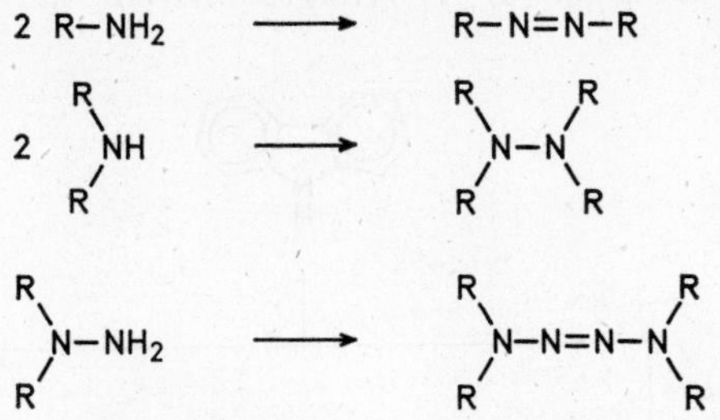

$$2 \; R-NH_2 \longrightarrow R-N=N-R$$

Die bei der dehydrierenden Dimerisierung sekundärer Amine entstandenen **symmetrischen Hydrazine** können, da die Stickstoff-Atome wasserstoffrei sind, nicht weiter dehydriert werden. Eine zusätzliche Dimerisierung kann dagegen bei unsymmetrischen Hydrazinen zu **Tetrazenen** eintreten.

γ_1) **Dimerisierung von Verbindungen mit primären Amino-Gruppen**

Durch schonende Oxidation von Halogen-anilinen kann deren dehydrierende Dimerisierung zum **Dihalogen-azobenzol** bewirkt werden[1-3]:

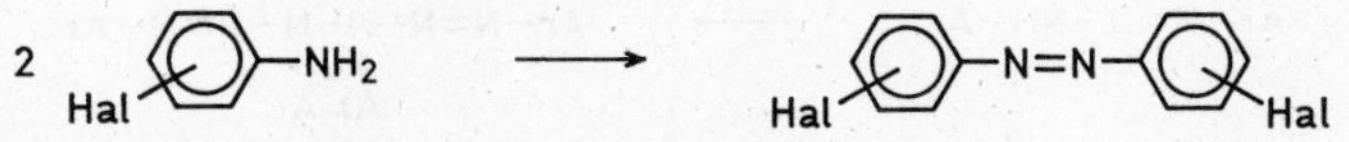

Außer Permanganat sind für diese Reaktion auch eine Reihe anderer Oxidationsmittel, z. B. Blei(IV)-acetat, Natriumhypochlorit u. a., eingesetzt worden[1].

Ebenso läßt sich 9-Amino-acridin zum (violetten) *9-Azo-acridin* oxidieren[4] und aus 2-Amino-5,5-dimethyl-4,5-dihydro-pyrrol-N-oxid wird *Bis-[1-oxo-5,5-dimethyl-4,5-dihydropyrryl-(2)]-diazen*[5] erhalten.

γ_2) **Dimerisierung von Verbindungen mit sekundären Amino-Gruppen**

Während primäre Amine zur Azo-Verbindung dimerisiert werden, entstehen aus sekundären Aminen symmetrische Hydrazine[6, 7]:

Diphenylamin z. B. bildet *Tetraphenyl-hydrazin*, das jedoch in schwefelsaurer Lösung bei erhöhter Temperatur zerfällt:

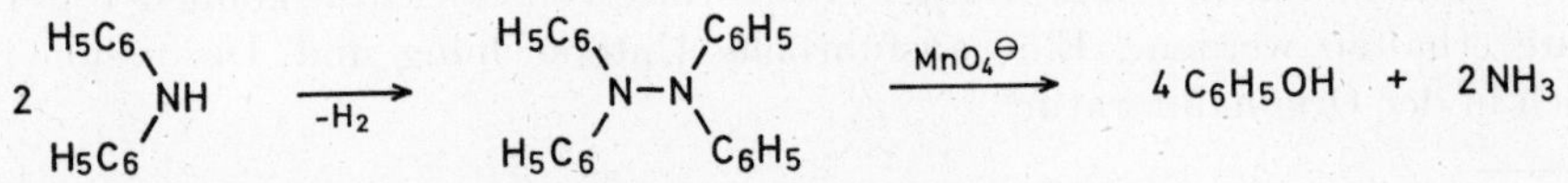

$$4 \; C_6H_5OH + 2 \; NH_3$$

[1] M. REDAYATULIAH, C. OLLE u. L. DENIVELLE, C. r. **264**, 106 (1967).
[2] M. HEDAYATULLAH u. L. DENIVELLE, Bl. **1969**, 4168.
[3] J. RIGANDI, J. BARCELLO u. M. RABAUD, Bl. **1969**, 3538.
[4] G. CAUQUIS u. G. FAUVELOT, Bl. **1964**, 2014.
[5] A. R. FORRESTER u. R. H. THOMSON, Soc. **1965**, 1224.
[6] T. P. FILIPSKIKH, A. F. POZLAVSKII u. E. A. ZVERCHINA, Chim. geteroc. Soed. **1972**, 238.
[7] V. DAVE, Canad. J. Chem. **50**, 3397 (1972).

Bei der Oxidation von Carbazol hängt die Struktur des gebildeten Produkts von den Reaktionsbedingungen ab: Während in essigsaurer Lösung die Dimerisierung durch Dehydrierung des C-3 zu *Bi-carbazolyl-(3)* (I) erfolgt, entsteht in Aceton das *Bi-carbazolyl-(9)* (II) [1]:

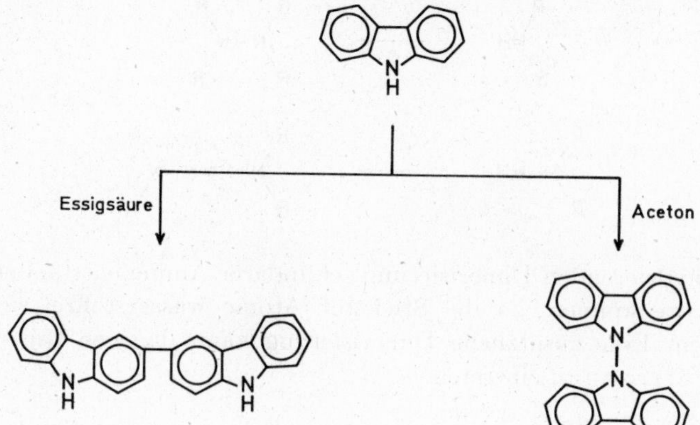

1,3-Diaryl-triazene werden zu 1,3,4,6-Tetraaryl-hexazadien-(1,5) dimerisiert[2]:

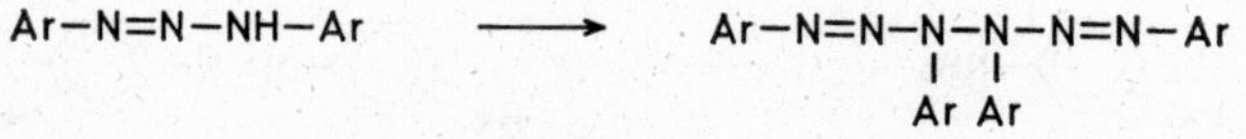

$$Ar-N=N-NH-Ar \longrightarrow Ar-N=N-N-N-N=N-Ar$$
$$\begin{array}{cc} & Ar\ Ar \end{array}$$

Die oxidative Dimerisierung sekundärer Amine wurde auch an Naphthylaminen durchgeführt; z. B.[3]:

| 2-Amino-naphthalin | → | *Tetranaphthyl-(2)-hydrazin* | 65% d.Th. |
| 2-Anilino-naphthalin | → | *1,2-Diphenyl-1,2-dinaphthyl-(2)-hydrazin* | 10% d.Th. |

Gelegentlich wird eine Dimerisierung unter Knüpfung einer C–N-Bindung beobachtet[4,5].

γ_3) Dimerisierung von substituierten Hydrazinen

1,4-Dibenzyl-1,4-diacetyl-tetrazen entsteht bei der oxidativen Dimerisierung von N-Benzyl-N-acetyl-hydrazin in Aceton bei 0° [6,7]:

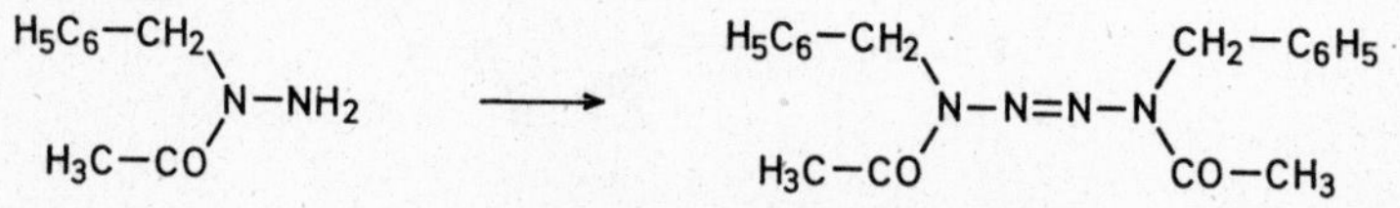

Die Permanganat-Oxidation unsymmetrisch substituierter Hydrazine führt nicht in jedem Fall zum Tetrazen, sondern unter Abspaltung von Stickstoff können 1,2-Diaryläthylene erhalten werden.[8] Eine ausführliche Untersuchung und Diskussion hierüber findet sich in der Originalliteratur[8].

[1] M. KUROKI, J. Soc. org. synth. Chem. Japan 23, 447 (1965).
[2] W. THEILACKER u. E. C. FINTELMANN, B. 91, 1597 (1958).
[3] E. LIEBER u. S. SOMASEKHARA, J. Org. Chem. 24, 1775 (1959).
[4] H. MUSSO, B. 92, 2862 (1959).
[5] G.-A. HOLMBERG, Acta chem. scand. 4, 821 (1950).
[6] K. RONCO u. H. ERLENMEYER, Helv. 39, 1045 (1956).
[7] S. S. RAWALAY, Dissertation Abstr. 24, 83 (1963).
[8] R. L. HINMAN u. K. L. HAMM, Am. Soc. 81, 32994 (1959).

Bis-[2,6-dimethyl-2,6-dicyan-piperidino]-diazen entsteht bei der Oxidation von 1-Amino-2,6-dimethyl-2,6-dicyan-piperidin[1]:

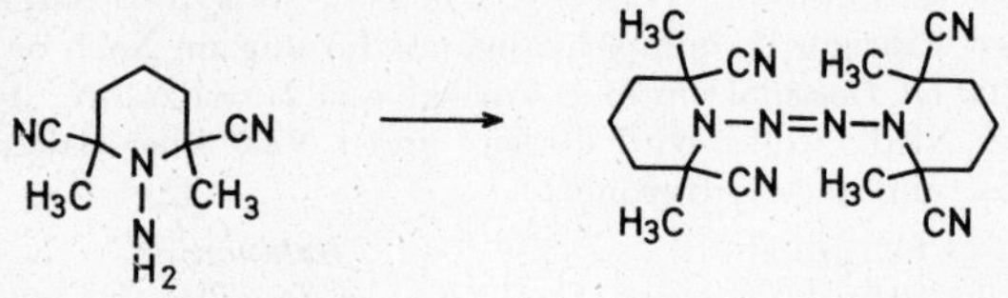

2. Oxidation von Hydroxylaminen zu Nitroso-Verbindungen

Oxidiert man Hydroxylamine in schwefelsaurer Lösung, so entstehen **Nitroso-Verbindungen**. Um deren Weiteroxidation zu vermeiden, wird mit Permanganat-Unterschuß oxidiert[2, 3 s. a. 4].

3. Oxidation von Aminen zu Nitro-Verbindungen

Eine allgemeinen Methode zur Herstellung **tert. Nitro-alkane** ist die Oxidation der korrespondierenden Trialkylmethyl-amine, die einfach durchzuführen ist und meist hohe Ausbeuten ergibt:

Man führt die Reaktion mit einem Permanganat-Überschuß bei $\sim 20°$ durch; als Lösungsmittel dient Aceton/Wasser[5-7]. Diese Reaktion wurde ausführlich in ds. Handb., Bd. X/1, S. 104ff. besprochen.

Da die Oxidation von Aminen zu Nitro-Verbindungen die Stufe der **Nitroso-Verbindungen** durchläuft, kann man auch durch deren Oxidation zu Nitro-Verbindungen gelangen, beispielsweise zu *3-Nitro-7-amino-⟨pyrazolo-[1,5-a]-pyrimidin⟩*[8].

4. Ersatz der Stickstoff-Funktion durch Sauerstoff

Bei der Permanganat-Oxidation kann ein Austausch von Nitro-Gruppen gegen die Oxo-Funktion erfolgen[9-11]. Die dabei erhaltenen Ketone oder Aldehyde werden in guten Ausbeuten isoliert; z. B.:

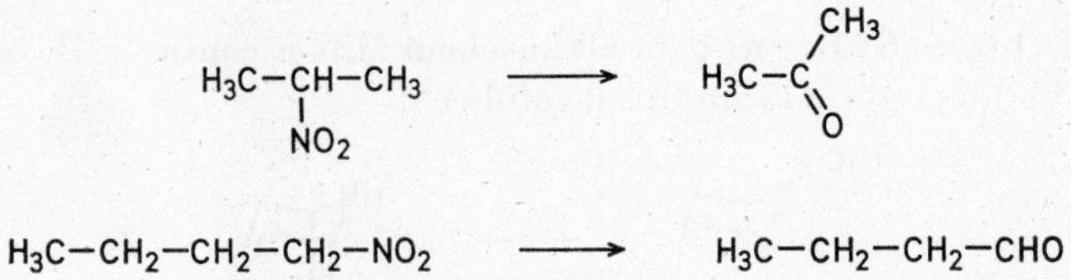

Bei geeigneter Wahl der Stöchiometrie wird der Aldehyd gleich zur Carbonsäure weiteroxidiert[9].

---

[1] C. G. OVERBERGER u. B. S. MARKS, Am. Soc. **77**, 4097, 4104 (1955).
[2] F. PARISI, P. BOVINA u. A. QUILICO, G. **92**, 1138 (1962).
[3] Fr. P. 1123977 (1954), Synthese-Chemie GmbH.
[4] J. OKAMURA u. R. SAKURAI, Chem. High Polymers **9**, 279 (1952).
[5] N. KORNBLUM, R. J. CLUTTER u. W. J. JONES, Am. Soc. **78**, 4003 (1956).
[6] N. KORNBLUM u. W. J. JONES, Org. Synth. **43**, 87 (1963).
[7] N. KORNBLUM u. R. J. CLUTTER, Am. Soc. **76**, 4494 (1954).
[8] Jap. P.-Anm. 11752/67 (1964).
[9] H. SHECHTER u. F. T. WILLIAMS, J. Org. Chem. **27**, 3699 (1962).
[10] F. ASINGER, G. GEISELER u. M. HOPPE, B. **90**, 114 (1957).
[11] F. FREEMAN u. D. K. LIN, J. Org. Chem. **36**, 1335 (1971).

Oxidation von Nitro-Verbindungen mit Kaliumpermanganat; allgemeine Arbeitsvorschrift[1]: Man löst 0,001–0,006 Mol der Nitroverbindung in 100–180 *ml* 0,1n Kalilauge, gibt 15–25 *ml* wäßrige Magnesiumsulfat-Lösung (2m) zu und verdünnt mit Wasser auf 500 *ml*. Man rührt dann, kühlt auf 0–5° und gibt tropfenweise die ber. Menge wäßriger Kaliumpermanganat-Lösung zu. Nach beendeter Zugabe destilliert man mit Wasserdampf (100 *ml* Destillat) in eine Vorlage aus 2n Salzsäure, die mit 2,4-Dinitrophenylhydrazin gesättigt ist. Der Niederschlag wird filtriert und i. Vak. über Calciumchlorid getrocknet. So erhält man z. B. (nach Spaltung der Hydrozone):

Butanal	89% d.Th.	*Butanon*	94% d.Th.
Formyl-cyclobutan	91% d.Th.	*3-Oxo-2-methyl-butan*	94% d.Th.
Benzaldehyd	90% d.Th.	*Dicyclopropyl-keton*	81% d.Th.

Bei der Oxidation von 2,2,2-Trifluor-1-nitro-äthan mit wäßrigem Permanganat bei 0° entsteht neben dem *Trifluoracetaldehyd* (36% d.Th.) *Trifluoracetanhydrid* (23% d.Th.)[2]:

$$F_3C-CH_2-NO_2 \longrightarrow F_3C-CHO + F_3C-CO-O-CO-CF_3$$

Neben der oxidativen Abspaltung des Stickstoffs kann auch Oxidation einer Hydroxy-Gruppe eintreten[3, s. a. 4].

Auch primäre, sekundäre und tertiäre Amine werden mit gepufferter Permanganat-Lösung in wäßrigem Butanol zu Oxo-Verbindungen abgebaut. Hierbei können in sekundären und tertiären Aminen zwei oder drei Alkyl-Reste eliminiert werden[5, s. a. 6].

Butanal-2,4-dinitro-phenylhydrazon[5]: Zu einer Lösung von 1,8 g Kaliumpermanganat und 1,75 g Zinksulfat-Heptahydrat in 65 *ml* einer Mischung Wasser/tert. Butanol (8:5) gibt man unter Rühren bei 65° in einem Guß 1,0 g Butylamin und destilliert dann rasch in eine schwefelsaure Lösung von 2,4-Dinitrophenylhydrazin. Das 2,4-Dinitro-phenylhydrazon wird filtriert und getrocknet; Ausbeute: 1,6 g (46% d.Th.); F: 122–123.

Beim Einsatz von Dibutylamin[5] erhält man 50% d.Th. desselben Hydrazons.

Auf ähnliche Weise erhält man aus[5, s. a. 6]:

Butyl-(2)-amin	→	*Butanon*	91% d.Th.
Dibutyl-(2)-amin	→	*Butanon*	96% d.Th.
Heptyl-(2)-amin	→	*Heptanon-(2)*	79% d.Th.
Cyclobutylamin	→	*Cyclobutanon*	71% d.Th.
4-Methoxy-benzylamin	→	*4-Methoxy-benzaldehyd*	70% d.Th.

In saurer Lösung können Oxime ihren Stickstoff gegen Sauerstoff (z. B. *zu Cycloalkanonen*) austauschen[7].

5. Spezielle Reaktionen am Stickstoff

α) Abspaltungsreaktionen

Eine oxidative Demethylierung in alkalischem Milieu wurde z. B. beim 7β- oder 7α-Hydroxy-9-methyl-3-oxa-granatanin durchgeführt[8]:

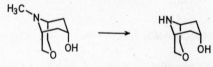

7β- bzw. 7α-Hydroxy-3-oxa-granatanin
(7-Hydroxy-3-oxa-9-aza-bicyclo[3.3.1]nonan)
90 bzw. 100% d. Th.

[1] H. SHECHTER u. F. T. WILLIAMS, J. Org. Chem. **27** 6399 (1962).
[2] I. L. KNUNJANTZ, L. S. GERMAN u. I. N. ROZHKOV, Izv. Akad. SSSR **1966**, 2111; C. A. **65**, 12087 (1966).
[3] V. V. PEREKALIN, A. K. PETRYAEVA, M. M. ZOBACHEVA u. E. L. METELKINA, Doklady Akad. SSSR **1966**, 1129; C. A. **64**, 15734 (1966).
[4] H. ELKHADERN u. M. M. MOHAMMED-ALY, Soc. **1963**, 4929.
[5] S. S. RAWALAY u. H. SHECHTER, J. Org. Chem. **32**, 3129 (1967).
  s. a. H. SHETCHER u. S. S. RAWALAY, Am. Soc. **86**, 1706 (1964).
[6] THEILHEIMER **1969**, 105.
[7] DAS. 1078570 (1959), BASF, Erf.: O. VON SCHICKH; C. A. **55**, 25808 (1961).
[8] C. L. ZIRKLE, F. R. GERNS, A. M. PAVOLFF u. A. BURGER, J. Org. Chem. **26**, 395 (1961).

Die Entmethylierungen spielen in der Alkaloid-Chemie eine große Rolle; z. B. zur Herstellung von

Nor-(–)-cocain [1]	23 % d. Th.
Nor-(+)-pseudococain [1]	51 % d. Th.
o-Benzoyl-nor-(+)-pseudoekgonin-propylester [1]	56 % d. Th.

Bei der Oxidation von Phosphorsäure-tris-[dimethylamid] mit wäßriger Permanganat-Lösung unterschiedlicher Konzentration findet ebenfalls die Abspaltung einer Methyl-Gruppe statt; daneben entstehen unter Erhaltung der N–C-Bindung Formyl-Verbindungen [2]:

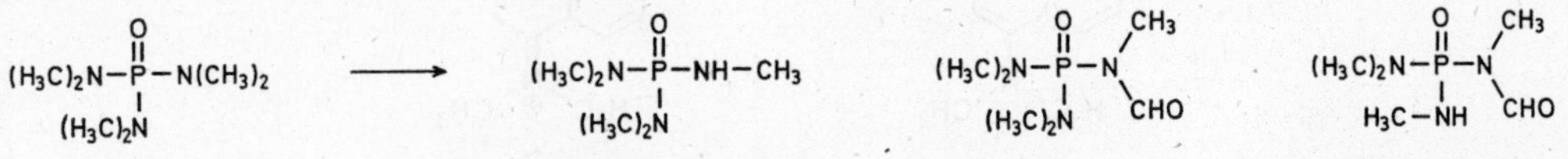

Phosphorsäure-methylamid-bis-[dimethylamid]
0–27 %

Phosphorsäure-bis-[dimethylamid]-(methyl-formyl-amid)
15–67 %

Phosphorsäure-methylamid-dimethylamid-(methyl-formyl-amid)
0–78 %

In Analogie hierzu erfolgt auch bei der Oxidation von Hexamethyl-melamin eine Demethylierung [3].

Spaltet die tertiäre N–C-Bindung im 2,6,10,13-Tetraaza-tricyclo[7.3.1.0^{5,13}]tridecan auf, so entsteht das *2,6,10-Trioxo-1,5,9-triaza-cyclododecan* [4] (11 % d. Th.):

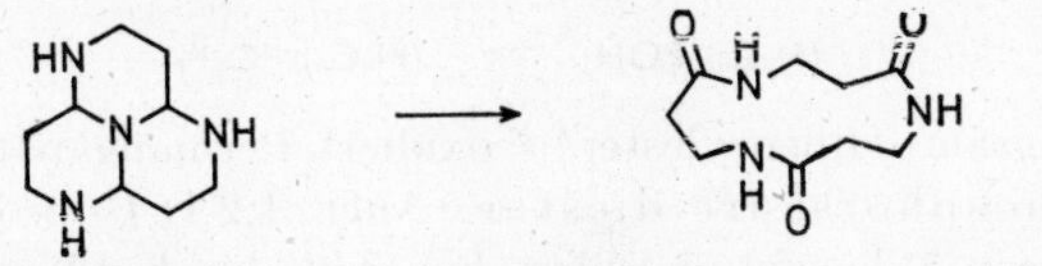

Behandelt man 2-Methyl-3-dimethylaminomethyl-benzophenon mit Kaliumpermanganat in alkalischer Lösung, so findet neben der Abspaltung des Stickstoffs eine Oxidation der Methyl-Gruppe statt und man erhält das *2,3-Dicarboxy-benzophenon* [5, s. a. 6]:

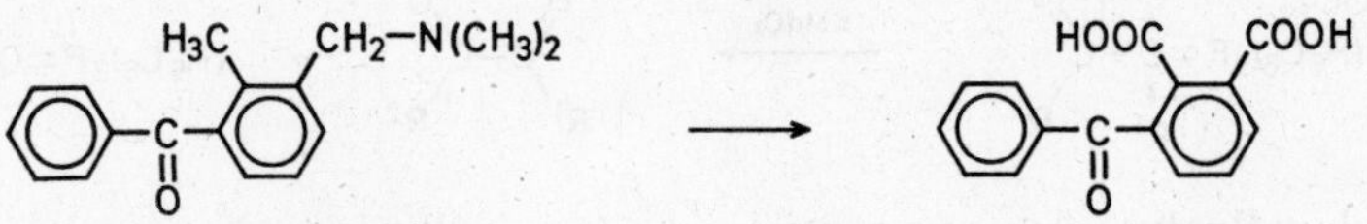

Auch aus den isomeren Hydrazino-chinolinen kann der Stickstoff (hier die Hydrazino-Gruppe) mit Permanganat abgespalten werden [7]. Bei der oxidativen Spaltung von Nitraten in schwach alkalischem Milieu bei erhöhter Temperatur kann der Stickstoff ebenfalls abgespalten werden [8]; hierbei kann das Keton entstehen.

---

[1] G. Werner, R. Hackel, N. Mohammed, N. Seiler u. K. Störr, A. **708**, 210 (1967).
[2] P. H. Terry u. A. B. Borkovec, J. Med. Chem. **11**, 958 (1968).
[3] A. B. deMilo u. A. B. Borkovec, J. Med. Chem. **11**, 961 (1968).
[4] J. L. vanWinkle, J. D. McClure u. P. H. Williams, J. Org. Chem. **31**, 3300 (1966).
[5] K. P. Klein, R. L. Vaulx u. C. R. Hauser, Am. Soc. 88, 5802 (1966).
[6] W. I. Awad, S. Omran u. M. Sobhy, UAR J. Chem. **10**, 1 (1967); C. A. **68**, 114476 (1968).
[7] A. Albert u. G. Catterall, Soc. **1967**, 1533.
[8] L. L. Sergeeva, N. N. Sorygina u. B. V. Lopatin, Izv. Akad. SSSR **1962**, 1295; C. A. **58**, 5552 (1963).

β) Bildung von Salzen

In einigen Fällen führt die Permanganat-Oxidation tert. Amine zu den farbigen Chinon-diimin-Salzen[1,2]; z. B.:

4,4'-Bis-[dimethyliminio]-bi-naphthyliden-(1,1')

c) Oxidationen an anderen Fremdelementen

1. Phosphor

Dreibindiger Phosphor kann mit Permanganat in die höhere Oxidationsstufe gebracht werden, wie im Falle der Trialkylphosphine, die in die entsprechenden Phosphinoxide übergehen[3].

Angesäuerte Permanganat-Lösung führt Diphenylphosphinoxid in *Diphenyl-phosphin-säure* über[4]:

$$(H_5C_6)_2POH \rightarrow (H_5C_6)_2PO_2H$$

Wie den Phosphorigsäure-dibenzylester[5-8] oxidiert Permanganat allgemein Phosphorig-säure-diester zu Phosphorsäure-diester. Auch 1,2-O-Isopropylidenglyceryl-benzyl-phosphat und Adenosin-5'-benzyl-phosphat konnten durch Permanganat-Oxidation der entsprechenden Phosphite hergestellt werden[7].

Die Phosphor-Abspaltung durch Permanganat ist bekannt[9]. Dabei wird aus Alkylphos-phoranen unter Abspaltung des Phosphors als Phosphinoxid ein 1,2-Diketon gebildet[9]. Diese Reaktion ist allgemeiner Anwendung fähig:

Näheres über den Reaktionsmechanismus siehe Originalliteratur[8].

2. Arsen

Die Oxidation des Arsen-Atoms kann z. B. als unerwünschte Begleitreaktion auftreten, wenn Methyl- oder Methylen-Gruppen in Arsen-haltigen Verbindungen mit Permanganat

[1] M. MATRKA, Z. SAGNER, F. NAVRATIL u. V. STERBA, Chem. Prumysl. 12, 178 (1962); C. A. 58, 3366 (1963).
[2] Jap. P.-Anm. 20574 (1960), Takedo Chem. Ind. Ltd.
[3] K. ISSLEIB u. A. BRACK, Z. anorg. Ch. 277, 258 (1954); Herstellung von *Tricyclohexyl-phosphinoxid*.
[4] B. B. HUNT u. B. C. SAUNDERS, Soc. 1957, 2413.
[5] K. ISSLEIB u. A. BRACK, Z. anorg. Ch. 277, 258 (1954).
[6] A. ZWIERZACK, Roczniki Chem. 39, 1411 (1965).
[7] D. M. BROWN u. P. H. HAMMOND, Soc. 1960, 4229.
[8] K. DIMROTH u. R. FLOCH, B. 90, 801 (1957).
[9] E. ZBIRAL u. M. RASBERGER, Tetrahedron 24, 2419 (1968).

oxidiert werden sollen. Legt man Wert auf die Isolierung des Arsins, so kann die Oxidation des Arsens mit Schwefeldioxid wieder rückgängig gemacht werden[1,2]; z. B.:

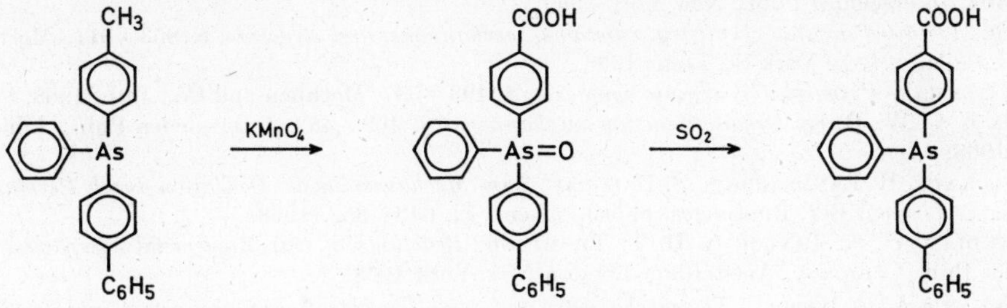

*Phenyl-(4-carboxy-phenyl)-
biphenylyl-(4)-arsinoxid*

*Phenyl-(4-carboxy-phenyl)-
biphenylyl-(4)-arsin*

3. Oxidation sonstiger Atome

Oxidiert man die Methyl-Gruppe in der (3-Methyl-phenyl)-seleninsäure vorsichtig mit Permanganat, so wird *3-Carboxy-benzolselenonsäure* (100% d.Th.) gebildet, die ohne Isolierung mit Zinn/Salzsäure zum *Bis-[3-carboxy-phenyl]-diselen* reduziert werden kann[3-5]:

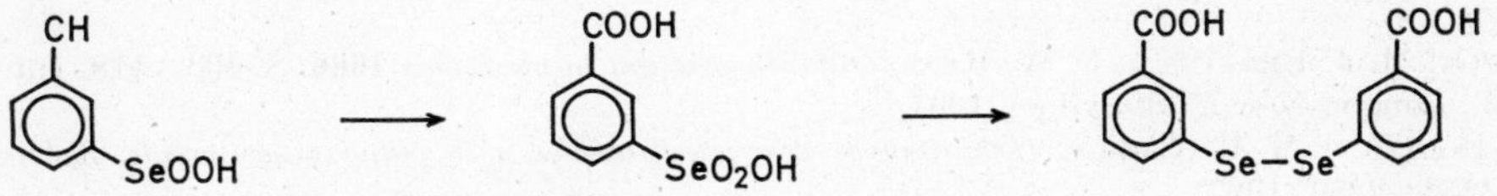

Vereinzelt sind auch Bor-[6,7] und Blei-Verbindungen[8] mit Permanganat oxidiert worden. Im Hexaphenyl-blei beispielsweise bewirkt Kaliumpermanganat (in Aceton bei ~20°) einen Bruch der Pb–Pb Bindung durch nucleophilen Angriff des Permanganat-Anions auf diese Bindung. Es entsteht in hohe Ausbeute das *Bis-[triphenyl-blei]-oxid*[8]:

$$(H_5C_6)_3Pb-Pb(C_6H_5)_3 \rightarrow (H_5C_6)_3Pb-O-Pb(C_6H_5)_3$$

Über die Oxidation von Jodid- zu Jodit-Ionen siehe Originalliteratur[9].

E. Bibliographie
Oxidation mit Mangan(IV)-oxid

Synthetica Merck, Reagenzien für die Organische Synthese, Bd. 1, S. 290—294, E. Merck AG., Darmstadt 1969; Mangan(IV)-oxid.

Organikum, S. 377—414, VEB Deutscher Verlag der Wissenschaften, Berlin 1969.

M. FIESER u. L. FIESER, *Reagents for organic synthesis*, S. 257—263, 264, 348, Wiley-Interscience, New York 1969.

R. L. AUGUSTINE, *Oxidation, techniques and applications in organic synthesis*, Bd. 1, S. 1—118, Marcel Dekker, Inc., New York 1969.

P. NYLEN u. N. WIGREN, *Einführung in die Stöchiometrie*, S. 9—27. Dr. Dietrich Steinkopf Verlag, Darmstadt 1969.

O. METH-COHN u. H. SUSCHITZKY, Chem. & Ind. **1969**, 443.

[1] E. R. H. JONES u. F. G. MANN, Soc. **1958**, 294.
[2] K. MISLOW, A. ZIMMERMANN u. J. T. MELILLO, Am. Soc. **85**, 594 (1963).
[3] A. FREDJA u. C. EVERZSDOTTER, Acta chem. scand. **13**, 1042 (1959).
[4] V. V. MOZLOV u. V. M. PRONJAKOVA, Ž. org. Chim. **1**, 493 (1965).
[5] E. REBANE, Acta chem. scand. **21**, 657 (1967).
[6] L. I. ZAKHARKHIN et al., Doklady Akad. SSSR **155**, 1119 (1964); C. A. **61**, 3131 (1964).
[7] L. I. ZAKHARKHIN u. A. V. KAZANCEV, Izv. Akad. SSSR **1967**, 1840; C. A. **68**, 29741 (1968).
[8] L. V. WILLEMSENS u. G. VAN DER KERK, J. Organometal. Chem. **15**, 117 (1968).
[9] Y. K. GUPTA u. A. P. BHARGAVA, Bl. chem. Soc. Japan **38**, 12 (1965).

I. M. GOLDMAN, *Observation of a large isotope effect in the manganese dioxide oxidation of benzyl alcohol*, J. Org. Chem. **34**, 3289—3295 (1969).

H. FEUER u. J. H. BOYER, *The chemistry of the nitro and nitroso groups*, Tl. 1, S. 238—243, 264, 310, 398—404, Interscience Publ., New York 1969.

J. MARCH, *Advanced organic chemistry, reactions, mechanisms, and structure*, S. 853—911, McGraw-Hill Book Company, New York-St. Louis 1968.

R. O. C. NORMAN, *Principles of organic synthesis*, S. 498—537, Methuen and Co., Ltd., 1968.

B. CAPON u. C. W. REES, *Organic reaction mechanisms*, S. 469—482, Interscience Publ., London-New York 1968.

K. H. HECKNER, R. LANDSBERG u. S. DALCHAU, *Zum Mechanismus der Oxidation durch Permanganat in alkalischer Lösung*, Ber. Bunsenges. physik. Chem. **72**, 649—652 (1968).

J. P. CANDLIN, U. A. TAYLOR u. D. T. THOMPSON, *Reactions of transition-metal complexes*, S. 176f., Elsevier Publ. Company, Amsterdam-London-New York 1968.

T. A. ZORDAN u. L. G. HEPLER, *Thermochemistry and oxidation potentials of manganese and its compounds*, Chem. Rev. **68**, 737—745 (1968).

I. BHATNAGAR u. M. V. GEORGE, *Oxidation with metal oxides: Oxidation of diamines and hydrazines with manganese dioxide*, J. Org. Chem. **33**, 2407—2411 (1968).

E. J. COREY, N. W. GILMAN u. B. E. GANEM, *New methods for the oxidation of aldehydes to carboxylic acids and esters*, Am. Soc. **90**, 5616—5617 (1968).

O. METH-COHN, H. SUSCHITZKY u. M. E. SUTTON, *Oxidative cyclisations of o-substituted aniline and benzoic acids with manganese dioxide*, Soc. [C] **1968**, 1722—1726.

L. F. FIESER u. M. FIESER, *Reagents for organic synthesis*, S. 636—643, 942—952, John Wiley and Sons, Inc., New York 1967.

J. O. HAY, KIRK-OTHMER, *Manganese compounds*, Encyclopedia of chemical technology, Bd. 13, S. 1—55 (1967).

B. CAPON, M. J. PERKINS u. C. W. REES, *Organic reaction mechanisms* **1966**, S. 400—418, Interscience Publ., London-New York-Sydney 1967.

I. BHATNAGAR, u. M. V. GEORGE, *Oxidation of phenylhydrazones with manganese dioxide*, J. Org. Chem. **32**, 2252—2256 (1967).

M. BARRELLE u. R. GLENAT, *Synthese et spectrographie IR et UV de cétones α-acétyléniques vraies*, Bd. **1967**, 453—458.

W. F. PICKERING, *Heterogenous oxidation reactions*, Rev. Pure Appl. Chem. **16**, 185—208 (1966).

S. P. KORSHUNOV u. L. I. VERESHCHAGIN, Russian Chem. Reviews **35**, 942 (1966).

E. P. PAPADOPOULOS, A. JARRAR u. C. H. ISSIDORIDES, *Oxidations with manganese dioxide*, J. Org. Chem. **31**, 615—616 (1966).

T. J. WALLACE, J. Org. Chem. **31**, 1217—1221 (1966).

E. MCNELIS, *The oxidative coupling reactions of 2,6-xylenol with activated manganese dioxide*, J. Org. Chem. **31**, 1255—1259 (1966).

H. B. HUGHES u. H. SUSCHITZKY, *Synthese of heterocyclic compounds*, Soc. **1965**, 875—877.

K. B. WIBERG, *Oxidation in organic Chemistry*, Bd. V, Tl. A, S. 2—68, 186—214, Academic Press, New York-London 1965.

B. CAPON, M. J. PERKINS u. C. W. REES, *Organic reaction mechanism* **1965**, S. 301—313, Interscience Publ., London-New York-Sydney 1966.

R. BRESLOW, *Organic reaction mechanisms*, S. 189—199, W. A. Benjamin, Inc., New York-Amsterdam 1965.

C. R. NOLLER, *Chemistry of organic compounds*, S. 174—176, W. B. Saunders Company, Philadelphia-London 1965.

H. O. HOUSE, *Modern synthetic reactions*, S. 78—104, W. A. Benjamin, Inc., New York-Amsterdam 1965.

E. v. RUDLOFF, *Permanganate-periodate oxidation*, Canad. J. Chem. **43**, 1784—1791 (1965).

T. A. TURNEY, *Oxidation mechanisms*, S. 1—35, 46—49, 56, 90—91, 109—122, 190—193, London Butterworths 1965.

R. STEWART, *Oxidation mechanisms, application to organic chemistry*, S. 1—32, 35—38, 58—76, 105, 106, 162—164, W. A. Benjamin Inc. 1964.

R. J. GRITTER, G. D. DUPRE u. T. J. WALLACE, *Oxidation of benzyl alcohols with manganese dioxide*, Nature **202**, 179—181 (1964).

H.-D. BECKER, *Preparation of quinol ethers*, J. Org. Chem. **29**, 3068—3070 (1964).

J. T. HARRISON, *Oxidation of saturated alcohols by manganese dioxide*, Pr. chem. Soc. **1964**, 110.

E. F. PRATT u. T. P. MCGOVERN, *Oxidation by solids, Benzalanilines from N-benzylanilines and related oxidations by manganese dioxide*, J. Org. Chem. **29**, 1540—1543 (1964).

F. G. BORDWELL, *Organic chemistry*, S. 351—357, The MacMillan Company, New York-London 1963.

K. B. WIBERG u. A. F. SCOTT, *Oxidation-reduction mechanisms in organic chemistry*, Survey of progress in chemistry, Bd. **1**, 211—248 (1963).

R. C. Fuson, *Reaction of organic compounds*, S. 207—248, John Wiley and Sons, Inc., New York-London 1962.

R. G. R. Bacon, *Organic oxidations by metal ions and complexes*, Chem. and Ind. **1962**, 19—22.

R. Daniels u. B. D. Martin, *1,2-Diaryl-pyrazolidines*, J. Org. Chem. **27**, 178—180 (1962).

W. A. Waters, J. W. Cook u. W. Carruthers, *Progress in organic chemistry*, Bd. 5, S. 1—45, Butterworths, London 1961.

E. F. Pratt u. J. F. v. de Castle, *Oxidations by solids, Oxidation of selected alcohols by manganese dioxide*, J. Org. Chem. **26**, 2973—2975 (1961).

J.-C. Bloch, J. Boissier u. G. Ourisson, *Activité oxidante des oxides de manganese-(IV) et structure cristalline*, Bl. **1961**, 540—543.

R. Stewart u. R. v. der Linden, *The mechanism of the permanganate oxidation of fluoro alcohols in aqueous solution*, Discuss. Faraday Soc. **29**, 205—218 (1960).

C. D. Robeson, *The oxidation of allylic alcohols with manganese dioxide*, Organic Chemical Bulletin, Eastman Kodak Co., 32, Nr. 1 (1960).

T.-S. Chung, *A new oxidation method and its application in organic synthesis, use of MnO₂ as oxidizing agent*, Hua Hsüeh T'ung Pao **1959**, 24—31; C. A. **54**, 22311 (1960).

F. Klages, *Lehrbuch der organischen Chemie*, Bd. 1, Tl. 2, S. 972—985, Walter de Gruyter u. Co., Berlin 1959.

R. M. Evans, *Oxidations by manganese dioxide in neutral media*, Quart. Rev. **13**, 61—70 (1959).

R. J. Gritter u. T. J. Wallace, *The manganese dioxide oxidation of allylic alcohols*, J. Org. Chem. **24**, 1051—1056 (1959).

US. P. 2891986 (1959), NOPCO Chemical Co. Erf.: D. R. Grassetti; C. A. **53**, 22068 (1959); *Production of materials useful for producing vitamin A*.

P. H. Groggins, *Unit processes in organic synthesis*, S. 486—554, McGraw-Hill 1958.

J. W. Ladbury u. C. F. Cullis, *Kinetics and mechanism of oxidation by permanganate*, Chem. Rev. **58**, 403—438 (1958).

W. A. Waters, *Mechanisms of oxidation by compounds of chromium and manganese*, Quart. Rev. **12**, 277—300 (1958).

H. B. Henbest, E. R. H. Jones u. T. C. Owen, *Studies in the polyene series. Oxidation of vitamin A₁ and retine₁ by manganese dioxide*, Soc. **1957**, 4909—4912.

H. B. Henbest u. A. Thomas, *Amine oxidation. The sidechain oxidation of N-alkyl- and N,N-dialkyl-anilines by manganese dioxide*, Soc. **1957**, 3032—3039.

Oxidations of ketones and of pyruvic acid:
  J. S. F. Pode u. W. A. Waters, Soc. **1956**, 717—725.
  H. Land u. W. A. Waters, Soc. **1957**, 4312—4319; **1958**, 2129—2133.

M. Z. Barakat, M. F. Abdel-Wahab u. M. M. El-Sadr, *Oxidation of organic compounds by solid manganese dioxide*, Soc. **1956**, 4685—4687.

R. Heilmann u. R. Glenat, *Nouvelle synthèse d'alcools et d'aldehydes α, β-éthyléniques*, Bl. **1955**, 1586—1591.

R. J. Highet u. W. C. Wildman, *Solid manganese dioxide as an oxidizing agent*, Am. Soc. **77**, 4399—4401 (1955).

L. S. Levitt, *The common basis of organic oxidations in acidic solution*, J. Org. Chem. **20**, 1297—1310 (1955).

A kinetic study of the oxidation of pinacol by manganic pyrophosphate:
  A. Y. Drummond u. W. A. Waters, Soc. **1954**, 2456—2467; **1955**, 497—504.
  P. Levesley u. W. A. Waters, Soc. **1955**, 217—221.

M. Harfenist, A. Bavley u. W. A. Lazier, *The oxidation of allyl and benzyl alcohols to the aldehydes*. J. Org. Chem. **19**, 1608—1616 (1954).

Oxydation organischer Verbindungen mit Mangan(III)-acetat, Chem. Techn. **6**, 683—684 (1954).

A. Y. Drummond u. W. A. Waters, *Stages in oxidations of organic compounds by potassium permanganate*, Soc. **1953**, 435—443.

A. Y. Drummond u. W. A. Waters, *The permanganate-manganate stage, the manganic-manganous stage*, Soc. **1953**, 3119—3123.

F. Sondheimer, C. Amendolla u. G. Rosenkranz, *The Oxidation of steroidal allylic alcohols with manganese dioxide. A novel synthesis of testosterone*, Am. Soc. **75**, 5930—5932 (1953).

J. Attenburrow, A. F. B. Cameron, J. H. Chapman, R. M. Evans, B. A. Hems, A. B. A. Jansen u T. Walker, *A synthesis of Vitamin A from cyclohexanon*, Soc. **1952**, 1094—1111.

Oxidation mit Mangan(VII)

[1] A. Y. Drummond u. W. A. Waters, Soc. **1954**, 2456.

[2] M. M. Shemyakin u. L. A. Shchukina, Quart. Rev. **10**, 261 (1956).

[3] J. M. Ladbury u. C. F. Cullis, Chem. Reviews **58**, 403 (1958).

[4] R. Stewart, *Oxidation Mechanisms* in R. Breslow u. M. Karplus, *Frontiers in Chemistry*, W. A. Benjamin Inc., New York-Amsterdam 1964.

[5] K. B. Wiberg, *Oxidation-Reduction Mechanisms in Organic Chemistry*, S. 211 ff., in *Survey of progress in Chemistry*, Arthur, F. Scott, New York 1964.

[6] H. O. House, *Modern Synthetic Reactions*, Benjamin, New York · Amsterdam 1965.

[7] R. L. Augustine, *Oxidation, Techniques and Applications in Organic Chemistry*, Verlag Marcel Dekker Inc., New York 1969.

Eisen(III)-Verbindungen als Oxidationsmittel*

bearbeitet von

Dr. R. Seubert und Dr. Gerhard W. Rotermund

BASF AG
Ludwigshafen/Rhein

Mit 12 Tabellen und 4 Abbildungen

Literatur berücksichtigt bis 1975.

* Für die Durchsicht des Artikels danken wir Herrn Prof. Dr. Anton Rieker, Tübingen.

Inhalt

A. Oxidation und Dehydrierung mit Eisen(III)-salzen

bearbeitet von

Dr. R. SEUBERT, BASF AG

Ludwigshafen

Eisen(III)-salze sind Oxidationsmittel, die in der präparativen organischen Chemie breite Verwendung finden. Aufgrund des Oxidationspotentials Fe(II)/Fe(III) ($E_0 = 0{,}771$ Volt) stellen die Eisen(III)-salze milde Oxidationsmittel dar, besonders wenn es gilt, organischen Verbindungen Wasserstoff zu entziehen. Derartige Dehydrierungen sind häufig, während Oxidationen unter Aufnahme von Sauerstoff mit Eisen(III)-salzen nur selten möglich sind. Oft sind Eisen(III)-salze für bestimmte Reaktionen spezifische Oxidationsmittel, jedoch sind andere Oxidationsmittel oft gleichwertig oder sogar bevorzugt geeignet.

Die in einem geeigneten Lösungsmittel teilweise oder ganz gelöste Substanz wird mit Eisen(III)-salz in gelöster, seltener in fester Form in Portionen oder auf einmal gemischt und bei einer Temperatur zwischen 0 und 100° umgesetzt. Das Reaktionsmedium soll im allgemeinen sauer sein, in bestimmten Fällen ist jedoch neutrales Milieu erforderlich; dies kann durch Zusätze von Eisen(III)-oxid oder Calciumcarbonat erreicht werden. Als Lösungsmittel dienen Wasser, wäßriger Alkohol, wäßriges Aceton, wäßriges 1,4-Dioxan, Essigsäure, Salzsäure, Schwefelsäure u. a. mehr; selten wird wasserfrei gearbeitet. Manchmal wird das Substrat im Überschuß mit festem Eisen(III)-chlorid direkt bei hoher Temperatur umgesetzt.

I. Oxidationen mit Eisen(III)-salzen

a) von CH$_2$- bzw. CH-Gruppen

Oxidationen von CH$_2$- und CH-Gruppen mit Eisen(III)-salzen sind nicht sehr häufig. Bevorzugt angegriffen werden Wasserstoffatome, die an tertiären C-Atomen oder in Nachbarstellung zu einer CO- oder NO-Gruppe stehen. Da die zunächst gebildeten Hydroxy-Verbindungen nicht immer beständig sind, können als Endprodukte der Oxidation Ketone bzw. Diketone und auch chinon-artige Verbindungen entstehen. Gewisse Leukobasen aus Bis-[4-dialkylamino-phenyl]-carbinolen und 2-Methyl-indol[1] oder 2-Phenyl-indol[2] etc. lassen sich bequem durch Eisen(III)-chlorid über die Carbinol-Stufe zu den entsprechenden Farbstoffen oxidieren.

2-Oxo-2,3-dihydro-indol-2-carbonsäure-äthylester (I) läßt sich mit Eisen(III)-chlorid-Hexahydrat in Aceton zu *2-Hydroxy-3-oxo-2,3-dihydro-indol-2-carbonsäure-äthylester* (II)[3] oxidieren. Zusatz von Eisen(III)-oxid-Hydrat bindet den freiwerdenden Chlorwasserstoff und verhindert so Weiterreaktionen:

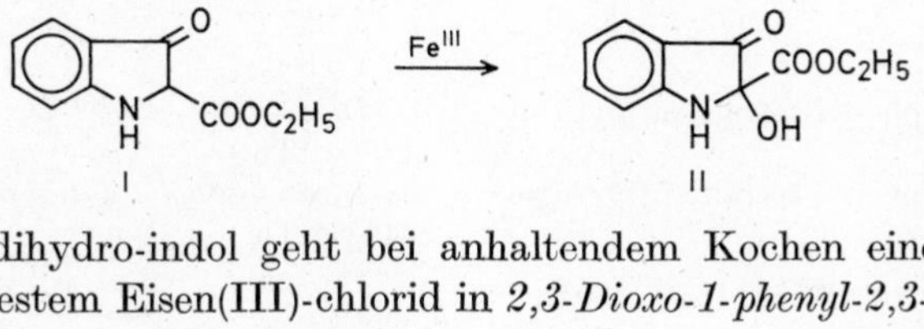

3-Oxo-1-phenyl-2,3-dihydro-indol geht bei anhaltendem Kochen einer alkoholisch-essigsauren Lösung mit festem Eisen(III)-chlorid in *2,3-Dioxo-1-phenyl-2,3-dihydro-indol*[4] über.

[1] DRP 121837 (1901), Farbf. Bayer; Frdl. **6**, 235.

[2] DRP 127245 (1901), Farbf. Bayer.

[3] A. v. BAEYER, B. **15**, 775 (1882).

[4] P. FRIEDLÄNDER u. K. KUNZ, B. **55**, 1604 (1922).

Im 1,2,3-Triphenyl-1,2-dihydro-chinoxalin wird an C_2 hydroxyliert und man erhält durch Umlagerung *1,2,3-Triphenyl-chinoxalinium-hydroxid*[1]:

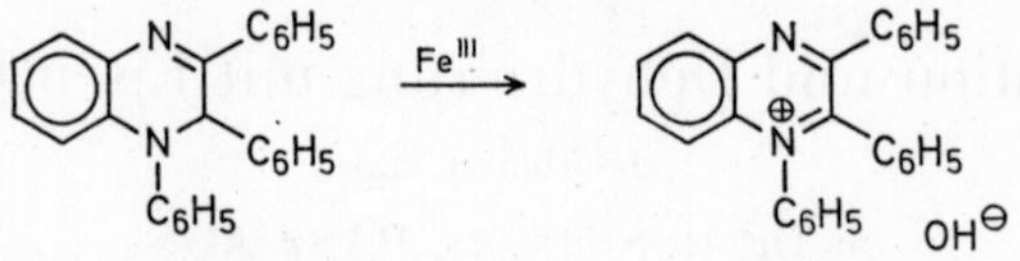

Aus Phenoxazinen lassen sich durch Oxidation mit Eisen(III)-chlorid in Eisessig die entsprechenden 3-Oxo-3H-phenoxazine[2] wie *3-Oxo-3H-phenoxazin*[3] oder *Nitro-3-oxo-3H-phenoxazin*[4] herstellen. Intermediär entsteht ein 3-Hydroxy-phenoxazin-Derivat; z. B.:

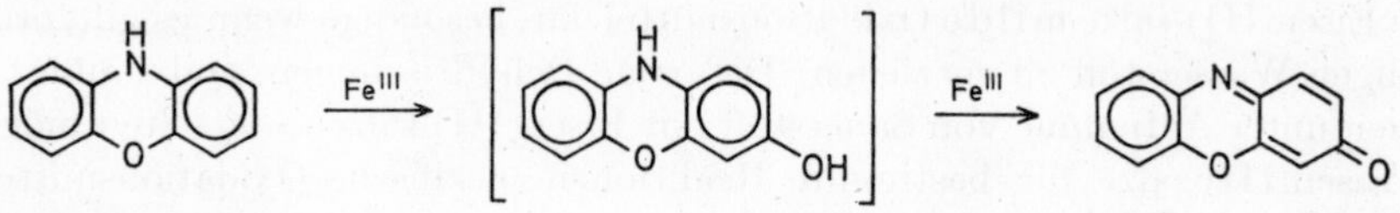

Die Oxidation von 1-Phenyl-phenoxazin mit Eisen(III)-chlorid in Eisessig liefert erwartungsgemäß kein 3-Oxo-3H-phenoxazin, sondern dimere Produkte[3].

5-Nitro-3-oxo-1,9-dimethyl-3H-phenoxazin[4]: Eine warme Lösung von 512 mg 5-Nitro-1,9-dimethyl-phenoxazin in 50 *ml* Eisessig wird mit 5,4 g Eisen(III)-chlorid-Hexahydrat in 20 *ml* Eisessig versetzt, auf dem Wasserbad 15 Min. erwärmt und in 2 *l* kochendes Wasser gegossen. Nach dem Abkühlen und Absaugen der graubraunen Kristalle chromatographiert man diese mit Benzol an Kieselgel, wobei eine rotbraune Hauptzone mit Benzol/Chloroform (2:1) eluiert wird. Nach dem Abdampfen des Eluats i. Vak. wird aus Benzol umkristallisiert; Ausbeute: 389 mg (74% d.Th.); Sublimation i. Hochvak. bei 150° liefert orangebraune Nadeln (F: 247—248°, u. Zers.).

Ebenso verläuft die Bildung von *3-Oxo-3H-phenothiazin*[5] aus Phenothiazin:

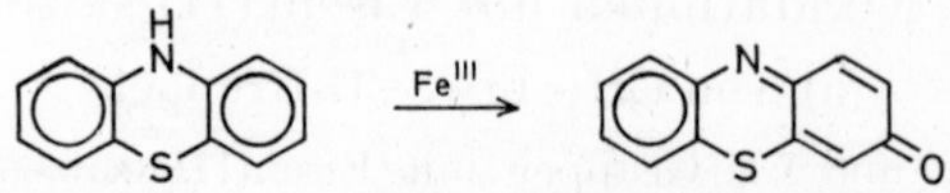

3-Oxo-3H-phenothiazin[5]: Man löst 3 g kristallines Eisen(III)-chlorid in 20 *ml* Äthanol und 100 *ml* Wasser durch Erwärmen und gießt die Lösung in 100 *ml* siedendes Wasser. Unmittelbar darauf gibt man eine siedende Lösung von 0,5 g 2-Anilino-1-mercapto-benzol in Äthanol zu, erwärmt noch $1^1/_2$–2 Min. und läßt langsam erkalten; F: 162–165°.

In 1-Stellung substituierte 3-Oxo-tetrahydropyrazole werden durch Eisen(III)-chlorid zu 3,5-Dioxo-tetrahydropyrazolen[6] oxidiert; z.B.: *3,5-Dioxo-4,4-diäthyl-1-phenyl-tetrahydropyrazol*:

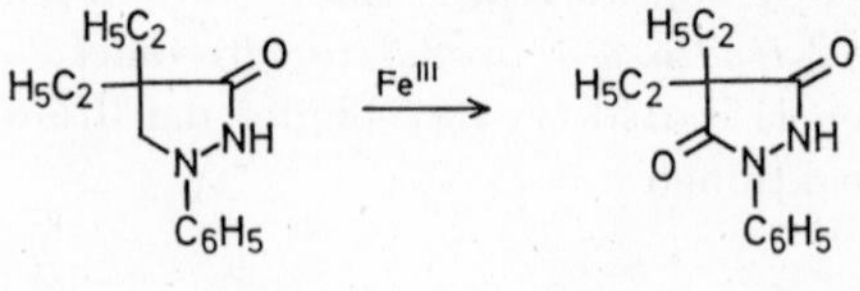

So erhält man aus

3-Oxo-4,4-diäthyl-1-phenyl-tetrahydropyrazol → *3,5-Dioxo-4,4-diäthyl-1-phenyl-tetrahydropyrazol* (17% d.Th.)

3-Oxo-4-äthyl-1,4-diphenyl-tetrahydropyrazol → *3,5-Dioxo-4-äthyl-1,4-diphenyl-tetrahydropyrazol* (64% d.Th.)

[1] O. Fischer u. M. Busch, B. **24**, 1870 (1891).
[2] H. Musso, B. **35**, 341 (1902).
[3] H. Musso, B. **92**, 2873 (1959).
[4] H. Musso u. P. Wager, B. **94**, 2551 (1961).
[5] R. Pummerer u. S. Gassner, B. **46**, 2324 (1913).
[6] B. J. R. Nicolaus et al., G. **94**, 652 (1964).

1,2-Disubstituierte 3-Oxo-tetrahydropyrazole werden von Eisen(III)-chlorid nicht angegriffen.

Im Cyclohexanon wird mit Eisen(III)-salzen die α-CH₂-Gruppe zum Keton oxidiert. Mit einem speziellen Eisen(III)-salz (Ferriin) entsteht aus Cyclohexan das *2-Oxo-cyclohexyl-Radikal*, das schließlich in das *2-Hydroxy-1-oxo-cyclohexan* übergeht[1]. *4,5-Dioxo-1,3-dibutyl-(2)-cyclohexan*[2] wird aus 4-Oxo-1,3-dibutyl-(2)-cyclohexan mit Eisen(III)-chlorid erhalten:

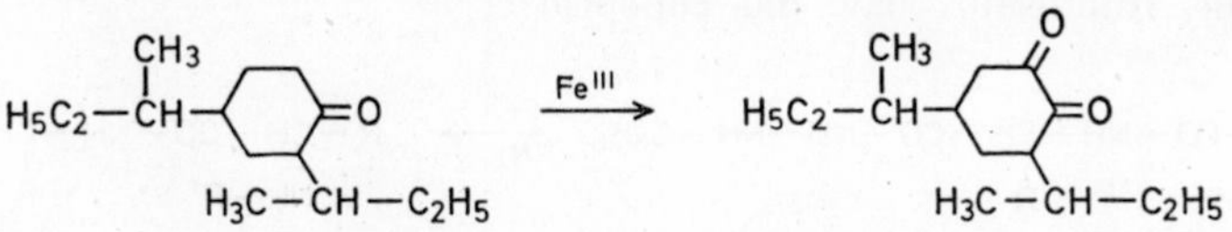

4,5-Dioxo-1,3-dibutyl-(2)-cyclohexan[2]: Eine Lösung von 43 g 4-Oxo-1,3-dibutyl-(2)-cyclohexan in 326 g 50%iger wäßriger Essigsäure wird mit 182 g Eisen(III)-chlorid-Hexahydrat versetzt und 2 Stdn. am Rückfluß gerührt. Das Diketon wird mit überhitztem Wasserdampf bei 150—160° abdestilliert, in Äther aufgenommen und über wasserfreiem Natriumsulfat getrocknet. Der Äther wird abdestilliert und der zurückbleibende Niederschlag unter Stickstoff destilliert; Ausbeute: 29 g (63% d.Th.); Kp₂: 117–127°.

Auf ähnliche Weise erhält man aus Cyclopentanon mit guter Ausbeute *1,2-Dioxo-cyclopeutan*[3].

Die Oxidation von 2-Oxo-4-methyl-1-isopropyl-cyclohexan (Menthon)[4,5] ergibt – offenbar wegen sterischer Effekte – nur 13% d.Th. *2,3-Dioxo-4-methyl-1-isopropyl-cyclohexan*, während 2,3,7,8-Tetrahydroxy-1,4,6,9-tetraoxo-spiro[4.5]decadien-(2,7) mit 95%iger Ausbeute *2,3,7,8-Tetrahydroxy-1,4,6,9,10-pentaoxo-spiro[4.5]decadien-(2,7)* liefert[6]:

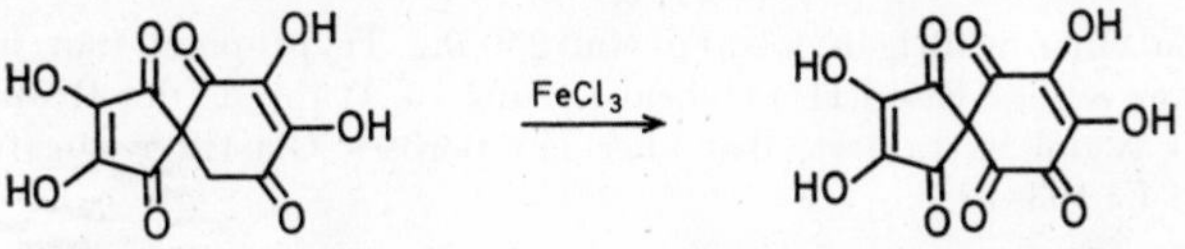

Das intensiv rotgefärbte *1-Hydroxy-5-oxo-2,2-dimethyl-tetrahydropyrrol* (II)[7] (F: 85–86°) wird in guter Ausbeute erhalten, wenn man das 4,5-Dihydro-3H-pyrrol-N-oxid (I) mit Eisen(III)-chlorid in Wasser oxidiert:

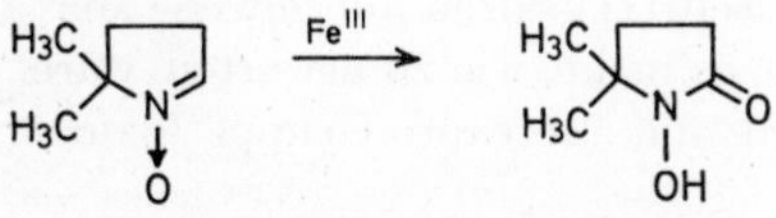

Auch die Oxidation von 1-Hydroxy-2,2,4,4-tetramethyl-tetrahydropyrrol führt quantitativ zu *1-Hydroxy-5-oxo-2,2,4,4-tetramethyl-tetrahydropyrrol*[7] (F: 111–112°):

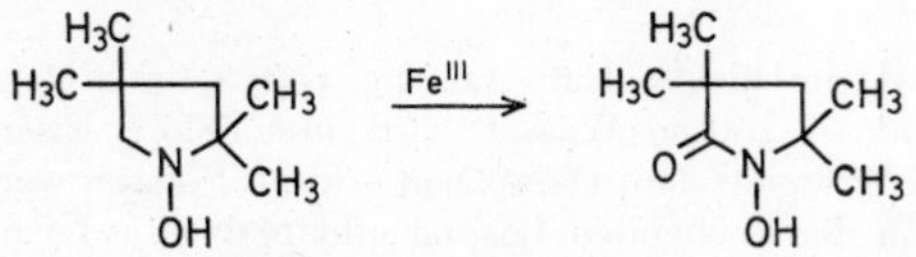

Oxime können durch einfache Hydrolyse besser jedoch durch Oxidationsmittel wie z. B. Eisen(III)-salz zu Carbonylverbindungen gespalten werden. So wird 2-Nitro-benzaldoxim

---

[1] J. S. LITTLER u. I. G. SAYCE, Soc. 1964, 2545.
[2] E. B. REID u. J. F. YOST, Am. Soc. 72, 5232 (1950).
[3] K. SATO, S. INOUE, T. KITAWAGA u. T. TAKAHASHI, J. Org. Chem. 38, 551 (1973).
[4] Y. ASAHINA u. S. MITUHORI, J. pharm. Soc. Japan 484, 255 (1922); C. A. 16, 2502 (1922).
[5] J. WALKER u. J. READ, Soc. 1934, 238.
[6] Z. RUTKOWSKI, Rocz. Chem. 45, 169 (1971).
[7] J. F. ELSWORTH u. M. LAMCHEN, Soc. [C] 1966, 1477.

mit Eisen(III)-sulfat glatt in *2-Nitro-benzaldehyd*[1] übergeführt. Durch Nitrosierung cyclischer Kohlenwasserstoffe und anschließende Oxidation mit Eisen(III)-chlorid werden Cycloalkanone[2] in guter Ausbeute zugänglich.

Die oxidative Abspaltung der Phenylhydrazid-Gruppe in α-Amino-carbonsäure- bzw. Dipeptid-phenylhydraziden gelingt mit Eisen(III)-chlorid, ohne daß die Peptidbindung oder ungesättigte Gruppen angegriffen werden. Bei der Reaktion entstehen elementarer Stickstoff und die Aminosäure bzw. das Dipeptid[3]:

$$R-CH-CO-NH-CH-CO-NH-NH-C_6H_5 \xrightarrow[-N_2]{Fe^{III}} R-CH-CO-NH-CH-COOH$$

$$\begin{array}{cc} | & | \\ NH-R^1 & R \end{array} \qquad\qquad \begin{array}{cc} | & | \\ NH-R^1 & R \end{array}$$

$$R:\ -CH_2-CH(CH_3)_2 \qquad R^1:\ -CO-O-CH_2-CH=CH_2$$

Das Phenylhydrazid wird dabei in Methyl-Cellosolve gelöst, mit einer 1n salzsauren Eisen(III)-chlorid-Lösung bei 96–97° umgesetzt. So erhält man *N-Allyloxycarbonyl-L-leucin* (85% d.Th.)[3] aus N-Allyloxycarbonyl-L-leucin-phenylhydrazid.

Ein Spezialfall ist die Oxidation des Tryptophans [1-Amino-2-indolyl-(3)-propionsäure] unter Eliminierung von 2 C-Atomen zu *Indol-3-aldehyd*[4,5]:

$$\text{(Indol)}-CH_2-CH-COOH \xrightarrow{Fe^{III}} \text{(Indol)}-CHO$$
$$\qquad\qquad | $$
$$\qquad\qquad NH_2$$

Indol-3-aldehyd[5]: Zu einer wäßrigen Lösung von 250 mg Tryptophan fügt man bei 80° innerhalb 3 Stdn. tropfenweise eine 5%ige Eisen(III)-chlorid-Lösung zu. Während der Reaktion wird das Produkt mit einem Strom von Xylol extrahiert, das über ein poröses Glasfilter zugeführt wird; Ausbeute: 124,6 mg (70% d.Th.); F: 193–198°.

b) Oxidation von SH-Gruppen unter Abspaltung von Schwefel

Bei der Einwirkung von Eisen(III)-salzen auf gewisse Mercapto-Verbindungen, wie z. B. Mercapto-imidazolen, kommt es nicht, wie zu erwarten wäre, zur Bildung von Disulfiden (vgl. S. 726), vielmehr wird die Mercapto-Gruppe oxidativ als Schwefeldioxid oder Schwefelsäure abgespalten:

$$H_3C-CH-CH_2-\text{(imidazol-SH)} \xrightarrow{Fe^{III}} H_3C-CH-CH_2-\text{(imidazol)}$$
$$\qquad |$$
$$\qquad NH_2 \qquad\qquad\qquad\qquad\qquad NH_2$$

4- bzw. 5-(2-Amino-propyl)-imidazol[6]: Eine Lösung von 8,4 g 2-Mercapto-4- (bzw. -5)-(2-amino-propyl)-imidazol-Hydrochlorid in 150 *ml* Wasser wird mit 58,5 g Eisen(III)-chlorid-Hexahydrat in 350 *ml* Wasser versetzt und 1 Stde. auf dem Dampfbad erhitzt. Sodann werden 110 *ml* 20%ige Natriumcarbonat-Lösung zugefügt. Zu der kochenden Lösung gibt man eine Lösung von 16,5 g Pikrinsäure in 450 *ml* Wasser, das rohe Pikrat wird aus heißem Wasser mit Aktivkohle umkristallisiert; Ausbeute: 18,8 g (81% d.Th.); F: 202—204°.

---

[1] S. Gabriel u. R. Meyer, B. **14**, 2336 (1881).

[2] DAS 1078570 (1959); BASF, Erf.: O. v. Schickh u. H. Metzger; C. A. **55**, 25808 (1961).

[3] H. B. Milne, J. E. Halver, D. Soho u. M. S. Mason, Am. Soc. **79**, 637 (1957).
   Vgl. ds. Handb., Bd. XV/1, Synthese von Peptiden.

[4] A. Ellinger, B. **39**, 2518 (1906).

[5] M. E. Rafelson et al., J. Biol. Chem. **211**, 725 (1954).

[6] G. A. Alles, B. B. Wisegarver, N. B. Chapman u. A. G. Tompsett, J. Org. Chem. **22**, 221 (1957).

Auf diese Weise lassen sich eine Reihe weiterer Imidazole aus den entsprechenden 2-Mercapto-imidazolen mit guter Ausbeute gewinnen (s. Tab. 1).

Tab. 1: Imidazole aus 2-Mercapto-imidazolen

R^1	R^2	Reaktionszeit [Stdn.]	Imidazol	Ausbeute [%d.Th.]	Literatur
$-CH_2-NH_2$	H	0,5	4-Aminomethyl-imidazol	56	1
H	$-CH_2-NH_2$	0,5	5-Aminomethyl-imidazol	56	1
CH_3	$-CH_2-CH=CH_2$	0,5	4-Methyl-5-allyl-imidazol	50	2
$-CH_2-CH=CH_2$	CH_3	0,5	5-Methyl-4-allyl-imidazol	50	2
C_2H_5	H	12	4-Äthyl-imidazol	100	3
H	C_2H_5	12	5-Äthyl-imidazol	100	3
C_3H_7	H		4-Propyl-imidazol	100	3
H	C_3H_7		5-Propyl-imidazol	100	3
$-CH_2-CH-C_6H_5$	H		4-(2-Phenyl-äthyl)-imidazol	100	3
H	$-CH_2-CH-C_6H_5$		5-(2-Phenyl-äthyl)-imidazol	100	3
$-CH_2-CH_2-OH$	H		4-(2-Hydroxy-äthyl)-imidazol	100	3
H	$-CH_2-CH_2-OH$		5-(2-Hydroxy-äthyl)-imidazol	100	3
$-CH_2-CH_2-NH_2$	H	1	4-(2-Amino-äthyl)-imidazol (Histamin)	80	4
			Diimidazolyl-(5)-methan	42	5

Ein Spezialfall ist die Eliminierung von Schwefel aus Aryl-[6] oder Alkyl[7]-thiosulfonsäuren bzw. deren Salze mit überschüssigem Eisen(III)-chlorid in Wasser und einem mit Wasser mischbaren organischen sauerstoffhaltigen Lösungsmittel unter Bildung von Sulfonsäure-chloriden:

$$R-S_2O_2H \xrightarrow{Fe^{III}} R-SO_2Cl$$

[1] F. L. PYMAN, Soc. 99, 2175 (1911).

[2] J. SARASIN, Helv. 6, 377 (1923).

[3] S. N. DIXIT, S. D. VERMA u. J. K. MEHROTRA, J. ind. Chem. 38, 853 (1961).

[4] M. M. FRASER u. R. A. RAPHAEL, Soc. 1952, 226

[5] C. N. C. DREY u. J. S. FRUTON, Biochemistry 4, 1 (1965).

[6] R. OTTO u. J. TRÖGER, B. 24, 1138, 494 (1891).

[7] US. P. 2293971 (1942), Heyden Chemical Corp., Erf.: G. DOUGHERTY u. R. H. BARTH; C. A. 37, 889 (1943).

II. Intramolekulare Dehydrierung mit Eisen(III)-salzen

a) unter Ausbildung von Doppelbindungen

1. von C=C-Doppelbindungen

Die Eliminierung zweier Wasserstoffatome an benachbarten C-Atomen unter Ausbildung einer C=C-Doppelbindung wird selten beobachtet. Beispiele sind die Dehydrierung von 3-Oxo-1-methyl-cyclohexen zu *3-Hydroxy-1-methyl-benzol (m-Kresol)*[1], von 3-Oxo-1-methyl-4-isopropyl-cyclohexen[Δ^1-p-Menthenon-(3); I] zu *2-Hydroxy-4-methyl-1-isopropyl-benzol* (II)[2, 3],

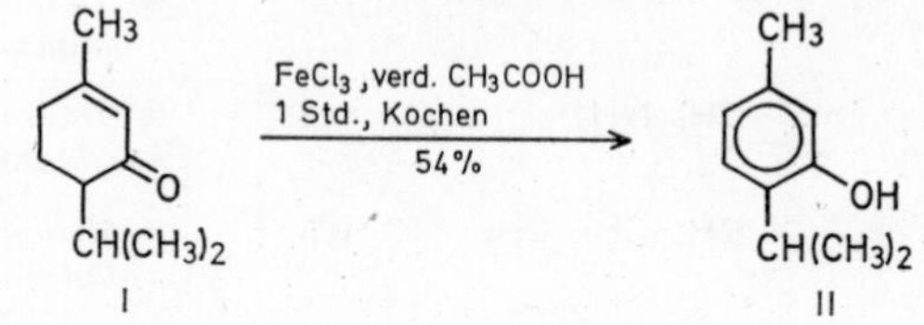

und von 1,4,4a,9a-Tetrahydro-anthrachinon zu *1,4-Dihydro-anthrachinon* ($\sim 100\%$ d.Th.)[4]:

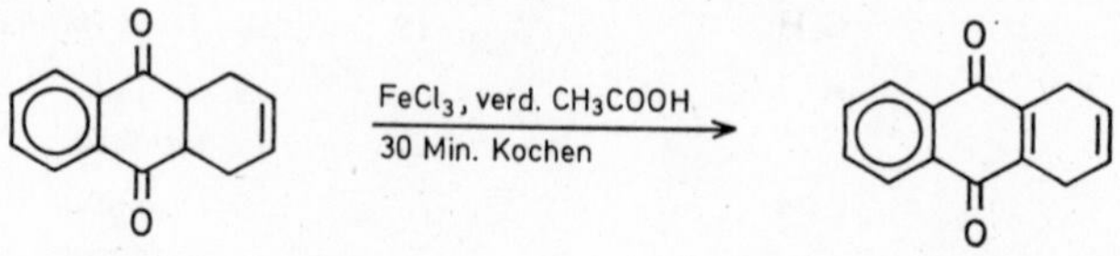

Ebenso gehen 2,3-Dihydro-naphthochinone-(1,4) mit milden Oxidationsmitteln wie Eisen(III)-chlorid in 1,4-Naphthochinone[5] über.

1,2-Bis-[benzimidazolyl-(2)]-äthane werden mit Eisen(III)-salzen zu den entsprechenden Äthylenen dehydriert[6-8]; z. B.:

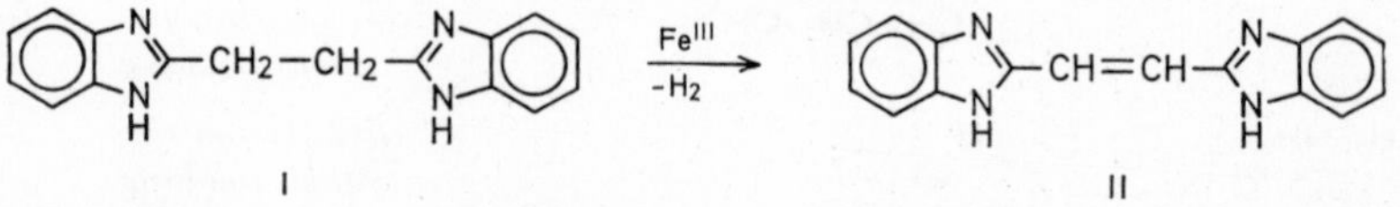

1,2-Bis-[benzimidazolyl-(2)]-äthylen (II)[6]: 540 Tle. 1,2-Bis-[benzimidazolyl-(2)]-äthan (I; als Hydrogensulfat) werden in einem Autoklaven unter Rühren mit 1741 Tln. einer wäßrigen 52%igen Eisen(III)-sulfat-Lösung, 150 Tln. Wasser und 152 Tln. konz. Schwefelsäure während 4–5 Stdn. auf 210–215° erhitzt. Nach dem Abkühlen wird das Reaktionsgemisch mit 5000 Tln. Wasser intensiv verrührt und einige Stdn. stehen gelassen. Hierauf wird abgenutscht und mit Wasser ausgewaschen, bis sich im Waschwasser mit Kalium-hexacyanoferrat(II) keine Blaufärbung mehr ergibt. Das so erhaltene rohe Sulfat kann zur Reinigung mit 0,5 n Schwefelsäure ausgekocht werden.

[1] P. Rabe u. E. Pollock, B. **45**, 2926 (1912).
[2] H. Smith u. A. Penfold, J. proc. Roy. Soc. N. S. Wales, **54**, 40 (1920).
[3] A. Jennen, Ind. Chim. Belge, **20**, 868 (1955).
[4] G. Eigenmann, H. R. Rickenbacher u. H. Zollinger, Helv. **44**, 1211 (1961).
[5] US. P. 3325512 (1967), Amer. Cyanamid Co., Erf.: W. L. Mosby; C. A. **67**, 64104 (1967).
[6] Schweiz. P. 251643 (1947), Ciba; C. A. **44**, 667 (1950).
[7] Schweiz. P. 259122, 260230, 263492-4 (1949), Ciba; C. A. **44**, 2569, 4511 (1950).
[8] US. P. 2488289 (1949), Ciba, Erf.: J. Meyer, C. Graenacher u. F. Ackermann; C. A. **44**, 8376 (1950).

Nach ähnlichen Methoden erhält man durch Dehydrierung folgende Äthylene:

1,2-Bis-[6-methyl-benzimidazolyl-(2)]-äthylen[1]
1,2-Bis-[1-methyl-benzimidazolyl-(2)]-äthylen[2]
2-Benzimidazolyl-(2)-1-[1-methyl-benzimidazolyl-(2)]-äthylen[3]

Einen Sonderfall der Dehydrierung stellt die Reaktion von Bis-[indolyl-(3)]-methan mit Eisen(III)-chlorid zu *Indolyl-(3)-(3H-indolyliden)-methan*[4] dar:

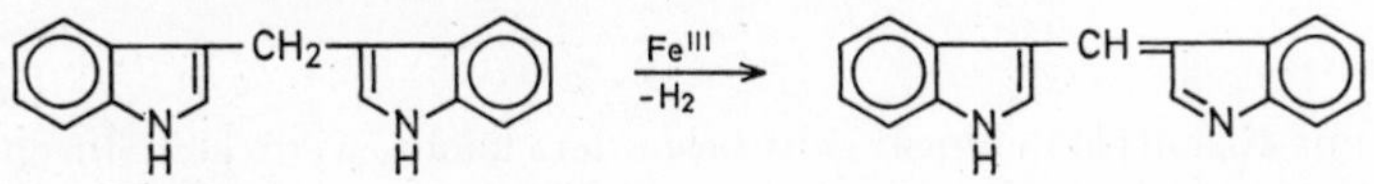

Indolyl-(3)-(3H-indolyliden)-methan[4]: In eine Lösung von 2 g Bis-[indolyl-(3)]-methan in 100 *ml* Äther gibt man unter Rühren 5 g Eisen(III)-chlorid, das sich mit blutroter Farbe löst. Nach 2 Stdn. wird mit Wasser gewaschen und mit verd. Ammoniak geschüttelt. Das dabei ausfallende Eisen(II)-hydroxid setzt sich in der wäßrigen Phase ab. Diese wird abgetrennt, die äther. Lösung filtriert und mit Natriumsulfat getrocknet. Nun versetzt man die äther. Lösung mit der entsprechenden Menge derjenigen Säure, deren Salz hergestellt werden soll, z. B. mit 1 g konz. Schwefelsäure. Es fällt sogleich das in Äther unlösliche Sulfat aus, das abfiltriert, mit Äther gewaschen und aus Eisessig umkristallisiert wird. Nach 3maligem Umkristallisieren werden die erhaltenen Nadeln durch weiteres Umkristallisieren gereinigt.

Entsprechend wird durch Zugabe von 1,8 g 60%iger Überchlorsäure zur Äther-Lösung das *Perchlorat* hergestellt, das schneller kristallisiert als das Sulfat; Ausbeute: 0,3 g.

2. von C=N-Doppelbindungen

Verbindungen mit der Gruppierung $\rangle$CH-NH$_2$, wobei $\rangle$CH- Bestandteil eines heterocyclischen Ringes ist, werden von Eisen(III)-salzen so dehydriert, daß es zunächst zur Ausbildung einer Imino-Gruppe kommt, die jedoch sofort hydrolysiert wird, so daß Carbonylverbindungen entstehen. Behandelt man beispielsweise 3,5-Diamino-2-oxo-2,3-dihydroindol (I) (als Dihydrochlorid) in 30%iger Schwefelsäure mit Eisen(III)-chlorid, so erhält man *5-Amino-2,3-dioxo-2,3-dihydro-indol* (II)[5] (als Sulfat):

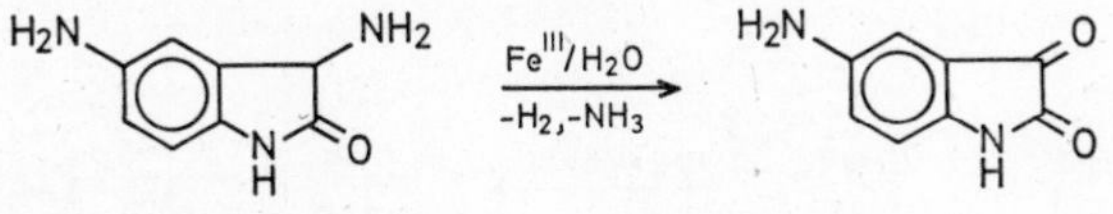

Analog verhält sich 2-Amino-3-oxo-2,3-dihydro-⟨benzo-[b]-thiophen⟩(III), das zu *2,3-Dioxo-2,3-dihydro-⟨benzo-[b]-thiophen⟩* (IV; *Thionaphthenchinon*)[6] dehydriert wird:

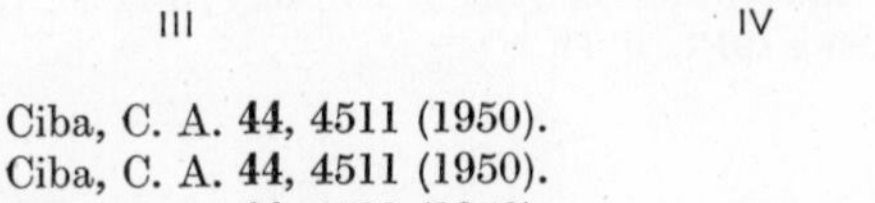

[1] Schweiz. P. 263491 (1949), Ciba, C. A. **44**, 4511 (1950).
[2] Schweiz. P. 263492 (1949), Ciba, C. A. **44**, 4511 (1950).
[3] Schweiz. P. 263494 (1949), Ciba, C. A. **44**, 4511 (1950).
[4] H. v. DOBENECK, W. LEHNERER u. G. MARESCH, Z. physiol. Chem. **304**, 26 (1956).
[5] E. GIOVANNINI u. P. PORTMANN, Helv. **31**, 1381 (1948).
[6] DRP 213458 (1909), BASF; Frdl. 9, 567.

Die Oxidation von 4-Amino-2,3,5-triphenyl-pyrrol mit Eisen(III)-chlorid in essigsaurer Lösung liefert durch Verseifung des intermediär entstehenden Oxims I *3-Oxo-2,4,5-triphenyl-3H-pyrrol*[1]:

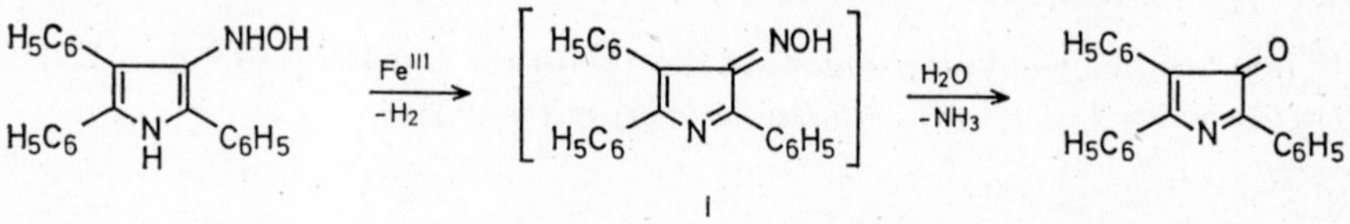

Die Reaktion mit Eisen(III)-chlorid geht besonders leicht, wenn sich durch Dehydrierung aus hydrierten N-Heterocyclen heteroaromatische Ringsysteme bilden können. So erhält man z. B. aus 5-Oxo-1-phenyl-tetrahydropyrazol-3-carbonsäure in alkoholischer Lösung *5-Oxo-1-phenyl-4,5-dihydro-pyrazol-3-carbonsäure*[2]:

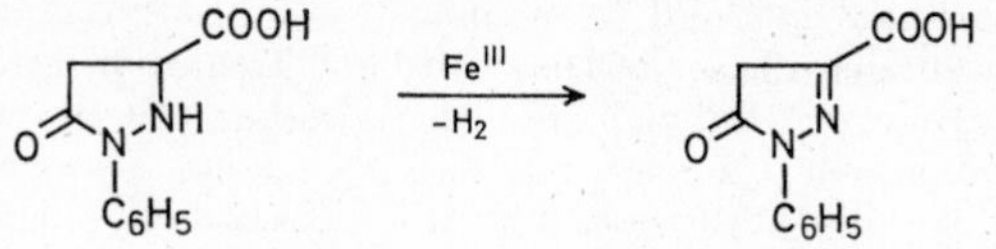

Vgl. hierzu die Dehydrierung des folgenden Pyrazols[3];

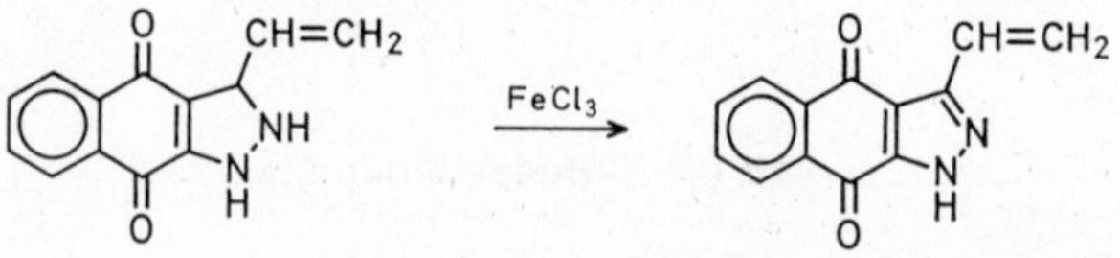

*4,9-Dioxo-3-vinyl-4,9-dihydro-⟨naphtho-
[2,3-c]-pyrazol⟩*

Verbindungen der Pyridin-Reihe lassen sich auf einfachem Weg durch Reaktion von Glutardialdehyden oder ihren Acetalen bzw. cyclischen Enolacetalen mit Ammoniumsalzen durch Oxidation des zunächst entstehenden Dihydro-pyridins mit z. B. Eisen(III)-salzen herstellen[4,5]:

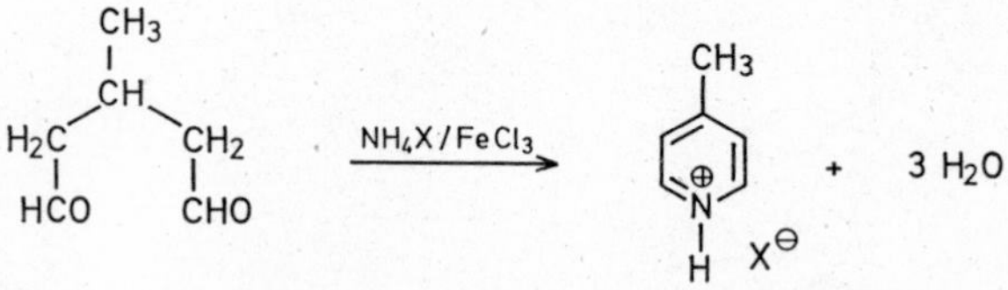

Auf diese Weise werden *Pyridin*, *2-Methyl-* und *4-Methyl-pyridin* in 80–70%iger Ausbeute gewonnen.

4-Methyl-pyridin[2]: Eine wäßrig-saure Lösung von 114 g 3-Methyl-pentandial (erhalten durch Hydrolyse von 128 g 6-Methoxy-4-methyl-5,6-dihydro-4H-pyran mit 500 g 2%iger Schwefelsäure) läßt man allmählich in eine siedende Lösung von 964 g kristallisiertem Eisen(III)-ammoniumsulfat in 1000 g Wasser einlaufen. Nach Abdestillieren des Methanols wird das Reaktionsgemisch alkalisch gestellt und danach destilliert; Ausbeute: 85 g (91% d.Th.).

---

[1] T. Ajello, G. **68**, 602 (1938).
[2] P. Duden, B. **26**, 120 (1893).
[3] G. Manecke u. E. Graudenz, B. **105**, 1787 (1972).
[4] DBP 944251 (1956), BASF, Erf.: W. Reppe, H. Pasedach u. M. Seefelder; C. A. **52**, 11958 (1958).
[5] DBP 946802 (1956), BASF, Erf.: W. Reppe, H. Pasedach u. M. Seefelder; C. A. **53**, 6260 (1959).

Ebenso kann bei der Skraupschen Chinolin-Synthese[1] außer Nitrobenzol, Arsensäure oder Pikrinsäure auch Eisen(III)-sulfat als Oxidationsmittel eingesetzt werden; z. B. bei der Herstellung von *Chinolin* aus Anilin und Glycerin in Schwefelsäure[2]:

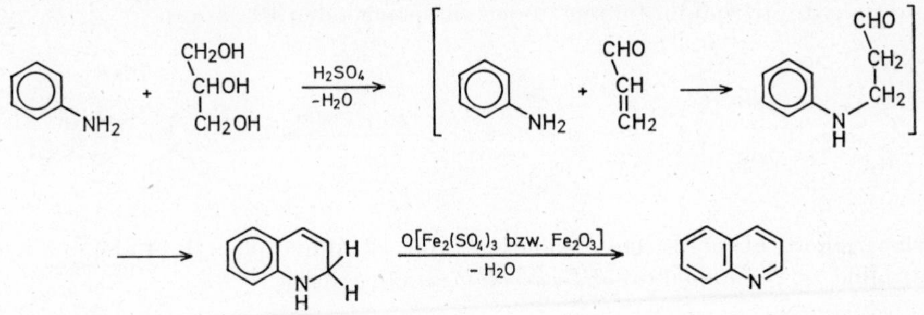

Im Prinzip ähnlich verlaufen die Reaktionen zur Herstellung von 4-Methyl-chino-linen aus Butenon und einem aromatischen Amin. Besonders hohe Ausbeuten lassen sich erzielen[3], wenn man das aromatische Amin als Hydrochlorid einsetzt und kleine Mengen an Zinkchlorid als Kondensationsmittel zugibt.

4-Methyl-chinolin[3]: Ein Gemisch von 80,8 g (0,625 Mol) Anilin-Hydrochlorid, 270 g (1 Mol) Eisen(III)-chlorid-Hexahydrat, 10 g wasserfreiem Zinkchlorid und 450 *ml* 95%iges Äthanol wird unter Rühren auf einem Wasserbad auf eine Innentemp. von 60—65° erhitzt. Nach Zutropfen von 0,5 Mol 1,2,3-Tri-methoxy-butan, Butenon oder 4-Methoxy-2-oxo-butan innerhalb 90—120 Min. wird 2 Stdn. unter Rückfluß erhitzt und über Nacht stehen gelassen.

Die Hauptmenge Alkohol wird abdestilliert, der Rückstand mit 25%iger Natronlauge alkalisch ge-stellt und mit überhitztem Dampf destilliert. Das Destillat wird mit Äther extrahiert und über Kalium-carbonat getrocknet, der Äther abdestilliert und 4-Methyl-chinolin über eine Vigreux-Kolonne i. Vak. destilliert; Ausbeute: 53 g (73% d.Th.); Kp$_{1-2}$: 87—89°.

Entsprechend erhält man aus

4-Methoxy-anilin + Butenon	→ *6-Methoxy-4-methyl-chinolin*	52% d.Th.
Anilin + 4-Oxo-penten-(2)	→ *2,4-Dimethyl-chinolin*	62% d.Th.
4-Methyl-anilin + 1,2,3-Trimethoxy-butan	→ *4,6-Dimethyl-chinolin*	65% d.Th.
2-Chlor-anilin + 1,2,3-Trimethoxy-butan	→ *8-Chlor-4-methyl-chinolin*	23% d.Th.
2-Amino-naphthalin + 1,2,3-Trimethoxy-butan	→ *4-Methyl-⟨benzo-[g]-chinolin⟩*	58% d.Th.

Der Einsatz eines Gemisches aus Aceton und Formaldehyd statt Butenon zur Herstellung von *4-Methyl-chinolin*[4,5] lohnt sich nur dann, wenn man Anilin in eine auf 80–90° erwärmte Lösung aus Aceton, Formaldehyd, Salzsäure und Eisen(III)-chlorid in Methanol eintropfen läßt[6] (Ausbeute: ~ 40% d.Th.).

Auch Mannichbasen wie 4-Diäthylamino-2-oxo-butan können als Ausgangsverbindun-gen zur Herstellung von 4-Methyl-chinolinen herangezogen werden[7].

Man arbeitet dabei in Nitrobenzol mit Zinkchlorid als Kondensationsmittel und mit Eisen(III)-chlorid als Oxidationsmittel bei 125–135°. Das anfallende Äthylamin kann zu-rückgewonnen und zur Herstellung der Mannichbase wieder benutzt werden (Ausbeute an 4-Methyl-chinolinen 55–60% d.Th.).

[1] Z. H. SKRAUP, B. **43**, 3683 (1910).
[2] E. B. BARNETT, Chem. News **121**, 205 (1920).
[3] K. N. CAMPBELL u. I. J. SCHAFFNER, Am. Soc. **67**, 86 (1945).
[4] C. BEYER, J. pr. **33**, 393 (1886).
[5] B. A. TERTOW u. B. I. ARDASHEW, Ž. obšč. Chim. **27**, 3026 (1957); C. A. **52**, 8140 (1958).
[6] G. BACH u. K. H. RAST, J. pr. **17**, 63 (1962).
[7] B. I. ARDASHEV u. E. S. KAGAN, Ž, obšč. Chim. **34**, 2228 (1964); engl. 2238.

Ebenso gelingt es, aus 5-Amino-chinolin bzw. 6-Amino-chinolin und Butenon mit Eisen (III)-chlorid und Zinkchlorid in Äthanol *1-Methyl-4,7-* bzw. *4-Methyl-1,7-phenanthrolin*[1,2] zu erhalten.

Die analogen Umsetzungen von α-Brom-ketonen mit 5,6-Diamino-2,4-dioxo-1,3-dimethyl-1,2,3,4-tetrahydro-pyrimidin führen zu den entsprechenden Pterinen[3]:

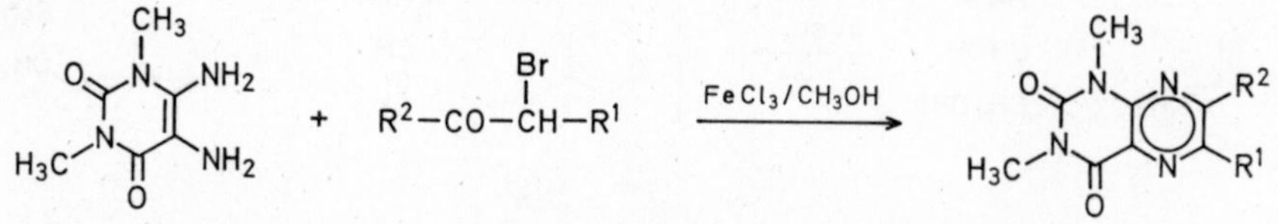

Hierher gehört ebenfalls die Oxidation von (2-Amino-phenyl)-(4-amino-3-hydroxy-phenyl)-sulfid zu *2-Amino-3-oxo-3H-phenothiazin* (75% d. Th.)[4]:

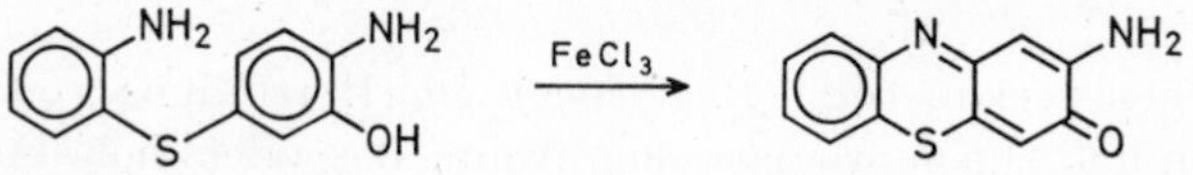

Die Oxidation bzw. Dehydrierung von 9,10-Dihydro-acridinen zu Acridinen stellt meistens die letzte Stufe der oft vielstufigen Synthese von Acridinen dar:

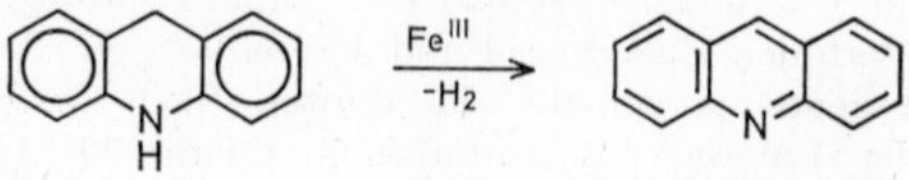

Acridin

Neben dem am häufigsten verwendeten Dehydrierungsmittel Kaliumbichromat ist Eisen (III)-chlorid in salzsaurer Lösung besonders bei Hydroxy- oder Amino-9,10-dihydro-acridinen geeignet (z.B. Herstellung von Amino-[5] bzw. Pyridyl-acridinen[6]). Auch quartäre Acridiniumsalze wie *2,7-Diamino-1-methyl-acridinium-chlorid*[7] können durch Dehydrierung entsprechender 9,10-Dihydro-acridine mit Eisen(III)-chlorid gewonnen werden.

Ebenso wird die Herstellung von *1,2,3,4-Tetrafluor-acridin*[8] durch Dehydrierung des intermediär entstehenden Dihydro-acridins mit Eisen(III)-chlorid beschrieben.

Bei der Synthese von 9-(2-Oxo-alkyl)-acridinen[9] verwendet man zur Oxidation des 9,10-Dihydro-Derivats I Eisen(III)-chlorid in verd. Salzsäure oder Blei(IV)-acetat in Benzol [Eisen(III)-chlorid führt offenbar zu besseren Ausbeuten]:

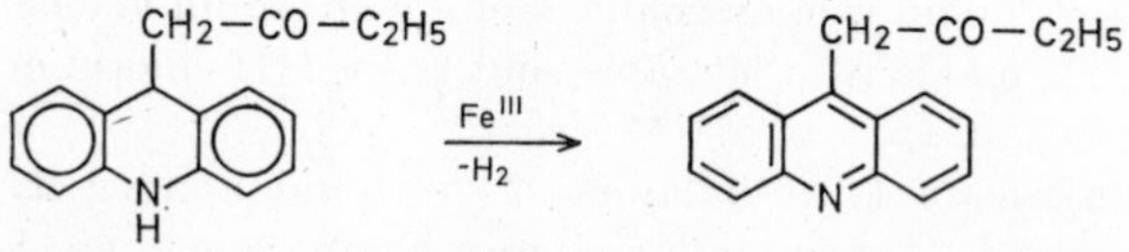

9-(2-Oxo-2-phenyl-äthyl)-acridin[9]: Eine frisch hergestellte filtrierte Lösung von 9,7 g Eisen(III)-chlorid in 40 *ml* Wasser wird aus einem Tropftrichter innerhalb von 5 Min. einer heißen, gut gerührten

[1] R. L. Eifert u. C. S. Hamilton, Am. Soc. **77**, 1818 (1955).
[2] K. N. Campbell u. I. J. Schaffner, Am. Soc. **67**, 86 (1945).
[3] N. Vinot, C. r. [C] **269**, 1229 (1969).
[4] D. P. Serbo u. O. F. Ginzburg, Ž. org. Chim. **6**, 345 (1970); C. A. **72**, 111397 (1970).
   Vgl. a. M. Raileanu u. I. Radulian, Rev. Roum. Chim. **18**, 1005 (1973).
[5] A. Albert u. B. Ritchie, J. Soc. Chem. Ind. **60**, 120 (1941); C. A. **35**, 62596 (1941).
[6] A. H. Cook, I. M. Heilbronn u. A. Spinks, Soc. **1943**, 417.
[7] K. Lehmstedt u. H. Hundertmark, B. **64**, 2386 (1931).
[8] P. L. Coe, A. E. Jukes u. J. C. Tatlow, Soc. **1966**, 2020.
[9] C. S. Sheppard u. R. Levine, J. heteroc. Chem. **1**, 67 (1964).

Suspension von 6,0 g 9-(2-Oxo-2-phenyl-äthyl)-9,10-dihydro-acridin in 400 *ml* 1 n Salzsäure zugefügt. Man kocht 4 Min. am Rückfluß und kühlt dann auf Raumtemp. ab. Der Niederschlag wird abfiltriert, mit Wasser gewaschen, getrocknet und mit 30%iger wäßriger Natronlauge verrieben, erneut filtriert, mit Wasser gewaschen und getrocknet; Ausbeute: 7,8 g (82,5% d.Th.).

Mit Blei(IV)-acetat als Dehydrierungsmittel beträgt die Ausbeute 41,4% d.Th.

Auf ähnliche Weise werden erhalten:

9-(2-Oxo-3-methyl-butyl)-acridin	100% d.Th.	F: 131-132,5°
4-(2-Oxo-4-methyl-pentyl)-acridin	89% d.Th.	F: 143,5-145,5°
9-[2-Oxo-2-thienyl-(2)]-acridin	69% d.Th.	F: 216-217°

3-Oxo-tetrahydropyrazole, die nicht N-substituiert sind, werden ebenfalls durch Eisen-(III)-chlorid unter Ausbildung einer C=N-Doppelbindung dehydriert[1]; z. B.:

5-Oxo-4,4-dibutyl-4,5-dihydro-pyrazol;
~ 75% d.Th.; F: 77-79°

Ist die 1-Stellung substituiert, so erhält man 3,5-Dioxo-tetrahydropyrazole (s. S. 678).

1,3-Thiazole[2,3] erhält man leicht durch Dehydrierung von 2,5-Dihydro-1,3-thiazolen[4] mit z. B. Eisen(III)-chlorid:

In den meisten Fällen liefert jedoch elementarer Schwefel als Dehydrierungsmittel die besten Ausbeuten (s. Tab. 2).

1,3-Thiazole; allgemeine Herstellungsvorschrift[2]: In einer auf 70° erwärmten Mischung von 1 Mol 2,5-Dihydro-1,3-thiazol und 200 *ml* absol. Äthanol werden unter Rühren langsam 2 Mole Eisen(III)-chlorid in 300 *ml* absol. Äthanol gegeben. Man rührt bei 70° 30 Min. und kühlt ab. Die Reaktionsmischung wird mit konz. Natronlauge alkalisch gestellt und einer Wasserdampfdestillation unterworfen. Das Destillat wird mit Äther extrahiert, die ätherische Lösung getrocknet, der Äther abdestilliert und der Rückstand umkristallisiert.

Tab. 2: 1,3-Thiazole aus 2,5-Dihydro-1,3-thiazolen durch Dehydrierung[2] mit Eisen(III)-chlorid bzw. Schwefel

1,3-Thiazol	Ausbeute [% d.Th.]	
	$FeCl_3$	S_x
4-Methyl-1,3-thiazol	60	52
4-Methyl-2-äthyl-1,3-thiazol	60	55
5-Methyl-4-äthyl-1,3-thiazol	52	94
2,5-Dimethyl-4-äthyl-1,3-thiazol	48	93
5-Methyl-2,4-diäthyl-1,3-thiazol	45	94
5-Methyl-4-äthyl-2-phenyl-1,3-thiazol	68	95
2,4,5-Trimethyl-1,3-thiazol	85	–

[1] B. J. R. NICOLAUS et al., G. **94**, 652 (1964).
[2] F. ASINGER, M. THIEL u. L. SCHRÖDER, A. **610**, 49 (1957).
[3] US. P. 2870158 (1959), VEB-Leuna-Werke, Erf.: F. ASINGER et al.; C. A. **53**, 11409 (1959).
[4] F. ASINGER, M. THIEL u. G. ESSER, A. **610**, 33 (1957).

Auch *Aneurin (Vitamin B_1)*[1] läßt sich aus 2,5-Dihydro-aneurin durch Dehydrierung mit Eisen(III)-chlorid in schwach essigsaurer, wäßriger Lösung gewinnen.

Die Dehydrierung läßt sich ohne weiteres auf Benzo-Derivate übertragen; z. B.[2]:

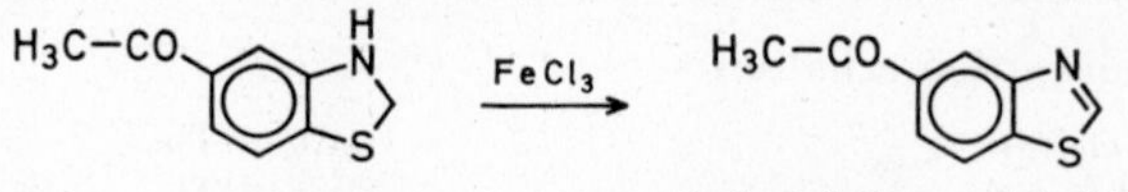

5-Acetyl-⟨benzo-1,3-thiazol⟩; 80% d.Th.

Zur Dehydrierung von teilhydrierten Pteridinen s. Lit.[3]

3. Ausbildung von N=N-Doppelbindungen

Zwei benachbarte, wasserstofftragende N-Atome werden neben vielen anderen Oxidationsmitteln auch durch Eisen(III)-salze leicht dehydriert. So erhält man z. B. aus Essigsäure-phenylhydrazid-hydroximid mit Eisen(III)-chlorid in salzsaurer Lösung *1-Benzolazo-1-hydroximino-äthan*[4]:

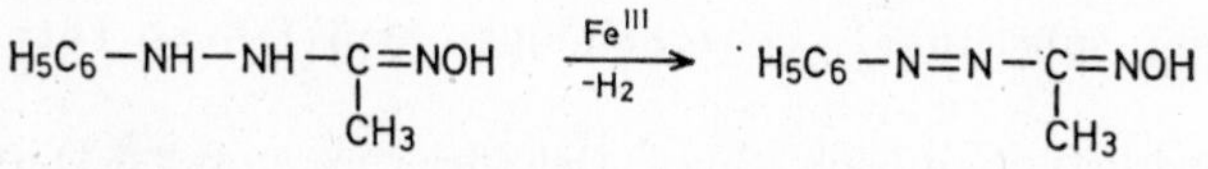

und aus Kohlensäure-2,4-dichlor-phenylhydrazid-amid *(2,4-Dichlor-benzolazo)-ameisensäure-amid*[5].

Dagegen erhält man aus Benzylhydrazin *Benzyliden-hydrazin*[6].

1,2-Bis-[thiazolyl-(2)]-hydrazine werden außer mit Wasserstoffperoxid oder salpetriger Säure auch mit Eisen(III)-chlorid zu Azo-Verbindungen dehydriert[7]; z. B.:

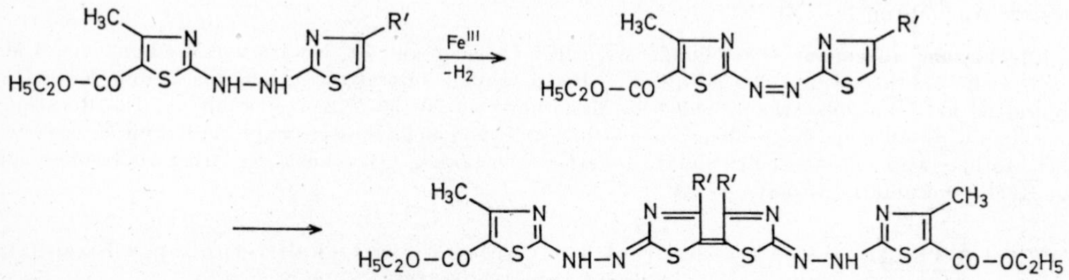

Dihydro-1,2,4,5-tetrazine mit der –NH–NH-Gruppierung im Ring werden durch Oxidationsmittel besonders leicht dehydriert. So bildet sich z. B. aus 3,6-Diphenyl-4,5-dihydro-1,2,4,5-tetrazin mit Eisen(III)-salzen augenblicklich *3,6-Diphenyl-1,2,4,5-tetrazin*[8]:

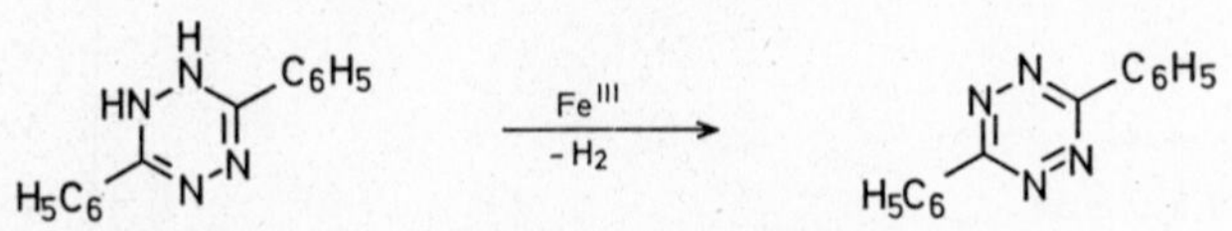

[1] T. Iwatsu, J. pharm. Soc. Japan 75, 677 (1955); C. A. 50, 3459 (1969).
[2] J. Wada, T. Suzuki, M. Iwasaki, H. Miyamatsu, S. Ueno u. M. Shimizu, J. Med. Chem. 16, 930 (1973).
[3] N. Vinot, C. r. [C] 269, 1229 (1969).
[4] E. Bamberger u. J. Frei, B. 35, 1084 (1902).
[5] R. Fusco u. R. Romani, G. 76, 447 (1946).
[6] A. Wohl u. C. Oesterlin, B. 33, 2740 (1900).
[7] E. Bulka u. H. Beyer, B. 92, 1447 (1959).
[8] A. Pinner, B. 26, 2133 (1893).

Analog verhält sich 10,11-Dihydro-⟨dibenzo-[b;f]-1,4,5-thiadiazepin⟩ bzw. dessen 5-Oxid[1]:

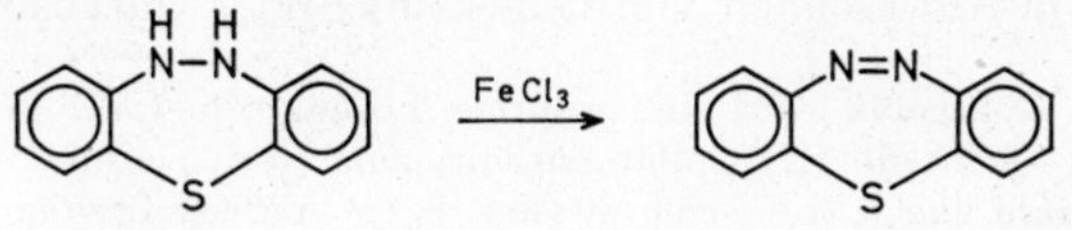

Dibenzo-[b;f]-1,4,5-thiadiazepin

4. Ausbildung von C=O-Doppelbindungen

α) zu Ketonen

Die Dehydrierung sekundärer Alkohole zu Ketonen mit Eisen(III)-salzen gelingt nur, wenn in α-Stellung bereits eine Carbonyl-Gruppe vorhanden ist. So erhält man durch Eintropfen[2] einer äquivalenten Menge wäßriger Eisen(III)-chlorid-Lösung in eine heiße Lösung von 3-Hydroxy-5-methoxy-2-oxo-2,3-dihydro-indol in Wasser *5-Methoxy-2,3-dioxo-2,3-dihydro-indol*:

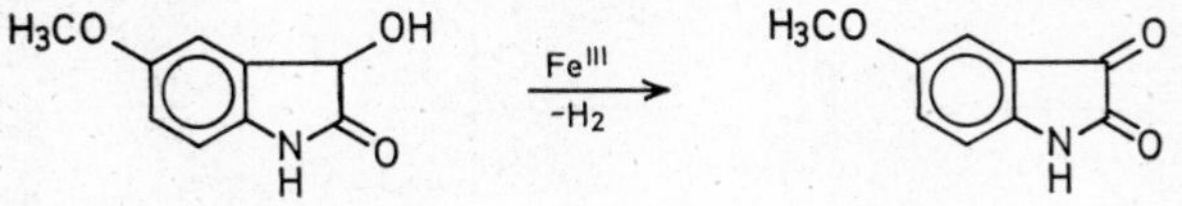

Mit Eisen(III)-salzen als Dehydrierungsmittel werden α-Hydroxy-β-oxo-carbonsäuren unter Decarboxylierung zu α,β-Diketonen oxidiert.

Die Abspaltung von Kohlendioxid wird durch Metallkomplexe [z. B. mit Eisen(III), Kupfer(II)] katalysiert. So erhält man z. B. aus 2-Hydroxy-3-oxo-2-methyl-butansäure *Butandion*[3] und aus 3-Hydroxy-2-oxo-bernsteinsäure *Mesoxaldehydsäure*[4]:

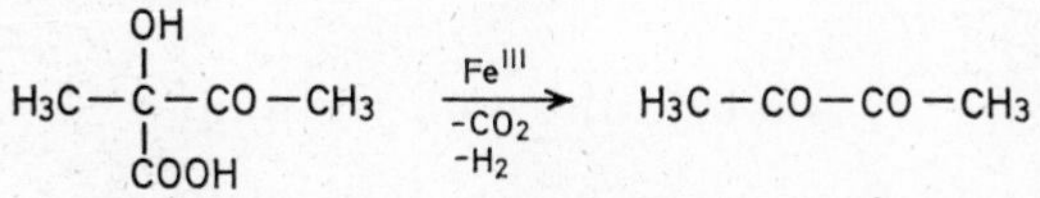

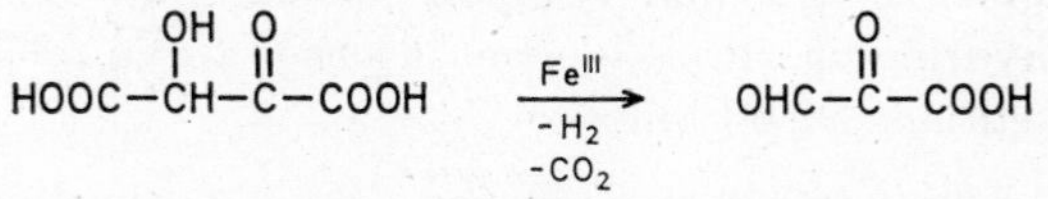

Butandion[5] erhält man auch direkt aus 3-Hydroxy-2-oxo-butan mit Eisen(III)-chlorid in wäßriger Lösung.

α,β-Diketone und α-Oxo-aldehyde[6] lassen sich ebenfalls durch Dehydrierung intermediär gebildeter α-Oxo-alkohole in einem Schritt aus Alkin-(2)-olen gewinnen, die min-

---

[1] H. H. Szanant u. Y. L. Chow, J. Org. Chem. **36**, 2887 (1971).

[2] J. Halberkann, B. **54**, 3088 (1921).

[3] J. C. deMan, R. **78**, 480 (1959).

[4] H. J. Fenton u. J. H. Ryffel, Pr. chem. Soc. **18**, 54 (1902).

[5] C. E. Kniphorst u. C. I. Kruisheer, Z. Unters. Lebensm. **73**, 1 (1937).

[6] DBP 812424 (1951), BASF, Erf.: H. J. Pistor u. A. Steinhofer.

destens eine primäre oder sekundäre Hydroxy-Gruppe in α-Stellung zur C≡C-Dreifachbindung enthalten. Man dehydriert in wäßrigem saurem Medium u. a. auch mit Eisen(III)-sulfat, gegebenenfalls in Anwesenheit von Quecksilber oder Quecksilber(II)-salzen.

Butandion[1]: In einem Rührgefäß wird eine wäßrige Lösung, die 1,4% $Fe^{2\oplus}$, 11,6% $Fe^{3\oplus}$, 33,4% Sulfat-Ionen und 0,15% Quecksilber(II)-sulfat enthält, zum Sieden erhitzt. Hierzu läßt man unter ständigem Rühren im Laufe von 5 Stdn. eine 60 Gew.-%ige wäßrige Lösung von Butin-(1)-ol-(3) zufließen, unter Abdestillieren von Flüssigkeit. Das Vol. der Reaktionsflüssigkeit wird durch Zugabe von Wasser konstant gehalten. Man versetzt das intensiv gelb gefärbte Destillat mit viel Natriumchlorid, wobei sich ein Öl abscheidet. Nach Abtrennung des Öles wird von der Natriumchlorid-Lösung ∼ $^1/_5$ abdestilliert. Das so erhaltene Destillat besteht aus 2 Schichten, die obere, intensiv gelb gefärbte Ölschicht wird abgetrennt. Sie wird mit der durch Aussalzen gewonnenen Ölschicht vereinigt, mit Calciumchlorid sorgfältig getrocknet und erneut fraktioniert; Kp: 86–90°.

Cyclische Diketone [2-4] wie z. B. *1,2-Dioxo-cyclopentan*[2] werden durch Dehydrierung von α-Hydroxy-cycloalkanonen mit Eisen(III)-chlorid in wäßriger Lösung erhalten. Zweckmäßig geht man von α-Halogen-ketonen aus, die unter den Reaktionsbedingungen zunächst zu α-Hydroxy-ketonen hydrolysiert werden:

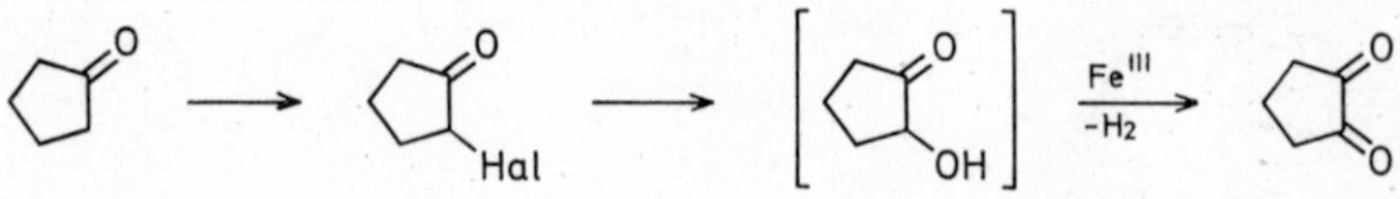

1,2-Dioxo-cyclohexan[3]: 90 g 2-Chlor-cyclohexanon werden in 800 *ml* Wasser unter Rühren und Kochen am Rückfluß vollständig gelöst und innerhalb 90 Min. mit einer Lösung von 333 g Eisen(III)-chlorid in 167 *ml* Wasser versetzt. Nach Abkühlen auf 40° werden 240 g Ammoniumsulfat zugefügt. Durch 6stdge. Äther-Extraktion werden 69 g Rückstand erhalten, der destilliert wird; Ausbeute: 33 g (43% d. Th.); Kp_{24}: 96–100°.

β) Ausbildung von Chinonen

Große Anwendung finden Eisen(III)-salze zur Herstellung von o- und p-Chinonen. Als Ausgangsverbindungen werden hauptsächlich eingesetzt: 1,2- und 1,4-Dihydroxybenzole, deren Ester und Äther, 2- und 4-Amino-phenole sowie 1,4-Diamino-benzole. Allgemein erfolgt die Dehydrierung zu p-Chinonen leichter als zu o-Chinonen, aufgrund des höheren Oxidationspotentials der o-Chinone.

Die Oxidation der Amino-Gruppe zu Chinonen geht über die Imino-Verbindungen, die sehr leicht hydrolysieren und daher als solche kaum faßbar sind. Die Reaktionen werden fast stets in **saurem** Medium durchgeführt.

2,4,5-Trihydroxy-1-methyl-benzol wird mit wäßriger Eisen(III)-chlorid-Lösung in nahezu quantitativer Ausbeute zu *5-Hydroxy-2-methyl-p-benzochinon*[5] oxidiert. Weniger befriedi-

---

[1] DBP 812424 (1951), BASF, Erf.: H. J. Pistor u. A. Steinhofer.
[2] H. H. Inhoffen u. H. Krämer, B. **87**, 488 (1954).
[3] M. E. McEntee et al., Soc. **1956**, 4699.
   Vgl. a. Übersicht in L. de Borger et al., Bl. Soc. chim. belg. **73**, 73 (1964).
[4] C. W. N. Cumper et al., Soc. **1965**, 2067.
[5] J. Thiele u. E. Winter, A. **311**, 341 (1900).

gend verläuft die Oxidation von 4,7-Dihydroxy-2-oxo-1,3-dimethyl-2,3-dihydro-imidazol zu *2,4,7-Trioxo-1,3-dimethyl-2,3,4,7-tetrahydro-benzimidazol*:

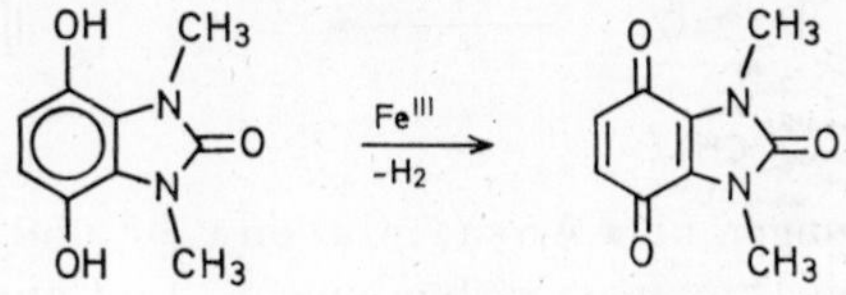

2,4,7-Trioxo-1,3-dimethyl-2,3,4,7-tetrahydro-benzimidazol[1]: 5 g 4,7-Dihydroxy-2-oxo-1,3-dimethyl-2,3-dihydro-benzimidazol werden in 500 *ml* Wasser und 80 *ml* Eisessig gelöst. Die Mischung wird auf 90° erhitzt, mit 20 g Eisen(III)-chlorid versetzt und 30 Min. bei 60—90° erhitzt. Danach wird abgekühlt und mit Chloroform extrahiert. Die Chloroform-Extrakte werden zuerst mit einer Lösung von 70 g Natriumcarbonat in 300 *ml* Wasser in 2 Portionen, danach mit wenig reinem Wasser gewaschen. Die gewaschenen Extrakte werden getrocknet und durch Abdampfen von Chloroform befreit. Die dunkelrote Substanz wird 2mal aus Äthanol umkristallisiert; Ausbeute: 2,7 g (54,6% d.Th.); F: 195—196° (Zers.).

Auf analoge Weise erhält man *6-Brom(Chlor)-4,7-dioxo-4,7-dihydro-benzimidazol*[2].

Dagegen ist *Stilbenchinon{1,2-Bis-[4-oxo-cyclohexadien-(2,5)-yliden]-äthan}*[3] aus 4,4'-Dihydroxy-stilben und Eisen(III)-salzen nicht ohne weiteres zu erhalten, da der sich bildende Chlorwasserstoff die Oxidation nur bis zur Chinhydronstufe zuläßt. Wird dagegen die Salzsäure successive durch Zugabe von gepulvertem Marmor gebunden, bleibt die Komplikation aus:

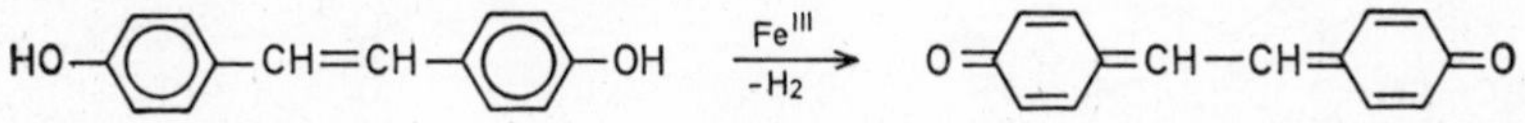

Trialkyl-(3,4,6-trichlor-2,5-dihydroxy-phenyl)-phosphoniumchlorid geht bei der Reaktion mit Eisen(III)-chlorid in ein Ylid[4] über:

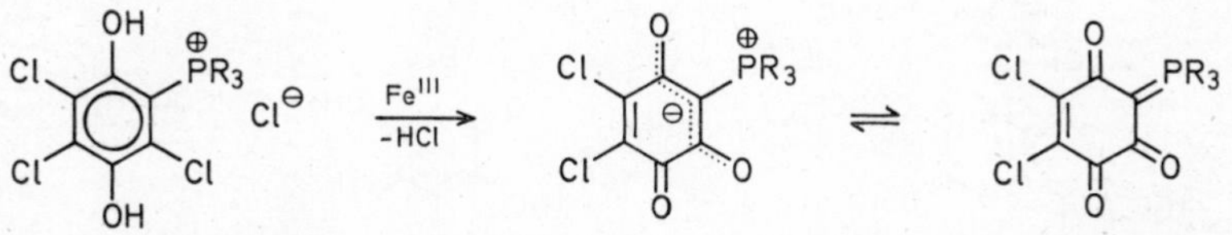

1,2-Dichlor-3,4,6-trioxo-5-(diäthyl-phenyl-phosphinylen)-cyclohexen: 414 mg Diäthyl-phenyl-(trichlor-2,5-dihydroxy-phenyl)-phosphoniumchlorid werden in 5 *ml* Methanol und 10 *ml* Wasser gelöst. Danach wird eine Lösung von 600 mg Eisen(III)-chlorid-Hexahydrat in verd. Salzsäure zugegeben, worauf sofort ein roter Niederschlag ausfällt. Nach 30 Min. wird abfiltriert und der Niederschlag mit kleinen Portionen Methanol/Wasser 1:1 gewaschen. Durch Erwärmen des Filtrats auf dem Wasserbad wird weiteres Produkt gewonnen; Ausbeute: 291 mg (91% d.Th.); F: 190—192°.

Weniger gebräuchlich als die Dehydrierung von Hydrochinonen zu p-Chinonen ist die Dehydrierung von 1,2-Dihydroxy-aromaten zu o-Chinonen mit Eisen(III)-salzen.

So gelingt es unter besonderen Vorsichtsmaßnahmen (schnelles Arbeiten, Vermeidung von Wärme), aus 4,5-Dihydroxy-2-oxo-1,3-dimethyl-2,3-dihydro-benzimidazol *2,4,5-Tri-*

[1] A. V. EL'Cov, V. S. KUSNECOV u. L. S. EFROS, Ž. obšč. Chim. **33**, 3965 (1963); engl.: 3901.

[2] L. C. MASCH u. M. M. JOULLIE, J. heteroc. Chem. **7**, 249 (1970).

[3] T. ZINCKE u. S. MÜNCH, A. **335**, 157 (1904).

[4] F. RAMIREZ, D. RHUM u. C. P. SMITH, Tetrahedron **21**, 1941 (1965).

oxo-1,3-dimethyl-2,3,4,5-tetrahydro-⟨benzimidazol⟩ (∼ 75% d. Th.) zu erhalten[1]:

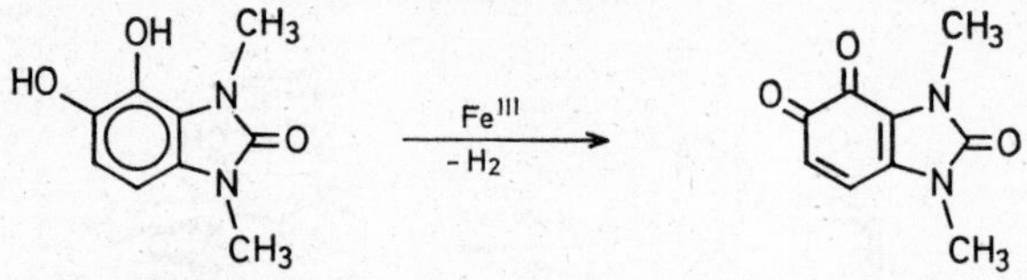

In neueren Veröffentlichungen über Ansa-, Catena-[2,3] und Rotaxan-Verbindungen[4] spielt die Dehydrierung von Dihydroxyverbindungen zu o-Chinonen mit Eisen(III)-salzen eine Rolle.

Auch aus den entsprechenden Acyloxy-aromaten werden Chinone erhalten. So wird 2,3,5-Triacetoxy-1,4-diphenyl-benzol durch Hydrolyse und Dehydrierung mit Eisen(III)-chlorid in *3-Hydroxy-2,5-diphenyl-p-benzochinon*[5] überführt:

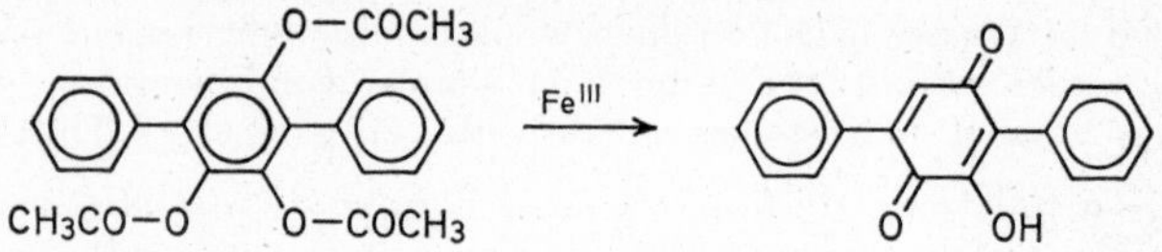

Auf analoge Weise erhält man *Vitamin K_1* zu 93% d. Th. durch Oxidation der Diacetoxy-Verbindung I[6]:

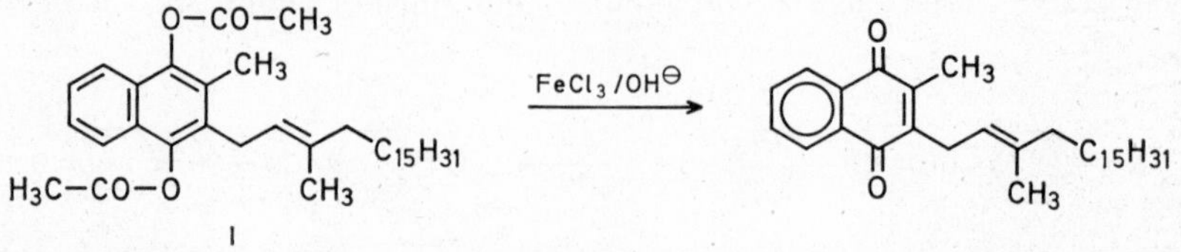

Durch einfaches Stehenlassen von 5-Brom-6-hydroxy-2-oxo-7,8-dimethyl-3-methoxy-carbonyl-3,4-dihydro-2H-chroman mit Eisen(III)-chlorid in methanolischer Salzsäure wird unter Beteiligung von Methanol *3-Brom-5,6-dimethyl-2-(2,2-dimethoxycarbonyl-äthyl)-p-benzochinon* (90% d. Th.) erhalten[7]:

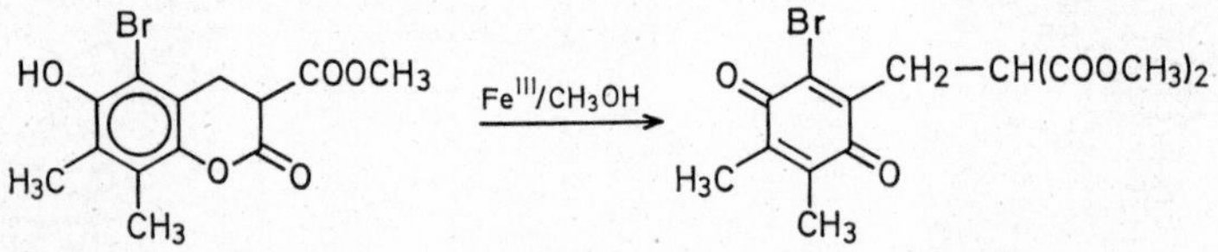

[1] A. V. Eltsov, E. R. Zachs u. L. S. Efros, Ž. obšč. Chim. **34**, 3738 (1964).
[2] G. Schill u. A. Lüttringhaus, Ang. Ch. **76**, 567 (1964).
[3] G. Schill, B. **100**, 2021 (1967).
  G. Schill u. H. Neubauer, A. **750**, 76 (1971).
[4] G. Schill u. R. Henschel, A. **731**, 113 (1971).
  G. Schill, C. Zurcher u. W. Vetter, B. **106**, 228 (1973).
[5] B. F. Cain, Soc. **1961**, 936.
[6] K. Sato, S. Inoue u. S. Saito, Chem. Commun. **1972**, 953.
  Vgl. a. die Herstellung von *Chloroumbichinon*

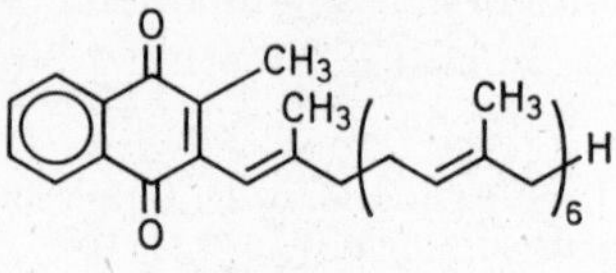

  W. E. Bondinell, C. D. Sayder u. H. Rapport, Am. Soc. **91**, 6889 (1969).
[7] L. I. Smith u. P. F. Wiley, Am. Soc. **68**, 889 (1964).

In der Literatur sind zahlreiche weitere Dehydrierungen zu Chinonen mit Eisen(III)-salzen angegeben[1-23].

Sind in den Hydrochinonen eine oder auch zwei Hydroxy-Gruppen veräthert, so lassen sich die Äther mit Eisen(III)-salzen in glatter Reaktion zu den entsprechenden Chinonen dehydrieren. Im Falle des Bis-[4-hydroxy-phenyl]-äthers wird mit Eisen(III)-chlorid bei

[1] 2,2',5,5'-Tetrahydroxy-biphenyl → 2-(*2,5-Dihydroxy-phenyl*)-*p-benzochinon*, R. PUMMERER u. G. HUPPMANN, B. **60**, 1442 (1927).

[2] 2,3,6-Trihydroxy-4-methoxy-1-methyl-benzol → *3-Hydroxy-5-methoxy-2-methyl-p-benzochinon*, W. K. ANSLOW, J. N. ASHLEY u. H. RAISTRICK, Soc. **1938**, 441.

[3] 1,4-Dihydroxy-2,3-dimethoxy-benzol → *2,3-Dimethoxy-p-benzochinon*, W. K. ANSLOW u. H. RAISTRICK, Soc. **1939**, 1446.

[4] 2,4,5-Trihydroxy-1-methyl-benzol → *5-Hydroxy-2-methyl-p-benzochinon*, L. A. SHCHUKINA, Ž. obšč. Chim. **22**, 668 (1952); C. A. **47**, 5378 (1953).

[5] Aminohydrochinone → *Amino-p-chinone*, Brit. P. 1102721 (1958), Farbf. Bayer.

[6] Bis-[2,5-dihydroxy-3,4,6-triphenyl-phenyl]-methan → *Bis-[3,6-dioxo-2,4,5-triphenyl-cyclohexadien-(1,4)-yl]-methan*, L. I. SMITH, H. R. DAVIS u. A. W. SOGN, Am. Soc. **72**, 3651 (1950).

[7] 1,4-Dihydroxy-2-cyclohexyl-benzol → *Cyclohexyl-p-benzochinon*, W. FLAIG, T. PLOETZ u. H. BIERGANS, A. **597**, 196 (1955).

[8] 2-(3-Methyl-butylamino)-1,4-dihydroxy-benzol → *2-(3-Methyl-butylamino)-p-benzochinon*, M. TORIGOE, Pharm. Bl. Japan **3**, 337 (1955).

[9] 2,5-Dihydroxy-6-methyl-3-isopropyl-benzaldehyd → *3-Methyl-6-isopropyl-2-formyl-p-benzochinon*, C. CARDANI u. P. GRÜNANGER, G. **86**, 463 (1956).

[10] 9,10-Dihydroxy-5-methoxy-9,10-dihydro-anthracen → *5-Methoxy-1,4-dihydro-anthrachinon-(9,10)*, M. M. SHEMYAKIN et al., Ž, obšč. Chim. **29**, 1831 (1959); engl.: 1802.

[11] 2,3,6,2',5'-Pentahydroxy-4,4'-dimethyl-biphenyl → *2-Hydroxy-3,3',6,6'-tetraoxo-4,4'-dimethyl-bi-[cyclohexadien-(1,4)-yl]*, T. POSTERNAK, W. ALCALAY u. R. HUGUENIN, Helv. **39**, 1556 (1956).

[12] 3,6-Dihydroxy-4,5-dimethoxy-2-methyl-1-alkyl-benzol → *5,6-Dimethoxy-3-methyl-2-alkyl-p-benzochinon*, Belg. P. 582383 (1960), Merck.

[13] 5,8-Dihydroxy-1-oxo-tetralin → *2,5,7-Trioxo-bicyclo[4.4.0]decadien-(1⁶,3)*, T. SHOJI, J. pharm. Soc. Japan **79**, 1034 (1959).

[14] 5-(2,5-Dihydroxy-phenyl)-pentadien-(2,4)-säure → *5-[2,5-Dioxo-cyclohexadien-(1,4)-yl]-pentadien-(2,4)-säure*, R. L. EDWARDS u. D. G. LEWIS, Soc. **1959**, 3254.

[15]

I: *1,4;5,8-Dimethano-1,4,5,8-tetrahydro-anthrachinon* {*3,10-Dioxo-pentacyclo[10.2.1.1⁵,⁸.0²,¹¹.0⁴,⁹]tetradecatetraen-(2¹¹,5⁸,7,13)*}, R. C. COOKSON, R. R. HILL u. J. HUDEC, Soc. **1964**, 3043.

[16] 2,3,5,6-Tetrahydroxy-acetophenon → *2,5-Dihydroxy-3-acetyl-p-benzochinon*, W. SCHÄFER u. R. LEUTE, B. **99**, 1632 (1966).

[17] 1,4-Dihydroxy-2,3-dimethyl-5-vinyl-5,8-dihydro-naphthalin → *2,3-Dimethyl-5-vinyl-5,8-dihydro-naphthochinon-(1,4)*, G. MANECKE, R. RAMLOW u. W. STORCK, B. **100**, 836 (1967).

[18] 4-Brom-2,5-dihydroxy-1,3-dimethyl-benzol → *2-Brom-3,5-dimethyl-p-benzochinon*, L. I. SMITH u. P. F. WILEY, Am. Soc. **68**, 894 (1946).

[19] 6,7-Dihydroxy-⟨chinoxalino-[2,3-m]-phenazin⟩ → *6,7-Dioxo-6,7-dihydro-⟨chinoxalino-[2,3-m]-phenazin⟩*, B. EISTERT, H. FINK u. H. K. WEINER, A. **657**, 131 (1962).

[20] 6,7-Dihydroxy-2-phenyl-benzimidazol → *6,7-Dioxo-2-phenyl-6,7-dihydro-benzimidazol*, E. R. ZACHS u. L. S. EFROS, Ž. obšč. Chim. **34**, 956 (1964); engl.: 949.

[21] 4,7-Dihydroxy-benzimidazol → *4,7-Dioxo-4,7-dihydro-benzimidazol*, L. WEINBERGER u. A. R. DAY, J. Org. Chem. **24**, 1451 (1959).

[22] 1,4-Dihydroxy-2-phenylsulfon-naphthalin → *2-Phenylsulfon-naphthochinon-(1,4)*, S. HÜNIG, R. D. RAUSCHENBACH u. A. SCHÜTZ, A. **623**, 191 (1959).

[23] 3,6-Dihydroxy-2,4,5-trimethyl-1-[3-methyl-buten-(2)-yl]-benzol → *3,5,6-Trimethyl-2-[3-methyl-buten-(2)-yl]-p-benzochinon*; K. SATO, S. INOUE u. R. YAMAGUCHI, J. Org. Chem. **37**, 1889 (1972).

70° sogar die gegen Jodwasserstoff resistente Sauerstoffbrücke quantitativ gespalten unter Bildung von *p-Benzochinon*[1]:

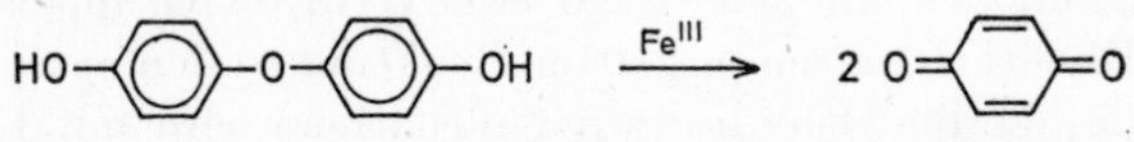

Die Ätherspaltung tritt bevorzugt ein, wenn ein p-Chinon entstehen kann (vgl. a. S. 689). Läßt man z. B. in eine Lösung von 3,4-Dihydroxy-1,2,5-trimethoxy-benzol bei 10° eine Lösung von Eisen(III)-chlorid in Wasser eintropfen, so erhält man *2-Hydroxy-3,6-dimethoxy-p-benzochinon*[2] mit 70%iger Ausbeute. Auch 4-Äthoxy-tetraphenyl-phenol läßt sich in guten Ausbeuten unter Ätherspaltung zu *Tetraphenyl-p-benzochinon* (75% d.Th.) oxidieren[3].

Auch der Furanring wird unter diesen milden Bedingungen gespalten[4]; z. B.:

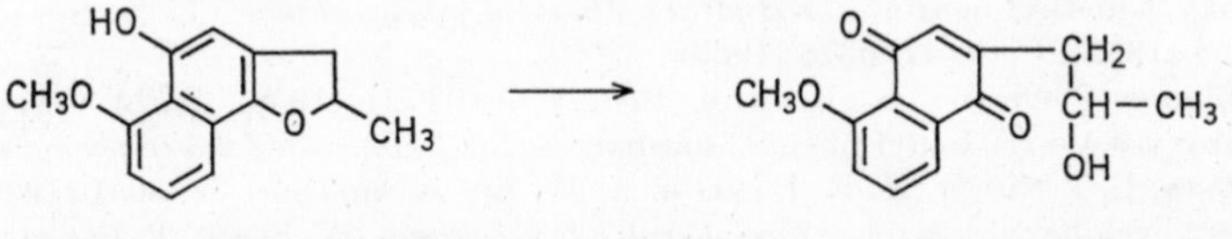

5-Methoxy-2-(2-hydroxy-propyl)-naphthochinon-(1,4)[4]: 1,11 g 5-Hydroxy-6-methoxy-2-methyl-2,3-dihydro-⟨naphtho-[1,2-b]-furan⟩ wird in 25 *ml* Aceton gelöst und mit 40 *ml* einer ges. wäßrigen Eisen(III)-chlorid-Lösung und 25 *ml* Wasser 5 Min. geschüttelt. Danach wird mit einem Gemisch von Äther/Dichlormethan (3:2) gründlich geschüttelt, die organische Phase mit Natriumchlorid-Lösung sorgfältig gewaschen, getrocknet und über eine Säule mit neutralem Aluminiumoxid filtriert. Nachgewaschen wird mit Äther/Dichlormethan (3:2). Das eingedampfte Eluat wird mehrmals mit Äther umgelöst; Ausbeute: 1,1 g (91,5 % d. Th.); F: 96—97°.

Analog erhält man aus dem Furan-Derivat I *2-[2-Formyl-propyl-(2)]-naphthochinon-(1,4)*[5]:

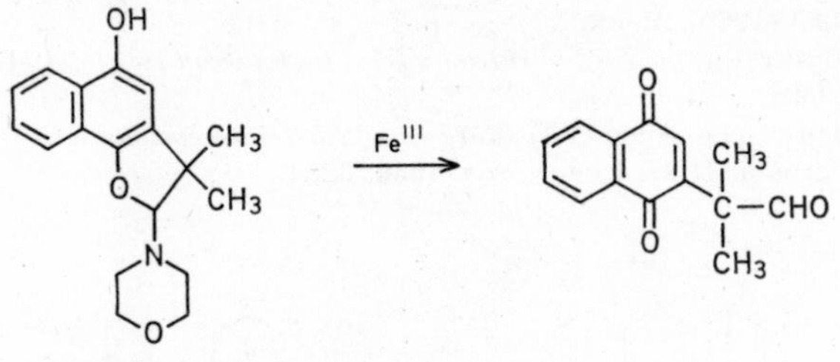

Über die Oxidation von Dibenzo-furanen siehe Lit.[6].

Manche Äther werden erst unter schärferen Bedingungen gespalten. So z. B. die Monoäther vom 3,6-Dihydroxy-tetramethyl-benzol und 3,6-Dihydro-1,2,4-trimethyl-benzol[7], die erst beim Kochen mit alkoholischer Eisen(III)-chlorid-Lösung in *Trimethyl-* bzw. *Tetramethyl-p-benzochinon* übergehen.

[1] A. Lüttringhaus, Ang. Ch. 51, 916 (1938).
[2] W. Baker, Soc. 1941, 665.
[3] R. Grigg u. J. L. Jackson, Soc. [C] 1970, 552.
[4] W. Eisenhuth u. H. Schmid, Helv. 41, 2021 (1958).
[5] K. Ley u. R. Nast, Ang. Ch. 79, 150 (1967).
[6] Herstellung von *5-Methyl-2-[4-oxo-1-methyl-cyclohexen-(2)-yl]-p-benzochinon*:

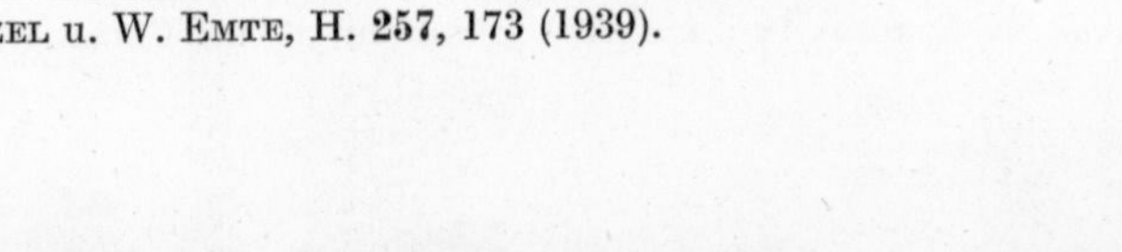

A. J. Birch, D. N. Butler u. J. B. Siddall, Soc. 1964, 2932.
[7] W. John, E. Dietzel u. W. Emte, H. 257, 173 (1939).

Auch α-Tocopherol wird nur unter schärferen Bedingungen mit Eisen(III)-chlorid in äthanolischer Lösung zum α-*Tocopherylchinon* [*3,5,6-Trimethyl-2-(3-hydroxy-3,7,11,15-tetramethyl-hexadecyl)-p-benzochinon*] dehydriert[1], [vgl. a. 2–10]:

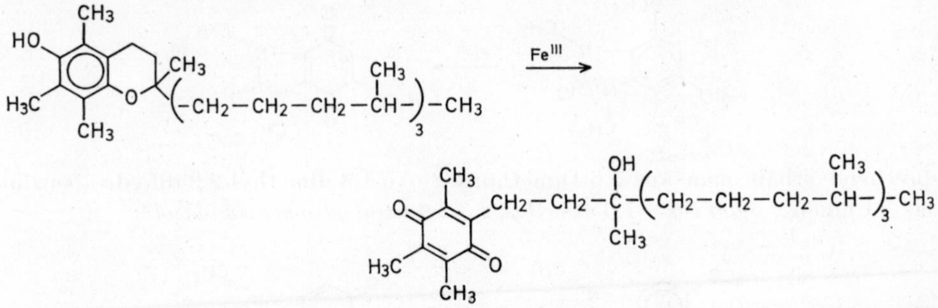

Analog erhält man aus β-Tocopherol *3,6-Dimethyl-2-(3-hydroxy-3,7,11,15-tetramethyl-hexadecyl)-p-benzochinon*. Wird dagegen das Tocopherol in Äther gelöst, so erhält man die p-Chinone in nahezu quantitativer Ausbeute (intensives Rühren des Zweiphasensystems ist Bedingung)[11]. Auch die 7,8-Dimethoxy-Derivate (OCH_3 statt CH_3) werden zu Chinonen umgewandelt[12]:

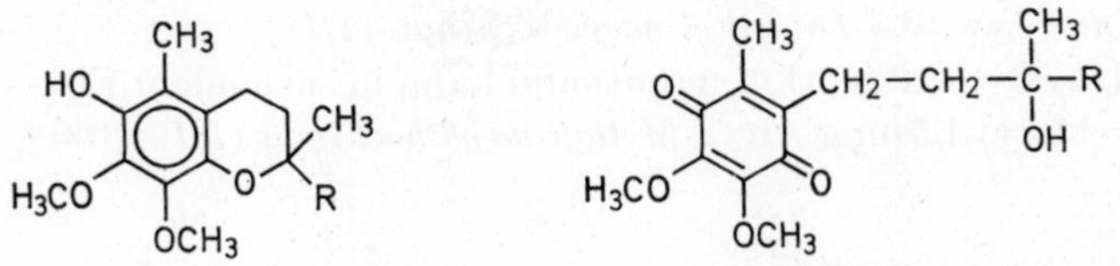

1,2,4-Trimethoxy-9-oxo-9,10-dihydro-acridin wird mit Eisen(III)-chlorid bevorzugt zum *2-Hydroxy-1,4,9-trioxo-1,4,9,10-tetrahydro-acridin*[13] oxidiert:

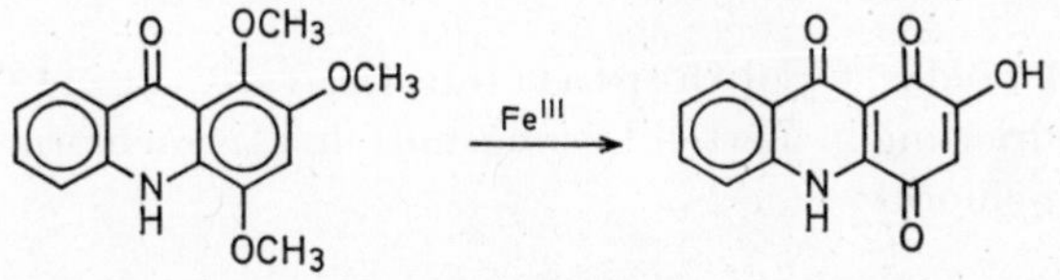

2-Hydroxy-1,4,9-trioxo-1,4,9,10-tetrahydro-acridin[13]: Eine Lösung von 1 g 1,2,4-Trimethoxy-9-oxo-9,10-dihydro-acridin in 30 *ml* 48%iger Bromwasserstoffsäure wird 2 Stdn. unter Rückfluß gekocht. Nach dem Erkalten wird das ausgefallene 1,2,4-Trimethoxy-9-oxo-9,10-dihydro-acridin-hydrobromid abgesaugt, in 50 *ml* Methanol gelöst und tropfenweise mit einer Lösung von 0,5 g Eisen(III)-chlorid in 20 *ml* Wasser versetzt. Das nach einiger Zeit als braunrotes Kristallpulver ausfallende Chinon (406 mg) wird bei 180° i. Hochvak. sublimiert; Ausbeute: 406 mg (47% d.Th.).

[1] W. JOHN, E. DIETZEL u. W. EMTE, H. **257**, 173 (1939).
[2] W. JOHN et al., Z. physiol. Ch. **252**, 222 (1938).
[3] P. D. BOYER, Am. Soc. **73**, 733 (1951).
[4] V. L. FRAMPTON, W. A. SKINNER u. P. S. BAILEY, Sci. **116**, 34 (1952); Am. Soc. **76**, 282 (1954).
[5] V. L. FRAMPTON et al., Am. Soc. **82**, 4632 (1960).
[6] Brit. P. 880399 (1961), Collet-Week Corp., Erf.: F. J. SEVIGNE; C. A. **56**, 3462 (1962).
[7] H. MAYER et al., Chimia **16**, 368 (1962).
[8] P. SCHUDEL et al., Helv. **46**, 333 (1963).
[9] Brit. P. 1000517 (1965), Collett-Week Corp.; C. A. **63**, 13219 (1965).
[10] H. MAYER et al., Helv. **50**, 1168 (1967).
[11] US. P. 2856414 (1958), Eastman Kodak, Erf.: C. D. ROBESON u. D. R. NELAN; C. A. **53**, 5254 (1959).
[12] Holl. Pat. 6402953 (1954), Merck & Co., Inc.; C. A. **62**, 9068 (1965).
[13] H. BROCKMANN, H. MUXFELD u. H. HAESE, B. **90**, 44 (1957).

4,5,7-Trimethoxy-2-oxo-2,3-dihydro-benzimidazol wird bereits durch kurzes Kochen mit verd. Eisen(III)-chlorid-Lösung zum *5-Methoxy-2,4,7-trioxo-1,3-dimethyl-2,3,4,7-tetrahydro-benzimidazol*[1] oxidiert:

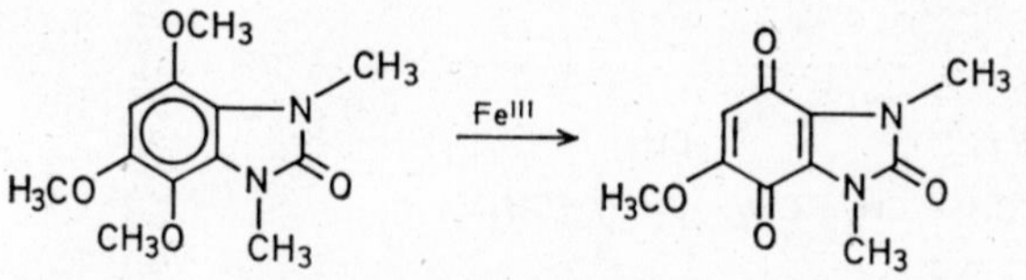

Entsprechend erhält man aus 5,6-Dimethoxy-2-oxo-1,3-dimethyl-2,3-dihydro-benzimidazol das o-Chinon *2,5,6-Trioxo-1,3-dimethyl-2,3,5,6-tetrahydro-benzimidazol*[2]:

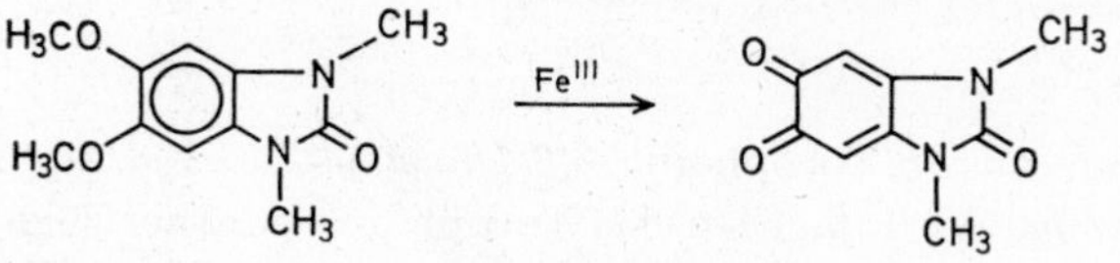

Auch Thioäther können mit Eisen(III)-chlorid analog den normalen Äthern zu Chinonen oxidiert werden[3]. So erhält man mit Eisen(III)-chlorid in feuchtem Äther aus 6-Hydroxy-3-mercapto-tetramethyl-benzol und 4-Hydroxy-1-mercapto-2,3-dimethyl-naphthalin *Tetramethyl-p-benzochinon* bzw. *2,3-Dimethyl-naphthochinon-(1,4)*.

Auch 4-Chlor-1-hydroxy-2-methyl-naphthalin kann in siedendem Eisessig mit einer wäßrigen Eisen(III)-chlorid-Lösung zu *2-Methyl-naphthochinon-(1,4)* (100% d.Th.) oxidiert werden[4]:

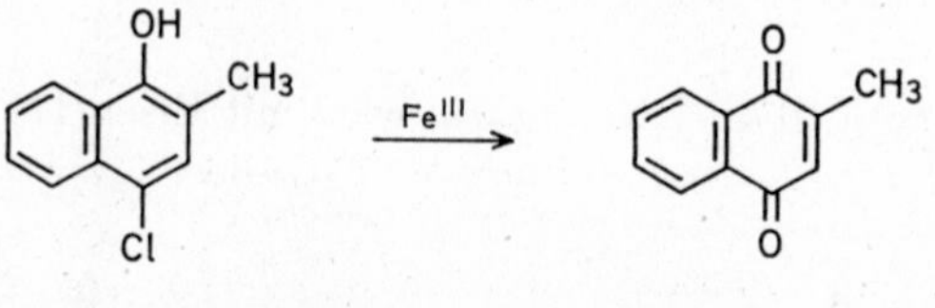

Die Herstellung chinoider Cycloheptatrien-Derivate[5] aus 4-Cycloheptatrienyl-(7)-phenolen durch Dehydrierung in inerten Lösungsmitteln (Tetrachlormethan, Äther, Benzol) gelingt mit Eisen(III)-chlorid:

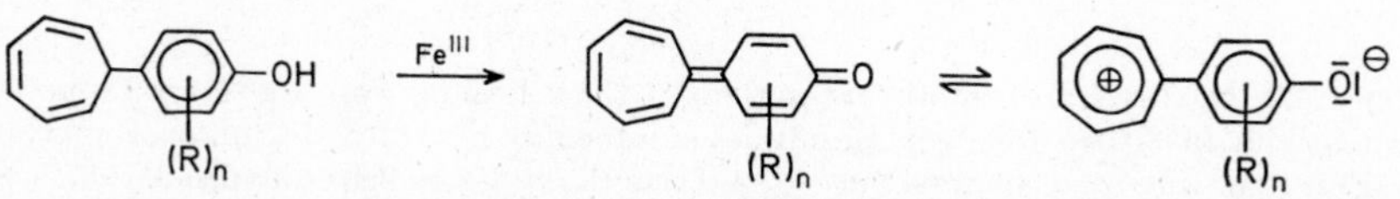

Wie Hydrochinone so werden auch Amino-phenole und 1,4-Diamino-aromaten mit Eisen(III)-salzen zu Chinonen dehydriert. Allgemein wird im sauren Medium oxidiert. Die primär entstehenden Imino-Derivate werden während der Reaktion leicht hydrolysiert. Auch bei den Amino-phenolen ist die Bildung des p-Chinons gegenüber dem o-Chinon bevorzugt.

Allyl-p-benzochinon[6]: 500 *ml* einer wäßrigen Lösung von 9.3 g Eisen(III)-chlorid-Hexahydrat und 3,5 *ml* konz. Salzsäure werden in einem 1-*l*-Claisenkolben bei 80 Torr und 47° zu lebhafter Destillation gebracht bei gleichzeitiger tropfenweiser Zugabe von 40 *ml* einer wäßrigen Lösung von 2,29 g 5-Amino-

[1] A. V. El'tsov u. L. S. Efros, Ž. obšč. Chim. **32**, 196 (1962); engl.: 191.
[2] A. V. El'tsov u. L. S. Efros, Ž. obšč. Chim. **30**, 3319 (1960); engl.: 3287.
[3] T. Wieland u. E. Bäuerlein, B. **97**, 2103 (1964).
[4] K. Fries u. W. Lohmann, B. **54**, 2912 (1921).
[5] Jap. P. Anm. 17674/64 (1964), T. Nozoe; C. A. **62**, 5234 (1965).
[6] L. I. Smith, H. H. Hoehn u. A. G. Withney, Am. Soc. **62**, 1863 (1940).

2-hydroxy-1-allyl-benzol und 4 *ml* konz. Salzsäure (~ 20 Min.). Das Allylchinon destilliert sofort als gelbes Öl mit dem Wasserdampf heraus. Auf diese Weise wird die längere, schädliche Berührung des Chinons mit dem Oxidationsmittel vermieden. Es werden 2 g Öl erhalten, das durch Vakuumdestillation weiter gereinigt wird; Ausbeute: 2,0 g (87% d.Th.); Kp_{26}: 117–118°.

In ganz ähnlicher Weise erhält man aus 4-Amino-1-hydroxy-2,3-dimethyl-benzol *2,3-Dimethyl-p-benzochinon.*

3,5-Dihydroxy-6-methyl-2-acetyl-p-benzochinon [1]:

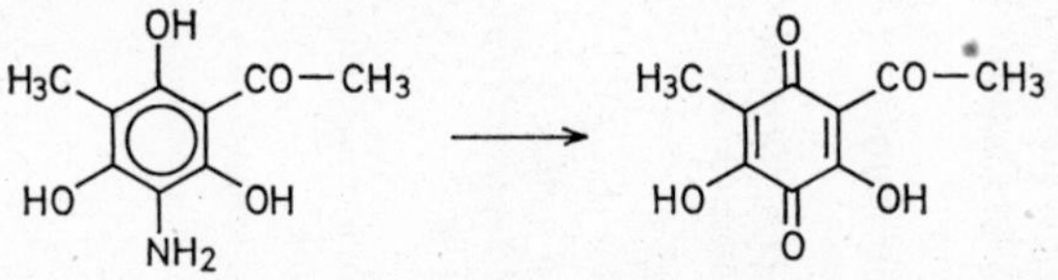

Eine Lösung von 0,5 g 5-Amino-2,4,6-trihydroxy-3-methyl-1-acetyl-benzol-Hydrochlorid in 12 *ml* Wasser und 1 *ml* Methanol wird unter Kühlung mit einer Lösung von 1,16 g Eisen(III)-chlorid-Hexahydrat in 10 *ml* 2 n Salzsäure versetzt. Das ausgefallene Chinon wird durch Sublimation gereinigt; Ausbeute: 0,37 g (88% d.Th.); F: 144–145°.

In ähnlicher Weise erhält man aus 2-Amino-1-hydroxy-naphthalin das *Naphthochinon-(1,2)* (93–94% d.Th.) [2].

Sowohl aus 1,5-Diamino-2,6-dihydroxy-anthracen-4,8-disulfonsäure als auch aus 2,6-Diamino-1,5-dihydroxy-anthracen-4,8-disulfonsäure erhält man mit Eisen(III)-chlorid in salzsaurer Lösung nur das Monochinon *5,6-Dihydroxy-anthrachinon-(1,2)-4,8-disulfonsäure* [3]:

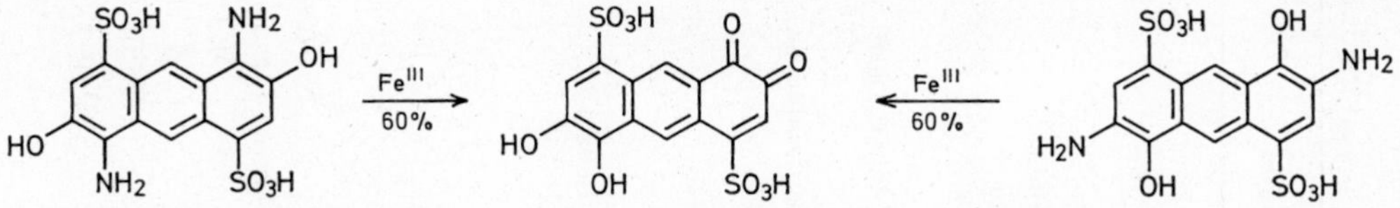

Offenbar wird die Amino-Gruppe leichter angegriffen als die Hydroxy-Gruppe.

Tetramethyl-p-benzochinon [4,5]: 100 g 3,6-Diamino-tetramethyl-benzol [als Tetrachlorostannit (II)] werden in einer Lösung von 300 g Eisen(III)-chlorid in 150 *ml* Wasser und 20 *ml* konz. Salzsäure suspendiert und bei 30° über Nacht sich selbst überlassen. Der Niederschlag wird abgesaugt und aus 150 *ml* 95%igem Äthan umkristallisiert; Ausbeute: 40 g (90% d.Th.); F: 109—110°.

Die als Zwischenprodukte bei der Oxidation von Aminophenolen zu Chinonen gebildeten Chinonimine sind zum Teil faßbar. So wird aus dem Hydrochlorid des 4-Amino-phenols durch vorsichtige Oxidation mit Eisen(III)-chlorid das dimere *p-Benzochinon-imin* (violett) erhalten [6]. Bei der Dehydrierung von 4,4'-Diamino-biphenyl und seiner Derivate fällt *Diphenochinon-diimin-Dihydrochlorid* aus.

3,3'-Dimethyl-diphenochinon-diimin-Dihydrochlorid [7]:

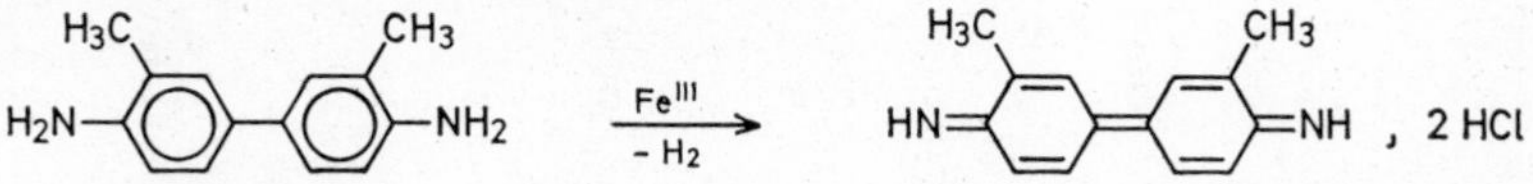

(Fortsetzung S. 700)

[1] W. Riedl u. E. Leucht, B. **91**, 2784 (1958).
[2] L. Fieser, Org. Synth. Coll. Vol. II, 430 (1950); Org. Synth. **17**, 68 (1937).
[3] M. V. Gorelik, Z. org. Chim. **1**, 589 (1965); C. A. **63**, 1753 (1965); mit salpetriger Säure wird das Bis-chinon erhalten.
[4] L. I. Smith u. F. J. Dobrovolny, Am. Soc. **48**, 1420 (1926).
[5] L. I. Smith, Org. Synth. II, 254 (1950).
[6] R. Willstätter u. J. Piccard, B. **42**, 1902 (1909).
[7] W. Schlenk, A. **363**, 325 (1908).

Tab. 3: Chinone durch Dehydrierung von Amino-phenolen oder 1,4-Diamino-benzolen mit Eisen(III)-salzen

Ausgangsverbindung				Reaktionsbedingungen	Chinon	Ausbeute [% d.Th.]	Literatur
R1	R2	R3	R4				
OCH3	H	CH3	OH	Fe2(SO4)3, Wasserdampfdest.; Extraktion mit Äther	3-Hydroxy-5-methoxy-2-methyl-p-benzochinon		1
OCH3	OCH3	CH3	H		5,6-Dimethoxy-2-methyl-p-benzochinon	91	2
H	OCH3	C3H7	H		5-Methoxy-3-propyl-p-benzochinon		3
CH3	H	a	H	FeCl3, Extraktion mit Äther, Dest.	5-Methyl-2-(1,5-dimethyl-hexyl)-p-benzochinon		4
H	H	CH3	CH3	Fe2(SO4)3, H2SO4, Wasserdampfdest. Extraktion mit Äther	2,3-Dimethyl-p-benzochinon	61	5
CH3	H	a	H	FeCl3	6-Hydroxy-5-methyl-2-[6-methyl-heptyl-(2)]-p-benzochinon		6
OCH3	OCH3	CH3	H	FeCl3, Extraktion mit Benzol	2,3-Dimethoxy-5-methyl-p-benzochinon	61	7
CH3	CH3	CH3	H		Trimethyl-p-benzochinon		8
CH3	CH3	CH3	SO3H		Trimethyl-p-benzochinon-sulfonsäure		9

a (H3C)2CH-(CH2)3-CH(CH3)-

1 K. Konya, M. 21, 422 (1900).
2 Jap. P. Anm. 22574/63 (1963), Kogyo, Co., Ltd., Erf.: M. Matsui u. Y. Mori; C. A. 60, 2847 (1964).
3 F. M. Dean, A. M. Osaran u. A. Robertson, Soc. 1955, 11.
4 D. A. Archer u. R. H. Thomson, Soc. [C] 1967, 1710.
5 L. I. Smith u. F. L. Austin, Am. Soc. 64, 528 (1942).
6 D. A. Archer u. R. H. Thomson, Chem. Commun. 1965, 354.
7 K. Koshi, Chem. pharm. Bl. [Japan] 11, 404 (1963). Jap. Pat. Anm. 23397/64 (1964), Daiichi Seiyaku Co., Ltd., Erf.: K. Koshi, M. Ota u. K. Shimizu; C. A. 62, 10379 (1965).
8 C. K. Hui, J. Vitaminology 1, 8 (1954). USSR. P. Anm. 158873 (1964), A. A. Svitshuk et al.,; C. A. 60, 11951 (1964).
9 Jap. P. Anm. 10918/64 (1964), Yodogawa Seiyaki Co., Ltd.; Erf.: T. Mori u. S. Nakanishi; C. A. 61, 1934 (1964).

Tab. 3 (1. Fortsetzung)

Ausgangsverbindung		Reaktionsbedingungen	Chinon	Ausbeute [% d. Th.]	Literatur
(naphthol-amine, R / R¹)	R: OCH₃, R¹: H	FeCl₃, Wasser, Salzsäure	6-Methoxy-naphthochinon-(1,2)	54	[1]
	R: OCH₃, R¹: OCH₃	FeCl₃ · 6 H₂O, Wasser, Salzsäure	5,6-Dimethoxy-naphthochinon-(1,2)	89	[2]
(diphenyl-anthracene, R = H)	R = H	FeCl₃, Extraktion mit Äther	9,10-Diphenyl-anthrachinon-(1,2)	80	[3]
(diphenyl-anthracene, R = OCH₃)	R = OCH₃	FeCl₃	3-Methoxy-9,10-diphenyl-anthrachinon-(1,2)	75	[4, 8, a, 5]
(amino-hydroxy-chinolin)			7-Hydroxy-5,8-dioxo-5,8-dihydro-chinolin	65	[6]

[1] H. E. Trench u. K. Sears, Am. Soc. 70, 1279 (1948).
[2] M. Gates, Am. Soc. 72, 228 (1950).
[3] A. Etienne u. J. Salmon, Bl. 1954, 1133.
[4] A. Etienne u. J. Bourdon, Bl. 1955, 389.
[5] C. Dufraisse, A. Etienne u. J. Salmon, C. r. 237, 1463 (1953).
[6] Y. T. Pratt u. N. L. Drake, Am. Soc. 79, 5024 (1957).

15 g 4,4′-Diamino-3,3′-dimethyl-biphenyl, gelöst in 500 ml Äthan, werden solange mit einer 10%igen wäßrigen Eisen(III)-chlorid-Lösung versetzt, bis die Menge des entstandenen Niederschlages nicht mehr zunimmt. Der Niederschlag wird filtriert, bis zum Verschwinden der Eisen(III)-chlorid-Reaktion mit 1%iger Salzsäure, dann mit Wasser gewaschen, danach scharf abgesaugt und i. Vak. über Schwefelsäure getrocknet.

Ist die Amino-Gruppe des Amino-phenols Bestandteil eines Ringes wie im 4,6,8-Tribrom-2-hydroxy-10,11-dihydro-5H-⟨dibenzo-[b;f]-azepin⟩, so entsteht mit Eisen(III)-chlorid in salzsaurer Lösung ein Chinonimin (*4,6,8-Tribrom-2-oxo-10,11-dihydro-2H-⟨dibenzo-[b;f]-azepin⟩*)[1]:

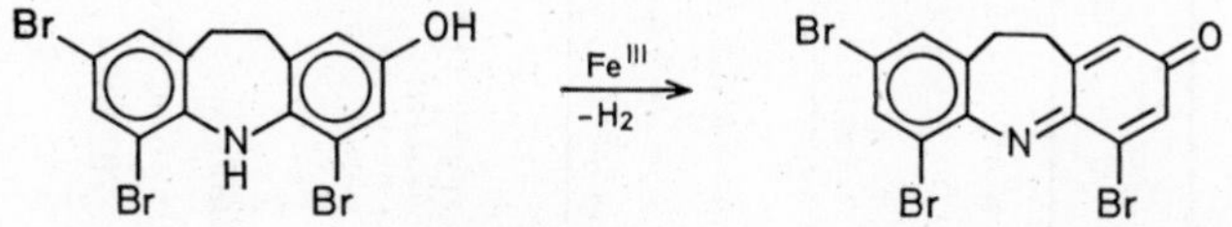

Auf ähnlichem Weg gelingt die Herstellung von 3-Oxo-3H-phenoxazonen[2] aus 2-Hydroxy-phenoxazinen mit Eisen(III)-chlorid; z. B.:

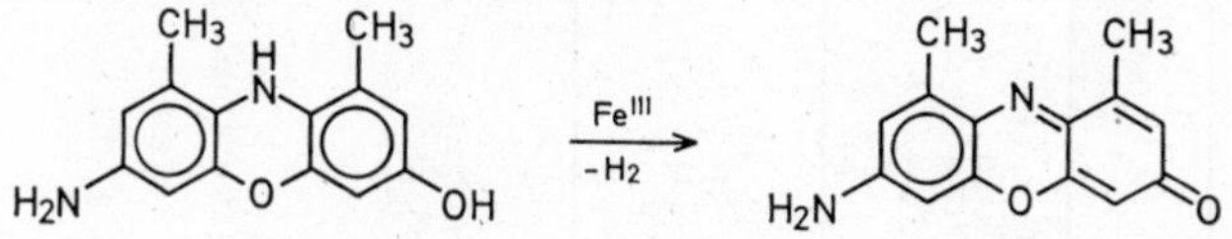

7-Amino-3-oxo-1,9-dimethyl-3H-phenoxazin

Bei der Dehydrierung von 3-Amino-4-oxo-2-(2,5-dihydroxy-benzyl)-chinazolin mit Eisen(III)-chlorid tritt zusätzlich Ringschluß ein und man erhält *2,7-Dioxo-2,7-dihydro-13H-⟨chinoxazilino-[3,2-b]-cinnolin⟩*[3]:

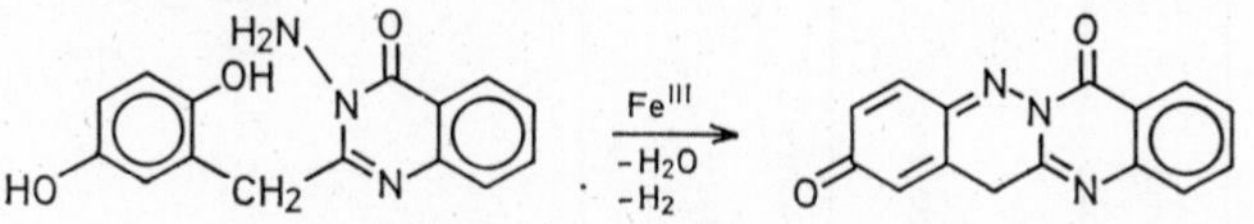

γ) Bildung von Oxonium- bzw. Sulfonium-Salzen

In einigen Fällen vermag Eisen(III)-chlorid Verbindungen mit zweiwertigem Sauerstoff oder Schwefel zu Oxonium- bzw. Thionium-salzen zu dehydrieren; so z. B. Phenoxazin zu *Phenazoxonium-chlorid*(I)[4], Phenthiazin zu *Phenthiazonium-(9)-chlorid*(II)[4], 1,2,3,4,6,7,8,9-Octahydro-thioxanthene zu *1,2,3,4,6,7,8,9-Octahydro-thioxanthylium*-Salzen(III)[5] und 1,1,3-Triphenyl-1,3-dihydro-⟨benzo-[c]-thiophen⟩ zu *1,1,3-Triphenyl-1H-⟨benzo-[c]-thienylium⟩-perchlorat*(IV)[6]:

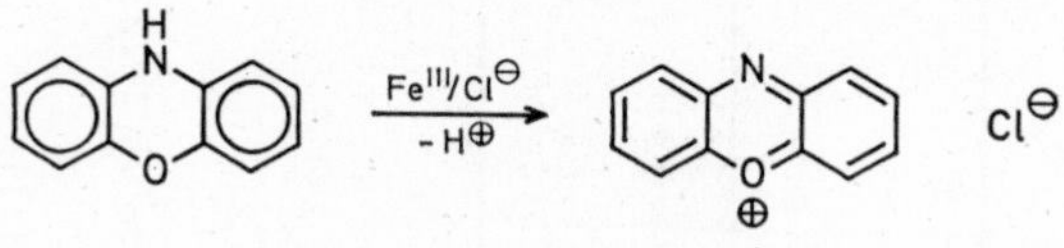

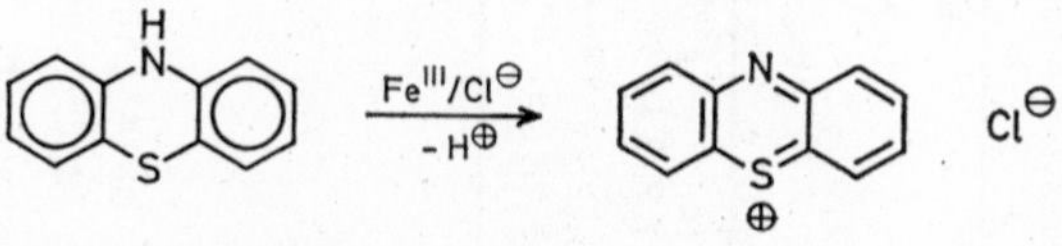

[1] H. J. Teuber u. W. Schmidtke, B. **93**, 1257 (1960).
[2] H. Musso u. P. Wager, B. **94**, 2551 (1961).
[3] M. J. Kort u. M. Lamchen, Soc. [C] **1966**, 2190.
[4] F. Kehrmann, B. **34**, 4170 (1901); **39**, 922 (1906).
[5] V. G. Charčenko et al., Chim. geteroc. Soed. **1970**, 338.
[6] T. G. Melent'eva, I. P. Soloveichik, D. Oparin u. L. A. Pavlova, Ž. org. Chim. 8, 1327 (1972); C. A. **77**, 101320 (1972).

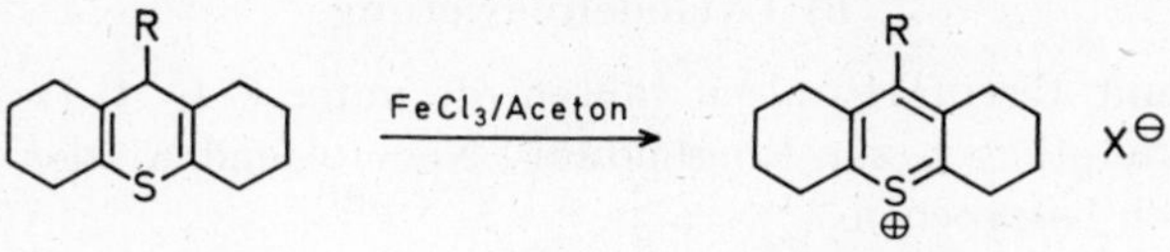

III; R = Alkyl, Aryl

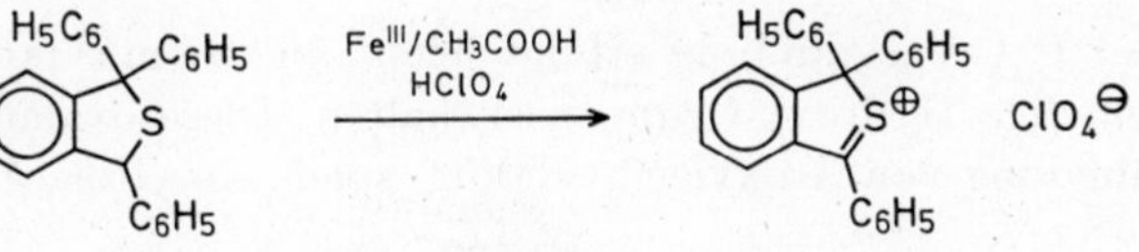

IV

Die Dehydrierung wird in den zwei ersten Fällen in alkoholischer Lösung und in den beiden letzten Beispielen in Aceton bzw. Eisessig durchgeführt.

5. Bildung von N=O-Doppelbindungen[1]

Hydroxylamine werden durch Eisen(III)-salze zu Nitroso-verbindungen[2,3] dehydriert. So erhält man aus 2-Hydroxylamino-benzoesäure-äthylester mit Eisen(III)-chlorid bereits in der Kälte *2-Nitroso-benzoesäure-äthylester* (F: 120–121°)[3]:

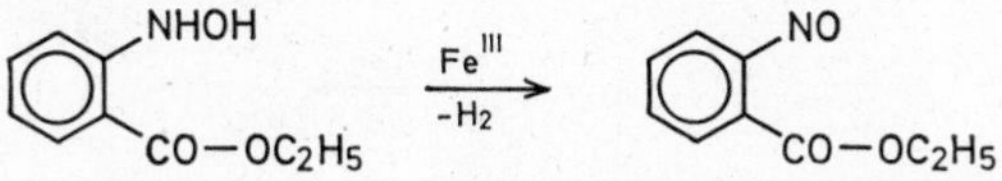

und aus Cyclohexyl-hydroxylamin durch Behandeln mit wäßriger Eisen(III)-chlorid-Lösung *Nitroso-cyclohexan* (90% d.Th.; F: 118°)[4].

Auf ähnliche Weise erhält man aus p-Benzochinon-dioxim mit Eisen(III)-chlorid in wäßriger Lösung bei 80–90° in 92%iger Ausbeute *1,4-Dinitroso-benzol*[5].

Allgemein jedoch werden speziell zur Herstellung von Nitrosoaromaten, die bei der Reduktion der Nitroaromaten entstehenden Hydroxylamine mit Eisen(III)-chlorid in einem Synthesezug dehydriert. So geht Fluor-nitro-benzol durch Reduktion mit Zink und anschließende Dehydrierung leicht in *Fluor-nitroso-benzol*[6] über:

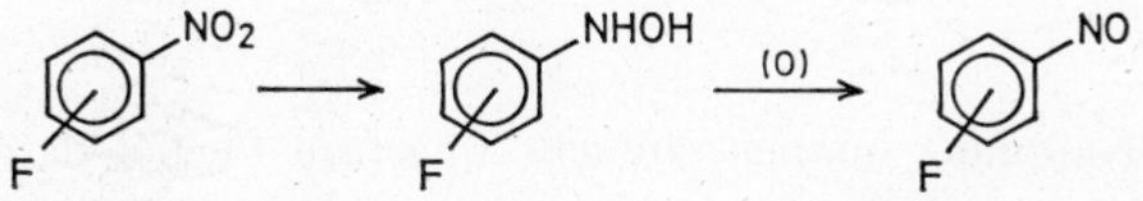

Fluor-nitroso-benzol[6]: Zu einer Lösung von 1,25 g Ammoniumchlorid in 40 *ml* Wasser werden 2,85 g Fluor-nitro-benzol unter Rühren zugefügt. Dann gibt man im Verlauf von 15 Min. 2,95 g Zinkpulver in kleinen Portionen hinzu und erhitzt einige Zeit am Rückfluß bei 60°. Zinkoxid wird heiß abfiltriert und das Filtrat unter Rühren mit einer Lösung von 5,5 g Eisen(III)-chlorid in 134 g Eiswasser versetzt. Danach läßt man den gelben Niederschlag absitzen, filtriert ab und trocknet zwischen Filterpapier. Anschließend wird aus Äthanol umkristallisiert und die Nitroso-Verbindung in einer Pozzi-Escott-Apparatur wasserdampfdestilliert. So erhält man z. B.:

2-Fluor-1-nitroso-benzol	48,8% d.Th.	F: 19°
3-Fluor-1-nitroso-benzol	87,4% d.Th.	F: 51°
4-Fluor-1-nitroso-benzol	89,3% d.Th.	F: 39°

[1] Vgl. ds. Handb., Bd. X/I, Kap. aromatische Nitrosoverbindungen, S. 1017; Kap. aliphatische Nitrosoverbindungen, S. 891.

[2] E. BAMBERGER, B. **28**, 1221 (1895).

[3] E. BAMBERGER u. F. PYMAN, B. **36**, 2701 (1903).

[4] Fr. P. 1123977 (1956), Synthese-Chemie GmbH; C. **1959**, 3304.

[5] J. S. KHISHCHENKO, M. A. MAKAROV, G. A. GAREEV, N. A. Čerkašino u. G. S. KOPTINA, Ž. prikl. Chim. **42**, 2384 (1970); C. A. **72**, 31347 (1970).

[6] G. OLAH, A. PARLATH u. I. KUHN, Act. Chim. hung. **7**, 65 (1955); C. A. **50**, 11261 (1956).

b) Cyclodehydrierung

Dehydrierungen mit Eisen(III)-salzen führen oft unter C–C-, C–O-, C–S-, C–N-, N–N-, N–S- und S–S-Verknüpfungen zur Ringbildung. Nachfolgend werden im einzelnen diese Ringschlußreaktionen besprochen.

1. C–C-Ringschluß

Ringbildung unter C–C-Verknüpfung erfolgt leicht an aromatischen C-Atomen, die ortho- oder para-ständige Hydroxy-Gruppen enthalten. Diese oxidative Phenolkupplung die unter Zwischenbildung von Aroxylen verläuft[1], spielt eine Rolle bei der Synthese von Alkaloiden.

Bei der Dehydrierung von 6,7-Dihydroxy-2-methyl-1-(3,4-dihydroxy-benzyl)-1,2,3,4-tetrahydro-isochinolin (Laudanosolin, I) mit Eisen(III)-chlorid erhält man *1,2,9,10-Tetrahydroxy-6-methyl-4,5,6a,7-tetrahydro-6H-⟨dibenzo-[d,e;g]-chinolin⟩* (II; 63% d.Th.)[2], wenn die Reaktion in konz. Eisen(III)-chlorid-Lösung durchgeführt wird (als Zwischenstufe bildet sich ein Eisenkomplex). Wird in verd. Eisen(III)-chlorid-Lösung dehydriert, so erhält man unter Umlagerung *2,3,9,10-Tetrahydroxy-7-methyl-5,6,12,12a-tetrahydro-⟨indolo-[2,1-a]-isochinolinium⟩-chlorid* (III; 70% d.Th.):

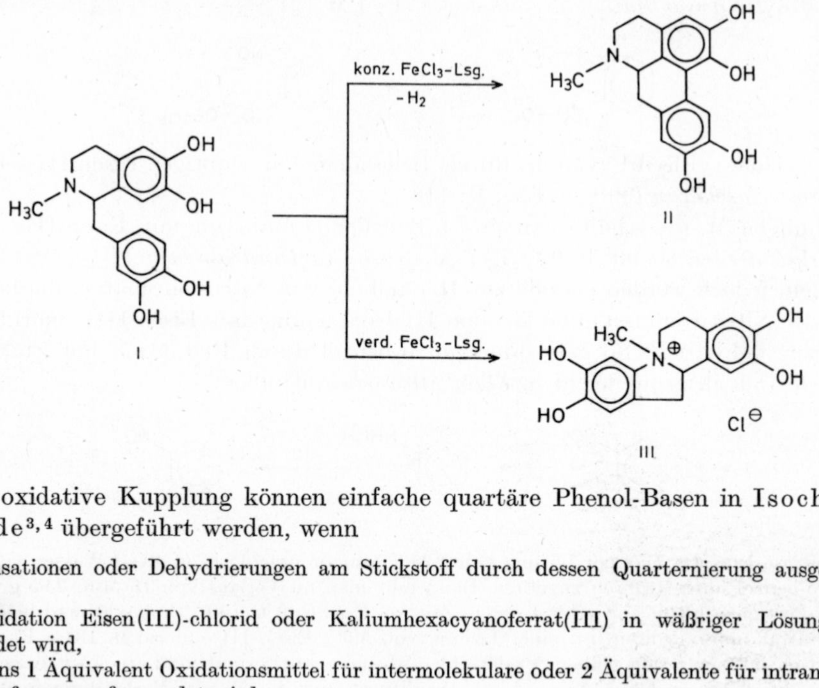

Durch oxidative Kupplung können einfache quartäre Phenol-Basen in Isochinolin-Alkaloide[3,4] übergeführt werden, wenn

① Kondensationen oder Dehydrierungen am Stickstoff durch dessen Quarternierung ausgeschlossen werden,
② zur Oxidation Eisen(III)-chlorid oder Kaliumhexacyanoferrat(III) in wäßriger Lösung bei 20° verwendet wird,
③ höchstens 1 Äquivalent Oxidationsmittel für intermolekulare oder 2 Äquivalente für intramolekulare Verknüpfungen aufgewendet wird,
④ die kondensierenden Phenylkerne eine o-Hydroxy- oder o-Methoxy-Gruppe enthalten, alle Voraussetzungen zur intermediären Bildung entsprechender Aroxyle, die teils aus der Aroxyl-, teils in der mesomeren Acyl-Form reagieren[3].

---

[1] Eu. Müller u. K. Ley, Z. Naturf. **86**, 11 (1953); B. **87**, 922 (1954).
[2] B. Franck u. L. F. Tietze, Ang. Ch. **79**, 815 (1967).
  Wird vom 6,6-Dimethyl-Derivat ausgegangen, so wird ebenfalls II erhalten:
    Als *Jodid* (60% d.Th.): B. Franck u. G. Schlinghoff, A. **659**, 123 (1962).
                    B. Franck, G. Blaschke u. G. Schlinghoff, Tetrahedron Letters **1962**, 439.
    Als *Bromid* (83% d.Th.): B. Franck u. G. Blaschke, A. **695**, 144 (1966).
  Herstellung des *2-Methoxy*-Derivats s. T. Kametani u. I. Noguchi, Soc. [C] **1967**, 5, 1440.
[3] B. Franck, G. Blaschke u. G. Schlinghoff, Ang. Ch. **75**, 957 (1963).
[4] B. Franck u. L. F. Tietze, Ang. Ch. **79**, 815 (1967).

Bei der Dehydrierung der Isochinoline IV mit wäßriger Eisen(III)-chlorid-Lösung entstehen spiro-Dienone V (17–19% d. Th.)[1]:

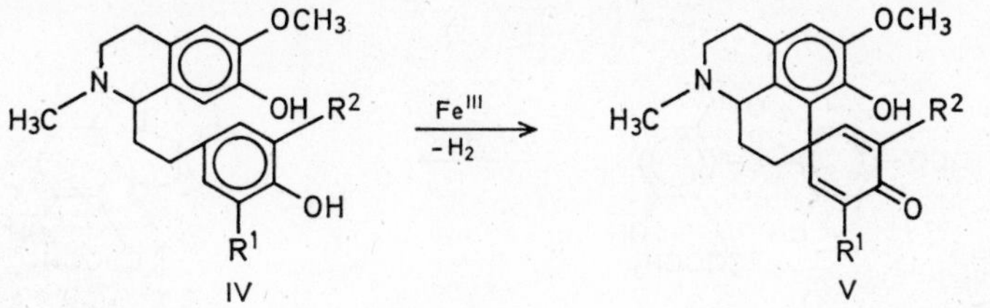

IV   V

Entsprechende 1-Benzyl-Derivate des Tetrahydro-isochinolins liefern Spiro-Fünfring-Verbindungen[2], die nach einer Dienon-Phenol-Umlagerung hydrierte Naphtho-isochinoline liefern (eine bei den Phenolalkaloiden in der Genese häufige Reaktion); z. B.:

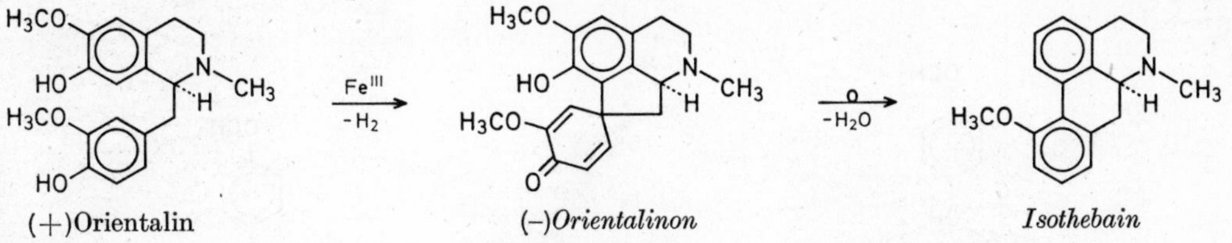

(+)Orientalin   (−)Orientalinon   Isothebain

2. C–O-Ringschluß

Ein dehydrierender Ringschluß unter C–O-Verknüpfung mit Eisen(III)-chlorid ist selten.

Bei der Dehydrierung von Semicarbazonen, bei denen der eine Stickstoff Bestandteil eines heterocyclischen Rings ist, lassen sich 1,3,4-Oxadiazole erhalten[3]:

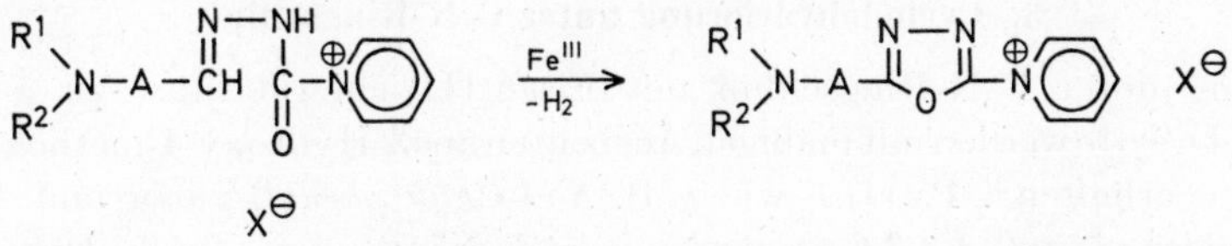

Auch 1,2,4-Triazole und 1,3,4-Thiadiazole kann man so herstellen, wenn anstelle des Sauerstoffs im Semicarbazon Stickstoff oder Schwefel steht[3].

Mit einem äquimolekularen Gemisch aus Eisen(III)-chlorid und Kaliumhexacyanoferrat (III) erhält man ebenfalls über Aroxyle[4] aus Bis-[2,6-dioxo-4,4-dimethyl-cyclohexyl]-methan unter C–O-Verknüpfung *2,6-Dioxo-4,4-dimethyl-cyclohexan-⟨1-spiro-8⟩-2-oxo-4,4-dimethyl-7-oxa-bicyclo[4.3.0]nonen-(1⁶)* (28% d. Th.; F: 214–215°)[5]:

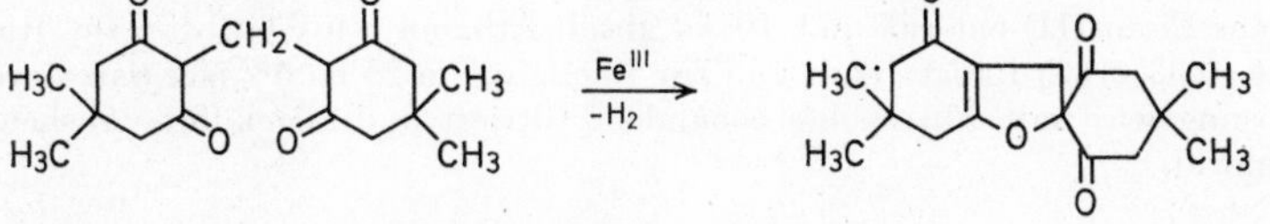

[1] T. KAMETANI et al., Chem. Commun. **17**, 878 (1967).
     R. E. HARMON u. B. L. JENSEN, J. heteroc. Chem. **7**, 1077 (1970).
     T. KAMETANI, F. SATOH, H. YAGI u. K. FUKUMOTO, Soc. [C] **1970**, 382.
     T. KAMETANI u. M. MIZUSHIMA, J. Pharm. Soc. Japan **90**, 696 (1970).
[2] W. J. TAYLOR u. A. R. BATTERSBY, *Oxidative coupling of phenols*, S. 126, M. Dekker Inc. New York 1967.
[3] Brit. P. 1053085 (1966) K. TOMAC; C. A. **66**, 46427 (1967); 104 Beispiele.
[4] EU. MÜLLER u. K. LEY, Z. Naturf. **86**, 11 (1953); B. **87**, 922 (1954).
[5] O. H. MATTSSON u. C. A. WACHTMEISTER, Tetrahedron Letters **20**, 1855 (1967).

Auf ähnliche Weise erhält man aus 3,6-Dihydroxy-2-(2-hydroxy-4-methoxy-benzoyl)-benzoesäure-methylester 86% d. Th. *2-Hydroxy-5-oxo-1-methoxycarbonyl-cyclohexadien-(1,3)-⟨6-spiro-2⟩-6-methoxy-3-oxo-2,3-dihydro-⟨benzo-[b]-furan⟩*[1]:

H₃CO— ... O OH ... Fe^III/H₂O ... H₃CO— ... O O ... OH COOCH₃

Bei der Umsetzung von 1,5-Dihydroxy-1,3,5-tris-[4-methoxy-phenyl]-pentadien-(1,4) mit Eisen(III)-chlorid in Eisessig/Acetanhydrid erhält man unter C–O-Ringschluß das Oxonium-salz *2,4,6-Tris-[4-methoxy-phenyl]-pyrylium-chlorid*[2]:

OCH₃ ... Fe^III/Cl⁻ ... OCH₃ ... H₃CO— ... —OCH₃ ... Cl⁻

3. Cyclodehydrierung unter C–N-Ringschluß

Dehydrierung unter C–N-Ringschluß mit Eisen(III)-chlorid führt zu 5- und 6-Ring Heterocyclen. Indole werden mit mäßigen Ausbeuten aus 3-Hydroxy-4-methoxy-1-(2-amino-äthyl)-benzolen erhalten[3]. Purine wie z. B. *8-(4-Chlor-phenyl)-purin* und *2,6-Dioxo-1,3-dimethyl-8-(4-chlor-phenyl)-1,2,3,6-tetrahydro-purin*[4] erhält man durch Dehydrierung der entsprechenden Imine in absol. Alkohol:

N ... CH— —Cl ... Fe^III / –H₂ ... N ... —Cl ... NH₂ ... N H

8-(4-Chlor-phenyl)-purin[4]: Ein Gemisch von 0,5 g 4-Amino-5-(4-chlor-benzylidenamino)-pyrimidin, 0,7 g wasserfreiem Eisen(III)-chlorid und 10 *ml* absol. Äthanol wird 6 Stdn. am Rückfluß gekocht. Der Niederschlag (0,33 g) wird abgetrennt und zur Reinigung in 25 *ml* 5%iger Salzsäure bis zur Lösung gekocht. Die Lösung wird mit Aktivkohle behandelt, filtriert und abgekühlt; Ausbeute: 0,17 g (30% d. Th.) (Hydrochlorid).

Thiosemicarbazone werden mit Eisen(III)-chlorid gewöhnlich unter Ausbildung eines C–S-Ringschlusses dehydriert. Wird jedoch der Schwefel durch Benzylierung geschützt wie im Falle der Dehydrierung von 4-Acetamino-benzaldehyd-S-benzyl-thiosemicarbazon, so

[1] B. Frank u. U. Zeidler. B. **106**, 1182 (1973).
[2] W. Dilthey, J. pr. **95**, 107 (1917).
[3] T. Kametani et al., Soc. [C] **1971**, 1803.
[4] A. V. Elcov et al., Ž. org. Chim. **3**, 1 205 (1967).

entsteht unter C–N-Verknüpfung *5-Benzylmercapto-3-(4-acetamino-phenyl)-4H-1,2,4-tri-azol*[1]:

$$H_5C_6-CH_2-S-C \overset{N-N}{\underset{NH_2}{=}} CH-\bigcirc-NH-CO-CH_3 \quad \xrightarrow[-H_2]{Fe^{III}}$$

$$H_5C_6-CH_2-S \overset{N-N}{\underset{H}{\diamond}} \bigcirc-NH-CO-CH_3$$

5-Benzylmercapto-3-(4-acetamino-phenyl)-4H-1,2,4-triazol[1]: 186 *ml* einer 10%igen wäßrigen Lösung von Eisen(III)-chlorid-Hexahydrat wird in Portionen von 10-20 *ml* zu einer kochenden Lösung von 12,5 g 4-Acetamino-benzaldehyd-S-benzyl-thiosemicarbazon-Hydrochlorid in 800 *ml* Wasser gegeben. Der kristalline Niederschlag, der nach dem Abkühlen ausfällt, wird abfiltriert, mit Wasser gewaschen und aus 400 *ml* Methanol umkristallisiert; Ausbeute: 7 g (~ 57% d. Th.); F: 195-196° (Zers.).

Heterocyclische Hydrazone, deren Hydrazono-Gruppe in Nachbarstellung zum heterocyclischen Stickstoff steht, lassen sich mit Eisen(III)-chlorid in äthanolischer Lösung in guter Ausbeute zu 1,2,4-Triazol-Derivaten dehydrieren. So erhält man aus 4-Benzyliden-hydrazino-chinazolin *3-Phenyl-⟨1,2,4-triazolo-[4,3-c]-chinazolin⟩* (70% d. Th.)[2]

$$\text{4-Benzylidenhydrazino-chinazolin} \quad \xrightarrow[-H_2]{Fe^{III}} \quad \text{3-Phenyl-1,2,4-triazolo-[4,3-c]-chinazolin}$$

und aus 4-Furfurylidenhydrazino-chinazolin *3-Furyl-(2)-⟨1,2,4-triazolo-[4,3-c]-chinazolin⟩* (72% d. Th.).

Die dehydrierende Cyclisierung von Pyridyl-(2)-, Chinolyl-(2)- und Isochinolyl-(1)-hydrazonen mit äthanolischer Eisen(III)-chlorid-Lösung führt zu 3-substituierten Pyrido-[2,1-c]-1,2,4-triazolen, 1,2,4-Triazolo-[4,3-a]-chinolinen und 1,2,4-Triazolo-[3,4-a]-isochinolinen[3].

Pyrido-[2,1-c]-1,2,4-triazole; 1,2,4-Triazolo-[4,3-a]-chinolin bzw. 1,2,4-Triazolo-[3,4-a]-isochinolin; allgemeine Herstellungsvorschrift[3]: Pyridyl-(2)-, Chinolyl-(2)- oder Isochinolyl-(1)-hydrazone werden in der erforderlichen Menge Äthanol gelöst und am Rückfluß gekocht. Eine äthanolische Lösung von Eisen(III)-chlorid-Hexahydrat (0,05 Mol) wird in 3 Portionen im Abstand von 15 Min. hinzugefügt. Nach 2 stdgm. Erhitzen am Rückfluß wird das Äthanol weitgehend abdestilliert; die restliche Flüssigkeit mit Wasser versetzt und mit Ammoniak neutralisiert, wobei das Produkt zusammen mit Eisen(II)-hydroxid ausfällt. Die Heterocyclen werden durch wiederholtes Behandeln des Niederschlages mit heißem Benzol oder Äthanol isoliert. Nach Entfernung des Eisenhydroxids und nach Abdampfen des Extraktionsmittels wird das Rohprodukt aus einem geeigneten Lösungsmittel umkristallisiert (Ausbeute: 70-90% d. Th.).

Auf ähnliche Weise lassen sich 2-Benzylidenhydrazino-⟨benzo-1,3-thiazole⟩ mit äthanolischer Eisen(III)-chlorid-Lösung zu den entsprechenden Thiazolo-[3,4-b]-benzo-1,3-thiazol-Derivaten[4] dehydrieren:

$$\text{R}-\text{benzothiazol-hydrazono-CH}-\bigcirc-\text{R}' \quad \xrightarrow[-H_2]{Fe^{III}} \quad \text{Thiazolo-triazol}-\bigcirc-\text{R}'$$

[1] R. DUSCHINSKY u. H. GAINER, Am. Soc. **73**, 4464 (1951).
[2] G. S. SIDHU, G. THYAGARAJAN u. N. RAO, Naturwiss. **50**, 732 (1963).
[3] S. NAQUI u. V. R. SRINIVASAN, Ind. J. Chem. **3**, 162 (1965); 22 Beispiele.
[4] V. R. RAO u. V. R. SRINIVASAN, Experientia **20**, 200 (1964).

Phenazine werden durch Dehydrierung geeigneter Diphenylamine gewonnen. So erhält man aus 3-Amino-4-(4-amino-anilino)-benzonitril durch Erhitzen mit salzsaurer Eisen(III)-chlorid-Lösung in quantitativer Ausbeute *8-Amino-2-cyan-phenazin*[1]:

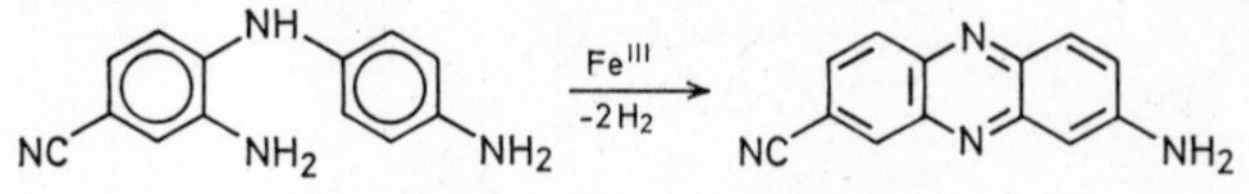

7,12-Dioxo-7,12-dihydro-⟨naphtho-[2,3-b]-phenazin⟩[2] läßt sich unter den gleichen Bedingungen aus 3-Amino-2-(2-amino-anilino)-anthrachinon herstellen:

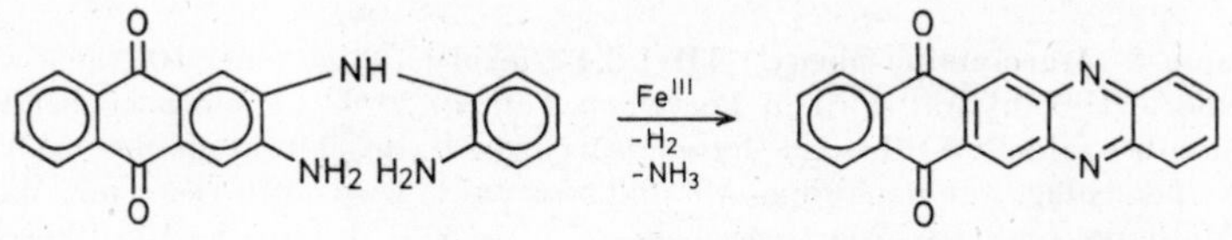

4. Cyclodehydrierung unter C–S-Ringschluß

Durch intramolekulare Dehydrierung mit Eisen(III)-chlorid unter C–S-Verknüpfung läßt sich aus 2-Mercapto-zimtsäure *Benzo-[b]-thiophen*[3] herstellen. Gleichzeitig wird Kohlendioxid abgespalten:

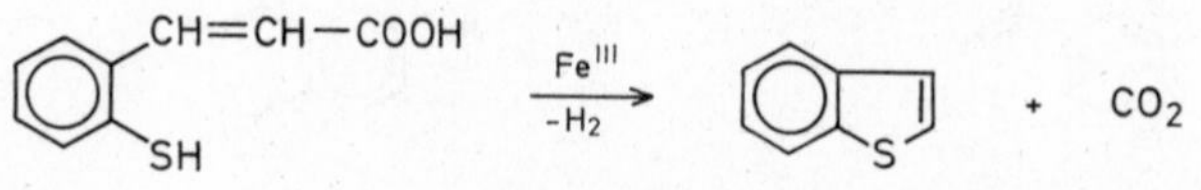

Thiosemicarbazone werden mit Eisen(III)-chlorid unter C–S-Verknüpfung in 1,3,4-Thiadiazole übergeführt. Die schon seit langem bekannte Reaktion[4] verläuft über die tautomere Form des Thiosemicarbazons und wird in wäßriger Lösung, in Alkohol oder 1,4-Dioxan bei erhöhter Temperatur (70–90°) durchgeführt:

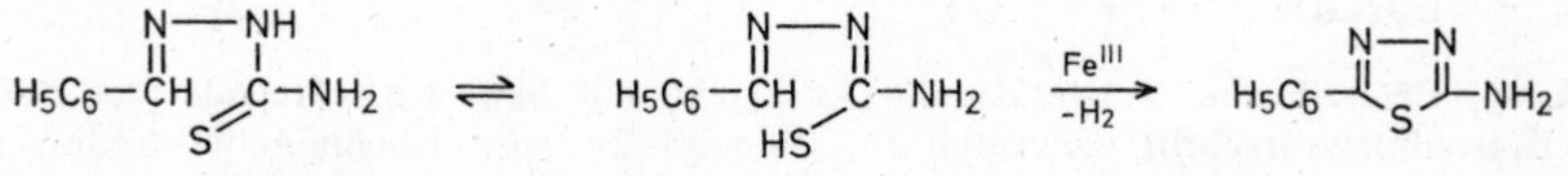

S-substituierte Thiosemicarbazone werden dagegen unter C–N-Verküpfung zu 4H-1,2,4 triazolen cyclisiert (s. S. 705).

Andere Dehydrierungsmittel scheinen weniger geeignet[5-7]. So geht z. B. Glyoxylsäureester-thiosemicarbazon mit Eisen(III)-chlorid in das entsprechende 1,3,4-Thiadiazol, mit Wasserstoffperoxid dagegen in ein 1,3,4-Triazol über[7, 8].

Während sich Pyridin-2-aldehyd-thiosemicarbazon nur in sehr geringen Ausbeuten (<5%) mit Eisen(III)-chlorid zum *5-Amino-2-pyridyl-(2)-1,3,4-thiadiazol*[9] dehydrieren

[1] F. G. Hollmann, B. A. Jeffery u. D. J. H. Brock, Tetrahedron **19**, 1841 (1963).

[2] E. Leete, O. Ekechukwu u. P. Delvigs, J. Org. Chem. **31**, 3734 (1966).

[3] P. Friedländer u. C. Chmelewsky, B. **46**, 1905 (1913).

[4] G. Young u. W. Eyre, Soc. **79**, 54 (1901).
V. R. Rao u. U. R. Srinivasan, Indian J. Chem. 8, 509 (1970).

[5] K. Skagius, K. Rubinstein u. E. Ifversen, Acta chem. scand. **14**, 1054 (1960); viele weitere Beispiele.

[6] DAS 1077220 (1960), Aktiebolaget Pharmacia, Erf.: K. Skagius, K. Rubinstein u. E. Ifversen; C. A. **55**, 22343 (1961).

[7] G. Werber u. F. Maggio, Ann. Chimica **49**, 2124 (1959).

[8] G. Werber u. F. Maggio, Ann. Chimica **51**, 944 (1961).

[9] P. Hemmerich, B. Prijs u. H. Erlenmeyer, Helv. **41**, 2058 (1958); C. A. **53**, 10191 (1959).

läßt, erhält man aus Furfural-thiosemicarbazon 41,6% d.Th. *5-Amino-2-furyl-(2)-1,3,4-thiadiazol*[1]. Beim 5-Nitro-furfural-thiosemicarbazon[2] liegen die Ausbeuten beträchtlich höher {87% d.Th. 5-Amino-2-[5-nitro-furyl-(2)]-1,3,4-thiadiazole}:

$$O_2N\text{—furyl—}CH=N\text{—NH—}C(=S)\text{—NH—R} \xrightarrow[-H_2]{Fe^{III}} O_2N\text{—furyl—thiadiazol—NH—R}$$

5-Amino-2-[5-nitro-furyl-(2)]-1,3,4-thiadiazol[2]: Eine Mischung von 125 g 5-Nitro-furfural-thiosemicarbazon und einer 25%igen Lösung von 490 g Eisen(III)-chlorid-Hexahydrat in Wasser wird unter Rühren 90 Min. auf einem Wasserbad bei 80° erhitzt. Nach dem Abkühlen wird der Niederschlag abfiltriert, zunächst mit 800 ml heißem, danach mit 800 ml kaltem Wasser gewaschen und bei 60° getrocknet. Die Substanz wird in 360 g heißem Dimethylsulfoxid gelöst, das Ganze abfiltriert und 30 ml Wasser zugefügt. Man läßt abkühlen, worauf das gelbe Produkt auskristallisiert. Dieses wird abfiltriert, erst mit 140 ml Äthanol, danach mit 180 ml Wasser gewaschen und schließlich getrocknet; Ausbeute: 108 g (87% d.Th.); F: 270-271° (Zers.).

In der Literatur finden sich zahlreiche weitere Beispiele zur Herstellung von 1,3,4-Thiadiazolen aus Thiosemicarbazonen durch Dehydrierung mit Eisen(III)-chlorid[3].

Analog den Thiosemicarbazonen werden Dithiocarbohydrazone mit Eisen(III)-chlorid zu 1,3,4-Thiadiazolen dehydriert. So erhält man aus 5-Nitro-furfural-(alkyl-mercaptothiocarbonylhydrazonen) *5-Alkylmercapto-2-[5-nitro-furyl-(2)]-1,3,4-thiadiazole*[4,5]:

$$O_2N\text{—furyl—}CH=N\text{—NH—}C(=S)\text{—SR} \xrightarrow[-H_2]{Fe^{III}} O_2N\text{—furyl—thiadiazol—SR}$$

Die Dehydrierung des 2-Methyl-4-phenyl-thiosemicarbazons der Glyoxylsäure liefert dagegen mit wäßriger Eisen(III)-chlorid-Lösung in 20 Min. bei 70–80° *5-Phenylimino-4-methyl-4,5-dihydro-1,3,4-thiadiazol*[6]:

$$HOOC\text{—CH}(=S)\text{—N—N(CH}_3)\text{—CH—NH—C}_6H_5 \rightleftharpoons HOOC\text{—CH(HS)—N—N(CH}_3)\text{—CH=N—C}_6H_5 \xrightarrow[-H_2]{Fe^{III}} \text{thiadiazol—N—N(CH}_3)\text{=N—C}_6H_5$$

---

[1] G. MAFFII, E. TESTA u. E. ETTORE, Farmaco (Pavia) Ed. sci. **13**, 187 (1958).

[2] K. SKAGIUS, K. RUBINSTEIN u. E. IFVERSEN, Acta chem. scand. **14**, 1054 (1960); viele weitere Beispiele.

[3] 2-Arylamino-1,3,4-thiadiazole; *5-(4-Chlor-anilino)-2-phenyl-1,3,4-thiadiazol*, G. RAMACHANDER u. V. R. SRINIVASAN, J. Sci. Ind. Res. **21** [C], 44 (1962); C. A. **57**, 16600 (1962).
  5-Amino-2-(4-nitro-benzyl)-1,3,4-thiadiazol, 5-Amino-2-(4-chlor-benzyl)-1,3,4-thiadiazol, T. BACCHEETI, A. ALEMAGNA u. B. DANIELI, Tetrahedron Letters **1964**, 3569.
  5-Amino-2-[5-nitro-furyl-(2)]-1,3,4-thiadiazole, Jap. P. Anm. 23730/64 (1964), Toyama Chem. Ing. Co., Ltd., Erf.: A. TAKAI, H. KODAMA, I. SAIKAWA u. H. TAMATSUKUVI; C. A. **62**, 11822 (1965).
  2-(2-Sulfo-anilino)-1,3,4-thiadiazole, T. KURIHARA et al., J. pharm. Soc. (Japan) **85**, 920 (1965).
  2-{3-[5-Nitro-furyl-(2)]-propenylamino}-1,3,4-thiadiazol, J. SAIKAWA u. A. TAKAI, J. pharm. Soc. (Japan) **85**, 948 (1965).
  5-Amino-2-methyl-1,3,4-thiadiazol, 5-Amino-2-benzoyl-1,3,4-thiadiazol, B. HOLMBERG, Ark. Kemi **9**, 65 (1956); C. **1959**, 11559.
  5-Amino-2-aryl-1,3,4-thiadiazol, V. R. RAO u. V. R. SRINIVASAN, Indian J. Chem. **8**, 509 (1970).

[4] S. TOYOSHIMA et al., J. pharm. Soc. (Japan) **84**, 192 (1964).

[5] Jap. P. Anm. 24805/64 (1964), Eisai Co., Ltd.; Erf.: K. K. EISAI; C. A. **63**, 9957 (1965).

[6] J. MENIN, J. F. GIUDICELLI u. H. NAJER, C. r. **261**, 766 (1965).

Substituierte Benzo-1,3-thiazole[1] lassen sich aus den entsprechenden 1-Thio-oxalsäure-1-aniliden durch C–S-Verknüpfung u. a. mit Eisen(III)-chlorid herstellen, z. B.:

6-Methoxy-2-carboxy-⟨benzo-1,3-thiazol⟩

Auch Brom und Hexacyanoferrat(III) können als Dehydrierungsmittel eingesetzt werden, wobei letzteres bevorzugt wird[1].

5. Cyclodehydrierung unter N–S-Ringschluß

2-Mercapto-1-aminomethyl-benzol läßt sich durch N–S-Ringschluß mit Eisen(III)-chlorid nur zu $^2/_3$ zu *Benzo-[d]-1,2-thiazol* (I)[2] neben $^1/_3$ *Bis-[2-aminomethyl-phenyl]-disulfid* (II) dehydrieren, während die Dehydrierung mit Kaliumhexacyanoferrat(III) (s. S. 816) vollständig zu I führt:

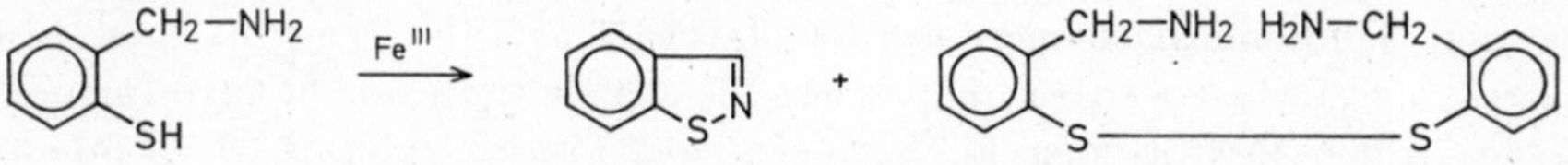

6. Cyclodehydrierung unter N–N-Ringschluß

Osazone gehen mit Eisen(III)-salzen in Osotriazole (2H-1,2,3-Triazole)[3] über. So ist die Ausbeute bei Umsetzung von Glucose-phenylosazon zu *Glucose-phenylosotriazol* [4-(1,2,3,4-Tetrahydroxy-butyl)-2-phenyl-2H-1,2,3-triazol] mit Eisen(III)-chlorid 29% und mit Eisen(III)-sulfat 18%. Mit Kupfer(II)-salzen (vgl. S. 66) liegen die Ausbeuten höher:

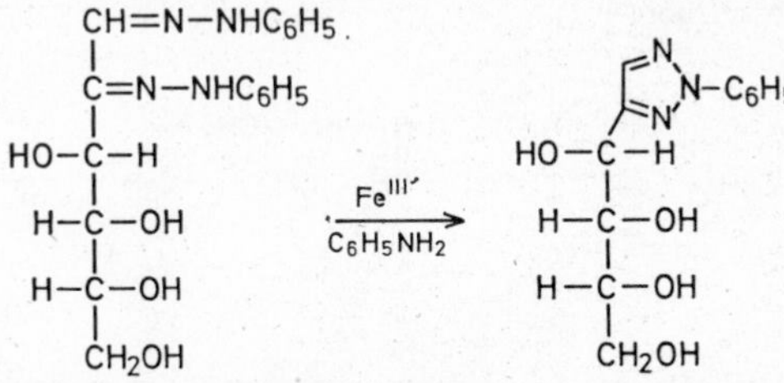

7. Cyclodehydrierung unter S–S-Ringschluß

Durch Dehydrierung von 1,ω-Dimercapto-Verbindungen mit Eisen(III)-chlorid werden unter S–S-Verknüpfung 1,2-Dithia-cycloalkane[4,5] erhalten:

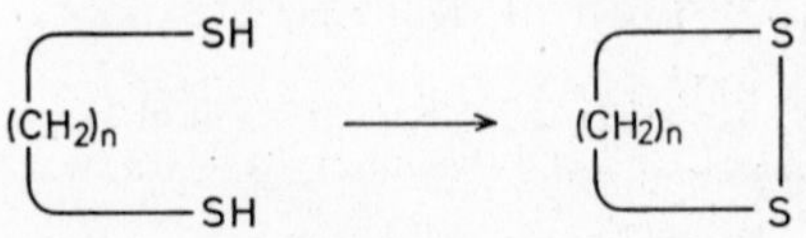

[1] US. P. 3262940 (1966), W. D. McElroy u. E. H. White; C. A. 65, 12209 (1966).
[2] R. Boudet u. D. Bourgoin-Legay, C. r. [C] 262, 596 (1966).
[3] H. El Khadem u. Z. M. El Shafei, Soc. 1958, 3117.
[4] A. Schöberl u. H. Gräfje, Ang. Ch. 69, 713 (1957).
[5] A. Schöberl u. H. Gräfje, A. 614, 66 (1958).

Während sich die 5- und 6-Ringe noch durch Oxidation mit Jod herstellen lassen, müssen 7-bis 10-, 12- und 15-Ringe mit Eisen(III)-chlorid nach dem Verdünnungsprinzip synthetisiert werden, um Polymerisationen zu vermeiden[1].

Höhere 1,2-Dithia-cycloalkane; allgemeine Herstellungsvorschrift[1]: In einen 2-l-Kolben wird eine Lösung von 81 g (0,3 Mol) Eisen(III)-chlorid-Hexahydrat in 0,1 l Eisessig und 1,5 l Äther gegeben. Durch einen ANSCHÜTZ-Aufsatz wird der Kolben mit einem 60 cm langen DIMROTH-Kühler und seitlich mit einem Tropftrichter verbunden, durch dessen Hahnbohrung man einen starken Baumwollfaden zieht. Der Hahn wird vorsichtig so weit wie möglich geschlossen und der Faden mit Hilfe eines Drahtes und eines Bleigewichtes so unter den Rückflußkühler geführt, daß der Äther aus dem Kühler vollständig auf den Faden fließt. Den Äther hält man in starkem Sieden. Der Tropftrichter enthält die Lösung von ~ 0,1 Mol 1,ω-Dimercapto-alkan in Äther. Stärke des Fadens und Konz. der 1,ω-Dimercapto-alkan-Lösung bestimmen die Reaktionsdauer. Die notwendige Zuflußgeschwindigkeit wird vor Versuchsbeginn mit reinem Äther ermittelt. Nachdem die Lösung des 1,ω-Dimercapto-alkans bis auf wenige ml zugetropft ist, wird der Tropftrichter abgenommen und der Kolbeninhalt vorsichtshalber noch 10–12 Stdn. im Sieden gehalten.

Die ätherische Lösung muß nach dem Abkühlen mit großen Mengen Wasser gründlich ausgeschüttelt werden (5–10mal mit je 1 l Wasser). Dann wird 1 l Äther unmittelbar, der Rest i. Vak. abdestilliert. Den Rückstand nimmt man in Petroläther auf, schüttelt nochmals mit Wasser aus, trocknet und zieht das Lösungsmittel i. Vak. ab. Die anfallenden 1,2-Dithia-cycloalkane werden i. Vak. destilliert oder umkristallisiert (Kolben und Vorlagen der Destillation am besten aus Quarz, die Apparaturen müssen gegen Licht geschützt werden). In einigen Fällen werden die Destillate durch Zugabe von ~ 1 mg N-Cyclohexyl-maleinsäureimid stabilisiert.

1,2-Dithiepan[1, vgl. a,2]: 13,6 g 1,5-Dimercapto-pentan in 50 ml Äther werden wie oben beschrieben dehydriert (Zuflußdauer 2 Tage). Die Reinigung erfolgt durch Destillation aus dem Wasserbad bei 14 Torr; Ausbeute: 10,6 g (80% d.Th.); Kp$_{14}$: 82°.

Entsprechend erhält man die folgenden 1,2-Dithia-cycloalkane:

1,2-Dithiocan[1]	30% d.Th.	Kp$_2$: 65,5°
1,2-Dithionan[1]	45% d.Th.	Kp$_2$: 87–90°
1,2-Dithiecan[1]	50% d.Th.	Kp$_2$: 107–110°
1,2-Dithia-cyclododecan[1]	60% d.Th.	F: 40–42°
1,2-Dithia-cyclopentadecan[1]	60% d.Th.	F: 57–60°
1,2,5-Trithiacycloheptan[2]	55% d.Th.	Kp$_{0,2}$: 61–63°

Die Herstellung von Benzo-1,2-dithia-cycloalkenen gelingt ebenfalls. So erhält man aus den entsprechenden Dimercapto-Verbindungen *3H-⟨Benzo-[c]-1,2-dithiol⟩* (40% d.Th.) bzw. *3,4-Dihydro-⟨benzo-[c]-1,2-dithiin⟩* (80% d.Th.)[3]:

Im Rahmen von Stabilitätsuntersuchungen cyclischer Disulfide werden *cis-* und *trans-2,3-Dithia-dekalin*[3] durch Dehydrierung der entsprechenden Dimercaptoverbindungen mit Eisen(III)-chlorid hergestellt:

cis-2,3-Dithia-dekalin[3]: 2 g *cis*-1,2-Bis-[mercaptomethyl]-cyclohexan gelöst in 50 ml Methanol/Eisessig (1:1) läßt man unter Rühren langsam in eine Lösung von 2 g Eisen(III)-chlorid in 12 ml Methanol und 5 ml Eisessig fließen, überläßt die Lösung einige Zeit sich selbst und verdünnt mit dem 3fachen Vol. Wasser. Das zuerst milchig, dann klar abgeschiedene Öl erstarrt im Eisschrank zu blaßgelben Kristallen, die aus Methanol umkristallisiert werden; Ausbeute: 0,7 g (71% d.Th.); F: 41,5°.

[1] A. SCHÖBERL u. H. GRÄFJE, A. **614**, 66 (1958).
  Vgl. a. A. LÜTTRINGHAUS u. K. HÄGELE, Ang. Ch. **67**, 304 (1955).
[2] L. FIELD u. C. H. FORSTER, J. Org. Chem. **35**, 749 (1970).
[3] A. LÜTTRINGHAUS u. A. BRECHLIN, B. **92**, 2271 (1959).

Analog erhält man *trans-2,3-Dithia-dekalin*[1] aus *trans*-1,2-Bis-[mercaptomethyl]-cyclo-hexan (77,5% d.Th.; F: 56,5–57°).

1,2-Dithiin[2] (Kp: 45°) läßt sich durch Ringschluß aus *cis,cis*-1,4-Dimercapto-butadien mit Eisen(III)-chlorid in Methanol herstellen:

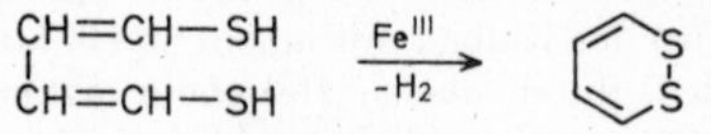

III. Intermolekulare Dehydrierung

a) unter C–C-Verknüpfung (einfach)

Dehydrierungen unter C–C-Verknüpfung mit Eisen(III)-salzen sind in der aromatischen Reihe recht häufig. Neben den reinen Aromaten werden auch Hydroxy-aromaten (Phenole, Naphthole oder Anthrole bzw. Anthrone), Amino-aromaten und N-Heterocyclen in die entsprechenden Biaryle übergeführt.

Die Reaktion von Aromaten mit Eisen(III)-chlorid führt im allgemeinen zu chlorierten Produkten; dies um so mehr, je höher die Temperatur und damit der Gesamtumsatz ist, und um so weniger, je sperrigere Seitenketten sich am Kern befinden, die Bildung von Dehydrierungsprodukten tritt in den Vordergrund.

Während Benzol durch Einwirkung von Eisen(III)-chlorid nur in geringen Ausbeuten *p-Polyphenyl*[3] liefert, erhält man aus tert.-Butyl-benzol ∼ 13% d.Th. *4,4′-Di-tert.-butyl-biphenyl*[4] bzw. aus 1,3,5-Trimethyl-benzol mit wasserfreiem Eisen(III)-chlorid 30–38% d.Th. *2,2′4,4′,6,6′-Hexamethyl-biphenyl*[5] neben 26–28% *Chlor-1,3,5-trimethyl-benzol*:

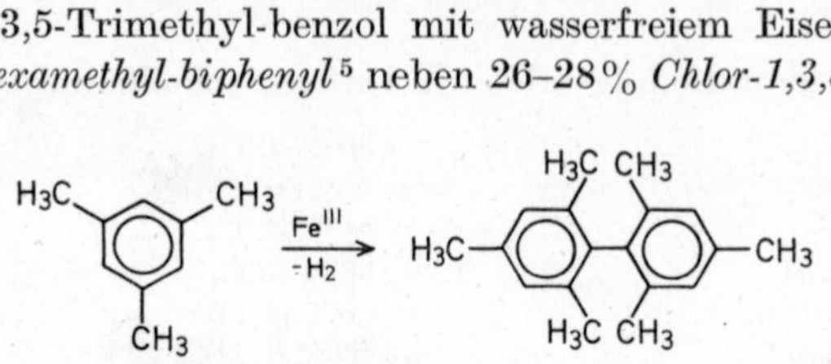

Bei der analogen Reaktion von Pentamethyl-benzol tritt keine Biarylbildung ein, dagegen wird als einziges Reaktionsprodukt *(2,3,4,5-Tetramethyl-phenyl)-(pentamethyl-phenyl)-methan* erhalten[5]:

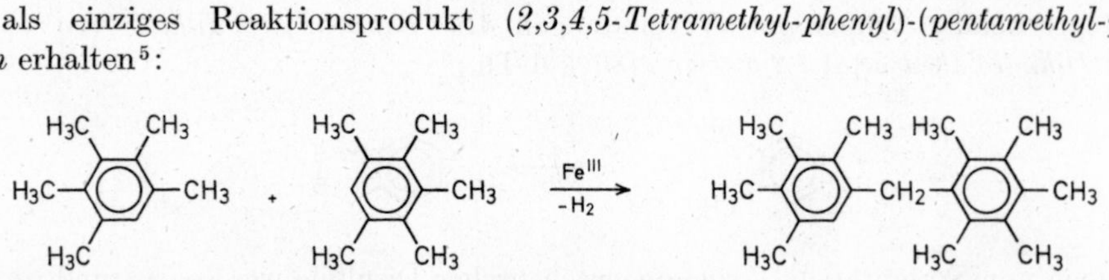

Mit Eisen(III)-chlorid in Anwesenheit von Wasser erhält man aus Naphthalin bis zu 30% d.Th. *Bi-naphthyl-(1)*[6], neben 15% d.Th. *1,4-Dinaphthyl-(1)-naphthalin*,

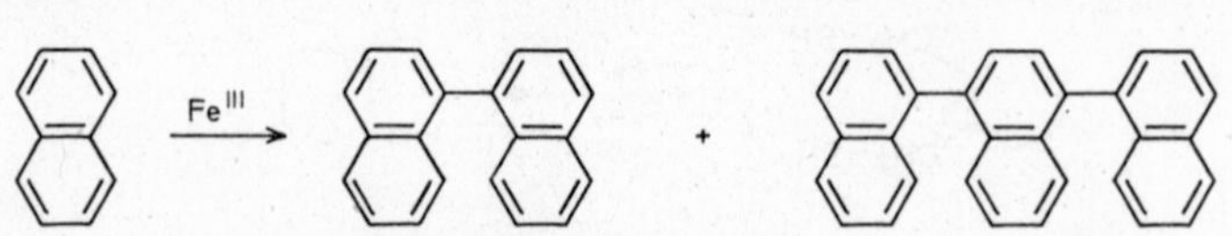

während mit Aluminium(III)-chlorid/Kupfer(II)-chlorid vorwiegend 2,2′-Verknüpfung stattfindet.

[1] A. Lüttringhaus u. A. Brechlin, B. **92**, 2271 (1959).
[2] W. Schroth, F. Billig u. H. Langguth, Z. Chemie 5, 353 (1965).
[3] P. Kovacic u. F. W. Koch, J. Org. Chem. 28, 1864 (1963).
[4] P. Kovacic, C. Wu u. R. W. Stewart, Am. Soc. 82, 1917 (1960).
[5] P. Kovacic u. C. Wu, J. Org. Chem. **26**, 759 (1961).
[6] P. Kovacic u. F. W. Koch, J. Org. Chem. **30**, 3176 (1965).

Biphenyl läßt sich mit Eisen(III)-chlorid bei 80–83° in 1,2-Dichlor-benzol glatt dehy-rieren, wobei hauptsächlich *p-Sexiphenyl*[1] (17% d.Th.) entsteht:

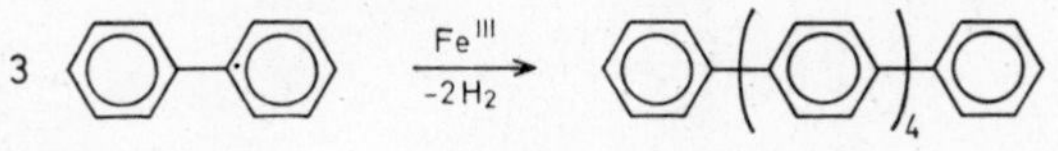

Ein trimeres Reaktionsprodukt {*(4-Methyl-phenyl)-bis-[2,5-dimethyl-phenyl]-methan*}[2] entsteht u. a. beim Behandeln von p-Xylol mit Eisen(III)-chlorid bei 10–20°:

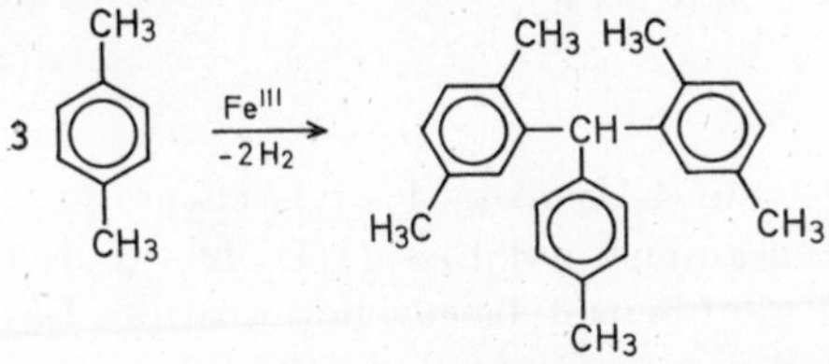

Aus o-Xylol dagegen werden unter diesen Bedingungen nur Polymere erhalten.

Leicht verläuft dagegen die schon sehr lange bekannte intermolekulare Dehydrierung von Phenolen, Naphtholen, Anthrolen bzw. Anthronen und Hydroxy-flavonen (über Aroxyle[3]). Besteht die Möglichkeit zu o- oder p-Kupplung, so wird p-Kupplung bevorzugt. Die Re-aktionen laufen in saurer oder neutraler Lösung ab. So geht 3,4-Dihydroxy-1-methyl-benzol mit Eisen(III)-chlorid in *4,5,4′,5′-Tetrahydroxy-2,2′-dimethyl-biphenyl*[4] über, dabei wird das intermediär entstehende Diphenochinon durch Zusatz von Schwefeldioxid reduziert:

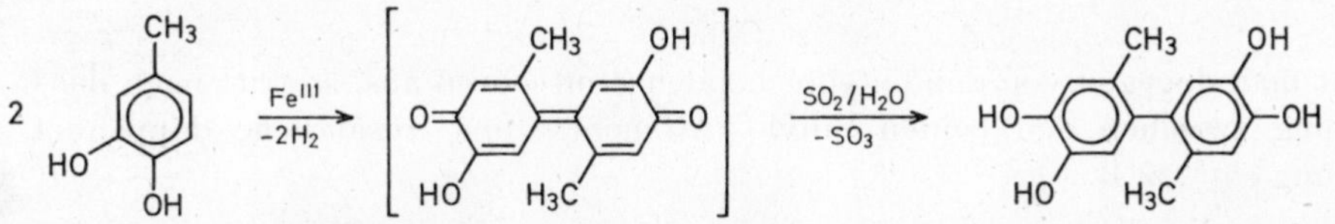

4,5,4′,5′-Tetraacetoxy-2,2′-dimethyl-biphenyl[4]: 24 g wasserfreies Eisen(III)-chlorid werden in 150 ml Wasser gelöst und ges. Natriumacetat-Lösung zugefügt, bis Kongo-Papier gerade rot wird. Diese Lösung wird innerhalb 5 Min. unter Rühren zu einer Lösung von 4,5 g 3,4-Dihydroxy-1-methyl-benzol in 50 ml Wasser gegeben. Nach 1 stdgm. Rühren wird die schwarze Suspension abfiltriert, der schwarze Rück-stand mit Wasser gewaschen und in verd. Schwefelsäure aufgeschlämmt. Für 2 Stdn. wird Schwefel-dioxid durchgeleitet bis eine klare gelbe Lösung entsteht, die mit Natriumchlorid gesättigt und einige Male mit Äther extrahiert wird. Der Ätherrückstand wird mit 15 ml Essigsäureanhydrid und wenig Perchlorsäure (60% ig) versetzt. Nach einigen Stdn. wird die Lösung in Wasser gegossen und mit Äther extrahiert. Der Äther wird abgezogen und das gelbe Öl über Natriumhydroxid im Vak. Exsiccator getrocknet; Rohausbeute: 4,6 g (61% d.Th.); F.: des umkristallisierten Produkts 135–136°.

Unter ähnlichen Bedingungen erhält man aus 5-Hydroxy-7-methoxy-2-(4-methoxy-phenyl)-chromon *5,5′-Dihydroxy-7,7′-dimethoxy-2,2′-bis-[4-methoxy-phenyl]-8,8′-bi-chromo-nyl*[5]:

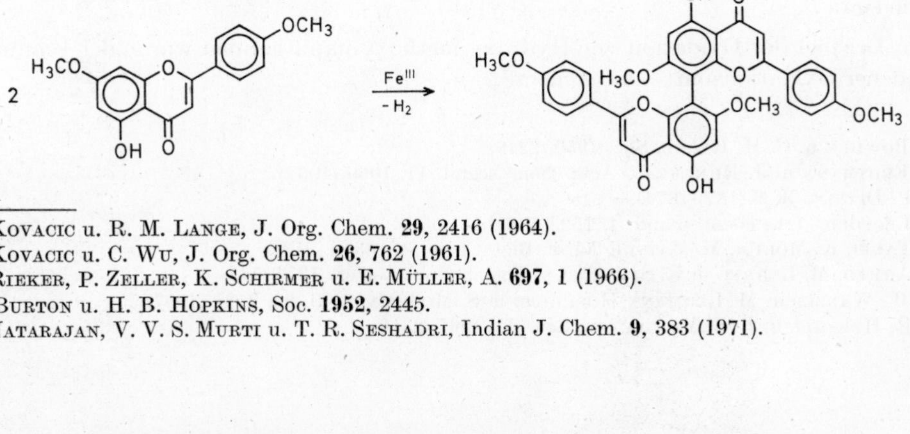

[1] P. KOVACIC u. R. M. LANGE, J. Org. Chem. **29**, 2416 (1964).
[2] P. KOVACIC u. C. WU, J. Org. Chem. **26**, 762 (1961).
[3] A. RIEKER, P. ZELLER, K. SCHIRMER u. E. MÜLLER, A. **697**, 1 (1966).
[4] H. BURTON u. H. B. HOPKINS, Soc. **1952**, 2445.
[5] S. NATARAJAN, V. V. S. MURTI u. T. R. SESHADRI, Indian J. Chem. **9**, 383 (1971).

Während o-Kresol mit Eisen(III)-chlorid Polyphenole ergibt, geht p-Kresol unter milden Bedingungen in *2,2'-Dihydroxy-5,5'-dimethyl-biphenyl* und *2-Hydroxy-5-methyl-1,3-bis [2-hydroxy-5-methyl-phenyl]-benzol* über[1]:

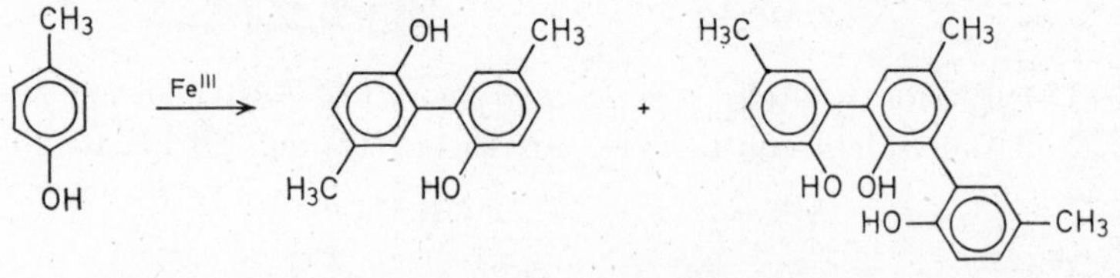

Bei der Dimerisierung von 4-Hydroxy-1-allyl-benzol zu *2,2'-Dihydroxy-5,5'-diallyl biphenyl*[2] dient Sauerstoff zusammen mit Eisen(III)-chlorid als Dehydrierungsmittel.

4-Hydroxy-3-methoxy-1-allyl-benzol (Isoeugenol) wird mit Eisen(III)-chlorid in wäßriger Lösung, unter Beteiligung der Allyl-Gruppe zu *7-Methoxy-3-methyl-5-allyl-2-(4-hydroxy-3 methoxy-phenyl)-2,3-dihydro-⟨benzo-[b]-furan⟩* (30% d.Th.)[3,4] umgesetzt:

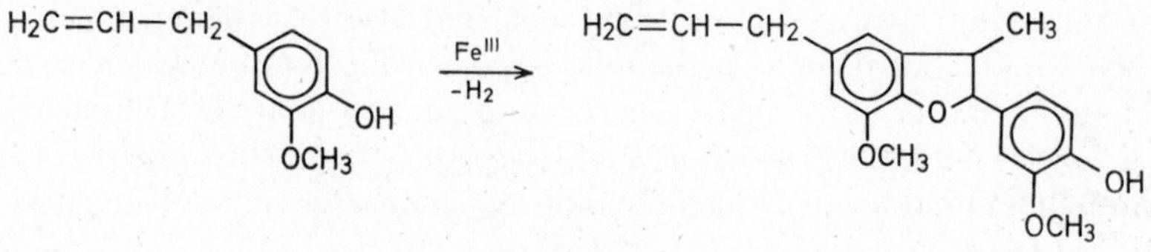

Geht man dagegen von den entsprechenden Zimtsäuren aus, so tritt nach der C–C-Verknüpfung zwischen den beiden Vinyl-C-Atomen(!) eine zusätzliche doppelte C–O-Verknüpfung ein[5]; z.B.:

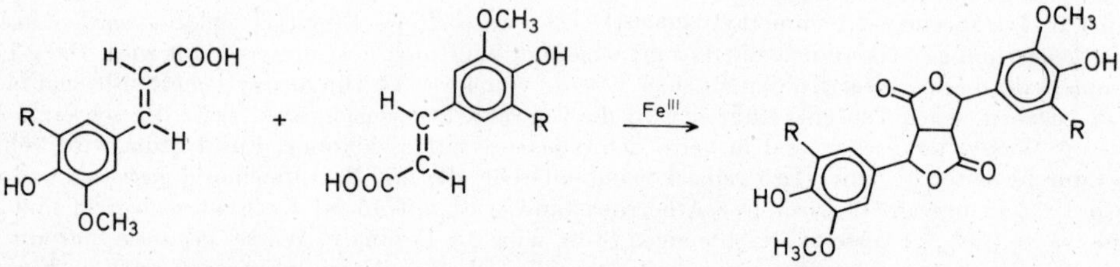

Besonders leicht werden Naphthole mit Eisen(III)-salzen dehydrierend cyclisiert[6].

2,3,2',3'-Tetrahydroxy-bi-naphthyl-(1) [6]: Zu einer 90° heißen Lösung von 5 g 2,3-Dihydroxy-naphthalin in 100 *ml* Wasser läßt man unter starkem Rühren rasch eine Lösung von 15 g Ammonium-eisen(III) sulfat in 30 *ml* Wasser und 2 *ml* konz. Schwefelsäure zutropfen, kocht 30 Min., saugt heiß ab und wäscht mit viel heißem, angesäuertem Wasser nach; Ausbeute: 3,6 g (73% d.Th.); Zers.P. >280° (aus Tetrahydrofuran).

Am Beispiel der Oxidation von Hydroxy-methoxy-naphthalinen wurde der Einfluß verschiedener Oxidationsmittel untersucht[7].

---

[1] K. Bowden u. C. H. Reece, Soc. **1950**, 2249.
[2] H. Erdtmann u. J. Runeberg, Acta chem. scand. **11**, 1060 (1957).
[3] A. P. Dianin, Ж **6**, 187 (1874).
[4] B. Leopold, Acta chem. scand. **4**, 1523 (1950).
[5] Y. Takei, K. Mori u. M. Matsui, Agric. Biol. Chem. **37**, 637 (1973).
    R. Ahmed, M. Lehrer u. R. Stevenson, Tetrahedron Letters **1973**, 747.
[6] H. W. Wanzlick, M. Lehmann-Horchler u. S. Mohrmann, B. **90**, 2521 (1957).
[7] F. R. Hewgill u. B. S. Middleton, Soc. [C] **1967**, 2316.

Durch gemeinsame Dehydrierung eines molaren Gemischs von Naphthochinon-(1,2) und α-Naphthol mit wasserfreiem Eisen(III)-chlorid in Eisessig und wenig Schwefelsäure bildet sich in geringen Ausbeuten *4-[4-Hydroxy-naphthyl-(1)]-naphthochinon-(1,2)*[1]:

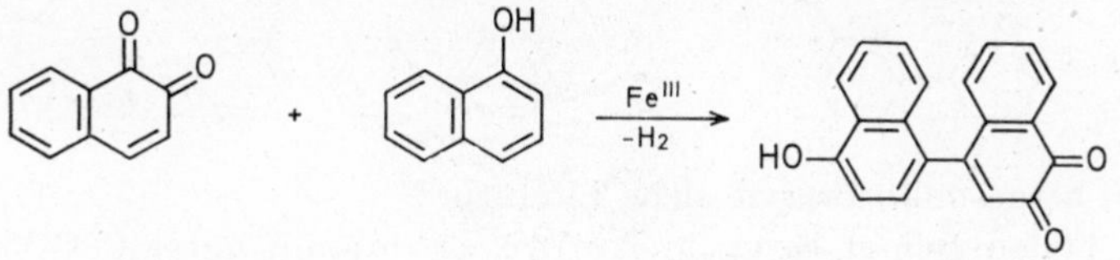

In der Literatur werden zahlreiche weitere intermolekulare Dehydrierungen von Naphtholen mit Eisen(III)-salzen angegeben[2] (über Aroxyle).

Anthranole bzw. Anthrone werden gewöhnlich in Eisessig gelöst und mit wäßrigen Eisen(III)-salz-Lösungen [meist Eisen(III)-chlorid] in der Siedehitze zum Bi-anthryl-Derivat dehydriert[3],[4]. So erhält man aus 2-Hydroxy-anthracen-3-carbonsäure mit Ammoniumeisen(III)-sulfat *2,2′,10,10′-Tetrahydroxy-3,3′-dicarboxy-bi-anthryl-(1)* (89% d.Th.)[5]:

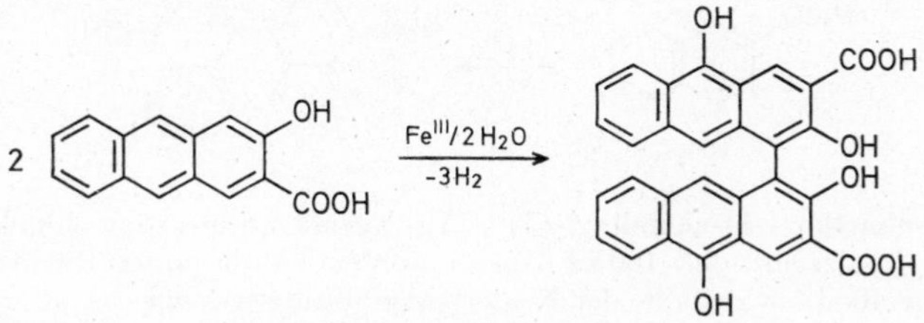

1-Fluor-10-oxo-9,10-dihydro-anthracen geht mit Eisen(III)-chlorid in *1,1′-Difluor-10,10′-dioxo-9,9′,10,10′-tetrahydro-bi-anthryl-(9)*[6] über:

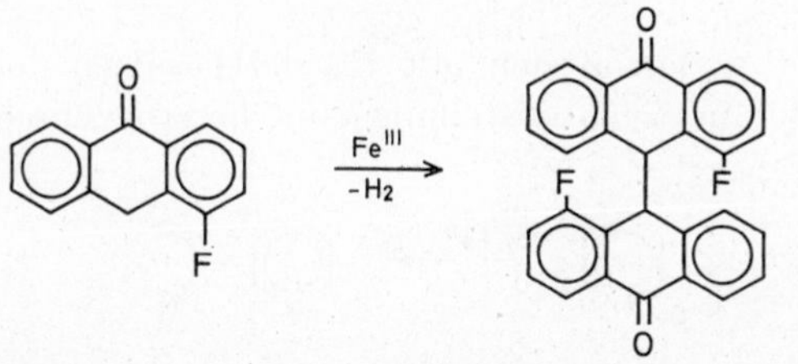

1,1′-Difluor-10,10′-dioxo-9,9′,10,10′-tetrahydro-bi-anthryl-(9)[6]: Ein Gemisch von 2,2 g 1-Fluor-10-oxo-9,10-dihydro-anthracen, 11 *ml* Eisessig, 2,2 g Eisen(III)-chlorid und 2,2 g Natriumacetat wird 1,5 Stdn. bei 100° erhitzt. Man kühlt ab, versetzt mit eiskaltem Methanol und filtriert die Kristalle ab (1,8 g). Setzt man dem Filtrat Wasser zu, läßt sich weiteres Produkt gewinnen (0,2 g); Gesamtausbeute: 2 g (91% d.Th.); F: 212,5–213° (aus Benzol/Heptan).

[1] H. Cassebaum u. W. Langenbeck, B. **90**, 339 (1957).

[2] *2,2′-Dihydroxy-bi-naphthyl-(1)*:
   R. Pummerer u. E. Cherbuliez, B. **52**, 1414 (1919).
   R. Pummerer, E. Prell u. A. Rieche, B. **59**, 2159 (1926).
   1,1′-Dihydroxy-bi-naphthyl-(2) + *4,4′-Dihydroxy-bi-naphthyl-(1)*: I. S. Ioffe u. B. K. Krichevtsov, Z. obšč. Chim. **9**, 1136 (1939); C. A. **35**, 8603 (1941).
   2,2′-Dihydroxy-3,3′,6,6′-tetrasulfo-bi-naphthyl-(1): I. S. Ioffe u. E. Cheruysheva, Ž. obšč. Chim. **7**: 2398 (1937); C. A. **32**, 2112 (1938).
   2,2′-Dihydroxy-6,6′-dimethyl-bi-naphthyl-(1): R. Royer, Ann. Chim. **1**, 429 (1946); C. A. **41**, 2716 (1947).
   2,2′,7,7′-Tetrahydroxy-bi-naphthyl-(1): K. Brass u. R. Patzelt, B. **70**, 1341 (1937).
   7,7′-Dibrom-3,3′-dihydroxy-2,2′-dicarboxy-bi-naphthyl-(1): US. P. 3248422 (1966), Darke Davis, Erf.: E. F. Elslager u. D. F. Worth; C. A. **65**, 3814 (1966).

[3] O. Dimroth, B. **34**, 223 (1901).

[4] K. H. Meyer, A. **379**, 58 (1911).

[5] I. S. Ioffe u. R. A. Shtokhammer, Ž. obšč. Chim. **7**, 2710 (1939); C. A. **32**, 2931 (1938).

[6] E. D. Bergmann u. H. J. E. Loewenthal, Soc. **1953**, 2572.

Unter gleichen Bedingungen erhält man aus 1-Hydroxy-phenanthren mit Eisen(III)-chlorid in Eisessig oder Äthanol *1,1'-Dihydroxy-bi-phenanthryl-(2)*[1]:

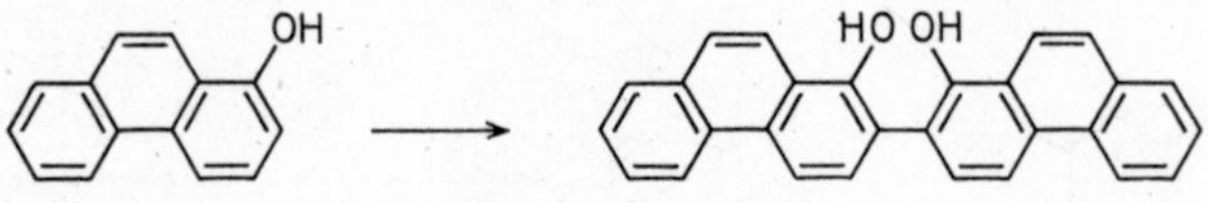

Über weitere so hergestellte Biaryle siehe Literatur[2].

In manchen Fällen gelingt es auch, **Amino-aromaten** unter C–C-Verknüpfung mit wäßriger Eisen(III)-salz-Lösung in stark saurem Medium zu dehydrieren. Die Verknüpfung erfolgt in p-Stellung zur Amino-Gruppe. N,N-Dimethyl-anilin geht so in *4,4'-Bis-[dimethyl-amino]-biphenyl*[3] (70% d.Th.) über und aus 1-Amino-2-methyl-naphthalin entsteht *4,4'-Diamino-3,3'-dimethyl-bi-naphthyl-(1)* (68% d.Th.)[4] bzw. aus 8-Amino-6-methoxy-chinolin *8,8'-Diamino-6,6'-dimethoxy-bi-chinolinyl-(5)*[5]:

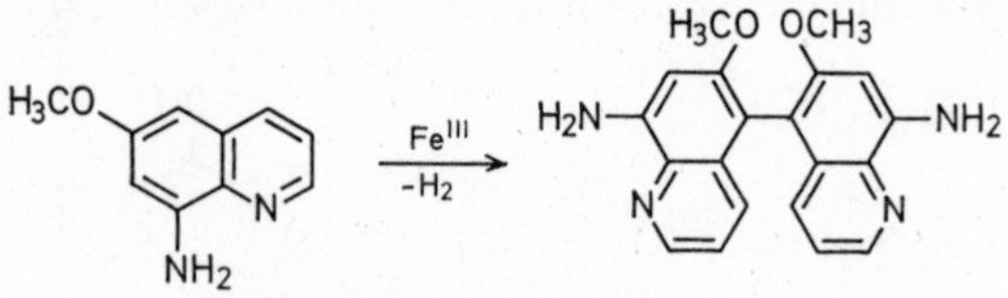

8,8'-Diamino-6,6'-dimethoxy-bi-chinolinyl-(5)[5]: 5 g 8-Amino-6-methoxy-chinolin, 15 g Eisen(III)-chlorid-Hydrat, 10 *ml* Salzsäure und 100 *ml* Wasser werden 1 Stde. unter Rückfluß gekocht. Danach wird mit Natronlauge alkalisch gestellt, der Niederschlag abfiltriert, gewaschen und getrocknet. Durch Extraktion im Soxhlet wird das reine Bi-chinolyl-Derivat erhalten; Ausbeute: 2,25 g (45% d.Th.); F: 49–51°.

Aus 8-Amino-chinolin erhält man unter gleichen Bedingungen nur 5% d.Th. *8,8'-Diamino-bi-chinolinyl-(5)*[5].

Auch **N-Heterocyclen** lassen sich mit Eisen(III)-salzen dehydrierend dimerisieren. Die Verknüpfung erfolgt in Nachbarstellung zum heterocyclischen Stickstoff; z. B. *Bi-pyridyl-(2)*[6–9]:

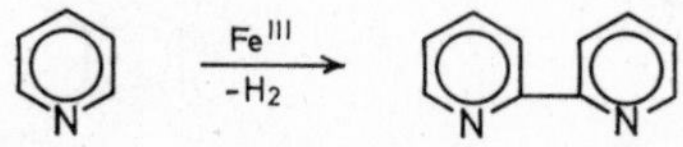

Bi-pyridyl-(2)[8]: 165 g (2,5 Mol) Pyridin werden in einem passenden Glas-Einsatz nach und nach unter Rühren mit 135 g (1 Mol) sublimiertem Eisen(III)-chlorid versetzt und im 750-*ml*-Autoklaven 4 Stdn. auf 330° ± 10° erhitzt. Der (bei richtiger Reaktions-Führung) feste, schwarzrot, aber nicht kohleartig

[1] I. S. Ioffe, Ž. obšč. Chim. **9**, 1143 (1939); C. A. **33**, 8603 (1939).
[2] *3,3'-Dihydroxy-10,10'-tetrahydro-bi-anthryl-(9)*, A. G. Perkin u. T. W. Whattam, Soc. **121**, 289 (1922).
  2,2'-Diphenyl-10,10'-dioxo-9,9',10,10'-tetrahydro-bi-anthryl-(9), R. Scholl u. W. Neovius, B. **44**, 1084 (1911).
  4,4'-Dichlor-10,10'-dioxo-9,9',10,10'-tetrahydro-bi-anthryl-(9), A. Eckert u. R. Tomaschek, M. **39**, 839 (1917).
  1,1',8,8'-Tetrahydroxy-10,10'-dioxo-3,3'-dicarboxy-9,9',10,10'-tetrahydro-bi-anthryl-(9), A. Stoll, B. Becker u. A. Helfenstein, Helv. **33**, 323 (1950).
  2,2'-Dibrom-10,10'-dioxo-9,9',10,10'-tetrahydro-bi-anthryl-(9), E. D. Bergmann u. H. J. E. Loewenthal, Bl. **1952**, 66.
  12,12'-Dioxo-7,7',12,12'-tetrahydro-7,7'-bi-⟨benzo-[a]-anthryl⟩, W. Theilacker et al., B. **89**, 1578 (1956).
[3] R. Willstätter u. L. Kalb, B. **37**, 3761 (1904).
[4] H. E. Fierz-David, L. Blangey u. H. Dübendorfer, Helv. **29**, 1661 (1946).
[5] W. V. Farrar, Soc. **1954**, 3252.
[6] F. Hein u. W. Retter, B. **61**, 1790 (1928).
[7] G. T. Morgan u. F. H. Burstall, Soc. **1932**, 20.
[8] F. Hein u. H. Schwedler, B. **68**, 681 (1935).
[9] Brit. P. 1014076 (1965), ICI, Erf.: H. G. Lang; C. A. **64**, 9691 (1966).

aussehende Reaktionskuchen wird grob zerkleinert und mit Wasser angerührt. Dann wird mit konz. Lauge stark alkalisch gemacht und mit überhitztem Wasserdampf solange destilliert, bis das Destillat mit Eisen(II)-sulfat nur noch eine schwache Rotfärbung gibt. Das Destillat wird mit konz. Schwefel-säure angesäuert, auf ~ 0,5 l eingedampft und nach Abkühlen mit konz. Lauge bis zur stark alkalischen Reaktion versetzt. Hierbei scheidet sich die Hauptmenge des Bi-pyridyls zusammen mit umgesetztem Pyridin in Form einer Ölschicht ab, die abgetrennt und mit Kaliumhydroxid getrocknet wird. Die darunterstehende Lösung wird ausgeäthert und der Äther-Extrakt nach dem Trocknen mit Kalium-hydroxid mit der Hauptmenge vereinigt. Nach dem Abdampfen des Äthers wird fraktioniert. Die bei 265–280° übergehende Fraktion erstarrt nach einiger Zeit und wird von geringen öligen Beimengungen durch Abpressen auf Ton befreit (Roh-Bipyridyl). Zur Reinigung wird schließlich in niedrigsiedendem Petroläther heiß gelöst, mit Carboraffin geschüttelt, filtriert und abgekühlt; F : 71–72°(farblos).

Bei der Herstellung von *5,5'-Dihydroxy-bi-chinolyl-(2)*[1] aus 5-Hydroxy-chinolin wird zweckmäßig Eisen(III)-sulfat verwendet, um die Bildung chlorhaltiger Dehydrierungspro-dukte zu vermeiden:

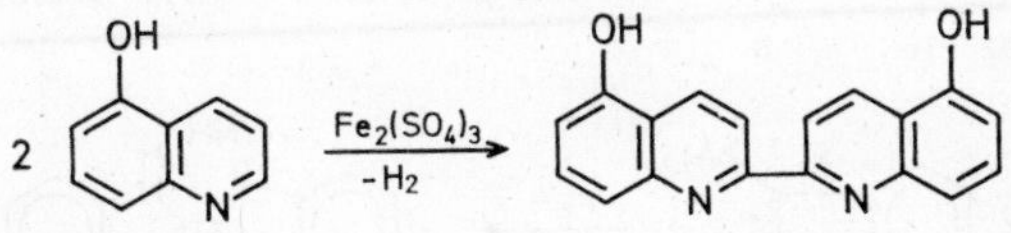

Bei den Dehydrierungen von Carbonyl-Verbindungen mit Eisen(III)-chlorid tritt C–C-Verknüpfung in Nachbarstellung zur Carbonyl-Gruppe ein. So erhält man aus 9-Formyl-fluoren *9,9'-Diformyl-bi-fluorenyl-(9)*[2] (70% d.Th.) und aus 3-Oxo-1-äthoxycarbonyl-2-cyan-tetrahydropyrrol *3,3'-Dioxo-1,1'-diäthoxycarbonyl-2,2'-dicyan-octahydro-bi-pyrryl-(2)* (97% d.Th.)[3]:

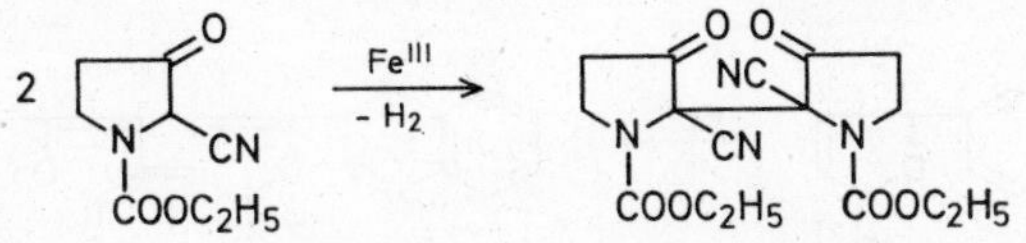

Steht anstelle der Cyan-Gruppe eine Äthoxycarbonyl-Gruppe, so tritt keine Dimerisierung ein[3].

b) Intermolekulare Dehydrierung unter C=C-Verknüpfung
(Ausbildung einer Doppelbindung)

Die intermolekulare Dehydrierung unter C=C-Verknüpfung führt zu chinoiden Verbin-dungen. So entsteht aus 2-Hydroxy-1,3-diisopropyl-benzol mit Eisen(III)-chlorid *3,3',5,5'-Tetraisopropyl-diphenochinon* (40% d.Th.)[4]:

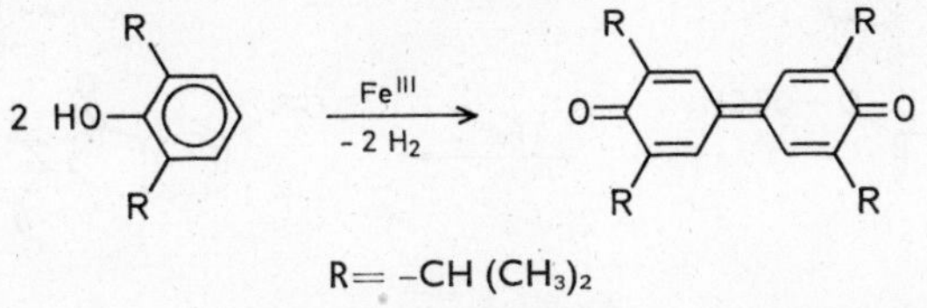

R= –CH (CH₃)₂

während 2-Hydroxy-anthracen unter gleichzeitiger Oxidation in *2,2'-Dihydroxy-10,10'-dioxo-9,9',10,10'-tetrahydro-bi-anthryl-(9)*[5] übergeht.

[1] L. T. Bratz u. S. von Niementowski, B. **52**, 192 (1919).
[2] W. Wislicenus u. K. Russ, B. **43**, 2733 (1910).
[3] J. Blake, C. D. Willson u. H. Rapoport, Am. Soc. **86**, 5293 (1864).
[4] T. H. Coffield et al., Am. Soc. **79**, 5019 (1957).
[5] I. S. Ioffe u. L. S. Efros, Ž. obšč. Chim. **7**, 2712 (1937); C. A. **32**, 2931 (1938).

Methylen-Gruppen, die mit einer benachbarten Carbonyl-Gruppe Bestandteil eines am Benzolkern angegliederten Ringes sind, unterliegen auffallend leicht der Dehydrierung durch Eisen(III)-chlorid. So geht 3-Oxo-2,3-dihydro-indol in salzsaurer Lösung quantitativ in *Indigo*[1] über und 1,4-Dioxo-1,2,3,4-tetrahydro-isochinolin in *1,1',4,4'-Tetraoxo-1,1',2, 2',3,3',4,4'-octahydro-bi-isochinolyliden-(3)*[2]:

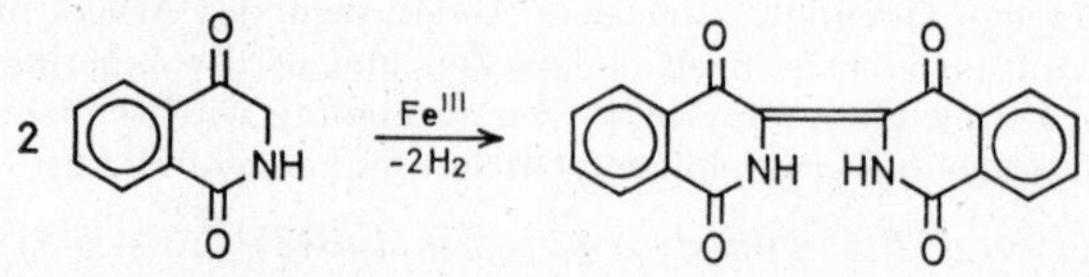

Aus 3-Amino-2,3-dihydro-indol wird in wäßriger Lösung mit Eisen(III)-chlorid im Überschuß in kurzer Zeit quantitativ *Indigo-diimin-Hydrochlorid* [*3,3'-Diimino-2,2',3,3'-tetrahydro-bi-indolyliden-(2)*][3] erhalten:

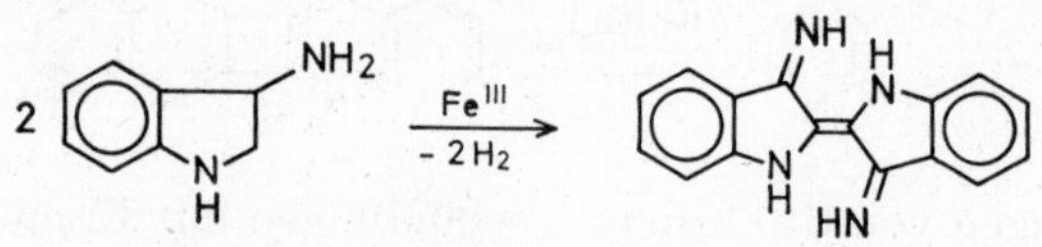

Auch andere indigoide Verbindungen sind durch intermolekulare C=C-Verknüpfung mit Eisen(III)-chlorid zugänglich. 4-Hydroxy-4-naphthyl-(2)-buten-(2)-säure-lacton wird durch Eisen(III)-chlorid in siedendem Äthanol zu *5,5'-Dioxo-2,2'-dinaphthyl-(2)-4,4',5,5'-tetra-hydro-bi-furyliden-(4)*[4] dehydriert,

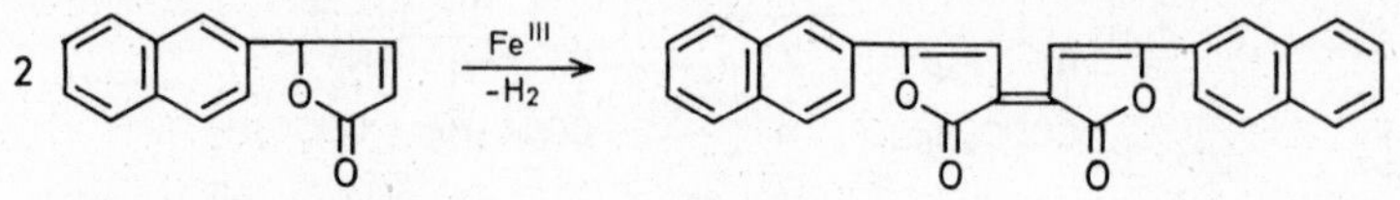

4-Oxo-2-methyl-3-äthoxycarbonyl-4,5-dihydro-pyrrol zu *4,4'-Dioxo-2,2'-dimethyl-3,3'-di-äthoxycarbonyl-4,4',5,5'-tetrahydro-bi-pyrryliden-(5)*[5]:

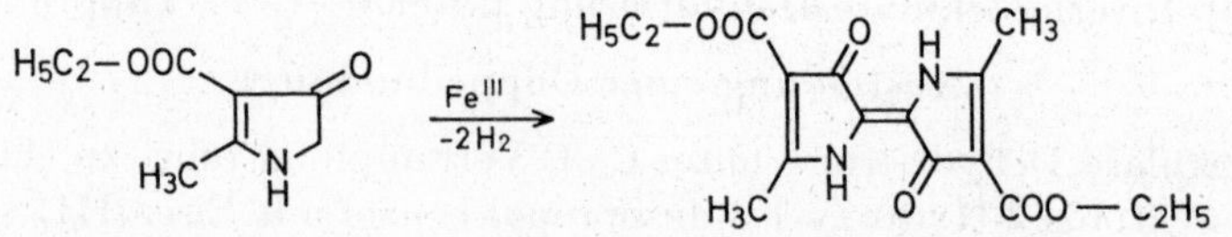

und 5-Nitro-3-acetoxy-⟨benzo-[b]-thiophen⟩ zu *5,5'-Dinitro-thioindigo*[6]:

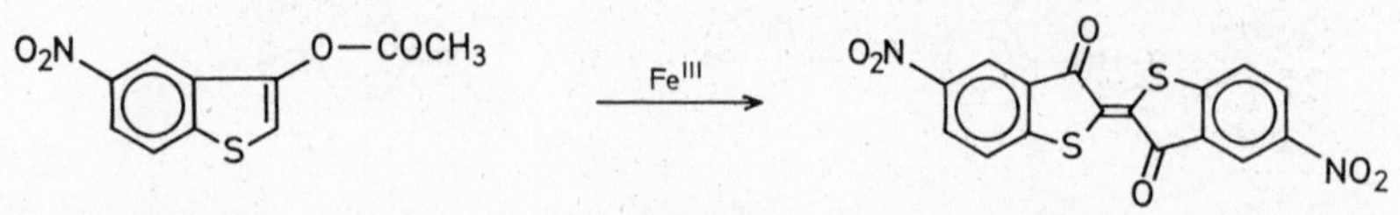

6,6'-Dinitro-thioindigo[6] wird unter gleichen Bedingungen erhalten.

[1] E. Baumann u. F. Tiemann, B. **12**, 1101 (1879).
[2] S. Gabriel u. J. Colman, B. **33**, 997 (1900).
[3] W. Madelung, A. **405**, 93 (1914).
[4] W. Ried u. H. Mengler, A. **678**, 113 (1964).
[5] R. S. Atkinson u. E. Bullock, Canad. J. Chem. **42**, 1524 (1964).
[6] N. S. Dokunichin u. J. E. Gerasimenko, Ž. obšč. Chim. **30**, 635 (1960); engl. 655.

c) Intermolekulare Dehydrierung unter C–N-Verknüpfung

Schon lange bekannt sind die intermolekularen C–N-Verknüpfungen von Anilin und Diamino-benzolen mit Eisen(III)-chlorid. Wird Anilin bei 30° in 6%iger Schwefelsäure mit Eisen(III)-chlorid umgesetzt, so bildet sich ein Gemisch von *Anilinschwarz* und *2,5-Dianilino-p-benzochinon* (~ 11% d.Th.)[1]. Die Bildung des letzteren erfolgt aus primär entstehendem Chinon oder Chinonimin durch successive Anlagerung von 2 Molekülen Anilin und Dehydrierung:

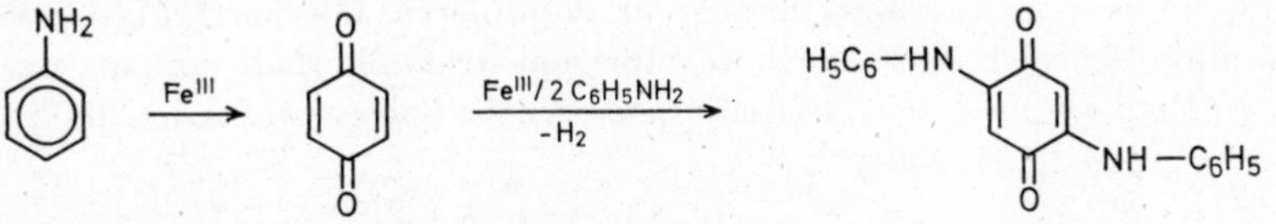

Von größerer Bedeutung ist die Oxidation von 1,2-Diamino-benzolen mit Eisen(III)-chlorid zur Herstellung von Phenazin-Derivaten. 1,2-Diamino-benzol selbst gibt *2,3-Diamino-phenazin*[2]:

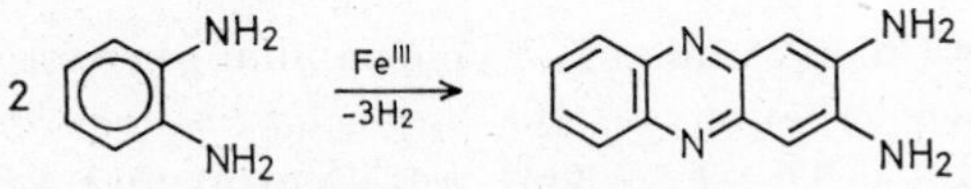

und 4-Chlor-1,2-diamino-benzol in essigsaurer Lösung *7-Chlor-2,3-diamino-phenazin*[3].

Bei der Oxidation von mono-N-substituierten 1,2-Diamino-benzolen mit Eisen(III)-chlorid entstehen zwei isomere Phenazin-Derivate[4]. So erhält man aus 2-Amino-1-anilino-benzol-Hydrochlorid in wäßriger Eisen(III)-chlorid-Lösung ein Gemisch von *2-Amino-3-phenylimino-5-phenyl-3,5-dihydro-phenazin* (I) und *2-Anilino-3-imino-5-phenyl-3,5-dihydro-phenazin* (II)[5]:

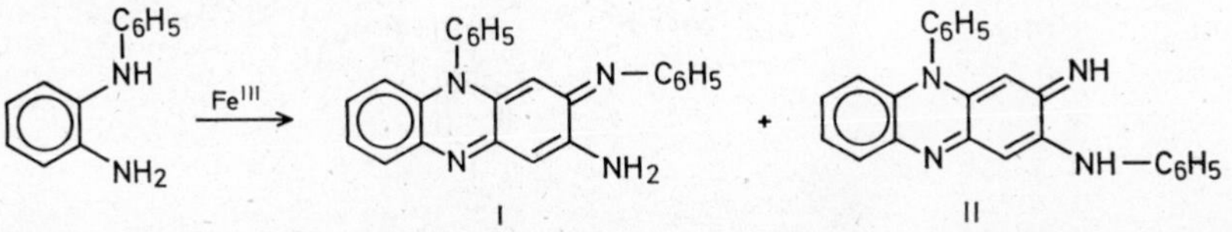

2-Amino-3-phenylimino-5-phenyl-3,5-dihydro-phenazin(I) und **2-Anilino-3-imino-5-phenyl-3,5-dihydro-phenazin(II)**[5]: 7,0 g 2-Amino-1-anilino-benzol-Hydrochlorid in 350 *ml* Wasser werden 1 Stde. zusammen mit einer Lösung von 16,0 g Eisen(III)-chlorid in 160 *ml* Wasser gerührt. Der Niederschlag (6,5 g) wird getrocknet und mit äthanolischem Natriumhydroxid in die Basenform umgewandelt. Die Hälfte des getrockneten Produkts wird an Aluminiumoxid (Merck) mit Benzol chromatografiert:

1. Fraktion: wenige Kristalle mit blaßroter Fluoreszenz in Benzol
2. Fraktion: 0,3 g I; F: 257-259° (dunkelrote Kristalle)
3. Fraktion: 1,8 g II; F: 203-204° (hellrote Kristalle).

Die Phenazine I und II werden aus Benzol umkristallisiert. Eine Reihe stark gefärbter Banden verbleiben auf der Säule.

Es hängt von den Reaktionsbedingungen und vor allem von der Natur des Amins ab, ob ein Gemisch von Isomeren oder vorwiegend das eine oder das andere der beiden isomeren Phenazin-Derivate erhalten werden. Im allgemeinen entstehen bei der Oxidation mit Eisen (III)-chlorid Gemische. Geht man jedoch von N-Alkyl- bzw. N-Cycloalkyl-1,2-diamino-

---

[1] R. WILLSTÄTTER u. R. MAJIMA, B. **43**, 2590 (1910).
[2] O. FISCHER u. E. HEPP, B. **22**, 355 (1889); **23**, 841 (1890).
[3] F. MAUTHNER u. F. ULLMANN, B. **36**, 4029 (1903).
[4] O. FISCHER u. O. HEILER, B. **26**, 383 (1893).
[5] V. C. BARRY, J. G. BELTON, J. F. O'SULLIVAN u. D. TWOMEY, Soc. **1956**, 888.

benzolen aus, so wird nur das Phenazin-Derivat analog I (S. 717) isoliert[1]; z. B. wird bei der Behandlung von 2-Amino-1-cyclohexylamino-benzol-Hydrochlorid mit Eisen(III)-chlorid in wäßrigem Äthanol nur *2-Amino-3-cyclohexylimino-5-cyclohexyl-3,5-dihydro-phenazin* (F: 224°)[2] erhalten.

Ausgangsamine für die Herstellung von Phenazin-Derivaten sind außer 2-Amino-1-anilino-benzol[2], 2-Alkylamino-, 2-Cycloalkylamino-, 2-(Alkyl-anilino)- und 2-(Alkoxy-anilino)-1-anilino-benzole[1] auch chlorierte Derivate[3].

Die Oxidation der letzteren mit Eisen(III)-chlorid führt zu Chlor-phenazinen, dabei wird Chlor, wenn es in 4- und 5-Stellung steht, eliminiert[3]. Bei der Oxidation von 5-Chlor-2-amino-1-anilino-benzol-Hydrochlorid in wäßrigem Äthanol erhält man als einzige Verbindung nur *7-Chlor-2-amino-3-phenylimino-5-phenyl-3,5-dihydro-phenazin*[3] (60% d.Th.; rote Nadeln aus Benzol; F: 264–265°):

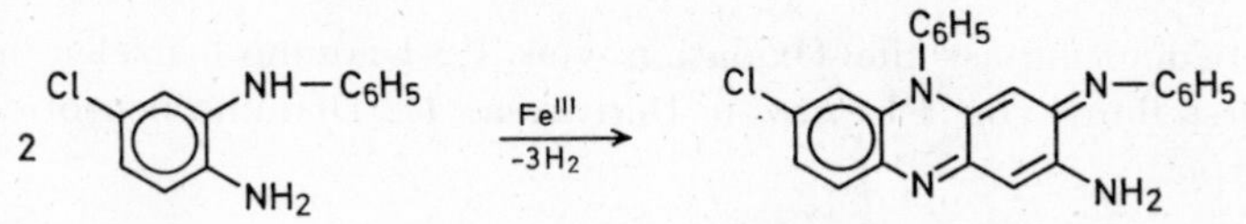

Dagegen werden aus 4-Chlor-2-amino-1-(4-chlor-anilino)-benzol-Hydrochlorid mit Eisen(III)-chlorid beide Isomere erhalten: *8-Chlor-2-(4-chlor-anilino)-3-imino-5-(4-chlor-phenyl)-3,5-dihydro-phenazin* (15% d.Th.; F: >330°, aus Benzol) und *8-Chlor-2-amino-3-(4-chlor-phenylimino)-5-(4-chlor-phenyl)-3,5-dihydro-phenazin* (65% d.Th.; F: 279–282, aus Benzol)[4]:

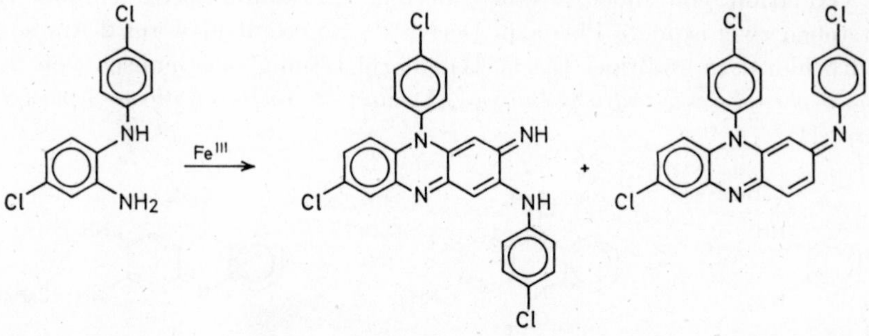

Allgemein kann über den Reaktionsverlauf keine Vorhersage gemacht werden.

Analog dem Verhalten von 5-Chlor-2-amino-1-anilino-benzol wird auch bei der Umsetzung von 4-Amino-3-anilino-1-alkoxy-benzol mit Eisen(III)-chlorid unter Eliminierung einer Alkoxy-Gruppe[5] 2-Amino-7-alkoxy-3-phenylimino-5-phenyl-3,5-dihydro-phenazin erhalten. Eine Reihe derartiger Reaktionen wird beschrieben. Bei der Oxidation geeigneter 1,2-Diamino-benzole mit Eisen(III)-chlorid in Gegenwart von Ketonen entstehen 2,2,5-trisubstituierte 2,5-Dihydro-1H-⟨imidazolo-[2,3-a]-phenazine⟩[2,4]:

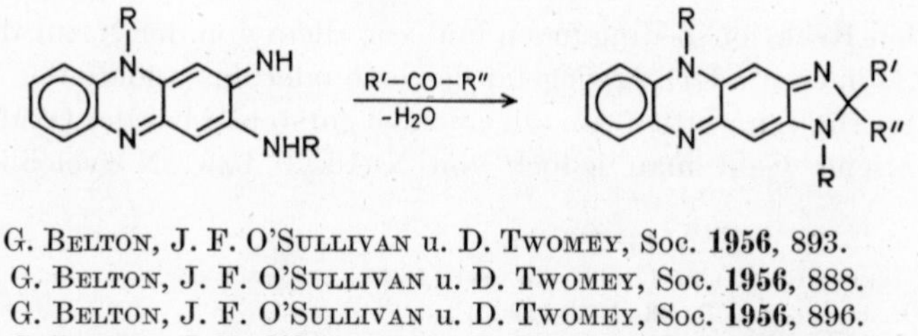

[1] V. C. Barry, J. G. Belton, J. F. O'Sullivan u. D. Twomey, Soc. **1956**, 893.
[2] V. C. Barry, J. G. Belton, J. F. O'Sullivan u. D. Twomey, Soc. **1956**, 888.
[3] V. C. Barry, J. G. Belton, J. F. O'Sullivan u. D. Twomey, Soc. **1956**, 896.
[4] V. C. Barry, J. G. Belton, J. F. O'Sullivan u. D. Twomey, Soc. **1956**, 3347.
[5] A. P. Kottenhahn, E. T. Seo u. H. W. Stone, J. Org. Chem. 28, 3114 (1963).

Bei Einsatz von Oxo-cycloalkanen entstehen Spiroverbindungen. So erhält man aus 2-Amino-1-(4-chlor-anilino)-benzol-Hydrochlorid und Cyclohexanon in wäßrig-äthanolischer Lösung *Cyclohexan-⟨spiro-2⟩-1,5-bis-[4-chlor-phenyl]-2,5-dihydro-1H-⟨imidazolo-[2,3-d]-phenazin⟩* (50% d. Th.; F: 299–301°)[1]:

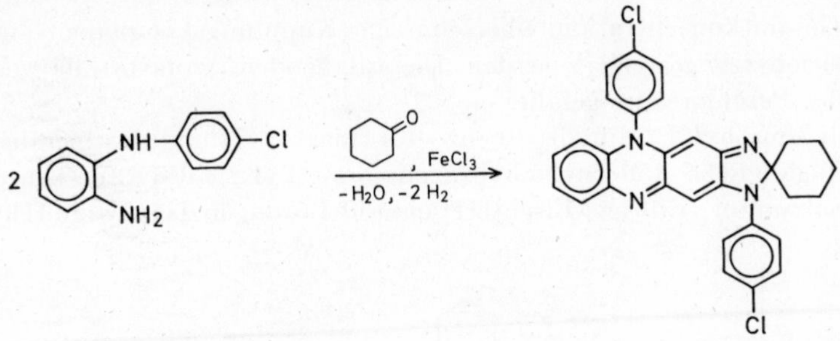

Bei Einsatz von 2-Amino-1-cyclohexylamino-benzol werden nur 10% d. Th. Spiro-Verbindung erhalten.

Auch die gemeinsame Oxidation zweier verschiedener Diamino-benzole mit Eisen(III)-chlorid führt zu Phenazinen. So erhält man aus 4-Amino-1-dimethylamino-benzol und 2,4-Diamino-1-methyl-benzol *3-Amino-7-dimethylamino-2-methyl-phenazin*[2]:

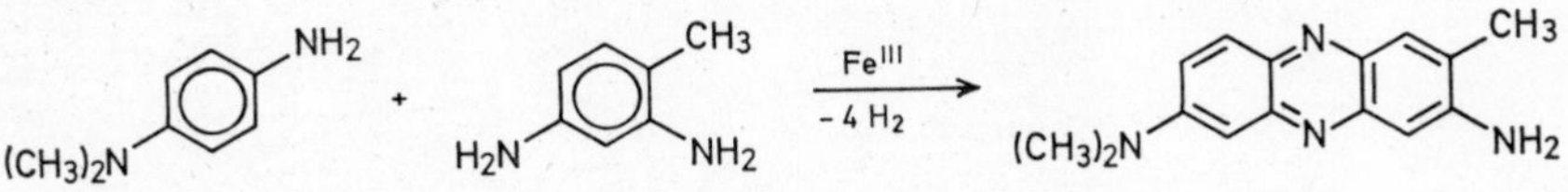

Wird die Oxidation von Diamino-benzolen mit Eisen(III)-chlorid in Gegenwart von Schwefelwasserstoff durchgeführt, so erhält man Phenothiazine; z. B. aus 1,4-Diamino-benzol *3,7-Diamino-phenothiazin* bzw. aus 4-Amino-1-dimethylamino-benzol-Hydrochlorid *3,7-Bis-[dimethylamino]-phenothiazinium-chlorid* (*Methylenblau*)[3]:

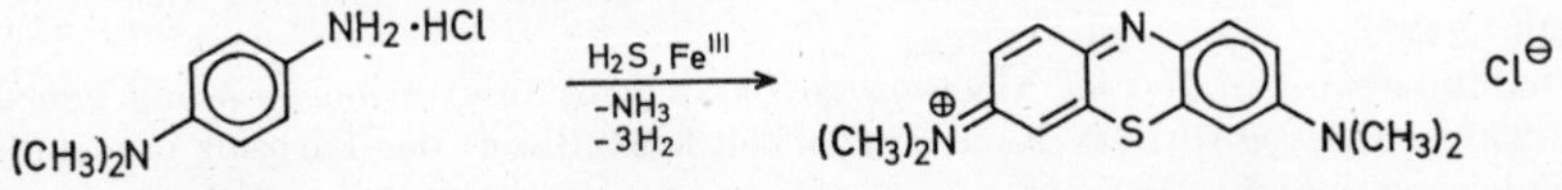

Eine weitere wichtige Reaktion unter intermolekularer C–N-Verknüpfung ist die oxidative Kupplung bestimmter Hydrazone mit Phenolen, reaktiven Methylen-Verbindungen und aromatischen Aminen zu heterocyclischen Azofarbstoffen[4,5]. Neben Eisen(III)-chlorid werden hauptsächlich Kaliumhexacyanoferrat(III) (s. S. 760 ff.), Blei(IV)-acetat (s. S. 170, 300 ff.) bzw. -oxid (s. S. 173), Mennige und Wasserstoffperoxid (s. S. 175) als Oxidationsmittel eingesetzt. Auch Kupfer(II)-sulfat (s. S. 65), Silbernitrat (s. S. 76 ff.), Natriumhypochlorit u. a. können verwendet werden[6–9].

Wählt man Phenole als Kupplungskomponente, so kann Eisen(III)-chlorid als Oxidationsmittel nicht eingesetzt werden.

[1] V. C. Barry, J. G. Belton, J. F. O'Sullivan u. D. Twomey, Soc. 1956, 3347.
[2] O. N. Witt, B. 12, 938 (1879).
[3] A. Bernthsen, A. 230, 73, 137 (1879); 251, 1 (1889).
[4] S. Hünig et al., Ang. Ch. 70, 215 (1958).
[5] S. Hünig et al., Ang. Ch. 74, 817 (1962).
[6] S. Hünig u. K. H. Fritsch, A. 609, 172 (1957).
[7] S. Hünig u. H. Nöther, A. 628, 84 (1959).
[8] S. Hünig, F. Brühne u. E. Breither, A. 667, 72 (1963).
[9] S. Hünig u. F. Brühne, A. 667, 86 (1963).

Wird auf **aromatische Amine** gekuppelt, so wird je nach Basizität des Amins und des Hydrazons in verdünnt mineralsaurer bis acetat-gepufferter Lösung gearbeitet. Als Oxidationsmittel ist u. a. Eisen(III)-chlorid geeignet.

Die oxidative Kupplung wird meist bei Raumtemperatur durchgeführt. Außer durch die Wahl des Oxidationsmittels sowie des Reaktionsmediums kann die Ausbeute auch durch Erhöhen der Gesamtkonzentration, überschüssige Kupplungskomponente und Verlängerung der Oxidationszeit gesteigert werden. Die anfallenden Azofarbstoffe werden gewöhnlich als Salze der Perchlorsäure gefaßt.

2-Hydrazono-3-methyl-2,3-dihydro-⟨benzo-1,3-thiazol⟩ (I) und das hieraus mit Formaldehyd leicht zugängliche 2-Methylenhydrazono-3-methyl-2,3-dihydro-⟨benzo-1,3-thiazol⟩ (II) werden in salzsaurer, wäßriger Eisen(III)-chlorid-Lösung in das Cyanin III übergeführt[1]:

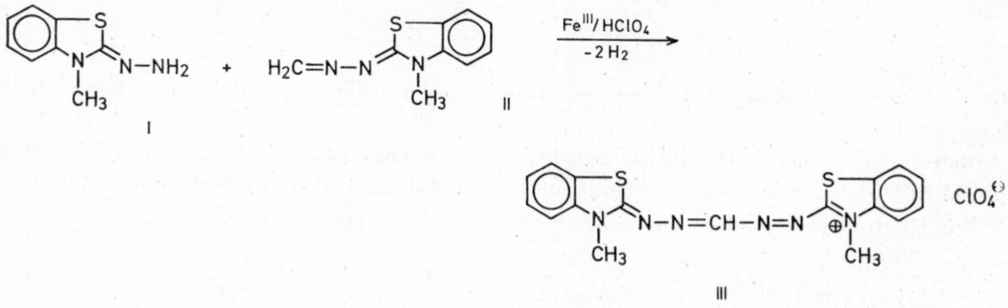

1,5-Bis-[3-methyl-benzo-1,3-thiazoliden-(2)]-1,2,4,5-tetraaza-pentamethincyanin-perchlorat (III)[1]:
0,94 g (5,3 Mol) 2-Hydrazono-3-methyl-2,3-dihydro-⟨benzo-1,3-thiazol⟩ (I) und 1 g (5,3 Mol) 2-Methylenhydrazono-3-methyl-2,3-dihydro-⟨benzo-1,3-thiazol⟩ (II) werden in 60 ml Äthanol gelöst und bei 30° unter Rühren mit einer Lösung von 6 g (22 m Mol) Eisen(III)-chlorid-Hexahydrat, 40 ml Wasser und 5 ml 2 n Salzsäure versetzt. Die Lösung wird sofort blau. Die durch den ausfallenden Farbstoff breiig werdende Lösung wird noch 1 Stde. gerührt, dann mit 350 ml Wasser verdünnt und in eine Lösung von 15 g Natriumperchlorat in 100 ml Methanol und 50 ml Ameisensäure filtriert; Ausbeute: 1,53 g (62% d. Th.); F: 246—247°.

1 g des Produktes wird in 100 ml Ameisensäure kalt gelöst und in eine Lösung von 2 g Natriumperchlorat in 250 ml Eisessig filtriert. Nach einiger Zeit kristallisiert das Farbsalz in metallisch glänzenden feinen Nädelchen aus; F: 250—251°.

Auch bei Einsatz des Azins II allein entsteht in salzsaurer Eisen(III)-chlorid-Lösung das Cyan III[2], wenn auch langsamer und in geringerer Ausbeute. Die oxidative Kupplung wird durch teilweise Hydrolyse des Azins ermöglicht.

Beim Umsatz von je 1 Mol Hydrazon und Azin in Äthanol mit einer Lösung von 4,4 Mol Eisen(III)-chlorid in Äthanol werden folgende Cyanine erhalten[3]:

1,5-Bis-[3,4,5-trimethyl-thiazolyl-(2)]-1,2,4,5-tetraaza-pentamethincyanin-perchlorat	33% d.Th.
1,5-Bis-[1-methyl-chinolinyl-(2)]-1,2,4,5-tetraaza-pentamethincyanin-perchlorat	55% d.Th.
5-[Benzo-1,3-thiazolyl-(2)]-1-[3-methyl-2,3-dihydro-benzo-1,3-thiazoliden-(2)]-1,2,4,5-tetraazapentadien-(1,3)	27% d.Th.

Wie bereits auf S. 704 ff. erwähnt, gelingt es, Hydrazone auch mit Aminen in 4-Stellung unter Verwendung von Eisen(III)-chlorid als Oxidationsmittel in guter Ausbeute zu kup-

[1] S. Hünig u. K. H. Fritsch, A. **609**, 172 (1957).
[2] E. Besthorn, B. **43**, 1524 (1910).
[3] S. Hünig, F. Brühne u. E. Breither, A. **667**, 72 (1963).

peln. So erhält man aus 2-Hydrazono-3-methyl-2,3-dihydro-⟨benzo-1,3-thiazol⟩ und Diphenylamin *2-(4-Anilino-benzolazo)-3-methyl-⟨benzo-1,3-thiazolium⟩-perchlorat*[1]:

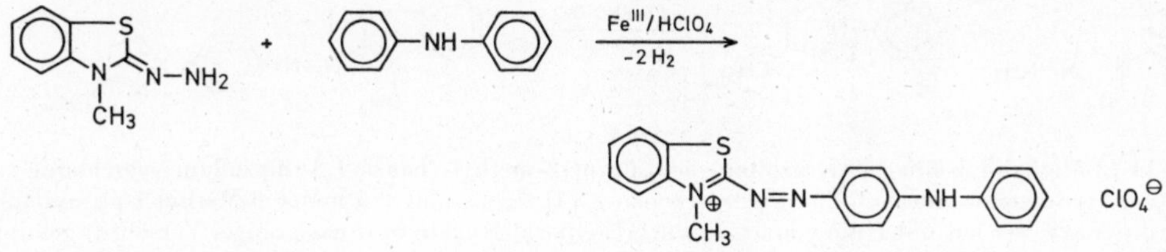

2-(4-Anilino-benzolazo)-3-methyl-⟨benzo-1,3-thiazolium⟩-perchlorat[1]: 900 mg (5 m Mol) 2-Hydrazono-3-methyl-2,3-dihydro-⟨benzo-1,3-thiazol⟩ und 855 mg (6 m Mol) Diphenylamin werden in 80 *ml* 1 n Salzsäure und 90 *ml* Methanol gelöst. Bei 25° werden unter Rühren 6,0 g (22 m Mol) Eisen(III)-chlorid-Hexahydrat in 30 *ml* Wasser innerhalb ∼ 2 Stdn. zugetropft. Nach weiteren 3 Stdn. wird die Lösung heiß filtriert und der Rückstand mit 50 *ml* warmem Methanol/Wasser (1:1) gewaschen. Im Filtrat fällt bei Zugabe von 4 g Natriumperchlorat in 30 *ml* heißem Wasser das Farbstoffperchlorat in dunkelgrünen Prismen aus; Rohausbeute: 1,71 g (77% d.Th.). Das Salz wird aus der 30fachen Menge Ameisensäure/Eisessig (2:1) umkristallisiert; Ausbeute: 1,20 g (54% d.Th.); F: 248–249° (goldglänzende Prismen).

Entsprechend erhält man mit N,N-Dimethyl-anilin *2-(4-Dimethylamino-benzolazo)-3-methyl-⟨benzo-1,3-thiazolium⟩-perchlorat*[1] (60% d.Th.; F: 236–238°).

Bei Einsatz starker basischer Hydrazone tritt oxidative Zersetzung unter Stickstoff-Entwicklung ein, dieselbe Reaktion tritt ein bei zu raschem Zutropfen der Eisen(III)-chlorid-Lösung.

1-Aryl-4,5-dihydro-pyrazole kuppeln mit Hydrazonen bei Anwesenheit von Eisen(III)-chlorid in 3-Stellung; sofern diese unbesetzt ist:

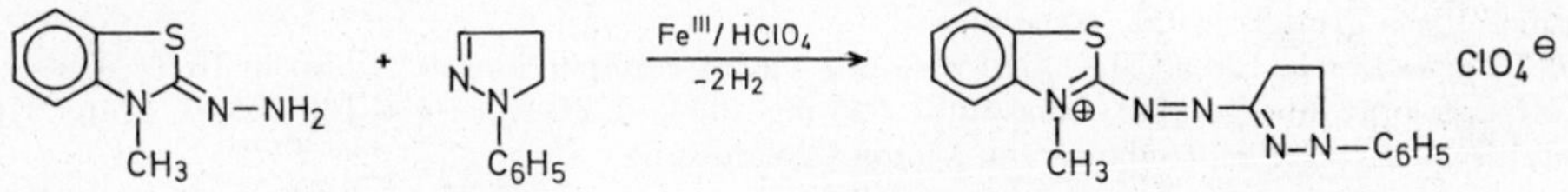

1-Phenyl-4,5-dihydro-pyrazol-⟨3-azo-2⟩-3-methyl-⟨benzo-1,3-thiazolium⟩-perchlorat[2]: Zu 365 mg (2,5 m Mol) 1-Phenyl-4,5-dihydro-pyrazol und 450 mg (2,5 m Mol) 2-Hydrazono-3-methyl-2,3-dihydro-⟨benzo-1,3-thiazol⟩ in 20 *ml* Äthanol und 0,5 *ml* konz. Salzsäure tropft man unter Rühren eine Lösung von 3,0 g (11 m Mol) Eisen(III)-chlorid-Hexahydrat, 820 mg (10 m Mol) wasserfreies Natriumacetat in 10 *ml* Äthanol und 15 *ml* Wasser (Blaufärbung). Anschließend wird mit 1 *ml* konz. Salzsäure und vorsichtig mit 4 g Natriumperchlorat in 10 *ml* Wasser versetzt. Es wird abgesaugt und mit 50% Äthanol gewaschen; Rohausbeute: 900 mg (85% d.Th.). grünglänzendes Pulver, das mit jeweils 100 *ml* und 2mal 50 *ml* Aceton kalt verrührt und abgesaugt wird. Aus dem mit 30 *ml* Cyclohexan versetzten Filtrat fallen beim Anreiben grünglänzende Blättchen aus; Ausbeute: 0,9 g (85% d.Th.); F: 128-129°.

Die ähnlich verlaufende Kupplung von 6-Nitro-2-hydrazono-2,3-dihydro-⟨benzo-1,3-thiazol⟩ und 1-Phenyl-4,5-dihydro-pyrazol zu *1-Phenyl-4,5-dihydro-pyrazol-⟨3-azo-2⟩-6-nitro-⟨benzo-1,3-thiazol⟩* (19% d.Th.; bildet kein Perchlorat)[2] wird in Dimethylformamid mit schwach salzsaurer äthanolischer Eisen(III)-chlorid-Lösung durchgeführt:

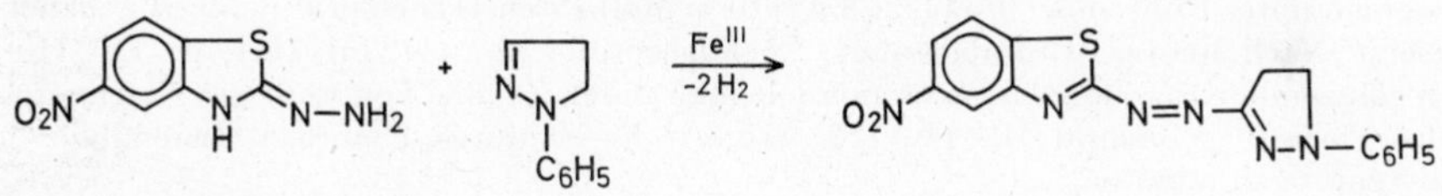

[1] S. HÜNIG u. H. NÖTHER, A. **628**, 84 (1959).
[2] S. HÜNIG, F. BRÜHNE u. E. BREITHER, A. **667**, 72 (1963).

Ist bei den 1-Aryl-4,5-dihydro-pyrazolen die 3-Stellung besetzt, so kuppeln sie analog den Anilin-Derivaten in 4-Stellung; z. B.:

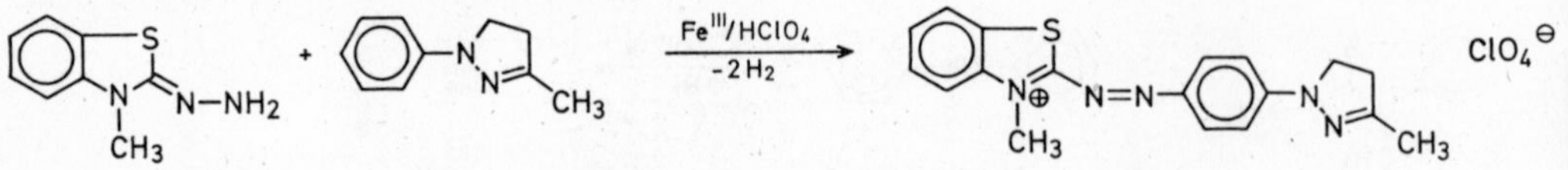

2-[4-(3-Methyl-4,5-dihydro-pyrazolino)-benzolazo]-3-methyl-⟨benzo-1,3-thiazolium⟩-perchlorat[1]: 2,5 mMol 2-Hydrazono-3-methyl-2,3-dihydro-⟨benzo-1,3-thiazol⟩ und 2,5 mMol 3-Methyl-1-phenyl-4,5-di-hydro-pyrazol werden mit Hilfe von 3 g Eisen(III)-chlorid-Hexahydrat nach obiger Vorschrift gekuppelt und direkt als Perchlorat gefällt (56% d.Th.). 100 mg werden in 10 ml Nitromethan und 1 Tropfen 70%iger Perchlorsäure gelöst, filtriert und mit 30 ml Aceton versetzt. Nach Zusatz von 40 ml Cyclo-hexan wird kräftig gerieben; F: 202° (dunkle mikroskopisch feine Nädelchen).

4,5-Dihydro-pyrazole und aromatische Amine lassen sich auch mit N,N-Diphenyl-hydra-zinen in Gegenwart von Eisen(III)-chlorid kuppeln. So erhält man aus 1-Phenyl-4,5-dihy-dro-pyrazol und N,N-Bis-[4-methyl-phenyl]-hydrazin durch Kupplung in 3-Stellung das Farbsalz I:

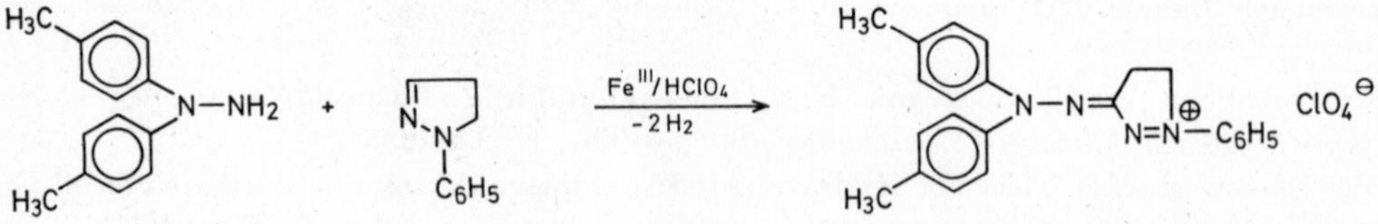

I

3-(Bis-[4-methyl-phenyl]-hydrazono)-1-phenyl-4,5-dihydro-3H-pyrazolium-perchlorat[2]: 3,66g (25 m Mol) 1-Phenyl-4,5-dihydro-pyrazol und 5,30 g (25 m Mol) N,N-Bis-[4-methyl-phenyl]-hydrazin in 130 ml Äthanol werden unter Rühren mit 17,8 g (110 m Mol) Eisen(III)-chlorid in 100 ml Äthanol tropfen-weise versetzt. Nach 30 Min. wird abgesaugt; Rohausbeute: 4,71 g (41% d.Th.); F: 165-166° (Zers.; metallisch grünglänzende Kristalle).

1 g des Farbsalzes in 120 ml Methanol wird mit 4 g Natriumperchlorat-Hydrat in 16 ml Wasser in das Farbstoffperchlorat übergeführt; Ausbeute: 595 mg (33% d.Th.); F: 165-166° (Zers. grüne Kristalle mit metallischem Oberflächenglanz; aus Aceton/Cyclohexan).

In ähnlicher Weise wird *3-(Bis-[4-methyl-phenyl]-hydrazono)-1-(4-chlor-phenyl)-4,5-di-hydro-3H-pyrazolium-perchlorat* (47% d.Th.; F: 175–176°, grüne Nadeln aus Methanol) erhalten[2].

Bei Einsatz von 3-Methyl-1-phenyl-4,5-dihydro-pyrazol wird kein Farbstoff isoliert.

Aromatische Amine kuppeln in 4-Stellung mit N,N-Diphenyl-hydrazinen in Gegen-wart von Eisen(III)-chlorid zu einem Farbkation vom Chinon-diimin-Typ[2]; z. B.:

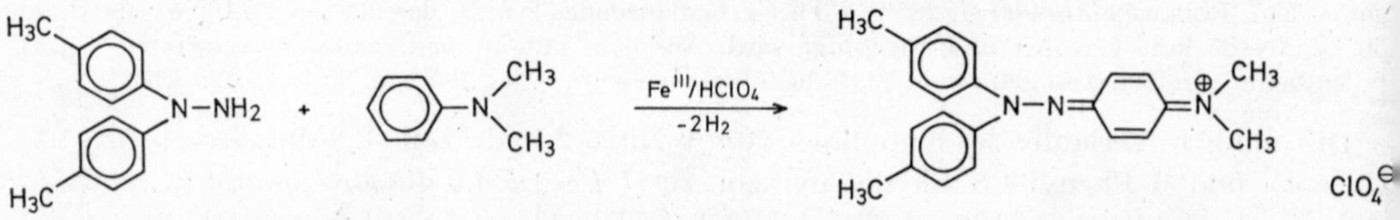

6-Dimethyliminium-3-(bis-[4-methyl-phenyl]-hydrazono)-cyclohexadien-(1,4)-perchlorat[2]: 3,03 g (25 m Mol) N,N-Dimethyl-anilin und 5,30 g (25 m Mol) N,N-Bis-[4-methyl-phenyl]-hydrazin in 150 ml Äthanol werden unter Rühren bei 0° mit 17,8 g (110 m Mol) Eisen(III)-chlorid in 50 ml Äthanol tropfen-weise versetzt. Nach 30 Min. wird abgesaugt; Rohausbeute: 4,30 g (47% d.Th.); F: 116–118° (grüne, metallisch glänzende Kristalle). Aus Aceton erhält man durch Zugabe von wäßriger Natriumperchlorat-Lösung das Farbstoffperchlorat; F: 120–122° (Zers.). Es ist durch Umkristallisieren oder Umfällen nicht analysenrein zu erhalten.

---

[1] S. Hünig, F. Brühne u. E. Breither, A. **667**, 72 (1963).
[2] S. Hünig u. F. Brühne, A. **667**, 86 (1963).

Entsprechend erhält man *6-Phenyliminium-3-(bis-[4-methyl-phenyl]-hydrazono)-cyclohexa-dien-(1,4)-perchlorat* (20% d.Th.; F: 115–118°, dunkelgrüne feine Kristalle)[1].

3- und 2-Methyl-indol gehen bei der Oxidation mit Eisen(III)-chlorid in Äther ebenfalls unter C–N-Verknüpfung in Farbstoffe über[2], die aus sechs bzw. acht Methylen-indolenin-Resten aufgebaut sind:

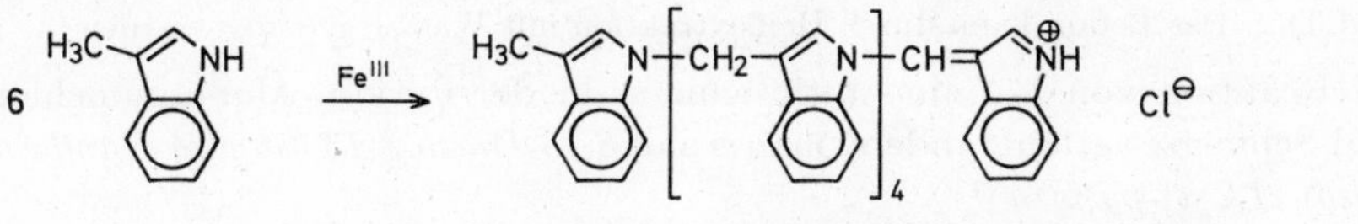

3-⟨3-{3-[3-(3-Methyl-indolinomethyl)-indolino-methyl]-indolinomethyl}-indolinomethyl⟩-indolino-methylen-3H-indol-Hydrochlorid; 85% d. Th.

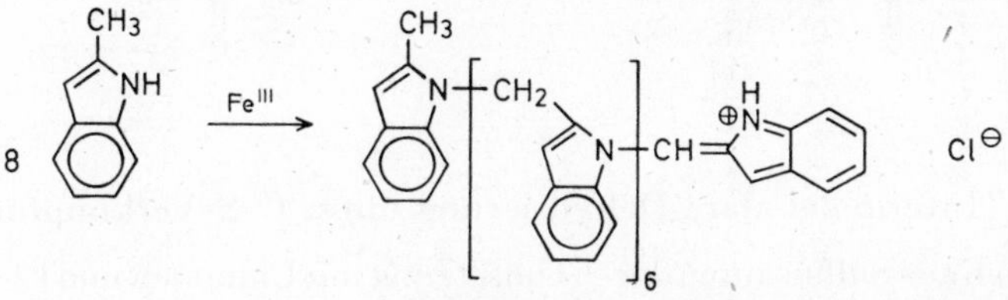

2-(2-⟨2-{2-[2-(2-Methyl-indolinomethyl)-indo-linomethyl]-indolinomethyl}-indolinomethyl⟩-indolino-methyl)-indolinomethyl)-indolinomethylen-2H-indol-Hydrochlorid

Bei der Dehydrierung von 4-Amino-5-oxo-3-hydroxymethyl-1-phenyl-4,5-dihydro-pyrazol-Hydrochlorid mit wäßriger Eisen(III)-chlorid-Lösung erhält man bei gleichzeitiger Abspaltung von Stickstoff *4-[5-Oxo-3-hydroxy-methyl-1-phenyl-4,5-dihydro-pyrazolyl-(4)-imino]-5-oxo-3-hydroxymethyl-1-phenyl-4,5-dihydro-pyrazol* (92% d.Th.; F: 199°)[3]:

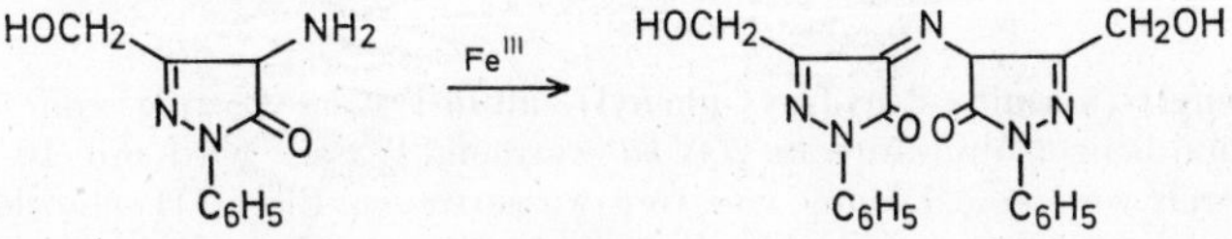

Bei der Kondensation von 1-Amino-anthrachinon-2-sulfonsaurem Natrium in der Pyridin-Aluminiumchlorid-Schmelze entsteht hauptsächlich *4,4'-Diamino-3,3'-disulfo-bi-an-thrachinonyl-(1)*[4]. Durch Zusatz stöchiometrischer Mengen Eisen(III)-chlorid als Oxidationsmittel wird dagegen das Betain *1-Amino-4-pyridinio-anthrachinon-2-sulfonat* erhalten[5]:

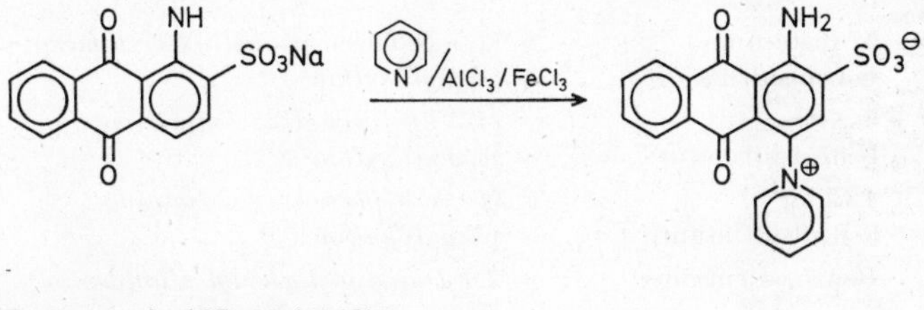

[1] S. Hünig u. F. Brühne, A. **667**, 86 (1963).
[2] H. v. Dobeneck u. W. Lehnerer, B. **90**, 161 (1957).
[3] G. F. Duffin u. J. F. Kendall, Soc. **1955**, 3969.
[4] A. K. Wick, Helv. **49**, 1748 (1966).
[5] A. K. Wick, Helv. **50**, 377 (1967).

1-Amino-4-pyridinio-anthrachinon-2-sulfonat[1]: In eine Schmelze von 150 *ml* absol. Pyridin, 45 g wasserfreiem Aluminiumchlorid und 18 g sublimiertem Eisen(III)-chlorid werden bei 70° 37,2 g 1-Amino-anthrachinon-2-sulfonsaures Natrium eingetragen und das Ganze bei 80—85° gerührt. Die nach 4 Stdn. zähflüssige orangebraune Masse wird weitere 25 Stdn. ohne Rühren auf 80—85° gehalten. Hierauf wird mit 50 *ml* Pyridin verdünnt, in 1,5 *l* Wasser ausgetragen, mit Salzsäure angesäuert und 30 Min. verrührt. Das rotbraune kristalline Reaktionsprodukt wird abgenutscht, durch gründliches Waschen mit heißem Wasser vom eingesetzten Anthrachinon befreit und bei 80° i. Vak. getrocknet; Ausbeute: 24,3 g (60% d. Th.). Das Betain kann durch Heißextraktion mit Wasser gereinigt werden.

Die Reaktion von 1-Amino-anthrachinon in der Pyridin-Aluminiumchlorid-Eisen(III)-chlorid-Schmelze verläuft anders; man erhält *8,13-Dioxo-8,13-dihydro-⟨(anthraceno-[1,2-4,5]-imidazo)-[1,2-a]-pyridin⟩*[1]:

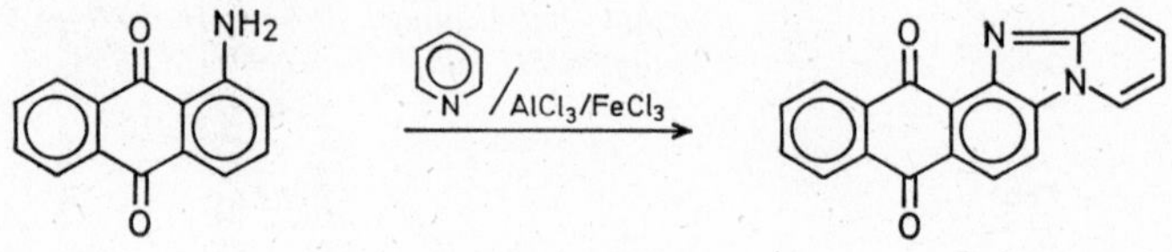

d) Intermolekulare Dehydrierung unter C–S-Verknüpfung

Sulfone können aus Sulfinsäuren durch Umsetzung mit Chinonen und Chinon-iminen bzw. mit Amino-phenolen oder Diamino-benzolen in Anwesenheit von Eisen(III)-chlorid als Dehydrierungsmittel in saurer Lösung hergestellt werden[2].

Die C–S-Verknüpfung findet in o- bzw. p-Stellung zur Hydroxy-Gruppe in Amino-phenolen bzw. zu einer Amino-Gruppe in Diamino-benzolen statt; z. B.:

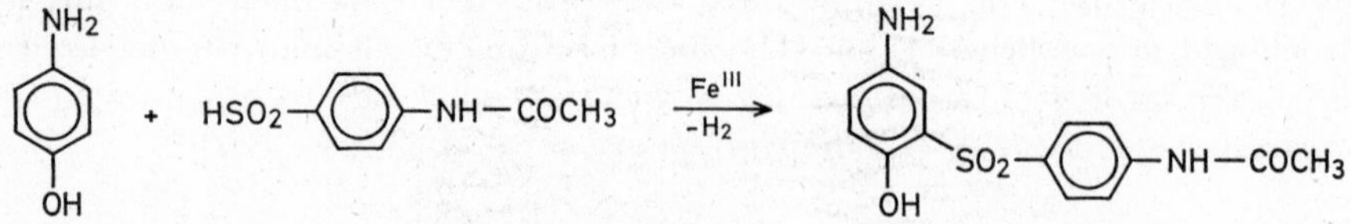

(4-Acetamino-phenyl)-(5-amino-2-hydroxy-phenyl)-sulfon[2]: Eine Lösung von 5 g 4-Amino-phenol und 10 g 4-Acetamino-benzolsulfinsäure in 200 *ml* warmem Wasser wird mit 10 *ml* konz. Salzsäure versetzt. Unter Rühren wird eine Lösung von 16 g wasserfreiem Eisen(III)-chlorid in 160 *ml* Wasser zugefügt und 1 Stde. bei 50-60° weitergerührt. Danach kühlt man ab und versetzt mit Natriumhydrogencarbonat bis $p_H = 5,5$-6. Der braune Niederschlag wird abfiltriert, mit Wasser gewaschen, getrocknet, in 150-200 *ml* Methanol gelöst und wiederholt mit Aktivkohle bis zur schwachen Braunfärbung der Lösung behandelt. Das Filtrat wird bis auf 50 *ml* eingeengt und 24 Stdn. gekühlt. Die Kristalle werden abfiltriert und aus 80—85%igem wäßrigen Aceton umkristallisiert; Ausbeute: 6-8 g (50% d. Th.); F: 235-236° (Zers.).

Auf ähnliche Weise werden in 50%iger Ausbeute folgende Sulfone erhalten:

1,4-Diamino-benzol + 4-Acetamino-benzolsulfinsäure	→ *(2,5-Diamino-phenyl)-(4-acetamino-phenyl)-sulfon*[2]	F: 222-223°
1,4-Diamino-benzol + 4-Nitro-benzolsulfinsäure	→ *(4-Nitro-phenyl)-(2,5-diamino-phenyl)-sulfon*[2]	F: 257-260°
1,4-Diamino-benzol + 4-Chlor-benzolsulfinsäure	→ *(4-Chlor-phenyl)-(2,5-diamino-phenyl)-sulfon*[2]	F: 146-148°
1,4-Diamino-benzol + Benzolsulfinsäure	→ *2,4-Diamino-1-phenylsulfon-benzol*[3] (Raumtemp.)	

[1] A. K. Wick, Helv. **50**, 377 (1967).
[2] S. Pickholz, Soc. **1946**, 685.
[3] DRP 5099 (1954), VEB Farbenfabrik Wolfen, Erf.: G. Mathauser.

4-Amino-1-dimethyl- + 4-Acetamino-benzol- → *(2-Amino-5-dimethylamino-phenyl)-*   F: 217-219°
    amino-benzol   sulfinsäure   *(4-acetamino-phenyl)-sulfon*[1]

4-Amino-1-diäthyl- + 4-Acetamino-benzol- → *(2-Amino-5-diäthylamino-phenyl)-*   F: 124-126°
    amino-benzol   sulfinsäure   *(4-acetamino-phenyl)-sulfon*[1]

Auch aliphatische Sulfinsäuren können eingesetzt werden; so erhält man aus 4-Amino-phenol bzw. 4-Isopropylamino-1-hydroxy-benzol und Natrium-heptansulfinat in saurer Eisen(III)-chlorid-Lösung *5-Amino-2-hydroxy-* (25% d.Th.) bzw. *5-Isopropylamino-2-hydroxy-1-heptylsulfon-benzol* (15% d.Th.)[2,3].

In praktisch quantitativer Ausbeute gelingt die Herstellung von Diarylsulfonen[4] aus einem Arensulfonsäure-chlorid und z. B. Xylol bei 140°/1 at.:

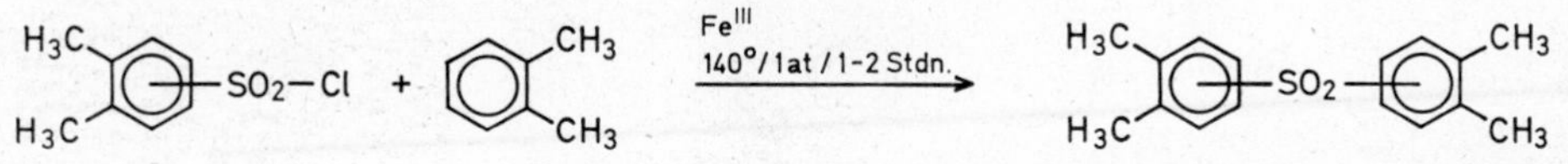

e) Intermolekulare Dehydrierung unter N–N-Verknüpfung

Die Dehydrierung unsymmetrischer Hydrazine zu Tetrazenen kann u. a. mit Eisen (III)-chlorid durchgeführt werden. Man arbeitet unter Kühlung mit neutraler, sehr ver-dünnter Eisen(III)-chlorid-Lösung; z. B. *Tetraphenyl-tetrazen-(2)* aus N,N-Diphenyl-hydrazin[5]. Die Herstellung von *1,4-Diallyl-1,4-diphenyl-tetrazen-(2)*[6] gelingt anscheinend nur mit Eisen(III)-chlorid:

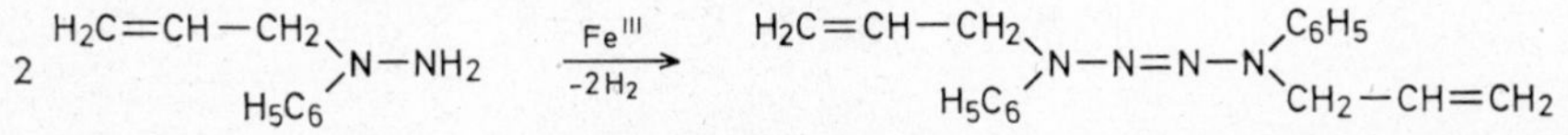

4-Hydroxylamino-2,6-dimethyl-pyridin-1-oxid-Hydrochlorid reagiert mit 10%iger wäß-riger Eisen(III)-chlorid-Lösung unter N–N-Verknüpfung zu *2,2',6,6'-Tetramethyl-4,4'-azoxypyridin-1,1'-dioxid* (93% d.Th.)[7]:

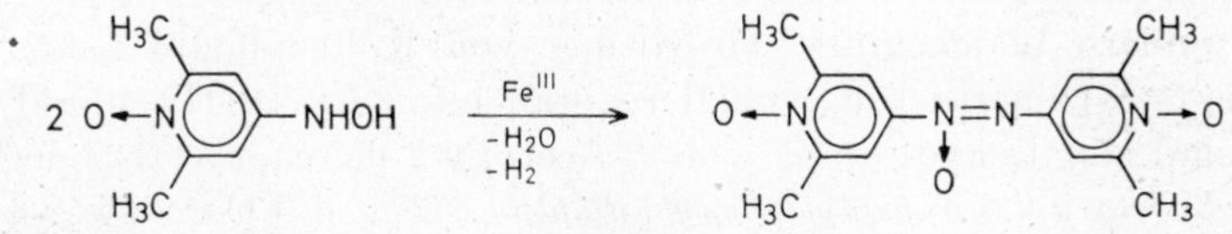

β-Aryl-keton-hydrazone dimerisieren unter Einwirkung von Eisen(III)-chlorid bei gleich-zeitiger Eliminierung je eines N-Atoms ausschließlich zu Azinen[8]; z. B. 1-Hydrazono-1,2-diphenyl-äthan zu *Bis-[1,2-diphenyl-äthyliden]-hydrazin*:

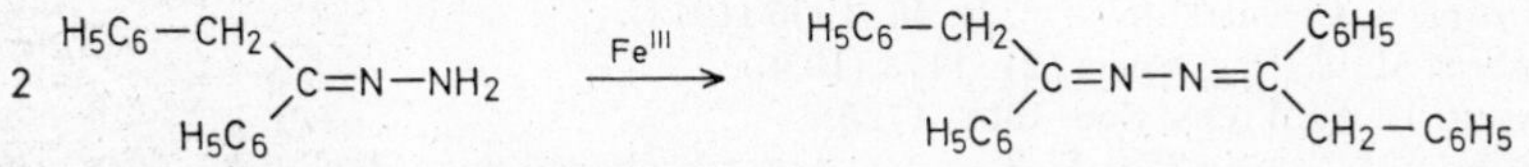

[1] S. Pickholz, Soc. 1946, 685.
[2] K. Bailey u. B. R. Brown, Chem. Commun. 1967, 408.
[3] K. Bailey, B. R. Brown u. B. Chalmers, Chem. Commun. 1967, 618.
[4] G. S. Mironov, V. V. Vetrova u. M. I. Farberov, Izv. Vysš. Učeeb. Zav., Chim. i Chim. Techn. 12, 1588 (1969); C. A. 74, 111275 (1971).
[5] E. Fischer, A. 190, 169, 182 (1877).
[6] A. Michaelis u. C. Claessen, B. 22, 2238 (1889).
[7] F. Parisi, P. Bovina u. A. Quilico, G. 92, 1138 (1962).
[8] R. J. Theis u. R. E. Dessy, J. Org. Chem. 31, 624 (1966).

Bei der Oxidation von Indolyl-(3)-essigsäure mit Eisen(III)-chlorid in saurer Lösung entsteht *1-Hydroxy-3-carboxymethyl-indol*[1]. Die Reaktion verläuft über das N–N-Dimere I, das hydrolysiert:

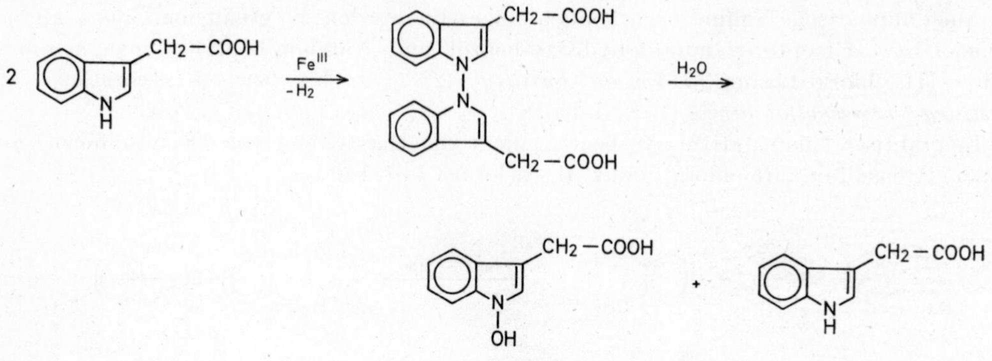

f) Intermolekulare Dehydrierung unter S–S-Verknüpfung

Mercaptane werden neben einer ganzen Reihe von Oxidationsmitteln u. a. auch mit Eisen(III)-chlorid leicht und in guter Ausbeute in die entsprechenden Disulfide übergeführt:

$$2 \;\; R-SH \;\; \xrightarrow[-H_2]{Fe^{III}} \;\; R-S-S-R$$

Die Reaktion wird allgemein in Alkohol, Äther, Essigsäure, 1,4-Dioxan, aber auch in wäßriger Lösung durchgeführt und ist in diesem Handb., Bd. IX, S. 63 ausführlich besprochen. Daher werden im folgenden nur charakteristische und neuere Beispiele angeführt.

Aus 4-Nitro-phenylmercaptan und Eisen(III)-chlorid in heißem Eisessig wird *Bis-[4-nitro-phenyl]-disulfid* erhalten[2], 2-Mercapto-zimtsäure dagegen unterliegt keiner S–S-Verknüpfung, sondern bildet unter Abspaltung von Kohlendioxid *Benzo-[b]-thiophen*[3].

Beispiele einer S–S-Dimerisierung von Mercaptanen mit Eisen(III)-chlorid aus der neueren Literatur sind die Dehydrierung von 5-Acetoxy-2-mercapto-1,3-dimethyl-benzol in Äther zu *Bis-[4-acetoxy-2,6-dimethyl-phenyl]-disulfid* (75% d.Th.)[4] bzw. von 10-Chlor-9-mercapto-anthracen in 1,4-Dioxan zu *Bis-[10-chlor-anthryl-(9)]-disulfid*[5]. Weitere Beispiele entnehme man der Literatur[6].

[1] W. F. HOUFF et al., Am. Soc. 76, 5654 (1954).
[2] T. ZINCKE u. S. LENHARDT, A. 400, 8 (1914).
[3] P. FRIEDLÄNDER u. C. CHMELEWSKY, B. 46, 1905 (1913).
[4] C. S. MARVEL et al., J. Org. Chem. 21, 1173 (1956).
[5] Z. S. ARIYAN u. L. A. WILES, Soc. 1962, 1725.
[6] *Bis-[3-chlor-pyrazyl-(6)]-disulfid*: N. TAKAHAYASHI, J. pharm. Soc. (Japan) 75, 1242 (1955); C. A. 50, 8655 (1956).

Bis-[3-methyl-1,5-diphenyl-pyrazyl-(4)]-disulfid: W. J. BARRY, Soc. 1961, 3851.

Bis-[3-brom-7-methoxycarbonyl-octyl]-disulfid: Y. DEGUCHI u. K. NAKANISHI, J. pharm. Soc. (Japan) 83, 704 (1963); C. A. 56, 5888 (1962).

Bis-[1-(alkansulfonylamino-carbonylamino)-alkyl-(2)]-disulfid: Schweiz. P. 340819 (1959); CILAG Chemie, Erf.: E. HABICHT; C. A. 59, 12913 (1963).

Bis-[pyridyl-(2)-methyl]-disulfid: DBP 1210429 (1966), E. Merck AG., Erf.: G. SCHORRE.

Diacetyl-disulfid: E. L. JENNER u. R. V. LINDSEY, Am. Soc. 83, 1911 (1961).

Diindolyl-(3)-disulfid: R. L. N. HARRIS, Tetrahedron Letters 1969, 4465.

Ein spezielles Beispiel stellt die Oxidation von Dithiocarbamidsäure mit Eisen(III)-chlorid zu *Bis-[aminothiocarbonyl]-disulfid*[1] dar:

$$2 \; H_2N-CS-SNH_4 \xrightarrow[\substack{-2NH_3 \\ -H_2}]{Fe^{III}} H_2N-CS-S-S-CS-NH_2$$

Im Falle des 2,5-Dihydroxy-1-mercapto-benzols erfolgt Dehydrierung sowohl der Hydroxy- als auch der Mercapto-Gruppe zu *Bis-[3,6-dioxo-cyclohexadien-(1,4)-yl]-disulfid*[2]:

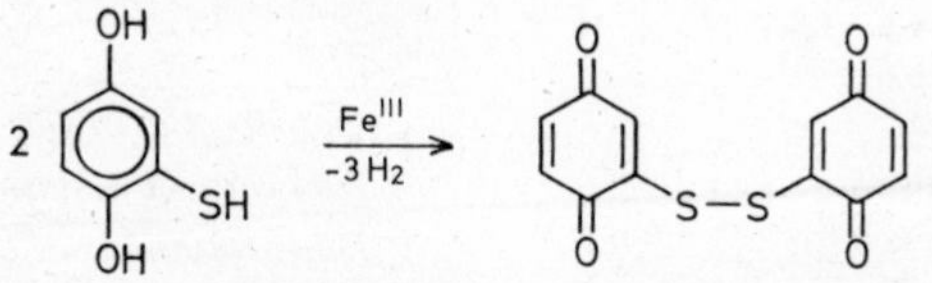

Bis-[3,6-dioxo-cyclohexadien-(1,4)-yl]-disulfid[2]: Zu einer Lösung von 285 mg 2,5-Dihydroxy-1-mercapto-benzol in 10 Teilen Äthanol werden 3,5 *ml* einer 2 n Eisen(III)-chlorid-Lösung zugefügt. Da gelbe Disulfid fällt aus und wird aus Eisessig umkristallisiert; Ausbeute: 280 mg (~ 100% d.Th.).

Ähnlich verhalten sich 2,5-Dihydroxy-1-mercapto-x-methyl-(bzw. -x-phenyl)-benzole.

Bei der Oxidation von O-Benzoyl-Vitamin B$_1$ mit Eisen(III)-chlorid in alkalischem Medium wird unter Aufspaltung des Thiazolium-Rings ein wasserunlösliches Disulfid gebildet[3]:

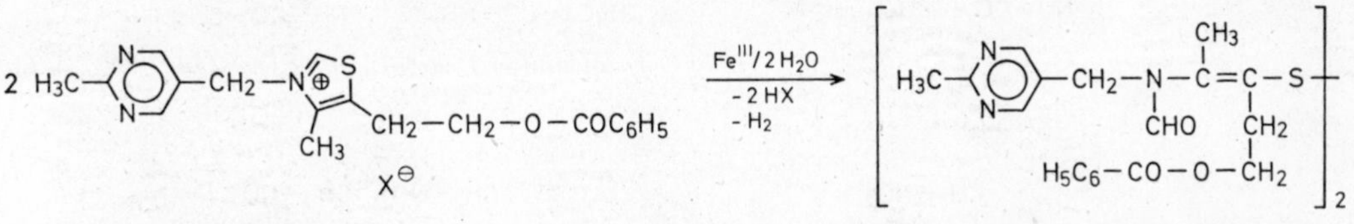

Bis-⟨2-{[2-methyl-pyrimidyl-(5)-methyl]-formyl-amino}-5-benzoyloxy-penten-(2)-yl-(3)⟩-disulfid

Die Oxidation von Triphenylmethyl-phenyl-sulfid mit Eisen(III)-chlorid in Eisessig bei 80° (5 Min.) führt zur Aufspaltung des Moleküls unter anschließender dehydrierender Dimerisierung des Mercaptans zu Triphenylcarbinol und *Diphenyl-disulfid*[4]:

$$2 \; (C_6H_5)_3C-S-C_6H_5 \xrightarrow{Fe^{III}} (C_6H_5)_3C-OH + H_5C_6-S-S-C_6H_5$$

84% d.Th.   90% d.Th.

Entsprechend erhält man aus Triphenylmethyl-(4-methyl-phenyl)-sulfid *Triphenylcarbinol* (87% d.Th.) und *Bis-[4-methyl-phenyl]-disulfid* (95% d.Th.).

Wie die Triphenylmethyl-Derivate wird Diphenylmethyl-phenyl-sulfid (Eisessig, 80°, 20 Min.) in *Benzophenon* (30% d.Th.) und *Diphenyl-disulfid* (35% d.Th.) übergeführt:

$$2 \; (C_6H_5)_2CH-S-C_6H_5 \xrightarrow{Fe^{III}} H_5C_6-CO-C_6H_5 + H_5C_6-S-S-C_6H_5$$

[1] M. FREUND u. G. BACHRACH, A. **285**, 201 (1895).
[2] W. ALCALAY, Helv. **30**, 578 (1947).
[3] Jap. P. Anm. 8828, 8829 (1964), Tanabe Seiyaku Co. Ltd.
[4] D. C. GREGG, K. HAZELTON u. T. F. MCKEON, J. Org. Chem. **18**, 36 (1953).

Brom in Eisessig liefert höhere Ausbeuten an Disulfid[1].

Mit Eisen(III)-oxid oder einigen anderen Metalloxiden gelingt es unter milden Bedingungen in einem nichtpolaren Lösungsmittel Alkylmercaptane in Dialkyldisulfide überzuführen[2] [Mangan(IV)-oxid liefert die höchsten Ausbeuten; zum Teil bis 100% d.Th.]. Man arbeitet mit äquivalenten Mengen des Oxids bei 55° unter Sauerstoffausschluß. Die Reaktion verläuft relativ langsam, da der reaktionsbestimmende Schritt die Adsorption des Mercaptans an das Oxid darstellt.

Mit Eisen(III)-oxid in Xylol entstehen so aus Dodecyl- bzw. Hexadecylmercaptan innerhalb 20–22 Stdn. *Didodecyl-disulfid* (30% d.Th.) bzw. *Dihexadecyl-disulfid* (37% d.Th.)[2].

Besser verläuft die Dehydrierung mit Eisen(III)-octanoat [Kupfer(III)-octanoat] als Oxidationsmittel (in Xylol, 55°)[3]; z. B.:

Dodecylmercaptan	→	*Didodecyl-disulfid*	90% d.Th.
Hexadecylmercaptan	→	*Dihexadecyl-disulfid*	80% d.Th.
Benzylmercaptan	→	*Dibenzyl-disulfid*	80% d.Th.
4-Methyl-benzylmercaptan	→	*Bis-[4-methyl-benzyl]-disulfid*	90% d.Th.

Dagegen können Alkylmercaptane mit funktionellen Gruppen in α-Stellung auch mit Eisen(III)-chlorid in Äther unter Sauerstoff-Ausschluß in quantitativer Ausbeute zu den entsprechenden Disulfiden dehydriert werden; z. B.:

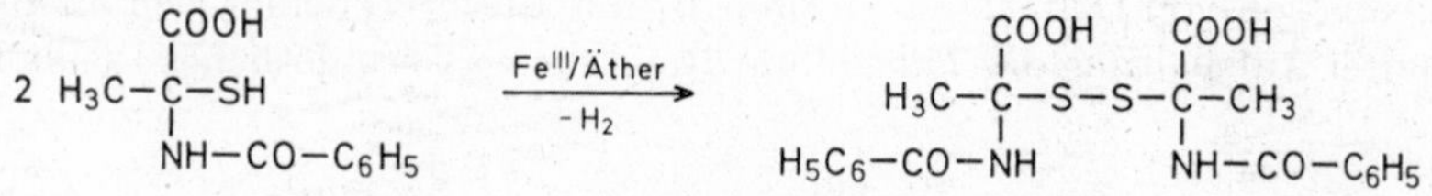

Bis-[1-benzoylamino-1-carboxy-äthyl]-disulfid[4]; 95% d.Th.

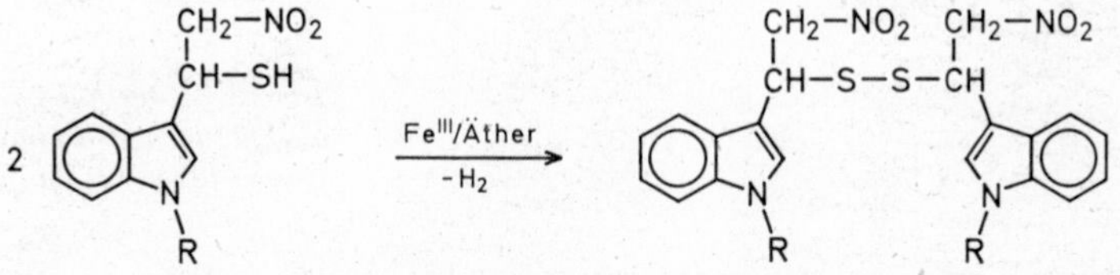

Bis-[2-nitro-1-alkyl-indolyl-(3)-äthyl]-disulfide[5]; ~100% d.Th.

g) Intermolekulare Dehydrierung unter Se–Se-Verknüpfung

Selenole sind an der Luft unbeständig; durch Autoxidation gehen sie in Diselenide über. Auch milde Oxidationsmittel wie Eisen(III)-chlorid werden herangezogen. So erhält man z. B. aus 4-Hydroxy-1-seleno-benzol mit Eisen(III)-chlorid *Bis-[4-hydroxy-phenyl]-diselenid*[6]:

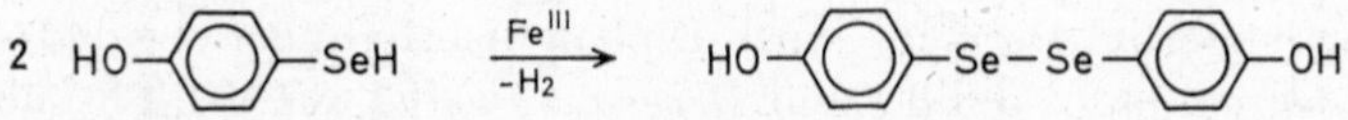

[1] D. C. Gregg, F. Vartuli u. J. W. Wisner, Am. Soc. **77**, 6660 (1955).
[2] T. J. Wallace, J. Org. Chem. **31**, 1217 (1966).
[3] T. J. Wallace, J. Org. Chem. **31**, 3071 (1966).
[4] P. M. Poger u. I. D. Rae, Austral. J. Chem. **25**, 1737 (1972); Tetrahedron Letters **1971**, 3077.
[5] O. D. Shalygina, L. K. Vinograd u. N. N. Suvorov, Chim. geteroc. Soed. **1971**, 1062; C. A. **76**, 25023 (1972).
[6] S. Kaimatsu u. K. Yo Kota, J. pharm. Soc. (Japan) **50**, 79 (1930); C. **1930** II, 2123.
    Vgl. ds. Handb., Bd. IX, S. 1092.

B. mit Eisen(III)-Komplex-Salzen

bearbeitet von

Dr. GERHARD W. ROTERMUND

BASF Aktiengesellschaft

Ludwigshafen/Rhein

Kalium-hexacyanoferrat(III) oder rotes Blutlaugensalz, gehört zu der Gruppe von Übergangsmetallsalzen, die als Oxidationsmittel unter Aufnahme nur eines Elektrons ihre Wertigkeit um eine Stufe ändern:

$$\left[Fe(CN)_6\right]^{3\ominus} + e^{\ominus} \;\rightleftharpoons\; \left[Fe(CN)_6\right]^{4\ominus}$$

Das Redoxpotential des Eisen(II)-Eisen(III)-Systems mit + 0,49 V gestattet, Oxidationsreaktionen mit teilweise großer Selektivität durchzuführen. Dabei handelt es sich ausschließlich um Dehydrierungen, die, im wesentlichen im alkalischen Medium durchgeführt, auch als Entladungen von Anionen aufgefaßt werden können und zu Radikalen führen:

$$R^{\ominus} \xrightarrow[-\left[Fe(CN)_6\right]^{4\ominus}]{\left[Fe(CN)_6\right]^{3\ominus}} R\cdot$$

Typische Oxidationen, die diese Ein-Elektronen-Abstraktion verdeutlichen, sind die Phenol-Kupplung, die über Phenoxyle verläuft,

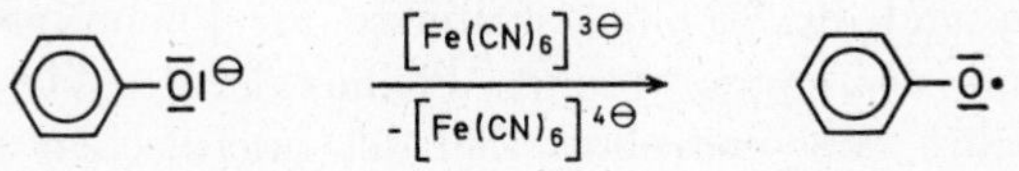

die Sulfid-Dimerisierung

$$2\,R\text{–}\underline{\underline{S}}^{\ominus} \xrightarrow[-\,2\,\left[Fe(CN)_6\right]^{4\ominus}]{2\,\left[Fe(CN)_6\right]^{3\ominus}} 2\,R\text{–}\underline{\underline{S}}\cdot \longrightarrow \text{Disulfid}$$

oder die Dehydrierung von Triaryl-imidazolen zu Bi-imidazolyl-Derivaten

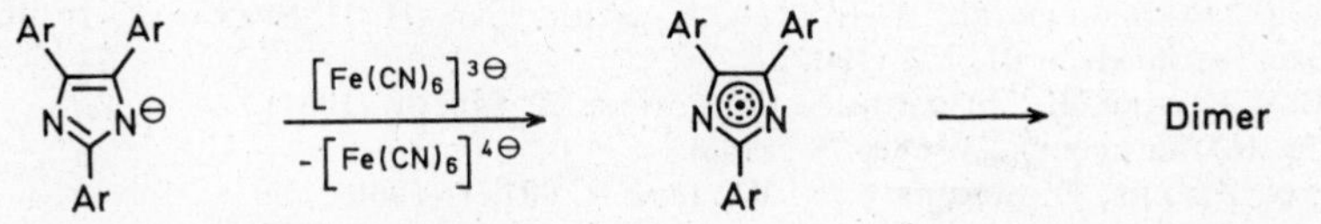

In der Regel stabilisieren sich die zunächst gebildeten Radikale durch intra- oder intermolekulare Kupplungsreaktionen zu Folgeprodukten, die sich weiter umwandeln können. Sind diese Ausweichreaktionen blockiert, und ist gleichzeitig der Radikalzustand durch

Mesomerie stabilisiert, führt der Elektronen-Transfer zu stabilen Mono[1]-, Bi-[2,3] oder gar Oligo- und Poly-Radikalen[4]; z. B.:

$$(H_3C)_3C \text{—OH—} C(CH_3)_3 \quad \xrightarrow[- \left[Fe(CN)_6\right]^{4\ominus} + H^{\oplus}]{\left[Fe(CN)_6\right]^{3\ominus}} \quad (H_3C)_3C \text{—} \overset{\cdot}{|O|} \text{—} C(CH_3)_3$$

$$2 \left[Fe(CN)_6\right]^{3\ominus} \quad \longrightarrow \quad - 2 \left[Fe(CN)_6\right]^{4\ominus} + 2 H^{\oplus}$$

$$2 \left[Fe(CN)_6\right]^{3\ominus} \quad \longrightarrow \quad - 2 \left[Fe(CN)_6\right]^{4\ominus} + 2 H^{\oplus}$$

Besonders gründlich sind die Stabilitätskriterien für Phenoxyle erarbeitet worden[5-16], als mit der Entdeckung des ersten stabilen Phenoxyls, des blauen *2,4,6-Tri-tert.-butylphenoxyls*[5,14] ein 40 Jahre lang erstrebtes Ziel der organischen Chemie erreicht wurde. Heute sind mehr als 500 Vertreter dieser Radikalklasse untersucht.

[1] E. Müller u. K. Ley, Ch. Z. **80**, 618 (1956); Z. Naturf. **8b**, 694 (1953).
[2] E. Müller, R. Mayer u. K. Scheffler, Z. Naturf. **13b**, 825 (1958).
[3] N. C. Yang u. A. J. Castro, Am. Soc. **82**, 6208 (1960).
[4] A. R. Forrester, J. M. Hay u. R. H. Thomson, *Organic Chemistry of Stable Free Radicals*, Academic Press, London · New York 1968.
[5] E. Müller u. K. Ley, Z. Naturf. **8b**, 694 (1953).
[6] E. Müller u. K. Ley, B. **87**, 922 (1954).
[7] E. Müller u. K. Ley, Ch. Z. **80**, 618 (1956).
[8] E. Müller, H. Eggensperger, A. Rieker, K. Scheffler, H.-D. Spanagel, H. B. Stegmann u. B. Tessier, Tetrahedron **21**, 227 (1965).
[9] E. Müller, A. Rieker, R. Mayer u. K. Scheffler, A. **645**, 36 (1961).
[10] A. Rieker u. K. Scheffler, A. **689**, 78 (1965).
[11] A. Rieker, N. Zeller, K. Schurr u. E. Müller, A. **697**, 1 (1966).
[12] E. Müller, A. Rieker, K. Ley, R. Mayer u. K. Scheffler, B. **92**, 2278 (1959).
[13] E. Müller, H. B. Stegmann u. K. Scheffler, A. **645**, 79 (1961).
[14] C. D. Cook, J. Org. Chem. **18**, 261 (1953).
[15] K. Dimroth u. A. Berndt, Ang. Ch. **76**, 434 (1964).
[16] K. Dimroth, F. Kalk, R. Sell u. K. Schlömer, A. **624**, 51 (1959).

Da die auf den S. 738, 760, 791 behandelten Reaktionen eng mit der räumlichen und elektronischen Struktur der Phenoxyle verknüpft sind, seien an dieser Radikalklasse kurz einige grundsätzliche Fragen erläutert. Sie stellen sich ähnlich für die übrigen hier erwähnten Radikalklassen.

Voraussetzung für die Herstellung eines stabilen Phenoxyls ist die Besetzung aller o- und p-Stellungen zum Sauerstoff durch Substituenten, die sich durch das Oxydationsmittel oder einmal gebildetes Phenoxyl nicht ablösen oder oxydieren lassen. Die Raumerfüllung dieser Substituenten und deren mesomere Effekte bestimmen, ob das Phenoxyl monomer oder im Gleichgewicht mit seinem Dimeren vorliegt oder sich anderweitig absättigt. Dabei sind in der Regel die sterischen Faktoren ausschlaggebend. So kann das *2,4,6-Tri-tert.-butyl-phenoxyl*[1,2] im festen Zustand monomer isoliert werden, das *2,4,6-Triphenyl-phenoxyl* jedoch nur als dimerer Chinoläther[3], das unsubstituierte Phenoxyl überhaupt nicht.

Daneben sind auch die elektronischen Verhältnisse des Phenoxyl-Ringes von erheblicher Bedeutung, wie der Vergleich des unsubstituierten Phenoxyls mit dem noch instabileren Methoxy-Radikal zeigt.

Im Vordergrund stand zunächst folgende Frage: Ist das freie Elektron am Sauerstoff lokalisiert (Sauerstoff-Radikal) oder ist es über den Ring delokalisiert (Aroxyl)[4–10]? Die Antwort lieferte die ESR-Spektroskopie. Das ESR-Spektrum des *2,4,6-Tri-tert.-butyl-phenoxyls* besteht bei mäßiger Auflösung aus einem Triplett (Abb. 1a, S. 732) der relativen Intensität $1:2:1$ ($a_H = 1.75$ G), das nur durch die Wechselwirkung des freien Elektrons mit den 2 gleichwertigen meta-Ring-Protonen zu erklären ist. Zum Beweis wurde in meta-Stellung successive Deuterium eingeführt[6]. Wegen $a_D = a_H \times 0,15$ wird die Deuterium-Hyperfeinstruktur hier nicht mehr aufgelöst, sondern verschwindet in der Linienbreite. Wie erwartet, erhält man beim *3-Deutero-2,4,6-tri-tert.-butyl-phenoxyl* ein Dublett (Abb. 1b) und beim *3,5-Di-deutero-2,4,6-tri-tert.-butyl-phenoxyl* ein breites Singulett (Abb. 1c). Aus der Kopplung des freien Elektrons mit den beiden meta-Protonen muß nach den heutigen Vorstellungen[11] auf eine endliche freie p-Spindichte an den meta-Ring-Kohlenstoffatomen geschlossen werden.

Bei besserer Auflösung geht das Triplett der Abb. 1a in das Spektrum der Abb. 2 (S. 732) über, das eine zusätzliche Hyperfeinstruktur durch die Wechselwirkung des freien Elektrons mit den Protonen sämtlicher 3 tert.-Butyl-Gruppen zeigt ($a_{t\text{-}Bu\text{-}para} = 0,37$ G; $a_{t\text{-}Bu\text{-}ortho} = 0,074$ G)[6].
Diese sogenannte γ-Kopplung bedeutet, daß das freie Elektron auch an den ortho- und para-Kohlenstoffatomen des Ringes eine endliche p-Spindichte besitzt.

Für das C-Atom 1 und besonders für das Sauerstoffatom des *2,4,6-Tri-tert.-butyl-phenoxyls* läßt sich eine freie Spindichte nur durch Isotopenmarkierung nachweisen, da ^{12}C und ^{16}O keinen Kernspin besitzen und da diese Atome zudem „blind" sind, d. h. keine Wasserstoffatome in unmittelbarer Nachbarschaft tragen.

Zum Nachweis freier Spindichte am C-Atom 1 des Ringes wurde das *[1-^{13}C]-2,4,6-Tri-tert.-butyl-phenoxyl* mit einem ^{13}C-Gehalt von 53,1% synthetisiert[12]. Man erwartet ein ESR-Signal, das eine Überlagerung der Signale des unmarkierten 2,4,6-Tri-tert.-butyl-phenoxyls (Intensität 46,9%) und des [1-^{13}C]-2,4,6-Tri-tert.-butyl-phenoxyls (Intensität 53,1%) darstellt. Nimmt man gleichzeitig in der Doppel-Cavity das ESR-Spektrum des unmarkierten 2,4,6-Tri-tert.-butyl-phenoxyls in einer Konzentration auf, die der Intensität 46,9% entspricht und registriert man das Differenzspektrum (Abb. 3, S. 733), so entspricht dieses dem Spektrum des [1-^{13}C]-2,4,6-Tri-tert.-butyl-phenoxyls[13]. Da die Differenzbildung mechanisch erfolgte, ist die Auflösung etwas schlechter als in Abb. 1. Es ist jedoch deutlich ein Dublett

[1] E. MÜLLER u. K. LEY, Z. Naturf. 8b, 694 (1953).
[2] E. MÜLLER u. K. LEY, B. 87, 922 (1954).
[3] K. DIMROTH u. A. BERNDT, Ang. Ch. 76, 434 (1964).
[4] E. MÜLLER u. K. LEY, Ch. Z. 80, 618 (1956).
[5] E. MÜLLER, A. RIEKER u. K. SCHEFFLER, A. 645, 92 (1961).
[6] E. MÜLLER, A. RIEKER, K. SCHEFFLER u. A. MOOSMAYER, Ang. Ch. 78, 98 (1966).
[7] K. DIMROTH, F. KALK u. G. NEUBAUER, B. 90, 2058 (1957).
[8] K. DIMROTH, F. KALK, R. SELL u. K. SCHLÖMER, A. 624, 51 (1959).
[9] K. DIMROTH, A. BERNDT, F. BÄR, R. VOLLAND u. A. SCHWEIG, Ang. Ch. 79, 69 (1967).
[10] A. RIEKER u. K. SCHEFFLER, A. 689, 78 (1965).
[11] K. SCHEFFLER u. H. B. STEGMANN, Elektronenspinresonanz, Springer-Verlag, Berlin · Heidelberg · New York 1970.
[12] A. RIEKER, K. SCHEFFLER u. E. MÜLLER, A. 670, 23 (1963).
[13] K. SCHEFFLER u. A. RIEKER, unveröffentlicht.

von Tripletts (1:2:1:1:2:1) mit den Kopplungsparametern $a_{Triplett} = 1.8$ G und $a_{Dublett} = 9.6$ G zu erkennen. Die Triplettaufspaltung wird wieder von den meta-Ring-Protonen, die große Dublett-aufspaltung dagegen von der Kopplung des freien Elektrons mit dem ^{13}C-Kern in 1-Stellung $(I = \frac{1}{2})$ verursacht. Damit muß das freie Elektron auch am C-Atom 1 eine endliche Dichte aufweisen, wenn auch die Größe des p-Anteils nicht bekannt ist.

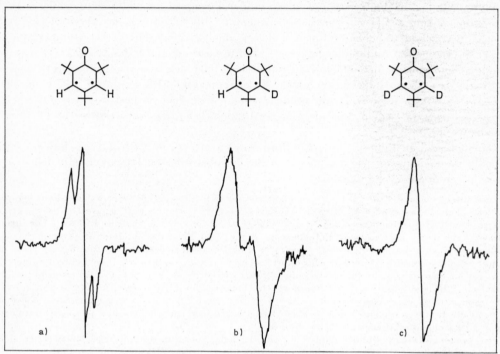

Abb. 1. ESR-Spektrum von *2,4,6-Tri-tert.-butyl-phenoxyl* (a), *3-Deutero-2,4,6-tri-tert.-butyl-phenoxyl* (b) und *3,5-Di-deutero-2,4,6-tri-tert.-butyl-phenoxyl* (c)

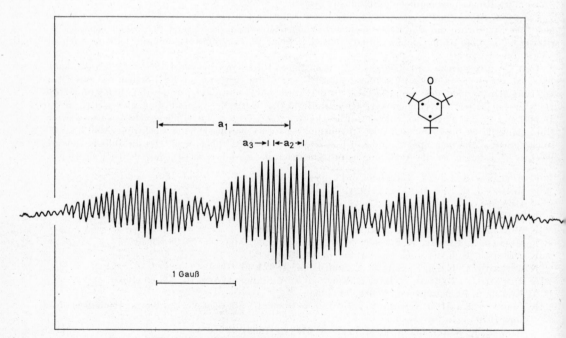

Abb. 2. ESR-Spektrum von *2,4,6-Tri-tert.-butyl-phenoxyl* bei guter Auflösung

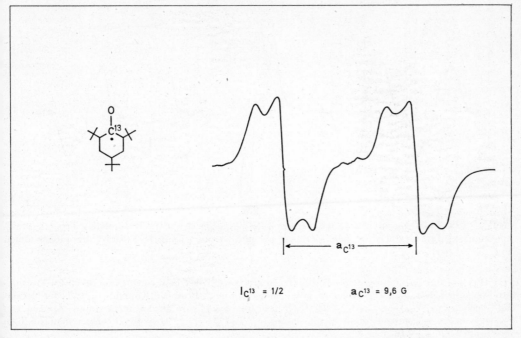

Abb. 3. Differenz-ESR-Spektrum des $[1\text{-}^{13}C]$-*2,4,6-Tri-tert.-butyl-phenoxyls* (53,1% ^{13}C) und des
2,4,6-Tri-tert.-butyl-phenoxyls im Molverhältnis 100:46,9

Aus dem ESR-Spectrum des $[^{17}O]$-2,4,6-Tri-tert.-butyl-phenoxyls[1] mit 6% ^{17}O (Abb. 4, S. 734), das aus der Überlagerung des Tripletts des unmarkierten Phenoxyls mit einem Sextett von Tripletts des markierten Phenoxyls besteht, ergibt sich eine Kopplung des freien Elektrons mit dem Sauerstoffatom (I = 5/2; $a_{17_0} = 10,23$ G).

Damit kommt dem freien Elektron eine endliche Spindichte an allen C-Atomen des Ringes und am Sauerstoffatom zu (es ist wie eine stehende Welle über das ganze Molekül „verteilt"). Entsprechendes gilt auch für die übrigen Phenoxyle. In der Schreibweise des Chemikers läßt sich der Sachverhalt durch Mesomerie zwischen folgenden Grenzstrukturen ausdrücken:

Bei den polaren Formeln ist natürlich die positive Ladung nicht in der para-Stellung lokalisiert. Daher wählt man häufig die Schreibweise als 5 $\pi\oplus$-System.

Die nächste Frage betrifft die quantitative Spindichtenverteilung, d. h.: ist das Phenoxyl mehr ein Sauerstoff- oder mehr ein Kohlenstoff-Radikal?

---

[1] A. RIEKER u. K. SCHEFFLER, Tetrahedron Letters **1965**, 1337.

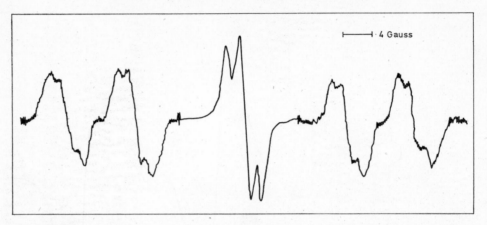

Abb. 4. ESR-Spektrum des [^{17}O]-*2,4,6-Tri-tert.-butyl-phenoxyls* (6% ^{17}O). Das mittlere Triplett rührt vom unmarkierten *2,4,6-Tri-tert.-butyl-phenoxyl* her und ist mit geringerer Verstärkung aufgenommen

Diese Frage kann nur teilweise durch direkte Interpretation des ESR-Spektrums des 2,4,6-Tri-tert.-butyl-phenoxyls beantwortet werden. So läßt sich aus der meta-Protonen-Kopplung mittels der McConnell-Gleichung ($a_H = Q \cdot \varrho_{C-H}$; $Q = 24$–27 G) eine freie Spindichte an den meta-Ring-C-Atomen von 7% berechnen[1]. Durch eine ähnliche Gleichung [$a_{17-0} = Q \cdot \varrho_{17-0}$; $Q \cong 40$ G][1] erhält man aus dem oben ermittelten a_{17-0} für die

Mc Lachlan   26,1% ——————   ————— 25%   Experimentell
(Dimroth)   12,7% ——————   Ȯ   (Müller)
                            (H₃C)₃C   C(CH₃)₃
               24,7% ——————
              – 6,7% ——————   ————— 7%
               25,3% ——————   C(CH₃)₃

freie Spindichte am Sauerstoffatom 25%. Da eine selektive Markierung aller Ring-C-Atome des 2,4,6-Tri-tert.-butyl-phenoxyls mit ^{13}C nicht vorgenommen wurde, können die Spindichten an den Kohlenstoffatomen 1, 2, 4 und 6 bislang nur durch quantenmechanische Berechnung ermittelt werden. Die durchgeführten SCF-Berechnungen[2] wurden den experimentell ermittelten Kopplungsparametern $a_{H_{meta}}$ und $a_{13_{C_1}}$ angepaßt[3]. Die Ergebnisse sind in obigem Moleküldiagramm eingetragen; sie sollten nicht überbewertet werden. Dennoch resultieren einige interessante Schlußfolgerungen:

Die Spindichten in meta-Position (und nach anderen Rechnungen auch an C–1) zeigen **negatives Vorzeichen**[1] (d. h. an den betrachteten Atomen ist die Spinkomponente des freien Elektrons seinem Gesamtdrehimpuls entgegengerichtet). Nach den bisherigen Ergebnissen der Radikalchemie finden an Atomen mit negativen Spindichten in der Regel keine Radikalreaktionen statt. Die negativen Spindichten sind dem Betrage nach meist klein. Dies kommt nicht unerwartet, da das freie Elektron nach der klassischen Mesomerielehre nur dann an die betreffenden Atome gelangen kann, wenn polare Grenzstrukturen (vgl. S. 733) an der Mesomerie beteiligt sind. Polare Strukturen sind jedoch energetisch im Nachteil.

Die **freie Spindichte am Sauerstoffatom** beträgt nur ~25%: Das freie Elektron hält sich also vorzugsweise im aromatischen Ring auf. Daraus resultieren die vielfältigen Reaktionsmöglichkeiten eines Phenoxyls über die ortho- und para-Kohlenstoffatome des Ringes.

Eine dritte Frage soll noch kurz angeschnitten werden: Entwickelt das freie Elektron auch eine endliche Spindichte an bestimmten Atomen in den Substituenten ? Diese Frage muß bejaht werden, da fast

[1] K. SCHEFFLER u. H. B. STEGMANN, *Elektronenspinresonanz*, Springer-Verlag, Berlin · Heidelberg · New York 1970.
[2] K. DIMROTH, A. BERNDT, F. BÄR, R. VOLLAND u. A. SCHWEIG, Ang. Ch. **79**, 69 (1967).
[3] A. RIEKER, K. SCHEFFLER u. E. MÜLLER, A. **670**, 23 (1963).

alle Substituenten, die Atome mit Kernspins $I \neq 0$ enthalten, im ESR-Spektrum eine zusätzliche Hyperfeinstrukturaufspaltung zeigen[1-18].

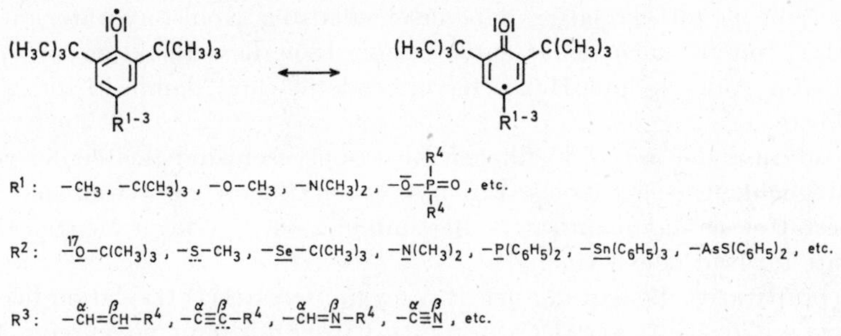

R^1: $-CH_3$, $-C(CH_3)_3$, $-O-CH_3$, $-N(CH_3)_2$, $-\underline{O}-\overset{R^4}{\underset{R^4}{P}}=O$, etc.

R^2: $\overset{17}{-\underline{O}}-C(CH_3)_3$, $-\underline{S}-CH_3$, $-\underline{Se}-C(CH_3)_3$, $-\underline{N}(CH_3)_2$, $-\underline{P}(C_6H_5)_2$, $-\underline{Sn}(C_6H_5)_3$, $-AsS(C_6H_5)_2$, etc.

R^3: $-\overset{\alpha}{C}H=\overset{\beta}{\underline{C}}H-R^4$, $-\overset{\alpha}{C}\equiv\overset{\beta}{\underline{C}}-R^4$, $-\overset{\alpha}{C}H=\overset{\beta}{\underline{N}}-R^4$, $-\overset{\alpha}{C}\equiv\overset{\beta}{\underline{N}}$, etc.

Dabei ist es zweckmäßig, nach dem Mechanismus, durch den das freie Elektron eine endliche Dichte am betrachteten Kern (im Formelbild unterstrichen) erhält, zwischen 3 Typen von Substituenten (R^1–R^3) zu unterscheiden:

Häufig kommt die Hyperfeinstrukturaufspaltung durch α–π–σ-Wechselwirkung oder β–π–σ-Wechselwirkung („Hyperkonjugation")[1] ausgehend von einem der C-Atome des Ringes zustande (Typ R^1). Die so erzeugten freien Spindichten sind für chemische Reaktionen in der Regel ohne Bedeutung. Bei der zweiten Gruppe (Typ R^2) kann die Hyperfeinstruktur der unterstrichenen Atome durch π–σ- und/oder π–π-Wechselwirkung zustande kommen. Auch hier finden keine primären Radikal-Reaktionen über den Substituenten statt.

Bei der dritten Gruppe (Typ R^3) kommt das freie Elektron durch echte π–π-Konjugation an die mit β bezeichneten Atome, die damit Radikalreaktionen direkt zugänglich sind. Dies führt zu einer weiteren Vielfalt an Reaktionsmöglichkeiten.

Natürlich beeinflussen alle Substituenten R^1–R^3 mehr oder weniger stark die quantitative Spindichtenverteilung im Phenoxy-Ring. In der Regel werden die Verhältnisse jedoch nicht prinzipiell umgestoßen.

Zusammenfassend läßt sich feststellen, daß die Stoffverteilung bei der Dehydrierung von Phenolen mit Kalium-hexacyanoferrat(III) im wesentlichen durch die sterischen und elektronischen Gegebenheiten der primär entstehenden Phenoxyle bestimmt wird und nicht durch eine spezifische Reaktionsweise des Oxydans.

Der Mechanismus der Dehydrierungsreaktionen mit Kalium-hexacyanoferrat(III) ist häufig komplex; dies gilt auch für die Phenoldehydrierung[19], deren Primärschritt, der Einelektronenübergang, allerdings reversibel verläuft[19]. Es gibt eine Reihe von Arbeiten,

[1] Vgl. K. SCHEFFLER u. H. B. STEGMANN, *Elektronenspinresonanz*, Springer-Verlag, Berlin·Heidelberg· New York 1970.

[2] K. SCHEFFLER, Z. Elektrochem. Ber. Bunsenges. phys. Chem. **65**, 439 (1961).

[3] E. MÜLLER, H. EGGENSPERGER, A. RIEKER, K. SCHEFFLER, H.-D. SPANAGEL, H. B. STEGMANN u. B. TEISSIER, Tetrahedron **21**, 227 (1965).

[4] E. MÜLLER, A. RIEKER, K. SCHEFFLER u. A. MOOSMAYER, Ang. Ch. **78**, 98 (1966).

[5] E. MÜLLER, K. LEY, K. SCHEFFLER u. R. MAYER, B. **91**, 2682 (1958).

[6] E. MÜLLER, R. MAYER, U. HEILMANN u. K. SCHEFFLER, A. **645**, 66 (1961).

[7] A. RIEKER, Z. Naturforsch. **21 b**, 647 (1966).

[8] E. MÜLLER, H. EGGENSPERGER u. K. SCHEFFLER, A. **658**, 103 (1962).

[9] A. RIEKER, K. SCHEFFLER, R. MAYER, B. NARR u. E. MÜLLER, A. **693**, 10 (1966).

[10] E. MÜLLER, B. TEISSIER, H. EGGENSPERGER, A. RIEKER u. K. SCHEFFLER, A. **705**, 54 (1967).

[11] E. MÜLLER, H. B. STEGMANN u. K. SCHEFFLER, A. **645**, 79 (1961).

[12] E. MÜLLER, H. B. STEGMANN u. K. SCHEFFLER, A. **657**, 5 (1962).

[13] H. B. STEGMANN, K. SCHEFFLER u. E. MÜLLER, A. **677**, 59 (1964).

[14] H. B. STEGMANN u. K. SCHEFFLER, Tetrahedron Letters **1964**, 3387.

[15] E. MÜLLER, A. RIEKER, K. LEY, R. MAYER u. K. SCHEFFLER, B. **92**, 2278 (1959).

[16] E. MÜLLER, R. MAYER, B. NARR, A. RIEKER u. K. SCHEFFLER, A. **645**, 19 (1961).

[17] E. MÜLLER, R. MAYER, H.-D. SPANAGEL u. K. SCHEFFLER, A. **645**, 53 (1961).

[18] S. HAUFF, P. KRAUSS u. A. RIEKER, B. **105**, 1446 (1972).

[19] W. A. WATERS, Soc. [B] **1971**, 2026.

die sich mit der Kinetik und der Aufklärung des Reaktionsmechanismus an einfacheren Systemen, z. B. Aldehyden[1-3], Ketonen[2,4] und Nitroalkanen[2], beschäftigen.

Umfangreiche kinetische Untersuchungen und Diskussionen über den Reaktionsmechanismus gibt es zur Oxidation der verschiedensten Kohlenhydrate mit dem Hexacyanoferrat(III)-Ion[5-18], nach dem Gentele schon 1859 diese Reaktion zur quantitativen Bestimmung von Aldosen und Hexosen verwendete[19] und damit in die analytische Chemie einführte.

Sie bietet aufgrund der unterschiedlichen Reaktionsgeschwindigkeiten der verschiedenen Zucker die Möglichkeit, beispielsweise Fructose neben Glucose zu bestimmen[20]. Als Mikromethode gestattet sie die quantitative Bestimmung auch geringer Mengen reduzierender Kohlenhydrate im Blut oder Urin[21-23].

Die große präparative Bedeutung der Hexacyano-ferrat(III)-Oxidation liegt darin, daß man häufig in vitro Redoxreaktionen simulieren kann, die in vivo bei der Biosynthese komplizierter Naturstoffe ablaufen. Hierbei handelt es sich um intra- und auch intermolekulare oxidative Kondensationen einfacher phenolischer Basen, die unter dem Einfluß von Enzymsystemen nach einem Ein-Elektronen-Transfer-Mechanismus erfolgen, ähnlich der oxidativen Kupplung mit Kalium-hexacyanoferrat(III). In besonders eindrucksvoller Synthese können kompliziert aufgebaute Naturstoffe oder ihre Gerüste in vitro aufgebaut und damit ihre zunächst hypothetische Biosynthese glaubhaft gemacht werden[24]. Es sei hier die Synthese von *Dihydroerysodin* durch Dehydrierung von Bis-[2-(3-hydroxy-4-methoxy-phenyl)-äthyl]-amin mit Kalium-hexacyanoferrat(III) angeführt[25, 26]:

[1] J. B. Conant, J. G. Aston u. C. O. Tongberg, Am. Soc. **52**, 407 (1930).
[2] P. T. Speakman u. W. A. Waters, Soc. **1955**, 40.
[3] V. N. Singh, M. C. Gangwar, B. B. L. Saxena u. M. P. Singh, Canad. J. Chem. **47**, 1051 (1969).
[4] P. S. Radhakrishnamurti u. S. Devi, Ind. J. Chem. **10**, 496 (1972).
[5] R. Strohecker u. H. Schmidt, Z. Lebensm.-Untersuchung u. Forsch. **86**, 370 (1943); C. A. **42**, 1204 (1948).
[6] E. Martini u. L. Malatesta, Boll. Soc. Ital. Biol. Sper. **21**, 154 (1946); C. A. **41**, 3348 (1947).
[7] M. Solsona, Rev. Espan Fisiol. **4**, 299 (1949); C. A. **44**, 4700 (1950).
[8] M. P. Singh, Vijnana Parishad Anusandhana Patrika **3**, 97 (1960); C. A. **59**, 7625ᶜ (1963).
[9] N. Nath u. M. P. Singh, Z. Phys. Chem. **221**, 204 (1962).
[10] N. Nath u. M. P. Singh, Z. Phys. Chem. **224**, 419 (1963).
[11] E. Kasper, Z. Phys. Chem. **224**, 427 (1963).
[12] N. Nath u. M. P. Singh, J. Phys. Chem. **69**, 2038 (1965).
[13] K. C. Gupta u. M. P. Singh, Z. Phys. Chem. **232**, 289 (1966).
[14] R. K. Srivastava, N. Nath u. M. P. Singh, Bull. Chem. Soc. Japan **39**, 833 (1966); C. A. **65**, 2336 (1966).
[15] D. G. Lambert u. M. M. Jones, J. Inorg. Nucl. Chem. **29**, 579 (1967); C. A. **66**, 989193 (1967).
[16] R. K. Srivastava, N. Nath u. M. P. Singh, Tetrahedron **23**, 1189 (1967).
[17] K. C. Gupta u. M. P. Singh, Bull. Chem. Soc. Japan **42**, 599 (1969); C. A. **71**, 3592 (1969).
[18] S. C. Tiwari u. M. P. Singh, Z. Phys. Chem. **242**, 145 (1969).
[19] J. G. Gentele, Dinglers Polytech. J. **152**, 68, 139 (1859); C. **30**, 504 (1859).
[20] S. M. Strepkov, Biochem. Z. **287**, 33 (1936).
[21] H. C. Hagedorn u. B. N. Jensen, Biochem. Z. **135**, 46 (1923).
[22] J. A. Hawkins u. D. D. van Slyke, J. Biol. Chem. **81**, 459 (1929).
[23] J. A. Hawkins, J. Biol. Chem. **84**, 69 (1929).
[24] T. Kametani u. K. Fukumoto, Synthesis **1972**, 657.
[25] J. E. Gervay, F. McCapra, T. Money u. G. M. Sharma, Chem. Commun. **1966**, 142.
[26] A. Mondon u. M. Ehrhardt, Tetrahedron Letters **1966**, 2557.

Ein weiterer Naturstoff, das Lignin, bildet sich ebenfalls bei der Dehydrierung Methoxy-Gruppen tragender Phenole vom Typ des Coniferyl- und Syringaalkohols[1]. Zwar scheint Kalium-hexacyanoferrat(III) hier bei entsprechenden in vitro Synthesen kaum Verwendung gefunden zu haben, doch sind einige den Freudenbergschen Bildungsmechanismus stützende Modell-Phenoxyle mit diesem Oxydationsmittel bereitet worden[2,3].

Oxidation mit Kalium-hexacyanoferrat(III); allgemeine Arbeitsweise: Zu einer wäßrigen, alkalischen Lösung von Kalium-hexacyanoferrat(III) läßt man die wäßrige Lösung des Substrats zutropfen oder zufließen. Dieser Vorgang kann auch umgekehrt durchgeführt werden, indem die Lösung des Substrats vorgelegt wird. Ist dieses nicht hydrolyseempfindlich, kann auch die Substratlösung alkalisch vorgelegt und die wäßrige Kalium-hexacyanoferrat(III)-Lösung zugegeben werden. Bei besonders hydrolyse-gefährdeten Substanzen empfiehlt es sich, unter Umständen die wäßrige Kalium-hexacyanoferrat(III)-Lösung und die Lauge getrennt gleichzeitig zu dem Substrat zuzutropfen. Bei schlechter Benetzbarkeit des Substrats kann man dieses mit etwas Äthanol anfeuchten oder überhaupt in Alkohol lösen und hierzu die alkalische Kalium-hexacyanoferrat(III)-Lösung zugeben. Der Großteil der Umsetzungen gelingt bei Raumtemp., gewöhnlich mit einem Überschuß an Oxidationsmittel. In manchen Fällen empfiehlt es sich aber, um die Reaktion zu beschleunigen, bei höheren Temp., beispielsweise auf dem Dampfbad, zu arbeiten. Sollte das Oxidationsprodukt weiterer Oxidation durch Kalium-hexacyanoferrat(III) zugänglich sein, arbeitet man am besten in einem zweiphasigen System. Man gibt dem Reaktionsgemisch ein organisches Lösungsmittel zu und extrahiert das Reaktionsprodukt, indem man während der Zugabe des Oxidationsmittels stark rührt.

Die Aufarbeitung des Reaktionsgemisches erfolgt nach üblichen Methoden. Häufig ist das Reaktionsprodukt ein kristalliner Niederschlag, der sich während der Umsetzung bildet. Abfiltrieren und Umkristallisieren erlaubt dann die Isolierung. Bei noch in Lösung befindlichem Reaktionsprodukt isoliert man durch Extraktion mit einem geeigneten Lösungsmittel und arbeitet den Extrakt nach üblichen Arbeitsvorschriften auf.

In einigen Fällen führt die Oxidation in flüssigem Ammoniak, in Gegenwart von Natrium-amid durchgeführt, zu besseren Ausbeuten. Prominentes Beispiel ist die Oxidation von p-Kresol, die als Reaktionsprodukt Pummerer-Keton liefert[4,5]:

3-Oxo-8,9b-dimethyl-3,4,4a,9b-tetrahydro-dibenzofuran (Pummerer-Keton)[6]: Zu einer gerührten Suspension von 2,3 g (0,1 Mol) Natrium in 300 ml flüss. Ammoniak werden 10 g (0,1 Mol) p-Kresol gegeben. Nach 5 Min. werden zu diesem Gemisch rasch 50 g (0,15 Mol) Kalium-hexacyanoferrat(III) in fester Form zugegeben. Man läßt unter Rühren das Ammoniak bis zu 50 ml Rückstand abdampfen. Danach gibt man 5 g (0,1 Mol) Ammoniumchlorid zu und rührt solange weiter, bis das gesamte Ammoniak abgedampft ist. Der Rückstand wird einigemale mit heißem Benzol extrahiert. Der Extrakt wird dann mit Wasser, 1 n Natronlauge und Wasser gewaschen, über Calciumchlorid getrocknet und schließlich das Benzol abgedampft. Man erhält einen braunen Rückstand, der mit heißem Hexan extrahiert wird. Nach Entfernen des Hexans erhält man 1,8 g (18,5%) Keton in farblosen Platten. Weitere Reinigung durch Chromatographie an Silikagel und Eluieren mit Benzol liefert reines Keton; F: 124–125°.

---

[1] K. FREUDENBERG u. A. C. NEISH, *Constitution and Biosynthesis of Lignin*, Springer-Verlag, Berlin · Heidelberg · New York 1968.

[2] E. MÜLLER, R. MAYER, H.-D. Spanagel u. K. SCHEFFLER, A. **645**, 53 (1961).

[3] C. STEELINK in: R. F. GOULD, Advances in Chemistry Series **59**, 51 (1966); C. A. **66**, 38978 (1967).

[4] R. PUMMERER, H. PUTTFARCKEN u. P. SCHOPFLOCHER, B. **58**, 1808 (1925).

[5] Struktur und Mechanismus s. D. H. R. BARTON, A. M. DEFLORIN u. O. E. EDWARDS, Soc. **1956**, 530.

[6] T. KAMETANI u. K. OGASAWARA, Chem. Pharm. Bull. [Tokyo] **16**, 138 (1968); C. A. **69**, 96363 (1968).

I. Dehydrierungen

a) Dehydrierungen unter Bildung stabiler Radikale

1. Phenoxyle aus substituierten Phenolen

Kalium-hexacyanoferrat(III) ist neben Blei(IV)-oxid und Silber(I)-oxid als Ein-Elektron-Acceptor ausgezeichnet geeignet organische Radikale herzustellen.

Stabile Phenoxyle lassen sich mit Kalium-hexacyanoferrat(III) sogar am besten herstellen. Die dazu nötigen konstitutiven Voraussetzungen (geeignete Substituenten mit sterischen und elektronischen Effekten in ortho- und para-Stellung zum Oxyl-Sauerstoff sowie die „Verteilung" des freien Elektrons im Phenoxyl-Ring) sind auf den S. 729–735 ausführlich diskutiert.

An dieser Stelle erscheinen einige Bemerkungen zum Stabilitätsbegriff in der Radikal-chemie sinnvoll. Die thermodynamische Stabilität kann ausgedrückt werden durch das Standard-Redox-potential E_{oh} für den Übergang in die entsprechende reduzierte Form (im Falle eines Phenoxyls also zum Phenolat-Anion). Es kann im Prinzip aus der Nernst-Gleichung

$$E = E_{oh} + 2{,}303 \frac{RT}{F} \cdot \log \frac{{}^a\text{Phenoxyl}^\bullet}{{}^a\text{Phenolat}^\ominus}$$

bestimmt werden[1]. Solche Messungen sind äußerst mühevoll und liegen nur für wenige Phenoxyle[2–4] vor.

Daher werden in der Praxis vom Chemiker solche Radikale als „stabil" bezeichnet, die in inerten Lösungsmitteln bei Ausschluß von Sauerstoff und Licht eine Halbwertszeit von Stunden bis Tagen aufweisen.

Zu diesen „stabilen" Radikalen rechnet man im Bereich der Phenoxyle solche, die sowohl in Lösung wie im festen Zustand monomer vorliegen, wie auch solche, die in Lösung reversibel mit ihren Dimeren im Gleichgewicht stehen, selbst wenn sie im festen Zustand vollständig dimerisiert sind. Erfolgt die Dimerisierung durch C–C- oder C–O-Verknüpfung rasch und nicht reversibel, dann spricht man von inter- oder intramolekularen Kupplungsreaktionen „instabiler" Phenoxyle. Diese Reaktionen werden in den folgenden Kapiteln ausführlich beschrieben. Der intermolekulare Ringschluß führt bei geeigneten Phenolen zum Aufbau höhermolekularer alicyclisch-aromatischer bzw. heterocyclisch-aromatischer Ringsysteme.

Es sind nur wenige im festen Zustand monomere Phenoxyle bekannt. Zusätzlich zu den auf S. 729 genannten Kriterien sind praktisch immer die beiden ortho-Stellungen zum Oxyl-Sauerstoff mit stark raumerfüllenden Alkyl-Gruppen besetzt. Die 4-Position muß ebenfalls sterisch gehindert sein oder einen räumlich ausgedehnten Substituenten mit wirksamem mesomerem Effekt tragen. Die vielfach geäußerte Ansicht, daß die Substituenten in α-Stellung zum Ring kein Wasserstoffatom tragen dürften, trifft nicht zu, wenn dieses an einer Doppelbindung sitzt.

Einige Beispiele sind in Tab. 4 (S. 739) zusammengestellt. Angeführt wird die Reihe von dem bereits ausführlich besprochenen (S. 731) blauen *2,4,6-Tri-tert.-butyl-phenoxyl* (I, S. 739), das somit nicht nur in historischer Sicht (vgl. S. 730) das klassische Beispiel für ein stabiles Phenoxyl darstellt.

2,4,6-Tri-tert.-butyl-phenoxyl (I; S. 739)[5]: Unter einer Stickstoffatmosphäre werden in 150 *ml* Benzol 1,2 g 2,4,6-Tri-tert.-butyl-phenol gelöst. Dazu gibt man 10 g Kalium-hexacyanoferrat(III) und 50 *ml* 2n

[1] Bezüglich Einzelheiten zu dieser Gleichung vergleiche G. KORTÜM, *Lehrbuch der Elektrochemie*, S. 318, Verlag Chemie, Weinheim/Bergstraße 1972.
[2] H. MAUSER u. B. NICKEL, Ang. Ch. **77**, 378 (1965).
[3] B. NICKEL, H. MAUSER u. U. HEZEL, Z. Phys. Chem. **54**, 196, 214 (1967).
[4] H. MAUSER, U. HEZEL u. B. NICKEL, Z. Phys. Chem. **57**, 49 (1968).
[5] E. MÜLLER u. K. LEY, B. **87**, 922 (1954).

Kalilauge. Anschließend wird 2 Stdn. gerührt, unter Stickstoffatmosphäre die benzolische Phase abgetrennt, mit Kaliumcarbonat versetzt und nach 2 stdg. Schütteln vom Kaliumcarbonat abdekantiert. Unter vermindertem Druck wird durch Abdestillieren von Benzol die Lösung aufkonzentriert. Dabei soll die Temp. der Lösung auf höchstens 35° ansteigen. Aus der konz. Lösung läßt sich das 2,4,6-Tri-tert.-butyl-phenoxyl durch Kühlen mit Eiswasser als dunkelblaue Verbindung (F: 96–98°) abscheiden.

Außer Benzol sind Äther, Petroläther, Cyclohexan oder Tetrachlormethan als Lösungsmittel geeignet und als Oxidationsmittel neben dem Hexacyanoferrat(III) auch Blei(IV)-oxid oder Silber(I)-oxid, allerdings liefert die Oxidation mit Kalium-hexacyanoferrat(III)

Tab. 4: Mittels Kalium-hexacyanoferrat(III) synthetisierte, im festen Zustand monomere Phenoxyle

R	Phenoxyl	Farbe	Ausbeute (% d.Th.)	Gehalts-bestimmung	F [° C]	Lite-ratur
—C(CH₃)₃ I	2,4,6-Tri-tert.-butyl-phenoxyl	dunkelblau		85% magnetisch 98% jodometrisch	96–98	1
  II	2,6-Di-tert.-butyl-4-phenyl-phenoxyl	schwarz-violett		87% magnetisch 88% jodometrisch	68–72	2
  III	4-[4-Oxo-3,5-di-tert.-butyl-cyclohexadien-(2,5)-yliden-methyl]-2,6-di-tert.-butyl-phenoxyl (Galvinoxyl)	dunkelblau	80		157,5	3
  IV	4-{[4-Oxo-1,3,5-tri-tert.-butyl-cyclohexadien-(2,5)-yl]-(2,4,6-tri-tert.-butyl-phenoxy)-methylenami-no}-2,6-di-tert.-butyl-phenoxyl	rot	70	97–99% jodometrisch	155–157 (Zers.)	4
—C(C₆H₅)₃ V	4-Triphenyl-methyl-2,6-di-tert.-butyl-phenoxyl	tiefgrün		80% magnetisch 94% jodometrisch	130 (Zers.)	5

1 E. Müller u. K. Ley, B. 87, 922 (1954).
2 E. Müller, A. Schick u. K. Scheffler, B. 92, 474 (1959).
  vgl. auch A. Rieker u. K. Scheffler, A. 689, 78 (1965).
3 M. S. Kharasch u. B. S. Joshi, J. Org. Chem. 22, 1435 (1957).
4 A. Rieker, R. Beutler, B. Narr u. E. Müller, A. 761, 1 (1972).
5 E. Müller, R. Mayer u. K. Ley, Ang. Ch. 70, 73 (1958).
  R. Mayer, Dissertation, Universität Tübingen 1959.

47*

die besten Ausbeuten[1,2]. Die Bestimmung des erreichten Dehydrierungsgrades geschieht meist durch jodometrische Titration (Versetzen der Probe mit Natriumjodid in Eisessig unter Stickstoffatmosphäre und Titrieren des ausgeschiedenen Jods mit Thiosulfat-Lösung), magnetische Messung[3] oder ESR-Spektroskopie. Da die Isolierung des Radikals und die anschließende Messung mit der Magnetwaage meist mehrere Stunden erfordert, sind die magnetisch ermittelten Radikalgehalte infolge langsamer Selbstzersetzung der Radikale meist etwas geringer als die unmittelbar nach der Dehydrierung jodometrisch ermittelten Werte.

Wichtige Voraussetzung zum Gelingen der Radikal-Herstellung ist das Arbeiten unter einer Inertgas-Atmosphäre. Will man vollkommen peroxidfreies Phenoxyl herstellen, empfiehlt sich die Verwendung eines Doppel-Schlenk-Rohres[4]. In diesem Falle wird aus praktischen Gründen häufig Blei(IV)-oxid als Oxidationsmittel vorgezogen.

2,6-Di-tert.-butyl-4-phenyl-phenoxyl (II, S. 739)[5]: In einem Tropftrichter mit Stickstoffanschluß werden 1,41 g (5 mMol) 2,6-Di-tert.-butyl-4-phenyl-phenol in 50 ml thiophenfreiem Benzol gelöst. Man fügt dazu eine Lösung von 7,5 g Kalium-hexacyanoferrat(III) und 8,5 g Kaliumhydroxid in 75 ml sauerstofffreiem Wasser und schüttelt 20 Min. Dabei färbt sich die benzol. Schicht braunstichig dunkelviolett. Die beiden Schichten werden getrennt und die benzol. Lösung solange mit sauerstofffreiem Wasser gewaschen, bis die wäßrige Phase farblos ist und neutral reagiert. Die mit Natriumsulfat getrocknete benzol. Lösung wird in ein mit Stickstoff gefülltes Doppel-Schlenk-Rohr übergeführt, das man i. Vak. abschmilzt. Durch Kühlen (–80°) des einen Schenkels und gelindes Erwärmen des anderen (25–30°) wird das Lösungsmittel abdestilliert. Die letzten Benzolreste werden i. Hochvak. entfernt. Es hinterbleiben schwarz-violette Kristalle (F: 68–72°, Zers.).

Bei der Herstellung des „*Galvinoxyls*" {*4-[4-Oxo-3,5-di-tert.-butyl-cyclohexadien-(2,5)-ylidenmethyl]-2,6-di-tert.-butyl-phenoxyl*} geht man in der Regel nicht von dem zugehörigen, um 1 Wasserstoffatom reicheren Phenol aus, sondern vom Bis-[4-hydroxy-3,5-di-tert.-butyl-phenyl]-methan[6]:

Dabei wird gleichzeitig ein Chinonmethid-System ausgebildet.

4-[4-Oxo-3,5-di-tert.-butyl-cyclohexadien- (2,5)-ylidenmethyl]-2,6-di-tert.-butyl-phenoxyl (Galvinoxyl; III, S. 739)[6]: Eine Lösung von 1,41 g (3,3 mMol) Bis [4-hydroxy-3,5-di-tert.-butyl-phenyl]-methan in 15 ml Benzol wird innerhalb von 30 Min. zu einer gutgerührten Mischung von 3,94 g (12 mMol) Kalium-hexacyanoferrat(III) und 0,6 g Kaliumhydroxid in 15 ml Wasser und 80 ml Benzol gegeben. Alle Arbeiten werden unter Stickstoffatmosphäre ausgeführt. Die rötlich-gelbe Mischung wird 1 Stde. gerührt. Die benzol. Schicht wird gründlich mit Wasser gewaschen und über Natriumsulfat getrocknet. Dann wird i. Vak. das Benzol abgezogen. Das dunkelblaue kristalline Pulver wird durch rasches Umkristallisieren aus Äthanol (nur kurz erhitzen!) in Form tiefblauer Nadeln erhalten (F: 150–151°).

---

[1] E. Müller u. K. Ley, B. **87**, 922 (1954).
[2] E. Müller, K. Ley u. W. Kiedaisch, B. **87**, 1605 (1954).
[3] Vgl. ds. Handb., Bd. III/2, Kap. Magnetochemische Methoden, S. 957.
[4] Vgl. ds. Handb., Bd. I/2, Kap. Arbeiten unter Ausschluß von Sauerstoff und Luftfeuchtigkeit, S. 321, 346f.
[5] E. Müller, A. Schick u. K. Scheffler, B. **92**, 474 (1959).
[6] M. S. Kharasch u. B. S. Joshi, J. Org. Chem. **22**, 1439 (1957).

Die in Tab. 4 (S. 739) angegebenen Ausbeuten und Dehydrierungsgrade für das Amino-phenoxyl IV beziehen sich auf die Dehydrierung des entsprechenden, um ein Wasserstoffatom reicheren Phenols. Das Phenoxyl läßt sich jedoch einfacher durch gemeinsame Dehydrie-rung von 2 Äquivalenten 2,4,6-Tri-tert.-butyl-phenol und 1 Äquivalent 4-Hydroxy-3,5-di-tert.-butyl-phenyl-isonitril gewinnen[1]:

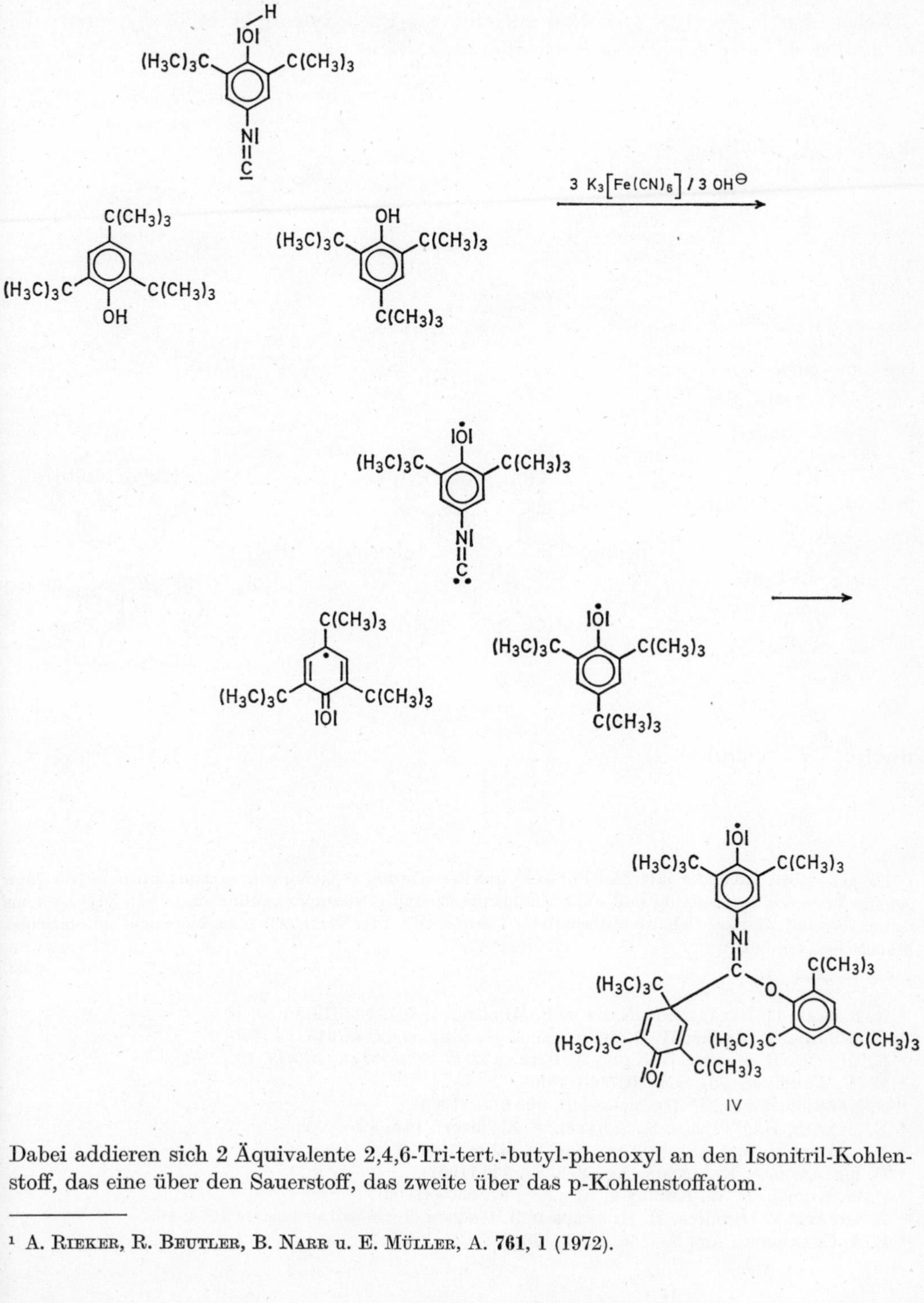

$$3\ K_3[Fe(CN)_6]\ /\ 3\ OH^{\ominus}$$

IV

Dabei addieren sich 2 Äquivalente 2,4,6-Tri-tert.-butyl-phenoxyl an den Isonitril-Kohlen-stoff, das eine über den Sauerstoff, das zweite über das p-Kohlenstoffatom.

---

[1] A. RIEKER, R. BEUTLER, B. NARR u. E. MÜLLER, A. 761, 1 (1972).

4-{[4-Oxo-1,3,5-tri-tert.-butyl-cyclohexadien-(2,5)-yl]-(2,4,6-tri-tert.-butyl-phenoxy)-methylenamino}-2,6-di-tert.-butyl-phenoxyl[1]: 10,2 g (39 mMol) 2,4,6-Tri-tert.-butyl-phenol, 50 *ml* Benzol, 17,0 g Kaliumhexacyanoferrat(III), 3,0 g Kaliumhydroxid und 80 ml Wasser werden 10 Min. unter Stickstoff gerührt. Dann fügt man 3,0 g (13 mMol) 4-Hydroxy-3,5-di-tert.-butyl-phenyl-isonitril zu und rührt 15 Min. weiter. An der Luft trennt man die organische Phase ab, wäscht mit Wasser, trocknet und dampft das Benzol i. Vak. ab. Der Rückstand wird zuerst mit Methanol digeriert und dann vorsichtig aus Aceton umgelöst; Ausbeute: 5,4 g (55% d.Th.); F: 155–157° (Zers.).

Neben den in der Tab. 4 (S. 739) aufgeführten Phenoxylen gibt es noch weitere, die vermutlich in fester Form monomer vorliegen; z. B.:

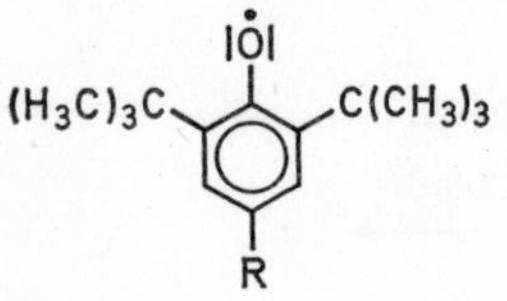

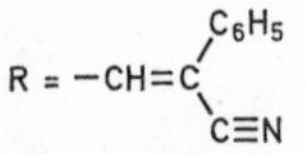

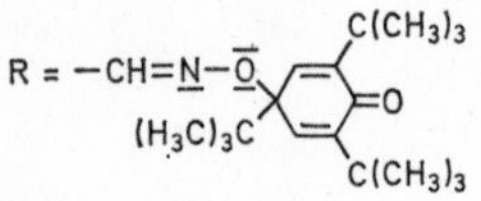

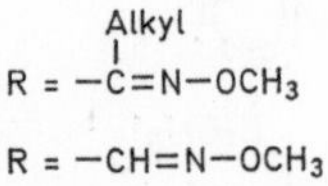

Da sie jedoch entweder mit Blei(IV)-oxid bereitet wurden (IX, X), nur in Kurzmitteilungen ohne genaue Versuchsbeschreibung und ohne genügende Charakterisierung erwähnt sind (XI, XII) oder im festen Zustand Radikal-Gehalte unterhalb 60% zeigen (VI, VII, VIII), sollen sie hier nicht im einzelnen beschrieben werden.

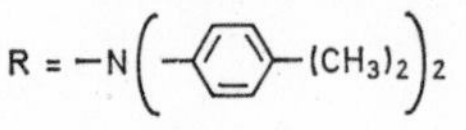

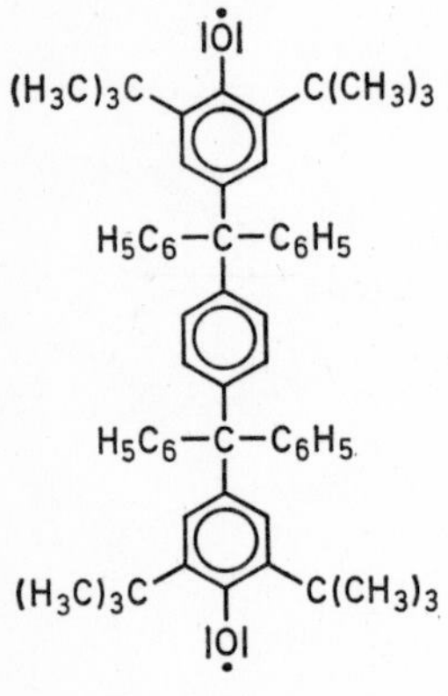

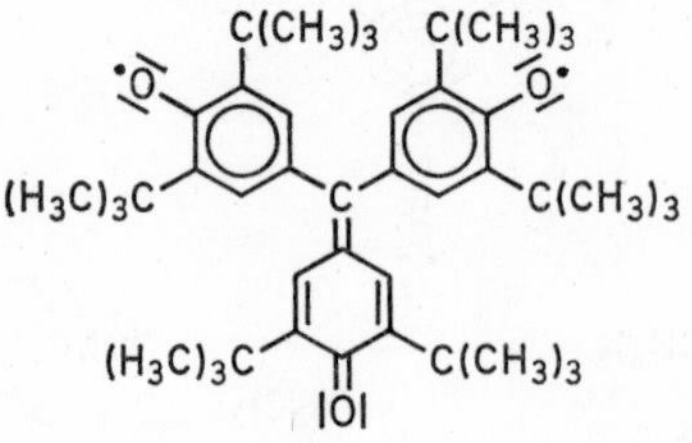

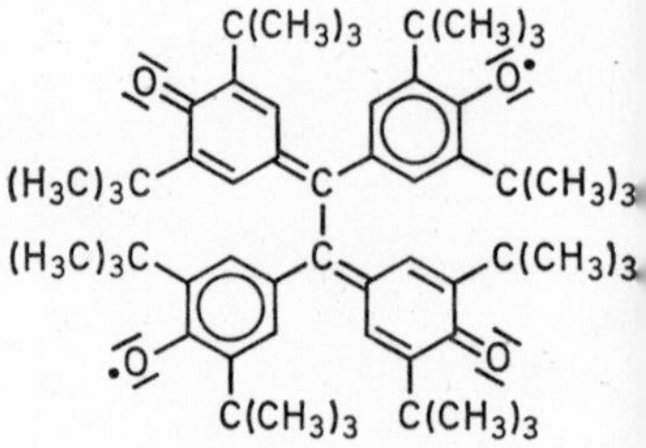

---

[1] A. RIEKER, R. BEUTLER, B. NARR u. E. MÜLLER, A. **761**, 1 (1972).
[2] E. MÜLLER, R. MAYER, H.-D. SPANAGEL u. K. SCHEFFLER, A. **645**, 53 (1961).
[3] E. MÜLLER, R. MAYER, B. NARR, A. RIEKER u. K. SCHEFFLER, A. **645**, 19 (1961).
[4] R. W. KREILICK, Am. Soc. **90**, 5991 (1968).
[5] O. NEUNHOEFFER u. P. HEITMANN, B. **96**, 1027 (1969).
[6] E. MÜLLER, R. MAYER u. K. SCHEFFLER, Z. Naturf. **13b**, 825 (1958).
[7] N. C. YANG u. A. J. CASTRO, Am. Soc. **82**, 6208 (1960).
[8] D. KEARNS u. S. EHRENSON, Am. Soc. **84**, 739 (1962).
[9] P. W. KOPF u. R. W. KREILICK, Am. Soc. **91**, 6569 (1969).
[10] W. GIERKE, W. HARRER, H. KURRECK u. J. REUSCH, Tetrahedron Letters **1973**, 3681.
[11] E. A. CHANDROSS, Am. Soc. **86**, 1263 (1964).

An dieser Stelle sei auf das *2,4,6-Triphenyl-3-pyridyloxyl-Radikal* hingewiesen[1]:

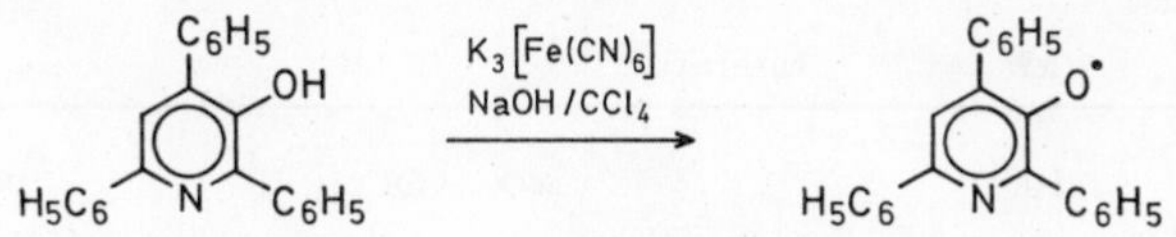

Das Radikal liegt in Substanz dimer vor, das in Lösung je nach Temperatur mehr oder weniger dissoziiert.

Die Zweielektronensysteme X, XI und XII zeigen interessante Eigenschaften bezüglich der Wechselwirkung zwischen den beiden freien Elektronen. Während X ein Doppelradikal darstellt[2], sind bei XI und XII die beiden Elektronen schwach gekoppelt (Triplett-Zustände)[3-6].

Für präparative Umsetzungen wie für physikalische Messungen genügt es meistens, Lösungen dieser Radikale zu bereiten. Als Beispiel diene die Herstellung einer Lösung von VII:

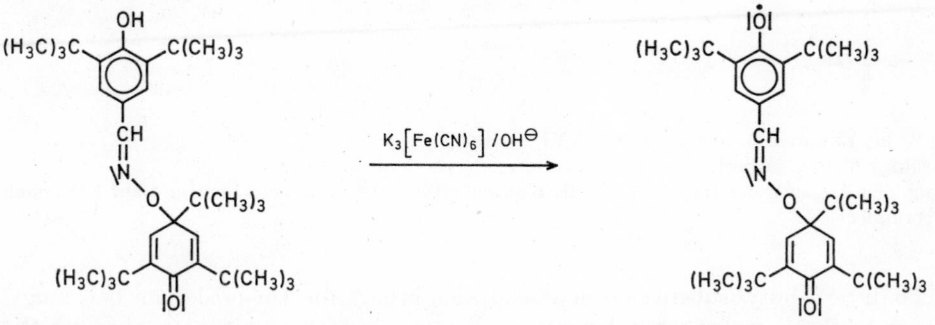

4-[4-Oxo-1,3,5-tri-tert.-butyl-cyclohexadien-(2,5)-yloxyimino-methyl]-2,6-di-tert.-butyl-phenoxyl (VII)[7]: 1,5 g O-[4-Oxo-1,3,5-tri-tert.-butyl-cyclohexadien-(2,5)-yl]-N-(4-hydroxy-3,5-di-tert.-butyl-benzyliden)-hydroxylamin werden in 50 *ml* Benzol gelöst und 30 Min. mit einer Lösung von 2 g Kaliumhexacyanoferrat(III) und 1,7 g Kaliumhydroxid in 40 *ml* sauerstofffreiem Wasser geschüttelt. Die organische Phase färbt sich dabei sofort tiefviolett. Nach Abtrennen der wäßrigen Phase wird 2mal mit Wasser gewaschen und mit Natriumsulfat getrocknet. Der jodometrisch bestimmte Dehydrierungsgrad einer solchen Lösung beträgt im Durchschnitt 90%.

Die meisten stabilen Phenoxyle bilden im festen Zustand diamagnetische Dimere, die in Lösung vollständig oder bis zu einem bestimmten Gleichgewicht, auf jeden Fall aber reversibel, in die Komponenten dissoziieren, wobei nur eine Sorte von monomeren Phenoxylen vorliegt. Der Dissoziationsgrad α wie auch die Struktur der Dimeren wird wesentlich von räumlichen Faktoren bestimmt, wie nachstehendes Schema für einige 4-substituierte 2,6-Di-tert.-butyl-phenoxyle zeigt:

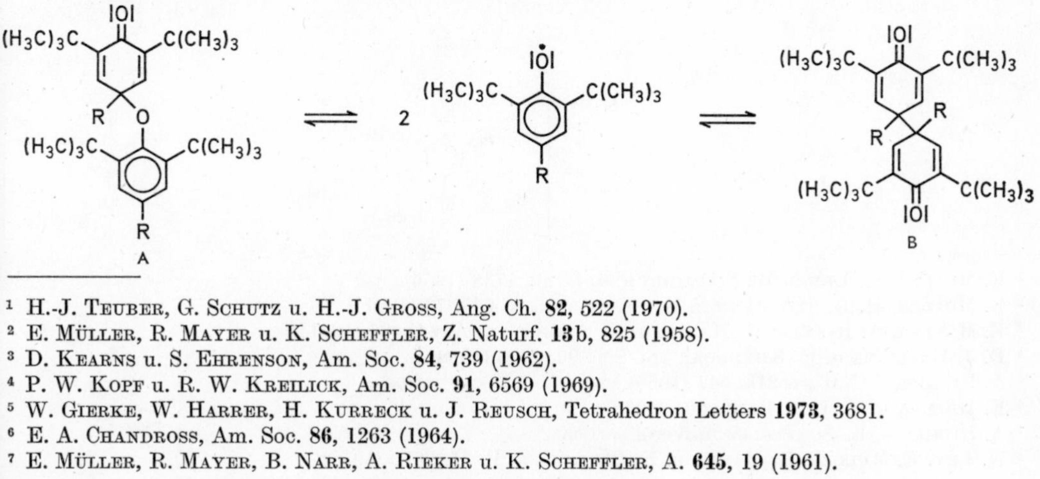

[1] H.-J. TEUBER, G. SCHUTZ u. H.-J. GROSS, Ang. Ch. **82**, 522 (1970).
[2] E. MÜLLER, R. MAYER u. K. SCHEFFLER, Z. Naturf. **13**b, 825 (1958).
[3] D. KEARNS u. S. EHRENSON, Am. Soc. **84**, 739 (1962).
[4] P. W. KOPF u. R. W. KREILICK, Am. Soc. **91**, 6569 (1969).
[5] W. GIERKE, W. HARRER, H. KURRECK u. J. REUSCH, Tetrahedron Letters **1973**, 3681.
[6] E. A. CHANDROSS, Am. Soc. **86**, 1263 (1964).
[7] E. MÜLLER, R. MAYER, B. NARR, A. RIEKER u. K. SCHEFFLER, A. **645**, 19 (1961).

p-Chinoläther A (vgl. S. 743)			1,1'-Dihydro-diphenochinon B		
R	α[a]	Literatur	R	α[a]	Literatur
XIII −OC(CH₃)₃	100[b]	1	XIX OCH₃	98,7[b,c]	6
XIV −SCH₃	11,0[b]	2	XX Cl	1,0	7
XV −COOAlkyl	8,0–9,0	3	XXI H	0	8
XVI −C−CH₃ (∥ O)	3,0[c]	4			
XVII −O−P(C₆H₅)₂ (∥ O)	0,6[c]	5			
XVIII −O−C−Alkyl (∥ O)	0,3	3			

[a] In % bei Raumtemp. in Benzol (bei XVI in CDCl₃).
[b] Struktur nicht gesichert.
[c] Nach den Angaben der Literatur auf die Konzentration 10^{-2} m umgerechnet und auf 1 Dezimale aufgerundet.

Bei 2,6-di-tert.-butyl-substituierten Phenoxylen erfolgt die Dimerisierung bevorzugt über die para-Stellung, wobei entweder nur eine oder beide Komponenten über das C-Atom 4 zusammentreten. In ersterem Falle erhält man meistens para-Chinoläther, im zweiten Fall Dihydrodiphenochinon-Derivate. Auf weitere Kupplungsmöglichkeiten von Phenoxylen wird auf S. 760 eingegangen.

Der Ersatz der 4-ständigen tert.-Butyl-Gruppe in I durch die über den Sauerstoff „abgewinkelte" tert.-Butyloxy-Gruppe genügt bereits, um im festen Zustand eine vollständige Dimerisierung des in Lösung violettroten *4-tert.-Butyloxy-2,6-di-tert.-butyl-phenoxyl* zu erreichen. Für das Dimere selbst wird neben der p-Chinoläther-Struktur auch eine Elektronendisproportionierung im Sinne einer Oxonium-Oxylat-Struktur im Kristall diskutiert[1]:

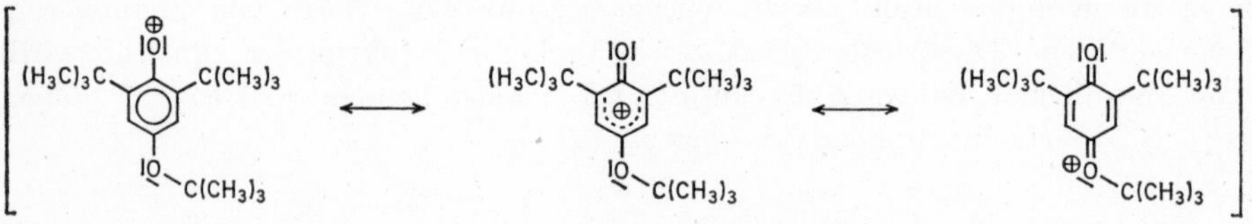

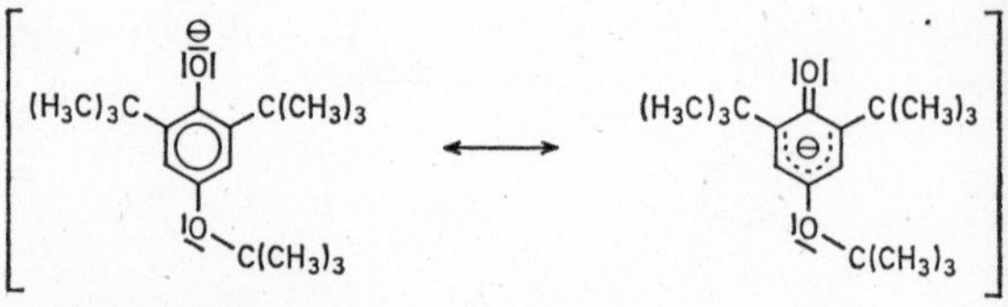

[1] E. MÜLLER, K. LEY u. W. SCHMIDHUBER, B. **89**, 1738 (1956).
[2] E. MÜLLER, H. B. STEGMANN u. K. SCHEFFLER, A. **645**, 79 (1961).
[3] E. MÜLLER, A. RIEKER, R. MAYER u. K. SCHEFFLER, A. **645**, 36 (1961).
[4] D. J. WILLIAMS u. R. KREILICK, Am. Soc. **90**, 2775 (1968).
[5] A. RIEKER, Z. Naturf. **21b**, 647 (1966).
[6] E. MÜLLER u. K. LEY, B. **88**, 601 (1955).
[7] A. RIEKER u. K. SCHEFFLER, unveröffentlicht.
[8] K. LEY, E. MÜLLER, R. MAYER u. K. SCHEFFLER, B. **91**, 2670 (1958).

In Lösung zerfällt das Dimere bereits bei Raumtemp. wieder praktisch quantitativ in das freie Phenoxyl. Wird der para-ständige Rest kleiner (R = SCH_3, $COOR^1$, $COCH_3$, OAc), dann nimmt der Dissoziationsgrad sehr stark ab. Nur bei kleinen Substituenten, wie Chlor, treten auch Dihydrodiphenochinon-Strukturen für die Dimeren auf. Diese dissoziieren in Lösung nur noch schwach in die monomeren Phenoxyle. Aus diesem Grunde ist die Dihydrodiphenochinon-Struktur für das dimere *4-Methoxy-2,6-di-tert.-butyl-phenoxyl*, das nach magnetischen Messungen[2] in Lösung sehr stark dissoziiert, nur als Strukturvorschlag zu werten; eine para-Chinoläther-Struktur wäre ebenfalls denkbar[3].

Bei der Herstellung von 4-Methoxy-2,6-di-tert.-butyl-phenoxyl sollte das Dehydrierungsmittel nur ~5 Min. auf das Phenol einwirken. Bei längerer Reaktionszeit (10–12 Stdn.) färben sich die zunächst schwarzroten Radikallösungen tiefgelb und man erhält beim Aufarbeiten *2,6-Di-tert.-butyl-benzochinon-(1,4)* in quantitativer Ausbeute (F: 67–68°)[2].

Für R=H schließlich erhält man das *4,4'-Dioxo-3,3',5,5'-tetra-tert.-butyl-bi-[cyclohexadien-(2,5)-yl]*[4], das in Lösung nicht mehr zum Phenoxyl zurückdissoziiert. Man kann also alle Übergänge zu den auf S. 743 beschriebenen Verbindungen beobachten.

Von besonderem Interesse sind die Dimeren des *2,6-Di-tert.-butyl-4-alkoxycarbonyl(bzw. -4-acetyl) -phenoxyls* und des *4-Alkanoyloxy-2,6-di-tert.-butyl-phenoxyls*. Ihr in Lösung aufgenommenes NMR-Spektrum zeigt bei entsprechend tiefen Temperaturen (z. B. –60° für das 4-Acetyl-Derivat) das Vorliegen der para-Chinoläther-Struktur an (2 Sorten von tert.-Butyl-Gruppen und von meta-Ring-Protonen)[5]. Bei höheren Temperaturen verbreitern sich die Signale der Ringprotonen und tert.-Butyl-Gruppen, um schließlich je zu einem Singulett zusammenzufallen (–15°):

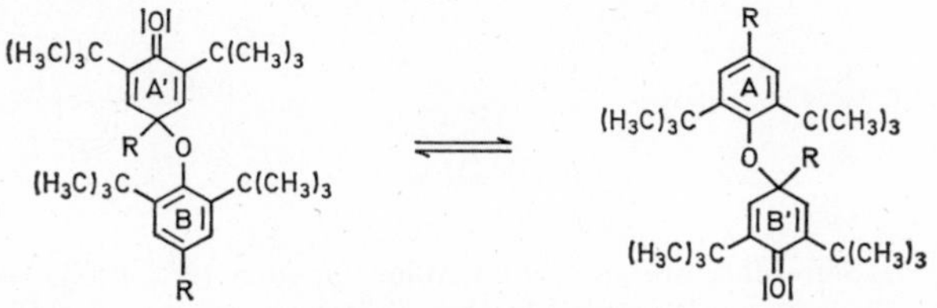

Dies kann durch einen im Sinne der NMR-Zeit-Skala raschen Austausch jedes Ringes zwischen dem benzoiden Zustand (A, B) und dem chinoiden Zustand (A', B') erklärt werden. Die freie Aktivierungsenthalpie für diesen Vorgang beträgt beim 4-Acetyl-Derivat 11,0 Kcal/Mol[6], beim 4-Alkoxy-carbonyl-Derivat 9,0–12,5 Kcal/Mol[6,7] und beim 4-Alkanoyloxy-Derivat 10–12 Kcal/Mol[7]. Bei noch höherer Temperatur werden die NMR-Signale erneut breit, weil nun Dissoziation in die freien Phenoxyle einsetzt. Aus dieser Verbreiterung können die freien Dissoziationsenthalpien bestimmt werden, sie betragen für das Acetyl-Derivat 12,5 Kcal/Mol, für das Alkoxycarbonyl-Derivat 11,3–12,6 Kcal/Mol[6].

Die Dehydrierung von 2,6-Di-tert.-butyl-4-cyan-phenol liefert in polaren Lösungsmitteln blaue, in unpolaren Lösungsmitteln dagegen intensiv grüne Lösungen von *2,6-Di-tert.-butyl-4-cyan-phenoxyl* mit einem Radikalgehalt von maximal 60%[8].

Aus dem Reaktionsgemisch kann man eine farblose, dimere Substanz mit dem Zersetzungspunkt 111° isolieren, die in Lösung wieder Gleichgewichtskonzentrationen an Cyan-Derivat XXII ergibt. Die Struk-

[1] E. MÜLLER, K. LEY u. W. SCHMIDHUBER, B. **89**, 1738 (1956).

[2] E. MÜLLER u. K. LEY, B. **88**, 601 (1955).

[3] E. MÜLLER, Privatmitteilung.

[4] K. LEY, E. MÜLLER, R. MAYER u. K. SCHEFFLER, B. **91**, 2670 (1958).

[5] D. J. WILLIAMS u. R. KREILICK, Am. Soc. **89**, 3408 (1967).

[6] D. J. WILLIAMS u. R. KREILICK, Am. Soc. **90**, 2775 (1968).

[7] A. RIEKER u. H. KESSLER, unveröffentlicht.

[8] E. MÜLLER, A. RIEKER, K. LEY, R. MAYER u. K. SCHEFFLER, B. **92**, 2278 (1959).

tur des Dimeren ist noch nicht endgültig geklärt. Zur Diskussion stehen die Ketenimin-Struktur A und die ortho-Iminochinoläther-Struktur B.

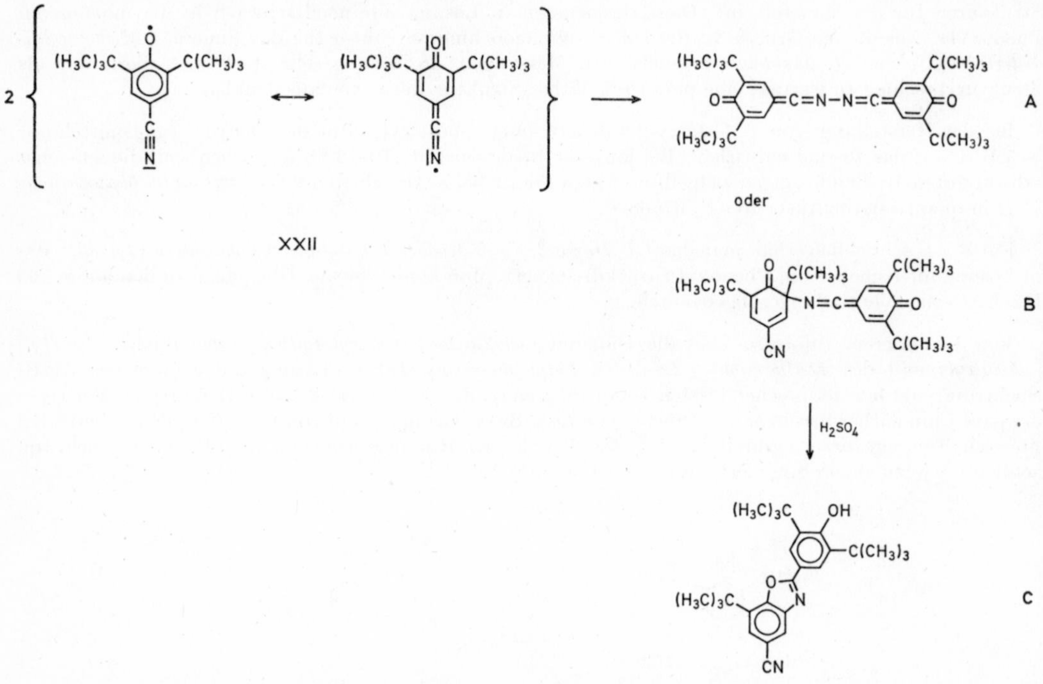

XXII

oder

Das Verhalten gegen konz. Schwefelsäure[1], die unter Ablösung einer tert.-Butyl-Gruppe zum Benzo-1,3-oxazol-Derivat C führt, spricht für die Struktur B. Dabei hätte eines der beiden Phenoxyle entsprechend einer endlichen Spindichte des freien Elektrons im para-Substituenten über das Stickstoffatom der Cyan-Gruppe reagiert.

Die Umsetzung vom Phenol zum Phenoxyl XXII bleibt deshalb bei maximal 60% stehen, weil das Oxidationspotential des entstehenden Aroxyls mit dem des Kalium-hexacyano-ferrat(III) vergleichbar ist[2]. Um einen höheren Umsatz zum Phenoxyl zu erreichen, empfiehlt es sich deshalb, dieses durch Wahl der Versuchsbedingungen ständig aus dem sich einstellenden Red-Ox-Gleichgewicht zu entfernen. Am einfachsten geschieht dieses durch Arbeiten in methanolisch-wäßrigem Medium, aus dem die farblose Verbindung, Zersetzungspunkt 111°, sofort ausfällt.

Dimeres 2,6-Di-tert.-butyl-4-cyan-phenoxyl(XXII)[2]: 2,3 g (10 mMol) 2,6-Di-tert.-butyl-4-cyan-phenol werden in 50 *ml* Methanol unter Stickstoffatmosphäre gelöst und dazu unter Rühren und Kühlung 6 g (0,15 Mol) Natriumhydroxid in 900 *ml* Wasser gegeben. In die klare Lösung läßt man bei intensivem Rühren die Lösung von 10 g (0,04 Mol) Kalium-hexacyanoferrat(III) in 100 *ml* Wasser eintropfen, trennt das ausgefallene Pulver ab (Luftzutritt schadet nicht mehr), wäscht mehrfach mit Wasser und trocknet i. Vak.; Ausbeute: 2,3 g (100% d.Th.); Zers. p.: 111°.

Die direkte Gewinnung analysenreiner Präparate gelingt nach einiger Erfahrung. Ein zu grobes Produkt enthält Einschlüsse von Kalium-hexacyanoferrat(III) und ein zu feines Produkt läßt sich sehr schlecht filtrieren.

Nach dieser „oxidativen Fällungsmethode" kann man analog die Dimeren des *2,6-Di-tert.-butyl-4-alkoxycarbonyl-*[3] bzw. *-4-acetyl-phenoxyls*[4] und *4-Diphenylphosphonyloxy-2,6-*

---

[1] A. Rieker, Tetrahedron Letters **1969**, 2611.
[2] E. Müller, A. Rieker, K. Ley, R. Mayer u. K. Scheffler, B. **92**, 2278 (1959).
[3] E. Müller, A. Rieker, R. Mayer u. K. Scheffler, A. **645**, 36 (1961).
[4] D. J. Williams u. R. Kreilick, Am. Soc. **90**, 2775 (1968).

di-tert.-butyl-phenoxyls[1] in guten Ausbeuten bereiten. Die Verbindungen sind selbst an der Luft lange Zeit unzersetzt haltbar. Da sie in Lösung wieder über die monomeren Phenoxyle reagieren, stellen sie präparativ sehr bequem handzuhabende „Aroxyl-Konserven" dar.

Den 4-substituierten-2,6-Di-tert.-butyl-phenoxylen analog verhalten sich die entsprechenden 2-substituierten 4,6-Di-tert.-butyl-phenoxyle[2-5]. Infolge der geringeren Abschirmung des Oxyl-Sauerstoffs ist die Tendenz zur Dimerisierung (bevorzugt über die 2-Stellung) hier verstärkt.

Es sei ausdrücklich betont, daß es häufig gar nicht notwendig ist, die in diesem Abschnitt erwähnten Phenoxyle in fester Form oder in Lösung erst als solche zu bereiten; es genügt die Herstellung in situ in Gegenwart des Reaktionspartners, wie das folgende Beispiel zeigt:

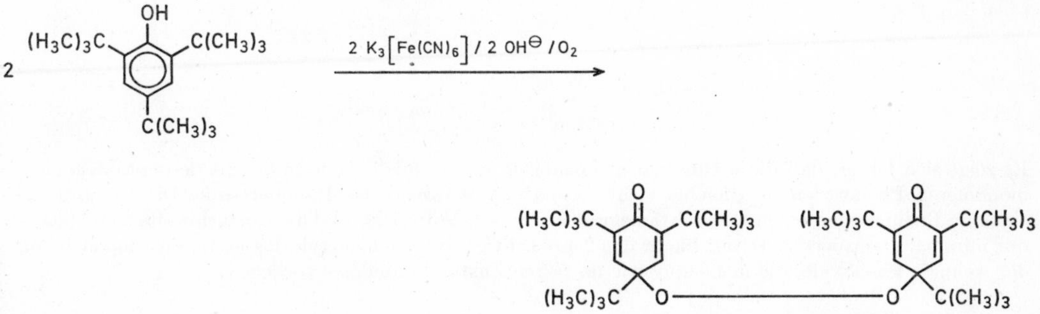

Bis-[4-oxo-1,3,5-tri-tert.-butyl-cyclohexadien-(2,5)-yl]-peroxid[1]: Durch die heftig gerührte Mischung von 4 mMol 2,4,6-Tri-tert.-butyl-phenol, 10 *ml* Benzol, 2,0 g Kalium-hexacyanoferrat(III), 1,5 g Kaliumhydroxid und 10–20 *ml* Wasser wird bis zur Gelbfärbung Sauerstoff geperlt. Die organische Phase ergibt nach Waschen, Abdunsten und Digerieren mit Methanol ~95% d.Th. Peroxid (F: 139–142°).

Zum Schluß soll noch auf einige Irrtümer hingewiesen werden, die teilweise auch in die Lehrbücher eingegangen sind. Für eine Reihe von Dehydrodimeren substituierter Phenole wurde zunächst die Struktur aromatischer Peroxide angenommen, z. B. für das dimere 2,4,6-Triphenyl-phenoxyl(I)[6], die Goldschmidtschen Phenanthroxyle(II)[7] und das Pummerersche „Binaphthylenoxid(III)"[8].

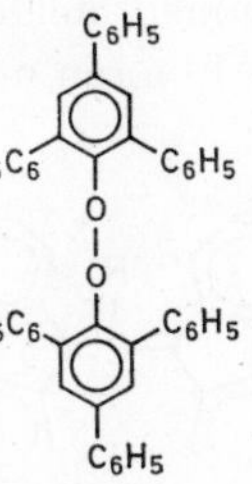

I 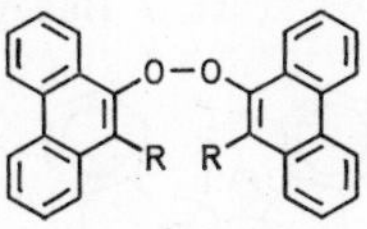   II 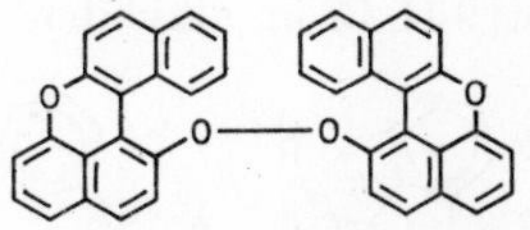   III

[1] A. RIEKER, Z. Naturf. **21b**, 647 (1966).
[2] K. LEY, E. MÜLLER u. G. SCHLECHTE, B. **90**, 1530 (1957).
[3] J. PETRÁNEK u. J. PILAŘ, Coll. Czech. Chem. Commun. **34**, 79 (1969).
[4] J. PILAŘ, J. PETRÁNEK, N. ZELLER u. A. RIEKER, B. **102**, 1771 (1969).
[5] E. MÜLLER, A. SCHICK, R. MAYER u. K. SCHEFFLER, B. **93**, 2649 (1960).
[6] K. DIMROTH, F. KALK u. G. NEUBAUER, B. **90**, 2058 (1957).
[7] Vgl. z. B. S. GOLDSCHMIDT, A. VOGT u. M. A. BREDIG, A. **445**, 123 (1925).
[8] z. B. R. PUMMERER u. F. FRANKFURTER, B. **47**, 1472 (1914).
R. PUMMERER, E. PRELL u. A. RIECHE, B. **59**, 2159 (1926).

Spätere Untersuchungen ergaben, daß in Wirklichkeit Chinoläther vorliegen[1-4]:

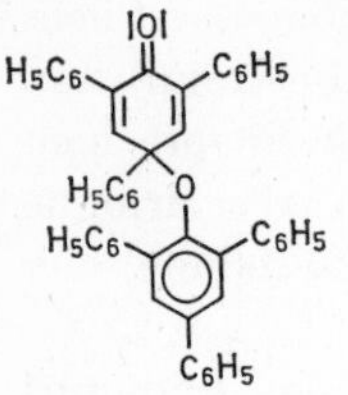

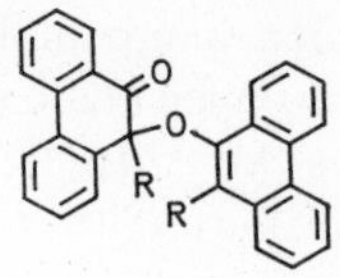

R = Cl
bzw.

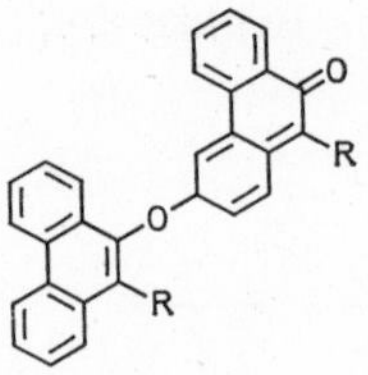

R = OC$_2$H$_5$

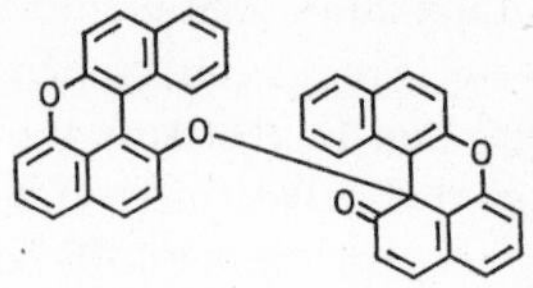

Es zeigt sich ferner, daß diese Dimeren in Lösung in unterschiedlichem Maße mit den entsprechenden monomeren Phenoxylen im Gleichgewicht stehen[2,4-6]. Während das Pummerersche Dimere unter geeigneten Bedingungen einen Dissoziationsgrad α von 66% aufweist[4], sind die Goldschmidtschen Dimeren nur minimal dissoziiert[2,6]. Damit bleibt das 2,4,6-Tri-tert.-butyl-phenoxyl[7] das erste, und zugleich eines der wenigen Phenoxyle, die in Lösung wie im festen Zustand monomer vorliegen.

2. Stabile Kohlenwasserstoff-Radikale durch Entladung von Anionen acider Propene

Die Verwendung von Kalium-hexacyanoferrat(III) als ein Ein-Elektronen-Acceptor (monovalente Dehydrierung) bei der dehydrierenden Herstellung von Radikalen ist bei anderen Verbindungstypen nicht so dominierend wie bei der Umsetzung der Phenole zu den Phenoxylen. Es werden zwar Nitroxyle[8] oder Nitroxide[9] und Iminoxy-Radikale[10] aus den entsprechenden Nitronen bzw. Ketoximen hergestellt, aber sowohl Blei(IV)-oxid als auch Silberoxid sind für die Umsetzung dieser Verbindungen besser geeignet, nachdem es bei der Reaktion mit Kalium-hexacyanoferrat(III) leicht zu Folgereaktionen mit dem gebildeten Radikal kommen kann[11].

Stabile Kohlenwasserstoff-Radikale werden bei der Entladung von Anionen acider Propene mit Kalium-hexacyanoferrat(III) erhalten, die bei der Reaktion von Fluoren mit [9-(1-Brom-alkyliden)-fluoren] in Gegenwart starker Basen gebildet werden[12]:

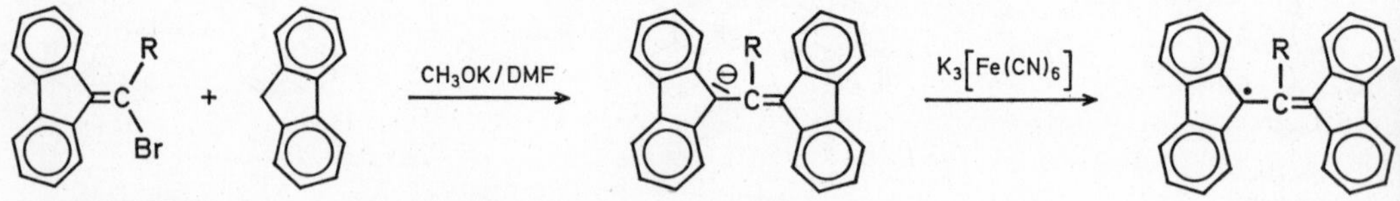

[1] K. Dimroth u. A. Berndt, Ang. Ch. **76**, 434 (1964).
[2] E. Müller, K. Schurr u. K. Scheffler, A. **627**, 132 (1959).
[3] R. E. Schwerzel u. J. E. Leffler, J. Org. Chem. **37**, 3096 (1972).
[4] A. Rieker, N. Zeller, K. Schurr u. E. Müller, A. **697**, 1 (1966).
[5] K. Dimroth, F. Kalk u. G. Neubauer, B. **90**, 2058 (1957).
[6] R. E. Schwerzel u. J. E. Leffler, J. Org. Chem. **37**, 3096 (1972); **38**, 2112 (1973).
[7] E. Müller u. K. Ley, Z. Naturf. 8b, 694 (1953).
[8] F. H. Banfield u. J. Kenyon, Soc. **1926**, 1612.
[9] H. G. Aurich u. F. Baer, Tetrahedron Letters **1965**, 2517.
   H. G. Aurich u. J. Trösken, B. **105**, 1216 (1972).
   H. G. Aurich u. W. Weiss, B. **105**, 2389 (1972).
[10] M. Fedtke u. H. Mitternacht, Z. Ch. 4, 389 (1964).
[11] E. G. Rozantsev, *Freie Nitroxyl-Radikale*, S. 71, Plenum Press, New York · London 1970.
[12] R. Kuhn u. F. A. Neugebauer, M. **95**, 3 (1964).

Dieser Reaktionsweg kann präparativ als Eintopfverfahren durchgeführt werden und ist dadurch besonders einfach.

9-(α-Fluorenyliden-benzyl)-fluorenyl-(9)   (R = C₆H₅)[1]: 6,66 g (0,05 Mol) 9-(α-Brom-benzyliden)-fluoren, 3,9 g (0,23 Mol) Fluoren und 3,1 g (0,45 Mol) Kaliummethanolat werden in 200 *ml* Dimethylformamid unter Stickstoff oder i. Vak. geschüttelt. Danach wird 40 *ml* 0,5 m wäßr. Kalium-hexacyanoferrat(III)-Lösung zugegeben und mit Wasser verdünnt. Der Niederschlag wird abfiltriert, mit Wasser und Methanol gewaschen und getrocknet.

Aus Benzol erhält man 5,1 g (51% d.Th.) grün reflektierende, braune Plättchen (mit 1 Kristallbenzol) F: 218–222° (10⁻³ Torr; bei ∼160° Benzol-Abspaltung). Nach 2maligem Umkristallisieren aus Benzol F: 231–233° (10⁻³ Torr).

Man kann die Synthese der Radikale auch unter Zwischenisolierung der 9-(Fluorenyliden-methyl)-fluorene vornehmen. Die Ausbeute ist dann in einigen Fällen zwar höher, dafür ist dieser 2stufige Weg aber auch umständlicher.

1,4-Bis-{[9-dehydro-fluorenyl-(9)]-fluorenyliden-methyl}-benzol[1]:

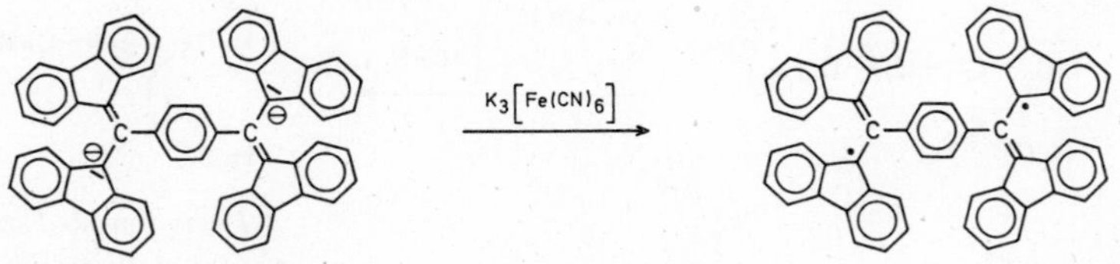

1,2 g (1,6 mMol) 1,4 Bis-(fluorenyl-fluorenyliden-methyl)-benzol werden in der Wärme in 400 *ml* Dimethylformamid unter Stickstoffatmosphäre gelöst. Nachdem von ungelösten Resten abfiltriert worden ist, wird das Filtrat mit 10 *ml* 0,5 n Natronlauge versetzt und unter Schütteln langsam mit 0,5 m Kalium-hexacyanoferrat(III)-Lösung dehydriert, bis die Farbe der Reaktionsmischung von blau-grün nach dunkelbraun umschlägt. Die Reaktionsmischung wird zwischen Chloroform und Wasser aufgetrennt, die Chloroform-Phase 3mal mit Wasser gewaschen und i. Vak. bei 50° Badtemp. auf 20 *ml* eingeengt. Nach 2 Stdn. wird das ausgefallene Kristallisat abgesaugt, mit Methanol und Aceton gewaschen und getrocknet; Ausbeute: 490 mg (41% d.Th.); F: 357–359° (10⁻³ Torr).

Aza-Isologe dieser hochaciden Kohlenwasserstoffe lassen sich ebenfalls über ihre farbigen Salze mit Kalium-hexacyanoferrat(III) in die Radikale bzw. ihre Dimeren überführen[2, 3]:

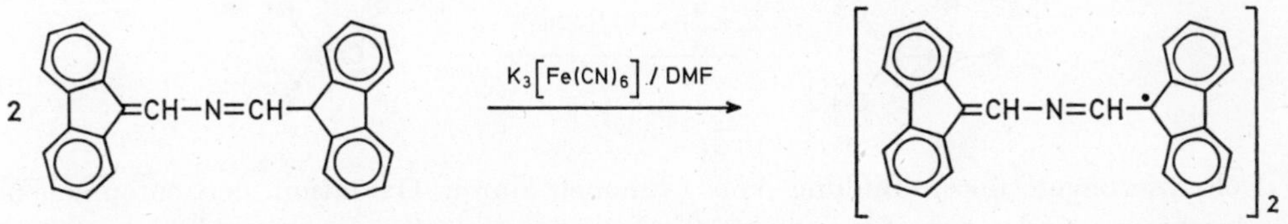

Dimeres 9-(N-fluorenylidenmethyl-iminomethyl)-fluorenyl[2]: 1,85 g Fluorenylidenmethyl-[fluorenyl-(9)-methylen]-amin werden in 200 *ml* warmem Dimethylformamid gelöst, nach dem Abkühlen mit 5 *ml* 1 n Natronlauge versetzt und mit 25 *ml* 0,2 m (5 mMol)Kalium-hexacyanoferrat(III)-Lösung oxidiert. Die Oxidation wird mit 1 *ml* 1 n Natronlauge und 5 *ml* 0,2 m Kalium-hexacyanoferrat(III) wiederholt. Danach wird mit 500 *ml* Wasser versetzt und das ausgefallene Produkt abzentrifugiert. Nach Waschen mit Wasser und Methanol wird 2mal aus Benzol umkristallisiert; Ausbeute: 1,3 g (70% d.Th.); F: 226–228° (10⁻³ Torr) (hellgelbe Prismen).

Durch Entladung mit Kalium-hexacyanoferrat(III) in Dimethylformamid wird das blaue Anion des Fluorenyl-(9)-fluorenyliden-amin zum olivgrünen *9-(Fluorenylidenamino)-fluorenyl* umgesetzt, das als gelbstichiges Dimeres kristallin ausfällt. Beide Dimere sind in Lösung nur schwach dissoziiert.

---

[1] R. KUHN u. F. A. NEUGEBAUER, M. **95**, 3 (1964).
[2] R. KUHN u. F. A. NEUGEBAUER, M. **94**, 1 (1963).
[3] R. KUHN u. F. A. NEUGEBAUER, M. **94**, 16 (1963).

Cyclische Homologe dieser Verbindungen, beispielsweise 4,5-diaryl-3-acyl-substituierte Pyrrole, lassen sich ebenso mit Kalium-hexacyanoferrat(III) dehydrieren. Die entstehenden Radikale sind ausschließlich zu Dimeren zusammengelagert und erst oberhalb 60° werden die farblosen Lösungen leicht rot gefärbt. Die Herstellung dieser Dimeren, zusammen mit ähnlichen, über instabile Radikale sich bildenden Dimeren aus Triaryl-imidazolen, wird deshalb auf S. 786 (Intermolekulare Dehydrierungen) behandelt.

b) Dehydrierungen unter Ausbildung von C=O- und C=N-Doppelbindungen

Die Dehydrierung mit Hilfe von Kalium-hexacyanoferrat(III) unter Entzug von einem Mol Wasserstoff und Ausbildung einer Doppelbindung erfolgt bei solchen Molekülen, die dadurch einen besonders resonanz-stabilisierten Zustand erreichen, wie das Beispiel der Umsetzung von 2-Anilino-1-oxo-1,2-diphenyl-äthan in Benzol/Äthanol mit einer wäßrigen, alkalischen Kalium-hexacyanoferrat(III)-Lösung zeigt[1]:

$$H_5C_6-\underset{\underset{O}{\overset{\|}{C}}-C_6H_5}{\overset{}{CH}}-NH-C_6H_5 \quad\xrightarrow{K_3[Fe(CN)_6]/OH^\ominus}\quad H_5C_6-\underset{\underset{O}{\overset{\|}{C}}-C_6H_5}{\overset{}{C}}=N-C_6H_5$$

2-Phenylimino-1-oxo-1,2-diphenyl-äthan (Benzil-phenylimin; 68% d.Th.; F: 103–106°)

In der Chemie der geradkettigen aliphatischen bzw. hetero-aliphatischen Verbindungen gibt es aber nur wenig Beispiele für die Einführung von Doppelbindungen mit Hilfe von Kalium-hexacyanoferrat(III). Eines der wenigen ist die Dehydrierung von Hydrazo- zu Azo-Verbindungen[2,3] oder die Dehydrierung zur Polymethin-Kette bei der Synthese von Vertretern der Polymethinfarbstoffe[4]. Eine γ-Eliminierung wird bei der Dehydrierung von disubstituierten Hydroxylaminen beobachtet. Reaktionsprodukte sind Nitrone, die auf diesem Wege gut zugänglich sind[5].

$$R-\underset{\underset{OH}{\overset{|}{N}}}{\overset{R^1}{CH}}\overset{R^2}{<} \quad\xrightarrow{K_3[Fe(CN)_6]/OH^\ominus}\quad R-\underset{\underset{O}{}}{\overset{R^1}{C}}=N\overset{R^2}{<}$$

Dehydrierungen unter Bildung von Chinonen durch Oxidation der entsprechenden Hydrochinone sind selten. Sie verlaufen jedoch dann glatt, wenn die gebildeten Chinone nicht mit wäßrigem Alkali weiterreagieren, was in der Regel für sterisch gehinderte Chinone zutrifft. Als Beispiel sei die Dehydrierung von 3,5-Di-tert.-butyl-brenzkatechin zu *3,5-Di-tert.-butyl-benzochinon-(1,2)* genannt[6]:

$$(H_3C)_3C\text{-}\underset{}{\overset{OH}{\underset{}{\bigcirc}}}\text{-}OH \;,\; C(CH_3)_3 \quad\xrightarrow{2\,K_3[Fe(CN)_6]/2\,OH^\ominus}\quad (H_3C)_3C\text{-}\underset{}{\overset{O}{\underset{}{\bigcirc}}}\text{=}O \;,\; C(CH_3)_3$$

[1] P. L. Julian, E. W. Meyer, A. Magnani u. W. Cole, Am. Soc. 67, 1203 (1945).
[2] G. Dittmar, Dissertation, Universität Marburg 1949.
[3] S. Hünig, H. Geiger, G. Kaupp u. W. Kniese, A. 697, 116 (1966).
[4] A. I. Kiprianov u. I. K. Ushenko, Ž. obšč. Chim. 17, 1538 (1947); C. A. 42, 2254ᵃ (1948).
[5] s. ds. Handb., Bd. X/4, S. 320–322, dort auch Zitate der Originalliteratur.
[6] A. Rieker, Privatmitteilung.

3,5-Di-tert.-butyl-benzochinon-(1,2)[1]: 22,0 g 3,5-Di-tert.-butyl-brenzkatechin, 80 g Kalium-hexa-cyanoferrat(III) und 14,0 g Kaliumhydroxid werden unter einer Stickstoff-Atmosphäre mit 100 ml Benzol und 200 ml Wasser 30 Min. gerührt. Dann trennt man die organische Phase ab, trocknet mit wenig Calciumchlorid und destilliert das Solvens i. Vak. ab. Der Rückstand wird aus wenig Methanol umkristallisiert; Ausbeute: 19,1 g (86% d.Th.), F: 113–114°.

Als Beispiel für die ebenfalls selten durchgeführte Herstellung der Chinone aus Amino-phenolen könnte man die Oxidation von 4-Dimethylamino-3-tert.-butyl-phenol erwähnen, die unter dem Einfluß von Kalium-hexacyanoferrat(III) durch Eliminierung der Amino-Gruppe zu *tert.-Butyl-benzochinon-(1,4)* führt[2]:

Die Ausbeuten sind aber niedrig und das Reaktionsprodukt besteht vor allem aus einer amorphen, dunkelroten Masse.

Bei der Umsetzung von Amino-aromaten in Benzol mit wäßriger Kalium-hexacyano-ferrat(III)-Lösung gelingt es, das entsprechende Imin zu erhalten, z. B.[3]:

Tetrachlor-3,6-diimino-cyclohexadien-(1,4)

Während die Bildung von Chinon-Iminen nur gelingt, wenn die Imin-Struktur stabili-siert ist[4]; z. B.:

5-Oxo-3,3-dimethyl-3,5-dihydro-2H-
⟨*benzo-[g]-indol*⟩

Etwas zahlreicher sind die Beispiele zur Dehydrierung von 2,4,6-trisubstituierten Pheno-len zu Methylenchinonen mit überschüssiger wäßrig-alkalischer Kalium-hexacyano-ferrat(III)-Lösung, wohl als Ergebnis der Arbeiten zur Herstellung stabiler, freier Phen-oxyle einerseits und der durch Dehydrierung von Phenolen über instabile Phenoxyle aus-gelösten Kupplungsreaktionen andererseits.

Diese Dehydrierung verläuft über die Phenoxyl-Radikale, die in einzelnen Fällen direkt ESR-spektro-skopisch nachzuweisen sind[5]. Daher sind die auf S. 735 angeführten substitutiven Voraussetzungen für das Gelingen der Reaktion notwendig. Zudem muß in einer ortho- oder para-Stellung ein α–H-Atom an einem sp³-hybridisierten C-Atom anwesend sein. Wie auf S. 732 erwähnt, zeigt das ESR-Spektrum der intermediären Phenoxyle eine Kopplung des freien Elektrons mit dem α-Proton an, die man im Sinne einer „Hyperkonjugation" durch die Grenzformel b zum Ausdruck bringen kann. Obwohl diese

[1] A. Rieker, Privatmitteilung.
[2] D. F. Bowman u. F. R. Hewgill, Soc. [C] **1969**, 2164.
[3] M. Hedayatullah et al., Bl. **1973**, 2702.
[4] S. Pertersen u. H. Heitzer, A. **764**, 50 (1972).
[5] E. Müller, R. Mayer, U. Heilmann u. K. Schweffler, A. **645**, 66 (1961).

nicht sehr stark zur Stabilisierung des Grundzustandes beiträgt, ist in ihr das Chinonmethid bereits „vorgebildet": es bedarf nur noch der Wegnahme eines Elektrons und eines Protons, um zum Chinonmethid zu gelangen.

Tab. 5. Methylen-chinone durch Dehydrierung 2,4,6-trisubstituierter Phenole mit Kalium-hexacyanoferrat(III)

R	R¹	6-Oxo-1,5-di-tert.-butyl-3-... -cyclohexadien-(1,4)	[% d.Th.]	F [° C]	Literatur
H	N(CH₃)₂	...(dimethylamino-methylen)²-...	83	173–175	1, 2
	CH₃	...-äthyliden-...	75	91–92	3, 4
	C₆H₅	...-benzyliden- ...	70	72–74	3
	(H₃C)₃C	...⟨{5-oxo-2,4,6-tri-tert.-butyl-bicyclo[4.1.0]hepten-(2)-yl-(4)}-methylen⟩-...	84	199–201	5
	CN	...-cyanmethylen-...	93	110–111	6
	O—CH(CH₃)₂ —P=O O—CH(CH₃)₂	...(diisopropyloxyphosphonyl-methylen)...	91	79–80	6
CH₃	C₂H₅	...butyliden-(2)¹...	30	56–57	1
CH₃	—N◁	...(1-aziridino-äthyliden)²...	59	104–106	1
C₆H₅	—N O	...(α-morpholino-benzyliden)²...	87	188–190	1

¹ C. D. Cook u. B. E. Norcross, Am. Soc. 78, 3797 (1956).
² A. A. Voldkin, O. A. Panshin, G. D. Ostapets-Sveshnikova u. V. V. Ershov, Izv. Akad. SSSR 1967, 1592 (1531); C. A. 68, 49366 (1968); dort zahlreiche weitere Beispiele.
³ E. Müller, R. Mayer, U. Heilmann u. K. Scheffler, A. 645, 66 (1961).
⁴ C. D. Cook u. B. E. Norcross, Am. Soc. 81, 1176 (1959).
⁵ A. Rieker, R. Renner u. E. Müller, A. 730, 67 (1969).
⁶ A. Rieker u. H. Kessler, Tetrahedron 24, 5133 (1968).

Tab. 5 (1.Fortsetzung)

R	R¹	6-Oxo-1,5-di-tert.-butyl-3-... -cyclohexadien-(1,4)	[% d.Th.]	F [° C]	Lite-ratur
C₆H₅	CH₃	...-(1-phenyl-äthyliden)-...	86	(Kp₀,₀₁: 140–143°)	1
	C₆H₅	...-diphenylmethylen-	92	177–178	1
	O ‖ −O−C−C₆H₅	...-(α-benzoyloxy-benzyliden)...	92	163–164	1, 2

Ideal für die Dehydrierung zu Chinonmethiden sind 4-Isopropyl-2,6-di-tert.-butyl-phenol und analoge 2,6-Di-tert.-butyl-phenole. Läßt man auf eine benzolische Lösung von 2,6-Di-tert.-butyl-4-isopropyl-phenol eine wäßrige, alkalische Kalium-hexacyanoferrat (III)-Lösung bei Raumtemp. einwirken, färbt sich die organische Phase durch das *4-Isopropyl-2,6-di-tert.-butyl-phenoxyl* sofort tiefblau. Nach einigen Min. Stehen unter einer Schutzgasschicht (Disproportionierung) oder bei der Zugabe von weiterem Kalium-hexa-cyanoferrat(III) (Oxidation) verschwindet die blaue Farbe und man erhält eine gelbe Lösung, aus der man das Methylenchinon nach der folgenden Vorschrift isolieren kann.

6-Oxo-1,5-di-tert.-butyl-3-isopropyliden-cyclohexadien-(1,4) [3]: Zu einer Lösung von 12,4 g (∼ 0,05 Mol) 4-Isopropyl-2,6-di-tert.-butyl-phenol in 50 *ml* Benzol werden unter Rühren und Stickstoffatmosphäre 50 *ml* einer Lösung von 50 g Natronlauge und 68 g (0,2 Mol) Kalium-hexacyanoferrat(III) in 500 *ml* Wasser gegeben. Nach 2 Stdn. ist die zunächst blaue Farbe der Lösung verschwunden. Die Lösung ist jetzt hellgelb. Die organische Phase wird abgetrennt, das Lösungsmittel abgedampft und der zähe Rückstand 3mal aus Hexan umkristallisiert; Ausbeute: 7,5 g (60% d.Th.); F: 103,5–105,5°.

Ähnlich erhält man die in Tab. 5 (S. 752) zusammengestellten Methylenchinone aus den entsprechend substituierten Phenolen. Weitere Beispiele sind *Galvinoxyl* (S. 740) und die Bis-chinon-methide aus der oxidativen Kupplung (S. 760).

Am α–C-Atom kann sich durchaus ein zweites Wasserstoffatom befinden. Das gebildete Methylen-Derivat ist als solches nur dann nicht stabil, wenn es sich beispielsweise unter Ausbildung einer Doppelbindung zwischen dem α–C-Atom und dessen Nachbaratom und gleichzeitiger Rückbildung des Phenols isomerisieren kann. Als Beispiel sei *6-Oxo-1,5-di-tert.-butyl-3-(2-phenyl-äthyliden)-cyclohexadien-(1,4)* angeführt, das bei der Dehydrierung von 4-(2-Phenyl-äthyl)-2,6-di-tert.-butyl-phenol entsteht und sich in Anwesenheit von Triäthylamin zum *trans-4-Hydroxy-3,5-di-tert.-butyl-stilben* isomerisiert [4]:

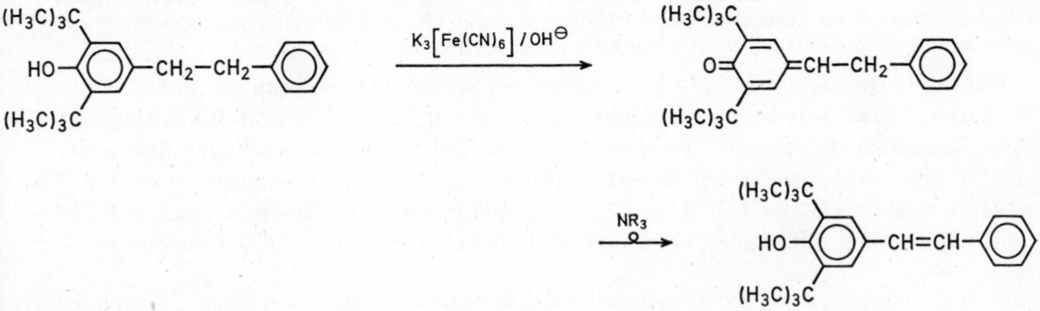

[1] E. Müller, R. Mayer, U. Heilmann u. K. Scheffler, A. **645**, 66 (1961).
[2] T. H. Coffield, A. H. Filbey, G. G. Ecke u. A. J. Kolka, Am. Soc. **79**, 5019 (1957).
[3] C. D. Cook u. B. E. Norcross, Am. Soc. **78**, 3797 (1956).
[4] W. H. Starnes, Jr., J. A. Myers u. J. J. Lauff, J. Org. Chem. **34**, 3404 (1969).

4-Hydroxy-3,5-di-tert.-butyl-trans-stilben:

6-Oxo-1,5-di-tert.-butyl-3-(2-phenyl-äthyliden)-cyclohexadien-(1,4)[1]: Eine Lösung von 70 g (0,21 Mol) Trikalium-hexacyanoferrat(III) und 4 g (0,07 Mol) Kaliumhydroxid in 275 ml Wasser, durch die vorher Stickstoff geleitet wird, wird rasch zu einer gut gerührten Lösung von 5 g (16 mMol) 4-(2-Phenyl-äthyl)-2,6-di-tert.-butyl-phenol, in 50 ml Petroläther, die in gleicher Weise vorbehandelt wird, gegeben. Nach 1 Stde. wird die organische Phase abgetrennt, mehrere Male mit Wasser gewaschen, getrocknet und danach durch Abdampfen i. Vak. eingeengt. Beim Abkühlen auf −15° fällt hellgelbes, kristallines Keton aus, das abgesaugt wird; Ausbeute: 2,27 g (46% d.Th.); F: 73,5–75,5°.

4-Hydroxy-3,5-di-tert.-butyl-*trans*-stilben: Eine Lösung des obigen Ketons (5 g) in 15 ml Benzol läßt man zusammen mit 0,1 ml Triäthylamin 9 Stdn. stehen. Nach dem Abdampfen i. Vak. isoliert man 5 g (∼100% d.Th.); F: 89–91.

Nach 3maligem Umkristallisieren aus wäßrigem Methanol; F: 90–91° (farblos).

Ein besonders stabiles Cyclopropan-Derivat wird bei der Dehydrierung von 3-[4-Oxo-3,5-di-tert.-butyl-cyclohexadien-(2,5)-yliden]-1,2-bis-[4-hydroxy-3,5-di-tert.-butyl-phenyl]-cyclopropen mit wäßriger, alkalischer Kalium-hexacyanoferrat(III) .erhalten[2]:

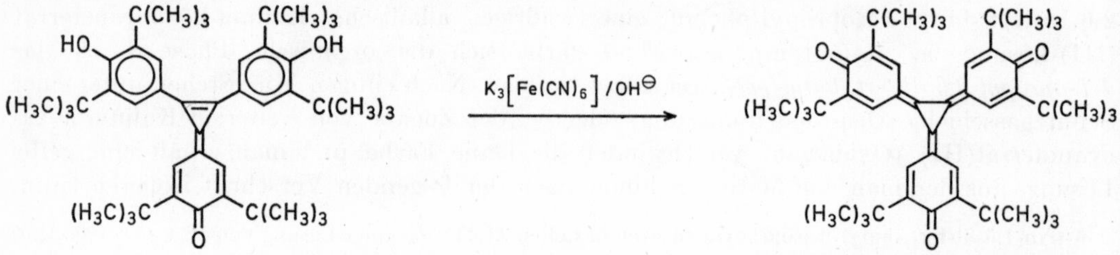

Tris-[4-oxo-3,5-di-tert.-butyl-cyclo-hexadien-(2,5)-yliden]-cyclopropan

c) Aromatisierung von Dihydroaromaten und Dihydroheteroaromaten

Als Dehydrierungsmittel zur Ausbildung von Doppelbindungen findet Kalium-hexacyanoferrat(III) relativ am häufigsten Verwendung bei der Umsetzung von Dihydro-Derivaten in die entsprechenden, meistens stickstoffhaltigen aromatischen Heterocyclen. Es sind dieses oft einfach und glatt verlaufende Reaktionen, wie das Beispiel der Dehydrierung des 3-Oxo-2-äthoxycarbonyl-2,3-dihydro-indols zeigt:

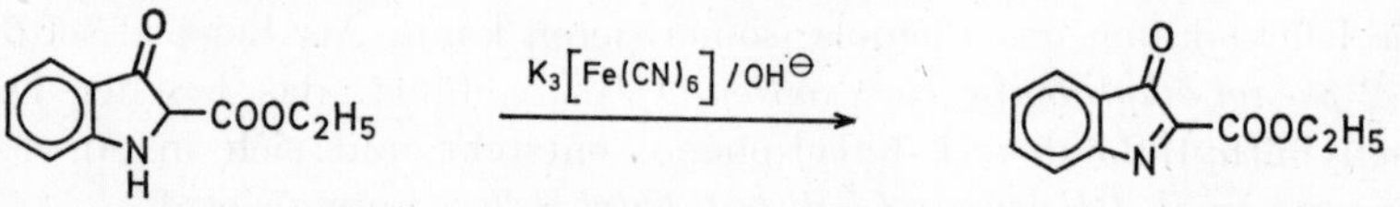

3-Oxo-2-äthoxycarbonyl-3 H-indol[3]: Eine Lösung von 2 g (0,01 Mol) 3-Oxo-2-äthoxycarbonyl-2,3-dihydro-indol in 50 ml Äthanol wird in der Kälte 5 Min. mit 66 g (0,2 Mol) Kalium-hexacyanoferrat(III) in 33 ml Wasser geschüttelt; dabei fallen 1,1 g (60% d.Th.) aus.

Kalium-hexacyanoferrat(III) konkurriert bei diesen Dehydrierungen mit den übrigen Oxidations- bzw. Dehydrierungsmitteln wie z. B. Silber(II)-oxid, Blei(IV)-oxid, Mangan(IV)-oxid, Eisen(III)-chlorid oder Wasserstoffperoxid. Dabei ist es diesen häufig überlegen, wie eine vergleichende Studie der Dehydrierung von 2,5-Dihydro-1,3-thiazolen zu 1,3-Thi-azolen zeigt[4]. Wie aus Tab. 6 (S. 755) hervorgeht, liefert in diesem speziellen Falle nur die Dehydrierung mit elementarem Schwefel höhere Ausbeuten an 1,3-Thiazol.

---

[1] W. H. Starnes, Jr., J. A. Myers u. J. J. Lauff, J. Org, Chem. **34**, 3404 (1969).

[2] R. West u. D. C. Zecher, Am. Soc. **89**, 152 (1967); das in benzolischer Lösung blaugrüne, in reinem Zustand dunkelblaue Triketon zersetzt sich erst oberhalb 280° ohne zu schmelzen. Nach ESR Messungen handelt es sich nicht um auch mögliches Diradikal.

[3] O. Neunhoeffer u. G. Lehmann, B. **94**, 2965 (1961).

[4] F. Asinger, M. Thiel u. L. Schröder, A. **610**, 49 (1957).

Tab. 6: 1,3-Thiazole durch Dehydrierung von 2,5-Dihydro-1,3-thiazolen (Vergleich verschiedener Dehydrierungsmittel)[1]

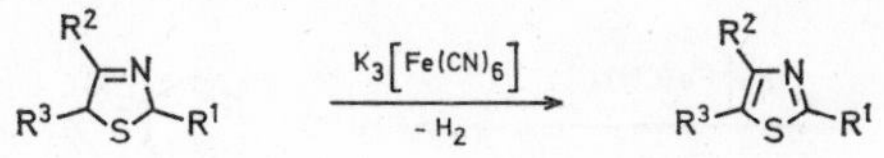

			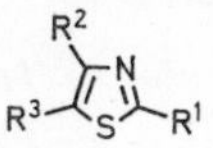	% 1,3-Thiazol				
R¹	R²	R³	...-1,3-thiazol	FeCl₃	K₃[Fe(CN)₆]	K₂Cr₂O₇	H₂O₂	S
H	C₂H₅	CH₃	5-Methyl-4-äthyl-	52	74	60	22	94
CH₃	C₂H₅	CH₃	2,5-Dimethyl-4-äthyl-	48	70	57	18	93
C₂H₅	CH₃	C₂H₅	5-Methyl-2,4-diäthyl-	45	66	58	20	94
C₆H₅	C₂H₅	CH₃	5-Methyl-4-äthyl-2-phenyl-	68	71	64	25	95

Das 4-Carboxy-2,5-dihydro-1,3-thiazol wird allerdings nur in geringer Ausbeute unter Erhalt der 1,3-Thiazol-Struktur dehydriert[2]. Der Grund hierfür ist die geringe Stabilität dieser Verbindung. Eines der Hauptreaktionsprodukte ist *Diformyl-cystin*, das in etwa gleicher Menge wie das gewünschte *4-Carboxy-1,3-thiazol* anfällt.

Im Gegensatz hierzu werden die stabileren 2-substituierten 1,3-Thiazole eher gebildet. Das noch relativ empfindliche *2-Methyl-4-carboxy-1,3-thiazol* nur zu 23% (F: 144°), das entsprechende *2-Phenyl-4-carboxy-1,3-thiazol* aber schon mit 82% d.Th.

Es ist günstig, nicht die Carbonsäure selbst, sondern den Methylester einzusetzen. Während der Reaktion erfolgt dann Hydrolyse zum Natriumsalz der Carbonsäure, die durch Ansäuern ausgefällt werden kann:

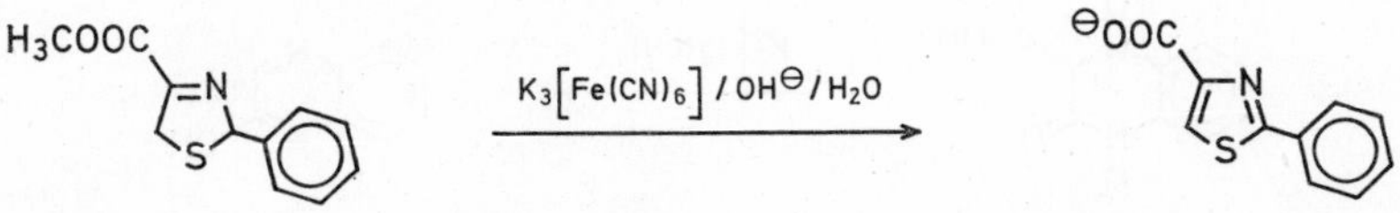

2-Phenyl-4-carboxy-1,3-thiazol[2]: 350 mg (1,7 mMol) 2-Phenyl-4-methoxycarbonyl-2,5-dihydro-1,3-thiazol werden in 7,5 *ml* nNatronlauge suspendiert und dazu 1,06 (3,2 mMol) fein gepulvertes Kalium-hexacyanoferrat(III) in kleinen Portionen unter Schütteln zugegeben. Die Mischung wird zwischendurch auf dem Wasserbad jeweils solange erhitzt (anfänglich 1–2 Min.) bis die Kalium-hexacyanoferrat(III)-Färbung nach jeder Zugabe verschwindet. Nachdem alles Kalium-hexacyanoferrat(III) zugegeben ist (nach ~30 Min.), wird das Reaktionsgemisch 20 Min. auf dem Wasserbad erhitzt. Beim langsamen Abkühlen setzen sich 317 mg Natrium(Kalium)-2-phenyl-1,3-thiazol-4-carboxylat in langen, farblosen, seidigen Nadeln ab. Eine Lösung des Salzes in 3 *ml* warmem Wasser wird mit 1,7 *ml* 1n-Salzsäure bis p_H = 1 angesäuert. Dabei erhält man 265 mg (82% d.Th.); F: 177–178° (nach Waschen, Trocknen und Umkristallisieren aus Benzol/Leichtbenzin).

Andere fünfgliedrige Heterocyclen, wie beispielsweise Imidazole, werden ebenfalls durch Dehydrierung der Dihydroimidazole mit Kalium-hexacyanoferrat(III) in guter Ausbeute erhalten.

2,3-Dihydro-⟨pyrido-[1,2-a]-imidazol⟩ liefert *Pyrido-[1,2-a]-imidazol* (Kp₃: 114–115°) zu 79%[3]. Die Ausbeute an Dehydrierungsprodukt bei der Umsetzung des 3-Carboxy-2,3-

[1] F. ASINGER, M. THIEL u. L. SCHRÖDER, A. **610**, 49 (1957).
[2] N. A. FULLER u. J. WALKER, Soc. [C] **1968**, 1526.
[3] J. D. BOWER, Soc. **1957**, 4510.

dihydro-⟨pyrido-[1,2-a]-imidazols⟩ liegt mit 93% sogar noch höher, nur ist das Reaktionsgemisch nicht einheitlich[1]:

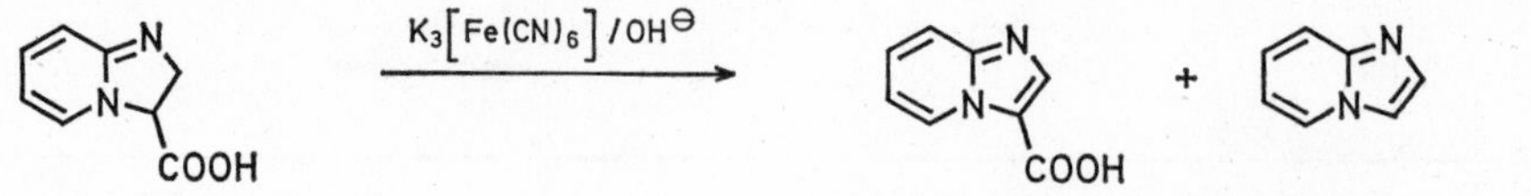

3-Carboxy-⟨imidazo-   Imidazo-[1,2-a]-
[1,2-a]-pyridin⟩;   pyridin;
65% d. Th.   28% d. Th.

Mit Fragmentierungen muß man bei der Dehydrierung von substituierten Dihydro-
heterocyclen mit Hexacyanoferrat(III) offensichtlich immer rechnen. Beispiele dafür
liefert das 9,10-Dihydro-acridin. So werden z. B. 9-tert.-Butyl- bzw. 9-(2-Dimethylamino-
1-hydroxy-äthyl)-9,10-dihydro-acridin zu *Acridin* dealkyliert[2, 3]:

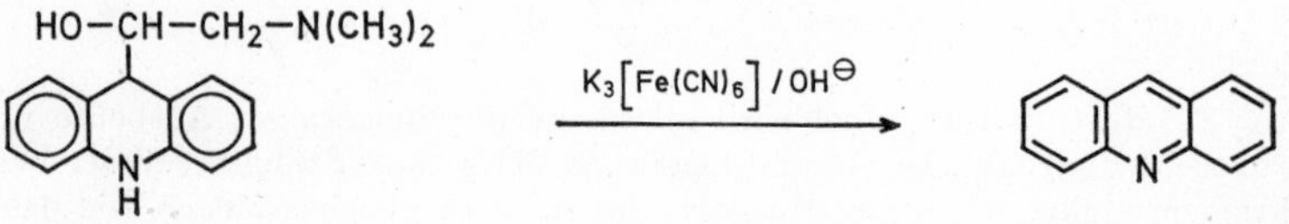

Acridin[3]: Zu einer Suspension von 0,5 g (1,8 mMol) 9-(2-Dimethylamino-1-hydroxy-äthyl)-9,10-
dihydro-acridin in 25 *ml* Wasser werden 5 *ml* 30%ige wäßrige Kalilauge gegeben und anschließend eine
Lösung von 2,6 g (8 mMol) Kalium-hexacyanoferrat(III) in 20 *ml* Wasser. Danach wird noch 1 Stde.
gerührt, die schwach gelbe Suspension filtriert, mit Wasser gewaschen und getrocknet; Ausbeute: 0,3 g
(90% d. Th.); F: 104–107°.

Besonders leicht kommt es bei Dihydro-carboxy-Derivaten zu Fragmentierungen. Man
erhält die Produkte dieser Decarboxylierungsreaktionen in guter Ausbeute[4]; z. B.:

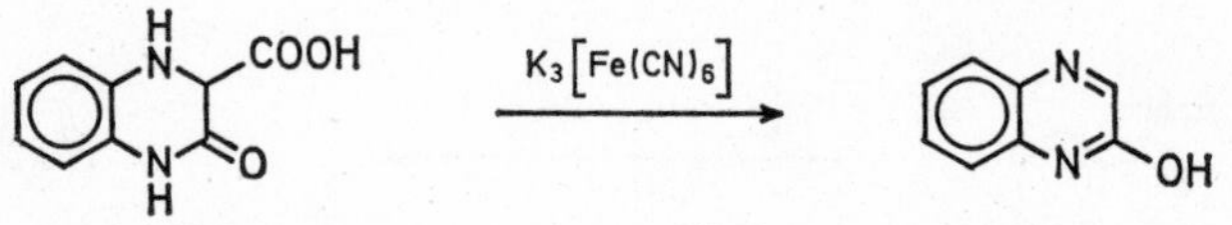

2-Hydroxy-chinoxalin[4]: Zu einer Lösung von 1 g 3-Oxo-2-carboxy-1,2,3,4-tetrahydro-chinoxalin und
1,5 g Kaliumcarbonat in 20 *ml* Wasser wird solange eine konz., wäßrige Kalium-hexacyanoferrat(III)-
Lösung getropft, bis die Lösung bleibend grün gefärbt ist. Während der Zugabe beobachtet man eine
starke Kohlendioxid-Entwicklung. Gleichzeitig fällt ein farbloser Niederschlag aus. Nach Filtrieren
erhält man 0,63 g (90% d. Th.); F: 270–271° (farblose Nadeln).

Die bisher erwähnten Dihydro-Derivate und andere, beispielsweise Dihydropyrimidine[5, 6],
-pyrazine[7] oder -triazine[8, 9] haben an sich eine starke Tendenz unter Wasserstoff-Verlust

[1] J. Mandereau, P. Reynaud u. R. C. Moreau, C. r. **257**, 3434 (1963).
[2] B. L. van Duuren, B. M. Goldschmidt u. H. H. Seltzman, Soc. [B] **1967**, 814.
[3] L. J. Sargent, J. Org. Chem. **21**, 1286 (1956).
[4] E. C. Taylor u. M. J. Thompson, J. Org. Chem. **26**, 3511 (1961).
[5] E. Hayashi u. T. Higashino, Chem. Pharm. Bull. [Tokyo] **12**, 1111 (1964); C. A. **62**, 554h (1965).
[6] A. Marxer, U. Salzmann u. F. Hofer, Helv. **52**, 2351 (1969).
   T. Higashino u. E. Hayashi, Chem. Pharm. Bull. **18**, 1457 (1970); C. A. **73**, 66529 (1970).
   T. Higashino, Y. Iwai u. E. Hayashi, J. Pharm. Soc. Japan **94**, 666 (1974).
   L. C. Taylor et al., J. Org. Chem. **36**, 4012 (1971).
   A. Albert u. D. Thacker, Soc. (Perkin I) **1972**, 468.
[7] R. Fusco u. S. Rossi, G. **94**, 3 (1964).
[8] E. E. Smissman, G. J. Hite u. W. O. Foye, J. Org. Chem. **22**, 824 (1957).
[9] J. A. Carbon u. S. H. Tabata, J. Org. Chem. **27**, 2504 (1962).

die entsprechenden Heteroaromaten zu bilden. Das zeigt sich häufig an ihrer Luftempfind-lichkeit. Bei Synthesen, die über diese Dihydro-Verbindungen führen, ist deshalb eine sofortige Weiterumsetzung, ohne Isolierung der Dihydro-Verbindung, zweckmäßig. So wird das bei der Hydrierung von 3-Amino-⟨pyrido-[2,3-e]-1,2,4-triazin⟩-1-oxid gebildete 1,2-Dihydro-Derivat, das sich an der Luft violett verfärbt, rasch mit Hexacyanoferrat(III) zum *3-Amino-⟨pyrido-[2,3-e]-1,2,4-triazin⟩* dehydriert:

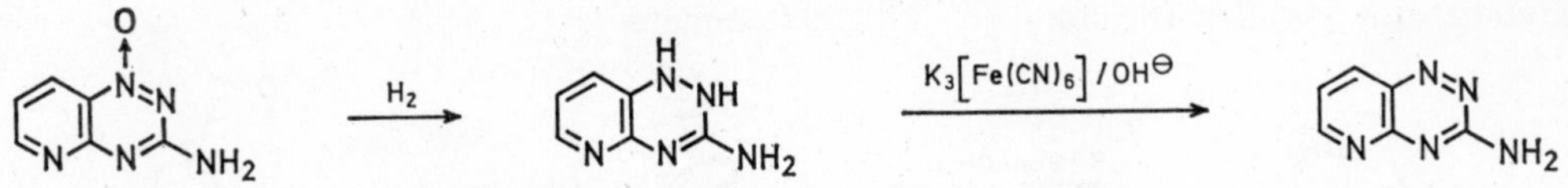

3-Amino-⟨pyrido-[2,3-e]-1,2,4-triazin⟩[1]:

3-Amino-1,2-dihydro-⟨pyrido-[2,3-e]-1,2,4-triazin⟩: 0,82 g (5 mMol) 3-Amino-⟨pyrido-[2,3-e]-1,2,4-triazin⟩-1-oxid werden in einer Suspension von 0,05 g Palladium (10%) auf Bariumsulfat in 100 *ml* Eisessig gelöst und bei 2 atü Wasserstoff in einer Schüttelmaschine hydriert. Nach 15 Min. wird kein Wasserstoff mehr aufgenommen. Der Katalysator wird abfiltriert und das gelbe Filtrat, das beim Stehen an der Luft sofort violett wird, unmittelbar unter vermindertem Druck zur Trockene eingedampft.

3-Amino-⟨pyrido-[2,3-e]-1,2,4-triazin⟩: Der Rückstand wird in 12 *ml* Wasser aufgenommen und hierzu schnell eine Lösung von 2,5 g (7,5 mMol) Kalium-hexacyanoferrat(III) in 10 *ml* Wasser gegeben. Danach wird die Reaktionslösung mit konz. Ammoniumhydroxid alkalisch gemacht und schwarze flockige Niederschläge, die sich dabei bilden, abfiltriert. Das Filtrat wird auf 0° abgekühlt. Dabei fallen 0,4 g (56% d.Th.); F: 246–250° aus.

d) Intermolekulare Dehydrierungen - Kupplungen

1. Kupplung von Verbindungen mit aktivierten Methylen- und Methin-Gruppen

Kalium-hexacyanoferrat(III) ist nur in wenigen Fällen zur oxidativen Dimerisierung von einfachen Verbindungen, die dabei nach Verlust von Wasserstoff an einer Methin-Gruppe unter intermolekularer C–C-Verknüpfung reagieren, eingesetzt worden. So gelingt es beispielsweise 2-Nitro-propan bei p_H 9,4–7,0 und Raumtemp. zum *2,3-Dinitro-2,3-dimethyl-butan* zu dimerisieren[2]:

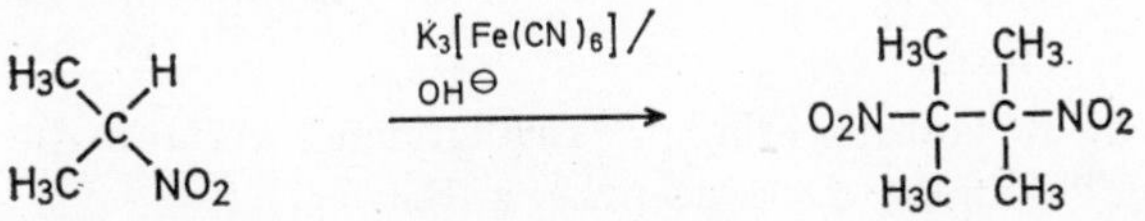

Die Ausbeuten sind mit maximal 15% nicht sehr attraktiv und vergleichbar denen bei der Verwendung anderer Oxidationsmittel (Wasserstoffperoxid, alkalisches Kaliumpermanga-nat); größere Mengen erhält man bei der Oxidation mit Natriumpersulfat (53% d.Th.).

Höhere Ausbeuten an Kupplungsprodukt erhält man bei der Dehydrierung von Phenyl-malonsäure-dinitril:

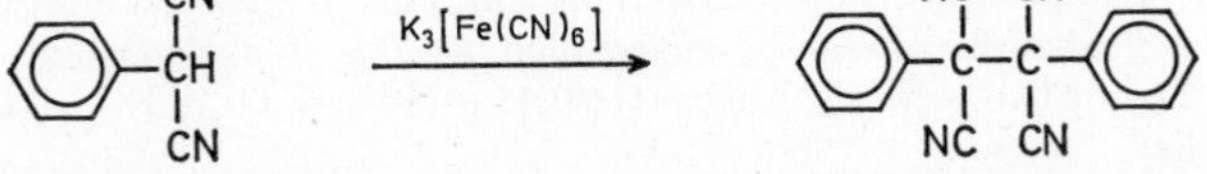

1,2-Diphenyl-1,1,2,2-tetracyan-äthan[3]: Eine Lösung von 17 g Kalium-hexacyanoferrat(III) in 150 *ml* Wasser werden zu einer Lösung von 7,1 g Phenyl-malonsäure-dinitril in 150 *ml* Methanol gegeben. Der ausgefallene Feststoff wird abfiltriert und mit Wasser gewaschen. Nach dem Trocknen bei 100° i. Vak. erhält man 4,12 g (58% d.Th.); Zers. p.: ~120°.

1,2-Diphenyl-1,1,2,2-tetracyan-äthan ist empfindlich gegen thermische Belastung und lagert sich nach Dissoziation in die Radikale in Folgeprodukte um. Man kann es deshalb nicht durch Umkristallisieren

---

[1] J. A. CARBON u. S. H. TABATA, J. Org. Chem. **27**, 2504 (1962).

[2] H. SHECHTER u. R. B. KAPLAN, Am. Soc. **75**, 3980 (1953).

[3] H. D. HARTZLER, J. Org. Chem. **31**, 2654 (1966).

reinigen. Zur Herstellung eines reinen Präparates sollte man deshalb von sehr reinem Phenyl-malon-säure-dinitril ausgehen und zum Schluß mit viel Wasser waschen.

Setzt man 4-Nitro-phenylmalonsäure-dinitril unter gleichen Bedingungen um, erhält man *1,2-Bis-[4-nitro-phenyl]-1,1,2,2-tetracyan-äthan* (34% d. Th.). Hier verwendet man vorteilhafter Jod als Oxidationsmittel (61% d. Th.).

In einer ähnlichen Kupplungsreaktion wird das Dimere des folgenden Radikal-Anions, das bei der Ionisierung des unsubstituierten Nitronylnitroxids mit Kalium-tert.-butanolat entsteht, zum stabilen Diradikal (F: 220–222°) umgesetzt[1]:

Die beschriebene Dimerisierung gelingt bei solchen Verbindungen, die eine besonders aktivierte Methin-Gruppe besitzen[2,3]. Eine intermolekulare C–C-Verknüpfung unter Beteiligung von Methylen-Gruppen wird dagegen normalerweise nicht beobachtet. Sie gelingt beim Diphenylmethan durch oxidative Dimerisierung des Carbanions in flüssigem Ammoniak[4]:

$$2\,(H_5C_6)_2CH_2 + NaNH_2 \xrightarrow{NH_3} 2\,(H_5C_6)_2CHNa$$

$$2\,(H_5C_6)_2CHNa \xrightarrow{K_3[Fe(CN)_6]} (H_5C_6)_2CH\text{-}CH(C_6H_5)_2$$

1,1,2,2-Tetraphenyl-äthan; 31% d. Th.

Als günstigeres Oxidationsmittel für diese Reaktion hat sich Kaliumpermanganat/Alkalimetallamid erwiesen.

Die Dehydrierung mit Hilfe von Kalium-hexacyanoferrat(III) unter Dimerisierung und C–C-Verknüpfung kann zur Synthese von indigoiden Farbstoffen und ähnlichen Verbindungen herangezogen werden,

hat aber nie praktische Bedeutung erlangt[5]. Erfolgreicher verläuft die indigoide Kupplung bei der Synthese von Thioindigo-Derivaten[6–9]; z. B.:

6,6′-Dijod-thioindigo[10]: 0,55 g (2 mMol) 6-Jod-3-oxo-2,3-dihydro-⟨benzo-[b]-thiophen⟩ werden in 40 ml 2 n, heißer Natronlauge gelöst und dazu langsam eine 5%ige Kalium-hexacyanoferrat(III)-Lösung gegeben, bis der Farbstoff vollständig ausgefallen ist. Das Reaktionsgemisch wird anschließend noch 1 Stde. auf dem Dampfbad erhitzt; Ausbeute: 0,44 g (80% d. Th.); F: > 315° (aus Nitrobenzol; tief violett-rote Kristalle).

---

[1] E. F. Ullmann u. D. G. B. Boocock, Chem. Commun. **1969**, 1161.
[2] M. P. Briede u. O. Y. Neiland, Ž. org. Chim. **6**, 1701 (1970); C. A. **73**, 98657 (1970).
[3] A. B. Mörnfeldt u. P. O. Sundberg, Acta. chem. scand. **26**, 31 (1972).
[4] E. M. Kaiser, Am. Soc. **89**, 3659 (1967).
[5] J. Harley-Mason u. R. F. J. Ingleby, Soc. **1958**, 4782.
[6] P. C. Dutta, J. Ind. Chem. Soc. **26**, 27 (1949); C. A. **44**, 331 (1950).
[7] P. C. Dutta u. D. N. Chaudhury, J. Ind. Chem. Soc. **28**, 169 (1951); C. A. **46**, 9847 (1952).
[8] P. C. Dutta u. D. Mandal, J. Ind. Chem. Soc. **31**, 827 (1944); C. A. **49**, 12836 (1955).
[9] P. C. Dutta u. D. Mandal, J. Ind. Chem. Soc. **32**, 423 (1955); C. A. **50**, 4509 (1956).
[10] A. K. Das u. A. K. Sinha, J. Ind. Chem. Soc. **44**, 933 (1967); C. A. **68**, 88178 (1968).

Die Synthese eines indigoiden Farbstoffes mit dem wohl kleinsten konjugierten System gelang durch Einwirkung von Kalium-hexacyanoferrat(III) auf 4-Hydroxy-2,3-dimethyl-pyrrol in wäßrigem Äthanol[1]:

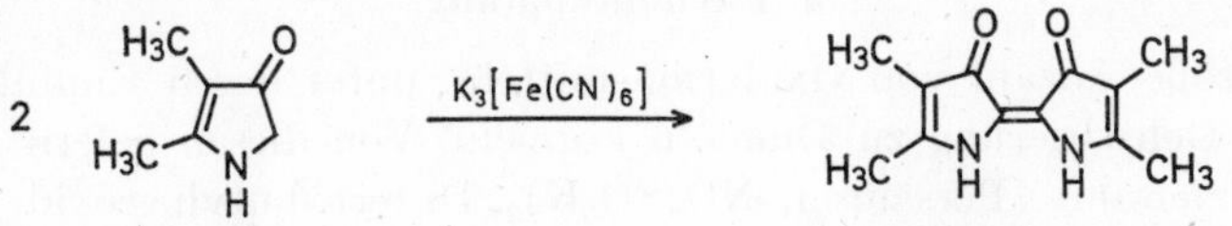

3,3'-Dioxo-4,4',5,5'-tetramethyl-2,2',3,3'-tetrahydro-2,2'-bi-pyrrolyl; 47% d.Th.; F: > 340°

2. Diine durch dehydrierende Dimerisierung von Kupfer(I)-acetyleniden

Kupfer(I)-4-nitro-phenylacetylenid wird in alkalischer, wäßriger Lösung durch Oxidation mit Kalium-hexacyano-ferrat(III) zum *1,4-Bis-[4-nitro-phenyl]-butadiin-(1,3)* oxidiert[2, vgl. 3].

Diphenyl-butadiin-(1,3)[4]:

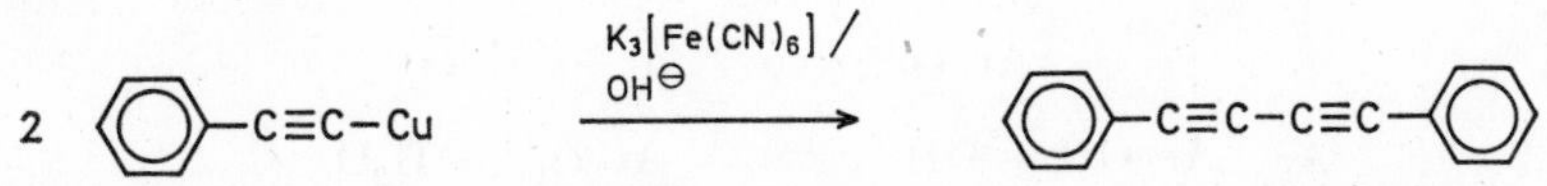

Man trägt die einem Mol des Phenylacetylens entsprechende Menge der Kupfer(I)-Verbindung in eine kalt ges. und mit einem Mol Kaliumhydroxid versetzte Lösung von 1 Mol Kalium-hexacyanoferrat(III) ein und läßt stehen, bis die voluminösen Flocken der ursprünglichen Kupfer(I)-Verbindung in einen körnigen-grünbraunen Niederschlag verwandelt sind, was in der Regel nach längstens 24 Stdn. der Fall ist. Der Niederschlag wird gewaschen, getrocknet und mit einem geeigneten Lösungsmittel, in diesem Falle Äthanol, extrahiert.

Diese Dimerisierung der Acetylene nach Baeyer hat sich, abgesehen von einigen wenigen Anwendungen[2,4–18], gegenüber der Glaser-Methode[3] (mit Luft) bzw. der Methode nach Cadiot-Chodkiewicz (Herstellung unsymmetrischer Diine)[19], nicht durchsetzen können. Sie erfordert zwar weniger Zeit, liefert aber häufig unsauberere Dimerisierungsprodukte bei niedrigeren Ausbeuten[20, 21], da einmal ein Teil der organischen Substanz in einem

[1] H. BAUER, Ang. Ch. **80**, 758 (1968); A. **736**, 1 (1970).
[2] A. BAEYER, B. **15**, 50 (1882).
[3] C. GLASER, B. **2**, 422 (1869); A. **154**, 159 (1870).
[4] A. BAEYER u. L. LANDSBERG, B. **15**, 57 (1882).
[5] A. BAEYER, B. **18**, 674 (1885).
[6] A. BAEYER, B. **18**, 2269 (1885).
[7] M. G. GRÜNER, C. r. **105**, 283 (1887).
[8] R. LESPIEAU, C. r. **123**, 1295 (1896); A. ch. **11**, 281 (1897).
[9] F. STRAUS, A. **342**, 190 (1905).
[10] G. DUPONT, C. r. **148**, 1522 (1909).
[11] S. REICH, Arch. sci. phys. et nat **45**, 191 u. 259 (1918).
[12] A. E. FAVORSKII u. L. MOREV, J. Russ. Phys. Chem. Soc. **50**, 571 (1920); C. A. **18**, 2496 (1924).
[13] C. MOUREU u. J. C. BONGRAND, A. ch. **14**, 47 (1920).
[14] J. GRARD, C. R. **189**, 925 (1928); A. ch. [10] **13**, 336 (1930).
[15] E. SCHJANBERG, B. **71**, 569 (1938).
[16] F. J. BROCKMANN, Canad. J. Chem. **33**, 507 (1955).
[17] J. F. ARENS, H. C. VOLGER, T. DOORNBOS, J. BONNEMA, J. W. GREIDANUS u. J. H. VAN DEN HENDE, R. **75**, 1459 (1956).
[18] M. AKHTAR, T. A., Richards u. B. C. L. WEEDON, Soc. **1959**, 2197.
[19] G. EGLINTON u. W. MCCRAE, *Coupling of Acetylenic Compounds*, Advances in Organic Chemistry, 4, 225, Interscience Publishers, New York · London 1963.
[20] W. MANCHOT, A. **387**, 289 (1912).
[21] A. VAITIEKUNAS u. F. F. NORD, Am. Soc. **76**, 2733 (1954).

amorphen Kupferkomplex gebunden bleibt[1] und zum anderen sie manchmal versagt, wo die Glaser-Methode zum Ziel führt[2].

3. Phenolkupplung

Es gibt eine große Anzahl von Oxidationsmitteln, unter deren Einfluß Phenole unter intermolekularer Dehydrierung zu Dimeren kuppeln. Von diesen liefern Peroxodisulfate, Peroxomonoschwefelsäure, Persäuren, $NO(SO_3K)_2$, Di-tert.-butylperoxid, Blei(IV)-acetat, Perjodat und alkalisches Wasserstoffperoxid die entsprechenden Kupplungsprodukte allerdings nur als Nebenprodukte. Hauptreaktionsprodukte sind, abhängig vom Oxidationsmittel, monomere Chinone, substituierte Phenole, Chinol-Derivate und hydroxylierte Phenole. Dagegen sind Kalium-hexacyanoferrat(III), Eisen(III)-chlorid, Metalloxide wie Mangan(IV), Blei(IV)- und Silber(I)-oxid und schließlich die anodische Oxidation oder auch – in einfachen Fällen – molekularer Sauerstoff besonders geeignete Kupplungsreagentien, wobei Kalium-hexacyanoferrat(III) relativ am häufigsten angewendet wird[3–14].

Erster Schritt der Oxidation ist die Entladung des Phenolat-Anions (Gl. ①), das unter den Reaktionsbedingungen mit dem Ausgangsphenol im Gleichgewicht steht (Gl. ②), unter Entzug eines Elektrons und Bildung eines Phenoxy-Radikals:

$$Ar–\overline{\underline{O}}|^{\ominus} \; \rightleftharpoons \; e^{\ominus} + Ar–\overline{\underline{O}}\cdot \qquad ①$$

$$Ar–OH + OH^{\ominus} \; \rightleftharpoons \; Ar–\overline{\underline{O}}|^{\ominus} + H_2O \qquad ②$$

$$Ar–\overline{\underline{O}}\cdot \; \rightleftharpoons \; Ar–\overline{\underline{O}}^{\oplus} + e^{\ominus} \qquad ③$$

Eine Weiteroxidation zum Oxenium-Kation (Gl. ③), wie sie neuerdings für einige Kupplungsreaktionen von Phenolen diskutiert wird[15], erscheint bei dem niedrigen Oxidationspotential des Kalium-hexacyanoferrats(III) wenig wahrscheinlich.

Das primär gebildete Phenoxyl ist nur in wenigen Fällen als solches stabil (s. S. 730). Es stabilisiert sich, wenn möglich, intramolekular unter Cyclisierung (s. S. 791) oder aber, und das ist die weitaus häufigste Folgereaktion, durch intermolekulare Kupplung.

Nach S. 734 ist eine Kupplung (Dimerisierung) des Phenoxyls nur an den Atomen möglich, die positive Spindichten des freien Elektrons tragen, also am Sauerstoffatom und an den ortho- und para-Kohlenstoffatomen des Ringes, wobei Verknüpfungen über Atome mit

[1] A. Vaitiekunas u. F. F. Nord, Am. Soc. 76, 2733 (1954).
[2] J. B. Armitage, E. R. M. Jones u. M. C. Whiting, Soc. 1952, 2014.
[3] H. Erdtman u. C. A. Wachtmeister, Phenoldehydrogenation as a Biosynthetic Reaction in Festschrift Arthur Stoll, S. 144–165, Birkhäuser, Basel 1957.
[4] D. H. R. Barton u. T. Cohen, Some Biogenetic Aspects of Phenol Oxidation, in Festschrift Arthur Stoll, S. 117–143, Birkhäuser, Basel 1957.
[5] B. S. Thyagarajan, Oxidations by Ferricyanide, Chem. Review 58, 439 (1958).
[6] W. A. Waters, Homolytic Oxidation Processes, in J. W. Cook u. W. Carruthers, Progress in Organic Chemistry, S. 1–45, Butterworths, London 1961.
[7] B. Franck, G. Blaschke u. G. Schlingloff, Oxidative Kondensationen quartärer phenolischer Basen, Ang. Ch. 75, 957 (1963).
[8] H. Musso, Über Phenol-Oxydationen, Ang. Ch. 75, 965 (1963).
[9] J. R. Lewis, Oxidative Coupling, Chem. & Ind. 1964, 1672.
[10] A. I. Scott, Oxidative Coupling of Phenolic Compounds, Quart. Rev. 19, 1 (1965).
[11] W. I. Taylor u. A. R. Battersby, Oxidative Coupling of Phenols, Marcel Dekker, Inc., New York 1967.
[12] L. M. Strigun, L. S. Vartanyan u. N. M. Emanuel, Oxidation of Sterically Hindered Phenols, Russ. Chem. Rev. 37, 421 (1968).
[13] M. L. Mihailović u. Z. Ceković, Oxidation and Reduction of Phenols, in S. Patai, The Chemistry of the Hydroxylgroup, S. 505–592, Interscience Publ., London·New York 1971.
[14] P. D. McDonald u. G. A. Hamilton, Mechanisms of Phenolic Oxidative Coupling Reactions, in W. S. Trahanovsky, Oxidation in Organic Chemistry, Part B, S. 97–134, Academic Press, New York· London 1973.
[15] W. A. Waters, Soc. [B] 1971, 2026.

hohen Spindichten bevorzugt sind, soweit dies räumlich möglich ist. Sieht man zunächst von einer Beteiligung der Substituenten an der Kupplung ab, ergeben sich für die Dimerisierung zweier Phenoxyle prinzipiell folgende Möglichkeiten:

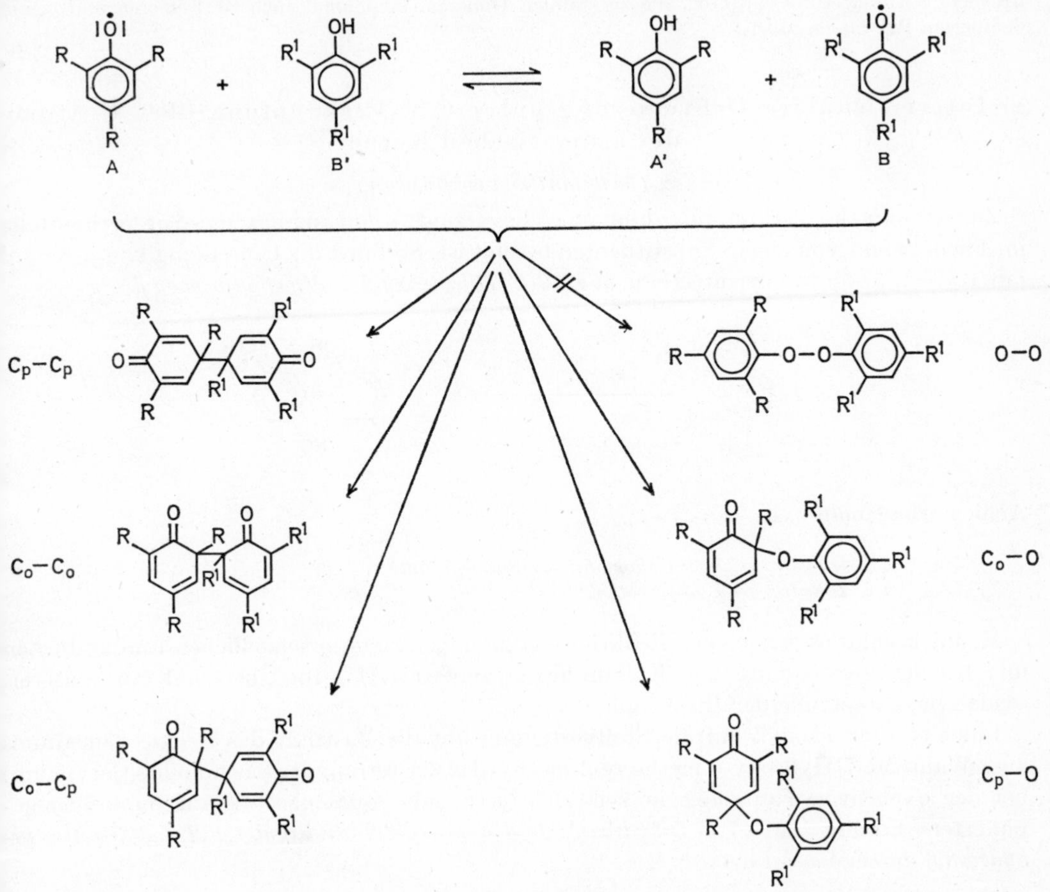

A   +   B' $\rightleftharpoons$ A'   +   B

C_p-C_p

C_o-C_o

C_o-C_p

$O-O$

C_o-O

C_p-O

Mit Ausnahme der Sauerstoff-Sauerstoff-Verknüpfung (O–O), die zu aromatischen Peroxiden führen würde (s. S. 747), sind alle Verknüpfungsmöglichkeiten (C_p–C_p, C_o–C_o, C_o–C_p, C_o–O, C_p–O) bekannt. Die C–C-Verknüpfungen führen zu Dihydro-diphenochinon-Derivaten, die C–O-Verknüpfungen zu Chinol-äthern. Häufig treten mehrere Kupplungsprodukte gleichzeitig auf.

Es sei ausdrücklich betont, daß in den Formeln der Kupplungsprodukte auch R=R¹ sein kann (Homokupplung). Ferner sind R und R¹ vertauschbar; dies bedeutet, daß beispielsweise bei der C_o-O-Verknüpfung prinzipiell jedes der beiden Phenoxyle entweder über C_o oder über O reagieren kann. Analoges gilt für die C_p–O und die C_o–C_p-Kupplung. Sind R und R' verschieden (Heterokupplung), dann ist es nicht nötig, erst beide Phenoxyle A und B getrennt herzustellen. Man kann z. B. A herstellen und mit ¹/₂ Äquivalent des Phenols B' versetzen oder B bereiten und mit ¹/₂ Äquivalent des Phenols A' in Reaktion bringen, da sich ein Gleichgewicht

$$A + B' \rightleftharpoons A' + B$$

einstellt[1–3]. Und schließlich kann man auch die beiden Phenole A' und B' gemeinsam oxidieren, stets liegen beide Phenoxyle A und B nebeneinander vor.

[1] E. MÜLLER, K. LEY u. W. SCHMIDHUBER, B. 89, 1738 (1956).
[2] E. MÜLLER, A. RIEKER u. A. SCHICK, A. 673, 40 (1964).
[3] A. RIEKER, B. 98, 715 (1965).

Zerfallen die Dimeren in Lösung reversibel vollständig oder bis zu einem bestimmten Gleichgewicht in die monomeren Radikale, dann spricht man von stabilen Phenoxylen. Häufig sind die Reste R und R′ an den Verknüpfungsstellen der Dimeren Wasserstoffatome oder Atome bzw. Atomgruppen, die sich leicht ablösen lassen (z. B. Halogene, tert.-Alkyl-Gruppen). In den genannten Fällen kann eine irreversible Umlagerung eintreten, die zu stabilen Dimeren, manchmal auch zu Trimeren und wenig definierten Polymeren führt.

α) Intermolekulare Dehydrierung unter C–C-Verknüpfung über C-Atome der aromatischen Kerne

$α_1$) ortho-ortho-Verknüpfung

Zur ortho-ortho-Verknüpfung kommt es bevorzugt, wenn wenigstens eine ortho-Stelle im Phenol nicht von einem Substituenten besetzt ist. So führt die Umsetzung von p-Kresol mit Kalium-hexacyanoferrat(III) u. a. zu *2,2′-Dihydroxy-5,5′-dimethyl-biphenyl*[1–3]:

Analog erhält man z. B.:

2,2′-Dihydroxy-3,3′-dimethoxy-5,5′-diallyl-biphenyl[4]
2,2′-Dihydroxy-1,1′-bi-naphthyl[5]

Häufig kommt es je nach den Reaktionsbedingungen zu unterschiedlichen Endprodukten und bei der Verwendung von Kalium-hexacyanoferrat(III) im Überschuß zu weiterer, oxidativer Umsetzung der Bisphenole.

Einen starken Einfluß auf die Stoffverteilung übt die Basizität des Reaktionsmediums aus. Während 7-Hydroxy-6-methoxy-2-methyl-1,2,3,4-tetrahydro-isochinolin (Corypallin) bei der oxidativen Kupplung in schwefelsaurer, mit Ammonacetat auf $p_H = 6{,}55$ gepufferter Lösung das *7,7′-Dihydroxy-6,6′-dimethoxy-2,2′-dimethyl-1,1′,2,2′,3,3′,4,4′-octahydro-8,8′-bi-isochinolyl* liefert[6–8],

wird bei der analogen Reaktion von D,L-7-Hydroxy-6-methoxy-1,2-dimethyl-1,2,3,4-tetrahydro-isochinolin ein Gemisch aus dem C–C- und dem C–O-Kupplungsprodukt erhalten.

[1] S. L. COSGROVE u. W. A. WATERS, Soc. **1951**, 1726.
[2] K. BOWDEN u. C. H. REECE, Soc. **1950**, 2249.
[3] R. PUMMERER, D. MELAMED u. H. PUTTFARCKEN, B. **55**, 3116 (1922).
[4] H. ERDTMAN, Biochem. Z. **258**, 172 (1953).
[5] R. PUMMERER u. E. CHERBULIEZ, B. **52**, 1414 (1919).
[6] M. TOMITA, K. FUJITANI, Y. MASAKI u. K. H. LEE, Chem. pharm. Bull. [Tokyo] **16**, 251 (1968); C. A. **69**, 19340 (1968).
[7] B. UMEZAWA, O. HOSHINO, H. HARA u. J. SAKAKIBARA, Chem. pharm. Bull. [Tokyo] **16**, 381 (1968); C. A. **69**, 3049 (1968).
[8] O. HOSHINO, H. HARA, M. WADA u. B. UMEZAWA, Chem. pharm. Bull. [Tokyo] **18**, 637 (1970); C. A. **73**, 15048 (1970).

Bei der Oxidation in 1%iger wäßriger Natriumcarbonat-Lösung erhält man ausschließlich das C_o–O-Dimere (vgl. S. 770)[1]:

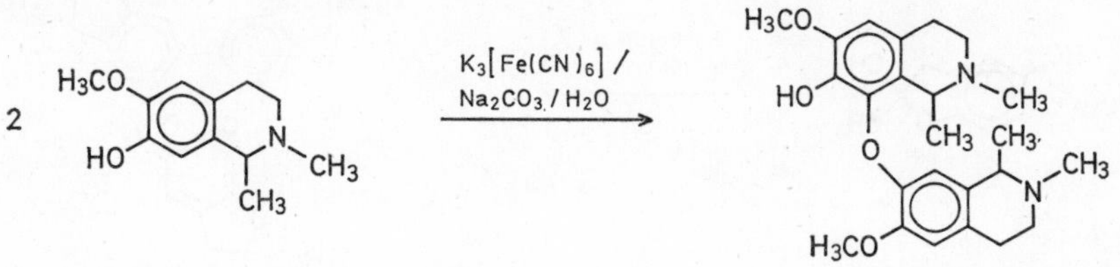

7-Hydroxy-6-methoxy-8-[6-methoxy-
1,2-dimethyl-1,2,3,4-tetrahydro-
isochinolyloxy-(7)]-1,2-dimethyl-
1,2,3,4-tetrahydro-isochinolin

Ein weiteres Beispiel für die p_H-Abhängigkeit der Kupplungsreaktion stellt die Dehydrierung von 2-Methoxy-4-tert.-butyl-phenol dar. In Natriumacetat-Lösung ($p_H = 7,8$) erhält man das C_o–C_o-Bisphenol[2]:

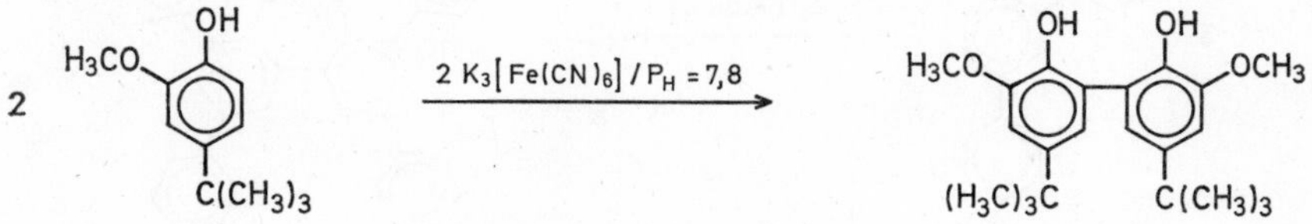

2,2′-Dihydroxy-3,3′-dimethoxy-5,5′-di-tert.-butyl-biphenyl[2]: Eine Lösung von 12 g Kalium-hexacyano-ferrat(III) in 80 ml Wasser wird innerhalb 15 Min. unter Rühren zu einer Suspension von 1,92 g 2-Methoxy-4-tert.-butyl-phenol in 180 ml wäßriger Natriumacetat-Lösung (5,1 g) gegeben. Nach $4^1/_2$stdgm. Rühren wird abfiltriert, mit Wasser gewaschen und aus Benzin umkristallisiert. Das Rohprodukt (0,87 g) wird je 2mal aus Benzol/Leichtbenzin und Methanol umkristallisiert; Ausbeute: 0,23 g (12% d.Th.); F: 184°.

Wird 2-Methoxy-4-tert.-butyl-phenol in stark alkalischem Medium oxidiert, so reagiert das zunächst gebildete Bis-phenol mit einem dritten Molekül des Phenols (2malige, successive C_o–O-Verknüpfung) weiter[2]:

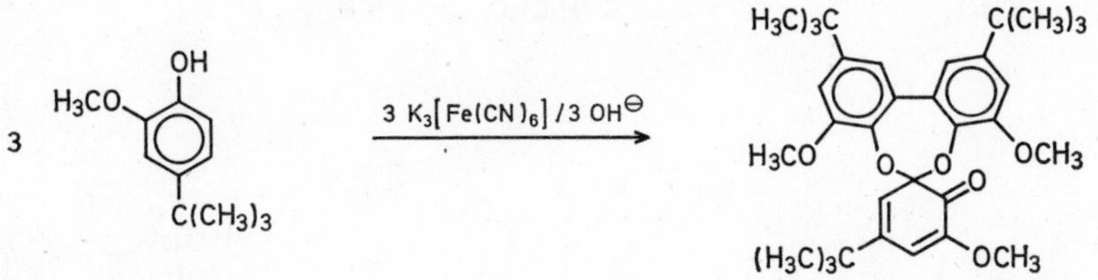

1-Methoxy-6-oxo-3-tert.-butyl-
cyclohexadien-(1,3)-⟨5-spiro-6⟩-4,8-
dimethoxy-2,10-di-tert.-butyl-⟨dibenzo-
1,3-dioxepin⟩; 70% d.Th.

[1] O. Hoshino, H. Hara, M. Wada u. B. Umezawa, Chem. pharm. Bull. [Tokyo] **18**, 637 (1970); C. A. **73**, 15048 (1970).
[2] F. R. Hewgill u. B. S. Middleton, Soc. **1965**, 2914.

Eine solche Trimerisierung erfolgt auch bei der Oxidation der folgenden Phenole:

*3-Oxo-8,8-dimethyl-7-oxa-bicyclo[4.3.0]
nonadien-(1,5)-⟨4-spiro-6⟩-2,2,10,10-
tetramethyl-2,3,9,10-tetrahydro-⟨1,3-
dioxepin-[5,6-c;6',5'-e]-bis-(benzo-[b]-
furan)⟩*[1]; 60% d.Th.

*6-Oxo-1,3-diphenyl-cyclohexadien-(1,3)-
⟨5-spiro-6⟩-2,4,8,10-tetraphenyl-⟨dibenzo-1,3-
dioxepin⟩*[2]; 54% d. Th.

Bei der Dehydrierung von 2,4-Di-tert.-butyl-phenol wird das zunächst gebildete Bis-Phenol von überschüssigem Kalium-hexacyanoferrat(III) zu einem intramolekularen Chinoläther (vgl. S. 795) weiteroxidiert[3]:

*6-Oxo-1,3-di-tert.-butyl-cyclo-
hexadien-(1,3)-⟨5-spiro-2⟩-4,6-
di-tert.-butyl-⟨benzoxeten⟩*

[1] J. Lars, G. Nilsson, H. Selander, H. Sievertsson u. I. Skånberg, Tetrahedron **26**, 879 (1970).
[2] H.-D. Becker, J. Org. Chem. **34**, 2027 (1969).
[3] E. Müller, R. Mayer, B. Narr, A. Rieker u. K. Scheffler, A. **645**, 25 (1961).

Will man das Bisphenol isolieren, so darf man nur 2 Äquivalente Kalium-hexacyano-ferrat(III) verwenden und muß gleichzeitig das Reaktionsprodukt ausfällen; zweckmäßig arbeitet man in Gegenwart von Methanol. Mit Vorteil kann als Oxidationsmittel auch 4-Cyan-2,6-di-tert.-butyl-phenoxyl verwendet werden[1].

2,2′-Dihydroxy-3,5,3′,5′-tetra-tert.-butyl-biphenyl[1]: 5,1 g (2,5 mMol) 2,4-Di-tert.-butyl-phenol werden unter Stickstoff in 100 ml Methanol gelöst. Unter heftigem Rühren (Turrax-Rührer) tropft man die Lösung von 8,5 g (2,5 mÄquiv.) Kalium-hexacyanoferrat(III) und 8 g Kaliumhydroxid in 80 ml Wasser zu. An der Eintropfstelle bildet sich unter kurzzeitiger tief-violetter Färbung ein gelblicher Niederschlag. Der zuletzt dicke Brei wird noch 10 Min. kräftig durchmischt und dann mit viel Wasser versetzt. Die gebildeten Flocken werden abgesaugt, mit viel Wasser gewaschen und aus Eisessig umkristallisiert; Ausbeute: 4,1 g (81% d.Th.); F: 194,5–195,5°.

Die Dehydrierung von 2-Jod-4,6-di-tert.-butyl-phenol führt ebenfalls zu dem Spiro-benzo-oxeten, weil das intermediäre ortho-Dihydro-diphenochinon-Derivat sofort Jod abspaltet[1]:

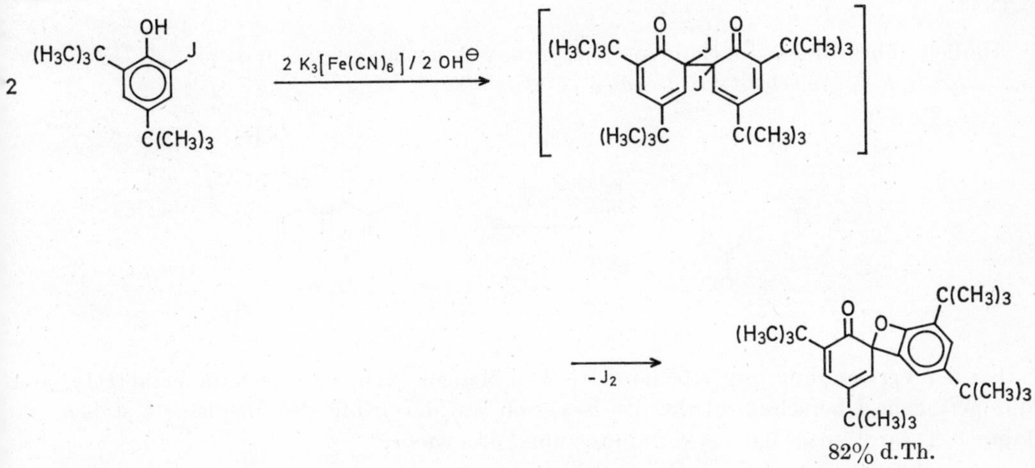

Ein ähnliches Folgeprodukt liefert die Oxidation von 4-Methoxy-2-tert.-butyl-phenol[2,3]:

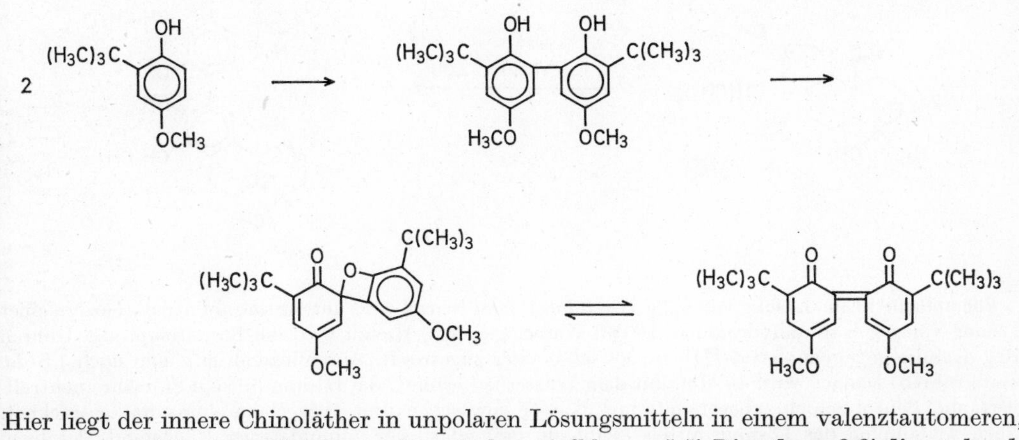

Hier liegt der innere Chinoläther in unpolaren Lösungsmitteln in einem valenztautomeren, temperaturabhängigen Gleichgewicht mit dem tiefblauen *5,5′-Dimethoxy-3,3′-di-tert.-butyl-2,2′-diphenochinon* vor[2]. Ist zusätzlich zur 2,4-Stellung auch die 3-Stellung substituiert,

[1] E. MÜLLER, R. MAYER, B. NARR, A. RIEKER u. K. SCHEFFLER, A. **645**, 25 (1961).
[2] J. BALTES u. F. VOLBERT, Fette, Seifen, Anstrichmittel, **57**, 660 (1955); die Autoren formulieren den inneren Chinoläther noch als Peroxid.
[3] F. R. HEWGILL u. B. R. KENNEDY, Soc. [C] **1966**, 362.

kommt es bei der Oxidation mit alkalischem Kalium-hexacyanoferrat(III) in Wasser-Methanol zur Bildung des *5,5′-Dimethoxy-3,3′,4,4′-tetramethyl-2,2′-dipheno-chinons* in über 90%iger Ausbeute[1,2]:

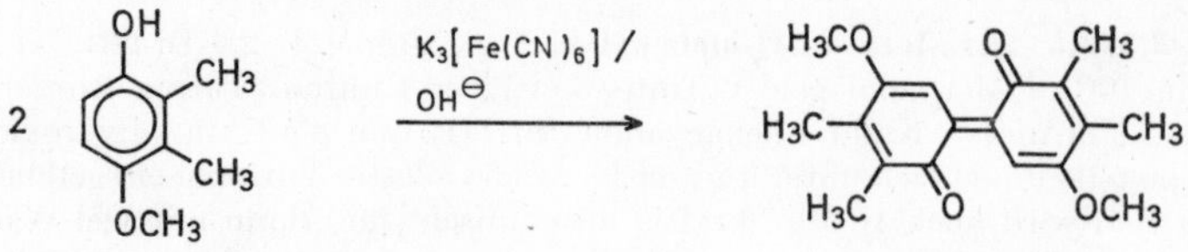

5,5′-Dimethoxy-3,3′,4,4′-tetramethyl-2,2′-diphenochinon[2]: 1 g 4-Methoxy-2,3-dimethyl-phenol wird in 20 *ml* Methanol gelöst, mit 10 *ml* 10 n Kalilauge versetzt und zu 5 g Kalium-hexacyanoferrat(III) in 50 *ml* 0,5 n Kalilauge rasch eingerührt. Es fällt ein dicker, flockiger, blauvioletter Niederschlag aus, der abgesaugt und mit Wasser, Methanol und Petroläther gewaschen wird; Rohausbeute: 0,9 g (90% d.Th.).

Ähnlich führt die Oxidation von 5-Hydroxy-8-methoxy-tetralin zum *2,2′-Dimethoxy-5,5′-dioxo-4,4′-bi-{bicyclo[4.4.0]decadien-(1⁶,2)-yliden}*[2]:

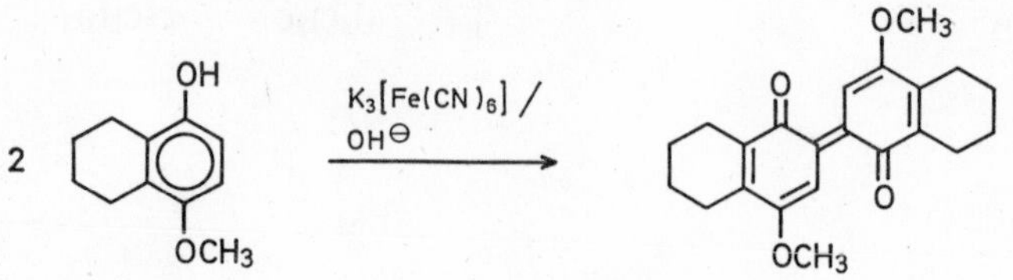

Bei der Verwendung von stöchiometrischen Mengen Kalium-hexacyanoferrat(III), oder nur geringem Überschuß, bleibt die Reaktion auf der Stufe des Bisphenols stehen. So kuppelt Totarol unter 0,0-Verknüpfung zum *Podototarin*:

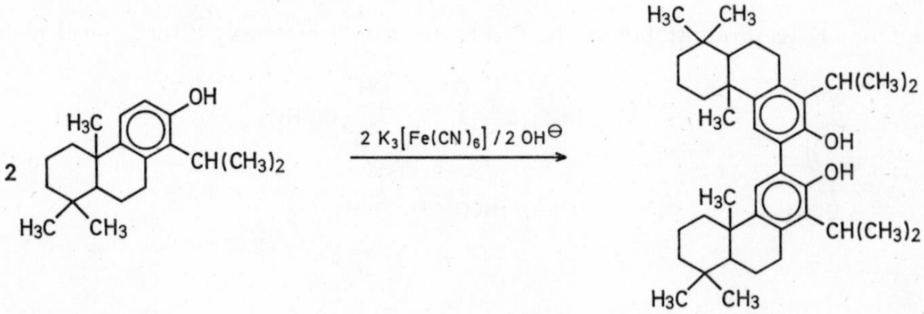

Podototarin[3]: Eine Lösung von 5,2 g Totarol in 100 *ml* Benzol wird unter Stickstoffatmosphäre zu einer Lösung von 5 g Kaliumhydroxid in 100 *ml* Wasser gegeben. Hierzu wird bei Raumtemp. und Rühren 10 g Kalium-hexacyanoferrat(III) in 300 *ml* Wasser zugetropft. Anschließend läßt man noch 1 Stde. weiterrühren. Danach wird 15 Min. auf dem Wasserbad erhitzt, die Lösung mit 5 n Salzsäure neutralisiert, die Benzol-Schicht abgetrennt, mit Wasser gewaschen und über Magnesiumsulfat getrocknet. Nach Abdampfen des Lösungsmittels bleibt ein orangefarbener, gummiartiger Rückstand, der beim Behandeln mit Methanol zu 3 g einer farblosen, festen Substanz führt. Nach 2maligem Umkristallisieren aus Methanol erhält man Podototarin, das noch 1 Mol Methanol enthält und bei 220–223° schmilzt.

---

[1] D. Schulte-Frohlinde u. F. Erhardt, Ang. Ch. **74**, 116 (1962).
[2] D. Schulte-Frohlinde u. F. Erhardt, A. **671**, 92 (1964).
[3] C. P. Falshaw, A. W. Johnson u. T. J. King, Soc. **1963**, 2422.

Bei der Oxidation von β-Naphtholen kommt es zur 0,0-Kupplung am α–C-Atom. Überschüssiges Kalium-hexacyanoferrat(III) oxidiert die primär entstehenden Bisphenole unter intramolekularer C–O-Verknüpfung zu den Pummerer'schen „Binaphthylenoxyden", z. B. *Xantheno-[4,4a,5,5a,6,7-c,d,e,f,g]-xanthen*, wenn die 8 bzw. 8'-Stellung unbesetzt ist[1,2]:

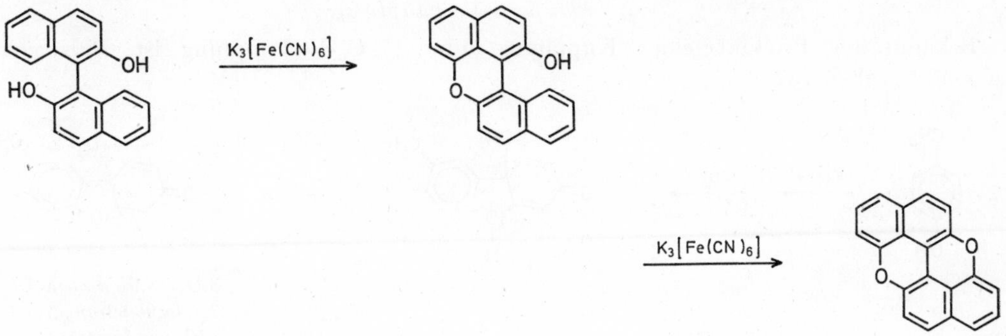

Bei Blockierung durch Substituenten führt die Weiteroxidation zum Chinon:

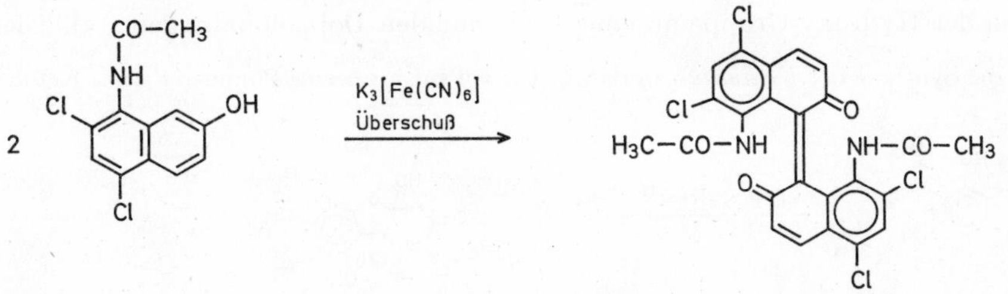

5,5',7,7'-Tetrachlor-8,8'-bis-[acetylamino]-2,2'-dioxo-1,1',2,2'-tetrahydro-1,1'-bi-naphthyliden[3]: 173 g 5,7-Dichlor-8-acetamino-2-hydroxy-naphthalin werden in 4 *l* Wasser mit 51,3 g Natriumhydroxid gelöst. Man erhitzt auf dem Dampfbad auf 90° und gibt 6 *l* Wasser mit 422 g Kalium-hexacyanoferrat(III) zu. Man läßt das Reaktionsgemisch auf dem Dampfbad, bis die entstehende gelbe Färbung sich nicht weiter vertieft. Man saugt vom kristallinen Niederschlag ab, wäscht mit Wasser neutral und trocknet i. Vak.; Ausbeute: 165 g (96% d.Th.); F: 304° (Zers.; aus Nitrobenzol).

3,3'-Dioxo-2,2'-bi-fluoranthenyliden[4]:

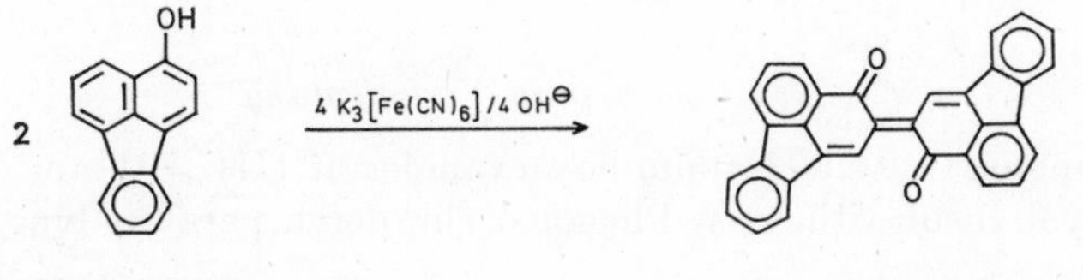

[1] R. PUMMERER, B. **52**, 1403 (1919).
[2] A. RIEKER, N. ZELLER, K. SCHURR u. E. MÜLLER, A. **697**, 1 (1966).
[3] A. RIECHE u. W. RUDOLPH, B. **73**, 335 (1940).
[4] A. SIEGLITZ u. H. TRÖSTER, B. **96**, 2577 (1963).

Man löst 1,1 g (5 mMol) 3-Hydroxy-fluoranthen in 100 *ml* 0,2 n Natronlauge, gibt eine Lösung von 5 g (15 mMol) Kalium-hexacyanoferrat(III) in 50 *ml* Wasser zu, filtriert den blauen Farbstoff ab, wäscht zunächst mit heißem Äthanol, danach mit Benzol und trocknet bei 110°; Ausbeute: 0,8 g (73% d.Th.). Aus viel Toluol oder Xylol im Dunkeln umkristallisiert, erhält man den Farbstoff in tiefblauen Nadeln; F: > 350°.

α_2) ortho-para-Verknüpfung

Bekanntestes Produkt einer Kupplung unter C_o–C_p-Verknüpfung ist *Pummerer's Keton*[1-5] (vgl. S. 737):

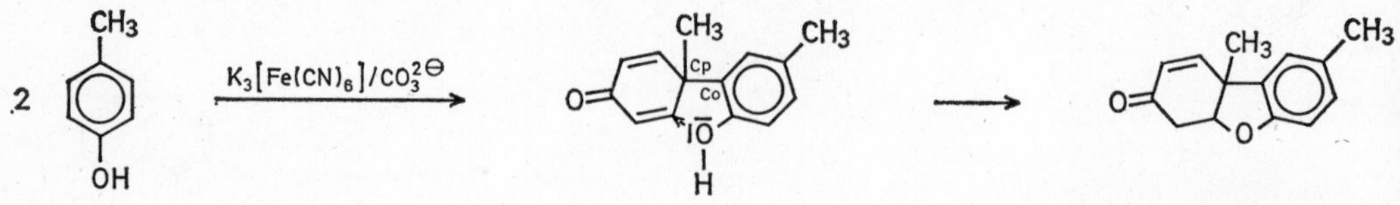

3-Oxo-8,9b-dimethyl-
3,4,4a,9b-tetrahydro-
⟨dibenzo-furan⟩;
22% d.Th.

Die bei der Kalium-hexacyanoferrat(III)-Oxidation von p-Kresol erst gebildeten 4-Methyl-phenoxyle vereinigen sich zu einem Cyclohexadienon-Derivat, das sich durch Addition der Hydroxy-Gruppe an eine der chinoliden Doppelbindungen stabilisiert[3].

Auch die Synthese der *Usninsäure* verläuft über ein substituiertes Pummerer'sches Keton[3]:

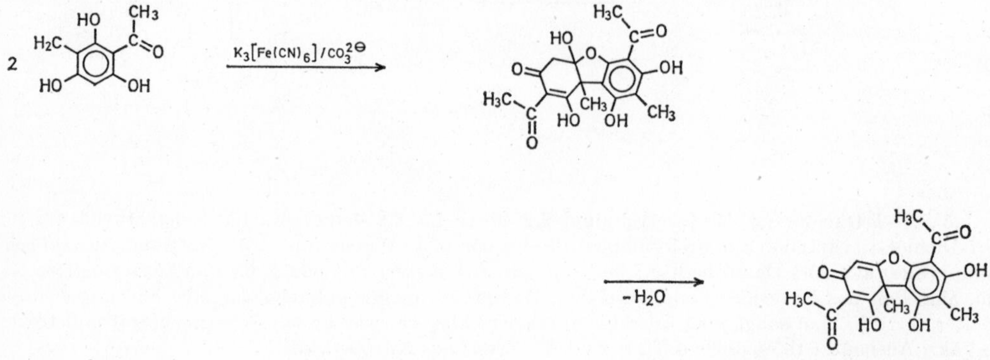

1,7,9-Trihydroxy-3-oxo-
8,9b-dimethyl-2,6-diacetyl-
3,9b-dihydro-dibenzo-
furan; 15% d.Th.

α_3) para-para-Verknüpfung

Die C–C-Kupplung mittels Kalium-hexacyanoferrat(III) tritt am häufigsten bei der Oxidation von 2,6-di-substituierten Phenolen ein, deren para-Stellung unbesetzt ist oder

---

[1] R. Pummerer, D. Melamed u. H. Puttfarcken, B. **55**, 3116 (1922).

[2] R. Pummerer, H. Puttfarcken u. P. Schopflocher, B. **58**, 1808 (1925).

[3] D. H. R. Barton, A. M. Deflorin u. O. E. Edwards, Soc. **1956**, 530.

[4] C. G. Haynes, A. H. Turner u. W. A. Waters, Soc. **1956**, 2823.

[5] H. P. Husson et al., Tetrahedron **29**, 1405 (1973).

wenig raumerfüllende Substituenten trägt. Nach S. 761 erhält man dabei durch C_p–C_p-Verknüpfung primär Dihydrodiphenochinone vom Bis-cyclohexadienon-Typ[1-3]:

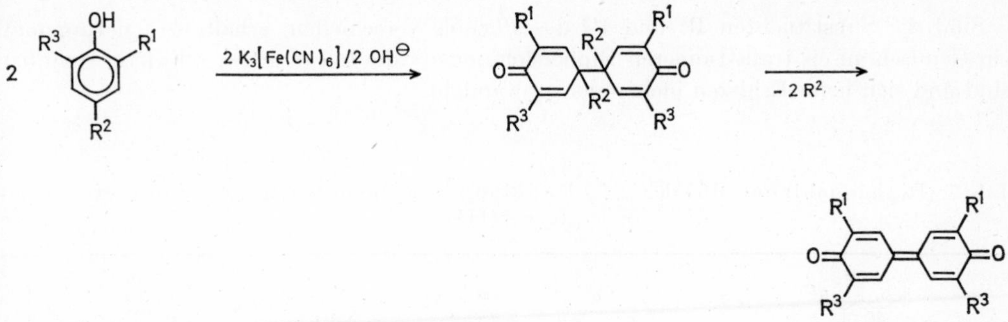

1,1′-Dichlor-4,4′-dioxo-3,3′,5,5′-tetra-tert.-butyl-bi-cyclohexadien-(2,5)-yl[2]: Man schüttelt eine Lösung von 4-Chlor-2,6-di-tert.-butyl-phenol mehrere Tage mit einer alkalischen Kalium-hexacyanoferrat(III)-Lösung und trennt die beiden Phasen. Die benzolische Lösung wird mit Wasser gewaschen und mit Natriumsulfat getrocknet. Danach wird das Benzol i. Vak. abgezogen und der orangefarbene krist. Rückstand mehrmals aus Aceton umkristallisiert; Ausbeute: 80% d.Th.; F: 150–151°.

Die Verbindung dissoziiert in Lösung schwach zum 4-Chlor-2,6-di-tert.-butyl-phenoxyl. Beim Schütteln mit Silberpulver wird Chlor abgespalten. Man erhält *3,3′,5,5′-Tetra-tert.-butyl-diphenochinon*[2]. Dagegen entsteht bei der Oxidation der entsprechenden 4-Brom- und 4-Jod-phenole mit Kalium-hexacyanoferrat(III) unter Halogen-Eliminierung direkt das Diphenochinon[2].

3,3′,5,5′-Tetra-tert.-butyl-diphenochinon[2]: 1 g 4-Brom-2,6-di-tert.-butyl-phenol wird in 50 *ml* Äther unter Stickstoff 1 Stde. mit einer Lösung von 10 g Kalium-hexacyanoferrat(III) und 6 g Kalium-hydroxid in 50 *ml* Wasser geschüttelt. Dabei färbt sich die Ätherschicht langsam orangerot. Nach dem Abtrennen des Oxidationsmittels wird die organische Phase mehrmals mit Wasser ausgewaschen. Nach dem Trocknen mit Natriumsulfat destilliert man den Äther ab und kristallisiert den braunroten Rückstand aus Aceton um; Ausbeute: 700 mg (97% d.Th.); F: 242–244°.

Eine Eliminierung wird auch bei der Nitro-[3,4], Hydroxymethyl-[5], Hydroxybenzyl-[5], Formyl-[6,7], Carboxy-[6] und 2-Methyl-butyl-(2)-Gruppe[8] beobachtet. Desgleichen ergeben 2,6-disubstituierte Phenole mit freier para-Stellung in der Regel bei der Oxidation sofort das entsprechende Diphenochinon[9, vgl. a. 1].

3,3′,5,5′-Tetra-tert.-butyl-diphenochinon[5]: 0,75 g 2,6-Di-tert.-butyl-4-(α-hydroxy-benzyl)-phenol werden in Benzol gelöst und unter Stickstoff 30 Min. mit 5 Äquiv. Kalium-hexacyanoferrat(III) in 2 n Kalilauge geschüttelt. Das Lösungsmittel wird i. Vak. abgezogen und der violettrote Rückstand 2mal mit kaltem Äthanol digeriert. Die vereinigten Auszüge versetzt man mit 2,4-Dinitro-phenylhydrazin-Lösung und kristallisiert das abgeschiedene Hydrazon einmal aus Äthanol/Essigsäure-äthylester um; Ausbeute: 485 mg (82% d.Th. Hydrazon); F: 235–237°.

Der violettrote, in kaltem Äthanol nicht lösliche Rückstand kristallisiert aus Aceton; Ausbeute: 450 mg (92% d.Th. Chinon); F: 241–243° (Zers.).

[1] M. S. Kharasch u. B. S. Joshi, J. Org. Chem. **22**, 1439 (1957).
[2] K. Ley, E. Müller, R. Mayer u. K. Scheffler, B. **91**, 2670 (1958).
[3] C. D. Cook u. N. D. Gilmour, J. Org. Chem. **25**, 1429 (1960).
[4] A. Rieker, K. Scheffler, R. Mayer, B. Narr u. E. Müller, A. **693**, 10 (1966).
[5] E. Müller, R. Mayer, U. Heilmann u. K. Scheffler, A. **645**, 66 (1961).
[6] C. D. Cook, E. S. English u. B. J. Wilson, J. Org. Chem. **23**, 755 (1958).
[7] K. Ley, Ang. Ch. **70**, 74 (1958).
[8] C. D. Cook, D. A. Kuhn u. P. Fianu, Am. Soc. **78**, 2002 (1956).
[9] F. R. Hewgill u. B. S. Middleton, Soc. **1965**, 2914.

3,3-Dimethoxy-5,5′-di-tert.-butyl-diphenochinon[1]: 2 g 2-Methoxy-6-tert.-butyl-phenol werden in 150 ml Benzol gelöst und 30 Min. mit 9,1 g Kalium-hexacyanoferrat(III) und 2,2 g Natriumhydroxid in 100 ml Wasser geschüttelt. Die benzolische Phase wird abgetrennt, das Benzol abgedampft und der Rückstand aus Benzol umkristallisiert; Ausbeute: 768 mg (38% d.Th.); F: 252,5–253,5°.

Sind die Substituenten R^1 und R^3 des Phenols verschieden, erhält man naturgemäß ein Gemisch an cis-trans-isomeren Diphenochinonen[2], die teilweise nur schwierig trennbar sind und sich beim Erhitzen ineinander umwandeln.

Tab. 7: Diphenochinone durch C_p–C_p-Kupplung von Phenolen mit Kalium-hexacyano-ferrat(III)

R^1	R^2	R^3		Ausbeute [% d.Th.]	F [° C]	Literatur
CH_3	H	CH_3	3,3′,5,5′-Tetramethyl-dipheno-chinon	45–50	205	3–5
C_2H_5	H	C_6H_{11}	3,3′-Diäthyl-5,5′-dicyclohexyl-diphenochinon		173	6
$C(CH_3)_3$	H	$C(CH_3)_3$	3,3′,5,5′-Tetra-tert.-butyl-di-phenochinon	97–98	246	7,8, vgl. a. 9
$C(CH_3)_3$	COOH	$C(CH_3)_3$	3,3′,5,5′-Tetra-tert.-butyl-di-phenochinon	97	240–241	10
$C(CH_3)_3$	H	C_6H_5	3,3′-Di-tert.-butyl-5,5′-di-phenyl-diphenochinon	70–80	224–227	2
$C(CH_3)_3$	H	OCH_3	5,5′-Dimethoxy-3,3′-di-tert.-butyl-diphenochinon	38	252,5–253,5	1
OCH_3	H	OCH_3	3,3′,5,5′-Tetramethoxy-diphenochinon	96	293	3,11
			4,4′-Dioxo-3,3′-dimethyl-1,1′,4,4′-tetrahydro-1,1′-bi-naphthyliden	98		12

β) Intermolekulare Dehydrierung unter C–O-Verknüpfung

Kuppeln die bei der Kalium-hexacyanoferrat(III)-Oxidation von Phenolen intermediär entstehenden Phenoxyle unter Ausbildung von C–O-Bindungen – was dann eintritt, wenn

[1] F. R. HEWGILL u. B. S. MIDDLETON, Soc. **1965**, 2914.
[2] A. RIEKER u. H. KESSLER, B. **102**, 2147 (1969).
[3] C. G. HAYNES, A. H. TURNER u. W. A. WATERS, Soc. **1956**, 2823.
[4] R. G. R. BACON u. A. R. IZZAT, Soc. [C] **1966**, 791.
[5] K. v. AUWERS u. T. v. MARKOVITS, B. **38**, 226 (1905).
[6] R. STROH, R. SEYDEL u. W. HAHN, Ang. Ch. **69**, 699 (1957).
[7] K. LEY, Ang. Ch. **70**, 74 (1958).
[8] H. S. BLANCHARD, J. Org. Chem. **25**, 264 (1960).
[9] M. S. KHARASCH u. B. S. JOSHI, J. Org. Chem. **22**, 1439 (1957).
[10] C. D. COOK, E. S. ENGLISH u. B. J. WILSON, J. Org. Chem. **23**, 755 (1958).
[11] A. W. HOFMANN, B. **11**, 329 (1878).
[12] B. R. BROWN u. A. H. TODD, Soc. **1963**, 5564.

die entsprechenden C–C-Kupplungen aus sterischen Gründen benachteiligt sind –, so entstehen zunächst ortho- oder para-Chinoläther (vgl. S. 761):

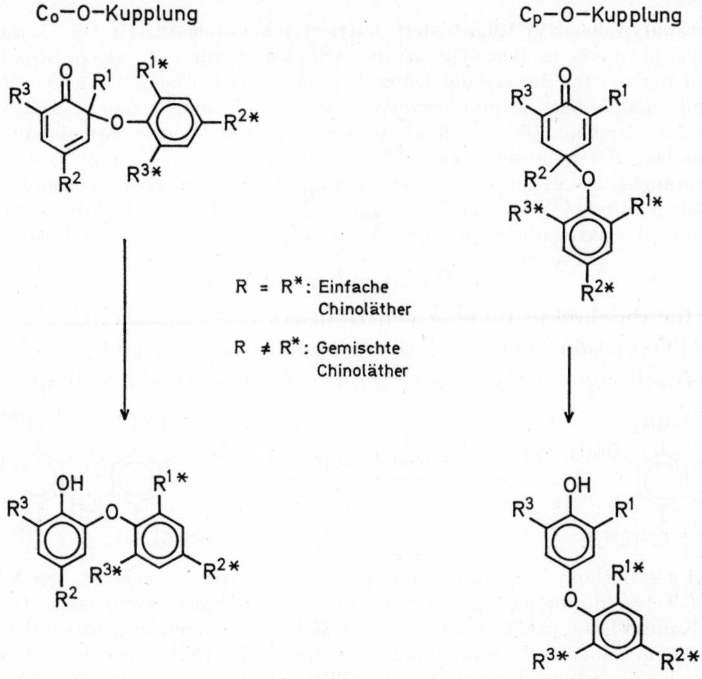

C_o–O–Kupplung

C_p–O–Kupplung

R = R*: Einfache Chinoläther

R ≠ R*: Gemischte Chinoläther

Entfalten die Substituenten R und R* sterische und/oder mesomere Effekte, dann stehen die Chinoläther in Lösung mit den monomeren Phenoxylen im Gleichgewicht. Die entsprechenden einfachen Chinoläther (R=R*) stellen daher auf Abruf zur Verfügung stehende Phenoxyle („Aroxyl-Konserven") dar und sind auf S. 745 ff. beschrieben.

Für R^1 bzw. R^2=H lagern sich die ortho- bzw. para-Chinoläther normalerweise während der Dehydrierungsreaktion in ortho- bzw. para-Hydroxy-diphenyläther um, die ihrerseits weiter dehydriert werden können. Sind R^1 bzw. R^2 tert.-Butyl-Gruppen, dann sind dieselben Umwandlungen unter Ablösung von Isobuten möglich, wenn man die Chinoläther thermisch oder mit Säuren behandelt. Aus para-Chinoläthern können hierbei durch Umlagerung auch o-Hydroxy-diphenyläther entstehen[1-3].

β_1) Gemischte Chinoläther

Gemischte Chinoläther werden meist durch Kombination eines sterisch stark gehinderten und eines sterisch wenig gehinderten Phenoxyls erhalten. In Lösung stehen sie ebenfalls mit ihren Komponenten im Gleichgewicht, doch ist der Radikalgehalt meist recht gering oder überhaupt nicht mehr nachweisbar. In der Regel reagiert das sterisch weniger gehinderte Phenoxyl über Sauerstoff, das gehinderte über die C-Atome C_p oder C_o. Die Art der Chinoläther-Verknüpfung (ortho oder para) wird weniger durch sterische als durch elektronische Effekte der Substituenten im sterisch gehinderten Phenoxyl-Teil bestimmt:

Elektronenschiebende oder elektroneutrale Substituenten [R^2 = C(CH$_3$)$_3$, C$_6$H$_5$, Br, Cl, SCN] in 4-Stellung begünstigen die Bildung von para-Chinoläthern, elektronen-ziehende Substituenten (R^2 = CN, COOR, COR) führen zu ortho-Chinoläthern[1,2].

Für die Herstellung gemischter Chinoläther hat sich insbesondere die Cooxidation der beiden Phenole mit Mangan(IV)-oxid ausgezeichnet bewährt[4]. Die Anwendung von

---

[1] E. Müller, A. Rieker u. A. Schick, A. **673**, 40 (1964).

[2] A. Rieker, B. **98**, 715 (1965).

[3] A. Rieker u. N. Zeller, Tetrahedron Letters **1968**, 4969.

[4] H. D. Becker, J. Org. Chem. **29**, 3068 (1964).

Kalium-hexacyanoferrat(III) ist bisher auf solche Fälle beschränkt, in denen das sterisch gehinderte Phenol vor der Zugabe des weniger gehinderten Partners erst zum Phenoxyl oxidiert wird[1].

4-Oxo-1-(4-tert.-butyl-phenoxy)-1,3,5-tri-tert.-butyl-cyclohexadien-(2,5)[1]: Die Lösung von 2,61 g 2,4,6-Tri-tert.-butyl-phenoxyl in Benzol wird unter Stickstoff mit einer 0,1 n Benzol-Lösung von 4-tert.-Butyl-phenol titriert, bis die Lösung schwach grün geworden ist (49 *ml*). Das Reaktionsgemisch wird nunmehr mit alkalischer Kalium-hexacyanoferrat(III)-Lösung oxidiert. Dabei färbt sich das organische Solvens wieder blau. Die benzol. Phase wird abgetrennt und mehrmals mit sauerstoff-freiem Wasser nachgewaschen. Bei der anschließenden Titration mit der 0,1 n Lösung von 4-tert.-Butyl-phenol werden 23 *ml* verbraucht. Die gesamte Operation wird nochmals wiederholt (Verbrauch: 10,8 *ml*). Nach Abziehen des Lösungsmittels i. Vak. und Anreiben des Rückstandes mit Methanol erhält man Kristalle, die 2mal aus Methanol umkristallisiert werden; Ausbeute: 3,05 g (89% d.Th.); F: 91–92°.

β_2) Hydroxy-diphenyläther

Ein Beispiel für die direkte Bildung von Hydroxy-diphenyläthern ist die Kalium-hexacyanoferrat(III)-Oxidation von 4-Methoxy-5-methyl-2-isopropyl-phenol zu *Libocedrol* [*4-Methoxy-2-(4-methoxy-5-methyl-2-isopropyl-phenoxy)-3-methyl-6-isopropyl-phenol*][2, 3]:

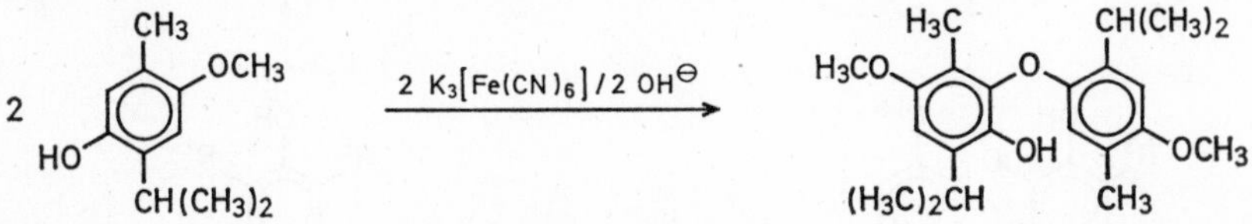

Libocedrol[2]: 2,1 g 4-Methoxy-5-methyl-2-isopropyl-phenol werden in 50 *ml* 8%iger Natronlauge gelöst und hierzu 50 *ml* Tetrachlormethan gegeben. In das stark gerührte zweiphasige Gemisch wird eine Lösung von 5 g Kalium-hexacyanoferrat(III) in 100 *ml* Wasser eingetropft, bis zu dem Punkt, an dem die wäßrige Phase eine gelbliche Farbe annimmt und sich an der Eintropfstelle der Kalium-hexacyanoferrat(III)-Lösung keine farblose Emulsion mehr bildet. Das Zutropfen dauert 1 Stde. bei 20 Tropfen pro Min. Das Reaktionsgemisch wird in einem Scheidetrichter mit Salzsäure angesäuert und geschüttelt. Die leicht gelb gefärbte organische Phase wird abgetrennt, die wäßrige Lösung mit 60 *ml* Chloroform gewaschen und Chloroform- und Tetrachlormethan-Lösung vereinigt. Danach wird mit Natriumsulfat getrocknet, filtriert und bis zur Trockene eingedampft. Der Rückstand wird aus Petroläther bei −5° auskristallisiert; Ausbeute: 1,273 g (4-Methoxy-5-methyl-2-isopropyl-phenol-Addukt; F: 88–89°).

Zur Trennung des Addukts[3] löst man dieses in 250 *ml* Petroläther und extrahiert mit 450 *ml* 10%iger Natronlauge in mehreren Portionen. Die Petroläther-Lösung wird über Natriumsulfat getrocknet, filtriert und bis auf 100 *ml* auf dem Wasserbad eingeengt. Diese Lösung läßt man bei −5° stehen und kristallisiert um (F: 86,5–88°). Aus der Mutterlauge kann man beim Einengen auf 5 *ml* weiteres Libocedrol gewinnen; Gesamtausbeute: 1,02 g (49% d.Th.).

Häufig konkurrieren C–O- und C–C-Kupplung miteinander und man erhält Reaktionsgemische wechselnder Zusammensetzung, die unter anderem vom Reaktionsmedium abhängig sind[4]; z. B. (2,8% NH₃/1,4-Dioxan)[5]:

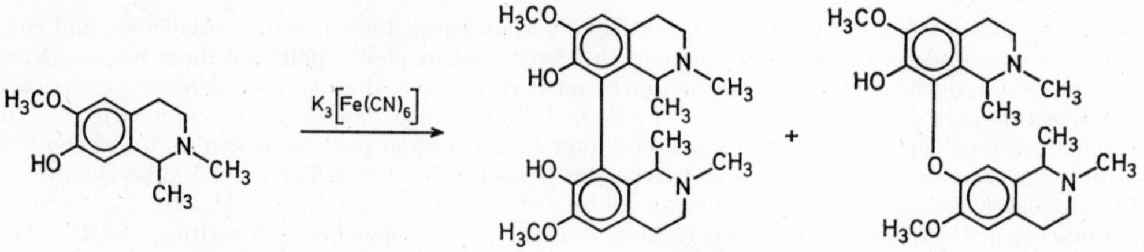

10,5%   2,1%

[1] E. MÜLLER, K. LEY u. G. SCHLECHTE, B. **90**, 2660 (1957).
[2] E. ZAVARIN u. A. B. ANDERSON, J. Org. Chem. **22**, 1122 (1957).
[3] E. ZAVARIN u. A. B. ANDERSON, J. Org. Chem. **20**, 788 (1955).
[4] B. UMEZAWA, O. HOSHINO, H. HARA u. J. SAKAKIBARA, Chem. Pharm. Bull. (Tokyo) **16**, 566 (1968); C. A. **69**, 77089 (1968).
[5] O. HOSHINO, H. HARA, M. WADA u. B. UMEZAWA, Chem. Pharm. Bull. (Tokyo) **18**, 637 (1970); C. A. **73**, 15048 (1970).

Die Dehydrierung von 4-Methoxy-2,5-di-tert.-butyl-phenol in Methanol führt zunächst ebenfalls zum entsprechenden o-Hydroxy-diphenyläther. Dieser wird durch überschüssiges Kalium-hexacyanoferrat(III) sofort zum Phenoxyl weiter dehydriert, das mit noch vorhandenem 4-Methoxy-2,5-di-tert.-butyl-phenoxyl einen para-Chinoläther bildet, der 3 der ursprünglichen Phenol-Einheiten verknüpft enthält[1]:

6-Methoxy-2,6-bis-[4-methoxy-2,5-di-tert.-
butyl-phenoxy]-3-oxo-1,4-di-tert.-butyl-
cyclohexadien-(1,4); 94% d.Th.

γ) Intermolekulare Dehydrierung unter Beteiligung von Substituentenatomen

Nach S. 735 weisen Phenoxyle an β-Atomen X von beispielsweise in 4-Stellung befindlichen Substituenten mit C–C-Doppel- und -Dreifach-Bindungen positive freie Spindichten auf. Damit ist eine Kupplung des Phenoxyls über diese Atome möglich. Die auf S. 761 zusammengestellten Kupplungsmöglichkeiten werden somit durch nachstehende Kombinationen erweitert:

$$X_\beta - O, \ X_\beta - C_o, \ X_\beta - C_p, \ X_\beta - X_\beta$$

γ_1) Phenole mit C≡C-Dreifachbindungen in Konjugation zum Ring

Die Dimerisierung des 2,6-Di-tert.-butyl-4-cyan-phenoxyls wird auf S. 745 erörtert. Besser untersucht sind die Kupplungsprodukte von Phenoxylen mit para-ständigen Acetylen-Gruppierungen. So ergibt das 2,6-Di-tert.-butyl-4-(3,3-dimethyl-butinyl)-phenol bei der Dehydrierung mit Kalium-hexacyanoferrat(III) in Benzol erst ein grünes Phenoxyl. Beim Abziehen des Solvens wird jedoch nur das Dimere isoliert, das seine Existenz einer

---

[1] E. Müller, H. Kaufmann u. A. Rieker, A. 671, 61 (1964).

O–C$_\beta$-Kupplung verdankt[1]:

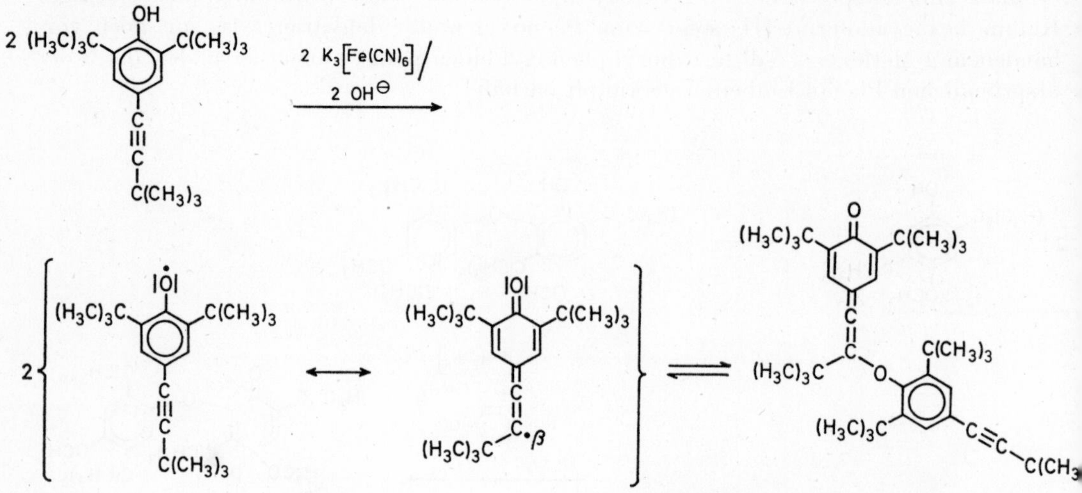

2 (H$_3$C)$_3$C— ... —C(CH$_3$)$_3$

OH

2 K$_3$[Fe(CN)$_6$] / 2 OH$^\ominus$

C≡C—C(CH$_3$)$_3$

2 { (H$_3$C)$_3$C— ... —C(CH$_3$)$_3$ ↔ (H$_3$C)$_3$C— ... —C(CH$_3$)$_3$ }

⇌

2-[4-(3,3-Dimethyl-butinyl)-2,6-di-tert.-butyl-phenoxy]-3,3-dimethyl-1-[4-oxo-3,5-di-tert.-butyl-cyclo-hexadien-(2,5)-yliden]-buten-(1); 50–70% d.Th.

Wird die Reaktion mit dem entsprechenden 2-(Phenyl-äthinyl)-phenol durchgeführt, dann findet C$_\beta$–C$_\beta$-Kupplung statt. Das erwartete Bis-Allen ergibt noch während der Reaktion durch Cycloaddition das Dichino-cyclobuten, dessen Konstitution durch Röntgenstruktur-analyse gesichert ist[2,3]:

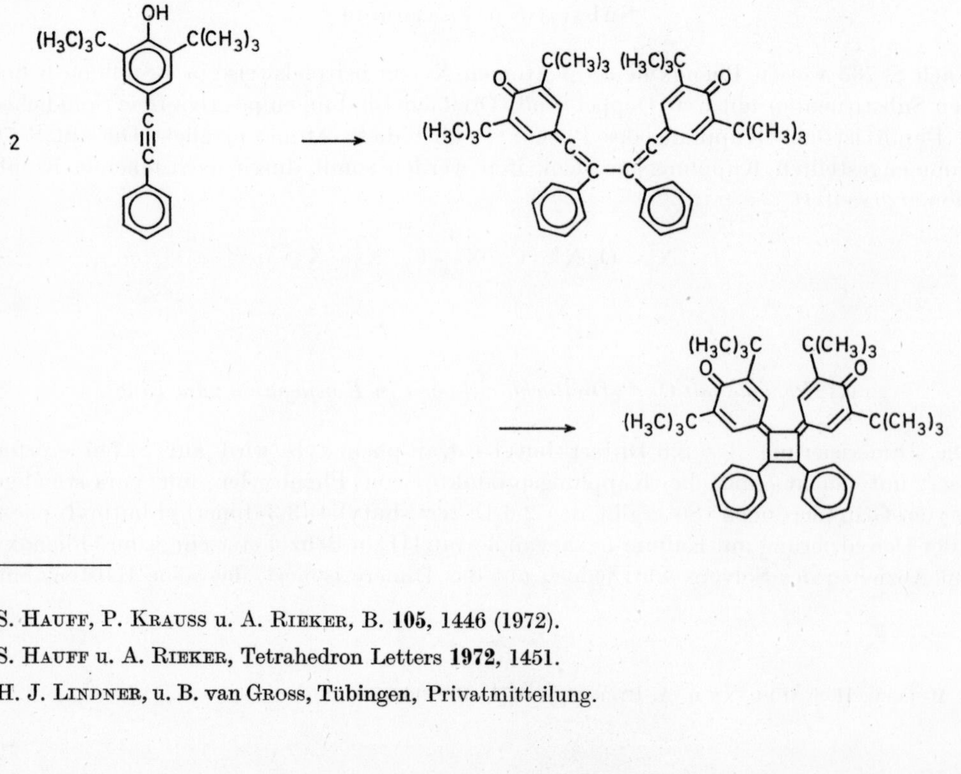

2

⟶

⟶

[1] S. Hauff, P. Krauss u. A. Rieker, B. 105, 1446 (1972).

[2] S. Hauff u. A. Rieker, Tetrahedron Letters 1972, 1451.

[3] H. J. Lindner, u. B. van Gross, Tübingen, Privatmitteilung.

1,2 - Diphenyl- 3,4 -bis - [4 - oxo - 3,5-di-tert.-butyl - cyclohexadien - (2,5) -yliden]-cyclobuten-(1)[1]: 12,2 g (40 mMol) 2,6-Di-tert.-butyl-4-(phenyläthinyl)-phenol werden in 300 *ml* Benzol gelöst und mit der Lösung von 60 g Kalium-hexacyanoferrat(III) und 33,6 g Kaliumhydroxid in 300 *ml* Wasser unter Stickstoff-Atmosphäre 2 Stdn. geschüttelt. Nach Waschen, Trocknen und Abdampfen der organischen Phase wird der Rückstand mit Petroläther digeriert; Rohausbeute: 10,7 g (88% d.Th.); Ausbeute nach Umkristallisieren aus Petroläther: 8,3 g (68% d.Th.); F: 240–241°.

γ₂) Phenole mit C=C-*Doppelbindungen in Konjugation zum Ring*

Eine zweite Kupplungsreaktion, bei der die C–C-Verknüpfung ebenfalls über ein β–C-Atom erfolgt, beobachtet man bei der Dehydrierung Hydroxyphenyl-substituierter Äthylene[2–5]; z. B.[2]:

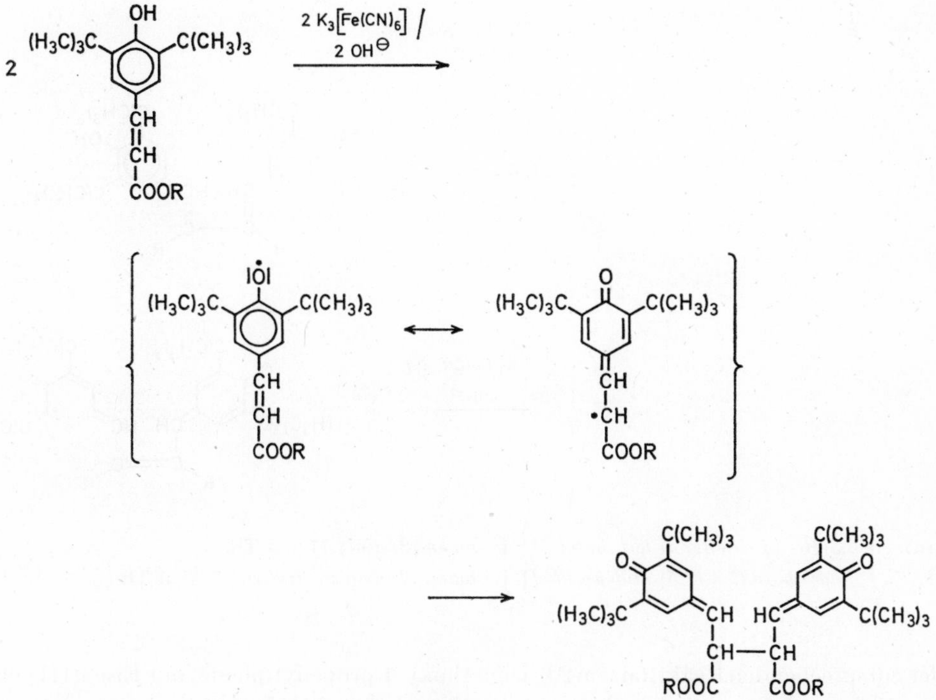

2,3 - Bis - [4 - oxo - 3,5 - di-tert.-butyl-cyclohexadien - (2,5)-yliden-methyl] -bernsteinsäure-dimethylester[2]: 1–20 mMol 3-(4-Hydroxy-3,5-di-tert.-butyl-phenyl)-acrylsäure-methylester werden in 50 *ml* abs. Benzol gelöst und mit einer Lösung aus 70 g Kalium-hexacyanoferrat(III), 8 g Kaliumhydroxid und 50 *ml* Sauerstoff-freiem Wasser 15 Min. unter Stickstoff geschüttelt. Die organische Phase färbt sich vorübergehend grün und wird dann gelb. Nach Abtrennen wird mit Wasser gewaschen, das Benzol abgedunstet und aus Petroläther (Kp: 50–70°) umgelöst; Ausbeute: 70% d.Th.; F: 159–163°.

Nach einer ähnlichen Vorschrift erhält man bei der Oxidation von 4-Hydroxy-stilbenen ebenfalls die entsprechenden 1,4-[4-Oxo-cyclohexadien-(2,5)-yliden]-butan-

---

[1] S. HAUFF, Doktorarbeit, Universität Tübingen 1975.
[2] E. MÜLLER, R. MAYER, H.-D. SPANAGEL u. K. SCHEFFLER, A. **645**, 53 (1961).
[3] E. MÜLLER, H.-D. SPANAGEL u. A. RIEKER, A. **681**, 141 (1965).
[4] H.-D. BECKER, J. Org. Chem. **34**, 1211 (1969).
[5] K. V. SARKANEN u. A. F. A. WALLIS, Soc. (Perkin I) **1973**, 1878.

Derivate[1]; z. B. aus 4-Hydroxy-3,5-dimethyl-stilben *1,4-Bis-[4-oxo-3,5-dimethyl-cyclo-hexadien-(2,5)-yliden]-2,3-diphenyl-butan* (94% d.Th.; F: 135°).

Dagegen erhält man aus den entsprechenden Acroleinen bzw. Acrylnitrilen konjugierte Buten-Derivate[2], da die erstgebildeten Kupplungsprodukte durch 1 → 7-Prototropie erneut dehydrierbare Bis-phenole ergeben:

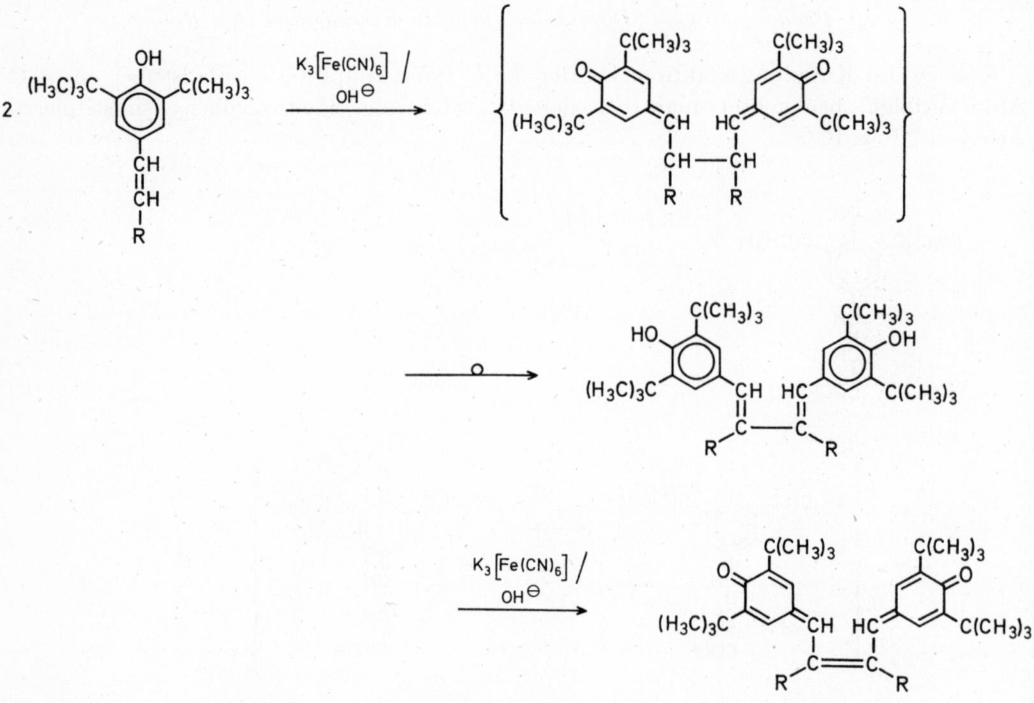

R = CHO }   *2,3-Bis-[4-oxo-3,5-di-tert.-butyl-* }   *-buten-(2)-dial*; 77% d.Th.
R = CN   }   *cyclohexadien-(2,5)-ylidenmethyl]-* }   *-buten-(2)-disäure-dinitril*; 77% d.Th.

Bei der entsprechenden Reaktion von 2,6-Dimethoxy-4-propenyl-phenol mit Eisen(III)-chlorid in wäßrigem Aceton wird auch O–C_β-Kupplung beobachtet[3].

γ_3) *Intermolekulare Dehydrierung unter C–C-Verknüpfung über C_α-Atome von Alkyl-Substituenten*

4-Alkyl-phenole mit einem Wasserstoff-Atom am α–C-Atom geben bei der Oxidation mit Kalium-hexacyanoferrat(III) über intermediäre Phenoxyle nicht nur Chinonmethide

---

[1] H.-D. Becker, J. Org. Chem. **34**, 1211 (1969).

[2] E. Müller, H.-D. Spanagel u. A. Rieker, A. **681**, 141 (1965).

[3] A. F. A. Wallis, Austral. J. Chem. **26**, 585 (1973).

(vgl. S. 740), sondern auch Äthan-Derivate; z. B.:

1,2-Bis-[4-hydroxy-3,5-di-tert.-butyl-phenyl]-äthan

Ob die Reaktion über das Benzyl-Radikal A oder das Chinon-methid B verläuft, ist nicht eindeutig geklärt. Durch Weiteroxidation können auch die entsprechenden 4,4′-Stilben-chinone erhalten werden[1–4].

Bezüglich der Verwendung anderer Oxidationsmittel, des Einflusses von Reaktionsdauer[2] und Sauerstoff[3] s. Literatur.

1,2-Bis-[4-hydroxy-3,5-di-tert.-butyl-phenyl]-äthan und 3,3′,5,5′-Tetra-tert.-butyl-stilben-4,4′-chinon[2]: 20 g (0,09 Mole) 4-Methyl-2,6-di-tert.-butyl-phenol werden in 200 *ml* Benzol gelöst und hierzu unter Rühren eine Lösung von 180 g (0,55 Mole) Kalium-hexacyanoferrat(III) und 32 g Kaliumhydroxid in 300 *ml* Wasser gegeben. Man rührt noch eine Zeit bei 60°, trennt die beiden Schichten und engt die Benzol-Lösung ein. Das rote Stilbenchinon fällt zuerst aus und schmilzt nach Umkristallisieren aus Benzol und Äthanol bei 315–316°.

Wenn man die Kalium-hexacyanoferrat(III)-Lösung 24 Stdn. einwirken läßt, erhält man 8 g (40% d. Th.) reines Chinon. Bei nur 3 Stdn. erhält man nur 3 g (15% d.Th.).

Das Äthan-Derivat (20% d.Th.; F: 169–170°) isoliert man durch Eindampfen der Mutterlauge bis zur Trockne und Umkristallisieren aus Eisessig.

---

[1] US. P. 2593746 (1952), W. T. K. Gleim, A. Gaydasch u. R. H. Rosenwald; C. A. **47**, 4372 (1953).

[2] C. D. Cook, N. G. Nash u. H. R. Flanagan, Am. Soc. **77**, 1783 (1955).

[3] T. Fujisaki, Nippon Kagaku Zasshi **77**, 869 (1956); C. A. **52**, 8096 (1958).

[4] T. C. Bruice, J. Org. Chem. **23**, 246 (1958).

Die C_α–C_α-Kupplung kann auch über die o-Methyl-Gruppen erfolgen, z. B.[1-8]:

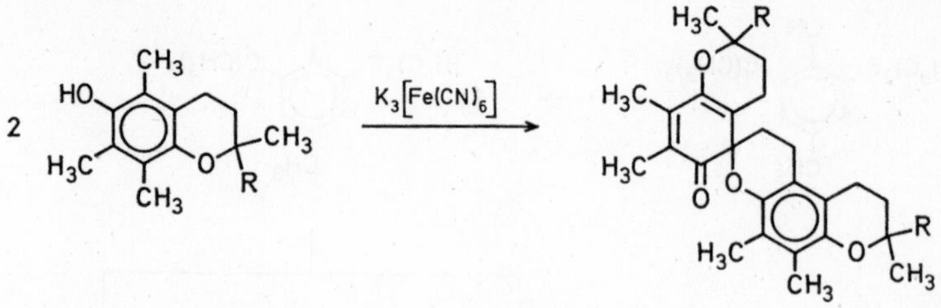

4. Kupplung aromatischer Amine

Aromatische Amine kuppeln unter dem Einfluß von Hexacyanoferrat(III) mit sich selbst oder anderen Reaktionspartnern (z. B. Phenolen) unter C–N-Verknüpfung; z. B.[9-11]:

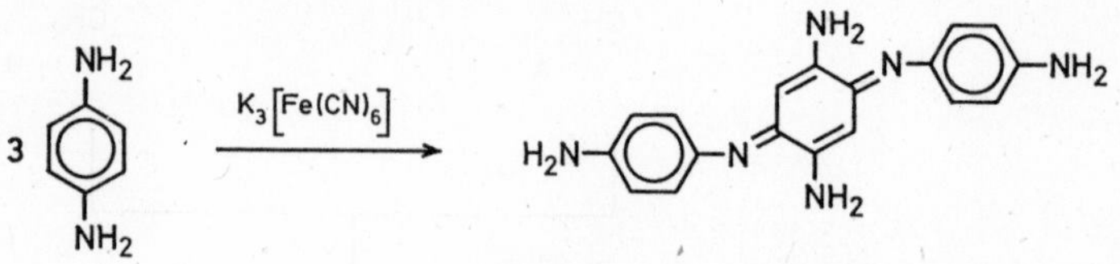

1,4-Diamino-3,6-bis-[4-amino-phenylimino]-cyclohexadien-
(1,4)

Bei der Kupplung mit Phenolen setzt die Dehydrierung zunächst am Amin ein; z. B.[12]:

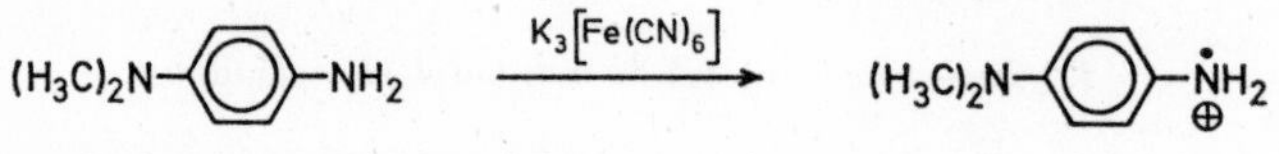

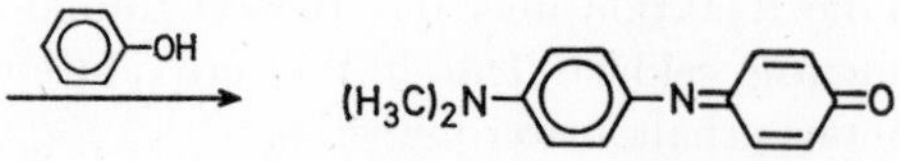

6-Oxo-3-(4-dimethylamino-
phenylimino)-cyclohexadien-
(1,4)

Diese Neigung des 4-Dialkylamino-anilins, mit anderen geeigneten Molekülen unter dem Einfluß von Oxidationsmitteln zu kuppeln, kann als Test verwendet werden, um die Kupplungsfähigkeit von Substanzen zu prüfen[13].

---

[1] H. H. Draper, A. S. Csallany u. S. N. Shah, Biochem. Biophys. Acta **59**, 527 (1962); C. A. **57**, 10194 (1962).

[2] C. Martius u. H. Eilingsfeld, A. **607**, 159 (1957).

[3] D. R. Nelan u. C. D. Robeson, Nature **193**, 477 (1962).

[4] D. R. Nelan u. C. D. Robeson, Am. Soc. **84**, 2963 (1962).

[5] P. Schudel, H. Mayer, R. Rüegg u. O. Isler, Chimia **16**, 368 (1962).

[6] P. Schudel, H. Mayer, J. Metzger, R. Rüegg u. O. Isler, Helv. **46**, 636 (1963).

[7] W. A. Skinner u. P. Alaupovic, J. Org. Chem. **28**, 2854 (1963).

[8] D. McHale u. J. Green, Chem. & Ind. **1964**, 366.

[9] E. Bandrowski, B. **27**, 480 (1894).

[10] A. G. Green, Soc. **1913**, 933.

[11] W. M. Lauer u. C. J. Sunde, J. Org. Chem. **3**, 261 (1938).

[12] S. Hünig u. W. Daum, A. **595**, 131 (1955).

[13] W. Ried u. E.-U. Köcher, A. **647**, 144 (1961); auf 2-Hydroxy-⟨pyrazolo-[2,3-a]-pyrimidin⟩.

Zum Farbtest auf Phenole bzw. Naphthole (0,12 ppm) mit Hilfe von Antipyrin und Hexacyanoferrat(III) s. Lit.[1].

5. Azofarbstoffe durch Kupplung von Hydrazonen

Analog den unsymmetrisch disubstituierten Phenylen-diaminen, die mit aromatischen Aminen oder Phenolen zu Indamin- bzw. Indanilin-Farbstoffen kuppeln, erhält man bei der Oxidation von Hydrazonen in Anwesenheit von zur Kupplung befähigten Partnern Azofarbstoffe[2,3]; z. B.:

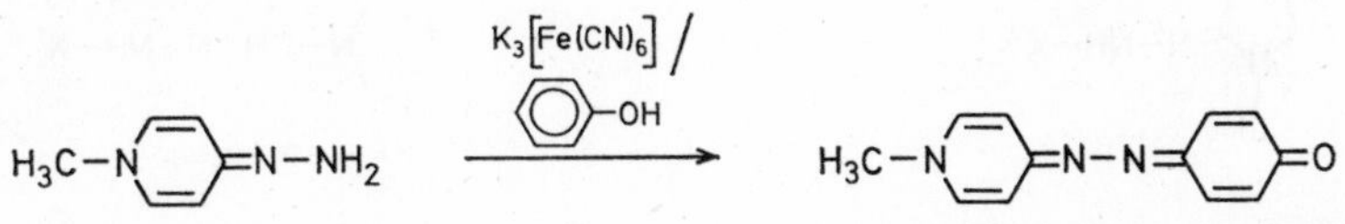

4-[4-Oxo-cyclohexadien-(2,5)-ylidenhy-drazono]-1-methyl-1,4-dihydro-pyridin

Diese Kupplungsreaktion zeichnet sich durch eine große Anwendungsbreite aus[3]. Als Dehydrierungsmittel sind Kalium-hexacyanoferrat(III), Kupfer(II)-sulfat, Silber(II)-nitrat, Natriumhypochlorit oder Blei(IV)-oxid geeignet, wobei einer wäßrigen Hexacyanoferrat(III)-Lösung in ammoniakalischem Methanol der Vorzug zu geben ist (Ausbeuten von über 90% d.Th.).

Kupplungen mit 2-Hydrazono-3-methyl-2,3-dihydro-⟨benzo-1,3-thiazol⟩[3]: 22 mMol Kalium-hexacyanoferrat(III) werden in 50 *ml* Wasser, 50 *ml* Methanol und 10 *ml* 25%iger wäßriger Ammoniak-Lösung gelöst. 5 mMol 2-Hydrazono-3-methyl-2,3-dihydro-⟨benzo-1,3-thiazol⟩ und 5 mMol der Komponente werden in 70 *ml* Methanol und 30 *ml* Wasser gelöst. In diese Lösung wird die Kalium-hexacyano-ferrat(III)-Lösung in 2–5 Min. bei 25–30° unter Rühren und Kühlen einlaufen gelassen. Der Farbstoff bildet sich sofort. Nach 15 Min. wird mit 250 *ml* Wasser verdünnt, der ausfallende Farbstoff abgesaugt, mit Wasser gewaschen und über Silikagel i. Vak. getrocknet.

Nach dieser Vorschrift werden u. a. hergestellt:

mit Phenol → *2-[4-Oxo-cyclohexadien-(2,5)-ylidenhydrazono]-3-methyl-2,3-dihydro-⟨benzo-1,3-thiazol⟩*; 37% d.Th.; F: 223°

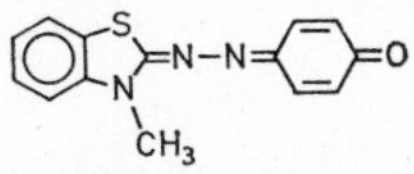

mit 2-Hydroxy-naphthalin → *2-[2-Oxo-1,2-dihydro-naphthyliden-(1)-hydrazono]-3-methyl-2,3-dihydro-⟨benzo-1,3-thiazol⟩*; 88% d.Th.; F: 243–244°

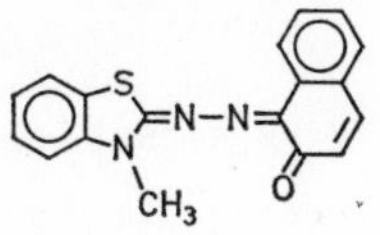

Kupplungspartner sind Phenole bzw. reaktive Methylen-Verbindungen; aromatische Amine kuppeln dagegen besser in Gegenwart von Blei(IV)-Verbindungen.

[1] E. EMERSON, H. H. BEACHAM u. L. C. BEEGLE, J. Org. Chem. **8**, 417 (1943).
  S. GOTTLIEB u. P. B. MARSH, Ind. Eng. Chem. analyt. Edit. **18**, 16 (1946); C. A. **40**, 1269 (1946).
  F. T. WALLENBERGER, Ang. Ch. **75**, 247 (1963).
  E. KREJCAR, J. MAKES u. J. KINCL, Chem. promysl. **20**, 175 (1970).
  D. SVOBODOVA u. J. GASPARIĆ, Collect. czech. chem. Commun. **33**, 42 (1969); **35**, 1567 (1970).
  D. SVOBODOVA, J. GASPARIĆ u. L. NOVACOVA, Collect. czech. chem. Commun. **35**, 31 (1970).
  P. F. JONES u. K. E. JOHNSON, Canad. J. Chem. **51**, 3733 (1973).
  V. DAVE et al., Canad. J. Chem. **52**, 2932 (1974).
[2] Übersichtsartikel und Literaturzusammenstellung; S. HÜNIG et al., Ang. Ch. **70**, 215 (1958); **74**, 818 (1962).
[3] S. HÜNIG u. K. H. FRITSCH, A. **609**, 143 (1957).

Die Reaktivität der Hydrazone ist umgekehrt proportional zur Basizität. Darüber hinaus liefern 2-Pyridon-hydrazone eine höhere Farbstoffausbeute als 4-Hydrazone[1].

Folgende Hydrazone können eingesetzt werden:

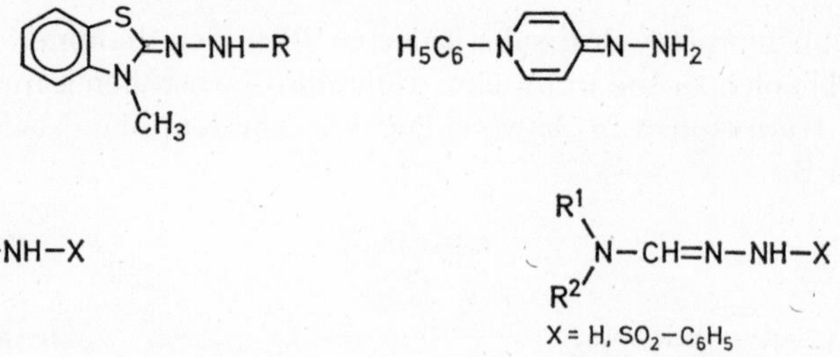

2-[2-Oxo1-,2-dihydro-naphthyliden-(1)-hydrazono]-3-methyl-1,3-thiazolidin[2]:

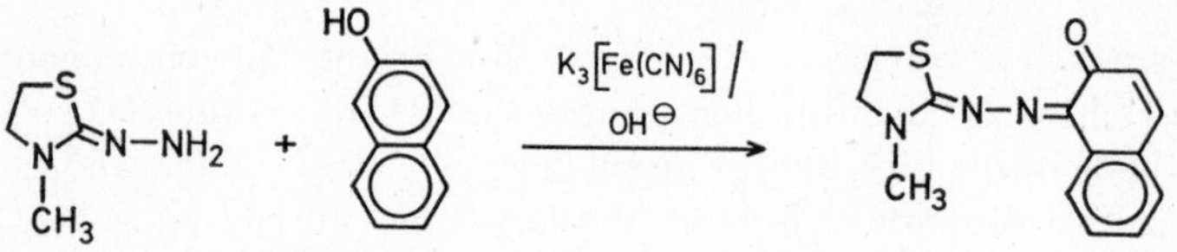

288 mg (2 mMol) β-Naphthol und 335 mg (2,5 mMol) 2-Hydrazono-3-methyl-1,3-thiazolidin werden in 30 *ml* Methanol und 10 *ml* Wasser gelöst. Mit einer Lösung von 2,63 g Kalium-hexacyanoferrat(III) in 15 *ml* Wasser, 10 *ml* Methanol und 2 *ml* konz. Ammoniak wird langsam oxidiert. Nach Zusatz von Wasser wird der dunkelrote, schmierige Niederschlag abgesaugt und getrocknet; Rohausbeute: 450 mg (83% d.Th.). Das Rohprodukt wird in viel Essigsäure-äthylester in der Hitze gelöst, die Lösung wird filtriert und mit 70%iger Perchlorsäure versetzt. Der gelbbraune Niederschlag wird aus Wasser umkristallisiert (F: 233–236°). Man löst das Farbstoffperchlorat in Aceton und gibt langsam eine wäßrige Natriumhydrogencarbonat-Lösung zu. Der Farbstoff kristallisiert in dunkelroten Nadeln, die aus Acetonitril/Wasser umkristallisiert werden; Ausbeute: 206 mg (38% d.Th.); F: 153–154°.

1-[6-Nitro-benzo-1,3-thiazolyl-(2)]-5-[3-methyl-benzo-1,3-thiazolinyliden-(2)]-1,2,4,5-tetraaza-penta-dien-(1,3)[3]:

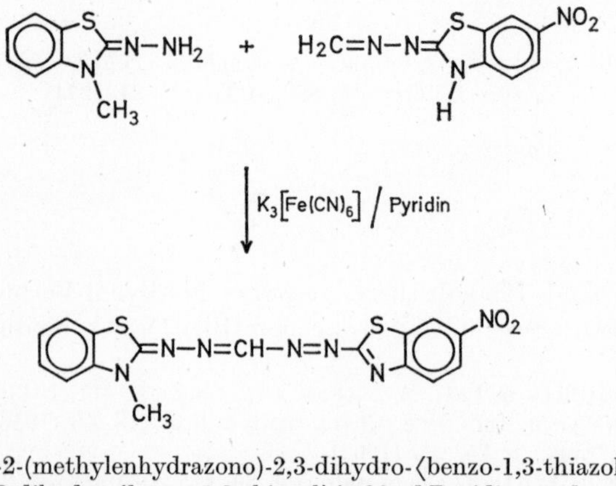

222 mg (1 mMol) 6-Nitro-2-(methylenhydrazono)-2,3-dihydro-⟨benzo-1,3-thiazol⟩ und 179 mg (1 mMol) 2-Hydrazono-3-methyl-2,3-dihydro-⟨benzo-1,3-thiazol⟩ in 30 *ml* Pyridin werden unter Rühren mit 1,45 g (4,4 mMol) Kalium-hexacyanoferrat(III) in 15 *ml* Wasser und 1 *ml* konz. Ammoniak tropfenweise versetzt. Nach 1 stdgm. Rühren wird mit 75 *ml* Wasser verdünnt. Dann wird filtriert, mit Wasser gewaschen

[1] S. HÜNIG u. G. KÖBRICH, A. **617**, 203 (1958).
[2] S. HÜNIG u. F. MÜLLER, A. **651**, 73 (1962).
[3] S. HÜNIG, F. BRÜHNE u. E. BREITHER, A. **667**, 72 (1963).

und i. Vak. über Silikagel getrocknet. Danach wird in Chloroform gelöst und auf neutralem Aluminium-oxid chromatographiert; Ausbeute: 186 mg (47% d.Th.); F: 252–254° (aus Pyridin, grüne, metallisch glänzende Kristalle).

6. Azo-Verbindungen durch intermolekulare Dehydrierung von aromatischen Aminen

Hexacyanoferrat(III) wird nur selten zur Überführung von aromatischen Aminen in die entsprechenden Azo-Verbindungen benutzt, weil aufgrund von Nebenreaktionen, beispiels-weise Kupplung unter C–N-Verknüpfung, die Ausbeuten an Azo-Verbindung nicht beson-ders hoch sind. So lassen sich am besten am aromatischen bzw. aromatisch-heterocyclischen Kern stark substituierte Amine einsetzen; aber auch in diesen Fällen sind die Ausbeuten niedrig[1–4].

Der Verlauf der Dimerisierung ist stark p_H-abhängig[5]. So erhält man in stark alkalischer Lösung aus 2,4,6-Trimethyl-anilin 95% d.Th. *2,2',4,4',6,6'-Hexamethyl-azobenzol*, während bei p_H = 6,6 nur 1,5% d.Th. Azo-Verbindung neben 54% d.Th. *2,6-Dimethyl-p-benzo-chinon-(2,4,6-trimethyl-phenylimin)* anfallen.

7. Intermolekulare Dehydrierung unter Ringschluß

Die intermolekulare Dehydrierung mit Kalium-hexacyanoferrat(III), kann auch unter Ringschluß erfolgen, indem die an der Kupplung beteiligten Partner unter Entzug von vier Wasserstoff-Atomen eine doppelte Bindung eingehen. Reaktionspartner sind auch hier fast immer Phenole; z.B.[6]:

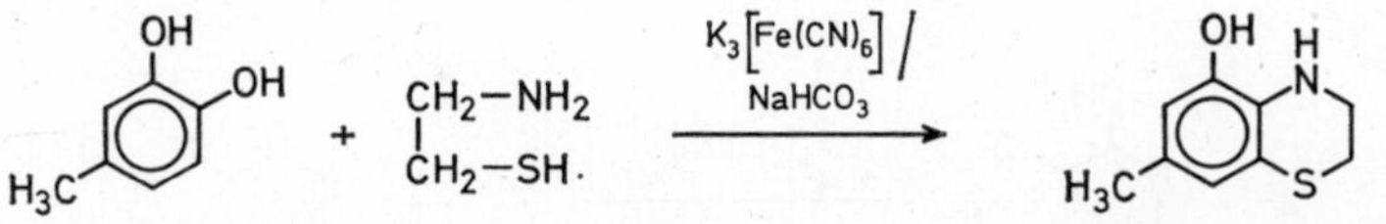

Bei einem Überschuß an Amin ist die Ausbeute an *5-Hydroxy-7-methyl-3,4-dihydro-2H-⟨benzo-1,4-thiazin⟩* 50%. Bei einem Überschuß an Oxidationsmittel wird dagegen im wesentlichen *5,8-Dioxo-7-methyl-3,4,5,8-tetrahydro-2H-⟨benzo-1,4-thiazin⟩* (I) erhalten:

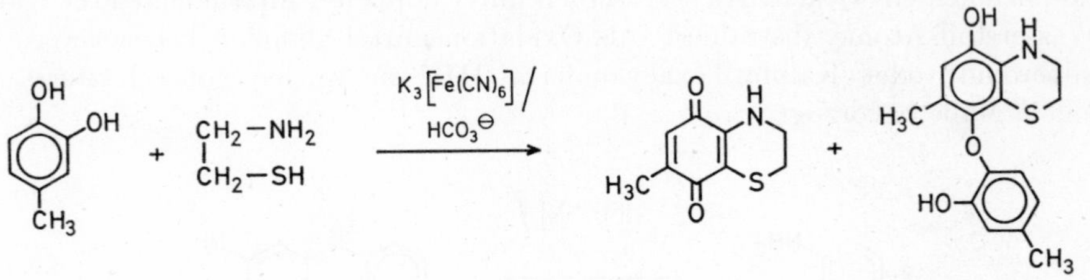

I

Der größte Teil des Oxidationsmittels wird unter Dimerisierung des Thiols zum Disulfan verbraucht.

---

[1] R. K. HAYNES u. F. R. HEWGILL, Soc. (Perkin I) **1972**, 396, 408, 813.

[2] A. R. FORRESTER u. R. H. THOMSON, Soc. **1965**, 1224; *2,2',4,4'-Tetrachlor-azobenzol*; *Bis-[1-oxido-5,5-dimethyl-4,5-dihydro-3H-pyrrolyl-(2)]-diazen* (31% d.Th.).

[3] W. BOGUTH u. R. HACKEL, Z. physiol. Chem. **342**, 172 (1965); *Bis-[2,5,7,8-tetramethyl-2-(4,8,12-tri-methyl-tridecyl)-chromanyl-(6)]-diazen* (13% d.Th.).

[4] T. KAMETANI u. K. OGASAWARA, Chem. Pharm. Bull. (Tokyo), **16**, 1843 (1968); C. A. **70**, 28572 (1969); Oxidation von p-Toluidin.

[5] S. L. GOLDSTEIN u. E. MCNELIS, J. Org. Chem. **38**, 183 (1973).

[6] G. PROTA, O. PETRILLO, C. SANTACROCE u. D. SICA, J. Heterocycl. Chem. **7**, 555 (1970).

Aus Brenzcatechin und 4,5-Dihydroxy-7-methoxy-cumarin wird auf ähnliche Weise *Wedelolacton* erhalten[1-3]:

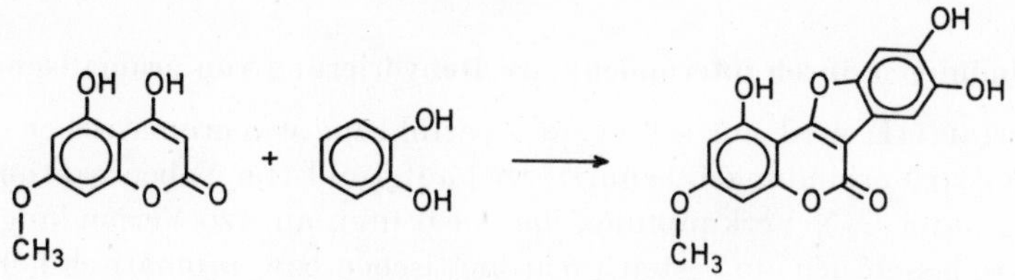

Wedelolacton[1]: Zu einer Lösung von 330 mg Brenzcatechin und 936 mg 4,5-Dihydroxy-7-methoxy-cumarin in 90 *ml* Aceton und 15 *ml* Wasser gibt man die Lösung von 4 g Kalium-hexacyanoferrat(III) und 3,5 g Natriumacetat in 30 *ml* Wasser. Die zunächst blaue Mischung wird langsam rotbraun. Nach 90 Min. wird das anorganische Kristallisat abgesaugt, mit einer Mischung von 30 *ml* Aceton und 10 *ml* Wasser nachgewaschen, das Filtrat mit 10 *ml* konz. Ameisensäure versetzt und i. Vak. eingeengt. Man saugt nach 90 Min. von braunen Flocken (~ 100 mg) ab, versetzt das Filtrat mit 50 *ml* Wasser, bringt die jetzt gelbe Abscheidung durch gelindes Erwärmen in Lösung und konz. erneut i. Vak. Die sich nach einiger Zeit abscheidenden gelbbraunen Kristalle sind praktisch reines Wedelolacton (800 mg; 85% d.Th.). Nach chromatographischer Reinigung an einer Perlonsäule erhält man 650 mg (69% d.Th.) reines Wedelolacton; F: 327–330°.

Diese intermolekulare Ringschlußreaktion findet man auch bei aromatischen und heterocyclischen Aminen. So entsteht bei der dehydrierenden Selbstkondensation von 5-Amino-2,4-dihydroxy-pyrimidin in verdünnter Kalilauge *2,4,6,8-Tetrahydroxy-⟨pyrimido-[4,5-g]-pteridin⟩* (51% d.Th.; F: >300°)[4]:

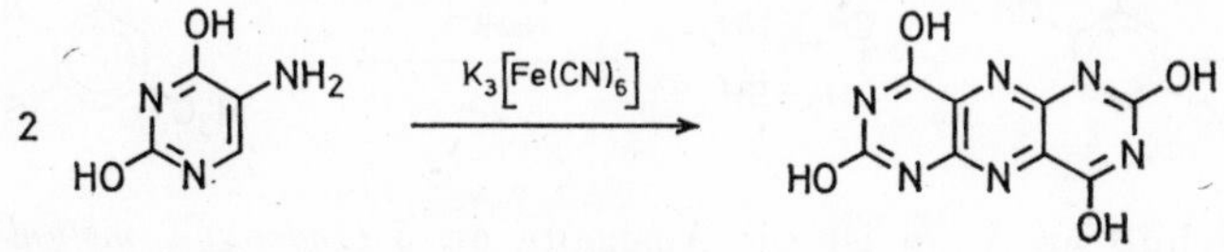

Als eine Methode zur Herstellung von Phenoxazonen hat sich die Dehydrierung von o-Amino-phenolen entwickelt. Hierbei werden unter doppelter intermolekularer Kupplung sechs Wasserstoff-Atome abstrahiert. Als Oxidationsmittel kommen beispielsweise Luft[5], Quecksilberoxid[6] oder Kalium-hexacyanoferrat(III)[7] in Frage, wobei letzteres in zunehmendem Maße bevorzugt wird[8]; z. B.:

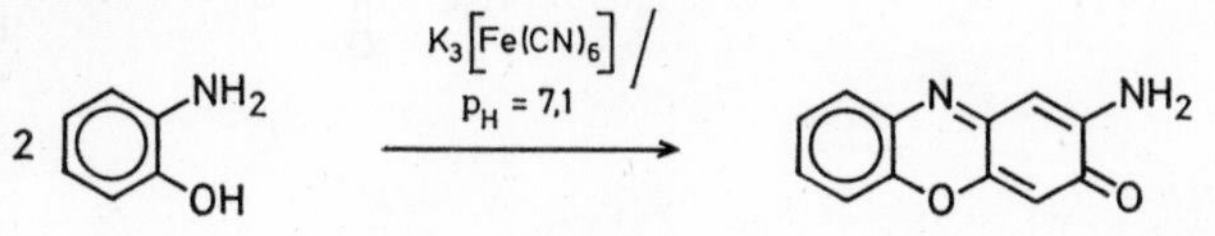

3-Amino-2-oxo-2H-phenoxazin

[1] H. W. Wanzlick, R. Gritzky u. H. Heidepriem, B. **96**, 305 (1963).
[2] M. Darbarwar et al., Indian J. Chem. **11**, 115 (1973).
[3] J. N. Chatterjea, K. Achari u. N. C. Jain, J. Indian Chem. Soc. **47**, 590 (1970).
[4] E. C. Taylor Jr., H. M. Loux, E. A. Falco u. G. H. Hitchings, Am. Soc. **77**, 2243 (1955).
[5] P. Seidel, B. **23**, 182 (1890).
[6] O. Fischer u. O. Jonas, B. **27**, 2782 (1894).
[7] G. Fischer, J. pr. [2], **19**, 317 (1879).
    E. Diepolder, B. **35**, 2816 (1902).
[8] A. Butenandt, U. Schiedt u. E. Biekert, A. **588**, 106 (1954).

3-Amino-2-oxo-4,5-diacetyl-2H-phenoxazin[1]: Zu einer Lösung von 1,5 g (0,08 Mol) 2-Amino-3-hydroxy-acetophenon-Hydrochlorid in 3 l 0,1 m Phosphatpuffer vom $p_H = 7,1$ wird unter Rühren bei 40° eine Lösung von 5,28 g (0,16 Mol) Kalium-hexacyanoferrat(III) in 200 ml Wasser zugetropft. Die ausgefallenen orangeroten Flocken werden abgesaugt, mit Wasser gewaschen, getrocknet und aus Essigsaure-äthylester umkristallisiert; Ausbeute: 0,95 g (80% d.Th.); Zers. p: 251°.

Je stärker sauer das Reaktionsmedium, desto geringer ist die Ausbeute an Phenoxazon. Von dieser Abhängigkeit kann Gebrauch gemacht werden, um durch „oxidative Mischkondensation"[2] die unterschiedlichsten Phenoxazone zu synthetisieren. Während 2-Amino-3-hydroxy-acetophenon in essigsaurer Lösung keine Reaktion zeigt, wird Brenzcatechin langsam oxidiert. Als Reaktionsprodukt erhält man das Mischkondensat *3-Hydroxy-2-oxo-5-acetyl-2H-phenoxazin:*

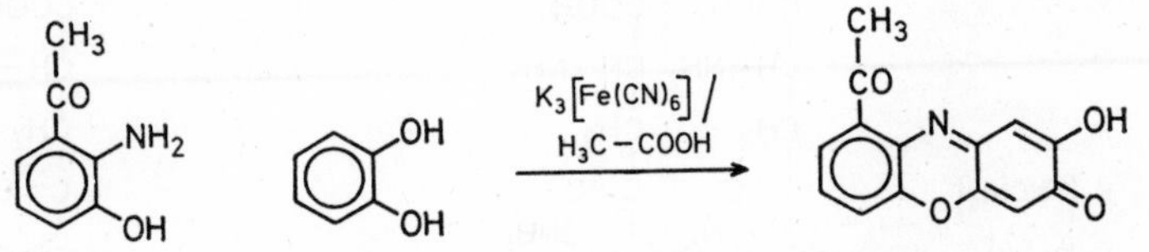

3-Hydroxy-2-oxo-6-acetyl-2H-phenoxazin[2]: 200 mg 2-Amino-3-hydroxy-acetophenon-Hydrochlorid, 200 mg Brenzcatechin und 2,1 g pulverisiertes Kalium-hexacyanoferrat(III) werden in 5 ml, über Kupfer(II)-sulfat entwässertem Eisessig suspendiert und bei Zimmertemp. unter Kohlendioxid geschüttelt. Die anschließende Wasserzugabe erfolgt in Portionen von je 0,25 ml nach 1,3,5,7,8,9,10,11 Stdn. und weiter in Abständen von je 30 Min. in Portionen von 0,5 ml. Nach insgesamt 14 Stdn. werden noch 3,25 ml Wasser zugefügt. Schon zu Beginn der Reaktion kristallisiert das Phenoxazon aus. 1 Stde. nach der letzten Wasserzugabe ist die Abscheidung des letzten Reaktionsproduktes beendet. Die rotbraunen Nadeln werden abgesaugt und mit Wasser gewaschen; Ausbeute: 115 mg (43% d.Th.); F: > 400°.

Bei schnellerer Zugabe des Wassers, besonders zu Beginn der Reaktion und beim Arbeiten in größerer Verdünnung sinken die Ausbeuten beträchtlich.

Die „oxidative Mischkondensation" zweier o-Amino-phenole liefert nicht, wie zu erwarten, die vier möglichen Isomeren in gleichen Mengen. Das zeigt die Codehydrierung von 2-Amino-3-hydroxy-4-methyl-benzoesäure-äthylester und 4-Chlor-2-amino-3-hydroxy-benzoesäure-äthylester:

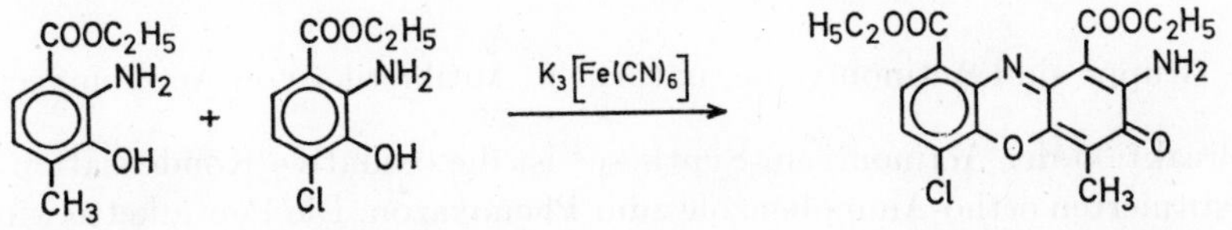

6-Chlor-2-amino-3-oxo-4-methyl-1,9-diäthoxycarbonyl-3H-phenoxazin[3]: Eine Lösung von 0,15 g (0,8 mMol) 2-Amino-3-hydroxy-4-methyl-benzoesäure-äthylester und 0,165 g (0,75 mMol) 4-Chlor-2-amino-3-hydroxy-benzoesäure-äthylester in einem Gemisch von 150 ml Phosphatpuffer ($p_H = 7,2$) und 60 ml Äthanol werden tropfenweise zu einer Lösung von 1,7 g Kalium-hexacyanoferrat(III) in 30 ml Phosphatpuffer gegeben. Danach wird das Reaktionsgemisch 30 Min. bei 40° gerührt. Nach weiteren 12 Stdn. wird abfiltriert, mit Wasser gewaschen und getrocknet; Rohausbeute: 0,24 g (77% d.Th.). Die chromatographische Auftrennung des Gemisches erfolgt an einer Kolonne (7 cm hoch, 4,5 cm ⌀) mit KSK Silikagel der Korngröße 20–40 μ. Das Rohprodukt (0,17 g) wird in 2 ml einer Mischung Chloroform, Methanol und Essigsäure im Verhältnis 91:4:5 gelöst. Mit demselben Gemisch wird auch eluiert.

---

[1] A. BUTENANDT, U. SCHIEDT u. E. BIEKERT, A. **588**, 106 (1954).

[2] A. BUTENANDT, E. BIEKERT u. G. NEUBERT, A. **602**, 72 (1957).

[3] Z. I. KORSHUNOVA, E. N. GLIBIN, E. R. ZAKHS u. O. F. GINZBURG, Ž. org. Chim. **6**, 510 [508] (1970); C. A. **72**, 132647 (1970).

Man erhält:

4 mg   *4,6-Dichlor-2-amino-3-oxo-1,9-diäthoxycarbonyl-3H-phenoxazin* (R_f^A 0,93)

120 mg   *6-Chlor-2-amino-4-methyl-3-oxo-1,9-diäthoxycarbonyl-3H-phenoxazin* [R_f^A 0,87; F: 279–281° (aus 70%igem wäßr. Dimethylformamid)]

7 mg   *2-Amino-4,6-dimethyl-3-oxo-1,9-diäthoxycarbonyl-3H-phenoxazin.*

Da das Phenoxazon-Gerüst als chromophores System einiger in der Natur vorkommender Substanzen dient[1] (z. B. in den Ommochromen)[2] besitzt seine Synthese eine gewisse Bedeutung; z. B.[3,4]:

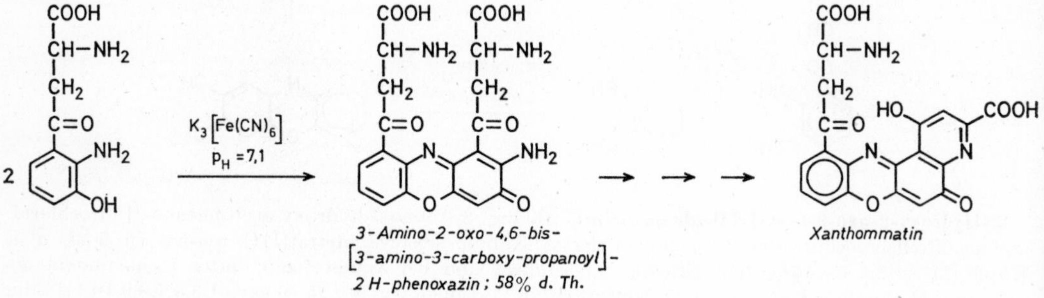

3-Amino-2-oxo-4,6-bis-
[3-amino-3-carboxy-propanoyl]-
2 H-phenoxazin; 58% d. Th.

Xanthommatin

Cinnabarin (R = CH₂OH) und *Cinnabarinsäure* (R = COOH)[5-7] werden analog gewonnen:

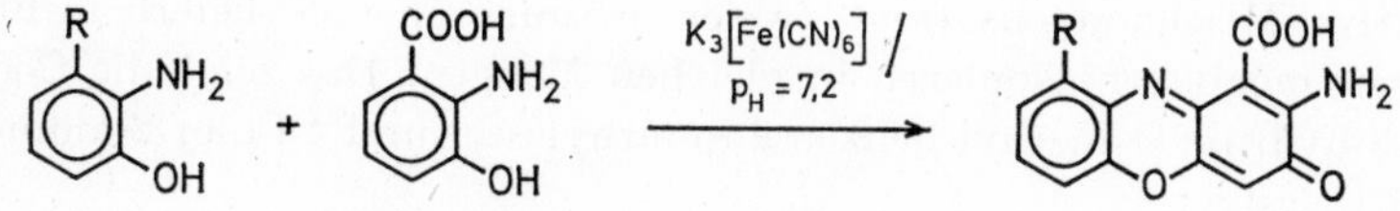

Eine dritte Gruppe sind Actinomycine, natürliche Antibiotika von Actinomyces[8].

Schlüsselreaktion der Actinomycin-Synthese[8] ist die oxidative Kondensation der beiden peptid-substituierten ortho-Aminobenzole zum Phenoxazon. Die Peptidkette wird zunächst am weniger empfindlichen o-Nitro-phenol aufgebaut. Danach wird zum ortho-Amino-

---

[1] W. SCHÄFER, *The Chemistry of the Phenoxazones* in *Progress in Organic Chemistry* 6, 135, Butterworths, London 1964.

[2] A. BUTENANDT, E. BIEKERT u. B. LINZEN, Z. physiol. Chem. 313, 251 (1958).

[3] A. BUTENANDT, U. SCHIEDT, E. BIEKERT u. P. KORNMANN, A. 586, 217 (1954).

[4] A. BUTENANDT, U. SCHIEDT u. E. BIEKERT, A. 588, 106 (1954).

[5] G. W. K. CAVILL, P. S. CLEZY, J. R. TETAZ u. R. L. WERNER, Tetrahedron 5, 275 (1959).

[6] Z. I. KORSHUNOVA, E. N. GLIBIN, E. R. ZAKHS u. O. F. GINZBURG, Z. org. Chim. 6, 510 [508] (1970); C. A. 72, 132, 647 (1970).

[7] V. A. IVANOV, E. N. GLIBIN u. O. F. GINZBURG, Ž. org. Chim. 8, 1743 [1783] (1972); C. A. 77, 139, 928 (1972).

[8] H. BROCKMANN in L. ZECHMEISTER: Fortschr. Chem. org. Naturstoffe 18, 1 (1960).

phenol hydriert und dieses, ohne es aus dem Reaktionsgemisch zu isolieren, sofort mit Hexacyanoferrat(III) bei p_H = 7,2 zum Phenoxazon kondensiert [1-4]:

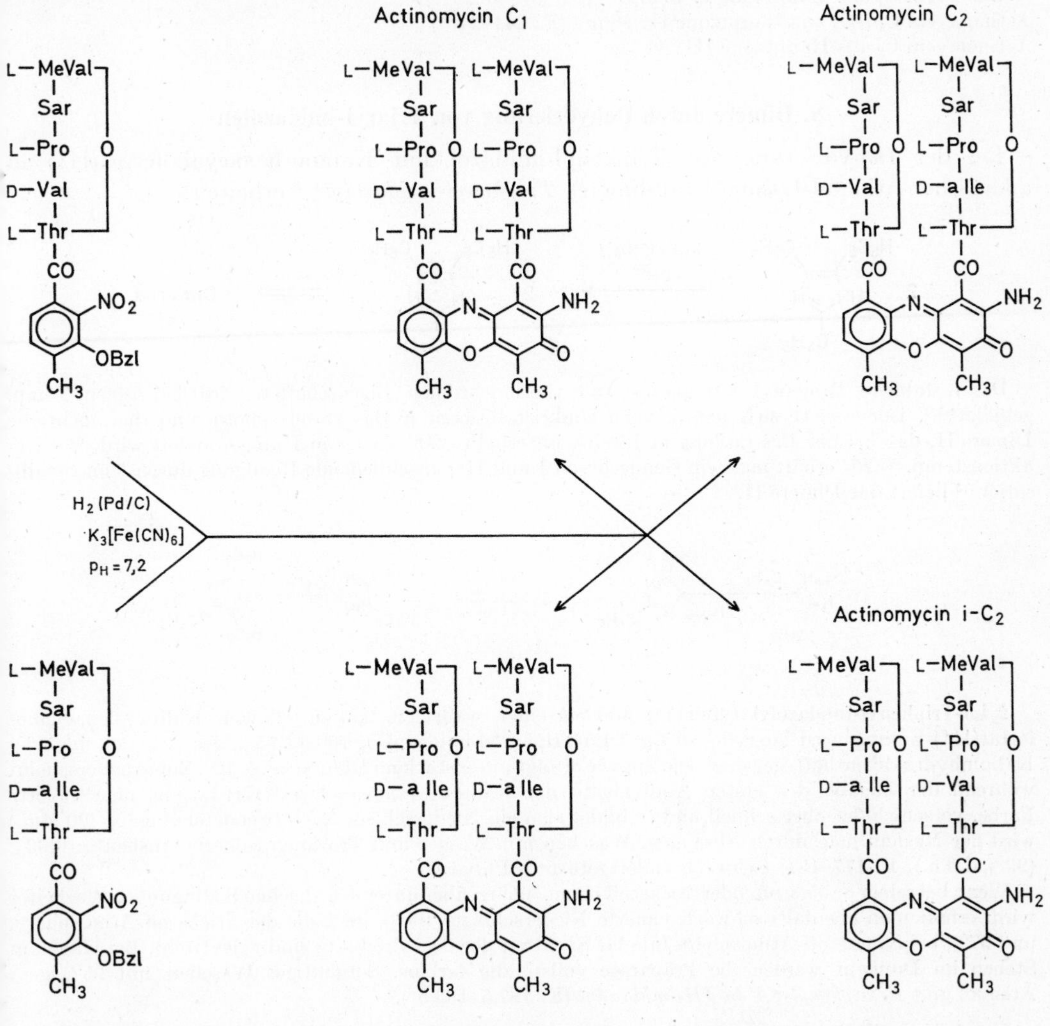

Actinomycin C$_1$ | Actinomycin C$_2$

```
L—MeVal┐        L—MeVal┐ L—MeVal┐       L—MeVal┐ L—MeVal┐
   |               |         |             |         |
  Sar             Sar       Sar           Sar       Sar
   |               |         |             |         |
L—Pro  O        L—Pro O  L—Pro  O       L—Pro O  L—Pro  O
   |               |         |             |         |
 D—Val           D—Val     D—Val         D—Val     D—a lle
   |               |         |             |         |
 L—Thr─┘        L—Thr─┘  L—Thr─┘        L—Thr─┘  L—Thr─┘
   |               |         |             |         |
   CO              CO        CO            CO        CO
```

Actinomycin i-C$_2$

H_2 (Pd/C)
K_3[Fe(CN)$_6$]
p_H = 7,2

Actinomycin C$_1$, Actinomycin C$_3$ und Actinomycin C$_2$/i-C$_2$ [5]: 120 mg N-[2-Nitro-3-benzyloxy-4-methyl-benzyl]-cyclo-[L-threonyl-D-valyl-L-prolyl-sarkosyl-N-methyl-L-valyl-O$_{Thr}$] und 123 mg N-[2-Nitro-3-benzyloxy-4-methyl-benzoyl]-cyclo-[L-threonyl-D-*allo*-isoleucyl-L-prolyl-sarkosyl-N-methyl-L-valyl-O$_{Thr}$] werden in 25 *ml* Methanol mit Palladium-Kohle hydriert. Danach wird diese Lösung auf 15 *ml* eingeengt, mit 30 *ml* 0,07 m Phosphatpuffer auf p_H 7,2 eingestellt und durch portionsweise Zugabe von 320 mg Kalium-hexacyanoferrat(III) in 5 *ml* Puffer unter Rühren bei p_H 7,2 (mit 0,1 n Natronlauge stets nachreguliert) oxidiert. 8 Stdn. später verd. man mit 200 *ml* Wasser, extrahiert mit Chloroform und wäscht den Extrakt mit angesäuertem (Salzsäure) Wasser. Das beim Eindampfen i. Vak. hinterbliebene rohe Actinomycin-Gemisch (196 mg) trennt sich an einer 3,6 × 50 cm Cellulosesäule (LS III) in drei Haupt- und drei kleine Nebenfraktionen, die – in Richtung zunehmender R_F-Werte beziffert – nach Zerschneiden der Säule mit Methanol und Wasser eluiert und dann den mit 0,2 n Natriumhydrogen-carbonat-Lösung verd. Eluaten mit Chloroform entzogen werden. Die mit n Natriumhydrogencarbonat

[1] H. LACKNER, B. **103**, 2476 (1970).
[2] J. MEIENHOFER, Am. Soc. **92**, 3771 (1970).
[3] H. BROCKMANN u. F. SEELA, B. **104**, 2751 (1971).
[4] F. SEELA, J. med. Chem. **15**, 684 (1972).
[5] H. BROCKMANN u. H. LACKNER, B. **101**, 2231 (1968).

und Wasser gewaschenen, filtrierten Chloroform-Extrakte werden verdampft und die Actinomycine der drei Hauptzonen aus Essigsäure-äthylester/wenig Methanol/Cyclohexan 2mal umkristallisiert.

Actinomycin C_1 aus Hauptzone I: 43 mg
Actinomycin C_2/i-C_2 aus Hauptzone II: 88 mg (F: 244–246°)
Actinomycin C_3 aus Hauptzone III: 44 mg

8. Dimere durch Dehydrierung von Triaryl-imidazolen

Bei der Dehydrierung von Triphenyl-imidazol mit Kalium-hexacyanoferrat(III) in alkalischer Äthanol-Lösung wird dimeres *Triphenyl-imidazolyl*[1-9] erhalten:

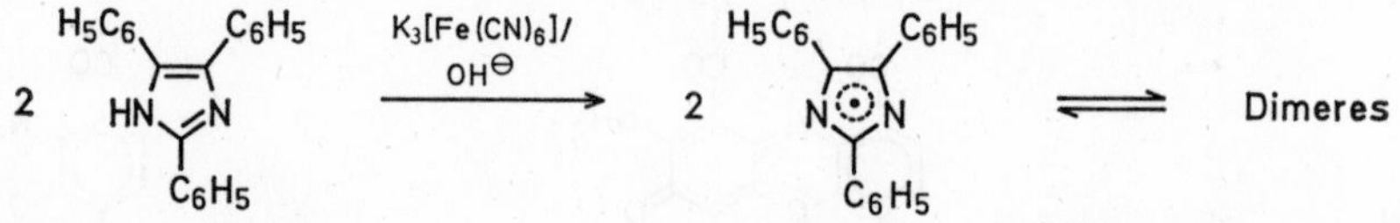

Das instabilere Dimere I mit piezo- und thermochromen Eigenschaften wird bei tiefen Temp. gebildet[2,3,6], isomerisiert sich jedoch beim Umkristallisieren in das stabile photo- und thermochrome Dimere II, das bei der Bestrahlung in Lösung unterhalb −20° wieder in I umgewandelt wird. Bei Reaktionstemp. $\sim$ 25° erhält man ein Gemisch von I und II[2]; anschließende Reinigung durch Umkristallisation[1,3] liefert das Dimere II.

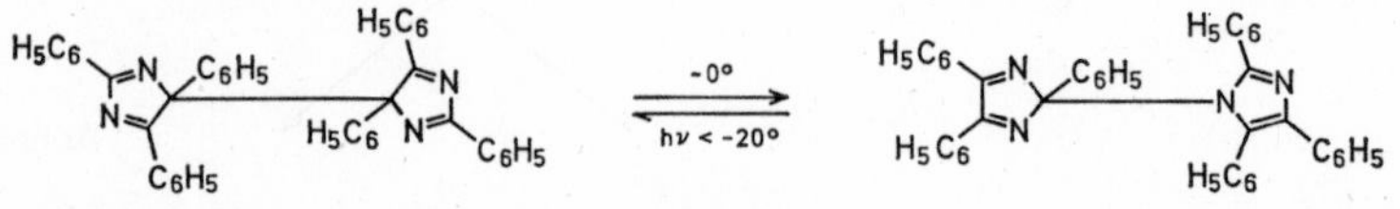

2,4,5-Triphenyl-imidazolyl (dimer)[2]: 450 *ml* einer wäßrigen, kalten 1%igen Kalium-hexacyanoferrat(III)-Lösung wird langsam zu 1 g 2,4,5-Triphenyl-imidazol in 100 *ml* 95%iges Äthanol, das 12 g Kaliumhydroxid enthält, gegeben. Die Zugabe erfolgt unter starkem Rühren bei 5–10°. Zunächst erscheint während der Zugabe des ersten Äquivalents der Kalium-hexacyanoferrat(III)-Lösung eine violette Farbe, verschwindet aber schnell und es bildet sich ein Niederschlag. Nach beendeter Zugabe (90 Min.) wird der Niederschlag durch Absaugen, Waschen mit Wasser und Trocknen isoliert; Ausbeute: 0,92 g (93% d.Th.); F: 177–184° (schwach violettgefärbtes Pulver).

Wenn bei reiner Sauerstoff- oder Stickstoff-Atmosphäre, aber unter den gleichen Bedingungen gearbeitet wird, erhält man ebenfalls schwach violette Niederschläge, 100% im Falle der Stickstoff-Atmosphäre, und 97% bei Sauerstoff-Atmosphäre (die IR-Spektren der drei Produkte sind iedentisch). Bei längerem Stehen im Dunkeln werden die Präparate vollständig farblos. Sorgfältiges Waschen mit 95%igem Äthanol gibt *Hexaphenyl-4,4'-bi-4H-imidazolyl* (F: 187,5–188,5°).

In einigen Fällen ist Äthanol zur Bereitung der Imidazol-Lösung nicht geeignet bzw. es ist vorteilhaft, das Reaktionsprodukt der weiteren Einwirkung der wäßrigen Hexacyanoferrat(III)-Lösung zu entziehen. Es empfiehlt sich dann folgendermaßen zu verfahren.

4,5-Diphenyl-2-(2,4-dimethoxy-phenyl)-imidazolyl (dimer)[3]: 5,35 g (15 mMol) 4,5-Diphenyl-2-(2,4-dimethoxy-phenyl)-imidazol und 150 g Benzol werden zu einer Lösung von 6 g Natriumhydroxid und 9,9 g Kalium-hexacyanoferrat(III) in 100 *ml* Wasser gegeben und diese Mischung heftig, 16 Stdn.

[1] T. Hayashi u. K. Maeda, Bull. Chem. Soc. Japan **33**, 565 (1960); C. A. **54**, 24674 (1960).
[2] D. M. White u. J. Sonnenberg, Am. Soc. 88, 3825 (1966).
[3] L. A. Cescon, G. R. Coraor, R. Dessauer, E. F. Silversmith u. E. J. Urban, J. Org. Chem. **36**, 2262 (1971).
[4] B. S. Tanaseichuk, Chim. geterocyl. Soed. **1972**, 1299; C. A. **78**, 42 293 (1973).
[5] H. Zimmermann, H. Baumgärtel u. F. Bakke, Ang. Ch. **73**, 808 (1961).
[6] K. Maeda u. T. Hayashi, Bull. Chem. Soc. Japan **43**, 429 (1970); C. A. **72**, 120 798 (1970).
[7] H. Tanino et al., Bull. Chem. Soc. Japan **45**, 1474 (1972); C. A. **77**, 87441 (1972).
[8] K. Tomita u. N. Yoshida, Tetrahedron Letters **1971**, 1169; Bull. Chem. Soc. Japan **45**, 3160 (1972); C. A. **78**, 15230 (1973).
[9] Y. Sakaino et al., Tetrahedron **29**, 1185 (1973).

gerührt. Danach wird die benzolische Phase abgetrennt, 3mal mit 150 ml Wasser gewaschen über Natriumsulfat getrocknet und i. Vak. auf 20 ml eingeengt. Anschließend wird aus Benzol-Äthanol umkristallisiert; Ausbeute: 4,85 g (91% d.Th.); F: 120–121°.

Bei einfacher Trocknung gelingt es häufig nicht, das Präparat vollständig vom Lösungsmittel zu befreien. In vielen Fällen ist es notwendig, das Produkt längere Zeit bei höherer Temp. i. Vak. zu trocknen. Gewöhnlich reicht 24stdgs. Erhitzen auf 110° bei 0,1 Torr aus[1]. Das Auftreten von Färbungen infolge von Dissoziation in die Radikale ist nicht problematisch. Beim Abkühlen erhält man das reine Bi-imidazol.

In der Literatur sind zahlreiche dimere Imidazolyl-Derivate beschrieben (s. Tab. 8).

Tab. 8. Dimere durch Dehydrierung von Triaryl-imidazolen mit Kalium-hexacyanoferrat(III)

R¹	R²	R³	Methode[a]	Dimere	Ausbeute [% d.Th.]	F [°C]	IR [cm⁻¹]	Literatur
C₆H₅	C₆H₅	C₆H₅	A	piezo	100	191–192	1020, 868	2,3
			U, B	photo	90	202–202,5	1350, 904	1–5
2-Furyl	C₆H₅	C₆H₅	A	piezo	62	233–235		6
2-Cl-C₆H₄	C₆H₅	C₆H₅	A, C	photo	89	202–203 [b]	1555, 1501	1–4
C₆H₅	4-CH₃–C₆H₄	C₆H₅	B	photo				7
C₆H₅	Naphthyl	C₆H₅	A		62			8, 9
4-CH₃-C₆H₄	4-C₆H₅-C₆H₄	C₆H₅	A		55	176–181		10
2-Furyl	4-Br-C₆H₄	C₆H₅	A		58	219–221		11
C₆H₅	4-Br-C₆H₄	4-Br-C₆H₄	A		gut			12
C₆H₅	Biphenyldiyl-(2,2')–		A		gut	200–203[c]		13

[a] A = alkalische Äthanol-Lösung bei 5–10°
   B = alkalische Äthanol-Lösung bei ∼22°
   C = Benzol bei ∼22°
   U = Durch Umkristallisation der piezochromen Substanz
[b] nach Lit². F: 115–120°
[c] Kristalle enthalten ³/₄ Mole Aceton.

[1] L. A. Cescon, G. R. Coraor, R. Dessauer, E. F. Silversmith u. E. J. Urban, J. Org. Chem. 36, 2262 (1971).

[2] D. M. White u. J. Sonnenberg, Am. Soc. 88, 3825 (1966).

[3] K. Maeda u. T. Hayashi, Bull. Chem. Soc. Japan 43, 429 (1970); C. A. 72, 120798 (1970).

[4] T. Hayashi u. K. Maeda, Bull. Chem. Soc. Japan 33, 565 (1960); C. A. 54, 24694 (1960).

[5] B. S. Tanaseichuk u. L. G. Rezepova, Ž. Org. Chem. 6, 1065 (1970); engl.: 1068; C. A. 73, 34596 (1970).

[6] S. V. Yartseva u. B. S. Tanaseichuk, Ž. Org. Chem. 7, 1505 (1971); engl.: 1558; C. A. 75, 118268 (1971).

[7] L. G. Tikhonova u. B. S. Tanaseichuk, Chim. geterocycl. Soed. 1972, 1976; C. A. 78, 72000 (1973).

[8] A. A. Bardina, B. S. Tanaseichuk u. I. M. Nekaeva, Chim. geterocycl. Soed. 1972, 1688; C. A. 78, 72001 (1973).

[9] B. S. Tanaseichuk, A. A. Bardina u. A. A. Khomenko, Chim. geterocycl. Soed. 1971, 1255; C. A. 76, 24519 (1972).

[10] B. S. Tanaseichuk, A. A. Bardina u. V. A. Maksakov, Ž. Org. Chem. 7, 1508 [1561] (1971); C. A. 75, 118 267 (1971).

[11] B. S. Tanaseichuk u. S. V. Yartseva, Ž. Org. Chim. 7, 1505 (1971); C. A. 75, 118 268 (1971).

[12] L. G. Tikhonova, B. S. Tanaseichuk u. V. S. Loginov, Chim. geterocycl. Soed. 1973, 96; C. A. 78, 97 551 (1973).

[13] Y. Nagai u. Y. Sakaino, J. chem. Soc. Japan, pure Chem. Sect. 90, 309 (1968); C. A. 71, 12 414 (1969).

9. Disulfane durch Dehydrierung von Alkyl- bzw. Arylsulfiden[1]

Disulfane lassen sich durch oxidative intermolekulare Dehydrierung von aliphatischen oder aromatischen Mercaptanen herstellen[2]. Diese verhältnismäßig einfache Reaktion erfolgt mit einer ganzen Reihe von Oxidationsmitteln. Hexacyanoferrat(III) bietet im allgemeinen keine Vorteile vor der Verwendung von beispielsweise Wasserstoffperoxid, Jod oder den anderen Oxydationsmitteln[2-4]:

$$2\ R\text{-}SH \xrightarrow{\quad K_3[Fe(CN)_6]/\ OH^{\ominus}\quad} R\text{-}S\text{-}S\text{-}R$$

Eine Ausnahme machen tert.-Mercaptane, die man am besten mit Hexacyanoferrat(III) in Disulfane überführt[5].

Äthyl-tert.-butyl-disulfan[6]: Eine Mischung von 1 Mol Äthylmercaptan und 1 Mol tert.-Butyl-mercaptan werden in einer Lösung von 320 g Natriumhydroxid in 1700 *ml* Wasser gelöst und hierzu 670 g (2,04 Mol) Kalium-hexacyanoferrat(III) als 70%ige wäßrige Lösung gegeben. Die Zugabe erfolgt unter Rühren so, daß die Temp. des Reaktionsgemisches nicht über 20° ansteigt. Die Destillation des Rohproduktes, das man in einer Ausbeute in 93% erhält liefert drei Disulfane:
  Diäthyl-disulfan (Kp: 154°; n_0^{20}: 1,5072)
  Äthyl-tert.-butyl-disulfan (Kp: 175°; n_0^{20}: 1.4942)
  Di-tert.-butyl-disulfan
im Molverhältnis 1:6:1.

Eine intramolekulare S–S-Verknüpfung gelingt bei der Oxidation von Malon-1,3-dithio-säure-bis-[arylamiden][7]:

3-Anilino-5-phenylimino-1,2-dithiole

Viele Mercaptane werden bereits durch Stehen an der Luft teilweise in die entsprechenden Disulfane überführt. Die 100%ige Umsetzung erfolgt jedoch erst mit einem Dehydrierungsmittel, das ein höheres Oxidationspotential besitzt. Diese leichte Oxidierbarkeit der Mercaptane macht ihre Isolierung in den meisten Fällen nicht notwendig. So kann man beispielsweise die Umsetzung von Thiophen zum *Dithienyl-(2)-disulfan* nach dem folgenden Reaktionsablauf in einem Reaktionsgefäß nacheinander ablaufen lassen.

---

[1] Mechanismus u. Kinetik s.
    I. M. KOLTHOFF, E. J. MEEHAN, M. S. TSAO u. Q. W. CHOI, J. Phys. Chem. **66**, 1233 (1962).
    E. J. MEEHAN, I. M. KOLTHOFF u. H. KAKIUCHI, J. Phys. Chem. **66**, 1238 (1962).
    K. B. WIBERG, H. MALTZ u. M. OKANO, Inorg. Chem. **7**, 830 (1968).
    J. J. BOHNING u. K. WEISS, Am. Soc. **82**, 4724 (1960).
    R. C. KAPOOR, O. P. KACHHWAHA u. B. P. SINHA, J. Phys. Chem. **73**, 1627 (1969).
    O. P. KACHHWAHA, B. P. SINHA u. R. C. KAPOOR, Indian J. of Chem. 8, 806 (1970).
    R. C. KAPOOR, R. K. CHOHAN u. B. P. SINHA, J. Phys. Chem. **75**, 2036 (1971).
    B. P. SINHA, R. C. KAPOOR u. O. P. KACHHWAHA, Indian J. Chem. **10**, 499 (1972).
    R. K. CHOHAN, B. P. SINHA u. R. C. KAPOOR, J. Phys. Chem. **76**, 3641 (1972).
    G. GORIN u. W. E. GODWIN, J. Catalysis. **5**, 279 (1966).
[2] s. ds. Handb., Bd. IX, S. 55 (1955).
[3] H. KING, Soc. **107**, 222 (1915); Herstellung von z. B. *Bis-[4-(3-benzoylamino-äthyl)-phenyl]-disulfan* (95% d.Th.).
[4] E. PROFFT u. W. ROLLE, J. pr. [4], **11**, 22 (1960); Herstellung von *Bis-[2-methyl-pyridyl-(4)]-disulfan* (87% d.Th.).
[5] S. F. BIRCH, T. V. CULLUM u. R. A. DEAN, J. Inst. Petrol. **39**, 206 (1953).
[6] D. T. McALLAN, T. V. CULLUM, R. A. DEAN u. F. A. FIDLER, Am. Soc. **73**, 3627 (1951).
[7] A. D. GRABENKO, L. N. KULAEVA u. P. S. PELKIS, Chim. geterocycl. Soed. **1974**, 924.

Dithienyl-(2)-disulfan[1]:

$$2 \left[\begin{array}{c}\text{(thienyl)}\end{array}\right]\!\!-\!Li \xrightarrow{S_2} 2 \left[\begin{array}{c}\text{(thienyl)}\end{array}\right]\!\!-\!S\!-\!Li \xrightarrow{K_3[Fe(CN)_6]} \left[\begin{array}{c}\text{(thienyl)}\end{array}\!\!-\!S\!-\right]_2$$

Zu einer Lösung von Thienyl-(2)-lithium, die durch Umsetzung von 168 g (2 Mole) Thiophen in 200 ml Äther mit 1385 ml einer 1,48 m Butyl-lithium – Äther-Lösung hergestellt wird, indem man diese beiden Lösungen während 40 Min. unter Rühren miteinander vermischt und danach 30 Min. stehen läßt, werden im Verlauf von 25 Min. 64 g (2 Mole) Schwefel bei 0–5° gegeben. Danach wird 40 Min. bei Raumtemp. gerührt, das Reaktionsgemisch auf unter 0° abgekühlt und in 2 l 2 n Natronlauge gegossen, die ebenfalls auf 0° heruntergekühlt werden. Die ätherische Schicht wird mit 1 l 4 n Natronlauge extrahiert, der alkalische Extrakt mit Äther gewaschen und unter Rühren zu einer Lösung von 800 g Kalium-hexacyanoferrat(III) in 4 l Wasser, auf 0° heruntergekühlt, gegeben. Der gelbe Disulfan-Niederschlag wird abfiltriert, in Benzol gelöst und der Rückstand nach Abdestillieren des Lösungsmittels bei $Kp_{0,02}$: 115–145° überdestilliert; Ausbeute: 155 g (76,5% d.Th.); F: 56–57°.

Die Reaktionsmasse sollte so schnell wie möglich alkalisch gemacht werden und die alkalische Lösung sofort weiterverarbeitet werden. Schließlich ist es vorteilhaft, bei der Oxidation einen ständigen Überschuß an Oxidationsmittel zu haben, da sonst das Disulfan als Öl anfällt und die Ausbeuten geringer sind.

Bis-[dimethylamino-thiocarbonyl]-disulfan[2]:

$$2\ (H_3C)_2NH\ +\ 2\ CS_2\ \longrightarrow\ 2\ (H_3C)_2N\!-\!\underset{\underset{S}{\|}}{C}\!-\!SH\ \xrightarrow[OH^{\ominus}]{K_3[Fe(CN)_6]/}\ (H_3C)_2N\!-\!\underset{\underset{S}{\|}}{C}\!-\!S\!-\!S\!-\!\underset{\underset{S}{\|}}{C}\!-\!N(CH_3)_2$$

In einem 2-l-Dreihalskolben, mit Rührer, Thermometer und Tropftrichter werden 180 ml einer wäßrigen 25%igen Dimethylamin-Lösung mit 100 ml 40%iger Natronlauge gemischt. Man kühlt auf −10 bis −15° herunter und gibt 76 g Schwefelkohlenstoff so zu, daß die Reaktionstemp. nicht über −5° ansteigt. Anschließend rührt man noch 30 Min. und gibt dann 330 g Kalium-hexacyanoferrat(III) in 1 l Wasser zu. Dabei darf die Temp. 0° nicht übersteigen. Der farblose flockige Niederschlag wird abzentrifugiert und einige Male, zunächst mit Wasser, dann mit eiskaltem Äthanol gewaschen; Ausbeute: 120 g (99% d.Th.); F: 151°.

Von der Möglichkeit, derartige Reaktionsfolgen durchführen zu können, wird in der Eiweißforschung Gebrauch gemacht. Hier wird die Dehydrierung von Cystein zu *Cystin* mit Kalium-hexacyanoferrat(III)[3] dazu benutzt, Peptidketten über die Disulfidbrücke miteinander zu verknüpfen. Um während des Aufbaues der Peptidketten die Mercapto-Gruppe zu schützen, werden derartige schwefelhaltigen Bausteine zunächst in Form ihres S-Methyl- oder S-Benzyl-Derivates in die Peptidkette eingeführt. Entfernung der Schutzgruppe und S–S-Verknüpfung kann dann ohne Zwischenisolierung des S–H-haltigen Moleküls erfolgen. So beispielsweise bei der Herstellung von L-*Homocystin* aus L-Methionin; indem man zunächst mit Natrium in flüssigem Ammoniak demethyliert und anschließend das entstehende Homocystein durch Oxidation mit Kalium-hexacyanoferrat(III) zum Homocystin dehydriert[4] (vgl. a. Bd. XV/1, S. 729):

$$\begin{array}{c}CH_2\!-\!S\!-\!CH_3\\ |\\ CH_2\\ |\\ CH\!-\!NH_2\\ |\\ COOH\end{array} \xrightarrow{Na/NH_3} \begin{array}{c}CH_2\!-\!SH\\ |\\ CH_2\\ |\\ CH\!-\!NH_2\\ |\\ COOH\end{array} \xrightarrow{K_3[Fe(CN)_6]} \ 1/2\ \left[\begin{array}{c}CH_2\!-\!S\!-\\ |\\ CH_2\\ |\\ CH\!-\!NH_2\\ |\\ COOH\end{array}\right]_2$$

L-Homocystin[4]: 10 g (0,067 Mol) L-Methionin werden in 400 ml wasserfreiem, flüssigem Ammoniak gelöst und diese Lösung gerührt. Danach werden kleine Stückchen Natrium zugegeben. Anfänglich ist die Reaktion sehr heftig (bis ∼1,6 g). Die Zugabe von Natrium wird beendet, wenn die blaue Färbung

[1] B. P. Fedorov u. F. M. Stoyanovich, Ž. obšč. Chim. **33**, 2251 [2194] (1963); C. A. **59**, 13917 (1963).
[2] R. Rothstein u. K. Binovic, R. **73**, 561 (1954).
[3] M. Wälti u. D. B. Hope, Soc. [C] **1971**, 2326.
[4] D. B. Hope u. J. F. Humphries, Soc. **1964**, 869.

der Reaktionslösung 20 Min. anhält (nach 4,88 g; 0,21 Mol). Jetzt werden 3,6 g (0,067 Mol) Ammonium-chlorid langsam zugegeben, dabei erfolgt lebhafte Reaktion und der Niederschlag von Natriumamid verschwindet. Der verbleibende Ammoniak ($\sim$ 200 ml) wird abgedampft, der Rückstand in 150 ml Wasser gelöst, die Lösung filtriert, der p_H des Filtrats mit Eisessig auf 7 eingestellt und eine ges. Kalium-hexacyanoferrat(III)-Lösung zugegeben, bis die Gelbfärbung bleibt. Während der Oxidation wird der p_H der Reaktionsmischung mit 1 n Natronlauge auf 6–8 gehalten. Danach läßt man einige Zeit bei 4° stehen, filtriert und wäscht das kristalline Produkt mit Wasser frei von Hexacyanoferrat(II)-Ionen und anschließend mit Äthanol und Äther. Nach dem Trocknen bei 80° erhält man 8,28 g (92% d. Th.); $[\alpha]_D^{20}$ + 77,0° (c = 1 in n Salzsäure).

Ähnliche Umsetzungen sind Bestandteil von Synthesen in der Oxytocin-Reihe[1-7].

N,N'-Bis-[L-tyrosyl-L-isoleucyl-L-glutaminyl-L-asparaginyl]-L-cystinyl-b-(L-prolyl-L-leucyl)-glycin-amid[4]:

```
BOC—Cys        Tyr—Ile—Gln—Asn—Cys—Pro—Leu—Gly—NH₂
   |        +                        |
BOC—Cys        Tyr—Ile—Gln—Asn—Cys—Pro—Leu—Gly—NH₂
```

3 g N-Benzyloxycarbonyl-O-benzyl-L-tyrosyl-L-isoleucyl-L-glutaminyl-L-asparaginyl-S-benzyl-L-cystein-yl-L-propyl-L-leucyl-glycinamid werden in 450 ml flüssigem Ammoniak gelöst und unter Sieden mit Natrium versetzt, bis die blaue Farbe der Lösung 2 Min. anhält. Die Lösung wird durch Abdampfen von Ammoniak i. Vak. eingeengt und gefriergetrocknet. Der Rückstand wird in sauerstofffreiem Wasser (500 ml), das 1,14 ml Trifluoressigsäure enthält, gelöst und die resultierende Lösung (pH 8,5) mit 0,1 n Kalium-hexacyanoferrat(III)-Lösung titriert und 2 Stdn. gerührt (Verbrauch: 24,6 ml Oxidation-Lösung). Die Lösung wird dann mit 80 ml AG 3-X4 Harz in Chlorid-Form (Bio. Rad. Lab. Richmond, Calif.) 30 Min. gerührt und danach das Harz abfiltriert. Das Filtrat wird i. Vak. bis auf ein Vol. von 20 ml eingeengt und in einer 2,82 × 62,2 cm Kolonne einer Gelfiltration in 0,2 n Essigsäure unter-worfen. Aufgabegeschwindigkeit: 27 ml/Stde. Die Eluate werden in 4,2 ml Fraktionen gesammelt. Das Chromatogramm enthält einen Peak mit Maximum bei 294 ml. Das in den mittleren Fraktionen enthal-tene Material wird durch Gefriertrocknung isoliert, in 20 ml einer organischen Phase aus Butanol-Äthanol-Pyridin-0,2 n wäßr. Essigsäure (8:1:1:10) gelöst und in diesem Lösungsmittelsystem unter den folgenden Bedingungen einer Trennungschromatographie unterworfen: Kolonnengröße 4,68 × 112,4 cm, Holdup 495 ml; Fraktionsvolumen 11,2 ml; Flüssigkeitsbelastung 67 ml/Stde., Regenerierlösung: Pyridin-0,1% wäßr. Essigsäure (1:4). Das Chromatogramm zeigt einen scharfen Peak mit R 0,34. Aufarbeitung der Eluate liefert 1,29 g (44% d. Th.) des Disulfans.

Thiophosphate von Glykosiden lassen sich ebenfalls zum Teil quantitativ mit Hexa-cyanoferrat(III) in die Disulfane überführen[8]; z. B.:

R = Uracilyl
  = Thymyl

[1] D. B. Hope, V. V. S. Murti u. V. du Vigneaud, Am. Soc. **85**, 3686 (1963).

[2] H. Takashima, V. du Vigneaud u. R. B. Merrifield, Am. Soc. **90**, 1323 (1968).

[3] M. Manning, Am. Soc. **90**, 1348 (1968).

[4] H. L. Aanning u. D. Yamashiro, Am. Soc. **92**, 5214 (1970).

[5] V. du Vigneaud, C. Ressler, J. M. Swan, C. W. Roberts, P. G. Katsoyannis u. S. Gordon, Am. Soc. **75**, 4879 (1953); **76**, 3115 (1954).

[6] G. Flouret u. V. du Vigneaud, J. med. Chem. **14**, 556 (1971).

[7] V. J. Hruby et al., Am. Soc. **94**, 5478 (1972).

[8] F. Eckstein, Am. Soc. 88, 4292 (1966).

Über weitere Oxidationsreaktionen von Mercapto-Verbindungen zu Disulfanen mit Hexacyanoferrat(III) s. Lit.[1].

e) Cyclisierende Dehydrierungen

1. Ringschluß durch intramolekulare Dehydrierung von Phenolen

Wie bei der intermolekularen oxidativen Kupplung von Phenolen (vgl. S. 760) kommt es bei der Einwirkung von Kalium-hexacyanoferrat(III) auf geeignete Bisphenole zu Kupplungsreaktionen, die intramolekular ablaufen. Dabei entstehen, ebenfalls durch C–C- und C–O-Verknüpfungen, zum Teil komplizierte cyclische Systeme.

α) *Cyclisierung unter C–C-Neuknüpfung*

Cyclisierungen von Bisphenolen unter C–C-Verknüpfung treten dann ein, wenn beide Hydroxy-Gruppen aus sterischen Gründen an einer Ringbildung unter C–O-Verknüpfung nicht teilnehmen können. Dies ist vornehmlich dann der Fall, wenn als mögliche Kupplungs-zentren die zu den Hydroxy-Gruppen paraständigen C-Atome der Phenol-Kerne in Frage kommen.

Sind Bisphenole in der para-Stellung miteinander verbunden, dann entstehen bei der C_p–C_p-Kupplung para-chinolide Spiro-Verbindungen; z. B.[2]:

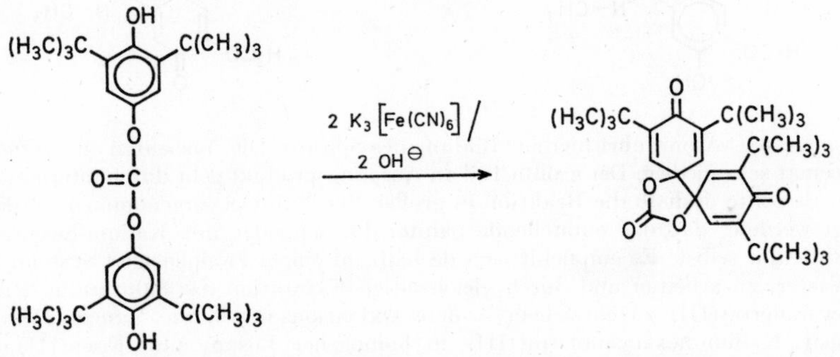

6-Oxo-1,5-di-tert.-butyl-cyclohexadien-(1,4)-⟨3-spiro-5⟩-2-oxo-1,3-dioxolan-⟨4-spiro-3⟩-6-oxo-1,5-di-tert.-butyl-cyclohexadien-(1,4)[2]: 1,0 g Kohlensäure-bis-[4-hydroxy-3,5-di-tert.-butyl-phenylester] in abs. Äther werden unter Stickstoff 1 Stde. mit 15 g Trikalium-hexacyanoferrat(III) und 15 g Kalium-hydroxid in 50 *ml* Wasser geschüttelt. Die gelbgefärbte organische Phase wird gewaschen, getrocknet und eingedampft. Nach Umkristallisieren aus Ligroin erhält man 0,8 g (80% d. Th.); F: 207–208°.

Die Tendenz, in dieser Form Kupplungsreaktionen einzugehen, ist stark ausgeprägt, selbst dann, wenn es dabei zur Bildung gespannter Ringsysteme kommt, wie beispielsweise bei der Oxidation von 2,2-Bis-[4-hydroxy-3,5-di-tert.-butyl-phenyl]-propan, das mit einem Überschuß an Kalium-hexacyanoferrat(III) zu *6-Oxo-1,5-di-tert.-butyl-cyclohexadien-(1,4)-*

---

[1] P. NESBITT u. P. SYKES, Soc. **1954**, 3057; 4585; Oxidation v. Thiamin-Hydrochlorid-Derivaten:

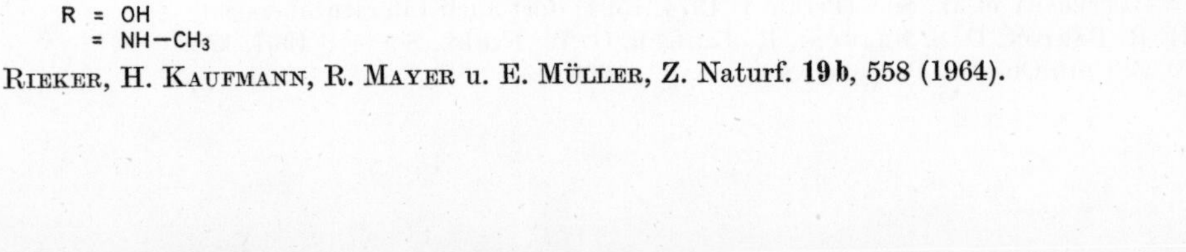

R = OH
= NH–CH₃

[2] A. RIEKER, H. KAUFMANN, R. MAYER u. E. MÜLLER, Z. Naturf. **19b**, 558 (1964).

⟨3-spiro-2⟩-3,3-dimethyl-cyclopropan-⟨1-spiro-3⟩-6-oxo-1,5-di-tert.-butyl-cyclohexadien-(1,4)
reagiert[1],[2]:

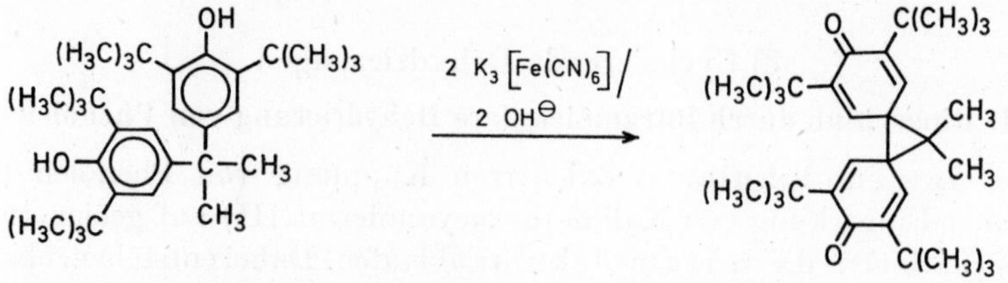

Allerdings ist die neugeknüpfte Bindung manchmal so schwach, daß die Spiroverbindung
mit dem entsprechenden Bisphenoxyl im Gleichgewicht steht[3],[4].

Außer der C_p–C_p-Verknüpfung wird auch die intramolekulare C_o–C_p-Kupplung beobachtet. Sie läuft mit großer Wahrscheinlichkeit bei der in-vivo-Synthese von Aporphin-
und Morphin-Alkaloiden ab und kann hier in vitro mit Hilfe der Kalium-hexacyanoferrat
(III)-Oxidation entsprechender Bisphenole nachvollzogen werden[5]. So isoliert man bei der
Oxidation von (±) Reticulin (±)-*Salutaridin*[6]:

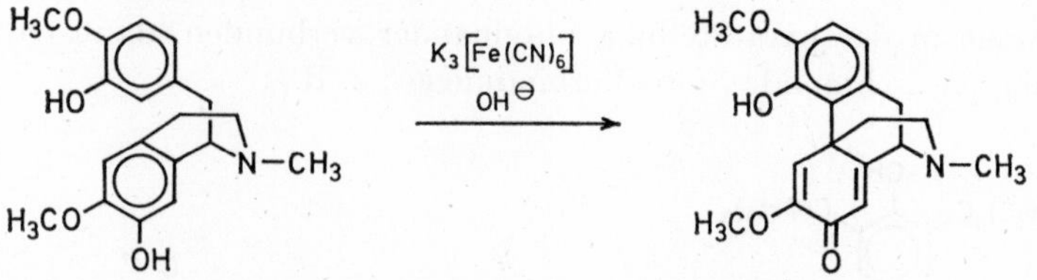

Substitution am p–C-Atom führt hier zur Bildung des Spirans. Die Ausbeuten an *Salutaridin* sind mit
0,03% an Racemat sehr niedrig. Der größte Teil an Ausgangsprodukt geht durch intermolekulare Kupplung verloren. Es sollte deshalb die Reaktion in großer Verdünnung vorgenommen werden. Außerdem
konnte gezeigt werden[6], daß das entstehende Salutaridin schneller mit Kalium-hexacyanoferrat(III)
reagiert als Reticulin selbst. Es empfiehlt sich deshalb, in einem zweiphasigen System, beispielsweise
Chloroform/Wasser, zu arbeiten und durch gleichzeitige Extraktion das Salutaridin dem Einfluß des
Kalium-hexacyanoferrat(III) zu entziehen. Andere Oxidationsmittel, wie Mangan(IV)-oxid, Kalium-
nitrosodisulfonat, Kalium-hexacyanoferrat(III) in homogener Lösung und Eisen(III)-chlorid, geben
alle niedrigere Ausbeuten.

Die Oxidation von Reticulin kann auch zu *Isoboldin* führen. Hierbei ist die Rolle der
beiden Phenol-Kerne vertauscht, indem der Phenol-Kern, der bei der Salutaridin-Synthese
am o–C-Atom kuppelt, über das p–C-Atom mit dem anderen Phenol-Kern, der diesmal am
o–C-Atom kuppelt, verbunden ist[7].

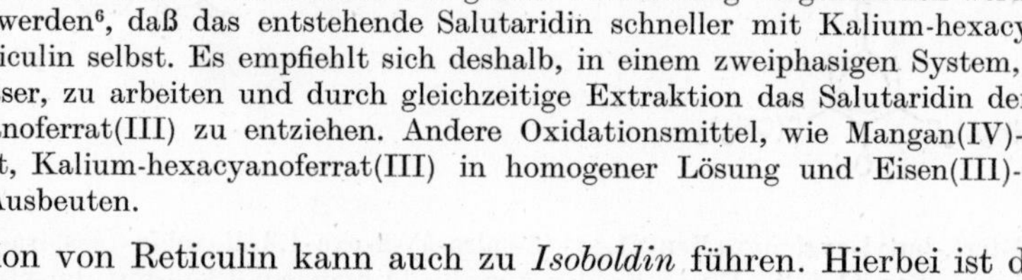

[1] A. Rieker, H. Kaufmann, R. Mayer u. E. Müller, Z. Naturf. **19 b**, 558 (1964).
[2] E. A. Chandross u. R. Kreilick, Am. Soc. **85**, 2530 (1963).
[3] E. A. Chandross u. R. Kreilick, Am. Soc. **86**, 117 (1964).
[4] H.-D. Becker, J. Org. Chem. **32**, 2115 (1967).
[5] A. R. Battersby et al., Soc. (Perkin I) **1974**, 1394; dort auch Literaturübersicht.
[6] D. H. R. Barton, D. S. Bhakuni, R. James u. G. W. Kirby, Soc. [C] **1967**, 128.
[7] W. Wan-Chiu Chan u. P. Maitland, Soc. [C] **1966**, 753.

(±)-Isoboldin[1]: 0,4 g (±)-Reticulin in 3 l Phosphat-Puffer (0,2 n KH_2PO_4/0,2 n NaOH; 20:1; p_H = 6,0) werden mit 1,2 g (1,5 Äquivalente) Kalium-hexacyanoferrat(III) in 1 l desselben Puffers gemischt. Nach 3 Stdn. läßt man ungefähr 1 l 0,4 n Natronlauge langsam unter Rühren zu der klaren gelben Reaktionslösung bis p_H = 8,8 zufließen. Die Lösung färbt sich dunkelgrün und ist leicht trübe. Nach Extraktion mit 5×1 l Äther wird die wäßrige Phase klar und färbt sich tiefrot. Die Äther-Phase wird mit Magnesiumsulfat getrocknet und der Äther abgedampft. Man erhält ein farbloses Pulver (F: 120–124°), das bei 115° sintert. Das so erhaltene Produkt wird an der Luft langsam dunkel, ist aber in ätherischer Lösung relativ stabil. Bei drei Ansätzen der beschriebenen Form werden 0,4 g Rohprodukt erhalten. Diese werden in die ersten zwei Gefäße einer Gegenstrom-Verteilungs-Apparatur gegeben und fraktioniert, indem 100 Transfers zwischen Äther und wäßrigem Puffer bei p_H 7,4 vorgenommen werden. Das Hauptprodukt wurde aus den Gläsern 75–90 durch Extraktion des gesamten Materials in Äther erhalten. Nach Abdampfen des Äthers aus der mit Magnesiumsulfat getrockneten ätherischen Lösung erhält man 60–70 mg (5–6% d.Th.) Isoboldin (F: 123–135°; Zers.), das sich rasch an der Luft dunkel färbt.

Die Tendenz an der p-Position zu kuppeln ist stark ausgeprägt. Dabei kann es auch zur Eliminierung des p-Substituenten kommen. So erhält man *1,9-Dihydroxy-2,10-dimethoxy-6-äthoxycarbonyl-aporphin* nicht nur bei der Oxidation von N-Äthoxycarbonyl-norreticulin, sondern auch bei der Umsetzung des entsprechenden 8-Brom-nor-reticulin-Derivats[2]:

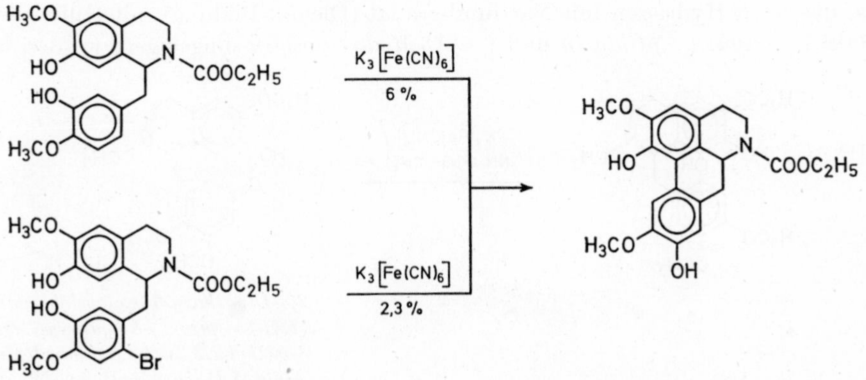

Eine Brom-Eliminierung tritt auch – allerdings als Nebenreaktion – bei folgender Reaktion ein[3]:

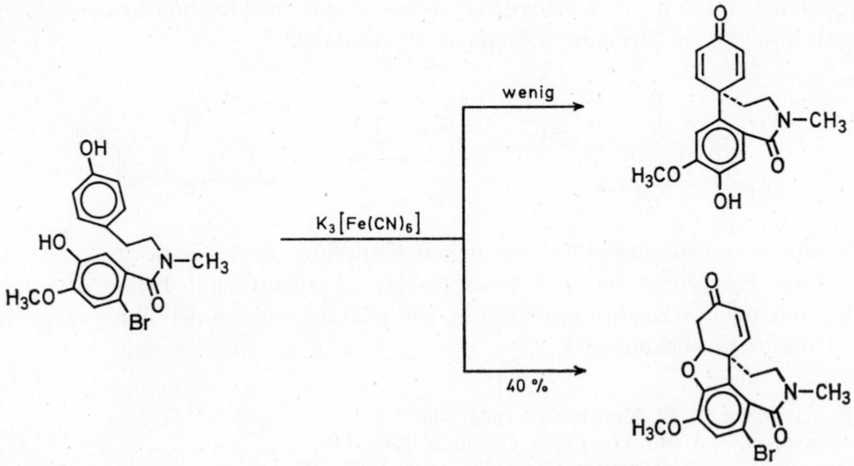

[1] W. WAN-CHIU CHAN u. P. MAITLAND, Soc. [C] **1966**, 753.
[2] T. KAMETANI, T. SUGAHARA, H. YAGI u. K. FUKUMOTO, Tetrahedron **25**, 3667 (1969).
[3] T. KAMETANI, K. YAMAKI, H. YAGI u. K. FUKUMOTO, Soc. [C] **1969**, 2602.

Als Hauptprodukt wird ein Brom-Derivat des Narwedins erhalten. *Narwedin* selbst kann durch Kalium-hexacyanoferrat(III)-Oxidation des folgenden Derivates hergestellt werden:

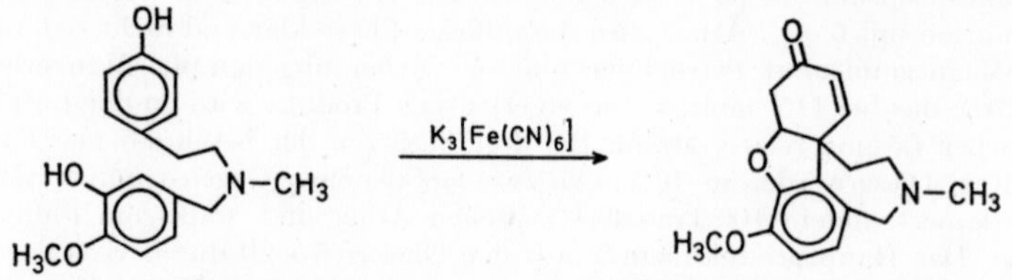

Die Ausbeuten sind nicht besonders gut und betragen selbst beim Arbeiten in hoher Verdünnung nur 1,4%. Sie werden auch bei Verwendung anderer Oxidationsmittel, wie Mangan(IV)-oxid, Blei(IV)-oxid oder Silber(I)-oxid, nicht übertroffen[1].

Als Beispiel für eine intramolekulare Kupplung, bei der eine C_o–C_o-Verknüpfung in bezug auf die beiden Hydroxy-Gruppen des Bisphenols erfolgt, fungiert die Kalium-hexacyanoferrat(III)-Oxidation von 7-Hydroxy-6-methoxy-2-methyl-1-(2-hydroxy-4,5-dimethoxy-benzyl)-1,2,3,4-tetrahydro-isochinolin. Es kommt zur Bildung eines Spiro-dienons, das nach Hydrieren mit Natriumboranat (Dienon-Bildung) mit Hilfe methanolischer Salzsäure zum (±)-*Glaucin* und (±)-*O-Methyl-corydin* umgelagert werden kann[2,3]:

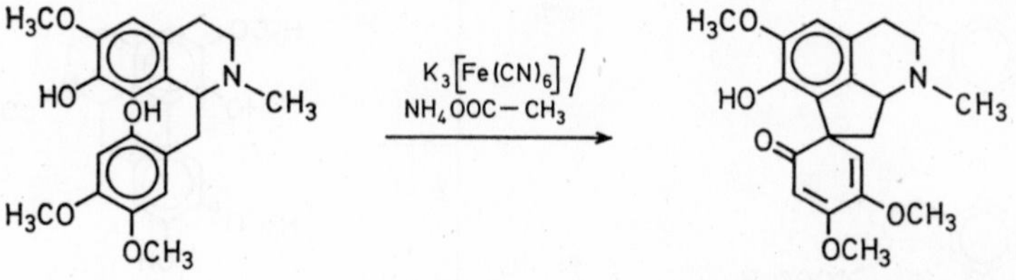

2,3-Dimethoxy-6-oxo-cyclohexadien-
(1,3)-⟨5-spiro-1⟩-8-hydroxy-7-methoxy-
3-methyl-1,2,2a,3,4,5,6-hexahydro-⟨cyclo-
penta-[i,j]-iso-chinolin⟩; 52% d.Th.

β) Cyclisierung unter C–O-Neuknüpfung

Bei der Oxidation von 2,3′,4-Trihydroxy-benzophenon mit Kalium-hexacyanoferrat(III) erhält man in 83%iger Ausbeute *2,6-Dihydroxy-xanthon*[4,5]:

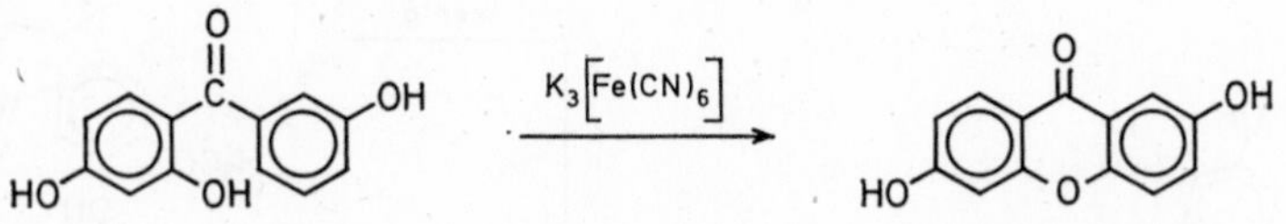

Untersuchungen haben gezeigt[6,7], daß neben Kupplung an der para-Stelle zur Hydroxy-Gruppe, auch Kupplung am o–C-Atom erfolgt. Ausbeute und Isomerenverteilung ist abhängig vom p_H des Reaktionsmediums, wie nachfolgende Aufstellung zeigt (Reaktion von 2,3′-Dihydroxy-benzophenon):

[1] D. H. R. Barton u. G. W. Kirby, Soc. **1962**, 806.
[2] A. H. Jackson u. J. A. Martin, Chem. Commun. **1965**, 142.
[3] M. Shamma u. W. A. Slusarchyk, Chem. Commun. **1965**, 528.
[4] J. R. Lewis, Proc. Chem. Soc. **1963**, 373.
[5] J. R. Lewis u. B. H. Warrington, Soc. **1964**, 5074.
[6] J. E. Atkinson u. J. R. Lewis, Chem. Commun. **1967**, 803.
[7] J. E. Atkinson u. J. R. Lewis, Soc. [C] **1969**, 281.

H	8	9	10	11	12	13	14
-Hydroxy-xanthon	3ˣ	13	27	42	52	53	52
-Hydroxy-xanthon	+	+	+	3	7,5	10	8

% nach 1 Stde. Reaktionsdauer.

Kalium-hexacyanoferrat(III) ist nicht immer das geeignetste Oxidationsmittel. So kann man 2,3′,6-Trihydroxy-benzophenon am besten mit einer wäßrigen Aceton-Lösung von Kaliumpermanganat oxidieren. Man erhält 5% *1,5-Dihydroxy-xanthon* und 32% *1,7-Dihydroxy-xanthon*, während man bei der Oxidation mit Kalium-hexacyanoferrat(III) nur Spuren an 1,7-Dihydroxy-xanthon erhält und selbst nach längerer Reaktionsdauer unverändertes Benzophenon zurückgewinnen kann[1].

Für die Oxidation von 2,3′,4-Trihydroxy-benzophenon und 2,3′,4,6-Tetrahydroxy-benzophenon ist allerdings wieder Kalium-hexacyanoferrat(III) das geeignetste Oxidationsmittel. Ausbeute und Isomeren-Verteilung sind auch hier vom p_H abhängig. Man erhält ,6- und *3,5-Dihydroxy-xanthon* bzw. *1,3,7-Trihydroxy-xanthon*.

Die Xanthon-Bildung durch Oxidation von 2,3′-Dihydroxy-benzophenonen mit Kalium-hexacyanoferrat(III) ist nicht nur auf diese beschränkt. Es lassen sich auch entsprechende ′-Amino-2-hydroxy-benzophenone zu Xanthonen oxidieren und ähnlich wie bei den Hydroxy-Analogen ist die Ausbeute und die Zusammensetzung vom p_H des Reaktionsmediums abhängig. Hauptprodukt ist das p-Kupplungsprodukt und günstigster p_H-Bereich ist p_H 13. So erhält man bei der Oxidation von 3′-Amino-2-hydroxy-5-methyl-benzophenon bei p_H 13 nach dreistündiger Reaktionsdauer 28% *2-Amino-7-methyl-xanthon*, wenig -Amino-2-methyl-xanthon neben 68% nicht umgesetztem Benzophenon[2]:

γ) Spirocyclische Chinoläther durch Dehydrierung von Bisphenolen

Substituierte Bisphenole zeigen eine starke Tendenz, sich bei der Oxidation mit Kalium-hexacyanoferrat(III) unter Bildung von spirocyclischen Chinoläthern zu stabilisieren. Dabei entstehen unter ortho- oder para-Kupplung, je nach Anzahl der die beiden Phenol-Kerne verbindenden Methylen-Gruppen, Pyran-spiro-cyclohexadienone[3-8]:

6-Oxo-cyclohexadien-(1,4)-
⟨3-spiro-2⟩-chroman

[1] J. E. ATKINSON u. J. R. LEWIS, Soc. [C] **1969**, 281.
[2] I. H. BOWEN u. J. R. LEWIS, Soc. (Perkin I) **1972**, 683.
[3] K. FRIES u. E. BRANDES, A. **542**, 48 (1939).
[4] EU. MÜLLER, R. MAYER, B. NARR, A. RIEKER u. K. SCHEFFLER A. **645**, 25 (1961).
[5] D. H. R. BARTON, Y. L. CHOW, A. COX u. G. W. KIRBY, Soc. **1965**, 3571.
[6] A. M. CHOUDHURY, K. SCHOFIELD u. R. S. WARD, Soc. [C] **1970**, 2543.
[7] K. SCHOFIELD, R. S. WARD u. A. M. CHOUDHURY, Soc. [C] **1971**, 2834.
[8] A. H. CHOUDHURY, Soc. (Perkin I) **1974**, 132.

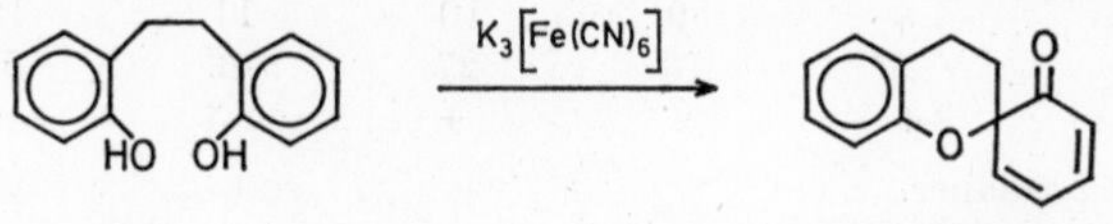

6-Oxo-cyclohexadien-(1,3)-
⟨5-spiro-2⟩-chroman

Furan-spiro-cyclohexadienone[1-3]:

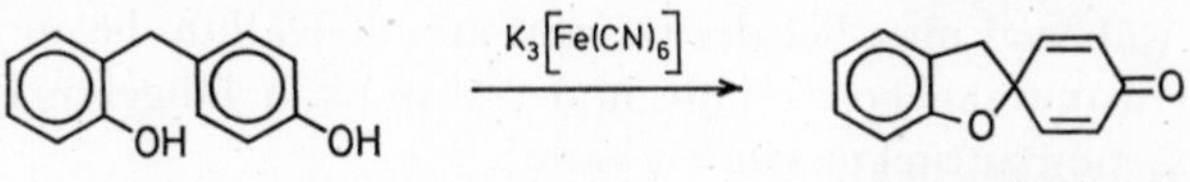

6-Oxo-cyclohexadien-(1,4)-⟨3-spiro-2⟩-
2,3-dihydro-⟨benzo-[b]-furan⟩

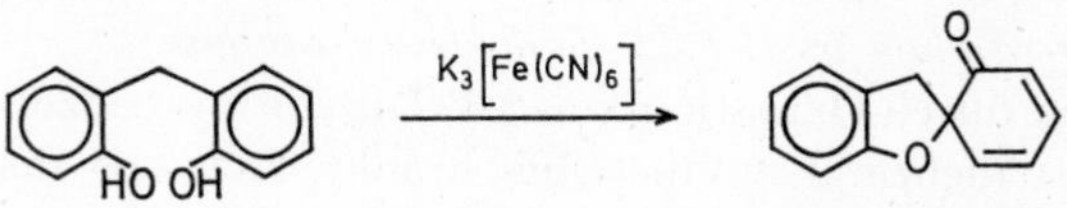

6-Oxo-cyclohexadien-(1,3)-⟨5-spiro-2⟩-
2,3-dihydro-⟨benzo-[b]-furan⟩

und schließlich Oxeten-spiro-cyclohexadienone[1,4]

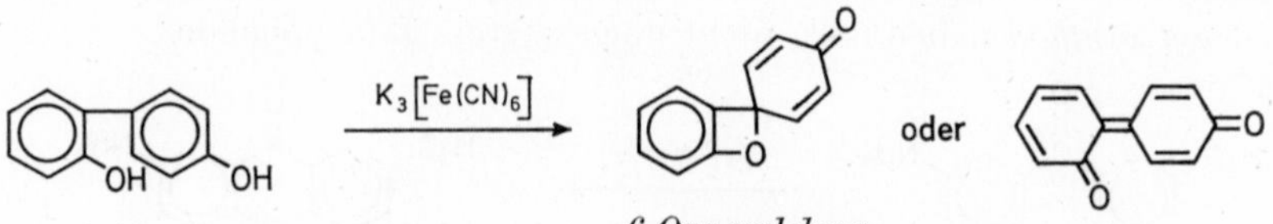

6-Oxo-cyclohexa-
dien-(1,4)-⟨3-spiro-
2⟩-benzooxeten

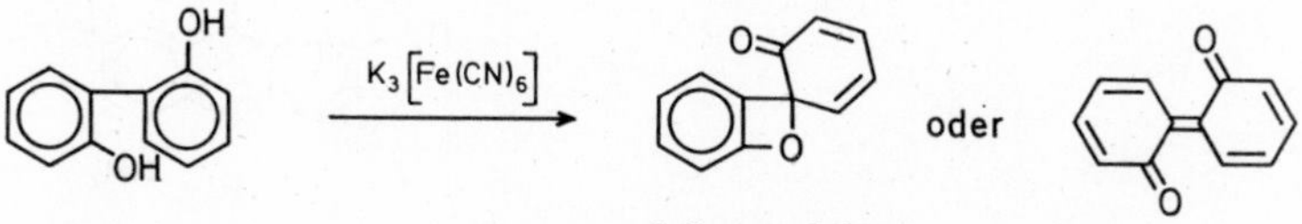

6-Oxo-cyclohexa-
dien-(1,3)-⟨5-spiro-
2⟩-benzooxeten

In den zuletzt genannten Fällen besteht allerdings die Möglichkeit der Bildung von o–p-
bzw. o–o-Diphenochinonen als Ausweichreaktion. Diese wird je nach der Art der Substituenten auch beobachtet (vgl. S. 765ff.)[5-7].

Vor allem solche Bisphenole, welche aufgrund von sperrigen Substituenten in o- und p-
Position zu intermolekularer Kupplung wenig geeignet sind, lassen sich in hoher Ausbeute in die entsprechenden spirocyclischen Chinoläther überführen[1], die ihrerseits sehr
beständig sind und keine Neigung zeigen, wie die einfachen und gemischten Chinoläther
beim Erwärmen in freie Radikale zu zerfallen[1]. So erhält man bei der Einwirkung einer

[1] Eu. Müller, R. Mayer, B. Narr, A. Rieker u. K. Scheffler, A. **645**, 25 (1961).
[2] A. M. Choudhury, K. Schofifld u. R. S. Ward, Soc. [C] **1970**, 2543.
[3] R. Pummerer u. E. Cherbuliez, B. **47**, 2957 (1914).
[4] P. Claus et al., M. **103**, 1178 (1972).
[5] H. Kessler u. A. Rieker, Tetrahedron Letters **1966**, 5257.
[6] D. Schulte-Frohlinde u. F. Erhardt, A. **671**, 92 (1964).
[7] J. Baltes u. F. Volbert, Fette, Seifen, Anstrichmittel **57**, 660 (1955).

wäßrigen, alkalischen Kalium-hexacyanoferrat(III)-Lösung auf Bis-[2-hydroxy-3,5-di-tert.-butyl-phenyl]-methan in Benzol in 83%iger Ausbeute das entsprechende Spiro-Derivat[1]:

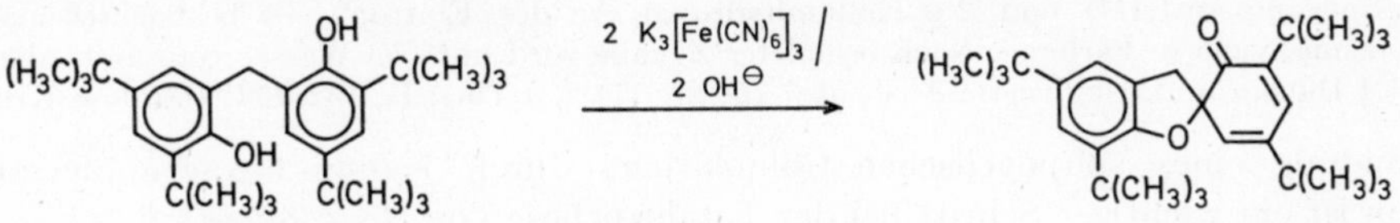

6-Oxo-1,3-di-tert.-butyl-cyclohexadien-(1,3)-⟨5-spiro-2⟩-5,7-di-tert.-butyl-2,3-dihydro-⟨benzo-[b]-furane⟩; allgemeine Arbeitsvorschrift[1]: 2 g Bisphenol werden unter Stickstoff in 100–150 ml Benzol gelöst und mit einer Lösung von 20 g Kalium-hexacyanoferrat(III) und 11 g Kaliumhydroxid in 100 ml Wasser 1 Stde. geschüttelt. Die zunächst auftretende blaugrüne Farbe geht rasch in Gelb über. Die benzolische Phase wird abgetrennt, mit Wasser gewaschen, mit Natriumsulfat getrocknet und das Benzol i. Vak. abgezogen. Der verbleibende kristalline Rückstand liefert nach 2maligem Umlösen aus Methanol den Chinoläther in gelben Kristallen.

So erhält man u. a.[1]:

Chinoläther		Ausbeute [% d.Th.]	F [°C]
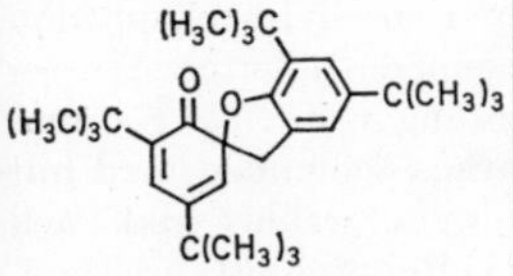	6-Oxo-1,3-di-tert.-butyl-cyclohexadien-(1,3)-⟨5-spiro-2⟩-5,7-di-tert.-butyl-2,3-dihydro-⟨benzo-[b]-furan⟩	83	153–155
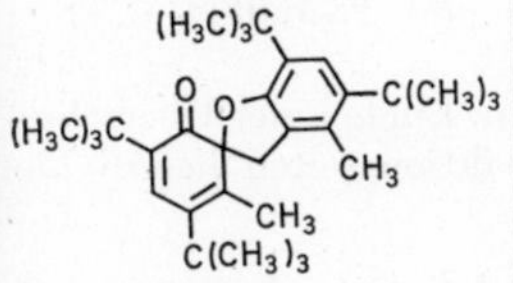	6-Oxo-4-methyl-1,3-di-tert.-butyl-cyclohexadien-(1,3)-⟨5-spiro-2⟩-4-methyl-5,7-di-tert.-butyl-2,3-dihydro-⟨benzo-[b]-furan⟩	92	201–202
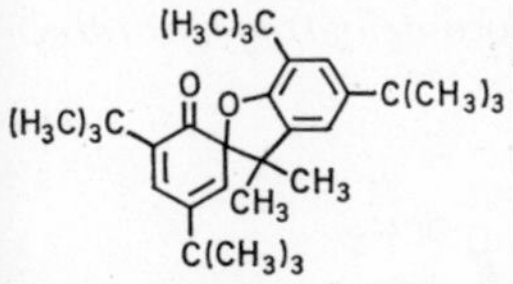	6-Oxo-1,3-di-tert.-butyl-cyclohexadien-(1,3)-⟨5-spiro-2⟩-3,3-dimethyl-5,7-di-tert.-butyl-2,3-dihydro-⟨benzo-[b]-furan⟩	80	117–119
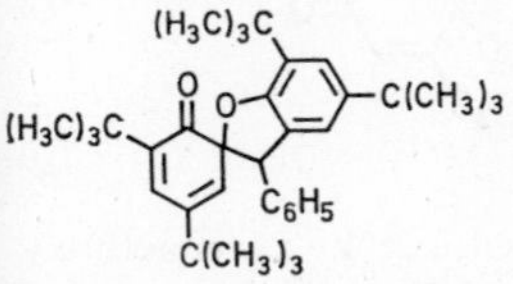	6-Oxo-1,3-di-tert.-butyl-cyclohexadien-(1,3)-⟨5-spiro-2⟩-5,7-di-tert.-butyl-3-phenyl-2,3-dihydro-⟨benzo-[b]-furan⟩	80	164–165

Die Dehydrierung von 2,2'-Dihydroxy-3,5,3',5'-tetra-tert.-butyl-biphenyl mit Kalium-hexacyanoferrat(III) liefert die Spiro-Verbindung in hoher Ausbeute[1]:

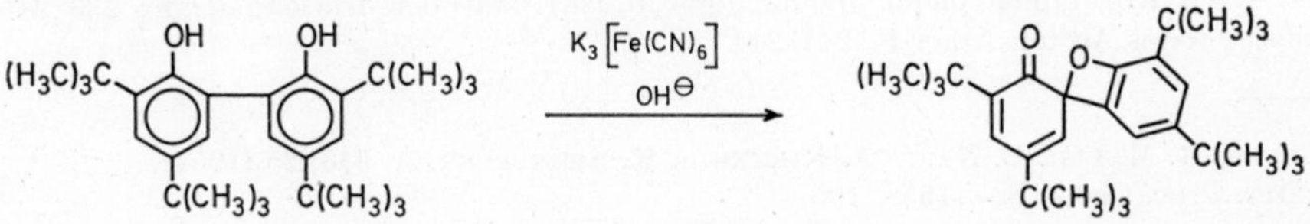

[1] Eu. Müller, R. Mayer, B. Narr, A. Rieker u. K. Scheffler, A. **645**, 25 (1961).

6-Oxo-1,3-di-tert.-butyl-cyclohexadien-(1,3)-⟨5-spiro-2⟩-4,6-di-tert.-butyl-benzooxeten[1]: 1,02 g (2,5 m Mol) 2,2'-Dihydroxy-3,5,3'5'-tetra-tert.-butyl-biphenyl werden in 100 ml 1,4-Dioxan unter Stickstoff gelöst. Dazu tropft man langsam unter kräftigem Rühren eine wäßrige Lösung von 1,65 g (5 mÄquiv.) Kalium-hexacyanoferrat(III) und 2 g Kaliumhydroxid. An der Eintropfstelle beobachtet man eine vorübergehende, violette Färbung. Nach beendeter Zugabe wird mit viel Wasser verdünnt, abgesaugt und aus 1,4-Dioxan umkristallisiert; Ausbeute: 750 mg (74% d.Th.); F: 152–154° (farblose Kristalle).

Die Bildung eines spirocyclischen Chinoläthers durch Kalium-hexacyanoferrat(III)-Oxidation ist ein wichtiger Schritt bei der Totalsynthese von *Griseofulvin*[2-4]:

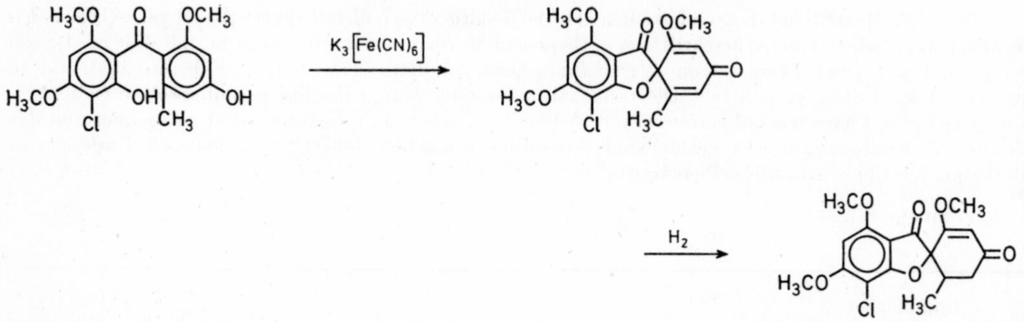

(±)-Dehydrogriseofulvin[3]:   3 g   3-Chlor-2,4'-dihydroxy-2',4,6-trimethoxy-6'-methyl-benzophenon werden in einer warmen Lösung von 20 g Natriumcarbonat in 1,5 l sauerstoff-freiem, destilliertem Wasser gelöst und in diese Lösung unter Rühren und Schutzgasatmosphäre eine Lösung von 10 g Kalium-hexacyanoferrat(III) in 1 l dest. Wasser während 1 Stde. bei 20° gegeben. Starkes Schäumen wird mit Hilfe eines Silikon-Antischaummittels verhindert. Anschließend wird 90 Min. weitergerührt und nach Extraktion mit Chloroform und üblicher Aufarbeitung 1,75 g (60% d.Th.) Rohprodukt erhalten. Chromatographieren über Silikagel und Eluieren mit Benzol-Äthanol (49:1) gibt 1,75 (60% d.Th.); F: 270–272° (Nadeln).

Man erhält nach den angegebenen Versuchsbedingungen die besten Ausbeuten. Ein höherer Überschuß an Kalium-hexacyanoferrat(III), niedrigere Temperatur oder kürzere Reaktionszeiten liefern nur geringere Ausbeuten.

Mit Hilfe einer modifizierten Versuchsdurchführung gelingt es, aus 2,4'-Dihydroxy-2',4,6-trimethoxy-6'-methyl-benzophenon das entsprechende (±)-*Dechloro-dehydrogriseofulvin* praktisch quantitativ zu gewinnen:

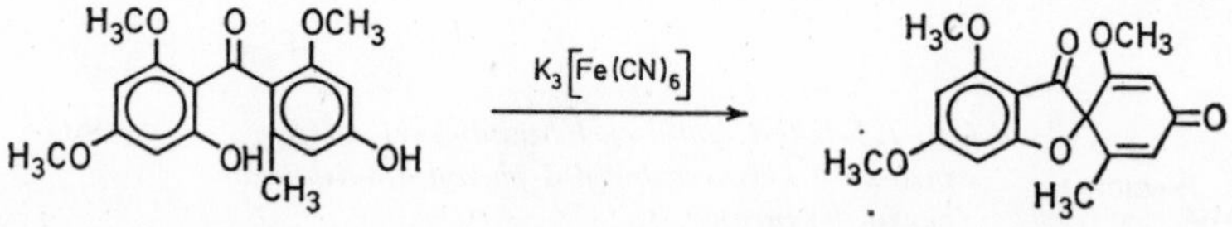

(±)-Dechloro-dehydrogriseofulvin[5]: Zu einer Lösung von 850 mg 2,4'-Dihydroxy-4,6,2'-trimethoxy-6'-methyl-benzophenon in 25 ml tert.-Butanol werden 15 g Kaliumcarbonat in 100 ml Wasser gegeben. Das tert.-Butanol wird durch Einengen i. Vak. entfernt. Danach werden 3,4 g Kaliumhexacyano-ferrat(III) in 40 ml Wasser tropfenweise während 5 Min. unter Rühren zugegeben. Man erhält einen Niederschlag. Nach 1 Stde. wird Essigsäure-äthylester zugegeben. Dabei löst sich der Niederschlag auf. Das Gemisch wird mit kalter 5%iger Natronlauge und Salzlösung gewaschen und über Magnesiumsulfat getrocknet. Nach Abdampfen bleibt 760 mg (90% d.Th.) neutraler Rückstand; F: 233–240°. Nach Umkristallisieren aus Aceton-Äther F: 241–244°.

[1] Eu. Müller, R. Mayer, B. Narr, A. Rieker u. K. Scheffler, A. **645**, 25 (1961).
[2] A. I. Scott, Proc. Chem. Soc. **1958**, 195.
[3] A. C. Day, J. Nabney u. A. I. Scott, Soc. **1961**, 4067.
[4] D. Taub, C. H. Kuo, H. L. Slates u. N. L. Wendler, Tetrahedron **19**, 1 (1963).
[5] D. Taub, C. H. Kuo u. N. L. Wendler, J. Org. Chem. **28**, 3344 (1963).

Nach derselben Vorschrift erhält man auch *5-Chlor-4,6,2'-trimethoxy-3,4'-dioxo-6'-methyl-grisdien-(2',4')*[1]:

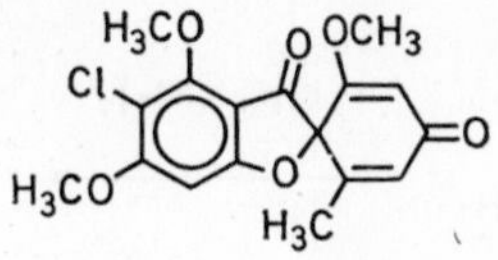

Demethyl-dehydrogriseofulvin wird allerdings bei der Kalium-hexacyanoferrat(III)-Oxidation des 3-Chlor-2,4'-dihydroxy-4,6,2'-trimethoxy-benzophenons nur in Spuren erhalten. Hier führt der Einsatz von frisch bereitetem Blei(IV)-oxid zum Erfolg[1].

Die Rolle der Hydroxy-Gruppe beim Ringschluß kann auch von einer Mercapto-Gruppe übernommen werden; z. B.:

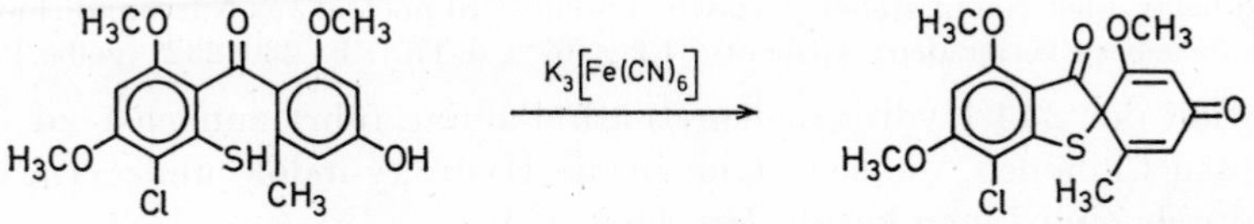

4-Methoxy-6-oxo-2-methyl-cyclohexadien-(1,4)-⟨3-spiro-2⟩-7-chlor-4,6-dimethoxy-3-oxo-2,3-dihydro-⟨benzo-[b]-thiophen⟩[2]**:** Eine Lösung von 1,7 g (4,6 mMol) 3-Chlor-4'-hydroxy-2-mercapto-2', 4,6-trimethoxy-6'-methyl-benzophenon und 25 g Kaliumcarbonat in 150 *ml* Wasser werden unter Rühren innerhalb 10 Min. zu einer Lösung von 6 g (0,018 Mol) Kalium-hexacyanoferrat(III) in 75 *ml* Wasser getropft. Es beginnt sich sofort ein fester Niederschlag abzuscheiden, der nach 1 Stde. weiteren Rührens abgetrennt wird. Umkristallieren aus heißem Äthanol liefert 1,3 g (77% d.Th.); F: 235–238°.

2. Hydroxy-indole durch Dehydrierung von 2-(Hydroxy-phenyl)-äthylaminen

3,4-Dihydroxy-phenylalanin gibt in natriumhydrogencarbonathaltiger, wäßriger Lösung bei der Einwirkung von 4 Mol Kalium-hexacyanoferrat(III) eine dunkelrote Lösung, die nach Behandlung mit einem Überschuß an Zinkacetat, Entfernen des ausgefallenen Zink-hexacyano-ferrat(II) und Extrahieren mit Äther *5,6-Dihydroxy-indol* in guter Ausbeute liefert[3]. Der hier unter Decarboxylierung stattfindende Ringschluß zum 5,6-Dihydroxy-indol ist eine Reaktion, die ganz allgemein gestattet, aus [2-(3,4-Dihydroxy-phenyl)-äthyl]-aminen die entsprechenden Indole herzustellen[4, 5]:

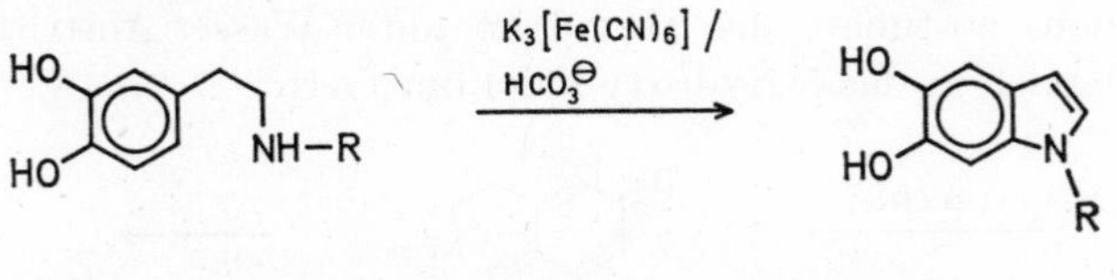

Selbstverständlich ist Kalium-hexacyanoferrat(III) nicht das einzige Oxidationsmittel, das diesen dehydrierenden Ringschluß auslöst, so sind auch Silberoxid, Luft in Gegenwart von Schwermetallsalzen wie Nickel(II), Mangan(II) und Zink(II)[6] und Kaliumjodat dazu

[1] D. Taub, S. H. Kuo u. N. L. Wendler, J. Org. Chem. 28, 3344 (1963).
[2] H. Newman u. R. B. Angier, J. Org. Chem. 34, 1463 (1969).
[3] J. Harley-Mason u. J. D. Bu'Lock, Nature 166, 1036 (1950).
[4] J. D. Bu'Lock u. J. Harley-Mason, Soc. 1951, 712.
[5] J. D. Bu'Lock u. J. Harley-Mason, Soc. 1951, 2248.
[6] P. Chaix, G. A. Morin u. J. Jézéquel, C. r. 230, 790 (1950).

in der Lage, aber Kalium-hexacyanoferrat(III) in wäßriger Hydrogencarbonat-Lösung ist am besten geeignet. Ein typisches Beispiel ist die Umsetzung von Adrenalin[1]:

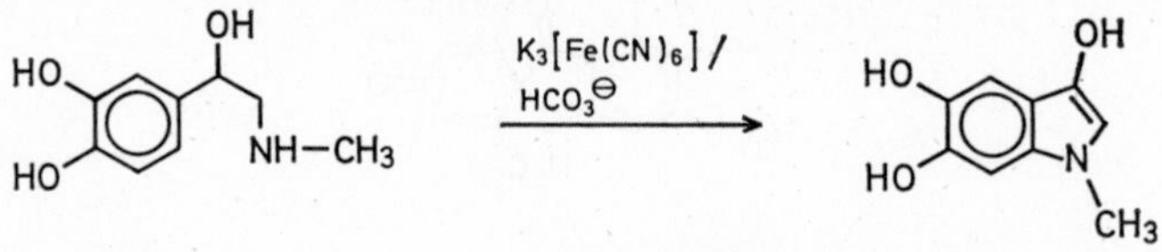

3,5,6-Trihydroxy-1-methyl-indol[1]: 1,8 g (0,01 Mol) Adrenalin werden in 30 *ml* Wasser suspendiert und Essigsäure tropfenweise unter Schütteln zugegeben, bis alles gelöst ist. Dann wird unter Rühren eine Lösung von 13 g (0,04 Mol) Kalium-hexacyanoferrat(III) und 4,2 g (0,05 Mol) Natriumhydrogen-carbonat in 20 *ml* Wasser zugegeben. Es kommt zu einer lebhaften Kohlendioxid-Entwicklung. Nach 5 Min. werden zu der tiefroten Lösung 10 *ml* 10%ige Natronlauge gegeben. Dabei färbt sich die Lösung tiefgelb mit einer starken grünen Fluoreszenz. Danach wird das Reaktionsgemisch mit Essigsäure angesäuert und bei 0° über Nacht stehen gelassen. Vorher wird noch etwas Natriumdithionit zugegeben, um weitere Oxidation zu vermeiden; Ausbeute: 1,2 g (67% d.Th.); F: 230–232° (gelbe Prismen).

Die Oxidation der 2-(4-Hydroxy-phenyl)-äthyl-amine führt zunächst zu den meistens tiefrot gefärbten Chinonen, die sich dann in die Hydroxy-indole umlagern, eine Isomeri-sierung, die durch Zink-Ionen katalysiert wird; z. B.:

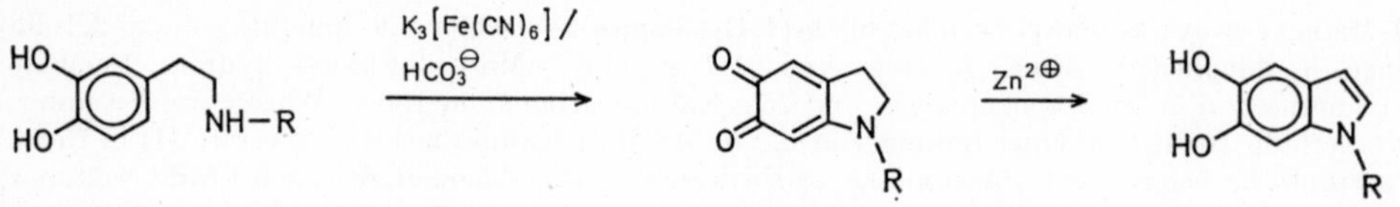

2-(3-Hydroxy-4-methoxy-phenyl)-äthylamin beispielsweise, das bei der Umsetzung mit Kalium-hexacyanoferrat(III) kein Chinon bilden kann, wird auch nicht zum Indol umgesetzt[2].

Sekundäre Amine geben normalerweise bessere Ausbeuten als primäre Amine. Es wird angenommen, daß dieses die Folge der mehr oder weniger stark ausgeprägten Tendenz zur Cyclisierung bei der Bildung der Dihydrochinone ist. Man kann diese zur Basizität des Amin-Stickstoffs in Beziehung setzen, welche bei sek. Aminen höher ist und so die Cycli-sierung erleichtert, die einen anionoiden Angriff auf den o-chinoiden Kern voraussetzt[3].

2-(2,5-Dihydroxy-phenyl)-äthylamine, die bei der Oxidation mit Kalium-hexacyano-ferrat(III) den p-chinoiden Ring bilden, können in besonders hoher Ausbeute zu den ent-sprechenden Indolen umgesetzt werden[4]. Hier wird als Reaktionsablauf auch zunächst die Bildung eines Chinons postuliert, das aber dann unter Wasser-Austritt zum Chinonimin reagiert und sich danach in das 5-Hydroxy-indol umlagert[5]:

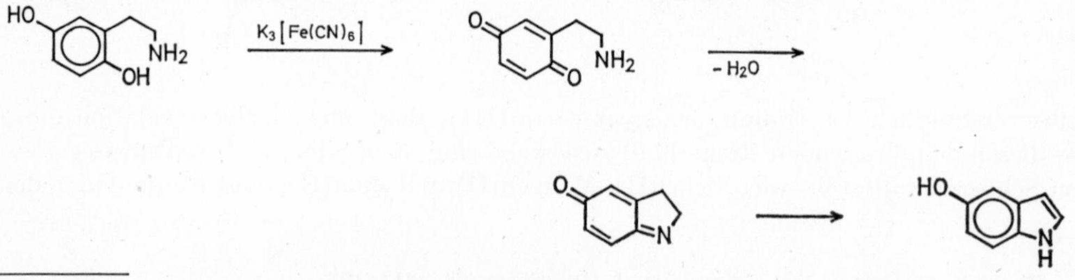

[1] J. D. Bu'Lock u. J. Harley-Mason, Soc. **1951**, 712.
[2] D. H. R. Barton, R. James, G. W. Kirby, D. W. Turner u. D. A. Widdowson, Soc. [C] **1968**, 1529.
[3] J. D. Bu'Lock u. J. Harley-Mason, Soc. **1951**, 2248.
[4] J. Harley-Mason, Chem. & Ind. **1952**, 173.
[5] R. I. T. Cromartie u. J. Harley-Mason, Soc. **1952**, 2525.

5-Hydroxy-indol[1]: Zu einer Lösung von 0,43 g (2 mMol) 2,5-Dihydroxy-phenylalanin und 0,2 g Natriumhydrogencarbonat in 15 ml Wasser werden unter Rühren 20 ml einer wäßrigen Natriumhydrogencarbonat (0,3 g) und 1,3 g Kalium-hexacyanoferrat(III)-Lösung während 10 Min. eingetropft. Die Lösung färbt sich zunächst dunkel und wird danach schwach gelb. Man extrahiert 3mal mit jeweils 20 ml Äther, trocknet mit Natriumsulfat und dampft dann den Äther ab; Ausbeute: 0,23 g (80% d.Th.); F: 106–107° (aus Benzol-Leichtbenzin).

Die Oxidation der sekundären Amine mit 2-(2,5-Dihydroxy-phenyl)-äthyl-Rest verläuft nach einem ähnlichen Mechanismus. Hier wird auch zunächst zum Chinon oxidiert. Danach kommt es zur Addition zum Chinol und nach Wasser-Abspaltung unter Isomerisierung des Betains zum *5-Hydroxy-1-methyl-indol*[2]:

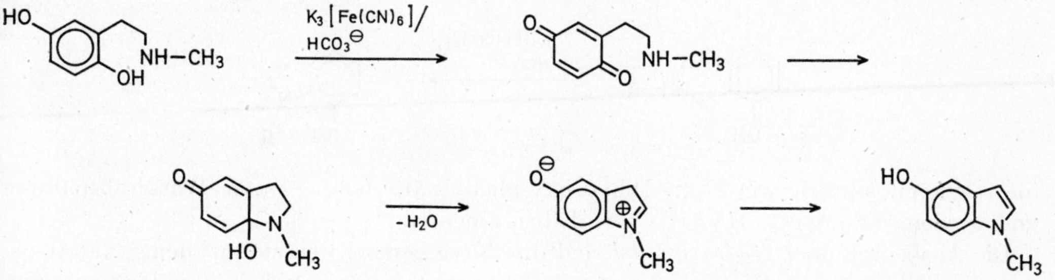

Eine solche Betain-Zwischenstufe mit hochreaktiver Doppelbindung wird auch für die Bildung von (±)-*Eserolin*, dem Hydrolyseprodukt von Physostigmin (Eserin), bei der Oxidation von 1,4-Bis-[methylamino]-2-methyl-2-(2,5-dihydroxy-phenyl)-butan verantwortlich gemacht[2]:

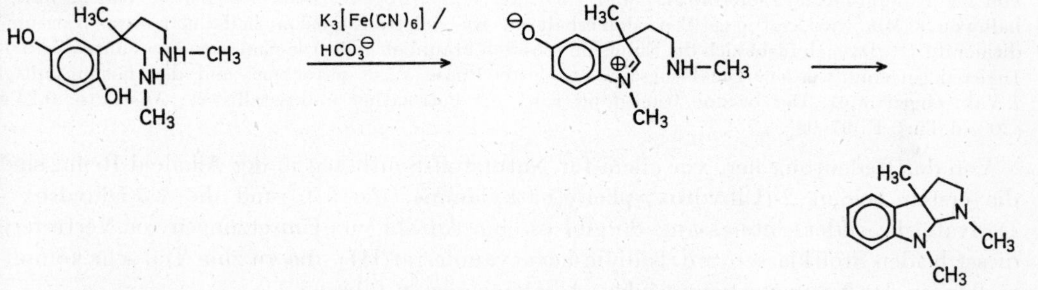

(±)**Eserolin**[2]: 1,2 g 1,4-Bis-[methylamino]-2-methyl-2-(2,5-dihydroxy-phenyl)-butan-Bis-[hydrochlorid] werden in 75 ml Wasser gelöst und dazu langsam unter ständigem Rühren und unter einer Schutzgasatmosphäre 1,95 g (6 mMol) Kalium-hexacyanoferrat(III) und 1,02 g Natriumhydrogencarbonat in 75 ml Wasser zugetropft. Die tief-rotviolette Lösung, die sich dabei bildet, wird sofort in einen Extraktor überführt und 30 Stdn. mit Äther extrahiert. Dabei verschwindet die Farbe langsam. Der Äther-Extrakt wird zur Trockene eingedampft; Rohausbeute: 0,49 g (75% d.Th.). Das Rohprodukt wird in Benzol gelöst und dazu Petroläther gegeben. Es fällt ein brauner amorpher Niederschlag aus. Das Filtrat wird zur Trockene eingedampft und der Rückstand bei 120°/10⁻⁴ Torr sublimiert; Reinausbeute: 0,2 g (30% d.Th.); F: 137–138°.

Die Tendenz, zum Indol zu reagieren, ist sehr stark ausgeprägt. Selbst 2,2-disubstituierte-2-(Dihydroxy-phenyl)-äthylamine, bei denen eine Umlagerung des Dihydroindolchinons blockiert ist, sind dazu in der Lage, wie das Beispiel der Oxidation von 1-Methyl-4-amino-methyl-4-(2,5-dihydroxy-phenyl)-piperidin zeigt. Hier kommt es zur Gerüstumlagerung

---

[1] R. I. T. CROMARTIE u. J. HARLEY-MASON, Soc. **1952**, 2525.
[2] J. HARLEY-MASON u. A. H. JACKSON, Soc. **1954**, 3651.

und man erhält *7-Hydroxy-3-methyl-1,2,3,4,5,10-hexahydro-10H-⟨azepino-[4,5-b]-indol⟩* (F: 204–205°)[1]:

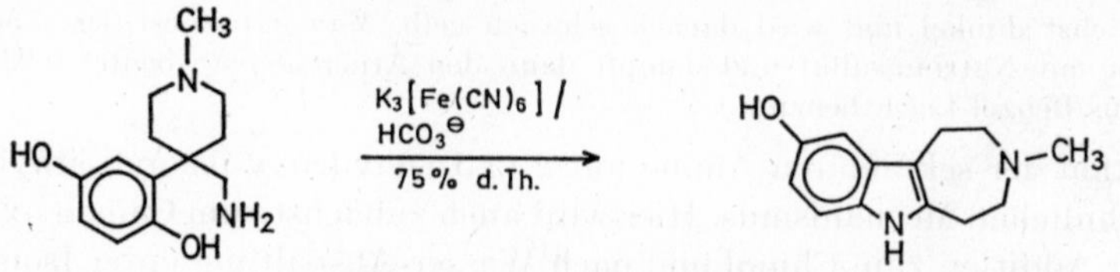

Zum dritten noch verbleibenden Typ der 2-(Dihydroxy-phenyl)-äthylamine, der zum Chinon oxidiert werden kann, gehören 2-(2,3-Dihydroxy-phenyl)-äthylamine:

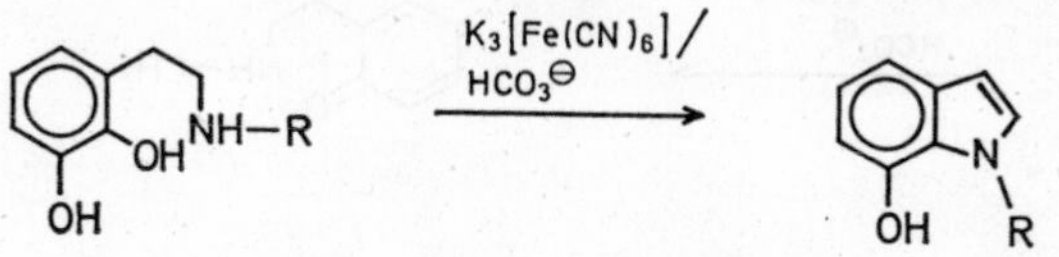

Sie reagieren ähnlich wie 2-(2,5-Dihydroxy-phenyl)-äthylamine unter Wasserabspaltung und werden so zu den 7-Hydroxy-indolen umgesetzt[1].

Die Ausbeuten an *7-Hydroxy-indol* sind durchweg gering, weil sie mit dem Oxidationsmittel weiterreagieren. Es empfiehlt sich deshalb, zweiphasig zu arbeiten, indem man zum Reaktionsgemisch ein organisches Lösungsmittel zugibt und während der Zugabe von Kalium-hexacyanoferrat(III) durch starkes Rühren und Vermischen der beiden Phasen das Indol sofort extrahiert und so dem weiteren Angriff des Oxidationsmittels entzieht.

7-Hydroxy-indol[2]: 2 g (0,01 Mol) 2,3-Dihydroxy-phenylalanin und 0,8 g Natriumhydrogencarbonat werden in 400 *ml* Wasser gelöst und hierzu 250 *ml* Essigsäure-äthylester gegeben. Während der Zugabe von 6 g Kalium-hexacyanoferrat(III) und 1,8 g Natriumhydrogencarbonat in 200 *ml* Wasser innerhalb von 30 Min. wird kräftig gerührt. Man erhält eine rot-violette Emulsion, zu der man etwas Natriumdithionit fügt. Danach färbt sich die Emulsion schwach bräunlich gelb. Die Emulsion kann durch Zentrifugieren getrennt werden. Die Essigsäure-äthylester-Phase wird getrocknet und das Lösungsmittel i. Vak. abgedampft. Der braune Rückstand wird aus Petroläther umkristallisiert; Ausbeute: 0,25 g (20% d.Th.); F: 97–98°.

Von der Bedeutung her, vor allem für Naturstoff-Synthesen in der Alkaloid-Reihe, sind die ersten beiden 2-(Dihydroxy-phenyl)-äthylamine, die 3,4- und die 2,5-Dihydroxy-Derivate, besonders interessant. So gibt es eine Anzahl von Umsetzungen von Vertretern dieser beiden Stoffklassen mit Kalium-hexacyanoferrat(III), die zu zum Teil sehr komplizierten, in der Natur vorkommenden, Alkaloidgerüsten führen[3–5].

Zum Indolo-[2,1-a]-isochinolin-Gerüst führt die Kalium-hexacyanoferrat(III)-Oxidation von Tetrahydropapaverolin. Man erhält allerdings nicht die Dehydrolaudanosolin-Base, sondern das aromatisierte Ringsystem[6]:

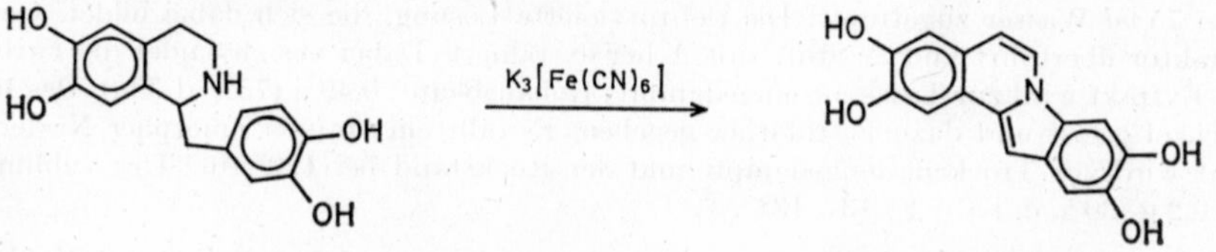

Tetrahydroxy-⟨indolo-[2,1-a]-isochinolin⟩

[1] J. Harley-Mason u. A. H. Jackson, Soc. **1955**, 374.
[2] R. I. T. Cromartie u. J. Harley-Mason, Soc. **1952**, 2525.
[3] T. Kametani et al., Soc. [C] **1971**, 1803.
[4] T. Takada u. S. Ohki, Chem. Pharm. Bull. (Tokyo) **19**, 977 (1971).
[5] U. Wölke et al., Helv. **53**, 1704 (1970).
[6] J. Harley-Mason, Soc. **1953**, 1465.

Für Mutterkornalkaloide typisch ist das Ergolin-Gerüst, das partiell hydrierte Indolo-[4,3-f,g]-chinolin:

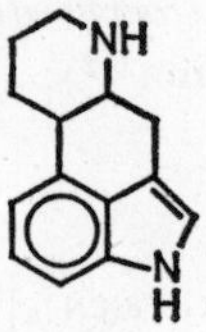

Ein wesentlicher Schritt auf dem Wege zum Aufbau dieser Alkaloide ist die Synthese des 1,3,4,5-Tetrahydro-⟨benzo-[c,d]-indol⟩-Gerüstes, die durch Oxidation von 5,8-Dihydroxy-1-aminomethyl-tetralin mit Hilfe von Kalium-hexacyanoferrat(III) gelingt[1]:

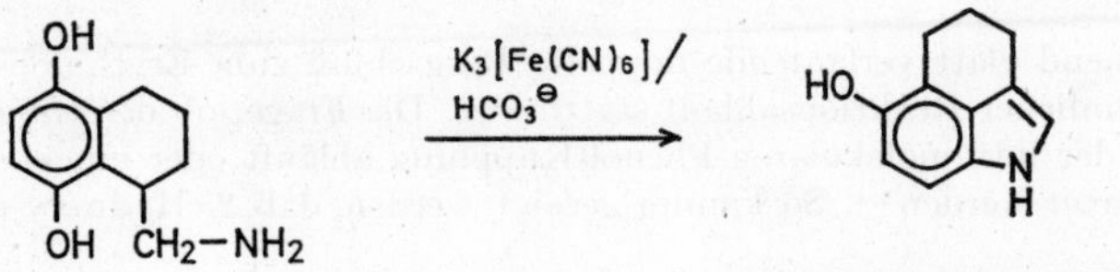

6-Hydroxy-1,3,4,5-tetrahydro-
⟨benzo-[c,d]-indol⟩;
55% d.Th.; F: 117–118°

Ein weiterer Schritt in Richtung der Synthese des Ergolin-Gerüstes ist die Kalium-hexacyanoferrat(III)-Oxidation von 3-Amino-2-(2,5-dihydroxy-phenyl)-1-[1-methyl-1,4,5,6-tetrahydro-pyridyl-(2)]-propan zum 5-Hydroxy-3-[1-methyl-1,4,5,6-tetrahydro-pyridyl-(2)-methyl]-indol[2]:

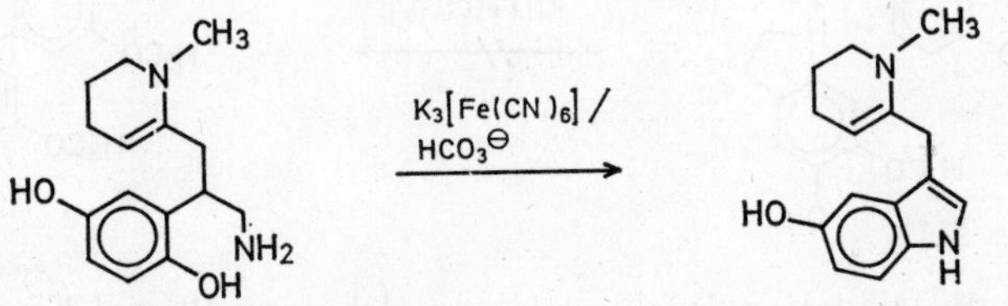

Eine sehr elegante Synthese des *Bufotenins* gelang von (2,5-Dimethoxy-phenyl)-aceto-nitril ausgehend. Letzter Schritt in der Reaktionsfolge ist dabei die Oxidation von 1-Amino-4-dimethylamino-2-(2,5-dihydroxy-phenyl)-butan mit Kalium-hexacyanofer-rat(III)[3,4]:

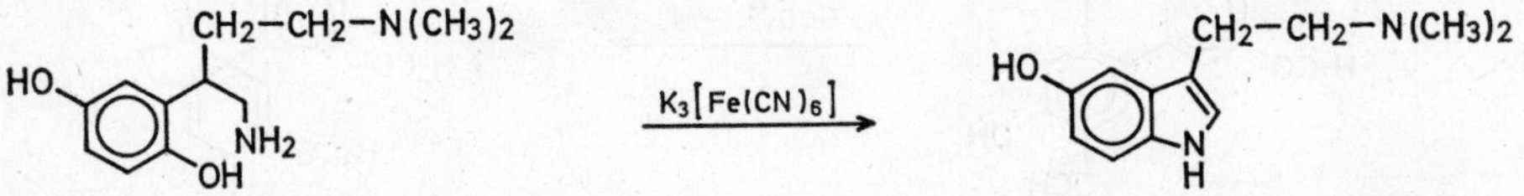

Bufotenin[4]: Zu einer Lösung von 1,9 g (8,5 mMol) 1-Amino-4-dimethylamino-2-(2,5-dihydroxy-phenyl)-butan-Bis-[hydrobromid] in 60 ml Wasser läßt man eine Lösung von 3,2 g Kalium-hexacyanoferrat(III) und 1,65 g Natriumhydrogencarbonat in 60 ml Wasser während 5 Min. unter Rühren zulaufen. Die Lösung wird zunächst dunkel, hellt sich dann aber nach 20 Min. wieder auf. Es wird ein wenig Natriumdithionit zugegeben und nach Abfiltrieren von wenig Niederschlag die hellbraun, gelbe Lösung zwei Tage mit Äther extrahiert. Nach Abdampfen des Äthers und Trocknen des Rückstandes über Phosphor(V)-oxid erhält man 0,45 g (45% d.Th.; hartes, braunes Glas), die durch Sublimation bei 160° (10⁻⁴ Torr) gereinigt werden.

[1] J. A. MOORE u. M. RAHM, J. Org. Chem. **26**, 1109 (1961).
[2] J. A. MOORE u. E. C. CAPALDI, J. Org. Chem. **29**, 2860 (1964).
[3] J. HARLEY-MASON u. A. H. JACKSON, Chem. Ind. **1952**, 954.
[4] J. HARLEY-MASON u. A. H. JACKSON, Soc. **1954**, 1165.

Eine besonders einfach verlaufende Synthese eines komplizierten Alkaloids ist die Oxidation von Bis-[2-(3-hydroxy-4-methoxy-phenyl)-äthyl]-amin mit Kalium-hexacyanoferrat(III), die in einer Stufe zum *Dihydroerysodin* führt (*Erysodin* ist das am weitesten verbreitete Alkaloid der Gattung Erythrina[1,2]):

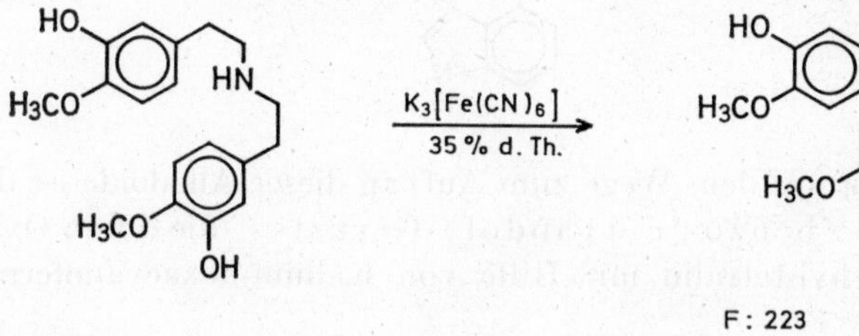

F: 223

Dieser so überraschend glatt verlaufende doppelte Ringschluß zum Erythinon-System legt nahe, daß auch in vivo ein ähnlicher Reaktionsablauf stattfindet. Die Frage, ob der Ringschluß, der zum Indol-Derivat führt, vor der intramolekularen Phenol-Kupplung abläuft oder umgekehrt, konnte mit großer Sicherheit beantwortet werden[3,4]. So konnte gezeigt werden, daß 2-(Hydroxy-phenyl)-äthylamine, die

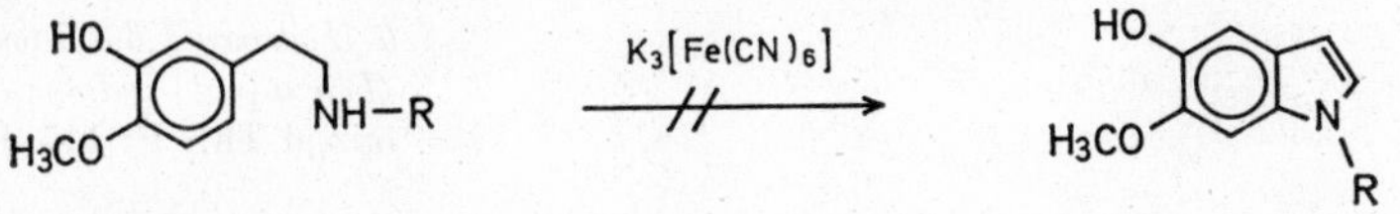

nicht zu Chinonen oxidiert, auch nicht zu Indolen umgesetzt werden können[3]. Entsprechend läßt sich folgendes Amin nicht zum Erysodienon umsetzen[4]:

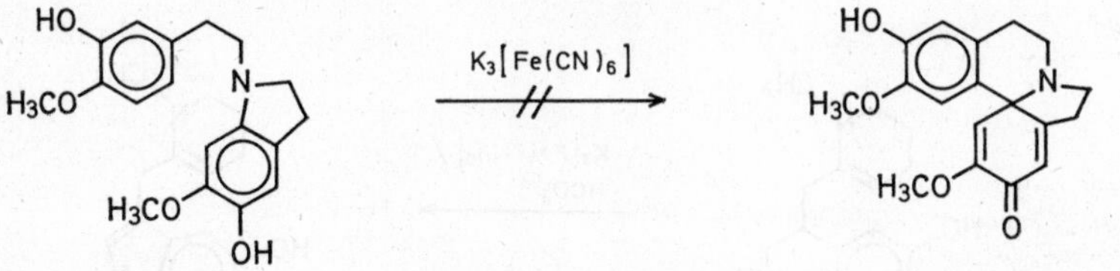

Dagegen liefert die Oxidation des durch intramolekularer Phenol-Kupplung entstehenden Azonins das *Erysodienon* in Ausbeuten von 80% d.Th.[3,4]:

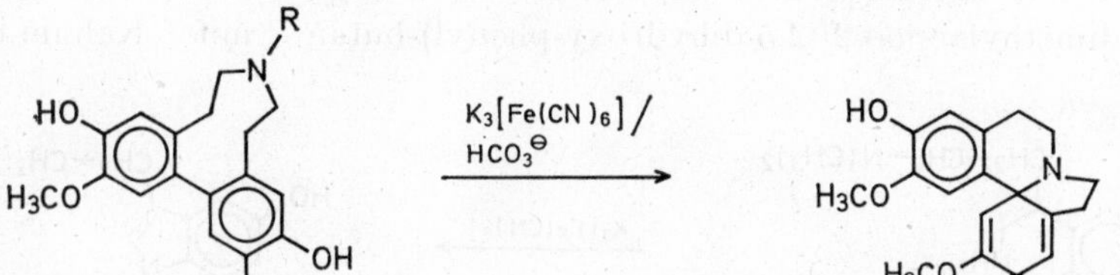

Bei der Oxidation mit Kalium-hexacyanoferrat(III) in Hydrogencarbonat-gepufferter Lösung arbeitet man am besten zweiphasig und entzieht so das Reaktionsprodukt dem weiteren Angriff des Dehydrierungsmittels. Diese Arbeitsweise ist vor allem bei den komplizierteren Substanzen, wie hier beispielsweise bei der Synthese von Erythrinan-Derivaten, angebracht und nur so erhält man die gewünschten Produkte in relativ hoher Ausbeute.

[1] J. E. Gervay, F. McCapra, T. Money u. G. M. Sharma, Chem. Commun. **1966**, 142.
[2] A. Mondon u. M. Ehrhardt, Tetrahedron Letters **1966**, 2557.
[3] D. H. R. Barton, R. James, G. W. Kirby, D. W. Turner u. D. A. Widdowson, Soc. [C] **1968**, 1529.
[4] D. H. R. Barton, R. B. Boar u. D. A. Widdowson, Soc. [C] **1970**, 1208.

Erysodienon[1]: 317 mg (1 mMol) Bis-[2-(3-hydroxy-4-methoxy-phenyl)-äthyl]-amin werden in 1 l Chloroform gelöst. Gleichzeitig wird eine Lösung von 1,33 g (4 mMol) Kalium-hexacyanoferrat(III) und 5 g Natriumhydrogencarbonat in 100 ml Wasser angesetzt und hierzu 100 ml Chloroform gegeben. Nun wird unter starkem Rühren und unter Stickstoffatmosphäre die Chloroform-Lösung zu dem Wasser-Chloroform-Gemisch hinzugefügt. Nach 40 Min. wird die Chloroform-Lösung abgetrennt und die wäßrige Phase mit Chloroform gewaschen. Die vereinigten Chloroform-Extrakte werden mit Wasser gewaschen, mit Natriumsulfat getrocknet und das Lösungsmittel abgedampft. Der Rückstand wird an 10 g Aluminiumoxid chromatographiert und mit Chloroform eluiert; Ausbeute: 95 mg (30% d.Th.); F: 226–229°.

Die hier behandelte Cyclisierung ist nicht nur auf 2-(Dihydroxy-phenyl)-äthylamine beschränkt. Man kann auch 3-(Dihydroxy-phenyl)-propylamine mit Kalium-hexacyanoferrat(III) in die entsprechenden Hydroxy-chinoline umsetzen, und zwar 3-(2,5-Dihydroxy-phenyl)-propylamin in ein Gemisch gleicher Mengen 6-Hydroxy-1,2,3,4-tetrahydro-chinolin und 6-Hydroxy-chinolin[2]:

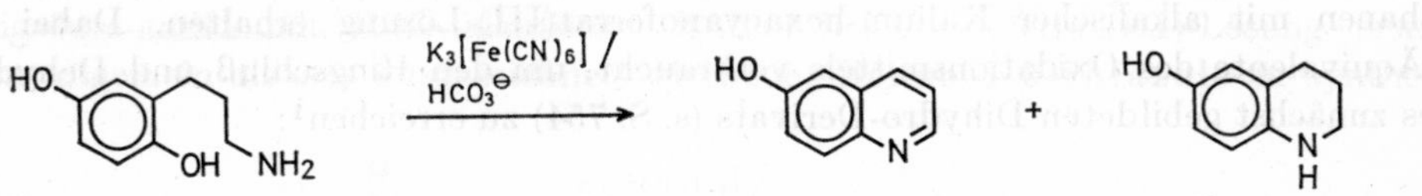

Die Tendenz, zum 6-Ring zu cyclisieren, ist aber nicht stark ausgeprägt, andernfalls sollte man erwarten, daß die Umsetzung von [2-(3-Hydroxy-4-methoxy-phenyl)-äthyl]-[3-(3-hydroxy-4-methoxy-phenyl)-propyl]-amin wenigstens zum Teil das Dibenzochinolizin-Gerüst liefern würde. Im Reaktionsprodukt der Oxidation mit Kalium-hexacyanoferrat(III) in zweiphasigem System findet man aber nur das 5,7-Ring-Derivat, Homoerythrinadienon[3]:

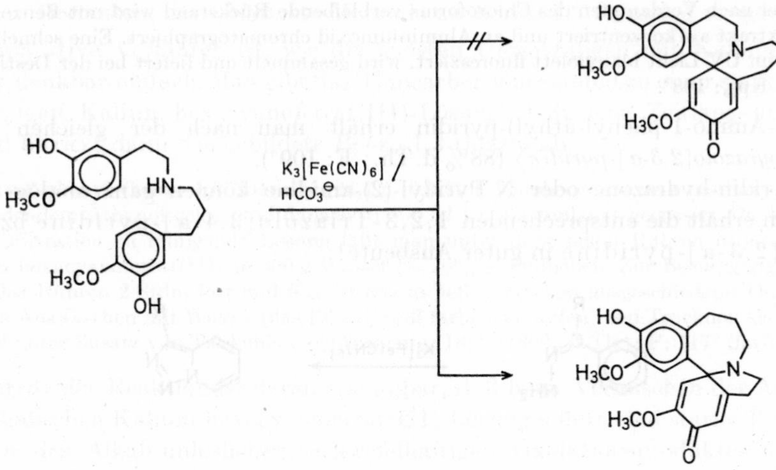

Homoerythrinadienon[3]: Zu einer stark gerührten Lösung von 12,5 g Kalium-hexacyanoferrat(III) und 37 g Ammoniumacetat in 370 ml Wasser und 100 ml Chloroform werden portionsweise 2 g (6 mMol) [2-(3-Hydroxy-4-methoxy-phenyl)-äthyl]-[3-(3-hydroxy-4-methoxy-phenyl)-propyl]-amin-Hydrochlorid in 20 ml 10%igem, wäßrigem Ammoniak und 50 ml Chloroform bei Raumtemp. innerhalb von 30 Min. eingetropft. Danach wird die Lösung 90 Min. bei 20° stark geschüttelt, filtriert und die organische Phase abgetrennt. Die wäßrige Phase wird 3mal mit je 50 ml Chloroform extrahiert und die vereinigten or-

[1] D. H. R. BARTON, R. B. BOAR u. D. A. WIDDOWSON, Soc. [C] **1970**, 1208.
[2] J. A. MOORE u. E. C. CAPALDI, J. Org. Chem. **29**, 2860 (1964).
[3] T. KAMETANI u. K. FUKUMOTO, Soc. [C] **1968**, 2156.

an Thiazol häufig gering[1]. Außerdem ist es oft besser, die Dehydrierung bei höheren Temperaturen (~ 80–90°) vorzunehmen. Dehydriert man beispielsweise 4-Brom-1-(äthoxy-thiocarbonylamino)-benzol in der Kälte, erhält man als Hauptprodukt das Disulfan, in der Wärme dagegen, bei einem großen Überschuß an Oxidationsmittel, das Thiazol[2].

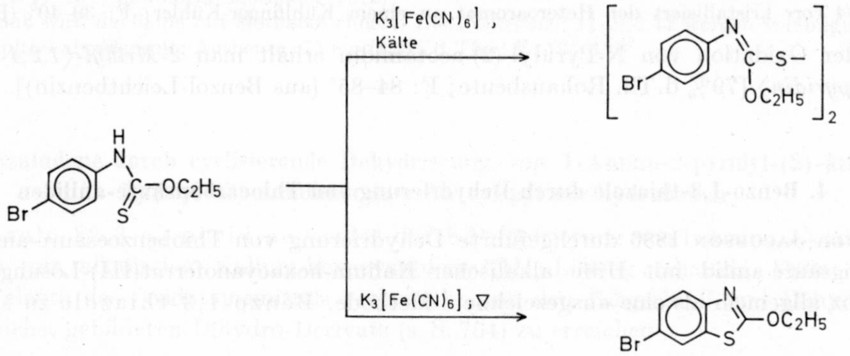

Bis-[äthoxy-(4-brom-phenylimino)-methyl]-disulfan[2]: 25 g Thiokohlensäure-O-äthylester-(4-brom-phenylimid) werden mit etwas Äthanol angefeuchtet, in 150 ml Natronlauge gelöst und diese Lösung portionsweise in 295 ml kalte 20%ige Kalium-hexacyanoferrat(III)-Lösung gegeben. Das Gemisch trübt sich sofort und nach kurzer Zeit scheiden sich gelbe nadelförmige Kristalle ab, die dunkel werden und nach 3–4 Stdn. eine dunkelrote Farbe angenommen haben. Ihre äthanolische Lösung mit Tierkohle gekocht, wird bald entfärbt und beim Abkühlen kristallisiert das Disulfan in farblosen, nadelförmigen Kristallen aus, F: 86–87°.

6-Brom-2-äthoxy-⟨benzo-1,3-thiazol⟩[3]: 10 g Thiokohlensäure-O-äthylester-(4-brom-phenylimid) wird mit etwas Äthanol angerieben und danach in 25 ml 30%iger, wäßriger Natronlauge gelöst. Die Lösung wird mit Wasser auf 200 ml verdünnt und in Portionen von 20 ml alle 5 Min. unter Rühren zu einer Lösung von 60 g Kalium-hexacyanoferrat(III) in 300 ml Wasser, welche auf 80–90° gehalten wird, gegeben. Nach Beendigung der Zugabe wird mit Äther extrahiert. Man erhält ein braunes Öl, das einer Wasserdampfdestillation unterworfen wird; Ausbeute: 3,4 g (35% d.Th.); F: 75–76° (aus 90%igem Methanol).

Ausbeute und auch Richtung des Ringschlusses werden durch Art und Stellung von Substituenten beeinflußt. Das gilt sowohl für Substituenten am Anilid-Kern, als auch für den Substituenten am Thiocarbamid-C-Atom.

Es ist beispielsweise bisher nicht gelungen, in 2-Stellung unsubstituierte Benzo-1,3-thiazole aus den entsprechenden N-Thioformyl-anilinen herzustellen. So scheiterte der Versuch *4-Nitro-6-methoxy-⟨benzo-1,3-thiazol⟩* aus Thioameisensäure-(2-nitro-4-methoxy-anilid)[4] und ebenso das unsubstituierte *Benzo-1,3-thiazol* aus Thioameisensäure-anilid[5] zu synthetisieren.

Auch N-Aryl-thioharnstoff kann nicht zum 2-Amino-⟨benzo-1,3-thiazol⟩ cyclisiert werden:

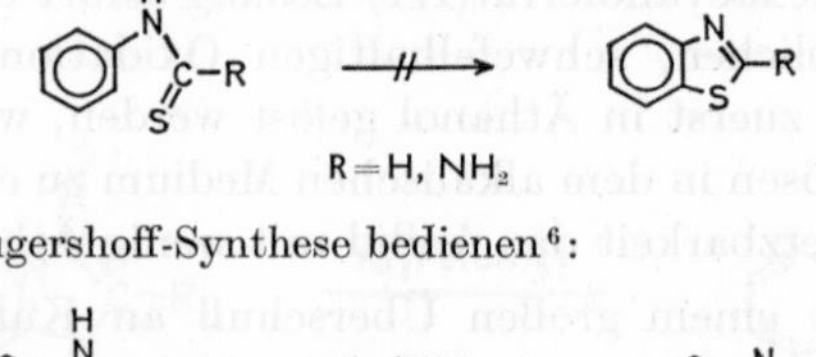

Hierzu muß man sich der Hugershoff-Synthese bedienen[6]:

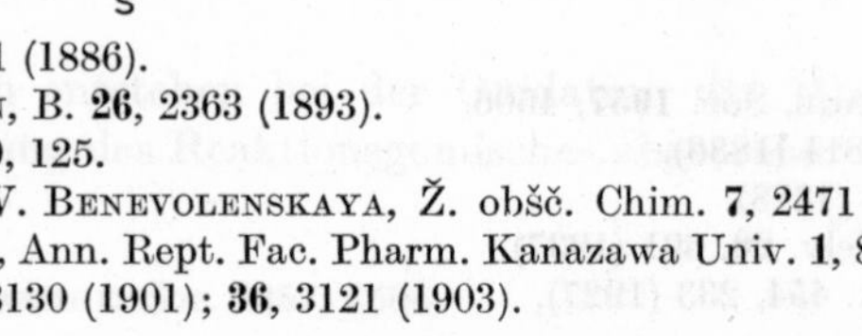

[1] P. Jacobson, B. **19**, 1811 (1886).
[2] P. Jacobson u. J. Klein, B. **26**, 2363 (1893).
[3] R. F. Hunter, Soc. **1930**, 125.
[4] I. L. Knunyants u. Z. V. Benevolenskaya, Ž. obšč. Chim. **7**, 2471 (1937); C. A. **32**, 2119 (1938).
[5] Y. Mizuno u. K. Adachi, Ann. Rept. Fac. Pharm. Kanazawa Univ. **1**, 8 (1951); C. A. **48**, 9365 (1954).
[6] A. Hugershoff, B. **34**, 3130 (1901); **36**, 3121 (1903).

Weitere Ausnahmen sind die Dithioanilide der Oxalsäure[1] und Malonsäure[2], die bei der Oxidation mit Kalium-hexacyanoferrat(III) ebenfalls nicht in Benzo-1,3-thiazole umgewandelt werden. Bei der Oxidation der ersteren kommt es zur Entschwefelung und damit zur Rückgewinnung von *Oxalsäure-dianilid*:

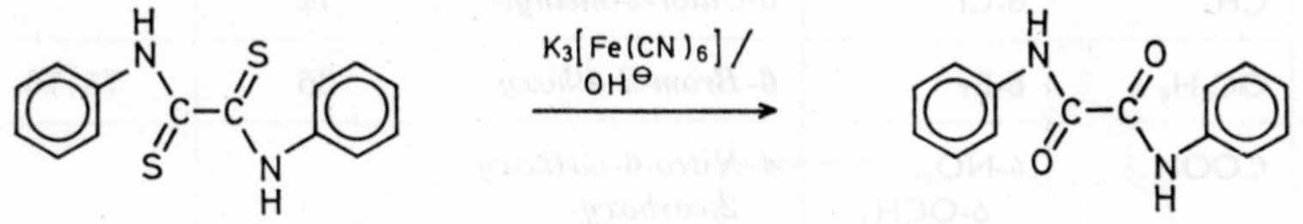

Eine ähnliche Entschwefelung erfolgt auch bei der Oxidation von Thiokohlensäure-O-äthylester-(4-nitro-anilid)[3, s. a. 4, 5].

Über Substituenteneinflüsse auf das Ergebnis der Kalium-hexacyanoferrat(III)-Dehydrierung zu Benzo-1,3-thiazolen s. Tab. 9.

Tab. 9: Benzo-1,3-thiazole durch Dehydrierung von Thiocarbonsäure-aniliden

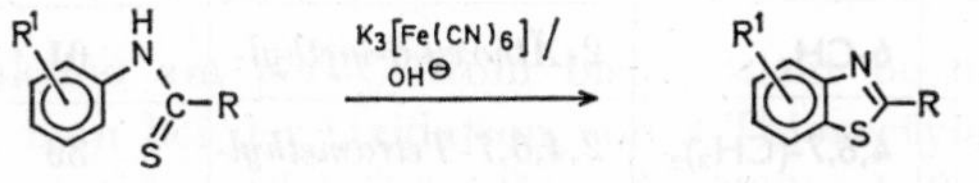

Anilid		...-⟨benzo-1,3-thiazol⟩	Ausbeute [% d.Th.]	F [° C]	Literatur
R^1	R	R^1			
H	H	H	gut	–	6
	CH₃	H	2-Methyl-	67		6
	OC₂H₅	H	2-Äthoxy-	40	137	7,8
	–(CH₂)n– COOH	H	2-(2-Carboxy-äthyl)-		108–109	2
	COOH	H	2-Carboxy-	94,5	105	1
	C₆H₅	H	2-Phenyl-	87		6
	3-NO₂–C₆H₄	H	2-(3-Nitro-phenyl)-	75	184	5
	4-NO₂–C₆H₄	H	2-(4-Nitro-phenyl)-	90	227	5
	2-COOH– C₆H₄	H	2-(2-Carboxy-phenyl)-		189	9

[1] A. REISSERT, B. **37**, 3708 (1904).
[2] A. REISSERT u. A. MORÉ, B. **39**, 3298 (1906).
[3] P. JACOBSON u. J. KLEIN, B. **26**, 2363 (1893).
[4] K. FRIES u. W. BUCHLER, A. **454**, 233 (1927).
[5] H. RIVIER u. J. ZELTNER, Helv. **20**, 691 (1937).
[6] J. MIZUNO u. K. ADACHI, Ann. Rept. Fac. Pharm. Kanazawa Univ. **1**, 8 (1951); C. A. **48**, 9365 (1954).
[7] P. JACOBSON, B. **19**, 1811 (1886).
[8] R. F. HUNTER u. J. W. T. JONES, Soc. **1930**, 941.
[9] A. REISSERT u. H. HOLLE, B. **44**, 3027 (1911).

Naphtho-[2,1-d]-1,3-thiazol isoliert, einerlei von welchem Thiocarbonsäure-amid ausgegangen wird:

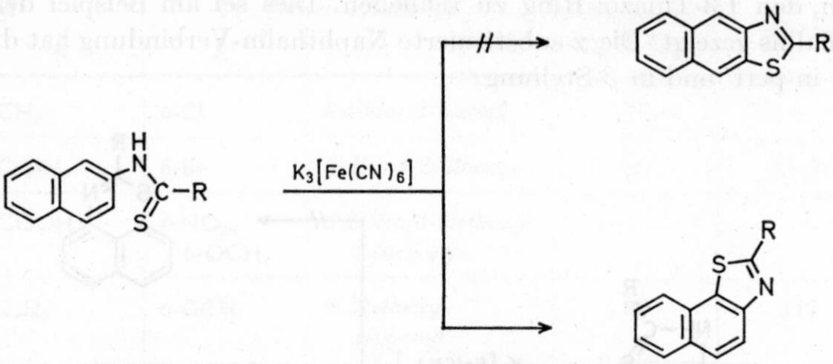

R = H;   *Naphtho-[2,1-d]-1,3-thiazol*;   35% d.Th.; F: 65°   [1]
R = CH₃;   *2-Methyl-...*;   86% d.Th.; F: 58–59°   [2]
R = OC₂H₅;   *2-Äthoxy-...*;   60% d.Th.; F: 80°   [3, 4]
R = C₆H₅;   *2-Phenyl-...*;   85% d.Th.; F: 109°   [5]

Selbst wenn der Naphthyl-Rest in α-Stellung substituiert ist, führt die Dehydrierung
mit Kalium-hexacyanoferrat(III) nicht unbedingt zum gewünschten linear anellierten
1,3-Thiazol. Ausgehend vom 1-Brom-2-thioacetylamino-naphthalin führt die Umsetzung
mit Kalium-hexacyanoferrat(III) in alkalischem, wäßrigem Medium zum *Bis-{1-[1-brom-
naphthyl-(2)-imino]-äthyl}-disulfan*[1,6, vgl. 7] und nicht zum 1,3-Thiazol.

Im übrigen verlaufen auch andere Kalium-hexacyanoferrat(III)-Oxidationen von polykondensierten, aromatischen Thiocarbonsäure-amiden, bei denen das Ringsystem über ein
β-C-Atom an den Amidstickstoff gebunden ist, ausgesprochen selektiv unter Beteiligung
des α-C-Atoms am Ringschluß, wie folgende Beispiele zeigen:

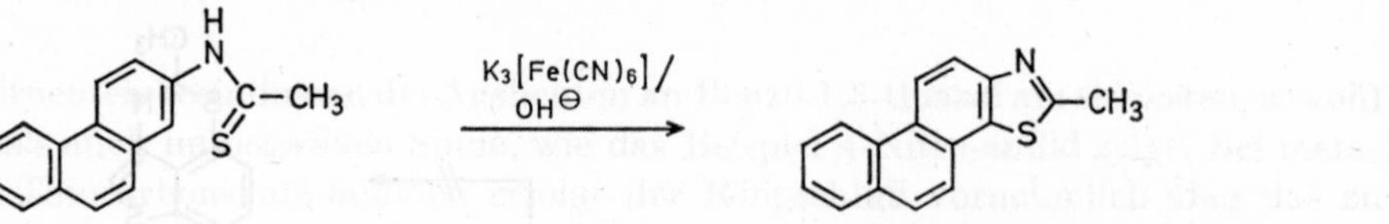

*2-Methyl-⟨phenanthro-[1,2-d]-1,3-
thiazol⟩*[8]; 33% d.Th.; F: 172°

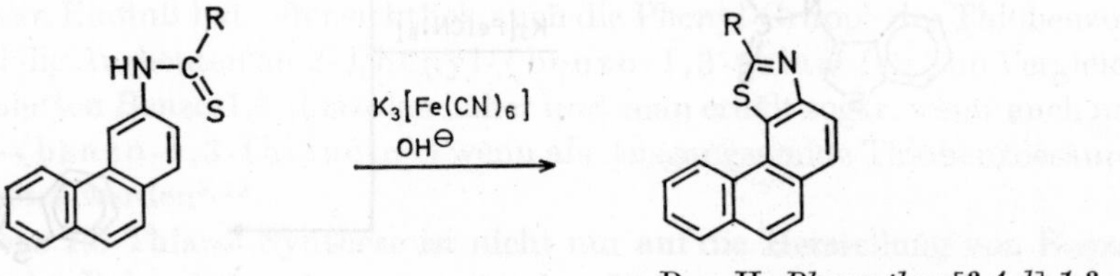

R = H; *Phenanthro-[3,4-d]-1,3-
thiazol*[9]
R = CH₃; *2-Methyl-⟨phenanthro-
[3,4-d]-1,3-thiazol⟩*[9]

[1] W. A. Boggust, W. Cocker, J. C. P. Schwarz u. E. R. Stuart, Soc. **1950**, 680.
[2] A. Nederlof, Bull. Soc. Chim. Belges **68**, 148 (1959).
[3] P. Jacobson u. J. Klein, B. **26**, 2363 (1893).
[4] R. F. Hunter u. J. W. T. Jones, Soc. **1930**, 941.
[5] K. Fries u. W. Buchler, A. **454**, 233 (1927).
[6] I. I. Levkoev u. A. Ya. Bashkirova, Ž. obšč. Chim. **15**, 832 (1945); C. A. **41**, 447 (1947).
[7] K. Fries u. W. Buchler, A. **454**, 233 (1927); die Herstellung von 4-Brom-2-phenyl-⟨naphtho-[2,3-d]-
    1,3-thiazol⟩ aus 1-Brom-2-thiobenzoylamino-naphthalin konnte nicht bestätigt werden.
[8] V. P. Bronoviskaya, A. A. Kizilshtein u. A. Ya, Berlin, Chim. geterocycl. Soed. **1968**, 939; C. A. **70**,
    96691 (1969).
[9] V. P. Bronovitskaya, A. A. Bakhmedova, A. Ya. Berlin, L. M. Alekseeva u. Yu. N. Sheinker,
    Chim. geterocycl. Soed. **1971**, 1493; C. A. **77**, 19582 (1972).

Linear anellierte 1,3-Thiazole werden zumeist aus polykondensierten Heterocyclen gebildet; z. B.[1]:

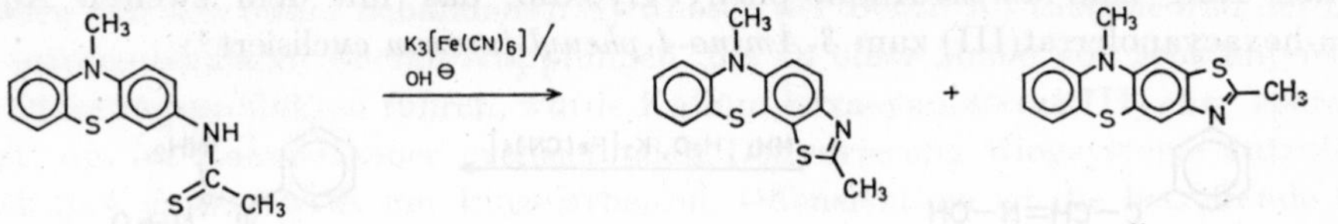

2,6-Dimethyl-⟨1,3-thiazolo-[4,5-c]-phenothiazin⟩; I; 14% d.Th.; F: 146°
2,10-Dimethyl-⟨1,3-thiazolo-[5,4-b]-phenothiazin⟩; II; 1,8% d.Th.; F: 216–217°

Aus 6-Thioacetylamino-2-methyl-⟨benzo-1,3-thiazol⟩ erhält man das lineare *2,6-Dimethyl-⟨bis-1,3-thiazolo-[4,5-a; 4′,5′-d]-benzol⟩* (F: 102–102,5°), das auch direkt aus 1,4-Bis-[thioacetylamino]benzol hergestellt werden kann[2],

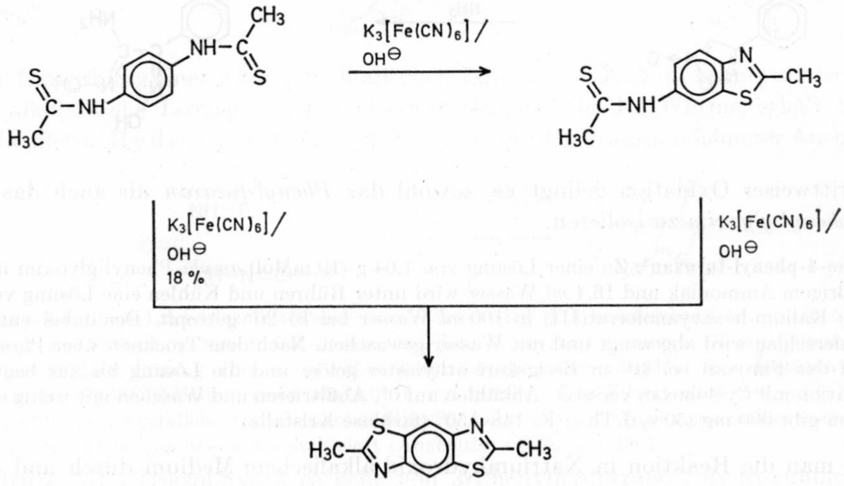

und aus dem 3-Thiobenzoylamino-dibenzofuran das *2-Phenyl-⟨1,3-thiazolo-[5,4-b]-dibenzofuran⟩*[3]:

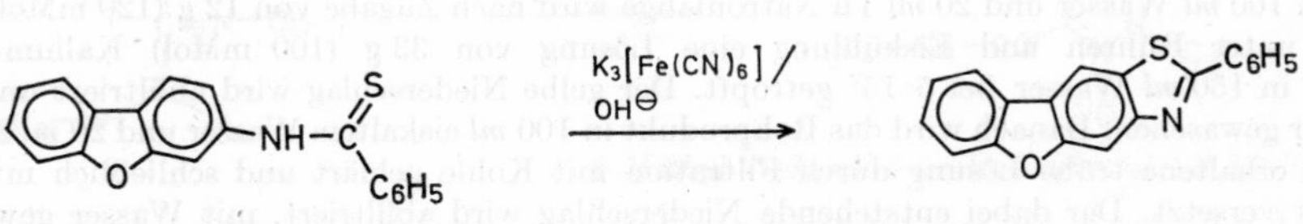

5. Furoxane (Amino-furoxane) durch Dehydrierung von amphi-Phenyl-glyoximen in Gegenwart von Ammoniak oder Aminen

3-Amino-4-phenyl-furoxane können in einem einzigen Schritt durch Oxidation von *amphi*-Phenyl-glyoximen mit zwei Äquivalent Kalium-hexacyanoferrat(III) hergestellt werden[4]. Die Synthese führt dabei zunächst durch Oxidation mit einem Äquivalent

[1] S. G. Fridman u. D. K. Golub, Chim. geterocycl. Soed. **1969**, 247; C. A. **71**, 30430 (1969).
[2] G. Barnikov, Z. Chem. **6**, 342 (1966).
[3] V. Farcasan, S. Florea u. R. Beju, Stud. Univ. Babes-Bolyai, Ser. Chem. **15**, 63 (1970); C. A. **73**, 109730 (1970).
[4] A. R. Gagneux u. R. Meier, Helv. **53**, 1883 (1970); dort zahlreiche Beispiele.

Die Oxidation der 4-Aryl-thiosemicarbazone liefert dagegen als Hauptprodukt 2,3-Dihydro-1,3,4-thiadiazole[1]:

$$S=C \begin{array}{c} NH-Ar \\ \\ NH-N=CH-Ar^1 \end{array} \xrightarrow{\text{K}_3[\text{Fe(CN)}_6] / \ OH^\ominus} Ar^1 \begin{array}{c} N-NH \\ \\ S \end{array} N-Ar$$

$Ar = Ar^1 = C_6H_5;$ *5-Phenylimino-2-phenyl-4,5-dihydro-1,3,4-thiadiazol;*

                                                           78% d.Th.; F: 139°

$Ar = 4\text{-}CH_3\text{-}C_6H_5; Ar^1 = C_6H_5;$ *5-(4-Methyl-phenylimino)-2-phenyl-4,5-dihydro-1,3,4-thiadiazol;*

                                                            69% d.Th.; F: 123°

$Ar = 4\text{-}Cl\text{-}C_6H_5; Ar^1 = C_6H_5;$ *5-(4-Chlor-phenylimino)-2-phenyl-4,5-dihydro-1,3,4-thiadiazol;*

                                                            78% d.Th.; F: 144°

Die Arbeitsvorschrift ist die gleiche wie für die Dehydrierung der Semicarbazone.

II. Oxidationen

Kalium-hexacyanoferrat(III) ist kein Oxidationsmittel in dem Sinne, daß es in der Lage ist, Sauerstoff in das Molekül einzuführen. Es gibt aber einige Umsetzungen, bei denen Kalium-hexacyanoferrat(III) scheinbar wie ein Oxidationsmittel wirkt. Ein Beispiel hierfür ist die Umsetzung von Bis-[biphenylyl-(4)]-methan zu *Bis-[biphenylyl-(4)]-carbinol*[2], die jedoch besser mit Blei(IV)-acetat gelingt. Andere Hydroxylierungen sind die Überführung von Trinitrobenzol in *Trinitro-phenol*[3] oder auch von 3-Hydroxy-⟨pyrido-[2,3-b]-pyrazin⟩ in *2,3-Dihydroxy-⟨pyrido-[2,3-b]-pyrazin⟩*[4].

Auch für die Umwandlung von Methylen- zu Carbonyl-Gruppen mit Hilfe von Kalium-hexacyanoferrat(III) gibt es Beispiele, wie die Oxidation von 7H-Benzo-[c]-xanthen zu *7-Oxo-7H-⟨benzo-[c]-xanthen⟩*[5] oder auch von Furyl-(2)-thienyl-(2)-methan zu *2-Furoyl-(2)-thiophen*[6]:

$$\text{Furyl-CH}_2\text{-Thienyl} \longrightarrow \text{Furyl-CO-Thienyl}$$

Schließlich ist auch die Überführung der Methyl-Gruppe in die Carboxy-Gruppe bekannt[7].

Für jede der hier erwähnten Umsetzungen gibt es jedoch geeignetere Oxidationsmittel, so daß ihr Wert vom präparativen Standpunkt her, relativ gering ist.

a) 2-Oxo-1,2-dihydro-pyridine (2-Hydroxy-pyridin; Pyridone) durch Oxidation von Pyridinium-Salzen

Diese Umsetzung, die auch die Überführung von Chinolinium-Salzen in 2-Oxo-1,2-dihydro-chinoline bzw. grundsätzlich von aromatischen Ammoniumsalzen in entsprechende

---

[1] G. Ramachander u. V. R. Srinivasan, J. Sci. Ind. Res. (India) 21C, (2) 44 (1962); C. A. 57, 16600[d] (1962); als Nebenprodukt fallen die 5-Hydroxy-3,4-diaryl-1,2,4-triazole an.

[2] C. H. Brieskorn u. M. Geuting, Ar. 293, 127 (1960).

[3] P. Hepp, A. 215, 352 (1882).

[4] A. Albert u. G. B. Barlin, Soc. 1963, 5156.

[5] F. G. Baddar u. M. Gindy, Soc. 1951, 64.

[6] Ya. L. Goldfarb u. Ya. D. Danyushevskii, Ž. obšč. Chim. 31, 3654 (1961); C. A. 57, 9776[f] (1962).

[7] siehe die Arbeiten von W. A. Noyes, Am. 7, 145 (1885); 8, 167–190 (1886).

2-Oxo-Verbindungen gestattet, ist ebenfalls eine Dehydrierungsreaktion. In bezug auf das Substrat stellt sie jedoch eine Oxidation dar[1]; z. B.:

2-Oxo-1-methyl-1,2-dihydro-pyridin

Diese Reaktion verläuft über die im Gleichgewicht mit dem Pyridinium-hydroxid befindliche Pseudobase[2]:

Nach Leitfähigkeitsmessungen[3] ist der Anteil der Pseudobase im Gleichgewicht mit dem Hydroxid sehr gering. Die irreversible Reaktion mit Hexacyanoferrat(III) läßt aber auf die Dauer das gesamte Pyridiniumsalz verschwinden. Es ist allerdings nicht auszuschließen, daß das Pyridon auch direkt über eine Resonanzstruktur gebildet werden kann:

2-Oxo-1,2-dihydro-pyridine (Pyridone); allgemeine Arbeitsvorschrift[3]: Zu der wäßrigen Lösung des Pyridiniumsalzes, das leicht aus der Base und Alkyljodid oder -bromid oder Dimethylsulfat hergestellt werden kann, gibt man entweder gleichzeitig eine wäßrige Lösung von Kalium-hexacyanoferrat(III) und wäßrige Kalilauge über einen längeren Zeitraum unter Rühren zu, eventuell unter Kühlung auf 0°, oder aber zunächst sofort die Kalium-hexacyanoferrat(III)-Lösung und danach langsam die Alkalihydroxid-Lösung, bis das Reaktionsgemisch stark alkalisch ist. Wenn die Ausgangsverbindung nicht hydrolyseempfindlich ist, kann man auch das Pyridiniumsalz zunächst mit Kalilauge versetzen und danach die entsprechende Kalium-hexacyanoferrat(III)-Lösung langsam zufließen lassen.

In vielen Fällen fällt das Oxidationsprodukt als wasserunlösliche Verbindung in Kristallform aus, oder kann als Öl abgetrennt werden. In der wäßrigen Phase gelöste Anteile können durch Extraktion mit Äther oder Benzol isoliert werden. Es empfiehlt sich, das organische Lösungsmittel sofort dem Reaktionsgemisch zuzusetzen, vor allem dann, wenn das erwartete Reaktionsprodukt mit weiterem Hexacyanoferrat(III) reagieren kann. Durch Übergang in die organische Phase ist es weitgehend vor weiterer Reaktion mit dem in der wäßrigen Phase befindlichen Oxidationsmittel geschützt.

In einigen Fällen läßt sich das Pyridin nicht befriedigend in der organischen Phase anreichern und bleibt zum überwiegenden Teil in der wäßrigen Phase gelöst. Häufig gelingt es dann, durch Aussalzen mit Natriumcarbonat, den Übergang in die organische Phase zu erreichen. In besonders hartnäckigen Fällen kann man einen derartigen Aussalzeffekt durch einen hohen Überschuß an Alkalimetallhydroxid erzwingen. Es ist dann allerdings die Phasentrennung infolge von Emulsionsbildung nicht immer einfach.

---

[1] Oxidationsreaktionen im Sinne der Einführung von Sauerstoff in das Molekül unter dem Einfluß von Kalium-hexacyanoferrat(III) sind auch die Überführung von Diazotaten in Nitramine

$$Ar = N-NONa \longrightarrow Ar-NH-NO_2$$

und die Oxidation von Phosphinigsäuren zu Phosphinsäuren. Diese Reaktionen werden in ds. Handb., Bd. XI/2, S. 125 bzw. Bd. XII, S. 222 behandelt.

[2] H. DECKER, J. pr. **47**, 28 (1893).

[3] A. HANTZSCH u. M. KALB, B. **32**, 3109 (1899).

2-Oxo-1-methyl-4-carboxy-1,2-dihydro-pyridin[1]: 2 g (7,3 mMol) 1-Methyl-4-methoxycarbonyl-pyridiniumjodid werden in einem Erlenmeyer in 10 *ml* Wasser gelöst. Gleichzeitig werden Lösungen von 1,68 g (0,24 Mol) Natriumhydroxid in 3 *ml* Wasser und 4,8 g (19 mMol) Kalium-hexacyanoferrat(III) in 8 *ml* heißem Wasser bereitet und stündlich 1 *ml* der Natriumhydroxid-Lösung und 1,5 *ml* der Kalium-hexacyanoferrat(III)-Lösung zu der Pyridinium-Salzlösung gegeben und jeweils durch Schütteln nach jeder Zugabe gut gemischt. Die Kalium-hexacyanoferrat(III)-Lösung wird warm zugegeben, um ein Ausfällen zu vermeiden. Nach Zugabe der letzten 1,5 *ml* Kalium-hexacyanoferrat(III)-Lösung wird das Reaktionsgemisch für eine weitere Stunde auf dem Wasserbad bei 40–55° gehalten, danach abgekühlt und mit 6 n Salzsäure angesäuert. Das ausgefallene Kristallisat wird aus heißem Methanol umkristallisiert; Ausbeute: 1,05 g (96% d.Th.); F: 254–254,5°.

5-Nitro-2-oxo-1-methyl-1,2-dihydro-chinolin[2]: Eine Lösung von 200 g (0,6 Mol) Kalium-hexacyanoferrat(III) und 500 *ml* 10%iges (1,25 Mol) Natriumhydroxid werden auf 60–65° erwärmt und stark gerührt, während 50 g (0,16 Mol) 5-Nitro-1-methyl-chinoliniumjodid, gelöst in 500 *ml* warmem Wasser, zugetropft werden. Es bildet sich ein gelber, kristalliner Niederschlag. Man rührt 30 Min. nach, kühlt ab, filtriert, wäscht mit wenig kaltem Wasser nach und trocknet den Rückstand; Ausbeute: 30 g (94% d.Th.); F: 162°.

7,8-Methylendioxy-5-oxo-10-methyl-1-äthyl-1,2,3,5-tetrahydro-⟨pyrrolo-[1,2-b]-isochinolin⟩[3]:

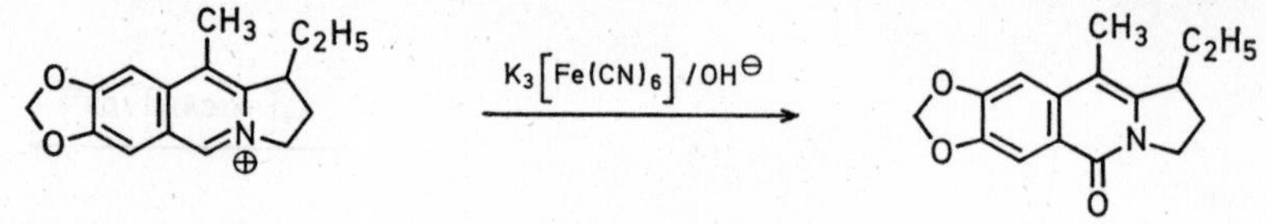

Zu einer Lösung von 54 mg (0,2 mMol) 7,8-Methylendioxy-10-methyl-1-äthyl-2,3-dihydro-1H-⟨pyrolo-[1,2-b]-isochinolinium⟩-chlorid in 4 *ml* 50%iger wäßriger, äthanolischer Lösung wird eine Lösung von 0,22 g (0,7 mMol) Kalium-hexacyanoferrat(III) und 40 mg (1 mMol) Kaliumhydroxid in 4 *ml* Wasser gegeben. Nach 3stdgm. Erhitzen auf dem Wasserbad wird das Reaktionsgemisch mit verd.Schwefelsäure neutralisiert und zur Trockene eingedampft. Der Rückstand wird in 30 *ml* Wasser gelöst, mit Benzol extrahiert, der Benzol-Auszug mit verd. Schwefelsäure und danach mit Wasser gewaschen, getrocknet und das Benzol abgedampft. Man erhält 31 mg Rückstand. Dieser wird in Benzol an Aluminiumoxid mit Benzol chromatographiert. Danach wird aus Benzol-Leichtbenzin umkristallisiert; F: 150° (Nadeln).

Stellung und Art von Substituenten am stickstoffhaltigen Kern der quarternären Salze der aromatischen Stickstoff-Heterocyclen beeinflussen sehr stark das Ergebnis der Umsetzung mit Kalium-hexacyanoferrat(III). Den geringsten Einfluß übt offensichtlich der am Stickstoff gebundene Substituent aus[4]. Ganz auszuschließen ist er allerdings nicht. Während bei der Oxidation von 1-Äthyl-, 1-Propyl- bzw. 1-Butyl-3-(1-methyl-pyrrolidin-2-yl)-pyridiniumjodid jeweils das 2-Pyridon isoliert wird[5], erhält man bei der Reaktion mit dem entsprechenden 1-(2-Phenyl-äthyl)-pyridiniumbromid das 6-Oxo-1,6-dihydro-pyridin[6]. Beobachtungen, wonach bei der Umsetzung von 1-[2-(x-Methoxy-phenyl)-äthyl]-pyridiniumsalzen diese dann kein Pyridon liefern, wenn das zur Methoxy-Gruppe p-ständige C-Atom des Phenyl-Kerns keinen Substituenten trägt[7], konnten nicht als allgemeine Gesetzmäßigkeit bestätigt werden, nachdem es durchaus gelang, in der 1-(2-Phenyl-äthyl)-pyridinium-Reihe[8], beispielsweise *2-Oxo-1-[2-(2-methoxy-phenyl)-äthyl]-* bzw. *2-Oxo-1-[2-(2,3-dimethoxy-phenyl)-äthyl]-1,2-dihydro-pyridin* aus den entsprechenden Bromiden herzustellen.

[1] M. H. FRONK u. H. S. MOSHER, J. Org. Chem. **24**, 196 (1959).
[2] A. J. DEINET u. R. E. LUTZ, Am. Soc. **68**, 1325 (1946).
[3] S. TAKAGI u. S. UYEO, Soc. **1961**, 4350.
[4] S. SUGASAWA u. M. KIRISAWA, Chem. pharm. Bull. Japan **3**, 187 (1955); C. A. **50**, 8636 (1956).
[5] P. KARRER u. T. TAKAHASHI, Helv. **9**, 458 (1926).
[6] S. SUGASAWA u. T. TATSUNO, J. pharm. Soc. Japan, **72**, 248 (1952); C. A. **47**, 6427 (1953).
[7] S. SUGASAWA u. N. SUGIMOTO, B. **72**, 977 (1939); Soc. Imp. Acad. [Tokyo] **15**, 49 (1939); C. **1939**II, 3088.
[8] S. SUGASAWA u. H. SHIGEHARA, B. **74**, 459 (1941).

In Verbindung mit der Cyclisierung dieser 2-Oxo-1,2-dihydro-pyridine und auch -chinoline stellt diese Reaktionsfolge[1] eine Möglichkeit zur Synthese von Alkaloiden dar, die zur Klasse der Protoberberin oder Ipecacuanha Alkaloide gehören:

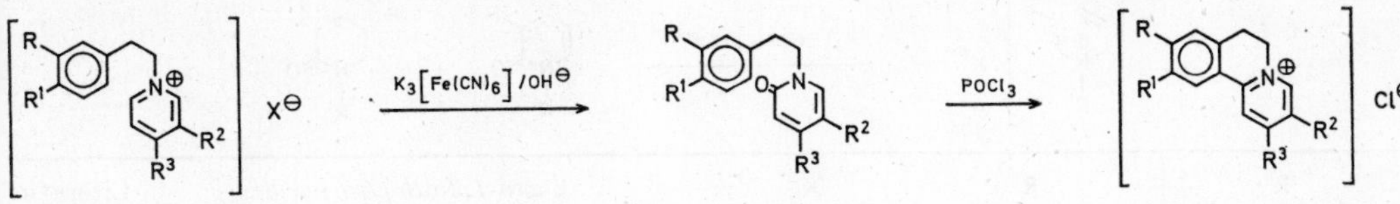

Einen inhibierenden Einfluß auf die Oxidation übt ein Alkyl-Substituent aus, der an eines der beiden α-C-Atome gebunden ist. Die Umsetzung mit Kalium-hexacyanoferrat(III) liefert dann normalerweise nur wenig 2- bzw. 6-Alkyl-substituierte Derivate. So erhält man bei der Oxidation von 2-Methyl-1-(2-phenyl-äthyl)-pyridinium-bromid nur wenig *2-Oxo-6-methyl-1-(2-phenyl-äthyl)-1,2-dihydro-pyridin*[2] und bei der Umsetzung von 1,2-Dimethyl-pyridinium-methylsulfat kann man im Reaktionsgemisch das 6-Oxo-Derivat nicht mehr nachweisen[3]. Das gleiche negative Ergebnis liefert auch die Umsetzung von 1,2,3,4-Tetrahydro-chinoliziniumbromid[3].

Dieses Verhalten der 2-Alkyl-pyridiniumsalze bzw. entsprechender N-Heteroaromaten wird so interpretiert, daß die im Gleichgewicht mit dem Pyridiniumhydroxid vorliegende Pseudobase bevorzugt die Hydroxy-Gruppe an das tertiäre C-Atom gebunden enthält und unter Wasserabspaltung zur Anhydrobase weiterreagiert[4].

Für diese Theorie spricht auch der Befund, daß man das folgende Tetrahydro-chinoliziniumbromid zu *dl-N-Benzyl-cytisin* umsetzen kann:

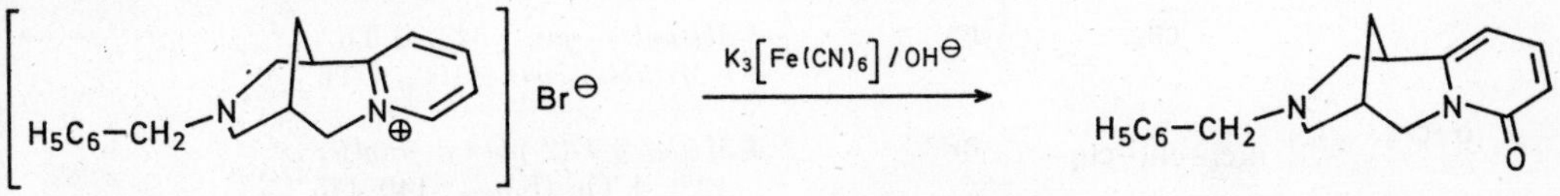

Hier ist nach der Bredtschen Regel die Bildung der Anhydrobase nicht möglich.

dl-N-Benzyl-cytisin {6-Oxo-11-benzyl-7,11-diaza-tricyclo[7.3.1.0²,⁷]tridecadien-(2,4)}[5]: Zu einer Lösung von 1 g (2,9 mMol) 11-Benzyl-11-aza-7-azonia-tricyclo[7.3.1.0²,⁷]tridecatrien-(2,4,6)-bromid in 50 *ml* Wasser werden 8 g Natriumhydroxid und 8 g Kalium-hexacyanoferrat(III) gegeben. Die Lösung wird gerührt, bis alles in Lösung gegangen ist. Es tritt ein gelber Niederschlag auf, der durch Zugabe von weiteren 100 *ml* Wasser aufgelöst wird. Die Lösung wird 15 Min. lang auf dem Dampfbad erwärmt und danach weitere 4 g Natriumhydroxid und 4 g Kalium-hexacyanoferrat(III) zugegeben. Nach mehrstündigem Erhitzen auf dem Dampfbad und anschließendem Abkühlen wird mit 100 *ml* Äther und danach 3mal mit 50 *ml* Äther extrahiert, die vereinigten Äther-Auszüge mit Natriumsulfat getrocknet, der Äther abgedampft und der Rückstand durch Reiben mit einem Glasstab zur Kristallisation gebracht (300 mg). Umkristallisieren aus Äther-Leichtbenzin liefert 186 mg (22% d.Th.); F: 137,5–139°.

Substituenten am α-C-Atom können bei der Oxidation der Pyridiniumsalze auch eliminiert werden, selbst dann, wenn das andere der beiden α-C-Atome keinen Substituenten trägt. Eine solche Eliminierungsreaktion beobachtet man bei der Oxidation von 1-Methyl-2,5-dimethoxycarbonyl-pyridinium-methylsulfat. Unter Decarboxylierung und Methanol-

[1] S. SUGASAWA, J. pharm. Soc. Japan **57**, 296 (1937); C. **1938**II, 1409.

[2] T. R. GOVINDACHARI u. B. S. THYAGARAJAN, Proc. Indian Acad. Sci. **39**A, 232 (1954); C. A. **49**, 9653 (1955).

[3] F. BOHLMANN, N. OTTAWA u. R. KELLER, A. **587**, 162 (1954).

[4] ELDERFIELD, *Heterocyclic Compounds*, Bd. I, S. 417, Wiley, New York 1950.

[5] E. E. VAN TAMELEN u. J. S. BARAN, Am. Soc. **80**, 4659 (1958).

Tab. 10: Pyridone aus Pyridinium-Salzen

Einfluß des 3-Substituenten des Pyridiniumsalzes auf die Bildung von 3- und/oder 5-substituierten 2-Pyridonen

R	R¹	X⊖	...-2-oxo-1,2-dihydro-pyridin	Literatur
CH_3	CH_3	$H_3CO-SO_3^{\ominus}$	*1,3-Dimethyl-*; 41% d.Th. (Kp$_{1,45}$: 86–88°)	1
		$Br^{\ominus}$	63% d.Th.	2
		$J^{\ominus}$	51% d.Th.	3
C_2H_5	CH_3	$H_3CO-SO_3^{\ominus}$	*1-Methyl-3-äthyl-*	4
	$H_5C_6-CH_2-CH_2-$	$Br^{\ominus}$	*3-Äthyl-1-(2-phenyl-äthyl)-*; 73% d.Th. +*5-Äthyl-1-(2-phenyl-äthyl)-*;13%d.Th.	5
	$\overset{O}{\underset{O}{\bigcirc}}-CH_2-CH_2-$	$Br^{\ominus}$	*3-Äthyl-1-[2-(3,4-methylendioxy-phenyl)-äthyl]-*; 82% d.Th. (F: 82–83°)	6
Br	$H_5C_6-CH_2-CH_2-$		*3-Brom-1-(2-phenyl-äthyl)-*; 72% d.Th.	7
CN	$H_5C_6-CH_2-CH_2-$		*1-(2-Phenyl-äthyl)-3-cyan-*; 95% d.Th. (F: 115–116°)	7
	CH_3	$J^{\ominus}$	*1-Methyl-3-cyan-*; 52% d.Th. +*1-Methyl-5-cyan-*; 10% d.Th.	3, vgl.8, 9
$O-CH_3$	$H_5C_6-CH_2-CH_2-$	$Br^{\ominus}$	*3-Methoxy-1-(2-phenyl-äthyl)-*; 12% d.Th. (Kp$_{0,05}$: 140–145°)	10
$CO-NH_2$	CH_3	$J^{\ominus}$	*1-Methyl-3-aminocarbonyl-*; 14,3% d.Th. +*1-Methyl-5-aminocarbonyl-*;13,7%d.Th.	11 12
pyrrolidinyl-CH_3	$\overset{O}{\underset{O}{\bigcirc}}-CH_2-CH_2-$	$Br^{\ominus}$	*1-[2-(3,4-Methylendioxy-phenyl)-äthyl]-5-[1-methyl-pyrrolidinyl-(2)]-*; 75% d.Th. (Kp$_{0,05}$: 230–235°)	13
C_6H_5	CH_3	$H_3CO-SO_3^{\ominus}$	*1-Methyl-5-phenyl-*; 66% d.Th. (Kp$_2$: 167–169°)	14

[1] H. L. Bradlow u. C. A. Vanderwerf, J. Org. Chem. 16, 73 (1951).

[2] H. Möhrle u. H. Weber, B. 104, 1478 (1971).

[3] R. A. Abramovitch u. A. R. Vinutha, Soc. [B] 1971, 131.

[4] S. Sugasawa u. M. Kirisawa, Chem. pharm. Bull. [Tokyo] 4, 139 (1956); C. 1959, 10231; C. A. 51, 6635 (1957).

[5] T. Fujii et al., Chem. Pharm. Bull. (Tokyo) 21, 2695 (1973); C. A. 80, 59835 (1974).

[6] S. Sugasawa u. T. Tatsuno, Chem. pharm. Bull. [Tokyo] 2, 193 (1954); C. A. 50, 1017 (1956).

[7] H. Tomisawa, J. pharm. Soc. Japan 79, 1173 (1959); C. A. 54, 3417 (1960).

[8] R. Mukherjee u. A. Chatterjee, J. Indian Chem. Soc. 42, 575 (1965).

[9] T. Robinson u. C. Cepurneek, Phytochemistry 4, 75 (1965); C. A. 62, 13121ᵉ (1965).

[10] H. Tomisawa u. H. Hongo, Tohoku Yakka Daigaku Kenkyu Nempo 10, 39 (1963); C. A. 61, 4308 (1964).

[11] M. E. Pullman u. S. P. Colowick, J. Biol. Chem. 206, 121 (1954).

[12] R. F. Dawson, D. R. Christman, A. D'Adamo, M. L. Solt u. A. P. Wolf, Am. Soc. 82, 2628 (1960).

[13] S. Sugasawa u. T. Tatsuno, J. Pharm. Soc. Japan 72, 248 (1952); C. A. 47, 6427ᵍ (1953).
vgl. a. P. Karrer u. R. Widmer, Helv. 8, 364 (1925).
P. Karrer u. T. Takahashi, Helv. 9, 458 (1926).

[14] S. Sugasawa u. M. Kirisawa, Chem. pharm. Bull. [Tokyo] 3, 187 (1955); C. A. 50, 8636 (1956).

Tab. 10 (1. Fortsetzung)

R	R¹	X⊖	...-2-oxo-1,2-dihydro-pyridin	Literatur
H₅C₆—O	H₅C₆—CH₂—CH₂—	Br⊖	*5-Phenoxy-1-(2-phenyl-äthyl)-;* 30% d.Th. (F: 123°)	1
COOH	**CH₃**	H₃CO—SO₃⊖	*1-Methyl-5-carboxy-;* 90% d.Th. (81% d.Th.); (F: 240–241°)	2, 3
—COOC₂H₅	H₅C₆—CH₂—CH₂—	Br⊖	*1-(2-Phenyl-äthyl)-5-carbonyl-;* 92% d.Th.; F:190°ᵃ	4
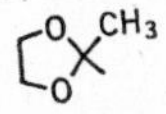 (Struktur: 1,3-dioxolanyl-CH₃)	CH₃	H₃CO—SO₃⊖	*1-Methyl-5-[2-methyl-1,3-dioxolanyl-(2)]-;* 89% d.Th.; (F: 80–83°)	5
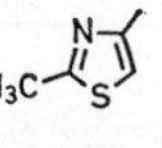 (Struktur: 2-methyl-1,3-thiazolyl)	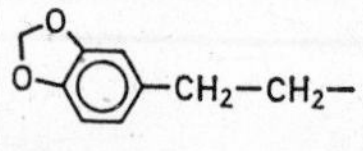 (Struktur: methylendioxyphenyl-CH₂—CH₂—)	Br⊖	*1-[2-(3,4-Methylendioxy-phenyl)-äthyl]-;* +1-[2-methyl-1,3-thiazolyl-(4)-;* F: 153°	6

ᵃ Reaktionsprodukt ist die freie Säure.

Abspaltung erhält man ein Gemisch von *2-Oxo-1-methyl-5-methoxycarbonyl-* bzw. *-5-carboxy-1,2-dihydro-pyridin*[7]:

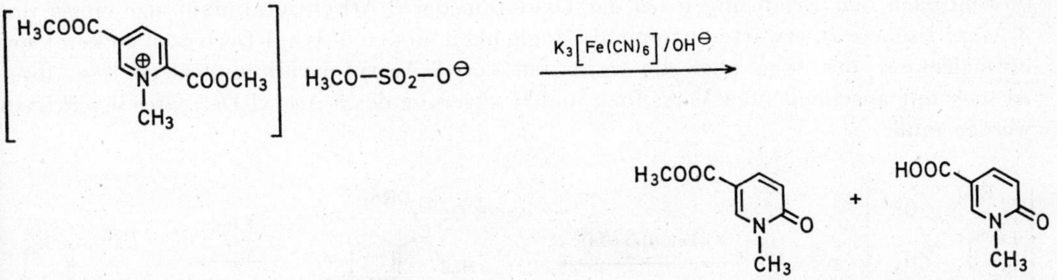

Das Carboxy-Derivat erhält man auch, wenn der Diester zunächst zur Dicarbonsäure verseift und danach mit Hexacyanoferrat(III) umgesetzt wird. Eine solche Bevorzugung des α-C-Atoms, das schon von einem Substituenten besetzt wird, mag an dem dirigistischen Einfluß des Substituenten in 5- (bzw. 3) Stellung liegen.

Bei in 3-Stellung substituierten Pyridiniumsalzen sind bei der alkalischen Oxidation mit Kalium-hexacyanoferrat(III) zwei isomere Oxo-Derivate zu erwarten[8]:

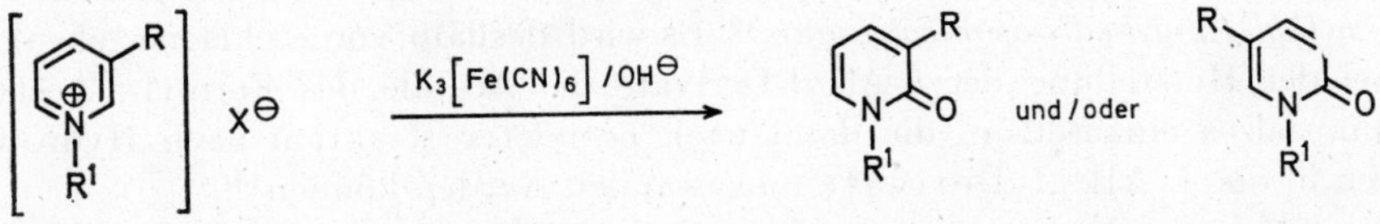

Nachdem aber die dirigierende Wirkung des 3-Substituenten stark ausgeprägt ist, erhält man häufig nur eins der beiden möglichen Isomeren, wie Tab. 11 (S. 823) zeigt.

[1] H. Tomisawa, J. Pharm. Soc. Japan **79**, 1173 (1959); C. A. **54**, 3417 (1960).
[2] J. W. Huff, J. Biol. Chem. **171**, 639 (1947).
[3] D. Gross, A. Feige u. H. R. Schütte, Z. Ch. **5**, 21 (1965).
[4] S. Sugasawa, K. Sakurai u. T. Okayama, B. **74**, 537 (1941).
[5] S. Sugasawa u. M. Kirisawa, Chem. pharm. Bull. [Tokyo] **3**, 190 (1955); C. A. **50**, 9415ᵍ (1956).
[6] T. Tatsuno, Chem. pharm. Bull. [Tokyo] **2**, 140 (1954); C. A. **50**, 1017ᶠ (1956).
[7] M. L. Peterson, J. Org. Chem. **25**, 565 (1960).
[8] S. Sugasawa u. M. Kirisawa, Chem. pharm. Bull. [Tokyo] **3**, 187 (1955); C. A. **50**, 8636 (1956).

Es ist wiederholt versucht worden, die dirigierende Wirkung des 3-Substituenten bestimmten Eigen-schaften zuzuschreiben[1,2]. Schließlich wurde ein Schema formuliert, nach dem sowohl sterische als auch elektronische Effekte die Richtung der Oxidation beeinflussen. Geschwindigkeitsbestimmender Schritt ist die Bildung eines Komplexes, der mit weiterem Oxidationsmittel zu einem zweiten Komplex reagiert, über den dann die Oxidation läuft[3]:

In Übereinstimmung mit dieser Interpretation liefert die Oxidation von I sowohl *2-Oxo-4-(diäthoxymethyl)-3-äthyl-1-[2-(3,4-dimethoxy-phenyl)-äthyl]-1,2-dihydro-pyridin*[4] als auch das entsprechende *6-Oxo- ... 1,6-dihydro-pyridin,*

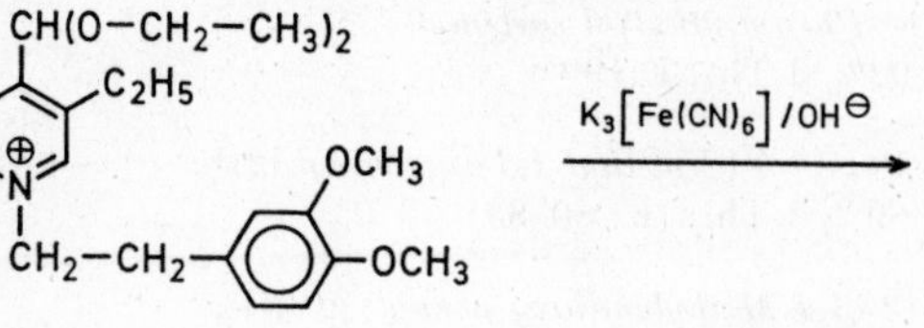

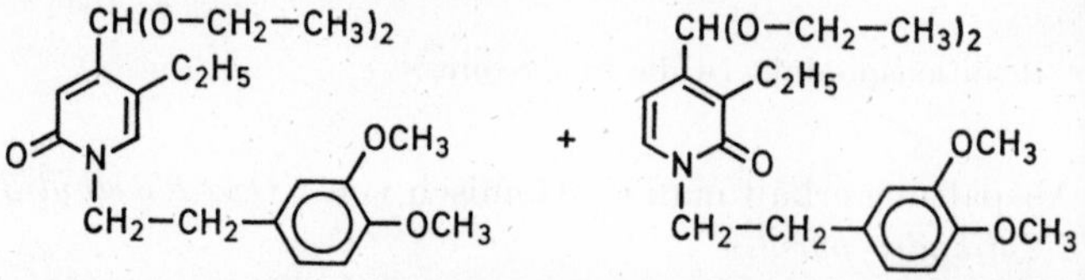

obwohl nach den Erfahrungen bei der Oxidation der 3-Äthyl-pyridiniumsalze einzig das 5-Äthyl-Isomere zu erwarten ist und als Möglichkeit zu den 5-Äthyl-Derivaten zu kommen, normalerweise der Weg über die Oxidation von 3-Acetyl-pyridinium-salzen bzw. ihrer Acetale mit anschließender Verseifung und Hydrierung des 5-Acetyl-Derivates beschritten werden muß[5]:

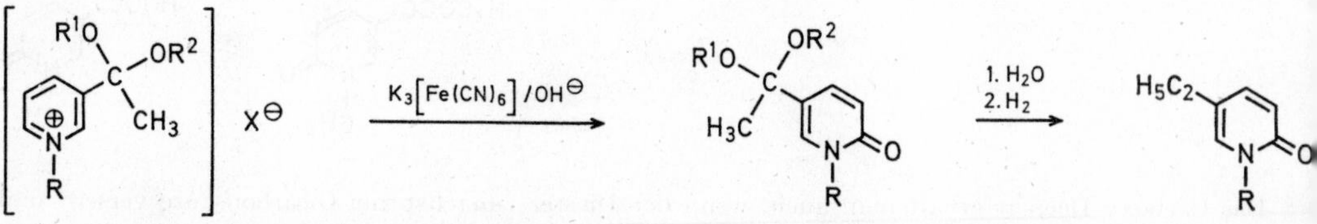

Rege Diskussion lösten Versuche aus, bei denen die Oxidation von 1-Methyl-nicotinsäure-amid und -jodid zu unterschiedlichen Ergebnissen führte[6-9].

Bei Substitution in 4-Stellung am Pyridinium-Kern ist die Überführung der Salze in die entsprechenden Pyridone schwierig. Oxidiert man 1-Methyl-4-äthyl-pyridinium-methyl-sulfat mit einem Überschuß an Kalium-hexacyanoferrat(III), dann erhält man zum Teil *2-Oxo-1-methyl-1,2-dihydro-isonicotinsäure*[10]. Es wird deshalb vorgeschlagen, ebenfalls, wie schon bei der Herstellung der 5-Alkyl-Derivate die Acetale des Formyl-, Acetyl- usw. -pyridiniumsalzes einzusetzen, die dann nach beendeter Reaktion nach Hydrolyse und Hydrieren in die 4-Alkyl-Derivate umgewandelt werden können[10].

[1] S. Sugasawa u. M. Kirisawa, Chem. pharm. Bull. (Tokyo) 3, 187 (1955); C. A. 50, 8636 (1956); sterische Hinderung.
[2] H. L. Bradlow u. C. A. Vanderwerf, J. Org. Chem. 16, 73 (1951); Resonanzstrukturen.
[3] R. A. Abramovitch u. A. R. Vinutha, J. Chem. Soc. B, 1971, 131.
[4] E. G. Podrebarac u. W. E. McEwen, J. Org. Chem. 26, 1386 (1961).
[5] S. Sugasawa u. M. Kirisawa, Chem. pharm. Bull. [Tokyo] 3, 190 (1955); C. A. 50, 9415g (1956).
[6] J. W. Huff, J. Biol. Chem. 171, 639 (1947).
[7] H. L. Bradlow u. C. A. Vanderwerf, J. Org. Chem. 16, 73 (1951).
[8] C. Wiegand u. W. I. M. Holman, Nature 162, 659 (1948).
[9] M. E. Pullman u. S. P. Colowick, J. Biol. Chem. 206, 121 (1954).
[10] S. Sugasawa u. M. Kirisawa, Chem. Pharm. Bull. [Tokyo] 6, 615 (1958); C. A. 54, 14 243g (1960).

Die Oxidation von 4-Carboxy-pyridiniumsalzen zu 2-Oxo-4-carboxy-1,2-dihydro-pyridinen ist auf direktem Wege nicht möglich. Hier führt der Weg über die Ester zum gewünschten Ergebnis[1,2], jedoch sollte man jeweils nur kleine Anteile an Ester rasch umsetzen, da es in der stark alkalischen Reaktionslösung zur Verseifung und damit zur Ausbeuteminderung kommt.

Am Beispiel der Umsetzung des 1-Methyl-4-methoxycarbonyl-pyridiniumjodids konnte gezeigt werden, daß die Ausbeute an *2-Oxo-1-methyl-4-methoxycarbonyl-1,2-dihydro-pyridin* von 50% auf 96% ansteigt, wenn statt 25 oder 50 g nur 2 g Jodid zum Einsatz gelangen[2]. Auch liefern höhere Ester bessere Ausbeuten und zwar der Methyl- 46%, der Äthyl- 62% und der Isopropylester 80%.

Tab. 11: 2-Pyridone durch Oxidation von Pyridiniumsalzen

Salz	Pyridon	Ausbeute [% d.Th.]	F [°C]	Literatur
	2-Oxo-1-methyl-1,2-dihydro-chinolin	84	71–73	3
	1-Oxo-2-(2-hydroxy-äthyl)-1,2-dihydro-isochinolin	63	117–117,5	4
	2,6-Dioxo-1,5-dimethyl-1,5-naphthyridin	53	220–222	5
	7-Oxo-6-methyl-⟨thieno-[3,2-f]-chinolin⟩	84	217–218	6
	6-Oxo-6H-⟨benzo-[b]-chino-lizin⟩	9,2	162–164	7

[1] M. H. FRONK u. H. S. MOSHER, J. Org. Chem. **24**, 196 (1959).
[2] H. TOMISAWA, J. pharm. Soc. Japan, **79**, 1167 (1959); C. **1964**, 30-0910.
[3] H. BALLI u. D. SCHELZ, Helv. **53**, 1903 (1970).
[4] W. SCHNEIDER u. B. MÜLLER, B. **93**, 1579 (1960).
[5] H. RAPOPORT u. A. D. BATCHO, J. Org. Chem. **28**, 1753 (1963).
[6] N. B. CHAPMAN, K. CLARKE u. K. G. SHARMA, Soc. [C] **1970**, 2334.
[7] L. A. PAQUETTE, Chem. & Ind. **1962**, 1292.

Tab. 11 (1. Fortsetzung)

Salz	Pyridon	Ausbeute [% d.Th.]	F [° C]	Literatur
	3-Chlor-8-oxo-7-methyl-7,8-dihydro-4,7-phenanthrolin	48	268–269	1
	2-Oxo-1-methyl-1,2-dihydro-1,10-phenan-throlin	77	123–124	2, s, a, 3
	5-Oxo-6-methyl-5,6-dihydro-4,6-phenanthrolin	76	173–175	4
	Nybomycin-acetat	18	232–234	5
	Oxynitidin	25	284–285	6
	9-Nitro-2-oxo-3-methyl-2,3-dihydro-⟨indeno-[1,2,3-d,e]-chinolin⟩	72	307–309	7

1 W. O. Sykes, Soc. **1956**, 3087.
2 B. E. Halcrow u. W. O. Kermack, Soc. **1946**, 155.
3 S. Ogawa et al., Soc. (Perkin I) **1974**, 976.
4 Y. Hamada, I. Takeuchi u. M. Hirota, Chem. Pharm. Bull. (Tokyo) **22**, 485 (1974).
5 R. M. Forbis u. K. L. Rinehart, Am. Soc. **95**, 5003 (1973).
6 T. Kametani et al., J. heterocycl. Chem. **10**, 31 (1973).
7 C. F. Koelsch u. A. F. Steinhauer, J. Org. Chem. **18**, 1516 (1953).

Während bei Pyridinium- bzw. Chinolinium-Salzen die Bildung von 4-Oxo-1,4-dihydro-Derivaten nicht beobachtet wird, werden Acridinium-Salze zu 9-Oxo-9,10-dihydro-acridinen oxidiert[1,2]; z. B.:

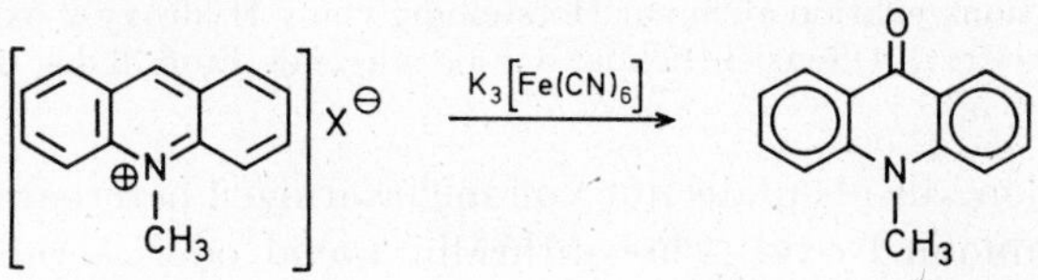

9-Oxo-10-methyl-9,10-dihydro-acridin

Diese Tendenz ist so ausgeprägt, daß es bei der Oxidation mit Hexacyanoferrat(III) auch zu Fragmentierungen kommen kann, wenn die 9-Position substituiert ist; z. B.[3]:

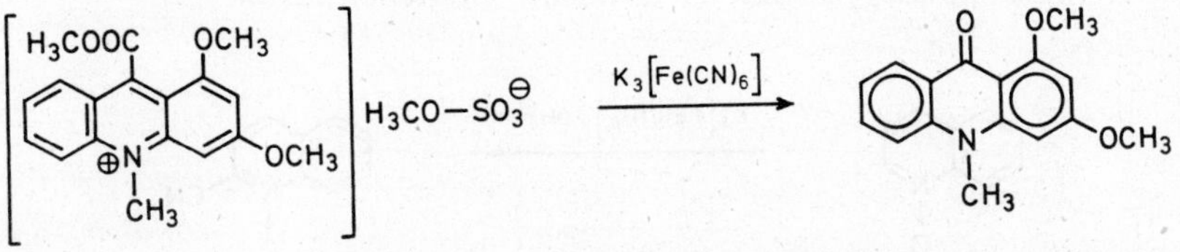

1,3-Dimethoxy-9-oxo-10-methyl-9,10-dihydro-acridin[3]: 2,1 g 1,3-Dimethoxy-10-methyl-9-methoxy-carbonyl-acridinium-methylsulfat in 15 *ml* heißem Wasser werden mit 6,6 g Kalium-hexacyanoferrat(III) in 50 *ml* heißem Wasser zusammengegeben und zu dieser tiefroten Lösung auf einmal 3,4 g Kalium-hydroxid in 25 *ml* Wasser. Es bildet sich sofort ein gelb-kristalliner Niederschlag. Das Reaktionsgemisch läßt man 4–5 Stdn. kochen, der kristalline Niederschlag wird ölig. Nach dem Abkühlen wird mit Chloroform extrahiert, der Extrakt mit Wasser gewaschen, getrocknet, das Chloroform abgedampft und der Rückstand aus Benzol/Cyclohexan umkristallisiert; Ausbeute: 1,3 g (96% d.Th.); F: 163–165°.

b) Oxidation und oxidative Cyanidierung von aromatischen Aminoxiden

Ähnlich der Oxidation der Pyridiniumsalze mit Kalium-hexacyanoferrat(III) zu den Pyridonen, werden Chinolin- und Isochinolin-N-oxide in die entsprechenden 1-Hydroxy-2-oxo-1,2-dihydro-chinoline bzw. 2-Hydroxy-1-oxo-1,2-dihydro-isochinoline umgewandelt[4].

1-Hydroxy-2-oxo-1,2-dihydro-chinolin[4]:

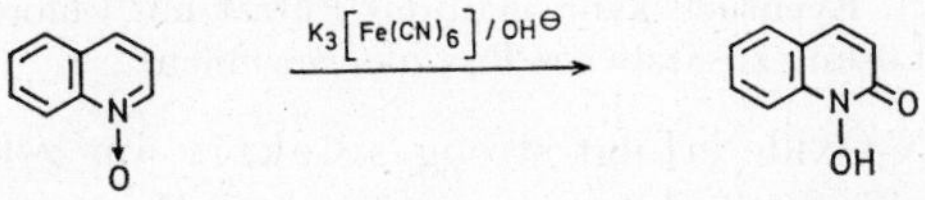

Zu einer heftig gerührten Lösung von 1,8 g (0,01 Mol) Chinolin-1-oxid-Dihydrat in 15 *ml* Wasser werden getrennt 13 g Kalium-hexacyanoferrat(III) in 30 *ml* Wasser und 6 g Kaliumhydroxid in 10 *ml* Wasser bei 5–10° während 1 Stde. zugetropft. Es wird noch 1 Stde. weitergerührt und danach einige Zeit bei Raumtemp. stehen gelassen, danach vom Niederschlag abfiltriert und das Filtrat mit Chloroform extrahiert. Beim Verdampfen des Chloroforms erhält man 0,24 g Chinolin-1-oxid.

Die verbleibende alkalisch wäßrige Phase wird mit Essigsäure angesäuert und danach mit Chloroform extrahiert. Die Chloroform-Lösung wird dann mit Natriumsulfat getrocknet, das Lösungsmittel ab-destilliert und der Rückstand bei 200–220°/4 Torr sublimiert; Ausbeute: 1,2 g (75% d.Th.); F: 188–191° (aus Methanol/Wasser).

[1] S. JOHNE, H. BERNASCH u. D. GRÖGER, Pharm. **25**, 777 (1970).

[2] J. MOCK, E. RITCHIE u. W. C. TAYLOR, Austral. J. Chem. **26**, 2315 (1973).

[3] J. HLUBUCEK, E. RITCHIE u. W. C. TAYLOR, Austral. J. Chem. **23**, 1881 (1970).

[4] M. HAMANA u. M. YAMAZAKI, Chem. Pharm. Bull. [Tokyo] **10**, 51 (1962); C. A. **58**, 504 (1964).

In gleicher Weise erhält man aus Isochinolin-2-oxid *2-Hydroxy-1-oxo-1,2-dihydro-iso-chinolin* (54% d. Th.; F: 185–187°) und aus 4-Methyl-chinolin-1-oxid *1-Hydroxy-2-oxo-4-methyl-1,2-dihydro-chinolin* (26% d. Th.; F: 222–224°).

Versuche, diese Oxidationsreaktion auch zur Herstellung von 1-Hydroxy-2-oxo-1,2-dihydro-pyridinen zu verwenden, sind gescheitert[1]. Offensichtlich ist der aktivierende Einfluß des Benzolringes zur Bildung der Pseudobase erforderlich.

Eine andere Reaktion, die ebenfalls nur von mehrkernigen heteroaromatischen N-Oxiden wie beispielsweise Chinolin-1-oxid, Phenanthridin-5-oxid oder Acridin-9-oxid, nicht aber von monocyclischen heteroaromatischen N-Oxiden, wie Pyridin-1-oxid, Pyrazin-1-oxid, Pyridazin-1-oxid und Pyrimidin-1-oxid eingegangen wird, ist die oxidative Cyanidierung[2,3].

Bei dieser Reaktion wird das heteroaromatische N-Oxid in Gegenwart von Kalium-cyanid in einem protischen Lösungsmittel, am besten Wasser, mit Hexacyanoferrat(III) oxidiert. Reaktionsprodukte sind in α-Stellung zur N-Oxid-Gruppe cyanidierte Verbindungen, die teilweise in ausgezeichneter Ausbeute entstehen; z. B.:

2-Cyan-chinolin-1-oxid; 85% d. Th.

Entscheidend für den Erfolg der Reaktion ist die Elektrophilie der α-Stelle des N-Oxids, wie durch Cyanidieren verschieden substituierter Chinolin-1-oxide gezeigt werden konnte[3]. Substitution durch elektronenabgebende Gruppen erschweren die Reaktion, während elektronenanziehende Substituenten die Cyanidierung fördern. Ein Maß für die Schwierig-keit mit der die Reaktion abläuft, ist die zu wählende Reaktionstemperatur. Bei günstigen Voraussetzungen, d. h. ausgesprochener Elektrophilie der α-Stelle und guter Löslichkeit des Substrats im Reaktionsmedium, verläuft die Cyanidierung schon bei Raumtemperatur.

Bei anderen N-Oxiden sind höhere Reaktionstemperaturen erforderlich, so daß die geeignetste Temperatur von Fall zu Fall zu ermitteln ist.

α-Cyan-aza-aren-N-oxide; allgemeine Herstellungsvorschrift[3]: Zu einer ges. Kalium-hexacyano-ferrat(III)-Lösung (1,2 Moläquivalent) und Kaliumcyanid (3–5 Moläquivalent) in Wasser oder Äthanol-Wasser wird das N-Oxid gegeben und 3 Stdn. bei der vorher bestimmten Temp. gerührt. Der Nieder-schlag wird durch Filtration abgetrennt, mit Wasser gewaschen, getrocknet und mit einem geeigneten Lösungsmittel umkristallisiert. Eventuell kann man das Filtrat mit Chloroform extrahieren und nach Aufarbeiten der Chloroform-Lösung zusätzliches Produkt gewinnen.

Die Cyanidierung der N-Oxide erfolgt streng selektiv am α–C-Atom. Ist dieses durch einen Substituenten blockiert, findet die gewünschte Reaktion nicht statt. Lediglich Acridin-9-oxid macht eine Ausnahme und liefert *10-Cyan-acridin-9-oxid* (35% d. Th.):

[1] M. HAMANA u. M. YAMAZAKI, Chem. Pharm. Bull. **10**, 51 (1962); C. A. **58**, 504ᵇ (1964).
[2] Y. KOBAYASHI, I. KUMADAKI u. H. SATO, Chem. Pharm. Bull. [Tokyo] **18**, 861 (1970); C. A. **73**, 25196 (1970).
[3] Y. KOBAYASHI, I. KUMADAKI u. H. SATO, J. Org. Chem. **37**, 3588 (1972).

Tab. 12: α-Cyan-aza-aren-N-oxide durch oxidative Cyanidierung von Aza-aren-N-oxiden mit Hexacyanoferrat(III)/Kaliumcyaniden[1]

N-Oxid	Lösungs-mittel	Reaktions-temperatur [°C]	Cyan-N-Oxid	Ausbeute [% d.Th.]	F [°C]
Chinolin-1-oxid	H_2O	75	2-Cyan-chinolin-1-oxid	85	171
Isochinolin-2-oxid	H_2O	75	1-Cyan-isochinolin-2-oxid	85	207
Chinoxalin-1-oxid	H_2O	25	2-Cyan-chinoxalin-1-oxid	30	135
1,6-Naphthyridin-1-oxid	H_2O	20	2-Cyan-1,6-naphthyridin-1-oxid	57,7	236
Phenanthridin-5-oxid	30%iges Äthanol	50	6-Cyan-phenanthridin-5-oxid	57,5	216–217
1,6-Phenanthrolin-6-oxid	H_2O	0	5-Cyan-1,6-phenanthrolin-6-oxid	82,5	218

III. Fragmentierungen

a) C-C-Spaltung

1. Oxidativer Abbau von substituierten Naphthalinen unter Erhalt des Naphthalin-Gerüstes

Oxidative C–C-Spaltungsreaktionen, die vornehmlich mit Hilfe von Kalium-hexacyano-ferrat(III) durchgeführt werden, gibt es praktisch nur zur Strukturaufklärung von sub-stituierten Naphthalinen. Hexacyanoferrat(III) ist nämlich in der Lage, C-Substituenten bis zur Carboxy-Gruppe abzubauen, ohne das Naphthalin-Gerüst anzugreifen[2].

1,2,8-Tricarboxy-naphthalin[3]:

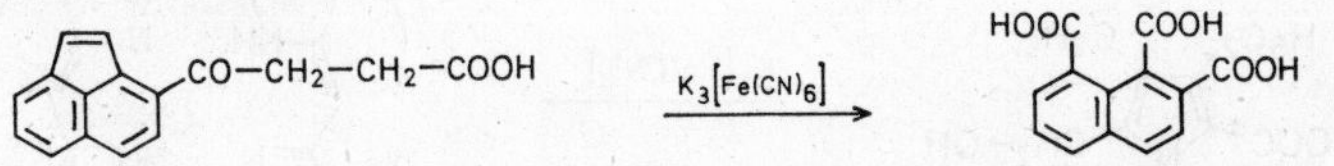

5,4 g 3-(3-Carboxy-propanoyl)-acenaphthen, 82 g Natriumhydroxid und 470 g Kalium-hexacyano-ferrat(III) werden in 1200 ml Wasser gelöst und 74 Stdn. bei 60° stehengelassen. In Intervallen von 24 Stdn. wird eine Lösung von 24 g Kaliumhydroxid und 90 g Kalium-hexacyanoferrat(III) in 200 ml zugegeben. Danach wird die Oxidationslösung abgekühlt, angesäuert und filtriert. Das Filtrat wird 15 mal mit je 300 ml Äther extrahiert und der Äther abgedampft; Ausbeute: 3,5 g (63% d.Th.); F: 288–290°.

Z. Tl. können auch die entsprechenden Anhydride erhalten werden; Isopropyl-Gruppen werden nicht in jedem Fall abgebaut:

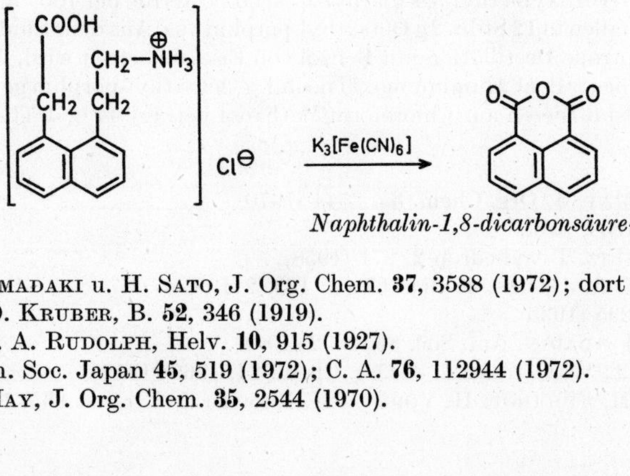

Naphthalin-1,8-dicarbonsäure-anhydrid[4]; 19% d.Th.

---

[1] Y. KOBAYASHI, I. KUMADAKI u. H. SATO, J. Org. Chem. **37**, 3588 (1972); dort weitere Beispiele.
[2] R. WEISSGERBER u. O. KRUBER, B. **52**, 346 (1919).
   s. a. L. RUZICKA u. E. A. RUDOLPH, Helv. **10**, 915 (1927).
[3] Y. DOZEN, Bull. Chem. Soc. Japan **45**, 519 (1972); C. A. **76**, 112944 (1972).
[4] H. H. ONG u. E. L. MAY, J. Org. Chem. **35**, 2544 (1970).

Acenaphthen $\longrightarrow$ *Naphthalin-1,8-dicarbonsäure-anhydrid*[1]; 23% d.Th.

$$\text{CH}_3 \quad \xrightarrow[\text{OH}^\ominus]{\text{K}_3[\text{Fe(CN)}_6]/} \quad \text{Naphthalin-1,2-dicarbonsäure-anhydrid}[2]$$

$$\text{O=C} \overset{(\text{CH}_2)_{n-5}}{} \quad \xrightarrow[\text{OH}^\ominus]{\text{K}_3[\text{Fe(CN)}_6]/} \quad \text{HOOC} \cdots \overset{\text{COOH}}{}$$

1,7-Dicarboxy-naphthalin[3]; 21% d.Th.

$$(\text{H}_3\text{C})_2\text{CH} \cdots \text{C}-\text{CH}_2-\text{CH}-\text{COOH} \quad \xrightarrow[\text{OH}^\ominus]{\text{K}_3[\text{Fe(CN)}_6]/} \quad (\text{H}_3\text{C})_2\text{CH} \cdots \text{COOH}$$
$$\qquad\qquad \overset{\|}{\text{O}} \quad \overset{|}{\text{CH}_3}$$

6-Isopropyl-2-carboxy-naphthalin[4]; 45% d.Th.

2. Decarboxylierungen

Hexacyanoferrat(III) ist zwar für Decarboxylierungen nicht das Oxidationsmittel der Wahl, es gibt aber ein paar Umsetzungen, bei denen es sich gut bewährt hat. So bei der Synthese von Polyphenylenen[5-7] und *Octaäthyl-porphin*[8]:

$$\text{H}_5\text{C}_2 \quad \text{C}_2\text{H}_5$$
$$\text{HOOC} \cdots \overset{}{\underset{\text{H}}{\text{N}}} \text{CH}_2-\text{OH} \quad \xrightarrow{\text{K}_3[\text{Fe(CN)}_6]}$$

Erster Schritt dieser Umsetzung ist eine oxidative Decarboxylierung. Danach stabilisiert sich das Pyrrol-Fragment durch Tetramerisierung zum Porphin.

Octaäthyl-porphin[5-8]: Zu einer Lösung von 1 g Kalium-hexacyanoferrat(III) in 40 *ml* Eisessig gibt man 10 g (0,06 Mol) 5-Hydroxymethyl-3,4-diäthyl-2-carboxy-pyrrol bei 100° und rührt diese Mischung 1 Stde. Beim Abkühlen fallen in 12 Stdn. 2 g Octaäthyl-porphin aus. Aus dem Eindampfrückstand der Mutterlauge, der durch azeotrope Destillation mit Benzol von Eisessig befreit wird, wird durch Chromatographie aus Chloroform an neutralem Aluminiumoxid noch 1 g Octaäthyl-porphin gewonnen. Die Gesamtausbeute nach dem Umkristallisieren aus Chloroform/Methanol beträgt 44% d.Th.; F: > 320°.

[1] H. H. ONG u. E. L. MAY, J. Org. Chem. **35**, 2544 (1970).
[2] M. F. ANSELL, Soc. **1954**, 575.
[3] R. HUISGEN u. U. RIETZ, Tetrahedron **2**, 271 (1958).
[4] C. F. HUEBNER u. W. A. JACOBS, J. Biol. Chem. **169**, 211 (1947).
[5] H. LOHAUS, A. **516**, 295 (1935).
[6] L. FIESER u. M. J. HADDADIN, Am. Soc. **86**, 2392 (1964).
[7] R. N. MCDONALD u. T. W. CAMPBELL, J. Org. Chem. **24**, 1969 (1959).
[8] H. H. INHOFFEN, J.-H. FUHRHOP, H. VOIGT u. H. BROCKMANN, Jr., A. **695**, 133 (1966).

Bei der Synthese der Polyphenylene ist die Decarboxylierung letzter Reaktionsschritt[1-4]:

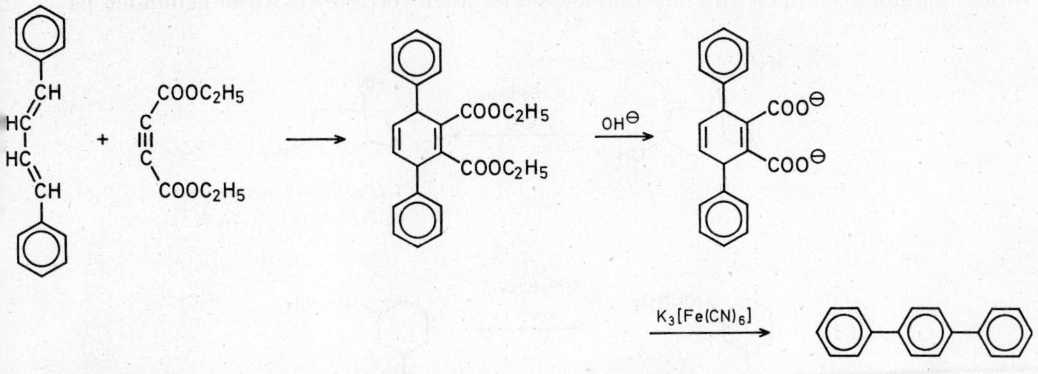

p-Terphenyl[2, vgl. a, 5,6] : 1 g (3,1 Mol) 3,6-Diphenyl-1,2-dicarboxy-cyclohexadien-(1,4) wird in 75 *ml* 2 n Natriumcarbonat-Lösung gelöst und mit einem Überschuß an Kalium-hexacyanoferrat(III) auf dem Wasserbad erwärmt. Nach kurzer Zeit ist die Lösung vollständig mit farblosen Nädelchen durchsetzt, die sich innerhalb 1 Stde. in eine, an der Oberfläche schwimmende, bröckelige Kristallmasse verwandeln; Ausbeute: 0,75 g (~100% d.Th.); F: 206–211° (F: 211°; aus Äthanol und Eisessig).

Ähnlich gute Ausbeuten werden auch bei der oxidativen Decarboxylierung von Dihydronaphthalin-dicarbonsäuren erhalten (Reaktionsprodukt ist die Monocarbonsäure)[3]; z. B.:

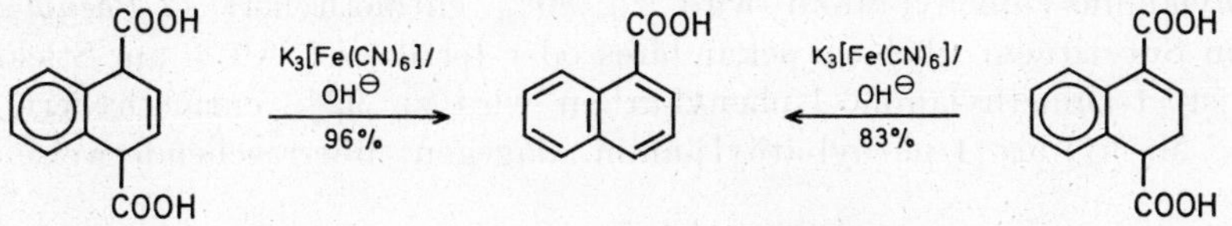

1-Carboxy-naphthalin

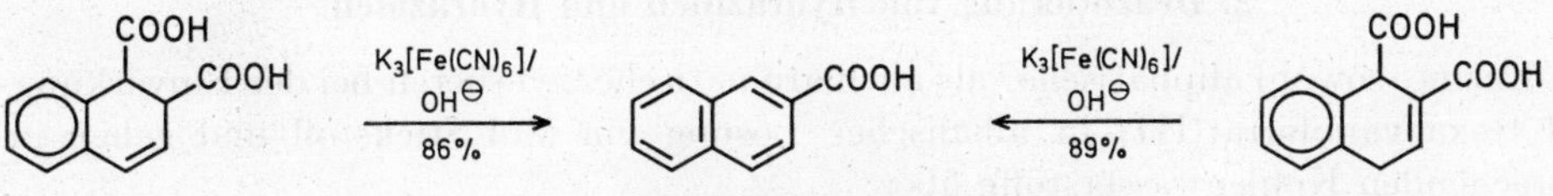

2-Carboxy-naphthalin

b) C-N-Spaltung

1. Entmethylierung von tertiären Aminen[7]

Tertiäre N-Methyl- und N,N-Dimethyl-amine werden von Hexacyanoferrat(III) in stark alkalischem Medium unter Verlust einer Methyl-Gruppe in hohen Ausbeuten zu den entsprechenden sekundären Aminen abgebaut[7]:

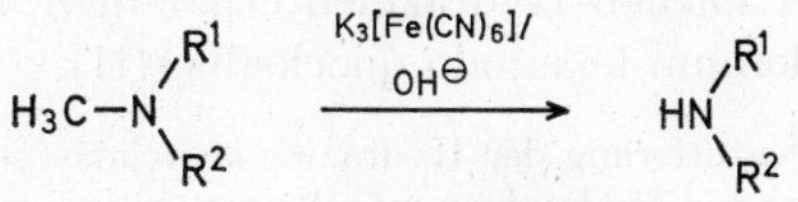

[1] H. H. INHOFFEN, J.-H. FUHRHOP, H. VOIGT u. H. BROCKMANN, Jr. A. **695**, 133 (1966).

[2] H. LOHAUS, A. **516**, 295 (1935).

[3] L. F. FIESER u. M. J. HADDADIN, Am. Soc. **86**, 2392 (1964).

[4] R. N. McDONALD u. T. W. CAMPBELL, J. Org. Chem. **24**, 1969 (1959).

[5] R. N. McDONALD u. T. W. CAMPBELL, J. Org. Chem. **24**, 1969 (1959); *4-Methyl-terphenyl* (70% d.Th.).

[6] T. W. CAMPBELL u. R. N. McDONALD, Org. Synth. **40**, 85; *Quinquephenyl* (52% d.Th.).

[7] Kinetik und Mechanismus s.
   C. A. AUDEH u. J. R. LINDSAY-SMITH, Soc. [B] **1970**, 1280; **1971**, 1741, 1745.
   J. R. LINDSAY-SMITH u. L. A. V. MEAD, Soc. (Perkin II) **1973**, 206.

Voraussetzung für das Gelingen der Entmethylierung ist, daß die Methylamino- oder Dimethylamino-Gruppen an ein sekundäres oder auch tertiäres C-Atom gebunden ist:

$$\text{(bicyclic structure, } H_3C\text{-N)} \xrightarrow[\text{OH}^{\ominus}]{K_3[\text{Fe(CN)}_6]/} \text{(bicyclic structure, HN)}$$

3-Hydroxy-8-aza-bicyclo
[3.2.1]octan[1]; 87% d.Th.

$$\text{(cyclohexane with N(CH}_3)_2, \text{OH)} \xrightarrow[\text{OH}^{\ominus}]{K_3[\text{Fe(CN)}_6]/} \text{(cyclohexane with NH–CH}_3, \text{OH)}$$

3-Methylamino-1-hydroxy-cyclohexan[1]: Zu 47 g (0,14 Mol) Kalium-hexacyanoferrat(III) und 9,5 g 86%ige Kalilauge in 130 *ml* Wasser werden 10 g 3-Dimethylamino-1-hydroxy-cyclohexan in 100 *ml* Wasser gegeben. Die Temp. wird dabei unter 5° gehalten (Dauer der Reaktion 45 Min.). Danach läßt man das Reaktionsgemisch einige Zeit bei Zimmertemp. stehen. Nach Abdampfen zur Trockene wird der feste Rückstand mit heißem 95%igem Äthanol extrahiert, das Äthanol durch Äther ersetzt, dieser getrocknet und danach verdampft; Ausbeute: 9,2 g (93% d.Th.); $Kp_{0,05}$: 68°; $n_D^{25} = 1,4861$.

2-Dimethylamino-1-phenyl-äthan wird zu 80% entmethyliert (*2-Phenyl-äthylamin*), obwohl kein Substituent über ein sekundäres oder tertiäres C-Atom am Stickstoff-Atom gebunden ist. 1-Dimethylamino-1-phenyl-äthan wird zu 92% entmethyliert (*1-Phenyl-äthylamin*); Methyl-bis-[1-phenyl-äthyl]-amin dagegen überraschenderweise praktisch nicht[2].

2. Deazotierung von Hydrazinen und Hydraziden

Hydrazine, sowohl aliphatische[3] als auch aromatische[4], verlieren bei der Einwirkung von 4 Mol Hexacyanoferrat(III) in alkalischer Lösung ein Mol Stickstoff und gehen in die entsprechenden Kohlenwasserstoffe über:

$$R-NH-NH_2 \xrightarrow{4 \text{ K}_3[\text{Fe(CN)}_6]} RH + N_2$$

Die Umsetzung nach obiger Gleichung ist meistens vollständig[5,6] und ermöglicht damit eine quantitative Bestimmung der Hydrazine, die auch als Mikrobestimmung ausgearbeitet, gute Werte liefert[6].

Einen nicht quantitativen Ablauf der Deazotierung beobachtet man bei substituierten Arylhydrazinen mit elektronenanziehenden Substituenten, beispielsweise Nitro- oder Dinitrophenylhydrazin. Bei solchen Hydrazinen erhält man die besten Ergebnisse, wenn als Oxidationsmittel Tetrakalium-hexajodo-quecksilber(II) verwendet wird[6].

Der präparative Wert der Deazotierung der Hydrazine ist relativ gering, nachdem es normalerweise mehr Schwierigkeiten bereitet zu den Hydrazinen zu gelangen, als zu den entsprechenden Kohlenwasser-

---

[1] T. D. Perrine, J. Org. Chem. **16**, 1303 (1951); dort zahlreiche weitere Beispiele; 3-Dimethylamino-1,1-diphenyl-butanol wird dagegen nicht angegriffen.
[2] C. A. Audeh u. J. R. Lindsay-Smith, Soc. [B] **1971**, 1741.
[3] N. Kishner, J. Russ. Phys. Chem. Ges. **31**, 1033 (1899); C. **1900** I, 957.
[4] P. R. Ray u. H. K. Sen, Z. Anorg. Chem. **76**, 380 (1912).
[5] V. K. Jindal, M. C. Agrawal u. S. P. Mushran, Z. Naturf. **25 b**, 188 (1970).
[6] S. S. M. Hassan, Z. Anal. Chem. **255**, 364 (1971).

stoffverbindungen. Es gibt deshalb auch wenig Beispiele präparativer Anwendung[1-3]. Die meisten Arbeiten beschäftigen sich mit dem Mechanismus und der Kinetik der Reaktion[4,5].

Lediglich bei der Synthese von Deoxykohlenhydraten über die entsprechenden Hydrazine bietet der oxydative Abbau mit Hexacyanoferrat(III) – wie allerdings auch mit Natriumperjodat – Vorteile, weil direkt der Deoxyzucker gebildet wird[6]; z. B.:

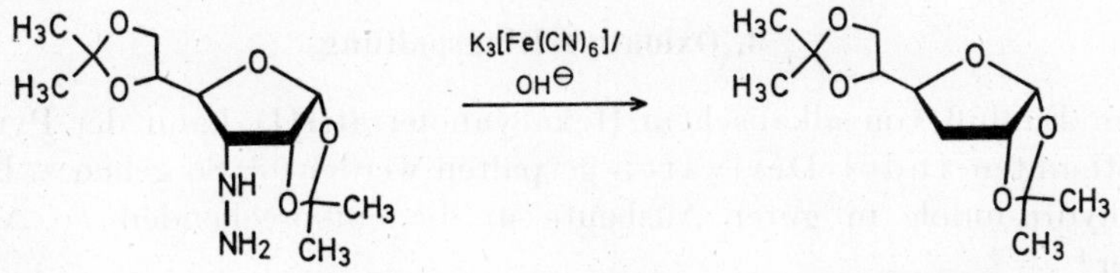

3-Deoxy-1,2;5,6-di-O-isopropyliden-
D-ribo-hexofuranose[7]; 14% d.Th.

Ähnlich wie Hydrazine werden auch Hydrazide oxidativ abgebaut[8]; z. B.:

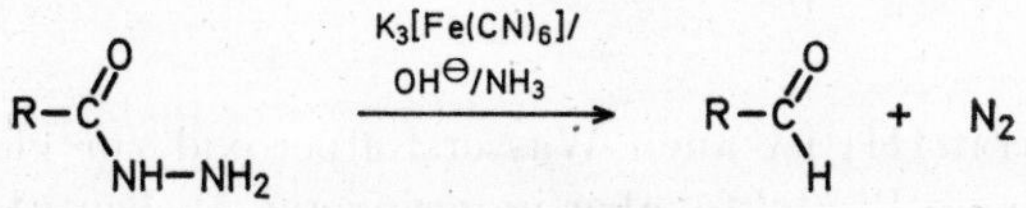

Die Bildung von Carbonsäuren als Nebenprodukte zu vermeiden, ist praktisch nicht möglich. Sie wird bei der Umsetzung von 2- oder 4-Nitro-benzoesäure-hydrazid zur Hauptreaktion. Mit steigender Alkalität nimmt sie zu.

Beim Arbeiten in konzentrierter ammoniakalischer Lösung führt die Reaktion allerdings nicht zum Aldehyd, sondern zum Carbonsäure-amid; z. B.:

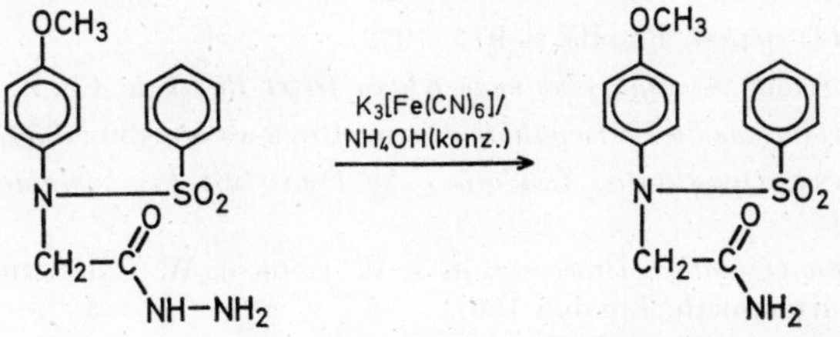

2-(N-Benzolsulfonyl-4-methoxy-
anilino)-acetamid[9]

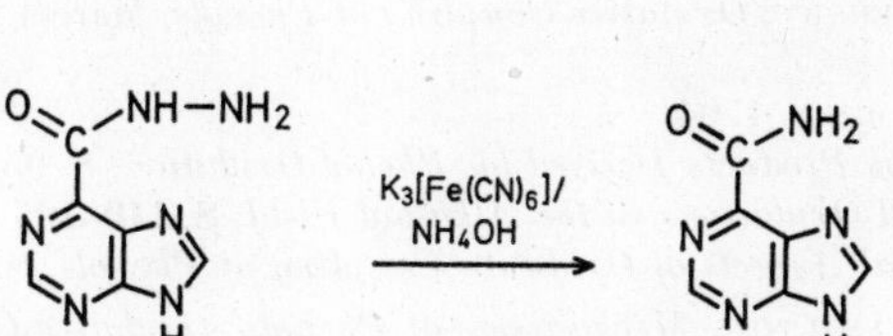

[1] N. KISHNER, J. Russ. Phys. Chem. Ges. **31**, 1033 (1899); **42**, 1198 (1910); C. **1900** I, 957; **1911** I, 221.
[2] N. KISHNER, J. pr. **64**, 126 (1901).
[3] N. KISHNER u. S. BJELOW, J. Russ. Phys. Chem. Ges. **43**, 577 (1911); C. **1911** II, 362.
[4] A. M. A. VERWEY, J. A. JONKER u. S. BALT, R. **88**, 439 (1969).
[5] A. F. REKASHEVA u. B. E. GRUZ, Doklady Akad. SSR, **92**, 337 (1953); C. A. **49**, 907 (1955).
[6] D. M. BROWN u. G. H. JONES, Soc. [C] **1967**, 252.
[7] D. M. BROWN u. G. H. JONES, Soc. [C] **1967**, 252; mit Natriumperjodat 45% d.Th. nach G.C.
[8] L. KALB u. O. GROSS, B. **59**, 727 (1926); dort zahlreiche Beispiele.
[9] K. KONDO u. T. HAYAZAKI, J. Pharm. Soc. Japan **83**, 130 (1963); C. A. **59**, 3824 (1963).

6-Aminocarbonyl-purin[1]: Zu einer Suspension von 0,20 g (1,1 mMol) 6-Hydrazinocarbonyl-purin in 1,5 ml Wasser werden bei Raumtemp. 0,7 g (2 mMol) Kalium-hexacyanoferrat(III) in 3,5 ml konz. Ammoniak gegeben. Sofort beginnt eine heftige Gasentwicklung. Wenn diese vorüber ist, werden weitere 0,35 g (1 mMol) Kalium-hexacyanoferrat(III) in 1,5 ml konz. Ammoniak zu der Reaktionsmischung gegeben. Danach läßt man diese 10 Min. stehen, verdampft i. Vak. zur Trockene und extrahiert mit 90%igem Äthanol; Ausbeute: 0,12 g (65% d.Th.); F: 310–312°; nach Umkristallisieren aus Wasser; F: 315°.

3. Oxidative Ringspaltung

Unter dem Einfluß von alkalischem Hexacyanoferrat(III) kann der Pyrrol-Ring, vor allem in bestimmten Indol-Derivaten gespalten werden[2,3]. So gehen z. B. 3-Hydroxy-2-oxo-2,3-dihydro-indole in guter Ausbeute in die entsprechenden (o-Amino-aryl)-ketone über[4]:

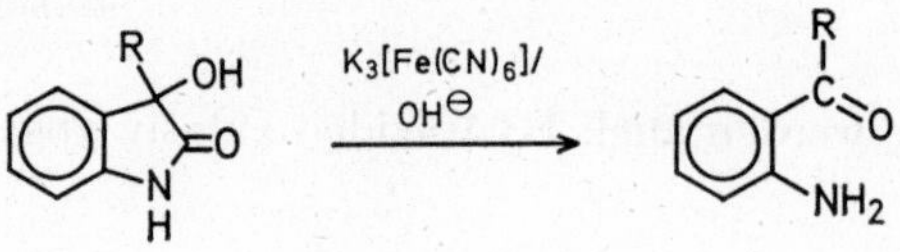

Neben Hexacyanoferrat(III) ist auch Wasserstoffperoxid zur gleichen Reaktion befähigt. Es liefert zwar reinere Produkte, aber in geringerer Ausbeute[4,5].

Eine Ausnahme bildet 3-Hydroxy-2-oxo-3-benzyl-2,3-dihydro-indol, das weder mit Hexacyanoferrat(III) noch mit Wasserstoffperoxid zum entsprechenden (α-Amino-aryl)-keton gespalten wird.

C. Bibliographie

Gmelin, *Kaliumeisen(III)-cyanid*, Fe [B], S. 972 (1932).

E. Müller u. K. Ley, *Stabile Aroxyle, eine neue Klasse freier Radikale*, Ch. Z. **80**, 618 (1956).

B. S. Thyagarajan, *Oxidations by Ferricyanide*, Chem. Reviews **58**, 439 (1958).

B. R. Sant u. S. B. Sant, *Quantitative Oxidations by Potassium Ferricyanide*, Talanta **3**, 261 (1960); C. A. **54**, 8436 (1960).

W. A. Waters, *Homolytic Oxidation Processes*, in J. W. Cook u. W. Carruthers, *Progress in Organic Chemistry* **5**, S. 1; Butterworth, London 1961.

I. R. Wilson, *Oxidation-Reduction Chemistry of the Ferricyanide-Ferrocyanide System*, Rev. Pure a. Appl. Chem. **16**, 103 (1966); C. A. **66**, 59218 (1967).

W. J. Taylor u. A. R. Battersby, *Oxidative Coupling of Phenols*, Marcel Dekker Inc., New York 1967; mit Beiträgen von
H. Musso: *Phenol Coupling*, S. 1–94.
A. J. Scott, *Some Natural Products Derived by Phenol Oxidation*, S. 95–117.
A. R. Battersby: *Phenol Oxidations in the Alkaloid Field*, S. 119–165.
B. R. Brown: *Biochemical Aspects of Oxidative Coupling of Phenols*, S. 167–201.

P. D. McDonald u. G. A. Hamilton, *Mechanisms of Phenolic Oxidative Coupling Reactions*, S. 97–134, in W. S. Trahanovsky, *Oxidation in Organic Chemistry*, Part B, Academic Press, New York · London 1973.

---

[1] A. Giner-Sorolla u. A. Bendich, Am. Soc. **80**, 3932 (1958).
[2] M.-C. Bettembourg u. I. Brunesseaux, Bl. **1763**, 2449.
[3] E. C. Taylor u. E. S. Hand, Am. Soc. **85**, 770 (1963).
[4] B. Mills u. K. Shofield, Soc. **1961**, 5558.
[5] S. Inagaki, J. Pharm. Soc. Japan **59**, 5 (1939); C. A. **33**, 3790 (1939).

Kobalt-, Nickel-, Ruthenium-, Rhodium-, Palladium-, Osmium und Platin-Verbindungen als Oxidationsmittel

bearbeitet von

Dr. G. W. Rotermund, Dr. K. H. Stecher und Dr. B. Wistuba

BASF AG, Ludwigshafen

Mit 9 Tabellen

Literatur berücksichtigt bis 1974.

Inhalt

A. Oxidation und Dehydrierung mit Kobalt(III)-Verbindungen

bearbeitet von

Dr. K. H. Stecher

BASF AG., Ludwigshafen/Rhein

Über 3wertiges Kobalt als Oxidationsmittel für die präparative Herstellung organischer Verbindungen ist in der Literatur wenig bekannt. Dies liegt daran, daß die einfachen nicht-komplexen Kobalt(III)-Salze sehr instabil sind und mehr oder weniger schnell in die entsprechenden Kobalt(II)-Verbindungen übergehen. So geht das blaugrüne Kobalt(III)-sulfat $[Co_2(SO_4)_3 \cdot 18\,H_2O]$ in wäßriger Lösung schnell in Kobalt(II)-sulfat über, indem es Wasser unter Sauerstoff-Entwicklung zersetzt[1]:

$$2\,Co_2(SO_4)_3 + 2\,H_2O \rightarrow 4\,CoSO_4 + 2\,H_2SO_4 + O_2$$
$$Co^{3\oplus} + OH^{\ominus} \rightarrow Co^{2\oplus} + OH\cdot$$
$$2\,OH\cdot \rightarrow H_2O_2$$
$$2\,H_2O_2 \rightarrow 2\,H_2O + O_2$$
$$2\,OH\cdot \rightarrow H_2O + O_2$$

Nur in stark sauren Lösungen (5–10 n Säuren) und tiefen Temperaturen sind Kobalt(III)-salz-Lösungen einigermaßen stabil.

Kobalt(III)-sulfat $[Co_2(SO_4)_3 \cdot 18\,H_2O]$ bildet sich bei der anodischen Oxidation[2] einer mit Kobalt(II)-sulfat ges. 10n Schwefelsäure bei 0° an einer Platinanode. Ebenso durch anodische Oxidation werden zweckmäßigerweise Kobalt(III)-perchlorat[3] in 6m Perchlorsäure und Kobalt(III)-acetat[4] in Eisessig hergestellt.

Wegen der leichten Zersetzbarkeit des Kobalt(III)-Ions in wäßrigem Medium und der Herstellung durch anodische Oxidation sind Oxidationen mit Kobalt(III)-Ionen gegenüber vielen anderen Oxidationsmitteln unpraktisch. Deshalb sind auch in der Literatur Oxidationen mit Kobalt(III)-Salzen fast durchweg im Hinblick auf kinetische Untersuchungen beschrieben und nur selten mit dem Ziel der Herstellung präparativer Mengen an Oxidations-produkten.

Umgekehrt zeigen die komplexen Kobalt(II)-Verbindungen großes Bestreben, sich zu Kobalt(III)-Komplexen zu oxidieren. So ist z. B. der Komplex $[Co(CN)_6]^{4\ominus}$ in wäßriger Lösung so instabil, daß er sich bei Luftausschluß unter Wasserstoff-Entwicklung[5, 6] zu dem sehr stabilen $[Co(CN)_6]^{3\ominus}$ oxidiert. Die große Stabilität der Kobalt(III)-Komplexe ist vergleichbar mit der Stabilität der Eisen(II)-Komplexverbindungen. Gerade wegen dieser Stabilität sind die Kobalt(III)-Komplexverbindungen als Oxidationsmittel im allgemeinen nicht geeignet.

Die verschiedene Beständigkeit der normalen und komplexen Verbindungen des zwei und dreiwertigen Kobalts kommt deutlich in den Redoxpotentialen zum Ausdruck. So beträgt

[1] C. H. E. Bawn u. A. G. White, Soc. **1951**, 331.
[2] S. Swann u. T. S. Xanthakos, Am. Soc. **53**, 400 (1931).
[3] G. Hargreaves u. H. Sutcliffe, Trans. Faraday Soc. **51**, 786 (1955).
[4] J. A. Sharp u. A. G. White, Soc. **1952**, 110.
[5] J. H. Bigelow, Inorg. Synth. **2**, 225 (1946).
[6] R. G. Bacon, Chem. & Ind. **1962**, 19.

das Normalpotential $Co^{2\oplus}/Co^{3\oplus} = +1{,}88$ V, während das Potential der Cyankomplexe $[Co(CN)_6]^{4\ominus}/[Co(CN)_6]^{3\ominus} = -0{,}81$ V beträgt.

I. Oxidation unter Erhalt des C–C-Gerüstes

a) von Methyl-aromaten

Methyl-aromaten werden durch Kobalt(III)-hydroxid in Essigsäure/Phosphorsäure selektiv zu den entsprechenden Aldehyden oxidiert. So erhält man z. B. aus 4-Methoxy-toluol 95% d.Th. *4-Methoxy-benzaldehyd* bzw. aus Methyl-naphthalinen die entsprechenden **Formyl-naphthaline** (55–82% d.Th.)[1]. Dagegen erhielt man bei der mit Kobalt-Salzen katalysierten Autoxidation von Methyl-aromaten in Gegenwart von Säuren die entsprechenden Carbonsäuren; z. B.:

Phthalsäure-anhydrid[2]

Terephthalsäure[3]; 80% d.Th.

2,4,5-Trimethyl-benzoesäure[4]; 90% d.Th.

X = S; *2,5-Dicarboxy-thiophen*[5]; 91% d.Th.

X = Se; *2,5-Dicarboxy-selenophen*[5]; 37% d.Th.

Die Reaktionsgeschwindigkeit bei der Oxidation von Toluol bei 20° mit Kobalt(III)-perchlorat in 50%iger Acetonitril-Lösung ist relativ klein und ergibt in der Hauptsache *Benzaldehyd*[6] und *Benzoesäure* neben Spuren von Benzylalkohol und 1,2-Diphenyl-äthan. Die Reaktionsgeschwindigkeit kann wesentlich erhöht werden durch gleichzeitige Anwesenheit von Carbonsäuren, wie Propionsäure und 2-Methyl-propansäure.

Mit $CoO_{1{,}4}$ (s. S. 839) geht Toluol ebenfalls in *Benzaldehyd* über[7].

[1] L. Syper, Rocz. Chem. **47**, 43 (1973).
[2] N. N. Lebedev, N. J. Digurov u. A. Dyakonov, Izv. Vyssh. Uchebn. Zaved., Chim. Chim. Tekhnol. **14**, 1087 (1971); C. A. **75**, 129127 (1971).
[3] J. W. Patton u. N. E. Seppi, Ind. Eng. Chem. **9**, 521 (1970).
[4] N. G. Digurov et al., Neftekhimiya **10**, 870 (1970); nach 1 Stde. *Dimethyl-phthalsäure*, nach 3 Stdn. 80% d.Th. *5-Methyl-benzol-1,2,4-tricarbonsäure*.
[5] P. A. Konstantinov, T. V. Shchedrinskaya, I. V. Zakharov u. M. N. Volkov, Ž. Org. Chim. **8**, 2590 (1972); C. A. **78**, 84159 (1973).
[6] T. A. Cooper et al., Soc. [B] **1966**, 793.
[7] DRP 127388 (1900), BASF; Frdl. **6**, 122.

b) von Alkoholen

Primäre Alkohole werden bei vorsichtiger Oxidation[1] mit schwefelsauren Kobalt(III)-Salz-Lösungen zu Aldehyden dehydriert, z. B. Methanol zu *Formaldehyd*, Propanol zu *Propanal* mit Äthanol zu *Acetaldehyd* und *Essigsäure*[2]. Über die Oxidation von sekundären Alkoholen unter C–C-Spaltung s. S. 841.

Sekundäre Alkohole können mit $Co^{3\oplus}$-Ionen in wäßriger Perchlorsäure in die entsprechenden Ketone überführt werden. Der Reaktionsmechanismus wurde am Cyclohexanol zu Cyclohexanon bei 10° näher untersucht[3]:

$$R_2CH-OH + CO^{3\oplus} \rightarrow R_2CH-O\cdot + Co^{2\oplus} + H^\oplus$$

$$R_2CH-O\cdot + Co^{3\oplus} \rightarrow R_2C=O + Co^{2\oplus} + H^\oplus$$

Letztere Reaktion findet vor allem bei größerem Überschuß an Oxidationsmittel statt[4], während bei geringen Mengen an Kobalt(III)-perchlorat im Verhältnis zum Substrat der sekundäre Alkohol über ein Radikal vorwiegend zu Aldehyden fragmentiert:

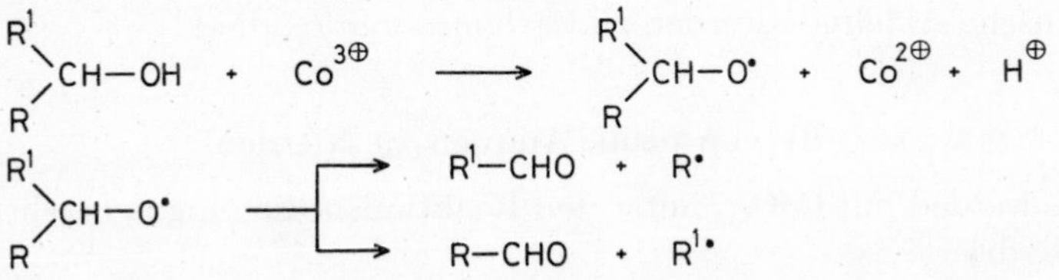

Ganz allgemein lassen sich Verbindungen mit der funktionellen Gruppe $-CH_2-OH$ mit Kobalt(III)-oxid der ungefähren Zusammensetzung $CoO_{1,4}$, in wäßrigem alkalischem Medium zu den entsprechenden Carbonsäuren oxidieren[5].

Alkohole, auch Polyhydroxy-Verbindungen, können auch in situ mit $Co_{1,4}$ zu den entsprechenden Carbonsäuren oxidiert werden, ohne daß man vorher das Hypochlorit oder Peroxidisulfat aus dem Reaktionsgemisch zu entfernen braucht[6].

Bis-[2-carboxymethoxy-äthyl]-äther[5]:

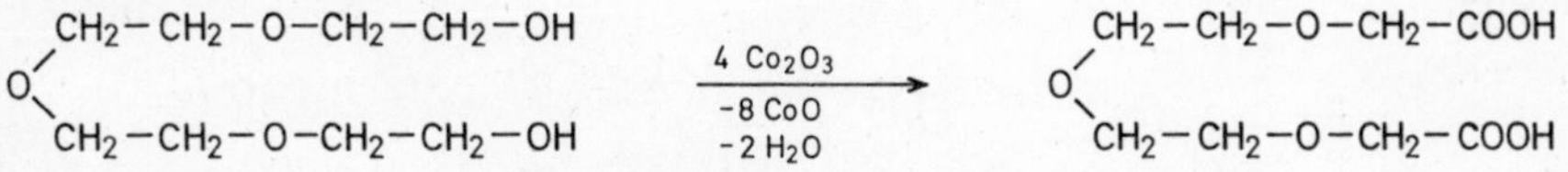

Zu einer Lösung von 50 g (~ 0,26 Mol) Bis-[2-(2-hydroxy-äthoxy)-äthyl]-äther und 22 g Natriumhydroxid in 800 g einer 10%igen wäßrigen Natriumhypochlorit-Lösung werden 5 g (0,021 Mol) Kobalt(II)-chlorid unter Rühren bei 30–40° zugefügt. Nach 5 Stdn. wird vom Kobalt(II)-oxid abfiltriert; Ausbeute: 52 g (90% d. Th.).

Buttersäure[7]: Zu einer Lösung von 7 g (0,095 Mol) Butanol und 4,2 g Natriumhydroxid in 150 g einer 10%igen Natriumhypochlorit-Lösung werden unter Rühren bei 45–50° 1 g (0,0042 Mol) Kobalt(II)-

[1] G. E. M. Bawn u. A. G. White, Soc. **1951**, 343.

[2] S. Swann u. T. S. Xanthakos, Am. Soc. **53**, 400 (1931).

[3] D. G. Hoare u. W. A. Waters, Soc. **1962**, 965.

[4] D. G. Hoare u. W. A. Waters, Soc. **1964**, 2560.

[5] Brit. P. 1114705 (1965) ≡ Fr. P. 1447697 (1966), Esso Research, Erf.: D. A. Edwards, E. B. Evans u. B. T. Fowler; C. A. **66**, 65113 (1967).

Die Existenz von reinem $CoO_{1,4}$ ist noch nicht bewiesen. Herstellung von $CoO_{2,3}$: frisch bereitetes CoO oder $Co(OH)_2$ wird mit alkalischer Hypochlorit- oder Peroxidisulfat-Lösung oxidiert.

[6] Der verfügbare aktive Sauerstoff im isolierten höheren Kobaltoxid kann jodometrisch bestimmt werden und liegt im allgemeinen bei 5,0–6,2 mg Atomen Sauerstoff pro 1 g Kobaltoxid.

[7] Brit. P. 1114705 (1965) = Fr. P. 1447697 (1966), Esso Research, Erf. D. A. Edwards, E. B. Evans u. B. T. Fowler; C. A. **66**, 65113 (1967).

Die Existenz von reinem Co_2O_3 ist noch nicht bewiesen. Herstellung von $CoO_{1,4}$: frisch bereitetes CoO oder $Co(OH)_6$ wird mit alkalischer Hypochlorit- oder Peroxidisulfat-Lösung oxidiert.

chlorid zugefügt. Nach 5 Stdn. wird filtriert, mit Äther extrahiert und mit konz. Salzsäure angesäuert. Die saure Lösung wird mit Äther extrahiert und der Äther sodann abgedampft. Ausbeute: 6,5 g (78% d.Th.).

Wird die Oxidation von Butanol direkt mit dem in einer alkalischen Natriumhypochlorit-Lösung hergestellten höheren Kobaltoxid durchgeführt, so erhält man bei gleichem Ansatz und gleichen Reaktionsbedingungen unter Zugabe von 1 g (0,0112 Mol) getrocknetem $CoO_{1,4}$ 68% d.Th. *Buttersäure*. Wie ersichtlich führt die Oxidation von Alkoholen mit $CoO_{1,4}$ in situ mit Natriumhypochlorit zu höheren Ausbeuten an Carbonsäuren, obwohl geringere Molmengen an Kobalt(II)-chlorid eingesetzt werden. Dies deutet darauf hin, daß bei gleichzeitiger Anwesenheit von Natriumhypochlorit dem Kobalt zum größten Teil die katalytische Funktion eines Sauerstoffüberträgers zugeschrieben werden kann.

c) von Aldehyden

Aromatische Aldehyde, z. B. 3- und 4-Nitro-benzaldehyd, werden mit Kobalt(III)-perchlorat in wäßrigem Acetonitril bei 10° zu den entsprechenden Carbonsäuren (*3-* bzw. *4-Nitro-benzoesäure*) oxidiert.

Auch aliphalische Aldehyde werden zu Carbonsäuren oxidiert[1].

d) von prim. Aminen zu Nitrilen

Prim. Amine werden mit $CoO_{1,4}$ unter den Reaktionsbedingungen beschrieben auf S. 839 zu Nitrilen dehydriert[2].

II. unter Spaltung des C–C-Gerüstes

a) von Alkoholen

1. von tert. Alkoholen

Tertiäre Alkohole lassen sich mit Kobalt(III) in wäßriger Perchlorsäure unter Fragmentierung in gemischte Ketone und Alkohole nach folgendem Reaktionsmechanismus überführen[3]:

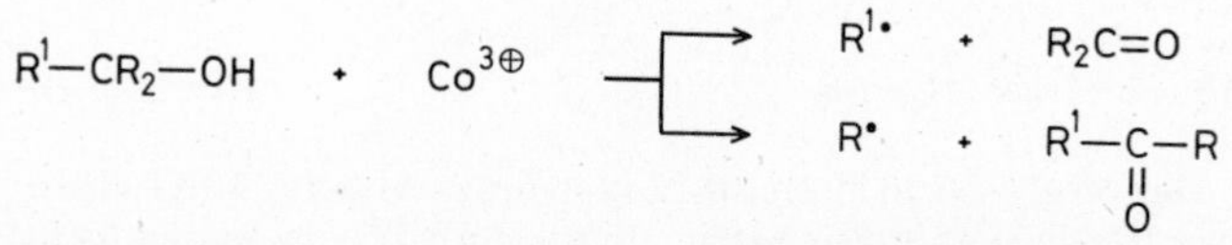

2. von Di- und Polyhydroxy-Verbindungen

Glykole werden durch einen Einelektronenübergang vollständig in ein Radikal überführt,

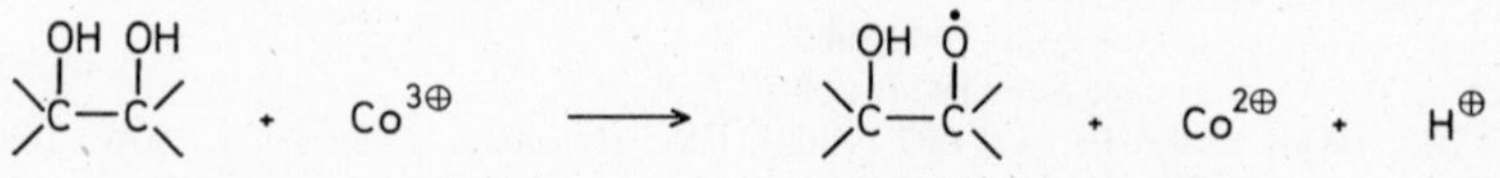

das sofort in ein Aldehyd oder ein Keton und ein Radikal ($>$C–OH) zerfällt. Letzteres gibt durch weitere Oxidation mit $Co^{3\oplus}$ ein Aldehyd oder ein Keton.

---

[1] T. A. Cooper et al., Soc. [B] **1966**, 793.
[2] Brit. P. 1114705 (1965) = Fr. P. 1447697 (1966), Esso Research, Erf.: D. A. Edwards, E. B. Evans u. B. T. Fowler; C. A. **66**, 65 113 (1967).
[3] D. G. Hoare u. W. A. Waters, Soc. **1964**, 2552.

Die entstehenden Aldehyde können bei ausreichendem Überschuß an Oxidationsmittel weiter zu Carbonsäuren oxidiert werden (s. S. 840).

Saure Kobalt(III)-salz-Lösungen eignen sich für die quantitative Bestimmung von primären Alkoholen und Polyhydroxy-Verbindungen durch oxidativen Abbau zu *Formaldehyd* und *Ameisensäure*.

Läßt man zu einem Reaktionsgemisch bestehend aus frisch hergestelltem Kobalt(III)-hydroxid und einem primären Alkohol oder einer Polyhydroxy-Verbindung unter Erwärmen Schwefelsäure zutropfen, so werden Verbindungen wie Methanol, Glycerin, Mannit, Erythrit, Glucose und Lävulose zu Formaldehyd bzw. zu Formaldehyd und Ameisensäure oxidativ abgebaut[1]:

$$H_3C–OH + 1/2\ O_2 \longrightarrow HCHO + H_2O$$
$$HO–CH_2–CHOH–CH_2OH + O_2 \longrightarrow 2\ HCHO + HCOOH + H_2O$$
$$HO–CH_2–(CHOH)_2–CH_2OH + 3/2\ O_2 \longrightarrow 2\ HCHO + 2\ HCOOH + H_2O$$
$$HO–CH_2–(CHOH)_4–CH_2OH + 5/2\ O_2 \longrightarrow 2\ HCHO + 4\ HCOOH + H_2O$$
$$HO–CH_2–(CHOH)_4–CHO + 5/2\ O_2 \longrightarrow HCHO + 5\ HCOOH$$

Da solche Oxidationsreaktionen auch mit anderen Oxidationsmitteln wie Kaliumpermanganat oder Perjodsäure mit vergleichsweise geringerem Oxidationspotential durchgeführt werden können, kommt $Co^{3\oplus}$ vom analytischen Standpunkt aus betrachtet, nur dann zur Anwendung, wenn andere Oxidationsmittel nicht eingesetzt werden können.

b) von Carbonsäuren

Die Oxidationskraft saurer Kobalt(III)-salz-Lösungen ist beträchtlich, so daß gesättigte aliphatische Carbonsäuren, die im allgemeinen gegenüber Oxidationsmitteln sehr stabil sind, unter Fragmentierung in Kohlendioxid und in die um ein C-Atom kürzeren Alkohole überführt werden. Die Reaktionen werden bei 15° in wäßriger Perchlorsäure durchgeführt[2]:

$$R–COOH + Co(H_2O)_6^{3\oplus} \longrightarrow R–COO·Co(H_2O)_5^{2\oplus} + H^\oplus + H_2O$$
$$R–COO·Co(H_2O)_5^{2\oplus} \longrightarrow R· + CO_2 + Co^{2\oplus} + 5\ H_2O$$
$$R· + Co^{3\oplus} \longrightarrow R^\oplus + Co^{2\oplus}$$
$$R^\oplus + H_2O \longrightarrow R–OH + H^\oplus$$

Schwefelsaure Kobalt(III)-salz-Lösungen können zur quantitativen Bestimmung bestimmter organischer Carbonsäuren durch Messung des sich bildenden Kohlendioxids benutzt werden[3].

c) von Monoenen

In verdünnter Schwefelsäure können Monoolefine mit $Co^{3\oplus}$ in Aldehyde, Ketone und Carbonsäuren überführt werden[4]:

$$R–CH=CH_2 + Co^{3\oplus} \rightarrow R–\overset{·}{C}H–\overset{\oplus}{C}H_2 + Co^{2\oplus}$$

Durch Sekundärreaktion mit Wasser erhält man Glykole, die weiteroxidiert werden (s. S. 840, 839):

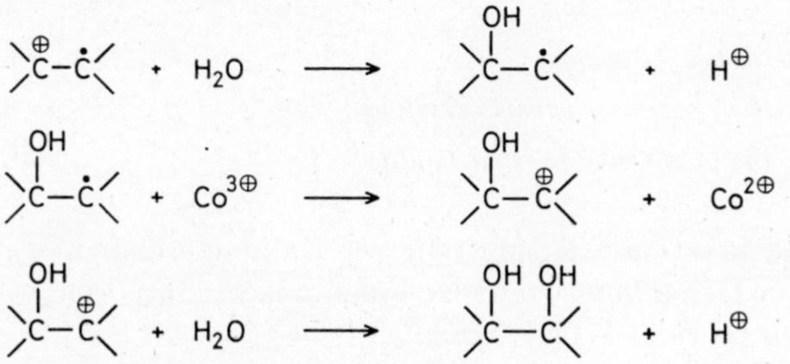

[1] M. Marconi et al., Chimica 7, 456 (1952).
[2] A. A. Clifford u. W. A. Waters, Soc. 1965, 2796.
[3] S. Swann u. T. S. Xanthakos, Am. Soc. 53, 400 (1931).
[4] C. E. H. Bacon u. J. A. Sharp, Soc. 1957, 1854.

III. Dehydrierende Dimerisierung

a) von Mercaptanen zu Disulfanen
(vgl. a. ds. Handb., Bd. IX)

Mit Kobaltoxid „$(CoO_{1,4})$" können aus Mercaptanen durch intermolekulare dimerisierende Dehydrierung Disulfane[1] hergestellt werden:

$$2\ R\text{-}SH \xrightarrow[-H_2O]{Co\ O_{1,4}} R\text{-}S\text{-}S\text{-}R$$

Disulfane; allgemeine Arbeitsvorschrift: In einem Kolben werden unter Stickstoff-Spülung 20 ml Xylol und 0,05 Mole Kobalt(III)-oxid vorgelegt und die Suspension unter Rühren auf 55° erhitzt. Sodann läßt man 0,05 Mole Mercaptan zulaufen. Nach beendeter Reaktion wird das Reaktionsgemisch abfiltriert, und der Rückstand mit Xylol ausgewaschen. Durch Verdünnen des Filtrats mit Äthanol und Herabkühlen auf 0° werden die Disulfane ausgefällt, abgenutscht und bis zur Gewichtskonstanz getrocknet. Disulfane mit niedrigem Schmelzpunkt müssen nach Abzug des Lösungsmittels durch fraktionierte Destillation gewonnen werden.

Nach dieser Vorschrift erhält man aus

Hexadecylmercaptan $\xrightarrow{\text{68 Stdn.}}$ *Dihexadecyl-disulfan*   29% d.Th.; F: 53°

Dodecylmercaptan $\xrightarrow{\text{20 Stdn.}}$ *Didodecyl-disulfan*   48% d.Th.; F: 32°

b) von Sulfinsäuren zu Disulfonen

Mit Kobalt(III)-sulfat in schwefelsaurer Lösung gelingt es, Aren- und Alkansulfinsäuren durch intermolekulare dimerisierende Dehydrierung in Disulfone überzuführen[1]:

$$2\ R\text{-}SO_2H + 2\ Co^{3\oplus} \longrightarrow R\text{-}SO_2\text{-}SO_2\text{-}R + 2\ Co^{2\oplus} + 2\ H^{\oplus}$$

Disulfone; allgemeine Herstellungsvorschrift: Man läßt eine gekühlte Lösung von Kobalt(III)-sulfat in 10n Schwefelsäure bei 5° unter Rühren zu einer Lösung einer Sulfinsäure in 10n Schwefelsäure langsam zulaufen, bis die blau-grüne Farbe des Kobalt(III)-Ions für mindestens 1 Min. bestehen bleibt. Das Reaktionsgemisch wird sofort in Wasser gegossen, wobei die Disulfone ausfallen. Sie werden abfiltriert, mit Wasser ausgewaschen, und die Diaryl-disulfone in Benzol, die Dialkyl-disulfone in Hexan oder Dichlormethan umkristallisiert.

In Tab. 1 sind einige hergestellten Disulfone aufgeführt.

Tab. 1: Disulfone aus Disulfinsäuren durch Oxidation mit Kobalt(III)-sulfat

R-SO-OH R	Disulfon	Ausbeute [% d.Th.]	F [° C]
C_8H_{17}	*Dioctyl-disulfon*	43	89–89,5
$C_{12}H_{25}$	*Didodecyl-disulfon*	40	100–101
C_6H_5	*Diphenyl-disulfon*	65	196–196,5
$4\text{-}COOH\text{-}C_6H_4$	*Bis-[4-carboxy-phenyl]-disulfon*	65	265
$4\text{-}OCH_3\text{-}C_6H_4$	*Bis-[4-methoxy-phenyl]-disulfon*	65	232

Mit den bisher üblichen Oxidationsmitteln, wie Kaliumpermanganat, Wasserstoffperoxid und Peressigsäure zur Herstellung von Disulfonen aus Sulfinsäuren, werden fast durchweg niedrigere Ausbeuten (4–16% d.Th.) erzielt[2, 3].

[1] T. J. Wallace, J. Org. Chem. **31**, 1217 (1966).
[2] P. Allen et al., J. Org. Chem. **16**, 767 (1951).
[3] P. Allen u. J. W. Brook, J. Org. Chem. **27**, 1019 (1962).

B. Oxidation und Dehydrierung mit Nickel-,,peroxid"

bearbeitet von

Dr. K. H. Stecher

BASF AG., Ludwigshafen/Rhein

Nickel-,,peroxid" wirkt auf viele organische funktionelle Gruppen als Oxidations- bzw. Dehydrierungsmittel.

Im folgenden soll unter Nickel-,,peroxid" ein schwarzes, wasserhaltiges, höheres Nickeloxid verstanden werden, dem die allgemeine Formel $Ni_2O_3 \cdot x\,H_2O$ oder etwa $Ni_2O_3 \cdot 3\,H_2O$ zugeschrieben werden kann.

Nickel-,,peroxid"[1]: Zu einer Lösung von 130 g Nickel(II)-sulfat-Heptahydrat $(NiSO_4 \cdot 7\,H_2O)$ in 300 ml Wasser wird unter Rühren innerhalb 30 Min. bei 20° eine Lösung von 42 g Natriumhydroxid in 300 ml einer 6%igen wäßrigen Natriumhypochlorit-Lösung tropfenweise zugegeben.

Das erhaltene schwarze Nickel-,,peroxid" wird zur Entfernung von Chlorid-Ionen gut mit Wasser ausgewaschen und anschließend i. Vak. über Calciumchlorid bei Raumtemp. getrocknet.

Das durch 2-stdgs. Erhitzen von Nickel(II)-nitrat-Hexahydrat $[Ni(NO_3)_2 \cdot 6\,H_2O]$ an der Luft bei 500° erhaltene Nickel(III)-oxid (Ni_2O_3) ist dem oben beschriebenen Nickel-,,peroxid" an Oxidationskraft weit unterlegen[2].

Der Gehalt des Nickel-,,peroxids" an aktivem Sauerstoff kann jodometrisch[1] bestimmt werden und liegt im allgemeinen zwischen 3,0–4,0 mg-Atomen Sauerstoff pro g Nickel-,,peroxid". Bei allen Oxidationsreaktionen mit Nickel-,,peroxid" wird, wenn nichts anderes vermerkt ist, der Gehalt an aktivem Sauerstoff mit $\sim 3,5$ mg-Atomen pro Gramm Nickel-,,peroxid" angenommen.

Das bei der Oxidation zu Nickel(II)-oxid bzw. Nickel(II)-hydroxid reduzierte Nickelperoxid kann wieder regeneriert werden. Hierzu werden die Nickeloxide durch Filtration gesammelt, gut mit Wasser ausgewaschen und mit $\sim$ der 10fachen Menge 6%iger Natriumhypochlorit-Lösung ~ 20 Min. unter Rühren bei 20° behandelt.

I. Oxidation unter Erhalt des Kohlenstoffgerüstes

a) von Methyl-aromaten

Ganz allgemein können Methyl-Gruppen aromatischer Kohlenwasserstoffe, wie z. B. im Toluol, mit höheren Oxiden des Nickels und Kobalts oxidiert werden[3]. Es entstehen im wesentlichen Aldehyde neben Carbonsäuren.

b) von Hydroxy-Verbindungen

1. von Alkoholen

α) zu Aldehyden bzw. Ketonen

Bei der Dehydrierung aromatischer Alkohole, wie etwa Benzylalkohol oder Zimt-alkohol, in organischen Lösungsmitteln wie Benzol, Äther oder Petroläther mit Nickelperoxid, kommt man zu den entsprechenden Aldehyden[1]. Die Dehydrierung von Diphenylcarbinol oder Benzoin in Benzol führt zu den entsprechenden Carbonyl-Verbindungen *Benzophenon* bzw. *Benzil*.

Die Dehydrierung von Benzylalkohol mit Nickelperoxid zu *Benzaldehyd* ist der Dehydrierung mit Mangan(IV)-oxid bei vergleichbaren Bedingungen eindeutig überlegen[1].

Benzaldehyd: 5 g (0,0463 Mole) Benzylalkohol werden in 45 g Benzol gelöst. Unter Rühren in kleinen Portionen 16 g Nickelperoxid ($\sim$ 1,2fache der theor. Menge an aktivem Sauerstoff) zugegeben und bei

[1] K. Nagakawa, R. Konaka u. T. Nakata, J. Org. Chem. **27**, 1597 (1962).
[2] Fr. P. 1337521 (1962), Shionogi & Co., Erf.: K. Nagakawa u. T. Konaka; C. A. **60**, 2830 (1964).
[3] DRP. 127388 (1900), BASF; Frdl. **6**, 122.

80° 1 Stde. erhitzt. Das entstandene Nickeloxid wurde abfiltriert und mit Benzol ausgewaschen. Der Aldehyd wird über das Benzaldehyd-2,4-dinitro-phenylhydrazon isoliert; Ausbeute: 4,9 g (90,2% d. Th.; bzw. auf eingesetzten Alkohol).

Entsprechend obiger Vorschrift erhält man die in Tab. 2 aufgeführten Carbonyl-Verbindungen.

Tab. 2: Carbonylverbindungen aus Alkoholen durch Dehydrierung mit Nickelperoxid in Benzol[1]

Alkohol	Nickel-peroxid[a]	Reaktions-bedingungen		Carbonyl-Verbindung	Ausbeuten[b] [% d. Th.]
		[° C]	[Stdn.]		
Zimtalkohol	1,2	50	1	*Zimtaldehyd*	85,9
Benzoin	1,2	50	5	*Benzil*	98,3
Diphenyl-carbinol	1,2	50	6	*Benzophenon*	98,1
4-Methyl-benzylalkohol	1,0	50	3	*4-Methyl-benzaldehyd*	64,5
	2,0	50	3		81,0
Furfuryl-(2)-alkohol	1,2	30	10	*Furfural*	77,8
Geraniol	2,0	50	6	*Citral*	80,5
Allylalkohol[c]	1,5	20	6	*Acrolein*	79,0

a: Molverhältnis der notwendigen aktiven Sauerstoffmenge im Nickelperoxid zu eingesetztem Alkohol
b: Die Ausbeuten an Carbonyl-Verbindungen wurden aus dem Gewicht der entsprechenden 2,4-Dinitro-phenylhydrazone bestimmt.
c: Reaktion wurde in Äther ausgeführt.

Bei der Dehydrierung von aliphatischen gesättigten Alkoholen in Benzol oder Äther mit Nickelperoxid werden nur geringe Ausbeuten (0,6–6%) an den entsprechenden Carbonyl-Verbindungen erhalten. Dagegen führt die Dehydrierung von ungesättigten Alkoholen in guten Ausbeuten zu den entsprechenden Aldehyden[1] (s. Tab. 2).

Die Dehydrierung von Vitamin A_2 in Petroläther zu *Vitamin A-Aldehyd*[2] gelingt mit Nickelperoxid besser als mit Mangan(IV)-oxid.

Die Dehydrierung von 3-substituierten Propargylalkoholen mit Nickelperoxid in Benzol bei Raumtemperatur führen analog zu den 3-substituierten Propinalen:

$$R-C \equiv C-CH_2-OH \xrightarrow[-H_2]{} R-C \equiv C-CHO$$

R = C$_6$H$_5$	*3-Phenyl-propinal*	70% d. Th.
= Thienyl-(5)	*3-Thienyl-(2)-propinal*	74% d. Th.
= Bi-[thienyl-(2)]-yl-(5)	*5-(2-Formyl-äthinyl)-bi-thienyl-(2)*	74% d. Th.
= Naphthyl-(1)	*3-Naphthyl-(1)-propinal*	81% d. Th.

Wird dagegen die Dehydrierung in wäßriger, methanolischer 2n Natriumhydroxid-Lösung bei 50° durchgeführt, so werden unter Deformylierung[3] der intermediär entstehenden Aldehyde monosubstituierte Acetylene erhalten:

$$R-C \equiv C-CH_2OH \xrightarrow{\text{Niperoxid}} [R-C \equiv C-CHO] \xrightarrow{\text{NaOH}} R-C \equiv CH + HCOONa$$

R = Thienyl-(2)	*2-Äthinyl-thiophen*	50% d. Th.
R = Bi-[thienyl-(2)]-yl-(5)	*5-Äthinyl-bi-thienyl-(2)*	50% d. Th.

[1] K. NAGAKAWA, P. KONAKA u. T. NAKATA, J. Org. Chem. **27**, 1597 (1962).
[2] Fr. P. 1331281 (1962), Shionogi & Co., Erf.: K. NAGAKAWA u. T. KONAKA; C. A. **60**, 1654 (1964).
[3] R. A. RAPHAEL, *Acetylenic Compounds in Organic Synthesis*, S. 68, Butterworths, London 1955.

Ohne daß die C≡C-Dreifachbindung oder C=C-Doppelbindung angegriffen wird, gelingt mit Nickelperoxid die Dehydrierung von 2-Hydroxy-1-furyl-(2)-hepten-(5)-in-(3) zu *2-Oxo-1-furyl-(2)-hepten-(5)-in-(3)*[1]:

2-Oxo-1-furyl-(2)-hepten-(5)-in-(3): 1 g 2-Hydroxy-1-furyl-(2)-hepten-(5)-in-(3) werden in 200 *ml* getrocknetem Benzol unter gleichzeitigem Einleiten von Stickstoff gelöst und bei Raumtemp. mit 50 g Nickelperoxid portionsweise unter Rühren versetzt. Nach 1 Stde. wird das Reaktionsgemisch abfiltriert und das Nickel(II)-oxid mit Benzol ausgewaschen. Das Lösungsmittel im Filtrat wird abgezogen und das Keton i. Vak. destilliert; Ausbeute: 740 mg (74% d.Th.); $Kp_{0,05}$: 130°.

β) zu Carbonsäuren

In wäßrigem alkalischem Medium können gesättigte, primäre Alkohole mit Nickel-„peroxid" in guten Ausbeuten zu den entsprechenden Carbonsäuren oxidiert werden[2], wobei geradekettige Alkohole schneller oxidiert werden als verzweigte. Mit abnehmender Löslichkeit langkettiger Alkohole, z. B. Octanol in Wasser, nimmt auch die Reaktionsgeschwindigkeit ab.

$$R–CH_2OH \xrightarrow{\text{Ni-peroxid}} R–COOH$$

Carbonsäuren aus prim. Alkanolen; allgemeine Arbeitsvorschrift[3]: 0,04 Mol prim. Alkanol werden mit 2 g Natriumhydroxid in 100 *ml* Wasser gelöst. Unter Rühren wird das 1,5fache der theor. notwendigen Menge Nickelperoxid (1 g getrocknetes Nickelperoxid enthält ∼ 3,5 mg-Atome aktiven Sauerstoff) unter Rühren in kleinen Portionen bei 30° zugegeben. Die Reaktion ist nach 5 Stdn. beendet. Anschließend wird abfiltriert, der Niederschlag mit Wasser ausgewaschen und die Lösung destillativ aufgearbeitet.

Folgende Carbonsäuren wurden so erhalten:

Essigsäure	99,4% d.Th.	*Pentansäure*	96,8% d.Th.
Propansäure	96,6% d.Th.	*3-Methyl-butansäure*	77,5% d.Th.
Butansäure	96,9% d.Th.	*Octansäure*	58,5% d.Th.
2-Methyl-propansäure	84,9% d.Th.		

Bei der Oxidation von Allylalkohol mit Nickelperoxid wird die C=C-Doppelbindung schon bei verhältnismäßig tiefen Temperaturen teilweise gespalten. Es entsteht neben *Acrylsäure*, Kohlendioxid und *Ameisensäure*. Dagegen wird bei der Oxidation von Propargylalkohol die stabilere C≡C-Dreifachbindung nicht angegriffen und man erhält schon bei 5° in 50%iger Ausbeute *Propargylsäure*.

Die C=C-Doppelbindung im Zimtalkohol, die durch Konjugation mit dem Benzolring stabilisiert ist, bleibt bei der Oxidation weitgehend unangetastet und man erhält in guter Ausbeute *Zimtsäure*.

Nach obenstehender Vorschrift werden die in Tab. 3 (S. 846) aufgeführten Carbonsäuren hergestellt.

---

[1] B. W. NASH et al., Soc. **1965**, 2988.
[2] Brit. P. 956100 (1964), Shionogi & Co.; C. A. **60**, 15 785 (1964).
[3] K. NAGAKAWA, P. KONAKA u. T. NAKATA, J. Org. Chem. **27**, 1597 (1962).

Tab. 3: Carbonsäuren durch Oxidation von Alkoholen mit Nickelperoxid

Alkohol	Molverhältnis aktiver Sauerstoff im Nickelperoxid zu Alkohol[1]	Reaktionsbedingungen		Carbonsäure	Ausbeute [% d. Th.]
		[° C]	[Stdn.]		
Propargylalkohol	1,1	5	0,5	*Propargylsäure*	50,0
4-Phenyl-propanol	1,5	0	30,0	*3-Phenyl-propansäure* *+Benzoesäure*	70,5} 7,5}
Benzylalkohol	1,5	30	3,0	*Benzoesäure*	96,7
2-Methyl-benzylalkohol	1,5	30	3,0	*2-Methyl-benzoesäure*	97,0
3-Methyl-benzylalkohol	1,0	5	7,0	*3-Methyl-benzoesäure* *Isophthalsäure*	60,0} 0 }
4-Methyl-benzylalkohol	1,5	30	3,0	*4-Methyl-benzoesäure* *+Terephthalsäure*	62,5} 12,0}
	1,0	5	7,0	*4-Methyl-benzoesäure* *Terephthalsäure*	81,0} 0 }

Bei der Oxidation des 4-Methyl-benzylalkohols wird unter bestimmten Reaktionsbedingungen nicht nur die Benzyl-Gruppe, sondern auch teilweise die paraständige Methyl-Gruppe zur Carboxy-Gruppe oxidiert wird.

2. Von Phenolen zu Chinonen

Während die Oxidation von 3,4-Dihydroxy-benzoesäure-methylester mit Silberoxid in Anwesenheit einer Dienkomponente glatt zu einem Diels-Alder-Addukt führt; z. B.:

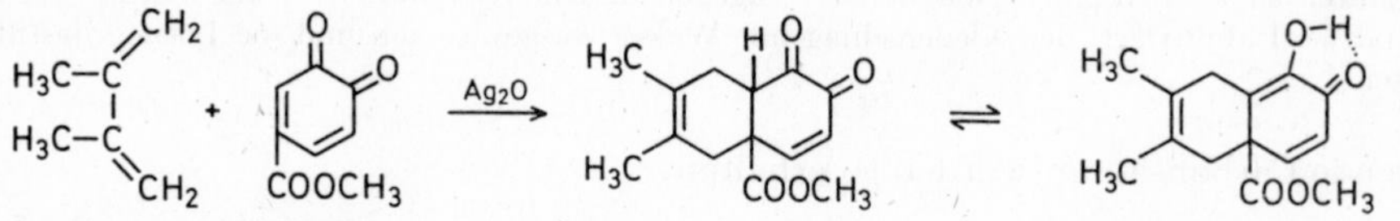

gelingt die Oxidation von 3,4-Dihydroxy-benzonitril zum *4-Cyan-o-benzochinon* mit Silberoxid nicht, sondern nur mit Nickelperoxid[2].

Bei gleichzeitiger Anwesenheit von 2,3-Dimethyl-butadien gelangt man über 4-Cyan-o-benzochinon zu *2-Hydroxy-3-oxo-8,9-dimethyl-6-cyan-bicyclo[4.4.0]decatrien-(1,4,8)* (II):

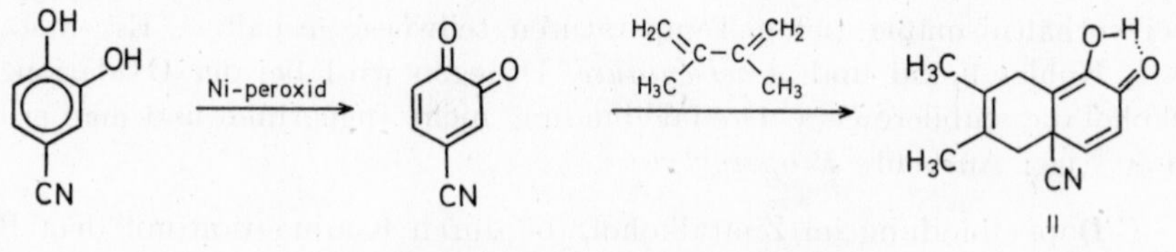

c) von Aldehyden zu Carbonsäuren

Die Oxidation von ungesättigten oder mehrfach ungesättigten Aldehyden (C_4–C_{20}) in wäßriger alkalischer Lösung oder Emulsion mit Nickelperoxid zu den entsprechenden Carbonsäuren hat gegenüber anderen Oxidationsmitteln, z. B. Mangan(IV)-oxid, den Vorteil, daß die C–C-Mehrfachbindungen nicht angegriffen werden[3]. Man arbeitet bei Temperaturen zwischen 10–80° vorwiegend 30–50°.

[1] 1 g Nickelperoxid enthält ∼ 3,5 mg-Atome aktiven Sauerstoff.
[2] F. Ansell u. F. Gosden, Chem. Commun 1965, 520.
[3] Fr. P. 1381867 (1964), Farbw. Hoechst; C. A. 62, 9017 (1965).

Hexadien-(2,4)-säure (Sorbinsäure)[1]: 48 g (0,5 Mol) Hexadien-(2,4)-al (Sorbinaldehyd) werden in 300 *ml* Wasser emulgiert. Unter Rühren wird bei 30–35° eine Suspension von Nickelperoxid in 400 *ml* Wasser, welche vorher mit einer Lösung von 22 g Natriumhydroxid in 87 *ml* Wasser vereinigt wurde, zugefügt. Die Nickelperoxid-Suspension wird in kleinen Portionen zugegeben, man wartet mit der Zugabe der nächsten Portion so lange, bis sich die vorhergehende Portion graugrün verfärbt hat. Die Reaktion ist nach 2–3 Stdn. beendet. Das Nickel(II)-hydroxid wird abfiltriert, mit Wasser ausgewaschen und das Filtrat wird verd. Mineralsäure angesäuert; die Sorbinsäure fällt aus. Anschließend wird filtriert; Ausbeute: 38,8 g (69% d. Th.).

Auf gleiche Weise erhält man aus Buten-(2)-al *Buten-(2)-säure (Crotonsäure*; 73% d. Th.)[1].

d) Dehydrierung und Oxidation von Aminen bzw. Iminen

1. von prim. Aminen zu den entsprechenden Nitrilen [2, 3]

Die Dehydrierung von prim. Aminen zu Nitrilen mit Nickelperoxid kann in wäßrigen, in wäßrigen alkalischen und in organischen Lösungsmitteln, wie z. B. Benzol, nach folgendem Reaktionsschema

$$R–CH_2–NH_2 + O_2 \longrightarrow R–C{\equiv}N + 2\,H_2O$$

durchgeführt werden. Die Dehydrierung gelingt in guten Ausbeuten, wenn man höchstens das Doppelte der theoretisch erforderlichen Menge an Nickelperoxid als Oxidationsmittel einsetzt.

Benzonitril: Eine Mischung von 6,42 g (0,06 Mol) Benzylamin und 52,5 g Nickelperoxid in 150 *ml* Wasser wird 3 Stdn. bei 60° gerührt. Das abfiltrierte Nickel(II)-oxid wird mit Äther ausgewaschen, das Filtrat mit Äther ausgeschüttelt, die Äther-Phase mit verd. Schwefelsäure ausgewaschen, getrocknet und der Äther abgezogen. Der Rückstand wird destilliert; Ausbeute: 4,85 g (78,5% d. Th.); Kp.: 190,7°.

Hexandisäure-dinitril (Adipinsäure-dinitril): Zu einer Lösung von 5,0 g 1,6-Diamino-hexan in 100 *ml* Benzol werden 59,5 g Nickelperoxid unter Rühren zugegeben. Das Reaktionsgemisch wird unter Rückfluß 1 Stde. gekocht und anschließend abfiltriert. Das Filtrat wird einige Male mit verd. Schwefelsäure ausgeschüttelt. Die Benzolphase wird getrocknet, das Benzol abgezogen und der Rückstand bei 3 Torr rektifiziert; Ausbeute: 1,07 g (25% d. Th.); Kp$_3$: 126–127°.

Unter ähnlichen Bedingungen werden die in Tab. 4 aufgeführten Amine zu den entsprechenden Nitrilen dehydriert.

Tab. 4: Nitrile durch Dehydrierung von prim. Aminen mit Nickelperoxid

Amin	Nickel-peroxid[a]	Lösungs-mittel	Reaktions-bedingungen		Nitril	Ausbeute [% d.Th.]
			[°C]	[Stdn.]		
2-Methyl-benzyl-amin	1,5	Wasser	60	1,5	*2-Methyl-benzo-nitril*	76,8
2-Nitro-benzylamin amin	1,5	Wasser	60	1,5	*2-Nitro-benzo-nitril*	87,2
4-Nitro-benzylamin	1,5	Wasser	60	1,5	*4-Nitro-benzonitril*	55,2
2-Chlor-benzylamin	1,5	Wasser	60	1,5	*2-Chlor-benzonitril*	86,7
Furfuryl-(2)-amin	1,5	Wasser	5	0,5	*2-Cyan-furan*	62,5
Octylamin	1,5	Benzol	80	1,5	*Octansäure-nitril*	95,8
Dodecylamin	1,5	Benzol	80	1,5	*Dedecansäure-nitril*	80,7
1-Aminomethyl-naphthalin	1,5	Benzol	60	1,5	*1-Cyan-naphthalin*	95,8

[a] Molverhältnis: Aktiver Sauerstoff im Nickelperoxid zu eingesetztem Amin.

[1] Fr. P. 1381867 (1964), Farbw. Hoechst; C. A. **62**, 9017 (1965).
[2] Fr. P. 1350668 (1962) Shionogi & Co., Erf.: K. Nakagawa; C. A. **60**, 15 791 (1964).
[3] K. Nakagawa, Chem. pharm. Bl. **1963**, 296.

2. Oxidation von Acetalamiden zu Carbonsäure-amiden

Aromatische Aldehyde oder Alken-(3)-ale werden in ammoniakalischer Äther-Lösung bei −20° zu Carbonsäure-amiden oxidiert:

$$R{-}CHO \xrightarrow{NH_3} R{-}\underset{\underset{H}{|}}{\overset{\overset{NH_2}{|}}{C}}{-}OH \xrightarrow[-H_2O]{(O)} R{-}\overset{\overset{NH_2}{|}}{C}{=}O$$

Bei höheren Temperaturen bilden sich vorwiegend die entsprechenden Nitrile

$$R{-}\underset{\underset{H}{|}}{\overset{\overset{NH_2}{|}}{C}}{-}OH \xrightarrow{-H_2O} \left[R{-}C\overset{\diagup H}{\underset{\diagdown NH}{}} \right] \xrightarrow[-H_2O]{(O)} R{-}C{\equiv}N$$

Carbonsäure-amide; allgemeine Arbeitsvorschrift[1]: In eine Lösung von 0,05 Mol Aldehyd in 150 ml frisch destilliertem und getrocknetem Äther wird bei −20° unter Rühren gleichzeitig Stickstoff und getrocknetes Ammoniak eingeleitet bis die Lösung an Ammoniak gesättigt ist. Sodann wird innerhalb 1 Stde. das 1,3fache an Nickelperoxid (bez. auf die nötige Sauerstoffmenge) zugegeben. Nach einer Reaktionszeit von 4 Stdn. bei −20° wird das Reaktionsgemisch abfiltriert, das Nickeloxid mit heißem Methanol ausgewaschen und die Lösungsmittel abgezogen; der Rückstand wird aus Essigsäure-äthylester umkristallisiert.

Tab. 5: Carbonsäure-amide aus Aldehyd/Ammoniak und Nickelperoxid

Ausgangssubstanz	Carbonsäure-amid	Ausbeute [% d. Th.]
4-Chlor-benzaldehyd	*4-Chlor-benzoesäure-amid*	89
2-Chlor-benzaldehyd	*2-Chlor-benzoesäure-amid*	77
3-Nitro-benzaldehyd	*3-Nitro-benzoesäure-amid*	88
Benzaldehyd	*Benzoesäure-amid*	89
Terephthalaldehyd-säure-nitril	*Terephthalsäure-amid-nitril*	76
4-Dimethylamino-benzaldehyd	*4-Dimethylamino-benzoesäure-amid*	57
4-Methoxy-benzaldehyd	*4-Methoxy-benzoesäure-amid*	88
4-Methyl-benzaldehyd	*4-Methyl-benzoesäure-amid*	86
3,4-Methylendioxy-benzaldehyd	*3,4-Methylendioxy-benzoesäure-amid*	85
Zimtaldehyd	*Zimtsäure-amid*	84
Furfural	*Furan-2-carbonsäure-amid*	85

Wie bereits erwähnt[2], können Aldehyde durch Oxidation von primären Alkoholen mit Nickelperoxid hergestellt werden. Man gelangt nun ebenfalls zu den Amiden, wenn man von den entsprechenden Alkoholen in einer mit Ammoniak gesättigten Äther-Lösung ausgeht und eine der Reaktionsgleichung entsprechende höhere Sauerstoffmenge, d. h. Nickelperoxid, zusetzt. Die Reaktionsbedingungen sind die gleichen wie die eben beschriebenen. Ausgehend vom Benzylalkohol, Zimtalkohol oder Furfurylalkohol wurden so *Benzoesäure-amid* (71% d.Th.), *Zimtsäure-amid* (79% d.Th.) bzw. *Furan-2-carbonsäure-amid* (65% d.Th.) erhalten[2].

Dagegen führt die Oxidation von Aldehyden in Anwesenheit von Ammoniak und in Benzol als Lösungsmittel mit Blei(IV)-acetat nur zu den entsprechenden Nitrilen (s. S. 279).

---

[1] K. Nakayawa, Chem. Commun. **1966**, 17.
[2] K. Nakagawa, P. Konaka u. T. Nakata, J. Org. Chem. **27**, 1597 (1962).

e) Dehydrierung von Hydrazonen zu Diazoverbindungen[1]

Die Dehydrierung von Benzophenon-hydrazon

mit Quecksilberoxid (s. S. 108)[2], Mangan(IV)-oxid (s. S. 560)[3] und Silberoxid (s. S. 71)[4] zu *Diphenyl-diazomethan* ist schon lange bekannt. Die Dehydrierung mit Nickelperoxid bringt den Vorteil kürzerer Reaktionszeiten und eines geringeren Molüberschusses an Oxidationsmittel.

Diphenyl-diazomethan[1]: Zu einer Lösung von Benzophenon-hydrazon in Äther werden unter Rühren Nickelperoxid (1,1fache der theoret. Menge) bei 20° zugegeben. Nach 1 Stde. wird das Reaktionsgemisch abfiltriert und im Filtrat das Diphenyl-diazomethan mit Benzoesäure bestimmt; Ausbeute: 97% d.Th. (bez. auf eingesetztes Hydrazon).

Auf gleiche Weise können die in Tab. 6 aufgeführten Hydrazone zu den entsprechenden Diazoverbindungen dehydriert werden.

Die Dehydrierung von Benzil-bis-hydrazonen[1] mit Nickelperoxid in Äther bei 0° führt über *Bis-[diazo]-1,2-diphenyl-äthan* unter Stickstoff-Abspaltung zum *Diphenyl-acetylen* (*Tolan*: 61% d.Th.; F: 58–61°):

Tab. 6: Diazo-alkane aus Hydrazonen durch Dehydrierung mit Nickelperoxid

Hydrazone	Reaktions-bedingungen		Diazo-alkan	Ausbeute [% d.Th.]
	[°C]	[Stdn.]		
Acetophenon-hydrazon	0	1	*1-Diazo-1-phenyl-äthan*	55,7[a]
Benzaldehyd-hydrazon	0	1	*Phenyl-diazomethan*	68,4[a]
Fluorenon-hydrazon	20	1	*9-Diazo-fluoren*	92,2
Hydrazono-malonsäure-diäthyl-ester	20	1	*Diazo-malonsäure-diäthylester*	89,2

[a] Die Diazoverbindungen wurden mit 4-Nitro-benzoesäure bestimmt.

II. Oxidation unter Spaltung des C–C-Gerüstes

a) von Alkoholen

Ähnlich wie mit Blei(IV)-acetat nach Criegee[5] gelingt mit Nickelperoxid nach Nakagawa[6] die oxidative Spaltung von α-Glykolen, α-Hydroxy-carbonsäure, α-Oxo-carbon-

[1] K. NAKAGAWA, Chem. Commun **1966**, 730.
[2] L. SMITH u. K. HOWARD, Org. Synth. **24**, 53.
[3] M. Z. BARAKAT et al., Soc. **1956**, 4685.
[4] W. SCHROEDER u. L. KATZ, J. Org. Chem. **19**, 718 (1954).
[5] R. CRIEGEE, B. **64**, 260 (1931).
[6] K. NAKAGAWA, K. IGANO u. J. SUGITA, Chem. pharm. Bl. **12**, 403 (1964); C. A. **61**, 1789 (1964).

säuren und α-Oxo-alkoholen nach folgendem Reaktionsschema:

$$\underset{\substack{||\\ \text{OH} \;\; \text{OH}}}{\overset{}{>}\!C\!-\!C\!<} \quad \xrightarrow[-H_2O]{(O)} \quad >\!CO \quad + \quad OC\!<$$

$$\underset{\substack{||\\ \text{OH} \;\; \text{OH}}}{\overset{}{>}\!C\!-\!C\!=\!O} \quad \xrightarrow[-H_2O]{(O)} \quad >\!CO \quad + \quad CO_2$$

$$\underset{\substack{\||\\ O \;\;\; OH}}{-C\!-\!C\!=\!O} \quad \xrightarrow{H_2O} \quad \underset{\substack{||\\ OH\;\;OH}}{\overset{\overset{\textstyle OH}{|}}{-C}\!-\!C\!=\!O} \quad \xrightarrow[-H_2O]{(O)} \quad -COOH \quad + \quad CO_2$$

$$\underset{\substack{\||\\ O \;\;\; OH}}{-C\!-\!C\!<} \quad \xrightarrow{H_2O} \quad \underset{\substack{||\\ OH\;\;OH}}{\overset{\overset{\textstyle OH}{|}}{-C}\!-\!C\!<} \quad \xrightarrow[-H_2O]{(O)} \quad -COOH \quad + \quad OC\!<$$

Bei diesen Reaktionen wird bei der oxidativen Spaltung einer C–C-Bindung 1 Atom Sauerstoff verbraucht nach dem Schema:

$$\underset{\substack{||\\ \text{OH} \;\; \text{OH}}}{\overset{}{>}\!C\!-\!C\!<} \quad \xrightarrow[-H_2O]{(O)} \quad \left[\underset{\substack{||\\ O \;\; O}}{\overset{}{>}\!C\!-\!C\!<} \right] \quad \longrightarrow \quad >\!C\!=\!O \quad + \quad O\!=\!C\!<$$

In Tab. 7 sind einige α-Glykole und α-Hydroxy-carbonsäuren zusammengestellt, die mit Nickelperoxid in Diäthyläther oder Benzol als Lösungsmittel zu den entsprechenden Carbonyl-Verbindungen oxidativ gespalten werden.

Tab. 7: Carbonyl-Verbindungen durch oxidative Spaltung von α-Glykolen oder α-Hydroxy-carbonsäuren mit Nickelperoxid

Ausgangsverbindung	Lösungs-mittel[c]	NiO$_2$[a]	Reaktions-bedingungen		Carbonyl-Verbindung	Ausbeute[b] [%d. Th.]
			[° C]	[Stdn.]		
1,2-Dihydroxy-1,2-diphenyl-äthan	B Ä	1,1 1,1	50 35	1,0 0,5	*Benzaldehyd*	85 90
Phenyl-glykol	B	3,3	50	2,0	*Benzaldehyd*	90
2,3-Dihydroxy-2,3-dimethyl-butan	B	1,1	70	3,0	*Aceton*	61
Butandiol-(2,3)	B	1,1	50	5,0	*Acetaldehyd*	30
Phenyl-glykolsäure	B	1,2	50	1,5	*Benzaldehyd*	78

[a] Molverhältnis: aktiver Sauerstoff im Nickelperoxid zur Ausgangsverbindung.
[b] Die Carbonyl-Verbindungen werden in einer ges. 2,4-Dinitro-phenylhydrazin-Lösung in 2n Salzsäure gefällt.
Phenyl-glykolsäure-methylester wird bei der Oxidation nicht gespalten, sondern zu Phenyl-glyoxyl-säure-methylester dehydriert.
[c] Lösungsmittel: Ä = Äther, B = Benzol.

Die oxidative Spaltung von α-Glykolen, α-Oxo-alkoholen, α-Hydroxy- und α-Oxo-carbonsäuren mit Nickelperoxid in wäßriger alkalischer Lösung führt zu Carbonsäuren bzw. zu Carbonsäuren und Kohlendioxid[1] (Tab. 8, S. 851).

---

[1] K. NAKAGAWA, K. IGANO u. J. SUGITA, Chem. pharm. Bl. 12, 403 (1964); C. A. 61, 1789 (1964).

Bei der oxidativen Spaltung von aromatischen und aliphatischen Glykolen zu zwei Molekülen Carbonsäure werden formal drei Atome Sauerstoff verbraucht.

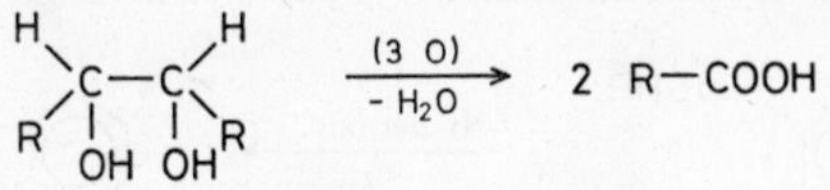

$$\underset{\underset{\text{OH}}{R}}{\overset{\overset{\text{H}}{|}}{C}} - \underset{\underset{\text{OH}}{R}}{\overset{\overset{\text{H}}{|}}{C}} \quad \xrightarrow[-\text{H}_2\text{O}]{\text{(3 O)}} \quad 2 \ \text{R–COOH}$$

Tab. 8: Carbonsäuren durch oxidative Spaltung von α-Hydroxy-alkoholen, -ketonen und -carbonsäuren mit Nickelperoxid

Ausgangsverbindung	NiO⁶	Reaktions-bedingungen		Carbonsäure	Ausbeute [% d.Th.]
		[° C]	[Stdn.]		
1,2-Dihydroxy-1,2-diphenyl-äthan	3,3	50	8,0	*Benzoesäure*	97
Phenyl-glykol	4,4	50	5,0	*Benzoesäure*	92
Butandiol-(2,3)	3,3	50	7,0	*Essigsäure*	90
Benzoin	2,4	50	5,0	*Benzoesäure*	99
2,2′-Furoin	2,4	30	5,0	*Furan-2-carbonsäure*	91
3-Hydroxy-2-oxo-butan	2,2	50	5,0	*Essigsäure*	66
5-Hydroxy-4-oxo-octan	2,2	50	5,0	*Buttersäure*	67
Phenyl-glykolsäure	2,4 2,4	50 50	5,0 7,0	*Benzoesäure* *Essigsäure*	90 92
Phenyl-glyoxylsäure	1,1	50	3,0	*Benzoesäure*	98

b) von Aminen[1]

Die Dehydrierung von 1,2-Diamino-aromaten mit Nickelperoxid in Benzol oder Äther führt zu *cis, cis-Hexadien-(2,4)-disäure-dinitrilen*. Es wird folgender Reaktionsmechanismus diskutiert; z. B.:

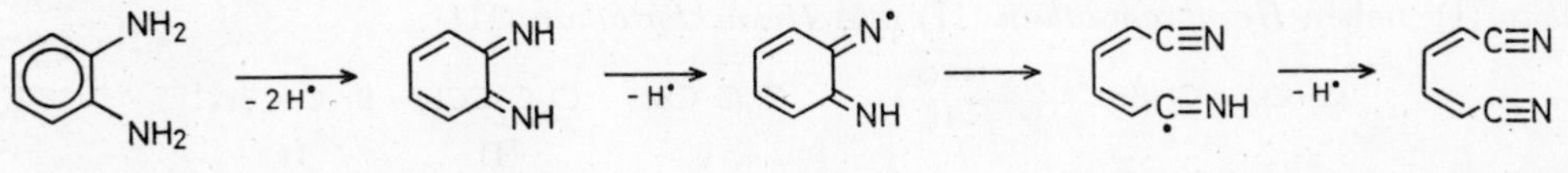

cis,cis-Hexadien-(2,4)-disäure-dinitrile; allgemeine Arbeitsvorschrift: Eine Lösung von 1,2-Diaminobenzol in Diäthyläther wird jeweils bei Raumtemp. in kleinen Portionen mit der 2fach äquivalenten Menge Nickelperoxid versetzt und solange gerührt, bis das Reaktionsgemisch sich jeweils rotbraun gefärbt hat. Das Nickel(II)-oxid wird abfiltriert, das Filtrat konzentriert und die Produkte an einer mit Aluminiumoxid gefüllten Säule chromatographisch getrennt. Die Nitrile werden aus Tetrachlormethan umkristallisiert.

---

[1] K. NAKAGAWA u. H. ONONE, Tetrahedron Letters **20**, 1433 (1965).

III. Dehydrierende Cyclisierung bzw. Dimerisierung

a) Cyclisierung

Wie mit Blei(IV)-acetat[1] gelingt auch mit Nickelperoxid[2] die dehydrierende Cyclisierung von Schiff'schen Basen des Typ I zu Benzo-1,3-oxazol-Derivaten:

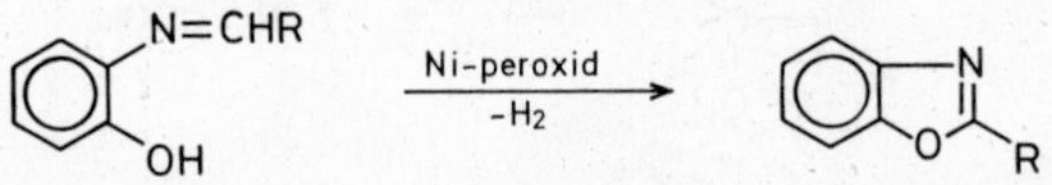

2-(3-Nitro-phenyl)-⟨benzo-1,3-oxazol⟩: Zu einer Suspension von 2,423 g 2-(3-Nitro-benzylidenamino)-1-hydroxy-benzol in 50 ml Benzol werden unter Rühren und in kleinen Portionen 3,61 g Nickelperoxid (das 1,1fache der theor. Menge[3]) bei 15° zugesetzt. Nach 1 Stde. Reaktionszeit wird das Reaktionsgemisch abfiltriert und das Nickel(II)-oxid mit Benzol ausgewaschen. Das Benzol wird abgezogen, das Reaktionsprodukt in Benzol/Hexan (1:1) wieder aufgelöst und an einer mit Aluminiumoxid (40 g) gefüllten Säule chromatographisch getrennt. Aus der 1. Fraktion werden nach Entfernung des Lösungsmittels 1,84 g (84% d.Th.) isoliert.

Zur Oxidation von Benzaldehyd-benzoylhydrazonen zu 2,5-Diaryl-1,3,4-oxadiazolen sowie von Phenylglyoxal-bis-[benzoylhydrazonen] zu 1-Amino-1,2,3-triazolen; s. Lit.[4].

b) intermolekular

1. von aromatischen Aminen zu Azoverbindungen[5]

Anilin und Anilin-Derivate werden mit Nickelperoxid unter einer dehydrierenden Dimerisierung in Azoverbindungen überführt. Es wird angenommen, daß die Reaktion zunächst über ein Imino-Radikal zur Hydrazoverbindung und dann weiter zur Azoverbindung führt:

$$H_5C_6-NH_2 + \text{Nickelperoxid} \longrightarrow H_5C_6-\dot{N}H$$

$$2\, H_5C_6-\dot{N}H \longrightarrow H_5C_6-NH-NH-C_6H_5 \xrightarrow{\text{Nickelperoxid}} H_5C_6-N{=}N-C_6H_5$$

4,4'-Dinitro-azobenzol: Zu einer Lösung von 1,0 g (0,00724 Mol) 4-Nitro-anilin in 100 ml Benzol werden 2,75 g Nickelperoxid (1,2fache der theor. notwendigen Menge) unter Rühren und in kleinen Portionen zugegeben. Das Reaktionsgemisch wird 6 Stdn. unter Rückfluß wiederholt mit Benzol ausgewaschen. Die vereinten Filtrate werden konzentriert und über Aluminiumoxid chromatographiert. Aus der 1. Fraktion wird das Benzol abgezogen und der Rückstand aus Aceton umkristallisiert; Ausbeute: 0,63 g (63,8% d.Th.); F: 220–222°.

Weitere Beispiele s. Lit.[5].

Diphenylamin reagiert mit Nickelperoxid zum *Tetraphenyl-hydrazin*[4].

2. Dimerisierung von Haloformen zu Äthan-Derivaten

Chloroform wird mit Nickelperoxid zum Teil unter Dehydrierung zu *Hexachlor-äthan* dimerisiert[6]. Bei gleichzeitiger dimerisierender Dehydrierung von Chloroform und Bromoform mit Nickelperoxid gelang erstmalig die Herstellung von *2,2,2-Trichlor-1,1,1-tribrom-äthan* (I)[7] neben *Hexabrom-äthan* (II) und *Hexachlor-äthan* (III):

$$CHCl_3 + CHBr_3 \xrightarrow[-H_2]{Ni_2O_3} Cl_3C{-}CBr_3 + Cl_3C{-}CCl_3 + Br_3C{-}CBr_3$$
$$\text{I} \qquad\qquad \text{III} \qquad\qquad \text{II}$$

Die besten Ausbeuten an I werden mit einem Chlorform-Überschuß (Molverhältnis $HCCl_3 : HCBr_3 = 5:1$) erzielt.

[1] F. Stephens u. D. Bower, Soc. **1949**, 2971; **1950**, 1722.

[2] K. Nakagawa, H. Onoue u. J. Sugita, Chem. pharm. Bl. (Japan) **12**, 1135 (1964); C. A. **62**, 541 (1965).

[3] Das Nickelperoxid enthält ∼ 3,5 mg aktiven Sauerstoff pro g.

[4] K. S. Balachandran u. M. V. George, Tetrahedron **29**, 2119 (1973).
    vgl. a. K. B. Sukumaran, C. S. Amgadiyavar u. M. V. George, Tetrahedron **28**, 3987 (1972).

[5] K. Nakagawa u. T. Tsuji, Chem. pharm. Bl. **11**, 296 (1963); C. A. **59**, 3827 (1963).

[6] K. Nagakawa, R. Konaka u. T. Nakata, J. Org. Chem. **27**, 1597 (1962).

[7] A. Mshidy et al., B. **98**, 2197 (1965).

2,2,2-Trichlor-1,1,1-tribrom-äthan[1]: 25,2 g (100 mMol) Bromoform und 60,0 g (502 mMol) Chloroform in 300 *ml* Tetrachlormethan werden mit 120 g fein pulverisiertem schwarzem Nickelperoxid (Gehalt an aktivem Sauerstoff 4,1 mg Atome/g) auf dem Wasserbad unter Ausschluß von Licht 8 Stdn. unter Rückfluß erhitzt. Das Nickel(II)-oxid wird abfiltriert, mit 60 *ml* Tetrachlormethan nachgewaschen, und die vereinigten Filtrate zunächst bei Normaldruck, dann (zum vollständigen Entfernen des nicht umgesetzten Bromoforms) i. Vak. eingedampft. Das zurückbleibende farblose, pulvrige Produkt (31 g; F: 198–202°), enthielt nach der infrarotspektroskopischen Analyse 56% I, 22% II und 21% III.

d) Spezielle Substitutionsreaktionen

Mit guten Ausbeuten gelingen anodische Cyanierungen von Aromaten. So erhält man z. B. aus Tolan *4-Cyan-tolan*[2,3]. Methoxy-Gruppen werden dagegen durch die Cyan-Gruppe substituiert. Wird Thiophen in methanolischer Ammoniumbromid-Lösung elektrolysiert, so erhält man in guten Ausbeuten Brom-thiophene[4]. Triphenylmethan wird an Platin in Gegenwart von Fluorid-Ionen zu *Fluor-triphenyl-methan* (80% d.Th.) oxidiert[5].

C. Ruthenium (VIII)-oxid (RuO₄)

bearbeitet von

Dr. B. Wistuba

BASF AG., Ludwigshafen/Rhein

Ruthenium(VIII)-oxid kann durch Oxidation von Ruthenium(III)-chlorid mit Natriumbromat in salzsaurer Lösung hergestellt werden[6,7].

Ruthenium(VIII)-oxid: Es wird ein 250-*ml*-Dreihalskolben verwendet, in dessen einer Öffnung sich ein Thermometer befindet, dessen 2. Öffnung durch eine Destillations-Brücke mit einer eisgekühlten Vorlage verbunden ist und dessen mittlere Öffnung durch einen Schliffstopfen verschlossen ist. Hinter der 1. Vorlage befindet sich eine Waschflasche mit Tetrachlormethan, um nicht kondensiertes Ruthenium(VIII)-oxid zu absorbieren. Im Kolben wird eine Lösung von 4,37 g Ruthenium(III)-chlorid (mit 18% Wasser) in 80 *ml* 0,5n Salzsäure zum Sieden erhitzt. Durch die mittlere Öffnung werden von Zeit zu Zeit einige *ml* 1n Natriumbromat Lösung zugegeben. Die Mischung wird gelinde sieden gelassen, wobei Ruthenium(VIII)-oxid und Wasser abdestillieren. Es wird solange Natriumbromat-Lösung zugegeben, bis auf eine weitere Zugabe kein Ruthenium(VIII)-oxid mehr entsteht. Die wäßrige Schicht in der Vorlage wird abgetrennt, und das Ruthenium(VIII)-oxid (~ 1,5 g) wird in 10 *ml* Tetrachlormethan zu einer tiefroten Flüssigkeit gelöst; Ausbeute: ~ 55% d.Th.

Wegen der sehr heftigen Reaktion des Ruthenium(VIII)-oxids mit organischen Substanzen dürfen die Schliffe der Apparatur nicht gefettet sein!

Eine andere, ältere Herstellungsmethode geht vom elementaren Ruthenium aus, das zunächst mit Kaliumhydroxid und Kaliumpermanganat zusammengeschmolzen wird, nach Lösen der Schmelze in Wasser wird mit Schwefelsäure und Kaliumpermanganat in der Hitze umgesetzt und das entstehende Ruthenium(VIII)-oxid mit Luft oder Kohlendioxid übergetrieben[8].

Ruthenium(VIII)-oxid bildet goldgelbe rhombische Prismen. Es ist sehr flüchtig und sublimiert schon bei Raumtemperatur. Der Geruch erinnert an Stickoxide oder Ozon; die Dämpfe wirken stark **reizend** auf die Atmungswege. Die Reizung der Augen ist geringer als bei Osmium(VIII)-oxid. Bei 25° schmelzen die Kristalle zu einer orangeroten Flüssigkeit. Im Wasser ist Ruthenium(VIII)-oxid gut löslich (20,3g/*l* bei 20°). Die Dämpfe reagieren mit organischen Substanzen, wie Alkoholen, Filterfasern und dergleichen häufig unter **Explosion**, daher darf nur ohne Verwendung von Schliffett destilliert werden.

[1] K. Nakagawa, R. Konaka u. T. Nakata, J. Org. Chem. **27**, 1597 (1962).
[2] K. Yoshida u. T. Fueno, J. Org. Chem. **38**, 1045 (1973).
[3] Übersicht; R. O. Loutfy u. R. O. Loutfy, Canad. J. Chem. **51**, 1169 (1973).
[4] M. Nemec, J. Srogl u. M. Junda, Collect. czech. chem. Commun. **57**, 3122 (1972).
[5] I. N. Rozhkov u. I. L. Knunyants, Izv. Akad. SSSR **1972**, 1223; C. A. **76**, 7291 (1972).
[6] L. M. Berkowitz u. D. N. Rylander, Am. Soc. **80**, 6682 (1958).
[7] US. P. 3278558 (1966), Engelhard Industries Inc., Erf.: P. N. Rylander u. L. M. Berkowitz; C. A. **66**, 10 597 (1967).
[8] O. Ruff u. E. Vidic, Z. anorg. Chem. **136**, 49 (1924).

Wegen der starken Oxidationswirkung wird Ruthenium(VIII)-oxid stets in Lösung zur Umsetzung gebracht; Tetrachlormethan oder Chloroform sind für die meisten Reaktionen als Lösungsmittel anwendbar. Paraffine, Ketone, Ester oder Wasser können ebenfalls verwendet werden, allerdings reagiert Ruthenium langsam mit diesen Lösungsmitteln.

Ruthenium(VIII)-oxid wird bei den Oxidationsreaktionen zu Ruthenium(IV)-oxid reduziert. Um die Ausscheidung des Ruthenium(VIII)-oxids zu vermeiden und um das relativ kostspielige Präparat sparsam einzusetzen, ist es angebracht, Ruthenium(VIII)-oxid in der Lösung zu regenerieren, indem man Natriumperjodat-Lösung zutropfen läßt. Auf diese Weise kann man zu katalytischen Mengen von ~1 Mol-% Ruthenium(VIII)-oxid übergehen[1].

I. Oxidation

Ruthenium(VIII)-oxid oxidiert Aldehyde zu Carbonsäuren[2,3] und Carbonsäure-amide zu Dicarbonsäure-imiden, z. B. δ-Butyrolactam zu *Succinimid* (49% d.Th.). Tetrahydrofuran wird zu δ-*Butyrolacton* (100% d.Th.) oxidiert[2].

γ-Butyrolacton[2]: Eine Lösung von Ruthenium(VIII)-oxid in Tetrachlormethan wird unter Rühren tropfenweise so rasch zu einer eisgekühlten Lösung von Tetrahydrofuran in Tetrachlormethan gegeben, daß die Temp. bei 10–15° gehalten wird. Anschließend wird über Nacht bei 20° stehen gelassen und fraktioniert; Ausbeute: 100% d.Th.; Kp: 206°.

In der Steroid-Reihe kann Ruthenium(VIII)-oxid zur Oxidation von Epoxiden zu Lactonen herangezogen werden[4,5]. Sulfide werden durch Ruthenium(VIII)-oxid in neutraler Lösung, wahrscheinlich über die Sulfoxide, quantitativ in die entsprechenden Sulfone übergeführt, z. B. erhält man aus Methyl-benzyl-sulfid *Methyl-benzyl-sulfon* (58% d.Th.). Triphenylmethyl-phenyl-sulfid dagegen wird zu *Triphenylcarbinol* oxidiert[3].

In 6-Stellung ungeschützte Pyranosen (bei freiem Semiacetal) bzw. Furanosen werden mit Ruthenium(VIII)-oxid zu den entsprechenden Uronsäuren oxidiert[6].

II. Dehydrierung

Als Dehydrierungsmittel kann Ruthenium(VIII)-oxid bei vielen Reaktionen eingesetzt werden. So werden Alkohole zu Ketonen oder Aldehyden dehydriert[1,2]; z. B. Cyclohexanol zu *Cyclohexanon* (93% d.Th.).

Entsprechend erhält man aus 3α-Hydroxy-17-oxo-5α-androstan *3,17-Dioxo-5α-androstan* (80% d.Th.)[7]:

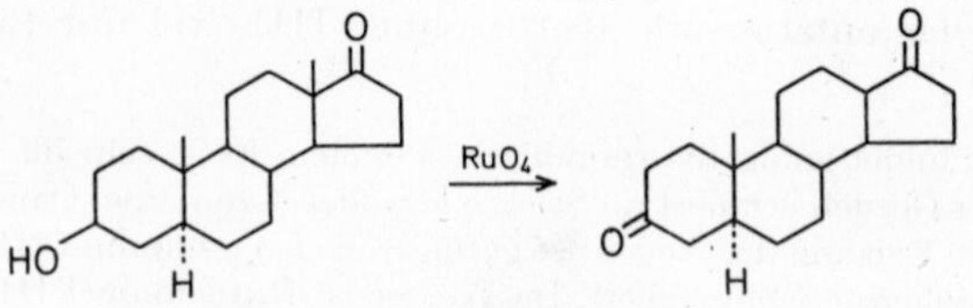

[1] J. A. Caputo u. R. Fuchs, Tetrahedron Letters **47**, 4729 (1967).
[2] L. M. Berkowitz u. D. N. Rylander, Am. Soc. **80**, 6682 (1958).
[3] C. Djerassi u. R. R. Engle, Am. Soc. **75**, 3838 (1953).
[4] US. P. 2960503 (1960), Smith Kline and French Lab., Erf.: J. Weinstock u. M. E. Wolff; C. A. **55**, 7483 (1961).
[5] M. E. Wolff, J. F. Kerwin, F. F. Owings, B. B. Lewis u. B. Blank, J. Org. Chem. **28**, 2729 (1963).
[6] J. Šmezkal u. L. Kalvoda, Collect. Czech. Chem. Commun. **38**, 1981 (1973).
[7] Fr. P. 1224874 Engelhard Industries Inc.
   H. Nakata, Tetrahedron **19**, 1959 (1963).

Durch Benzoylierung oder Acetalisierung partiell geschützte Glucoside werden bei 20° zu entsprechenden Ketonen dehydriert[1,2]. Bei längerer Einwirkung von Ruthenium(VIII)-oxid auf Glykofuranosen oder Ketofuranosen bei Temperaturen von 20–50° entstehen unter Einschiebung von Sauerstoff in den Ring Dioxanon-Verbindungen[3,4].

Bei der Oxidation von Cyclobutanol-Derivaten kann Ruthenium(VIII)-oxid mit Vorteil verwendet werden. Normalerweise verlaufen die Oxidationen am Vierring mit ~ 35–40% Ausbeute. Bei Verwendung von Ruthenium(VIII)-oxid bzw. Natriumperjodat ist es möglich, 2-Hydroxy-cyclobutan-carbonsäure-äthylester zu 78% in *2-Oxo-cyclobutan-carbonsäure-äthylester* zu dehydrieren[5]. Zur Herstellung bicyclischer Ketone aus den entsprechenden Alkoholen s. Lit.[6].

III. Abbaureaktionen

Olefinische Doppelbindungen werden mit Ruthenium(VIII)-oxid an der C=C-Doppelbindung unter Bildung von zwei Carbonyl-Verbindungen gespalten; z. B. geht Cyclohexen in *Hexandial* (10% d.Th.) über[7].

Aus ungesättigten Steroiden werden verschiedene Diketone erhalten, so erhält man aus 3β-Acetoxy-lanosten-(8) (I) überwiegend *3β-Acetoxy-8,9-dioxo-8,9-seco-lanostan* (II) neben wenig *3α-Acetoxy-7,11-dioxo-lanosten-(8)* (III)[8]:

3β-Acetoxy-8,9-dioxo-8,9-seco-lanostan (II) [8]: Zu 400 mg 3β-Acetoxy-lanosten-(8) (I) in 30 *ml* Tetrachlormethan werden 400 mg Ruthenium(VIII)-oxid gegeben. Nach Stehenlassen über Nacht wird mit 2 *ml* Methanol versetzt, um das überschüssige Ruthenium(VIII)-oxid zu reduzieren. Das ausgeschiedene Ruthenium(IV)-oxid wird abfiltriert, mit Tetrachlormethan gewaschen und das Filtrat i. Vak. eingedampft. Der Rückstand wird durch Chromatographie an Kieselgel mit Chloroform als Elutionsmittel getrennt; Ausbeute: 100 mg II; F: 167–170°. Danach werden 8 mg 3β-Acetoxy-7,11-dioxo-lanosten-(8) III erhalten (F: 151–154°).

---

[1] P. J. BEYON, P. M. COLLINS, P. T. DOGANGES u. W. G. OVEREND, Soc. [C] **1966**, 1131.

[2] P. J. BEYON, P. M. COLLINS u. W. G. OVEREND, Pr. chem. Soc. **1964**, 342.
   C. L. STEVENS, K. W. SCHULTZE, O. J. SMITH, P. M. PILLAI, P. Rubenstein u. J. L. STROMINGER, Am. Soc. **95**, 5767 (1973).
   K. HEYNS, W. D. SOLDAT u. P. KÖLL, B. **106**, 1668 (1973) (in Gegenwart von Kaliumperjodat).
   K. JAMES u. S. J. ANGYAL, Austral. J. Chem. **25**, 1967 (1972).

[3] Holl. P. 6606856 (1965), Merck & Co., Inc.: C. A. **67**, 3222 (1967).

[4] R. F. NUTT, B. ARISON, F. W. HOLLY u. E. WALTON, Am. Soc. 87, 3273 (1965).

[5] J. A. CAPUTO u. R. FUCHS, Tetrahedron Letters 47, 4729 (1967).

[6] H. GOPAL, T. ADAMS u. R. M. MORIARTY, Tetrahedron 28, 4259 (1972).
   J. L. COURTNEY u. K. F. SWANSBOROUGH, Rev. pure Appl. Chem. **22**, 47 (1972).

[7] L. M. BERKOWITZ u. D. N. RYLANDER, Am. Soc. **80**, 6682 (1958).

[8] G. SNATZKE u. H. W. FEHLHABER, A. **663**, 123 (1963).

3-Alkyliden-grisene werden durch Ruthenium(VIII)-oxid zu den entsprechenden Oxo-Derivaten oxidiert[1], was z. B. mit Osmium(VIII)-oxid nicht möglich ist.

6-Oxo-2-methyl-1-methoxycarbonyl-cyclohexen-
⟨3-spiro-2⟩-6-methoxy-3-oxo-2,3-dihydro-
⟨benzo-[b]-furan⟩

An Aliphaten oder Cycloaliphaten gebundene aromatische Reste können mit Ruthenium(VIII)-oxid zur Carboxy-Gruppe abgebaut werden, z. B. geht 3-Phenyl-cyclobutan-carbonsäure in *Cyclobutan-1,3-dicarbonsäure* über. Entsprechend entsteht aus Phenylcyclohexan die *Cyclohexancarbonsäure* und aus p-tert.-Butyl-phenol die *2,2-Dimethylpropansäure*[2].

Cyclohexancarbonsäure[2]: Zu 4 g Phenyl-cyclohexan in 20 *ml* Tetrachlormethan wird eine Mischung von 32,1 g Natriumperjodat in 250 *ml* Wasser und ~ 3 mg Ruthenium(VIII)-oxid in Tetrachlormethan hinzugefügt. Das Reaktionsgemisch wird ~ 10 Tage bei 60° heftig gerührt, bis die gelbe Farbe des Ruthenium(VIII)-oxid bestehen bleibt. Die wäßrige Phase wird mit Chloroform extrahiert, die Lösung mit Magnesiumsulfat getrocknet und das Chloroform abgedampft; Ausbeute ~ 0,6 g (25% d.Th.).

D. Palladium(II)-chlorid

bearbeitet von

Dr. B. Wistuba

BASF AG., Ludwigshafen/Rhein

Palladium(II)-chlorid ist eine handelsübliche Chemikalie, kann, besonders wenn nur sehr geringe Mengen gebraucht werden, nach folgender Vorschrift selbst hergestellt werden.

Palladium(II)-chlorid[3]: Reines Palladium wird in konz. Salzsäure unter Einleiten von Chlor gelöst, die Lösung zur Trockene eingedampft und der Rückstand auf 200° erhitzt.

Als Sublimat bildet Palladium(II)-chlorid rosenrote Kristalle, die erstarrte Schmelze bildet eine granatrote, kristalline Masse oder Pulver. Durch Eindampfen einer Lösung von Tetrachloro-palladium(II)-säure (H_2PdCl_4) und Erhitzen des Rückstandes werden dunkelbraune, blasige Krusten oder braunes Pulver erhalten. Palladium(II)-chlorid ist hygroskopisch und zerfließt an feuchter Luft, es ist leichtlöslich in schwach mit Salzsäure angesäuertem Wasser; löslich in Aceton und in Essigsäure.

Palladium(II)-chlorid kann zu vielerlei Oxidationsreaktionen von gesättigten und ungesättigten Verbindungen angewandt werden. Als Lösungsmittel finden vorzugsweise Wasser (mit Salzsäure schwach angesäuert) oder auch wasserhaltige oder wasserfreie Carbonsäuren Anwendung. Das Palladium(II)-chlorid reagiert bei allen Oxidationen unter Abscheidung von metallischem Palladium und Bildung von Salzsäure. Will man die Abscheidung des Palladiums und auch die Anwendung größer Mengen Palladium(II)-chlorid vermeiden, so kann dem Reaktionsgemisch ein Oxidationsmittel z. B. Benzochinon zugesetzt werden[4]. Auf diese Weise ist es möglich, mit geringen Mengen Palladium(II)-chlorid zu arbeiten.

[1] F. M. Dean u. J. C. Knight, Soc. **1962**, 4745.
[2] J. A. Caputo u. R. Fuchs, Tetrahedron Letters **47**, 4729 (1967).
[3] L. Rügheimer u. E. Rudolfi, A. **339**, 341 (1965).
[4] J. J. Moiseev, M. N. Vargaftik u. Ja. K. Syrkin, Doklady Akad. SSSR **133**, 377 (1960); C. A. **56**, 5813 (1962).

Es ist außerdem möglich, durch Zusatz von Kupfer(II)-chlorid und Einleiten von Sauerstoff während der Reaktion das Palladium jeweils wieder aufzuoxidieren[1]:

$$Pd + 2\ CuCl_2 \longrightarrow PdCl_2 + 2\ CuCl$$

$$2\ CuCl + 1/2\ O_2 + 2\ HCl \longrightarrow 2\ CuCl_2 + H_2O$$

I. Oxidation

Olefine reagieren mit Palladium(II)-chlorid und Wasser unter Bildung von Carbonyl-Verbindungen mit gleichem Kohlenstoffskelett. Äthylen liefert *Acetaldehyd*, während Propen und höhere endständige Olefine Mischungen von Aldehyden und Methylketonen liefern[1-7].

Die Reaktion von Äthylen mit Wasser und Palladium(II)-chlorid läuft in verd. Salzsäure über einen bisher nicht isolierten Komplex der folgenden vermutlichen Zusammensetzung, der in wäßriger Lösung unter Bildung von *Acetaldehyd*, Salzsäure und metallischem Palladium zerfällt[2]:

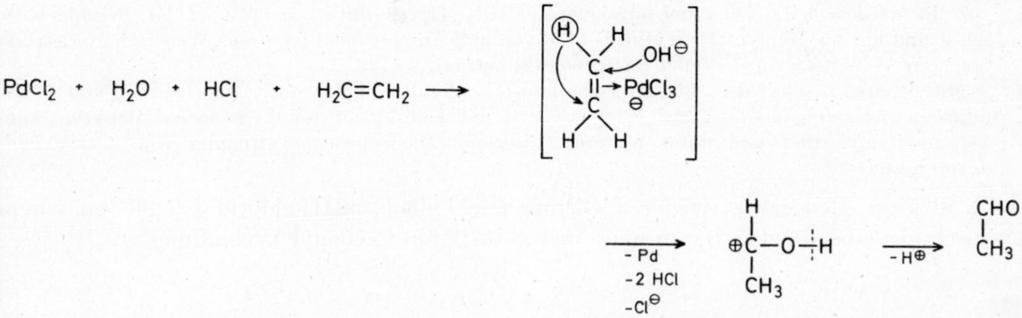

Die Reaktionen mit anderen Olefinen laufen nach einem ähnlichen Mechanismus ab. Die Oxidation von Äthylen zum Acetaldehyd wird großtechnisch durchgeführt.

Befinden sich an der C=C-Doppelbindung Alkyl- oder Aryl-Gruppen, so werden die Hydroxyl-Ionen überwiegend an das C-Atom addiert, das die Alkyl- bzw. Aryl-Gruppe trägt.

Neben Methylketonen entstehen auch teilweise die entsprechenden Aldehyde. Durch Änderung der Temperatur, p_H der Lösung, Art der Säure und der Palladium-Verbindung kann man die Reaktion so leiten, daß entweder mehr Aldehyd oder mehr Keton entsteht. Setzt man z. B. Propen in 1 m Phosphorsäure um, so enthalten die Reaktionsprodukte 5,2% Propanal, wogegen bei Reaktion in 1 m Salzsäure die Reaktionsprodukte zu 20% aus *Propanal* bestehen[4].

Butadien reagiert zunächst zu *Buten-(2)-al*, in 2. Stufe entsteht *3-Oxo-butanal*, das in saurem Medium zu *1,3,5-Triacetyl-benzol* kondensiert[2].

Bei der Umsetzung von höheren Olefinen, wie z. B. Hexen-(1), kann die Reaktion durch Zusatz von Dimethylformamid zur wäßrigen Lösung in homogener Phase stattfinden. Auf

[1] W. H. CLEMENT u. C. M. SELWITZ, J. Org. Chem. 29, 241 (1964).
[2] J. SMIDT, W. HAFNER, R. JIRA, R. SIEBER, J. SEDLMEIER u. A. SABEL, Ang. Ch. 74, 93 (1962).
[3] J. SMIDT, W. HAFNER, R. JIRA, J. SEDLMEIER, R. SIEBER, R. RÜTTINGER u. H. KOJER, Ang. Ch. 71, 176 (1959).
[4] W. HAFNER, R. JIRA, J. SEDLMEIER u. J. SMIDT, B. 95, 1575 (1962).
[5] R. HÜTTEL u. M. BECHTER, Ang. Ch. 71, 456 (1959).
[6] R. HÜTTEL, J. KRATZER u. M. BECHTER, B. 94, 766 (1961).
[7] R. HÜTTEL u. H. CHRIST, B. 97, 1439 (1964).

diese Weise werden die Ausbeuten an Methylketonen stark erhöht. Aceton, Tetrahydrofuran, 1,4-Dioxan oder Essigsäure sind als Lösungsmittel nicht geeignet[1].

Die Umsetzung von Olefinen zu Aldehyden bzw. Ketonen kann nach folgenden allgemeinen Vorschriften durchgeführt werden[2,3].

Aldehyde bzw. Ketone; allgemeine Herstellungsvorschrift:

① aus gasförmigen Olefinen: 100 ml Palladium(II)-chlorid-Lösung werden in einer mit Heizmantel versehenen 250 ml fassenden Schüttelente mit dem umzusetzenden Gas geschüttelt. Die Reaktionszeit beträgt je nach Temp. und Zusammensetzung der Lösung 5 Min. bis mehr als 2 Stdn. Wenn die Gasaufnahme praktisch zum Stillstand gekommen ist, bzw. Palladium(II)-chlorid weitgehend zum Metall reduziert wurde, wird mit Wasser gekühlt und die entstandenen Carbonylverbindungen über eine ~ 15 cm lange Füllkörperkolonne herausdestilliert.

Zum Beispiel werden 1,64 g Dikalium-tetrachloro-palladat(II) (K_2PdCl_4) in 100 ml 0,3 n Perchlorsäure gelöst und 10 Min. bei 70° in Propen-Atmosphäre geschüttelt. Die Gasaufnahme beträgt ~ 110 ml. Das Verhältnis *Propanal*:*Aceton* beträgt ~ 1:10.

② aus flüssigen Olefinen: In einem Dreihalskolben mit Rührer, Rückflußkühler und Thermometer wird überschüssiges Olefin mit der Palladium(II)-chlorid-Lösung kräftig gerührt bis der größte Teil der Palladiumverbindung reduziert ist. Anschließend werden die Reaktionsprodukte mit Wasserdampf abgetrieben. Das Destillat wird mehrmals mit Äther extrahiert, die vereinigten Extrakte getrocknet und gaschromatographisch getrennt.

Z. B. werden 4,1 g Dikalium-tetrachloro-palladat(II) (K_2PdCl_4) in 250 ml 1 n Perchlorsäure gelöst und mit 4 g Hepten-(1) 90 Min. bei 70° gerührt. Anschließend folgt eine Wasserdampfdestillation. Das Verhältnis von *Heptanal*:*Heptanon*-(2) beträgt ~ 1:22.

Mit Äthanol reagiert der Äthylen-Palladium(II)-chlorid-Komplex unter Abscheidung von Palladium zu *Acetaldehyd-diäthylacetal* (64% d.Th.)[4]; mit Isopropanol erfolgt zunächst Reaktion zum Isopropyl-vinyl-äther und unter weiterer Addition von Isopropanol Bildung von *Acetaldehyd-diisopropylacetal*[5].

In 50%iger Essigsäure reagieren Olefine mit Palladium(II)-chlorid bei 90° zu einem Gemisch aus einer ungesättigten und einer gesättigten Carbonyl-Verbindung[6]; z. B.:

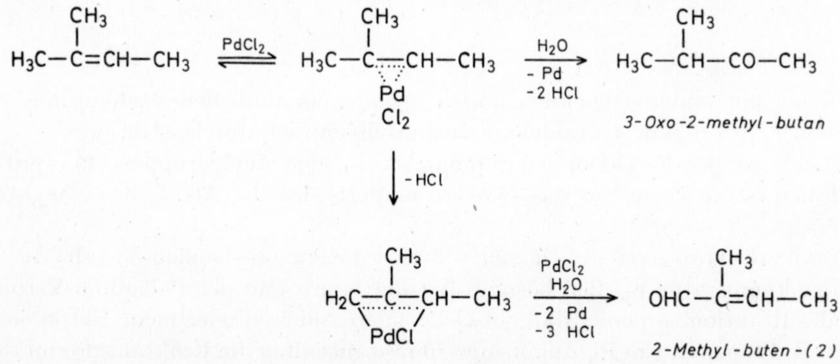

3-Oxo-2-methyl-butan

2-Methyl-buten-(2)-al

Führt man die Umsetzung von Olefin mit Palladium(II)-chlorid in wasserfreier Carbonsäure unter Zusatz eines Alkalimetallsalzes der jeweiligen Carbonsäure aus, so entstehen ungesättigte Carbonsäureester[7]. Aus Äthylen und Palladium(II)-chlorid in Eisessig mit Zusatz von Natriumacetat entsteht bei 20° nach 16 Stdn. *Essigsäure-vinylester* (97%

---

[1] W. H. Clement u. C. M. Selwitz, J. Org. Chem. **29**, 241 (1964).

[2] W. Hafner, R. Jira, J. Sedlmeier u. J. Smidt, B. **95**, 1575 (1962).

[3] J. Smidt, W. Hafner, R. Jira, J. Sedlmeier, R. Sieber, R. Rüttinger u. H. Kojer, Ang. Ch. **71**, 176 (1959).

[4] J. J. Moiseev, M. N. Vargaftik u. Ja. K. Syrkin, Doklady Akad. SSSR **133**, 377 (1960); C. A. **54**, 24 350 (1960).

[5] E. W. Stern u. M. L. Spector, Proc. Chem. Soc. **1961**, 370.

[6] R. Hüttel u. H. Christ, B. **97**, 1439 (1964).
R. Hüttel u. M. McNiff, B. **106**, 1789 (1973); mit Palladium(II)-acetat erhält man ähnliche Ergebnisse.

[7] W. Kitching, Z. Rappoport, S. Winstein u. W. G. Joung, Am. Soc. **88**, 2054 (1966).

d.Th.)[1]; statt Natriumacetat kann sek. Natriumphosphat eingesetzt werden[2]. Ohne Alkali-metallsalz-Zusatz erfolgt keine Reaktion[1]. Die Umsetzung von Propen mit Palladium(II)-chlorid in Eisessig unter Zusatz von Natriumacetat führt zu einem Gemisch folgender Ester: 44% *Essigsäure-isopropenylester*, 17% *Essigsäure-cis-propenylester*, 36% *Essigsäure-trans-propenylester*, 3% *Essigsäure-allylester* und etwas *1,1-Diacetoxy-propan*.

Aus höheren Olefinen entstehen die β-substituierten Essigsäure-allylester mit Ausbeuten von 53–66%. Aus wasserfreier Propionsäure und Hexen-(1) erhält man bei Zugabe von Kaliumpropionat *Propionsäure-hexen-(1)-ylester* (37% d.Th.)[3].

Setzt man Äthylen in der Gasphase mit auf Bimsstein aufgetragenem Palladium(II)-chlorid bei 150–450° um, so erhält man *Vinylchlorid*. Das gebildete Palladium kann mit Chlor bzw. Salzsäure und Luft bei 250–450° wieder zu Palladium(II)-chlorid umgewandelt werden[4].

Alkohole werden in wäßriger Lösung von Palladium(II)-chlorid zu den Aldehyden dehydriert bzw. zu den Carbonsäuren oxidiert. Erhitzt man die Alkohole in wäßriger Lösung mit Palladium(II)-chlorid und destilliert dabei langsam ab, so entstehen die Aldehyde. Erhitzt man längere Zeit am Rückfluß, so entstehen die Carbonsäuren[5].

Methyl-aromaten werden von Palladium(II)-chlorid zu Carbonsäuren oxidiert; z. B. entsteht aus Toluol *Benzoesäure*[6].

II. Dehydrierung

Mit Palladium(II)-chlorid kann man in wäßriger salzsaurer Lösung hydroaromatische und hydroheteroaromatische Stickstoff-Verbindungen zu den entsprechenden Aromaten bzw. Heteroaromaten dehydrieren[7]. Tragen die hydroaromatischen Verbindungen Methyl-Gruppen, so entstehen statt der Methyl-aromaten die entsprechenden Carbonsäuren, z. B. kann so 2-Hydroxy-1-methyl-cyclohexan in *Salicylsäure* überführt werden[6,8]. Wird dagegen in Gegenwart von Boranat dehydriert, so tritt keine gleichzeitige Oxidation der Methyl-Gruppe ein[9].

Cyclische Ketone werden entgegen der Erwartung nur bis zum En-on dehydriert, z. B. Cyclohexanon zum *3-Oxo-cyclohexen* (96% d. Th.)[10].

Aromatisch oder aliphatisch substituierte Olefine werden durch Palladium(II)-chlorid dehydrierend dimerisiert[11,12]; z. B. erhält man aus 1,1-Diphenyl-äthylen nach 3tägigem Kochen mit Palladium(II)-chlorid in 50%iger Essigsäure *1,1,4,4-Tetraphenyl-butadien-(1,3)* (21% d.Th.) und aus 2-Phenyl-propen bei Zusatz von Natriumacetat *Aceto-phenon* und *2,5-Diphenyl-hexadien-(2,4)*. Ohne Zusatz von Natriumacetat erfolgt die säure-katalysierte Dimerisierung des 2-Phenyl-propens zu *4-Methyl-2,4-diphenyl-penten-(2)*, eine Reaktion, die nichts mit dem Palladium(II)-chlorid zu tun hat. Bei der Dimerisierung von

[1] J. J. Moiseev, M. N. Vargaftik u. Ja. K. Syrkin, Doklady Akad. SSSR **133**, 377 (1960); C. A. **55**, 24350 (1960).

[2] E. W. Stern u. M. L. Spector, Proc. Chem. Soc. **1961**, 370

[3] M. N. Vargaftik, J. J. Moiseev, Ja. K. Syrkin u. V. V. Jakšin, Izv. Akad. SSSR **1962**, 930; C. A. **57**, 12308 (1962).

[4] Brit. P. 1143807, Farbwerke Hoechst AG.

[5] A. V. Nikiforova, J. J. Moiseev u. Ja. K. Syrkin, Ž. obšč. Chim. **33**, 3239 (1963); engl.: 3166.

[6] W. Cooke u. J. M. Gulland, Soc. **1939**, 872.

[7] Die Dehydrierung gelingt auch mit Palladium/Kohle (vgl. Bd. IV/1a):
S. K. Sengupta, B. C. Das et al., J. heterocycl. Chem. **10**, 59 (1973).
M. Uchiyama u. H. Shimotori, Agr. biol. Ch. **37**, 1227 (1973).
G. Mehta u. S. K. Kapoor, Tetrahedron Letters **1973**, 2385.

[8] J. M. Gulland u. T. F. Macrae, Soc. **1932**, 2231.

[9] L. M. Zorin, E. P. Styngach u. A. A. Semenov, Chém. geteroc. Soed. **1973**, 337; C. A. **78**, 159495 (1973).

[10] B. Bierling, K. Kirschke, H. Oberender u. M. Schulz, J. pr. **314**, 170 (1972).

[11] R. Hüttel u. M. Bechter, Ang. Ch. **71**, 456 (1959).

[12] R. Hüttel, J. Kratzer u. M. Bechter, B. **94**, 766 (1961).

Olefinen treten in den Reaktionsprodukten meist die durch Aboxidation von endständigen Methylen-Gruppen gebildeten Ketone auf. Welche Reaktionen überwiegen, hängt hauptsächlich von der Konstitution des eingesetzten Olefins ab[1].

Auch Aromaten können mittels Palladium(II)-chlorid dehydrierend gekuppelt werden. Benzol liefert *Biphenyl*, substituierte Benzole ergeben Isomerengemische[2].

Die Reaktion von Essigsäure-vinylester mit Palladium(II)-chlorid führt bei Zugabe von Lithiumacetat zu *Acetaldehyd* und *Acetanhydrid*:

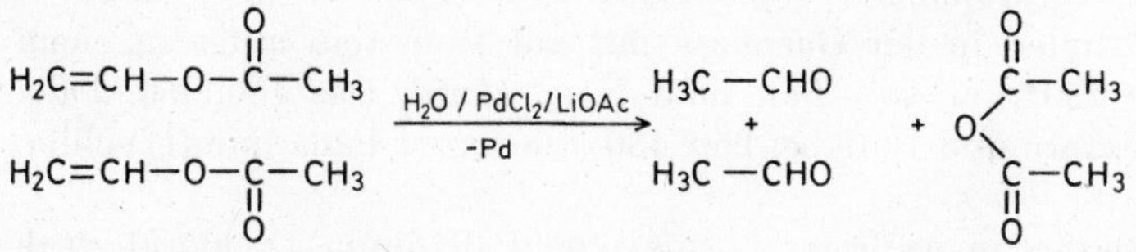

$$
\begin{array}{c}
H_2C=CH-O-\overset{\overset{O}{\|}}{C}-CH_3 \\
H_2C=CH-O-\underset{\underset{O}{\|}}{C}-CH_3
\end{array}
\xrightarrow[-Pd]{H_2O \,/\, PdCl_2/LiOAc}
\begin{array}{c}
H_3C-CHO \\
+ \\
H_3C-CHO
\end{array}
\quad + \quad
O{\Big\langle}\begin{array}{c}\overset{\overset{O}{\|}}{C}-CH_3 \\ \underset{\underset{O}{\|}}{C}-CH_3\end{array}
$$

Setzt man dagegen Palladium(II)-acetat mit Essigsäure-vinylester um, so verläuft die Reaktion völlig anders:

$H_3C-CO-O-CH=CH-CH=CH-O-CO-CH_3$ $(H_3C-CO-O-)_2CH-CH_2-CH_2-CH(O-CO-CH_3)_2$
1,4-Diacetoxy-butadien-(1,3); 37%   *1,1,4,4-Tetraacetoxy-butan*; 40%

$(H_3C-CO-O)_2CH-CH=CH-CH_2-O-CO-CH_3$
1,1,4-Triacetoxy-buten-(2); 14%

E. Osmium(VIII)-oxid als Oxidationsmittel

bearbeitet von

Dr. G. W. Rotermund

BASF AG., Ludwigshafen/Rhein

Osmium(VIII)-oxid wurde anfänglich als Katalysator bei Hydroxylierungsreaktionen verwendet[3], bis gezeigt werden konnte[4], daß es auch selbst in stöchiometrischer Reaktion unter schonenden Bedingungen Olefine in Glykole überführen kann. Dabei werden *cis*-Diole in hoher Ausbeute erhalten. Vor allem bei wertvolleren Ausgangssubstanzen findet die Hydroxylierung mit Osmium(VIII)-oxid Anwendung.

Das Arbeiten mit Osmium(VIII)-oxid ist nicht unproblematisch. Es ist sehr **giftig** und hat einen hohen Dampfdruck. Beispielsweise hat festes Osmium(VIII)-oxid bei 40° einen Dampfdruck von 25 Torr (F: 40,7), flüssiges bei 70° einen Dampfdruck von 100 Torr[5]. Der Siedepunkt beträgt 131°. Der Dampf wirkt stark ätzend auf Augen und Atemwege. Nachdem sein Geruch allerdings ausgesprochen unangenehm und stechend, bei einer Geruchsgrenze von 20 mg/m³, ist, wird man rechtzeitig vor dem Einatmen größerer Mengen gewarnt.

Osmium(VIII)-oxid kann auf trockenem Wege durch Erhitzen von metallischem Osmium-Pulver in einem Glasrohr im Sauerstoff-Strom hergestellt werden[6-8]. Der dabei gebildete farblose Osmium(VIII)-oxid-Dampf setzt sich in langen schwach gelblich gefärbten Nadeln an den kalten Stellen des Rohres ab. Auf nassem Wege erhält man Osmium(VIII)-oxid als Vorstufe bei der Gewinnung des Osmiums. Dazu werden die Rückstände bei der Platingewinnung mit Königswasser behandelt und anschließend das Tetroxid aus der wäßrigen Lösung abdestilliert.

Im Handel ist Osmium(VIII)-oxid in Mengen von 100 mg bis 5 g in Glasampullen eingeschmolzen erhältlich.

---

[1] R. Hüttel, J. Kratzer u. M. Bechter, B. **94**, 766 (1961).
[2] R. van Helden u. G. Berbeg, R. **84**, 1263 (1965).
[3] K. A. Hofmann, B. **45**, 3329 (1912).
[4] R. Criegee, A. **522**, 75 (1936).
[5] Gmelins, System Nr. 66.
[6] J. J. Berzelius, Svenska Akad. Handb. **1828**, 80.
[7] W. Gulenitsch, Z. anorg. Chem. **5**, 126 (1894).
[8] L. R. H. Anderson u. D. M. Yost, Am. Soc. **60**, 1822 (1938).

I. Oxidation von C=C-Doppelbindungen zu cis-Glykolen

(vgl. ds. Handb., Bd. VI/1a)

Die Oxidation der C=C-Doppelbindung zum *cis*-Glykol stellt eine Zweistufen-Reaktion dar, bei der zunächst der Glykolester der Osmiumsäure gebildet wird[1]:

Die Bildung der Ester der Osmiumsäure erfolgt bei stöchiometrischer Umsetzung in wasserfreiem Äther oder auch in Benzol, Cyclohexan, Chloroform oder 1,4-Dioxan bei Raumtemperatur. Die Reaktion läuft relativ langsam ab und erfordert unter Umständen Tage. Anwesenheit von tertiären Basen wirkt katalysierend. So erhält man z. B. mit Pyridin Addukte, die aus Chlorkohlenwasserstoffen umkristallisiert und so gereinigt werden können[2,3].

Osmiumsäure-cyclopenten-(3)-diyl-(1,2)-ester[2]: Eine Lösung von 1,27 g (5 mMol) Osmium(VIII)-oxid in 50 *ml* absol. Äther wird mit 2 *ml* frisch destilliertem Cyclopentadien versetzt. Nach wenigen Augenblicken beginnt die Kristallisation; Ausbeute: 1,58 g (99% d. Th.).

Osmiumsäure-9,10-dihydro-phenanthrendiyl-(9,10)-ester-Bis-pyridin[2]: 1,27 g (5 mMol) Osmium(VIII)-oxid werden in 15 *ml* Benzol mit 0,89 g (5 mMol) Phenanthren versetzt. Dabei färbt sich die Lösung sofort orange. Bei Zugabe von 1 *ml* Pyridin schlägt die Farbe nach gelb um, färbt sich aber dann allmählich braun. Nach 1–2 Tagen scheiden sich dunkle Kristalle ab. Nach 7 Tagen wird filtriert und der Rückstand durch Lösen in Dichlormethan und Wiederausfällen durch Zusatz von Petroläther gereinigt.

In der Regel besteht kein Interesse an der Isolierung der Osmiumsäure-ester, und nachdem diese sofort weiterreagieren, auch keine Notwendigkeit sie eventuell zu reinigen; man führt die Hydrolyse sofort anschließend durch.

Nachdem allerdings bei einfacher Hydrolyse das Gleichgewicht stark auf der Seite des Osmiumsäureesters liegt, muß die Osmiumsäure aus dem Gleichgewicht entfernt werden. Das gelingt entweder durch gleichzeitige Oxidation zum Osmium(VIII)-oxid, durch gleichzeitige Reduktion oder durch Umesterung, wobei der neugebildete Ester eine größere Stabilität aufweisen muß.

Bei der oxidativen Hydrolyse[3] wird wäßriges Natriumchlorat zu dem Reaktionsgemisch aus der Umesterung mit Osmium(VIII)-oxid gegeben. Das Osmiat wird wieder zum Tetroxid zurückoxidiert und kann als solches beim Erwärmen auf dem Wasserbad verflüchtigt werden.

1,2-Dihydroxy-acenaphten[3]: 50 mg des Osmiumsäure-acenaphthendiyl-(1,2)-esters werden in 5 *ml* 1,4-Dioxan und 5 *ml* 1/3m Natriumperchlorat-Lösung unter Zugabe von 4 Tropfen Eisessig auf dem Wasserbad erwärmt. Unter Entwicklung von Osmium(VIII)-oxid Dämpfen (Abzug!) verschwindet das Osmiat innerhalb von 5 Stdn. Durch Extrahieren des eingedampften Rückstandes mit Chloroform wird die organische Substanz isoliert und aus verd. Äthanol und Benzol umkristallisiert; Ausbeute: 37,2 mg (94% d. Th.).

---

[1] Der Verlauf der Oxidation der Olefine zu *cis*-Glykolen mit Osmium(IV)-oxid wird ähnlich wie bei der Oxidation mit Kaliumpermanganat über die Stufe der praktisch spannungsfreien *cis*-Glykolester erklärt. Nur ausnahmsweise kommt es bevorzugt zur Bildung der *trans*-Glykole und zwar dann, wenn die *trans*-Form die zur Bildung der Glykolester günstigeren sterischen Voraussetzungen bietet. Das ist selten. So beobachteten M. OHNO u. S. TORIMITSU, Tetrahedron Letters, **1964**, 2259, daß bei der Oxidation von *cis, trans, trans*-Cyclododecatrien-(1,5,9) mit Osmium(IV)-oxid zunächst an den beiden *trans*-C=C-Doppelbindungen zu den entsprechenden zwei *trans*-Glykolen bzw. zu *trans, trans*-Diglykol hydroxyliert wird.

[2] R. CRIEGEE, B. MARCHAND u. M. WANNOWIUS, A. **550**, 99 (1942).

[3] R. CRIEGEE, A. **522**, 75 (1936).

Diese Methode ist wegen der anfangs erwähnten unangenehmen Eigenschaften des Osmium(VIII)-oxids nicht sonderlich empfehlenswert. Außerdem greift es bei höherer Temperatur das zuvor gebildete Diol an. Es kommt dann u. a. zur C–C-Spaltung und Bildung von Carbonyl-Verbindungen.

Wesentlich bessere Ergebnisse liefert die reduktive Hydrolyse, die sich als gebräuchlichste Methode in Form der Sulfit-Reduktion durchgesetzt hat.

3β,17α-Dihydroxy-17β-(1-hydroxy-äthyl)-androsten-(5)[1]: 4,3 g (0,013 Mol) 3β-Acetoxy-17-äthyliden-androsten-(5) werden in 80 ml absol. Äther gelöst und mit einer Lösung von 3,5 g (0,014 Mol) Osmium(VIII)-oxid in 20 ml Äther versetzt. Die Reaktionslösung färbt sich rasch dunkelbraun. Nach 3 Tagen bei 20° wird der Äther i. Vak. abdestilliert, der Rückstand in 150 ml Äthanol gelöst und mit einer Lösung von 22 g Natriumsulfit in 100 ml Wasser 90 Min. gekocht. Abgeschiedenes Osmium und Natriumsulfat werden abfiltriert und mit Äthanol digeriert. Beim Verdünnen mit Wasser kristallisieren 4 g (95% d. Th.) Triol (F: 200–220°) aus. Durch häufiges Umkristallisieren läßt sich das bei 227° schmelzende Isomere rein erhalten.

3β,5α,6α-Trihydroxy-17-oxo-androstan[2]: 1,14 g (3,9 mMol) 3β-Hydroxy-17-oxo-androsten-(5) und 1 g (3,94 mMol) Osmium(VIII)-oxid in 15 ml Pyridin werden 2 Stdn. bei ∼ 23° gerührt. Danach wird 5 Min. lang mit 1,8 g Natriumhydrogensulfit in 30 ml Wasser und 20 ml Pyridin gerührt. Die orangegefärbte Lösung wird einmal mit 150 ml und 2mal mit 50 ml Chloroform extrahiert, die vereinigten Extrakte mit Kaliumcarbonat getrocknet und i. Vak. das Lösungsmittel abgedampft. Das rohe, kristalline Produkt wird mit Essigsäure-äthylester angerieben, vom Lösungsmittel abfiltriert und getrocknet; Ausbeute: 1,05 g (86% d. Th.); F: 240–243°.

Als andere Reduktionsmittel werden alkalische Formaldehyd-Lösung[3], Zinkstaub[4], Ascorbinsäure[3] oder auch Schwefelwasserstoff[5,6] und Lithiumalanat eingesetzt[7].

3β,17α-Dihydroxy-17β-(1-hydroxy-äthyl)-allo-androstan[3]: 4,9 g (0,015 Mol) 3β-Acetoxy-17-äthyliden-allo-androstan werden in 90 ml absol. Äther gelöst und mit 4 g (0,0158 Mol) Osmium(VIII)-oxid in 25 ml absol. Äther versetzt. Nach 3¹/₂ Tagen Stehen bei ∼ 23° wird eingeengt und zum Schluß i. Vak. getrocknet. Der Rückstand wird in 150 ml Äthanol aufgenommen, die Lösung nach Zugabe von 25 ml 2n Natronlauge und 20 ml Formaldehyd über Nacht bei ∼ 23° stehengelassen und danach 30 Min. gekocht. Der schwarze Niederschlag wird abfiltriert und mit Äthanol gewaschen. In das mit etwas Wasser verdünnte noch dunkel gefärbte Filtrat wird Kohlendioxid eingeleitet und danach die Lösung i. Vak. stark eingeengt. Der Rückstand wird mit viel Essigsäure-äthylester und schließlich Äther extrahiert. Die vereinigten Auszüge werden mit Wasser gewaschen, i. Vak. eingedampft und gut getrocknet; Ausbeute: 4,7 g (96% d. Th.).

Neben der erwähnten reduktiven und oxidativen Hydrolyse hat sich die alkalische Umesterung mit Mannit als weitere Aufarbeitungsmethode bewährt. Sie ist immer dann die Methode der Wahl, wenn bei reduktiver oder oxidativer Aufarbeitung Nebenreaktionen möglich sind.

Bei den aus niedermolekularen Olefinen und Osmium(VIII)-oxid hergestellten Estern in organischen Lösungsmitteln genügt in der Regel einfaches Schütteln mit kalter verdünnter Kalilauge, um das Diol zu erhalten. Dabei wird das Lösungsmittel entfärbt und die wäßrige Phase nimmt die rote Farbe von Kaliumosmiat an. Das Diol kann notfalls durch Extraktion mit einem geeigneten Lösungsmittel aus der wäßrigen Phase gewonnen werden. Häufig liegt aber das Hydrolysengleichgewicht ganz auf der Seite des Esters. Dann ist es zur Gewinnung des gewünschten Diols erforderlich, die Hydrolyse in Gegenwart eines Glykols vorzunehmen, das den stabileren Osmiumsäureester liefert. Zu solchen Glykolen gehören vor

[1] A. Butenandt, J. Schmidt-Thome u. H. Paul, B. **72**, 1112 (1939).
[2] J. S. Baran, J. Org. Chem. **25**, 257 (1960).
[3] H. Reich, M. Sutter u. T. Reichstein, Helv. **23**, 170 (1940).
[4] A. Serini u. W. Logemann, B. **71**, 1362 (1938).
[5] D. H. R. Barton u. D. Elad, Soc. **1956**, 2085.
[6] R. Hirschmann, G. A. Bailey, R. Walker u. J. M. Chemerda, Am. Soc. **81**, 2822 (1959).
[7] D. H. R. Barton, C. A. Y. Ives u. B. R. Thomas, Soc. **1954**, 903.

allem Kohlenhydrate und ähnliche Polyhydroxy-Verbindungen[1]. Durch diese wird das Kaliumosmiat in Form leicht wasserlöslicher Diester gebunden. Diese Diester, beispielsweise der Mannitdiester, sind wasserlöslich, in apolaren Lösungsmitteln dagegen praktisch unlöslich.

cis-9,10-Dihydroxy-9,10-dihydro-phenanthren[1]: Eine Lösung von 2,4 g (4,1 mMol) des Adduktes von Phenanthren-Osmium(VIII)-oxid-Pyridin in 25 *ml* Dichlormethan wird mit einer Lösung von 10 g Mannit und 1 g Kaliumhydroxid in 100 *ml* Wasser geschüttelt bis die Dichlormethan-Schicht farblos ist. Danach werden die Schichten getrennt und das Dichlormethan verdampft. Der Rückstand wird zunächst aus verd. Äthanol unter Zusatz von Tierkohle und danach aus Toluol umkristallisiert; Ausbeute: 550 mg (64% d.Th.); F: 178–179°.

Bei der Oxidation mit Osmium(VIII)-oxid bleibt die Struktur des olefinischen Reaktionspartners normalerweise erhalten[2]. Ausnahmen sind die Oxidationen von 2-tert.-Butyl- und 2-Phenyl-indol zu *3-Hydroxy-2-oxo-3-tert.-butyl-*(bzw. *-3-phenyl)-2,3-dihydro-indol*:

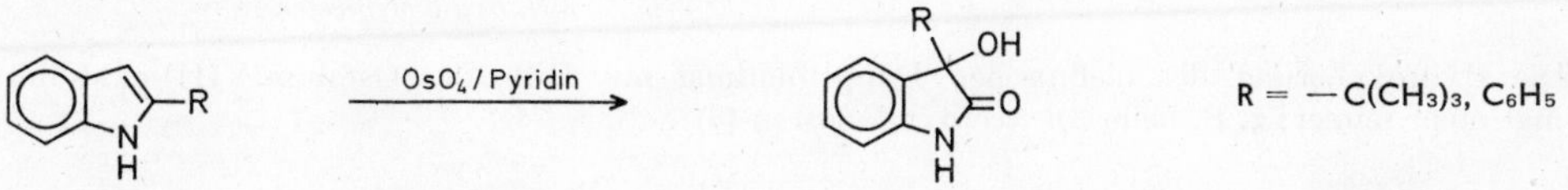

C–C-Spaltung wird auch bei der Hydroxylierung von Arcylsäure-nitril-Derivaten beobachtet. So wird beispielsweise 17-(1-Cyan-äthyliden)-androstan bei der Oxidation mit Osmium(VIII)-oxid zum *17α-Hydroxy-17β-acetyl-androstan* umgesetzt[3]. Aufgrund dieser Reaktionsfolge gelingt es, 20-Oxo-steroide am C-17 zu hydroxylieren; z. B.:

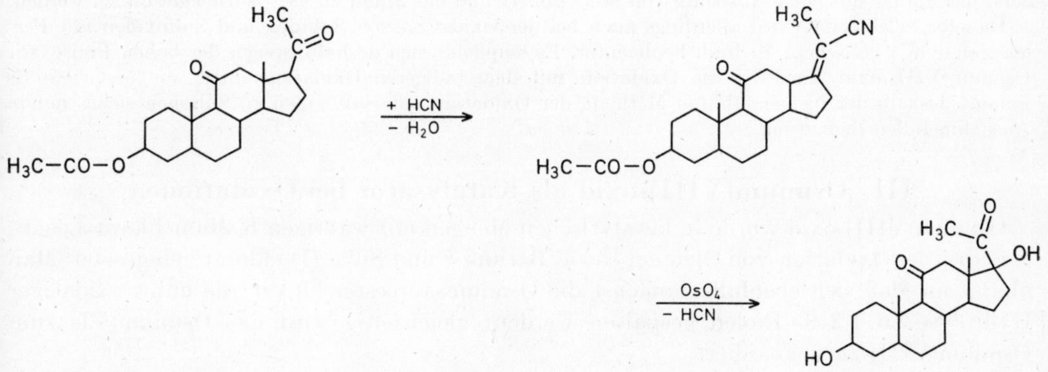

3α, 17α-Dihydroxy-11-oxo-17 β-acetyl-androstan[3]: Zu einer Lösung von 1,65 g (4,3 mMol) 3 α-Acetoxy-11-oxo-17-(1-cyan-äthyliden)-androstan in 16 *ml* trockenem Benzol werden 1,7 g (6,7 mMol) Osmium (VIII)-oxid und 0,75 *ml* Pyridin gegeben. Die Reaktionsmischung bleibt ∼ 18 Stdn. bei Raumtemp. stehen. Danach werden 3 g Natriumsulfit in 50 *ml* Wasser gelöst zugegeben, das Benzol abgedampft bis auf 5 *ml*, 50 *ml* Äthanol zugegeben und die Mischung 20 Stdn. gerührt. Danach wird filtriert, einige Tropfen Essigsäure zugegeben und erneut i. Vak. eingeengt, bevor die wäßrige Mischung mit Chloroform extrahiert wird. Das Chloroform wird i. Vak. abgesaugt und der trockene Rückstand mit Aceton/Äther umkristallisiert; Ausbeute: 800 mg (53% d.Th.); F: 207–208° (aus verd. Äthanol); $[\alpha]_D^{25} = + 68,5°$.

---

[1] R. Criegee, B. Marchand u. H. Wannowius, A. **550**, 99 (1942).

[2] F. Piozzi u. M. Cecere, Atti Accad. naz. Lineei Rend. **28**, 639 (1960).

[3] L. H. Sarett, Am. Soc. **70**, 1454 (1948).

Die Spaltung einer C–N-Bindung tritt bei der Oxidation des 1,2-Seco-penicillins mit Osmium(VIII)-oxid in Benzol/Pyridin[1] ein:

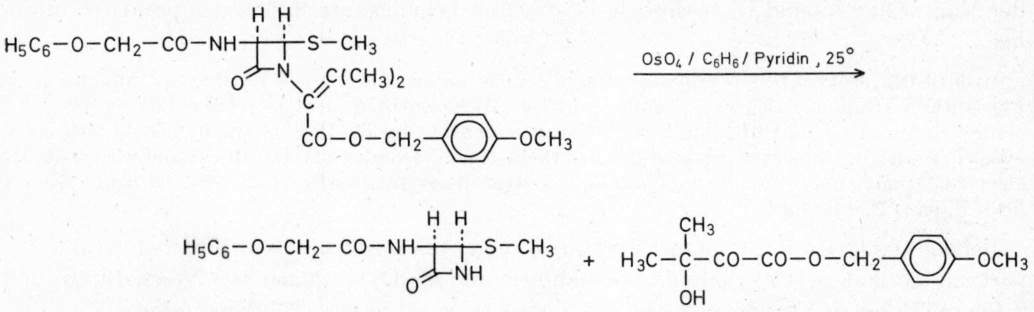

3-(*Phenoxyacetyl-amino*)-*4-methylmercapto-2-oxo-azetidin*   3-*Hydroxy-2-oxo-3-methyl-butansäure-4-methoxy-benzylester*

Die Hydroxylierung der olefinischen Doppelbindung mit Hilfe der Osmium(VIII)-oxid-Methode gelingt nicht immer; z. B. beim 3β-Acetoxy-lanosten-(8)[2].

II. Oxidation von Sulfoxiden zu Sulfonen (in Anwesenheit von Sulfiden)

Allgemein werden bei der Oxidation von Sulfiden Sulfoxide in praktisch quantitativer Ausbeute erhalten, während kaum Weiteroxidation zu den Sulfonen erfolgt.

Es ist deshalb von präparativem Interesse, daß im Gegensatz zu den meisten anderen Oxidationsmitteln Osmium(VIII)-oxid Sulfoxide zu den entsprechenden Sulfonen oxidiert und zwar mit einer so hohen Reaktionsgeschwindigkeit, daß gleichzeitig anwesende Sulfide praktisch nicht mit dem Oxidationsmittel reagieren[3]. Läßt man beispielsweise 1 Mol Osmium(VIII)-oxid 48 Stdn. auf ein Gemisch von 1 Mol Diphenylsulfid und 1 Mol Diphenyl-sulfoxid in kochendem Äther einwirken, dann kann anschließend das Sulfon mit einer Ausbeute von 96% isoliert und das Sulfid zu 99% zurückgewonnen werden.

Dieselbe Selektivität wird allerdings auch bei der Oxidation von Sulfiden und Sulfoxiden mit Permanganat in alkalischem Medium beobachtet. Es empfiehlt sich deshalb, wegen des hohen Preises für Osmium(VIII)-oxid, zunächst die Oxidation mit dem billigeren Oxidationsmittel zu versuchen. Es kommt deshalb der hier erwähnten Methode der Oxidation von Sulfoxiden zu Sulfonen sicher nur in Ausnahmefällen Bedeutung zu.

III. Osmium(VIII)-oxid als Katalysator bei Oxidationen

Osmium(VIII)-oxid wurde in katalytischen Mengen mit wäßrigen Kaliumchlorat-Lösungen[4] bei der Oxidation von Olefinen sowie Barium-[5] und Silber(I)-chlorat[5] eingesetzt. Man nimmt an, daß sich ebenfalls zunächst die Osmiumsäureester bilden, die unter oxidativer Hydrolyse zu 1,2-*cis*-Diolen gespalten werden; gleichzeitig wird das Osmium(VI) zum Osmium(VIII) zurückoxidiert.

Chlorate sind nicht die einzigen Oxidationsmittel, die in Verbindung mit katalytischen Mengen Osmium(VIII)-oxid nicht nur Olefine zu Glykolen hydroxylieren, sondern eventuell auch über Folgereaktionen Ketonen, ev. unter C–C-Spaltung, bilden. Hierzu gehören Perjodat[6], Luft bzw. molekularer Sauerstoff[7], Eisen(III)-cyanid[8] und Peroxide[9]. Aminoxid-peroxid[10,11] mit katalytischen Mengen Osmium(VIII)-oxid dient zur Überführung von 17-Vinyliden-androstan zum *17α-Hydroxy-17β-acetyl-androstan*.

[1] E. G. BRAIN et al., Chem. Commun. **1972**, 229.
[2] G. SNATZKE u. H. W. FEHLHABER, A. **663**, 123 (1963).
[3] H. B. HENBEST u. S. A. KHAN, Chem. Commun. **1968**, 1036.
[4] K. A. HOFMANN, B. **45**, 3329 (1912).
[5] G. BRAUN, Am. Soc. **51**, 228 (1929); **52**, 3176, 3188 (1930); **54**, 1133 (1932).
[6] R. PAPPO et al., J. Org. Chem. **21**, 478 (1956).
[7] J. F. CAIRNS u. H. L. ROBERTS, Soc. [C] **1968**, 640.
[8] J. S. MAYELL, Ind. Eng. Chem. **7**, 129 (1968).
[9] N. A. MILAS u. S. SUSSMANN, Am. Soc. 58, 1302 (1936).
[10] US. P. 2769823 (1956), W. P. SCHNEIDER u. A. R. HANZE; C. A. **51**, 8821 (1957).
[11] B. J. MAGERLEIN u. J. A. HOGG, Am. Soc. 2226 (1958).

Tab. 9: Glykole aus Olefinen durch Oxidation mit Osmium(VIII)-oxid

Olefin	Reaktionsmedium	Aufarbeitung	Diol	Ausbeute [% d.Th.]	F [°C]	$[\alpha]_D^{22}$	Literatur
$H_5C_6-C\equiv C-C\equiv C-CH=CH-CH_3$ *trans*	Pyridin	NaHSO₃/H₂O/Pyridin	*threo*-5,6-Dihydroxy-1-phenyl-heptadiin-(1,3)	77	85–86		[1]
(1,2-Dimethyl-cyclopenten)	Äther, Pyridin	KOH/ Mannitol	*cis*-1,2-Dihydroxy-1,2-dimethyl-cyclopentan	70	25		[2]
(Dihydroxy-cyclopentenol)	Benzol, Pyridin	H₂O/1,4-Dioxan	1,2,3,4,5-Pentahydroxy-cyclopentan	51			[3]
$H_5C_6-CH=CH-CH_3$ *cis*	Pyridin	NaHSO₃/H₂O/Pyridin	*erythro*-1,2-Dihydroxy-1-phenyl-propan	43	91–92		[4]
($H_{3}C-CO-O-C_7H_{15}$ cyclohexen)	Äther/Pyridin	KOH/Mannit/H₂O	1,2,4-Trihydroxy-1-heptyl-cyclohexan	72			[5]
($(H_3C)_2CH$ – cyclohexen – CH_3) (±) *trans*	Benzol/Pyridin	KOH/Mannit	2,3-Dihydroxy-4-methyl-1-isopropyl-cyclohexan				[6]
($H_3C-CO-O$ Bicyclus)	1,4-Dioxan/Äther	H₂S	5,6-Dihydroxy-1-acetoxy-7-oxa-bicyclo[2.2.1]heptan-2,3-dicarbonsäure-anhydrid				[7]
($CO-NH_2$ / $CO-O-CH_2-C_6H_5$ Pyrrolidin)	Pyridin	NaHSO₃/H₂O/Pyridin	D,L-*cis*-3,4-Dihydroxy-1-benzoyloxycarbonyl-2-aminocarbonyl-pyrrolidin	74	139,5–140,5		[8]

[1] J. R. F. FAIRBROTHER, E. R. H. JONES u. V. THALLER, Soc. [C] **1967**, 1035.
[2] J. ROCEK u. F. H. WESTHEIMER, Am. Soc. **84**, 2241 (1962).
[3] G. WOLCZUNOWICZ et al., Helv. **53**, 2288 (1970).
[4] M. STILES et al., Am. Soc. **86**, 3337 (1964).
[5] D. E. ORR u. F. B. JOHNSON, Canad. J. Chem. **47**, 47 (1969).
[6] A. K. MACBETH u. W. G. P. ROBERTSON, Soc. **1953**, 895.
[7] R. McCRINDLE, K. M. OVERTON u. R. A. RAPHAEL, Soc. **1960**, 1560.
[8] C. B. HUDSON, A. V. ROBERTSON u. W. B. J. SIMPSON, Austral. J. Chem. **21**, 769 (1968).

Tab. 9 (1. Fortsetzung)

Olefin	Reaktionsmedium	Aufarbeitung	Diol	Ausbeute [% d.Th.]	F [°C]	$[\alpha]_D^{22}$	Literatur
	1,4-Dioxan/Pyridin	H_2S	cis-1,6-Dihydroxy-2,5-di-phenyl-3,4-diäthoxy-carbonyl-3,4-diaza-bicyclo[4.3.0]nonan	65	166,6–167,6		1
	Benzol/Pyridin	Na_2SO_3/H_2O	1,2,3,4-tetrahydroxy-1,2,3,4-tetrahydro-anthracen	12	241 (Zers.)		2
	Äther/Pyridin	$NaOH/Mannit/H_2O$	cis-9,10-Dihydroxy-9-(4-methyl-benzyl)-9,10-di-hydro-phenanthren	44	132–135		3
	Benzol/Pyridin	$KOH/Mannit/H_2O$	6,7-Dihydroxy-6,7,15,16-tetrahydro-17H-⟨cyclo-penta-[a]-phenanthren⟩	50	193		4
	Pyridin	$NaHSO_3/H_2O$	6,7-Dihydroxy-17-oxo-6,7,15,16-tetrahydro-17H-⟨cyclo-penta-[a]-phenanthren⟩		247–249		5
	Pyridin/2,2,4-Trimethyl-pentan	$Na_2SO_3/H_2O/$Äthanol	1,6-Dihydroxy-2-oxa-bicyclo[4.4.0]decadien-(7,9)		126–127		6
	Äther/Pyridin	$Na_2CO_3/H_2O/CH_3OH$	cis-4,5-Dihydroxy-cis-3-methyl-2-benzoyl-6-meth-oxycarbonyl-1,2-oxazan		202–203		7

1 C. G. OVERBERGER u. J. R. HALL, J. Org. Chem. 26, 4359 (1961).

2 J. W. COOK u. R. SCHOENTAL, Nature 161, 237 (1948).

3 M. B. RUBIN, J. Org. Chem. 29, 3333 (1964).

4 A. BUTENANDT, H. DANNENBERG u. D. v. DRESLER, Z. Naturf. 1, 222 (1946).

5 M. M. COOMBS, Soc. [C] 1969, 2484.

6 J. J. BOROWITZ u. R. T. RAPP, J. Org. Chem. 34, 1370 (1969).

7 B. BELLAU u. YUM KIN AU-YOUNG, Am Soc. 85, 64 (1963).

Tab. 9 (2. Fortsetzung)

Olefin	Reaktionsmedium	Aufarbeitung	Diol	Ausbeute [% d.Th.]	F [°C]	$[\alpha]_D^{22}$	Literatur
(R=H)	Äther/Pyridin	$Na_2SO_3/H_2O/C_2H_5OH$	7,8-Dihydroxy-7,8-dihydro-desoxy-codein	92	248–249		[1]
(R=OCH3)	Benzol/Pyridin	$NaSO_3/H_2O/CH_3OH$	7-Hydroxy-8-methoxy-6-oxo-7,8-dihydro-codein	95	251–253		[2]
	Benzol/Pyridin	$Na_2SO_3/CH_3OH/H_2O$	4,6β-Dihydroxy-7β,9,12β,13,20-pentaacetoxy-3-oxo-tiglen-(1)	58	239–241		[3]
			+ 4,6β,7β-Trihydroxy-9,12β,13,20-tetraacetoxy-3-oxo-tiglen-(1)	11	118–123		
			+ 4,6β,20-Trihydroxy-7β,9,12β,13-tetraacetoxy-3-oxo-tiglen-(1)	6	142–147		
	Benzol/Pyridin	H_2O/H_2O	1-Hydroxy-2,3,4,5,6-pentaacetoxy-1-hydroxymethyl-cyclohexan				[4]
	Äther	$NaOH/CH_2O$	11,12-Dihydroxy-12,23-cyclo-cholan	48	202–203	50,0	[5]
	Pyridin	$NaHSO_3/H_2O/Pyridin$	13β,14β-Dihydroxy-13α-isopropyl-podocarpen-(7)-15-carbonsäure		154–155		[6]

[1] H. RAPOPORT, M. S. CHADHA u. C. H. LOVELL, Am. Soc. 79, 4694 (1957).
[2] H. RAPOPORT et al., Am. Soc. 89, 1942 (1967).
[3] H. W. THIELMANN u. E. HECKER, A. 735, 113 (1970).
[4] T. POSTERNAK u. J. G. FALBRIARD, Helv. 44, 2080 (1961).
[5] A. BUTENANDT u. H. DANNENBERG, A. 568, 83 (1950).
[6] B. E. CROSS u. P. L. MYERS, Soc. [C] 1969, 711.

Tab. 9 (3. Fortsetzung)

Olefin	Reaktionsmedium	Aufarbeitung	Diol	Ausbeute [% d.Th.]	F [°C]	$[\alpha]_D^{22}$	Literatur
	Äther/Pyridin	KOH/Mannit/CH_3OH	6,7-Dihydroxy-laevopimar-säure-methylester		138–140 (α,α) 118–120 (β,β)		1
	1,4-Dioxan/Pyridin	$LiAlH_4$/THF	8β,15,16-Trihydroxy-sandaracopimaran	73	127–129		2
	Pyridin	$NaHSO_3$/H_2O/Pyridin	(14 S)-14,15-Dihydroxy-18-acetoxy-8β,13-epoxi-eperuan	80	113–114		3
	Pyridin	H_2S	14β,15β-Dihydroxy-serratan	36	255–259		4
	Benzol	H_2S/CH_3OH	3α,5α,17β-Trihydroxy-3,14α-dimethyl-A-nor-androstan		264–265	−29,0	5

1 B. MARCHAND, Ber. 91, 407 (1958).
2 R. E. CORBETT u. R. A. J. SMITH, J. Chem. Soc. [C] 1967, 300.
3 P. COATES et al., Tetrahedron 24, 795 (1968).
4 Y. TSUDA u. T. SANO, Tetrahedron 26, 751 (1970).
5 G. R. PETTIT u. P. HOFER, Helv. 46, 2142 (1963).

Tab. 9 (4. Fortsetzung)

Olefin	Reaktionsmedium	Aufarbeitung	Diol	Ausbeute [% d.Th.]	F [°C]	$[\alpha]_D^{22}$	Literatur
	1,4-Dioxan	H_2S	17α-Hydroxy-17β-acetyl-10,13-bis-[desmethyl]-androstatrien-(5,7,9)	27	131–133		1
	Benzol/Pyridin	Na_2SO_3/H_2O	11β,16α,17α-Trihydroxy-3-äthylidendioxy-6-methyl-17β-[2-hydroxy-methyl-1,3-dioxolanyl-(2)]-androsten-(5)	87	265–267		2
	1,4-Dioxan	H_2S	24,25-Dihydroxy-3β-acetoxy-22,23-bis-nor-5α-lanosten-(8)	80 (Diastomeren-Gemisch)			3
	Äther/Pyridin	$LiAlH_4$/Äther	3β,18,19-Trihydroxy-lupan				4

1 W. R. Nes u. D. L. Ford, Am. Soc. 85, 2137 (1963).
2 S. Bernstein u. R. Littell, Am. Soc. 82, 1235 (1960).
3 G. Habermehl u. G. Volkwein, A. 742, 145 (1970).
4 S. P. Adhikary, W. Lawrie u. J. McLean, Soc. [C] 1970, 1031.

Tab. 9 (5. Fortsetzung)

Olefin	Reaktionsmedium	Aufarbeitung	Diol	Ausbeute [% d.Th.]	F [°C]	$[\alpha]_D^{22}$	Literatur
	Äther	Na$_2$SO$_3$/H$_2$O/C$_2$H$_5$OH	24,25-Dihydroxy-3β-acetoxy-9β,19-cyclo-lamostan	76 (Diastomeren-Gemisch)			1
	Benzol	KOH/H$_2$O/CH$_3$OH	2,3-Dihydroxy-oleanen-(12)-28-säure-methylester		258–260 (α,α) 278–282 (β,β)	+96,7±4 +64,6±4	2
	Äther	Na$_2$SO$_3$/H$_2$O/C$_2$H$_5$OH	23,24-Dihydroxy-3β-acetoxy-4,4,14α-trimethyl-9,19-cyclo-cholestan(Zymostan-triol)	60	208		3

[1] K. SCHREIBER, W. MORITZ u. H. RIPPERGER, Z. 9, 334 (1969).
[2] R. TSCHESCHE, E. HENCKEL u. G. SNATAKE, A. 676, 175 (1964).
[3] H. WIELAND u. W. BENEND, B. 75, 1708 (1942).

F. Oxidation und Dehydrierung
mit Dinatrium-hexafluoroplatinat(IV) (Na$_2$PtF$_6$)

bearbeitet von

Dr. B. WISTUBA,

BASF AG, Ludwigshafen/Rhein

Zur Herstellung des Dinatrium-hexafluoro-platins(IV) kann man von dem Hexachloro-Derivat ausgehen, das zunächst durch zweimaliges Eindampfen mit Bromwasserstoff in das Tetrabromo-Derivat
überführt wird. Anschließend wird mit einem Überschuß Bromtrifluorid versetzt und die Mischung im
Vakuum eingedampft. Durch Umkristallisieren des Rückstandes aus Wasser und Äthanol wird reines
Dinatrium-hexafluoroplatinat(IV) erhalten[1].

Eine andere Herstellungsmethode geht vom Dilanthan-hexafluoroplatinat(IV) aus, das mit Natriumhydroxid zu Lanthan(III)-hydroxid und Dinatrium-hexafluoroplatinat(IV) umgesetzt wird[2].

Olefine reagieren mit wäßriger Dinatrium-hexafluoroplatin(IV)-Lösung ähnlich wie
mit Palladium(II)-chlorid-Lösung unter Bildung von Ketonen bzw. Aldehyden. Als
Zwischenstufe kann man Olefin-Hexafluoroplatinat(IV)-Komplexe annehmen. Cyclohexen
reagiert zu *Cyclohexanon* (34% d.Th.)[1].

[1] R. D. W. KEMMIT u. D. W. A. SHARP, Soc. **1963**, 2567.
[2] T. E. WHEELER, T. P. PERROS u. C. R. NAESER, Am. Soc. 77, 3488 (1955).

Oxidation bzw. Dehydrierung mit Chinonen

bearbeitet von

Dr. HANNS-HELGE STECHL

BASF AG, Ludwigshafen/Rhein

Mit 2 Tabellen

Literatur berücksichtigt bis 1975.

Inhalt

Oxidation bzw. Dehydrierung mit Chinonen

Das System Chinon ⇄ Hydrochinon besitzt bei einigen Vertretern dieser Stoffklasse ein so hohes Redoxpotential, daß es gelingt, die Oxidation bzw. Dehydrierung organischer Verbindungen im präparativen Maßstab mit Chinonen durchzuführen. Dieses Verfahren eignet sich vor allem zur Dehydrierung solcher Verbindungen, die durch Entzug von Wasserstoff leicht in stabilere Systeme übergeführt werden können wie z. B. partiell hydrierte Aromaten oder Heteroaromaten sowie speziell zur Dehydrierung von 3-Oxo-steroiden, die dabei in Enone oder Dienone übergehen.

Neben reinen Dehydrierungsreaktionen, bei denen das Grundgerüst der betreffenden Verbindung erhalten bleibt, können bei der Umsetzung mit Chinonen bei bestimmten strukturellen Voraussetzungen auch Dehydrierungen unter C–C- oder C-Hetero-Verknüpfung erfolgen. Seltener sind direkte C–Oxidationen, bei denen unter Einführung des Sauerstoffatoms eine Carbonyl-Gruppe gebildet wird. Die Dehydrierung primärer Amine im wäßrigen Medium ist von der Hydrolyse der C–N-Bindung begleitet, so daß auch in diesen Fällen ein Sauerstoffatom unter Bildung einer Carbonylverbindung eingeführt wird. Außer den hier erwähnten Reaktionstypen werden in diesem Abschnitt noch einige spezielle Oxidations- bzw. Dehydrierungsreaktionen angeführt, die nur untergeordnete Bedeutung besitzen, dennoch kurz erwähnt werden sollen.

Der Chemismus der Dehydrierung mittels Chinonen läßt sich so deuten[1], daß man als ersten Schritt die Bildung eines Assoziates aus den beiden Reaktionspartnern annimmt. Als zweiter Schritt erfolgt dann die Übertragung eines Hydrid-Ions vom Donator auf das Chinon unter Bildung eines Hydrochinon-Anions. Das hierbei aus dem Donator intermediär entstehende Kation geht anschließend unter Abgabe eines Protons in die entsprechende ungesättigte Verbindung über. Als Beispiel sei die Dehydrierung von Cyclohexadien-(1,4) mit p-Benzochinon zu *Benzol* formuliert:

Die Anwesenheit Protonen-liefernder Substanzen beschleunigt den Reaktionsablauf; vermutlich addiert sich dabei zunächst ein Proton an das Sauerstoffatom einer Carbonyl-Gruppe des Chinons, und durch das so gebildete neue Kation wird die Abstraktion des Hydrid-Ions vom Donator erleichtert. Als Protonen-liefernde Substanzen können Säuren fungieren, in manchen Fällen auch Phenole, u. a. das bei der Dehydrierungsreaktion aus dem Chinon entstehende Hydrochinon.

Als Sonderfall sind die Dehydrierungen von mesochinoiden Substanzen mit Chinonen anzusehen; hier kann es zur Bildung von Chinhydronen kommen[2].

[1] E. A. BRAUDE, L. M. JACKMAN u. R. P. LINSTEAD, Soc. **1954**, 3548.
[2] C. L. JACKSON u. G. OENSLAGER, B. **28**, 1624 (1895)

Die Oxidationskraft der Chinone wird am besten durch die Werte ihrer Redoxpotentiale charakterisiert.

Tab. 1: Redoxpotentiale einiger Chinone in wäßriger Lösung

Chinon	Redoxpotential E_0 [mV]	Literatur
p-Benzochinon	+ 699	1
o-Benzochinon	+ 792 (30°)	1
Tetrachlor-p-benzochinon (Chloranil)	+ 700	2
5,6-Dichlor-2,3-dicyan-p-benzochinon (DDQ)	+ ~1000	3
Naphthochinon-(1,2)	+ 555	1
Naphthochinon-(1,4)	+ 470	1
2-Amino-naphthochinon-(1,4)	+ 260	1
2-(4-Methyl-phenylsulfon)-naphthochinon-(1,4)	+ 591	1
Anthrachinon (in Äthanol)	+ 154	1
Diphenochinon (in Äthanol)	+ 954	1

Wie man aus Tab. 1 ersieht, besitzen o-Chinone ein höheres Redoxpotential als die entsprechenden p-Chinone; ferner liegen die Redoxpotentiale monocyclischer Chinone höher als diejenigen vergleichbarer mehrkerniger Chinone. Der Einfluß von Substituenten auf das Redoxpotential ist beachtlich und kann, wie in den angeführten extremen Beispielen, eine Differenz von einigen hundert mVolt bewirken.

Aufgrund der Höhe ihrer Redoxpotentiale und ihrer leichten Herstellbarkeit eignen sich vor allem Tetrachlor-p-benzochinon (Chloranil), 5,6-Dichlor-2,3-dicyan-p-benzochinon und auch p-Benzochinon als Oxidations- bzw. Dehydrierungsmittel. Nachstehend wird für die häufig benutzte Dichlor-dicyan-verbindung eine Herstellungsvorschrift angegeben.

5,6-Dichlor-2,3-dicyan-p-benzochinon (DDQ)[4]:

2,3-Dicyan-hydrochinon: Eine Lösung von 110 g p-Benzochinon in 2,5 l Äthanol wird mit einer Mischung von 25 ml konz. Schwefelsäure und 100 ml Äthanol versetzt. Hierzu gibt man innerhalb 4–5 Stdn. bei 20–30° 70 g Kaliumcyanid als ges. wäßrige Lösung. Wenn das Gemisch alkalisch geworden ist (Ende der Umsetzung), wird es mit konz. Schwefelsäure bis $p_H = 5$ angesäuert. Man nutscht vom Kaliumsulfat ab und wäscht den Rückstand mit heißem Äthanol aus. Das Filtrat wird auf 500–600 ml eingeengt (übermäßiges Erhitzen ist zu vermeiden) und abgekühlt. Das ausgeschiedene 2,3-Dicyan-hydrochinon wird aus Wasser/Äthanol umkristallisiert; Ausbeute: 55 g (68% d.Th.); F: 230° (Zers.).

2,3-Dicyan-p-benzochinon: Das für die Oxidation benötigte Gemisch der Stickstoffoxide wird aus 300 g Arsen(III)-oxid, 250 ml rauchender Salpetersäure und 100 ml konz. Schwefelsäure hergestellt und in einer auf ~ −78° gekühlten Vorlage aufgefangen. 22 ml dieses Stickstoffoxid-Gemisches werden langsam und unter Rühren zu einer Suspension von 50 g pulverisiertem 2,3-Dicyan-hydrochinon in 750 ml Tetrachlormethan getropft. Das entstandene Chinon wird abgesaugt und mit Tetrachlormethan ausgewaschen; Ausbeute: 44 g (89% d.Th.); F: 175°[5].

5-Chlor-2,3-dicyan-p-benzochinon: In eine Suspension von 44 g 2,3-Dicyan-p-benzochinon in 500 ml Chloroform leitet man 2 Stdn. lang einen raschen Chlorwasserstoff-Strom und saugt dann das ausgefallene Produkt ab; Ausbeute: 53 g (99% d.Th.); F: 190° (Zers.)[5].

[1] L. Fieser u. M. Fieser, Organische Chemie, S. 1038 ff., Verlag Chemie, Weinheim/Bergstr. 1965; engl.: Organic Chemistry, Reinhold Publishing Corporation, New York 1967.
   s. a. Wallenfels u. W. Möhle, B. 76, 924 (1943).
[2] E. A. Braude et al., Soc. 1954, 3569.
[3] L. M. Jackman, Adv. Org. Chem. 2, 329, 333 (1960).
[4] L. M. Jackman, Adv. Org. Chem. 2, 329, 360 (1960).
[5] R. Geyer u. H. Steinmetzer, Wiss. Z. Techn. Hochsch. Chem. Leuna-Merseburg 2, 423 (1959/60); C. A. 55, 15407ᵍ (1961).

5,6-Dichlor-2,3-dicyan-p-benzochinon: Zur Einführung des zweiten Chloratoms werden mit der Monochlor-Verbindung alle hier beschriebenen Arbeitsgänge wiederholt. Das Endprodukt wird aus Benzol/Petroläther umkristallisiert; Ausbeute: 41 g (57% d. Th.); F: 206–207°, gelbes Pulver. Anhaftende Feuchtigkeit kann i. Vak. entfernt werden.

Andere Chinone mit hohem Redoxpotential wie Nitro-, Äthylsulfon- oder Carboxy-substituierte Chinone sind als Dehydrierungsmittel wenig geeignet, da sie z. T. in den bei der Dehydrierung von Kohlenwasserstoffen gebräuchlichen Lösungsmitteln schlecht löslich sind oder bei höherer Temp. zur Bildung von Nebenprodukten Anlaß geben[1]. Tetrabrom-o-benzochinon ($E_0 = 850$ mV) z. B. ist zwar in den üblichen Lösungsmitteln genügend löslich, wirkt jedoch bromierend auf das Substrat ein[2].

Auch Polykondensationsprodukte mit Chinon-Anteilen[3] können zu Oxidationsreaktionen verwendet werden. Diese Chinon-haltigen Redoxharze besitzen den Vorteil, daß sie aus den Reaktionsgemischen leicht wieder abtrennbar sind und daß sie darüber hinaus auch ein kontiniuierliches Arbeiten gestatten. Mit einem solchen Harz gelingt z. B. die Dehydrierung von Hydrazobenzol zu *Azobenzol*, von Ascorbinsäure zu *Dehydroascorbinsäure*, von Tetralin zu *Naphthalin* und von reduzierter Cozymase (DPNH) zu *Cozymase* in guten Ausbeuten[4].

Die bei der Dehydrierung mit Chinonen am häufigsten eintretenden Nebenreaktionen, die in manchen Fällen sogar zur Hauptreaktion werden können, sind Diels-Alder-Reaktionen[5], im Fall unsubstituierter Chinone nucleophile Additionen und bei Verwendung von Halogen-chinonen nucleophile Substitutionen[6].

Bei der Oxidation bzw. Dehydrierung mittels Chinonen ist eine gewisse Aktivierung des Wasserstoff-Donators erforderlich. Eine solche Aktivierung kann z. B. durch das Vorhandensein einer C=C-Doppelbindung oder eines Aryl-Substituenten erfolgen. So wird Dekalin auch durch Chinone mit hohem Redoxpotential nicht dehydriert; Octaline und Tetralin dagegen lassen sich mittels Chinonen in *Naphthalin* überführen[7].

A. Oxidationen bzw. Dehydrierungen unter Erhaltung des Kohlenstoff-Gerüstes

I. Dehydrierung von gesättigten C–C- bzw. C–Hetero-Gruppierungen unter Bildung olefinischer, aromatischer, heteroaromatischer oder quasiaromatischer Systeme

Die Aktivierung der beiden Methylen-gruppen im 1,2-Diphenyl-äthan durch die Phenyl-Substituenten reicht aus, um die Dehydrierung zu *Stilben* durch ein Chinon mit genügend hohem Redoxpotential zu gestatten. Tetrachlor-p-benzochinon (Chloranil) ist in diesem Fall als Dehydrierungsmittel nicht brauchbar; beim 20stündigen Erhitzen von 1,2-Diphenyl-äthan mit der 1,05-fachen molaren Menge 5,6-Dichlor-2,3-dicyan-p-benzochinon (DDQ) erreicht man jedoch eine Dehydrierung bis zu ~ 40% d. Th.[8]:

[1] E. A. Braude, A. G. Brook u. R. P. Linstead, Soc. **1954**, 3569.
[2] N. Dost, R. **71**, 857 (1952).
[3] Hydrochinon-Phenol-Formaldehyd-Harze in der oxidierten Form.
[4] G. Manecke, C. Bahr u. C. Reich, Ang. Ch. **71**, 646 (1959).
[5] R. Gaertner, Am. Soc. **76**, 6150 (1954).
[6] D. Buckley u. H. B. Henbest, Chem. & Ind. **1956**, 1096.
[7] N. Dost u. K. van Nes, R. **70**, 403 (1951).
[8] E. A. Braude, A. G. Brook u. R. P. Linstead, Soc. **1954**, 3569.
s. a. D. Walker u. J. D. Hebert, Chem. Reviews **67**, 153 (1967).

Eine etwas größere praktische Bedeutung besitzt die Dehydrierung partiell hydrierter Aromaten mit Chinonen. Die Arbeitsweise ist nachstehend am Beispiel der Dehydrierung von Tetralin zu *Naphthalin*[1] beschrieben. Über die analoge Herstellung von *Benzo-[2.2] paracyclophanen*[2] bzw. Phenanthrenophanen s. Lit. [3].

Naphthalin[1]: 0,65 g Tetralin und 1,14 g 5,6-Dichlor-2,3-dicyan-p-benzochinon (DDQ) werden in 5 *ml* Benzol gelöst und unter Stickstoff 45 Min. zum Rückfluß erhitzt. Die anfangs rote Lösung wird während dieser Zeit farblos. Man gibt nochmals 1,14 g DDQ in 2 *ml* Benzol zu und hält weitere 75 Min. am Sieden. Anschließend verdünnt man mit Petroläther, filtriert (der Rückstand wird aufbewahrt), reinigt das Filtrat durch Chromatographieren über eine kurze Säule mit Aluminiumoxid und dampft die Lösungsmittel ab; Ausbeute: 0,42 g (70% d. Th.) F: 79–80°.

Der in Petroläther unlösliche Rückstand wird aus wäßrigem Äthanol umkristallisiert und ergibt farbloses *5,6-Dichlor-2,3-dicyan-hydrochinon*; Ausbeute: 0,7 g (61% d. Th.); Zers. p.: 263°.

Da bei der Hydrid-Abstraktion vom Donator intermediär ein Carbenium-Ion gebildet wird, kann im Fall der Dehydrierung alkylsubstituierter Hydroaromaten als Nebenreaktion eine Wagner-Meerwein-Umlagerung eintreten[4]; z. B.:

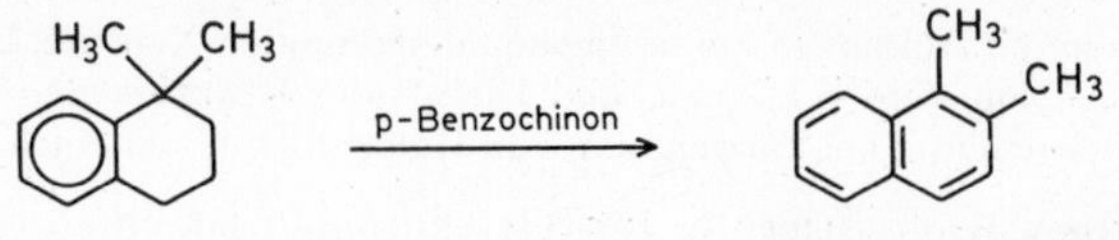

1,2-Dimethyl-naphthalin

Ein weiteres Beispiel für eine solche Umlagerung ist die unter gleichzeitiger Wasserabspaltung verlaufende Dehydrierung von Vitamin D_3 zu *1-Methyl-1-[6-methyl-heptyl-(2)]-4-[2-(2-methyl-phenyl)-vinyl]-inden* (25% d. Th.) durch 30–60 minütiges Kochen mit überschüssigem Tetrachlor-p-benzochinon in Anisol[5]:

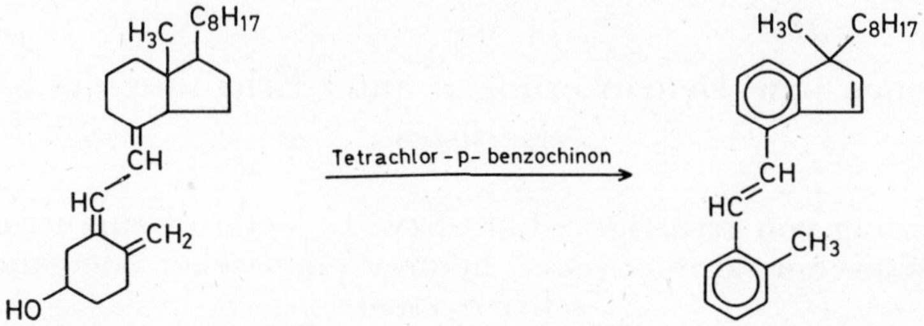

Octamethyl-bicyclo[4.2.0]octatrien-(2,4,7) geht bei der Dehydrierung mit p-Benzochinon oder Tetrachlor-p-benzochinon in *1,3,4,6,7,8-Hexamethyl-2,5-bis-[methylen]-bicyclo[4.2.0]octadien-(3,7)* über (50 bzw. 69% d. Th.), da in diesem Fall die Ausbildung eines aromatischen Systems nicht möglich ist[6]:

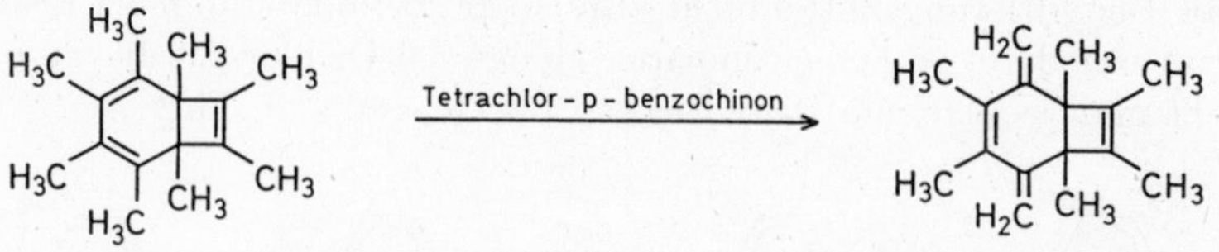

In Tab. 2 (S. 881) sind einige Beispiele für die Dehydrierung partiell gesättigter carbocyclischer Kohlenwasserstoffe zusammengestellt.

[1] E. A. Braude, A. G. Brook u. R. P. Linstead, Soc. **1954**, 3569.
  s. a. D. Walker u. J. D. Hiebert, Chem. Reviews **67**, 153 (1967).
[2] D. J. Cram, C. K. Dalton u. G. R. Knox, Am. Soc. **85**, 1008 (1963).
[3] H. A. Staab u. M. Haenel, B. **106**, 2190 (1973).
[4] E. A. Braude, L. M. Jackman u. R. P. Linstead, Soc. **1960**, 3123.
[5] H. Dannenberg u. K. F. Hebenbrock, A. **662**, 21 (1963).
[6] R. Criegee et al., B. **96**, 2230 (1963); besser verläuft in diesem Fall jedoch die Dehydrierung mit Silbernitrat in Petroläther.

Tab. 2.: Dehydrierung partiell hydrierter carbocyclischer und heterocyclischer Kohlenwasserstoffe mit Chinonen

Ausgangsverbindung	Chinon	Reaktionsprodukt	Ausbeute [% d. Th.]	F [° C]	Literatur
	DDQ	5-Fluorenyliden-5H-⟨dibenzo-[a;d]-cycloheptatrien⟩			1
	DDQ	R = 4-OCH₃–C₆H₄; 3-Hydroxy-2-methoxy-9-(4-methoxy-phenyl)-6,7-dihydro-5H-benzocycloheptatrien			2
	Tetrachlor-p-benzochinon (unter UV-Bestrahlung)	Pentaphenyl-benzol	99	250	3
	Tetrachlor-p-benzochinon	cis-(+)-Calamenen (1,6-Dimethyl-4-isopropyl-tetralin)			4
	DDQ	7,8-Dimethoxy-1-phenyl-naphthalin	85		5
	DDQ	9-Fluor-anthracen	90		6
	DDQ	Bis-[cyclooccta][a;d]-benzol	50		7

¹ L. Salisbury, J. Org. Chem. 35, 4258 (1970).
² D. J. Humphreys u. G. R. Proctor, Soc. (Perkin I) 1972, 722.
³ G. R. Evanega, W. Bergmann u. J. English, J. Org. Chem. 27, 13 (1962).
⁴ S. V. Bhatwadekar et al., Ind. J. Chem. 10, 1111 (1972).
⁵ B. Laundon, G. A. Morrison u. J. S. Brooks, Soc. [C] 1971, 36.
  Vgl. a. D. W. H. McDowell, R. A. Jourdenais, R. Naylor u. G. E. Paulovicks, J. Org. Chem. 36, 2603 (1971).
⁶ M. J. S. Dewar u. J. Michl, Tetrahedrons 26, 370 (1970).
⁷ J. A. Elix, M. V. Sargent u. F. Sondheimer, Am. Soc. 92, 962 (1970).

Tab. 2 (1. Fortsetzung)

Ausgangsverbindung	Chinon	Reaktionsprodukt	Ausbeute [% d. Th.]	F [° C]	Literatur
	DDQ	 *Acenaphthylen*	79	94–95	1, vgl. a, 2
	Tetrachlor-p-benzochinon	 *Benzo[r,s,t]-pentaphen*	42	280–281	3
	Tetrachlor-p-benzochinon	*1-Phenyl-azulen*			4, vgl. 5–8
	Tetrachlor-p-benzochinon	 *Naphtho-[2,1,8a,8-c,d,e]-azulen*	32	197–200	9
	DDQ	 *1,1-Dimethyl-2,5-diphenyl-silophen*	59		10
	DDQ	 *5,5-Dimethyl-⟨dibenzo-[b;f]-silepin⟩*			11

Die bei der vollständigen Dehydrierung von Steroiden bzw. Sterinen auftretenden Zwischenprodukte werden auf S. 897 beschrieben.

Auch zahlreiche partiell hydrierte heterocyclische Verbindungen können mit Chinonen dehydriert werden. So erhält man z. B. aus 7-Hydroxy-6-methoxy-2,2 dimethyl-chroman und Tetrachlor-p-benzochinon zu 54% d.Th. *7-Hydroxy-6-methoxy-2,2-dimethyl-2H-chromen*[12].

[1] E. A. BRAUDE, A. G. BROOK u. R. P. LINSTEAD, Soc. **1954**, 3569.
[2] M. J. S. DEWAR u. J. MICHL, Tetrahedrons **26**, 370 (1970).
[3] N. P. BUU-HOI u. D. LAVIT, Tetrahedron 8, 1 (1960).
Zur Herstellung von *Anthra-[2,3-j]-heptaphen* s. H. BROCKMANN u. H. LAATSCH, B. **106**, 2058 (1973).
[4] M. SAUERBIER, Ch. Z. **96**, 530 (1972).
S. a. Tetrahedron Letters **1972**, 547, 551.
[5] E. MÜLLER u. G. ZONNTSAS, Tetrahedron Letters **1970**, 4531.
[6] P. G. GASSMANN u. W. J. GREENLEE, Synth. Commun. 2, 395 (1972).
[7] H. PRINZBACH u. H. J. HERR, Ang. Ch. 84, 117 (1972).
[8] M. ODA u. Y. KITAHARA, Synthesis **1971**, 367.
[9] P. D. GARDNER, C. E. WULFMAN u. C. L. OSBORN, Am. Soc. 80, 143 (1958).
vgl. a. J. F. MÜLLER, D. CAGNIANT, Tetrahedron Letters **1971**, 45.
[10] T. J. BARTON u. E. E. GOTTSMAN, Synth. Inorg. Metal.-Org. Chem. 3, 201 (1973).
[11] F. K. CARTLEDGE u. P. D. MOLLERE, J. Organometall. Chem. **26**, 175 (1972).
[12] M. NAKAYAMA, A. OHNO et al., Bull. Chem. Soc. Japan **43**. 3311 (1970).

3-Phenyl-4,5-dihydro-thiophen geht z. B. bei der Umsetzung mit Tetrachlor-p-benzochinon glatt in *3-Phenyl-thiophen* über:

$$C_6H_5 \quad \xrightarrow{\text{Tetrachlor-p-benzochinon}} \quad C_6H_5$$

3-Phenyl-thiophen[1]: 300 mg reines 3-Phenyl-4,5-dihydro-thiophen werden mit 463 mg Tetrachlor-p-benzochinon und 5 ml Glykol 1 Stde. unter Rückfluß gekocht. Anschließend verdünnt man mit 50 ml 5%iger Natronlauge, destilliert mit Wasserdampf und isoliert aus dem Destillat 262 mg (89% d.Th.) reines 3-Phenyl-thiophen; F: 92,0–93,4°.

Ähnlich gute Ergebnisse werden bei der folgenden Dehydrierung erhalten:

$$H_3CO \quad \xrightarrow{\text{Tetrachlor-p-benzochinon}} \quad H_3CO$$

5,6-Dimethoxy-⟨benzo-[b]-thiophen⟩[2]: Eine Lösung von 300 mg (1,5 mMol) 5,6-Dimethoxy-2,3-dihydro-⟨benzo-[b]-thiophen⟩ in 10 ml trockenem Xylol wird mit 400 mg (1,6 mMol) Tetrachlor-p-benzochinon versetzt (die Mischung färbt sich grün) und 6 Stdn. zum Rückfluß erhitzt. Nach dem Abkühlen saugt man ab, wäscht den Rückstand mit Benzol aus und dampft das Filtrat zusammen mit der Waschflüssigkeit im Stickstoff-Strom auf dem Wasserbad ein. Der so erhaltene Rückstand wird in Hexan/Chloroform (2 + 1) über 40 g Aluminiumoxid chromatographiert. Nach dem Eindampfen erhält man 0,22 g (73% d.Th.) festes Produkt, das aus Hexan umkristallisiert werden kann; F: 101–102°.

2,3,4,5,6,7-Hexahydro-⟨cyclopenta-[b]-thiapyran⟩, das durch Palladium/Kohle zu *Cyclopenta-[b]-thiapyran* dehydriert werden kann, wird bei der Umsetzung mit Tetrachlor-p-benzochinon nicht nur dehydriert, sondern auch chloriert zu *5,7-Dichlor-⟨cyclopenta-[b]-thiapyran⟩*[3]:

$$\xleftarrow{\text{Pd / C}} \quad \xrightarrow{\text{Tetrachlor-p-benzochinon}} \quad \text{(Cl, Cl)}$$

2,3-Dihydro-indole bzw. Isoindole werden in guten Ausbeuten mit Tetrachlor- bzw. 5,6-Dichlor-2,3-dicyan-p-benzochinon zu den entsprechenden Indolen[4] bzw. 3H-Isoindolen[5] dehydriert. Wird dagegen 3-Methyl-2,3-dihydro-indol mit Tetrachlor-p-benzochinon in siedendem Xylol oxidiert, so wird *3-Hydroxy-3-methyl-3H-indol* zu 35% d.Th. isoliert[6].

[1] H. WYNBERG, A. LOGOTHETIS u. D. VER PLOEG, Am. Soc. **79**, 1972 (1957).
  Vgl. a. H. G. ALPERMANN, H. RUSCHIG u. W. MEIXNER, Arzneim.-Forsch. **22**, 2146 (1972).
[2] E. CAMPAIGNE u. B. G. HEATON, J. Org. Chem. **29**, 2372 (1964).
[3] R. MAYER et al., Tetrahedron Letters **1961**, 289.
[4] H. SZEWZYK u. T. LESIAK, Rosz. Chem. **46**, 2135 (1972).
  V. P. CHETVERIKOV et al., Khim. Form. Z. **7**, 3 (1973); C. A. **78**, 124393 (1973).
  V. P. SHAMSHIN, V. F. SHNER u. N. N. SUVOROV, Chim. geteroc. Soed. **1972**, 498; C. A. **77**, 101780 (1972).
  D. B. BAIRD, I. BAXTER et al., Soc. (Perkin I) **1973**, 832.
[5] A. Z. BRITTEN u. G. F. SMITH, Soc. (Perkin I) **1972**, 418.
[6] G. GIGNARELLA u. A. SABA, A. ch. **60**, 765 (1970).
  S. a. W. L. F. ARMAREGO, B. A. MILLOY, S. C. SHARMA, Soc. (Perkin I) **1972**, 2485.

2,6-Dimethyl-1,4-dihydro-pyridin-3,5-dicarbonsäure-diäthylester wird durch Tetrachlor-p-benzochinon in Tetrahydrofuran bei 25° glatt zu *2,6-Dimethyl-pyridin-3,5-dicarbonsäure-diäthylester* (96% d.Th.) dehydriert[1]:

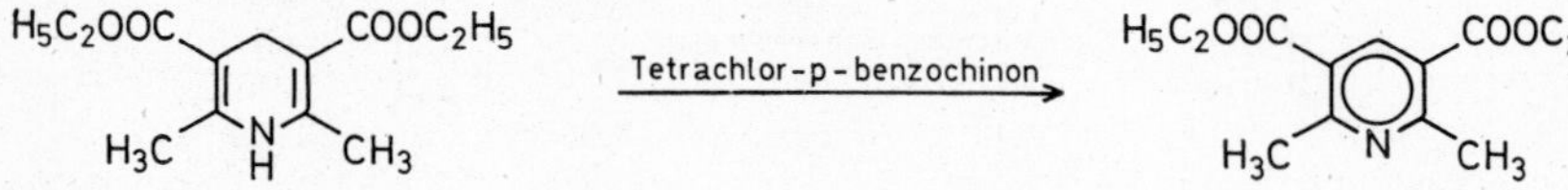

H5C2OOC — COOC2H5 → Tetrachlor-p-benzochinon → H5C2OOC — COOC2H5

Der gleiche Ester entsteht auch bei der Dehydrierung von 2,6-Dimethyl-4-cyanmethyl-1,4-dihydro-pyridin-3,5-dicarbonsäure-diäthylester, wobei gleichzeitig die 4-ständige Cyan-methyl-Gruppe abgespalten wird[2].

1,2-Dihydro-chinolin wird durch Tetrachlor-p-benzochinon in 1,4-Dioxan bei Raumtemperatur in guter Ausbeute zu *Chinolin* dehydriert; aus 1-Methyl-1,2-dihydro-chinolin entsteht unter gleichen Bedingungen *1-Methyl-chinolinium-tetrachlor-4-hydroxy-phenolat*[1]:

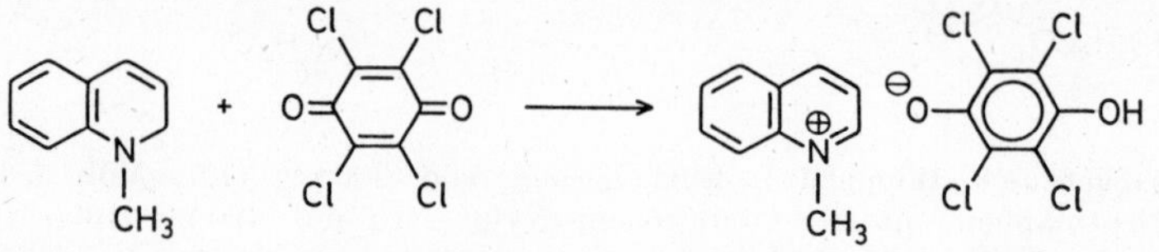

Auch andere partiell hydrierte Chinoline[3], Isochinoline[3], Phenanthridine[3] und Pyrimidine[4] können mit Chinonen dehydriert werden. Zu weitgehend hydrierte Verbindungen sind jedoch der Dehydrierung mit Halogenchinonen nicht zugänglich, da in diesen Fällen Substitutionsreaktionen in den Vordergrund treten. Eine Ausnahme bildet das 1,2,3,4-Tetrahydro-isochinolin; durch die treibende Kraft des am Stickstoff stehenden Elektronenpaares läuft die Dehydrierung in 1,2-Stellung wesentlich schneller ab als der darauf folgende Aromatisierungsschritt zu *Isochinolin*, so daß es gelingt, unter Verwendung von Phenanthren-9,10-chinon aus dem Tetrahydro-derivat in guter Ausbeute *3,4-Dihydro-isochinolin* zu erhalten[3]:

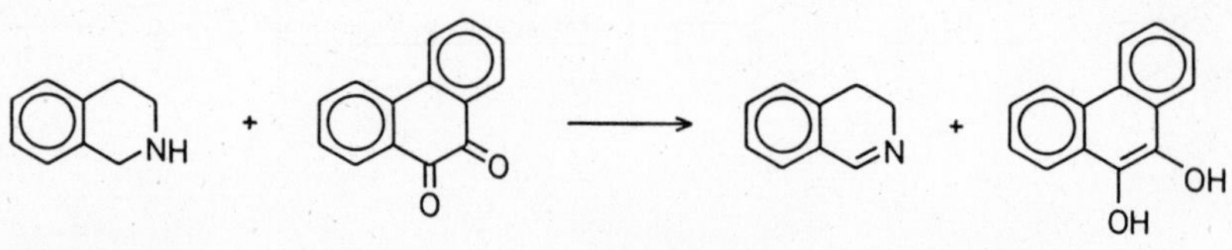

Mit guter Ausbeute verläuft auch die Dehydrierung partiell hydrierter Carbazole mit Tetrachlor-p-benzochinon[3,5]:

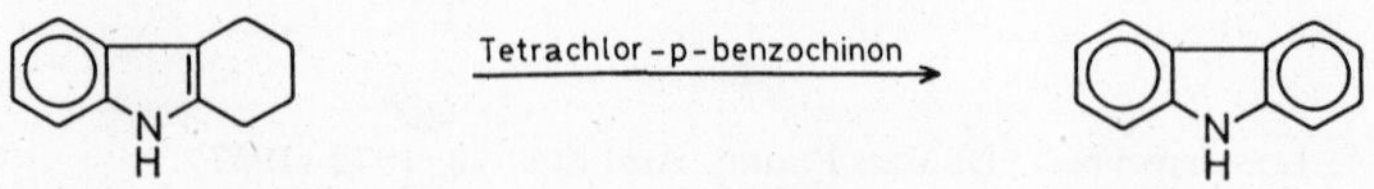

[1] E. A. Braude, J. Hannah u. R. Linstead, Soc. **1960**, 3249.
   S. a. M. Natsume u. I. Utsunomiya, Chem. Pharm. Bull. **20**, 1595 (1972); *4-Alkyl-3-cyan-chinole* aus dem entsprechenden 1,4-Dihydro-Derivat.
   vgl. a. H. Deubel u. D. Wolkenstein et al., B. **104**, 705 (1973); Herstellung von *2,3-Dipyridyl-(4)-indol* (90% d.Th.) aus 4-[2-Pyridyl-(4)-indolyl-(3)]-1,4-dihydro-pyridin.
[2] P. J. Brignell et al., Soc. **1963**, 4819.
[3] L. M. Jackman, Adv. Org. Chem. **2**, 329 (1960).
[4] Z. D. Dubovenko u. V. P. Mamaev, Izv. Sib. Otd. Akad. SSSR. **1972**, 101.
   U. W. Blake, A. E. A. Porter u. P. G. Sammes, Soc. (Perkin I) **1972**, 2494.
[5] B. M. Barclay u. N. Campbell, Soc. **1945**, 530.

Carbazole aus 1,2,3,4-Tetrahydro-carbazolen; allgemeine Arbeitsvorschrift[1]: 1–2 g (substituiertes) 1,2,3,4-Tetrahydro-carbazol und die genau doppelte molare Menge Tetrachlor-p-benzochinon werden in schwefelfreiem siedendem Xylol gelöst, dessen Menge eben ausreicht, um eine klare Lösung zu bilden. Das Gemisch wird so lange unter Rückfluß gekocht (1–24 Stdn.), bis einige als Probe entnommene Tropfen beim Erhitzen mit Natriumhydroxid keine Rotfärbung mehr ergeben. Man läßt dann abkühlen, trennt vom Tetrachlorhydrochinon ab, verdünnt mit Äther und schüttelt zuerst mit Natronlauge und danach mit Wasser aus. Die organische Phase wird über Natriumsulfat getrocknet, das Lösungsmittel abdestilliert und die kristallin abgeschiedene Verbindung aus Methanol, Benzol oder Xylol umkristallisiert. Falls eine Reinigung auf diese Weise nicht möglich ist, reinigt man das Produkt durch Chromatographie.

Für diese Dehydrierung ist nachstehend eine Auswahl typischer Beispiele angegeben:

1,2,3,4-Tetrahydro-carbazol	*Carbazol*	95% d.Th.	F: 245–247°
6-Chlor-1,2,3,4-tetrahydro-carbazol	*3-Chlor-carbazol*	50% d.Th.	F: 199–200°
8-Brom-1,2,3,4-tetrahydro-carbazol	*1-Brom-carbazol*	90% d.Th.	F: 111–112°
5-Nitro-1,2,3,4-tetrahydro-carbazol	*4-Nitro-carbazol*	65% d.Th.	F: 179–180°
6-Äthoxy-1,2,3,4-tetrahydro-carbazol	*3-Äthoxy-carbazol*	90% d.Th.	F: 105–106°
2-Methyl-1,2,3,4-tetrahydro-carbazol	*2-Methyl-carbazol*	75% d.Th.	F: 259°
1,2,3,4-Tetrahydro-carbazol-6-carbonsäure-äthylester	*Carbazol-3-carbonsäure-äthylester*	75% d.Th.	F: 156–157°

Geeignet substituierte tertiäre hydroaromatische Alkohole spalten bei der Dehydrierung mit 5,6-Dichlor-2,3-dicyan-p-benzochinon gleichzeitig Wasser ab unter Bildung der entsprechenden aromatischen Systeme, z. B.[2]:

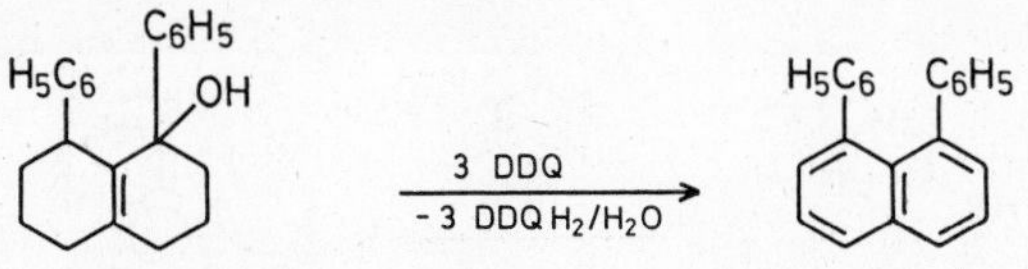

Bei diesen Reaktionen können auch Substituenten-Wanderungen eintreten[3]:

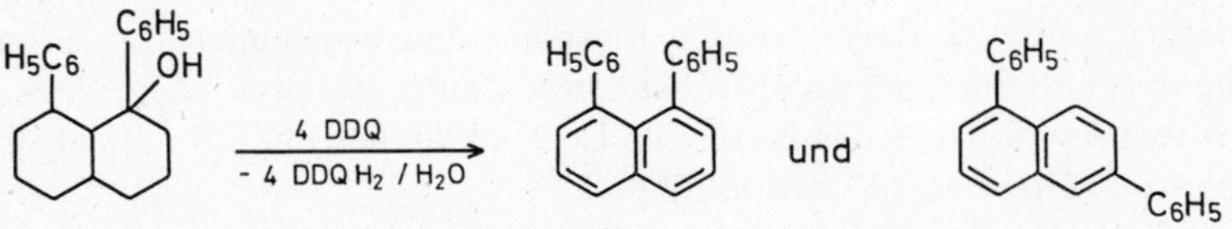

1,8- und 1,6-Diphenyl-naphthalin[3]: Eine Lösung von 1,145 g (3,75 mMol) 1-Hydroxy-1,8-diphenyl-dekalin und 4,51 g (20 mMol) 5,6-Dichlor-2,3-dicyan-p-benzochinon in 25 *ml* Chlorbenzol wird in einer Stickstoff-Atmosphäre 40 Stdn. unter Rückfluß gekocht. Anschließend filtriert man vom entstandenen Hydrochinon-Derivat ab, konzentriert das Filtrat und extrahiert den Rückstand mehrmals mit siedendem Hexan. Der Hexan-Extrakt wird durch Aluminiumoxid filtriert, das Hexan abgedampft und der Rückstand mehrmals aus Hexan umkristallisiert; das Filtrat wird aufbewahrt. Der Rückstand besteht aus rohem *1,8-Diphenyl-naphthalin*; F: 143–145°. Die Filtrate der Umkristallisationen werden konzentriert und das dabei erhaltene Produkt in Hexan über Silicagel chromatographiert. Die ersten Fraktionen des Eluates enthalten noch das 1,8-Isomere. Aus den späteren Fraktionen erhält man das *1,6-Diphenyl-naphthalin*, das zur weiteren Reinigung aus Hexan/Äthanol umkristallisiert wird; F: 84–84,5°.

---

[1] B. M. Barclay u. N. Campbell, Soc. **1945**, 530.

[2] H. O. House, R. W. Magin u. H. W. Thompson, J. Org. Chem. **28**, 2403 (1963).

[3] H. O. House u. R. W. Bashe, J. Org. Chem. **30**, 2942 (1965).

II. Dehydrierung von Lactonen, δ-Lactamen und von cyclischen Ketonen[1]

δ-Lactame lassen sich mit Chinonen in guten Ausbeuten zu ungesättigten Lactamen und in günstigen Fällen leicht zu den Heteroaromaten dehydrieren; z. B.:

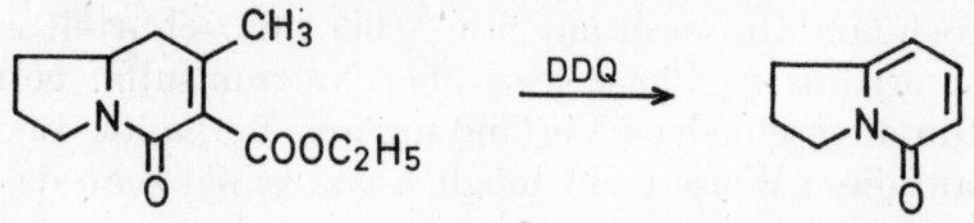

5-Oxo-2,3-dihydro-1H-indolizin[2]; 40% d. Th.

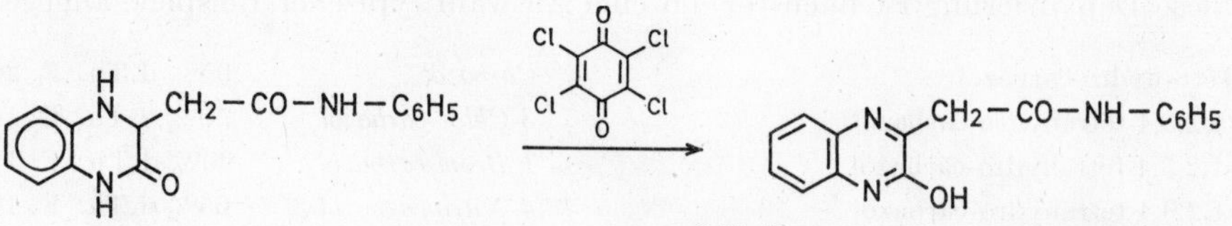

3-Hydroxy-2-anilinocarbonylmethyl-chinoxalin[3]; 90% d. Th.

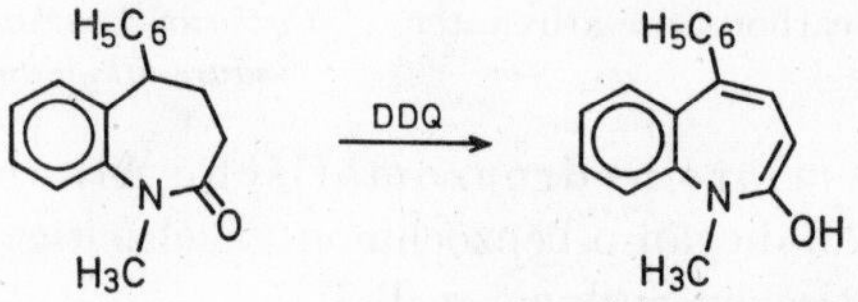

2-Hydroxy-1-methyl-5-phenyl-1H- ⟨*benzo-[b]-azepin*⟩[4]; 90% d. Th.

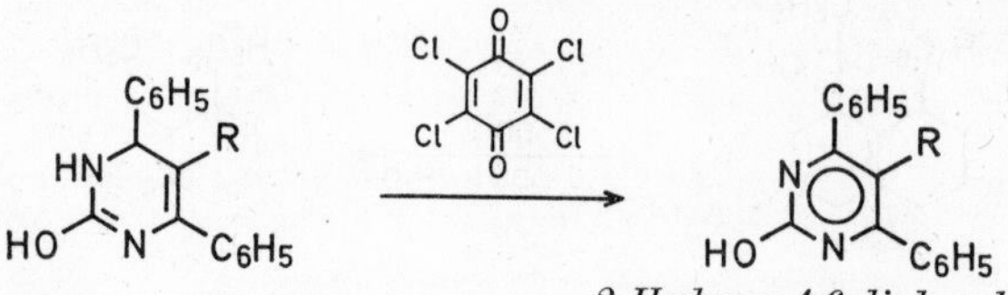

2-Hydroxy-4,6-diphenyl-pyrimidine[5]; 80–100% d. Th.

Bei der längeren Einwirkung von 5,6-Dichlor-2,3-dicyan-p-benzochinon auf α,β-gesättigte Lactone der Steroid-Reihe (andere Beispiele sind bisher nicht beschrieben) erfolgt Dehydrierung unter Bildung der entsprechenden α,β-ungesättigten Lactone. So erhält man z. B. aus 17β-Acetoxy-3-oxo-4-oxa-östran in 1,4-Dioxan bei 130 Stdn. Reaktionszeit *17β-Acetoxy-3-oxo-4-oxa-östren-(1)* (50% d. Th.)[6]:

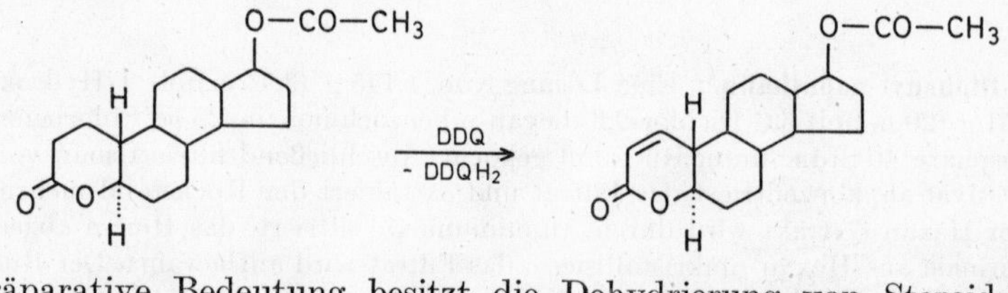

Größere präparative Bedeutung besitzt die Dehydrierung von Steroid-Ketonen mit Chinonen. Auch hierbei wird vor allem mit 5,6-Dichlor-2,3-dicyan-p-benzochinon gearbeitet.

[1] Zur Dehydrierung von Carbonsäuren zu α,β-*ungesättigten Carbonsäuren* s. G. Cainelli, G. Cardillon u. A. U. Rondic, Chem. Commun. **1973**, 94.

[2] M. Shamma, D. A. Smithers u. V. Georgiev, Tetrahedron **29**, 1949 (1973).

[3] V. D. Romanenko, N. E. Kulchitskaya u. S. I. Burmistrov, Chim. geteroc. Soed. **1973**, 264; C. A. **78**, 136227 (1973).

[4] B. Loev, R. B. Greenwald al., J. Med. Chem. **14**, 844 (1971).

[5] V. P. Mamaev u. Z. D. Duborenko, Chim. geteroc. Soed. **1970**, 541.

[6] B. Berkoz et al., Pr. Chem. Soc. **1964**, 215.

Es läßt sich so z. B. 2α-Fluor-17-O-acetyl-testosteron in guter Ausbeute zu *2-Fluor-17β-acetoxy-3-oxo-androstadien-(1,4)* dehydrieren[1]:

In diesem Fall erfolgt die Abstraktion des Hydrid-Ions aus der 1-Stellung der Dienol-Form. Arbeitet man bei Dehydrierungen dieser Art in Gegenwart von Säuren, z. B. p-Toluolsulfonsäure, so kann daneben auch eine Hydrid-Abstraktion aus der 7-Stellung eintreten; in Gegenwart von Chlorwasserstoff entsteht bei der Dehydrierung von 3-Oxo-Δ^4-steroiden im allgemeinen sogar ausschließlich das entsprechende 3-Oxo-$\Delta^{4,6}$-steroid[2]:

Anstelle von Chlorwasserstoff können zur Lenkung der Dehydrierung in Richtung auf ein 3-Oxo-$\Delta^{4,6}$-steroid mit gutem Erfolg auch Maleinsäure, Trichloressigsäure, Oxalsäure, 3,5-Dinitro-benzoesäure[3], 4-Nitro-phenol und Pikrinsäure[4] verwendet werden.

Auch gesättigte 3-Oxo-steroide können mit Chinonen dehydriert werden, wobei je nach Struktur Δ^1-, Δ^4- oder $\Delta^{1,4}$-Steroidketone entstehen[5].

Die Durchführung derartiger Dehydrierungen erfolgt üblicherweise in der 5–100fachen Menge Lösungsmittel; als solches verwendet man meist Benzol oder 1,4-Dioxan, da hierin das entstehende 5,6-Dichlor-2,3-dicyan-hydrochinon schwer löslich ist und somit leicht durch Filtration entfernt werden kann. Die Umsetzung wird im allgemeinen bei Siedetemp. und unter Stickstoff vorgenommen, wobei

[1] Brit. P. 893584 (1959) British Drug Houses Ltd., Erf.: D. N. KIRK u. V. PETROW; C. A. **57**, 5989 (1962).

[2] H. J. RINGOLD u. A. TURNER, Chem. & Ind. **1962**, 211.
H. P. FARO, R. E. YOUNGSTROM, T. L. POPPER, R. NERI u. H. L. HERZOG, J. Med. Chem. **15**, 679 (1972).
T. L. POPPER et al., J. Med. Chem. **13**, 564 (1970).
D. I. SCHUSTER u. W. C. BARRINGER, Am. Soc. **93**, 731 (1973); *17β-Hydroxy-3-oxo-androstadiene-(1,4)*.
B. E. McCARRY, R. L. MARKEZICH u. W. S. JOHNSON, Am. Soc. **95**, 4416 (1973); *3-Oxo-17β-acetyl-androstadien-(1,4)* zu 100% d. Th.
H. CARPIO, P. CRABBÉ u. J. H. FRIED, Soc. (Perkin I) **1973**, 227; Dehydrierung entsprechender 6,7-Cyclopropa-Derivate.
L. S. MOROZOVA, F. A. LURI u. V. I. MAKSIMOV, Pharm. Chem. J. **16**, 199, 510 (1972); *3-Oxo-16α,17α-dimethyl-17β-acetyl-androstadien-(4,6)* zu 54% d. Th.
B. PELC u. E. KODICEK, Soc. [C] **1971**, 859; *3-Oxo-ergostapentaen-(1,4,6,8¹⁴,22)*.

[3] Brit. P. 969558 (1961), Osokeyhtio Medica AB; C. A. **61**, 16128ᵈ (1964).

[4] E. A. BRAUDE, L. M. JACKMAN u. R. P. LINSTEAD, Soc. **1954**, 3548.

[5] Fr. P. 1369962 (1961), Roussel-UCLAF, Erf.: D. BERTIN u. L. NEDELEC; C. A. **62**, 616ᵍ (1965).
US. P. 3086015 (1962), Syntex Corp., Erf.: J. C. ORR, A. BOWERS u. J. EDWARDS; C. A. **59**, 14075ᵉ (1963).
US. P. 3198792 (1962), North American Phillips Co., Erf.: E. H. REERINK, P. WESTERHOF u. H. F. L. SCHOELER; C. A. **63**, 16429 (1965).
Niederl. P. 6412939 (1963), Hoffmann-LaRoche; C. A. **63**, 16426ᵇ (1965).
Vgl. a. K. E. FAHRENHOLTZ, K. P. MEYERS u. R. W. KIERSTEAD, J. Med. chem. **15**, 1056 (1972); ungesättigte 3-Oxo-16α,17α-cyclopropa-steroide.

man 1,1–2 Mol 5,6-Dichlor-2,3-dicyan-p-benzochinon pro Mol einer zu bildenden Doppelbindung ein
setzt; die Reaktionszeiten betragen zwischen 10 und 20 Stdn. Der Überschuß an Dehydrierungsmittel
wird am besten mit Natriumhydrogensulfit oder Natriumdithionit zerstört[1].

Zur Herstellung von 3-Oxo-7-oxa-$\Delta^{1,4}$-steroide aus 3-Oxo-7-oxa-steroiden s. Lit.[2]
Über die vollständige Dehydrierung von Oxo-steroiden s. S. 897.

Auch außerhalb der Steroid-Reihe können cyclische α,β-ungesättigte Ketone mit
Chinonen zu Dienonen dehydriert werden, wie das folgende Beispiel zeigt:

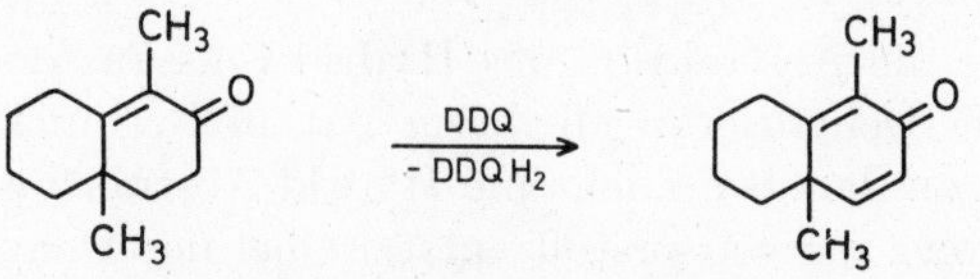

2-Oxo-1,4a-dimethyl-2,4a,5,6,7,8-hexahydro-naphthalin[3]: Eine Mischung von 10,25 g 2-Oxo-1,4a-
dimethyl-$\Delta^{8a,1}$-octahydro-naphthalin, 14,32 g 5,6-Dichlor-2,3-dicyan-p-benzochinon, 25 ml Eisessig und
500 ml Benzol wird unter Stickstoff 32 Stdn. unter Rückfluß gehalten. Nach dem Abkühlen auf Raumtemp. filtriert man von dem entstandenen Hydrochinon-Derivat ab und engt das Filtrat i.Vak. ein. Das
zurückbleibende Öl wird in einem Gemisch aus 1,25 l Hexan und 4 l Benzol aufgenommen und über eine
Säule mit 100 g Aluminiumoxid (Aktivität II) gereinigt. Nach Entfernen des Lösungsmittels aus dem
Eluat erhält man 8,29 g (82% d.Th.) Produkt; F: 40–40,5°.

Auf ähnliche Weise erhält man z. B. aus:

6-Oxo-3,3,5-trimethyl-cyclohexen	$\longrightarrow$ *6-Oxo-3,3,5-trimethyl-cyclohexadien-(1,4)*[4]	54% d.Th
6-Oxo-3,3-dimethyl-5-hydroxymethyl-cyclohexen	$\longrightarrow$ *6-Oxo-3,3-dimethyl-5-formyl-cyclohexadien-(1,4)*[5]	61% d.Th
6-Hydroxy-3-oxo-bicyclo[4.4.0]decen-(1)	$\longrightarrow$ *6-Hydroxy-3-oxo-bicyclo[4.4.0]decadien-(1,4)*[6]	80% d.Th
7-Acetoxy-3-oxo-6-methyl-bicyclo[4.4.0]decen-(1)	$\longrightarrow$ *7-Acetoxy-3-oxo-6-methyl-bicyclo[4.4.0]decadien-(1,4)*[7]	70% d.Th
3-Oxo-6,7-dimethyl-4-hydroxymethyl-bicyclo[4.4.0]decen-(1)	$\longrightarrow$ *3-Oxo-6,7-dimethyl-4-formyl-bicyclo[4.4.0]decadien-(1,4)*[8]	95% d.Th

In analoger Weise läßt sich 5-Oxo-cycloheptadien-(1,3) zu *Tropon* (10% d.Th.)[9] bzw.
4-Oxo-bicyclo[5.4.1]dodecatrien-(7,9,11) zu *4-Oxo-bicyclo[5.4.1]do decapentaen*[10] (46% d.Th.)
dehydrieren:

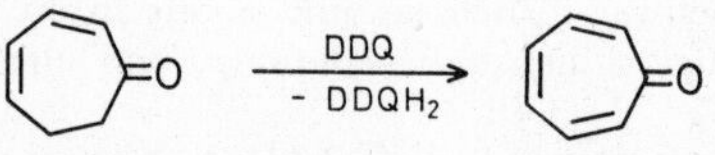

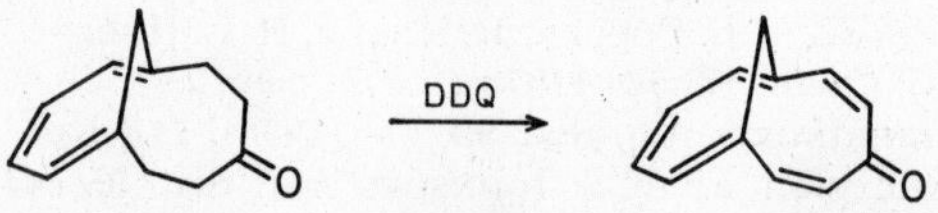

[1] US. P. 3198792 (1962), North American Phillips Co., Erf.: E. H. REERINK, P. WESTERHOF u. H. F. L.
    SCHOELER; C. A. **63**, 16429[h] (1965).
[2] R. W. GUTHRIE, A. BORIS, J. G. MULLIN, F. A. MENNONA u. R. W. KIERSTEAD, J. Chem. Med. **16**, 257
    (1973).
    R. A. LE MAHIEU, A. BORIS, M. CARSON, R. W. GUTHRIE u. R. W. KIERSTEAD, J. Chem. Med. **16**, 647
    (1973).
[3] P. J. KROPP, J. Org. Chem. **29**, 3110 (1964).
[4] K. L. COOK u. A. J. WARING, Soc. (Perkin I) **1973**, 529.
[5] H. V. SECOR, M. BOURLAS u. J. F. DEBARDELEBEN, Experientia **27**, 18 (1971).
[6] G. F. BURKINSHAW, B. R. DAVIS et al., Soc. [C] **1971**, 3002.
[7] K. H. BELL, Austral. J. Chem. **25**, 1117 (1972).
[8] E. PIERS u. M. B. GERAGHTY, Canad. J. Chem. **51**, 2166 (1973).
    Vgl. a. E. PIERS, M. B. GERAGHTY, F. KIDO u. M. SOUCY, Synth. Commun. **3**, 39 (1973).
[9] E. E. VAN TAMELEN u. G. T. HILDAHL, Am. Soc. **78**, 4405 (1956).
[10] W. GRIMME, J. REISDORFF, W. JUNEMANN u. E. VOGEL, Am. Soc. **92**, 6335 (1970).

Als Beispiel für die Dehydrierung zu einem chinoiden System sei die Reaktion von 1,1'-Difluor-10,10'-dioxo-9,10,9',10'-tetrahydro-bi-anthryl-(9) mit p-Benzochinon zu *1,1'-Difluor-10,10'-dioxo-9,10,9',10'-tetrahydro-bi-anthryliden-(9)* (86% d.Th.; F: > 360°) erwähnt[1]:

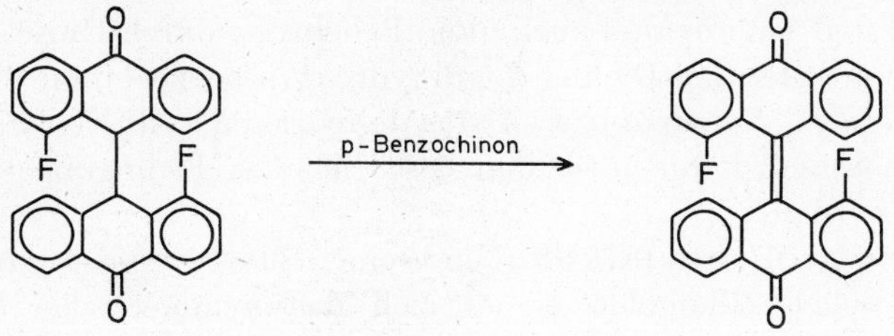

Zum Einsatz von 4,5-Dichlor-2,3-dicyan-p-benzochinon als Dehydrierungsmittel in der Tetracyclin Reihe s. z. B. Lit.[2].

III. Dehydrierung von Ringsystemen unter Bildung von Kationen oder Radikalen

Bei der Umsetzung von Cycloheptatrien mit 5,6-Dichlor-2,3-dicyan-p-benzochinon in Dichlormethan wird lediglich ein Hydrid-Ion auf den Akzeptor übertragen, und man erhält das *5,6-Dichlor-4-hydroxy-2,3-dicyan-phenolat* des *Tropylium*-Kations (91% d.Th.)[3,4]:

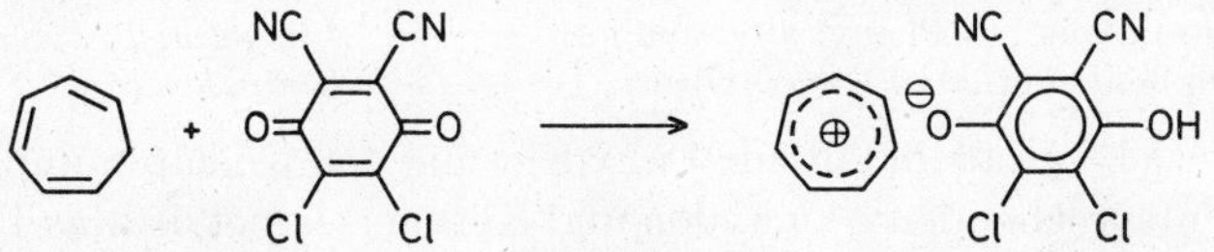

In Gegenwart von Perchlorsäure und Eisessig entsteht das **explosive** *Tropylium-per-chlorat* (92% d.Th.).

In ähnlicher Weise kann aus 1,2,3-Triphenyl-cyclopropen das entsprechende *Triphenyl-cyclopropylium*-Salz (90% d.Th.) hergestellt werden.

Auch heterocyclische Systeme wie z.B. Thiaxanthen, 4-Hydroxy-thiachroman, 5-Methyl-5,6-dihydro-phenanthridin und 9,10-Dihydro-acridin lassen sich auf analogem Weg in die entsprechenden Dehydrosalze überführen[3, s. a. 5].

Phenalen gibt bei der Umsetzung mit p-Benzochinon in neutralem Medium in guter Ausbeute das unbeständige *Phenalenyl-Radikal*[3]:

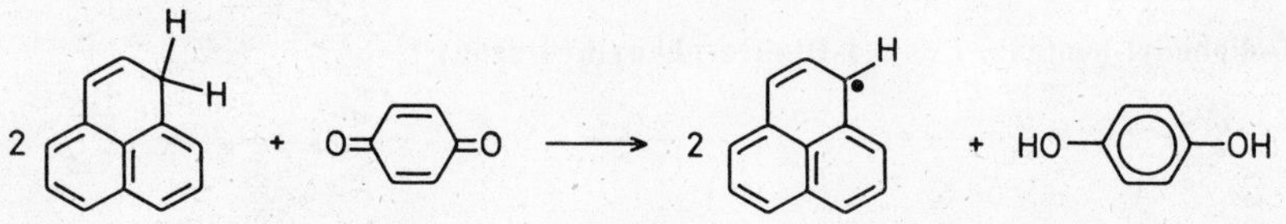

[1] E. D. Bergmann u. H. J. E. Loewenthal, Soc. **1953**, 2572.
[2] H. Muxfeldt et al., Ang. Ch. **85**, 508 (1973).
[3] D. H. Reid et al., Tetrahedron Letters **1961**, 530.
[4] Vgl. a. P. Müller u. J. Rocek, Am. Soc. **94**, 2716 (1972).
[5] Vgl. a. G. R. Cliff u. G. Jones, Soc. [C] **1971**, 3418; Herstellung von 8-substituierten Dehydro-⟨azepino-[1,2-a]-indol⟩-Salze.

IV. Dehydrierung von Hydroxyverbindungen zu Carbonylverbindungen

p-Benzochinon reagiert mit primären und sekundären Alkoholen im Sonnenlicht zu Hydrochinon und den entsprechenden Aldehyden bzw. Ketonen[1]. Im Dunkeln findet dagegen keine Dehydrierung statt[2]. In Gegenwart von Chrom(III)-salzen lassen sich jedoch Äthanol, Propanol und Isopropanol auch ohne Belichtung durch Umsetzung mit 2,5-Dihydroxy-p-benzochinon oder 3,6-Dichlor-2,5-dihydroxy-p-benzochinon bei 25° in rascher Reaktion zu *Acetaldehyd, Propanal* bzw. *Aceton* dehydrieren[3]. Als Nebenprodukte entstehen hierbei Chelate. Methanol kann unter den beschriebenen Bedingungen nicht zu Formaldehyd dehydriert werden.

Zur Dehydrierung von Benzylalkohol und seinen Substitutionsprodukten sowie einigen anderen araliphatischen Alkoholen eignet sich das symmetrische 5,9,14,18-Tetraoxo-5,9,14,18-tetrahydro-⟨dinaphtho-[2,3-b;2,3-i]-phenazin⟩ (Diphthaloyl-phenazin)[4]:

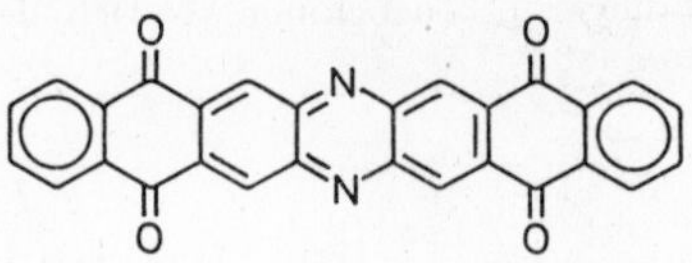

Mit diesem Reagenz lassen sich z. B. die folgenden Dehydrierungen mit Ausbeuten von 25–50% d. Th. durchführen:

Benzylalkohol	⟶	*Benzaldehyd*
3-Nitro-benzylalkohol	⟶	*3-Nitro-benzaldehyd*
4-Nitro-benzylalkohol	⟶	*4-Nitro-benzaldehyd*
4-Methoxy-benzylalkohol	⟶	*4-Methoxy-benzaldehyd*
Zimtalkohol (3-Phenyl-allylalkohol)	⟶	*Zimtaldehyd*
Diphenylmethanol (Benzhydrol)	⟶	*Benzophenon*

Ein Chinon, das sich vor allem gut zur Dehydrierung von primären und sekundären Allylalkoholen zu den entsprechenden Aldehyden und Ketonen eignet, ist das Tetrachlor-o-benzochinon[5]. Mit diesem Reagenz läßt sich z. B. Zimtalkohol in 85%iger Ausbeute zu *Zimtaldehyd* dehydrieren. Nachstehend sind zwei weitere Beispiele angegeben.

2-Methyl-3-phenyl-acrolein (als 2,4-Dinitro-phenylhydrazon)[5]:

0,5 g 2-Methyl-3-phenyl-allylalkohol und 0,83 g Tetrachlor-o-benzochinon werden in Chloroform gelöst und 2 Stdn. bei Raumtemp. belassen. Anschließend reinigt man das Gemisch an einer kurzen Säule mit Aluminiumoxid, eluiert den Aldehyd mit Chloroform, entfernt das Chloroform und stellt in üblicher Weise das 2,4-Dinitro-phenylhydrazon her; Ausbeute: 0,74 g (67% d. Th.); F: 209–210°, aus Essigsäureäthylester/Petroläther.

3-Oxo-1,5-diphenyl-pentenin (als 2,4-Dinitro-phenylhydrazon)[5]:

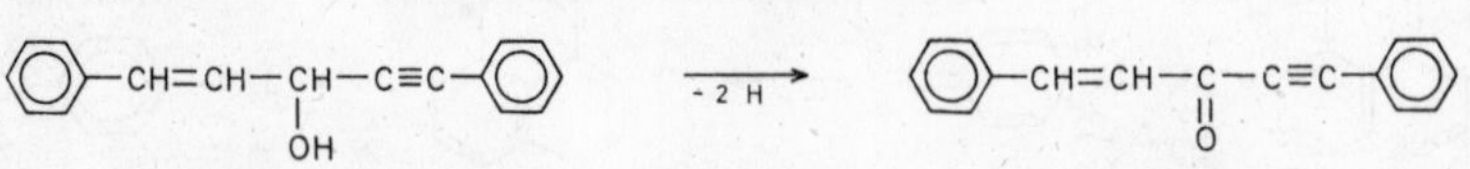

[1] G. CIAMICIAN u. P. SILBER, B. **34**, 1530 (1901).
[2] E. A. BRAUDE, R. P. LINSTEAD u. K. R. WOOLDRIDGE, Soc. **1956**, 3070.
[3] R. G. LINCK u. H. TAUBE, Am. Soc. **85**, 2187 (1963).
[4] W. BRADLEY u. M. C. CLARK, Chem. & Ind. **1961**, 589.
[5] E. A. BRAUDE, R. P. LINSTEAD u. K. R. WOOLDRIDGE, Soc. **1956**, 3070. Über die Oxidation von unges. Steroid-alkoholen zu ungesättigten Oxo-steroiden mit 5,6-Dichlor-2,3-dicyan-p-benzochinon s. D. WALKER u. J. D. HERBERT, Chem. Reviews **67**, 153 (1967).

1 g 3-Hydroxy-1,5-diphenyl-penten-(4)-in-(1) und 1,1 g Tetrachlor-o-benzochinon werden in 20 *ml* Äthanol gelöst und 10 Min. stehen gelassen. Das Gemisch wird dann an einer kurzen Säule mit Aluminiumoxid gereinigt, das Chloroform aus dem Eluat entfernt und der Rückstand in üblicher Weise in das 2,4-Dinitro-phenylhydrazon übergeführt; Ausbeute: 1,61 g (91% d.Th.); F: 231–232°, aus Essigsäure-äthylester/Petroläther.

In manchen Fällen führt man die Dehydrierung von Alkoholen zu Aldehyden oder Ketonen mittels Chinonen vorteilhaft in Gegenwart von Aluminium-tert.-butanolat als Katalysator durch, so z. B. bei der Dehydrierung von Betulin zu *Betulonaldehyd*[1]:

Reaktionen dieser Art stellen einen Übergang zur Oppenauer-Oxidation von Alkoholen dar (s. S. 968 ff).

Die Umsetzung von 2-Hydroxy-5-methoxy-1,3-di-tert.-butyl-benzol mit 5,6-Dichlor-2,3-dicyan-p-benzochinon in Methanol führt nicht, wie bei Verwendung anderer Oxidationsmittel, zu einem stabilen Aroxyl (vgl. S. 893), sondern weiter über *2,6-Di-tert.-butyl-p-benzo-chinon-4-dimethylacetal* und dessen anschließende Hydrolyse zu *2,6-Di-tert.-butyl-p-benzochinon*[2]:

Man vergleiche hierzu auch die anders verlaufenden Dehydrierungen einiger ähnlicher Phenol-Derivate auf S. 892.

Mit Tetrachlor-o-benzochinon werden *Fluoren-1,2-, -2,3-* und *-1,4-chinon* (~ 70% d.Th.) aus den entsprechenden Dihydroxy-Derivaten gewonnen[3]. Zur selektiven Dehydrierung einer Hydroxy-Gruppe in Prostaglandinen wurde ebenfalls 5,6-Dichlor-2,3-dicyan-p-benzochinon herangezogen[4].

Als Sonderfall einer Dehydrierung sei hier noch die Reaktion von GRIPENBERG und HASE beschrieben, bei welcher die Quaternierungsprodukte von Pyridin und benzokondensierten

[1] L. RUZICKA u. E. REY, Helv. **24**, 529 (1941).
Zur analogen Dehydrierung von 7-Hydroxy-⟨benzo-bicyclo-[2.2.1]-hepten⟩ (Benzo-norbornenol) zu 7-Oxo-⟨benzo-bicyclo[2.2.1]hepten⟩ s. P. D. BARTLETT u. W. P. GIDDINGS, Am. Soc. **82**, 1240 (1960).
[2] H. D. BECKER, J. Org. Chem. **30**, 982 (1965).
Vgl. a. J. M. SINGH u. A. B. TURNER, Soc. (Perkin I) **1972**, 2294.
Vgl. a. D. H. R. BARTON et al., Soc. [C] **1971**, 2204.
[3] L. HORNER u. D. W. BASTON, A. **1973**, 910.
[4] A. GUZMAN u. P. CRABBÉ, Chem. & Ind. **1973**, 635.

Pyridinen in alkalischem Medium durch p-Benzochinon in Oxo-dihydro-Derivate übergeführt werden[1,2], z. B.:

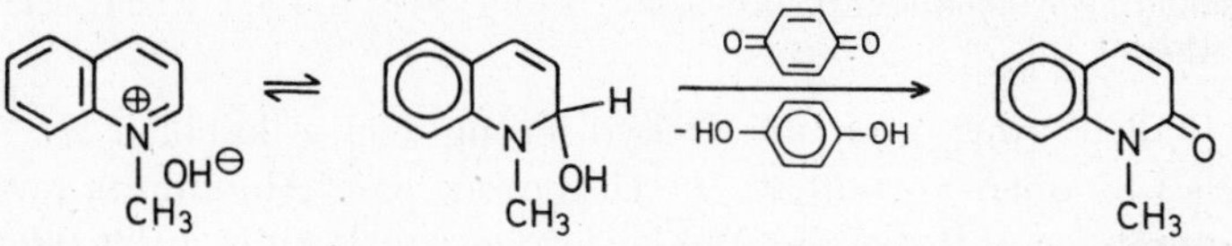

2-Oxo-1-methyl-1,2-dihydro-chinolin

Praktisch besitzt diese Methode zur Herstellung von 2-Oxo-1-alkyl-1,2-dihydro-
pyridinen und Analogen hinsichtlich Ausbeute und Ausführung gegenüber älteren Verfahren[3] keine wesentlichen Vorteile.

2-Oxo-1-methyl-1,2-dihydro-chinolin[2]: Eine Mischung von 1,29 g (10 mMol) Chinolin und 5 *ml*
Dimethylsulfat wird 30 Min. auf dem siedenden Wasserbad erwärmt. Nach Abkühlen auf 50° gibt man
eine Lösung von 2,95 g Kaliumhydroxid in 100 *ml* Wasser zu, wartet, bis keine getrennten Phasen mehr
erkennbar sind, neutralisiert mit 0,5 n Kalilauge und kühlt in Eis. Dann gibt man unter Rühren 1,08 g
(10 mMol) p-Benzochinon zu und anschließend langsam eine Lösung von 0,5 g Kaliumhydroxid in 100 *ml*
Wasser. Hierbei läßt man die Mischung wieder Raumtemp. erreichen. Anschließend extrahiert man 3 mal
mit je 100 *ml* Äther, trocknet die Extrakte über Natriumsulfat und dampft den Äther ab. Der Rückstand
wird aus Petroläther umkristallisiert; Ausbeute: 0,56 g (35% d. Th.); F: 72°. Aus den wäßrigen Lösungen
kann durch Ansäuern mit verd. Schwefelsäure und Ätherextraktion ein Teil des entstandenen Hydrochinons gewonnen werden.

In analoger Weise lassen sich die folgenden Umsetzungen durchführen[2]:

N-Methyl-isochinolinium-hydroxid	⟶ *1-Oxo-2-methyl-1,2-dihydro-isochinolin*	24% d. Th.
N-Methyl-acridinium-hydroxid	⟶ *9-Oxo-10-methyl-9,10-dihydro-acridin*	63% d. Th.
	(*N-Methyl-acridon*)	
N-Methyl-phenanthridinium-hydroxid	⟶ *6-Oxo-5-methyl-5,6-dihydro-phenanthridin*	76% d. Th.
N-Methyl-benzo-[f]-chinolinium-hydroxid	⟶ *3-Oxo-4-methyl-3,4-dihydro-⟨benzo-[f]-chinolin⟩*	55% d. Th.
N-Methyl-benzo-[h]-chinolinium-hydroxid	⟶ *2-Oxo-1-methyl-1,2-dihydro-⟨benzo-[h]-chinolin⟩*	47% d. Th.

V. Oxidation von Methyl- und Methylen-gruppen zu Carbonyl-gruppen

2-Hydroxy-1,3,5-trimethyl-benzol kann mit der doppelten molaren Menge 5,6-Dichlor-2,3-
dicyan-p-benzochinon in Methanol mit guter Ausbeute zu *4-Hydroxy-3,5-dimethyl-benzal-
dehyd* oxidiert werden[4]:

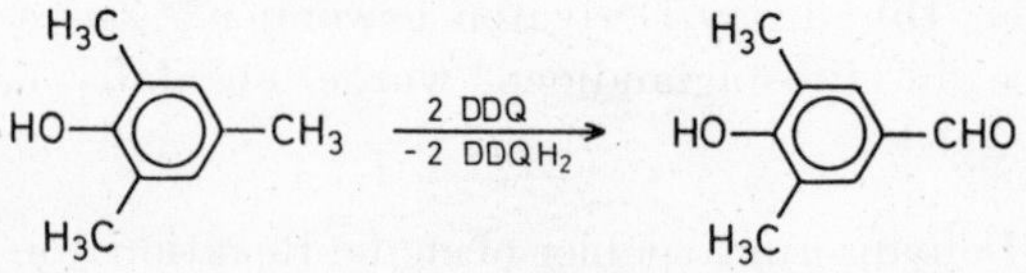

4-Hydroxy-3,5-dimethyl-benzaldehyd[4]: Zu einer Lösung von 272 mg (2 mMol) 2,4,6-Trimethyl-phenol
in 10 *ml* Methanol gibt man 908 mg (4 mMol) 5,6-Dichlor-2,3-dicyan-p-benzochinon und sorgt dabei
durch Einleiten von Stickstoff für genügende Durchmischung. Die Mischung wird zunächst unter Wärmeentwicklung blau, dann braun und schließlich gelb. Man läßt das Gemisch 12 Stdn. unter Stickstoff
stehen und dampft dann i.Vak. zur Trockne ein. Der hellgelbe Rückstand wird mit 50 *ml* siedendem
Benzol extrahiert, wobei 875 mg (95% d. Th.) 5,6-Dichlor-2,3-dicyan-hydrochinon ungelöst zurückbleiben. Das Filtrat wird eingedampft, der Rückstand mit wäßrigem Methanol ausgewaschen und abgesaugt; Ausbeute: 250 mg (83% d. Th.); F: 114–115° (aus wäßrigem Methanol).

[1] J. Gripenberg u. T. Hase, Acta chem. scand. **17**, 2250 (1963).
[2] T. Hase, Acta chem. scand. **18**, 1806 (1964).
[3] H. Decker, J. pr. [2] **47**, 28 (1893).
[4] H. D. Becker, J. Org. Chem. **30**, 982 (1965).

Die analoge Oxidation von (4-Hydroxy-phenyl)-phenyl-methan ergibt *4-Hydroxy-benzo-phenon* (91% d.Th.). 2-Hydroxy-5-methyl-1,3-di-tert.-butyl-benzol kann auf die gleiche Weise nur dann zu *4-Hydroxy-3,5-di-tert.-butyl-benzaldehyd* (86% d.Th.) oxidiert werden, wenn man in genügend großer Verdünnung arbeitet; anderenfalls bleibt die Reaktion bei einem unlöslichen Zwischenprodukt stehen[1].

Mit hohen Ausbeuten werden 1-Aryl-propene mit 5,6-Dichlor-2,3-dicyan-p-benzochinon zu den entsprechenden Zimtaldehyden oxidiert[2].

B. Dehydrierungen unter Knüpfung von C-C-Bindungen

In einer Reihe von Fällen tritt bei der Dehydrierung von Methin- bzw. Methylen-Gruppierungen mit Chinonen eine C–C-Verknüpfung unter Verdoppelung des Moleküls ein. So ergibt z. B. die Umsetzung von 1,3-Dioxo-2-(4-methoxy-phenyl)-indan, das bei der Dehydrierung keine Doppelbindung ausbilden kann, mit 5,6-Dichlor-2,3-dicyan-p-benzochinon in sehr guter Ausbeute *1,3,1',3'-Tetraoxo-2,2'-bis-[4-methoxy-phenyl]-bi-indanyl-(2)*[3]:

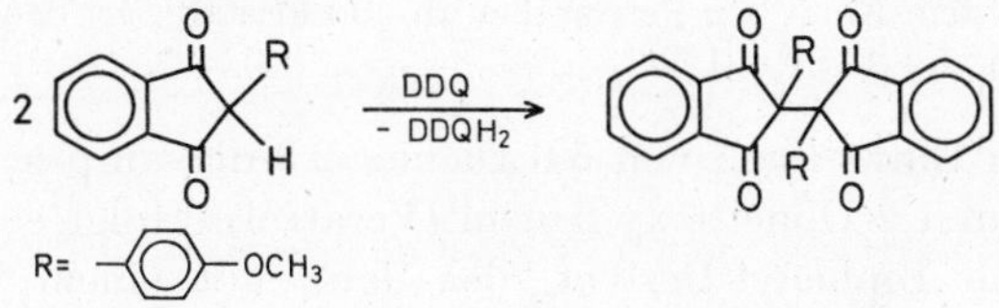

Auf ähnliche Weise erhält man aus 4-Hydroxy-cumarin *4,4'-Dihydroxy-3,3'-bi-cumarinyl* in guten Ausbeuten[4].

Diphenylmethan, das ebenfalls keine Doppelbindung ausbilden kann, geht bei der Umsetzung mit 2,6,2',6'-Tetra-tert.-butyl-diphenochinon in *1,1,2,2-Tetraphenyl-äthan* (65% d.Th.) über[5].

Ähnliche Dimerisierungen können auch bei der Reaktion einiger araliphatischer Kohlenwasserstoffe mit Tetrachlor-p-benzochinon, Naphthochinon-(1,4) oder Phenanthren-9,10-chinon bei UV-Bestrahlung erfolgen. Als Beispiel sei die Umsetzung von p-Xylol mit Tetrachlor-p-benzochinon unter UV-Bestrahlung angegeben, bei welcher aus dem primär gebildeten Radikal entweder durch Dimerisierung *1,2-Bis-[4-methyl-phenyl]-äthan* entsteht oder durch Reaktion mit einem Tetrachlor-4-hydroxy-phenoxyl-Radikal *2,3,5,6-Tetrachlor-4-hydroxy-1-(4-methyl-benzyloxy)-benzol*[6]:

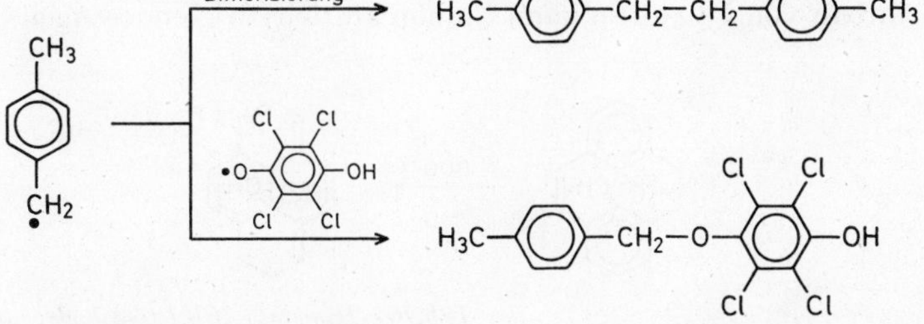

[1] H. D. Becker, J. Org. Chem. **30**, 982 (1965).
[2] E. F. Kiefer u. F. E. Lutz, J. Org. Chem. **37**, 1519 (1972).
[3] H. D. Becker, J. Org. Chem. **30**, 989 (1965).
[4] K. Buggle, J.-A. Donelly u. L. J. Maher, Chem. & Ind. **1973**, 88.
[5] A. S. Hay, Tetrahedron Letters **1965**, 4241.
[6] R. F. Moore u. W. A. Waters, Soc. **1953**, 3405.

Bei Alkyl-benzolen mit geeigneter Seitenkette (z. B. Isopropyl) kann zusätzlich Olefin-Bildung eintreten.

Im (2-Vinyl-phenyl)-diphenyl-methan wird durch 5,6-Dichlor-2,3-dicyan-p-benzochinon unter Dehydrierung an der substituierten Methyl-Gruppe und an der 2-Stellung der Vinyl-Gruppe der Ring zu *1,1-Diphenyl-inden* geschlossen[1]:

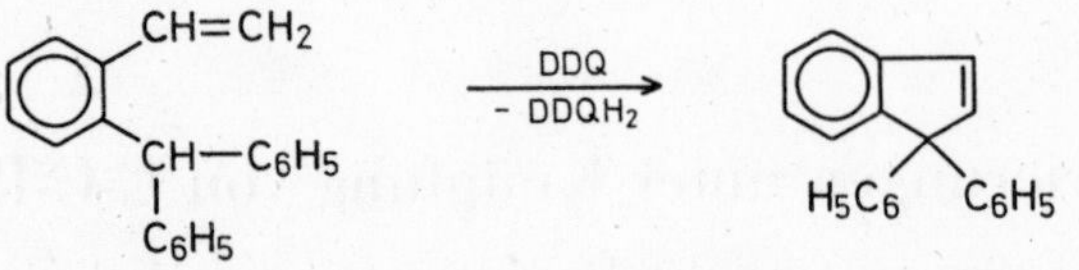

1,1-Diphenyl-inden[1]: Eine Mischung von 2,7 g (2-Vinyl-phenyl)-diphenyl-methan, 2,27 g 5,6-Dichlor-2,3-dicyan-p-benzochinon und 40 *ml* Benzol wird 65 Stdn. am schwachen Sieden gehalten. Nach dem Abkühlen filtriert man von dem entstandenen Hydrochinon-Derivat ab (1,6 g), engt das Filtrat ein und verdünnt dann mit Petroläther (Kp: 40–60°). Die sich hierbei abscheidende gummiartige Substanz (1,7 g) wird abgetrennt und über Aluminiumoxid chromatographiert. Man eluiert mit Petroläther (Kp: 60–80°), dampft aus dem Eluat den Petroläther ab und kristallisiert den Rückstand aus Methanol um; Ausbeute: 1,2 g (45% d.Th.); F: 91–92°.

Bei der mehrtägigen Einwirkung von 5,6-Dichlor-2,3-dicyan-p-benzochinon oder Tetra-chlor-p-benzochinon auf 1,2-Dimethoxy-benzol (Veratrol) erfolgt eine dehydrierende C–C-Verknüpfung zu einem Biphenyl-Derivat, das dann mit einem weiteren Molekül 1,2-Dimethoxy-benzol unter Dehydrierung zu *2,3,6,7,10,11-Hexamethoxy-triphenylen* (73% d.Th.; F: 317–318,5°) cyclisiert[2]:

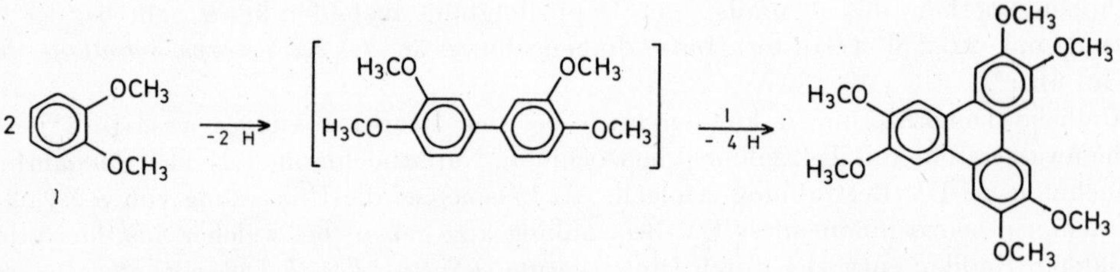

Mit Tetrachlor-p-benzochinon erhält man dagegen in 70%iger Schwefelsäure *2,5,6,8,11,12-Hexamethoxy-1,7-dioxo-1,7-dihydro-⟨dibenzo-[f,g;o,p]-naphthacen⟩*[3].

Auch zum Aufbau von Pyrenen kann Chinon als dehydrierendes Agens eingesetzt werden; z. B.[4]:

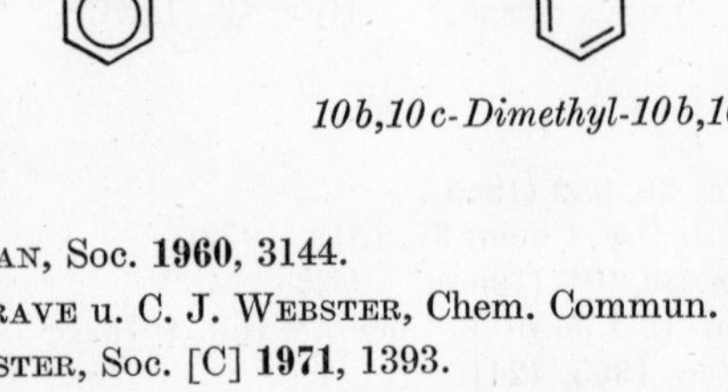

10b,10c-Dimethyl-10b,10c-dihydro-pyren; 68% d. Th.

[1] R. F. BROWN u. L. M. JACKMAN, Soc. **1960**, 3144.

[2] I. M. MATHESON, O. C. MUSGRAVE u. C. J. WEBSTER, Chem. Commun. **1965**, 278.

[3] O. C. MUSGRAVE u. C. J. WEBSTER, Soc. [C] **1971**, 1393.

[4] H. BLASCHKE, C. E. RAMEY, T. CALDER u. V. BOEKELHEIDE, Am. Soc. **92**, 3675 (1970).

C. Oxidationen bzw. Dehydrierungen unter Knüpfung von C-Hetero-Bindungen

Die Oxidation von aromatischen Carbonsäuren, die in Nachbarstellung zur Carboxy-Gruppe einen Benzyl- oder Diphenylmethyl-Substituenten besitzen, mit 5,6-Dichlor-2,3-dicyan-p-benzochinon führt unter Ringschluß zu Lactonen; z. B.:

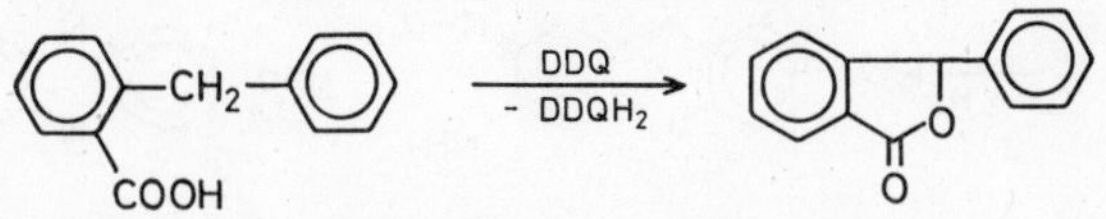

3-Phenyl-phthalid[1]: Eine Mischung von 1,0 g 2-Benzyl-benzoesäure, 1,47 g 5,6-Dichlor-2,3-dicyan-p-benzochinon und 8 ml Benzol wird in einem geschlossenen Rohr 7 Tage auf 80° erhitzt; von Zeit zu Zeit wird dabei umgeschüttelt. Anschließend extrahiert man den Inhalt der Rohres mit 50 ml heißem Benzol, saugt vom unlöslichen Hydrochinon-Derivat ab und chromatographiert die Lösung über Aluminiumoxid. Der nach dem Eindampfen des Eluates verbleibende Rückstand wird aus Äthanol umkristallisiert; Ausbeute: 0,43 g (45% d.Th.); F: 115°.

Bei weiterer Einwirkung von 5,6-Dichlor-2,3-dicyan-p-benzochinon erfolgt dehydrierende Dimerisierung unter Verknüpfung in 3-Stellung zu *1,1'-Dioxo-3,3'-diphenyl-bi-phthalanyl-(3)*.

Analog der vorstehend angegebenen Arbeitsvorschrift können die folgenden Cyclisierungen durchgeführt werden[1]:

2-Diphenylmethyl-benzoesäure $\longrightarrow$ *3,3-Diphenyl-phthalid*   80% d.Th. F: 115–116°
8-Diphenylmethyl-naphthalin-1- $\longrightarrow$ *3-Oxo-1,1-diphenyl-1H,3H-⟨naptho-*   85% d.Th. F: 107–108°
carbonsäure   *[1,8-c,d]-pyran⟩*

Die entsprechende Cyclisierung von 2-Diphenylmethyl-benzylalkohol gibt nur eine schlechte Ausbeute an *1,1-Diphenyl-phthalan*. Dagegen läßt sich 4-Nitro-benzaldehyd-2-hydroxy-phenylimin mit Tetrachlor-p-benzochinon in siedendem Xylol (3 Stdn.) mit 70%-iger Ausbeute zu *2-(4-Nitro-phenyl)-⟨benzo-1,3-oxazol⟩* cyclisieren[2]:

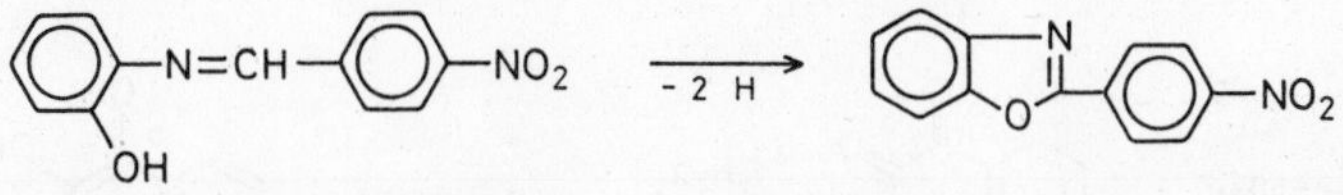

Bedeutung besitzt die Cyclisierung von 2-[3-Methyl-buten-(2)-yl]-phenolen zu 2,2-Dimethyl-2H-chromenen[3]:

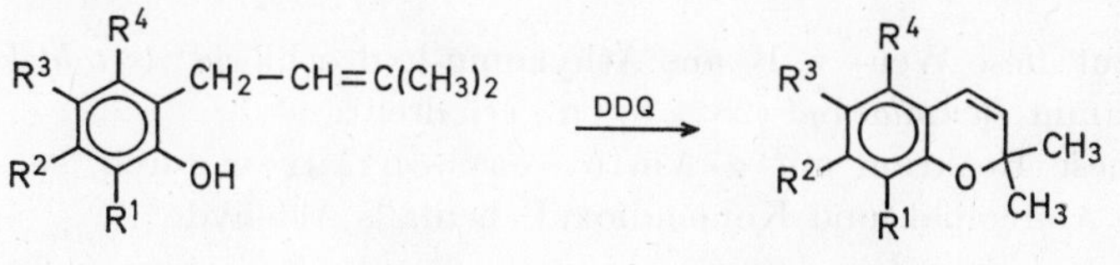

Auf analoge Weise gelingt die Herstellung von analogen mehrcyclischen Verbindungen; z. B. [3, vgl. a. 4]:

[1] A. M. CREIGHTON u. L. M. JACKMAN, Soc. **1960**, 3138.
[2] F. F. STEPHENS u. J. D. BOWER, Soc. **1950**, 1724.
[3] B. S. BAJWA, P. L. KHANNA u. T. R. SESHADRI, Ind. J. Chem. **9**, 1322 (1971); **11**, 100, 504 (1973).
    A. C. JAIN u. M. K. ZUTSHI, Tetrahedron **28**, 981, 5589 (1972).
[4] W. STECK, Canad. J. Chem. **49**, 2297 (1973).

Im Fall der Umsetzung von 2-Amino-1-anilino-benzol-Hydrochlorid mit p-Benzochinon in Wasser erfolgt zweifache dehydrierende C–N-Verknüpfung unter Bildung von *2-Anilino-3-imino-5-phenyl-3,5-dihydro-phenazin* und *2-Amino-3-phenylimino-5-phenyl-3,5-dihydro-phenazin*[1]:

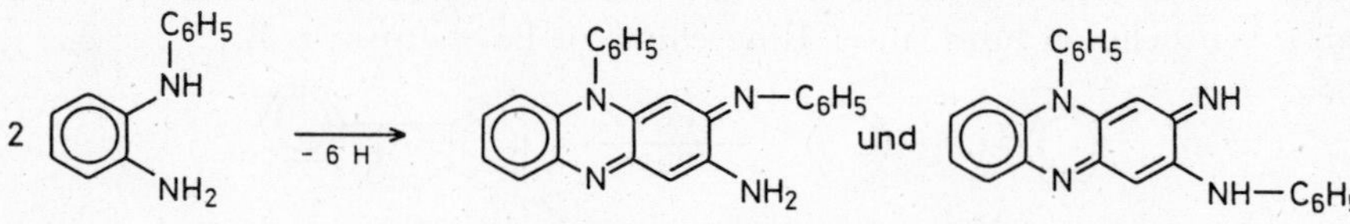

Zum analogen Ringschluß zu Dibenzo-1,4-oxazinen aus den entsprechenden o-Amino phenolen s. Lit.[2]:

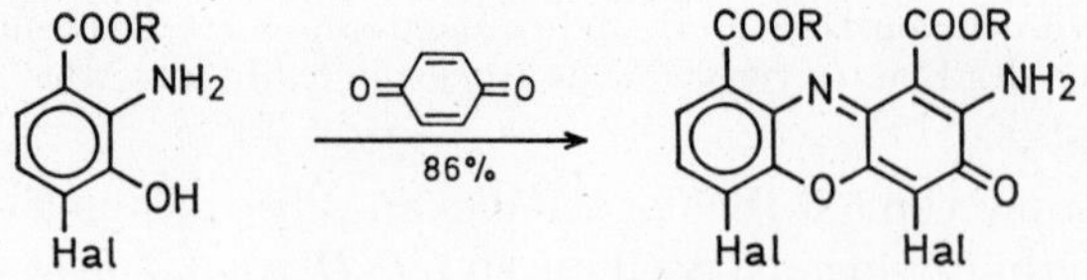

Hal = F,Br; R = H, C_2H_5; *4,6-Difluor(Dibrom)-2-amino-3-oxo-1,9-diäthoxycarbonyl (dicarb-oxy)-3H-⟨dibenzo-1,4-oxazin⟩*; 85–98% d.Th.

D. Oxidationen bzw. Dehydrierungen unter Spaltung von C—C- oder C—N-Bindungen (einschließlich Substituentenwanderung)

Primäre aliphatische Amine reagieren in heißer wäßriger Lösung mit dem Natriumsalz der Naphthochinon-(1,2)-4-sulfonsäure unter C–N-Spaltung zu Aldehyden; z. B.:

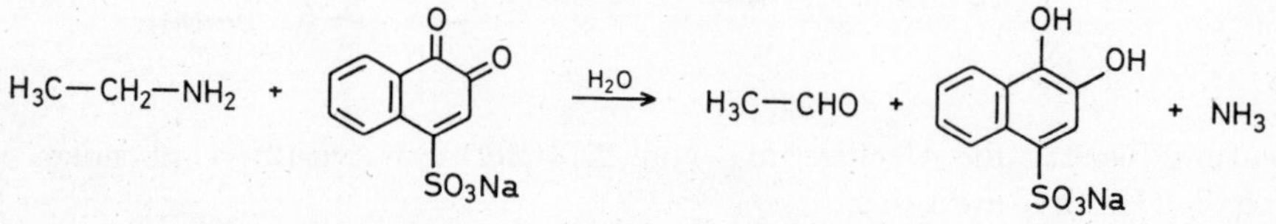

Es läßt sich auf diese Weise z. B. aus Äthylamin-hydrochlorid *Acetaldehyd* (27% d.Th.) und aus Benzylamin *Benzaldehyd* (28% d.Th.) erhalten[3].

Führt man diese Reaktion mit α-Amino-carbonsäuren durch, so entstehen unter Abspaltung von Ammoniak und Kohlendioxid ebenfalls Aldehyde[3]:

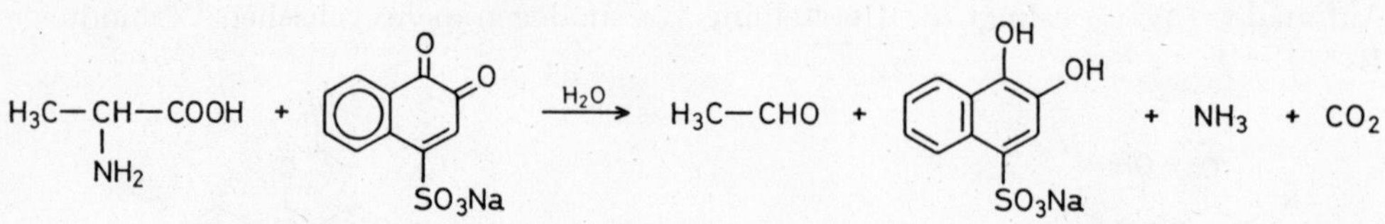

Bei der Umsetzung von Tetrachlor-p-benzochinon mit tertiären aliphatischen Aminen erfolgt im ersten Reaktionsschritt zwar eine Dehydrierung, die so entstandenen Vinylamine

---

[1] V. C. Barry et al., Soc. **1956**, 888.
[2] V. A. Ivanov, E. N. Gilbin u. O. F. Ginzburg, Ž. org. Chim. 8, 1743, 1891 (1972).
[3] M. Z. Barakat u. M. F. Abdel-Wahab, M. **92**, 1061 (1961).

reagieren aber sofort mit dem Tetrachlor-p-benzochinon weiter; aus Triäthylamin z. B. erhält man bei dieser Reaktion *3,5,6-Trichlor-2-(2-diäthylamino-vinyl)-p-benzochinon*[1]:

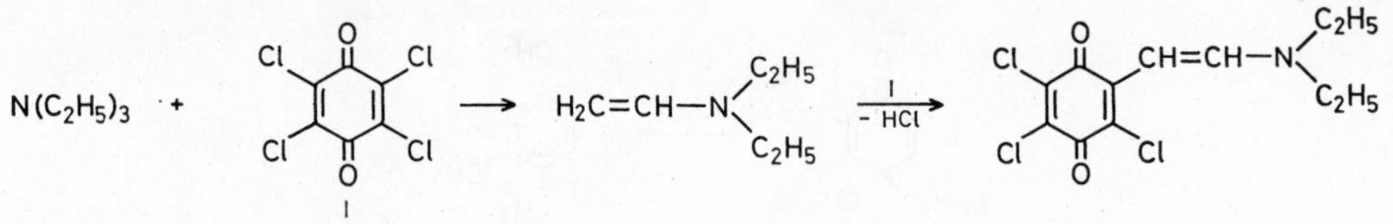

Eine Decarboxylierung tritt auch bei der Dehydrierung von niederen **aliphatischen Dicarbonsäuren** mit dem Natriumsalz der Naphthochinon-(1,2)-4-sulfonsäure in heißem Wasser ein. Oxalsäure wird hierbei vollständig zu Kohlendioxid abgebaut; Malonsäure und Bernsteinsäure geben Kohlendioxid und *Äthylen*. Maleinsäure und Fumarsäure gehen bei der gleichen Reaktion in Kohlendioxid und *Acetylen* über[2]:

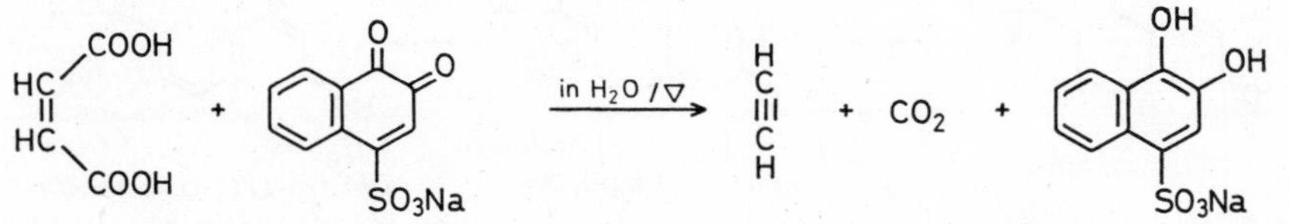

Sterine und **Steroide** können mit Tetrachlor-p-benzochinon **vollständig dehydriert** werden, wobei die unvollständig dehydrierten Zwischenstufen zum Teil isoliert werden können[3]. Bei dieser Aromatisierung werden die angularen Methyl-Gruppen entweder abgespalten oder es kommt zu Gerüstumlagerungen; z. B.:

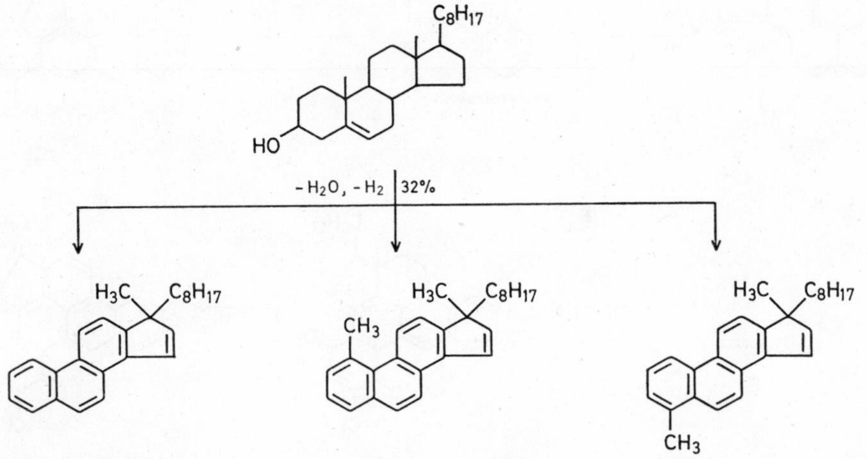

17-Methyl-17-[6-methyl-heptyl-(2)]-17H-⟨cyclopenta-[a]-phenanthren⟩

I

1,17-Dimethyl-17-[6-methyl-heptyl-(2)]-17H-⟨cyclopenta-[a]-phenanthren⟩

II

4,17-Dimethyl-17-[6-methyl-heptyl-(2)]-17H-⟨cyclopenta-[a]-phenanthren⟩

III

---

[1] D. Buckley u. H. B. Henbest, Chem. & Ind. **1956**, 1096.

[2] M. Z. Barakat u. M. F. Abdel-Wahab, M. **92**, 1061 (1961).

[3] H. Dannenberg, Synthesis **1970**, 74.
Vgl. a. W. Brown u. A. B. Turner, Soc. [C] **1971**, 2566; 48% d.Th.

Steht einer Totaldehydrierung die Substitution an einem C-Atom im Wege, so kommt es zusätzlich zur Substituentenwanderung[1,2]. So erhält man z. B. aus 6-Oxo-3,3-dimethyl-cyclohexadien-(1,4) 90% d.Th. *3,4-Dimethyl-phenol*[1]:

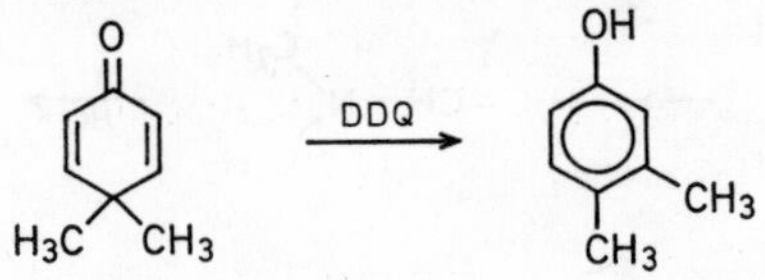

Ausgehend von Cholestadien-(3,5) wird das analoge Gemisch aus I–III (S. 897) erhalten. Über den Reaktionsmechanismus s. Lit.[3]. Geht man von 17β-Hydroxy-3-oxo-17α-methyl-androstatrien-(1,4,9^{11}) aus so erhält man

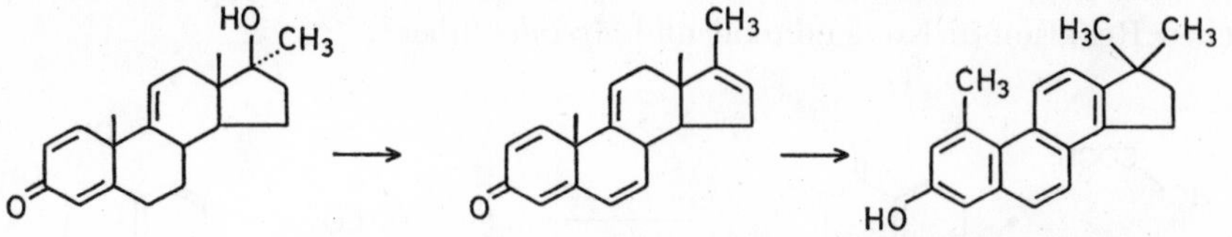

3-Oxo-17-methyl-androsta-
pentaen-(1,4,6,9^{11},16)

3-Hydroxy-1,17,17-trimethyl-15,16-
dihydro-17H-⟨cyclopenta-
[a]-phenanthren⟩

Wird im Laufe der Dehydrierung ein Dien-(7,14) gebildet (*cis*-Konfiguration) so tritt Diels-Alder-Reaktion[3,4] mit der Chinon-Komponente ein; z. B.:

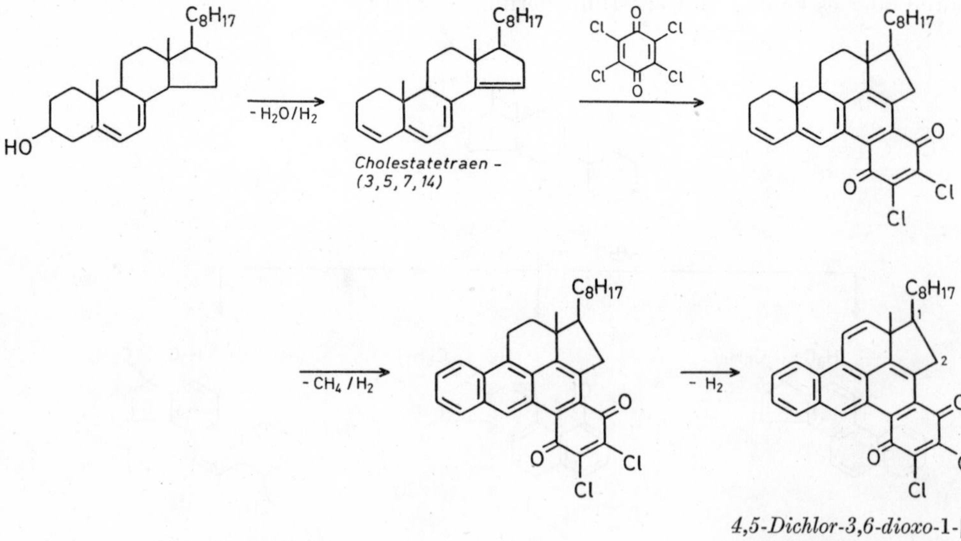

Cholestatetraen –
(3,5,7,14)

4,5-Dichlor-3,6-dioxo-1-[6-
methyl-heptyl-(2)]-1,2,3,6-
tetrahydro-⟨benzo-[a]-indeno-
[3,3a,4,5-c,d,e]-anthracen⟩

---

[1] V. P. Vitullo, J. Org. Chem. **35**, 3976 (1970).

[2] E. Cyrot, Ann. Chim. **6**, 413 (1972); *1,2,5,7-Tetramethyl-naphthalin* aus 2,2,5,7-Tetramethyl-1,2-dihydro-naphthalin.

[3] H. Dannenberg, Synthesis **1970**, 74.
   vgl. a. W. Brown u. A. B. Turner, Soc. [C] **1971**, 2566; 48% d.Th.

[4] D. H. R. Barton u. T. Bruun, Soc. **1951**, 2728.

Bei den 17-Oxo-steroiden (auch 17β-Hydroxy-17α-H-steroide) wird bei der Dehydrierung mit Tetrachlor-p-benzochinon der D-Ring gespalten, so erhält man aus dem Keton I *7-Methoxy-2-methyl-1-(2-tert.-butyloxycarbonyl-äthyl)-9,10-dihydro-phenanthren* (II)[1,2] bzw. aus Alkohol III neben *3-Acetamino-17β-hydroxy-östrahexaen-(1,3,5[10],6,8,14)* (V) *7-Acetamino-2-methyl-1-(2-formyl-äthyl)-9,10-dihydro-phenanthren*[1,3] (IV):

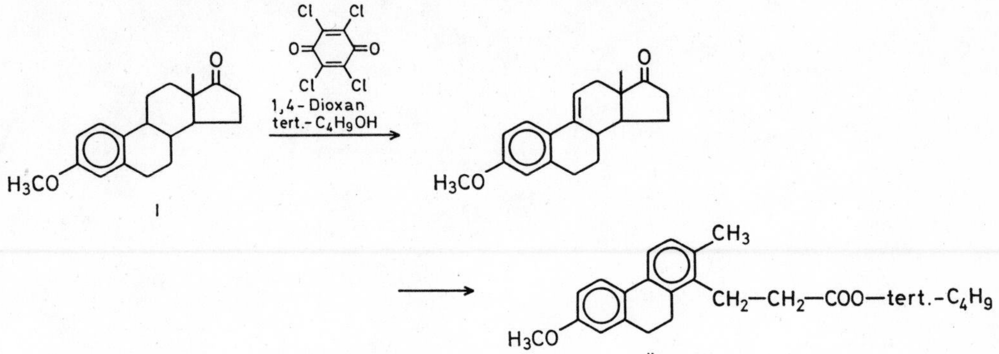

I

II

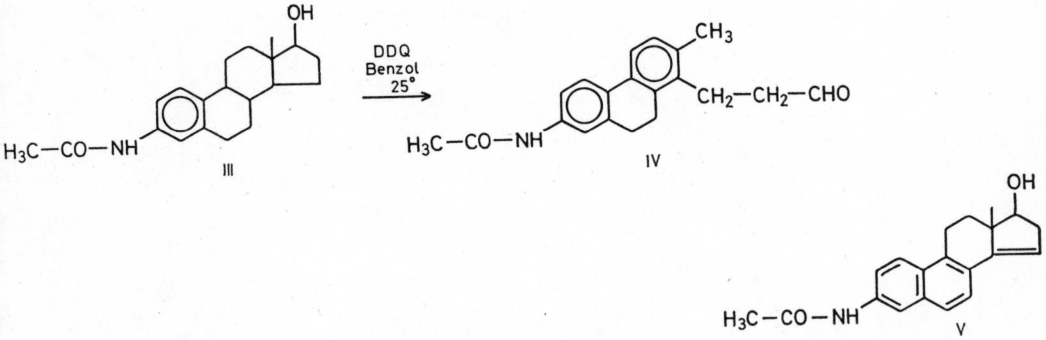

III

IV

V

[1] H. Dannenberg, Synthesis **1970**, 74.
[2] A. D. Cross, H. Carpio u. P. Crabbé, Soc. **1963**, 5539.
[3] H. Dannenberg u. A. Bodenberger, Naturwiss. 58, 96 (1971).

Oxidation bzw. Dehydrierung mit Carbonyl-Verbindungen (Oppenauer Oxidation)

bearbeitet von

Dr. LEHMANN

BASF AG, Ludwigshafen

Mit 5 Tabellen

Literatur berücksichtigt bis Ende 1974.

Inhalt

Oxidation und Dehydrierung mit Carbonylverbindungen (Oppenauer-Oxidation)

Die Oxidation bzw. Dehydrierung von sek. Alkoholen mit Hilfe von Aldehyden oder Ketonen in Gegenwart von Aluminium- oder Kaliumalkanolaten ist unter dem Namen Oppenauer-Oxidation bekannt. Sie verläuft nach folgendem Schema:

$$
\begin{array}{c}
R^1 \\
\diagdown \\
CH-OH \\
\diagup \\
R^2
\end{array}
\;+\;
\begin{array}{c}
R^3 \\
\diagdown \\
C=O \\
\diagup \\
R^4
\end{array}
\;\underset{Al(OR)_3}{\overset{Al(OR)_3}{\rightleftharpoons}}\;
\begin{array}{c}
R^1 \\
\diagdown \\
C=O \\
\diagup \\
R^2
\end{array}
\;+\;
\begin{array}{c}
R^3 \\
\diagdown \\
CH-OH \\
\diagup \\
R^4
\end{array}
$$

I   II   III   IV

Die Oppenauer-Oxidation ist ihrem Wesen nach die Umkehrung der im Bd. IV/1c, beschriebenen Meerwein[1]-Ponndorf[2]-Verley[3]-Reduktion. Die Reversibilität dieser Reaktion wurde schon früh erkannt[2,3], jedoch erst durch OPPENAUER zu präparativen Zwecken nutzbar gemacht[4,5]. Die Lage des Gleichgewichts bei diesen reversiblen Redoxvorgängen hängt von dem Energieunterschied (Potentialdifferenz)[6] der Paare I/III und IV/II ab[7]. Da trotz erheblicher Potentialdifferenzen die Reaktionsgeschwindigkeiten oft sehr gering sind, werden Aluminiumalkanolate als Katalysatoren verwendet.

Um die möglichst weitgehende Oxidation nach OPPENAUER zu erzielen, ist es notwendig, das Gleichgewicht zu verschieben; dies kann erreicht werden durch Anwendung eines Überschusses an Oxidationsmittel und/oder durch Entfernung eines der Reaktionsprodukte aus dem Reaktionsgemisch.

Als Reaktionsmechanismus der Oppenauer-Oxidation wird eine Hydrid-Wanderung angenommen, die sich an einem cyclischen Übergangszustand vollzieht. Die Oppenauer-Oxidation läßt sich demnach in mehrere Einzelschritte zerlegen[8]:

① Überführung des zu oxidierenden Alkohols in das Aluminiumalkanolat

② Koordination der Carbonyl-Verbindung mit dem Alkanolat

---

[1] H. MEERWEIN u. R. SCHMIDT, A. **444**, 221 (1925).

[2] W. PONNDORF, Ang. Ch. **39**, 138 (1926).

[3] A. VERLEY, Bl. [4] **37**, 537 (1925).

[4] R. OPPENAUER, R. **56**, 137 (1937).

[5] Übersichtsartikel:
     T. BERSIN in: W. FOERST: *Neuere Methoden der präparativen Organischen Chemie*, Bd. I, S. 146, Verlag Chemie GmbH, Weinheim 1949.
     C. DJERASSI, Org. Reactions, VI, 207 (1951).

[6] Die Oppenauer-Oxidation vermag sich auch in Systemen ohne Potentialdifferenz zu vollziehen; siehe
     L. ÖTVÖS, L. GRUBER u. T. MEISER-AGOSTON, Acta chim. Acad. Sci. hung. **43**, 149 (1965); C. A. **63**, 6803 (1965).

[7] H. ADKINS, R. M. ELOFSON, A. G. ROSSOW u. C. C. ROBINSON. Am. Soc. **71**, 3622 (1949).

[8] D. C. BRADLEY, Metal Alkoxides, Adv. Ser., Nr. 23, 10, 1959.
     W. TOCHTERMANN, Ang. Ch. **78**, 372 (1966).

③ Hydrid-Verschiebung
④ Trennung der gebildeten Carbonyl-Verbindung vom Komplex

Als Katalysatoren bei der Oppenauer-Oxidation dienen hauptsächlich *Aluminium-tert.-butanolat, -isopropanolat, -phenolat* und auch die Aluminiumalkanolate der zu oxidierenden Alkohole. Bei der Dehydrierung **basischer** Alkohole hat sich Kalium-tert.-butanolat den Aluminiumalkanolaten überlegen gezeigt; eine Anwendung bleibt jedoch auf solche Carbonylverbindungen und Wasserstoffacceptoren beschränkt, die in seiner Gegenwart keine Kondensationsreaktionen eingehen.

Auch die Verwendung von **Alkoxy-magnesium-chloriden**[1] und **Lithium-aluminium-alkanolaten**[2] als Katalysatoren bei der Oppenauer-Oxidation wird in der Literatur beschrieben.

Eine beträchtliche Steigerung der Reaktionsgeschwindigkeit der Oppenauer-Oxidation von Hydroxy-ergosterin läßt sich durch die Kombination Aluminium-tert.-butanolat/Butyloxy-aluminium-chlorid (4 : 1) erzielen[3].

Obwohl die Oppenauer-Oxidation theoretisch nur katalytische Mengen Alkanolat erfordert, setzt man in der Praxis auf ein Mol zu oxidierenden Alkohol mindestens 0,25 Mol Alkanolat ein. 1–3 Mol Alkanolat verwendet man vorzugsweise dann, wenn das Reaktionsgemisch Wasser enthält oder bildet.

Aluminiumisopropanolat[4]: 55 g (2 g-Atom) Aluminiumspäne oder -draht werden in einem 2-l-Kolben mit 1 l trockenem Isopropanol übergossen. ~ 0,2 g Quecksilber(II)-chlorid zugegeben und unter Feuchtigkeitsausschluß zum Sieden erhitzt (~ 4 ml Tetrachlormethan können als Katalysator zu dem siedenden Gemisch gegeben werden). Das Gemisch färbt sich grau und eine sehr lebhafte Wasserstoffentwicklung macht oft eine äußere Kühlung mit Eiswasser notwendig. Nachdem die Wasserstoffentwicklung nachgelassen hat, wird weiter am Rückfluß erhitzt bis sich das Metall völlig gelöst hat. Läßt man die trübe Lösung bei 70° über Nacht stehen, so kann man eine nahezu farblose Lösung von einem grauen Schlamm dekantieren. Durch Verdünnen der farblosen Lösung erhält man eine ~ 1m Lösung von Aluminiumisopropanolat. Beim Kühlen scheidet sich das Alkanolat teilweise in Kristallen ab; durch Erwärmen auf 60–70° gehen diese wieder langsam in Lösung. Nach dem Entfernen des Isopropanols läßt sich das Alkanolat durch Destillation bei 130–140°/7 Torr oder 140–150°/12 Torr als farblose, viskose Flüssigkeit in reiner Form gewinnen.

Bei der Oppenauer-Oxidation wird Aluminium-isopropanolat in Substanz oder gelöst in Benzol, Toluol oder Xylol eingesetzt.

[1] US. P. 2384335 (1945), R. Oppenauer.
[2] US. P. 2625556 (1953), A. C. Ott u. M. F. Murray; C. A. **47**, 11263 (1953).
[3] G. Tokár u. J. Simonyi, Magyar chem. Folyóirat, **62**, 170 (1956).
[4] H. Lund, B. **70**, 1520 (1937).
s. a. ds. Handb., Bd. VI/2, Kap. Alkoholate, S. 18.

Aluminium-tert.-butanolat[1] kann entweder in Ampullen oder in Toluol gelöst aufbewahrt werden. Bei einer Oppenauer-Oxidation wird die Oxidationsmischung mit einer aliquoten Menge versetzt, wobei ausgefallenes Aluminiumhydroxid gegebenenfalls vorher abzentrifugiert wird. Höhersiedende Lösungsmittel sind nicht zu empfehlen, da sich das Alkanolat in Lösung bei Temperaturen über 115° langsam zersetzt.

Aluminiumphenolat[2]**:** In einem Rundkolben mit Rückflußkühler werden 3 g trockene Aluminiumspäne mit 50 g Phenol, einer Spur Jod und 50 *ml* Quecksilber(II)-chlorid unter Feuchtigkeitsausschluß bis zum Einsetzen der Reaktion auf dem siedenden Wasserbad erwärmt und hierauf die Heizung sofort abgestellt. Nach dem Abklingen der heftigen, ggf. durch Kühlung etwas gemäßigten Reaktion werden 100 *ml* absol. Benzol zugefügt und die Mischung erneut erhitzt. Nach je 30 Min. werden 4 mal je 100 *ml* absol. Benzol zugegeben und insgesamt 2½ Stdn. erhitzt. Dann wird heiß filtriert, das Filtrat auf 200 *ml* eingeengt und langsam mit 200 *ml* Petroläther versetzt. Das ausgefallene Aluminiumphenolat wird nach dem Erkalten unter Feuchtigkeitsausschluß abgenutscht, mit Benzol/Petroläther (1:1) gewaschen und i. Vak. getrocknet; Ausbeute: 30 g (90% d.Th.).

Als Oxidationsmittel (Wasserstoffacceptoren) bei der Oppenauer-Oxidation kommen zahlreiche Carbonyl-Verbindungen in Betracht. Aceton wird trotz seines niedrigen Oxidationspotentials (0,129 V) sehr häufig benutzt, da es billig ist und daher in großem Überschuß eingesetzt werden kann. Auch der niedrige Siedepunkt des Acetons und seines Selbst-Kondensationsproduktes (Mesityloxid) tragen dazu bei, es oft als Oxidationsmittel der Wahl erscheinen zu lassen. Wegen der naturgemäß niedrigen Reaktionstemperaturen betragen die Reaktionszeiten um 24 Stdn.

Wesentlich geringere Reaktionszeiten lassen sich bei der Verwendung von Cyclohexanon als Wasserstoffacceptor wegen seines höheren Siedepunktes und Oxidationspotentials (0,162 V) erreichen. Da Cyclohexanon wasserdampfflüchtig ist, kann es auf diese Weise vom Oxidationsprodukt getrennt werden. Während man bei Verwendung von Aceton auf 1 Mol zu oxidierenden Alkohol einen Überschuß bis zu 200 Molen verwendet, genügen im Falle des Cyclohexanons 20–30 Mole.

Weiterhin kommen als Wasserstoffacceptoren in Frage: Butanon, Pentanon-(3), 3-Oxo-2,4-dimethyl-pentan, Benzophenon, Fluorenon, Acetaldehyd, Benzaldehyd, 3-Nitro-, 4-Methoxy-, 3,4-Methylendioxy-, 3,4-Dimethoxy-, 4-Benzyloxy-benzaldehyd, Benzil u. a. mehr.

Bemerkenswerterweise oxidiert Fluorenon im Gegensatz zu Benzophenon und p-Benzochinon Epi-Chinidin zum entsprechenden *Oxo-chinon*, obwohl es ein niedrigeres Oxidationspotential als diese besitzt[3].

Über die nicht unwesentliche Rolle des p-Benzochinons (Oxidationspotential 0,71 V) als Wasserstoffacceptor bei der Oppenauer-Oxidation wird auf S. 919 gesondert berichtet.

Nach OPPENAUER soll bei der Oxidation sekundärer Steroidalkohole mit einem Lösungsmittel gearbeitet werden, um durch die Verdünnung Kondensationsreaktionen der Carbonyl-Verbindungen zurückzudrängen. Aceton wird meist mit Benzol, seltener mit Toluol und Cyclohexanon mit Toluol oder Xylol kombiniert.

In verschiedenen Arbeiten wurde jedoch dargelegt, daß Lösungsmittel zur Oppenauer-Oxidation nicht erforderlich sind bzw. nicht notwendigerweise zu einer Ausbeutesteigerung führen[4].

Reaktionsdauer und Reaktionstemperatur können in weiten Grenzen variiert werden. Als Faustregel gilt, daß Oxidationsreaktionen in siedendem Aceton/Benzol-Gemisch

---

[1] Herstellung s.:
  W. WAYNE u. H. ADKINS, Org. Synth. **21**, 8 (1941).
  vgl. ds. Handb., Bd. VI/2, Kap. Alkoholate, S. 19.
[2] H. G. FUCHS u. T. REICHSTEIN, Helv. **26**, 532, Anm. 1 (1943).
  s. a. ds. Handb., Bd. VI/s, Kap. Phenolate, S. 37, 39.
[3] E. W. WARNHOFF u. P. REYNOLDS-WARNHOFF, J. Org. Chem. **28**, 1431 (1962).
[4] A. LAUCHENAUER u. H. SCHINZ, Helv. **32**, 1265 (1949).
  C. TAVEL, Dissertation, S. 54 ff., Eidgenössische Technische Hochschule Zürich, 1946.

4–20 Stdn., in siedendem Cyclohexanon/Toluol 15 Min. bis 2 Stdn. benötigen. Bei sehr temperaturempfindlichen Verbindungen führt man die Oppenauer-Oxidation bei Zimmertemperatur aus. Hierbei muß mit einer Reaktionsdauer von mehreren Tagen oder Wochen gerechnet werden.

Die Versuchsanordnung bei einer Oppenauer-Oxidation kann nach verschiedener Art und Weise gewählt werden:

① Der zu oxidierende Alkohol wird mit einem Überschuß des Oxidationsmittels (Keton oder Aldehyd) und des Katalysators (Aluminium- oder Kaliumalkanolat) vermischt, läßt – eventuell unter Verwendung eines Lösungsmittels – durchreagieren und arbeitet anschließend auf.
② wie unter ①; die gebildete Carbonyl-Verbindung wird jedoch während der Reaktion kontinuierlich abdestilliert. Voraussetzung für diese Arbeitsweise ist die Verwendung von hochsiedenden Wasserstoffacceptoren (z. B. Zimtaldehyd, 4-Benzyloxy-benzaldehyd) und das Arbeiten unter vermindertem Druck.
③ Als Katalysator dient das Aluminat des zu oxidierenden Alkohols; es wird u. U. vor der Zugabe des Oxidationsmittels mit Hilfe eines anderen Aluminiumalkanolates „in situ" hergestellt. Der zu oxidierende Alkohol kann dabei ganz oder auch nur teilweise in sein Aluminat übergeführt werden.

Die Aufarbeitung des Reaktionsproduktes kann auf mehreren Wegen geschehen. Ist das Oxidationsprodukt nicht wasserdampfflüchtig, so bietet sich zur Entfernung von Cyclohexanon, Toluol, Benzol und von Kondensationsprodukten des Acetons (wie Mesityloxid) neben der Destillation i. Vak. die Wasserdampfdestillation an. Liegen besonders empfindliche Oxidationsprodukte vor, so wird das Reaktionsgemisch zuvor mit Essigsäure neutralisiert oder schwach sauer gestellt. Wurde die Kombination Aceton/Benzol zur Oppenauer-Oxidation verwendet, so kann anstelle einer Destillation das Rohprodukt mit einem geeigneten organischen Lösungsmittel extrahiert werden. Zur weiteren Aufarbeitung werden die Extrakte bzw. die in Äther aufgenommenen Destillationsrückstände wiederholt mit verdünnter Säure gewaschen; beim Vorliegen von Amino-ketonen mit verdünnter Lauge, bei Acetalen oder Diazoketonen mit einer Natrium-Kalium-tartrat-Lösung (Seignettesalz, Rochellesalz).

Die Isolierung und Reinigung des Oxidationsproduktes aus den ätherischen Extrakten geschieht entweder durch Kristallisation oder durch Umsetzung mit Semicarbazid oder Hydrazin-Derivaten.

A. Oppenauer-Oxidation von Alkoholen

I. primärer Alkohole

a) Zu freien Aldehyden

Bereits 1926 zeigte PONNDORF[1], daß 2-Hydroxy-4-methyl-1-isopropyl-cyclohexan (Menthol) mit Zimtaldehyd in Gegenwart von Aluminiumisopropanolat zu *2-Oxo-4-methyl-1-isopropyl-cyclohexan* oxidiert werden kann. Das entstandene *2-Oxo-4-methyl-1-isopropyl-cyclohexan (Menthon)* wurde dabei kontinuierlich aus dem Reaktionsgemisch entfernt, um eine Kondensation mit dem Aldehyd zu vermeiden und um das Gleichgewicht im gewünschten Sinn zu verschieben. Obwohl sich diese Methode auch auf primäre Alkohole erweitern ließ[2] (z. B. Benzylalkohol, Butanol), fand sie keine allgemeine Verbreitung, da der benötigte große Überschuß an Alkohol bei der Isolierung des entstandenen Aldehyds stört. Eine Modifikation dieses Oxidationsverfahrens[3] vermeidet diesen Nachteil und erweist sich als eine gute präparative Methode, um niedrigsiedende, primäre Alkohole in die entsprechenden Aldehyde zu überführen. Der zu oxidierende Alkohol wird dabei mittels Aluminium-isopropanolat völlig in sein Aluminat übergeführt und mit einem über-

[1] W. PONNDORF, A. **39**, 138 (1926).
[2] R. R. DAVIES u. H. H. HODGSON, J. Soc. chem. Ind. **62**, 109 (1943).
[3] A. LAUCHENAUER u. H. SCHINZ, Helv. **32**, 1265 (1949).

schüssigen Aldehyd oxidiert, der ~ 50° höher siedet als der bei der Oxidation erwartete. Dieser kann somit kontinuierlich aus dem Reaktionsgemisch abdestilliert werden.

Als Oxidationsmittel werden bei dieser Methode Zimtaldehyd zur Herstellung aliphatischer Aldehyde[1] und 4-Methoxy-benzaldehyd zur Herstellung alicyclischer Aldehyde[2,3] verwendet. Auch 3,4-Methylendioxy-, 3,4-Dimethoxy- und 3-Nitro-benzaldehyd finden als Wasserstoffacceptoren Verwendung.

2,6,6-Trimethyl-1-formyl-cyclohexen[2]:

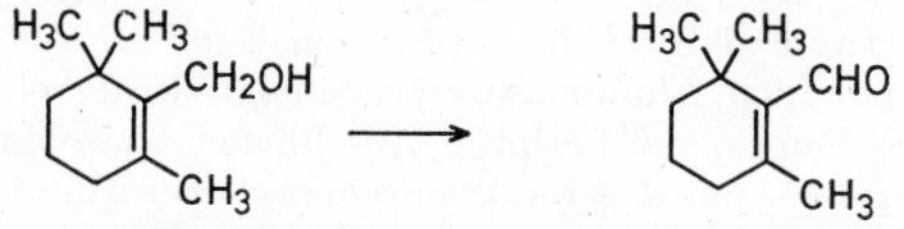

5,4 g 1,3,3-Trimethyl-2-hydroxymethyl-cyclohexen werden in einem 20-ml-Vigreux-Kolben mit 10 cm hoher Kolonne mit 2,38 g Aluminiumisopropanolat bei 12 Torr auf 70–100° (Badtemp.) erhitzt bis nach ~ 45 Min. die Gasentwicklung aufhört. Danach werden auf einmal 5,9 g 4-Methoxy-benzaldehyd (125%) zugegeben und das Gemisch 30 Min. bei 14 Torr auf 140–160° (Badtemp.) erhitzt. Es werden 4,43 g (82% d.Th.) Destillat (Kp: 96°) erhalten, das praktisch aus reinem Aldehyd besteht. Aldehyd-Gehalt laut Titration: 83%; Blindprobe mit reinem Aldehyd: 83%.

Diese modifizierte Oxidationsmethode eignet sich besonders gut zur Herstellung alicyclischer Aldehyde[2]; mit ihr lassen sich jedoch nur kleine Mengen (2–10 g Alkohol) oxidieren (Ausbeuteverminderung durch Verharzung) und bei der Oxidation von Alkoholen mit 10 und mehr Kohlenstoffatomen mangelt es an leicht zugänglichen, hochsiedenden Wasserstoffacceptoren. Analog der Bildung von α,β-ungesättigten Ketonen in der Steroid-Reihe ist auch hier bei der Oxidation von β,γ-ungesättigten Alkoholen mit einer Verschiebung der C=C-Doppelbindung in die α,β-Stellung zu rechnen, z. B. bei der Oxidation von 2,6-Dimethyl-3-hydroxymethyl-heptadien-(1,5) (Lavandulol) zum *5-Methyl-2-isopropyliden-hexen-(4)-al (Isolavandulal)*[2]:

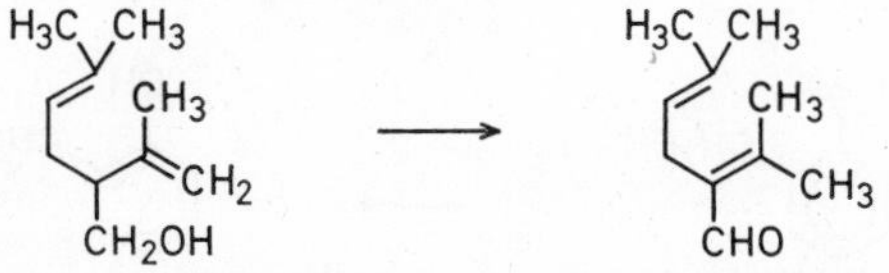

Eine weitere Verbesserung wurde durch die Einführung des 4-Benzyloxy-benzaldehyds als Oxidationsmittel erzielt[4–6]. Der hohe Siedepunkt dieses Wasserstoffacceptors erlaubt eine einwandfreie destillative Isolierung der Aldehyde bis zum Kp_1: ~ 110° aus dem Reaktionsgemisch. (Bei Verwendung von Zimtaldehyd, 4-Methoxy- und 3,4-Methylendioxy-benzaldehyd ist sie nur bis Kp_{15}: ~ 100° des zu erwartenden Aldehyds gewährleistet.) Diese Modifikation wurde erstmals bei der Synthese von γ-Ionon-Analogen angewandt.

2,5,6,6-Tetramethyl-cyclohexen-3-aldehyd[5]:

[1] A. Brenner u. H. Schinz, Helv. **35**, 1615 (1952).
[2] A. Lauchenauer u. H. Schinz, Helv. **32**, 1265 (1949).
[3] R. Vonderwahl u. H. Schinz, Helv. **35**, 1997 (1952).
[4] A. Arai u. I. Ichikizaki, Bl. chem. Soc. Japan **35**, 504 (1962).
[5] A. Arai u. I. Ichikizaki, Bl. chem. Soc. Japan **35**, 818 (1962).
[6] Auch die Verwendung von 2-Benzyliden-heptanal und 4-(4-Isopropyl-phenyl)-buten-(3)-al als Wasserstoffacceptor ist beschrieben; s. G. Ohloff, A. **287**, 272 (1954).

4-Benzyloxy-benzaldehyd[1]: Eine Lösung von 24,4 g 4-Hydroxy-benzaldehyd in 40 ml Äthanol wird unter Kühlung zu einer äthanolischen Lösung von Natriumäthanolat gegeben (Auflösen von 4,6 g Natrium in 70 ml Äthanol) und hierzu 25,3 g Benzylchlorid langsam zugefügt. Nach völligem Abscheiden des Natriumchlorids erwärmt man das Reaktionsgemisch in einem 300-ml-Bombenrohr 1,5 Stdn. auf 130–140°. Anschließend wird filtriert und der Filterrückstand mit wenig warmem Benzol gewaschen. Die vereinigten Filtrate ergeben nach dem Einengen i. Vak. einen orange-farbenen Rückstand, der in je 200 ml Benzol und Äther gelöst, mit 10%iger wäßriger Natriumcarbonat-Lösung und dann mit Wasser gewaschen, über Natriumsulfat getrocknet und anschließend eingeengt wird. Zur Reinigung wird der Rückstand entweder unter Stickstoff destilliert oder – besser – aus Äthanol umkristallisiert; Ausbeute: 38 g (89,5% d.Th.); F: 73,5–74°; Kp_5: 187–189°; $Kp_{1,1}$: 155–156°.

2,5,6,6-Tetramethyl-1-formyl-cyclohexen[2]: Ein Gemisch aus 2,0 g 2,5,6,6-Tetramethyl-3-hydroxymethyl-cyclohexen und 1,0 g Aluminiumisopropanolat wird bei 70–80°/13 Torr 1,5 Stdn. bis zur Entfernung des gebildeten Isopropanols erhitzt. Anschließend werden 3,78 g (150%) 4-Benzyloxy-benzaldehyd auf einmal zugegeben und das Reaktionsgemisch zur Homogenisierung $\sim$ 2 Min. auf 80° erhitzt. Die bei der anschließenden Destillation unter Stickstoff bei 60–101°/4 Torr aufgefangene Fraktion wird nochmals über eine 7-cm-Vigreux-Kolonne fraktioniert; Ausbeute: 1,35 g (68,5% d.Th.); Kp_{13}: 93–96°; $n_D^{27,5}$: 1,4790.

Vitamin A läßt sich nur mit Acetaldehyd[3] [und möglicherweise mit Pentanon-(3)][4] als Wasserstoffacceptor in den *Vitamin A-Aldehyd* überführen. Alle anderen bisher untersuchten Wasserstoffacceptoren führten zu Nebenreaktionen.

Vitamin A-Aldehyd[3]: Eine Mischung von 1,2 g destilliertem Vitamin A-Alkohol-Konzentrat, 2 g Aluminiumisopropanolat, 15 ml Acetaldehyd und 40 g Benzaldehyd wird im Einschlußrohr 48 Stdn. auf 70° erwärmt. Das Reaktionsprodukt wird anschließend mit Wasser behandelt und mit Benzol extrahiert. Den filtrierten und mit Natriumsulfat getrockneten Extrakt dampft man i. Vak. ein, löst den Rückstand in 20 ml Cyclohexan und chromatographiert an Maifair Aluminiumoxid; Ausbeute: $\sim$100% d.Th.

Salicylaldehyd (2-Hydroxy-benzaldehyd) und substituierte Salicylaldehyde werden aus 2-Hydroxy-benzylalkohol bzw. dessen Derivaten durch Oxidation mit Ketonen oder Aldehyden (vorzugsweise 2-Chlor-benzaldehyd) in Gegenwart von Aluminium-isopropanolat oder -tert.-butanolat hergestellt[4,5]. Auch mehrfach substituierte 2-Hydroxy-benzylalkohole sind dieser Reaktion zugänglich (s. Tab. 1, S. 911):

Formyl-cyclopropane (vgl. ds. Handb., Bd. IV/3) durch Oppenauer-Oxidation von Cyclopropylcarbinolen wurden erstmals in einer Ausbeute von 20–26% mit Hilfe von Zimtaldehyd und katalytischen Mengen Aluminium-isopropanolats oder -tert.-butanolats hergestellt[6]. Bei Verwendung von 4-Methoxy-benzaldehyd oder Benzophenon als Wasserstoffacceptoren lassen sich in der Reihe der anellierten Cyclopropylcarbinole die entsprechenden Aldehyde in guter Ausbeute gewinnen[7,8].

7-Formyl-bicyclo[4.1.0]heptan[7]:

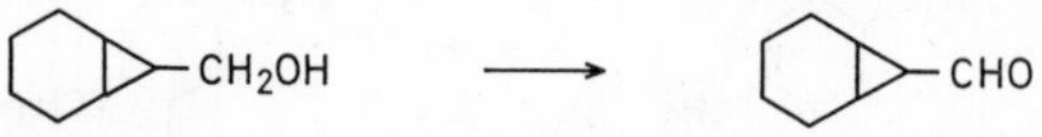

[1] A. ARAI u. I. ICHIKIZAKI, Bl. chem. Soc. Japan **35**, 504 (1962).
[2] A. ARAI u. I. ICHIKIZAKI, Bl. chem. Soc. Japan **35**, 818 (1962).
[3] E. G. E. HAWKINS u. R. F. HUNTER, Soc. **1944**, 411.
[4] H. R. LAMA, A. S. FIELD, J. GLOVER u. M. K. SALAH, Biochem. J. **52**, 548 (1952).
[5] US. P. 2676189 (1954), E. C. BRITTON u. J. D. HEAD; C. A. **49**, 1801 (1955)
[6] C. C. LEE u. J. S. BHARDWAJ, Canad. J. Chem. **41**, 1031 (1963).
[7] R. T. LALONDE u. M. A. TOBIAS, Am. Soc. **86**, 4068 (1964).
[8] W. KIRMSE u. K. H. POOK, B. **98**, 4022 (1965).

Ein Gemisch aus 8,0 g (63,5 mMol) 7-Hydroxymethyl-bicyclo[4.1.0]heptan und 4,4 g Aluminiumiso-propanolat wird so lange auf 90–95° bei 17 Torr erhitzt, bis das Isopropanol durch den höhersiedenden bicyclischen Alkohol ersetzt worden ist. Dann werden 13 g (150%) frisch destillierter 4-Methoxy-benzal-dehyd zugegeben und das Reaktionsgemisch bei 17 Torr und 150° einer Destillation unterworfen. Das im Verlauf von ~ 12 Min. bei 96–103° übergehende Destillat wird in Äther gelöst, mit Natriumchlorid-Lösung und Wasser ausgeschüttelt und über Magnesiumsulfat getrocknet. Nach dem Entfernen des Lösungsmittels wird fraktioniert destilliert; Ausbeute: 4,3 g (54,5% d.Th.); Kp_{17}: 92–94°; n_D^{26}: 1,4883.

Die Herstellung α,β-ungesättigter Aldehyde aus den entsprechenden primären Alkoholen gelingt auf ähnliche Weise. So erhält man aus 4-Methoxy-buten-(2)-ol mit Aluminium-iso-propanolat/Zimtaldehyd das *4-Methoxy-buten-(2)-al* in befriedigender Ausbeute[1].

Auch Hydroxymethyl-dibenzol-chrom(0)-Verbindungen lassen sich mit Aceton und bemerkenswerterweise in Gegenwart von Aluminiumisopropanolat in geringer Ausbeute in *Formyl-dibenzol-chrom(0)*-Derivate überführen[2, 3]; z. B.:

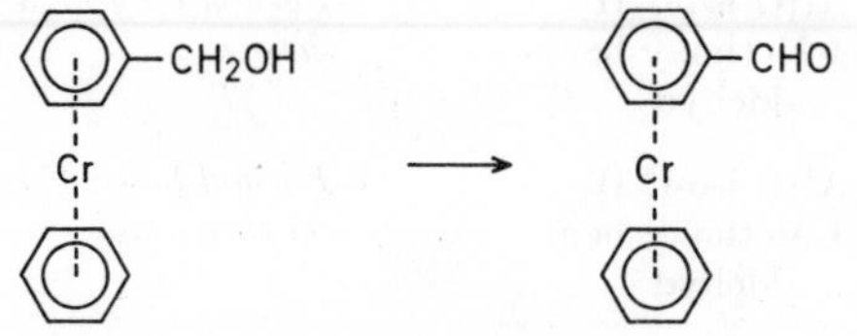

Formyl-dibenzol-chrom(0)[2]: 300 mg (1,3 mMol) Hydroxymethyl-dibenzol-chrom(0) in 100 *ml* Aceton/Benzol 1:1 werden mit 300 mg (1,4 mMol) Aluminiumisopropanolat 3 Stdn. unter Rückfluß gekocht. Anschließend wird mit 10 *ml* Wasser hydrolysiert und Aceton und Benzol weitgehend abgezogen. Nach Zugabe von je 100 *ml* Benzol und Wasser werden durch Einleiten von Luft die Komplexe zu den Kationen oxidiert. Nach gründlichem Auswaschen der Wasserphase und Überschichten mit 200 *ml* Benzol wird reduziert, indem man mit 1 g Kaliumhydroxid und 5 g Eisen(II)-sulfat versetzt und mehrere Stdn. rührt. Die Benzol-Schicht wird eingeengt und an Aluminiumoxid (10% Wasser) mit Benzol unter Luftausschluß chromatographiert. Nach einer gelblichen Zone wird die rotbraune Zone des Formyl-dibenzol-chrom(0) eluiert; Ausbeute: 30 mg (10% d.Th.); F: 100–101° (rote Kristalle). Der Aldehyd läßt sich i. Hochvak. bei 70° sublimieren.

Tab. 1: Oppenauer-Oxidation primärer Alkohole zum freien Aldehyd

Alkohol	Reaktionsbedingungen	Aldehyd	Ausbeute [% d.Th.]	Literatur
1,5,5-Trimethyl-6-hy-droxymethyl-cyclohexen	$Al(O\text{-}iso\text{-}C_3H_7)_3$ 4-Methoxy-benzaldehyd	*1,5,5-Trimethyl-6-formyl-cyclohexen*	45	[4]
3-Fluor-2-hydroxy-benzylalkohol	$Al(O\text{-}iso\text{-}C_3H_7)_3$ tert.-Butanol, Aceton	*3-Fluor-2-hydroxy-benz-aldehyd*	4,4	[5]
	$Al(O\text{-}iso\text{-}C_3H_6)_3$ tert.-Butanol 2-Chlor-benzaldehyd		47	[5]
3-Fluor-5-chlor-2-hydroxy-benzylalkohol	$Al(O\text{-}tert.\text{-}C_4H_9)$ 2-Chlor-benzaldehyd	*3-Fluor-5-chlor-2-hydroxy-benzaldehyd*	~ 6	[5]

---

[1] I. Ichikizaki, C.-C. Jao, Y. Fujitau. Y. Hasebe, Bl. chem. Soc. Japan **28**, 80 (1955).

[2] E. O. Fischer u. H. Brunner, B. **98**, 175 (1965).

[3] In der Regel erhält man bei der Oppenauer-Oxidation von primären Alkoholen mit Aceton ungesättigte Ketone anstelle der erwarteten Aldehyde, bedingt durch deren Kondensation mit dem Oxidations-mittel (s. S. 913).

[4] B. Willhalm, V. Steiner u. H. Schinz, Helv. **41**, 1359 (1958).

[5] US. P. 2676189 (1954), E. Britton u. J. D. Head; C. A. **49**, 1801 (1955).

Tab. 1 (1. Fortsetzung)

Alkohol	Reaktionsbedingungen	Aldehyd	Ausbeute [% d.Th.]	Literatur
exo-6-Hydroxymethyl-bicyclo[3.1.0]hexan	Al(O-iso-C_3H_7)$_3$ Benzophenon	*exo-6-Formyl-bicyclo[3.1.0] hexan*	40	1
endo-6-Hydroxymethyl-bicyclo[3.1.0]hexan	Al(O-iso-C_3H_7)$_3$ Benzophenon	*endo-6-Formyl-bicyclo[3.1. 0]hexan*	73	1
exo-7-Hydroxymethyl-bicyclo[4.1.0]heptan	Al(O-iso-C_3H_7)$_3$ Benzophenon	*exo-7-Formyl-bicyclo[4.1.0] heptan*	65	1
exo-8-Hydroxymethyl-bicyclo[5.1.0]octan	Al(O-iso-C_3H_7)$_3$ Benzophenon	*exo-8-Formyl-bicyclo[5.1.0] octan*	42	1
6-Hydroxymethyl-bicyclo[3.1.0]hexan	Al(O-iso-C_3H_7 4-Methoxy-benz-aldehyd	*6-Formyl-bicyclo[3.1.0] hexan*	59	2
7-Hydroxymethyl-bicyclo[4.1.0]heptan	Al(O-iso-C_3H_7)$_3$ 4-Methoxy-benz-aldehyd	*7-Formyl-bicyclo[4.1.0] heptan*	54,5	2
1-Hydroxy-4-methoxy-buten-(2)	Al(O-iso-C_3H_7)$_3$ Zimtaldehyd	*4-Methoxy-buten-(2)-al*	42,5	3
Myrtenol	Al(O-iso-C_3H_7)$_3$ 4-Methoxy-benz-aldehyd	*Myrtenal {6,6-Dimethyl-2-formyl-bicyclo[3.1.1] hepten-(2)}*	74,2	4
1-Hydroxymethyl-4-iso-propenyl-cyclohexen	Al(O-iso-C_3H_7)$_3$ 4-Methoxy-benz-aldehyd	*4-Isopropenyl-1-formyl-cyclohexen*	47,4	4
Iso-homonopinenol	Al(O-iso-C_3H_7)$_3$ 4-Methoxy-benz-aldehyd	*Iso-homonopineal*	77,1	4
Homocamphenol	Al(O-iso-C_3H_7)$_3$ 4-Methoxy-benz-aldehyd	*Homocamphenal*	44,6	4
Geraniol [3,7-Dimethyl-octadien-(2,6)-ol]	Al(O-iso-C_3H_7)$_3$ Zimtaldehyd	*Citral [3,7-Dimethyl-octa-dien-(2,6)-al]*	20	4
3,3,4-Trimethyl-2-hydroxy-methyl-1-methylen-cyclohexan	Al(O-iso-C_3H_7)$_3$ Zimtaldehyd	*3,3,4-Trimethyl-1-methy-len-2-formyl-cyclohexan*	15	5
3-Methyl-5-cyclohexenyl-pentadien-(2,4)-ol	Al(O-tert.-C_4H_9)$_3$ Aceton	*7-Oxo-3-methyl-1-cyclo-hexenyl-octatrien-(3,5,7)*	14	6
3-Methyl-6-äthyl-tri-decatrien-(2,4,6)-ol	Al(O-tert.-C_4H_9)$_3$ Aceton	*2-Oxo-6-methyl-9-äthyl-tridecatetraen-(3,5,7,9)*	—	6
3-Methyl-octatrien-(2,4,6)-ol	Al(O-tert.-C_4H_9)$_3$ Aceton	*2-Oxo-6-methyl-undeca-tetraen-(3,5,7,9)*	22	7

[1] W. KIRMSE u. K. H. POOK, B. **98**, 4022 (1965).
[2] R. T. LALONDE u. M. A. TOBIAS, Am. Soc. **86**, 4068 (1964).
[3] I. ICHIKIZAKI et al., Bl. chem. Soc. (Japan) **28**, 80 (1955); C. A. **52**, 4477 (1958).
[4] G. OHLOFF, Ar. **287**, 258–72 (1954).
[5] H. FAVRE u. H. SCHINZ, Helv. **41**, 1368 (1958).
[6] K. R. BHARUCKA u. B. C. L. WEEDON, Soc. **1953**, 1578.
[7] B. C. L. WEEDON u. R. J. WOODS, Soc. **1951**, 2687.

b) Unter gleichzeitiger Kondensation der gebildeten Aldehyde mit dem Oxidations-mittel

Oxidiert man primäre Alkohole mit Aceton, Butanon oder Cyclohexanon in Gegenwart von Aluminiumalkanolaten, so reagieren die gebildeten Aldehyde im allgemeinen mit den genannten Oxidationsmitteln unter Bildung ungesättigter Ketone weiter:

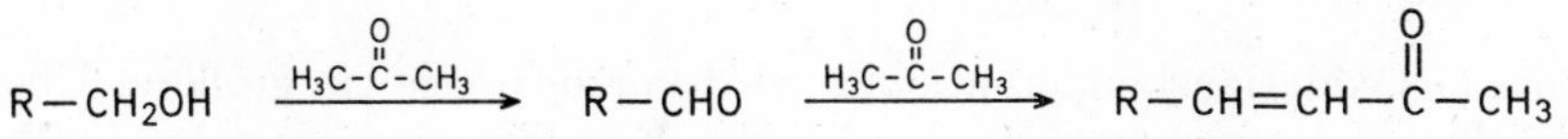

$$R-CH_2OH \xrightarrow{H_3C-\overset{O}{\overset{\|}{C}}-CH_3} R-CHO \xrightarrow{H_3C-\overset{O}{\overset{\|}{C}}-CH_3} R-CH=CH-\overset{O}{\overset{\|}{C}}-CH_3$$

So bildet Vitamin A (Axerophthol) durch 48 stdgs. Kochen mit Aceton in benzolischer Lösung in Gegenwart von Aluminium-isopropanolat oder -tert.-butanolat *Axerophthyliden-aceton* (70% d.Th.)[1,2]. Setzt man Vitamin A mit Butanon in Gegenwart von Alumium-alkanolaten um, so findet eine außergewöhnliche Reaktion statt: es entsteht der freie Aldehyd mit einer zusätzlichen Doppelbindung im Iononring (*Dehydro-Vitamin A-Al-dehyd*)[3].

Nicht selten macht man sich die unter Kondensation verlaufende Oppenauer-Oxidation primärer Alkohole für Synthesen zunutze; die direkte Umwandlung von 3,7-Dimethyl-octadien-(2,6)-ol in *10-Oxo-2,6-dimethyl-undecatrien-(2,6,8)* mit Aceton/Aluminium-tert.-butanolat bietet hierfür ein gutes Beispiel[1]:

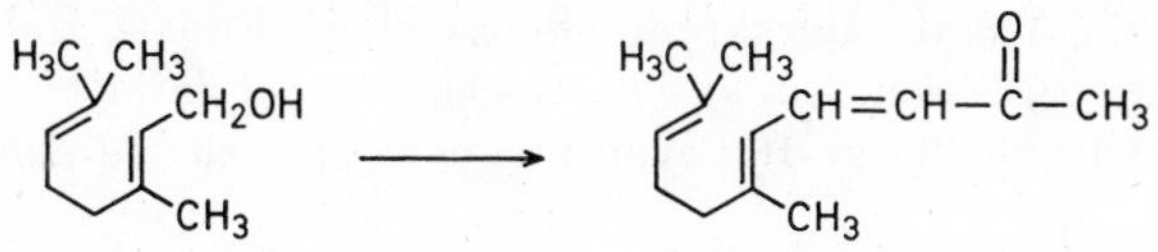

10-Oxo-2,6-dimethyl-undecatrien-(2,6,8) (ψ-Ionon)[1]: 14 g 3,7-Dimethyl-octadien-(2,6)-ol (Geraniol) werden zusammen mit 20 g Aluminium-tert.-butanolat in 200 *ml* Aceton und 500 *ml* Benzol 30 Stdn. unter Stickstoff am Rückfluß erhitzt. Danach wird das Reaktionsgemisch mit Wasser verdünnt und filtriert. Die abgetrennte Benzol-Schicht wird mit Wasser gewaschen, über Natriumsulfat getrocknet, das Lösungsmittel abgezogen und das Keton i. Vak. destilliert; Ausbeute: 13 g (75% d.Th.); Kp_{23}: 155–165°.

Auch eine Reihe methylsubstituierter 2,6-Dimethyl-octadien-(2,6)-ole (Geraniole) lassen sich auf diese Weise erfolgreich oxidieren[4-8]; z. B. *Ionon* [*1,3,3-Trimethyl-2-(3-oxo-butenyl)-cyclohexen*] und *1,3,3-Trimethyl-2-(3-oxo-2-methyl-butenyl)-cyclohexen* aus 1,3,3-Trimethyl-2-hydroxymethyl-cyclohexen und Aceton bzw. Butanon[1,9].

Unterwirft man 3-Methyl-octatrien-(2,4,6)-ol den Bedingungen einer Oxidationskonden-sation (Aluminium-tert.-butanolat/Aceton), so erhält man *10-Oxo-6-methyl-undecatetraen-*

[1] J. W. Batty, A. Burawoy, J. H. Harper, J. M. Heilbron u. W. E. Jones, Soc. **1938**, 175.

[2] W. v. E. Doering, G. Cortes u. L. H. Knox, Am. Soc. **69**, 1709 (1947).

[3] E. Haworth, J. M. Heilbron, W. E. Jones, A. L. Morrison u. J. B. Polya, Soc. **1939**, 128.

[4] Y. R. Naves, A. V. Grampoloff u. P. Bachmann, Helv. **30**, 1599 (1947).

[5] M. Winter, H. Schinz u. M. Stoll, Helv. **30**, 2213 (1947).

[6] A. Rouwé u. M. Stoll, Helv. **30**, 2216 (1947).

[7] H. Schinz, L. Ruzicka, C. F. Seidel u. C. Tavel, Helv. **30**, 1810 (1947); **32**, 2113 (1949).

[8] E. H. Eschkinase u. M. L. Cotter, Tetrahedron Letters, **1964**, 3487; Herstellung *2,5-Dimethyl-5-isopropyl-2-[4-oxo-penten-(2)-yl]-tetrahydrofuran* (70% d.Th.).

[9] M. Yamashita u. H. Honjo, Soc. **63**, 1335 (1942).

(*2,4,6,8*) in einer besseren Ausbeute als im Falle einer zweistufigen Synthese[1]:

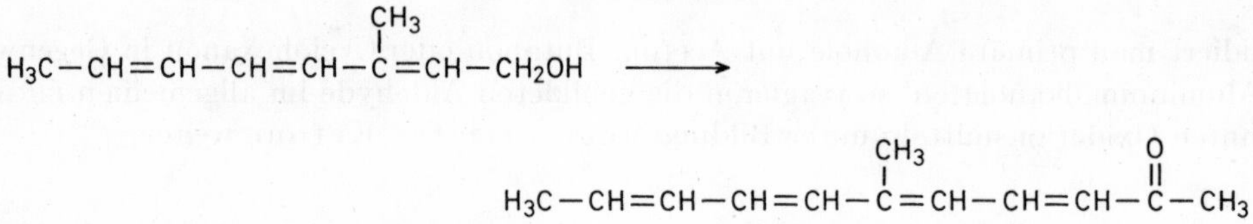

$$H_3C-CH=CH-CH=CH-\underset{\underset{CH_3}{|}}{C}=CH-CH_2OH \longrightarrow$$

$$H_3C-CH=CH-CH=CH-\underset{\underset{CH_3}{|}}{C}=CH-CH=CH-\underset{\overset{O}{\|}}{C}-CH_3$$

Bei all diesen Oxidationskondensationen wird vorzugsweise ein größerer Überschuß an Aluminium-alkanolat eingesetzt, da das bei der Kondensation entstehende Wasser eine äquivalente Menge des Katalysators verbraucht.

II. Oppenauer-Oxidation sekundärer Alkohole

Im folgenden wird des öfteren der Ausdruck „konventionelle Methode" oder „nach Oppenauer" gebraucht. Man versteht darunter die von Oppenauer beschriebene Arbeitsweise[2].

a) Dehydrierung sekundärer Steroid-alkohole

Das Hauptanwendungsgebiet der Oppenauer-Oxidation ist die sehr umfangreiche Gruppe der Alkohole mit Steroid-Struktur. Neben der meist sehr guten Ausbeute weist diese Methode den besonderen Vorzug auf, labile Gruppen (Allyl-, Vinyl-, Äthinyl-, mehrfach ungesättigte Seitenketten, Lacton-, Acetal-, Merkaptal-, Benzyliden-, Epoxi-, Halogen-Gruppen u. a.) weitgehend unberührt zu lassen. Ein anschauliches Beispiel dafür bietet die Dehydrierung des 3β-Hydroxy-20-äthylendioxy-16α-cyan-pregnens-(5), zu *20-Äthylendioxy-3-oxo-16α-cyan-pregnenen-(4)*[3]:

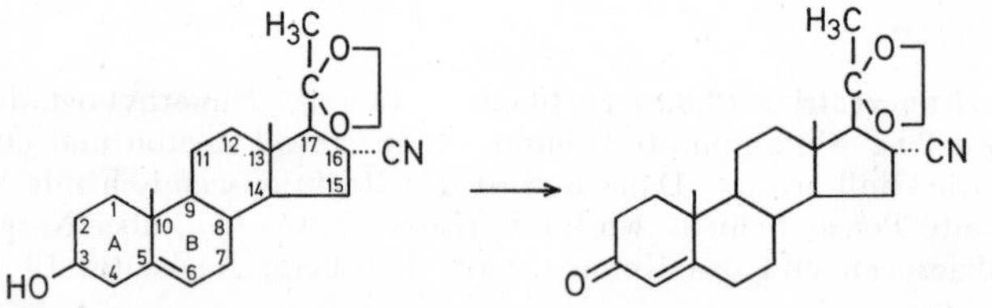

20-Äthylendioxy-3-oxo-16α-cyan-pregnen-(4): Eine Lösung von 4,3 g 3β-Hydroxy-20-äthylendioxy-16α-cyan-pregnen-(5) in 500 *ml* Toluol und 45 *ml* Cyclohexanon wird erhitzt und 25 *ml* Flüssigkeit abdestilliert. Dann gibt man 8 g Aluminium-isopropanolat in 40 *ml* Toluol zu und erhitzt das Reaktionsgemisch 40 Min. zum Rückfluß. Eine wäßrige Lösung von 40 g Natrium-Kalium-tartrat wird hinzugegeben und das Reaktionsprodukt zur Entfernung des Cyclohexanons einer Wasserdampfdestillation unterworfen. Nach dem Erkalten wird das Gemisch mehrmals mit Essigsäure-äthylester ausgeschüttelt. Die vereinigten Extrakte werden mit Wasser gewaschen, getrocknet und zur Trockene eingeengt; Ausbeute: 2,85 g (64% d.Th.); F: 248–250°

Diese bei dem beschriebenen Beispiel auftretende Wanderung der C=C-Doppelbindung von der 5 in die 4-Stellung ist charakteristisch für die Oppenauer-Oxidation von 3-Hydroxy-$\varDelta^5$-Steroiden. Die Wanderung tritt auch dann ein, wenn der Ring B ein Fünfring ist[4,5]; so

[1] M. Winter, H. Schinz u. M. Stoll, Helv. **30**, 2213 (1947).

[2] R. Oppenauer, R. **56**, 137 (1937); Org. Synth. **21**, 18 (1941).

[3] M. Heller, S. M. Stolar u. S. Bernstein, J. Org. Chem. **27**, 2673 (1962).

[4] T. Sorm u. H. Dykova, Coll. czech. chem. Commun. **13**, 418 (1948).
   Über die analoge Wanderung der C=C-Doppelbindung mit Mangan(IV)-oxid als Dehydrierungsmittel s. S. 556.

[5] J. Joska, J. Faykos u. F. Sorm, Chem. & Ind. **1958**, 1665.

z. B. bei der Dehydrierung von *3β-Hydroxy-B-nor-cholesten-(5)* zu *3-Oxo-B-nor-cholesten-(4)*[1]:

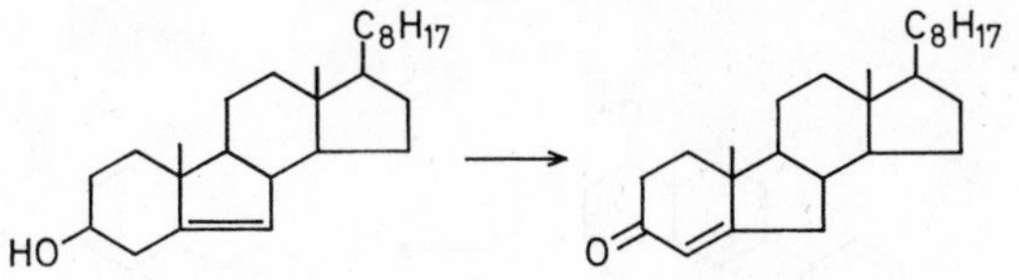

Enthält der zu oxidierende Alkohol zwei konjugierte Doppelbindungen, so wandert stets nur die β,γ-Doppelbindung[1-3]; beispielsweise bei der Dehydrierung von *3β-Hydroxy-cholestatrien-(5,7,22)* (Ergosterin) zu *3-Oxo-cholestatrien-(4,7,22)*[3]:

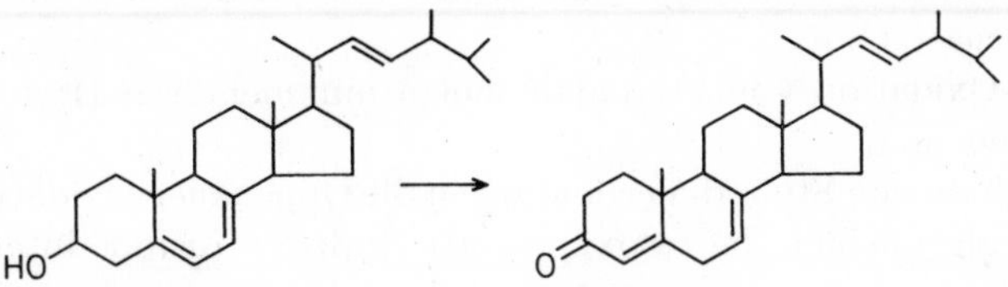

Auch Steroid-Alkohole mit einer C=C-Doppelbindung weitab der Hydroxy-Gruppe lassen sich erfolgreich nach OPPENAUER oxidieren[4-7]. Beispiele dafür sind die Dehydrierung von *3β-Hydroxy-cholesten-(7)* mit Aceton/Aluminium-phenolat zu *3-Oxo-cholesten-(7)*[8]:

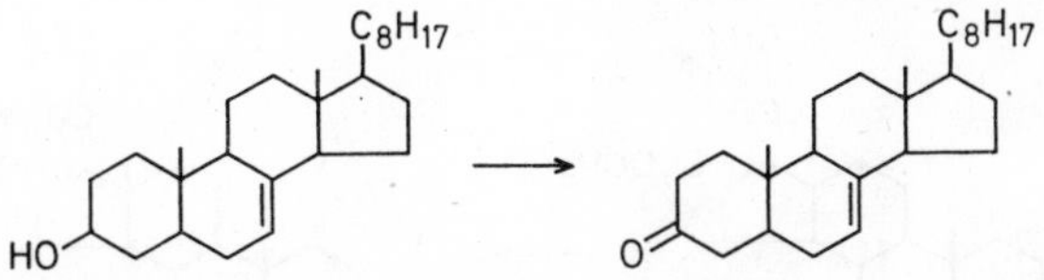

und die von *17β-Hydroxy-3-methoxy-östradien-(2,5^10)* mit Cyclohexanon/Aluminium-iso-propanolat oder -tert.-butanolat zu *3-Methoxy-17-oxo-östradien-(2,5^10)*[9]:

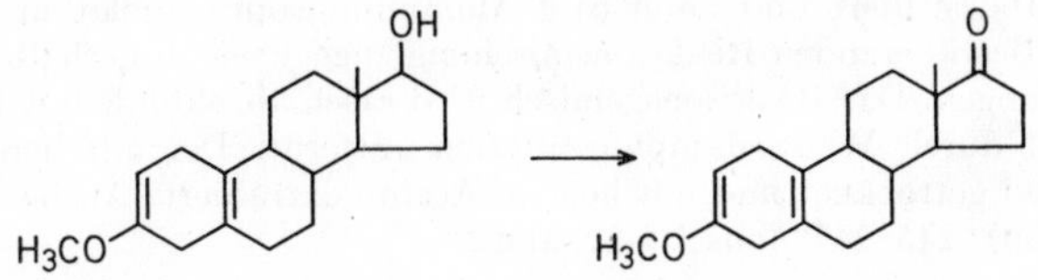

[1] R. OPPENAUER, R. **56**, 137 (1937); Org. Synth. **21**, 18 (1941).
 Vgl. die analoge Oxidation von 3β,17β-Dihydroxy-6,17α-dimethyl-B-nor-androsten-(5) zum *17β-Hydroxy-3-oxo-5β,17α-dimethyl-B-nor-androsten-(4)*; J. JOSKA, J. FAJKOS u. F. SORM, Collect. czech. chem. Commun. **38**, 2121 (1973).
[2] A. WINDAUS u. O. KAUFMANN, A. **542**, 220 (1939).
[3] F. JOHNSON, G. T. NEWBOLD u. F. S. SPRING, Soc. **1954**, 1302.
[4] A. BUTENANDT u. G. RUHENSTROTH-BAUER, B. **77**, 402 (1944).
[5] G. v. EUW, A. LARDEN u. T. REICHSTEIN, Helv. **27**, 1293 (1944).
[6] A. WETTSTEIN u. C. MEYSTRE, Helv. **30**, 1267 (1947).
[7] D. H. R. BARTON u. J. D. COX, Soc. **1948**, 783.
[8] W. BUSER, Helv. **30**, 1379 (1947).
[9] R. GROS, Z. Chem. 8, 108 (1968).

Führt man letztere Oxidation in Gegenwart von Aluminiumphenolat aus, so bildet sich bemerkenswerterweise unter Isomerisierung der C=C-Doppelbindungen *3-Methoxy-17-oxo-östradien-(3,5)* (I)[1]:

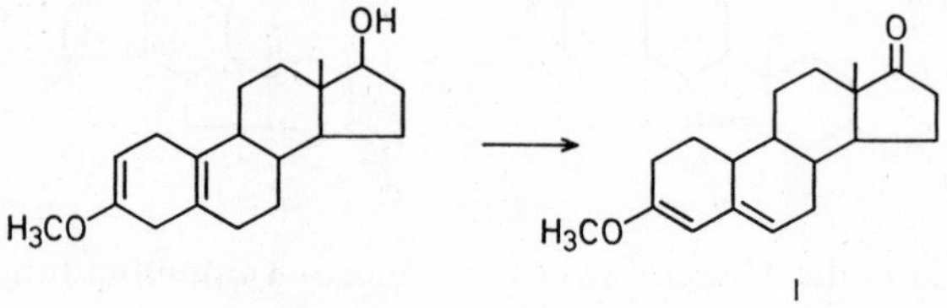

Wahrscheinlich verursacht Phenol die Isomerisierung, da die Bildung von I auch bei Verwendung von Aluminium-tert.-butanolat beobachtet wird, wenn man der Reaktionsmischung Phenol zusetzt[1].

Die Oppenauer-Oxidation von Steroidalkoholen mit mehreren Hydroxy-Gruppen wird auf S. 923 beschrieben.

Da bei der Synthese von Steroid-Verbindungen die Oppenauer-Oxidation meist die letzte Stufe ist, wird im allgemeinen die zu oxidierende Hydroxy-Gruppe intermediär geschützt. Verwendet man Ameisensäure als Schutzgruppe, so lassen sich die 3-Formyloxy-steroide durch eine Oppenauer-Oxidation direkt in die entsprechenden 3-Oxo-steroide überführen. Die durch andere Gruppen geschützten Hydroxy-Gruppen (z. B. durch Essigsäure[2] oder Benzoesäure) erweisen sich unter Oppenauer-Bedingungen als stabil und müssen vor der Oxidation in Freiheit gesetzt werden[3,4].

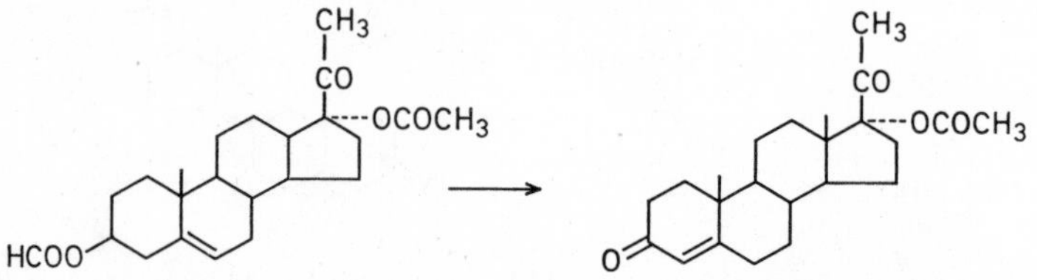

17α-Acetoxy-17β-acetyl-androsten-(4) (4)[4]:   51 g 3β-Formyloxy-17α-acetoxy-17β-acetyl-androsten-(5) werden in 1,4 *l* Xylol (oder Toluol) und 510 *ml* Cyclohexanon gelöst, 250 *ml* des Gemisches zur Entfernung von Wasser abdestilliert und dann 51 g Aluminiumisopropanolat in 210 *ml* Xylol innerhalb 5 Min. zu der langsam destillierenden Reaktionsmischung zugegeben. Innerhalb 45 Min. werden weitere 210 *ml* Destillat aufgefangen. Das Reaktionsgemisch wird rasch abgekühlt, mit Eis und Wasser versetzt und die Lösungsmittel durch Wasserdampfdestillation entfernt. Der anfallende Niederschlag wurde über Celit abfiltriert und getrocknet und mit heißem Aceton extrahiert; Ausbeute: 40,7 g (86% d.Th.); F: 240–243° (aus Aceton); 245–247° (aus 1,4-Dioxan).

Analog erhält man aus

3β-Formyloxy-17α-acetoxy-17β-acetoxyacetyl-pregnen-(5) → *17α-Acetoxy-3-oxo-17β-acetoxyacetyl-androsten-(4)*[5]

3β-Formyloxy-17α-acetoxy-17β-acetoxyacetyl-pregnadien-(1,5) → *17α-Acetoxy-3-oxo-17β-acetoxyacetyl-androstadien-(1,4)*[5]

[1] R. Gros, Z. Chem. 8, 108 (1968).
[2] R. B. Turner, Am. Soc. 75, 3489 (1953).
[3] Als weitere, der direkten Oppenauer-Oxidation zugängliche Schutzgruppe wird die Trifluoracetyl-Gruppe erwähnt: DBP 1020974 (1959), E. Kaspar u. M. Schenck; C. A. 54, 9999 (1960).
[4] H. J. Ringold, B. Löken, G. Rosenkranz u. F. Sondheimer, Am. Soc. 72, 816 (1956).
[5] H. J. Ringold, G. Rosenkranz u. F. Sondheimer, Am. Soc. 78, 820 (1956).

17α-Hydroxy-3,11-dioxo-17β-hydroxyacetyl-androsten-(4) (*Cortison*) kann ebenfalls durch direkte Oppenauer-Oxidation des 3β-Formyloxy-17α-acetoxy-11-oxo-17β-acetoxyacetyl-androstens-(5) gewonnen werden[1].

Tab. 2: Ketone durch Oppenauer-Oxidation sekundärer Steroid-Alkohole

Alkohol	Reaktionsbedingungen	Keton	Ausbeute [% d.Th.]	Literatur
17β-Hydroxy-2,3-di-methoxy-östratrien-(1,3,5[10])	Al(O-iso-C_3H_7)$_3$; Cyclo-hexanon, Toluol	*2,3-Dimethoxy-17-oxo-östratrien-(1,3,5)*	68	[2]
Cholesterin	Al(O-iso-C_3H_7)$_3$, Cyclo-hexanon, Toluol	*3-Oxo-cholesten-(4)*	81–93	[3]
Ergosterin [3β-Hydroxy-cholestatrien-(5,7,22)]	Al(O-iso-C_3H_7)$_3$, Cyclo-hexanon, Toluol	*3-Oxo-ergostatrien-(4,7,22)* [*3-Oxocholesterin-(4,7,22)*]	72	[4]
3β-Hydroxy-16α,17α-epoxy-20-oxo-6,16β-dimethyl-pregnen-(5)	Al(O-tert.-C_4H_9)$_3$, Cyclohexanon, Toluol	*3,20-Dioxo-16α,17α-epoxi-6α,16β-dimethyl-pregnen-(4)*	–	[5]
3β-Hydroxy-androsta-dien-(5,16)	Al(O-iso-C_3H_7)$_3$, Cyclo-hexanon, Toluol	*3-Oxo-androstadien-(4,16)*	86	[6]
3β-Hydroxy-cholesta-trien-(5,7,21) (Ergosterol)	Al(O-tert.-C_4H_9)$_3$, Cyclohexanon, Toluol	*3-Oxo-cholestatrien-(4,7,21)* (*Ergosteron*)	81	[7]
3β-Hydroxy-16-oxo-androsten-(5)	Al(O-iso-C_3H_7)$_3$, Cyclo-hexanon	*3,16-Dioxo-androsten-(4)*	60	[8]
3β-Hydroxy-16β,17β-epoxi-17α-acetyl-androsten-(5)	Al(O-iso-C_3H_7)$_3$, Cyclo-hexanon, Toluol	*16β,17β-Epoxi-3-oxo-17α-acetyl-androsten-(4)*	44	[9]
16α-Fluor-3β-hydroxy-3-oxo-androsten-(5)	Al(O-iso-C_3H_7)$_3$, Cyclo-hexanon	*16α-Fluor-3,17-dioxo-androsten-(4)*	71	[10]
Ergocalciferol	Al(O-tert.-C_4H_9)$_3$, Aceton, Benzol	*3-Oxo-9,10-seco-cholesta-tetraen-(4,7,10[19],22)*	–	[11]

[1] E. S. ROTHMAN u. M. E. WALL, Am. Soc. **81**, 411 (1959).

[2] P. N. RAO u. L. R. AXELROD, Soc. **1961**, 4769.

[3] J. F. EASTMAN u. R. TERANSKI, Org. Synth. **35**, 39 (1955).

[4] D. A. SHEPHERD et al., Am. Soc. **77**, 1212 (1955).

[5] D. N. KIRK, V. PETROW u. D. M. WILLIAMSON, Soc. **1961**, 2821.

[6] F. SONDHEIMER, O. MANCERA, M. URQUIZA u. G. ROSENKRANZ, Am. Soc. **77**, 4145 (1955).

[7] F. JOHNSON, G. T. NEWBOLD u. F. S. SPRING, Soc. **1954**, 1302.

[8] J. FAJKOŠ u. F. SORM, Collect. czech. chem. Commun. **19**, 349 (1954).

[9] K. PONSOLD, B. SCHÖNECKER u. I. PFAFF, B. **100**, 2957 (1967).

[10] S. NAKANISHI u. E. V. JENSEN, J. Org. Chem. **27**, 702 (1962).

[11] S. TRIPPETT, Soc. **1955**, 370.

Tab. 2 (1. Fortsetzung)

Alkohol	Reaktionsbedingungen	Keton	Ausbeute [% d.Th.]	Literatur
3β-Hydroxy-androsta-dien-(5,16)	Al(O-iso-C$_3$H$_7$)$_3$, Cyclo-hexanon, Toluol	*3-Oxo-androstadien-(4,16)*	86	[1]
3β-Hydroxy-17-methy-len-androsten-(5)	Al(O-iso-C$_3$H$_7$)$_3$, Cyclo-hexanon, Toluol	*3-Oxo-17-methylen-andro-sten-(4)*	79	[1]
3β-Hydroxy-16β,17β-isopropylidendioxy-17α-äthinyl-andro-sten-(5)	Al(O-iso-C$_3$H$_7$)$_3$, Cyclo-hexanon	*16β,17β-Isopropyliden-dioxy-3-oxo-17α-äthinyl-androsten-(4)*	80	[2]
3β-Formyloxy-17α-acetoxy-17β-acetoxy-acetyl-androsten-(5)	Al(O-iso-C$_3$H$_7$)$_3$, Cyclo-hexanon, Toluol	*17α-Acetoxy-3-oxo-17β-acetoxyacetyl-andro-sten-(4)*		[3]
3β-Hydroxy-6-methyl-17β-acetyl-androsten-(5)	Al(O-iso-C$_3$H$_7$)$_3$, Cyclo-hexanon	*3-Oxo-6α-methyl-17β-acetyl-androsten-(4)*		[4]
3β-Hydroxy-16α-methyl-17β-acetoxyacetyl-androsten-(5)	Al(O-iso-C$_3$H$_7$)$_3$, Cyclo-hexanon	*3-Oxo-16α-methyl-17β-acetoxyacetyl-andro-sten-(4)*	78	[5]
17β-Hydroxy-3-methoxy-östradien-(2,5^{10})	Al(O-tert.-C$_4$H$_9$)$_3$, Cyclohexanon, Toluol	*3-Methoxy-17-oxo-östra-dien-(2,5^{10})*		[6]
	Al(O-C$_6$H$_5$)$_3$, Cyclo-hexanon, Benzol	*3-Methoxy-17-oxo-östra-dien-(3,5)*		[6]
3β-Formyloxy-17α,21-di-acetoxy-11,20-dioxo-pregnen-(5)	Al(O-iso-C$_3$H$_7$)$_3$, Cyclo-hexanon, Toluol	*17α-Acetoxy-3,11-dioxo-17β-acetoxyacetyl-androsten-(4)*	75	[7]
Cholesterin	Al(O-iso-C$_3$H$_7$)$_3$, Cyclo-hexanon, Toluol	*3-Oxo-cholesten-(4)*	–	[8]
	Al(O-iso-C$_3$H$_7$)$_3$, 4-Oxo-1-methyl-piperidin	*3-Oxo-cholesten-(4)*	84	[9]
3β-Hydroxy-cholesta-tetraen-(5,7,11,22)	Al(O-iso-C$_3$H$_7$)$_3$, Cyclo-hexanon, Toluol	*3-Oxo-cholestatetraen-(4,7,11,22)*	28	[10]
3β-Hydroxy-17-oxo-15α,16α-cyclopropano-androsten-(5)	Al(O-iso-C$_3$H$_7$)$_3$, Cyclo-hexanon	*3,17-Dioxo-15α,16α-cyclo-propano-androsten-(4)*	100	[11]

[1] F. SONDHEIMER, O. MANCERA, M. URQUIZA u. G. ROSENKRANZ, Am. Soc. **77**, 4145 (1955).
[2] L. J. CHINN u. L. M. HOFMANN, J. Med. Chem. **16**, 839 (1973).
    Vgl. a. A. A. AKHREM et al., Izv. Akad. SSSR. **1973**, 1128.
[3] H. J. RINGOLD, G. ROSENKRANZ u. F. SONDHEIMER, Am. Soc. **78**, 820 (1956).
[4] R. ZEPTER, J. pr. **314**, 592 (1972).
[5] U. VALCAVI, S. INNOCENTI, B. CORSI u. V. MAROTTA, Farm. Ed. Sci. **27**, 962 (1972); C. A. **78**, 72426 (1973).
[6] R. GROS, Z. Chem. **8**, 108 (1968).
[7] E. S. ROTHMAN u. M. E. WALL, Am. Soc. **81**, 411 (1959).
[8] L. N. VOLOVEL'SKIJ u. A. B. SIMKINA, Ž. obšč. Chim. **37**, 1571 (1967); engl.: **37**, 1491 (1967).
[9] R. REICH u. J. F. W. KEANA, Synth. Commun. **2**, 323 (1972).
[10] K. PETZOLDT, M. KÜHNE, E. BLANKE, K. KIESLICH u. E. KASPAR, A. **709**, 203 (1967).
[11] R. WIECHERT, D. BITTER u. G. A. HOYER, B. **106**, 888 (1973).

Tab. 2 (2. Fortsetzung)

Alkohol	Reaktions-bedingungen	Keton	Ausbeute [% d.Th.]	F: [° C]	Literatur
3 β-Hydroxy-16 α-(di-brom-chlor-methyl)-17 β-acetyl-androsten-(5)	„Oppenauer-Bedingungen"	3-Oxo-16 α-(dibrom-chlor-methyl)-17 β-acetyl-androsten-(4)		185–186	1
3 β-Hydroxy-16 α-di-brommethyl-17 β-acetyl-androsten-(5)	„Oppenauer-Bedingungen"	3-Oxo-16 α-dibrom-methyl-17 β-acetyl-androsten-(4)	–		1
3-[3 β,17 β-Dihydroxy-androsten-(5)-yl-(17 α)]-propansäure-γ-lacton	„Oppenauer-Bedingungen"	3-[17 β-Hydroxy-3-oxo-androsten-(4)-yl-(17α)]-propansäure-γ-lacton	–	148–150	2
3 β-Hydroxy-20-äthylendioxy-16 α-cyan-pregnen-(5)	Al(O-iso-C$_3$H$_7$)$_3$ Cyclohexanon, Toluol	20-Äthylendioxy-3-oxo-16 α-cyan-pregnen-(4)	64	248–250	3

b) Dehydrierung weiterer sekundärer Alkohole

Gesättigte und ungesättigte sekundäre Alkohole lassen sich in der Regel leicht und in guten Ausbeuten nach OPPENAUER in die entsprechenden Ketone überführen.

Mit Benzophenon/Aluminium-isopropanolat läßt sich 3-Hydroxy-tetrahydrofuran in 3-Oxo-tetrahydrofuran[4] und 5-Hydroxy-bicyclo[2.2.1]hepten in 5-Oxo-bicyclo[2.2.1]hepten

[1] R. WIECHERT, Naturwiss. 49, 232 (1962).
[2] J. A. CELLA u. C. M. KAGAWA, Am. Soc. 79, 4808 (1957).
[3] M. HELLER, S. M. STOLAR u. S. BERNSTEIN, J. Org. Chem. 27, 2673 (1962).
[4] H. WYNBERG, Am. Soc. 80, 364 (1958).

überführen[1]; aus 3-Hydroxy-thietan entsteht unter der Einwirkung von Benzil/Aluminium-tert.-butanolat *3-Oxo-thietan*[2]:

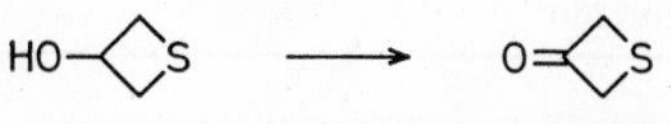

Ein Beispiel einer Oppenauer-Oxidation eines Indan-Derivates bietet die Dehydrierung des *trans*-1-Hydroxy-6-methoxy-7-methyl-2,3,3a,8,9,9a-hexahydro-1H-⟨cyclopenta-[a]-naphthalins⟩ mit Cyclohexanon/Aluminium-isopropanolat zum *trans-6-Methoxy-1-oxo-7-methyl-2,3,3a,8,9,9a-hexahydro-1H-⟨cyclopenta-[a]-naphthalin⟩*[3]:

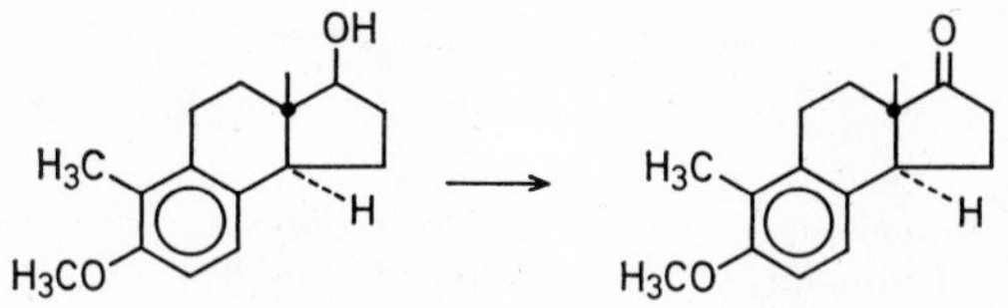

Auch auf polymere Alkohole wurde die Oppenauer-Oxidation mit Erfolg angewandt. In einer Ausbeute von 80% läßt sich ein Äthylen-Vinylacetat-Copolymeres nach der alkalischen Verseifung zum Polyalkohol in das entsprechende Polyketon überführen[4]:

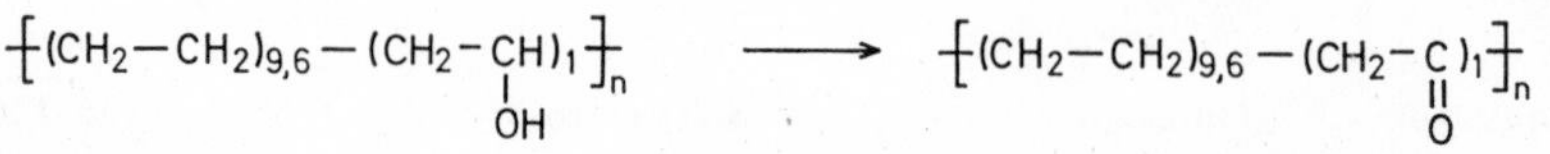

In manchen Fällen gelingt es durch eine **modifizierte** Oppenauer-Oxidation einen **empfindlichen** Alkohol zu dehydrieren, bei dem klassische Oxidationsmethoden nicht zum Erfolge führen. Ein Beispiel hierfür ist die Oxidation von 4,6-Dimethyl-2-(2-hydroxy-propyl)-1,3-dioxan zu *4,6-Dimethyl-2-(2-oxo-propyl)-1,3-dioxan* mit Benzophenon/Aluminium-isopropanolat (37% d. Th.)[5]:

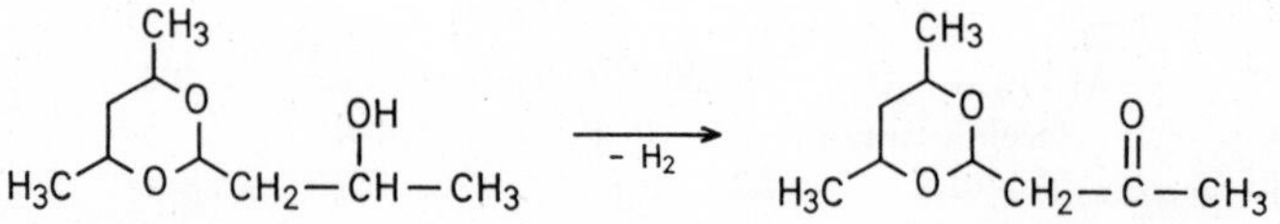

Bemerkenswerterweise tritt bei der Oppenauer-Oxidation des 2-Hydroxy-bicyclo[4.4.0]decens-(1[6]) mit Aceton/Aluminium-tert.-butanolat in Benzol eine Wanderung der C=C-Doppelbindung ein und man erhält *10-Oxo-bicyclo[4.4.0]decen-(1)*[6]:

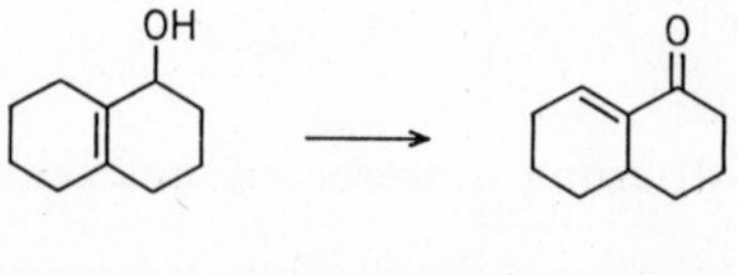

7-Hydroxy-3-methoxy-bicyclo[4.4.0]decadien-(1[6],3) wird durch Aceton/Aluminium-isopropanolat nahezu quantitativ in *3-Methoxy-7-oxo-bicyclo[4.4.0]decadien-(1[6],3)* (I) über-

[1] K. Mislow u. J. G. Berger, Am. Soc. **84**, 1956 (1962).
[2] H. Prinzbach u. G. v. Veh, Z. Naturf. **16 b**, 763 (1961).
[3] D. K. Banerjee u. S. K. Balasubramanian, J. Org. Chem. **23**, 105 (1958).
[4] R. M. Michel u. W. A. Murphey, J. Polymer Sci. **60**, 45 (1962).
[5] E. Theimer, Org. Reactions **6**, 237 (1951).
[6] W. P. Campbell u. G. C. Harris, Am. Soc. **63**, 2721 (1941).

geführt[1,2]; wird jedoch die Dehydrierung in Gegenwart geringer Wassermengen vorgenommen, so beobachtet man auch hier die Wanderung einer C=C-Doppelbindung unter Bildung des isomeren *3-Methoxy-7-oxo-bicyclo[4.4.0]decadiens-(1⁶,2)* (II):

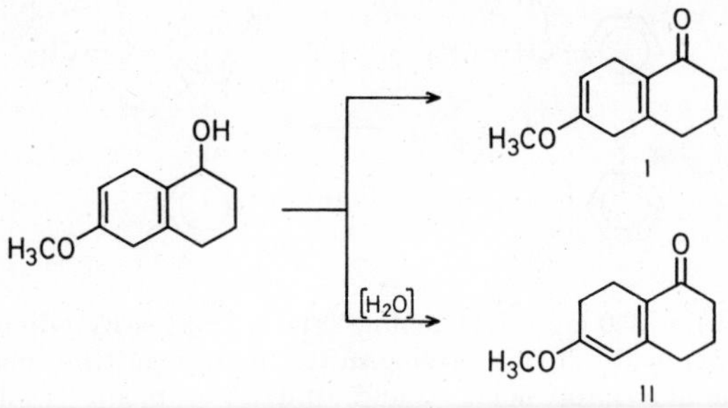

Von besonderer Bedeutung erwies sich die Oppenauer-Oxidation ungesättigter, sekundärer Alkohole bei der Synthese von Vitamin A-Analogen[3]. Ähnlich wie α-*Ionon [2,2,4-Trimethyl-3-(3-oxo-butenyl)-cyclohexen]* aus α-Ionol[4] lassen sich in guten Ausbeuten aus den Vitamin A ähnlichen Alkoholen mit Aceton/Aluminiumbutanolat in Benzol die entsprechenden Ketone herstellen:

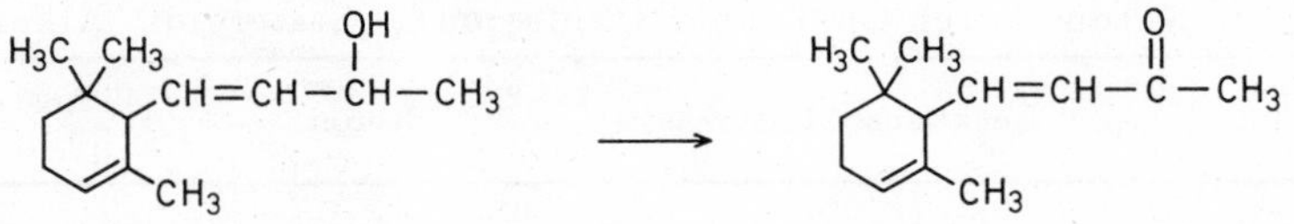

Gleichermaßen werden offenkettige, ungesättigte, sekundäre Alkohole durch eine Oppenauer-Oxidation in die entsprechenden Ketone übergeführt[5]; z. B. die Dehydrierung von 7-Hydroxy-3-methyl-octatrien-(1,3,5) zu *7-Oxo-methyl-octatrien-(1,3,5)* (80% d.Th.)[6]:

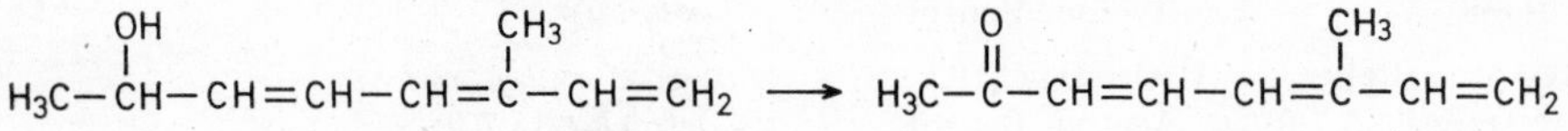

Eine Anzahl siliciumhaltiger, sekundärer Aryl- und Alkylcarbinole wurden mit Aceton/Aluminium-tert.-butanolat in befriedigenden Ausbeuten in die entsprechenden Ketone umgewandelt[7]; beispielsweise 4-Triäthylsilyl-1-(1-hydroxy-äthyl)-benzol in *4-Triäthylsilyl-acetophenon* (41,8% d.Th.):

[1] N. N. GAIDAMOVICH u. J. V. TORGOV, Izv. Akad. SSSR, **1961**, 1162.
[2] N. N. GAIDAMOVICH u. J. V. TORGOV, Izv. Akad. SSSR, **1961**, 1803; C. A. **62**, 6533 (1965).
[3] J. HEILBRON, E. R. H. JONES, D. G. LEWIS u. B. C. L. WEEDON, Soc. **1949**, 2023.
[4] L. RUZICKA, C. F. SEIDEL, H. SCHINZ u. C. TAVEL, Helv. **31**, 277 (1948).
[5] K. MIHARA u. K. ZARSHI, J. chem. Soc. Japan, pure Chem. Sect. **79**, 282 (1958).
[6] G. W. H. CHEESEMAN, J. HEILBRON, E. R. H. JONES, F. SONDHEIMER u. B. C. C. WEEDON, Soc. **1949**, 2031.
[7] J. P. CAMPAGNA u. H. W. POST, J. Org. Chem. **19**, 1753 (1954).

Ein Beispiel einer Oppenauer-Oxidation aus der Reihe der Chrom(0)-Verbindungen ist die Dehydrierung von (1-Hydroxy-äthyl)-dibenzolchrom(0) mit Aceton/Aluminiumisopropanolat zum *Acetyl-dibenzolchrom(0)*[1]:

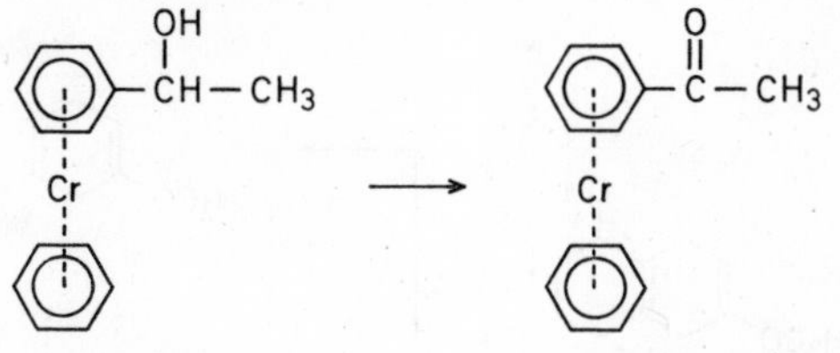

Acetyl-dibenzolchrom(0)[1]: 350 mg (1,44 mMol) (1-Hydroxy-äthyl)-dibenzolchrom(0) werden in 100 *ml* Benzol/Aceton (1:1) gelöst. Beide Lösungsmittel müssen luftfrei und trocken sein. Man gibt 300 mg (1,4 mMol) Aluminiumisopropanolat zu und erhitzt 6 Stdn. am Rückfluß. Nach der anschließenden Hydrolyse mit 10 *ml* Wasser werden Aceton und Benzol weitgehend abgezogen. Nach Zugabe von je 100 *ml* Benzol und Wasser werden durch Einleiten von Luft die Komplexe zu den Kationen oxidiert. Nach gründlichem Auswaschen der wäßrigen Phase und Überschichten mit 200 *ml* Benzol wird reduziert, indem man mit 1 g Kaliumhydroxid und 5 g Eisen(II)-sulfat versetzt und mehrere Stunden rührt. Die rote Benzol-Schicht wird eingeengt und an Aluminiumoxid (10% H_2O) mit Benzol unter Luftausschluß chromatographiert. Auf die gelbe Vorzone folgt die rotbraune Hauptzone mit Acetyl-benzolchrom(0); Ausbeute: 190 mg (55% d.Th.); F: 111–112,5°.

Tab. 3: Ketone durch Oppenauer-Oxidation nichtsteroider Alkohole

Alkohol	Reaktionsbedingungen	Keton	Ausbeute [% d.Th.]	Literatur
5-Hydroxy-bicyclo[2.2.1] hepten-(2)	Al(O-iso-C_3H_7)$_3$, Benzophenon	*5-Oxo-bicyclo[2.2.1] hepten-(2)*	75,6 65	2 3
2-Hydroxy-1,7,7-trimethyl-bicyclo[2.2.1] heptan	K(O-iso-C_3H_7) Benzophenon	*Campher*	100	4
12-Hydroxy-ölsäure-methylester	Al(O-iso-C_3H_7)$_3$, Aceton, Benzol	*12-Oxo-ölsäure-methylester*	76,4	5
2-Hydroxy-6-methyl-undecatetraen-(3,5,7,9)	Al(O-tert.-C_4H_9)$_3$, Aceton, Benzol	*2-Oxo-6-methyl-undecatetraen-(3,5,7,9)*	4,5	6
trans-1-Hydroxy-6-methoxy-7-methyl-2,3,3a,8,9,9a-hexahydro-1H-⟨cyclopenta-[a]-naphthalin⟩	Al(O-iso-C_3H_7)$_3$, Cyclohexanon, Benzol	*trans-6-Methoxy-1-oxo-7-methyl-2,3,3a,8,9,9a-hexahydro-1H-⟨cyclopenta-[a]-naphthalin⟩*	–	7
3-Hydroxy-tetrahydrofuran	Al(O-iso-C_3H_7)$_3$, Benzophenon	*3-Oxo-tetrahydrofuran*	50–60	8
Benzoin	Al(OC_6H_5)$_3$, Aceton Benzol	*Benzil*	80	9

[1] E. O. FISCHER u. H. BRUNNER, B. **98**, 175 (1965).
[2] N. J. TOIVONEN u. J. KAILA, Suomen Kem. **28** [B], 91 (1955).
[3] M. SAKASHITA, T. TAKESHITA u. R. OHNISHI, J. chem. Soc. Japan, pure Chem. Sect. **92**, 1173 (1971).
[4] K. MISLOW u. J. G. BERGER, Am. Soc. **84**, 1956 (1962).
[5] K. MIHARA u. K. TAKAOKA, J. chem. Soc. Japan **79**, 282 (1958).
[6] K. R. BHARUCHA u. B. C. L. WEEDON, Soc. **1953**, 1584.
[7] D. K. BANNERJEE u. S. K. BALASUBRAMANIAN, J. Org. Chem. **23**, 105 (1958).
[8] H. WYNBERG, Am. Soc. **80**, 364 (1958).
[9] R. N. GUPTA u. S. S. DESHAPONDE, Agr. Univ. J. Res. I. **103** (1958); C. A. **53**, 17053 (1959).

Tab. 3 (1. Fortsetzung)

Alkohol	Reaktionsbedingungen	Keton	Ausbeute [% d.Th.]	Literatur
3-Hydroxy-thietan	Al(O-tert.-C$_4$H$_9$)$_3$, Benzil	*3-Oxo-thietan*	25	1
7-Hydroxy-3-methoxy-bicyclo[4.4.0]decadien-(1^6,3)	Al(O-iso-C$_3$H$_7$)$_3$, Aceton	*3-Methoxy-7-oxo-bicyclo [4.4.0]decadien-(1^6,3)*	94	2
4-Triäthylsilyl-(1-hydro-oxy-äthyl)-benzol	Al(O-tert.-C$_4$H$_9$)$_3$, Aceton, Benzol	*4-Triäthylsilyl-1-acetyl-benzol*	41,8	3
4-Triäthylsilyl-1-(1-hydr-oxy-2-methyl-propano-yl)-benzol	Al(O-tert.-C$_4$H$_9$)$_3$ Aceton, Benzol	*4-Triäthylsilyl-1-(2-methyl-propanoyl)-benzol*	48	3
4-Triäthylsilyl-1-(α-hydr-oxy-benzyl)-benzol	Al(O-tert.-C$_4$H$_9$)$_3$ Aceton, Benzol	*4-Triäthylsilyl-benzo-phenon*	59,5	3

III. Oppenauer-Oxidation von Polyhydroxy-Verbindungen

Die gleichzeitige Dehydrierung zweier Hydroxy-Gruppen gelingt ohne weiteres in gesättigten und ungesättigten Verbindungen – es sei denn, die Oppenauer-Oxidation wird durch sterische Faktoren vereitelt. So wird Hydrodesoxycholsäure-methylester mit Cyclohexanon/ Aluminium-tert.-butanolat zum *3,6-Dioxo-allocholansäure-methylester* {*3,6-Dioxo-17β-[4-methoxycarbonyl-butyl-(2)]-5α-androstan*} oxidiert [4]

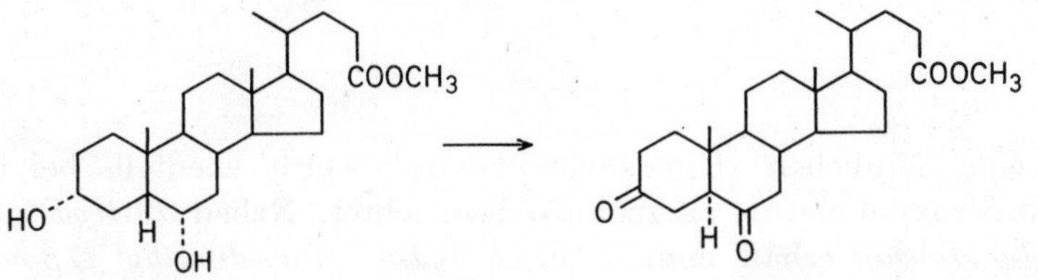

und die beiden Isomeren des 3β,24-Dihydroxy-24-phenyl-cholens-(5) mit Cyclohexanon/ Aluminiumisopropanolat in guten Ausbeuten zu *3,24-Dioxo-24-phenyl-cholen-(4)* [5]:

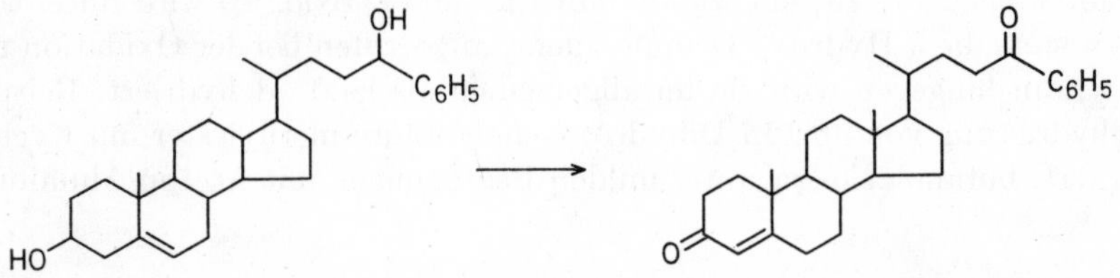

Ein abweichendes Verhalten zeigen 3β,6(α und β)-Dihydroxy-cholesten-(4), die unter Oppenauer-Bedingungen ein gesättigtes Diketon (*3,6-Dioxo-cholan*) ergeben [6,7], 3β,5,19-

1 H. PRINZBACH u. G. VON VEH, Z. Naturf. **16 [b]**, 763 (1961).

2 N. N. GAIDAMOVICH u. J. V. TORGOV, Izv. Akad. SSSR **1961**, 1161.

3 J. P. CAMPAGNA u. H. W. POST, J. Org. Chem. **19**, 1753 (1954).

4 T. F. GALLAGHER u. J. R. XENOS, J. biol. Chem. **165**, 365 (1946).

5 R. H. LEVIN, G. B. SPERO, A. V. McINTOSH u. D. E. RAYMAN, Am. Soc. **70**, 2960 (1948).

6 A. BUTENANDT u. E. HAUSMANN, B. **70**, 1154 (1937).

7 V. PRELOG u. E. TAGMANN, Helv. **27**, 1867 (1944).

Trihydroxy-cholsäure-äthylester, der unverändert aus mehreren Oxidationsversuchen nach Oppenauer zurückgewonnen wurde[1] (bedingt durch die *cis*-Stellung der 3- und 5-Hydroxy-Gruppen) und das 5,11-Dihydroxy-5,6,11,12-tetrahydro-⟨dibenzo-[a;e]-cyclooctatetraen⟩, das unter Oppenauer-Bedingungen in *1-Hydroxy-⟨dibenzo-9-oxa-bicyclo[3.3.1]nonadien-(2,6)⟩* übergeht[2]:

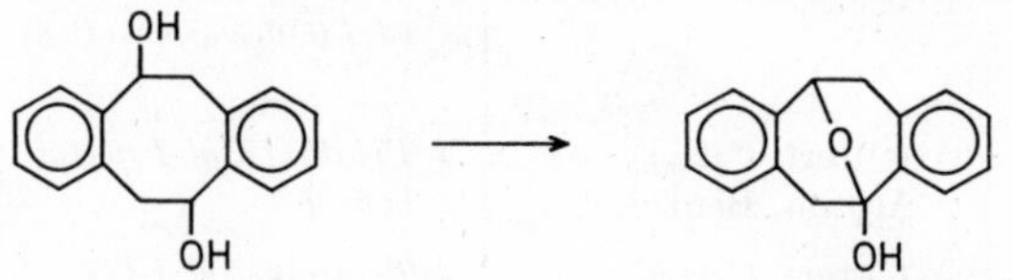

Einen ebenfalls unerwarteten Verlauf nimmt die Dehydrierung des 3β,19-Dihydroxy-17-oxo-androstens-(5) mit Cyclohexanon/Aluminiumisopropanolat. Anstelle des erwarteten 19-Hydroxy-3,17-dioxo-androstens-(4) entsteht unter Umlagerung *4-Hydroxy-17-oxo-1-methyl-östratrien-(1,3,5^10)*[3]:

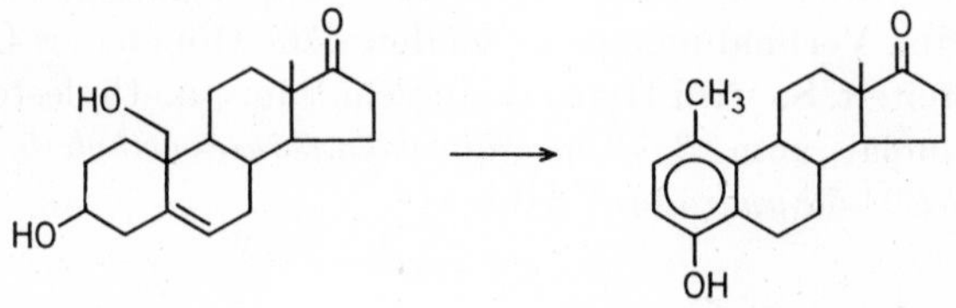

Die Bildung eines ähnlichen „Oppenauer-Phenols" wurde ebenfalls bei Oxidation von 3β,19,20β-Trihydroxy-6-methyl-pregnen-(5) beobachtet. Neben *19-Hydroxy-3-oxo-6α-methyl-17β-acetyl-androstan* erhält man wenig *4-Hydroxy-1,6α-dimethyl-17β-acetyl-östratrien-(1,3,5^10)*[4].

Als besonders nützlich erweist sich die Oppenauer-Oxidation bei der **gezielten partiellen Dehydrierung** von Polyhydroxy-steroiden[4]. Die Reihenfolge der Dehydrierung scheint gerade umgekehrt zu sein wie die mit Chrom(VI)-oxid: so wird unter Oppenauer-Bedingungen stets die 3-Hydroxy-Gruppe zuerst angegriffen bei der Oxidation mit Chrom(VI)-oxid/Pyridin hingegen wird sie im allgemeinen als letzte dehydriert. Beispiele dafür sind die Dehydrierung von 3β,12β-Dihydroxy-cholansäure-methylester mit Cyclohexanon/Aluminium-tert.-butanolat (oder unter milden Bedingungen mit Aceton/Aluminiumpheno-

[1] M. EHRENSTEIN, A. R. JOHNSON, P. C. OLMSTEDT, V. I. VIVIAN u. M. A. WAGNER, J. Org. Chem. 15, 264 (1950).

[2] A. C. COPE u. S. W. FENTON, Am. Soc. 73, 1668 (1951).

[3] K. TANABE, R. TAKASAKI, R. HAYASHI, Y. MORISAWA u. T. HASHIMOTO, Chem. Pharm. Bull. (Tokyo) 15, 27 (1967).

[3] J. F. BAGLI, P. F. MORAND u. R. GAUDRY, J. Org. Chem. 28, 1207 (1963).

[4] Zahlreiche Literaturzitate sind zu finden bei C. DJERASSI, Org. Reactions, Bd. VI, S. 218, 257–259. Vgl. a. die Dehydrierung von 3β,17α-Dihydroxy-17β-äthinyl-13α,14α-androsten-(5) zum *17α-Hydroxy-3-oxo-17β-äthinyl-13α,14α-androsten-(4)*; T. NAMBARA, J. GOTO, A. SASAKI u. K. SUDO, Chem. Pharm. Bull. 21, 565 (1973).

lat)[1] *zu 12β-Hydroxy-3-oxo-cholansäure-methylester*[2]:

und von einem Gemisch aus 3(α und β),17β-Dihydroxy-androsten-(4) mit Aceton/Alumi-niumisopropanolat, die in sehr guter Ausbeute zu *17β-Hydroxy-3-oxo-androsten-(4)* (*Testosteron*) führt[3]:

17β-Hydroxy-3-oxo-androsten-(4) (Testosteron)[3]: 2,75 g rohes, kristallines Gemisch von 3α,17β- und 3β,17β-Dihydroxy-androsten-(4) werden in 150 *ml* absol. Benzol gelöst und nach Zugabe von 3,0 g Aluminiumisopropanolat und 12 *ml* Aceton 24 Stdn. bei 25–27° stehengelassen. Dann wird das Gemisch mit 150 *ml* 2n Salzsäure und mit Wasser gewaschen, die wäßrigen Lösungen nochmals mit Benzol extra-hiert, die Benzol-Lösungen getrocknet und i. Vak. eingedampft. Das Rohtestosteron (2,72 g) wird aus wäßrigem Methanol umkristallisiert; Ausbeute: 2,372 g (86,3% d.Th.); F: 139–143°.

Befinden sich primäre und sekundäre Hydroxy-Gruppen in einem zu oxidierenden Steroid, so wird ausschließlich die sekundäre dehydriert[4,5].

19-Hydroxy-3,17-dioxo-androsten-(4)[5]:

Eine Lösung von 10 *ml* Cyclohexanon und 15 *ml* Toluol wird einer langsamen Destillation unterworfen. Sind ∼ 4 *ml* Destillat überdestilliert, werden 0,35 g 3β,17β,19-Trihydroxy-androsten-(5) und 1,0 g Aluminium-isopropanolat zugegeben und das Ganze 10 Min. am Rückfluß erhitzt. Anschließend werden die Lösungsmittel i. Vak. entfernt (bei 70–75°), der Rückstand in 200 *ml* Chloroform gelöst, mit 100 *ml* Schwefelsäure und mit Wasser geschüttelt und über Natriumsulfat getrocknet. Nach dem Entfernen des Chloroforms wird der sirupartige Rückstand zur Entfernung geringer Mengen Cyclo-hexanon an 10 g Aluminiumoxid (neutral) unter Verwendung folgender Lösungsmittel chromato-graphiert. (4 × 5 *ml*) Äther, (4 × 5 *ml*) Methanol/Äther (1%), (4 × 5 *ml*) Methanol/Äther (2%), (4 × 5 *ml*) Methanol/Äther (4%), (4 × 5 *ml*) Methanol/Äther (8%). (4 × 5 *ml*) Methanol/Äther (16%), (4 × 5 *ml*) Methanol/Äther (32%).

Aus dem Eluat mit 8% Methanol/Äther erhält man 0,09 g (26% d.Th.) farblose Kristalle; F: 168–170° (aus Aceton/Hexan).

Als Nebenprodukte fallen an: *3,17-Dioxo-östren-(4)* (in Spuren mit 2% Methanol/Äther) und *17β,19-Dihydroxy-3-oxo-androsten-(4)* (0,01 g mit 16% Methanol/Äther).

Auch bei der Oxidation von Cyclohexanolen mit fixiertem Gerüst bestehen Unterschiede zwischen der Oppenauer-Oxidation und der Oxidation mit Chrom(VI)-oxid: Bei der Oppenauer-Oxidation werden die äquatorialen Hydroxy-Gruppen leichter angegriffen als die sterisch gehinderten axialen.

[1] G. WAKABAGASHI, J. Jap. biochem. Soc. **22**, 213 (1950); C. A. **46**, 1010 (1952).
[2] B. RIEGEL u. A. V. McINTOSH, Am. Soc. **66**, 1099 (1944).
[3] K. MEUSLER, J. KALVODA, P. WIELAND u. A. WETTSTEIN, Helv. **44**, 179 (1961).
[4] K. MIESCHER u. A. WETTSTEIN, Helv. **22**, 1262 (1939).
[5] T. JEN u. M. E. WOLFF, J. Org. Chem. **28**, 1573 (1963).

Tab. 4: Selektive Oppenauer-Oxidation von Polyhydroxy-Verbindungen

Alkohol	Reaktionsbedingungen	Keton	Ausbeute [% d.Th.]	Literatur
5,11-Dihydroxy-5,6,11, 12-tetrahydro-⟨dibenzo-[a;e]-cyclo-octatetraen⟩	Al(O-iso-C₃H₇)₃, Cyclohexanon, Benzol	*1-Hydroxy-⟨dibenzo-9-oxa-bicyclo[3.3.1] nonadien-(2,6)⟩*	90	1
Cyclopropan-(spiro-16)-3β,17β-dihydroxy-17α-methyl-androsten-(5)	„nach OPPENAUER"	*Cyclopropan-⟨spiro-16⟩-17β-hydroxy-3-oxo-17α-methyl-androsten-(4)*	–	2
3β,17α-Dihydroxy-20-äthylendioxy-pregnen-(5)	„nach OPPENAUER"	*17α-Hydroxy-20-äthylen-dioxy-3-oxo-pregnen-(4)*	–	3
3β,12-Dihydroxy-cholansäure-methylester	Al(OC₆H₅)₃, Aceton, Benzol	*12-Hydroxy-3-oxo-cholan-säure-methylester*	80	4
3α,12α-Dihydroxy-5β-cholestan	Al(O-tert.-C₄H₉)₃ Aceton, Benzol	*12α-Hydroxy-3-oxo-5β-cholestan*	81	5
3β,19,20β-Trihydroxy-pregnen-(5)	Al(O-iso-C₃H₇)₃ Cyclohexanon, Toluol	*19-Hydroxy-3-oxo-17β-acetyl-androsten-(4)*	17,5	6
3(α und β),17β-Dihydroxyandrosten-(4)-	Al(O-iso-C₃H₇)₃ Aceton	*17β-Hydroxy-3-oxo-an-drosten-(4) (Testosteron)*	>90	7
3β,17β,19-Trihydroxy-androsten-(5)	Al(O-iso-C₃H₇)₃ Cyclohexanon, Toluol	*19-Hydroxy-3,17-dioxo-androsten-(4)*	26	8
3β,17α-Dihydroxy-20-äthylendioxy-pregnen-(4)	„nach OPPENAUER"	*17α-Hydroxy-20-äthylen-dioxy-3-oxo-pregnen-(4)*	–	3
Cyclopropan-⟨spiro-16⟩-3β-hydroxy-17-oxo-androsten-(5)	„nach OPPENAUER"	*Cyclopropan ⟨spiro-16⟩-17β-hydroxy-3-oxo-17α-methyl-androsten-(4)*	–	2
3β,20-Dihydroxy-18-nor-17β-methyl-17α-pregnadien-(5,13)	Al(O-iso-C₃H₇)₃ Cyclohexanon, Toluol	*3-Oxo-18-nor-17β-methyl-17α-acetyl-an-drostadien-(4,13)*	23	9
3β,19-Dihydroxy-17-oxo-androsten-(5)	Al(O-iso-C₃H₇)₃ Cyclohexanon, Toluol	*19-Hydroxy-3,17-dioxo-androsten-(4)*	–	10
6-Hydroxy-2,4,4-trimethyl-3-hydroxy-methyl-cyclohexen	„nach Oppenauer"	*6-Oxo-2,4,4-trimethyl-3-hydroxymethyl-cyclohexen*	–	11

1 A. C. COPE u. S. W. FENTON, Am. Soc. **73**, 1668 (1951).
2 V. GEORGIAN u. N. KUNDU, Chem. & Ind. **1962**, 1755.
3 O. HALPERN u. J. A. ZDERIC, Chem. & Ind. **1962**, 1540.
4 G. WAKABAYASHI, J. Jap. biochem. Soc. **22**, 213 (1950); C. A. **46**, 1010 (1952).
5 O. BERSÉUS, H. DANIELSON u. K. EINARSSON, J. biol. Chem. **242**, 1211 (1967).
6 J. F. BAGLI, P. F. MORAND u. R. GAUDRY, J. Org. Chem. **28**, 1207 (1963).
7 K. MEUSLER, J. KALVODA, P. WIELAND u. A. WETTSTEIN, Helv. **44**, 179 (1961).
8 T. JEN u. M. E. WOLFF, J. Org. Chem. **28**, 1573 (1963).
9 H. L. HERZOG, O. GNOJ, L. MANDELL, G. G. NATHANSON u. A. VIGEVANI, J. Org. Chem. **32**, 2906 (1967).
10 W. G. DAUBEN u. D. A. BEN-EFRAIM, J. med. Chem. **11**, 287 (1968).
11 J. D. SURMATIS, A. WALSER, J. GIBAS u. R. THOMMEN, J. Org. Chem. **35**, 1053 (1970).

B. Oppenauer-Oxidation stickstoffhaltiger Alkohole

Ist der Stickstoff Bestandteil einer neutralen Gruppe in dem zu oxidierenden Alkohol (z. B. Diazo-oxo-[1], Phenylimino- oder Semicarbazono-Gruppe[2]), so läßt sich der Alkohol glatt in die entsprechende Oxo-Verbindung überführen. Meist bleiben die säureempfindlichen Gruppen erhalten, was erneut die Nützlichkeit der Oppenauer-Oxidation unterstreicht.

Liegt der Stickstoff in Form einer Amino-Gruppe oder als Bestandteil eines oder mehrerer Ringe vor, so bereiten die 1,4-, 1,5- und 1,6-Amino-alkohole bei der klassischen Oxidationsmethode nach OPPENAUER keine Schwierigkeiten. Z. B. erhält man aus 4-Piperidino-1-hydroxy-1-phenyl-butan mit Cyclohexanon/Aluminium-tert.-butanolat in guter Ausbeute *4-Piperidino-1-oxo-1-phenyl-butan*[3]:

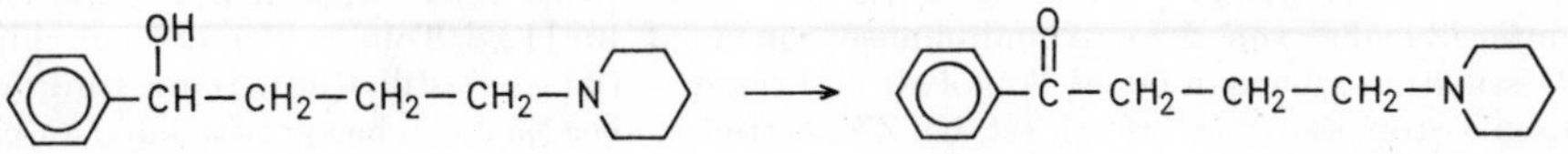

Yohimbin, das sich in weiterem Sinne als 1,5-Amino-alkohol auffassen läßt, liefert mit Cyclohexanon/Aluminiumphenolat *Yohimbon* (90% d.Th.)[4-6]:

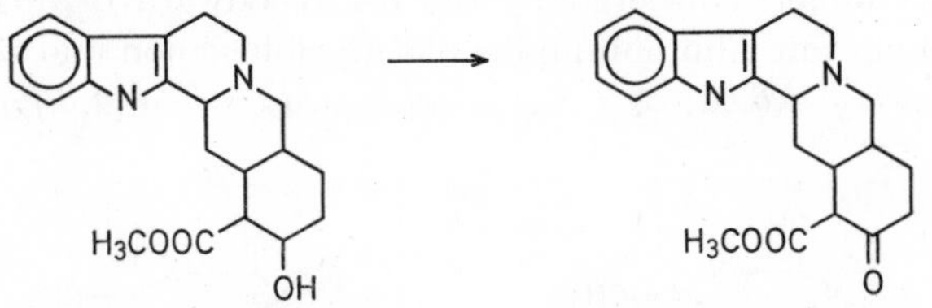

Durch Verwendung des hochsiedenden 4-Benzoyloxy-benzaldehyds als Wasserstoffacceptor gelingt es, einen primären 1,4-Amino-alkohol der γ-Ionon-Reihe zum freien Aldehyd zu dehydrieren[7]:

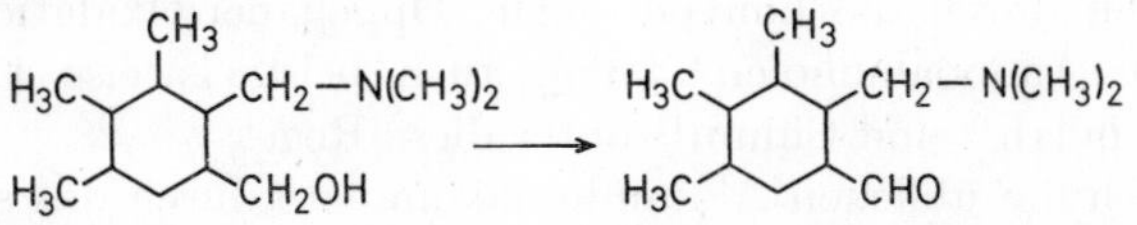

3,4,5-Trimethyl-2-(dimethylamino-methyl)-1-formyl-cyclohexan[7]: 1,3 g Aluminiumisopropanolat (120%) und 3,4 g 3,4,5-Trimethyl-2-(dimethylamino-methyl)-1-hydroxymethyl-cyclohexan werden in einem birnenförmigen 15-*ml*-Claisenkolben zur Reaktion gebracht und das gebildete Isopropanol über eine 10-cm-Vigreux-Kolonne innerhalb 1,5 Stdn. bei 10–12 Torr und 70–80° Badtemp. entfernt. Zu dem Aluminat des Aminoalkohols gibt man dann auf einmal 5,6 g 4-Benzoyloxy-benzaldehyd (160%), homogenisiert die Mischung bei 80° und unterwirft anschließend das Reaktionsgemisch bei einer Badtemp. von 120–180°/1 Torr einer Destillation unter Stickstoff (40 Min.); Ausbeute: 2,95 g (88% d.Th.); Kp$_1$: 90–92°.

[1] M. EHRENSTEIN, J. Org. Chem. **9**, 435 (1944).
[2] C. H. GLEASON u. G. W. HOLDEN, Am. Soc. **72**, 1751 (1950).
[3] R. E. LUTZ, R. H. JORDAN u. W. L. TRUETT, Am. Soc. **72**, 4085 (1950).
[4] B. WITTKOP, A. **554**, 83 (1943).
[5] J. JOST, Helv. **32**, 1297 (1949).
[6] M.-M. JANOT, R. GOUTAREL, E. W. WARNHOFF u. A. LE HIR, Bl. **1961**, 637.
[7] A. ARAI u. I. ICHIKIZAKI, Bl. chem. Soc. Japan **35**, 504 (1962).

Auch gesättigte[1,2] und Δ^5-ungesättigte[1-6] 3-Hydroxy-steroidalkaloide lassen sich glatt unter Oppenauer-Bedingungen oxidieren; bei letzteren tritt erwartungsgemäß eine Verschiebung der C=C-Doppelbindung in die Δ^4-Stellung auf.

3,17-Dioxo-18-aza-13,17-seco-androsten-(4)[6]:

Eine Lösung von 2,40 g 3β-Hydroxy-17-oxo-18-aza-13,17-seco-androsten-(5) in 24 *ml* Cyclohexanon, 100 *ml* trockenem 1,4-Dioxan und 85 *ml* trockenem Toluol wird einer langsamen Destillation unterworfen unter Zugabe von 2,2 g Aluminiumisopropanolat in 11 *ml* Toluol. Bei der anschließenden 2stdgn. Destillation gibt man 60 *ml* Toluol zu und fängt ~ 160 *ml* Destillat auf. Dann wird das Reaktionsgemisch 4 Stdn. am Rückfluß erhitzt, bei Zimmertemp. über Nacht stehen gelassen und anschließend vom orangegefärbten Niederschlag abfiltriert. Das fast farblose Filtrat wird einer Wasserdampfdestillation unterworfen und mit Dichlormethan extrahiert. Die Extrakte werden mit Wasser gewaschen und bis zur Trockene eingeengt. Der Niederschlag wird aus Essigsäure-äthylester umkristallisiert; Ausbeute: 2,19 g (91% d.Th.); F: 255–260 (aus Essigsäure-äthylester, F: 261–263°).

Die Oxidation von 9-Hydroxy-7-methyl-4,6,6a,7,8,9,10,10a-octahydro-⟨indolo-[4,3-f,g]-chinolin⟩ (8-Hydroxy-6-methyl-isoergolin), die bei Woodward-Bedingungen[7] unter Harzbildung verläuft, gelingt mit Aluminiumphenolat/Cyclohexanon und führt in geringer Ausbeute zum *9-Oxo-7-methyl-4,6,6a,7,8,9,10,10a-octahydro-⟨indolo-[4,3-f,g]-chinolin⟩ (8-Oxo-6-methyl-ergolin)*[8]:

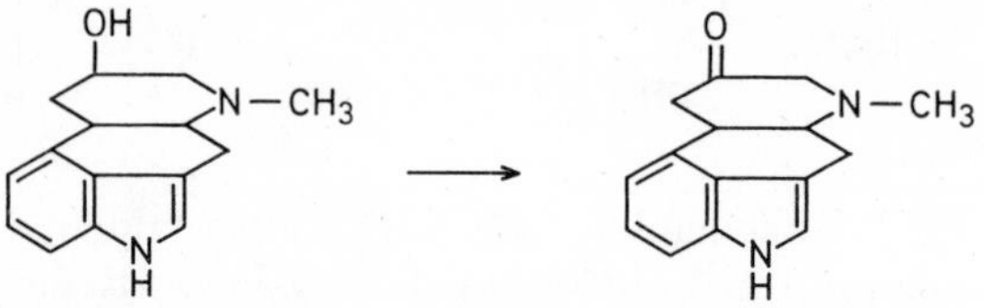

1,2-Amino-alkohole neigen zu Komplexbildung mit Aluminiumalkanolaten und werden daher im allgemeinen durch die konventionelle Oppenauer-Oxidation nicht dehydriert. Neben aliphatischen Aminoalkoholen[9] fallen auch beispielsweise 1,2-Anilino-alkohole[9], 1-Amino-2-hydroxy-indan[10] und Chinin[11] unter diese Regel.

Ersetzt man jedoch die üblichen Aluminiumalkanolate durch das stärker basische und weniger zur Komplexbildung neigende Kalium-tert.-butanolat, so lassen sich diese Verbindungen mit Ausnahme der aliphatischen 1,2-Amino-alkohole ebenfalls oxidieren[12-14].

[1] H. ROCHELMEYER, A. 277, 340 (1939).
[2] P. PRELOG u. S. SZPILFOGEL, Helv. 27, 390 (1944).
[3] H. ROCHELMEYER, A. 277, 339 (1939).
[4] W. A. JACOBS et al., J. biol. Chem. 159, 617 (1945); 170, 643 (1947); 175, 57 (1948).
[5] H. RUSCHIG, W. FRITSCH, J. SCHMIDT-THOMÉ u. W. HALDE, A. 88, 883 (1955).
[6] B. M. REGAN u. F. N. HAYES, Am. Soc. 78, 639 (1956).
[7] A. STOLL, T. PETRZILKA u. J. RUTSCHMANN, Helv. 35, 1249 (1952).
[8] H. M. FALES u. W. C. WILDMAN, Am. Soc. 82, 197 (1960).
[9] R. E. LUTZ, R. H. JORDAN u. W. L. TRUETT, Am. Soc. 72, 4085 (1950).
[10] R. E. LUTZ u. R. L. WAYLAND, Am. Soc. 73, 1639 (1951).
[11] R. L. McKEE u. H. R. HENZE, Am. Soc. 66, 2021 (1944).
[12] R. B. WOODWARD, N. L. WENDLER u. F. V. BRUTSCHY, Am. Soc. 67, 1425 (1945).
[13] R. B. WOODWARD u. E. C. KORNFELD, Am. Soc. 70, 2513 (1948).
[14] H. RAPOPORT, R. NAUMANN, E. R. BISSELL u. R. M. BONNER, J. Org. Chem. 15, 1103 (1950).

Chininon {6-Methoxy-4-[5-vinyl-chinuclidyl-(2)-carbonyl]-chinolin}[1]:

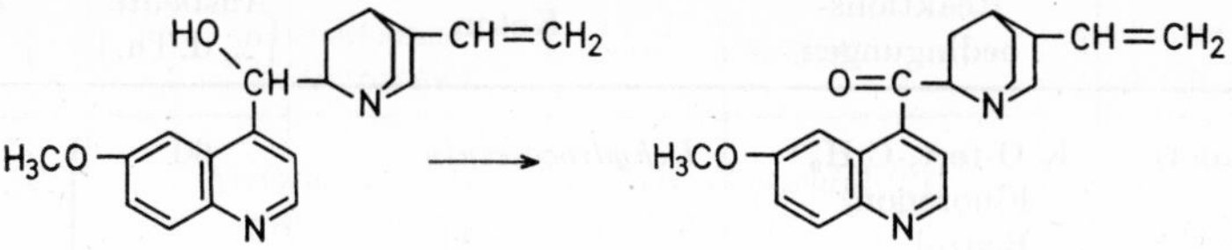

Zu 0,25 Mol Kalium-tert.-butanolat werden 500 *ml* wasserfreies Benzol, 32,4 g (0,1 Mol) trockenes Chinin und 91 g trockenes Benzophenon gegeben. Das Gemisch wird unter Stickstoff und Feuchtigkeitsausschluß 15–18 Stdn. auf dem Wasserbad unter Rückfluß erwärmt. Die Reaktionsmischung wird dann abgekühlt, auf Eis gegossen und so lange mit 10%iger Salzsäure extrahiert, bis der saure Extrakt nahezu farblos ist (4–5 mal). Die vereinigten sauren Extrakte werden 2mal mit Äther gewaschen und dann in ein Gemisch von überschüssigem Ammoniak und Eis eintropfen gelassen. Das als hellgelbe, halbfeste Masse anfallende Chininon wird in Äther aufgenommen, die wäßrige Schicht mit Natriumchlorid gesättigt und 3–4mal mit Äther extrahiert. Die vereinigten Äther-Extrakte werden mit Natriumchlorid-Lösung neutral gewaschen, getrocknet und in einem Strom trockener Luft eingedampft, bis die Hauptmenge des Chininons zu kristallisieren beginnt. Das Chininon wird abgesaugt und mit kaltem Äther gewaschen. Aus der Mutterlauge werden durch Eindampfen und Umkristallisieren des Rückstandes weitere Mengen gewonnen; Ausbeute: 30–32 g (95–98% d.Th.); F: 108°.

Diese Methode läßt sich jedoch nur zur Herstellung solcher Carbonyl-Verbindungen benutzen, die gegenüber Hitze und starkem Alkalimetallhydroxid unempfindlich sind. Eine Verbesserung dieser modifizierten Oppenauer-Oxidation erreicht man durch Verwendung von Fluorenon als Wasserstoffacceptor. Eine ganze Reihe von Aminoalkoholen lassen sich so bei Zimmertemperatur im Verlauf von 30–60 Min. in die entsprechenden Ketone überführen[2].

Einige Aminoalkohole werden aus sterischen Gründen von dem raumerfüllenden Fluorenon nicht oxidiert. In diesen Fällen führt jedoch die Umsetzung mit Chrom(VI)-oxid/Pyridin meist zum Erfolg[3,4].

Tab. 5: Oppenauer-Oxidation von Aminoalkoholen

Alkohol	Reaktions-bedingungen	Keton	Ausbeute [% d.Th.]	F [°C]	Literatur
α-Dihydrocaranin 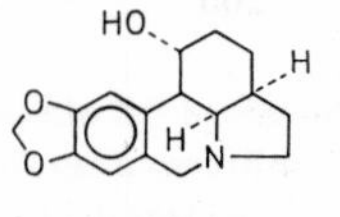	K-O-tert.-C$_4$H$_9$, Fluorenon, Benzol	α-*Dihydrocarauon* 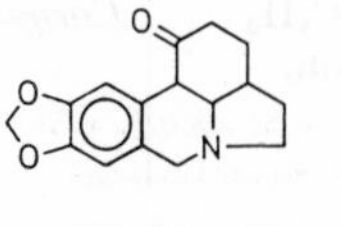	65	141–148	5
Dihydroundulatin 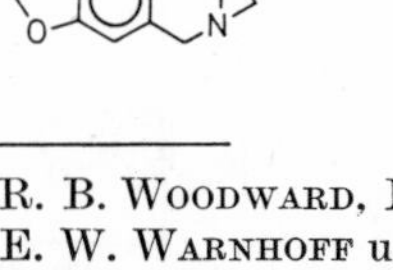	K-O-tert.-C$_4$H$_9$ Fluorenon, Benzol	*epi-Oxodihydroundu-latin* 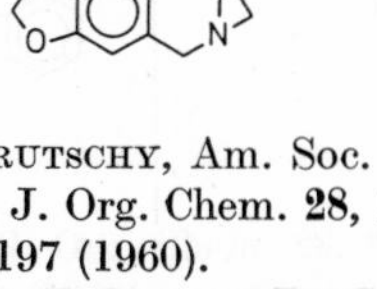	75	218–221 (Zers.)	6

[1] R. B. Woodward, N. L. Wendler u. F. V. Brutschy, Am. Soc. **67**. 1425 (1945).
[2] E. W. Warnhoff u. P. Reynolds-Warnhoff, J. Org. Chem. **28**, 1431 (1963).
[3] H. M. Fales u. W. C. Wildman, Am. Soc. **82**, 197 (1960).
[4] P. Naegeli, E. W. Warnhoff, H. M. Fales, R. E. Lyle u. W. C. Wildman, J. Org. Chem. **28**, 206 (1963).
[5] E. A. Warnhoff u. W. C. Wildman, Am. Soc. **79**, 2192 (1957).
[6] E. W. Warnhoff u. W. C. Wildman, Am. Soc. **82**, 1472 (1960).

Tab. 5 (3. Fortsetzung)

Alkohol	Reaktions-bedingungen	Keton	Ausbeute [% d.Th.]	F [° C]	Lite
20-Acetamino-3β-hydroxy-pregnadien-(5,17²⁰)	Al(O-iso-C₃H₇)₃, Cyclohexanon, Toluol	20-Acetamino-3-oxo-pregnadien-(4,17²⁰)	75	193–195	1
	Al(O-iso-C₃H₇)₃ Cyclohexanon, Toluol	R = H, Cl, NO₂	~90		2
3β-Hydroxy-17α-aza-D-homo-androsten-(5)	Al(O-iso-C₃H₇)₃ Cyclohexanon, Toluol	3-Oxo-17α-aza-D-homo-androsten-(4)	84	136–138	3
Dihydrocodein	K-O-tert.-C₄H₉ Benzophenon, Benzol	Dihydrocodeinon	83	197–198	4
β-Dihydrothebainol	K-O-tert.-C₄H₉ Benzophenon, Benzol	β-Dihydrothebainon	89,6	120–122	5
16β-Acetamino-3β, 20β-dihydroxy-pregnen-(5)	Al(O-iso-C₃H₇)₃ Cyclohexanon, Toluol	16β-Acetamino-3-oxo-17β-hydroxyacetyl-androsten-(4)	8	262–263	6

¹ H. Ruschig, W. Fritsch, J. Schmidt-Thome u. W. Halde, B. **88**, 883 (1955).
² A. A. Akhrem et al., Izv. Akad. SSSR **1973**, 901.
³ B. M. Regan u. F. N. Hayes, Am. Soc. **78**, 639 (1956).
⁴ H. Rapoport, R. Naumann, E. R. Bissel u. R. M. Bonner, J. Org. Chem. **15**, 1103 (1950).
⁵ M. Gates u. G. Tschudi, Am. Soc. **78**, 1380 (1956).
⁶ M. Heller u. S. Bernstein, J. Org. Chem. **32**, 3978 (1967).

Tab. 5 (4. Fortsetzung)

Alkohol	Reaktions-bedingungen	Keton	Ausbeute [% d.Th.]	F [° C]	Literatur
16β-Azido-3β-hydr-oxy-20β-[tetrahydro-pyranyloxy-(2)]-pregnen-(5)	1. Al(O-iso-C$_3$H$_7$)$_3$ Cyclohexanon, Toluol 2. CH$_3$OH/HCl	*16β-Azido-3-oxo-20β hydroxy-pregnen-(4)*	55	178,5–179,5	1
16α-Carbomethoxy-17α-hydroxy-spir-oxyan B („Yohim-bin-oxindol")	Al(OC$_6$H$_5$)$_3$, Cyclo-hexanon, Toluol	*17-Oxo-spiroxyan A*	25,7	228–230	2

[1] M. HELLER u. S. BERNSTEIN, J. Org. Chem. **32**, 3978 (1967).
[2] H. ZINNES u. J. SHAVEL, J. Org. Chem. **31**, 1765 (1966).

Organische Jod-Verbindungen als Oxidationsmittel

bearbeitet von

Dr. Hermann Küppers

BASF AG, Ludwigshafen/Rhein

Mit 5 Tabellen

Literatur berücksichtigt bis 1975.

Inhalt

Organische Jod-Verbindungen als Oxidationsmittel

C=C-Doppelbindungen, Dehydrierungen und Substitution von beweglichen Wasserstoffatomen möglich[1]. Die Glykolspaltung mit Blei(IV)-acetat und mit Jodosobenzol-diacetat ist nicht so spezifisch wie die Perjodatspaltung. Jodosobenzol-diacetat und seine Derivate reagieren mit Glykolen wesentlich langsamer als Blei(IV)-acetat. In Analogie zum Blei(IV)-acetat spalten Jodosobenzol-acetate cis-Glykole schneller als trans-Glykole. Einen Überblick über die Reaktionsgeschwindigkeitskonstanten der Oxidation von α,β-Diphenylglykol mit substituierten Jodosoacetaten im Vergleich mit Blei(IV)-acetat gibt Tab. 1. Die Reaktion verläuft formal nach folgender Gleichung

$$R-\underset{\underset{\text{HO}}{|}}{\overset{\overset{R^1}{|}}{C}}-\underset{\underset{\text{OH}}{|}}{\overset{\overset{R^1}{|}}{C}}-R + H_5C_6-J(O-CO-CH_3)_2 \longrightarrow 2\ R-\overset{\overset{\text{O}}{||}}{C}-R^1 + H_5C_6-J + 2\ CH_3COOH$$

Tab. 1. Geschwindigkeitskonstanten der Glykolspaltung von Hydrobenzoin (α,β-Diphenyl-glykol) mit Blei(IV)-acetat und substituierten Jodosoacetaten[1] zu Benzaldehyd

Oxidationsmittel	K_{20}
Pb(OCOCH$_3$)$_4$	2820
H$_5$C$_6$–J(OCOCH$_3$)$_2$	0,28
O$_2$N–◯–J(OCOCH$_3$)$_2$	23,7
Br, Br–◯–J(OCOCH$_3$)$_2$, Br	21,2
◯(O$_2$N)–J(OCOCH$_3$)$_2$	2,55
◯(NO$_2$)–J(OCOCH$_3$)$_2$	2,51
Cl–CH=CH–J(OCOCH$_3$)$_2$	1,73
H$_3$C◯–J(OCOCH$_3$)$_2$	0,24
H$_3$C–◯–J(OCOCH$_3$)$_2$	0,22
◯(CH$_3$)–J(OCOCH$_3$)$_2$	0,17
H$_3$C–◯(CH$_3$)–J(OCOCH$_3$)$_2$	0,13
◯(CH$_3$, CH$_3$)–J(OCOCH$_3$)$_2$	0,07

---

[1] R. Criegee u. H. Beucker, A. 541, 218 (1939).

Es gelingt nicht, die Glykolspaltung mit Jodidchloriden durchzuführen. Dagegen kann freies Jodosobenzol trotz seiner Unlöslichkeit in organischen Lösungsmitteln verwendet werden. Jodosoacetate und Jodosobenzol spalten, wie auch Blei(IV)-acetat, Hydroxy-carbonsäuren und Oxalsäure[1]. Über kinetische Untersuchungen der Glykolspaltung s. Lit.[2].

Jodosobenzol-diacetat wird am besten direkt aus Jodbenzol[2] (vgl. a. ds. Handb., Bd. V/4, S. 670) oder aus Jodosobenzoldichlorid hergestellt[3].

Benzaldehyd:

in Essigsäure mit Jodosobenzol-diacetat[1]: 1,88 g Hydrobenzoin werden in 50%iger Essigsäure mit 3,2 g Jodosobenzol-diacetat versetzt. Wenn kein Oxidationsmittel mehr nachweisbar ist, fällt man durch Zugabe von Phenylhydrazin reines Benzaldehyd-phenylhydrazon aus; Ausbeute: 2,06 g (62% d.Th.).
In Benzol mit Jodosobenzol: Eine Lösung von 0,94 g Hydrobenzoin in 80 ml Benzol werden mit 1,15 g Jodosobenzol auf der Maschine geschüttelt. Nach 3 Stdn. wird das Reaktionsgemisch mit Natrium-

Tab. 2. Oxidation von Glykolen mit Blei(IV)-acetat und Jodosobenzol-diacetat[1]

Diol	k_{20} Blei(IV)-acetat	Phenyl-jod-oso-acetat	Verhältnis	Aldehyd bzw. Keton
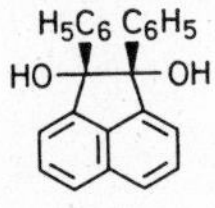 (Acenaphthen-1,2-diol, H₅C₆ C₆H₅, HO—OH)	33 000	115	287	*1,8-Dibenzoyl-naphthalin*
(OH, ⟨⟩–CH–CH–⟨⟩, OH)	2 820	0,28	10 000	*Benzaldehyd*
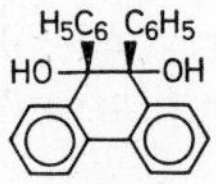 (H₅C₆ C₆H₅, HO—OH, phenanthrene)	286	0,073	3 900	*2,2'-Dibenzoyl-biphenyl*
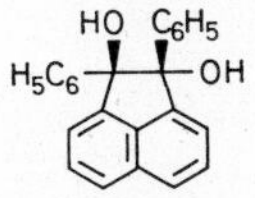 (HO C₆H₅, H₅C₆—OH, acenaphthen)	284	1,21	236	*1,8-Dibenzoyl-naphthalin*
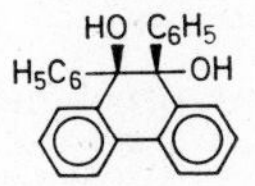 (HO C₆H₅, H₅C₆—OH, phenanthrene)	24,7	0,0084	2 900	*2,2'-Dibenzoyl-biphenyl*
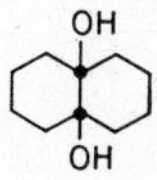 (OH, decalin, OH)	15,0	0,0004	40 000	*1,6-Dioxo-cyclodecan*
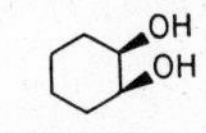 (OH, cyclohexan cis, OH)	5,04	0,0008	6 000	*Hexandial*
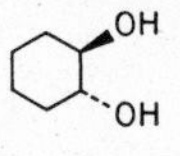 (OH, cyclohexan trans, OH)	0,224	sehr klein	–	*Hexandial*

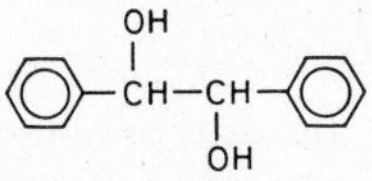

[1] R. Criegee u. H. Beucker, A. **541**, 218 (1939).
[2] K. H. Pausacker, Soc. **1953**, 107.
   L. K. Dyall u. K. H. Pausacker, Soc. **1958**, 3950.
[3] C. Willgerodt, J. pr. **33**, 154 (1886).
   R. Neu, B. **72**, 1505 (1939).

hydrogensulfit-Lösung behandelt; Ausbeute: 1,54 g (78% d.Th.) der Bisulfit-Verbindung des Benz-aldehyds.

Da bei der Glykolspaltung mit Jodosobenzol-diacetat gegenüber der mit Blei(IV)-acetat kein anorganischer Rückstand gebildet wird, dürfte die Oxidation mit Jodosobenzol-diacetat in speziellen Fällen der Oxidation mit Blei(IV)-acetat vorzuziehen sein[1]. Die Regenerierung des Oxidationsmittels ist bei den Jodverbindungen leicht möglich[2-5]. Als Nachteil kann jedoch die verhältnismäßig geringe und durch den Wechsel des Lösungsmittels nur wenig zu beeinflussende Oxidationsgeschwindigkeit der Glykole angesehen werden[1].

Es wurde gezeigt, daß die Glykolspaltung mit Jodosoverbindungen allgemein anwendbar ist (vgl. Tab. 2, S. 941).

b) Oxidation von Aminen[6]

Anilin kann in benzolischer Lösung mit Jodosobenzol-diacetat in sehr guter Ausbeute in *Azobenzol* überführt werden[2,5] (s. Tab. 3, S. 943). Ebenso bildet sich auch aus Hydrazo-benzol und Jodosobenzol-diacetat *Azobenzol*, wenn man Benzol als Lösungsmittel ver-wendet[2]:

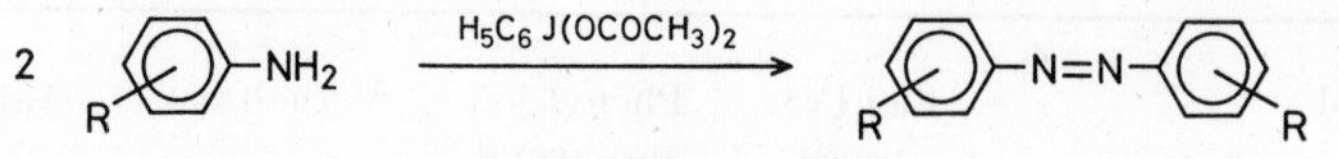

Setzt man 2-Nitro-anilin in benzolischer Lösung bei Raumtemperatur mit Jodosobenzol-diacetat um, so erhält man *Benzofuroxan* (81% d.Th.)[2]:

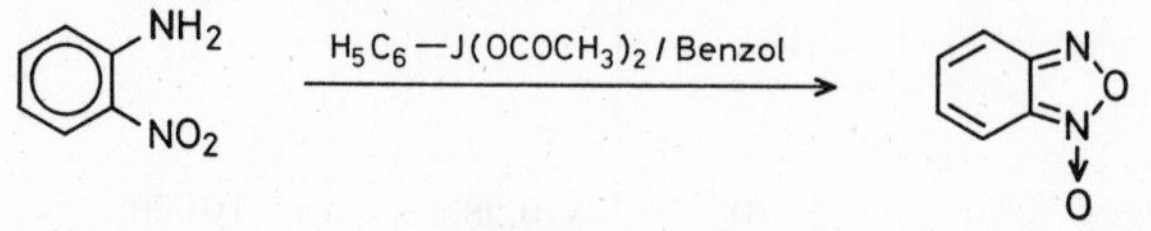

In gleicher Weise erhält man aus substituierten 2-Nitro-anilinen die entsprechend sub-stituierten Benzofuroxane; z. B. aus 4-Amino-3-nitro-1-methyl-benzol in 96%iger Ausbeute *4-Methyl-benzofuroxan*, aus 5-Chlor-2-amino-1-nitro-benzol in 91%iger Ausbeute *4-Chlor-benzofuroxan* und aus 2,4-Dinitro-anilin in 94%iger Ausbeute *Nitro-benzofuroxan*.

Analog reagiert 3-Amino-2-nitro-pyridin[7]:

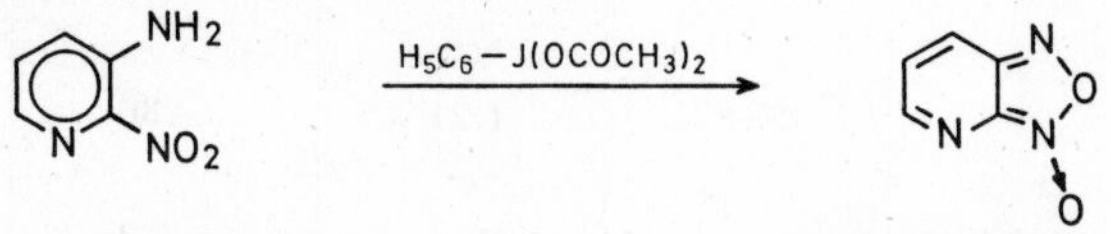

Pyrido-[3,2-d]-furoxan

Mit Eisessig als Lösungsmittel entstehen dagegen wieder die entsprechenden Azo-verbindungen[8]; z. B.:

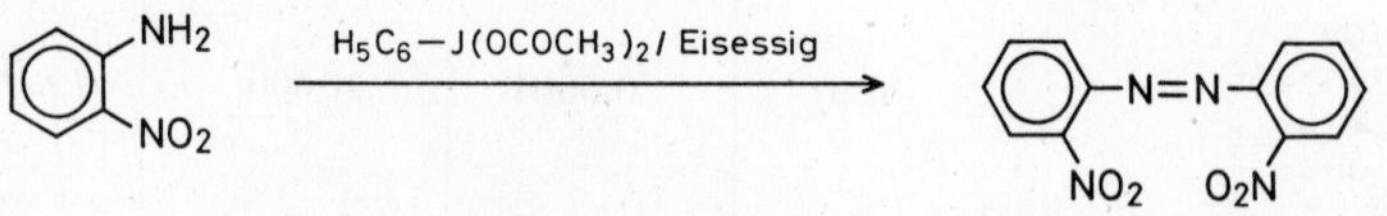

2,2′-Dinitro-azobenzol; 23% d.Th.

[1] R. CRIEGEE u. H. BEUCKER, A. **541**, 218 (1939).
[2] K. H. PAUSACKER, Soc. **1953**, 1989.
[3] L. K. DYALL u. K. H. PAUSACKER, Soc. **1958**, 3950.
[4] C. WILLGERODT, J. pr. **33**, 154 (1886).
[5] R. NEU, B. **72**, 1505 (1939).
[6] Vgl. ds. Handb., Bd. X/3, Kap. Aromatische Azoverbindungen, S. 371, 377.
[7] J. J. EATOUGH, L. S. FULLER, R. H. GOOD u. R. K. SMALLEY, Soc. [C] **1970**, 1874.
[8] G. B. BARLIN, K. H. PAUSACKER u. N. V. RIGGS, Soc. **1954**, 3122.
    K. H. PAUSACKER u. J. G. SCROGGIE, Soc. **1954**, 4499.
    J. MITCHELL u. K. H. PAUSACKER, Soc. **1954**, 4502.
    L. K. DYALL u. K. H. PAUSACKER, Austral. J. Chem. **11**, 491 (1958).

Tab. 3. Diarylazo-Verbindungen durch Dehydrierung von aromatischen Aminen mit Jodosobenzol-diacetat in Benzol[1]

Ausgangsverbindung	Azo-Verbindung	Ausbeute
C₆H₅–NH₂ (Anilin)	*Azobenzol*	95
2-CH₃-C₆H₄–NH₂	*2,2′-Dimethyl-azobenzol*	42
3-CH₃-C₆H₄–NH₂	*3,3′-Dimethyl-azobenzol*	56
2-Cl-C₆H₄–NH₂	*2,2′-Dichlor-azobenzol*	39
3-Cl-C₆H₄–NH₂	*3,3′-Dichlor-azobenzol*	66
4-Cl-C₆H₄–NH₂	*4,4′-Dichlor-azobenzol*	55
3-O₂N-C₆H₄–NH₂	*3,3′-Dinitro-azobenzol*	65
4-O₂N-C₆H₄–NH₂	*4,4′-Dinitro-azobenzol*	53

Die Ausbeuten an Azoverbindungen in Eisessig liegen zwischen 1% (Oxidation von 2-Methoxy-anilin zu *2,2′-Dimethoxy-azobenzol*) und 97% d.Th. (Oxidation von Hydrazobenzol zu *Azobenzol*)[2]. 2,4-Dinitro-anilin und Jodosobenzol-diacetat reagieren unter diesen Bedingungen nicht miteinander.

Zur Oxidation von N-Amino-phthalamid zum *1,2-Diphthalimido-hydrazin* s. Lit.[3].

c) Oxidation von Sulfiden bzw. Seleniden

Bisher sind in der Literatur nur wenige Beispiele bekannt, bei denen für die Oxidation von Sulfiden zu Sulfoxiden Jodosobenzol-diacetat verwendet wurde. Für die Überführung

[1] K. H. Pausacker, Soc. **1953**, 1989.
[2] G. B. Barlin, K. H. Pausacker u. N. V. Riggs, Soc. **1954**, 3122.
 K. H. Pausacker u. J. G. Scroggie, Soc. **1954**, 4499.
 J. Mitchell u. K. H. Pausacker, Soc. **1954**, 4502.
 L. K. Dyall u. K. H. Pausacker, Austral. J. Chem. 11, 491 (1958).
[3] D. J. Anderson, T. L. Gilchrist u. C. W. Rees, Chem. Commun. **1971**, 800.

von Thiaxanthon in *Thiaxanthon-S-oxid* benützt man am vorteilhaftesten Jodosobenzol-diacetat, da sich bei der Oxidation mit Wasserstoffperoxid, Chromsäure und Salpetersäure ausschließlich das *S,S-Dioxid* bildet:

Thiaxanthon-S-oxid[1]: Eine Lösung von 2 g (9,4 mMol) Thiaxanthon und 3,04 g (9,4 mMol) Jodoso-benzol-diacetat in 100 *ml* Eisessig wird 4 Stdn. zum Sieden erhitzt und über Nacht stehengelassen. Die Lösung wird filtriert, um nicht gelöste Anteile zu entfernen, dann bis fast zum Sieden erhitzt und mit 450 *ml* heißem destilliertem Wasser versetzt. Nach dem Abkühlen wird das ausgeschiedene Material, das aus gebildetem Sulfoxid und Thiaxanthon besteht, abfiltriert und mit destilliertem Wasser gewaschen. Filtrat und Waschwasser enthalten reines Sulfoxid und werden i. Vak. eingeengt.

Das abfiltrierte ausgewaschene Produkt (1,10 g) wird aus Äthanol umkristallisiert oder an Kieselgel chromatographiert (man eluiert zuerst das unumgesetzte Thiaxanthon mit Benzol, dann das Sulfoxid mit Chloroform und kristallisiert anschließend das Sulfoxid aus Äthanol um); Gesamtausbeute: 1,67 g (78% d.Th.); F: 202–204°.

In ähnlicher Weise erhält man aus 2-Chlor-thiaxanthon das *2-Chlor-thiaxanthon-S-oxid*.

4-(4-Nitro-benzolsulfin)-benzoesäure (IV) wird ebenfalls durch Oxidation des Sulfids (III) mit Jodosobenzol-diacetat gewonnen[2]:

4-(4-Nitro-benzolsulfin)-benzoesäure[2]: Eine Lösung von 5 g 4-(4-Nitro-phenylmercapto)-benzoesäure (III) und 7,5 g Jodosobenzol-diacetat in 150 *ml* Eisessig wird 24 Stdn. am Rückfluß gekocht und nach dem Abkühlen auf Raumtemp. auf Eis gegossen. Der Niederschlag (4,9 g; F: 230–236°) wird abfiltriert und aus Äthanol umkristallisiert; F: 239–239,5°.

Zur Oxidation von 10-Acyl-phenoselenazinen zu 10-Acyl-phenoselenazin-Se-oxiden s. Lit.[3].

d) Phenole

Die Oxidation von Phenolen mit Jodosobenzol-diacetat verläuft nicht einheitlich. Bei einer Reihe von Phenolen erhält man bei Anwendung von zwei Molen 2-Carboxy-jodosobenzol-diacetat pro Mol Phenol die entsprechenden 4-Acetoxy-phenole[4]. Setzt man dagegen 1 Mol Phenol mit vier Äquivalenten des Oxidationsmittels um, so werden die entsprechenden p-Benzochinone[5] isoliert.

Bei der Oxidation von Nitro-phenolen entstehen mehrere Produkte, u. a. beoachtet man die Anlagerung von Jodosobenzol-diacetat an das eingesetzte Nitro-phenol[6].

[1] J. P. A. Castrillón u. H. H. Szmant, J. Org. Chem. **32**, 976 (1967).
[2] H. H. Szmant u. G. Suld, Am. Soc. **78**, 3400 (1956).
[3] B. D. Podolešov u. V. B. Jordanovska, Croat. Chem. Acta **44**, 411 (1972).
[4] Vgl. ds. Handb., Bd. VI/1 b, Kap. Phenole.
[5] A. Siegel u. F. Antony, M. **86**, 292 (1955).
[6] A. R. Fox u. K. H. Pausacker, Soc. **1957**, 295.
  Vgl. ds. Handb., Bd. VII/3a, Kap. p-Benzochinone.

II. Oxidation mit Jodosobenzol-dibenzoat[1]

Die chemischen Eigenschaften des Jodosobenzol-dibenzoats sind mit denen des -diacetates vergleichbar, jedoch wurde es nicht so häufig als Oxidationsmittel verwendet.

2,4,6-Trinitro-toluol kann beispielsweise mit Jodosobenzol-diacetat in siedendem Eisessig in *2,4,6-Trinitro-1,3-dimethyl-benzol* überführt werden[2]. In Analogie dazu erhält man aus Jodosobenzol-dibenzoat und Nitrobenzol bei 125° isomere *Nitro-biphenyle*[3]. Bei beiden Reaktionen treten intermediär Radikale auf, aromatisch gebundener Wasserstoff wird substituiert:

$$H_5C_6-J(OCOCH_3)_2 \longrightarrow H_5C_6-J \ + \ 2\,H_3C-COO^\bullet$$

$$2\,H_3C-COO^\bullet \longrightarrow 2\,\overset{\bullet}{C}H_3 \ + \ 2\,CO_2$$

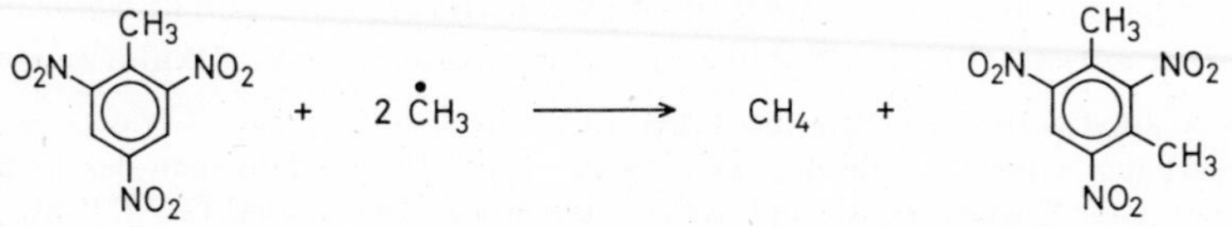

Da bei der Zersetzung von Dibenzoylperoxid und Jodosobenzol-dibenzoat in Nitrobenzol fast die gleiche Isomerenverteilung sowie die gleichen Nebenprodukte gefunden werden, nimmt man an, daß in beiden Fällen während der Reaktion Benzoyloxy-Radikale entstehen, die unter Kohlendioxid-Abspaltung Phenyl-Radikale liefern[3] und mit Nitrobenzol die beobachteten Produkte ergeben.

Mit Jodosobenzol-dibenzoat werden auch die C–C-Bindungen in vicinalen Glykolen gespalten[2,4]; z. B.:

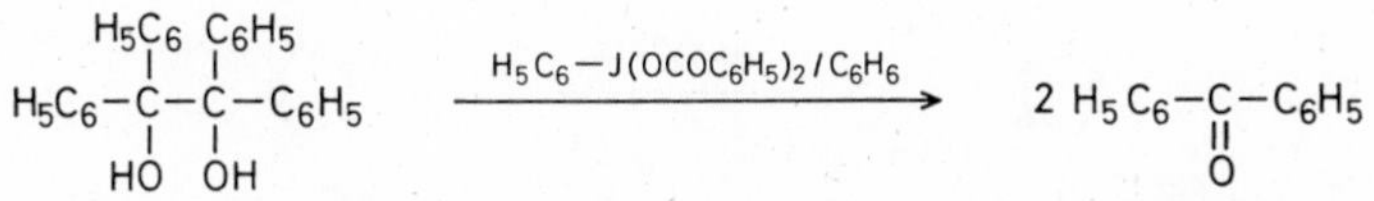

Benzophenon

III. Oxidation mit Jodosobenzol

Anhand der Umsetzung des Jodosobenzols mit angesäuerter Kaliumjodid-Lösung (S. 940) sowie der Glykolspaltung (S. 941) wurde bereits gezeigt, daß Jodosobenzol oxidierende Eigenschaften besitzt. So oxidiert Jodosobenzol Ameisensäure beim Kochen zu Kohlensäure[5].

Jodosobenzol kann anstelle von Hypobromit für den Hofmann-Abbau eingesetzt werden[6]. So erhält man z. B. aus Phthalimid in alkalischer Lösung das Alkalimetallsalz der *Anthranilsäure*:

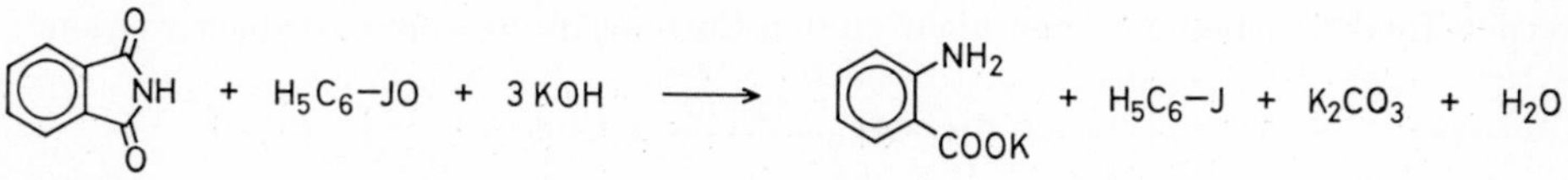

[1] R. B. SANDIN u. W. B. McCORMACK, Am. Soc. **67**, 2051 (1945).
[2] D. H. HEY, C. J. M. STIRLING u. G. H. WILLIAMS, Soc. **1956**, 1475.
[3] Übersicht s. B. PLESNIČAR u. G. A. RUSSEL, Ang. Ch. **82**, 834 (1972); Oxidation von Stickstoff-, Schwefel- und Phosphor-Verbindungen zu den entsprechenden Oxiden.
[4] S. SKRAUP, Ang. Ch. **49**, 25 (1936).
[5] C. WILLGERODT, B. **25**, 3494 (1892).
[6] J. TSCHERNIAC, B. **36**, 218 (1903).

Anthranilsäure[1]: 2,195 g Jodosobenzol werden mit Wasser zu einem feinen Brei verrieben und zu einer Lösung von 1,47 g Phthalimid in 15 ml 2 n Kalilauge gegeben. Das Reaktionsgemisch wird 1 Stde. geschüttelt. Jodosobenzol geht dabei allmählich unter Braunfärbung in ein Öl (Jodbenzol) über, das ausgeäthert wird. Die wäßrige Phase wird mit Essigsäure angesäuert und die freigesetzte Anthranilsäure mit Äther ausgeäthert. Nach dem Abdestillieren des Äthers verbleiben 1,136 g; F: 142–144°.

Die selektive Oxidation einiger Sulfide zu Sulfoxiden kann im Gegensatz zu Wasserstoffperoxid in Eisessig vorteilhaft mit Jodosobenzol durchgeführt werden[2-4]:

$$R^1-S-R^2 \quad + \quad H_5C_6-JO \quad \longrightarrow \quad R^1-\overset{\overset{\displaystyle O}{\|}}{S}-R^2 \quad + \quad H_5C_6-J$$

Während Bis-[2-hydroxy-äthyl]-sulfid mit Wasserstoffperoxid und Jodosobenzol zu *Bis-[2-hydroxy-äthyl]-sulfoxid* oxidiert wird, gelingt die Herstellung von (*2-Chlor-äthyl*)-*phenyl-sulfoxid* aus dem entsprechenden Sulfid nur mit Jodosobenzol als Oxidationsmittel[2].

Bis-[2-hydroxy-äthyl]-sulfoxid[2]: 12 g Bis-[2-hydroxy-äthyl]-sulfid in 50 ml Wasser werden auf dem Wasserbad erhitzt und mit 25 g Jodosobenzol versetzt. Nach 15 Min. läßt man das Reaktionsgemisch abkühlen, filtriert vom Ungelösten ab und wäscht mit 10 ml Wasser aus. Das Filtrat, von dem 13 g Jodbenzol abgetrennt werden, wird i. Vak. zur Trockne eingedampft. Nach der Behandlung des Rückstandes mit Aceton werden 13 g Rohprodukt abfiltriert, das aus Äthanol umkristallisiert wird; Ausbeute: 11 g (80% d.Th.); F: 111°.

Während Thiophenol von Jodosobenzol nur zum *Diphenyldisulfan* oxidiert wird, setzt sich Tetrahydrothiophen-*cis*-3,4-dicarbonsäure (I) mit Jodobenzol im Molverhältnis 1:2 (12stdgs. Kochen/1,4-Dioxan) unter Wasser-Abspaltung und Oxidation zum *Tetrahydro-thiophen-1-oxid-cis-3,4-dicarbonsäure-anhydrid* (II; 78% d.Th.) um[4]:

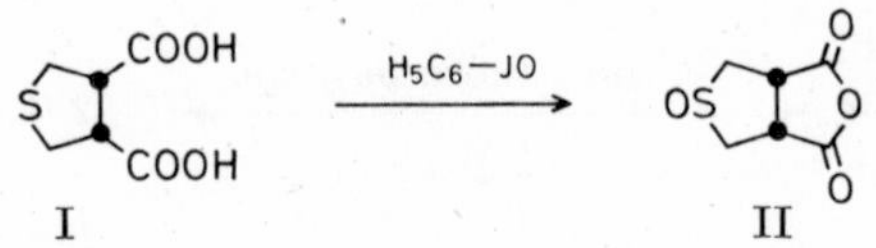

Aus der *trans*-Dicarbonsäure III entsteht unter gleichen Reaktionsbedingungen *trans-3,4-Dicarboxy-tetrahydrothiophen-1-oxid* in nur 27%iger Ausbeute[4]:

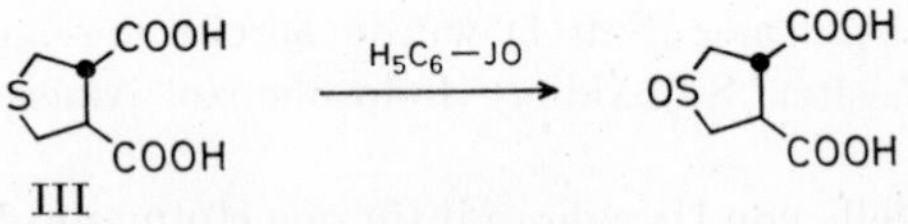

Primäre Alkohole werden durch 12stdgs. Kochen in trockenem 1,4-Dioxan unter Stickstoff mit Jodosobenzol zu Aldehyden oxidiert, die mit überschüssigem Jodosobenzol unter den Reaktionsbedingungen nicht zu den Carbonsäuren weiter oxidiert werden[4]:

$$R-CH_2-OH \xrightarrow{H_5C_6-JO} R-CHO$$

Tab. 4 (S. 947) enthält Verbindungen, die mit Jodosobenzol oxidiert werden konnten. Bei der Oxidation von Äthanol und Butanol entstehen die entsprechenden Aldehyde nur in Spuren[2].

---

[1] J. Tscherniac, B. **36**, 218 (1903).
[2] A. H. Ford-Moore, Soc. **1949**, 2126.
[3] C. R. Johnson u. D. McCants, Am. Soc. **87**, 1109 (1965).
[4] T. Takaya, H. Enyo u. E. Imoto, Bl. chem. Soc. Japan **41**, 1032 (1968).

Tab. 4: Aldehyde bzw. Ketone durch Oxidation einiger organischer Verbindungen mit Jodosobenzol[1]

Ausgangsverbindung	Reaktionsprodukt	Reaktionszeit [Stdn.]	Ausbeute* [% d. Th.]
H₃COH	*Formaldehyd*	12	40
H₂C=CH—CH₂OH	*Acrolein*	12	56
⬡—CH₂OH	*Benzaldehyd*	12	85
H₃C—⬡—CH₂OH	*4-Methyl-benzaldehyd*	12	98
Cl—⬡—CH₂OH	*4-Chlor-benzaldehyd*	12	79
H₃CO—⬡—CH₂OH	*4-Methoxy-benzaldehyd*	12	67
⬡—CH=CH—CH₂OH	*Zimtaldehyd*	12	88
⬠ₒ—CH₂OH	*Furfural*	12	31
⬡—OH	*Cyclohexanon*	12	26

* Als 2,4-Dinitro-phenylhydrazone.

IV. Oxidation mit 2-Jodoso-benzoesäure

Von den drei isomeren Jodosobenzoesäuren (Herstellung vgl. Lit.[2–12]) nimmt die *2-Jodoso-benzoesäure* aufgrund ihrer Struktur (I) eine besondere Stellung ein. Normalerweise gehen Jodoso-Verbindungen beim Erhitzen in Wasser in Jodo- und Jod-Verbindungen bzw. nur Jod-Verbindungen über; 2-Jodoso-benzoesäure jedoch ist selbst in Natronlauge stabil[3, 5].

I

[1] T. TAKAYA, H. ENYO u. E. IMOTO, Bl. chem. Soc. Japan 41, 1032 (1968).
[2] V. MEYER u. W. WÄCHTER, B. 25, 2632 (1892).
[3] P. ASKENASY u. V. MEYER, B. 26, 1354 (1893).
[4] C. HARTMANN u. V. MEYER, B. 26, 1730 (1893).
[5] C. WILLGERODT, J. pr. 49, 466 (1894).
[6] C. WILLGERODT, „Die organischen Verbindungen mit mehrwertigem Jod", S. 132 ff., F. Enke-Verlag, Stuttgart 1914.
[7] R. M. KEEFER u. L. J. ANDREWS, Am. Soc. 81, 2374 (1959).
[8] L. J. ANDREWS u. R. M. KEEFER, Am. Soc. 81, 4218 (1959).
[9] R. BELL u. K. J. MORGAN, Soc. 1960, 1209.
[10] E. SHEFTER u. W. WOLF, Natur 203, 512 (1964).
[11] L. J. ANDREWS, L. J. SPEARS u. R. M. KEEFER, Am. Soc. 86, 687 (1964).
[12] G. P. BAKER, F. G. MANN, N. SHEPPARD u. A. J. TETLOW, Soc. 1965, 3721.

Während Jodoso-Verbindungen gewöhnlich Äthanol beim längeren Erwärmen zu *Acetaldehyd* oxidieren, wirkt 2-Jodoso-benzoesäure beim Kochen nicht auf wäßriges Äthanol ein. Aus äthanolischer Salzsäure und 2-Jodoso-benzoesäure entsteht nicht ein Ester, sondern infolge Oxidation des Chlorwasserstoffs elementares Chlor[1]. Bei der Behandlung von 2-Jodoso-benzoesäure mit kalter methanolischer Salzsäure wird das Anhydrid der 2-Jodoso-benzoesäure gebildet[2]:

$$2 \quad \text{[Struktur]} \xrightarrow[\;0°C\;]{\text{HCl / Methanol}} \text{[Struktur]} \;+\; H_2O$$

Wie alle Jodoso-Verbindungen reagiert auch Jodoso-benzoesäure mit angesäuerter Kaliumjodid-Lösung[3-5]. Diese Umsetzung wird zur quantitativen Bestimmung der 2-Jodoso-benzoesäure und zur quantitativen Bestimmung von Cystein verwendet[4]:

$$2 \; \text{[Struktur]} + \text{[Struktur]} \longrightarrow \text{[Struktur]} + \text{[Struktur]}$$

Glutathion reagiert analog. Die Umsetzungen werden in gepufferten Lösungen durchgeführt[5]. *l*-Ascorbinsäure wird dagegen durch 2-Jodoso-benzoesäure oxidiert[6].

B. Oxidation mit Jodobenzol

Zur Oxidation organischer Verbindungen sind Jodo-Verbindungen weit weniger geeignet als Jodoso-Verbindungen[3]. Wie bereits auf S. 939 erwähnt, ist Jodobenzol ein starkes Oxidationsmittel[7]. In der Literatur sind keine Arbeiten bekanntgeworden, bei denen Jodobenzol wie beispielsweise Jodosobenzol als Oxidationsmittel für die Herstellung organischer Verbindungen eingesetzt wurde.

C. Oxidation mit Jod/Silberbenzoat und Jod/Silberacetat

I. Prévost-Reaktion

Läßt man Silbersalze von Monocarbonsäuren mit Jod im Molverhältnis 2 : 1 in trockenem Benzol, Äther oder Petroläther miteinander reagieren, so erhält man eine Komplexverbin-

[1] P. Askenasy, u. V. Meyer, B. **26**, 1354 (1893).
[2] C. Hartmann u. V. Meyer, B. **26**, 1354 (1893).
[3] C. Willgerodt, „*Die organischen Verbindungen mit mehrwertigem Jod*", S. 132ff., F. Enke-Verlag, Stuttgart 1914.
[4] L. Hellermann, F. P. Chinard u. P. A. Ramsdell, Am. Soc. **63**, 2551 (1941).
[5] J. Leslie, Canad. J. Chem. 48, 3104 (1970).
[6] W. T. Caraway u. L. Hellermann, Am. Soc. **75**, 5334 (1953).
[7] A. S. Rodgers, D. M. Golden u. S. W. Benson, Am. Soc. **89**, 4578 (1967).

dung, den sog. Simonini-Komplex[1-8] (I):

$$2\,RCOO\,Ag + J_2 \longrightarrow \underset{\text{I}}{(RCOO)_2\,AgJ} + AgJ$$

Obwohl solche Komplexe isoliert wurden, ist ihre Struktur noch nicht gesichert[8,9]. Ebenso wie sich Acylhypojodite an Olefine anlagern[10], addieren sich auch die Silbersalz-Jod-Komplexe an Olefine unter Bildung von Glykolestern und Silberjodid[3-7]. Diese Umsetzung wird als Prévost-Reaktion bezeichnet; sie ist eine *trans*-Addition[11]:

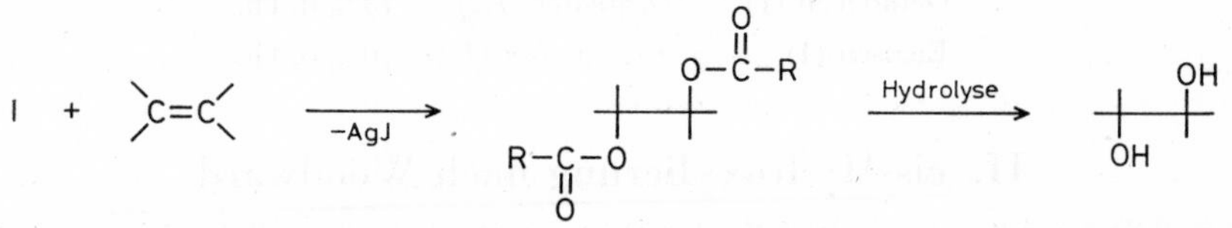

Zur Hydroxylierung von Olefinen nach Prévost verwendet man meistens Silberbenzoat und Jod[12]; jedoch kann Jod durch Chlor oder Brom, Silberbenzoat durch die Silbersalze der Essigsäure, Propionsäure, Buttersäure, 3-Nitro-benzoesäure oder 3,6-Dinitro-benzoesäure ersetzt werden. Anstelle von Benzol kommen auch Tetrachlormethan, Chloroform oder Äther als Reaktionsmedium in Betracht. Über die Reaktion von Halogenen mit Silbertrifluoracetat in verschiedenen Lösungsmitteln wird in der Literatur berichtet[13].

Das *trans*-Primäradditionsprodukt des Simonini-Komplexes an das Olefin, das *trans*-2-Jod-1-acetoxy-alkan (III) kann teilweise isoliert werden:

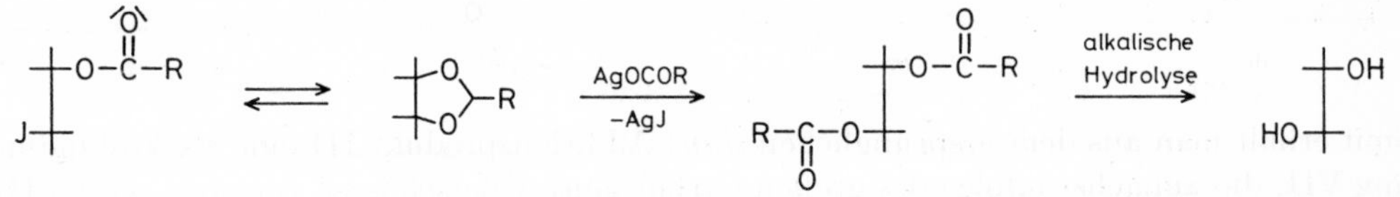

III geht in wasserfreiem Medium über IV in den Glykolester V über[11], der zum *trans*-Glykol VI verseift werden kann.

[1] A. Simonini, M. **13**, 320 (1892); **14**, 81 (1893).
[2] H. Wieland u. F. C. Fischer, A. **446**, 49 (1926).
[3] C. Prévost, C. r. **196**, 1129 (1933); **187**, 1661 (1934).
[4] C. Prévost u. R. Lutz, C. r. **198**, 2264 (1934).
[5] C. Prévost u. J. Wiemann, C. r. **204**, 700, 989 (1937).
[6] E. B. Hershberg, Helv. **17**, 351 (1934).
[7] Vgl. ds. Handb., Bd. V/4, Kap. Jod-Verbindungen, S. 543, 659.
[8] Übersichtsartikel, J. Kleinberg, Chem. Reviews **40**, 381 (1947).
C. V. Wilson, Organic Reactions **9**, 332 (1957).
F. D. Gunstone, Advances in org. Chemistry **1**, 103 (1960).
[9] J. R. Beattie u. D. Bruce-Smith, Nature **179**, 577 (1957).
[10] L. Birckenbach, J. Goubeau u. E. Berninger, B. **65**, 1339 (1932).
[11] W. Winstein, H. V. Hess u. R. E. Buckles, Am. Soc. **64**, 2796 (1942).
S. Winstein u. R. E. Buckles, Am. Soc. **64**, 2780, 2787 (1942).
W. Lwowski, Ang. Ch. **70**, 490 (1958).
[12] F. D. Gunstone, Advances in org. Chemistry **1**, 103 (1960).
[13] R. N. Haszeldine u. A. G. Sharpe, Soc. **1952**, 993.

III. Grenzen der Hydroxylierungen nach Woodward und Prévost

Bei der Hydroxylierung von 1,2-Dimethyl-cyclohexen nach Woodward erhält man eine Mischung von *cis-* und *trans-1,2-Dihydroxy-1,2-dimethyl-cyclohexan* und nicht wie erwartet reines *cis-*Derivat. 1-Methyl-cyclopenten und 1-Methyl-cyclohexen ergeben bei der *cis-*Hydroxylierung die erwarteten Produkte. Aus 1,2-Dimethyl-cyclopenten läßt sich dagegen überhaupt kein *cis-*Diol nach Woodward herstellen[1].

Bei der Umsetzung von Isophyllocladen (X) mit Jod und Silberbenzoat[2] nach Prévost in trockenem, siedendem Benzol und anschließender Hydrolyse isoliert man nicht, wie erwartet ein Diol, sondern das Derivat des Allylalkohols XI:

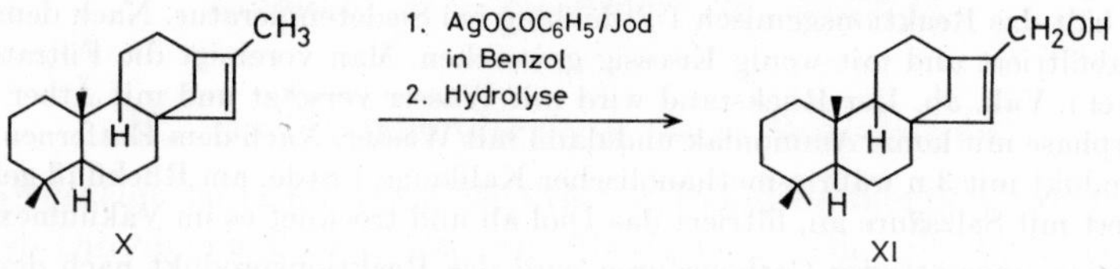

Phyllocladen gibt die gleiche Reaktion wie Isophyllocladen, da sich Phyllocladen in Gegenwart von Jodspuren in Isophyllocladen umlagert. Isokauren und Kauren reagieren in gleicher Weise mit Jod/Silberbenzoat.

D. Spezielle Jodverbindungen als Oxidationsmittel

Diaryl-jodoniumsalze können allgemein zur Phenylierung organischer und anorganischer Basen verwendet werden[3,4]. Führt man die Reaktion in Methanol, Äthanol oder Isopropanol als Lösungsmittel aus, tritt die Phenylierungsreaktion infolge Oxidation des Lösungsungsmittels in den Hintergrund[5].

Über Triaryljod als Oxidationsmittel s. ds. Handb., Bd. V/4, Kap. Jodverbindungen, S. 676.

[1] C. A. Bunton u. M. D. Carr, Soc. **1963**, 770.
[2] L. H. Briggs, B. F. Cain u. B. R. Davies, Tetrahedron Letters **1960**, 9.
   L. H. Briggs, B. F. Cain, R. C. Cambie, B. R. Davis u. P. S. Rutledge, Soc. **1962**, 1850.
[3] F. M. Beringer, M. Drexler, E. M. Gindler u. C. C. Lumpkin, Am. Soc. **75**, 2705 (1953).
[4] F. M. Beringer, A. Brierley, M. Drexler, E. M. Gindler u. C. C. Lumpkin, Am. Soc. **75**, 2708 (1953).
[5] F. M. Beringer u. P. S. Forgione, Tetrahedron **19**, 739 (1963).

Organische Nitroso-Verbindungen als Oxidationsmittel

bearbeitet von

Dr. Theo Burger

BASF AG, Ludwigshafen

Literatur berücksichtigt bis 1975.

Inhalt

Organische Nitroso-Verbindungen als Oxidationsmittel

Inhalt

Organische Nitroso-Verbindungen als Oxydationsmittel

Oxidation und Dehydrierung mit Nitroso-Verbindungen

Die organisch gebundene Nitroso-Gruppe zeichnet sich durch einige Besonderheiten in bezug auf ihre Struktur und ihre Reaktivität aus, von denen im Zusammenhang mit der Anwendung organischer Nitroso-Verbindungen zur Oxidation bzw. Dehydrierung vor allem die Fähigkeit carbonylanaloger Reaktion sowie der relativ leicht erfolgende Übergang in Stickstoffgruppierungen niedriger Oxidationsstufe Erwähnung verdienen[1]. Insgesamt gesehen hat die Oxidation mit Nitroso-Verbindungen keine Bedeutung. Sie wird daher nur sehr kurz abgehandelt.

Bei den Oxidationen bzw. Dehydrierungen kann man hauptsächlich drei Typen von Reaktionen unterscheiden:

① Abgabe des Sauerstoffs der Nitroso-Gruppe an einen organischen Akzeptor.

② Abstraktion von Wasserstoff aus einer organischen Verbindung bzw. aus einem Intermediärprodukt (z. B. auch aus dem Kondensationsprodukt einer Nitroso-Verbindung mit einer methylenaktiven Komponente).

③ Kondensation mit einer methylenaktiven Komponente zu einem Imin und anschließende Hydrolyse (zweistufige Redox-Reaktion).

Die am meisten zu Oxidationen bzw. Dehydrierungen verwendeten organischen Nitroso-Verbindungen sind das durch Oxidation von Anilin oder N-Phenyl-hydroxylamin zugängliche Nitrosobenzol (Herstellung s. ds. Handb., Bd. X/1, S. 1054, bzw. 1058) und das durch Nitrosierung von N,N-Dimethyl-anilin leicht herstellbare 4-Nitroso-1-dimethylamino-benzol.

A. Oxidation unter Erhaltung des Kohlenstoff-Gerüstes

I. von Methyl- und Methylen-Verbindungen

a) aromatisch- bzw. heterocyclisch-substituierte

Die Reaktion von Methyl- bzw. Methylen-Verbindungen mit aromatischen Nitroso-Verbindungen führt in zahlreichen Fällen zur Bildung von Nitronen. Da die Reaktion in ds. Handb. bereits ausführlich beschrieben wurde[2], wird hier nur eine kurze Übersicht gegeben. Als primäres Reaktionsprodukt wird meist ein N,N-disubstituiertes Hydroxylamin gebildet[3], das mit einem weiteren Molekül Nitroso-Verbindung zum Nitron dehydriert:

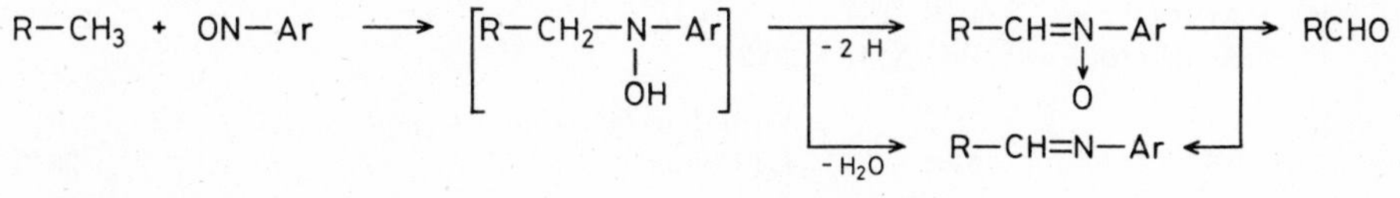

R = Aromat, Heteroaromat

---

[1] Vgl. ds. Handb., Bd. X/1, Kap. Aromatische Nitroso-Verbindungen, S. 1021 ff.
[2] Vgl. ds. Handb., Bd. X/4, Kap. Nitrone, S. 360 ff.; Bd. X/1, S. 1079.
[3] F. Kröhnke, B. 71, 2583 (1938).

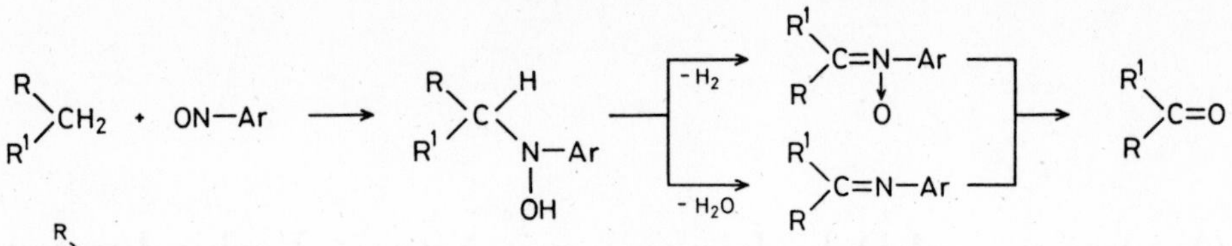

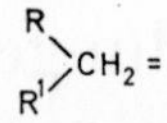

Fluoren[1], 1-Oxo-indan[1], Chromen[1]

bzw. unter Wasser-Abspaltung in ein Imin übergeht.

b) mit funktionell substituierten Methylen-Verbindungen

Werden aktive Methylen-Verbindungen vom Typ der 1,3-Dicarbonyl-Verbindungen mit katalytischen Mengen eines Nitroso-aromaten umgesetzt, so erhält man Imine und durch deren Verseifung Ketone:

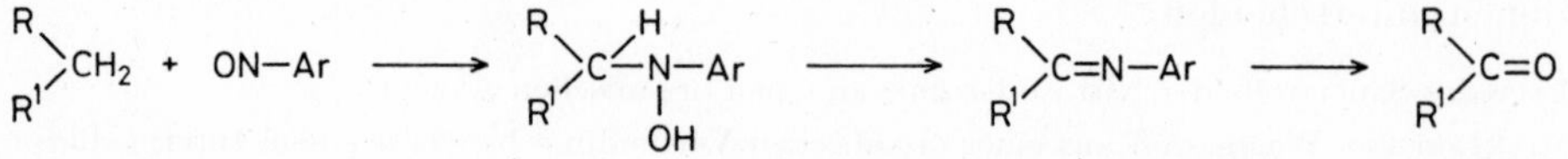

I: R = R[1] = COOC$_2$H$_5$;   *Phenylimino-malonsäure-diäthylester*[2]   72% d. Th.
   = COCH$_3$;   *3-Phenylimino-2,4-dioxo-pentan*[2]   58% d. Th.
   R = COCH$_3$, R[1] = COOC$_2$H$_5$;   *2-Phenylimino-3-oxo-butansäure-äthylester*[2]   64% d. Th.

Aus Benzylhalogeniden bzw. diarylsubstituierten Acetonitrilen bilden sich dagegen Nitrone[1]:

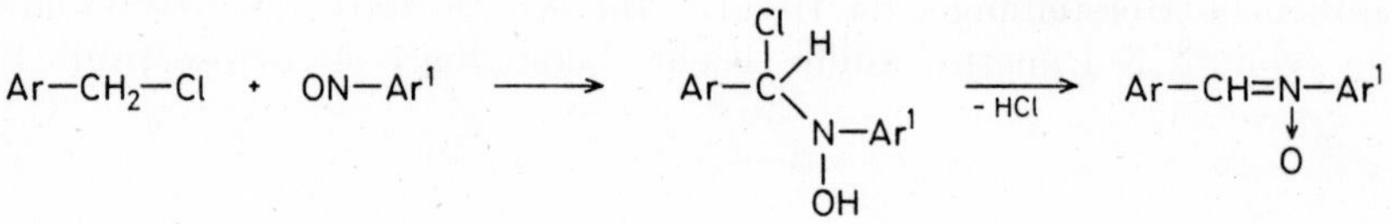

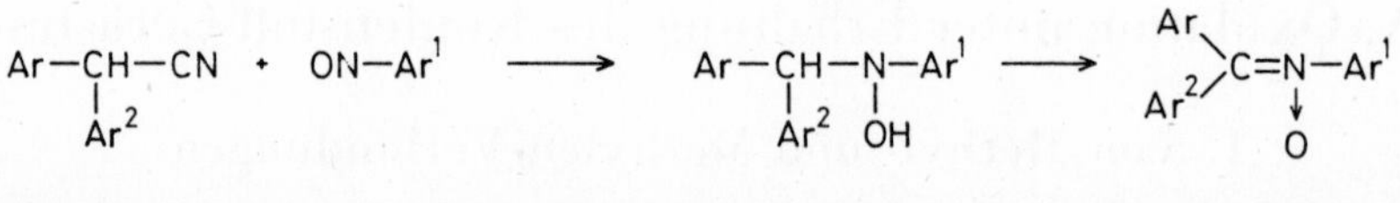

Eine wichtige Reaktion ist die Umsetzung von N-substituierten Pyridinium- bzw. Ammonium-Salzen mit Nitroso-aromaten nach Kröhnke unter Bildung von Aldehyden. Die Reaktion wurde ausführlichst in Bd. X/4, Kap. Nitroso-Verbindungen, S. 375-401 besprochen:

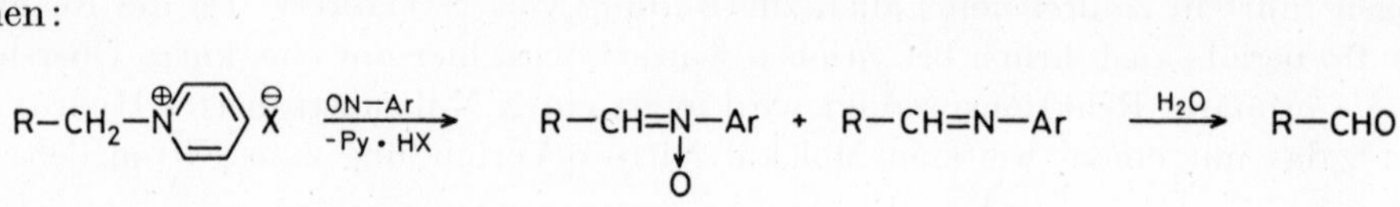

I

R = Ar[1]-CO-; Bd. X/4, S. 378
R = Ar, Steroidrest; Bd. X/4, S. 382

R = 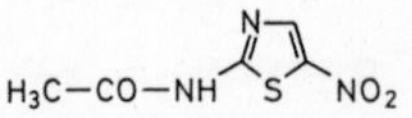   *5-Nitro-2-acetylamino-4-formyl-1,3-thiazol*[3]   28% d. Th.

---

[1] Vgl. ds. Handb., Bd. X/4, Kap. Nitrone, S. 360ff.; Bd. X/1; S. 1079.
[2] s. ds. Handb., Bd. X/1; S. 1079 u. 1249.
   H. NOHIRA, K. SATO u. T. MUKAIYAMA, Bl. chem. Soc. (Japan) **36**, 870 (1963).
   F. SACHS u. A. RÖHMER, B. **35**, 3307 (1902).
[3] A. SILBERG, Z. FRENKEL u. L. CORMOS, B. **96**, 2992 (1963).

R = [pyrimidine structure]   *4-Formyl-pyrimidin*[1]   72% d.Th.

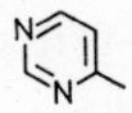

R = [quinoline structure]   *2-(bzw. 4)-Formyl-chinolin*[2]

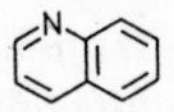

R = CN, Bd. X/4, S. 399

R = [pyridinium-CH₂-thiophene structure] → Bis-Nitrone → *2,5-Diformyl-thiophen*[3]   57% d.Th.

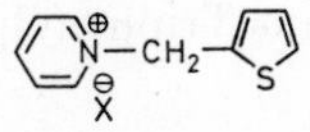

Auch die entsprechenden Methin-Derivate setzen sich analog um[4]; z. B.:

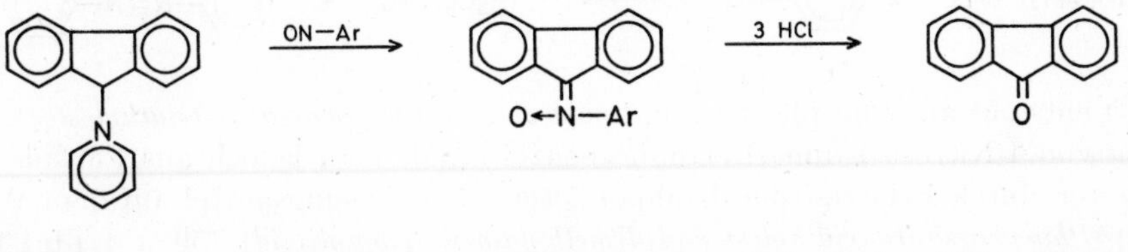

Über die Reaktion von Methylen-bis-pyridiniumsalzen, aliphatischen Nitro-Verbindungen und Diazoalkanen mit aromatischen Nitroso-Verbindungen zu Nitronen s. ds. Handb., Bd. X/4, S. 401f.

4-Nitroso-1-dimethylamino-benzol oxidiert in siedendem Äthanol 1-Benzyl-1,4-dihydro-nicotinsäure-amid zu *4-Dimethylamino-benzaldehyd-phenylnitron* (89% d.Th.)[5]

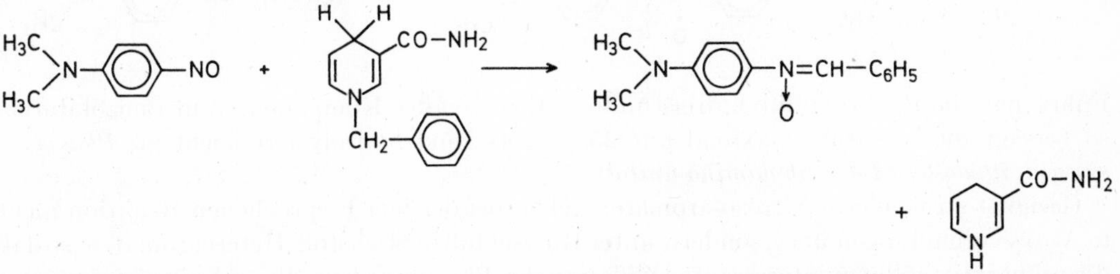

und 2-Oxo-propansäure in Äthanol in der Kälte zu *4,4′-Bis-[dimethylamino]-azobenzol*[6] (Nitrosobenzol reagiert unter diesen Bedingungen nicht). 2-Oxo-3-aryl-propansäuren reagieren mit 4-Nitroso-1-dimethylamino-benzol dagegen zu den entsprechenden Phenyl-acetaniliden[6]:

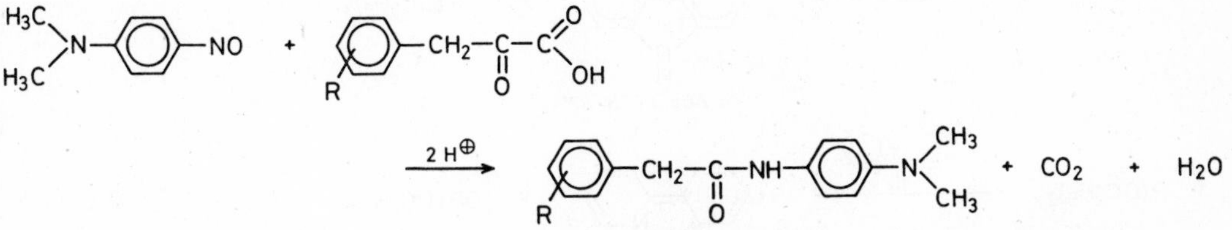

R = H;   *Phenyl-essigsäure-4-dimethylamino-anilid*
R = 2-NO₂;   *(2-Nitro-phenyl)-essigsäure-4-dimethylamino-anilid*
R = 4-NO₂;   *(4-Nitro-phenyl)-essigsäure-4-dimethylamino-anilid*

[1] Y. ASKANI, H. EDERY, J. ZAHAVY, W. KÜNBERG u. S. COHN, Israel J. Chem. **3**, 133 (1965).
[2] M. HAMANE, B. UMEZAWA u. S. NAKISIMA, Chem. pharm. Bl. (Japan) **10**, 961 (1962).
[3] T. SONE, Bl. chem. Soc. [Japan] **37**, 1197 (1964).
[4] Vgl. ds. Handb., Bd. X/4, Kap. Nitrone, S. 397
    M. MASAKI u. M. OHTA, Bl. chem. Soc. (Japan) **34**, 1257 (1961).
[5] D. C. DITTMER u. J. M. KOLEYER, J. Org. Chem. **27**, 56 (1962).
[6] I. TANASESCU u. M. RUSE, B. **92**, 1265 (1959).

II. Oxidation von Phosphinen und Phosphorigsäure-triestern

Organische Derivate des dreiwertigen Phosphors (wie Triphenylphosphin oder Phosphorigsäure-triester) scheinen den Sauerstoff von Nitrosoaromaten direkt aufzunehmen. Hierbei wird aus den Nitrosoaromaten gewöhnlich eine Azoxyverbindung gebildet, die vermutlich durch Kombination eines Moleküls noch vorhandener Nitrosoverbindung mit dem desoxygenierten Bruchstück (Phenylnitren?) entsteht. So erhält man aus Triphenylphosphin und Nitrosobenzol Triphenylphosphinoxid und *Azoxybenzol*[1]:

$$(H_5C_6)_3P \;+\; 2 \; C_6H_5{-}NO \longrightarrow (H_5C_6)_3PO \;+\; C_6H_5{-}N{=}\overset{O}{N}{-}C_6H_5$$

Analog entsteht aus Phosphorigsäure-triäthylester *Phosphorsäure-triäthylester*[1]. Bei Verwendung von 4-Nitroso-1-dimethylamino-benzol erhält man jedoch aus Phosphorigsäuretriäthylester durch Erhitzen der Komponenten ohne Lösungsmittel auf dem Wasserbad (1 Stde.) *Phosphorsäure-triäthylester-(4-dimethylamino-phenylimid)* (59% d.Th.) und *4,4'-Bis-[dimethylamino]-azoxybenzol*[2]:

$$3 \; (CH_3)_2N{-}C_6H_4{-}NO \;+\; 3\,(C_2H_5O)_3P \xrightarrow{-\,2\,(C_2H_5O)_3PO}$$

$$(CH_3)_2N{-}C_6H_4{-}\overset{O}{N}{=}N{-}C_6H_4{-}N(CH_3)_2 \;+\; (C_2H_5O)_3P{=}N{-}C_6H_4{-}N(CH_3)_2$$

Führt man die Reaktion durch dreistündiges Erhitzen der Komponenten in Benzol durch, so beträgt die Ausbeute maximal nur 25%. Das Imid hydrolysiert leicht zu *Phosphorsäure-diäthylester-(4-dimethylamino-anilid)*.

Geeignet struktuierte Nitroso-aromaten gehen bei der hier besprochenen Reaktion nicht in Azoxyverbindungen über, sondern unter Ringschluß in Stickstoff-Heteroaromaten, so daß die präparativ völlig uninteressante Oxidation der Phosphine bzw. Phosphorigsäure-triester in umgekehrter Weise durch die reduktive Cyclisierung der Nitrosoaromaten Bedeutung erlangt[2]; z. B.:

P(OC₂H₅)₃ reacts with various nitroso compounds:

- → *Carbazol* (76–82% d.Th.) + OP(OC₂H₅)₃
- → *Pyrido-[1,2-b]-indazol* + OP(OC₂H₅)₃
- → *Pyrido-[2,3-b]-indol* + *Pyrido-[4,3-b]-indol* + OP(OC₂H₅)₃

---

[1] L. Horner u. H. Hoffmann, Ang. Ch. **68**, 473 (1956).

[2] P. J. Bunyan u. J. I. G. Cadogan, Soc. **1963**, 42.

Führt man die Umsetzung von Triphenylphosphin mit Nitrosobenzol in Alkyl- oder Dialkyl-aminen aus, so entstehen 2-Alkyl-amino- bzw. 2,2-Dialkylamino-3H-azepine[1] (über Nitren als Zwischenstufe):

$$H_5C_6-NO \; + \; \underset{R^2}{\overset{R^1}{>}}NH \; + \; (C_6H_5)_3P \; \longrightarrow \; [\text{azepin}] \; + \; (C_6H_5)_3PO$$

I: R¹ = R² = CH₃;	*2-Dimethylamino-3H-azepin*	65% d.Th.
R² = C₂H₅;	*2-Diäthylamino-3H-azepin*	70% d.Th.
R¹ = H, R² = CH₃;	*2-Methylamino-3H-azepin*	34% d.Th.
R² = C₄H₉;	*2-Butylamino-3H-azepin*	70% d.Th.

I: $R^1 = R^2 = CH_3$; *2-Dimethylamino-3H-azepin* 65% d.Th.
$R^2 = C_2H_5$; *2-Diäthylamino-3H-azepin* 70% d.Th.
$R^1 = H, R^2 = CH_3$; *2-Methylamino-3H-azepin* 34% d.Th.
$R^2 = C_4H_9$; *2-Butylamino-3H-azepin* 70% d.Th.

Die Ausbeuten hängen stark von der Art des verwendeten Amins ab. Mit zunehmendem Molekulargewicht des Amins steigen die Ausbeuten, während sie in flüssigem Ammoniak praktisch Null sind.

B. Intermolekulare Dehydrierung unter C-C-Verknüpfung

Intermolekular lassen sich aromatische und heterocyclische Ringe des öfteren unter C–C-Verknüpfung mit 4-Nitroso-1-dimethylamino-benzol dehydrieren.

Bereits bei 0° gelingt in wäßrig-alkoholischer Lösung innerhalb weniger Minuten die Dehydrierung von 2-Oxo-2,3-dihydro-thionaphthen zu *2,2'-Dioxo-2,2',3,3'-tetrahydro-3,3'-bi-⟨benzo-[b]-thienyl⟩* (80% d.Th.)[2]:

Leukopyrazolblau [5,5'-Dihydroxy-1,1'-diphenyl-3,3'-diäthoxycarbonyl-bi-pyrazyl-(4)][3]

Eine heiße Lösung von 2,3 g 5-Oxo-1-phenyl-3-äthoxycarbonyl-4,5-dihydro-pyrazol in 20 *ml* Äthanol wird zu einer Lösung von 1,5 g 4-Nitroso-1-dimethylamino-benzol in 10 *ml* Äthanol gegossen; es tritt sofort Verfärbung nach Schwarzgrün ein. Nach 10 Min. Kochen beginnt die Abscheidung von Kristallen. Nach 30 Min. wird abgesaugt und die Kristalle aus Nitrobenzol umkristallisiert; Rohausbeute: 2 g (87% d.Th.); F: 273° (Zers.).

Ein älteres Beispiel ist die dehydrierende Dimerisation von 2-(4-Methyl-anilino)-naphthalin mit 4-Nitroso-1-dimethylamino-benzol und Zinkchlorid zu *7,7'-Bis-[4-methyl-anilino]-bi-naphthyl-(2)*[4].

---

[1] R. A. ODUM u. M. BRENNER, Am. Soc. 88, 2074 (1966).
[2] P. CHOVIN, Bl. 11, 91 (1944).
[3] H. OHLE u. G. A. MELKONIAN, B. 74, 398 (1941).
[4] O. N. WITT, B. 21, 726 (1888).

Organische Nitroverbindungen
als Oxidationsmittel

bearbeitet von

Dr. Leopold Golser

Kunststoffbüro München
Geiselbullach

Mit 3 Tabellen

Literatur berücksichtigt bis 1975.
61*

Inhalt

Oxidation und Dehydrierung
mit organischen Nitroverbindungen

Die wohlbekannte oxidierende Wirkung anorganischer Verbindungen des Stickstoffs läßt sich für die präparative organische Chemie nur in besonderen Fällen nutzbar machen, da ihr großes Redoxpotential die Durchführung selektiver Oxidationen bestimmter funktioneller Gruppen im allgemeinen nicht erlaubt.

Mit organischen Nitroverbindungen hingegen läßt sich eine Vielzahl selektiver Oxidationen auch an empfindlichen Molekülen durchführen. Sie sind wegen der meist leichten Zugänglichkeit der Ausgangsprodukte und der problemlosen Handhabung des Oxidationsmittels von einigem präparativem Wert.

Als Nitroverbindungen eignen sich Nitro-alkane und -aromaten. Während der Reaktionsablauf bei der Oxidation mit Nitro-alkanen bis in Einzelheiten bekannt ist – in basischer Lösung sind die Ester der Nitronsäure eine Zwischenstufe (s. S. 969) –, sind die Vorstellungen über den Mechanismus der Oxidationen mit Nitro-aromaten nicht einheitlich. Das Reduktionsprodukt der Nitroverbindung ist bei weitem nicht immer Anilin oder eines seiner Derivate. Als sicher kann gelten, daß Nitrobenzol in stark basischer Lösung unter Bildung von 2-Nitro-phenol ein Hydrid-Ion liefert, welches überschüssiges Nitrobenzol zu Azoverbindungen reduziert, wobei als Zwischenstufen in alkalischer Lösung Moleküle entstehen, die leicht reduziert werden (Nitrosobenzol, Azoxybenzol u. a.)[1]. In saurer Lösung ist die Nitro-Gruppe selbst ein Hydridionenacceptor (s. S. 976). In neutralem Milieu entsteht als Reduktionsprodukt des Nitrobenzols das Anilin.

Der Stoff dieses Kapitels ist gegliedert nach den Typen von Verbindungen, die mit organischen Nitroverbindungen oxidiert werden können. Der Übersichtlichkeit wegen erfolgte die Hauptunterteilung in Oxidation und Dehydrierung mit Nitroverbindungen.

A. Oxidation
I. am gesättigten C-Atom
a) von Halogen- und Hydroxy-alkanen

Obwohl in der Literatur kaum Beispiele für diesen Reaktionstyp bekannt sind, sei ihm doch ein besonderes Kapitel gewidmet. Die Oxidation ist wahrscheinlich durchaus nicht in seinem Anwendungsbereich so begrenzt wie man vermuten könnte. da die Ausbeuten an Aldehyd bzw. Keton beachtlich hoch sind, d. h. die Aldolkondensation als Folgereaktion bei geeigneten Reaktionsbedingungen offensichtlich vermieden werden kann. Außerdem sind die als Ausgangsverbindungen geeigneten Alkylbromide und Alkohole leicht zugänglich.

---

[1] Mittels ESR-Spektroskopie ließ sich die Bildung von Radikal-Anionen des Nitrobenzols in alkalischer Lösung nachweisen:
G. A. Russel u. E. G. Janzen, Am. Soc. **84**, 4153 (1962).
T. J. Wallace et al., Pr. chem. Soc. **12**, 384 (1962).

1. von Alkylbromiden

Mit dem Natrium-Salz des 2-Nitro-propans läßt sich Undecylbromid in hervorragender Ausbeute zu *Undecanal* oxidieren[1].

Undecanal[1]:

$$H_3C-(CH_2)_9-CH_2-Br \longrightarrow H_3C-(CH_2)_9-CHO$$

Eine Lösung von 2,8 g (0,05 Mol) Kaliumhydroxid und 4,55 g (0,05 Mol) 2-Nitro-propan in 75 *ml* 95%igem Äthanol tropft man zu einer am Rückfluß siedenden Lösung von 11,75 g (0,05 Mol) Undecylbromid in 50 *ml* 95%igem Äthanol. Nach dem Zutropfen wird die Mischung noch 15 Min. zum Sieden erhitzt und nach dem Abkühlen vom Kaliumbromid abdekantiert. Den nach dem Abziehen des Äthanols verbleibenden Rückstand nimmt man in 75 *ml* Äther auf, wäscht 2mal mit je 30 *ml* Wasser und destilliert nach dem Trocknen mit Magnesiumsulfat den Äther ab; Ausbeute: 7,3 g (85% d.Th.); $Kp_{0,7}$: 64–66°.

Eine weitere Reaktion dieses Typs ist die Herstellung von *Octanon-(2)* aus 2-Brom-octan[2] bzw. von *3-Cyclohexyl-propanal* (60% d.Th.) aus 3-Brom-1-cyclohexyl-propan[3].

2. von gesättigten aliphatischen Alkoholen

Die Oxidation gesättigter aliphatischer Alkohole zu Ketonen oder Aldehyden durch Nitroverbindungen gelingt mit befriedigender Ausbeute nur in Gegenwart von Katalysatoren[4]. Von den zahlreichen technischen Verfahren ist präparativ die Möglichkeit interessant, aus primären Alkoholen Aldehyde herzustellen. Die Reaktion gelingt mit Nitrobenzol in Gegenwart von Aluminiumoxid (Al_2O_3) als Katalysator bei 250–300°. Die entstehenden Aldehyde (84–97% d.Th.) lassen sich mit Anilin als Azomethine (Schiff'sche Basen) abfangen. Die Methode wurde mit Erfolg auf primäre aliphatische Alkohole von C_1 bis C_{20} angewendet[5]. Als Nebenprodukt ist mit am Stickstoff alkyliertem Anilin zu rechnen.

b) Oxidation von Vinyl- bzw. Aryl-alkyl-Verbindungen

Moleküle mit einem Halogen-Atom in Allyl- oder Benzyl-Position lassen sich mit den Alkalimetallsalzen geeigneter Nitroparaffine zu den entsprechenden α,β-ungesättigten und aromatischen Aldehyden bzw. Ketonen oxidieren[6,7]:

$$R_2C=C-CH-X \longrightarrow R_2C=CH-C\overset{O}{\underset{R'}{\diagdown}}$$
$$\overset{|}{R'}$$

$$Ar-CH-X \longrightarrow Ar-C\overset{O}{\underset{R'}{\diagdown}}$$
$$\overset{|}{R'}$$

R = H oder Alkyl
R′ = H oder Alkyl
X = Halogen
Ar = Aryl

Von besonderem Interesse ist der auf diese Weise leichte Zugang zu α,β-ungesättigten Aldehyden, deren präparative Herstellung mit anderen Methoden schwierig ist und oft hinsichtlich der Ausbeute unbefriedigend verläuft.

[1] S. V. LIEBERMANN, Am. Soc. **77**, 1114 (1955).
[2] H. B. HASS u. M. L. BENDER, Am. Soc. **71**, 1767, 3482 (1949).
[3] J. M. PABIOT u. R. PALLAUD, C. r. [C] **273**, 475 (1971).
[4] N. S. KOZLOV u. M. N. TOVSTEJN, Z. Org. Chim. **3**, 138 (1967); C. A. **66**, 94744 (1967).
[5] N. S. KOZLOV u. V. S. PASTERNAK, Ž. Org. Chim. **2**, 461 (1966); C. A. **65**, 7080 (1966).
    N. S. KOZLOV u. N. K. MATVEEVA, Izv. Vyc. Uceb. Zav., Chim. i. Chim. Technol. **13**, 365 (1970); C. A. **73**, 55571 (1970).
[6] M. MONTAVON et al., Helv. **40**, 1250 (1957).
[7] H. E. HASS u. M. L. BENDER, Am. Soc. **71**, 3482 (1949).

Die Vorstellungen über den Mechanismus der Reaktion sind recht detailliert[1, 2]. Durch Abstraktion des aciden Protons des Nitroalkanes mit einer Base entsteht das Salz einer Nitronsäure (*aci*-Nitroverbindung), das sich mit dem Allyl- bzw. Benzyl-halogenid im Sinne einer nukleophilen Substitution zum Ester der Nitronsäure umsetzt, welcher schon bei tiefer Temperatur oder durch gelindes Erwärmen in die α,β-ungesättigte bzw. aromatische Carbonyl-Verbindung und das dem Nitroalkan entsprecheende Oxim zerfällt:

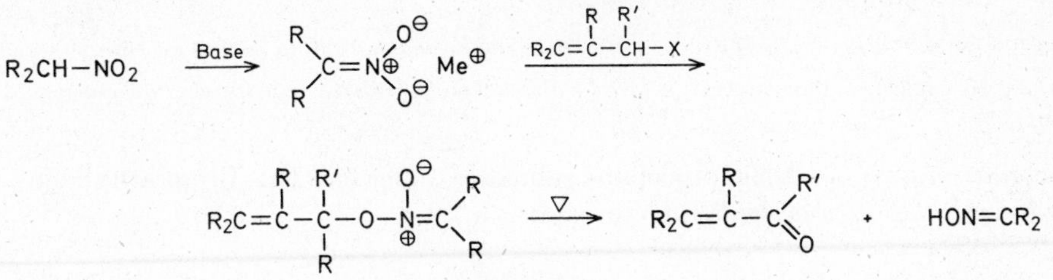

R' = H oder Alkyl
X = Halogen
R = H oder Alkyl

Die Reaktion gelingt mit primären und sekundären Nitro-alkanen. Besonders gute Ausbeuten erhält man im allgemeinen mit dem 2-Nitro-propan. Auch die Salze des 9-Nitrofluorens[3], des ω-Nitro-toluols[4] und des Nitro-phenyl-acetonitrils[1] lassen sich mit Erfolg einsetzen. Aus dem Mechanismus wird klar, warum bei X = Br die Reaktion besser verläuft als bei X = Cl.

Eine Reihe substituierter benzylischer Amine läßt sich in sehr guter Ausbeute in die entsprechenden Aldehyde überführen, wenn man als Oxidationsmittel die Alkalimetallsalze der 3-Nitro-benzolsulfonsäure einsetzt[5]. Über den Mechanismus der Reaktion herrschen keine klaren Vorstellungen; er sei deshalb hier nicht diskutiert.

Präparativ von besonderem Interesse ist die Möglichkeit, benzylische Hydroxy-Gruppen mit Nitroverbindungen zu den entsprechenden Carbonyl-Funktionen zu oxidieren. Da sich Hydroxymethyl-Gruppen mit Formaldehyd in basischem Milieu am aromatischen Kern leicht einführen lassen, sind die Ausgangsprodukte bequem zugänglich.

Erwähnt sei schließlich die Oxidation von Methyl-Gruppen geeignet substituierter Aromaten zu Aldehyd-Funktionen.

Alle angeführten Reaktionstypen werden in den folgenden Abschnitten ausführlich behandelt.

1. α,β-ungesättigte Alkylhalogenide

Ein informatives Beispiel für den breiten Anwendungsbereich der Methode ist die Herstellung von *3,7-Dimethyl-octadien-(2,6)-al* (*Citral, Geranial*) aus Geranylbromid.

Citral (Geranial)[1]:

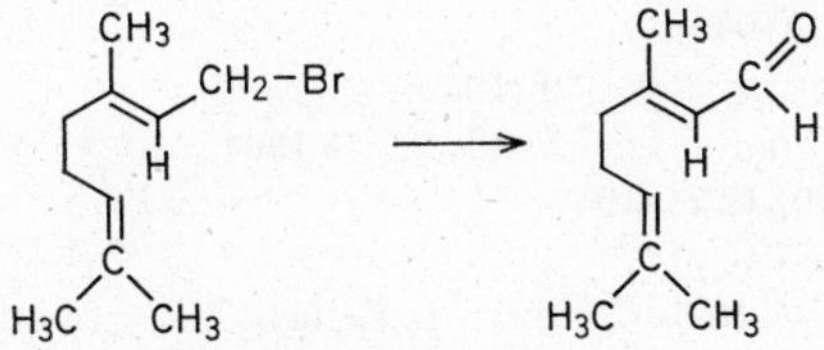

[1] M. MONTAVON et al., Helv. **40**, 1250 (1957).
[2] H. B. HASS u. M. L. BENDER, Am. Soc. **71**, 3482 (1949).
[3] C. D. NENITZESCU u. D. A. ISACESCU, B. **63**, 2484 (1930).
[4] N. N. MELNIKOV, Ž. obšč. Chim. **7**, 1546 (1937); C. A. **31**, 8504 (1937).
[5] L. WEISLER u. R. W. HELMKAMP, Am. Soc. **67**, 1167 (1945).

Zu einer Lösung von 13,8 g (0,25 Mol) Kaliumhydroxid in 22 ml Wasser und 140 ml Isopropanol tropft man bei 20° allmählich 19,6 g (0,45 Mol) 2-Nitro-propan, rührt kurz und gibt 43,4 g (0,2 Mol) Geranylbromid auf einmal hinzu. Man hält das Reaktionsgemisch 20 Min. bei 40–45°, gibt 500 ml Wasser hinzu und extrahiert mit Petroläther (Siedebereich 40–45°). Die Petroläther-Lösung wird nacheinander mit 1 n Natronlauge und 1%iger Natriumhydrogencarbonat-Lösung gewaschen und nach dem Trocknen mit Natriumsulfat eingedampft. Man erhält 29 g Rohprodukt, aus dem nach Hydrogensulfit-Extraktion und Destillation 21,6 g (71% d.Th.) Citral gewonnen werden; $Kp_{0,1}$: 70–72°.

Analog erhält man aus

8-Brom-2,3,6-trimethyl-octadien-(2,6) → *3,6,7-Trimethyl-octadien-(2,6)-al* (*ε-Methyl-citral*)[1]

12-Brom-2,6,10-trimethyl-dodecatrien- → *3,7,11-Trimethyl-dodecatrien-(2,6,10)-al* (*Farnesal*)[2]
(2,6,10)

Mit dem Natriumsalz des 2-Nitro-propans gelingt es außerdem 1-(2-Brom-äthyliden)-cyclohexan zu *Cyclohexyliden-acetaldehyd*[3] zu oxidieren:

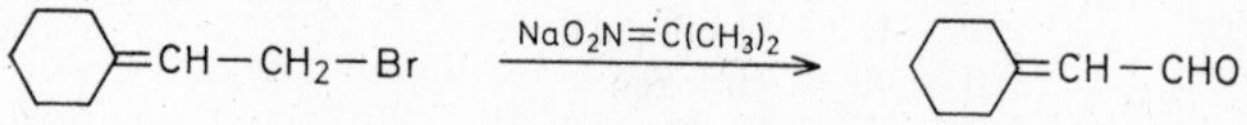

Prototyp einer weiteren Klasse möglicher Reaktionen von α,β-ungesättigten Alkylhalogeniden ist die Oxidation des 5-Brom-3,4-dimethyl-penten-(3)-in-(1) zu *2,3-Dimethyl-penten-(2)-in-(4)-al* (35% d.Th.)[4]:

$$HC\equiv C-C(CH_3)=C(CH_3)-CH_2-Br \longrightarrow HC\equiv C-C(CH_3)=C(CH_3)-CHO$$

Analog erhält man aus 5-Brom-3-methyl-penten-(3)-in-(4) das *3-Methyl-penten-(2)-in-(4)-al*[5] bzw. aus 1,8-Dibrom-2,7-dimethyl-octadien-(2,6) den Dialdehyd *2,7-Dimethyl-octadien-(2,6)-dial*[5].

2. von Benzyl-Verbindungen

α) von Methyl-aromaten

Die Oxidation von Methyl-Gruppen geeignet substituierter Aromaten zu Aldehyd-Funktionen gelingt mit Nitrobenzol in alkalischem Milieu[6]. Allgemein ist das Verfahren auf Aminoderivate des 2-Methyl-anthrachinons bzw. auf 2-Methyl-anthrachinon selbst anwendbar[7]. Die entstehenden Aldehyde werden mit Anilin als Azomethine (Schiff'sche Basen) isoliert[8]. Aus den entsprechenden Methylverbindungen erhält man auf diese Weise *1-Amino-anthrachinon-2-aldehyd*[9], *1,4-Diamino-anthrachinon-2-aldehyd*[9] und *Benzanthron-2-aldehyd*[10].

Die Vorstellungen über den Mechanismus der Reaktion sind nicht einheitlich; ein Verlauf über das Radikal-Anion des Nitrobenzols erscheint plausibel. Näheres s. Literatur[11].

[1] Y. R. NAVES, A. V. GRAMPOLOFF u. P. BACHMANN, Helv. **30**, 1599 (1947).

[2] Y. R. NAVES, Helv. **32**, 1799 (1949).

[3] A. MARCOU u. H. NORMANT, C. r. **250**, 359 (1960).

[4] M. V. MAVOROV u. V. F. KUČEROV, Izv. Akad. SSSR **1964**, 546; C. A. **62**, 455 (1965).

[5] M. MONTAVON et al., Helv. **40**, 1250 (1957).

[6] s. ds. Handb., Bd. VII/1, S. 155.

[7] DRP 359138 (1922) ≡ Brit. P. 189367 (1921), L. Cassella u. Co. GmbH., Frankfurt, Erf.: G. KALISCHER; C. **1923**II, S. 861.

[8] DRP 343064, 346188 (1915), L. Cassella u. Co. GmbH., Frankfurt, Erf.: G. KALISCHER; Frdl. **13**, 395.

[9] Schweiz. P. 255967 (1946), CIBA Ltd.; C. A. **44**, 6148 h (1950).

[10] O. BAYER, I. G. Farben Leverkusen, unveröffentlicht.

[11] J. D. LOUDON u. G. TENNANT, Quart. Rev. **18**, 389 (1964).

Ein interessantes Beispiel für die Oxidation einer aromatisch gebundenen Methyl-Gruppe durch eine aromatisch gebundene Nitro-Gruppe im alkalischen Milieu ist die intramolekulare Redox-Reaktion des 2-Nitro-toluols zu *Anthranilsäure*[1]:

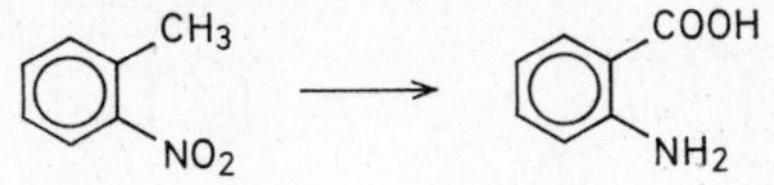

Ebenso reagiert 1-Nitro-2-methyl-anthrachinon in methanolischem Kaliumhydroxid zu *1-Amino-anthrachinon-2-carbonsäure*[2].

β) von Benzylhalogeniden

Mit Ausnahme des 4-Nitro-benzylchlorids lassen sich alle in p-Stellung substituierten Benzylhalogenide mit den Alkalimetallsalzen der Nitroparaffine zu den entsprechenden **p-substituierten Benzaldehyden** umsetzen. Die in p-Stellung mit einer Nitro-Gruppe substituierten Benzylchloride reagieren mit den Alkalimetallsalzen der Nitroparaffine nicht zu den Nitronsäure-estern (s. S. 969), sondern gehen eine C-Alkylierungsreaktion ein, bei der z. B. mit dem Natrium-Salz des 2-Nitro-propans das *2-Nitro-2-(4-nitro-benzyl)-propan* entsteht (83% d. Th.)[3,4]:

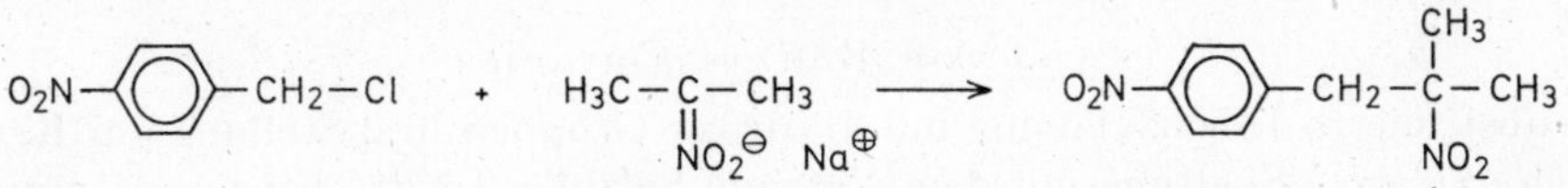

Ist der austretende Substituent jedoch ein Bromid- oder Jodid-Ion, tritt auch hier überwiegend O-Alkylierung ein[4,5].

Als Lösungsmittel für die Oxidation von Benzalhalogeniden eignet sich Äthanol in dem sich das Halogenid und das Nitroalkansalz gleich gut lösen und das leicht von den Reaktionsprodukten abgetrennt werden kann.

4-Methyl-benzaldehyd (p-Tolylaldehyd)[6]:

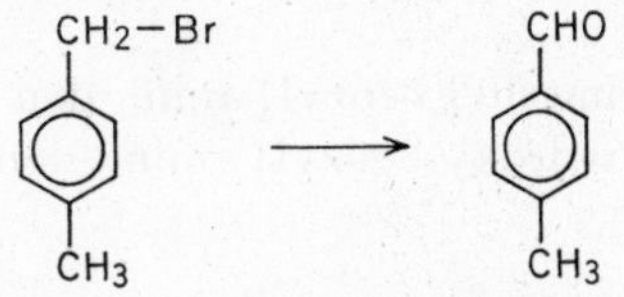

Zu einer Lösung von 1,15 g (0,05 Mol) Natrium in 50 *ml* absol. Äthanol werden 5,8 g (0,065 Mol) 2-Nitro-propan und anschließend 9,3 g (0,05 Mol) 4-Methyl-benzylbromid gegeben. Die Mischung wird bei Zimmertemp. 15 Stdn. sich selbst überlassen. Der nach dem Abfiltrieren des Natriumbromids und dem Abdestillieren des Alkohols verbleibende Rückstand wird in Äther gelöst. Um Acetonoxim und überschüssiges 2-Nitro-propan zu entfernen, schüttelt man die ätherische Phase mit 10%iger Natronlauge aus. Der Äther-Extrakt wird anschließend mit Wasser gewaschen, getrocknet und der Äther abdestilliert; Ausbeute: 4,2 g (70% d.Th.); Kp$_6$: 68–72°.

Auf analoge Weise läßt sich der *1-Methyl-7-tert.-butyl-6-formyl-1-methoxycarbonyl-1,2,3,4, 4a,9,10,10a-octahydro-anthracen (Dehydroabietinsäure-methylester-6-aldehyd)* aus dem ent-

---

[1] Preus u. Binz, Ang. Ch. **13**, 385 (1900).
[2] R. Scholl, M. **34**, 1011 (1913).
[3] S. V. Liebermann, Am. Soc. **77**, 1114 (1955).
[4] N. Kornblum, P. Pink u. K. V. Yorka, Am. Soc. **83**, 2779 (1961).
[5] Eine Voraussage über das Verhalten ambivalenter Nucleophile ist recht schwierig. Der vorliegende Fall ist Prototyp für den Einfluß der am Substrat austretenden Gruppe.
[6] H. B. Hass u. M. L. Bender, Am. Soc. **71**, 1767, 3482 (1950).

sprechenden Bromid herstellen[1]:

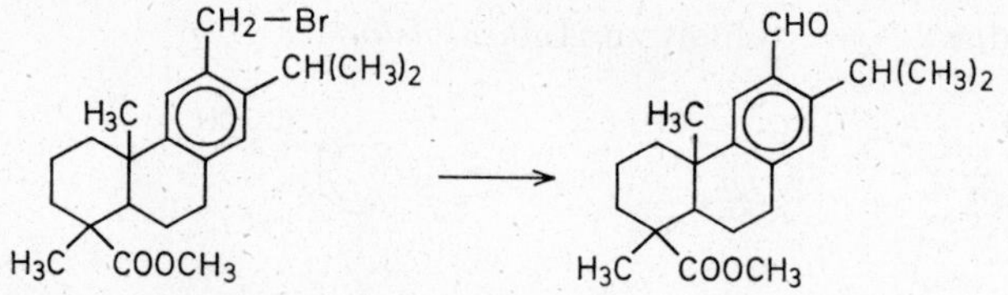

Um die Konkurrenzreaktion des Natriumäthanolates mit dem Benzylhalogenid auszuschalten, empfiehlt es sich, als Base acetonische Natronlauge einzusetzen. Bei entsprechender Wahl und Beachtung der Reaktionsbedingungen sollte sich eine Cannizaro-Reaktion der aromatischen Aldehyde weitgehend unterdrücken lassen.

Durch eine Oxidationsreaktion mit den Alkalimetallsalzen der Nitroalkane werden auch substituierte Phthalaldehyde zugänglich[2]. Als Ausgangssubstanzen dienen die entsprechenden 1,2-Bis-[chlormethyl]-benzole. Auf die Isolierung der Phthalaldehyde sollte man jedoch wegen ihrer enormen Reaktionsfähigkeit möglichst verzichten.

Auch Halogenmethyl-Gruppen in Heteroaromaten lassen sich in Formyl-heteroaromaten überführen[3].

γ) von Benzyl-aminen

3,5-disubstituierte Dibenzylamine mit Hydroxy-Gruppen in 2-Stellung am Kern lassen sich durch oxidative Spaltung mit dem Natrium-Salz der 3-Nitro-benzolsulfonsäure in die entsprechenden Benzaldehyde überführen[4]:

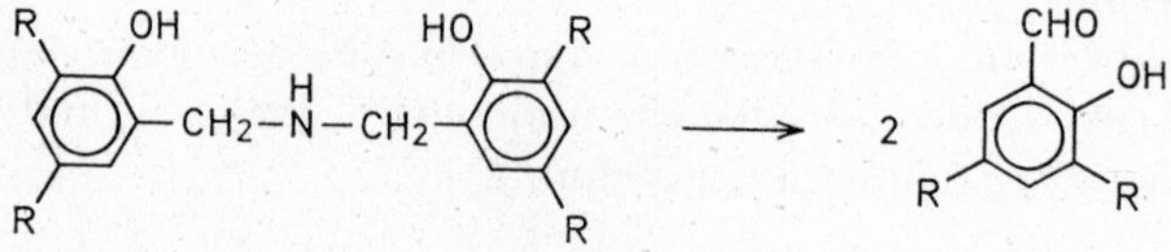

R = Alkyl oder Halogen

So liefert Bis-[2-hydroxy-3,5-dimethyl-benzyl]-amin den *2-Hydroxy-3,5-dimethyl-benzaldehyd* und Bis-[3,5-dichlor-2-hydroxy-benzyl]-amin den *3,5-Dichlor-2-hydroxy-benzaldehyd* (Ausbeuten ~ 75% d. Th.)[4].

δ) von Benzylalkoholen

Die Möglichkeit mit Nitroverbindungen benzylische Hydroxy-Gruppen zu Formyl-Funktionen zu oxidieren ist wegen der leichten Zugänglichkeit der Ausgangsprodukte präparativ besonders wertvoll. Die Oxidation gelingt mit Nitrobenzol[5] oder mit den wasserlöslichen Salzen der 3-Nitro-benzolsulfonsäure[6].

Eine Reihe von Reaktionen, die in diesem Abschnitt anzuführen wären, sind bereits in ds. Handb. eingehend beschrieben[7]. So z. B. die Oxidation von 2-Hydroxy-5-methyl-1,3-

[1] C. Dupont, R. Doulu u. V. Léon, Bl. **1950**, 1313.
[2] A. V. Elcov, Ž. Org. Chim. **1**, 1815 (1965).
[3] L. C. Washburn, T. G. Barbee u. D. E. Pearson, J. Med. Chem. **13**, 1004 (1970); z. B. Herstellung von 7-Formyl-chinolin.
[4] G. Zigeuner u. K. Jellinek, M. **90**, 297 (1965).
[5] DRP. Anm. R 77947 (1929), Riedel-de Haen AG.,
[6] DRP. 580981 (1932), F. Hoffmann-La Roche u. Co., AG., Erf.: F. Elger; C. **1933**, 1762.
[7] s. ds. Handb., Bd. VII/1, S. 182.

bis-[hydroxymethyl]-benzol zu *2-Hydroxy-5-methyl-isophthalaldehyd*[1, 2]:

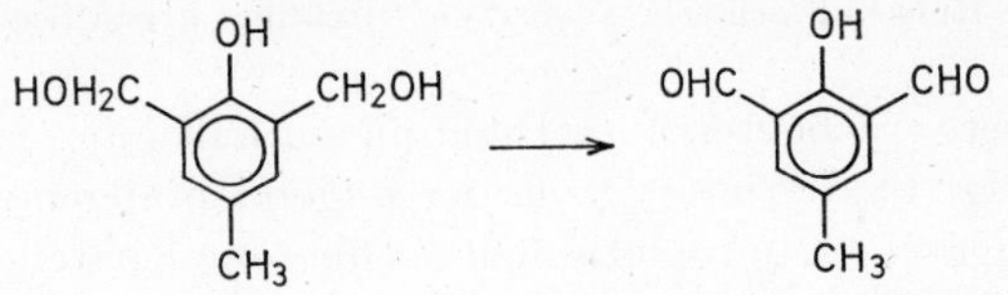

Bei der Oxidation in alkalischem Milieu ist stets mit den entsprechenden Carbonsäuren als Nebenprodukt zu rechnen und zwar offenbar um so mehr, je besser sich der für die intra-molekulare Hydrid-Übertragung (Cannizzaro-Reaktion) notwendige cyclische Übergangs-zustand ausbilden kann. So erhält man bei der Oxidation von Benzylalkohol unter diesen Bedingungen ausschließlich *Benzoesäure*.

Einige benzylische Alkohole lassen sich jedoch auch ohne die Gegenwart von Alkali in Nitrobenzol zu den entsprechenden Aldehyden oxidieren[3]; z. B.: aus

1,4-Bis-[hydroxymethyl]-benzol   → *Terephthalaldehyd*

2,5-Dimethyl-1,4-bis-[hydroxymethyl]-   → *2,5-Dimethyl-terephthalaldehyd*
benzol

Tetramethyl-1,4-bis-[hydroxymethyl]-   → *Tetramethyl-terephthalaldehyd*   77% d.Th.
benzol

Der Reaktionsverlauf läßt sich durch folgende Gleichung wiedergeben[4]:

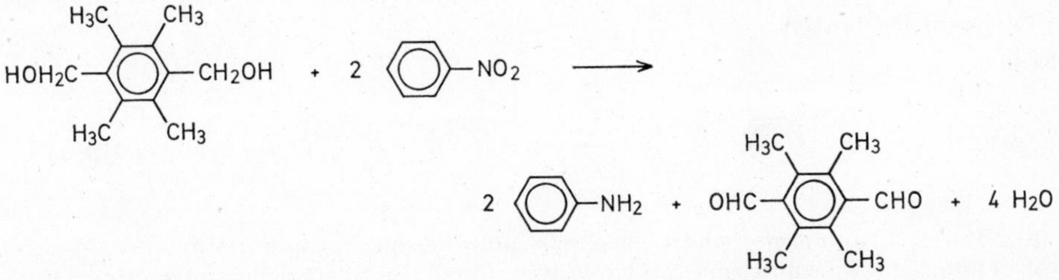

Die Oxidation aromatischer α-Hydroxy-ketone (Acyloine, Ketone) zu den ent-sprechenden Diketonen gelingt unkatalysiert nur in basischem Milieu mit Nitrobenzol (Nitro-alkane reagieren nicht). Während jedoch bei Verwendung von Hydroxyl-Ionen als Base keine α-Diketone als Reaktionsprodukte gefunden werden[5], gelingt die Reaktion, wenn Alkanolat als Base eingesetzt wird[6]. So läßt sich nach folgender Vorschrift aus Furoin das *Furil* (95%d.Th.) und aus 4,4'-Dimethoxy-benzoin das *4,4'-Dimethoxy-benzil* (80% d.Th.) herstellen[7]:

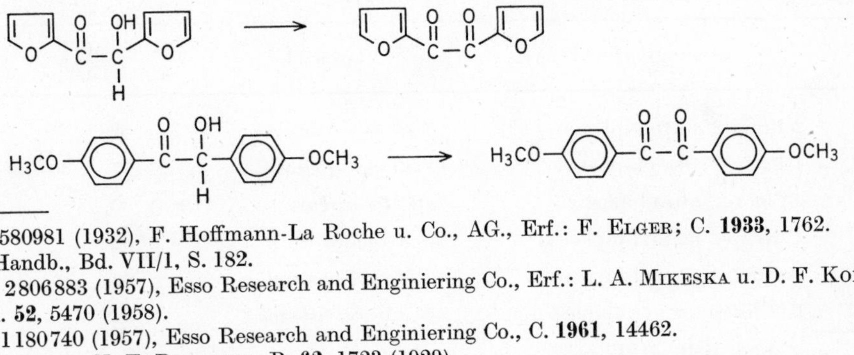

[1] DRP. 580981 (1932), F. Hoffmann-La Roche u. Co., AG., Erf.: F. ELGER; C. **1933**, 1762.
[2] s. ds. Handb., Bd. VII/1, S. 182.
[3] US. P. 2806883 (1957), Esso Research and Enginiering Co., Erf.: L. A. MIKESKA u. D. F. KOENECKE; C. A. **52**, 5470 (1958).
[4] Fr. P. 1180740 (1957), Esso Research and Enginiering Co., C. **1961**, 14462.
[5] R. E. LYONS u. N. E. PLEASANT, B. **62**, 1723 (1929).
[6] Vgl. die unterschiedliche Wirkung von Hydroxy- und Alkanolat-Ionen bei der Benzilsäure-Umlagerung.
[7] H. B. NISBET, Soc. **1928**, 3121.

Aromatische 1,2-Diketone[1]; allgemeine Herstellungsvorschrift: Eine Lösung von 5 g Ketol und 4 g Nitrobenzol in 50 ml Äthanol, der man 2 ml einer 6%igen äthanolischen Natriumäthanolat-Lösung zusetzt, wird 2–3 Min. unter Rückfluß erhitzt. Nach dem Abkühlen kristallisiert das Diketon aus (Ausbeuten: ~ 80–95% d.Th.).

Gleich gute oder bessere Ausbeuten an α-Diketonen erhält man, wenn man die Reaktion mit Thallium(I)-äthanolat katalysiert[2]. Nach der folgenden allgemeinen Arbeitsvorschrift lassen sich die unten angeführten aromatischen α-Diketone herstellen:

Aromatische 1,2-Diketone; allgemeine Herstellungsvorschrift[2]: Eine Lösung von 0,03 Mol Acyloin und 0,02 Mol Nitrobenzol in 100 ml absol. Äthanol wird mit einer Lösung von 0,1 g Thallium(I)-äthanolat in 1 ml Äthanol versetzt. Man erhitzt 24 Stdn. am Rückfluß, filtriert das Thalliumsalz ab und fällt das restliche noch gelöste Thallium-salz mit äthanolischer Kaliumjodid-Lösung aus. Das 1,2-Diketon kristallisiert nach dem Einengen aus.

Auf diese Weise wurden folgende 1,2-Diketone aus den entsprechenden α-Hydroxy-ketonen hergestellt:

Benzoin	→ *Benzil*	90% d.Th.
4,4′-Dimethoxy-benzoin	→ *4,4′-Dimethoxy-benzil*	90% d.Th.
Piperoin	→ *Piperil*	95% d.Th.
2,2′-Dichlorbenzoin-	→ *2,2′-Dichlor-benzil*	50% d.Th.
Furoin	→ *Furil*	83% d.Th.

II. Oxidation phosphororganischer Verbindungen

Phosphorigsäure-triäthylester wird mit 2-Nitro-biarylen zu Phosphorsäure-triäthylester oxidiert[3]. Verwendet man das unsubstituierte 2-Nitro-biphenyl, so erhält man als sein Reduktionsprodukt *Carbazol*. In der Regel wird das Interesse nicht der Herstellung von Phosphorsäure-triäthylestern gelten, sondern vielmehr den auf diese Weise bequem zugänglichen Carbazol-Derivaten.

Carbazol[3]:

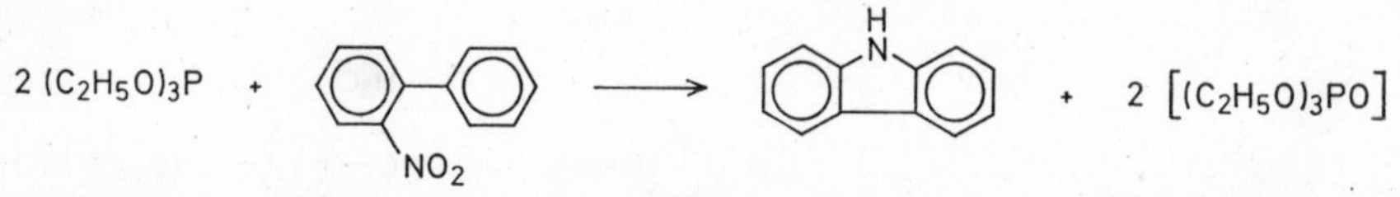

$$2\ (C_2H_5O)_3P\ +\ \text{[2-Nitro-biphenyl]}\ \longrightarrow\ \text{[Carbazol]}\ +\ 2\ [(C_2H_5O)_3PO]$$

3,98 g (0,02 Mol) 2-Nitro-biphenyl und 13,28 g (0,08 Mol) Phosphorigsäure-triäthylester werden unter Stickstoff 9 Stdn. am Rückfluß zum Sieden erhitzt. Durch Destillation der rotgefärbten Reaktionsmischung isoliert man 6,7 g Phosphorigsäure-triäthylester (Kp$_{0,2}$: 41°) und 6,66 g Phosphorsäure-triäthylester (Kp$_{0,2}$: 51°). Den Destillationsrückstand nimmt man mit heißem Aceton auf und schlämmt den nach dem Eindampfen des Acetons verbleibenden schwach gelben Niederschlag in Petroläther (Kp: 60–80°) auf. Nach dem Filtrieren erhält man das Carbazol als farblosen Niederschlag; Ausbeute: 2,77 g (82,5% d.Th.); F: 247–248°.

Als Nitroverbindungen kommen für diese Reaktion auch substituierte 2-Nitro-biphenyle in Frage. Tab. 1 gibt Auskunft über die so erhältlichen Carbazol-Derivate[3].

Tab. 1: Carbazole durch Umsetzen von 2-Nitro-biarylen mit Phosphorigsäure-triäthylester

Ausgangsverbindung	Carbazol	Ausbeute [% d.Th.]
2-Brom-2′-nitro-biphenyl	*4-Brom-carbazol*	42
4-Brom-2′-nitro-biphenyl	*2-Brom-carbazol*	77
2-Chlor-2′-nitro-biphenyl	*4-Chlor-carbazol*	36
2′-Nitro-2-methyl-biphenyl	*4-Methyl-carbazol*	62
2′-Nitro-4-methyl-biphenyl	*2-Methyl-carbazol*	82
1-(2-Nitro-phenyl)-naphthalin	*Benzo-[c]-carbazol*	62

[1] H. B. Nisbet, Soc. **1928**, 3121.
[2] L. P. McHatton u. M. J. Soulal, Soc. **1953**, 4095.
[3] J. I. G. Cadogan et al., Soc. **1965**, 4831.

Auf analoge Weise erhält man aus 2-(2-Nitro-phenyl)-pyridinen die entsprechenden Pyrido-[1,2-b]-indazole in fast quantitativer Ausbeute[1]:

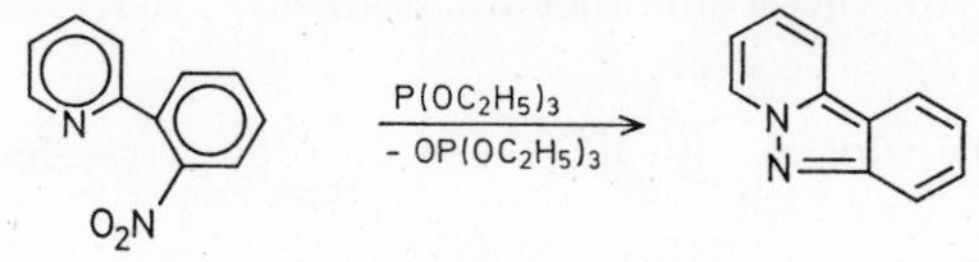

Setzt man als Nitroverbindung 2-Nitro-benzaldehyd-phenylimine ein, so erhält man die arylsubstituierten 2H-Indazole[1]:

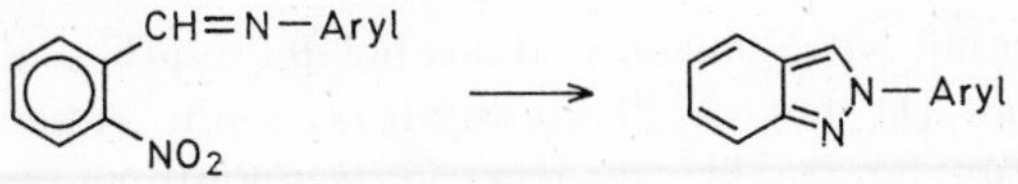

2-Nitro-azobenzole werden zu den entsprechenden 2H-⟨Benzo-1,2,3-triazolen⟩ reduziert[1]:

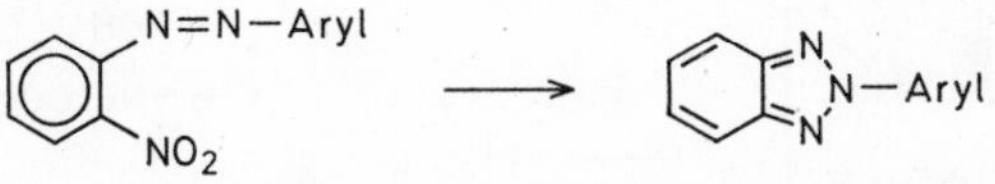

Über einen sinnvollen Mechanismus für diese Reaktionen s. Literatur[1].

B. Dehydrierung mit organischen Nitroverbindungen

Wenn sich auch Oxidation und Dehydrierung nur phänomenologisch und nicht prinzipiell unterscheiden, seien doch die Reaktionen in einem besonderen Abschnitt zusammengefaßt, bei denen durch die oxidierende Wirkung von Nitroverbindungen Wasserstoffatome abstrahiert werden und eine Doppelbindung, ein Ringschluß oder die intermolekulare Verknüpfung zweier C-atome entsteht.

Die Dehydrierung mit Nitroverbindungen ist immer dann erfolgversprechend, wenn ein durch die Delokalisierungsenergie stabilisiertes aromatisches System entstehen kann. Das gilt nicht nur für Kohlenwasserstoffe, sondern auch für Heterocyclen. In einigen Fällen gelingt die Dehydrierung bereits, wenn als Produkt ein konjugiertes Dien entsteht.

Im folgenden Abschnitt sind solche Reaktionen aufgenommen, bei denen die Nitroverbindung entweder spezifisches Oxidationsmittel ist oder aus reaktionstechnischen Gründen besonders vorteilhaft eingesetzt werden kann. Selbstverständlich gibt es eine Vielzahl von Reaktionen, bei denen u. a. auch Nitroverbindungen als Dehydrierungsmittel eingesetzt werden können. Für die Durchführung solcher Reaktionen bieten die angeführten Beispiele gute Hinweise.

I. Intramolekulare Dehydrierung

a) acyclischer Einfachbindungen

Wie bereits angedeutet (s. S. 967), bewährt sich das Dehydrierungsverfahren mit Nitrobenzol auch dann, wenn die entstehende Doppelbindung zwar delokalisiert ist, aber nicht ausgesprochen Teil eines aromatischen Systems wird.

---

[1] J. I. G. Cadogan et al., Soc. **1965**, 4831.

1. von C–C-Einfachbindungen

1,2-Bis-[⟨benzo-1,3-oxazol⟩-yl-(2)]-äthane werden mit aromatischen Nitroverbindungen zu den entsprechenden Äthylenverbindungen dehydriert[1]; z. B.:

1,2-Bis-[⟨benzo-1,3-oxazol⟩-yl-(2)]-äthylen

2. von C–N-Einfachbindungen

Durch eine Oxidation mit Nitrobenzol wird das bei der Synthese des *3-Formyl-indols* (IV) aus Gramin-methosulfat (I) mit N-Phenyl-hydroxylamin entstehende N-[Indolyl-(3)-methyl]-N-phenyl-hydroxylamin (II) in das *3-(Phenylnitrono-methyl)-indol* (III) übergeführt, aus dem der Aldehyd leicht zugänglich ist[2]. Insgesamt stellt die Reaktion ein Verfahren zur Überführung von Mannichbasen in die entsprechenden Aldehyde dar:

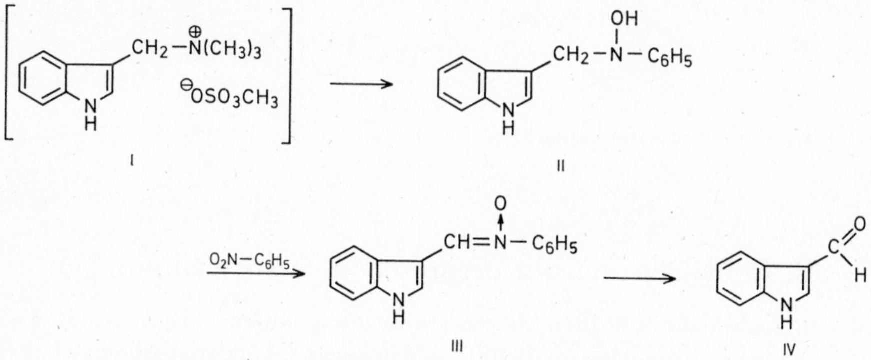

b) partiell gesättigter cyclischer Kohlenwasserstoffe

Neben den beschriebenen Verfahren zur Herstellung zahlreicher aromatischer N-Heterocyclen finden sich in der Literatur auch einige Beispiele, bei denen aromatische Nitroverbindungen partiell gesättigte carbocyclische Verbindungen zu konjugierten Systemen dehydrieren.

In Gegenwart von Benzolsulfonsäure läßt sich 9,10-Dihydro-anthracen mit Nitrobenzol zum *Anthracen* dehydrieren[3]. Wegen des tieferen Einblickes in den Reaktionsablauf, der zugleich die Anwendbarkeit des Reaktionstypes verallgemeinert, sei die Arbeitsvorschrift angeführt.

Anthracen[3]:

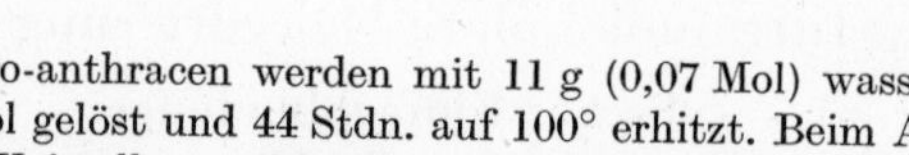

5 g (0,028 Mol) 9,10-Dihydro-anthracen werden mit 11 g (0,07 Mol) wasserfreier Benzolsulfonsäure in 50 ml trockenem Nitrobenzol gelöst und 44 Stdn. auf 100° erhitzt. Beim Abkühlen fallen aus der grünbraunen Lösung Anthracen-Kristalle aus (3 g). Durch eine Wasserdampfdestillation wird aus dem Filtrat weiteres Produkt gewonnen (1,1 g); Ausbeute: 4,1 g (83% d. Th.).

---

[1] Schweiz. P. 349983 (1956), CIBA AG. Basel, Erf.: M. DÜNNENBERGER u. A. E. SIEGRIST; C. **1962**, 8063.
[2] J. THESING, B. **87**, 507 (1954).
[3] C. D. NENITZESCU u. A. BALABAN, B. **91**, 2109 (1958).

Rückschlüsse auf den Reaktionsmechanismus lassen sich aus dem Entstehen von Benzolsulfonsäure-4-amino-phenylester (1,3 g) ziehen, das aus der bei der Wasserdampfdestillation zurückbleibenden wäßrigen Schicht gewonnen werden kann. Außerdem entsteht bei Abwesenheit von Benzolsulfonsäure nur sehr wenig Anthracen neben geringen Mengen Anilin und Wasser[1]. Es läßt sich daher folgender mit diesen Ergebnissen in Einklang stehender Mechanismus für eine säurekatalysierte Hydridübertragungsreaktion auf das Nitrobenzol formulieren:

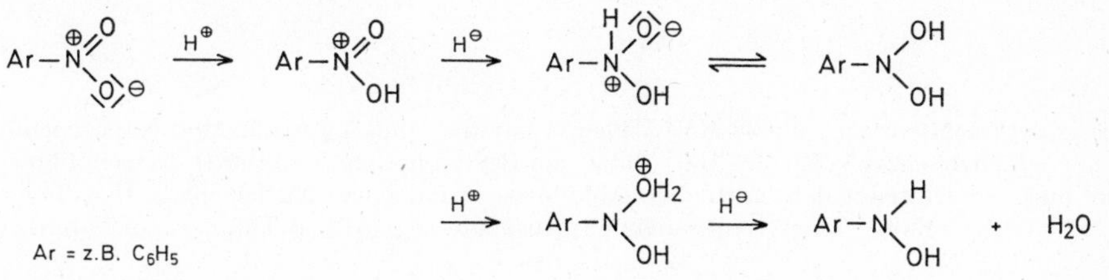

Ar = z.B. C$_6$H$_5$

Für die Umlagerung des entstehenden N-Phenyl-hydroxylamins in 4-Amino-1-hydroxy-benzol existieren zahlreiche Beispiele[2,3].

Zu erwähnen ist hier noch die Dehydrierung von 2,5-Bis-[arylamino]-cyclohexadien-(1,4)-1,4-dicarbonsäure-dialkylestern zu *2,5-Bis-[arylamino]-terephthalsäure-dialkylestern* mit 3-Nitro-benzolsulfonsäure[4]:

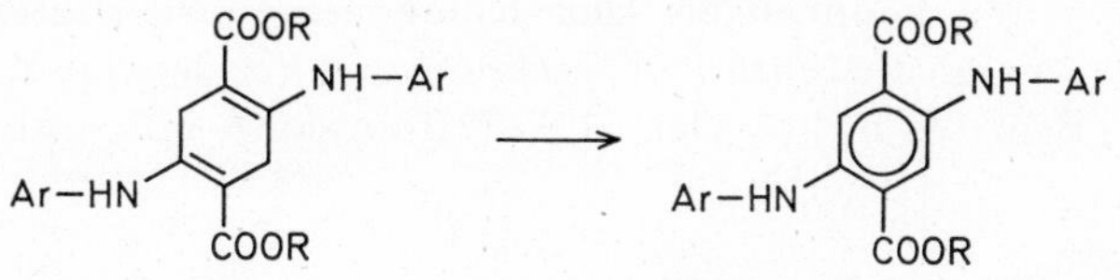

Ar = Aryl; R = Alkyl

Eingehend untersucht wurde die Dehydrierung von Cyclohexadien zu *Benzol* mit Nitrobenzol in Anwesenheit von Metall(II)-Komplexen[5].

Diels-Alder-Reaktionen, bei denen das En oder Dien aus einem aromatischen oder konjugierten System stammt, laufen ohne die Anwesenheit eines Dehydrierungsmittels oft nicht ab, da die Retroreaktion bevorzugt ist. In Gegenwart von Nitrobenzol hingegen wird in manchen Fällen das intermediär entstehende Dienaddukt zum energetisch günstigeren Aromaten dehydriert; so erhält man z. B. durch Umsetzen von 5,8-Dihydroxy-naphthochinon-(1,4) mit 1,4-Diphenyl-butadien in Nitrobenzol (180°) das *5,8-Dihydroxy-1,4-diphenyl-anthrachinon* (50% d.Th.)[6]:

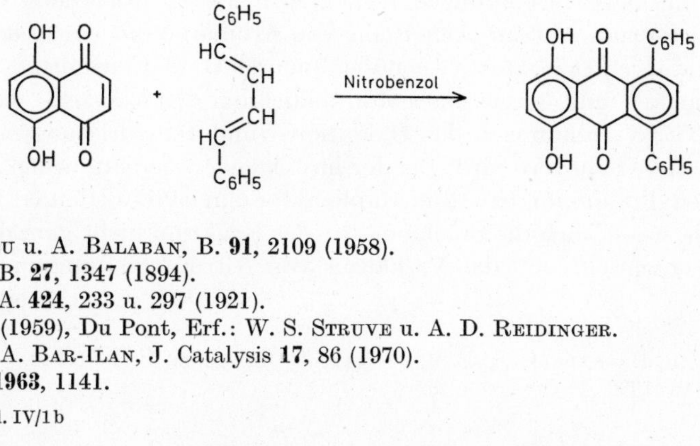

[1] C. D. Nenitzescu u. A. Balaban, B. **91**, 2109 (1958).
[2] E. Bamberger, B. **27**, 1347 (1894).
[3] E. Bamberger, A. **424**, 233 u. 297 (1921).
[4] Belg. P. 579621 (1959), Du Pont, Erf.: W. S. Struve u. A. D. Reidinger.
[5] J. Manassen u. A. Bar-Ilan, J. Catalysis **17**, 86 (1970).
[6] Y. Lepage, Bl. **1963**, 1141.

1-Phenyl-anthrachinon läßt sich durch eine Diensynthese in Nitrobenzol nach folgender Vorschrift herstellen:

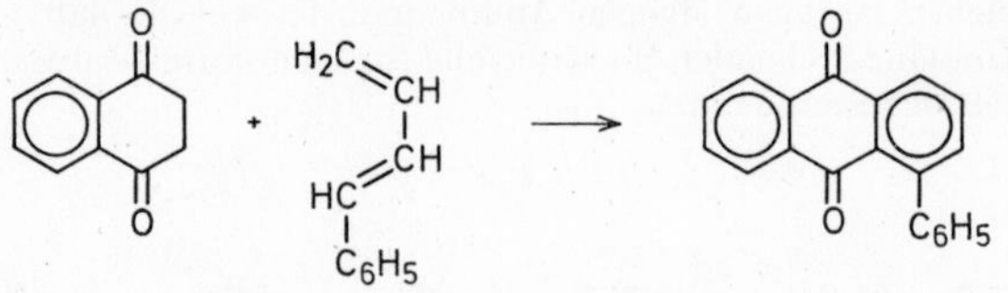

1-Phenyl-anthrachinon[1]: 5 g (0,038 Mol) 1-Phenyl-butadien und 5 g (0,032 Mol) Naphthochinon-(1,4) werden in 5 *ml* Nitrobenzol 5 Min. auf 180° erhitzt (zu Beginn heftige Reaktion!). Danach fügt man 8 *ml* Methanol hinzu und filtriert den nach dem Abkühlen ausfallenden Niederschlag. Destillation i.Vak. (Kp$_{0,2}$: 180°) liefert reines 1-Phenyl-anthrachinon; Ausbeute: 5 g (58% d.Th., bez. auf Naphthochinon); F: 171°.

Analog erhält man[1] aus

Benzochinon + 1-Phenyl-butadien   → *1,5-Diphenyl-anthrachinon*   40% d.Th. F: 355°
Benzochinon + 1,4-Diphenyl-butadien → *1,4,5,8-Tetraphenyl-anthrachinon*   54% d.Th. F: 355°

Statt Nitrobenzol läßt sich mit gleich guter Ausbeute auch 4-Chlor- oder 4-Brom-1-nitro-benzol bzw. 1,3-Dinitro-benzol einsetzen.

Das spricht für den postulierten Ablauf über ein Dienaddukt mit nachfolgender Dehydrierung durch die aromatische Nitroverbindung.

Wie bereits angedeutet, kommen als Dien-Komponenten auch geeignete aromatische Kohlenwasserstoffe in Frage. So führt die Umsetzung von Perylen mit Maleinsäureanhydrid in Nitrobenzol zum ⟨Benzo-[g,h,i]-perylen⟩-1,2-dicarbonsäure-anhydrid, dessen Decarboxylierung *Benzo-[g,h,i]-perylen* liefert[2]:

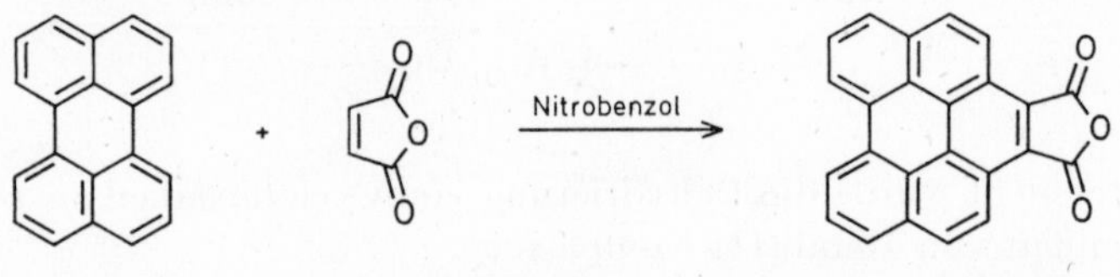

⟨Benzo-[g,h,i]-perylen⟩-1,2-dicarbonsäure-anhydrid[1]: 10 g (0,04 Mol) Perylen und 12 g (0,13 Mol) Maleinsäureanhydrid werden mit 200 *ml* Nitrobenzol 60–90 Min. am Rückfluß erhitzt. Nach dem Erkalten wird der entstandene Niederschlag abfiltriert und mit Äther gewaschen. Umkristallisiert aus Nitrobenzol erhält man orangefarbene Kristalle; Ausbeute: 6 g (60% d.Th.); F: 465–470° (Zers.).

c) unter intramolekularem Ringschluß zu N-Heteroaromaten

Für die präparative Chemie sind oft Reaktionen, die mit einem Ringschluß einhergehen, besonders wertvoll. Nitroverbindungen eignen sich als cyclisierendes Oxidations- und Dehydrierungsmittel zum Aufbau einer Reihe von Aromaten mit einem oder mehreren N-Heteroatomen und ihren Derivaten. Gegenüber anderen Oxidationsmitteln bieten sie neben leichterer Zugänglichkeit und guten Ausbeuten manchmal den Vorteil, daß bei Einsetzen entsprechender Nitroverbindungen das Oxidations- und Dehydrierungsmittel selbst zum gewünschten Produkt reduziert wird. Bei der im folgenden beschriebenen Herstellung von *Phenazin* aus Phenyl-(2-amino- bzw. 2-nitro-phenyl)-amin ist dies offenbar für die Ausbeute nicht unerheblich, wenn auch die Stöchiometrie der Reaktion nicht ganz der vorgeschlage-Bruttogleichung entspricht und das Verhältnis von Nitroverbindung zu Amin empirisch ermittelt wurde.

---

[1] E. D. Bergmann, L. Haskelberg u. F. Bergmann, J. Org. Chem. **7**, 303 (1942).
[2] E. Clar, B. **65**, 846 (1932).

Phenazin[1]:

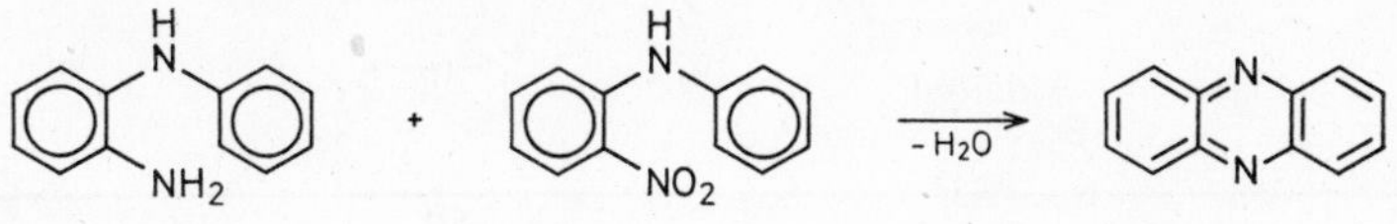

10 g (0,058 Mol) Phenyl-(2-amino-phenyl)-amin, 16–17 g (0,075–0,08 Mol) Phenyl-(2-nitro-phenyl)-amin und 15 g wasserfreies Natriumacetat werden gemischt und in einem 100–150 *ml* fassenden Destillierkolben vorsichtig auf 250° erhitzt. Bei dieser Temp. tritt eine heftige Reaktion ein unter Entwicklung von Wasserdampf. Man läßt das Gemisch sieden bis die an der Kolbenwand kondensierenden Tropfen die reingelbe Farbe des Phenazins zeigen. Die Isolierung erfolgt am besten mit überhitztem Wasserdampf; Ausbeute: 6–7 g [60–70% d.Th. bez. auf Phenyl-(2-amino-phenyl)amin]; F: 171°. Die Rolle des Natriumacetates ist nicht geklärt; ohne seine Anwesenheit erhält man das Phenazin nur in Spuren.
Ausbeute: 6–7 g [60–70% d.Th., bez. auf Phenyl-(2-amino-phenyl)-amin]; F: 171°.

Es ist auch bei den hier besprochenen Reaktionen durchaus nicht notwendig, die dem Amin analoge Nitroverbindung einzusetzen. Das Nitrobenzol als einfachste aromatische Nitroverbindung ist wieder universell einsetzbar. So erhält man z. B. aus 3,5-Diamino-2-anilino-benzoesäure (herstellbar aus der entsprechenden Nitroverbindung durch Reduktion mit Palladium/Kohle) die *2-Amino-phenazin-4-carbonsäure*[2], aus 2,4-Diamino-5-anilino-benzoesäure entsteht durch Decarboxylierung das *2-Amino-phenazin*[1]. Die angegebene Literatur[2–5] beschreibt die Herstellung einer Serie von Amino-phenazinen aus den entsprechenden Diphenylaminen. Als Beispiel sei die Herstellung von *2-Amino-phenazin-5-carbonsäure* ausgewählt.

2-Amino-phenazin-5-carbonsäure:

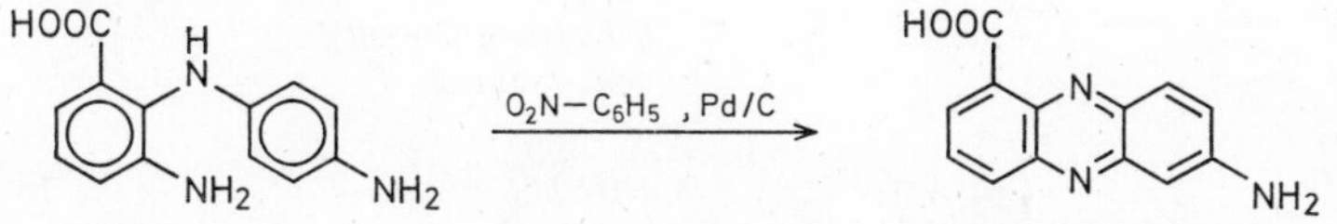

Man erhitzt 2 g (0,0081 Mol) 3-Amino-2-(4-amino-anilino)-benzoesäure in 400 *ml* Nitrobenzol mit 2 g Palladium/Aktivkohle (5% Pd) 4 Stdn. am Rückfluß. Die Reaktionsmischung wird heiß filtriert. Beim Abkühlen scheidet sich die 2-Amino-phenazin-5-carbonsäure in roten, nadelförmigen Kristallen ab; Ausbeute: 1,1 g (54% d.Th.); F: 340° (aus Nitrobenzol).

Besonders einfach gelangt man über eine dehydrierende Cyclisierung mit Nitrobenzol in die Substanzklasse der Benzimidazole (III)[6]. Die Ringschlußreaktion des nach der Kondensation von aromatischen o-Diaminen I mit Aldehyd entstehenden Azomethins II gelingt zwar auch mit anderen Oxidationsmitteln [z. B. Luftsauerstoff, Kupfer(II)-acetat, Quecksilber(II)-oxid], doch ist hierbei entweder die Ausbeute schlecht oder die Freisetzung des Benzimidazols aus dem entstehenden Schwermetallkomplex mit Schwierigkeiten verbunden[6].

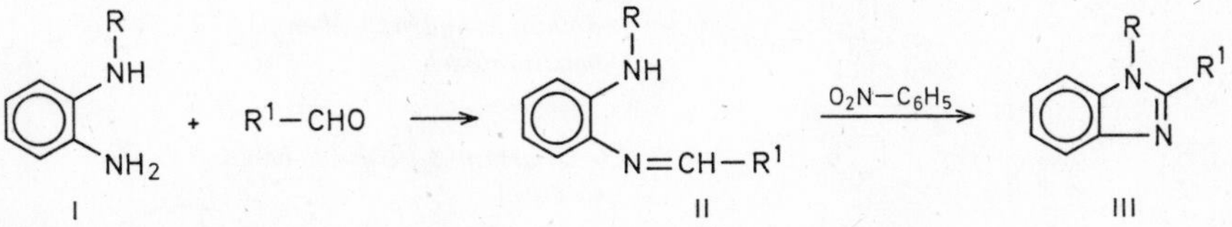

[1] F. KEHRMANN u. E. HAVAS, B. **46**, 341 (1913).
[2] D. J. H. BROCK u. F. G. HOLLIMANN, Tetrahedron **19**, 1903 u. 1911 (1963).
[3] F. G. HOLLIMANN, B. A. JEFFREY u. D. J. H. BROCK, Tetrahedron **19**, 1841 (1963).
[4] G. GAERTNER, A. GRAY u. F. G. HOLLIMANN, Tetrahedron **18**, 1105 (1962).
[5] A. GRAY, G. GAERTNER u. F. G. HOLLIMANN, Tetrahedron Letters **1959**, 24.
[6] D. JERCHEL, H. FISCHER u. M. KRACHT, A. **575**, 162 (1952).

Tab. 2: Benzimidazole nach dem Nitro-benzol-Verfahren aus 1,2-Diamino-benzolen[1,2]

Amin	Aldehyd	(Benzimidazol, positions 4,5,6,7 / N3, N1, 2)	Ausbeute [% d.Th.]*	F [°C]
(1,2-Diaminobenzol) NH₂/NH₂	H₃C–CH(CH₃)–CHO	2-Isopropyl-benzimidazol	61	225–226
	Cyclohexyl–CHO	2-Cyclohexyl-benzimidazol	70	281–282
	HO, OCH₃ phenyl–CHO	2-(4-Hydroxy-3-methoxy-phenyl)-benzimidazol	57	214–221
	Furyl–CHO (O)	2-Furyl-(2)-benzimidazol	73	255–256
	Thienyl–CHO (S)	2-Thienyl-(2)-benzimidazol	95	284
	Pyridyl–CHO (N)	2-Pyridyl-(2)-benzimidazol	85	219
Cl, Cl – NH₂/NH₂	Cl, Cl phenyl–CHO	4,6-Dichlor-2-(2,4-dichlor-phenyl)-benzimidazol	80	160–165
	Cl, Cl, OH phenyl–CHO	4,6-Dichlor-2-(3,5-dichlor-2-hydroxy-phenyl)-benzimidazol	65	232
Cl, Cl – NH₂/NH₂	phenyl–CHO	5,6-Dichlor-2-phenyl-benzimidazol	70	215–216
Cl, Cl – NH–CH₃/NH₂	Cl, Cl phenyl–CHO	4,6-Dichlor-1-methyl-2-(2,4-dichlor-phenyl)-benzimidazol	90	187
	Cl, Cl, OH phenyl–CHO	4,6-Dichlor-1-methyl-2-(3,5-dichlor-2-hydroxy-phenyl)-benzimidazol	85	276–278
Cl, Cl – NH–CH₃/NH₂	Cl, Cl phenyl–CHO	5,7-Dichlor-1-methyl-2-(2,4-dichlor-phenyl)-benzimidazol	90	187
	Cl, Cl, OH phenyl–CHO	5,7-Dichlor-1-methyl-2-(3,5-dichlor-2-hydroxy-phenyl)-benzimidazol	85	276–278
H₃C, H₃C – NH₂/NH₂	Furyl–CHO (O)	5,6-Dimethyl-2-furyl-(2)-benzimidazol	57	209–211
NH–C₆H₅/NH₂ (phenyl)	phenyl–CHO	1,2-Diphenyl-benzimidazol	89	112–113

* bez. auf Aldehyd.

[1] D. JERCHEL, H. FISCHER u. M. KRACHT, A. **575**, 162 (1952).
[2] D. JERCHEL, M. KRACHT u. K. KRUCKER, A. **590**, 232 (1954).

Analog der wiedergegebenen Vorschrift für die Herstellung von *2-Phenyl-benzimidazol* lassen sich die in Tab. 2 (S. 980) zusammengestellten Derivate und das Benzimidazol selbst herstellen[1,2].

2-Phenyl-benzimidazol[1]: Eine Lösung von 5 g (0,05 Mol) 1,2-Diamino-benzol in 10 *ml* Äthanol wird auf 0° abgekühlt und langsam mit 5 g Benzaldehyd versetzt. Das sich bildende Azomethin wird nicht isoliert, sondern mit 15 *ml* Nitrobenzol bis zum Sieden erhitzt. Dabei verdampft der Alkohol und das bei der Kondensationsreaktion entstandene Wasser. Man läßt abkühlen und auskristallisieren; Ausbeute: 7,2 g (80% d.Th.); F: 284–286°.

Das Verfahren eignet sich nicht nur zur Herstellung des Benzimidazols und seiner Derivate. Auch einfache Imidazol-Ringe lassen sich durch Variation von Diamin und Aldehyd aufbauen[2]. Ebenso gelangt man ausgehend von Pyrimidinen zu in 8-Stellung substituierten **Purinen**. Aus 5,6-Diamino-2,4-dioxo-1,3-dimethyl-1,2,3,4-tetrahydro-pyrimidin und Benzaldehyd erhält man nach der dehydrierenden Cyclisierung mit Nitrobenzol das *2,6-Dioxo-1,3-dimethyl-8-phenyl-1,2,3,6-tetrahydro-purin* (63% d.Th.) und bei Verwendung von 5,6-Diamino-2,6-dihydroxy-pyrimidin das *2,6-Dihydroxy-8-phenyl-purin* (30% d.Th.)[2].

Unter den zu N-Heteroaromaten führenden Dehydrierungen mit Nitroverbindungen ist noch die Synthese des *9-Phenyl-acridins* anzuführen, bei der der Cyclisierungsschritt mit einer Wasserabspaltung einhergeht. Aus Diphenyl-(2-amino-phenyl)-carbinol erhält man durch Umsetzen mit Nitrobenzol das *9-Phenyl-acridin*[3]:

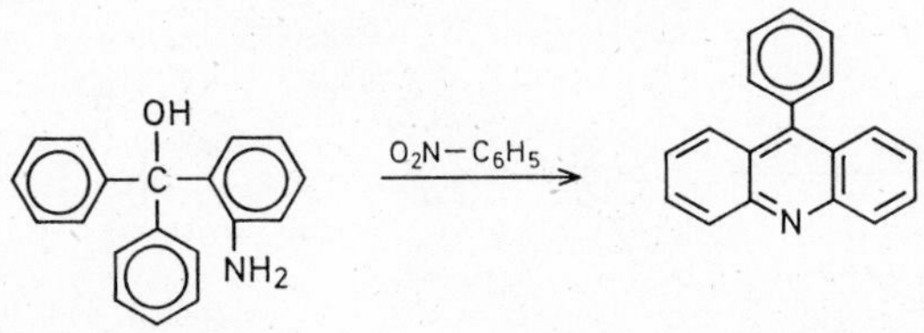

9-Phenyl-acridin[3]: 1 g (0,0036 Mol) Diphenyl-(2-amino-phenyl)-carbinol wird in 10 *ml* Nitrobenzol 60 Min. am Rückfluß erhitzt. Nach dem Abkühlen fügt man 15 *ml* 10%iger Salzsäure hinzu und unterwirft das Reaktionsgemisch einer Wasserdampfdestillation zur Entfernung überschüssigen Nitrobenzols. Anschließend gibt man bis zur alkalischen Reaktion 10%ige Natronlauge hinzu; Ausbeute: 0,91 g (97% d.Th.); F: 184–185,5°.

Wie allgemein das cyclisierende Dehydrierungsverfahren mit Nitrobenzol zur Herstellung aromatischer N-Heteroaromaten ist und welche noch bei weitem nicht ausgeschöpften Möglichkeiten bestehen, deutet die Synthese von Pyrido-[1,2-c]-1,2,4-triazolen[4] (II), 1,2,4-Triazolo[3,4-a]-chinolinen[4] (IV) und 1,2,4-Triazolo-[3,4-b]-1,3,4-oxadiazolen[5] (VI) aus den Hydrazonen I, III und V (S. 982), die durch Umsetzung der 2-Hydrazino-Verbindungen des Pyridins, Chinolins bzw. von 1,3,4-Oxadiazolen mit den entsprechenden Aldehyden gewonnen werden können:

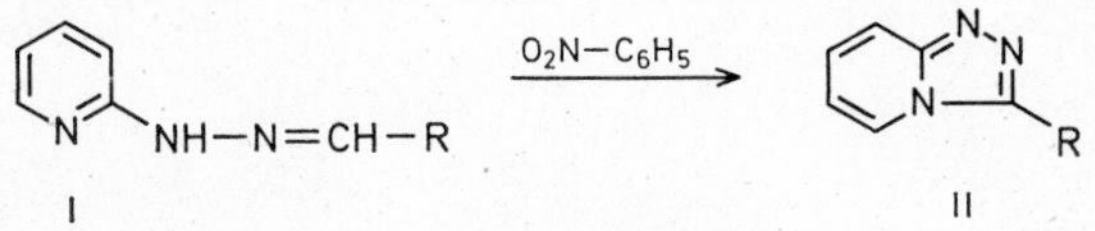

R = Aryl

[1] D. Jerschel, H. Fischer u. M. Kracht, A. **575**, 162 (1952).
[2] D. Jerschel, M. Kracht u. K. Krucker, A. **590**, 232 (1954).
[3] P. A. Petyunin u. N. G. Panferova u. M. E. Konshin, Ž. obšč. Chim. **26**, 159 (1956); C. A. **50**, 13929 (1956).
[4] G. H. Reynolds u. J. A. van Allan, J. Org. Chem. **24**, 1478, 1484 (1959).
[5] T. R. Vakula u. V. R. Srinivasan, Ind. J. Chem. **9**, 901 (1971).

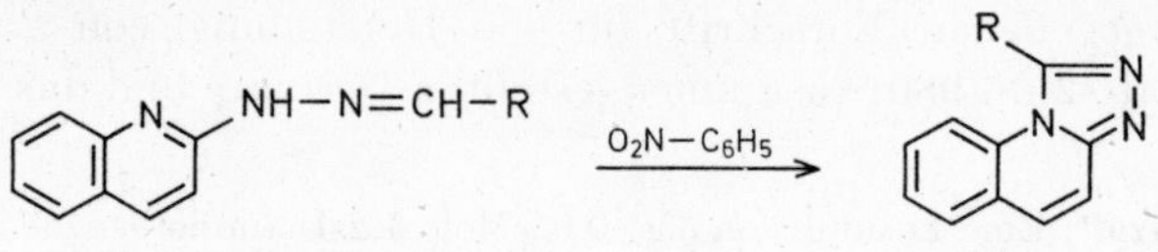

III

R = Aryl

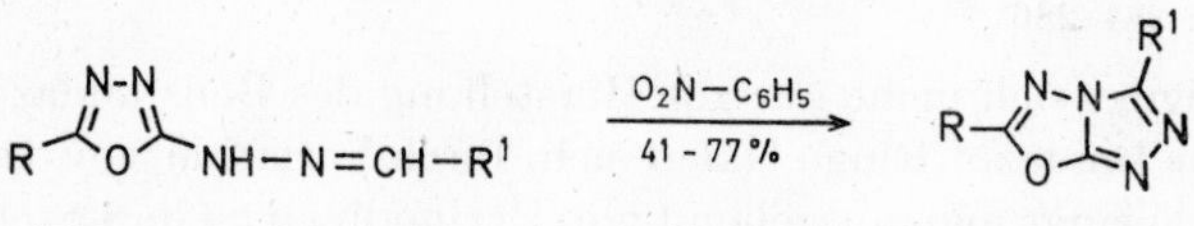

IV

V

R = Aryl

VI

d) partiell gesättigte N-Heterocyclen

Eine der wichtigsten Methoden zur Herstellung von Chinolin und Chinolin-Derivaten ist die ,,Skraup'sche Chinolinsynthese"[1]. Der entscheidende Schritt dieser Synthese ist die Dehydrierung des als Zwischenprodukt nach der Michael-Addition und elektrophilen Substitution des Benzolkernes entstehenden Dihydro-chinolins I zum Chinolin-System II:

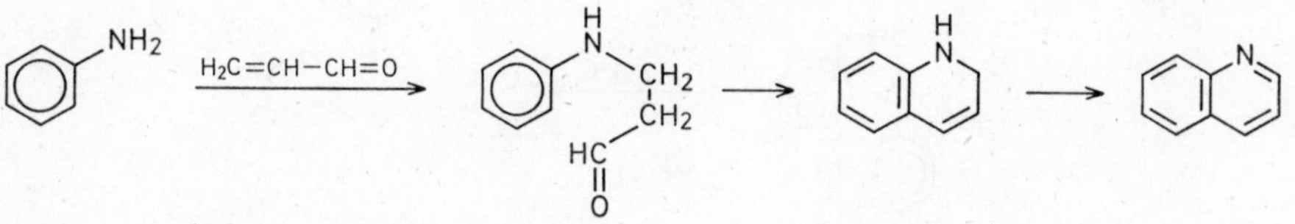

I   II

Dieser Schritt läßt sich außer mit Arsen(V)-oxid als Oxidationsmittel nur noch mit Nitrobenzol mit befriedigender Ausbeute durchführen. Wenn es auch zweckmäßig ist, für diese Chiolin-Synthesen die dem Ausgangsamin analoge Nitroverbindungen einzusetzen (bei Anilin also Nitrobenzol), so steht der Verwendung anderer aromatischer Nitroverbindungen jedoch nichts im Wege. 3-Nitro-benzoesäure z. B. bietet den Vorteil, daß die entstehende 3-Amino-benzoesäure schwerlöslich ist und einfach abgetrennt werden kann[2]. Besonders vorteilhaft wird man sie dann einsetzen, wenn die dem Ausgangsamin entsprechende Nitroverbindung nicht leicht erhältlich ist, wie z. B. bei der Herstellung von 6-[2,6-Dimethyl-pyridyl-(4)]-chinolin aus 2,6-Dimethyl-4-(4-amino-phenyl)-pyridin[3]:

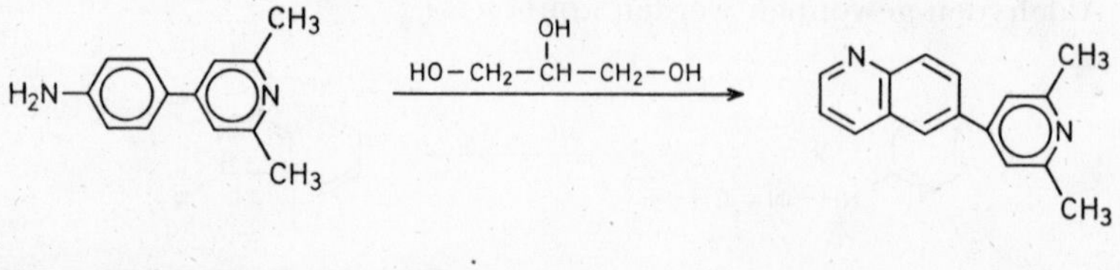

[1] H. Skraup, M. 1, 316 (1880); 2, 139 (1881).
   M. Wyler, B. 60, 398 (1927).
   H. H. F. Manske u. M. Kulka, Org. Reactions 7, 59–98 (1953).
   Zur Aromatisierung von Dihydro-benzo-[i]-phenanthridinen s. S. V. Kessar, A. K. Sobti u. G. S. Joshi, Soc. [C] 1971, 259.
   Zur Herstellung von 3-Amino-anthridin s. S. Carboni et al., J. heteroc. Chem. 9, 801 (1972).
[2] R. C. Elderfield et al., Am. Soc. 68, 1584 (1948).
[3] A. H. Cook, J. M. Heilbron u. L. Steger, Soc. 1943, 416.

6-[2,6-Dimethyl-pyridyl-(4)]-chinolin[1]: Eine Mischung von 4,8 g (0,024 Mol) 2,6-Dimethyl-4-(4-amino-phenyl)-pyridin mit 10 g Glycerin, 45 g 66%iger Schwefelsäure und 10 g 3-Nitro-benzolsulfonsäure, Natriumsalz, wird 4 Stdn. am Rückfluß erhitzt. Nach dem Abkühlen verdünnt man mit Wasser, filtriert und stellt mit Natronlauge alkalisch. Die Mischung wird 2mal mit 70 ml Benzol extrahiert. Nach dem Abziehen des Lösungsmittels wird i. Vak. destilliert; Ausbeute: 4 g (71% d.Th.); Kp_{15}: 220–230°.

Die Möglichkeit, den am Beispiel der ,,Skraup'schen Chinolinsynthese'' beschriebenen Schritt von der Dihydroverbindung zum aromatischen Heterocyclus mit Nitrobenzol und seinen Derivaten durchzuführen, ist besonders wertvoll im Hinblick auf die Herstellung aromatischer N-Heterocyclen, die benachbart zum Heteroatom substituiert sind. Die α-Positionen von N-Heteroaromaten sind in Pyridinen, Chinolinen, Isochinolinen und analogen Verbindungen aktiviert, so daß der Wasserstoff in einer nukleophilen Substitution ersetzt werden kann. Man setzt dazu die Verbindung mit den entsprechenden Alkyl- bzw. Aryl-lithium-Verbindungen um (Ziegler-Reaktion)[2]. Nach der Hydrolyse erhält man das Dihydroprodukt, das mit Nitrobenzol dehydriert wird:

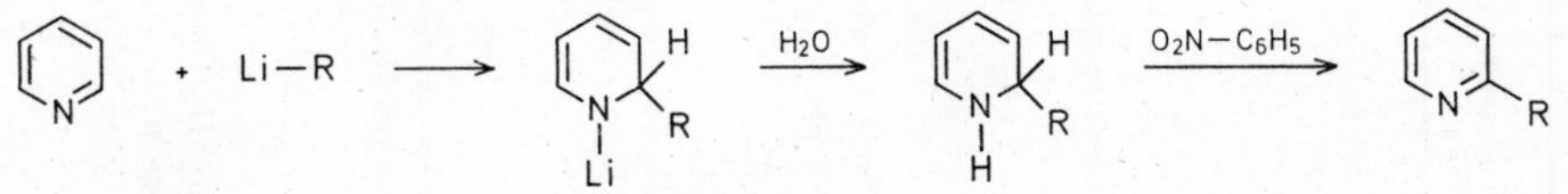

R = Alkyl oder Aryl

Als Beispiel für diesen Reaktionstyp diene die allgemeine Arbeitsvorschrift zur Herstellung der in Tab. 3 wiedergegebenen Derivate des Isochinolins (vgl. S. 984).

1-Arylsubstituierte Isochinoline[3]; allgemeine Arbeitsvorschrift:

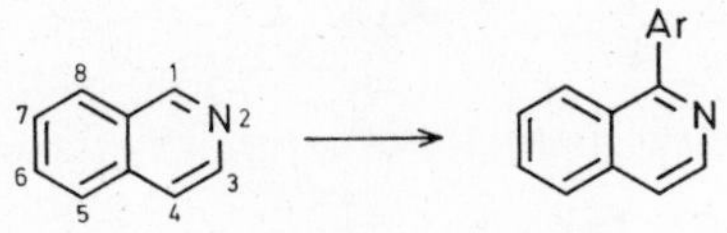

Unter Stickstoff werden zu 0,22 Mol Aryl-lithium in 1 l Äther 0,44 Mol Isochinolin zugetropft, das in der gleichen Menge Äther gelöst wird. Es entsteht ein feinkörniger Niederschlag, der sich nach 12 Stdn. Kochen am Rückfluß unter gleichzeitigem Rühren auflöst. Anschließend wird mit Wasser hydrolysiert und die Lösung getrocknet. Das entstandene Dihydroisochinolin-Derivat wird durch Destillation i. Vak. isoliert. Zur Dehydrierung erhitzt man mit 40 ml Nitrobenzol 30 Min. am Rückfluß. Die Isolierung des Isochinolin-Derivates erfolgt durch Destillation i. Vak. Die so erhaltenen Isochinoline sind der Tab. 3 (S. 984) zu entnehmen.

Andere interessante Chinolin-Derivate werden erhalten, wenn man 4-Oxo-1,2,3,4-tetrahydro-chinolin mit primären Aminen umsetzt und das entstehende Dihydro-chinolin-Derivat mit Nitrobenzol dehydriert[4]. Bei der Umsetzung des Ketons mit dem primären Amin bildet sich offenbar kein Azomethin aus; das System nimmt vielmehr die Möglichkeit war, zur Dehydratisierung ein Wasserstoffatom am α-Kohlenstoff zu verwenden und ein hochkonjugiertes Enamin I (S. 985) zu bilden. Dieses wird dann mit Nitrobenzol

---

[1] A. H. COOK, J. M. HEILBRON u. L. STEGER, Soc. **1943**, 416.

[2] K. THOMAS u. D. JERCHEL, Ang. Ch. **70**, 719 (1958).

[3] H. GILMAN u. C. C. GAINER, Am. Soc. **69**, 1946 (1947).

[4] W. S. JOHNSON u. B. G. BUELL, Am. Soc. **74**, 4513 (1952).

Tab. 3.: 1-Aryl-isochinoline und -chinoline durch Dehydrierung der entsprechenden 1,2-Dihydro-Derivate

Ausgangsisochinolin	R-li	1,2-Dihydro-isochinolin	1-Aryl-isochinolin	Ausbeute [% d.Th.]	F [°C]	Literatur
			1-(4-Methyl-phenyl)-isochinolin	55	71–72	1
			1-(4-Dimethylamino-phenyl)-isochinolin	55	114,5–115	1
			1-[4-(2,5-Dimethyl-pyrrolino)-phenyl]-isochinolin	45	159–160	1
			5-(2,5-Dimethyl-pyrrolino)-1-(4-methoxy-phenyl)-isochinolin	38	(Kp₃: 222–228°)	1
			5-(2,5-Dimethyl-pyrrolino)-1-(4-dimethylamino-phenyl)-isochinolin	31	214–215	1
			3,7-Diphenyl-3H-⟨imidazolo-[4,5-f]-chinolin⟩	60		2

1 H. Gilman u. C. C. Gainer, Am. Soc. 69, 1946 (1947).   2 B. I. Khristich et al., Chim. geteroc. Soedin. 1971, 814.

zum Heteroaromaten II dehydriert:

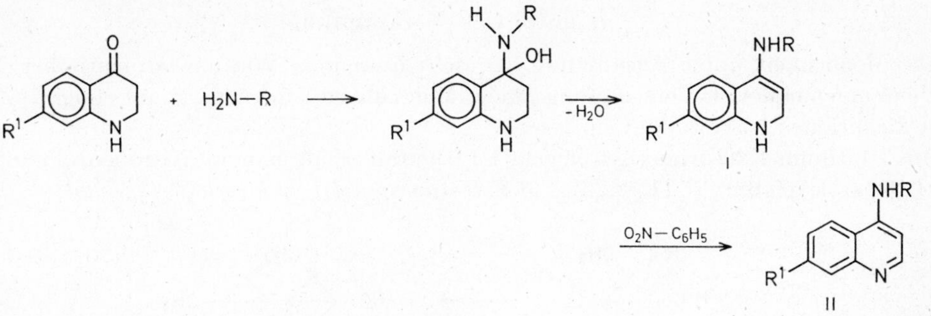

II; R = H₅C₆–CH₂–CH₂-; R¹ = H; *4-(2-Phenyl-äthylamino)-chinolin*; 86% d.Th.

R = (C₂H₅)₂N–CH₂–CH₂–CH₂–CH(CH₃)-NH;

R¹ = H; *4-[5-Diäthylamino-pentyl-(2)-amino]-chinolin*; 74% d.Th.

R¹ = Cl; *7-Chlor-4-[5-diäthylamino-pentyl-(2)-amino]- isochinolin* 89% d.Th.

4-(2-Phenyl-äthylamino)-chinolin[1]:

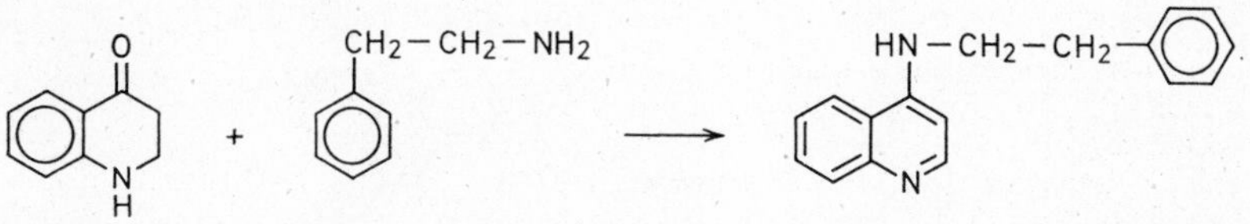

Eine Mischung von 2,61 g (0,215 Mol) 2-Phenyl-äthylamin, 1,0 g (0,064 Mol) 4-Oxo-1,2,3,4-tetrahydro-chinolin und 1,80 g (0,15 Mol) Nitrobenzol wird unter Stickstoff 3 Stdn. auf 170–180° erhitzt und dann noch weitere 4 Stdn. auf einer Temp. von 140–150° gehalten. Nach einer Wasserdampfdestillation zur Entfernung überschüssigen Amins und Nitrobenzols wird der Rückstand getrocknet und in Benzol gelöst. Man destilliert etwas Benzol ab, um letzte Reste Wasser azeotrop zu entfernen. Nach dem Abkühlen kristallisiert 4-(2-Phenyl-äthylamino)-chinolin aus; Ausbeute: 1,45 g (86% d.Th.); F: 150–156°.

Als dehydrierende Nitroverbindungen haben sich auch Nitroderivate der Benzoesäure bewährt. So läßt sich z. B. das durch Umsetzen des 1,2-Diamino-benzol (I) mit Bromacetyl-benzol erhältliche 3-Phenyl-1,2-dihydro-chinoxalin (II) mit 3-Nitro-benzoesäure in *2-Phenyl-chinoxalin* (III) überführen (71% d.Th.)[2]:

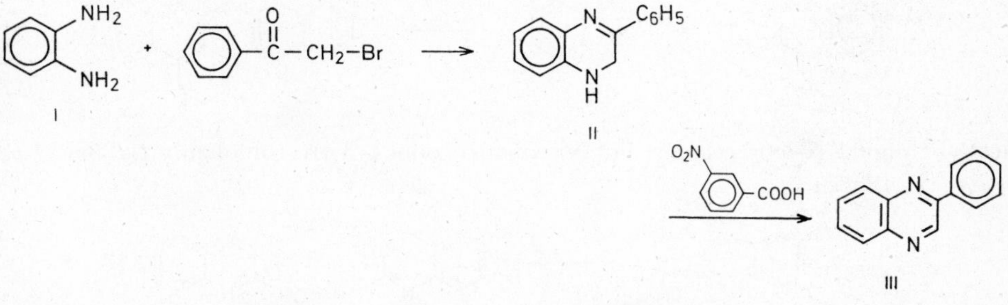

Die Methode läßt sich auch auf 2-substituierte Halogenacetyl-benzole anwenden.

Zur Oxidation von Dehydroacridinen zu Acridinen eignet sich 2,4-Dinitro-toluol[3].

Abschließend sei auf die Hantzsche Pyridin-Synthese hingewiesen, bei der ebenfalls Nitrobenzol als Dehydrierungsmittel der zunächst entstehenden 1,4-Dihydro-Pyridin-Derivate benutzt werden kann.

---

[1] W. S. JOHNSON u. B. G. BUELL, Am. Soc. **74**, 4513 (1952).

[2] J. FIGUERAS, J. Org. Chem. **31**, 803 (1966).

[3] H. A. LUBS, *The Chemistry of Synthetic Dyes and Pigments*, Reinhold Publishing Corp., New York 1955.

II. Intermolekulare Dehydrierungen

a) unter C–C-Verknüpfung

Die Möglichkeit unter Ausnutzung der dehydrierenden Wirkung aromatischer Nitro-verbindungen eine C–C-Verknüpfung zweier Moleküle zu bewirken, ist auf einige speziel-lere Reaktionen beschränkt.

Aus 3-Lithium-1,2,2-trimethyl-bicyclo[1.1.0]butan erhält man mit Nitrobenzol und Kup-fer(I)-Komplexen 62% d.Th. *2,2,2',2',3,3'-Hexamethyl-1,1'-bi-bicyclo[1.1.0]butyl*[1]:

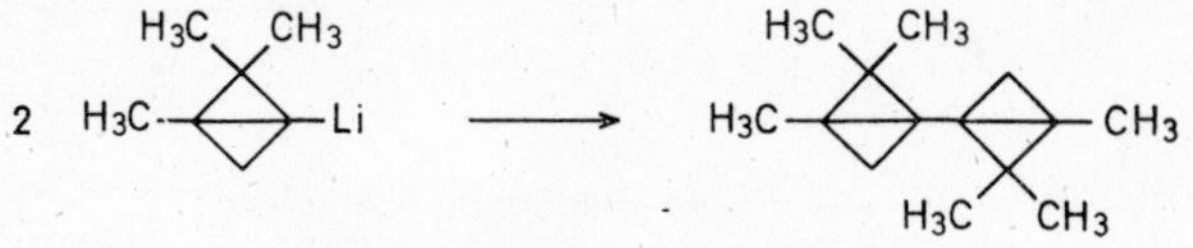

Zwei Moleküle Anthron lassen sich in Gegenwart katalytischer Mengen Chlorwasserstoff mit Nitrobenzol zu *10,10'-Dioxo-bi-anthryliden-(9)* umsetzen[2].

10,10'-Dioxo-bi-anthryliden-(9)[1]:

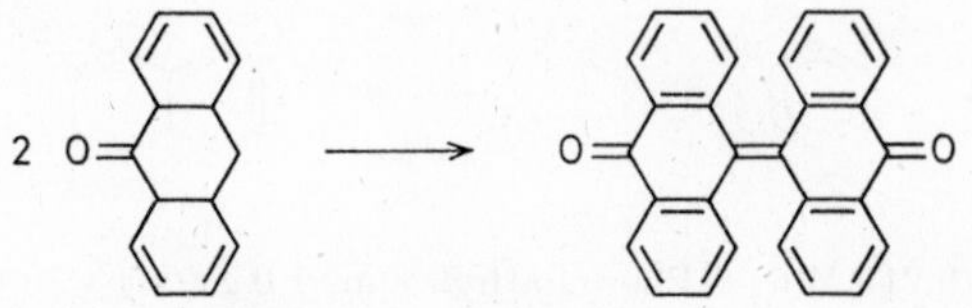

Eine Lösung von 5,0 g (0,025 Mol) Anthron und 3 *ml* Nitrobenzol werden in 30 *ml* trockenem Xylol, das eine geringe Menge Chlorwasserstoffgas enthält, 5 Stdn. am Rückfluß erhitzt. Beim Abkühlen kristalli-siert *10,10'-Dioxo-bi-anthryliden-(9)* aus; Ausbeute: 4,2 g (86% d.Th.); F: 266–267° (Zers.).

Setzt man 10-Oxo-9-methylen-9,10-dihydro-anthracen mit 1-Oxo-1H-phenalen in Nitro-benzol um, entsteht das *Tribenzo-[a;d,e;h,i]-tetracen-chinon-(3,11)*[3]:

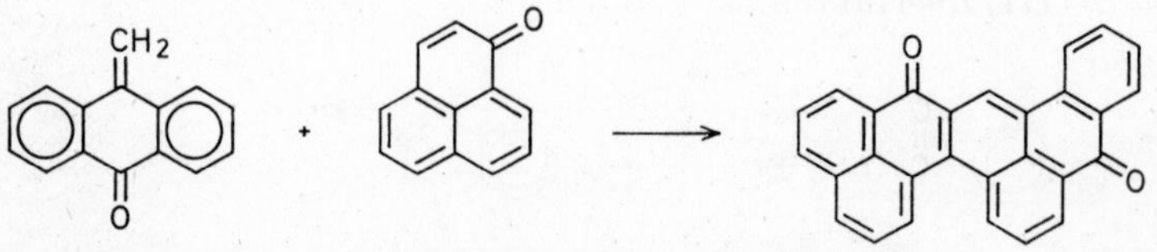

2-Methyl-chinolin-N-oxid reagiert mit Nitrobenzol oder 4-Nitro-toluol zum *1,2-Bis-[1-oxido-chinolyl-(2)]-äthylen*:

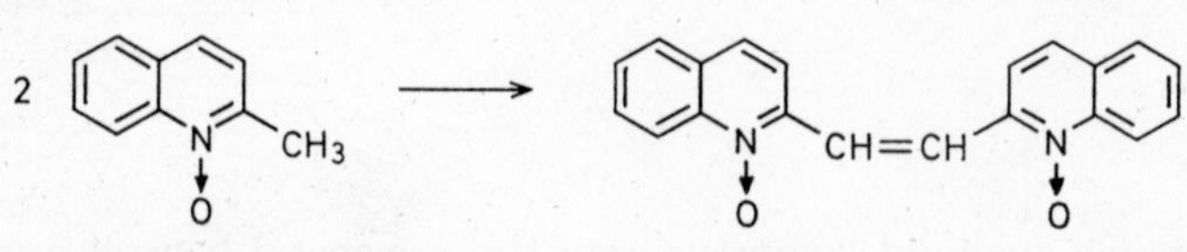

Unter den gleichen Bedingungen reagiert auch das N-Oxid des 4-Methyl-chinolins(Lepidin) zu *1,2-Bis-[1-oxido-4-methyl-chinolyl-(2)]-äthylen.*

[1] R. W. Moore u. C. R. Coslin, Am. Soc. **93**, 4910 (1971).
[2] V. M. Ingram, Soc. **1950**, 2246.
[3] E. Clar, J. A. MacPherson u. H. Schulz-Kiesow, A. **669**, 44 (1963).

b) unter S–S-Verknüpfung

Die Oxidation von Mercaptanen mit aromatischen Nitroverbindungen ist ein recht universell anwendbares Verfahren zur Herstellung der entsprechenden Disulfane[1]. Man setzt das Alkalimetallsalz des Mercaptans in polarem Lösungsmittel (Dimethylformamid, Essigsäure-dimethylamid) mit der aromatischen Nitroverbindung um. Butylmercaptan läßt sich mit Nitrobenzol zum *Dibutyl-disulfan* (98% d. Th.) und Benzylmercaptan zum *Dibenzyl-disulfan* (81% d. Th.) oxidieren. Wie ESR-Spektren zeigen, verläuft die Reaktion über das Radikal-Anion des Nitrobenzols. Die Tatsache, daß Thiophenol nur in 2%iger Ausbeute mit Nitrobenzol zu *Diphenyl-disulfan* reagiert, dürfte auf die geringere Bereitschaft des Thiophenolat-Radikals zurückzuführen sein, ein Elektron auf das Nitrobenzol zu übertragen (das entstehende Radikal ist nur schlecht stabilisiert im Vergleich zum Radikal des Benzyl-mercaptans). Mit 4-Nitro-pyridin-N-oxid als wesentlich stärkerem Oxidationsmittel verläuft die Umsetzung von Thiophenol zum Disulfid jedoch gleich gut wie die des Butyl-mercaptans in Nitrobenzol.

Disulfane aus Mercaptanen; allgemeine Arbeitsvorschrift[1]: 0,025 Mol Mercaptan werden bei 25° zu 37,5 *ml* einer 1,33 molaren Lösung von Kaliumhydroxid in Dimethylformamid (das Kaliumhydroxid löst sich nicht vollständig) unter Stickstoff und Ausschluß von Luftfeuchtigkeit gegeben. Man tropft 0,025 Mol Nitrobenzol hinzu und rührt 3 Stdn. Die Reaktionsmischung ist zu Anfang gelb, dann rot und schließlich blau gefärbt. Nach der Neutralisation wird das Disulfan isoliert.

---

[1] T. J. WALLACE et al., Pr. Chem. Soc. **1962**, 384.

Elektrochemische Oxidation und Dehydrierung

bearbeitet von

Dr. ADOLF FRIEDRICH

Bayer AG, Leverkusen

Mit 5 Abbildungen
und 1 Tabelle

Literatur berücksichtigt bis 1975.

Inhalt

Entsprechend dem getroffenen Ordnungsprinzip werden an dieser Stelle die Oxidation von 1-Methyl-pyridinium-Salzen besprochen. 1-Methyl-pyridinium-Sulfate und ebenso 1-Methyl-chinolinium-Sulfate werden in wäßriger alkalischer Lösung unter Zusatz katalytischer Mengen von Kaliumhexacyanoferrat-(III) in hoher Ausbeute zu 2-Pyridonen und 2-Chinolonen oxidiert[1,2].

1-Methyl-2-pyridon[1,2]:

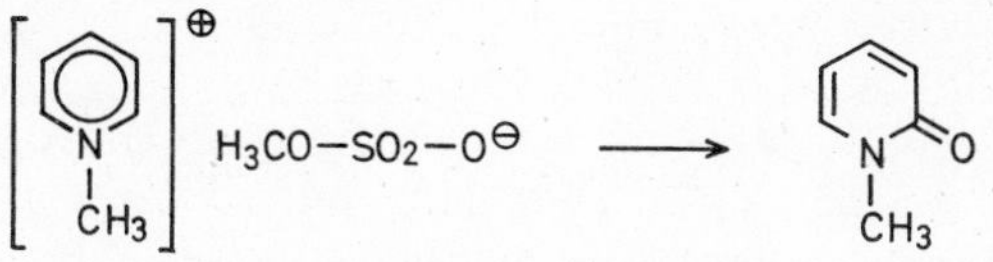

In einen Dreihalskolben mit Rückflußkühler und Rührer tropft man zu 80 g Dimethylsulfat 50 g Pyridin. Nach Beendigung der stark exothermen Hauptreaktion erwärmt man noch 2 Stdn. auf dem Wasserbad. Beim Abkühlen erstarrt die Lösung zu einem kristallinen, hygroskopischen Brei von 1-Methyl-pyridinium-Sulfat, den man auf 250 *ml* mit Wasser verdünnt.

Die Elektrolyseapparatur besteht aus einer porösen Tonzelle von 24 cm Höhe und 9 cm lichter Weite, die vor Gebrauch einige Stdn. in verd. Natronlauge gelegen hat. In diese Tonzelle taucht die Anode, ein engmaschiges Netz aus Eisendraht von 80 cm Länge und 12–15 cm Höhe, das in vier doppelwandigen Schleifen um einen Eisenstab gewickelt wird, so daß es bequem in den Anodenraum paßt. Die Tonzelle befindet sich in einem geräumigen Becherglas und ist von einem Eisenblech entsprechender Dimension als Kathode umgeben.

Anolyt sind 100 *ml* der obigen Salzlösung (entsprechend 20 g eingesetztem Pyridin), die man mit 150 *ml* 10%iger Natronlauge versetzt. Dazu gibt man 10 g Kalium-hexacyanoferrat(III). Als Katholyt dient 10%ige Natronlauge. Man elektrolysiert bei 4 A ∼ 8 Stdn. Die anzulegende Spannung beträgt unter den angegebenen Bedingungen ∼ 8 V. Das Ende der Reaktion ist an der Entwicklung von Sauerstoff an der Anode zu erkennen. Während der Elektrolyse gibt man einige Male etwas festes Natriumhydroxid in den Anolyten, so daß stets ein Überschuß an Alkali besteht. Am Ende der Elektrolyse wird die Reaktionsmischung hellgelb. Sie wird bis zur Sättigung mit Kaliumcarbonat versetzt und 5mal mit warmem Benzol extrahiert. Nach dem Trocknen der benzolischen Lösung über Kaliumcarbonat destilliert man das Lösungsmittel ab und fraktioniert den Rückstand i.Vak.; Kp_{10}: 121°; Ausbeute: 26 g (94% d.Th., bez. auf eingesetztes Pyridin).

In gleicher Weise lassen sich herstellen:

2-Oxo-1-methyl-1,2-dihydro-chinolin[3]	∼100% d.Th.
2-Oxo-1,8-dimethyl-1,2-dihydro-chinolin[1]	90% d.Th.
2-Oxo-1,6-dimethyl-1,2-dihydro-chinolin[1]	75% d.Th.
6-Methoxy-2-oxo-1-methyl-1,2-dihydro-chinolin[2]	
2-Oxo-1-methyl-1,2-dihydro-⟨benzo-[h]-chinolin⟩[1]	100% d.Th.
9-Oxo-5-methyl-5,9-dihydro-acridin[1]	

2. an der Seitenkette eines Aromaten

Der Erfolg der Oxidation der Seitenkette aromatischer Verbindungen läßt sich kaum aufgrund theoretischer oder vergleichender Betrachtungen voraussagen. So wird Toluol nur mit mäßiger Ausbeute (20% d.Th.) zu *Benzaldehyd* oxidiert, wobei gleichzeitig mindestens sechs weitere Produkte entstehen[4]. Äthylbenzol wird in schwefelsaurer Lösung nicht nen-

[1] K. NEUNDLINGER u. M. CHUR, J. pr. [2], **89**, 466 (1914).
[2] O. FISCHER u. M. CHUR, J. pr. [2], **93**, 363 (1916).
[3] O. FISCHER u. K. NEUNDLINGER, B. **46**, 2544 (1913).
[4] F. FICHTER u. R. STOCKER, B. **47**, 2003 (1914).
  F. FICHTER, H. E. SÜNDERHAUF u. A. GOLDACH, Helv. **14**, 249 (1931).
  C. A. MANN u. P. M. PAULSON, Trans. electroch. Soc. **47**, 101 (1925).
  US. P. 3248312 (1966), D. C. YOUNG; C. A. **65**, 2129 (1966).
  S. D. ROSS, M. FINKELSTEIN u. R. C. PETERSEN, J. Org. Chem. **35**, 781 (1970).

nenswert angegriffen[1]; o-Xylol liefert immerhin bis zu 35% d.Th. *2-Methyl-benzaldehyd*[2]; die elektrochemische Oxidation von m- und p-Xylol ist präparativ wieder uninteressant, entstehen doch jeweils ~10 Produkte[3]. Während Indan in basischem Milieu nur in untergeordnetem Maße zu *Indanon* oxidiert wird[4], erhält man das *1-Oxo-tetralin* aus Tetralin immerhin mit 21% d.Th.[4] und aus dem 6-Methoxy-tetralin entsteht das *6-Methoxy-1-oxo-tetralin* zu 40% d. Th.

6-Methoxy-1-oxo-tetralin[4]:

Die Elektrolyseapparatur besteht im einfachsten Fall aus einem 200-*ml*-Becherglas mit einem für Rückflußkühler, Thermometer und Elektrodenzuleitungen durchbohrten Gummistopfen. Das Rühren kann magnetisch erfolgen. Anode ist ein 25 mm hoher Zylinder aus Platinblech mit 140 mm Umfang, als Kathode dient ein Platindrahtnetz, 40 mm hoch mit 150 mm Umfang. Ein Diaphragma schirmt die Kathode gegen das Reaktionsprodukt ab.

In diese Apparatur gibt man zu einer Mischung aus 18 *ml* Trimethyl-cyclohexyl-ammoniumhydroxid, 75 *ml* tert.-Butanol, 30 *ml* Wasser und 4 *ml* 20%iger Natronlauge 11 g (0,068 Mol) 6-Methoxy-tetralin. Elektrolysiert wird bei 40–50° unter Rühren mit einer Stromdichte von 0,04–0,05 A/cm². Da durch den Verbrauch an Base während der Elektrolyse die Leitfähigkeit abfällt, gibt man während der Reaktion in kleinen Mengen Base hinzu und zwar insgesamt ~4 *ml* Trimethyl-cyclohexyl-ammoniumhydroxid und 2 *ml* der 20%igen Natronlauge. Nachdem ein 10–20-facher Überschuß an Strommenge gegenüber dem ber. Wert geflossen ist (4 F pro Mol werden theoretisch verbraucht, um eine Methylen-Gruppe zu einer C=O-Gruppe zu oxidieren), bricht man die Reaktion ab. Die Reaktionsmischung wird auf 300 *ml* mit Wasser verdünnt und mit Äther extrahiert. Man wäscht 2mal mit ges. Natriumcarbonat-Lösung und trocknet über Kaliumcarbonat. Nach dem Abziehen des Äthers fraktioniert man i.Vak.; Ausbeute: 4,4 g (40% d.Th.).

Vergleicht man die Ausbeuten bei der Oxidation des Tetralins und 6-Methoxy-tetralins wird deutlich, daß geeignete Substituenten am Kern das Oxidationsgeschehen an der Alkylseitenkette erheblich beeinflussen können. Noch offenkundiger wird das am Beispiel des Toluols. Nitro-toluole werden sehr viel besser zu einheitlichen Produkten oxidiert als das Toluol selbst. So erhält man aus 4-Nitro-toluol an einer Blei-Anode in einem Gemisch aus Schwefelsäure und Essigsäure als Elektrolyt bzw. Solvens den *4-Nitro-benzylalkohol* in einer Ausbeute von 40% d.Th.[5]; bemerkenswert ist das Stehenbleiben der Reaktion auf dieser Oxidationsstufe. 2,4-Dinitro-toluol liefert in Gegenwart von Chrom(VI)-oxid in einer Ausbeute von 74% bez. auf umgesetztes Ausgangsprodukt *2,4-Dinitro-benzoesäure*.

2,4-Dinitro-benzoesäure[6]:

Die Elektrolyseapparatur kann aus einem 1-*l*-Becherglas bestehen, in das man eine 10 cm hohe und 5 cm weite Tonzelle als Diaphragma hängt. Sie nimmt 100–110 *ml* 25%ige Schwefelsäure als Katholyten und die Kathode aus Blei auf. Die Anode, eine 5 × 20 cm große Blei-Platte umgibt das Diaphragma und taucht in den Anolyten im Becherglas. Er besteht aus einer Lösung aus 5 g (0,0275 Mol) 2,4-Dinitro-toluol, 500 *ml* 60%iger Schwefelsäure und 10 g Chrom(VI)-oxid. Mittels eines Magnetrührers läßt sich die

---

[1] J. Rigaudy, G. Cauquis u. J. Baranne-Lafont, Bl. 1122 (1962).

E. I. Kryuchkova, A. V. Solomin u. M. I. Usanovich, Elektrokhimiya 8, 116 (1972).

[2] H. D. Law u. F. M. Perkin, Chem. News 92, 66 (1905).

F. Fichter u. M. Rinderspacher, Helv. 10, 40 (1927).

[3] J. W. Shipley u. M. T. Rogers, Cand. J. Res. 17 B, 147 (1939).

[4] R. E. Juday, J. Org. Chem. 22, 532 (1957).

[5] F. Fichter u. G. Bonhôte, Helv. 3, 395 (1920).

[6] O. W. Brown u. A. E. Brown, Trans. electroch. Soc. 75, 393 (1939).

Reaktionsmischung rühren und auf 75° erwärmen. Bei einer Stromstärke von 3 A, die mit einer Spannung von ~ 3 V erreicht wird, ist die Elektrolyse nach 3 Stdn. beendet. Aus der Reaktionsmischung entfernt man nicht umgesetztes 2,4-Dinitro-toluol durch Extraktion mit Benzol. Die verbleibende Lösung wird auf das doppelte Vol. mit Wasser verdünnt und 3mal mit je 100 *ml* Äther ausgeschüttelt. Nach dem Abziehen des Äthers verbleibt die 2,4-Dinitro-benzoesäure als gelb-weißer Rückstand; sie wird aus heißem Wasser umkristallisiert; Ausbeute: 2,2 g (74% d.Th.; bez. auf umgesetztes Ausgangsprodukt); F: 179°.

Besondere Erwähnung verdient wegen des anders nicht leicht zugänglichen Reaktionsproduktes die Oxidation von 4-Methyl-benzonitril zu *4-Cyan-benzoesäure*[1].

An einer Blei-Anode (z. B. eine als Anode geschaltete, voroxidierte Blei-Schale) verläuft die Reaktion in einem Elektrolyten aus 2n-Schwefelsäure und Aceton bei einer Stromdichte von 0,016 A/cm² mit einer Ausbeute von ~ 40% d.Th.

In welcher Position welcher Substituent stehen muß um eine Oxidation der Seitenkette am Aromaten zu erleichtern oder in Richtung auf ein einheitliches Produkt zu lenken läßt sich nicht vorhersagen. Die Tatsache, daß 2,4,6-Trinitro-toluol sowie 2- und 3-Nitro-toluol mit etwa gleichen Ausbeuten zu dem entsprechenden Alkohol im Falle der 2-Nitro-Verbindung, zum Aldehyd im Falle der 3-Nitro-Verbindung und zur Carbonsäure im Falle des 2,4,6-Trinitro-toluols oxidiert werden[2,3] läßt zusammen mit dem Ergebnis, daß 2-Methyl-benzonitril nur zu ~5% d.Th. zum Benzoesäure-Derivat oxidiert wird[1], während die Herstellung von *3-Cyan-benzoesäure* aus 3-Methyl-benzonitril[1] präparativ noch lohnend ist (30% d.Th.) keine einfache Begründung zu.

Recht leicht werden Methyl- und Äthyl-Seitenketten des Pyridins zu den Carbonsäure-Funktionen oxidiert bzw. abgebaut. Aus 3-Methyl-pyridin entsteht in verd. Schwefelsäure an einer Blei-Anode die *Nicotinsäure* (65% d.Th.)[4], 4-Äthyl-pyridin liefert in verdünnter Salpetersäure an einer Platin-Elektrode die *Isonicotinsäure* mit einer Ausbeute von 75% d.Th.[5]; 2-Methyl-5-äthyl-pyridin in 40%iger Schwefelsäure in Gegenwart von Vanadin(V)-oxid an einer Blei-Anode *2,5-Dicarboxy-pyridin* in einer Ausbeute von 40–45% d.Th.[6]; vergleicht man die entsprechenden konventionellen Verfahren, erscheint die elektrolytische Oxidation als durchaus ebenbürtig, wenn nicht sogar überlegen wegen der leichten Isolierbarkeit der Produkte.

b) Alkoxylierungen

Die anodische Oxidation aromatischer Verbindungen in alkoholischem Milieu führt zu Äthern und Acetalen, in summa also zu Verbindungen, bei denen ein Wasserstoffatom durch eine O-Alkyl-Gruppe substituiert ist.

Die überwiegende Zahl der in der Literatur beschriebenen Verbindungen sind Methoxylierungen, ein Faktum, für das der Reaktionsmechanismus u. U. eine Erklärung bieten würde. Über ihn herrscht jedoch keine einheitliche Meinung. Einige Autoren formulieren einen direkten Angriff auf das Substrat an der Anode mit nachfolgenden ionischen Reaktionsschritten[7]:

$$Ar-H \quad \xrightarrow{-e} \quad Ar-H^{\oplus} \cdot \quad \xrightarrow{-e} \quad Ar^{\oplus} \ + \ H^{\oplus}$$

$$Ar^{\oplus} \ + \ ^{\ominus}O-CH_3 \quad \longrightarrow \quad Ar-O-CH_3$$

[1] F. Fichter u. G. Grisard, Helv. **4**, 928 (1921).
[2] F. Sachs u. R. Kempf, B. **35**, 2712 (1902).
[3] F. Fichter u. G. Bonhôte, Helv. **3**, 395 (1920).
[4] M. J. Kulka, Am. Soc. **68**, 2472 (1946).
[5] A. Ito u. K. Kawada, Ann. Rept. Tokamine Lab. **14**, (1953); C. A. **49**, 14516 (1955).
   N. Nankov u. L. Yankov, Elektrokhimiya **7**, 1865 (1971).
[6] L. D. Borkhi, Chim. geteroc. Soed. **10**, 1362 (1970).
[7] P. Gray u. A. Williams, B. **59**, 239 (1959).
   L. Eberson, Am. Soc. **89**, 4669 (1967).

andere bevorzugen einen Mechanismus mit direktem Angriff auf das Lösungsmittel oder den Elektrolyten[1,2].

$$H_3C-O^{\oplus} \xrightarrow{\;+e\;} H_3C-O\bullet \xrightarrow{\;Ar-H\;} Ar-O-CH_3 + H_3C-OH$$

Die meisten Reaktionen werden mit Alkalimetall-methanolat durchgeführt oder laufen unter Bedingungen ab, die die Regenerierung des Alkoholat-Ions als Kathodenreaktion ermöglichen. In speziellen Fällen ist auch der für den Ladungstransport zugesetzte Elektrolyt direkt an der Reaktion beteiligt.

Als Elektrolyt haben sich Kaliumhydroxid[3], Ammoniumnitrat[4], Tetramethylammoniumtosylate[4], Schwefelsäure[5] und Bortrifluorid[5] bewährt. Es scheint indes so, daß alle bisher vorgeschlagenen Reaktionsabläufe für die elektrochemische Alkoxylierung doch recht grobe Vereinfachungen sind. Präparativ erfolgreich läßt sich das Verfahren auf die Alkoxylierung von Furanen anwenden.

1. Alkoxylierung am Furan-Kern[6]

Die elektrochemische Oxidation von Furanen in alkoholischer Lösung führt zu in 2,5-Stellung alkoxylierten 2,5-Dihydro-furanen. Sie sind als Zwischenprodukte organischer Synthesen von großem Nutzen. Der Anwendungsbereich sei deshalb kurz umrissen.

Hydrierung und anschließende Hydrogenolyse führt zu den entsprechenden 1,4-Dihydroxy-butanen[7]; die durch Hydrierung entstehenden 2,5-Dialkoxy-tetrahydrofurane können zur Herstellung von Tropinonen eingesetzt werden[8]; die Doppelbindung der 2,5-Dihydro-furane läßt sich nach den üblichen Verfahren cis- und trans-hydroxylieren; durch Addition von Alkoholen an die Doppelbindung der 2,5-Dihydro-furane entstehen 2,3,5-Trialkoxy-tetrahydrofurane[9]; Halogenhydrine lassen sich durch Addition hypohalogeniger Säuren synthetisieren[10] und die hieraus leicht zugänglichen Epoxide[11] eröffnen einen weiteren präparativen Anwendungsbereich. Nicht zuletzt müssen noch die gesättigten und ungesättigten 2,4-Dicarbonyl-Verbindungen erwähnt werden, die bei der Behandlung von 2,5-Dialkoxy-2,5-dihydro-furanen und 2,5-Dialkoxy-tetrahydrofuranen mit Säuren entstehen[12], wobei die ungesättigte Dicarbonyl-Verbindung ausschließlich in der cis-Konfiguration vorliegt.

Eines der elektrochemischen Verfahren zur Herstellung von 2,5-Dialkoxy-2,5-dihydro-furanen aus den entsprechenden Furan-Derivaten simuliert die chemische Methode. Die Elektrolyse erfolgt in der entsprechenden alkoholischen Lösung mit Ammoniumbromid als Elektrolyt an einer Platin-Anode und Nickel-Kathode[13]. An der Kathode entstehen Wasserstoff und Ammoniak; an der Anode wird Brom generiert, das sofort mit dem Furan

---

[1] A. J. Baggeley u. R. Brettle, Chem. Commun. 108 (1966).

[2] K. E. Kolb u. C. L. Wilson, Chem. Commun. 271 (1966).

[3] N. L. Weinberg, J. Org. Chem. 33, 4326 (1968).

[4] T. Shono u. Y. Matsamuru, Am. Soc. 91, 2803 (1969).

[5] N. Elming, Adv. Org. Chem., Bd. 2, S. 67, Interscience Publishers, Inc., New York 1960.

[6] Übersicht vgl. M. Y. Fioshin, L. A. Mirkind u. M. Z. Zhurinov, Usp. Chim. 42, 677 (1973); dort auch von Aromaten und Olefinen.

[7] J. Fakstorp, J. D. Raleigh u. L. E. Schniepp, Am. Soc. 72, 869 (1956).

[8] G. Gál, J. Simonyi u. G. Tokár, Acta chim. Acad. Sci. hung. 6, 365 (1955).
S. P. Findlay, J. Org. Chem. 22, 1385 (1957).

[9] A. Stoll, A. Lindenmann u. E. Jucker, Helv. 36, 1500 (1953).

[10] J. Kehrle u. P. Karrer, Helv. 37, 484 (1954).

[11] J. C. Sheehan u. B. M. Bloom, Am. Soc. 74, 3825 (1952).

[12] US. P. 2515304 (1950), Imperial Chemical Industries Ltd., Erf.: D. G. Jones.
D. L. Hufford, D. S. Torbell u. T. R. Koszalka, Am. Soc. 74, 3014 (1952).
J. Fakstorp, D. Raleigh u. L. E. Schniepp, Am. Soc. 72, 869 (1950).
J. Levisalles, Bl. 997 (1957).
A. Maru u. R. A. Raphael, Soc. 2624 (1958).

[13] N. Clauson-Kaas, F. Limborg u. K. Glens, Acta chem. scand. 6, 531 (1952).

und dem Alkohol zum Dialkoxy-dihydrofuran und Bromwasserstoff reagiert. Aus Bromwasserstoff und Ammoniak wird Ammoniumbromid regeneriert[1]. In summa darf der Prozeß folgendermaßen formuliert werden[1]:

$$\text{Furan} + 2\ R\text{—OH} \xrightarrow{[O]} RO \text{—} OR + H_2O$$

Gegenüber der auf chemischem Wege mit Brom und einer Base durchgeführten Oxidation
bietet das elektrochemische Verfahren die Vorteile einer wesentlich höheren Ausbeute und
leicht isolierbarer Produkte. Bromierte Nebenprodukte werden nicht beobachtet; in sehr
geringer Menge entsteht als Nebenprodukt Maleinaldehyd-tetraalkylacetal.

Die Elektrolyse selbst läßt sich problemlos so durchführen, daß man mit konstanter Zellspannung
arbeitet und abbricht, wenn die Stromstärke auf ein Minimum gesunken ist. Die in der folgenden präparativen Vorschrift wiedergegebene Aufstellung gibt über die Verhältnisse während der Elektrolyse Auskunft. Die dort beschriebene Apparatur läßt sich universell für alle in diesem Kapitel beschriebenen Oxidationen mit Ammoniumbromid verwenden und liefert reproduzierbare Ergebnisse. Beim Anoden-
Material ist man nicht unbedingt auf Platin festgelegt, da die Entladung des Bromid-Ions auch an anderen Elektroden erfolgt[2]. Am Beispiel der Methoxylierung des Furans selbst sei das Verfahren besc₍?₎ieben.

2,5-Dimethoxy-2,5-dihydro-furan[1,3]:

$$\text{Furan} \longrightarrow H_3CO \text{—} OCH_3$$

Der Aufbau der Elektrolysezelle ist in der Abb. 1 (S. 1002) wiedergegeben. Die Kathode besteht aus zwe
Messingzylindern, die elektrolytisch mit einem Nickel-Überzug versehen werden. Die Anode ist eine mit
Platin-Folie überzogene Porzellanröhre. Während der Elektrolyse sorgt die Entwicklung von Wasserstoff
an der inneren Oberfläche der inneren Kathode für eine ständige Bewegung des Elektrolyten. Selbstverständlich ist man zur Durchführung der Reaktion nicht an diesen Aufbau der Elektrolysezelle gebunden. Als Stromquelle kann eine gewöhnliche Trockenbatterie dienen. Ampèremeter, Voltmeter und evtl.
ein Coulombmeter vervollständigen die Apparatur.

In die Zelle gibt man eine Lösung aus 5 g (0,051 Mol) Ammoniumbromid, 230 ml (5,7 Mol) Methanol
und 68 g (1 Mol) Furan und stellt sie in ein Kühlbad, das auf –22° gehalten wird. Die folgende Übersicht
zeigt die Meßdaten während einer Elektrolyse:

Elektrolysedauer [Stde.]	Stromstärke [A]	Spannung [V]	Elektrizitätsmenge [A·Stde.]	Temp. i. d. Zelle [° C]
0,3	3,0	4,6	1,0	–14
5,8	3,0	4,8	10,9	–14
7,9	3,0	4,8	23,6	–14
15,5	2,4	5,2	44,7	–14
15,9	2,3	5,3	45,6	–14

Nach 45,6 A·Stde. beendet man die Elektrolyse. Die Reaktionslösung im oberen Teil der Zelle ist farblos,
am Boden ist sie vom überschüssigen Brom leicht gelb gefärbt. Man gibt sie in eine Lösung aus 1,2 g
Natrium in 20 ml Methanol und destilliert anschließend durch eine Vigreux-Kolonne auf dem Wasserbad
Lösungsmittel, Ammoniak und nicht verbrauchtes Furan ab, insgesant etwa 160 ml. Der Rückstand
wird durch Filtrieren vom Ammoniumbromid befreit und mit einer 5 cm Füllkörperkolonne destilliert;
Ausbeute: 95,4 g (73% d. Th.); Kp₇₆₀: 160–162°.

[1] N. Clauson-Kaas, F. Limborg u. K. Glens, Acta chem. scand. 6, 531 (1952).
[2] K. E. Kolb u. C. L. Wilson, Chem. Commun. 271 (1969).
[3] N. Elming, Adv. Org. Chem., Bd. 2, S. 67, Interscience Publishers, Inc., New York 1960.

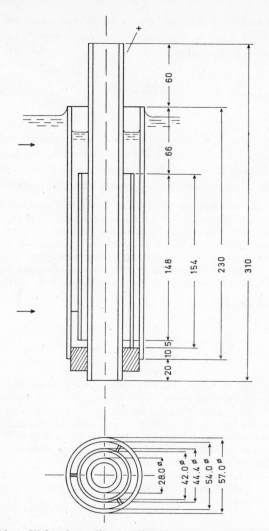

Abb. 1. Elektrolysezelle zur Alkoxylierung [Angaben mm]

Auf analoge Weise kommt man durch Variation des Alkoholes zu folgenden 2,5-Dialkoxy-2,5-dihydro-furanen[1-3]:

2,5-Diäthoxy-2,5-dihydro-furan	79% d.Th.	Kp$_1$: 50—53°
2,5-Dipropyloxy-2,5-dihydro-furan	42% d.Th.	Kp$_3$: 84°
2,5-Diisopropyloxy-2,5-dihydro-furan	70% d.Th.	
2,5-Dibutyloxy-2,5-dihydro-furan	71% d.Th.	Kp$_2$: 102°
2,5-Bis-[3-methyl-butyloxy]-2,5-dihydro-furan	62% d.Th.	

Die elektrochemische Alkoxylierung der in 2-Stellung substituierten Furane verspricht nach der beschriebenen Methode immer dann Erfolg, wenn der Substituent nicht zu denen zählt, die die Reaktivität gegen elektrophilen Angriff herabsetzen. So liefert die Reaktion nicht die gewünschten Produkte, wenn eine Carbonyl-Funktion vorhanden ist, der Substituent z. B. ein Carbonsäure-Rest ist[3]. Ausnahme von dieser Regel ist die Methoxylierung

[1] J. FAKSTORP, D. RALEIGH u. L. E. SCHNIEPP, Am. Soc. 72, 869 (1950).
[2] N. CLAUSON-KAAS, F. LIMBORG u. J. FAKSTORP, Acta chem. scand. 2, 109 (1948).
[3] N. ELMING, Adv. Org. Chem. Bd. 2, S. 67, Interscience Publishers Inc., New York 1960.
   S. TORII et al., Bl. chem. Soc. Japan 44, 1079 (1971).

von Furfural[1]; als Erklärung bietet sich die Bildung des Acetals vor der eigentlichen Reaktion an.

Tab. 1 gibt eine Übersicht über Methoxylierungen 2-substituierter Furane. Die Durchführung erfolgt analog der auf S. 1000 beschriebenen Methoxylierung des Furans selbst. Statt der Platin-Anode läßt sich in einigen Fällen auch eine Graphit-Elektrode verwenden.

Tab. 1: Elektrochemische Methoxylierung 2-substituierter Furane

Ausgangsverbindung R=	Anode	Produkt	Kp		Ausbeute [% d.Th.]	Literatur
			[°C]	[Torr]		
—CH₃	Pt, C	2,5-Dimethoxy-2-methyl-2,5-dihydro-furan	86–91	55	85	2–5
—CH₂—OH	Pt	2,5-Dimethoxy-2-hydroxymethyl-2,5-dihydro-furan	109–110	10–12	66	3,6
—CH₂—OCH₃	Pt	2,5-Dimethoxy-2-methoxymethyl-2,5-dihydro-furan	90–94	4	83	2,7
—CH₂—O—CO—CH₃	Pt, C	2,5-Dimethoxy-2-acetoxymethyl-2,5-dihydro-furan	116–120	12	87	3–5
—CH(OCH₃)₂	Pt	2,5-Dimethoxy-2-dimethoxy-methyl-2,5-dihydro-furan	107–110	13	82	3
OCH₃ ‖ —C—CH₃ ‖ OCH₃	Pt	2,5-Dimethoxy-2-(1,1-dimethoxy-äthyl)-2,5-dihydro-furan	111–113	14	64	6,8
OH ‖ —CH—CH₃	Pt	2,5-Dimethoxy-2-(1-hydroxy-äthyl)-2,5-dihydro-furan	107	10–11	73	9
NH—CO—CH₃ ‖ —CH—CH₃	Pt	2,5-Dimethoxy-2-(1-acetylamino-äthyl)-2,5-dihydro-furan	110–115	0,1	88	10,11
—CH₂—NH—COOCH₃	Pt	2,5-Dimethoxy-2-(methoxycarbo-nylamino-methyl)-2,5-dihydro-furan	104–107	0,2	89	10,11
—CH₂—CH(COOCH₃)₂	Pt	[2,5-Dimethoxy-2,5-dihydro-fur-furylmethyl]-malonsäure-di-methylester	129–132	0,2	74	12

---

[1] K. MEINEL, A. **516**, 231 (1935).

[2] US. P. 2714576 (1955), N. CLAUSON-KAAS u. F. LIMBORG; C. A. **49**, 15573 (1955).

[3] N. CLAUSON-KAAS, F. LIMBORG u. P. DIETRICH, Acta chem. scand. **6**, 545 (1952).

[4] A. A. PONOMAREV u. I. MARKUSHINA, Uch. Zap. Saratovsk. Gos. Univ. **71**, 135 (1959); C. A. **56**, 1287 (1962).

[5] A. A. PONOMAREV u. I. A. MARKUSHINA, Ž. obšč. Chim. **30**, 976 (1960); C. A. **55**, 2597 (1961).

[6] N. CLAUSON-KAAS, J. T. NIELSEN u. N. ELMING, Acta chem. scand. **9**, 9 (1955).

[7] N. CLAUSON-KAAS, Acta chem. scand. **6**, 556 (1952).

[8] US. P. 2801252 (1957), N. CLAUSSON-KAAS; **52**, 1260 (1958).

[9] N. CLAUSON-KAAS et al., Acta chem. scand. **9**, 17 (1955).

[10] US. P. 2806852 (1957), N. CLAUSON-KAAS u. N. ELMING; C. A. **52**, 10202 (1958).

[11] N. CLAUSON-KAAS, N. ELMING u. Z. TYLE, Acta chem. scand. **9**, 1 (1955).

[12] N. ELMING, Acta chem. scand. **10**, 1664 (1956).

Tab. 1 (1. Fortsetzung)

Ausgangsverbindung R=	Anode	Produkt	Kp [° C]	[Torr]	Ausbeute [% d. Th.]	Literatur
—CH₂—NH—CO—CH₃	Pt	*2,5-Dimethoxy-2-acetamino-methyl-2,5-dihydro-furan*	119–134	0,6	96	1
—CH₂—CH₂—CO—CH₃	Pt	*2,5-Dimethoxy-2-(benzoylamino-methyl)-2,5-dihydro-furan*	trans:140 (bis: F: 109–110)	10⁻⁴	27 cis 42 trans	2
—CH₂—NH—CO—C₆H₅	C	*2,5-Dimethoxy-2-(3-oxo-butyl)-2,5-dihydro-furan*	127–128	55	52	3, 4
CH₃ | —CH₂—CH₂—CH—C₂H₅	C	*2,5-Dimethoxy-2-(3-methyl-pentyl)-2,5-dihydro-furan*	67,5–70	10	51	3, 4

Eine andere Methode der elektrochemischen Alkoxylierung von Furanen verzichtet auf Bromid-Ionen als oxidierendes Agens und führt die Reaktion anoden-spezifisch mit Natriummethanolat, Natriumnitrat, Ammoniumnitrat, Schwefelsäure, Natriumacetat oder Bortrifluorid als Elektrolyt durch[5].

In den meisten Fällen ist die Oxidation mit Ammoniumbromid hinsichtlich der Ausbeuten und Reinheit der Produkte den anderen Verfahren überlegen. Ein Beispiel verdient jedoch besondere Erwähnung.

Wie bereits erwähnt, verläuft die Alkoxylierung des Furan-2-carbonsäure-methylesters wegen der den Furan-Kern desaktivierenden Eigenschaften des Substituenten weder auf elektrochemischem Wege mit Ammoniumbromid als Elektrolyt noch nach klassisch-chemischen Verfahren. Bei der Elektrolyse in Methanol unter Zusatz von Schwefelsäure[6] entsteht jedoch der gewünschte *2,5-Dimethoxy-2,5-dihydro-furan-2-carbonsäure-methylester* (70% d. Th.):

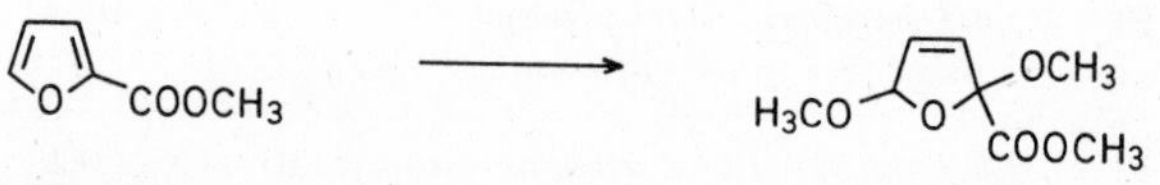

Präparative Hinweise zur Durchführung findet man in der Vorschrift zur Alkoxylierung des 5-Isopropyl-furan-2-carbonsäure-methylesters auf S. 1005.

Elektrochemische Alkoxylierungen an Furanen führen zu einem *cis-trans*-Gemisch der Produkte. Manchmal überwiegt eine der stereoisomeren Formen. So entsteht z. B. bei der Methoxylierung des Furans selbst das *cis*-Isomere I gegenüber dem *trans*-Isomeren II in geringem Überschuß.

cis- und *trans-2,5-Dimethoxy-2,5-dihydro-furan*

¹ N. CLAUSON-KAAS u. Z. TYLE, Acta chem. scand. **6**, 667 (1952).
² A. A. MAREI u. R. A. RAPHAEL, Soc. 2624 (1958).
³ A. A. PONOMAREV u. I. MARKUSHINA, Uch. Zap. Saratovsk. Gos Univ. **71**, 135 (1959); C. A. **56**, 1287 (1962).
⁴ A. A. PONOMAREV u. I. A. MARKUSHINA, Ž. obšč. Chim. **30**, 976 (1960); C. A. **55**, 2597 (1961).
⁵ A. J. BAGGALEY u. R. BRETTLE, Soc. 969 (1968).
⁶ N. CLAUSON-KAAS u. F. LIMBORG, Acta chem. scand. **6**, 551 (1952).

Bei der Alkoxylierung 2-substituierter Furane sind deshalb in der Regel beide Diastereoisomerenpaare zu erwarten.

2-Benzoylamino-2,5-dimethoxy-2,5-dihydrofuran[1]:

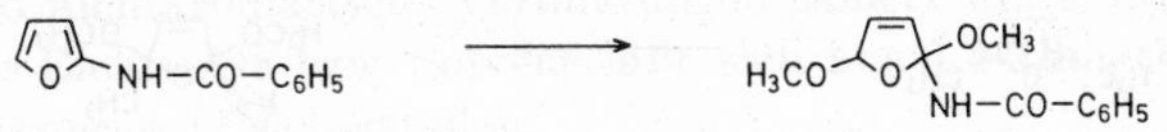

In die beschriebene Elektrolyseapparatur (S. 1002) bringt man eine Lösung aus 30,2 g (0,16 Mol) 2-Benzoylamino-furan, 2,6 g (0,0265 Mol) Ammoniumbromid und 260 ml Methanol. Bei −12° wird 7 Stdn. elektrolysiert. Während der Elektrolyse sinkt die Stromstärke von 4,0 auf 0,6 A bei einer Zellspannung von 14,0–16,2 V. Man gibt die Reaktionsmischung in eine Lösung aus 0,7 g Natrium und 10 ml Methanol. Nach dem Abziehen des Methanols i. Vak. behandelt man den Rückstand mit 250 ml warmem, trockenem Äther und filtriert ab. Nachdem man die ätherische Lösung etwas eingeengt hat, kristallisieren 10,8 g des einen Enantiomerengemisches aus; F: 109–110°. Nach dem vollständigen Abziehen des Äthers der Mutterlauge bleibt das andere Enantiomerenpaar als viskoses Öl zurück; Ausbeute: 18,9 g; Kp_{10}^{-4}: 140°.

Einige intramolekulare Alkoxylierungen (s. S. 1008) geeigneter Furan-Derivate verlaufen allerdings stereospezifisch. So z. B. die Reaktion des 2,5-Bis-[3-hydroxy-propyl]-furan (I) zu seinem Acetal II, die ausschließlich zum *trans*-Produkt führt[2]:

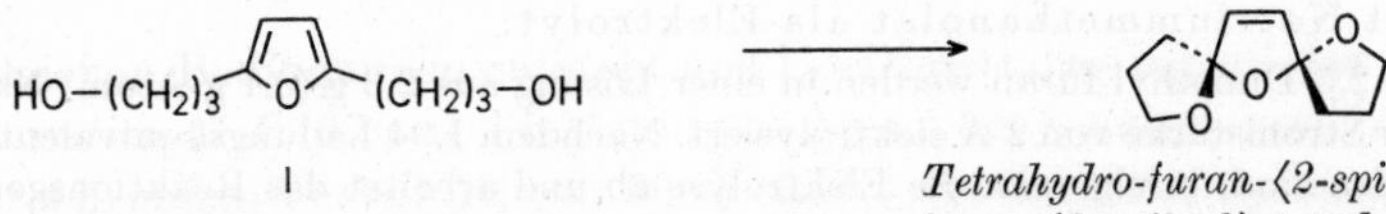

Tetrahydro-furan-⟨2-spiro-5⟩-2,5-dihydro-furan-⟨2-spiro-2⟩-tetrahydro-furan
II

Für die elektrochemische Alkoxylierung 2,5-disubstituierter Furane bietet die Literatur vorwiegend Beispiele, bei denen aufgrund der desaktivierenden Eigenschaft eines der Substituenten nur die Elektrolyse mit Schwefelsäure als Elektrolyt in Frage kommt. Die Ausbeuten sind allerdings beachtlich. So läßt sich nach der folgenden Vorschrift der 5-Isopropyl-furan-2-carbonsäure-methylester mit einer Ausbeute von über 80% d. Th. methoxylieren.

2,5-Dimethoxy-5-isopropyl-furan-2-carbonsäure-methylester[3]:

In einer Zelle, die dem kleineren Lösungsmittelvol. der Reaktion angepaßt ist, im übrigen aber analog der auf S. 1002 beschriebenen konstruiert werden kann, elektrolysiert man bei −20° eine Mischung aus 10,5 g (0,062 Mol) 5-Isopropyl-furan-2-carbonsäure-methylester, 45 ml absol. Methanol und 0,375 g (0,0038 Mol) konz. Schwefelsäure. Während einer Elektrolysedauer von 6 Stdn. sinkt die Stromstärke von 0,9 auf 0,6 A bei einer Spannung von etwa 8 V. Das gelb gefärbte Reaktionsgemisch gibt man in eine Lösung aus 17,5 mg Natrium in 7 ml Methanol und zieht anschließend das Methanol i. Vak. ab. Zum öligen Rückstand gibt man trockenen Äther und filtriert das Natriumsulfat ab. Fraktionierung des nach dem Abziehen des Äthers verbleibenden Rückstandes liefert 12,5 g (87% d. Th.); $Kp_{0,1}$: 117°.

Auf analoge Weise lassen sich aus den entsprechenden 5-substituierten Furan-2-carbonsäureestern die folgenden Produkte erhalten:

2,5-Dimethoxy-5-tert.-butyl-2,5-dihydro-furan-2-carbonsäure-methylester	(97% d. Th.)[3]
5-Brom-2,5-dimethoxy-2,5-dihydro-furan-2-carbonsäure-methylester	(39% d. Th.)[4]
5-Brom-2,5-dimethoxy-2,5-dihydro-furan-2-carbonsäure-äthylester	(57% d. Th.)[4]

---

[1] A. A. MAREI u. R. A. RAPHAEL, Soc. 2624 (1958).
[2] A. A. PONOMAREV u. I. A. MARKUSHINA, Ž. obšč. Chim. 33, 3892 (1963); engl.: 3955.
  A. A. PONOMAREV u. I. A. MARKUSHINA, Chim. geteroc. Soed. 43 (1965); C. A. 63, 4256 (1965).
[3] N. CLAUSON-KAAS et al., Acta chem. scand. 9, 17 (1955).
[4] M. MURAKAMI, S. SENOH u. Y. HATA, Mem. Inst. Sci. and Ind. Research, Osaka Univ. 16, 219 (1959);
  C. A. 54, 22555 (1960).

1,3-dioxolan erhalten[1]:

HO—(CH₂)₂—O—⟨benzene ring⟩—O—(CH₂)₂—OH ⟶ [dioxolan product structure]

Nur geringe Ausbeuten werden bei der elektrochemischen Alkoxylierung des Kernes kondensierter Aromaten erzielt, die bereits Alkoxy-Gruppen enthalten. Aus 9,10-Dimethoxy-anthracen erhält man bei der Elektrolyse in methanolischem Kaliumhydroxid das *9,9,10,10-Tetramethoxy-9,10-dihydro-anthracen* in einer Ausbeute von 32% d.Th.[2].

Nahezu quantitative Ausbeuten an Methoxy-Derivaten[3] erhält man hingegen bei der anodischen Oxidation von Anthracen selbst und 9,10-Dialkyl-anthracenen. Bei einem Potential einer Platin-Anode von 1,0 Volt (Referenz: ges. Kalomel-Elektrode) wird in methanolischer Natriummethanolat-Lösung[3,4] Anthracen zu *9,10-Dimethoxy-9,10-dihydro-anthracen* (*cis/trans*-Verhältnis: 29/71) oxidiert und 9,10-Dimethyl-anthracen zu *9,10-Dimethoxy-9,10-dimethyl-anthracen* (*cis/trans*-Verhältnis: 17/83). Bei den entsprechenden Äthyl-, Propyl- und Phenyl-Derivaten beträgt das Verhältnis der Isomeren 1:1[3]. In der angegebenen Literatur wird der Mechanismus der stereochemischen Resultate diskutiert. Unter anderen Reaktionsbedingungen (z.B. Acetonitril/Methanol) ist die Dimerisierung zu Bianthron-Derivaten die Hauptreaktion (s. S. 1043).

Ebenfalls weniger erfolgreich verläuft die elektrochemische Alkoxylierung am Thiophen-Gerüst. Thiophen selbst wird in Methanol mit Natriumbromid zu *2,5-Dimethoxy-2,5-dihydro-thiophen* oxidiert (36% d.Th.)[5]:

⟨thiophene ring⟩ —CH₃OH/NH₄Br→ Elektrolyse H₃CO—⟨S ring⟩—OCH₃

Die Elektrolyse des Pyrrols in alkalischer Lösung führt direkt zum tetrasubstituierten Dihydropyrrol[6].

2,5-Dimethyl-thiophen wird bei der Elektrolyse in Methanol/Natriummethanolat zum *5-Methyl-2-methoxymethyl-thiophen* oxidiert (25% d.Th.) und verhält sich somit anders als das entsprechende Furan-Derivat[7].

Für die Herstellung des *2,2,5,5-Tetramethoxy-1-methyl-2,5-dihydro-pyrrols* existiert eine zu guter Ausbeute führende einfache Arbeitsvorschrift.

2,2,5,5-Tetramethoxy-1-methyl-2,5-dihydro-pyrrol[6]:

⟨N-methyl-pyrrole⟩ ⟶ H₃CO—⟨structure⟩—OCH₃ / H₃CO—N(CH₃)—OCH₃

Die Elektrolyseapparatur besteht aus einem Glasgefäß hinreichenden Volumens mit 2 Platin-Drahtnetzanoden (Gesamtoberfläche 160 cm²) und einer Nickel-Kathode (Oberfläche 240 cm²). Die beiden Anoden sind konzentrisch um die Kathode angeordnet; ein in die Lösung getauchter Kühlfinger erlaubt die Regulierung der Temperatur. Das Rühren besorgt ein Magnetrührer.

In diese Apparatur bringt man eine Lösung aus 21,7 g (0,268 Mol) 1-Methyl-pyrrol, 5 g Kaliumhydroxid in 400 *ml* Methanol und elektrolysiert 6 Stdn. bei 20° mit 6 A. Nach dem Abziehen des Lösungsmittels wird i. Vak. destilliert. Das gewünschte Derivat destilliert bei 95–105° und 7 Torr über; Ausbeute: 31,0 g (57% d.Th.); F: 52–53° (nach Sublimation).

[1] N. L. Weinberg u. E. A. Brown, unveröffentlicht.
[2] N. L. Weinberg, Ph. D. Thesis, University of O'Hawa, O'Hawa, Canada 1963.
      N. L. Weinberg u. B. Belleau, Tetrahedron **29**, 279 (1973).
[3] V. D. Parker, J. P. Dirlam u. L. Eberson, Acta chem. scand. **25**, 341 (1971).
[4] V. D. Parker, Acta chem. scand. **24**, 3455 (1970).
[5] K. E. Kolb, Diss. Abstr. **20**, 86 (1959).
[6] N. L. Weinberg u. E. A. Brown, J. Org. Chem. **31**, 4054 (1966).
[7] K. Yoshida, T. Saeki u. T. Fueno, J. Org. Chem. **36**, 3673 (1971).

3. Alkoxylierung von Seitenketten am Aromaten

Einige alkyl-substituierte Aromaten werden elektrochemisch am benzylischen C-Atom alkoxyliert. Die bisher erzielten Ausbeuten sind jedoch mit den wenigen unten erwähnten Ausnahmen nicht so gut, als daß sich eine detaillierte Beschreibung der Reaktionen in dem gesteckten Rahmen lohnen würde. Für die Untersuchung des Mechanismus der elektrochemischen Alkoxylierung schlechthin sind die Reaktionen allerdings von einiger Bedeutung. Es scheint so, daß wegen der relativ hohen Oxidationspotentiale hier nicht wie bei den aromatischen Äthern eine Reaktion des Substrates an der Anode der primäre Reaktionsschritt ist; andererseits spricht das experimentelle Material aber auch nicht eindeutig für eine direkte Oxidation des Lösungsmittels oder Elektrolyten, gefolgt von einem radikalischen Angriff auf das Substrat. Ausführliche Information über diese Probleme bietet die Literatur[1]. Eine der präparativ interessanten Reaktionen bei der ein benzylisches C-Atom alkoxyliert wird, ist die Umsetzung des Methoxy-bis-[4-methoxy-phenyl]-methan zum Dimethoxy-bis-[4-methoxy-phenyl]-methan[2], die mit einer Ausbeute von 60% d.Th. abläuft:

Der Grund hierfür dürfte ein wegen der starken Resonanzstabilisierung recht niedriges Potential für den Ladungstransport direkt vom Molekül auf die Anode sein. In den Fällen nämlich, in denen das benzylische C-Atom einem nicht weiter konjugierten Alkyl-Rest angehört und der Phenyl-Kern keine Äther-Gruppe aufweist, liegen die Ausbeuten nur um 10% d.Th. so z. B. bei Toluol[1], Äthyl-[1], Isopropyl-benzol[3], Tetralin[4], Indan[4], Diphenylmethan[4]. Zur Alkoxylierung von Pentamethyl-benzol an einer Platinelektrode s. Lit.[5].

c) Acyloxylierung am aromatischen Kern und an der Seitenkette von Aromaten

1. intermolekulare Reaktionen[6]

Die bei weitem am häufigsten beschriebene elektrochemische Acyloxylierung ist die Acetoxylierung aromatischer Verbindungen, d. h. die Herstellung von aromatischen Essigsäure-estern. Sie wird in Essigsäure/Natriumacetat als Solvens bzw. Elektrolyt durchgeführt und verdankt ihre präparative Brauchbarkeit dem Umstande, daß das kritische Potential für die anodische Entladung des Acetations (Kolbe-Reaktion)

$$2\ H_3C\text{---}COO^{\ominus} \xrightarrow[-2\,e^{\ominus}]{} H_3C\text{--}CH_3 + 2\ CO_2$$

offenbar über dem für die Acetoxylierung einer Reihe von Aromaten liegt. Die Rekombination zweier Methyl-Radikale oder Substitution am Aromaten durch eine Methyl-Gruppe ist deshalb so lange eine zu vernachlässigende Nebenreaktion, wie ein Anodenpotential von etwa 2 V nicht überschritten wird. Das Halbstufenpotential der anodischen Oxidation einer Vielzahl von substituierten und unsubstituierten Aromaten liegt ausreichend weit unterhalb dieses Wertes.[7]

Das Problem ob die Anodenreaktion mit dem Substrat der Primärschritt ist oder die Bildung von Acetoxy-Radikalen[7, 8] darf inzwischen als gelöst gelten. Einmal liegen wie bereits gesagt die Anodenpotentiale für die Acetoxylierung unterhalb des Wertes, bei dem eine nennenswerte Umsetzung im Sinne einer Kolbe-Reaktion stattfindet, zum anderen

[1] C. K. MANN u. K. BARNES, Electrochemical Reactions in Nonaqueous Systems, M. Dekker Inc., New York 1970.

[2] B. WLADISLAW u. H. VIERTLER, Chem. and Ind. 39 (1955).

[3] T. INOUE et al., Kogyn Kagaku Zasshi 66, 1659 (1963); C. A. 60, 13170 (1964).
K. SASAKI et al., Electrochimica Acta 12, 137 (1967).

[4] T. INOUE, K. KOYAMA u. S. TSUTSUMI, Bl. chem. Soc. Japan 37, 1597 (1964).

[5] L. A. MAYEDA u. L. L. MILLER, Tetrahedron 28, 3375 (1972).

[6] Übersicht s. L. EBERSON u. K. NYBERG, Acc. Chem. Res. 6, 106 (1973).

[7] L. EBERSON u. K. NYBERG, Am. Soc. 88, 1686 (1966).

[8] C. K. MANN u. K. BARNES, Electrochemical Reactions in Nonaqueous Systems, M. Dekker Inc., New York 1970.

decarboxylieren thermisch aus Diacetyl-peroxid generierte Acetoxy-Radikale spontan und ergeben in Gegenwart von Aromaten methylsubstituierte Produkte[1]. Das andersartige Verhalten von Benzoyloxy-Radikalen[1] darf in diesem Zusammenhang nicht überraschen, da ihre Lebensdauer weit über der von Acetoxy-Radikalen liegt[2], für die eine Reaktion außerhalb des Lösungsmittelkäfigs kaum in Frage kommt.

Die Tatsache, daß unter den Reaktionsbedingungen für die elektrochemische Acetoxylierung keine Kupplungsprodukte des Substrates gefunden werden, spricht u. a. für einen Zwei-Elektronen-Übergang an die Anode[3]. Für den nachfolgenden Angriff des Acetat-Ions wird eine Zwischenstufe formuliert, die dem σ-Komplex der elektrophilen aromatischen Substitution analog ist:

$$2e \quad {}^{\ominus}O-CO-CH_3 \longrightarrow \quad H \quad O-CO-CH_3 \quad \xrightarrow{-H^{\oplus}} \quad O-CO-CH_3$$

Eine Reihe von Acetoxylierungen führt unter den gewöhnlichen Reaktionsbedingungen nur in mäßiger und schlecht reproduzierbarer Ausbeute zu den monoacyloxylierten Verbindungen. Der Grund hierfür ist darin zu suchen, daß die Monoacetate oft ein dem Substrat vergleichbares oder sogar niedriger liegendes Oxidationspotential aufweisen[4].

Zur Erzielung maximaler Ausbeute sollte das Potential der Arbeitselektrode deshalb nicht über dem polarographischen Halbstufenpotential des Oxidationsvorganges liegen[4,5], eher noch $\sim 0{,}3$–$0{,}4$ V darunter. Die Realisierung eines konstanten Potentials der Anode während der Elektrolyse ist nur mit einer Referenzelektrode über einen Potentiostaten möglich (s. S. 993). Als Referenzelektrode für diesen Reaktionstyp hat sich die gesättigte Kalomelelektrode bewährt. In der Regel wird die Reaktion bereits abgebrochen, nachdem 50% der ber. Strommenge (2 Elektronen pro Molekül) verbraucht sind. Als Vorschlag für die Durchführung der Reaktionen in kleinerem Maßstab eine allgemeine Arbeitsvorschrift.

Acetoxylierung von Aromaten[6]; allgemeine Arbeitsvorschrift: Die Zelle ist mit zwei Elektroden aus Platindraht bestückt und einer ges. Kalomelelektrode als Referenzelektrode. Diese ist so angebracht, daß guter Kontakt mit der Anode gewährleistet ist.

Der Elektrolyt besteht aus 150 ml Eisessig, 0,5 Mol Natriumacetat und 2–3% Wasser. Zu dieser Lösung gibt man 0,025 Mol der zu acetoxylierenden Verbindung und elektrolysiert bei einem konstanten Potential von 1,5–1,7 V. Diese Stromstärke beträgt unter diesen Bedingungen etwa 0,2 A. Die Temp. der Lösung liegt zwischen 50 und 60°. Nachdem die Hälfte der ber. Strommenge geflossen ist, bricht man ab. Zur Aufarbeitung der Lösung wird die Essigsäure i.Vak. abgezogen, der Rückstand mit Wasser behandelt und mit Äther extrahiert.

Zur Durchführung größerer Ansätze kann man sich an der auf S. 1011 wiedergegebenen Vorschrift für die Acetoxylierung des Indans orientieren.

Die in Tab. 2 (S. 1011) zusammengefaßten Acyloxylierungen lassen sich auf diese Weise durchführen.

Wie Tab. 2 (S. 1011) zeigt, tritt neben der Substitution am aromatischen Kern bei entsprechenden Ausgangsverbindungen auch eine Acetoxylierung der Seitenkette in benzylischer Position ein. Das Auftreten eines Benzyl-Kations im Reaktionsverlauf ist wahrscheinlich[7]. Bei einigen Verbindungen liefert die Acetoxylierung der Seitenkette das Hauptprodukt. Als Beispiel zunächst eine Arbeitsvorschrift, nach der Indan in größeren Mengen acyloxyliert werden kann.

[1] H. H. Williams, *Homolytic Aromatic Substitution*, S. 118, Pergamon Press, London 1960.
[2] L. Eberson, Acta chem. scand. **17**, 2004 (1963).
[3] H. Lund, Acta chem. scand. **11**, 1323 (1957).
[4] Tabelle in: L. Eberson u. K. Nyberg, Am. Soc. **88**, 1686 (1966).
[5] Tabellen in: N. L. Weinberg u. H. R. Weinberg, Chem. Reviews **68**, 449 (1968).
[6] L. Eberson u. K. Nyberg, Acta chem. scand. **18**, 1568 (1964).
[7] L. Eberson u. K. Nyberg, Am. Soc. **88**, 1686 (1966).

Tab. 2: Acetoxylierung aromatischer Verbindungen

Aromat	acetoxyliertes Produkt	Ausbeute [% d.Th.]*	Literatur
Furan	*2,5-Diacetoxy-2,5-dihydro-furan* (*cis* und *trans*)	45	[1-3]
Benzol	*Essigsäure-phenylester*	30	[4]
Toluol	*Acetoxy-methyl-benzol* (o:m:p = 43:11:46)	keine Angaben	[5, 6]
1,3,5-Trimethyl-benzol	*2-Acetoxy-1,3,5-trimethyl-benzol* + *3,5-Dimethyl-1-acetoxymethyl-benzol*	29 11,5	[4, 7]
1,2,4-Trimethyl-benzol	*2,4,5-Trimethyl-1-acetoxymethyl-benzol*	46	[7]
Anisol	2- und *4-Methoxy-1-acetoxy-benzol* (6:1)	40**	[6-8]
Essigsäure-phenylester	*1,2-* und *1,4-Diacetoxy-benzol* (11:9)	37	[4, 7]
1,4-Dimethoxy-benzol	*2,5-Dimethoxy-1-acetoxy-benzol*	62	[9]
Biphenyl	*2-Acetoxy-biphenyl* + *4-Acetoxy-biphenyl*	15 22	[5, 7]
Naphthalin	*1-Acetoxy-naphthalin*	25–30**	[4, 6-8, 10, 11]
1-Methyl-naphthalin	*1-Acetoxy-4-methyl-naphthalin*	40	[12]
2-Methyl-naphthalin	*1-Acetoxy-2-methyl-naphthalin* + *4-Acetoxy-2-methyl-naphthalin*	51	[12]

* Produkte mit einer Ausbeute unter 10% sind nicht aufgeführt;
** bez. auf verbrauchtes Ausgangsmaterial.

Acetoxy-indane[13]:

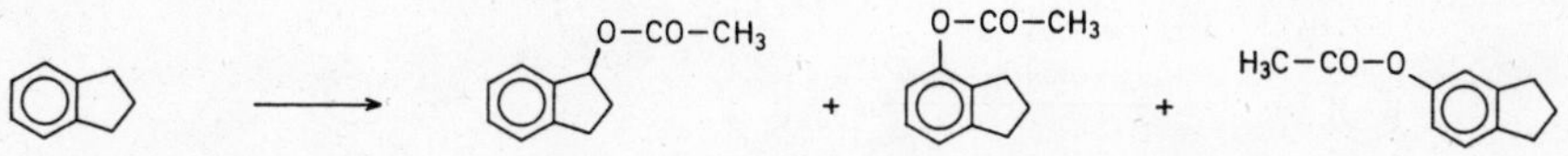

Die Zelle besteht aus einem 800 *ml* fassenden mit Kühlmantel versehenen Gefäß, einer planaren Platin-Anode (50 cm²) und einer Nickel-Kathode. Der Abstand der Elektroden beträgt 1 cm. Als Referenz-elektrode dient die ges. Kalomelelektrode.

Der Elektrolyt besteht aus 0,4 Mol Indan in 300 *ml* einer 1-m-Natriumacetat-Eisessig-Lösung. Man elektrolysiert mit einem kontrollierten Potential von 2,1 V bis 1,2 F pro Mol Indan verbraucht sind. Zur Aufarbeitung wird die Reaktionsmischung in eine wäßrige Aufschlämmung von Natriumhydrogencarbo-nat getropft. Man extrahiert mit Äther und wäscht mit Hydrogencarbonat-Lösung und Wasser. Nach

[1] A. J. BAGGELEY u. R. BRETTLE, Chem. Commun. 108 (1966).
[2] K. E. KOLB, Diss. Abstr. 20, 86 (1959).
[3] K. E. KOLB u. C. L. WILSON, Chem. Commun. 271 (1966).
[4] S. D. ROSS, M. FINKELSTEIN u. R. C. PETERSEN, Am. Soc. 86, 4139 (1964).
[5] L. EBERSON, Am. Soc. 89, 4669 (1967).
[6] D. R. HARVEY u. R. O. C. NORMAN, Soc. 4860 (1964).
[7] L. EBERSON u. K. NYBERG, Am. Soc. 88, 1686 (1966).
[8] L. EBERSON u. K. NYBERG, Acta chem. scand. 18, 1568 (1964).
[9] N. L. WEINBERG, Ph. D. Thesis, University of O'Hawa, Ottawa, Canada 1963.
[10] M. LEUNG, J. HERZ u. H. W. SALZBERG, J. Org. Chem. 30, 310 (1965).
[11] R. P. LINSTEAD, B. R. SHEPHARD u. B. C. L. WEEDON, Soc. 3624 (1952).
[12] US. P. 3252876 (1966), W. J. KOEHL; C. A. 64, 19519 (1966).
[13] L. EBERSON, Acta chem. scand. 25, 1224 (1971).

dem Abziehen des Äthers fällt bei der Dest. i.Vak. als zweite Fraktion das Gemisch aus *1-*, *7-* und *6-Acetoxy-indan* in einem Verhältnis von etwa 8:1:1 an; $Kp_{1,5}$: 88–92°.

2-tert.-Butyl-indan liefert unter ähnlichen Reaktionsbedingungen fast ausschließlich *1-Acetoxy-2-tert.-butyl-indan* in einem *cis/trans-*Verhältnis von 16:84[1]. An Blei(IV)-oxid oder Kohle-Elektroden beträgt das Verhältnis 5:95.

Inden liefert an einer Graphit-Anode unter den gleichen Reaktionsbedingungen *1,2-Diacetoxy-indane*[2]:

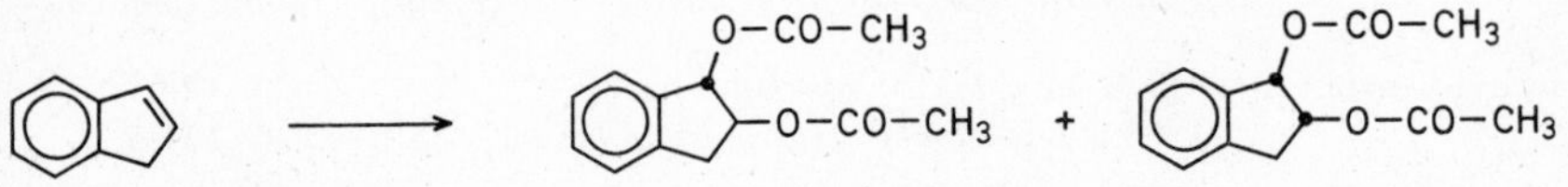

Analog zur Herstellung der Acetoxy-indane lassen sich folgende Acetoxylierungen der Seitenkette durchführen:

2,5-Dimethyl-furan → *2,5-Bis-[acetoxymethyl]-furan*[3]
4-Methoxy-toluol → *4-Methoxy-1-acetoxymethyl-benzol*[4]
Hexamethyl-benzol → *Pentamethyl-acetoxymethyl-benzol*[5]

Die Zusammensetzung des Elektrolyten scheint auf das Verhältnis Kernsubstitution/Seitenkettensubstitution bei der Acetoxylierung von Aromaten von einigem Einfluß zu sein. So beobachtet man bei der Elektrolyse von Toluol und Mesitylen in Essigsäure mit Tetramethylammoniumnitrat ausschließlich Substitution in der Seitenkette[6].

Über die Einführung anderer Acyloxy-Gruppen am Aromaten durch Elektrolyse in anderen Carbonsäure-Salz-Kombinationen wird in der Literatur nur spärlich berichtet. Über die Verwendung von Benzoesäure und ihrer Derivate zur Herstellung der entsprechenden Benzoyloxy-Derivate existieren einiges Material. Wie in der Einleitung zu diesem Kapitel erläutert, ist bei diesen Reaktionen u. U. mit einem anderen Reaktionsablauf zu rechnen als bei den Acetoxylierungen. Die Generierung von Benzoyloxy-Radikalen an der Anode ist als primärer Reaktionsschritt in Betracht zu ziehen. Die Reaktionen werden in Acetonitril mit Triäthylamin und der entsprechenden Benzoesäure an einer Platin-Anode durchgeführt.[7] Aus Anisol erhält man in einer Ausbeute von 60% d.Th. *2-* und *4-Methoxy-1-benzoyloxy-benzol* im Verhältnis 2:1[8]:

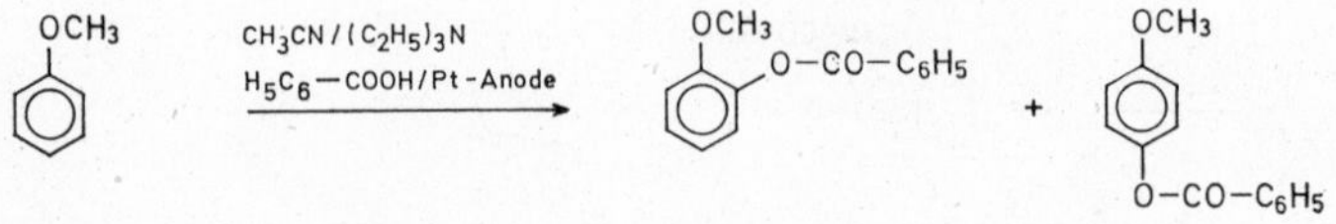

Furan liefert *2,5-Dibenzoyloxy-2,5-dihydro-furan*[9]; aus Toluol, Äthyl-, Isopropyl-benzol, Stilben und Naphthalin werden die entsprechenden Benzoyloxy-aromaten erhalten[10],[11].

2. Intramolekulare Reaktionen

Mit beachtlichen Ausbeuten verläuft eine Anzahl intramolekularer Acyloxylierungen; als Reaktionsprodukte entstehen die entsprechenden Lactone. Als Beispiel sei die Herstellung von *4-Phenyl-3,4-dihydro-cumarin* beschrieben.

[1] J. Dirlam, L. Eberson u. H. Sternerup, Chemie-Ing.-Techn. **44**, 178 (1972).
[2] L. Eberson, Acta chem. scand. **25**, 1224 (1971).
[3] A. J. Baggeley u. R. Brettle, Chem. Commun. 108 (1966).
[4] L. Eberson, Am. Soc. **89**, 4669 (1967).
[5] L. Eberson u. K. Nyberg, Am. Soc. **88**, 1686 (1966).
[6] S. D. Ross, M. Finkelstein u. R. C. Petersen, Am. Soc. **89**, 4088 (1967).
[7] J. F. K. Wishire, Austral. J. Chem. **16**, 432 (1963).
[8] K. Koyama, K. Yoshida u. S. Tsutsumi, Bl. chem. Soc., Japan **39**, 516 (1966).
[9] S. Arita, Y. Takahashi u. K. Takeshita, Kogyo Kagaku Za shi **72**, 1896 (1969).
[10] S. Tsutsumi, K. Koyama u. T. Ebara, Bl. chem. Soc. Japan **41**, 2668 (1968).
[11] J. F. K. Wilshire, Austral. J. Chem. **16**, 432 (1963).

4-Phenyl-3,4-dihydro-cumarin[1]:

$$C_6H_5$$
$$H_5C_6-CH-CH_2-COOH \longrightarrow$$

Eine Lösung aus 5,37 g (0,023 Mol) 3,3-Diphenyl-propansäure und 1,59 g Natriumacetat in 30 *ml* Eisessig wird mit Platin-Blechelektroden (1,25 cm × 1,25 cm) 38 Stdn. bei einer Stromstärke von 0,2 A elektrolysiert. Während der Reaktion wird die Lösung mittels eines Magnetrührers gerührt und durch Kühlung von außen auf einer Temp. zwischen 32 und 38° gehalten. Nach dem Abziehen der Hauptmenge des Lösungsmittels i. Vak. löst man den Rückstand in Äther, wäscht 2 mal mit 5%igem Ammoniak und Wasser und trocknet die ätherische Lösung über Magnesiumsulfat. Nach dem Abziehen des Äthers erhält man 3,85 g eines gelblichen Öles. Durch Chromatographie auf Kieselgel (Hexan/Benzol) isoliert man das 4-Phenyl-3,4-dihydro-cumarin; F: 81,5–83,5° (umkristallisiert aus Äthanol).

In methanolischem Kaliumhydroxid als Elektrolyt läßt sich an einer Graphit-Anode aus 3,3-Diphenyl-acrylsäure in einer Ausbeute von 58% d. Th. das *4-Phenyl-cumarin* herstellen[2]. In Essigsäure-Natriumacetat erhält man eine Ausbeute von nur 35% d. Th.[2].

Biphenyl-2-carbonsäure und einige 3'-substituierte Derivate werden zu den entsprechenden 5'-substituierten 2'-Hydroxy-biphenyl-2-carbonsäure-lactonen cyclisiert[3, 4]:

HOOC

R = OCH$_3$; *2-Methoxy-6-oxo-6H-⟨dibenzo-[b;d]-pyran⟩*   21% d. Th.
R = CN;   *6-Oxo-2-cyan-6H-⟨dibenzo-[b;d]-pyran⟩*;   15% d. Th.
R = H;   *6-Oxo-6H-⟨dibenzo-[b;d]-pyran⟩*;   36% d. Th.

Zu erwähnen ist an dieser Stelle die intramolekulare Acyloxylierung eines Phenoles. In Triäthylammoniumacetat/Trifluoracetat (0,4 molar; p$_H$ = 2,2) werden Phloretinsäure (I) und Phloretyl-glycin (II) zum *3-[1-Hydroxy-4-oxo-cyclohexadien-(2,5)-yl]-propansäure-lacton* oxidiert[5], eine Reaktion, die wegen der selektiven Spaltung von Tyrosyl-Peptidbindungen einige Bedeutung hat:

$$HO-\langle\rangle-CH_2-CH_2-C \longrightarrow$$

R = OH (I)
R = –NH–CH$_2$–COOH (II)

II. Abbaureaktionen an Aromaten

Die elektrochemische Oxidation aromatischer Verbindungen in wäßriger schwefelsaurer oder alkalischer Lösung in Gegenwart katalytischer Mengen eines anorganischen Oxidationsmittels gestattet bei geeigneten Substraten und Reaktionsbedingungen die gezielte Herstellung präparativ interessanter Abbauprodukte eines Aromaten.

[1] W. A. Bonner u. F. D. Mango, J. Org. Chem. **29**, 430 (1964).
[2] W. J. Koehl, J. Org. Chem. **32**, 614 (1967).
[3] L. Eberson u. K. Nyberg, Am. Soc. 88, 1686 (1966).
[4] G. W. Keuner, M. A. Murray u. C. M. B. Taylor, Tetrahedron 1, 259 (1957).
[5] H. Iwasku L. A. Cohen u. B. Witkop, Am. Soc. 85, 3701 (1963).

So lassen sich Chinolin und einige im heterocyclischen Ring halogensubstituierte Chinolin-Derivate zu den entsprechenden Chinolin-carbonsäuren abbauen. Als Beispiel für die in der nachfolgenden Tabelle aufgeführten Reaktionen die Vorschrift zum Abbau des Chinolins selbst.

Pyridin-2,3-dicarbonsäure[1]:

Als Elektrolyseapparatur wird ein 1-l-Becherglas vorgeschlagen, in dem mittels eines Magnetrührers die Lösung gerührt werden kann. Als Kathode dient ein konisches Keramikgefäß von 10 cm Höhe und 6 cm Durchmesser am oberen Ende. Es ist innen mit einer Matte aus Kupferringen ausgelegt und mit 20%iger Schwefelsäure gefüllt. Außen um die Kathodenzelle ist die Anode gelegt, ein Platinnetz (52-mesh) oder eine perforierte Bleifolie.

Das Chinolin bzw. Chinolin-Derivat (s. Aufstellung) und 0,1 g Vanadin(V)-oxid werden in 75–80%iger Schwefelsäure gelöst und in das Becherglas gefüllt. Bei 1–1,5 A (3–4 V) elektrolysiert man unter den in der Aufstellung angegebenen Bedingungen. Zu Beginn der Elektrolyse färbt sich die Reaktionsmischung dunkel, gegen Ende nimmt sie eine hellgelbe Farbe an. Der Anolyt wird dann mit Natronlauge auf p_H 3 eingestellt, das Natriumsulfat abfiltriert und bei 80° mit Kupfer(II)-sulfat-Lösung der hellblaue Chelat-Komplex der Chinolincarbonsäure ausgefällt. Nach dem Abfiltrieren und Waschen wird der Komplex in heißem Wasser aufgeschlämmt und mit Schwefelwasserstoff durch Ausfällen des Kupfers als Sulfid zerstört. Nach dem Filtrieren der heißen Lösung kristallisiert beim Abkühlen bzw. Einengen die Chinolinsäure bzw. das Halogen-Derivat aus. Die Verbindungen können aus Wasser umkristallisiert werden.

Ausgangs-verbindung	einges. Menge [g]	Anode	Reak-tionsdauer [Stdn.]	Temp. [°C]	Produkt	Ausbeute [% d.Th.]	F [°C]
Chinolin	18	PbO₂	83	60–70	*Pyridin-2,3-dicarbon-säure*	44	188–92
3-Brom-chinolin	10	PbO₂	61	55–65	*5-Brom-pyridin-2,3-dicarbonsäure*	73	158–61
3-Chlor-chinolin	21	Pt	113	80–90	*5-Chlor-pyridin-2,3-dicarbonsäure*	54	129–30
3-Fluor-chinolin	18	Pt	77	85–90	*5-Fluor-pyridin-2,3-dicarbonsäure*	26	125–28

Die entsprechenden Jod- und Amino-Verbindungen des Chinolins und in anderer Position substituierte Chinolin-Derivate reagieren nicht.

Zum oxidativen Abbau in alkalischer Lösung eignet sich Kaliumpermanganat als Katalysator. Chinoxalin wird an einer Kupfer-Anode in 5%iger Natronlauge die 5% Kalium-permanganat enthält bei 40° fast quantitativ zu *Pyrazin-2,3-dicarbonsäure* abgebaut (Strom-dichte 15 A/dm²)[2]:

---

[1] J. C. COCHRAU u. W. LITTLE, J. Org. Chem. **26**, 803 (1961).

[2] T. KIMURA et al., J. chem. Soc. Japan, pure Chem. Sect. **77**, 891 (1957); C. A. **52**, 1181 (1958).

Die Elektrolyse von Nikotin in alkalischer Lösung unter Zusatz von Kaliumpermanganat führt an einer Nickel-Anode mit sehr guter Ausbeute zur *Nicotinsäure*[1].

III. Oxidation an nichtaromatischen Doppelbindungen

a) Substrate ohne funktionelle Gruppen

Die direkte elektrochemische Oxidation ge sättigter Kohlenwasserstoffe ist wegen der sehr hohen Oxidationspotentiale im allgemeinen nicht möglich, es sei denn, das Molekül besitzt eine ausgesprochen schwache C–H-Bindung[2]. Auch der indirekten elektrochemischen Oxidation sollten gesättigte Kohlenwasserstoffe kaum zugänglich sein; so finden sich denn auch in der Literatur hierfür keine relevanten Beispiele.

Anders verhält es sich mit un ge sättigten Kohlenwasserstoffen; selbst einer direkten Oxidation an der Anode bieten sich die π-Elektronen konjugierter und isolierter olefinischer und acetylenischer Bindungen an. Auf theoretische Arbeiten zur Korrelation der elektrochemischen Oxidationspotentiale mit den Ionisierungspotentialen sei hingewiesen[2]. Einer indirekten Oxidation, bei der das oxidierende Agens elektrochemisch erzeugt wird (Hypohalogenit, Persulfat etc.) steht ebenfalls nichts im Wege. In wäßriger Lösung erhält man z. B. die Glykole des Äthylens[3], Propens[3] und Cyclohexens[4] und mit etwas modifizierten Reaktionsbedingungen auch Epoxide[5], Chlorhydrine[6] und deren Folgeprodukte. In methanolischer Lösung entstehen mit verschiedenen Substraten methoxylierte Produkte[7] und auch die Acetoxylierung in Essigsäure-Natriumacetat gelingt bei einer Reihe olefinischer Doppelbindungen. Die erzielten Ausbeuten all dieser Reaktionen sind jedoch bis auf die im folgenden beschriebenen Beispiele speziellerer Art und einige im technischen Maßstab konzipierte Reaktionen am Äthylen, Propen und Acetylen bei den in der Literatur aufzufindenden Beispielen recht bescheiden. Angesichts der zur Herstellung der Produkte im Labor zur Verfügung stehenden erprobten konventionellen Methoden sind die meisten der beschriebenen Verfahren unter präparativem Aspekt nicht attraktiv. Dies besonders auch deshalb, weil die Aufarbeitung wegen einer oft beträchtlichen Anzahl von Nebenprodukten nicht mehr lohnend ist. So liefert z. B. die Elektrolyse von 3,3-Dimethyl-buten in Essigsäure-Natriumacetat mindestens 12 Produkte[8].

Für einige auf elektrochemischem Wege herstellbare Oxidationsprodukte olefinischer Doppelbindungen existieren jedoch recht gute Vorschriften. So liefert die nach der folgenden Vorschrift durchgeführte Oxidation von Cyclooctatetraen in Essigsäure das *cis*- und *trans*-*7,8-Diacetoxy-bicyclo[4.2.0]octadien-(2,4)* mit *Diacetoxymethyl-cycloheptatrien*[9]. Von präparativem Interesse sind die hieraus leicht erhältlichen *cis*- und *trans*-7,8-Dihydroxy-bicyclo[4.2.0]octane[10].

[1] B. LOVREČEK, Radovi Jugoslav. Akad. Znanosti i Umjetnosti **296**, 65 (1953); C. A. **48**, 6882 (1954).
[2] M. FLEISCHMANN u. D. PLETCHER, Tetrahedron Letters 6255 (1968).
M. FLEISCHMANN u. D. PLETCHER, Chem.-Ing.-Techn. **44**, 187 (1972).
[3] US. P. 1992309 (1935), E. W. HULTMANN; C. A. **29**, 2732 (1935).
US. P. 1253615 (1918), K. P. McELROY; C. A. **12**, 702 (1918).
US. P. 1875310 (1932), M. A. YOUTZ; C. A. **26**, 5856 (1932).
L. L. MILLER, G. D. NORDBLOM u. E. A. MAYEDA, J. Org. Chem. **37**, 916 (1972).
[4] M. YOKOYAMA, Bl. chem. Soc. Japan 8, 7 (1933); C. A. **27**, 3917 (1933).
[5] Fr. P. 1375298 (1964), M. W. KELLOG Co.; C. A. **62**, 8680 (1965).
US. P. 3288692 (1966), J. A. M. LEDUC; C. A. **66.**, 43238 (1967).
[6] US. P. 2282682 (1942), M. TAMELEN u. J. B. RYLAND; C. A. **36**, 5833 (1942).
[7] N. L. WEINBERG, Ph. D. Thesis, University O'Hawa, O'Hawa, Canada 1963.
R. LEININGER u. C. A. PASUIT, Trans. electroch. Soc. 88, 73 (1945).
M. Z. ZHURINOV, L. A. MIRKIND u. M. Y. FIOSHIM, Elektrokhimiya 8, 438 (1972).
[8] W. B. SMITH u. Y. HYON-YUH, Tetrahedron **24**, 1163 (1968).
[9] L. EBERSON et al., J. Org. Chem. **32**, 16 (1967).
[10] M. FINKELSTEIN, R. C. PETERSEN u. S. D. ROSS, Tetrahedron **23**, 3875 (1967).

cis- und trans-7,8-Dihydroxy-bicyclo[4.2.0]octan[1,2]:

Elektrolysezelle: Die Elektrolysezelle besteht aus einem 200-*ml*-Becherglas mit einem Mantel zur Kühlung mit Wasser. Elektroden und Thermometer werden in einem Teflondeckel gehalten. Die Reaktionslösung wird magnetisch gerührt. Als Kathode dienen 2 Platin-Bleche, 0,025 cm dick und 2,5 cm breit. Sie tauchen 5 cm weit in die Lösung und haben einen Abstand von 2 cm voneinander. Zwischen den beiden Platin-Blechen befindet sich als Anode ein Kohlestift von 0,6 cm ⌀. Er wird während der Elektrolyse einmal erneuert.

Cis- und *trans*-7,8-Diacetoxy-bicyclo[4.2.0]octadien-(2,4) und 7-Diacetoxymethyl-cycloheptatrien: In dieser Apparatur elektrolysiert man eine Lösung aus 27,6 g (0,265 Mol) frisch destilliertem Cyclooctatetraen, 20 g Kaliumacetat, 120 *ml* Eisessig und 2 *ml* Wasser bei einer Stromstärke von 2 A bis 52000 Cb transportiert sind. Die Spannung wird während der Elektrolyse manuell korrigiert. Die Temp. der Reaktionslösung soll zwischen 40 und 60° liegen. Nach Beendigung der Elektrolyse gibt man die Reaktionsmischung in 1 *l* Wasser und extrahiert 2mal mit je 250 *ml* Äther. Der Äther-Extrakt wird mit Wasser, Natriumhydrogencarbonat-Lösung und wieder mit Wasser gewaschen. Nach dem Trocknen über Magnesiumsulfat destilliert man den Äther über eine Vigreux-Kolonne ab und unterwirft den Rückstand einer Destillation i. Vak.; Ausbeute: 33,4 g (61% bez. auf umgesetztes Cyclooctatetraen); Kp$_{0,015}$: 80–90°.

Das Produkt ist ein Gemisch aus *cis-* und *trans*-7,8-Diacetoxy-bicyclo[4.2.0]octadien-(2,4) und *Diacetoxy-methyl-cycloheptatrien* in gleichem Verhältnis. Eine destillative Trennung ist nicht möglich. Die *cis-* und *trans*-Isomeren lassen sich vom Aldehyd-acetat durch präparative Gaschromatographie trennen (Neopentyl-glykolsuccinat und Chromosorb P).

cis- und *trans*-7,8-Dihydroxy-bicyclo[4.2.0]octan: Zur Herstellung der Diole wird das Rohprodukt der Elektrolyse mit 0,5 g Platin(IV)-oxid in 150 *ml* Eisessig und Wasserstoff reduziert, die Lösung durch Celit filtriert und der Eisessig i. Wasserstrahlvak. abgezogen. Den Rückstand löst man in Äther und wäscht mehrmals mit ges. Natriumhydrogencarbonat-Lösung. Nach dem Trocknen über Magnesiumsulfat destilliert man den Äther über eine Vigreux-Kolonne ab und fraktioniert i. Vak.; Kp$_{0,02}$: 64–74°; Ausbeute: 21 g.

22,6 g (0,1 Mol) des reduzierten Elektrolyseproduktes werden in 30 ml Methanol mit einer Lösung von 20 g Kaliumhydroxid in 30 *ml* Wasser versetzt und 7 Stdn. am Rückfluß erhitzt. Nach dem Abziehen des Methanols gibt man den Rückstand in Natriumchlorid-Lösung und extrahiert 4mal mit Äther. Nach dem Trocknen über Magnesiumsulfat wird der Äther abgezogen. Aus dem Rückstand kristallisiert aus Benzol das *trans*-Diol aus; Ausbeute: 4,15 g; F: 137–139°.

Aus der Mutterlauge zieht man das Benzol ab und versetzt den Rückstand mit Hexan. Nach mehreren Tagen im Kühlschrank kristallisieren 2,87 g *cis*-Diol aus; F: 60–62° (nach Sublimation und Rekristallisation aus Hexan).

Die Hauptprodukte einer anodischen Oxidation von Cyclopenten und Cyclohexen an Kohlenstoff-Elektroden in Essigsäure/Tetraäthylammonium-p-toluolsulfonat sind die in Allyl-Position acetoxylierten Verbindungen[3].

3-Acetoxy-cyclohexen[3]:

[1] L. Eberson et al., Org. Chem. **32**, 16 (1967).
[2] M. Finkelstein, R. C. Petersen u. S. D. Ross, Tetrahedron **23**, 3875 (1967).
[3] T. Shono u. A. Ikeda, Am. Soc. **94**, 7892 (1972).

In eine 100 *ml* fassende Elektrolysezelle mit Rückflußkühler, Thermometer und zwei Kohlestift-Elektroden ($\varnothing$ 0,8 cm) gibt man eine Lösung aus 8,2 g (0,1 Mol) Cyclohexen, 60 g Essigsäure und 5,15 g (0,017 Mol) Tetraäthylammonium-p-toluolsulfonat. Unter Rühren elektrolysiert man bei Raumtemp. (Kühlung von außen) bei einer Stromstärke zwischen 0,1 und 0,2 A bis 2F/Mol transportiert worden sind. Zur Aufarbeitung wird die Hauptmenge Essigsäure i. Vak. abgezogen. Den mit Hydrogencarbonat neutralisierten Rückstand extrahiert man mit Äther. Nach dem Trocknen mit Magnesiumsulfat destilliert man zunächst den Äther ab und fraktioniert anschließend i. Vak.; Ausbeute: 55% d.Th.[1]; Kp_{16}: 64–66°.

In analoger Weise erhält man aus Cyclopenten in einer Ausbeute von 41%[1] das *3-Acet-oxy-cyclopenten*.

Führt man die Elektrolysen unter sonst gleichen Bedingungen in Methanol statt in Essigsäure durch, erhält man aus Cyclohexen das *3-Methoxy-cyclohexen*[1, 2] (24%) und als weiteres Hauptprodukt *Dimethoxy-cyclopentyl-methan* (23%).

Bicyclo[2.2.1]hepten liefert in methanolischer Lösung unter den beschriebenen Bedingungen eine Mischung aus *3-Methoxy-tricyclo[2.2.1.0²,⁶]heptan, exo, anti-* und *exo, syn-2,7-dimethoxy-bicyclo[2.2.1]heptan*[2, 3].

Zur Überführung von Butadien-(1,3) in *1,4-Dibenzoyloxy-butadien-(1,3)* an Platin bzw. Nickel-Kathoden s. Lit.[4].

b) Methoxylierung von Vinyläthern[5]

Ein breiter anwendbarer Reaktionstyp an olefinischen Doppelbindungen scheint die Methoxylierung von Vinyläthern zu sein. Die Reaktion in methanolischer Kalilauge an einer Platin-Anode[6] führt zu den im folgenden Schema formulierten 1,2- und 1,4-dimethoxy-lierten Produkten:

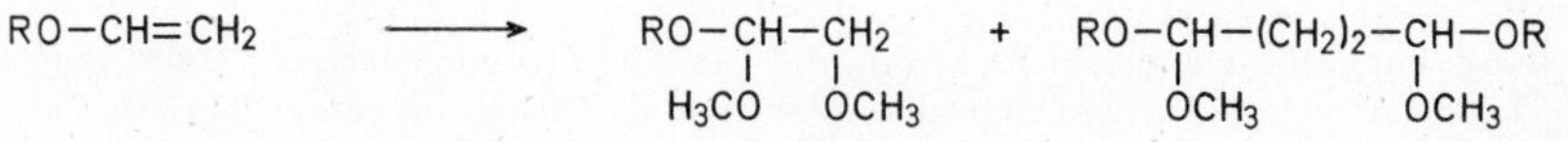

$$RO-CH=CH_2 \longrightarrow \underset{\underset{H_3CO}{|}}{RO-CH}-\underset{\underset{OCH_3}{|}}{CH_2} + \underset{\underset{OCH_3}{|}}{RO-CH}-(CH_2)_2-\underset{\underset{OCH_3}{|}}{CH-OR}$$

$$R = Alkyl$$

1,4-Dimethoxy-1,4-diäthoxy-butan und 1,2-Dimethoxy-1-äthoxy-äthan[6]:

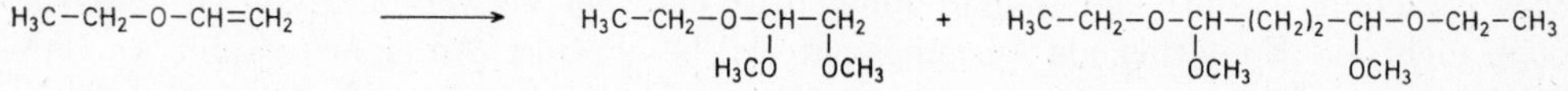

$$H_3C-CH_2-O-CH=CH_2 \longrightarrow \underset{\underset{H_3CO}{|}}{H_3C-CH_2-O-CH}-\underset{\underset{OCH_3}{|}}{CH_2} + \underset{\underset{OCH_3}{|}}{H_3C-CH_2-O-CH}-(CH_2)_2-\underset{\underset{OCH_3}{|}}{CH-O-CH_2-CH_3}$$

In einer 1 *l* fassenden Elektrolysezelle (Platin-Drahtnetzanode von 160 cm² und Nickel-Kathode von 240 cm²) elektrolysiert man eine Lösung aus 42 g (0,62 Mol) Äthyl-vinyl-äther und 800 *ml* Methanol mit 5 g Kaliumhydroxid unter Rühren bei –5° und einer Stromdichte von 0,025 A/cm² (ca. 7 V). Nach 24 Stdn. bricht man die Reaktion ab und fraktioniert den nach dem Abziehen des Methanols verbleibenden Rückstand; Ausbeute: *1,2-Dimethoxy-1-äthoxy-äthan* 44,5 g (68% bez. auf eingesetzten Äthyl-vinyl-äther); Kp_{27}: 58°. *1,4-Dimethoxy-1,4-diäthoxy-butan* 24,5 g (22% bez. auf eingesetzten Äthyl-vinyl-äther); Kp_{10}: 110°.

---

[1] Aus der Veröffentlichung geht nicht eindeutig hervor, ob es sich um die Stromausbeute oder die Ausbeute an isoliertem Produkt handelt. Der zum Hauptprodukt führende Reaktionsablauf wird folgendermaßen formuliert:

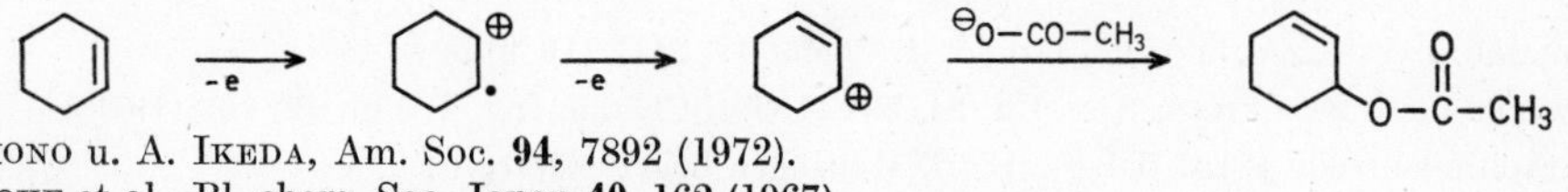

[2] T. SHONO u. A. IKEDA, Am. Soc. **94**, 7892 (1972).
[3] T. INOUE et al., Bl. chem. Soc. Japan **40**, 162 (1967).
[4] L. V. ANISKOVA et al., Z. Org. Chim. **9**, 425 (1973).
[5] s. a. Übersicht: D. KOCH, H. SCHÄFER u. E. STECKHAM, B. **107**, 3640 (1974).
[6] B. BELLEAU u. Y. K. AU-YOUNG, Canad. J. Chem. **47**, 2117 (1969).

Analog lassen sich die in Tab. 3 zusammengestellten Vinyläther umsetzen[1].

Tab. 3: Methoxylierung von Vinyläthern

Vinyläther	dimethoxylierte Verbindung	Kp		Aus- beute [%]*	dimerisierte Verbindung	Kp		Aus- beute [%]*
		[° C]	[Torr]			[° C]	[Torr]	
Methyl-vinyl- äther	*1,1,2-Tri- methoxy- äthan*	129–130	760	60	*1,1,4,4-Tetra- methoxy-butan*	96	12	20
Butyl-vinyl- äther	*1,2-Dimethoxy-1- butyloxy-äthan*	79–81	12	75	*1,4-Dimethoxy- 1,4-butoxy-butan*	92	0,3	15
5,6-Dihydro- 4H-pyran	*2,3-Dimethoxy- tetrahydro- pyran*	85	28	66	*2,2'-Dimethoxy- 3,3'-bi-tetrahydro- pyranyl*	118	1,5	24

* bez. auf eingesetzten Vinyläther.

Von einer fast vollständigen Unterdrückung von 1,2-dimethoxyliertem Produkt bei Verwendung von Graphit-Elektroden wird berichtet[2]; die Ausbeute an dimerisiertem Produkt steigt dabei gleichzeitig an.

Es liegt nahe, im Falle der Platin-Elektrode die Generierung von Methoxy-Radikalen als Primärschritt vorzuschlagen, während an einer Graphit-Elektrode die Oxidation eines Olefins zu einem Radikal-Kation erfolgt. Daraus ergibt sich die experimentell bestätigte Vermutung, daß bei unsymmetrisch substituierten Olefinen das Kation Stabilisierung durch Substituenten erfährt und bei geeignetem Ausgangsmaterial das nach der Dimerisierung entstandene Carbeniumion außer der Substitution auch Eliminierungsreaktionen vom E-1-Typ zeigen sollte.

Zur Erzielung oxidativer C–C-Kupplungen ist man bei Verwendung von Graphit-Elektroden nicht auf Enoläther als Ausgangsmaterial beschränkt. An einer Graphit-Anode[3] in methanolischer Lösung unter Zusatz von Natriumjodid lassen sich bei kontrolliertem Anodenpotential folgende Reaktionen durchführen[2] (Ausbeute 40–60% bez. auf Stromverbrauch):

Vinyl-äthyl-äther → *1,4-Dimethoxy-1,4-diäthoxy-butan*[2]
Styrol → *1,4-Dimethoxy-1,4-diphenyl-butan*[2]
2-Phenyl-propen → *2,5-Diphenyl-hexadien-(2,4)* (bei Abspaltung von Methanol)[4]
Inden → *1,1'-Dimethoxy-2,2'-bi-indanyl*[5]
1-Äthoxy-cyclohexen → *2,2'-Dioxo-bi-cyclohexyl*[6]

[1] B. Belleau u. Y. K. Au-Young, Canad. J. Chem. **47**, 2117 (1969).
[2] H. Schäfer u. E. Steckhan, Ang. Ch. **81**, 532 (1969); Chemie-Ing.-Techn. **42**, 169 (1970).
[3] z. B. Graphitelektrode P 127 der Fa. Sigri, Meitingen bei Augsburg.
[4] Eliminierungsreaktion des Carbeniumions.
[5] daneben etwas 1,2-Dimethoxy-indan.
[6] nach der sauren Hydrolyse des Rohproduktes.

IV. Elektrochemische Oxidation von Verbindungen mit Amin-Stickstoff

a) Oxidation von Aminen

Über den Ablauf der anodischen Oxidation von Aminen wurden zahlreiche detaillierte Untersuchungen durchgeführt[1]. Wie auch immer die Reaktion im einzelnen vonstatten gehen mag, primärer Reaktionsschritt dürfte in den meisten Fällen die anodische Abstraktion eines Elektrons vom freien Elektronenpaar des Stickstoffs sein. Ob die erzeugte Spezies (Kation-Radikal) dimerisiert (C–C- und C–N-Verknüpfung sind denkbar), mit einem nukleophilen Agens abreagiert oder weiterer Elektronentransfer an die Anode bevorzugt, hängt vom Lösungsmittelsystem und nicht zuletzt von der Stabilität des Kation-Radikals ab. Es ist daher zu erwarten, daß die einzelnen Klassen von Aminen (primär, sekundär, tertiär, aromatisch, aliphatisch, konjugiert) in unterschiedlichster Weise reagieren werden.

Quartäre Verbindungen, z. B. protonierte Amine oder Amide mit vier N–C-Bindungen werden sich nicht anodisch oxidieren lassen, da am Stickstoff kein freies Elektronenpaar zur Verfügung steht. In saurem Reaktionsmedium werden protonierbare Amine deshalb nicht oder nur schwer angegriffen. Aus diesem Grund lassen sich Amino-alkohole in guter Ausbeute zu den Aminosäuren oxidieren, solange man nicht in alkalischer Lösung arbeitet (s. S. 1021).

Als Oxidationsprodukte der Amine lassen sich je nach Lösungsmittel, Elektrolyt und Amin-Typ alkoxylierte und acyloxylierte Verbindungen, Alkohole und Verbindungen mit Carbonyl-Funktionen erhalten, wobei manchmal die Amino-Funktion verschwindet, manchmal der Angriff nur an den Substituenten des Stickstoffes erfolgt. Wie eingangs erwähnt sind die reaktionsmechanistischen Untersuchungen zur elektrochemischen Aminoxidation recht zahlreich. Die angegebene Literatur vermittelt einen Überblick. In präparativer Hinsicht bedeutend sind jedoch nur einige der durchgeführten Reaktionen. Das schließt natürlich nicht aus, daß bei geeigneteren Bedingungen manche der bisher nur analytisch durchgeführten Reaktionen durchaus zu präparativ brauchbaren Verfahren ausgebaut werden könnten.

Die Potentiale für die anodische Oxidation von Aminen hängen in bemerkenswerter Weise von Induktiv- und Resonanzeffekten ab. Eine Konjugation des Elektronenpaares am Stickstoff mit einem aromatischen π-System erleichtert den Elektronentransfer an die Anode bedeutend.

Elektrochemische Oxidationen primärer und sekundärer aliphatischer Amine wurden bisher fast nur unter analytischem Aspekt in Acetonitril/Natriumperchlorat als Lösungsmittel bzw. Elektrolyt untersucht[2]. Dabei findet man mehr als die Hälfte des eingesetzten Amines in der unreaktiven protonierten Form wieder, der Rest verteilt sich auf Aldehyde, Kohlenwasserstoffe, Ammoniumperchlorat und Stickstoff als Reaktionsprodukte. Die anodische Oxidation von Piperidin wurde auch in verdünnter Schwefelsäure untersucht[3]; man erhält ein Gemisch aus 5-Amino-pentansäure, dem entsprechenden Aldehyd, Glutarsäure und Bernsteinsäure.

---

[1] T. Mizoguchi u. R. N. Adams, Am. Soc. **84**, 2058 (1962).
Z. Galus u. R. N. Adams, Am. Soc. **84**, 2061, 3207 (1962).
M. Hawley et al., Am. Soc. **89**, 447 (1967).
Y. Dvorak, I. Menu u. J. Zyka, Microchem. J. **12**, 99, 324, 350 (1967).
R. F. Nelson u. R. N. Adams, Am. Soc. **90**, 3925 (1968).
C. A. Streuli, Anal. Chem. **28**, 130 (1956).
R. F. Dapo u. C. K. Mann, Anal. Chem. **35**, 677 (1963).
P. J. Smith u. C. K. Mann, J. Org. Chem. **34**, 1821 (1969).
R. N. Adams, Accounts on Chemical Research **2**, 175 (1969) (Übersicht).
L. C. Portis, V. V. Bhat u. C. K. Mann, J. Org. Chem. **35**, 2175 (1970).
R. Hand et al., Collect. czech. chem. Commun. **36**, 842 (1971).
[2] K. Barnes u. C. K. Mann, J. Org. Chem. **32**, 1474 (1967).
L. C. Portis, V. V. Bhat u. C. K. Mann, J. Org. Chem. **35**, 2175 (1970).
[3] M. Yokoyama u. K. Yamamido, Bl. chem. Soc. Japan **8**, 306 (1933).

Die Primärprodukte der anodischen Oxidation primärer aromatischer Amine reagieren oft zu polymeren und dehydrierten Produkten ab. So wird z. B. Anilin in verdünnter Schwefelsäure zu seinem Octameren, dem *Emeraldin* oxidiert[1].

Benzidin wird bei p_H-Werten unter 2 ohne weiteres zum Dikation oxidiert, bei höheren p_H-Werten erhält man polymere Produkte, wahrscheinlich über die Imino-Verbindung[2]:

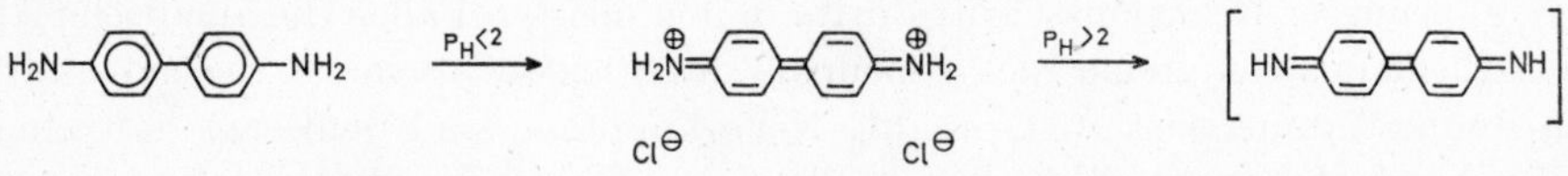

Welches Oxidationsprodukt entsteht, hängt allerdings entscheidend vom Substitutions-grad des Amines ab, daneben auch vom Lösungsmittel und Elektrolyt. In konzentrierter Schwefelsäure wird Anilin ohne weiteres zu *4-Amino-phenol* und *p-Benzochinon* oxidiert[3]. Die bei der Oxidation des 2,4-Dimethyl-anilins entstehenden Produkte erhellen den Reak-tionsablauf. In basischem Milieu entsteht an einer Eisen-Anode in guter Ausbeute *2,2',4,4'-Tetramethyl-azobenzol*. In verdünnter Schwefelsäure hingegen erhält man mit einer Platin- oder Blei-Anode eine Lösung von *6-Imino-3-hydroxy-1,3-dimethyl-cyclohexadien-(1,4)* (I), aus dem je nach Aufarbeitung (s. u.) *3-Hydroxy-6-oxo-1,3-dimethyl-cyclohexadien-(1,4)* (II) als Hydrolyseprodukt, das aus einer Dienon-Phenol-Umlagerung von II[4] erklärbare *2,5-Dihydroxy-1,4-dimethyl-benzol* (III) und *2,5-Dimethyl-p-benzochinon* (IV) erhalten werden[5].

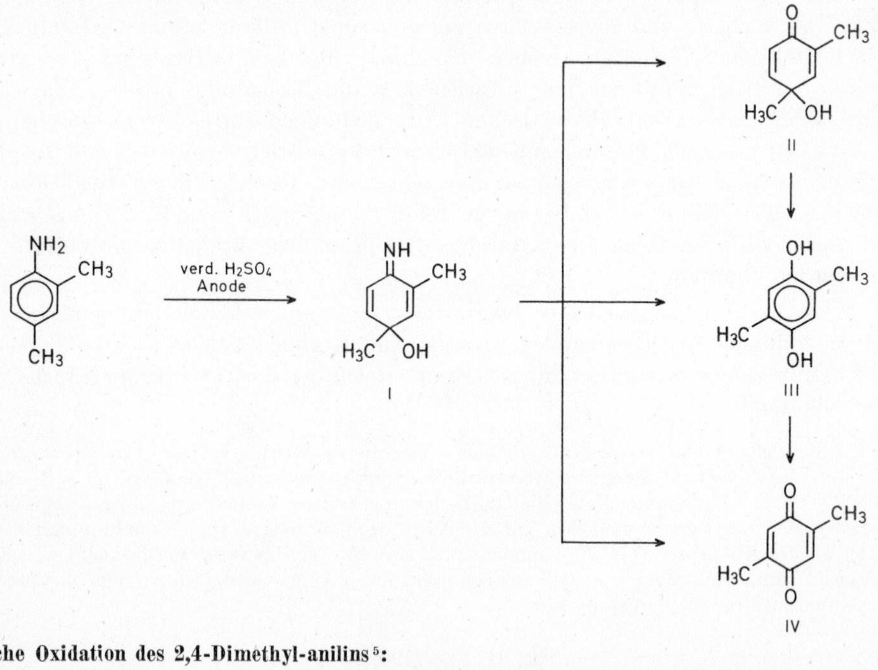

Anodische Oxidation des 2,4-Dimethyl-anilins[5]:

6-Imino-3-hydroxy-1,3-dimethyl-cyclohexadien-(1,4) (I): 7,5 g (0,062 Mol) 2,4-Dimethyl-anilin werden in 400 ml 2n Schwefelsäure gelöst und in einem voroxidierten Blei-Gefäß als Anode mit 0,0023 A/cm² anodischer Stromdichte elektrolysiert; die in einem Diaphragma steckende rotierende Blei-Kathode besorgt das Durchrühren. Die Temp. des Anolyten wird durch Kühlung von außen auf 12–15° gehalten. Der Elektrolyt ist bei Beginn der Reaktion violett gefärbt, nimmt nach einem

[1] D. M. Mohilner, R. N. Adams u. W. H. Argersinger, Am. Soc. **84**, 3168 (1962).
   T. Yasui, Bl. chem. Soc. Japan **10**, 306 (1935); C. A. **29**, 7828 (1935).
[2] M. R. Rifi, Tetrahedron Letters 5089 (1969).
[3] DRP 117129 (1899), C. F. Boehringer u. Söhne; C. **1901** I, 285.
   DRP 152063 (1902), Farbwerke vorm. Meister, Lucius u. Brüning; C. **1904** II, 71.
[4] Vgl.: R. T. Arnold, R. P. Buckley u. J. Richter, Am. Soc. **69**, 2322 (1947).
[5] F. Fichter u. P. Müller, Helv. **8**, 290 (1925).

Stromtransport von 2F/Mol eine tiefbraune Farbe an und wird nach dem Durchgang von 4F/Mol, dem Doppelten der für das Imin I ber. Strommenge wieder fast farblos. Das 2,4-Dimethyl-anilin ist dann verschwunden. Dafür enthält der Elektrolyt das Imin II, aus dem man je nach Aufarbeitung verschiedene Produkte erhält.

3-Hydroxy-6-oxo-1,3-dimethyl-cyclohexadien-(1,4) (II): Man läßt den Elektrolyten 10–12 Tage bei 22–25° stehen, filtriert etwas Harz und 2,5-Dimethyl-p-benzochinon (IV) ab und extrahiert das Filtrat mit Äther. Nach dem Trocknen und Abziehen des Äthers verbleiben 1 g; F: 53–54° (aus Wasser umkristallisiertes Hydrat).

2,5-Dihydroxy-1,4-dimethyl-benzol (III): Man leitet 15–20 Min. Wasserdampf in den Elektrolyten ein und extrahiert aus der kalten Lösung mit Äther das Chinon; F: 210°.

2,5-Dimethyl-p-benzochinon (IV): Man verfährt wie vorab angegeben, setzt nach dem Einleiten des Wasserdampfes Eisen(III)-chlorid hinzu und destilliert mit Wasserdampf; F: 123–124°.

Mit konzentrierter Schwefelsäure nimmt die Reaktion einen ähnlichen Verlauf wie beim Anilin[1]:

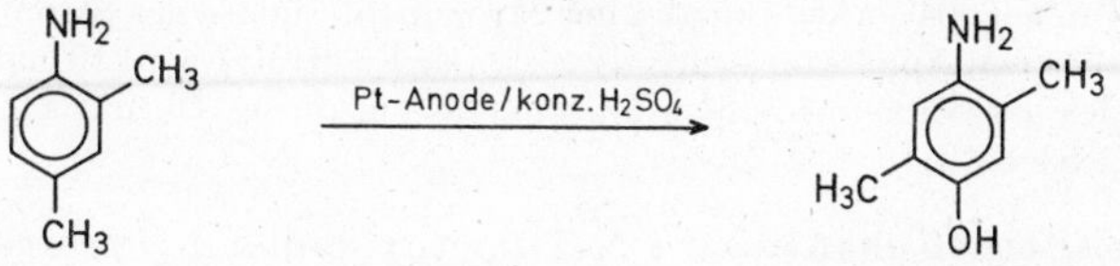

5-Amino-2-hydroxy-1,4-dimethyl-benzol

Den angeführten Reaktionen vergleichbar verläuft die anodische Oxidation von 2,4,6-Tri-tert.-butyl-anilin in wäßrigem Methanol zum 6-Imino-3-oxo-1,5-di-tert.-butyl-cyclohexadien-(1,4)[2,3]. Führt man die Reaktion in absolutem Methanol durch so gelangt man über das Imin I zum 2-Amino-5-methoxy-1,3-di-tert.-butyl-benzol (II):

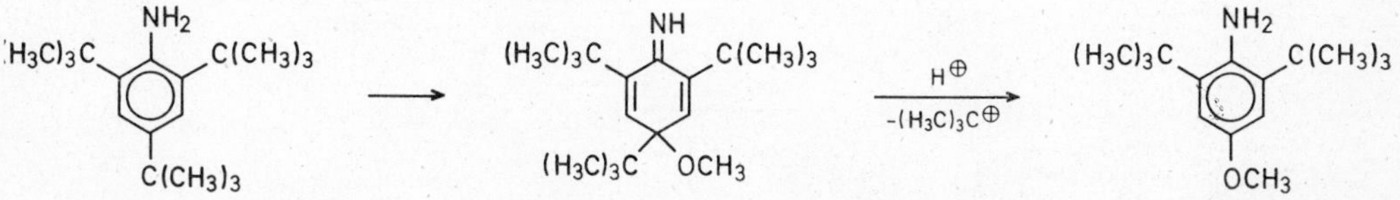

Bei der Elektrolyse in Acetonitril in Gegenwart von Pyridin liefert das 2,4,6-Tri-tert.-butyl-anilin bei einem kontrollierten Potential der Platin-Anode (0,55 V; Referenz Ag/Ag⊕ 10⁻²M; Konz. an Amin 5 × 10⁻²Mol; Konz. an Pyridin 5 × 10⁻¹Mol; 40 ml Acetonitril) 6,8-Di-tert.-butyl-⟨pyrido-[1,2-a]-benzimidazol⟩ (61% d.Th.) und N-(2,4,6-Tri-tert.-butyl-phenyl)-N'-tert.-butyl-acetamidin (25% d.Th.)[4]:

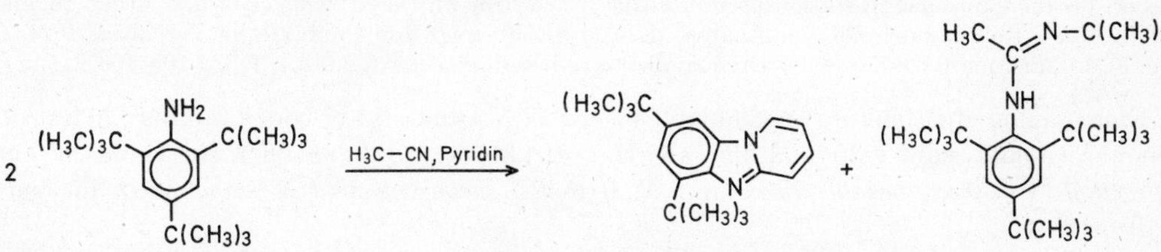

Unerwartete Produkte liefert zum Teil die Elektrolyse tertiärer Aryl- bzw. Benzyl-amine. Die Elektrolyse des 2,4,N,N-Tetramethyl-anilins führt wie die Reaktion des 2,4-Dimethyl-

[1] F. Fichter u. P. Müller, Helv. 8, 290 (1925).
[2] G. Cauquis, G. Fauvelot u. J. Rigaudy, Bl. 4928 (1968).
[3] W. K. Snead u. A. E. Remick, Am. Soc. 79, 6121 (1957).
[4] G. Cauquis u. J. L. Cros, Bl. 3760 (1971).
   Mechanismus s. G. Cauquis, J. L. Cros u. M. Geniès, Bl. 3765 (1971).

anilins in verd. Schwefelsäure zu *3-Hydroxy-6-oxo-1,3-dimethyl-cyclohexadien-(1,4)*[1]. Aufgrund der Herabsetzung des Oxidationspotentials durch den induktiven Effekt der
Methyl-Gruppen am Stickstoff werden höhere Ausbeuten erzielt.

3-Hydroxy-6-oxo-1,3-dimethyl-cyclohexadien- (1,4) [2]:

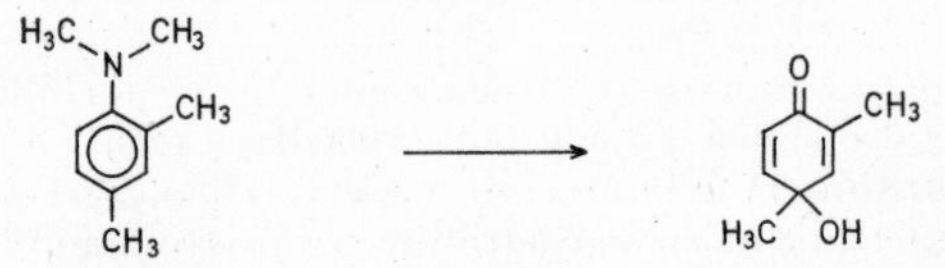

9,3 g (0,062 Mol) 2,4,N,N-Tetramethyl-anilin werden in 100 *ml* 2n Schwefelsäure gelöst, auf 400 *ml* mit
Wasser verdünnt und mit 0,0047 A/cm² anodischer Stromdichte und einer Strommenge von 4 F/Mol in
der auf S. 1002 beschriebenen Apparatur elektrolysiert. Der Elektrolyt wird 10mal mit Äther extrahiert;
nach dem Abziehen des getrockneten Äthers hinterbleibt ein dickes Öl, das bald erstarrt; Ausbeute:
3 g (39,5% d.Th.); F: 53–54°.

Auf ähnliche Weise erhält man aus 2,4,N-Trimethyl-anilin *3-Hydroxy-6-oxo-1,3-dimethyl-
cyclohexadien-(1,4)* (40% d.Th.).

In methanolischer Kalilauge gehen tertiäre Aryl- und Benzyl-amine Methoxylierungs-
reaktionen ein, die von der Ausbeute und vom Produkt her präparativ interessant sind. Aus
N,N-Dimethyl-anilin entsteht als gut isolierbares Hauptprodukt das *N-Methyl-N-methoxymethyl-anilin* [3]:

N-Methyl-N-methoxymethyl-anilin:

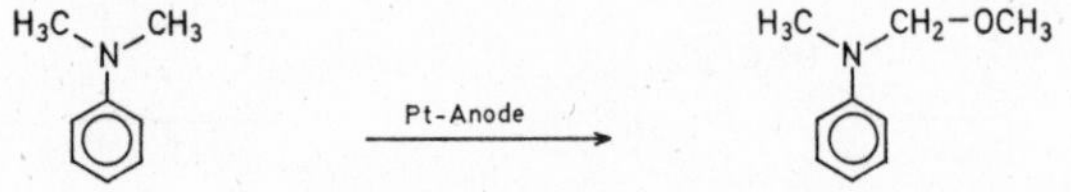

Die Elektrolyseapparatur[3] besteht z. B. aus einem Glasgefäß hinreichenden Volumens mit zwei Platin-
draht-Netzelektroden als Anode (Gesamtoberfläche 160 cm²) und einer Nickelkathode (Oberfläche
240 cm²). Die beiden Anoden sind konzentrisch um die Kathode angeordnet; die Kühlung des Elektrolyten erfolgt über einen in die Lösung getauchten Kühlfinger, gerührt wird mit einem Magnetrührer.
Durch manuelles Korrigieren der Spannung hält man die Stromstärke konstant.

In dieser Apparatur elektrolysiert man eine Mischung aus 53,7 g (0,45 Mol) N,N-Dimethyl-anilin, 10 g
Kaliumhydroxid und 500 *ml* Methanol bei 5,5 A und 25° 6 Stdn. Durch Abziehen des Methanols i. Wasser-
strahlvak. engt man die Reaktionsmischung zu einer dicken Paste ein und fällt anschließend mit 1 *l*
Äther die anorganischen Reaktionsprodukte aus. Nach dem Filtrieren zieht man den Äther ab und
erhält 63,2 g Rohprodukt. Die vpc-Analyse (Silicon SE-30) zeigt drei Produkte im Verhältnis 1:24:4.
Die Fraktionierung i.Vak. an einer Drehbandkolonne liefert 46 g (68% d.Th.); Kp_{10}: 103–106°.

Eine analog durchgeführte Elektrolyse des N,N-Dimethyl-N-benzyl-amins[3] liefert in
einer Ausbeute von ∼30% d.Th. als Hauptfraktion (Kp_{15}: 88–98°) ein Gemisch aus
Dimethyl-(α-methoxy-benzyl)-amin und *N-Methyl-N-methoxymethyl-N-benzyl-amin* im Verhältnis 1 : 4:

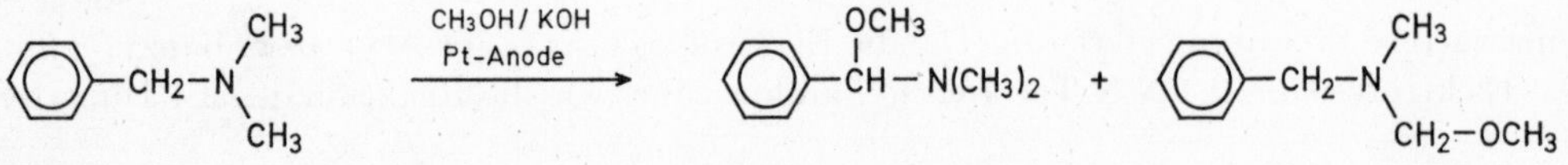

[1] F. Fichter u. P. Müller, Helv. 8, 290 (1925).
[2] N. L. Weinberg u. E. A. Brown, J. Org. Chem. 31, 4058 (1966).
[3] B. Belleau u. N. L. Weinberg, Am. Soc. 85, 2525 (1963).

Elektrolysiert man Methyl-(2-hydroxy-äthyl)-benzyl-amin unter denselben Bedingungen, erhält man *N-Methyl-N-methoxymethyl-N-benzyl-amin* (I), *3-Methyl-2-phenyl-1,3-oxazolidin* (II) und *3-Benzyl-1,3-oxazolidin* (III) im Verhältnis 1:1:1, die sich von einigen Nebenprodukten durch Destillation an einer Drehbandkolonne trennen lassen[1]:

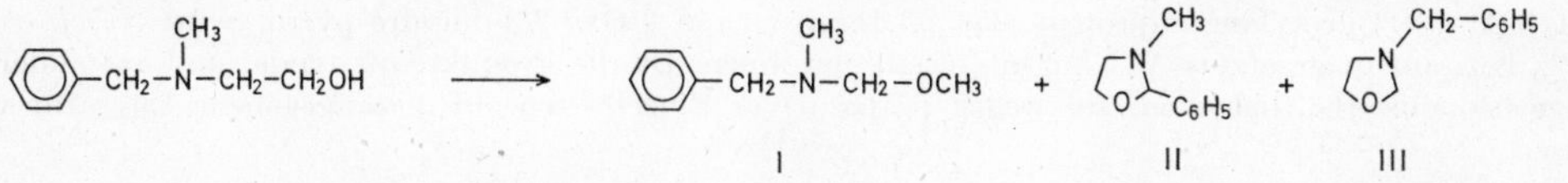

Das experimentelle Material deutet an, daß die Alkoxylierung bevorzugt an der Alkyl-Gruppe der tertiären Amine des besprochenen Typs stattfindet; bei Anwesenheit benzylischer Methylen-Gruppen ist mit Konkurrenzreaktionen zu rechnen.

b) Oxidation von Acyl-aminen

Voltammetrische Untersuchungen des anodischen Oxidationsvorganges an aliphatischen Acyl-aminen in Acetonitril zeigen, daß primäre Amide bei 2,0 V, sekundäre bei 1,8 V und tertiäre Amide bereits bei 1,2–1,5 V oxidiert werden[2], d. h. daß eine zunehmende Elektronendichte am Stickstoff den Oxidationsvorgang erleichtert; pro Amid-Funktion wird ein Elektron umgesetzt. Zusammen mit den bei Elektrolysen in Acetonitril und kontrolliertem Potential erhaltenen Produkten –90–98% protoniertes Amid, Ausgangsmaterial und 83–94% *Bernsteinsäure-dinitril* (bez. auf umgesetztes Ausgangsmaterial) – erlauben diese Ergebnisse die Formulierung eines Reaktionsablaufes, in welchem das anodisch generierte Kation-Radikal des Amides I ein Wasserstoff-Atom vom Lösungsmittel abstrahiert und protoniertes Amid II bildet, während das aus dem Acetonitril entstehende Cyanmethyl-Radikal (III) zu Bernsteinsäure-dinitril (IV) dimerisiert[3]:

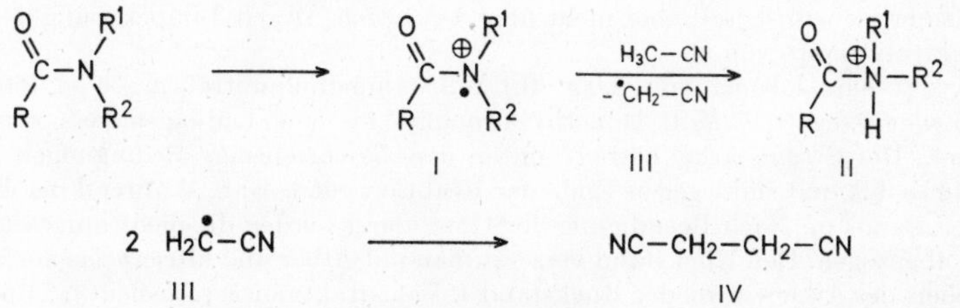

Die Oxidation sekundärer und tertiärer Amide in Acetonitril, dem Wasser in einer der Menge des eingesetzten Amides entsprechenden Konzentration zugesetzt ist, führt zur Spaltung einer N–C-Bindung am Amid; als Produkt erhält man dealkyliertes Amid und dem Alkyl-Rest entsprechenden Aldehyd[4].

Für den Ablauf dieser Reaktion wird ein Mechanismus vorgeschlagen, bei dem das primär gebildete Kation-Radikal ein Proton und ein weiteres Elektron verliert; das so gebildete Kation reagiert bei der Hydrolyse zu protoniertem dealkyliertem Amid und Aldehyd[4]. Da bei der Reaktion das protonierte Amid entsteht, findet immer nur eine Dealkylierung statt. In wäßrigem Acetonitril mit Natriumperchlorat lassen sich an einer Platin-Anode mit einem gegen die ges. Kalomelelektrode kontrollierten Potential von 1,35 V verschiedene N-Alkyl- und N,N-Dialkyl-acetamide mit einer Ausbeute um 45% bez. auf umgesetztes Amid zu den entsprechenden dealkylierten Amiden und Aldehyden umsetzen[2]. Die Reaktionen wurden bisher unter einem analytischen Aspekt durchgeführt. Ob eine Herstellung der Produkte auf analoge Weise in größerem Maßstabe möglich und ökonomisch ist, sei dahingestellt.

[1] N. L. WEINBERG u. E. A. BROWN, J. Org. Chem. **31**, 4058 (1966).
[2] J. F. O'DONNELL u. C. K. MANN, J. of Electroanalytical Chemistry **13**, 157 (1967).
[3] J. F. O'DONNELL u. C. K. MANN, J. of Electroanalytical Chemistry **13**, 162 (1967).
[4] C. K. MANN u. K. K. BARNES, *Electrochemical Reactions in Nonaqueous Systems*, S. 291, M. Dekker, Inc., New York 1970.

Eine Reihe von Amiden und Lactamen wird auch in saurem wäßrigem Milieu an einer Blei-Anode oxidiert. Es entstehen in z. T. brauchbarer Ausbeute dealkylierte Produkte wie Carbonsäuren, Aminosäuren, Ketone und Imide. So erhält man z. B. aus Bernsteinsäure-bis-[propyl-amid] in verd. Schwefelsäure *Propionsäure* und *Bernsteinsäure*[1], sowie aus dem Bis-[isopropyl-amid] *Aceton* und *Bernsteinsäure*[1]. 2-Amino-1-acetylamino-äthan liefert *Glycin*[2] (54–64% bez. auf umgesetztes Ausgangsmaterial) und 3-Amino-1-acetylamino-propan das *β-Alanin*[2]; aus 2-Oxo-2,3-dihydro-pyrrol wird *Succinimid*[3] (59% bez. auf umgesetztes Ausgangsmaterial) gewonnen. Da die Produkte oft trivial und auf anderem Wege bequem erhältlich sind, sei wegen präparativer Einzelheiten auf die angegebene Literatur verwiesen.

Präparativ von besonderem Interesse sind auch hier Alkoxylierung und Acyloxylierung aliphatischer N,N-Dialkyl-N-acyl-amine zu den entsprechenden α-substituierten Produkten. Bei der Alkoxylierung erweist sich die Wahl des Elektrolyten als entscheidend. Das System Ammoniumnitrat/Alkohol führt zu wesentlich besseren Ausbeuten als das System Natriumalkanolat/Alkohol. Strom-Spannungs-Diagramme zeigen, daß das erstere bei ~0,5 V höherer anodischer Spannung oxidiert wird.

Der Schluß auf ein primär gebildetes Kation-Radikal erscheint plausibel wenn man annimmt, daß eine Ko-oxidation des Elektrolyten bzw. Lösungsmittels im Falle des Systems Alkanolat/Alkohol die Ausbeute herabsetzt[4].

Methyl-(butyloxy-methyl)-formyl-amin[5]:

$$\underset{\underset{CH_3}{|}}{\overset{\overset{CH_3}{|}}{OHC-N}} \longrightarrow \underset{\underset{CH_3}{|}}{\overset{\overset{CH_2-O-(CH_2)_3-CH_3}{|}}{OHC-N}}$$

Die Elektrolyseapparatur besteht aus einem 200-*ml*-Becherglas, in das – befestigt in einem Teflondeckel – zwei Platinbleche 7 cm tief eintauchen. Sie sind 0,025 cm dick, 2,5 cm breit und befinden sich in einem Abstand von 2 cm voneinander. Thermometer und Magnetrührer vervollständigen den Aufbau.

Die Stromstärke wird während der Elektrolyse auf dem Höchstwert gehalten, der mit einer Spannung von bis zu 50 V zu erreichen ist, soll aber nicht über 4 A liegen. Durch Temperierung des Gefäßes sorgt man für eine Elektrolyttemp. von 60°.

Man elektrolysiert eine Lösung von 8,0 g (0,1 Mol) Ammoniumnitrat in 75 *ml* (60,7 g; 0,81 Mol) Butanol und 75 *ml* (70,8 g; 0,97 Mol) Dimethylformamid bis eine Ladungsmenge von 1,26 Faraday transportiert sind. Die Stromstärke beträgt unter den beschriebenen Bedingungen während eines größeren Zeitraumes 3 A und sinkt gegen Ende der Reaktion auf 1 A ab. Während der Elektrolyse fügt man noch 20 *ml* Butanol zu. Nach Beendigung der Umsetzung werden die nicht umgesetzten Ausgangsprodukte i. Vak. abgezogen. Den Rückstand versetzt man mit Äther und filtriert das ausfallende Salz ab. Nach dem Abziehen des Äthers wird der Rückstand i. Vak. fraktioniert; Ausbeute: 74,6 g (53% d. Th., bez. auf eingesetztes Formamid); $Kp_{0,04}$: 62–64°.

Analog[5] erhält man aus

N,N-Dimethyl-formamid + Äthanol → *Methyl-(äthoxy-methyl)-formyl-amin*; 67% d.Th., Kp_8: 69–71°
N,N-Dimethyl-acetamid + Butanol → *Methyl-(butyloxy-methyl)-acetyl-amin*; 78% d.Th.; $Kp_{0,008}$: 48–50°

Benzoesäure-dimethylamid + Äthanol → *Methyl-(äthoxy-methyl)-benzoyl-amin*; 54% d.Th. [6]
Methansulfonsäure-dimethylamid + Methanol → *Methansulfonyl-methyl-methoxymethyl-amin*[7]

Nicht weniger elegant kommt man durch eine anodische Oxidation auch zu α-acyloxylierten Amiden. Während mit konventionellen Methoden das *Methyl-(acetoxy-methyl)-acetyl-amin* aus 75 *ml* (70,8 g, 0,97 Mol) Dimethylformamid nur in einer Ausbeute von maximal 17% d.Th. herstellbar ist[8], gelingt die anodische Acetoxylierung von N,N-Di-

---

[1] S. Mizuno, J. Elektr. Soc. Japan, Overseas Ed. **29**, 27 (1961).
[2] S. Mizuno, J. Elektr. Soc. Japan, Overseas Ed. **29**, 33 (1961).
[3] S. Mizuno, J. Elektr. Soc. Japan, Overseas Ed. **29**, 112 (1961).
[4] N. L. Weinberg u. T. B. Reddy, Am. Soc. **90**, 91 (1968).
[5] S. D. Ross, M. Finkelstein u. R. C. Petersen, Am. Soc. 88, 4657 (1966).
[6] Verunreinigt mit Benzoesäure-dimethylamid.
[7] S. D. Ross, M. Finkelstein u. E. J. Rudd, J. Org. Chem. **37**, 2387 (1972).
[8] J. P. Chupp u. A. J. Speciale, J. Org. Chem. 28, 2592 (1963).

methyl-acetamid in Essigsäure/Natriumacetat immerhin mit einer Ausbeute von 23 % d. Th. bei wesentlich einfacherer Aufarbeitung des Reaktionsgemisches[1]. Die Verwendung von Ammoniumnitrat würde die Ausbeute wahrscheinlich erhöhen, da die Acetoxylierung von N,N-Dimethyl-formamid mit Ammoniumnitrat als Elektrolyt mit einer Ausbeute von 54% d. Th. verläuft[2]:

Methyl-(acetoxy-methyl)-formyl-amin[2]:

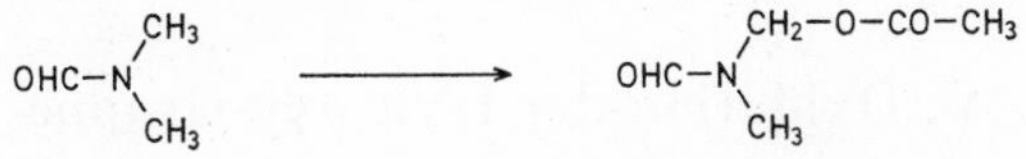

$$\text{OHC—N}\begin{smallmatrix}\text{CH}_3\\\\\text{CH}_3\end{smallmatrix} \longrightarrow \text{OHC—N}\begin{smallmatrix}\text{CH}_2\text{—O—CO—CH}_3\\\\\text{CH}_3\end{smallmatrix}$$

In der gleichen Elektrolyse-Apparatur, wie sie für die Alkoxylierung von Amiden beschrieben wurde (S. 1020) elektrolysiert man eine Lösung aus 8 g (0,1 Mol) Ammoniumnitrat, 50 *ml* (0,65 Mol) Dimethylformamid und 100 *ml* Essigsäure bei 3 A bis 0,653 F durch den Elektrolyten geflossen sind. Auf einem Wasserbad von 80° zieht man mit der Wasserstrahlpumpe nicht umgesetzte Ausgangsverbindungen ab, versetzt den Rückstand mit Äther und filtriert. Nach dem Abziehen des Äthers wird über eine Vigreux-Kolonne i. Vak. destilliert. Bei 55–63°/0,06–0,1 Torr destilliert 26,7 g Rohprodukt über, das bei 0,2 Torr erneut destilliert wird; Ausbeute: 23,0 g (54% d. Th.); Kp$_{0,2}$: 51–53°.

Vom *Methyl-(formyloxy-methyl)-formyl-amin* lassen sich nach der folgenden Vorschrift in einem Ansatz etwa 200 g herstellen[1].

Methyl-(formyloxy-methyl)-formyl-amin[1]:

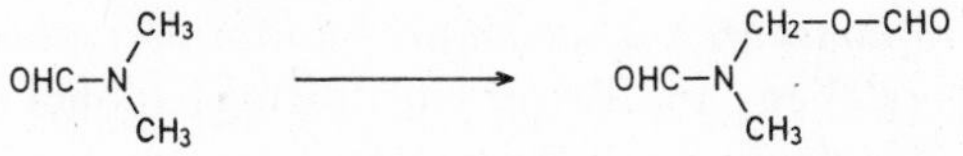

$$\text{OHC—N}\begin{smallmatrix}\text{CH}_3\\\\\text{CH}_3\end{smallmatrix} \longrightarrow \text{OHC—N}\begin{smallmatrix}\text{CH}_2\text{—O—CHO}\\\\\text{CH}_3\end{smallmatrix}$$

Die Elektrolyseapparatur besteht aus einem mit einem Mantel zur Kühlung versehenen 1-*l*-Becherglas mit zwei Platin-Blechen als Elektroden (0,025 cm dick, 2,5 cm breit), die in einem Abstand von 2 cm ~7 cm tief in die Lösung eintauchen. Das Rühren besorgt ein Magnetrührer.

In dieser Apparatur elektrolysiert man eine Lösung aus 5 g Natriumformiat in 200 *ml* N,N-Dimethylformamid und 400 *ml* Ameisensäure bei 4 A und 43 V, bis 5,5 F transportiert sind. Auf einem Wasserbad von 80° zieht man mit der Wasserstrahlpumpe nicht umgesetzte Ausgangsverbindungen ab. Zum Rückstand gibt man Äther und filtriert. Nach dem Trocknen über Magnesiumsulfat wird der Äther abdestilliert und der Rückstand i. Vak. fraktioniert; Ausbeute: 191,4 g (62,2% bez. auf eingesetztes Formamid); Kp$_{0,08}$: 63–64°.

Löst man den Destillationsrückstand in Essigsäure-äthylester, lassen sich durch Zugabe von Äther 8–10 g *Bis-[methyl-formyl-amino)-methyl]-äther* isolieren.

Bis-[(methyl-formyl-amino)-methyl]-äther[2]:

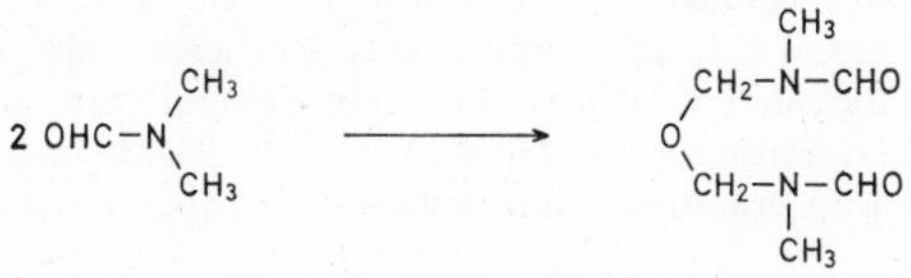

$$2\ \text{OHC—N}\begin{smallmatrix}\text{CH}_3\\\\\text{CH}_3\end{smallmatrix} \longrightarrow \text{O}\begin{smallmatrix}\text{CH}_2\text{—N(CH}_3)\text{—CHO}\\\\\text{CH}_2\text{—N(CH}_3)\text{—CHO}\end{smallmatrix}$$

In der auf S. 1024 beschriebenen Apparatur zur Elektrolyse von N,N-Dimethyl-formamid mit Butanol elektrolysiert man 8,0 g (0,1 Mol) Ammoniumnitrat in 150 *ml* N,N-Dimethylformamid mit 5 *ml* Wasser bei 4 A bis 1,19 F durch den Elektrolyten geflossen sind. Nach dem Abziehen nicht umgesetzten Ausgangsproduktes und Lösungsmittels erhält man 47 g Rückstand, den man in 500 *ml* Chloroform aufnimmt. Man wäscht 2mal mit je 25 *ml* Wasser. Nach dem Trocknen über Magnesiumsulfat zieht man das Chloroform ab und kristallisiert den Rückstand aus Essigsäure-äthylester/Äther um; Ausbeute: 24 g F: 63–54°.

---

[1] S. D. Ross, M. Finkelstein u. R. C. Petersen, J. Org. Chem. **31**, 128 (1966).
[2] S. D. Ross, M. Finkelstein u. R. C. Petersen, Am. Soc. **88**, 4657 (1966).

N-Hydroxy-pyrrole werden elektrochemisch zu den entsprechenden *Nitroxyl-Radikalen* dehydriert[1]:

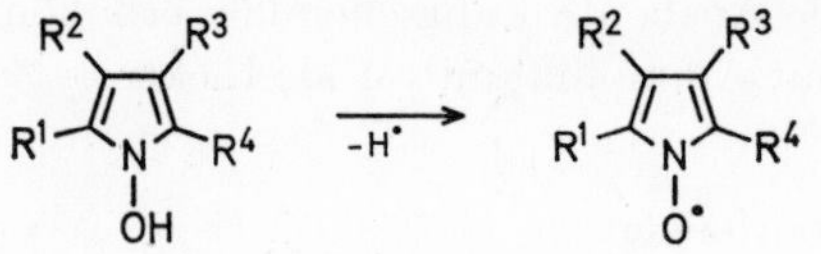

V. Oxidation der Hydroxy-Gruppe

a) Oxidation der alkoholischen Hydroxy-Gruppe

Die Verwendbarkeit einfacherer aliphatischer Alkohole als Lösungsmittel bei der anodischen Oxidation zeigt an, daß ihre Oxidationspotentiale zu hoch liegen, um direkt in den in Frage kommenden Lösungsmitteln (Acetonitril, N,N-Dimethyl-formamid u. ä.) an der Anode angegriffen zu werden[2]. Das Lösungsmittel oder der Elektrolyt bzw. die aus ihnen erzeugte Spezies wird also die Funktion des oxidierenden Agens übernehmen müssen, wenn überhaupt eine Oxidation dieser Alkohole an der Anode erfolgreich sein soll. Fast alle Versuche zur elektrolytischen Oxidation aliphatischer Alkohole wurden deshalb in verdünnter Schwefelsäure durchgeführt, oft unter Zusatz anorganischer Oxidationsmittel. An die Isolierung von Aldehyden ist daher unter diesen Bedingungen nicht zu denken. In Ausbeuten um 50% d.Th. lassen sich an Blei-Elektroden in 10%iger Schwefelsäure mit Mangan(II)-sulfat als Katalysator *Propionsäure*[3], *Buttersäure*[3] und *3-Methyl-butansäure*[3] aus den entsprechenden Alkoholen herstellen; aus Tetrahydrofurfurylalkohol entsteht *Bernsteinsäure*[4] und aus Isobutanol die *2-Methyl-propansäure*[4]. Anstelle der Katalysatoren werden auch besonders präparierte Elektroden verwendet[5]. Anzumerken wäre die Oxidation des Isopropanols zu *Aceton* (70% d.Th., Platin-Elektroden, verdünnte Schwefelsäure)[6] und des Cyclohexanols zu *Cyclohexanon* (85% d.Th.)[7].

Wegen des präparativen Aspektes verdient die Oxidation von Amino-alkoholen zu Amino-carbonsäuren besondere Erwähnung. In saurer Lösung erweist sich wegen der Protonisierung die Amino-Gruppe im Vergleich zur Hydroxy-Funktion als schwerer oxidierbar. Als Prototyp die Vorschrift zur Herstellung von *β-Alanin*.

β-Alanin[8]:

$$H_2N-CH_2-CH_2-CH_2OH \longrightarrow H_2N-CH_2-CH_2-COOH$$

Man arbeitet in einem Elektrolysegefäß ohne Diaphragma. Als Kathode dient eine perforierte Blei-Platte. Die Anode besteht ebenfalls aus Blei und diente in dieser Versuchsanordnung gleichzeitig als Kühlfinger; gekühlt wird mit fließendem Wasser. Bei einer Stromdichte von 1 A/dm² elektrolysiert man unter Rühren bis 104% der ber. Strommenge geflossen sind (4 Elektronen pro Molekül). Das Ende der Reaktion ist auch leicht daran zu erkennen, daß der an der Anode entstehende Sauerstoff nicht mehr verbraucht wird.

[1] G. Cauquis, P. J. Grossi, A. Russat u. D. Serve, Tetrahedron Letters **1973**, 1863.
[2] P. H. Given u. M. E. Peover, Soc. 385 (1960).
   P. Yousefzadeh u. K. Mann, J. Org. Chem. **33**, 2716 (1968).
   G. Sundholm, Acta chem. scand. **25**, 3188 (1971).
[3] B. Ershov u. G. Pvatnitskaya, Novasti Tikhniki **1**, 29 (1940).
[4] US. P. 2338466 (1944), Alien Property Custodian, Erf.: Y. Takayame; C. A. **38**, 3555 (1944).
[5] N. G. Bakhchisaraitsyan et al., Z. prikl. Chim. **25**, 1643 (1962); C. A. **57**, 14878 (1962).
[6] K. Elbs u. O. Brunner, Z. El. Ch. **6**, 604 (1900).
   T. Kurenniemi u. E. Tommila, Suomen Kem. **93**, 25 (1936); C. A. **31**, 1299 (1937).
[7] F. Fichter u. R. Stocker, B. **42**, 2003 (1914).
[8] Brit. P. 614984 (1948), Roche Products Ltd.; C. A. **43**, 6926 (1949).

Die Reaktionsmischung besteht aus 50 g (0,67 Mol) 1-Amino-3-hydroxy-propan, die mit 3n Schwefelsäure auf ein Vol. von 430 *ml* gelöst werden. Nach Beendigung der Elektrolyse wird die anorganische Säure mit Bariumhydroxid-Lösung ausgefällt und abfiltriert. Das gelbe Filtrat entfärbt man durch Behandeln mit Tierkohle und konzentriert die Lösung i.Vak. bis das Rohprodukt ausfällt; Ausbeute: 47,5 g (80% d.Th.); F: 198–199° (aus Äthanol).

Auf analoge Weise lassen sich die folgenden Aminoalkohole in verdünnter Schwefelsäure anodisch oxidieren:

1-Amino-äthanol	→ *Glycin*	40–60% d.Th.[1]
2-Amino-propanol	→ *α-Alanin*	39–45% d.Th.[1]
2-Amino-butanol	→ *2-Amino-butansäure*	49% d.Th.[1,2]
2-Amino-1-hydroxy-2-methyl-propan	→ *2-Amino-2-methyl-propansäure*	31% d.Th.[1,2]
4-Amino-butanol	→ *4-Amino-butansäure*[3]	
5-Amino-pentanol	→ *5-Amino-pentansäure*	31–59% d.Th.[1]

Ein weiteres Beispiel für die spezifische Oxidation einer Hydroxy-Funktion in Gegenwart anderer oxidierbarer Gruppen ist die Herstellung von 2-Oxo-aldonsäuren aus den entsprechenden Aldonsäuren. Aus dem Calciumsalz der Gluconsäure wird in einem essigsauren Elektrolyten unter Zusatz von Calciumbromid und Chrom(VI)-oxid an Graphit-Elektroden in einer Ausbeute von 80% d.Th. das Calciumsalz der *2-Oxo-gluconsäure* erhalten[1]. Ebenso läßt sich aus dem Natriumsalz der Idonsäure mit Natriumbromid und Chrom(VI)-oxid das Salz der *2-Oxo-idonsäure* herstellen[4] (vgl. auch S. 1030).

Besonders erfolgreich ist die elektrolytische Herstellung von Alkinsäuren aus den entsprechenden Alkoholen.

Propargylsäure[5]:

$$HC\equiv C-CH_2OH \longrightarrow HC\equiv C-COOH$$

In den Anodenraum einer durch ein Diaphragma (Tonplatte) getrennten Elektrolysezelle mit einer Blei-Anode und einer Kupfer-Kathode gibt man eine Lösung aus 50 g 96%igem Propargylalkohol und 550 g 15%ige Schwefelsäure nebst einer kleinen Menge an Chrom(III)-Salz; Katholyt ist ebenfalls 15%ige Schwefelsäure. Es wird mit 4 A 27 Stdn. bei 3,2 V elektrolysiert. Die Temp. des Elektrolyten soll 8,5–9° betragen. Die Anoden-Lösung wird filtriert und nach dem Aussalzen mit Natriumchlorid 22 Stdn. am Perforator extrahiert. Nach dem Trocknen über Calciumchlorid und Abziehen des Äthers erhält man eine leicht gelbe Flüssigkeit, die die Propargylsäure zu 89,3% enthält (Ausbeute: 76,1% d.Th.).

Analog lassen sich auch andere Alkinsäuren aus den entsprechenden Alkoholen herstellen. 1,4-Dihydroxy-butin-(2) wird mit einer Ausbeute von 74% d.Th. zur *Acetylendicarbonsäure* oxidiert.

Während bei den bisher besprochenen einfacheren gesättigten und ungesättigten aliphatischen Alkoholen und ihren Derivaten die Oxidation sicher indirekt erfolgt, zeigen Untersuchungen an Benzylalkoholen, daß geeignete Substituenten am Phenyl-Kern das Oxidationspotential offenbar so beeinflussen können, daß in inerten Lösungsmittelsystemen ein direkter Elektronentransfer vom benzylischen System an die Anode stattfinden kann. Zwar liegt das polarographische Potential $E_{1/2}$ beim Benzylalkohol selbst oberhalb von

[1] S. Mizuno, Y. Hirata u. K. Takei, Journal of the Electrochemical Society, Japan, Overseas Ed. **29**, 31 (1961); C. A. **60**, 11880 (1964).
[2] S. Mizuno, Y. Hirata u. K. Takei, Nagoya Kogyo Daigaku Gahuko **14**, 48 (1962); C. A. **60**, 11889 (1964).
[3] S. Mizuno u. S. Ishikawa, Bull. Nagoya Inst. Technol. **7**, 277 (1955); C. A. **50**, 9181 (1956).
[4] US. P. 2222155 (1938), R. Pasternak u. P. P. Regna; C. **1941**, 3288.
[5] DBP. 931409 (1956); US. P. 2786022 (1957), V. F. Wolf; C. A. **50**, 11865 (1956); **51**, 9381 (1957). E. J. Grinblat u. I. Y. Postovskiĭ, Z. obšč. Chim. **31**, 389 (1961); engl.: 352.

2,0 V[1,2], ebenso beim Diphenyl-carbinol[1]; auch 2- und 4-Nitro-benzylalkohol werden in dem zur Verfügung stehenden Potentialbereich nicht direkt angegriffen[1,2]. Bei ihnen besteht die Möglichkeit der indirekten Oxidation im wäßrigen System. Als Beispiel hierfür zunächst eine Arbeitsvorschrift für die Oxidation des 4-Nitro-benzylalkohols.

4-Nitro-benzoesäure[3]:

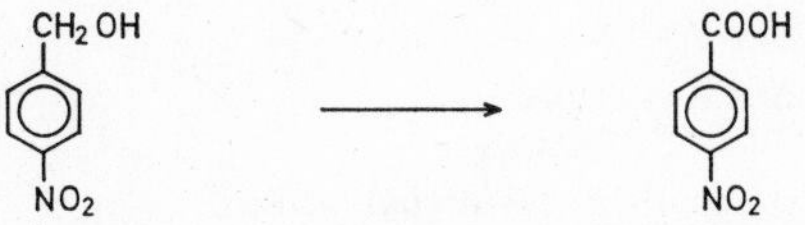

4 g (0,026 Mol) 4-Nitro-benzylalkohol werden in einer Lösung aus 50 g Eisessig, 10 g konz. Schwefelsäure und 7 g Wasser bei Wasserbadtemp. (Rückflußkühler) an einer Platin-Drahtnetzanode elektrolysiert (Stromdichte 0,01 A/cm²) bis das 3fache der ber. Strommenge geflossen ist. Nach dem Abziehen des Eisessigs i. Vak. kristallisiert die 4-Nitro-benzoesäure aus; Ausbeute: 4 g (92,5% d. Th.); F: 240°.

Wie bereits angedeutet gelingt in dem in Acetonitril/Natriumperchlorat erreichbaren Potentialbereich (bis 2,2 V) auch die direkte Oxidation einer Reihe von geeignet substituierten Benzylalkoholen.

Kontrolliert man das Potential der arbeitenden Elektrode mit einer Referenzelektrode im Bereich um den Wert für die 1. Stufe des polarographischen Potentials $E_{1/2}$ in Gegenwart eines dreifachen molaren Überschusses an Pyridin oder Chinolin als Protonenacceptor, läßt sich an einer Platin-Anode *4-Methoxy-benzylalkohol* mit der berechneten Strommenge sogar zum *4-Methoxy-benzaldehyd* oxidieren[4]. Ähnlich erfolgreich scheint die Reaktion auch bei 4-Methyl-benzylalkohol (*4-Methyl-benzaldehyd*) Furfurylalkohol (*Furfural*) 1- und 2-Hydroxymethyl-naphthalin (*1- bzw. 2-Formyl-naphthalin*) zu sein[1], doch finden sich in der Literatur keine näheren Angaben zur präparativen Durchführung. Ein Mechanismus der Reaktion wird an der angegebenen Stelle diskutiert.

b) Oxidation der phenolischen Hydroxy-Gruppe

Die Oxidation der phenolischen Hydroxy-Funktion in nichtwäßriger Lösung an einer Anode führt zu sehr reaktiven Primärprodukten, die rasch polymerisieren. Definierte Produkte niedrigeren Molekulargewichts sind bei o- und p-substituierten Phenolen zu erwarten. Einen Hinweis auf die Natur des ursprünglichen Oxidationsproduktes gibt die Elektrolyse von 2-Hydroxy-5-methyl-1,3-di-tert.-butyl-benzol in Acetonitril/Natriumperchlorat (Platin-Elektroden, kontrolliertes Potential) in Gegenwart von Methanol und unter Zusatz von Tetraäthyl-ammoniumhydroxid um ein Ansteigen der Acidität während der Elektrolyse zu vermeiden[5]. Man erhält in guter Ausbeute (65% d. Th.) *3-Methoxy-6-oxo-3-methyl-1,5-di-tert.-butyl-cyclohexadien-(1,4)*:

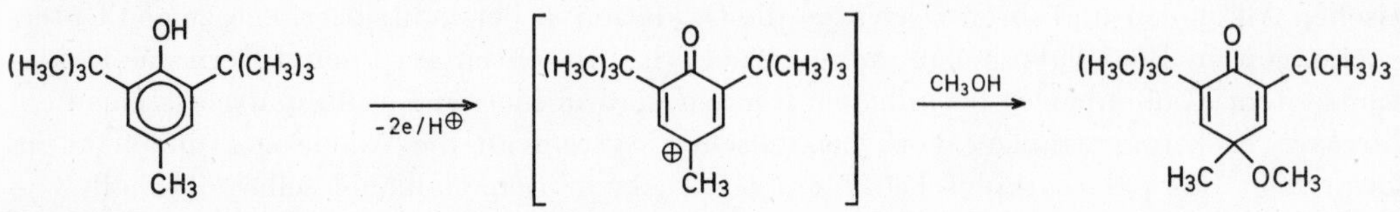

---

[1] H. Lund, Acta chem. scand. **11**, 491 (1957).

[2] N. L. Weinberg u. H. R. Weinberg, Chem. Reviews **68**, 449 (1968).

[3] F. Fichter u. G. Bonhôte, Helv. **3**, 395 (1920).

[4] H. Lund, Acta chem. scand. **11**, 491 (1957).
   Vgl. a. E. A. Mayeda, L. L. Miller u. J. F. Wolf, Am. Soc. **94**, 6812 (1972).
   Vgl. a. O. R. Brown, S. Chandra u. J. A. Harrison, J. Electroanal. Chem. Interfacial Electrochem. **38**, 185 (1972).

[5] T. J. Vermillion. u. J. A. Pearl, J. Electrochem. Soc. **111**, 1392 (1964).

Analog hierzu läßt sich die Reaktion des 2-Amino-5-hydroxy-1,3-di-tert-butyl-benzol in Acrylnitril/ Lithiumperchlorat zu *6-Imino-3-oxo-1,5-di-tert.-butyl-cyclohexadien-(1,4)* verstehen[1].

Die Elektrolyse von Phenolen in s a u r e m Medium führt, falls nicht undefinierte Produkte (Polymere) entstehen zu einer Vielzahl vorwiegend hydroxylierter Reaktionsprodukte und dimerer Verbindungen.

So erhält man an einer Blei-Anode in wäßriger Schwefelsäure aus 2-Methyl-phenol das *2,5-Dihydroxy-1-methyl-benzol*, *2-Methyl-p-benzochinon*, Dimeres und als Abbauprodukt *Mesaconsäure*[2]; aus 3-Methyl-phenol entsteht *2,5-Dihydroxy-1-methyl-benzol* und *2-Methyl-p-benzochinon*[2] aber kein Dimeres; 4-Methyl-phenol liefert hingegen nur dimeres Produkt.

Während aus Brenzkatechin an Platin- und Blei-Elektroden neben unbedeutenden Mengen o-Benzochinon nur Polymeres entsteht[3], läßt sich Hydrochinon in guter Ausbeute zu *Chinhydron* oxidieren[4], eine Reaktion die allerdings nicht als typisch für das Verhalten der Phenole gelten kann.

Chinhydron[4]:

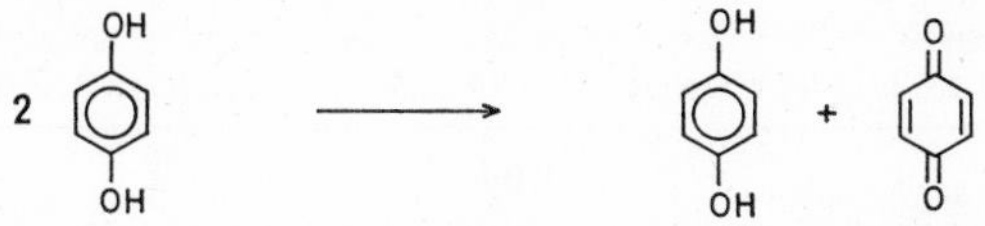

Die Elektrolyseapparatur besteht aus einem 20 cm hohen Gefäß von 20 cm ∅, in das man eine Tonzelle mit einem ∅ von 7,5 cm und einer Höhe von 17,5 cm als Diaphragma hängt. Als Elektrodenmaterial dienen Kohlestifte wie sie in Trockenbatterien Verwendung finden. Die Tonzelle wird mit 5 *ml* Eisessig und soviel dest. Wasser gefüllt, daß der Flüssigkeitsspiegel etwa 1 cm vom oberen Rand steht; in das äußere Gefäß gibt man eine Lösung aus 20 g Hydrochinon in soviel dest. Wasser, daß der Flüssigkeits-spiegel 2,5–5 cm vom oberen Rand sich einstellt. Dazu fügt man 2–3 g Natriumsulfat. Man elektrolysiert 1,2 Stdn. bei 4 A und gibt von Zeit zu Zeit etwas Natriumsulfat hinzu um die Stromstärke aufrecht zu erhalten. Die Isolierung des Chinhydrons erfolgt durch Einengen und Kühlen des Elektrolyten; der Stoff ist zu mindestens 98% rein (Ausbeute: 75% d.Th.).

Das in alkalischer Lösung von Phenolen vorliegende Phenolat-Anion wird wie volt-ammetrische Untersuchungen zeigen bei sehr viel niedrigeren Potentialen oxidiert als das entsprechende Phenol und zwar offenbar unter Abgabe nur eines Elektrons (Aroxyl-Bildung), woraus sich das Entstehen dimerer Produkte erklären läßt.

VI. Oxidation der Aldehyd-Funktion

Wenn auch die elektrochemische Oxidation der Aldehyd-Funktion zur C a r b o n s ä u r e kein Verfahren von allgemeiner Bedeutung zu sein scheint, verdient sie doch besondere Erwähnung wegen ihrer Bedeutung in der Chemie der Kohlenhydrate.

Die Oxidation von Aldosen zu A l d o n s ä u r e n auf elektrochemischem Wege ist wegen der Einfachheit der Durchführung und der Reinheit der in hoher Ausbeute anfallenden Produkte anderen Methoden überlegen. Der Elektrolyt besteht aus der wäßrigen Lösung eines Bro-mides (Kaliumbromid oder Calciumbromid)[5] und Calciumcarbonat, so daß die Carbonsäure als Calciumsalz anfällt. Eigentlich oxidierendes Agens ist das anodisch generierte Brom bzw. Hypobromid-Ion. Platin- und Kohle-Elektroden finden Verwendung.

[1] G. Cauquis, G. Fauvelot u. J. Rigaudy, C. r. **264**, 1758 (1967).
[2] F. Fichter u. F. Ackermann, Helv. **2**, 583 (1919).
F. Fichter u. R. Stocker, B. **47**, 2003 (1914).
[3] F. Fichter u. F. Ackermann, Helv. **2**, 583 (1919).
G. Sivaramaiah u. V. R. Krishnan, Indian J. Chem. **4**, 541 (1966).
J. Doskočil, Collect. czech. chem. Commun. **15**, 599 (1950).
[4] R. E. Ely, Ind. eng. Chem. Anal. **15**, 284 (1943).
F. Fichter u. F. Ackermann, Helv. **2**, 583 (1919).
J. W. Shipley u. M. T. Rogers, Canad. J. Res. **17**B, 147 (1939).
[5] H. Kiliani, B. **65**, 1271 (1932).

Calciumsalz der d-Arabonsäure[1,2]:

$$
\begin{array}{ccc}
\text{CHO} & & \text{COO}^{\ominus} \\
| & & | \\
\text{HO}-\text{C}-\text{H} & & \text{HO}-\text{C}-\text{H} \\
| & & | \\
\text{H}-\text{C}-\text{OH} & \longrightarrow & \text{H}-\text{C}-\text{OH} \\
| & & | \\
\text{H}-\text{C}-\text{OH} & & \text{H}-\text{C}-\text{OH} \\
| & & | \\
\text{CH}_2\text{OH} & & \text{CH}_2\text{OH}
\end{array}
$$

Eine Lösung aus 100 g (0,75 Mol) d-Arabinose[3] und 34 g Calciumbromid in 1500 ml dest. Wasser wird mit 70 g gefälltem Calciumcarbonat versetzt und in einem Becherglas unter Rühren bei 3–4 A $\sim$ 8 Stdn. elektrolysiert. Als Elektroden dienen 2 Platin-Drahtnetze von 50 cm² Oberfläche. Die anzulegende Spannung beträgt etwa 50 V. Durch Kühlung von außen (Eiswasser) hält man die Reaktionstemp. auf 25°. Der Verlauf der Oxidation kann mit Fehling'scher Lösung kontrolliert werden. Der Endpunkt ist außerdem durch leichte Gelbfärbung und Bromgeruch zu erkennen. Das Reaktionsgemisch wird 2 Stdn. unter Rühren auf dem siedenden Wasserbad erhitzt, vom Calciumcarbonat abfiltriert und i.Vak. eingeengt. Nach kurzer Zeit tritt Kristallisation ein. Nach dem Abnutschen wird zunächst mit Eiswasser und dann mit Methanol gewaschen und i.Vak. getrocknet; Ausbeute: 100 g (65% d.Th.).

Weitere Beispiele s. Tab. 4.

Tab. 4: Elektrolytische Oxidation einiger Zucker

Aldose	Elektrolyt	Elektrode	Aldonsäure	Ausbeute [% d.Th.]	Literatur
Glucose	H_2O, NaBr, $CaCO_3$	Pt, C	*Calcium-gluconat + Calcium-5-oxo-gluconat*	85 10	4
d-Galactose	H_2O, KBr, $CaCO_3$	C	*Calcium-galactonat*	60–70	5
3-Methyl-glucose	H_2O, $CaBr_2$, $CaCO_3$	Pt	*Calcium-3-methyl-gluconat*	100	6
d-Mannose	H_2O, $CaBr_2$, $CaCO_3$	C	*Calcium-mannonat*	92	7
d-Xylose	H_2O, $CaBr_2$, $CaCO_3$, $CdBr_2$	C	*Cadmium-xylonat*	65	8,9
	H_2O, $Br^{\oplus}$, $MgCO_3$	C	*Magnesium-xylonat*	80	9
	H_2O, NaBr, $SrCO_3$	C	*Strontium-xylonat*	95	10
d-Maltose	H_2O, KBr, $CaCO_3$	C	*Calcium-maltobionat*	75	4,8
d-Lactose	H_2O, KBr, $CaCO_3$	C	*Calcium-lactobionat*	73–90	4,8,11
3,5-Benzyliden-1,2-cyclo-hexyliden-D-glucose	H_2O, $KMnO_4$, NaOH	Cu	*3,5-Benzyliden-1,2-cyclo-hexyliden-D-gluconsäure*	53	12

[1] M. Steiger, Helv. **19**, 189 (1936).
[2] H. S. Isbell u. H. L. Frush, J. Res. Bur. Stand. **6**, 1145 (1931); **14**, 359 (1935); **17**, 333 (1936).
[3] Hockett u. Hudson, Am. Soc. **56**, 1632 (1934).
[4] H. S. Isbell u. H. L. Frush, J. Res. Bur. Stand. **6**, 1145 (1931).
  E. W. Cook u. R. T. Major, Am. Soc. **57**, 773 (1935).
  I. A. Avrutskaja u. J. M. Fioŝin, Ž. prikl. Chim. **42**, 2294 (1969).
  L. Mezynski u. M. Pawelzak, Przem. chem. **51**, 28 (1972).
  S. J. Yao, A. J. Appleby u. S. K. Wolfson, Z. physik. Chem. **82**, 225 (1972).
[5] H. Kiliani, B. **65**, 1269 (1932).
[6] O. T. Schmidt u. A. Simon, J. pr. **152**, 190 (1939).
[7] K. Bernhauer u. K. Irrgang, Bio. Z. **249**, 216 (1932).
[8] C. G. Fink u. D. D. Summers, Trans. electroch. Soc. **74**, 625 (1938).
[9] H. S. Isbell u. H. L. Frush, J. Res. Bur. Stand. **14**, 359 (1935).
[10] B. C. Hockett, Am. Soc. **57**, 2260 (1935).
[11] H. S. Isbell u. H. L. Frush, J. Res. Bur. Stand. **17**, 333 (1936).
[12] Y. Tashika u. M. Kuranari, J. pharm. Soc., Japan **72**, 1045 (1952); C. A. **46**, 10016 (1952).

VII. Oxidation von Schwefel-Funktionen

Die Oxidation von Sulfiden zu Sulfoxiden ist eine elektrochemisch mit guten Ausbeuten bequem durchführbare Reaktion. Der direkten Weiteroxidation zum Sulfon kann man – falls sie nicht erwünscht ist – durch geeignete Reaktionsbedingungen meist begegnen; oft gelingt allerdings die Herstellung der Sulfone aus den Sulfoxiden nicht, die Reaktion weicht dann durch Bildung von Disulfoxiden einer weiteren Oxidation des Schwefels aus.

Dibenzylsulfid z. B. liefert bei verschiedenen Temperaturen des Elektrolyten (Lösung aus Eisessig und konz. Salzsäure) verschiedene Produkte. Bei Zimmertemperatur erhält man das *Dibenzylsulfoxid* (I; 90% d. Th.) und bei 90–95° entsteht *Dibenzyl-disulfan-S-dioxid* (II)[1]:

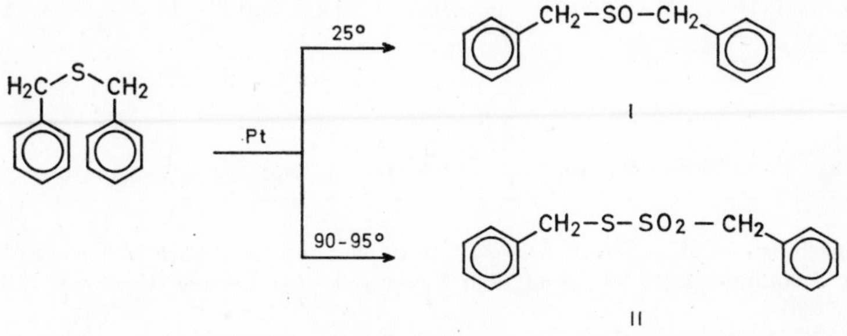

Der Reaktionsablauf zur Bildung des Sulfoxides dürfte angesichts der Tatsache, daß in einem Elektrolyten aus konz. Schwefelsäure und Eisessig das Tribenzylsulfiniumsulfat entsteht (91% d. Th.)[1] über das entsprechende Dichlorid des Schwefels zu formulieren sein. Andere Reaktionsbedingungen mögen auch einen direkten Angriff des Sulfoxides oder Sulfides an der Anode zur Folge haben[2].

Die Darstellung des Dibenzylsulfones gelingt auf diesem Wege nicht[1]. Aus Diphenylsulfid hingegen läßt sich leicht das *Diphenylsulfon* erhalten (93% d. Th.)[1,3], mit der berechneten Strommenge entsteht das *Diphenylsulfoxid*, wenn man in konzentrierterer Lösung arbeitet[3] (82% d. Th.). Dibenzothiophen wird bei kontrolliertem Potential an Platinelektroden in Sulfat-, Perchlorat- und Chlorid-Lösungen zum *Dibenzothiophen-5-oxid* umgesetzt[4].

Bis-[2-nitro-benzyl]-sulfoxid[5]:

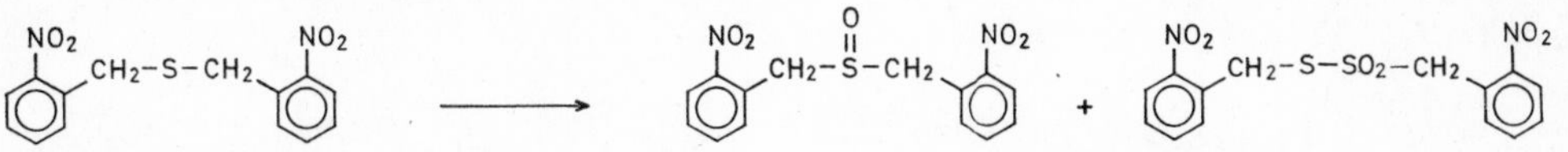

6,1 g (0,02 Mol) Bis-[2-nitro-benzyl]-sulfid werden in einer Mischung aus 200 *ml* Eisessig und 20 *ml* konz. Salzsäure an Platin-Drahtnetzelektroden mit einer Stromdichte von 0,06 A/cm² und der ber. Strommenge (64 A-Min.) bei 70–75° elektrolysiert.

Beim Stehenlassen der Lösung kristallisiert 0,2 g *Bis-[2-nitro-benzyl]-disulfid-S-dioxid* aus; es wird abfiltriert. Aus dem i. Vak. eingeengten Filtrat erhält man durch Zugabe von Wasser das *Bis-[2-nitro-benzyl]-sulfoxid*; Ausbeute: 6 g (93,4% d. Th.); F: 164,5° (umkristallisiert aus siedendem Wasser).

Bei einer Elektrolyttemp. von 100° und einer Strommenge von 104 A./Min. erhält man 17,6% Bis-[2-nitro-benzyl]-disulfan-S-dioxid und 62,5% des Bis-[2-nitro-benzyl]-sulfoxid.

Das Sulfon ist auf diesem Wege elektrolytisch nicht herstellbar.

[1] F. Fichter u. P. Sjöstedt, B. **43**, 3422 (1910).
   M. M. Nicholson, Am. Soc. **76**, 2539 (1954).
[2] K. Uneyama u. S. Torii, J. Org. Chem. **37**, 357 (1972).
[3] F. Fichter u. F. Braun, B. **47**, 1526 (1914).
   F. Fichter u. H. Ris, Helv. **7**, 803 (1924).
[4] D. S. Houghton u. A. A. Humffray, Electrochim. Acta **17**, 2145 (1972).
[5] F. Fichter u. W. Wenk, B. **45**, 1373 (1912).

In gleicher Weise entsteht aus dem Bis-[4-nitro-benzyl]sulfid das *Bis-[4-nitro-benzyl]-sulfoxid* (63% d.Th.)[1].

Die Herstellung von Dialkylsulfoxiden und -sulfonen ist problemloser, da offenbar nicht mit einer Reaktion des Sulfoxides zum Dialkyldisulfid-S-dioxid zu rechnen ist[1, 2].

Diäthylsulfoxid:

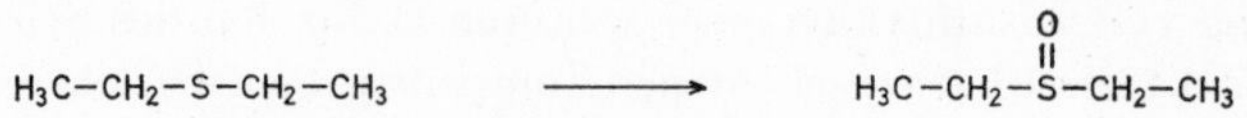

$$H_3C-CH_2-S-CH_2-CH_3 \longrightarrow H_3C-CH_2-\overset{\overset{O}{\|}}{S}-CH_2-CH_3$$

20 g (0,22 Mol) Diäthylsulfid werden in einer Mischung aus 70 *ml* Eisessig und 10 *ml* konz. Salzsäure gelöst. Man elektrolysiert an Platin-Drahtnetzanoden mit einer Stromdichte von 0,02 A/cm² bei 15° mit der ber. Strommenge (715 A.-Min.). Die Lösung wird eingeengt und i.Vak. destilliert; Ausbeute: 16,6 g (70,5% d.Th.); Kp$_{12}$: 87°.

Diäthylsulfon:

$$H_3C-CH_2-SO-CH_2-CH_3 \longrightarrow H_3C-CH_2-SO_2-CH_2-CH_3$$

Man löst 5 g Diäthylsulfoxid in 80 *ml* Wasser und 10 *ml* konz. Salzsäure und elektrolysiert mit dem 2fachen der ber. Strommenge bei 30°. Nach dem Eindampfen der Lösung erhält man 3,8 g (66% d.Th.) Diäthylsulfon; F: 70°.

Über weitere Oxidationen auch unsymmetrischer Dialkylsulfoxide zu den entsprechenden Sulfonen in größerem Maßstabe unter Verwendung von Blei-Anoden informiert die Literatur[3]. Bei geeigneten Reaktionsbedingungen stören auch andere oxidierbare Funktionen die Reaktion nicht. Bis-[2-hydroxy-äthyl]-sulfid wird an einer Graphit-Anode und mit einer Blei-Kathode in wäßriger Lösung mit 3% Natriumchlorid zum *Bis-[2-hydroxy-äthyl]-sulfon* oxidiert (90% d.Th.)[4]:

$$HO-CH_2-CH_2-S-CH_2-CH_2OH \longrightarrow HO-CH_2-CH_2-SO_2-CH_2-CH_2OH$$

Allerdings verlaufen die Oxidationen nicht immer in der gewünschten Weise. Unsymmetrisch substituierte Phenylsulfide, besonders Alkyl-phenyl-sulfide werden im Verlaufe der Elektrolyse auch bei Ausschluß von Wasser zu Benzolsulfonsäure bzw. deren Derivaten gespalten[1], z. B.:

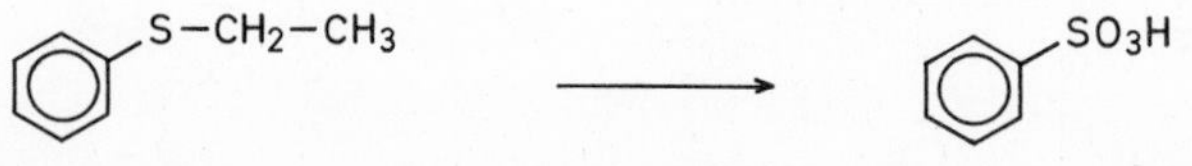

In der Substanzklasse der Disulfane ist das Oxidationsprodukt noch stärker vom verwendeten Substrat abhängig. Aufgrund des vorliegenden experimentellen Materials lassen sich allerdings keine generalisierenden Aussagen machen. Bei der Elektrolyse von Dibenzyl-disulfan (Eisessig, konz. Salzsäure) wird das *Dibenzyl-disulfan-S-dioxid* erhalten[5]:

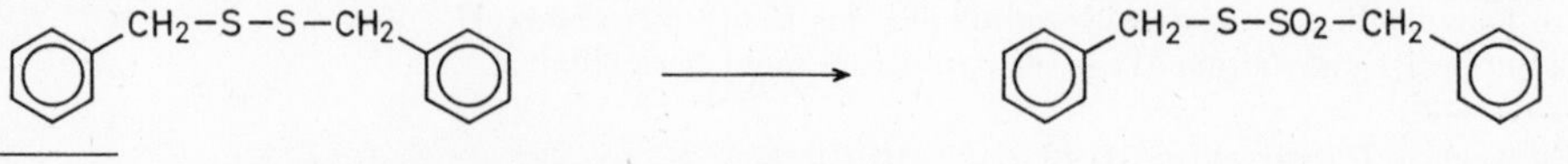

[1] F. Fichter u. W. Wenk, B. **45**, 1373 (1912).
[2] M. M. Nicholson, Am. Soc. **76**, 2539 (1954).
[3] DBP. 1034171 (1958), Union Rheinische Braunkohlen A.G., Erf.: F. Hübenett u. H. Dörffut; C. **1959**, 7632.
[4] US. P. 3200054 (1965), J. A. Pursley; C. A. **63**, 11023 (1965).
[5] F. Fichter u. P. Sjöstedt, B. **43**, 3422 (1910).

Aus Alkyl-, Cycloalkyl- und Aryldisulfanen entstehen in wäßriger Lösung unter Spaltung der S–S-Bindung bei Stromdichten bis zu 0,02 A/cm² die entsprechenden Sulfonsäuren. Aus Diphenyldisulfan erhält man *Benzolsulfonsäure*[1], Dialkyldisulfane reagieren analog[2].

Dibenzo-1,4-dithiin läßt sich in Perchlorsäure-haltiger 80%iger Essigsäure an einer Silber-Elektrode zum *Dibenzo-1,4-dithiin-S-oxid* (100% d.Th.) oxidieren[3]. Dagegen erhält man aus Alkyl-phenyl-sulfiden in Lithiumperchlorat-haltigem Acetonitril mit guten Ausbeuten Alkyl-phenyl-(4-alkylthio-phenyl)-sulfonium-perchlorate[4].

Bei der Elektrolyse von 3-Thiono-1,2,4-triazolinen in verdünnter Salzsäure werden bei Spannungen unterhalb des Ionisationspotentials des Halogens das entsprechende Disulfan erhalten, bei höherer Spannung jedoch die entsprechenden Triazol-sulfonsäuren[5].

1,2,4-Triazol-3-sulfonsäure[5]:

Anoden- und Kathodenraum einer Elektrolysezelle werden durch eine poröse Membran voneinander getrennt. In den Anodenraum bringt man eine Suspension aus 3 g 3-Thiono-1,2,4-triazolin und 50 *ml* 5%iger Salzsäure. Anode ist eine Platin-Iridium-Elektrode mit einer Oberfläche von 50 cm². In den Kathodenraum gibt man 5%ige Salzsäure. Kathode ist eine Platin-Elektrode. Unter Rühren elektrolysiert man bei einem Potential von 1,7 V. Am Endpunkt der Reaktion wird an der Anode Chlor frei. Zur Aufarbeitung dampft man i. Vak. zur Trockene ein und extrahiert mit wenig Äthanol. Der verbleibende Rückstand ist die 1,2,4-Triazol-3-sulfonsäure, die aus wäßrigem Äthanol umkristallisiert wird; Ausbeute: 3,4 g (81% d.Th.); F: 340–342° (Zers.).

Auf die gleiche Weise werden mit Ausbeuten über 50% d.Th. das 3-Thiono-5-methyl-, 3-Thiono-1- (bzw. 5)-phenyl-1,2,4-triazolin zu *5-Methyl-*, *1-Phenyl-* bzw. *5-Phenyl-1,2,4-triazol-3-sulfonsäure* oxidiert[5].

B. Elektrochemische Dehydrierung

I. Dehydrierung von C–C-Einfachbindungen

Zu den bedeutendsten Reaktionen der präparativen organischen Elektrochemie zählt die Möglichkeit, durch anodische Decarboxylierung vicinaler Dicarbonsäuren in basischem Milieu olefinische Doppelbindungen aufzubauen. Der unbestreitbare Vorteil des Verfahrens gegenüber der konventionellen Methode mit Blei(IV)-acetat liegt nicht einmal so sehr in den oft wesentlich besseren und reproduzierbaren Ausbeuten; viel wichtiger ist das überraschend gute Gelingen der Reaktion bei bicyclischen 1,2-Dicarbonsäuren, die bereits eine Doppelbindung enthalten und somit für die Reaktion mit Blei(IV)-acetat nicht mehr geeignet sind.

Die Stereochemie der Carboxy-Gruppen relativ zueinander und relativ zum Ringsystem ist hinsichtlich der Ausbeute an Olefin offenbar nicht unerheblich. Soweit die Stereochemie der Dicarbonsäuren festgelegt wurde, zeigt sich der Trend, daß *cis-endo*-Isomere mit geringeren Ausbeuten in das Olefin überführt werden als die entsprechenden *trans-* oder *cis-exo*-Verbindungen. Die *cis-endo*-Bicyclo[2.2.1]hepten-(2)-5,6-dicarbonsäure (I) wird nicht zum Bicyclo[2.2.1]heptadien (II) dehydriert, sondern liefert in einer Ausbeute von 70% d.Th.

[1] F. FICHTER u. P. SJÖSTEDT, B. **43**, 3422 (1910).
[2] US. P. 2521147 (1950); C. A. **44**, 10556 (1950).
[3] H. E. IMBERGER u. A. A. HUMFFRAY, Elektrochim. Acta **18**, 373 (1973).
[4] S. TORII et al., Bull. Chem. Soc. Japan **46**, 2912 (1973).
[5] A. J. BLACKMAN u. J. B. POLYA, Soc. [C] **1970**, 2403.

das *5-Hydroxy-tricyclo[2.2.1.0²,⁶]heptan-3-carbonsäure-lacton* (III). Bei der Umsetzung der *exo*-Verbindung (IV) hingegen erhält man *Bicyclo[2.2.1]heptadien* (II) aber kein Lacton[1]:

Für den Reaktionsablauf wird aufgrund dieser Befunde und der Tatsache, daß das *trans*-5,6-Dicarboxy-bicyclo[2.2.1]hepten-(2) etwa die Hälfte der Ausbeute an Olefin liefert die man beim Einsetzen der *cis-exo*-Verbindung erhält, postuliert, daß ein schrittweiser Abbau der Carboxy-Gruppen zunächst zu einem *β*-Carboxy-Radikal führt, welches je nach der Stereochemie und Struktur der Dicarbonsäure zwei Möglichkeiten zur Abreaktion hat: entweder verliert es ein zweites Molekül Kohlendioxid und liefert das gewünschte Olefin oder es bildet einen Cyclopropan-Ring unter gleichzeitiger intramolekularer Lacton-Bildung.

Olefine aus vicinalen Dicarbonsäuren[1-4]; allgemeine Arbeitsvorschrift:

Vom apparativen Aufwand her stellt die Reaktion kaum Ansprüche: Platin-Drahtnetzelektroden oder Platin-Bleche in einem Glasgefäß geeigneter Abmessung (200 *ml*), die Möglichkeit zu Rühren (Magnetrührer oder rotierende Elektrode) und eine Spannungsquelle, mit der bis zu 100 V an die Elektroden gelegt werden kann. Als vorteilhaft hat sich eine Vorrichtung erwiesen, mit der für vorgebbare Zeitintervalle die Stromrichtung umgepolt werden kann[5], so daß stets eine intakte Anoden-Oberfläche zur Verfügung steht. Die Kühlung der Zelle erfolgt von außen und wird den zu erwartenden Produkten angepaßt. Bei den angegebenen Konzentrationen wird mit einer Spannung von ~ 60 V zu Anfang der Elektrolyse eine Stromstärke von 0,8–1,0 A erreicht. Man elektrolysiert, bis die Stromstärke unter 0,2 A abgesunken ist (z. T. bis zu 10 Stdn.). Die Elektrolyse wird unter Inertgasatmosphäre durchgeführt.

In das Elektrolysegefäß bringt man eine Lösung von 0,005 Mol der vicinalen Dicarbonsäure in 100 *ml* 90%igem wäßrigen Pyridin und fügt 1,25 *ml* Triäthylamin hinzu.

Die Aufarbeitung des Reaktionsgemisches nach der Elektrolyse erfolgt auf die übliche Weise durch Zugabe von Wasser (~ 250 *ml*) und Extrahieren mit Pentan. Den Pentan-Extrakt wäscht man mit verdünnter Säure, trocknet über Magnesiumsulfat und destilliert das Pentan über eine geeignete Kolonne ab. Ob man einen flüssigen Kohlenwasserstoff destillativ isoliert oder durch präparative Gaschromatographie aus der eingeengten Pentan-Lösung abtrennt, wird von dessen Siedepunkt und thermischem Verhalten abhängen.

Nach diesem Verfahren lassen sich die in Tab. 5 (S. 1035) aufgeführten bi- und tricyclischen Olefine herstellen[1,2,3]. Die Ausgangsprodukte für die Elektrolyse sind durch Diels-Adler-Reaktionen oder photochemischen Cycloadditionen leicht zugänglich[2,6,7].

Der vorgeschlagene Reaktionsablauf für die Bis-decarboxylierung erklärt zwar zwanglos die Verhältnisse bei der Bildung der angeführten bi- und tricyclischen Alkene, bei anderen Substratmolekülen jedoch wird ein radikalischer Verlauf der Reaktion unwahrscheinlich. So findet man bei der elektrolytischen Oxidation von *meso*- und *d,l*-2,3-Diphenyl-bernstein-

[1] H. H. WESTBERG u. H. J. DAUBEN Jr., Tetrahedron Letters **49**, 5123 (1968).

[2] P. RADLICK, S. SIMS u. E. E. v. TAMELEN, Tetrahedron Letters **49**, 5117 (1968).

[3] E. E. v. TAMELEN u. D. CARTY, Am. Soc. **89**, 3922 (1967).

[4] G. ERKER, unveröffentlicht.

[5] kommerziell erhältlich; z. B. bei FISCHER, Labortechnik, Bad Godesberg.

[6] K. ALDER, B. **86**, 1528 (1953).

  O. DIELS et al., A. **478**, 137 (1930).

  O. DIELS u. K. ALDER, A. **460**, 98 (1928).

[7] E. E. v. TAMELEN u. S. PAPPAS, Am. Soc. **85**, 3297 (1963).

Tab. 5: Olefine durch Elektrolyse vicinaler Dicarbonsäuren

Dicarbonsäure	Olefin	Ausbeute [% d.Th.]	Literatur
COOH COOH	Bicyclo[2.2.2]octen	63	1,2
3 COOH COOH	Bicyclo[2.2.2]octadien	40	1,2
COOH COOH	Bicyclo[6.2.0]decadien-(4,9)	35	1
COOH COOH	Bicyclo[2.2.0]hexadien	35	1,4,5
6 COOH COOH	Tricyclo[4.2.2.0²,⁵] decatrien-(1,3,7)	53	2
6 COOH COOH	Tricyclo[3.2.2.0²,⁴] nonadien-(6,8)	45	1,2
NC COOH COOH	NC 3-Cyan-tricyclo[3.2.2.0²,⁴] nonadien-(6,8)	48	2

säure in 90%igem wäßrigen Pyridin in Gegenwart von Triäthylamin ausschließlich *trans-Stilben*[7], eine Stereochemie, für die sich ein ionisches Zwischenprodukt als Erklärung anbietet:

$$H_5C_6-CH-COO^{\ominus} \\ H_5C_6-CH-COO^{\ominus} \quad \xrightarrow[- CO_2]{- 2e} \quad H_5C_6-\overset{\oplus}{CH} \\ H_5C_6-CH-COO^{\ominus} \quad \xrightarrow{- CO_2} \quad \overset{H_5C_6}{\underset{H}{}}C=C\overset{H}{\underset{C_6H_5}{}}$$

meso; *d, l*

[1] P. RADLICK, S. SIMS u. E. E. v. TAMELEN, Tetrahedron Letters **49**, 5117 (1968).
[2] H. H. WESTBERG u. H. J. DAUBEN Jr., Tetrahedron Letters **49**, 5123 (1968).
[3] Stereochemie der Carboxy-Gruppen: *cis-endo*.
[4] E. E. v. TAMELEN u. D. CARTY, Am. Soc. **89**, 3922 (1967).
[5] G. ERKER, unveröffentlicht.
[6] Stereochemie der Carboxyl-Gruppen: *trans*.
[7] E. J. COREY u. J. CASANOVA Jr., Am. Soc. **85**, 165 (1963).

trans-Stilben[1]: Eine Lösung von 540,6 mg (2,0 mMol) *meso-* oder *d,l*-Diphenyl-bernsteinsäure[2] und 1,12 *ml* (8,0 mMol) Triäthylamin in 10 *ml* 90%igem Pyridin wird in einer Elektrolyseapparatur unter Stickstoff-Atmosphäre am Rückfluß erhitzt. Man elektrolysiert mit Platin-Blechelektroden und rührt mit einem Magnetrührer. Nach 550 Min. ist bei einer Spannung von 134 V die Stromstärke von 0,14 A auf 0,10 A gesunken. Die dunkle Reaktionsmischung wird auf dem Wasserbad i.Vak. (10 Torr) vom Lösungsmittel befreit; den Rückstand nimmt man in 50 *ml* Äther auf, wäscht 2mal mit je 20 *ml* 1 n Salzsäure, je 5 *ml* ges. Natriumchlorid-Lösung, je 20 *ml* 1 n Natronlauge und zum Schluß einmal mit 10 *ml* ges. Natriumchlorid-Lösung. Die hellgelbe ätherische Lösung wird über Magnesiumsulfat getrocknet. Nach dem Abziehen des Äthers erhält man eine ölig-kristalline Substanz, die i. Hochvak. getrocknet wird; Ausbeute 810 mg. Man chromatographiert auf Aluminiumoxid der Aktivitätsstufe II und erhält durch Eluieren mit Petroläther/Benzol 1:1 eine farblose ölige Substanz (170,4 mg). Die Kristallisation dieses Materials aus Äthanol liefert *trans*-Stilben; Ausbeute: 35–40% d.Th. (die *meso*-Verbindung liefert die etwas besseren Ausbeuten); F: 119,5–121°.

Analoge Reaktionen führen auch in wäßrig-alkalischer Lösung zum Erfolg. Die Reaktion von Fumarsäuren bzw. Maleinsäuren liefert die entsprechenden Alkine. So erhält man aus Fumarsäure oder Maleinsäure das *Acetylen*[3], aus dem Natriumsalz der Cyclopropan-*cis*-1,2-dicarbonsäure *Allen*[4].

Cyclobutan-*cis*-1,2-dicarbonsäure liefert in mäßiger Ausbeute *Cyclobuten*[5] und aus Cyclohexadien-(1,3)-5,6-dicarbonsäure entsteht erwartungsgemäß *Benzol*[6].

Daß die elektrolytische Decarboxylierung auch bei Anwesenheit anderer funktioneller Gruppen erfolgreich sein kann, zeigt neben den beiden in Tab. 5 (S. 1035) angeführten Beispielen die Decarboxylierung des 9-Oxo-7,8-dicarboxy-⟨benzo-bicyclo[2.2.2]octen⟩ und des entsprechenden Äthylenketals[7].

Die Strom-Spannungsbedingungen sind etwas anders als bei den zu reinen Kohlenwasserstoffen führenden anodischen Decarboxylierungen und die Ausbeuten sind abhängig von der Art der Substituenten. Im vorliegenden Beispiel erhält man bei der Umsetzung des Ketals eine geringere Ausbeute. Ist der Benzolring allerdings mit einer Nitro-Gruppe substituiert, gelingt die Reaktion nicht.

9-Oxo-⟨benzo-bicyclo[2.2.2]octen⟩[7]:

2 mMol 9-Oxo-7,8-dicarboxy-⟨benzo-bicyclo[2.2.2]octen⟩[8] werden in einer Lösung aus 1,12 *ml* Triäthylamin und 100 *ml* 90%igem wäßrigen Pyridin unter Stickstoff und Rühren an zwei Platin-Elektroden (2 × 2 cm, Abstand voneinander 2 cm) elektrolysiert. Optimale Bedingungen für die Herstellung des Ketons: 15 Stdn., 220 V (180–70 mA), 20°.

Nach der Reaktion wird das Lösungsmittel i.Vak. abgezogen, der Rückstand in Äther aufgenommen und mit verd. Essigsäure bis zur sauren Reaktion gewaschen. Die ätherische Phase wäscht man anschließend mit ges. Natriumhydrogencarbonat-Lösung und Wasser neutral, und trocknet über Magnesiumsulfat. Nach dem Abziehen des Äthers erhält man das Keton in einer Ausbeute von 51% d.Th.; F: 56,5–58° (aus Äthanol).

Analog [95 Stdn., 140 V (310–65 mA), 80–85°] erhält man *9,9-Äthylendioxy-⟨benzo-bicyclo[2.2.2]octen⟩* (39% d.Th.; F: 108–110°)[9].

---

[1] E. E. v. Tamelen u. S. Pappas, Am. Soc. **85**, 3297 (1963).

[2] S. Wawzonek, Am. Soc. **62**, 745 (1940).

[3] F. Fichter u. A. Fritsch, Helv. **6**, 329 (1923).
   F. Fichter u. A. Petrovitch, Helv. **24**, 549 (1941).
   J. Petersen, Z. El. Ch. 18, 711 (1912).

[4] F. Fichter u. H. Spiegelberg, Z. El. Ch. 12, 1152 (1929).

[5] W. W. Paudler, R. Herbener u. A. G. Zeiler, Chem. & Ind. **1965**, 1909.

[6] E. Pasquinelli, An. Asoc. quím. arg. **31**, 181 (1943); C. A. **38**, 5794 (1944).

[7] H. Plieninger u. W. Lehnert, B. **100**, 2427 (1967).

[8] H. Plieninger u. W. Lehnert, B. **100**, 2421 (1967).

[9] K. Kitahonoki u. Y. Takano, Tetrahedron Letters **24**, 1597 (1963).

Oxidationshemmung (Antioxidantien)

bearbeitet von

Dr. RUDOLF STROH †

Bayer AG, Leverkusen

Mit 5 Tabellen

Inhalt

Oxidationshemmung (Antioxidantien)

A. Autoxidation und Oxidationshemmung

I. Autoxidation (Verlauf, Theorie)

Die meisten organischen Verbindungen lassen sich mit molekularem Sauerstoff oxidieren. Die Bedingungen, unter denen eine Oxidation durchgeführt werden kann, sind, wie in den Hauptabschnitten dieses Bandes ausgeführt wurde, weitgehend abhängig von der Konstitution der betreffenden Verbindung und den äußeren Reaktionsbedingungen. Wenn im folgenden die Oxidationshemmung als eigenes Kapitel abgehandelt wird, so ist darunter – dem allgemeinen Sprachgebrauch entsprechend – die Hemmung einer von selbst verlaufenden, meist unerwünschten Oxidation mit Luftsauerstoff bzw. Ozon ohne Flammenbildung zu verstehen. Die bei Normaltemperatur meist flüssigen oder festen Substanzen erleiden dabei unter dem Einfluß sehr reaktionsfähiger Primärprodukte in Folgereaktionen zum Teil weitgehende Veränderungen. Für das sehr komplizierte Erscheinungsbild ist der Ausdruck „Autoxidation" zu einem in der wissenschaftlichen und technischen Literatur gebräuchlichen Begriff geworden[1, 2].

Da die Autoxidation bei vielen Naturprodukten (z. B. Lebensmitteln, Naturkautschuk) und technischen Produkten (z. B. Monomeren für Polymerisationszwecke, Erdölprodukten im weitesten Sinne, Kunststoffen) zu einer erheblichen Wertminderung führen kann, ist die Suche nach Stoffen, die in möglichst geringer Konzentration die Autoxidation verhindern bzw. verzögern, zu einem breiten Forschungsgebiet geworden. Verbindungen, die die genannten Eigenschaften besitzen, bezeichnet man als „Antioxidantien" oder „Inhibitoren". Die längst bekannte Neigung zur Autoxidation bei Äthern, Aldehyden und vor allem bei ungesättigten Verbindungen hat eine Fülle von Arbeiten veranlaßt, in denen eine Deutung dieser meist unerwünschten Vorgänge versucht wird. Zahlreiche Monographien (s. Bibliographie S. 1101) beschäftigen sich mit den oxidativen Veränderungen von hochmolekularen Stoffen (Kautschuk und Kunststoffe aller Art), die meist bei relativ hohen Temperaturen und starker mechanischer Beanspruchung gegen die Einwirkung von Sauerstoff besonders empfindlich sind.

Den ersten experimentellen Beweis, daß bei der Autoxidation ein Sauerstoffmolekül unter Bildung von Peroxiden aufgenommen wird, lieferten C. ENGLER und W. WILD[3].

Über die primären Vorgänge, die zur Bildung von Peroxiden führen, und über die Folgereaktionen bestehen umfangreiche, vielfach widersprüchliche Angaben in der Literatur[4].

---

[1] Über die von A. RIECHE vorgeschlagenen Bezeichnungen, die diesem Erscheinungsbild Rechnung tragen, s. S. 1052f.

[2] A. RIECHE et al., Z. **3**, 443 (1963); unterscheiden drei Grundtypen von Reaktionen mit Sauerstoff:
   1. „Peroxigenierung" ist eine Reaktion, bei der Sauerstoff unter Bildung eines Peroxids in das Molekül eintritt. Dies entspricht also dem üblicherweise verwendeten Ausdruck „Autoxidation".
   2. „Oxigenierung" ist eine Oxidation mit Sauerstoff, die bereits auf einer radikalischen Stufe abzweigen kann oder durch Zerfall eines Peroxids erfolgt.
   3. „Dehydrierung" ist eine Reaktion, bei der Wasserstoff durch Sauerstoff aus der organischen Molekel entfernt wird, in der Regel unter Bildung von Wasserstoffperoxid, das als solches auftreten oder in Sekundärreaktionen verbraucht werden kann.

[3] C. ENGLER u. W. WILD, B. **30**, 1669 (1897).

[4] s. Bibliographie S. 1101.

Wesentlich war die Erkenntnis, daß die Autoxidation in den meisten Fällen mit der Abspaltung von Wasserstoff unter Bildung von Radikalen und Radikalketten verknüpft ist, und daß der weitere Reaktionsverlauf weitgehend von dem Charakter der betreffenden Verbindung abhängt, wie auch von äußeren Einflüssen; z. B. Temperatur, Strahlung (Radikalstart), Verunreinigungen (Metallspuren, Feuchtigkeit u. dgl.)[1,2].

Dem verschiedenartigen Verlauf der Autoxidation entspricht auch die Verschiedenartigkeit der die Autoxidation hemmenden Verbindungen. Dabei sind synergistische Effekte von besonderer Bedeutung (s. a. S. 1059).

Die Wirkung eines Inhibitors besteht darin, daß die Neubildung eines Radikals, das als Kettenträger fungiert, inhibiert bzw. die bereits in Gang gekommene Kettenreaktion abgebrochen wird. Besonders wirksam ist ein Inhibitor, der die primär gebildeten Radikale abfängt und in einer Folgereaktion regeneriert wird[3]. Die Regenerierung kann im Zusammenhang stehen mit einer zweiten Substanz, die als „Synergist" eben diese Regenerierung unterstützt.

Für die Autoxidation eines Kohlenwasserstoffs RH wird heute folgender Reaktionsmechanismus angenommen[4,5]:

Startreaktion (ausgelöst z. B. durch Wärme, Strahlung, Metalle, Verunreinigungen)[6]:

$$RH \xrightarrow{\text{z. B. } h\nu;\ O_2} R\cdot + HO-O\cdot\ (?)$$

Bildung des Radikals R· durch Ablösung eines Wasserstoff-Atoms.

Wachstumsreaktion:

$$R\cdot + O_2 \longrightarrow RO_2\cdot$$
$$RO_2\cdot + RH \longrightarrow R-O-OH + R\cdot$$

mögliche Reaktionen

$$ROOH \longrightarrow RO\cdot + HO\cdot$$
$$RO\cdot + RH \longrightarrow ROH + R\cdot$$
$$HO\cdot + RH \longrightarrow H_2O + R\cdot$$

Kettenabbruch:

$$2R\cdot \longrightarrow R-R$$
$$\text{oder}\quad R\cdot + RO-O\cdot \longrightarrow R-O-O-R$$
$$\text{oder}\quad 2RO_2\cdot \longrightarrow R-O-O-R + O_2$$

---

[1] Über die von A. Rieche vorgeschlagenen Bezeichnungen, die diesem Erscheinungsbild Rechnung tragen, s. S. 1052 f.

[2] A. Rieche et al., Z. 3, 443 (1963); unterscheiden drei Grundtypen von Reaktionen mit Sauerstoff:
 1. „Peroxigenierung" ist eine Reaktion, bei der Sauerstoff unter Bildung eines Peroxids in das Molekül eintritt. Dies entspricht also dem üblicherweise verwendeten Ausdruck „Autoxidation".
 2. „Oxigenierung" ist eine Oxidation mit Sauerstoff, die bereits auf einer radikalischen Stufe abzweigen kann oder durch Zerfall eines Peroxids erfolgt.
 3. "Dehydrierung" ist eine Reaktion, bei der Wasserstoff durch Sauerstoff aus der organischen Molekel entfernt wird, in der Regel unter Bildung von Wasserstoffperoxid, das als solches auftreten oder in Sekundärreaktionen verbraucht werden kann.
 Eu. Müller et al., Anwendung und Grenzen magnetischer Methoden in der Radikalchemie, Ang. Ch. 78, 98 (1966).

[3] s. a. A. Rieche, Ang. Ch. 50, 520 (1937); 70, 251 (1958); 77, 1078 (1965); 78, 496 (1966).

[4] S. a. S. 1063.
 L. Dulog, Chimia 19, 158 (1965); Makromol. Ch. 77, 206 (1964).
 N. M. Emanuel, Z. K. Maizus u. I. P. Skibida, Ang. Ch. 81, 91 (1969).

[5] K. U. Ingold, Chem. Reviews 61, 563 (1961).

[6] Die Bildung des Hydroperoxid-Radikals HO–O·
 J. L. Bolland u. G. Gee, Trans. Faraday Soc. 42, 236 244 (1946);
 L. Dulog, Makromol. Ch. 76, 131 (1964);
 ist nicht gesichert und nach N. Uri in W. O. Lundberg, *Autoxidations and Antioxidants*, S. 63, Interscience Publishers, J. Wiley & Sons, New York · London 1961, keine befriedigende Erklärung für den Primärschritt der Autoxidation.

Wie kinetische Messungen zeigen[1], erfolgt der Kettenabbruch fast ausschließlich nach der letzten Gleichung. Die Art der Startreaktion ist von Fall zu Fall verschieden und nicht in allen Fällen eindeutig geklärt.

Durch Zerfall der Peroxide (Hydroperoxide) unter Bildung von Radikalen und instabilen Zwischenprodukten, durch Umlagerungen, durch Auslösung von Polymerisations-reaktionen, Spaltungsreaktionen u. dgl. erweist sich die Autoxidation häufig als ein recht komplexer Vorgang. Der Zerfall eines Teils der Hydroperoxide in Radikale ist ein wesentlicher Faktor für den Fortgang und Verlauf der weiteren Reaktion[2, 3].

Die Tatsache, daß z. B. Metallverbindungen (aber auch andere Verbindungen) als Katalysatoren für die radikalische Hydroperoxid-Zersetzung bekannt sind, macht deren oft beobachteten Einfluß auf die Beschleunigung von Autoxidations-Vorgängen verständlich.

So verläuft der Hydroperoxid-Zerfall bei der Oxidation des Linolsäure-methylesters bei Verwendung von Kupfer(II)-octanoat nach folgenden Gleichungen[4]:

$$ROOH + Cu^{2\oplus} \longrightarrow RO_2{}^\bullet + Cu^\oplus + H^\oplus$$
$$ROOH + Cu^\oplus \longrightarrow RO^\bullet + Cu^{2\oplus} + OH^\ominus$$
$$H^\oplus + OH^\ominus \longrightarrow H_2O$$

Allerdings ist diese Reihenfolge nur bei Hydroperoxiden oder Persäuren, also Verbindungen mit der Gruppierung –OOH möglich, während Dialkyl- bzw. Diacylperoxide nur mit Metall-Ionen einer niedrigeren Wertigkeitsstufe reagieren; z. B.

$$ROOR + Fe^{2\oplus} \longrightarrow RO^\bullet + RO^\ominus + Fe^{3\oplus}$$

So wird z. B. die Autoxidation von Linolsäure-methylester in Gegenwart von Eisen(III)-Ionen erst nach der Reduktion zu Eisen(II)-Ionen beschleunigt, weil nur die letzteren befähigt sind, Peroxide der Form R–O–O–R unter Radikal-Bildung zu zersetzen.

Der oxidative Angriff erfolgt bevorzugt an der schwächsten CH-Bindung, also steigend leichter in der Reihenfolge:

Aryl < prim. Alkyl < sek. Alkyl < tert. Alkyl < Benzyl < Allyl

Dabei ist für das Oxidationsverhalten einer Verbindung und dessen statistischer Auswertung die Zahl der verschiedenen C–H-Bindungen und deren relative Oxidationsgeschwindigkeit zu berücksichtigen. Besonders empfindlich sind CH-Bindungen neben einer C=C-Doppelbindung (α-Gruppen-Effekt, s. S. 1071), Wasserstoff in einer Formyl-Gruppe oder benachbart zu einem Äther-Sauerstoff[5].

Die leichte Bildung eines Peroxids aus einem Radikal wurde bereits am Triphenylmethyl beschrieben. Daß bei der Bildung dieses Peroxids primär Radikale vom Typ R–O–O[•] auftreten, die dann als Träger einer Kettenreaktion fungieren, wurde bereits früh erkannt[6].

Der Einfluß von Strahlung (Licht) ist besonders auffallend bei der Einwirkung von Sauerstoff auf Anthracen und dessen Derivate. Die Bildung des 9,10-Endoperoxi-9,10-

[1] J. L. BOLLAND u. G. GEE, Trans. Faraday Soc. 42, 236, 244 (1946).
  J. L. BOLLAND, Quart. Rev. 3, 1 (1949).
  Einen Überblick über Kinetik und Reaktionsmechanismen der inhibierten Oxidation in flüssiger Phase gibt L. R. MAHONEY, Ang. Ch. 81, 555 (1969).
[2] L. DULOG, E. RADLMANN u. W. KERN, Makromol. Ch. 60, 1 (1963).
[3] K. U. INGOLD, Chem. Reviews 61, 563 (1961).
[4] W. KERN u. H. WILLERSINN, Ang. Ch. 67, 573 (1955).
[5] E. H. FARMER, Trans. Faraday Soc. 38, 341 (1942).
  E. H. FARMER u. D. A. SUTTON, Soc. 1946, 10.
  A. RIECHE, Ang. Ch. 70, 259 (1958).
[6] K. ZIEGLER u. L. EWALD, A. 504, 162 (1933).
  K. ZIEGLER, Ang. Ch. 61, 168 (1949).

dihydro-anthracens ist an die Mitwirkung von Lichtquanten gebunden:

Das Lösungsmittel ist von Einfluß auf die Geschwindigkeit der Peroxid-Bildung. So zeigt Rubren (9,10,11,12-Tetraphenyl-tetracen) folgende relative Geschwindigkeiten, wenn Benzol gleich 1 gesetzt wird[1]:

Schwefelkohlenstoff	9	Diäthyläther	0,5
Chloroform	3	Nitro-benzol	0,1

Die Autoxidation von 1-Methyl-cyclohexen ergibt zwei isomere Hydroperoxide, je nachdem, ob die Autoxidation im Dunkeln oder unter Belichtung erfolgt[2].

An der Auslösung radikalischer Autoxidationsvorgänge kann auch Ozon beteiligt sein, mit dessen Auftreten besonders unter dem Einfluß kurzwelliger Strahlung, die ja – wenn auch in wechselnder Stärke – im Tageslicht vorkommt, zu rechnen ist.

Der autokatalytische Verlauf, der für die Autoxidationsprozesse charakteristisch ist, zeigt sich in der anfangs sehr geringen Sauerstoff-Aufnahme, die nach dem Anlaufen der Kettenreaktion eine außerordentliche Steigerung erfahren kann.

Im Gegensatz zu aktivierten Methylen-Gruppen, die bei der Autoxidation Hydroperoxide mit unversehrten Doppelbindungen liefern, greift die Autoxidation bei aktivierten oder konjugierten Doppelbindungen an den ungesättigten Zentren an. Dabei entstehen über Biradikale sehr rasch polymere Peroxide[3].

Über Umlagerung und Wanderung von C=C-Doppelbindungen bei einfach und mehrfach ungesättigten Verbindungen s. Lit.[4].

II. Wirkungsweise von Antioxidantien

Die Bildung von Peroxiden und Radikalen bei Autoxidationsvorgängen und deren Rolle als Träger autokatalytischer Reaktionen läßt die grundsätzliche Wirkung oxidationshemmender Substanzen verstehen. Sie beruht, wie bereits erwähnt, auf der Inhibierung von oxidativen Radikalkettenprozessen bzw. auf der Reduktion oder Zersetzung von Peroxiden zu Verbindungen, die nicht mehr in Radikale zerfallen oder als Überträger von Radikalketten auftreten können. Soweit Metalle (Spuren) am Autoxidationsprozeß beteiligt sind, kann eine Inaktivierung der Metall-Ionen durch Komplex-(Chelat)-Bildung wesentlich sein und einen synergistischen Effekt einbringen.

Viele autoxidable Substanzen, insbesondere Naturprodukte, enthalten bereits im Rohprodukt Antioxidantien. Sobald der Inhibitor verbraucht ist, beginnt die Autoxidation. Man

---

[1] C. Dufraisse u. M. Badoche, C. r. **200**, 929, 1103 (1935).

Eine Tabelle der Endoperoxid-bildenden Acene s. bei R. Criegee, ds. Handb., Bd. VIII, Kap. Peroxyde, S. 22, Herstellung und Umwandlung von Peroxiden; dort auch zahlreiche Literaturhinweise.

R. Livingston u. W. O. Lundberg, *Autoxidation and Antioxidants*, S. 265, Interscience Publishers, J. Wiley & Sons, New York · London 1961.

[2] G. O. Schenck, Naturwiss. **35**, 28 (1948); Z. El. Ch. **55**, 505 (1951).

[3] W. Kern u. H. Willersinn, Ang. Ch. **67**, 573 (1955).

D. Swern in W. O. Lundberg, *Autoxidation and Antioxidants*, Bd. I, S. 21, Interscience Publishers, New York · London 1961.

[4] G. Scott, *Atmospheric Oxidation and Antioxidants*, S. 19, Elsevier Publishing Co., Amsterdam · London · New York 1965.

E. H. Farmer, Soc. **1943**, 541.

nennt den Zeitpunkt vom Beginn der Sauerstoff-Einwirkung bis zum Beginn der eigentlichen Sauerstoff-Aufnahme Induktionsperiode. Die Wirkung der meisten Antioxidantien ist in Wirklichkeit nichts anderes als eine Verlängerung der Induktionsperiode, die als Maß für die Wirkung eines Inhibitors von Bedeutung ist (s. S. 1092).

Wie schwierig es ist, eine Verbindung eindeutig als Antioxidans zu bezeichnen, zeigt das Verhalten von *Methylamin-Hydrojodid*, das gegenüber Aldehyden (Acrolein, Benzaldehyd) eine antioxidative Wirkung, gegenüber Styrol dagegen eine prooxidative Wirkung zeigt[1].

Die Wirkungsweise von Antioxidantien läßt sich auf wenige, grundlegende Mechanismen zurückführen[2]:

① Abfangen primär gebildeter Radikale und Abbrechen von Radikalketten
② Zersetzung von Peroxiden zu inaktiven Produkten
③ Desaktivierung von Metall-Ionen
④ Desaktivierung von Strahlungseinflüssen (insbesondere UV)
⑤ Synergistische Effekte

Bei manchen Antioxidantien vereinigen sich mehrere der genannten Funktionen, so daß eine scharfe Abgrenzung nach den erwähnten Mechanismen bei den einzelnen Verbindungen nicht immer möglich ist. Diese Einschränkung gilt auch für die Tab. 2 (S. 1094).

Da sich die die Autoxidation beeinflussenden Mechanismen bei ein und derselben Substanz mitunter überlagern, müssen bei exakter Prüfung von Inhibitoren diejenigen Faktoren möglichst ausgeschlossen werden, die sekundär eine Rolle spielen, wie Strahlungseinflüsse (UV), Temperatur und vor allem die Vorgeschichte des vor Autoxidation zu schützenden Materials. Bei vielen Untersuchungen fehlt diese Begrenzung der Variablen, so daß ein Vergleich von Inhibitorwirkungen oft schwer möglich ist. Dieser Mangel ist auch der Grund für viele widersprüchliche Angaben der Literatur.

Auch der Zeitpunkt für den Einsatz eines Inhibitors, ob vor oder nach dem Beginn einer Autoxidation, kann wesentlich sein, ebenso dessen Konzentration, die meistens ein Optimum besitzt.

a) Abfangen primär gebildeter Radikale und Abbrechen von Radikalketten

Verbindungen, welche in die in diesem Abschnitt behandelten Mechanismen eingreifen, sind als Antioxidantien und damit als Inhibitoren der Autoxidation von besonderer Bedeutung. Es sind dies vorwiegend Verbindungen mit reduzierenden Eigenschaften[3]. Sie gehören fast ausschließlich in die Reihe der Phenole und Amine. Der Mechanismus der Inhibierung wird heute allgemein so gedeutet, daß dem Inhibitor ein Wasserstoff-Atom entzogen wird, das die primär gebildeten Radikale abfängt bzw. die bereits begonnene Radikalkette abbricht, etwa in folgender Formulierung:

$$RO_2\cdot + IH \longrightarrow ROOH + I\cdot$$
$$IH = Inhibitor$$

Das neugebildete Radikal I· soll so resonanzstabil sein, daß es neue Radikalketten nicht zu bilden vermag bzw. in schnellen Folgereaktionen desaktiviert oder im Idealfall regeneriert

---

[1] G. MOUREU u. C. DUFRAISSE, Chem. Reviews **3**, 113 (1927).
[2] K. U. INGOLD, Chem. Reviews **61**, 575 (1961) und in *Advances in Chemistry*, Series Nr. 75, S. 296; American Chemical Society, Washington DC 1968.
  J. VOIGT, *Die Stabilisierung der Kunststoffe gegen Licht und Wärme*, S. 105ff., Springer Verlag, Berlin · Heidelberg 1966.
  In beiden Arbeiten zahlreiche Literaturangaben.
[3] C. MOUREU u. C. DUFRAISSE, Chem. Reviews **3**, 113 (1927).
  G. H. TWIGG, Chem. & Ind. **1962**, 4.
  K. ADAMIC, D. F. BOWMAN u. K. H. INGOLD, J. Am. Oil Chemist Soc. **47**, 109 (1971).

wird. Bezüglich der Diskussion anderer Reaktionsmöglichkeiten ohne Wasserstoff-Übertragung muß auf die Literatur verwiesen werden[1].

Für seine oxidations-hemmende Wirkung längst bekannt ist das *Hydrochinon*. Kinetische
Messungen an dem System Linolsäure-äthylester-Sauerstoff-Hydrochinon stellten die Wirkungsweise von phenolischen Inhibitoren sicher[2].

Die heute in der Technik verwendeten phenolischen Antioxidantien (s. Tab. 2, S. 1094)
sind Phenole, die in o-Stellung zur Hydroxy-Gruppe meist mit sperrigen Gruppen substituiert sind („sterisch gehinderte Phenole"). Ihre Wirkung beruht auf der leichten Abgabe des
phenolischen Wasserstoff-Atoms unter Bildung von Phenoxyl-Radikalen[3]; daher sind auch
Phenoläther(-ester) wirkungslos.

Die Inhibitorwirkung eines Phenols (vgl. Gleichung S. 1055) sagt nichts darüber aus, daß
neben der Kettenabbruchreaktion nicht noch weitere Nebenreaktionen stattfinden können[4].
So kann u. U. bei hohen Inhibitorkonzentrationen eine oxidationsfördernde Wirkung des
verwendeten Antioxidans festgestellt werden.

Diese Möglichkeit ist besonders dann gegeben, wenn Strahlungseinwirkungen (UV-Strahlung) nicht ausgeschlossen werden können, da phenolische (wie auch aminische) Antioxidantien häufig ausgesprochene Lichtabsorber sind und unter dem Einfluß der Strahlung in
einen angeregten Zustand versetzt werden. Es gibt daher eine optimale Inhibitorkonzentra-
tion, die i. a. im Einzelfall experimentell ermittelt werden muß.

Wie bereits erwähnt, sind Phenole mit o-substituierten Alkyl-Gruppen besonders wirksame Antioxidantien. Es ist experimentell erwiesen, daß elektronenabstoßende Substituenten die antioxidative Wirkung verstärken, während elektronenanziehende Substituenten
diese verringern[5]. Auch sterische Effekte sind von Einfluß, da die Phenoxy-Radikale
o-substituierter Phenole z. T. außerordentlich stabil sind[6]. Bei einem der bekannten Antioxidantien, dem *4-Methyl-2,6-di-tert.-butyl-phenol* konnten mittels ESR-Spektrum die bei
der Oxidation gebildeten freien Phenoxy-Radikale nachgewiesen werden[7].

Für das gebildete Inhibitor-Radikal I· bestehen folgende Reaktionsmöglichkeiten:

① Dimerisierung: $I· + I· \rightarrow I_2$

② Anlagerung von Peroxid-Radikalen: $I· + RO_2· \rightarrow ROOI$

③ Übertragung eines zweiten Wasserstoff-Atoms: $I· + RO_2· \rightarrow ROOH + I'$

④ Disproportionierung: $I· + I· \rightarrow IH + I'$

$$I' = \text{chinoides Molekül}$$

[1] J. VOIGT, *Die Stabilisierung der Kunststoffe gegen Licht und Wärme*, S. 105ff., Springer Verlag, Berlin
Heidelberg 1966.
[2] J. L. BOLLAND u. P. TEN HAVE, Trans. Faraday Soc. **43**, 201 (1947); **44**, 669 (1948).
[3] E. MÜLLER u. K. LEY, B. **87**, 922 (1954); 88, 601 (1955).
M. B. NEIMAN, *Aging and Stabilization of Polymers* (übersetzt aus dem Russischen) S. 42, Consultants
Bureau, New York 1965.
K. U. INGOLD, Chem. Reviews **61**, 578 (1961).
[4] Eine ausführliche Darstellung der möglichen Nebenreaktionen s. J. VOIGT, *Die Stabilisierung der Kunst-
stoffe gegen Licht und Wärme*, S. 116, Springer Verlag, Berlin · Heidelberg 1966.
[5] N. URI in W. O. LUNDBERG, *Autoxidation and Antioxidants*, S. 159, IntersciencePublishers, J. Wiley
& Sons, New York · London 1961.
G. SCOTT, *Atmospheric Oxidation and Antioxidants*, S. 115, Elsevier Publ. Co., Amsterdam 1965.
[6] E. MÜLLER u. K. LEY, B. 87, 922 (1954); 88, 601 (1955).
K. DIMROTH, A. **624**, 51 (1959).
[7] M. B. NEIMAN u. A. L. BUCHACHENKO, Izv. Akad. SSSR **1961**, 1742.
L. BALABAN u. Z. KUČEROVSKÝ, Chem. Průmysl **13**, 74 (1963).

Für Hydrochinon als Inhibitor sind die beiden letzten Gleichungen folgendermaßen zu formulieren:

Eine ausführliche Beschreibung dieser Reaktionen s. Literatur[1].

Die einzelnen, in der Praxis verwendeten Phenol-Typen s. Tab. 2 (S. 1094). Alkyl-Derivate des α-Naphthols sollen wirksamer sein als die des β-Naphthols[2].

Die zweite Verbindungsklasse, die in den radikalischen Mechanismus der Autoxidation eingreift, ist die der Amine, vorwiegend aromatischen Charakters. Genannt seien hier als wichtigste Beispiele: *2-Anilino-naphthalin*, *Diphenylamin* und zahlreiche Derivate, wie *Isopropyl-(4-anilino-phenyl)-amin* oder *1,4-Dianilino-benzol* (s. Tab. 2, S. 1097). Mittels ESR-Spektrum konnten einigermaßen stabile Radikale bei der Inhibierung von Autoxidationsprozessen mit Diphenylamin nachgewiesen werden[3], ebenso wie bei der induzierten Zersetzung von Alkylaminen durch Hydroperoxide[4]:

$$(H_5C_6)_2NH + RO_2\cdot \longrightarrow (H_5C_6)_2N\cdot + ROOH$$
$$(H_5C_6)_2N\cdot + RO_2\cdot \longrightarrow (H_5C_6)_2NO\cdot + RO\cdot$$

Auch Amino-phenole zeigen Inhibitorwirkung (s. Tab. 2, S. 1097).

Hydroxy-Gruppen-haltige Azoverbindungen, z. B. *2-Chlor-4-nitro-2'-hydroxy-5'-methyl-azobenzol*, sollen als Inhibitoren besonders günstig wirken, da sie im Autoxidationsprozeß viel weniger verbraucht werden als die gebräuchlichen Phenole und Amine. Diese Verbindungen sollen auch die Rekombination von peroxidischen Radikalen inhibieren[5].

Alle Antioxidantien, deren Wirkung auf dem Abbruch einer Radikalkette beruht, sind ein Kompromiß zwischen eben dieser Fähigkeit und ihrer Stabilität gegenüber molekularem Sauerstoff.

Erwähnt sei, daß bei manchen Substanzen nach einer Periode der Autoxidation diese stark zurückgeht oder sogar praktisch zum Stillstand kommt. In Mineralölen, die in Gegenwart von Kupfer-, Nickel- oder Eisen-naphthenaten der Autoxidation unterworfen werden, lassen sich phenolische Substanzen nachweisen, die bei frischen Ölen als Inhibitoren wirken[6].

b) Zersetzung von Peroxiden

Da die bei der Startreaktion gebildeten Peroxide bei ihrer Zersetzung größtenteils radikalisch zerfallen und somit für eine Beschleunigung der Autoxidation verantwortlich sind, zeigen Verbindungen, die Peroxide ohne die Bildung freier Radikale zersetzen, Inhibitor-

K. U. INGOLD, Chem. Reviews **61**, 575 (1961).

J. VOIGT, *Die Stabilisierung der Kunststoffe gegen Licht und Wärme*, S. 125 ff., Springer Verlag, Berlin · Heidelberg 1966.

[2] G. D. CHARLAMPOVIČ et al., Chim. i. Chim. Technol. **10**, 789 (1967). Als besonders wirksam erwies sich das 7-Methyl-5-isopropyl-1-hydroxy-naphthalin.

[3] J. R. THOMAS, Am. Soc. **82**, 5955 (1960).

[4] H. E. DE LA MARE, J. Org. Chem. **25**, 2114 (1960).

G. SCOTT, *Atmospheric Oxidation and Antioxidants*, S. 115 ff., Elsevier Publ. Co., Amsterdam 1965.

[5] E. M. TOCHINA et al., Izv. Akad. SSSR., Ser. Khim. **1968**, 1920; A. **69**, 105571 (1968).

[6] H. LUTHER, Chemie-Ing.-Techn. **35**, 237 (1963).

wirkung. Ein in der Laboratoriumspraxis längst bekanntes Verfahren ist die Zerstörung und Verhinderung der Neubildung von Peroxiden in Lösungsmitteln, z. B. in Äther durch Einpressen von Natriumdraht. Auch mit zahlreichen Reduktionsmitteln wie Eisen(II)-Salzen, Alkalimetallsulfiden und -sulfiten, Natriumdithionit, Hydrazinen u. a. lassen sich Peroxide umwandeln bzw. zerstören. Einzelheiten s. ds. Handb., Bd. VIII, S. 62ff., ,,Methoden zur Umwandlung von Peroxiden" sowie Bd. I/2, S. 810–818, Eigenschaften und Reinigung der wichtigsten organischen Lösungsmittel.

Sehr stark ist der Einfluß von Lösungsmitteln. So ist z. B. die Zersetzungsgeschwindigkeit von tert.-Butyl-hydroperoxid in polaren Lösungsmitteln erheblich größer als in nicht-polaren[1].

Zur Verbesserung der Oxidationsbeständigkeit von Schmierölen, Kunststoffen, Kautschuk u. a. haben sich hauptsächlich Verbindungen der V. und VI. Hauptgruppe des periodischen Systems (Phosphor, Schwefel, Selen) bewährt, z. B. Phosphorigsäureester[2], Thiophosphorsäuren[3], Alkanolaminphosphite, aliphatische und aromatische Mercaptane, Thioalkohole, Thioäther, Di- und Polysulfane, Thiophenole (s. Tab. 2, S. 1095; Tab. 3, S. 1098). Auch elementarer Schwefel selbst zeigt bemerkenswerte Inhibitoreigenschaften, vor allem in hochbeanspruchten Mineralölen. Er wird jedoch in der Praxis wegen seiner metallkorrodierenden Eigenschaften kaum verwendet.

Besonders wichtig auf dem Kautschukgebiet sind die Mercapto-Verbindungen und Thioäther heterocyclischer Verbindungen, wie des Benzimidazols, 1,3,5-Triazins, Benzo-1,3-thiazols. Auch das Phenothiazin wirkt als peroxidzersetzendes Agens.

Eine weitverbreitete Anwendung finden organische Zinn-Verbindungen, allerdings in der Hauptsache zur Stabilisierung halogenhaltiger Polymerer (PVC) oder als Synergisten mit anderen Inhibitoren (s. S. 1101).

In der Technik werden die ,,Peroxidzersetzer" meistens in Kombination mit den ,,Radikalfängern" der auf S. 1053, 1068 genannten Verbindungen verwendet.

Sie wirken dabei z. T. als außerordentlich starke Synergisten und verstärken die Oxidationshämmung der Radikalfänger (Näheres s. S. 1061). Die schwefel- und phosphorhaltigen Antioxidantien wirken dabei häufig als Korrosionsinhibitoren. Die wichtigsten, in der Paxis verwendeten Verbindungen[4] s. Tab. 3 (S. 1098).

Sulfide, die wenigstens einen aliphatischen oder cycloaliphatischen Rest am Schwefelatom enthalten, sind i. a. wirksamer als Mercaptane und Disulfane, während reinaromatische Diarylsulfane und -sulfone inaktiv sind[5].

Schwefel enthaltende Verbindungen begünstigen in Mineralölen oft Harz- und Schlammbildung, während sich Selenide in dieser Hinsicht i. a. günstiger verhalten und auch wirksamere Peroxidzersetzer sind. *Diacetylselen* ist z. B. 10mal wirksamer als Diacetylsulfan[6]. Technische Verwendung findet das *Didodecanoyl-selen*[7].

Kinetische Untersuchungen über die Zersetzung von Peroxiden s. Literatur[8].

Auch Säuren können als Peroxidzersetzer wirken. Sie bilden sich häufig bei der Autoxidation von Schmierölen und sind die Ursache von Schlamm- und Harzbildung sowie von Metallkorrosion. Dies erfordert den Zusatz von Alkalien, die nicht nur die Korrosion verhindern, sondern zu Produkten führen, die als Detergentien sehr erwünscht sind.

---

[1] V. Stannett u. R. B. Mesrobian, Am. Soc. **72**, 4125 (1950).
[2] K. J. Humphris u. G. Scott, Soc. (Perkin I) **1973**, 826, 831.
[3] S. K. Ivanov u. C. Karshelykov, Erdöl, Kohle, Erdgas, Petrochem. **24**, 516 (1970).
[4] US. P. 2519755 (1946), DuPont, Erf.: M. F. Gribbins.
[5] K. U. Ingold, Chem. Reviews **61**, 568 (1961).
  J. D. Holdsworth et al., Soc. **1964**, 4692.
  A. Brian, in Advances in Chemistry, Series Nr. 85, S. 140.
[6] K. U. Ingold, Chem. Reviews **61**, 568 (1961).
[7] US. P. 2813828 (1957), Shell Developm., Erf.: H. A. Woods u. L. C. Bollinger.
[8] G. W. Kennerly u. W. L. Patterson, Ind. eng. Chem. **48**, 1917 (1956).

Einige Metalle, z. B. Kobalt und Mangan als Ionen, können Peroxide zersetzen. Wahrscheinlich bildet sich ein Katalysator-Hydroperoxid-Komplex, der sich unter Bildung des höherwertigen Metall-Ions zersetzt. Allerdings sind diese Reaktionen nicht eindeutig und hängen z. T. von der Polarität des Lösungsmittels ab. *Kupfer(II)-stearat* inhibiert z. B. die mit Eisen(III)-stearat katalysierte Oxidation von Tetralin und die mit Kobalt(II)-stearat katalysierte Oxidation von Paraffin. Schwermetalle sind i. a. starke Prooxidantien[1].

In niedriger Konzentration (0,06 Mol.-%) wirkt Kupfer(II)-stearat auf Decan und Kupfer(II)-naphthenat auf p-Xylol als Oxidationskatalysator, in höherer Konzentration jedoch als Inhibitor[2].

Über die Reaktionskinetik der Peroxidzersetzung durch *Propandithiosäure-didodecylester*, einem in der Praxis viel verwendeten Produkt, und die dabei auftretenden Zwischenprodukte s. Literatur[3].

c) Desaktivierung von Metall-Ionen

Metalle bzw. Metall-Ionen können schon als Spurenverunreinigung die Autoxidation erheblich beeinflussen. Es sind dies vor allem Eisen-, Kupfer-, Mangan- Nickel- und Kobalt-Salze. Reinster Benzaldehyd (in benzolischer Lösung) zeigt keine Autoxidation mehr[4], nach kleinsten Zusätzen von Eisen-, Kupfer-, Nickel- oder Mangan-Salzen tritt sofort eine außerordentlich beschleunigte Sauerstoff-Aufnahme ein. Bei Zusatz von 1 Mol Eisen(III)-chlorid auf 1200 Mol Benzaldehyd entstehen bei 20° in 40 Min. 50% d. Th. *Benzoesäure*.

Über den Mechanismus der Peroxidzersetzung durch Metall-Ionen s. S. 1051.

Zur Bindung auch spurenweise vorhandener Metalle eignen sich sogenannte Chelatbildner, die durch innere Komplexbildung eine völlige Desaktivierung des Metalls bewirken. Die bekanntesten Vertreter sind: *Äthylendiamin-N,N,N',N'-tetraessigsäure, 2-Hydroxybenzaldehyd-oxim, 1,2-Bis-[2-hydroxy-benzylidenamino]-äthan.* Als Beispiel sei die sehr stabile Kupferverbindung des *1,2-Bis-[2-hydroxy-benzylidenamino]-äthan* genannt:

Besondere Aufmerksamkeit verdient der nachteilige Einfluß von Metall-Spuren in vielen Hochpolymeren und sonstigen Verbindungen, die von den bei der Herstellung verwendeten Katalysatoren herrühren können. Insbesondere Polyolefine sowie natürlicher und synthetischer Kautschuk werden durch Spuren Kupfer in ihrer Alterungsbeständigkeit stark beeinträchtigt. Es ist daher verständlich, daß in der Praxis die Kombination von Metalldesaktivatoren mit Antioxidantien eine wichtige Rolle spielt (s. a. S. 1068 sowie Tab. 4, S. 1099). Es sei jedoch ausdrücklich darauf hingewiesen, daß viele Antioxidantien auf phenolischer bzw. aminischer Basis gleichzeitig als Kettenabbrecher und Chelatbildner wirken.

Einige der auf S. 1061f. und Tab. 3 (S. 1099) erwähnten Schwefel- und Phosphor-Verbindungen besitzen durch Passivierung von Metalloberflächen ebenfalls einen desaktivierenden Einfluß.

---

[1] K. U. INGOLD, Chem. Reviews **61**, 568 (1961).

[2] K. U. INGOLD, Chem. Reviews **61**, 574 (1961).

[3] B. A. MARSHALL in *Stabilization of Polymers and Stabilizer Processes,* Advances in Chemistry Series Nr. 85, S. 140ff., American Chemical Society, Washington D. C. 1968.

[4] R. KUHN u. K. MEYER, Naturwiss. **16**, 1028 (1928).
   Die Beobachtung wurde auch in wäßriger Phase von H. WIELAND, A. **486**, 226 (1931) bestätigt, nicht jedoch, wenn Benzaldehyd in Substanz verwendet wurde.

d) Desaktivierung von Strahlungseinflüssen

Strahlung, insbesondere der ultraviolette Anteil des Tageslichts, ist in vielen Fällen der Ausgangspunkt für den Radikalstart der autoxidativen Kettenreaktion. Voraussetzung ist, daß das in Frage stehende Produkt Strahlung in einem Wellenbereich absorbiert, dessen Quantenenergie für den Radikalstart ausreicht.

Da die olefinische Doppelbindung die Lichtabsorption in den längerwelligen UV-Bereich (∼ 300–400 mμ) verschiebt, sind ungesättigte Verbindungen bereits im Tageslicht stark autoxidabel (gesättigte Kohlenwasserstoffe absorbieren i. a. erst bei Wellenlängen < 200 mμ). Dabei tritt eine Hydroperoxid-Gruppe in α-Stellung zur Doppelbindung[1]. Monoolefine, 1,4-Diene und cyclische Olefine liefern oft recht stabile Peroxide, während konjugierte 1,3-Diene in der Hauptsache polymere Peroxide mit der Gruppierung –O–O– bilden.

Die Autoxidation kann auch dadurch weiter aktiviert werden, daß Hydroperoxide durch Strahlung in Radikale zerfallen und so zu einer Beschleunigung der Kettenreaktion beitragen[2].

Die Autoxidation von Anthracen und höher annelierten Kohlenwasserstoffen und deren Derivaten unter Belichtung wurde bereits erwähnt (S. 1052). In einer Art Diels-Alder-Reaktion bilden sich Endoperoxide[3], die im Gegensatz zu Endoperoxiden aus aliphatischen oder alicyclischen Dienen bei höherer Temperatur im Dunkeln den Sauerstoff wieder abgeben.

Die photoinduzierte Autoxidation spielt eine besondere Rolle beim Ranzigwerden von Fetten oder – beabsichtigt – bei der Verwendung trocknender Öle in Anstrichfarben.

Eine große Anzahl von Hochpolymeren zeigt eine photochemisch bedingte „Alterung" unter dem Einfluß von ultraviolettem Licht[4], häufig verbunden mit einer Verfärbung des Produkts. Wirkungsmaxima zeigen

Polyäthylen bei 300 mμ   Polystyrol bei 318 mμ
Polypropen bei 370 mμ   Celluloseacetobutyrat bei 293 mμ.
PVC bei 310 mμ

Auch die Alterung des Kautschuks ist teilweise durch Lichteinflüsse bedingt (s. a. S. 1084). Die hohe Empfindlichkeit fast aller Kautschukarten gegen Ozon (s. S. 1084) soll hier erwähnt werden, da die Ozon-Bildung in engem Zusammenhang mit der UV-Strahlung des Sonnenlichts steht.

Die einfachste Methode, um im Laboratorium photoinduzierte Oxidationen zu verhindern, ist der Ausschluß von Licht bei der Aufbewahrung, u. U. in einer Atmosphäre von Reinstickstoff oder Argon.

Bei der Empfindlichkeit der meisten Hochpolymeren gegen Licht, insbesondere gegen UV-Strahlung unter atmosphärischen Verhältnissen, wurden „Lichtfiltersubstanzen" entwickelt, die – meist als UV-Absorber bezeichnet – in der Technik viel verwendet werden.

Von großer technischer Bedeutung ist die Verwendung von Ruß, der in Zusatzmengen von 1–5% Polyolefine wirksam gegen Lichteinwirkung zu schützen vermag (Jahrzehnte). Die Lichtfilterwirkung nimmt mit abnehmender Teilchengröße des Rußes zu und besitzt bei 150–350 Å ein Optimum[5].

[1] Siehe R. Criegee in ds. Handb., Bd. VIII, Herstellung und Umwandlung von Peroxiden, S. 1–74. R. Livingston in W. O. Lundberg, *Autoxidation and Antioxidants*, S. 249–298, Interscience Publishers, J. Wiley and Sons, New York · London 1961.
[2] R. B. Mesrobian u. A. V. Tobolsky in W. O. Lundberg, *Autoxidation and Antioxidants*, S. 119, Interscience Publishers, J. Wiley and Sons, New York · London, 1961.
[3] R. Livingston in W. O. Lundberg, *Autoxidation and Antioxidants*, S. 265, Interscience Publishers, J. Wiley and Sons, New York · London 1961.
[4] Ausführliche Darstellung s. bei J. Voigt, *Die Stabilisierung der Kunststoffe gegen Licht und Wärme*, S. 67ff., Springer-Verlag, Berlin · Heidelberg 1966.
[5] J. Voigt, *Die Stabilisierung der Kunststoffe gegen Licht und Wärme*, S. 188, Springer-Verlag, Berlin · Heidelberg 1966.

Zahlreiche, in den vorangehenden Abschnitten genannte Verbindungen besitzen eine mehr oder weniger ausgeprägte UV-Absorption, doch wurden besonders für transparente Folien einige Verbindungsklassen entwickelt, die farblos – in dem an das sichtbare Licht anschließenden Teil des Spektrums, also bei Wellenlängen < 400 mμ – eine starke Extinktion zeigen. Es sind dies im wesentlichen *Salicylsäure-phenylester, Hydroxybenzophenone(I), 2-(2-Hydroxy-5-methyl-phenyl)-2H-⟨benzo-1,2,3-triazole⟩*[1] (II) und Derivate des Acrylnitrils (z. B. *3,3-Diphenyl-2-cyan-acrylsäure-äthylester*; III):

R¹, R² = (CH₃)₂CH; (CH₃)₃C

Selbst Metallverbindungen wie z. B. das *Nickel-bis-[4-octyl-phenylsulfid]* werden für die Stabilisierung von Polyolefinen verwendet.

Wie aus der Patentliteratur hervorgeht, werden auch hexa-substituierte Benzole als lichtstabilisierende Substanzen für Hochpolymere empfohlen[1,2].

Die Autoxidation von Cyclohexadien-(1,4) führt in Gegenwart eines Sensibilisators zum *2,3-Dioxa-bicyclo[2.2.2]octen*:

Analog verhalten sich zahlreiche Terpene mit 1,3-Dien-Struktur[3].

Besonders auffallend ist der Lichteinfluß bei der Autoxidation von Äthern und Aldehyden; näheres s. S. 1067 ff.

Weitere UV-Desaktivatoren s. Tab. 5 (S. 1100).

e) Synergistische Effekte

Von großer praktischer Bedeutung ist der sogenannte synergistische Effekt[4]. Er zeigt sich bei der Kombination von Antioxidantien, durch die der Inhibitoreffekt der einzelnen

[1] J. Voigt, *Die Stabilisierung der Kunststoffe gegen Licht und Wärme*, S. 308, Springer-Verlag, Berlin · Heidelberg 1966.
[2] US. P. 3102870 (1963), Phillips Petroleum, Erf.: K. R. Mills, B. F. Franzus u. P. J. Canterino.
[3] G. O. Schenck, Ang. Ch. **64**, 12ff. (1952); A. **584**, 177 (1953). A. Schönberg, *Preparative Organic Photochemistry*, S. 373, Springer-Verlag, Berlin · Heidelberg · New York 1968.
[4] N. Uri in W. O. Lundberg, Bd. I, S. 163–169 (s. Bibliographie). G. Scott, *Atmospheric Oxidation and Antioxidants*, S. 217, 291 (s. Bibliographie).

Verbindungen oft weit übertroffen wird. Zur Stabilisierung von Mineralölen, Kunststoffen aller Klassen, Kautschuk, Naturstoffen werden fast ausnahmslos Mischungen von Antioxidantien der auf S. 1064, 1073, 1084 genannten Verbindungen verwendet. Man pflegt die Komponenten mit der geringeren Stabilisatorwirkung als Synergisten zu bezeichnen. Auch die im biologischen Bereich wirksamen Antioxidantien zeigen häufig synergistischen Charakter. Die im tierischen Gewebe in allen natürlichen Ölen und Fetten vorkommenden Vitamine der E-Gruppe, die Tocopherole, gehören wohl zu den wichtigsten Antioxidantien im biologischen Geschehen[1]. Der antioxidative Effekt der phenolischen Tocopherole, insbesondere des α-Tocopherols, wird durch *Ascorbinsäure*, die selbst nur ein schwacher Inhibitor ist, außerordentlich verstärkt. Näheres s. Biogene Antioxidantien, S. 1087.

Bei der Kombination von Antioxidantien zur Ausnutzung synergistischer Effekte spielt die Verträglichkeit der einzelnen Produkte miteinander eine entscheidende Rolle. Optimale Wirkungen sind für die zu schützenden Produkte verschieden und nur durch das Experiment zu ermitteln. Die Erfahrungen für die Stabilisierung der technisch wichtigen Erdölprodukte, Schmieröle, Kunststoffe, der verschiedenen Kautschukarten[2] usw. sind in zahlreichen Patenten niedergelegt. Ausführliche Zusammenstellungen wichtiger Patentanmeldungen auf dem Gebiet der makromolekularen Verbindungen (Kunststoffe)[3], auf dem Gebiet der Erdölprodukte[4] s. Literatur.

Als paradoxes Beispiel sei die Kombination von *N,N-Dimethyl-anilin* mit *2,4-Dimethyl-anilin* erwähnt[5]. Ersteres ist ein Prooxidans in Mineralöl, letzteres ein schwaches Antioxidans. Der Zusatz von $1,826 \times 10^{-3}$ Mol 2,4-Dimethyl-anilin pro Liter Mineralöl, das 0,4% N,N-Dimethyl-anilin als Inhibitor enthält, ergibt eine Steigerung der Antioxidanswirkung um 22,5%.

Um einen Überblick über synergistische Wirkungen zu bekommen, ist es zweckmäßig, eine Unterteilung der verschiedenen Antioxidantien entsprechend ihrer Wirkungsweise vorzunehmen und beobachtete bzw. mögliche Effekte zu besprechen.

„Antagonismus", d. h. eine Verminderung der antioxidativen Wirkung mehrerer Stabilisatoren, ist wesentlich seltener[6].

1. Synergistische Effekte zwischen Radikalfängern

Die auch als Homosynergismus bezeichnete Beobachtung, daß zwei verschiedene Antioxidantien der oben erwähnten Verbindungen in Mischung eine mehr als additive Oxidationshemmung zeigen können, ist von technischer Bedeutung. Der Effekt solcher Mischungen ist in zahlreichen Patenten beschrieben, aber noch wenig wissenschaftlich bearbeitet[7].

[1] E. Aas-Jørgensen in W. O. Lundberg, *Autoxidation and Antioxidants*, S. 1069ff., Interscience Publishers, J. Wiley and Sons, New York · London 1961; dort ausführliche Literaturhinweise.
[2] M. B. Neiman, *Aging and Stabilization of Polymers* (übersetzt aus dem Russischen), S. 29, Consultants Bureau, New York 1965 (Theorie).
N. Uri in W. O. Lundberg, *Autoxidation and Antioxidants*, S. 163, Interscience Publishers, J. Wiley and Sons, New York · London 1961.
[3] J. Voigt, *Die Stabilisierung der Kunststoffe gegen Licht und Wärme*, S. 513ff., Springer-Verlag, Berlin · Heidelberg 1966; Registrierung von 3329 Patentanmeldungen; s. a. Register der in der Bibliographie aufgeführten Werke und Abhandlungen.
K. Thinius, *Stabilisierung und Stabilisatoren von Plastwerkstoffen*, S. 667ff., Verlag Chemie, Weinheim 1969.
[4] C. Zerbe, *Mineralöle und verwandte Produkte*, II. Aufl., Springer-Verlag, Berlin 1970, Bd. I, S. 605ff.; Bd. II, S. 16ff.
[5] K. U. Ingold u. I. E. Puddington, Ind. eng. Chem. **51**, 1319 (1959).
[6] K. U. Ingold, Chem. Reviews **61**, 581 (1961); J. Inst. Petr. **47**, 375 (1961).
[7] Brit. P. 796603 (1955), ICI, Erf.: R. E. Knowlton u. H. M. Dyson.
G. Scott, *Atmospheric Oxidation and Antioxidants*, S. 205, Elsevier Publishing Company, Amsterdam 1965.

Auch Kombinationen von Phenolen, insbesondere solcher, deren o-Stellungen durch sperrige Gruppen substituiert sind, mit Aminen, sind oft sehr wirkungsvoll. Hierbei dürfte die relativ langsame Zersetzung von Hydroperoxiden durch Inhibitoren wie *4-Methyl-2,6-di-tert.-butyl-phenol* im Gegensatz zu anderen Phenolen oder Aminen, die Hydroperoxide rascher zersetzen, eine Rolle spielen[1]. Es wirkt – wie in dem bereits genannten Fall Amin – Amin (S. 1060) – wahrscheinlich die eine Komponente als Peroxid-Zersetzer, die andere als Radikalinhibitor.

Bei diesem „homosynergistischen" Effekt kann auch das Redoxpotential der einzelnen Komponenten von Bedeutung sein[2]. Synergistische Mischungen von substituierten Phenolen und meist aromatischen Aminen werden zur Stabilisierung nahezu aller Kunststoffarten verwendet. Eine durch die aminische Komponente meist auftretende Verfärbung muß dabei in Kauf genommen werden. Eine Zusammenstellung der wichtigsten Stabilisierungsmittel s. Lit.[3] und Tab. 2 (S. 1094).

Bei der Stabilisierung des Naturkautschuks und der synthetischen Kautschukarten in Form von Latex oder Festsubstanz werden synergistische Effekte zur Verbesserung der Alterungsbeständigkeit im weitesten Umfang ausgenutzt. Dabei spielen Kombinationen von Phenolen und Aminen eine besondere Rolle (näheres s. S. 1084).

2. Synergistische Effekte zwischen Radikalfängern und Peroxid-Zersetzern

Wenn schon peroxid-zersetzende Radikalfänger synergistische Eigenschaften zeigen, so ist dies erst recht bei den unten genannten Verbindungen sowie den in Tab. 3 (S. 1098) mit Elementen der V. und VI. Hauptgruppe des periodischen Systems, vorwiegend Phosphor-Schwefel- und Selen-haltigen Verbindungen aufgeführten Derivate, zu erwarten. Wie bereits oben erwähnt, liegt die Bedeutung dieser Verbindungen eben in der Kombination mit phenolischen oder aminischen Radikalfängern, die durch Peroxidzersetzer teilweise regeneriert werden und somit zu einer erheblichen Verlängerung der Induktionsperiode beitragen. Tab. 1 zeigt den Einfluß einiger Schwefel-Verbindungen auf Polyäthylen, dem 3% Ruß als Stabilisator zugemischt wurden.

Tab. 1: Synergistische Wirkung von Schwefel-Verbindungen und Ruß bei der Einwirkung von Sauerstoff auf Polyäthylen bei 140° [4]

Verbindung Zusatz: 0,1%	Zeit bis zur Aufnahme von 10 *ml* O_2/g	
	ohne Ruß [Stdn.]	mit 3% Ruß [Stdn.]
ohne Zusatz	6	35
Phenyl-benzyl-sulfid	6	180
Diphenyldisulfan	6	120
Bis-[2-methyl-phenyl]-disulfan	6	520
Dimorpholino-disulfan	120	600

[1] K. U. INGOLD, Chem. Reviews **61**, 581 (1961); J. Inst. Petr. **47**, 375 (1961).

[2] J. VOIGT, *Die Stabilisierung der Kunststoffe gegen Licht und Wärme*, S. 133, Springer-Verlag, Berlin · Heidelberg 1966.

[3] J. VOIGT, *Die Stabilisierung der Kunststoffe gegen Licht und Wärme*, S. 414–466, Springer-Verlag, Berlin · Heidelberg 1966.

[4] W. L. HAWKINS, J. Appl. Polymer Sci. **1**, 43 (1959), dort ausführliche Tabelle mit 22 Schwefelverbindungen.

Eine besonders günstige Wirkung (Kettenabbruch und Zerstörung von Peroxiden) besitzt das *4-(Butylmercaptomethyl)-2,6-di-tert.-butyl-phenol*[1].

$$\text{(H}_3\text{C)}_3\text{C} \quad \overset{\displaystyle \text{OH}}{\bigcirc} \quad \text{C(CH}_3\text{)}_3$$
$$\text{CH}_2\text{—S—C}_4\text{H}_9$$

Ein eigenartiges Beispiel für die synergistische Wirkung in einem Antioxidans ist die Verwendung von Eisen-, Nickel- oder Kobalt-Salzen eines Alkyldithiocarbamats, Alkyldithiophosphats oder Alkylxanthats zusammen mit *Kupfer(II)-naphthenat* oder *-stearat*. Hierbei ist die verwendete Menge der Kupfer(II)-Verbindung kritisch. Sie darf nicht mehr als 0,003% metallisches Kupfer in dem zu stabilisierenden Schmieröl betragen. Höhere Kupfermengen beschleunigen die Oxidation[2].

Besondere synergistische Effekte zeigen Alkanphosphonsäure-dialkylester zusammen mit phenolischen Antioxidantien. In einem Patentbeispiel[3] wird Polypropen stabilisiert mit 0,03% *Bis-[4-hydroxy-2-methyl-5-tert.-butyl-phenyl]-sulfid* und 0,1% *Octanphosphonsäure-dimethylester*.

Erwähnt seien noch die Salze und Derivate der Thiophosphate, die peroxid-zersetzend wirken[4]. Insbesondere deren Zink-Salze werden in Verbindung mit phenolischen Antioxidantien zur Stabilisierung von Polyolefinen verwendet, da sie das Substrat nicht verfärben[5].

Besonders wirksam sollen Antioxidantien sein, die eine phenolische Komponente als Radikalfänger und eine phosphorhaltige Komponente als Peroxid-Zerstörer in einer Molekel enthalten[6], z. B. *4-Hydroxy-3,5-di-tert.-butyl-phenyl-methanphosphonsäure-dioctadecylester*:

$$\text{(H}_3\text{C)}_3\text{C}$$
$$\text{HO}\text{—}\bigcirc\text{—CH}_2\text{—}\overset{\displaystyle \text{O}}{\underset{\displaystyle |}{\text{P}}}\text{(O—C}_{18}\text{H}_{37}\text{)}_2$$
$$\text{(H}_3\text{C)}_3\text{C}$$

Erwähnt sei ferner die Klasse der organischen Zinn-Verbindungen[7], die in Kombination mit phenolischen Antioxidantien als Stabilisatoren für Polyvinyl- und ähnliche Kunststofftypen eine wichtige Rolle spielen.

3. Synergistische Effekte zwischen Radikalfängern und Metall-Desaktivatoren

Wie bereits auf S. 1051 erwähnt, bewirken bisweilen bereits Spuren von Schwermetall-Ionen eine radikalische Zersetzung von primär gebildeten Peroxiden und wirken so als starke Prooxidantien. Bekannt ist die verheerende Wirkung von Kupfer und Mangan in natürlichem und synthetischem Kautschuk. Bereits Mengen ab 0,001% Kupfer wirken abbaubeschleunigend. Auch Polyolefine zeigen eine außerordentliche Empfindlichkeit gegen Metalle, die z. T. von Katalysator-Resten bei der Niederdruck-Polymerisation herrühren. Zur Behebung der nachteiligen Wirkungen werden Metall-Desaktivatoren, wie mehrwer-

[1] G. F. BEBICH et al., Vysokomolek. Soed. **10** (1968), Serie B, Nr. 5, S. 387.
[2] Brit. P. 779825 (1954), The Mond Nickel Co.
[3] Belg. P. 617194 (1962), BASF, Erf.: A. HRUBSCH u. H. MOELLER.
[4] G. W. KENNERLY u. W. L. PATTERSON, Ind. eng. Chem. **48**, 1917 (1956).
[5] H. MUCKE, Monatsber. Deut. Akad. Wiss. Berlin **3**, 668 (1961).
[6] N. A. MUKENAVA et al., Ž. obšč. Chim. **33**, 3192 (1963); engl.: 3119.
   Fr. P. 1320375, 1335224 (1962), J. R. GEIGY.
[7] Vgl. a. ds. Handb., Bd. XIII/6, Kap. Organo-zinn-Verbindungen.

tige Alkohole, organische Zinn-Verbindungen sowie die auf S. 1099 beschriebenen Verbindungen, zusammen mit Antioxidantien vom Bis- und Polyphenol-Typ (s. Tab. 2, S. 1094) oder vom Amin-Typ verwendet.

Ein starker synergistischer Effekt wird häufig auch bei der Kombination von Metall-Desaktivatoren mit Peroxid-Zersetzern beobachtet[1].

4. Synergistische Effekte zwischen Radikalfängern und Strahlungs-Desaktivatoren

Obwohl zahlreiche Antioxidantien, z. B. *Zink-diäthyldithiocarbamat*[s. a. 2], neben ihrer Wirkung als Peroxid-Zersetzer gleichzeitig eine die UV-Strahlung desaktivierende Wirkung haben, werden die auf S. 1065, 1073 beschriebenen Verbindungen i. a. zusammen mit Antioxidantien der verschiedenen Gruppen verwendet, insbesondere zur Stabilisierung von Kunststoffen aller Art. In allen mit Ruß verarbeiteten Kunststoffen und Kautschukarten unterstützt dieser durch eine starke UV-Absorption die Wirkung der anderen Stabilisatoren. Ein Zusatz von Strahlungs-Desaktivatoren zu den üblichen Stabilisatoren ist besonders dort erforderlich, wo Kunststoffe den Witterungseinflüssen ausgesetzt sind. Der Effekt ist mitunter erstaunlich. So wird z. B. der Stabilisierungseffekt von 0,5% *Propandithiosäure-didodecylester* in Polyäthylen durch Zusatz von 1% *2-Hydroxy-4-dodecyloxy-benzophenon* verzehnfacht[3, 4] (Dehnung nach 14-monatiger Freibewitterung).

B. Oxidationshemmung in der Praxis

I. Verbindungen mit gesättigtem oder aromatischem Charakter

a) Niedere Kohlenwasserstoffe[5], Hydroaromaten, Aromaten

Da der Primärschritt bei der Autoxidation in den meisten Fällen in der Abspaltung eines Wasserstoff-Atoms besteht (s. S. 1051), zeigen Verbindungen mit höherer Bindungsenergie der CH-Bindung unter vergleichbaren Bedingungen eine geringere Bereitschaft zur Autoxidation als Verbindungen, deren Wasserstoff-Atome eine kleinere Bindungsenergie besitzen, d. h. die primär gebundenen Wasserstoff-Atome eines Kohlenwasserstoffs sind stabiler als die sekundär oder tertiär gebundenen (s. a. S. 1051).

Die Oxidationsgeschwindigkeit nimmt bei den n-Paraffinen mit der Kettenlänge zu. Das Verhältnis der Oxidationsgeschwindigkeiten[6] für primär : sekundär : tertiär gebundenen Wasserstoff beträgt 1 : 4 : 76. Dem scheint die Tatsache zu widersprechen, daß unverzweigte Paraffine schneller oxidiert werden als verzweigte mit gleicher Kohlenstoffzahl[7]. Dies erklärt sich aber aus der Tatsache, daß die (sehr geringe) Beständigkeit primärer Hydroperoxide über die sekundären und tertiären Hydroperoxide stark zunimmt. Das bedeutet, daß zwar primäre und sekundäre Hydroperoxide schwerer entstehen, jedoch leichter zerfal-

[1] G. W. KENNERLY u. W. L. PATTERSON, Ind. eng. Chem. **48**, 1917 (1956).

[2] I. V. SHKHIYANTS et al., Neftekhimya **11**, 919 (1971).

[3] US. P. 2972597 (1958); 2972596 (1958), Eastman Kodak Co., Erf.: G. C. NEWMAN u. J. W. TAMBLYN.
Fr. P. 1249175 (1958), Eastman Kodak Co.
J. A. WEICKSEL, Mod. Plastics Encycl. **1962**, S. 458.
J. A. WEICKSEL u. J. F. HOSLER, Mod. Plastics Encycl. **1964**, S. 410.
L. P. CIPRIANI u. J. F. HOSLER, Mod. Plastics Encycl. **1967**, S. 404.

[4] US. P. 2519755 (1946), DuPont, Erf.: M. F. GRIBBINS.

[5] Vgl. a. P. KOELEWIJN u. H. BERGER, R. **91**, 1275 (1972); Dialkylsulfoxide als Hemmer.

[6] R. R. ARNDT et al., Soc. **1959**, 3258.

[7] F. BROICH, Chemie-Ing.-Techn. **34**, 46 (1962).
C. F. CULLIS u. C. N. HINSHELWOOD, Discuss. Faraday Soc. **2**, 111/28 (1947).
I. ROCEK u. F. MARES, Collect. czech. chem. Commun. **24**, 2741 (1949).

len und so durch Neubildung von Radikalen neue Ketten starten[1], während tertiäre Hydroperoxide leichter gebildet werden, i. a. aber wesentlich stabiler sind.

Für die Praxis interessant sind die als Lösungs- und Extraktionsmittel verwendeten Kohlenwasserstoffgemische, die durch ihre Siedegrenzen charakterisiert sind: Petroläther (Kp: 40–60°), Extraktionsbenzin (Kp: 100–140°) und – je nach Verwendungszweck – höhersiedende Fraktionen. Diese Produkte können, da sie i. a. durch Raffination mit Schwefelsäure von ungesättigten Bestandteilen befreit sind, unter Normalbedingungen als stabil betrachtet werden. Dasselbe gilt für Hydroaromaten. Im Zweifelsfall ist eine Prüfung auf Peroxide erforderlich. Die Stabilisierung von Kraftstoffen bzw. Treibstoffen s. S. 1065.

Enthalten die erwähnten niedermolekularen Kohlenwasserstoffe geringe Mengen oxidationsempfindlicher Stoffe, so empfiehlt sich der Zusatz einer der in Tab. 2 (S. 1094) genannten Stabilisatoren, die infolge ihres hohen Siedepunktes bei der Destillation des Kohlenwasserstoffs zurückbleiben.

Aromatische Kohlenwasserstoffe, wie Benzol, Biphenyl, Naphthalin, sind selbst bei hohen Temperaturen – verglichen mit aliphatischen Kohlenwasserstoffen – nicht nur relativ stabil: sie zeigen sogar eine Schutzwirkung gegen Oxidation bei Kohlenwasserstoffen verschiedenster Art[2].

Ohne bei Normalbedingungen bereits Autoxidationserscheinungen zu zeigen, sei erwähnt, daß aliphatisch substituierte Aromaten, wie Äthyl-, Isopropyl-(Cumol)[3], Diisopropyl-benzole u. a., bei höheren Temperaturen in α-Stellung zu einem aromatischen Kern mit Sauerstoff leicht peroxidiert werden. So wird z. B. das relativ beständige Cumolhydroperoxid großtechnisch als Zwischenprodukt für die Phenol-Snythese nach Hock hergestellt[4].

Die aktivierende Wirkung des aromatischen Kerns auf die benachbarte CH_2- oder CH-Gruppe ist jedoch geringer als die einer Doppelbindung, eine Stabilisierung dieser Kohlenwasserstoffe ist daher i. a. nicht erforderlich[5].

Als Vergleich für den Einfluß des Substituenten auf die Stabilität des aromatischen Kohlenwasserstoffs mag die Oxidationsgeschwindigkeit von Methyl-, Äthyl-, Isopropylbenzol dienen[6]. Sie beträgt 1 : 5 : 30.

Die Peroxid-Bildung höher annellierter Ringe und vieler Derivate derselben unter Lichteinfluß wurde bereits auf S. 1051f. erwähnt. Die diesbezüglichen Arbeiten sind deswegen interessant, weil ihnen die Begriffe Autoxidation und Inhibitorwirkung erstmalig auch in ihrem quantitativen Zusammenhang beschrieben werden[7].

b) Höhere Paraffine, Mineralöle und verwandte Produkte

Eine besonders wichtige Rolle spielt die Oxidationshemmung auf dem Gebiet der Mineralöle, die als Treibstoffe, Heizöle, Transformatorenöle, Schmieröle von größter wirtschaftlicher

[1] C. F. Cullis, Scient. J. roy. coll. Sci. 25, 40 (1955).
[2] Ya. B. Chertkov u. V. V. Zrelov in N. M. Emanuel, The oxidation of hydrocarbons in the liquid phase, S. 352, Pergamon Press Ltd., Oxford, Frankfurt 1965.
[3] Oxidationshemmung durch Dithiophosphate, S. K. Ivanov u. C. Korshalykov, Erdöl, Kohle, Erdgas, Petrochem. 24, 516 (1971).
Oxidationshemmung durch Phosphite; K. J. Humphris u. G. Scott, Soc. (Perkin I) 1973, 815, 831.
[4] F. Ullmann, Encyklopädie der technischen Chemie, 3. Aufl., Bd. VIII, S. 434, Verlag Urban u. Schwarzenberg, München · Berlin 1957.
s. a. ds. Handb. Bd. VIII, Kap. Peroxide, S. 17 ff.
[5] Die Probe eines Gemisches von 1,3- u. 1,4-Diisopropyl-benzol zeigte nach längerem Stehen an der Gefäßwand Abscheidung von festen Peroxiden; Privatmitteilung K. F. Wedemeyer, Bayer AG., Leverkusen.
[6] R. Schöller, Die Oxydation organischer Verbindungen mit Sauerstoff, S. 20, Akademie Verlag, Berlin 1964.
[7] C. Moureu u. C. Dufraisse, Chem. Reviews 3, 113 (1927); C. r. 183, 101 (1941).

und technischer Bedeutung sind[1]. Die Mehrzahl der als Otto-Kraftstoffe bezeichneten Treib-stoffe, insbesondere solche, die aus thermischen oder katalytischen Krackprozessen stam-men, enthalten olefinische Anteile und bedürfen daher eines besonderen Schutzes gegen Autoxidation bei Normaltemperatur. Im Gegensatz dazu können sogenannte Destillat- und Hydrierbenzine, ,,Reformate`` und ,,Alkylate`` sowie Heizöle, Transformatorenöle und Schmieröle, die meist durch vorangehende Raffination von Olefinen und anderen autoxidablen Verbindungen befreit wurden, unter normalen Bedingungen als relativ stabil betrachtet werden. Da die letzteren aber – insbesondere die Motorenöle – stets in Gegenwart von Metallen und bei hohen Temperaturen beansprucht werden, ist die Stabilisierung für ihre Haltbarkeit von entscheidender Bedeutung, zumal als Folgeprodukte der Peroxidierung unlösliche Verbindungen (Schlamm) und korrodierende Verbindungen (Säuren) entstehen können und durch Polymerisations- und Kondensationsreaktionen oft unerwünschte Ände-rungen der Schmierwirkung eintreten. In der Praxis werden zur Stabilisierung von Schmier-ölen ausschließlich Kombinationen von Antioxidantien mit den verschiedensten Zusätzen zur Verbesserung der Schmierwirkung, Verhinderung der Korrosion u. dgl. zugesetzt, deren genaue Zusammensetzung bei den einzelnen Fabrikaten meist nicht bekannt ist. In den Tab. 2 (S. 1094 ff.) sind einige der wichtigsten, auf dem Schmierölsektor verwendeten Antioxidantien entsprechend ihrem Wirkungscharakter zusammengestellt. Wie ersichtlich, handelt es sich meist um phenolische Kettenabbrecher, Peroxid-Zerstörer und Metall-Desaktivatoren. Da die Mineralöle – aus Erdöl gewonnen – je nach Herkunft unterschied-liche Mengen an Paraffinen, Naphthenen und Aromaten enthalten, läßt sich die geeignete Kombination nur experimentell ermitteln, wobei meistens synergistische Effekte von Bedeutung sind.

Für paraffinische Schmieröle, die bei niederen und mittleren Temperaturen beansprucht werden, eignen sich Phenole und Amine (s. Tab. 2, S. 1094 ff.). Schmieröle für Verbrennungs-motoren erhalten Zusätze von Calcium-, Barium- und Zinkthiophosphaten, Phos-phorigsäureestern, Zink-dialkyldithiocarbamaten und -dialkyldithiophos-phaten. Die Zusätze liegen meist in der Größenordnung von 0,5–1 %.

Sehr gut beurteilt wird auch *Didodecanoyl-selenid* in Verbindung mit Phenothiazin und Diarylaminen[1].

Entscheidend ist die Verträglichkeit des Antioxidans mit den anderen Schmierölzusätzen, die die Bildung von Rost und Ablagerungen organischer Natur verhindern, Stoffen, die die Viskosität und Schmierwirkung beeinflussen. Zur Selbstinhibierung der Autoxidation bei Schmierölen s. S. 1056[2].

c) Alkohole, Phenole

Gesättigte primäre Alkohole bedürfen, obwohl Hydroxyalkyl-hydroperoxide be-kannt sind, i. a. keiner Stabilisierung[3]. Sie werden sogar häufig, besonders bei Aldehyden, als Stabilisierungsmittel verwendet. Erst bei höheren Temperaturen und durch katalytische

[1] US. P. 2813828 (1957), Shell Developm., Erf.: H. A. WOODS u. L. C. BOLLINGER.

[2] C. ZERBE, *Mineralöle und verwandte Produkte*, II. Aufl., 1. Teil S. 605, 730, 2. Teil S. 21, Springer-Verlag, Berlin · Heidelberg · New York 1969,
J. W. THOMPSON u. T. G. DAVIS, Ind. eng. Chem. **5**, 80 (1966).
W. T. STEWART u. F. A. STUART, *Advances in Petroleum-Chemistry and Rifining*, Bd. VII, 1–64, Inter-science Publishers, New York · London 1963.
B. E. M. HASSAN, Chem. Tech. (Leipzig) **23**, 540 (1971); Zinksalze der Dithiophosphorsäureester.
I. V. ZARUBINA et al., Chim. Technol. Topl. Masel **1973**, 18; Diphenylamin-Derivate.
S. I. GAFT et al., Chim. Technol. Topl. Masel **1970**, 19; Hydrazin-Derivate.

[3] G. H. TWIGG, Chem. & Ind. **1962**, 4.
A. RIECHE, Ang. Ch. **70**, 252 (1958); Z. **3**, 444 (1963).

Einflüsse (Metalle, Strahlung) bilden sich Aldehyde und Folgeprodukte, ohne daß es zu einer Kettenreaktion kommt.

Leichter erfolgt die Oxidation sekundärer Alkohole. Isopropanol gibt bei der Luftoxidation (90 ~ 140°) Aceton und Wasserstoffperoxid in hohen Ausbeuten. Auch die höheren Alkohole scheinen gegen Autoxidation bei Normaltemperatur unempfindlich. So ist neutrales Wollwachs (adeps lanae anhydrocus), das zu ~ 20% aus höheren Alkoholen (primären, sekundären und 1,2-Diolen), Cholesterin und Cholesterin-Derivaten besteht, gegen Licht und atmosphärische Einflüsse relativ unempfindlich[1].

Die Phenole sind ausgesprochene Oxidationshemmer. Wie aus Tab. 2 (S. 1094) hervorgeht, spielen insbesondere substituierte und mehrwertige Phenole als Kettenabbrecher bei Autoxidationen eine bedeutende Rolle. Sie stellen zahlenmäßig den überwiegenden Anteil der in der Praxis verwendeten Antioxidantien. Über die als primäre Oxidationsprodukte auftretenden Phenoxy-Radikale s. Literatur[2].

Hydrochinon, seinerseits ein vielfältig verwendeter Oxidationsinhibitor, sowie dessen kernalkylierte Derivate sind stark autoxidabel. Die relative Autoxidationsgeschwindigkeit von Hydrochinon verglichen mit Trimethyl-hydrochinon beträgt 31 : 1. Kleine Zusätze von Natriumsulfit hemmen die Autoxidation nach folgender Gleichung[3]:

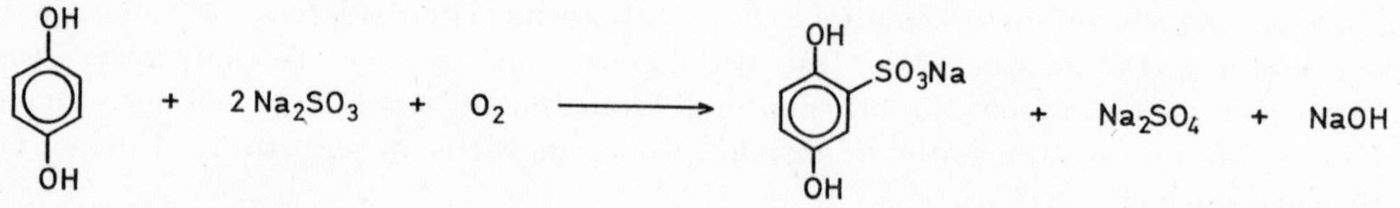

Natriumsulfit hemmt die Autoxidation von Tetramethyl-1,4-hydrocenzochinon (Durohydrochinon) nicht, dagegen diejenige von Methyl-, 3,5-Dimethyl-, 2,6-Dimethyl-, 2,3-Dimethyl- und Trimethyl-hydrochinon. Die Hemmung ist mit großer Wahrscheinlichkeit darauf zurückzuführen, daß sich Natriumsulfit an das intermediär gebildete Benzochinon (starker Oxidationskatalysator) anlagert. Daher wirken auch andere Verbindungen, die rasch mit Chinon reagieren, als Inhibitoren, wie Mercaptoessigsäure, Mercaptoessigsäureanilid, Cystein u. a.

d) Äther

Die Autoxidation der Äther, insbesondere im Licht, unter Bildung **hochexplosiver** Peroxide ist eine längst bekannte Tatsache[4]. Die Neigung zur Autoxidation ist bei den verschiedenen Äthern recht unterschiedlich. Diisopropyläther und Benzyläther oxydieren viel leichter als Diäthyläther. Dimethyläther und Methyl-tert.-alkyl-äther sind nicht autoxidabel.

Der Zusatz von 0,1 mg *Pyrogallol* auf 100 *ml* Diäthyläther soll diesen zwei Jahre lang gegen Autoxidation schützen[5]. Hydrochinon[6] (1 : 5000), Gallussäureester[7] werden ebenfalls genannt.

---

[1] F. Ullmann, *Encyklopädie der technischen Chemie*, 3. Aufl., Bd. XVIII, S. 691, Verlag Urban u. Schwarzenberg, München · Berlin 1967.

[2] E. Müller u. K. Ley, Z. Naturf. **8 b**, 694 (1953); B. **87**, 922 (1954); **88**, 601 (1955).

[3] T. James u. A. Weinberger, Am. Soc. **60**, 98, 2084 (1938); **61**, 442 (1939).

[4] Eine ausführliche Zusammenfassung der bei der Autoxidation von Äthern, Aldehyden, Ketonen und Acetalen entstehenden Peroxide s. A. Rieche, Ang. Ch. **70**, 251–266 (1958).
Siehe auch: ds. Handb. Bd. VI/3, Kap. Autoxidation von Äthern, S. 141, Herstellung von peroxidfreiem Äther, Autoxidation von Äthern. Dort auch zahlreiche Literaturangaben.

[5] A. Roy, J. appl. Chem. **5**, 188 (1955).

[6] H. O. Nolan, Lancet **225**, 129 (1933).
W. Hunter u. J. Downing, J. Soc. chem. Ind. **68**, 362 (1949).

[7] E. Böhm u. R. Williams, Quart. J. Pharm. Pharmacol. **17**, 171 (1944).

Das als Antioxidans für Äther besonders empfohlene Natrium-N,N-diäthyl-dithiocarbamat[1] wirkt wohl hauptsächlich als Metalldesaktivator[2]. Spuren von Schwermetallen vermögen die Autoxidation von Äthern stark zu beschleunigen. Eine Destillation von Äther über Natrium und Aufbewahren über Natriumdraht oder Natriumamalgam im Dunkeln bietet einen hinreichenden Schutz gegen Peroxid-Bildung. Für die Zerstörung von Peroxiden in Äthern wird auch die Behandlung mit einer angesäuerten Eisen(II)-sulfat-Lösung empfohlen. Eine Stabilisierung erreicht man aber damit nicht[3], s. a. ds. Handb.; Bd. I/2 S. 811. Eisen(II)-Salze beschleunigen die Autoxidation.

Für die Stabilisierung von Diisopropyläther wird ein Zusatz von α-*Naphthol* empfohlen.

Auch Alkohole besitzen für Äther eine, wenn auch geringe, stabilisierende Wirkung.

Es muß jedoch darauf aufmerksam gemacht werden, daß die Wirkung aller Antioxidantien bei stark autoxidablen Produkten **zeitlich begrenzt** ist. Länger aufbewahrte Äther sollten daher vor weiterer Verwendung stets auf Peroxide bzw. Sekundärprodukte geprüft und gegebenenfalls nach sicheren Verfahren von diesen befreit werden.

Erwähnt sei, daß auch cyclische Äther, wie 1,4-Dioxan, Tetrahydrofuran[4], Phthalane, Isochromane, Homoisochroman[2], autoxidabel sind, besonders, wenn sie so substituiert sind, daß eine CH-Bindung von einem Phenyl-Rest und einem Ringsauerstoff flankiert ist. Auch hier dürften die oben genannten Stabilisatoren sowie allgemein Antioxidantien auf Phenol-Basis (s. Tab. 2, S. 1094) wirksam sein[5].

e) Aldehyde, Ketone, Acetale

Die Aldehyde besitzen ein Wasserstoff-Atom, das durch die CO-Gruppe in hohem Maße aktiviert ist. Sie sind daher außerordentlich leicht autoxidabel. Der Kettenstart erfolgt durch Sprengung der CH-Bindung, das Carbonyl-Radikal leitet die Reaktionskette ein:

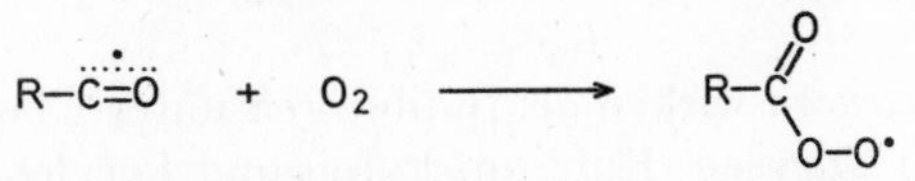

Das entstehende Peroxi-Radikal entreißt der Aldehyd-Molekel ein neues Wasserstoff-Atom und stabilisiert sich zur Persäure. Über die Autoxidation und Stabilisierung von Aldehyden existiert eine umfangreiche Literatur[6].

---

[1] E. MALINCKRODT, Chem. eng. News **33**, 3194 (1955).

[2] A. RIECHE, Ang. Ch. **70**, 261 (1958). Diese Arbeit enthält eine Zusammenstellung über die Peroxide der Äther und Carbonylverbindungen und über die „Ozonide".

[3] L. BRANDT, Ch. Z. **51**, 981 (1927).
A. RIECHE, Ang. Ch. **44**, 896 (1931).
E. C. WILLIAMS, Chem. & Ind. **55**, 580 (1936).

[4] Tetrahydrofuran, ein heute vielfach verwendetes Lösungsmittel, besitzt etwa die gleiche Neigung zur Bildung von Peroxiden wie Diäthyläther. Es wird in der Technik mit *4-Methyl-2,6-di-tert.-butylphenol* stabilisiert. Privatmitteilung der BASF.
Über eine schwere **Explosion** beim Abdestillieren von Tetrahydrofuran s. H. REIN u. R. CRIEGEE, Ang. Ch. **62**, 120 (1950).
s. a. ds. Handb.; Bd. I/2. Kap. Eigenschaften und Reinigung der wichtigsten organischen Lösungsmittel, S. 814 und Bd. VI/3, Kap. Fünfgliedrige cyclische Äther, S. 526.
Peroxide und Wasser im Tetrahydrofuran können durch Lithiumalanat zerstört werden.

[5] Zusammenfassende Literatur s. bei L. HORNER, *Autoxidation of various Organic Substances* in W. O. LUNDBERG, *Autoxidation and Antioxidants*, Interscience Publishers, S. 171, J. Wiley & Sons, New York · London 1961.

[6] Siehe O. BAYER in ds. Handb., Bd. VII/1, Kap. Aldehydherstellung, S. 498, Stabilisierung von Aldehyden und Acetalen (S. 497); s. dort auch konstitutionell bedingte Stabilität von Aldehyden.
A. RIECHE, Ang. Ch. **70**, 260 (1958).
L. HORNER in W. O. LUNDBERG, *Autoxidation and Antioxidants*, S. 197. Interscience Publishers, J. Wiley & Sons, New · York London 1961.
Brit. P. 796603 (1955), ICI Erf.: R. E. KNOWLTON u. H. W. DYSON.

Während handelsüblicher wäßriger Formaldehyd an der Luft relativ stabil ist, muß Acetaldehyd vor Sauerstoff-Einwirkung geschützt werden, da er sehr leicht **explosive** Peroxide bildet[1]. In der Technik erfolgt Lagerung unter Schutzgas. Im Laboratorium läßt er sich – wie auch alle anderen Aldehyde – durch Zusatz geringer Mengen Hydrochinon (∼0,1%) stabilisieren; auch Wasser gibt bereits eine geringe Verzögerung der Autoxidation. Geeignet ist auch *4-Methyl-2,6-di-tert.-butyl-phenol*.

Zur Stabilisierung von Butanal wird ein Zusatz von 0,01–0,25% *Hydrochinon* oder *Resorcin, p-Kresol*, auch *1,2-Diamino-äthan* und anderen Aminen empfohlen[2], doch dürfte die Wirkung der in Tab. 2 (S. 1097) erwähnten Produkte besser sein.

Als stabilisierender Zusatz für Chloral wird *2-Mercapto-⟨benzo-1,3-thiazol⟩* und *Phenyl-thioharnstoff*[3], für Furfurol das *Dimethylformamid*[4] genannt. Auch Alkohole kommen als Stabilisierungsmittel für Carbonyl-Verbindungen in Betracht (s. S. 1055).

Die Stabilisierung von 3,5,5-Trimethyl-hexanal gelingt durch Zusatz von 0,1% *4-Methyl-2,6-di-tert.-butyl-phenol* zusammen mit 0,1% *3-Methyl-4,6-di-tert.-butyl-phenol*. Hierbei wirkt die zweite Komponente als Synergist[5].

Über das Autoxidationsverhalten und die Stabilisierung von Benzaldehyd liegt eine umfangreiche Literatur vor[6]. Interessant ist die oxidationshemmende Wirkung von *Bi-fluorenyliden-(9)* und allgemein von *ω,ω'-Tetraphenyl-polyenen*.

Bi-fluorenyliden-(9) wird in Gegenwart von Benzaldehyd und Luft nahezu quantitativ zu Fluorenon, der Benzaldehyd zu Benzoesäure oxidiert, jedoch erst, wenn alles Bi-fluorenyliden-(9) verbraucht ist. Interessant ist, daß letzteres weder von Sauerstoff noch von Benzoesäure angegriffen wird und bereits in einer Konzentration von 10^{-3} Mol/l Benzaldehyd als Inhibitor wirkt.

Die Oxidationshemmung des Benzaldehyds und die Oxidation des Inhibitors sind gekoppelte Reaktionen.

Auch *Anthracen* und *Tetracen* wirken als Inhibitoren unter Übergang in die betreffenden Chinone. Dagegen werden Chrysen, Rubicen, Pyren und Perylen nicht verändert, obwohl sie recht gute Inhibitoren sind.

Der Primärschritt der Autoxidation (Abspaltung von atomarem Wasserstoff) steht möglicherweise im Zusammenhang mit Spuren von Schwermetall-Kationen [Kupfer(I)-, Mangan(II)-, Eisen(II)- und Eisen(III)-Ionen][7] (s. a. S. 1057).

Jod (0,01%), *Schwefel, Diphenylamin*, ebenso Spuren von Hydrochinon (0,001%) sollen bei sehr reinem Benzaldehyd die Autoxidation jahrelang verhindern[8]. Für die Praxis ist der Zusatz von *Hydrochinon* oder *4-Methyl-2,6-di-tert.-butyl-phenol* zweckmäßig.

Bei Ketonen greift der Sauerstoff an einer zur CO-Gruppe benachbarten CH-Bindung unter Hydroperoxid-Bildung an. Die Ketonperoxide sind jedoch sehr instabil und zerfallen rasch unter Bildung der entsprechenden Carbonsäuren. Eine besondere Stabilisierung ist nicht

[1] C. E. H. Bawn u. J. B. Williamson, Trans. Faraday Soc. **47**, 721 (1951).
   J. D'Ans et al., Ang. Ch. **66**, 633 (1954).
[2] DBP. 875C43 (1949), ICI, Erf.: S. A. Lamb.
   Brit. P. 687293 (1951), ICI, Erf.: D. G. Jones.
[3] DBP. 832146 (1948), Farbw. Hoechst, Erf.: O. Haller.
   US. P. 2504952/3 (1946), Food Machinery and Chem. Corp., Erf.: D. Williams et al.
[4] US. P. 2615028 (1950), Philipps Petroleum Co., Erf.: S. C. Samuels.
[5] Brit. P. 796603 (1955), ICI, Erf.: R. E. Knowlton u. H. W. Dyson.
[6] H. Wieland u. D. Richter, A. **486**, 226–242 (1931).
   G. Wittig, A. **558**, 201 (1947); Ang. Ch. **60**, 169 (1948).
   G. Wittig u. G. Pieper, A. **558**, 207, 218 (1947).
   G. Wittig u. W. Gaus, B. **80**, 363 (1947).
[7] R. Kuhn u. K. Meyer, Naturwiss. **16**, 1028 (1928).
[8] C. Moureu u. C. Dufraisse, C. r. **174**, 258 (1922); **178**, 826 (1924).
   M. Brunner, Helv. **10**, 723 (1927).

erforderlich, da Autoxidation i. a. erst bei höheren Temperaturen erfolgt [Heptanon-(4) und 3-Oxo-2,4-dimethyl-pentan bei 100–120°][1]. Auch Campher ist relativ stabil.

Acetale und Ketale zeigen wie die Äther unter dem aktivierenden Einfluß von zwei Sauerstoff-Atomen eine starke Neigung zur Autoxidation unter Bildung **explosiver** Peroxide[2]. Eine Stabilisierung ist bei längerer Aufbewahrung daher unerläßlich. Es kommen die für Äther und Aldehyde üblichen Stabilisierungsmittel in Frage. Auch das Glykolacetal und der Paraldehyd neigen als ringförmige Acetale zur Autoxidation.

f) Carbonsäuren und Derivate

Aliphatische und aromatische Carbonsäuren, häufig die gewünschten Endprodukte einer Oxidation, bedürfen i. a. keiner Stabilisierung. Dasselbe gilt auch für deren funktionelle Derivate, soweit diese nicht autoxidable Gruppen enthalten (z. B. Essigsäure-vinylester, S. 1080) und keiner besonderen Beanspruchung unterliegen.

Die Decandisäure- und Phthalsäure-diester höherer Alkohole werden zahlreichen Kunststoffen als Weichmacher zugesetzt und können bei hohen Verarbeitungstemperaturen oxidative Veränderungen verhindern. Falls die Wirkung der den meisten Kunststoffen zugesetzten Antioxidantien nicht ausreicht, werden phenolische Antioxidantien z. B. Bisphenol oder Trisphenole (s. Tab. 2, S. 1094) als Stabilisatoren empfohlen[3].

g) Schwefelhaltige Verbindungen

Mercaptane und Thiophenole sind starke Protonendonatoren und daher Kettenabbrecher, besonders in Gemischen mit aromatischen Aminen, einige in der Technik verwendeten Antioxidantien enthalten eine SH-Gruppe[4]. Manche Mercaptane sind so stark autoxidabel, daß bei ihrer Herstellung bzw. Weiterverarbeitung Sauerstoff ausgeschlossen werden muß[5].

Aliphatische Thioäther sind gegen Sauerstoff verhältnismäßig stabil[6]. In Verbindung mit Antioxidantien der Tab. 2 (S. 1094) werden sie als Peroxidzersetzer mit stark synergistischer Wirkung eingesetzt (s. a. S. 1061)[7].

Aliphatisch-aromatische Thioäther, vor allem die Thio-bisphenole, zeigen eine noch stärkere Inhibitorwirkung, da sie gleichzeitig als Radikalkettenabbrecher und Peroxidzersetzer wirken[7]. Über ihre Verwendung s. S. 1061 und Tab. 2 (S. 1095ff.), Tab. 3 (S. 1098).

---

[1] D. B. SHARP et al., Am. Soc. **73**, 5600 (1951); **74**, 1802 (1952).
   W. v. E. DOERING u. R. M. HAINES, Am. Soc. **76**, 482 (1954).
   s. a. L. HORNER in W. O. LUNDBERG, *Autoxidation and Antioxidants*, S. 202, Interscience Publishers, J. Wiley & Sons, New York · London 1961.

[2] A. RIECHE, Ang. Ch. **70**, 262 (1958).
   R. CRIEGEE, Fortschr. chem. Forsch. **1**, 524 (1950).
   H. REIN u. R. CRIEGEE, Ang. Ch. **62**, 120 (1950).

[3] J. VOIGT, *Die Stabilisierung der Kunststoffe gegen Licht und Wärme*, S. 445, 447, Springer-Verlag, Berlin · Heidelberg 1966.
   G. FALK et al., Makromol Ch. **7**, 201 (1969).

[4] Eine ausführliche Darstellung mit Literaturangaben s. J. VOIGT, *Die Stabilisierung der Kunststoffe gegen Licht und Wärme*, S. 331, Springer-Verlag, Berlin · Heidelberg 1966.

[5] S. ds. Handb. Bd. IX, Kap. Herstellung und Umwandlung von Disulfiden, S. 59.

[6] L. HORNER in W. O. LUNDBERG, *Autoxidation and Antioxidants*, S. 187, Interscience Publishers, J. Wiley & Sons, New York · London 1961.

[7] J. VOIGT, *Die Stabilisierung der Kunststoffe gegen Licht und Wärme*, S. 333, 535 Springer-Verlag, Berlin · Heidelberg 1966.

h) Amine und sonstige Stickstoff-Verbindungen

Aliphatische Amine (z. B. 1,2-Diamino-äthan) und vor allem aromatische Amine erleiden unter dem Einfluß von Licht und Luft Veränderungen. Die Autoxidation von Anilin, die wahrscheinlich durch Bildung chinoider Zwischenprodukte unterstützt wird, läßt sich durch Thioäther (Thiophen), Natriumthiosulfat und Natriumdithionit zurückdrängen[1].

Die Autoxidation tertiärer Amine wurde hauptsächlich im Hinblick auf die Folgeprodukte und Reaktionsmechanismen bearbeitet[2].

Eine Stabilisierung der technisch hergestellten Amine ist nicht üblich und nicht erforderlich. Wie die Phenole in der OH-Gruppe, besitzen die Amine ein in der NH_2- bzw. NH-Gruppe leicht austauschbares Wasserstoff-Atom, das sie befähigt, in den Primärschritt einer peroxidischen Autoxidation einzugreifen. Eine große Zahl von Aminen und Amino-phenolen sind wichtige Antioxidantien im Bereich der „Hochmolekularen". Eine Zusammenstellung der wichtigsten Antioxidantien auf Aminbasis s. Tab. 2 (S. 1097).

Carbonsäure-amide und -hydrazide im weitesten Sinne wirken als Antioxidantien, ebenso – infolge seiner starken Reduktionswirkung – Hydrazin sowie seine organischen Derivate. Zahlreiche Azine, Oxime und Azomethine sind als UV-Absorber und Metall-Desaktivatoren bekannt[3] (s. Tab. 4, S. 1099).

Das tertiäre Stickstoff-Atom verleiht dem Pyridin und seinen Homologen den Charakter eines stark negativ substituierten Aromaten, so daß keine besondere Tendenz zur Autoxidation und damit keine Notwendigkeit zur Stabilisierung besteht. Derivate von benzo-kondensierten Heteroaromaten (z. B. des Benztriazols, Benzo-1,3-oxazols, Benzimidazols, Benzo-1,3-thiazols) haben als UV-Absorber Interesse (s. Tab. 5, S. 1100).

Sehr wichtige Stabilisatoren für Natur- und Synthesekautschuk (s. S. 1084) sind Hydroxy-chinoline und vor allem Alkyl- und Hydroxy-Derivate des 1,2-Dihydro- und 1,2,3,4-Tetrahydro-chinolins[4].

i) Sonstige Verbindungen

Bei zahlreichen organischen Verbindungen ist die Hemmung der Autoxidation durch Fremdsubstanzen nicht möglich, da die Inhibitoren unerwünschte Reaktionen auslösen können. Dies gilt z. B. für die große Gruppe der metallorganischen Verbindungen, vieler siliciumorganischer Verbindungen, der Phosphine[5], die sich durch eine besondere Autoxidationstendenz auszeichnen. Primäre und sekundäre Phosphine entzünden sich an der Luft; auch Trialkylphosphine sind ausgesprochen autoxidabel unter Bildung von Trialkyphosphinoxiden. In solchen Fällen ist das Arbeiten in einer Schutzgasatmosphäre unerläßlich.

Andererseits spielen die tertiären Ester der phosphorigen Säure und Phosphorsäureester eine wichtige Rolle als Peroxidzerstörer (s. Tab. 3, S. 1098), besonders in Kombination mit phenolischen und aminischen Antioxidantien[6]. Zur Stabilisierung von Siliconen werden Eisen- und Cer-Verbindungen empfohlen[7].

[1] N. N. Vorozhtov u. A. A. Streltsova, Uspechi Chim. **7**, 1023 (1938).
    C. A. **33**, 4969 (1939); Ž. obšč. Chim. **9**, 1047 (1939); (Aromatische Amine) C. A. **33**, 8581 (1939).
    A. A. Streltsova, Ž. obšč. Chim. **9**, 1015 (1939); C. A. **38**, 1735 (1944).
[2] Eine ausführliche Literaturzusammenstellung s. L. Horner in W. O. Lundberg, *Autoxidation and Antioxidants*, S. 175, Interscience Publishers, J. Wiley & Sons, New York · London 1966.
[3] J. Voigt, *Die Stabilisierung der Kunststoffe gegen Licht und Wärme*, S. 292, 295, Springer-Verlag, Berlin · Heidelberg · New York 1966.
[4] Zusammenstellung mit Literaturangaben s. J. Voigt, *Die Stabilisierung der Kunststoffe gegen Licht und Wärme*, S. 311, Springer-Verlag, Berlin · Heidelberg 1966.
[5] Zusammenfassung und viele Literaturangaben s. L. Horner in W. O. Lundberg, *Autoxidation and Antioxidants*, S. 191, Interscience Publishers, J. Whiley & Sons, New York, London 1961.
[6] J. Voigt, *Die Stabilisierung der Kunststoffe gegen Licht und Wärme*, S. 316, 330, Springer-Verlag, Berlin · Heidelberg · New York 1966.
[7] R. F. Gould, *Stabilization of Polymers and Stabilizer Processes*, Advances in Chemistry Series Nr. 85, S. 95 ff., American Chemical Society, Washington, D. C. 1968.

k) Makromolekulare Verbindungen

In diesem Abschnitt wird ein Überblick über die Stabilisierung von makromolekularen Produkten gegeben, die, wenn sie atmosphärischen Bedingungen oder gleichzeitig höheren Temperaturen ausgesetzt werden, eines besonderen Schutzes gegen oxidative und Strahlungseinflüsse bedürfen. Es handelt sich hierbei um gesättigte Verbindungen, so daß z. B. der Ausdruck Polyolefine, Polyvinylchlorid u. a. nur den ungesättigten Charakter der betreffenden Monomeren andeutet. Der Begriff „Kunststoffe" umfaßt im wesentlichen makromolekulare Verbindungen mit den verschiedenartigsten Aufbauprinzipien. Durch mechanische, physikalische und chemische Einflüsse kommt es zu der sogenannten „Alterung", die eine irreversible Veränderung und eine Verschlechterung der Gebrauchseigenschaften, meistens auch eine Verringerung der Lebensdauer von Kunststoffartikeln bedeutet.

Eine der wichtigsten Alterungsursachen ist der Einfluß von Luftsauerstoff und Ozon, der durch mechanische Beanspruchung, durch die meist hohe Verarbeitungstemperatur (250–300° und mehr) und Strahlungseinflüsse verstärkt wird. Dazu kommen meist noch Metallspuren von der verwendeten Apparatur und Wirkungen der im Herstellungsprozeß eingesetzten Katalysatoren.

Der Mechanismus der Autoxidation bei Kunststoffen und sonstigen makromolekularen Verbindungen ist der gleiche wie bei niedermolekularen. Es bilden sich primär Hydroperoxide als Ausgangsstoffe für eine Kettenreaktion[1]. Diese kann durch den Einfluß von Metallspuren oder durch den UV-Anteil des Sonnenlichts ausgelöst bzw. verstärkt werden. So entspricht z. B. eine Lichtwellenlänge von 310 mμ einer Energiezufuhr von 92 Kcal/Mol. Diese liegt über der Bindungsenergie einer C–C-Hauptvalenz und kann einen Radikalstart auslösen (s. a. S. 1050). Soweit Alterungserscheinungen durch autoxidative Prozesse und ihre Folgereaktionen bedingt sind, lassen sie sich durch Antioxidantien verringern bzw. für den Einsatz von Kunststoffen praktisch ausschalten. Im Hinblick auf die außerordentliche technische und wirtschaftliche Bedeutung wurden zahlreiche Antioxidantien entwickelt. Da es sich um Hunderte von Produkten und Tausende von Patentanmeldungen handelt, kann hier nur ein Überblick über die wichtigsten Vertreter gegeben werden, die in den Tab. 2–5 (S. 1094ff.) zusammengefaßt sind. Es muß hier auf die auf S. 1101 zusammengestellte Literatur verwiesen werden[2].

Die in der Praxis zur Stabilisierung von speziellen Kunststoffen, insbesondere von vollsynthetischen Fasern, verwendeten Substanzen und Substanzgemische werden i. a. von den Herstellerfirmen nicht bekannt gegeben.

1. Polyolefine, Polyvinylchlorid und andere Vinylpolymerisate

Die Polymerisate der niederen Olefine, wie Äthylen, Propen, Buten, Isobuten, Vinylchlorid, Acrylnitril, Styrol, sind als solche oder in Form von Mischpolymerisaten von größter technischer Bedeutung. Empfindlich gegen Sauerstoff-Einwirkung sind tertiäre Wasserstoff-Atome (an Verzweigungsstellen) oder ungesättigte Endgruppen. Die Stabilisierung der Polyolefine ist von besonderer Wichtigkeit, weil fortschreitende Autoxidationsprozesse gleichzeitig die Ursache für mangelnde Wärmebeständigkeit sind. Metalle als Reste von Katalysatoren können den oxidativen Abbau sehr beschleunigen. Kupfer ist bei Polypropen

---

[1] A. RIECHE, Kunstst. **54**, 428 (1964).

[2] Kunststoff-Handbuch, Carl Hanser-Verlag, München, ab 1963.
Besonders hingewiesen sei auf die Monographie J. VOIGT, *Die Stabilisierung der Kunststoffe gegen Licht und Wärme*, Springer Verlag, Berlin · Heidelberg · New York 1966.
R. F. GOULD, *Stabilization of Polymers and Stabilizer Processes*, Advances in Chemistry Series Nr. 85, American Chemical Society, Washington, D. C. 1968.
K. THINIUS, *Stabilisierung und Stabilisatoren von Plastwerkstoffen*, S. 206ff., S. 354ff. Verlag Chemie, Weinheim/Bergstr. 1969.

besonders schädlich. Da alle Polyolefine im nahen UV-Bereich absorbieren, ist der Einsatz von UV-Absorbern bei Folien und Fasern üblich.

Es kommen vor allem die in Tab. 2 (S. 1094) aufgeführten Phenol-Derivate und die in Tab. 3 (S. 1098) aufgeführten Peroxidzerstörer als synergistische Gemische in Frage[1]. Für Polypropen wird der *Propandithiosäure-dodecylester* verwendet und zwar auf 0,1% des Phenol-Derivats 0,25% des Esters. Auch 2-Thiono-2,3-dihydro-benzimidazole[2] bzw. 1,3,5-Triazine[3] werden empfohlen. Metall-Desaktivatoren (s. Tab. 4, S. 1099) UV-Stabilisatoren (s. Tab. 5, S. 1100). Erwähnt sei auch die stabilisierende Wirkung von Salzen des Hydrazins mit höheren Fettsäuren und von organischen Derivaten des Hydrazins[4,5].

Soweit die dunkle Farbe nicht stört, ist *Ruß* der wirksamste Lichtstabilisator für alle Polyolefine. Er wird in Mengen von ~3% zugesetzt.

Aminische Antioxidantien sind ebenfalls wirksam, kommen aber wegen ihrer Tendenz zur Verfärbung für helle Artikel nicht in Frage.

Bei Polyvinylchlorid (PVC) ist zunächst die Verhinderung der autokatalytisch verstärkten Chlorwasserstoff-Abspaltung wichtig (Zusatz von Epoxiden)[6], da diese zur Ausbildung sehr oxidationsempfindlicher C=C-Doppelbindung führt, die den oxidativen Abbau beschleunigen. Neben Metalloxiden, Metallsalzen und Organo-zinn-Verbindungen[7] (gleichzeitig UV-Stabilisatoren) werden die üblichen phenolischen Antioxidantien eingesetzt (z. B. *2,2-Bis-[4-hydroxy-phenyl]-propan*) sowie UV-Desaktivatoren (s. Tab. 5, S. 1100), speziell *Phosphorsäure-tris-[dimethylamid]*[8] (s. ds. Handb. Bd. XIV/1, S. 445).

Als synergistisch besonders wirksam werden Gemische von Metallseifen eingesetzt; z. B.

Kationen: Pb, Ba, Cd, Zn, Ca, Mg, Sr, Sn

Anionen: höhere Fettsäuren wie Hexansäure, 2-Äthyl-hexansäure, Laurinsäure, Palmitinsäure, Stearinsäure, Naphthensäuren u. a.

Antioxidantien der Tab. 2 (S. 1094) und Tab. 3 (S. 1098) beschrieben.

Im Gegensatz zu den Polymerisaten und Mischpolymerisaten chlorhaltiger Olefine (Vinylchlorid, 1,1-Dichlor-äthylen) zeigen die fluor-haltigen Polymeren eine beachtlich größere Stabilität. So ist z. B. das Poly-(tetrafluor-äthylen) gegenüber Sauerstoff völlig inert. Auch das Poly-(trifluor-chlor-äthylen) besitzt eine ausgezeichnete Alterungsbeständigkeit. Soweit für fluorhaltige Polymere Stabilisatoren verwendet werden, dienen diese zur Verbesserung der meist an sich schon hohen Wärmestabilität.

Polystyrol ist besonders empfindlich gegen Photooxidation, die zur Vergilbung und Versprödung führt. Empfohlen werden als Stabilisatoren (neben den bereits dem Monomeren zugesetzten) aminische Verbindungen wie 2-Cyclohexylamino-äthanol, Diisopropylamin,

[1] G. MENZEL, Kunstst. **56**, 92 (1966).

[2] V. G. VAIDEMICH u. B. N. DASHKEVICH, Ž. prikl. Chim. **45**, 451 (1972).

[3] K. KOMATSU, S. KISHIMOTO u. N. KUROKI, Kogyo Kayaku Zasshi **74**, 243 (1971).

[4] Umfassende Literaturangaben s. J. VOIGT, *Die Stabilisierung der Kunststoffe gegen Licht und Wärme*, S. 295, Springer Verlag, Berlin · Heidelberg · New York 1966.

[5] D. A. GORDON u. E. C. ROTHSTEIN, Polymer Engeneering and Science **6**, 231 (1966).
Kunststoff-Handbuch, Bd. IV, *Polyolefine*, S. 280ff., 728, Carl Hanser-Verlag, München 1969.

[6] H. HOPFF in *Stabilization of Polymers and Stabilizer Processes*, S. 57ff., 202, Advances in Chemistry Series Nr. 85, American Society, Washington D. C. 1968.
K. THINIUS, *Stabilisierung und Stabilisatoren von Plastwerkstoffen*, S. 206ff., 354ff., Verlag Chemie, Weinheim/Bergstr. 1969.

[7] J. VOIGT, *Die Stabilisierung der Kunststoffe gegen Licht und Wärme*, S. 367, 433, 78, 429, 449, Springer Verlag, Berlin · Heidelberg · New York 1966; Zusammenstellung.

[8] H. HARTEL, Chimia **19**, 116 (1965).
Kunststoff-Handbuch, Bd. V, *Polystyrol*, S. 510ff., Carl Hanser-Verlag, München 1969.
C. SAVIDES et al. in *Stabilisation of Polymers and Stabilizer Processes*, Advances in Chemistry Series Nr. 85, S. 287ff., American Chemical Society, Washington D. C. 1968.

besonders aber phenolische Antioxidantien in Kombination mit den in Tab. 5 (S. 1100) aufgeführten UV-Desaktivatoren[1].

Die Stabilisierung von Polyacrylnitril – soweit es zur Faserherstellung dient – erfolgt durch Zusätze zur Spinnlösung. Zur Verhinderung der Vergilbung und zur Wärmestabilisierung setzt man Kombinationen von *Thiosemicarbaziden* mit *Carbonsäureanhydriden*[2] (*Phthalsäureanhydrid*) oder Derivate einer Dithiophosphon-Verbindung (z. B. *Thiophosphorsäure-O,O'-diphenylester, 4-Methoxy-benzol-dithiophosphonsäure-dimethylamid* u. a.) zu[3], auch Bor-Verbindungen werden erwähnt[4].

Die Stabilisierung der wichtigsten Mischpolymerisate von Acrylnitril, vor allem mit Butadien, s. S. 1077.

Häufig macht man auch von der Möglichkeit Gebrauch, stabilisierende Komponenten beim Polymerisationsprozeß in die makromolekulare Verbindung miteinzubauen. Es muß hier auf die Fachliteratur hingewiesen werden[4].

2. Cellulose und Cellulose-Abkömmlinge

Cellulose ist an sich ein relativ stabiles Material im Vergleich zu ihren Derivaten, den Celluloseestern und -äthern[5]. Unter atmosphärischen Bedingungen, vor allem unter dem Einfluß von Licht (nahes Ultraviolett) läßt sich ein photoinduzierter Abbau nachweisen. Ein Angriff kann z. B. bei den Aldehyd- bzw. Carboxy-Endgruppen beginnen. Die Lichtempfindlichkeit der Cellulose ist von erheblicher Bedeutung bei ihrer Verwendung auf dem Textilsektor und in der Färberei. Bestimmte Farbstoffe, besonders gelbe und orange Farbstoffe der Anthrachinon-Reihe (aber auch Indigoide) wirken als Photosensibilisatoren, da in Gegenwart von Luftsauerstoff und Feuchtigkeit Peroxide entstehen, die durch Oxycellulose-Bildung eine Faserschädigung verursachen. Es gibt jedoch auch Farbstoffe, wie Indanthrenolivgrün, die einen Lichtschutz ausüben[6].

Celluloseester werden mit phenolischen Antioxidantien stabilisiert, denen UV-Desaktivatoren zugesetzt werden. Wesentlich empfindlicher sind jedoch die Celluloseäther[7], bei denen durch direkte Sonneneinwirkung ein Abbau eingeleitet werden kann, der zu einer starken Qualitätseinbuße führt. Man wirkt dem durch Zusatz von Antioxidantien, wie *4-Benzyloxy-phenol, 3,4-Dihydroxy-1-hexyl-benzol*, oder von sekundären Aminen (Diphenylamin, 2-Anilino-naphthalin) zusammen mit UV-Desaktivatoren (s. Tab. 5, S. 1100) entgegen[8].

Es sei erwähnt, daß Schwermetall-Spuren, aber auch Titan(IV)-oxid, das zur Mattierung von Kunstfasern und als Weißpigment viel verwendet wird, den oxidativen Abbau katalysieren. Weichmacher können sowohl einen positiven wie negativen Einfluß auf die Stabilität

[1] H. Hartel, Chimia **19**, 116 (1965).
   Kunststoff-Handbuch, Bd. V, *Polystyrol*, S. 510ff., Carl Hanser-Verlag, München 1969.
   C. Savides et al., in *Stabilization of Polymers and Stabilizer Processes*, Advances in Chemistry Series Nr. 85, S. 287ff., American Chemical Society, Washington D. C. 1968.
[2] DAS 1162557 (1961), Farbf. Bayer, Erf.: C. Süling, H. Logemann u. E. Roos.
[3] DAS 1173645 (1962), Farbf. Bayer, Erf.: H. Malz, H. Schlesmann u. K. Dinges.
[4] J. Voigt, *Die Stabilisierung der Kunststoffe gegen Licht und Wärme*, S. 400, 413, Springer Verlag, Berlin · Heidelberg · New York, 1966; S. 450: Borverbindungen.
[5] G. Scott, *Atmospheric Oxidation and Antioxidants*, S. 320, Elsevier Publ. Co., Amsterdam · London · New York 1965.
   R. A. Stillinger u. R.-J. von Nostrand, Am. Soc. **66**, 753 (1944).
   H. F. Launer u. W. K. Wilson, Am. Soc. **71**, 985 (1949).
[6] F. Ullmann, *Encyklopädie der technischen Chemie*, 3. Aufl., Bd. VII, S. 22, Urban & Schwarzenberg München 1956.
[7] L. F. McBurney, Ind. eng. Chem. **41**, 1251 (1949).
[8] Kunststoff-Handbuch, Bd. III, *Polystyrol*, S. 313, 405, Carl Hanser-Verlag, München 1965.

ausüben. Triphenylphosphat gilt bei Celluloseacetat als sehr beständiger Stabilisator gegen oxidative Einflüsse[1].

3. Polyacetale und Polyvinyläther

Polyformaldehyd, ein makromolekulares Polyoxymethylen, ist der wichtigste Vertreter der Polyacetale. Obwohl das Produkt vorzügliche mechanische Eigenschaften besitzt, ist seine Thermostabilität sehr gering. Die thermische Stabilisierung ist mit der Stabilisierung durch Antioxidantien auf das engste verknüpft. Eine Inhibierung der Autoxidation unterstützt die Wirksamkeit der Wärmestabilisatoren und umgekehrt. Zunächst ist eine Blockierung der Endgruppen (durch Esterifizierung) erforderlich, weil von diesen die Depolymerisierung ausgeht. Die Anwesenheit von Sauerstoff beschleunigt den Abbau, da er den abgespaltenen Formaldehyd zu Ameisensäure oxidiert, die ihrerseits Anlaß zur acidolytischen Spaltung der Polyoxymethylenketten ist[2]. Man verwendet daher Zusatzstoffe, die mit monomerem Formaldehyd reagieren, wie Polyamide[3], Harnstoffe u. a. Eine wirksame Stabilisierung erfordert den Zusatz der in Tab. 2 (S. 1094) aufgeführten Inhibitoren vom Phenol- und Amin-Typ. Phosphite und Sulfite sind weniger wirksam[4].

Anstelle einer Veresterung der Halbacetal-Endgruppen kann man eine Stabilisierung erreichen durch Verätherung, durch Umsetzung von Epoxiden, durch Anlagerung von Acrylnitril oder anderen Verbindungen mit aktivierter Doppelbindung oder durch Umsetzung mit Isocyanaten unter Urethan-Bildung. Auch durch Copolymerisation, z. B. mit cyclischen Äthern, erhält man stabilere Produkte. In allen Fällen kann aber auf antioxidativen Schutz nicht verzichtet werden.

Polyvinylalkohol, ein 1,3-Polyglykol, reagiert mit Aldehyden, indem jeweils zwei OH-Gruppen in 1,3-Stellung mit der Carbonyl-Gruppe des Aldehyds ein cyclisches Acetal bilden. Technisch von Bedeutung sind das *Polyvinylformal* und *Polyvinylbutyral*, die als Lackrohstoffe und zur Herstellung von Sicherheitsglas verwendet werden und daher vor Vergilbung geschützt werden müssen. Zur Stabilisierung werden 2,4,6-Tris-[hydroxymethyl-amino]-benzol, Phenol-Derivate, aliphatische Amine, 2-Mercapto-benzimidazol, Guanidin, Harnstoff-, Thiuram- und 1,3-Thiazol-Derivate sowie organische Sulfide und Disulfide vorgeschlagen[5].

4. Polyester

Die Polyester der Terephthalsäure, die für die Faser- und Folienherstellung von großer technischer Bedeutung sind, besitzen eine hohe Stabilität gegen oxidative Einflüsse. Trotzdem werden zur Stabilisierung von Fasern und Filmen UV-Stabilisatoren verwendet, die man aus Lösung in die Oberfläche der Fasern und Filme eindiffundieren läßt. Es werden Derivate der Hydroxy-benzophenone empfohlen (s. Tab. 5, S. 1100)[1].

Auch für Polycarbonate, deren Verarbeitungstemperaturen bei ~300° liegen, erfolgt eine Stabilisierung – soweit sie erforderlich scheint – durch Aufsprühen der üblichen UV-Absorber (s. Tab. 5, S. 1100)[6].

---

[1] J. Voigt, *Die Stabilisierung der Kunststoffe gegen Licht und Wärme*, S. 21, 454, 463, Springer Verlag, Berlin · Heidelberg · New York 1966.

[2] W. Kern et al., Ang. Ch. **73**, 177 (1961).

[3] K. Thinius, *Stabilisierung und Stabilisatoren von Plastwerkstoffen*, S. 620ff., Verlag Chemie, Weinheim/Bergstr. 1970.

[4] M. B. Neiman, *Aging and Stabilization of Polymers*, S. 137–160, Consultans Bureau, New York 1966.
US. P. 2768994, 2871220 (1956); 2920059 (1957), DuPont, Erf.: R. N. MacDonald.
US. P. 2810708 (1957), DuPont, Erf.: M. A. Kubico et al.
DAS 1066739 (1957), DuPont, Erf.: R. G. Alsup u. P. E. Lindvig.
DAS 1076363 (1958), BASF, Erf.: G. Louis, E. Penning, H. Pohlemann u. H. Wilhelm.

[5] S. ds. Handb., Bd. XIV/2, Kap. Veresterung von Polyvinylalkohol, S. 723.
F. Ullmann, *Encyklopädie der technischen Chemie*, 3. Aufl., Bd. XIV, S. 248, Verlag Urban & Schwarzenberg, München · Berlin 1963.

Die Polyvinylester, unter denen mengenmäßig das Poly-vinylacetat an erster Stelle steht, sind relativ licht- und alterungsbeständig; dasselbe gilt auch für die Ester der Methacrylsäure[1]. Da die Monomeren normalerweise Antioxidantien enthalten, ist eine besondere Stabilisierung der Polymeren i. a. nicht erforderlich.

5. Polyamide

Obwohl die 6- und 6,6-Polyamide (Perlon®, Nylon®) als relativ oxidationsbeständige Substanzen angesehen werden können, zeigen sie doch auf ihrem hauptsächlichen Anwendungsgebiet als dünne Fasern oder Folien ohne Stabilisierung eine beträchtliche Anfälligkeit gegen Witterungseinflüsse und längere Sonnenbestrahlung. Die beste Wirksamkeit zeigt auch bei diesen Produkten Ruß als Lichtschutzmittel, doch kommt er für die genannten Zwecke verständlicherweise nicht in Frage. Als wirksam werden überraschenderweise Kupfer(II)- und Mangan(II)-Salze organischer Mono- und Dicarbonsäuren, Mangan (II)-Salze von Alkan-, Arenphosphonsäuren und anderen Phosphorsäure-Derivaten genannt, zusammen mit Inhibitoren auf Phenol- und Amin-Basis (Tab. 2, S. 1094)[2]. Als Stabilisatoren werden weiter empfohlen: Kondensationsprodukte aus Diarylaminen und Ketonen (s. Tab. 2, S. 1097)[3], *Phenyl-(4-cyclohexylamino-phenyl)-amin* und *1,4-Dinaphthyl-(2)-amin*[4].

Merkwürdigerweise wirken einige UV-Absorber, die sonst bei makromolekularen Stoffen mit Erfolg eingesetzt werden, wie 2-Hydroxy-benzophenone, Benzotriazole, Salicylsäure-Derivate, als Photoaktivatoren, dagegen werden Carbazol und seine Derivate speziell für Polyamide empfohlen[5].

In allen Polyamiden soll ein Zusatz von ~ 0,2% Kaliumjodid, auch in Kombination mit Kupfer(II)-acetat als Antioxidans sehr wirksam sein[6].

6. Polyurethane

Schaumstoffe und Elastomere auf Isocyanatbasis nehmen unter der Einwirkung von Licht und Luftsauerstoff eine gelbe bis braune Farbe an. Diese Erscheinungen lassen sich weitgehend verzögern bzw. unterbinden durch Zusatz von phenolischen und aminischen Antioxidantien[7] der Tab. 2 (S. 1094) sowie durch phosphor- und schwefelhaltige Antioxidantien der Tab. 3 (S. 1098) in Kombination mit UV-Absorbern der Tab. 5 (S. 1100).

Stabilisierend wirken besonders Carbodiimide bei Polyester-Isocyanat-Kunststoffen und allgemein dort, wo bei der Alterung von Kunststoffen freie Carboxy-Gruppen auftreten können, die einen Abbau mit allen Folgereaktionen beschleunigen. Die NCN-Gruppe reagiert bevorzugt mit Carboxy-Gruppen unter Bildung acylierter Harnstoffe und wirkt so

[1] Auf die zahlreichen Mischpolymerisate von Vinylverbindungen und ihre Stabilisierung kann hier nicht eingegangen werden. Es sei verwiesen auf: F. ULLMANN, *Encyklopädie der technischen Chemie*, 3. Aufl., Verlag Urban & Schwarzenberg, München · Berlin; Bd. XIV, S. 76, 80, 107 ff. (1963); Bd. XVIII, S. 73 ff. (1967).

[2] Kunststoff-Handbuch Band VI, *Polystyrol* S. 441 sowie Tab. S. 240/41, Carl Hanser Verlag, München 1966.
J. VOIGT, *Die Stabilisierung der Kunststoffe gegen Licht und Wärme*, S. 457, Springer Verlag, Berlin · Heidelberg 1966.
F. ULLMANN, *Encyklopädie der technischen Chemie*, 3. Aufl., Bd. XIV, S. 67, Verlag Urban & Schwarzenberg, München · Berlin 1963.

[3] Belg. P. 593321 (1960), Allied Chemical Corp.

[4] DAS 1099725 (1959), BASF, Erf.: H. POHLEMANN, H. KÖNIG, H. BICYSKO u. H. STAHL.

[5] M. B. NEIMAN, *Aging and Stabilization of Polymers*, S. 262, Consultants Bureau, New York 1966.

[6] K. THINIUS, *Stabilisierung und Stabilisatoren von Plastwerkstoffen*, S. 285, Verlag Chemie Weinheim/ Bergstr. 1970.

[7] Kunststoff-Handbuch, Bd. VII, *Polyurethane*, S. 109, Carl Hanser Verlag, München 1966.

einem weiteren Abbau entgegen. Besonders geeignet sind die aus sterisch gehinderten Aminen hergestellten Mono- und Polycarbodiimide[1].

II. Verbindungen mit ungesättigtem Charakter

Da die Doppelbindung den Wasserstoff einer benachbarten C–H-Bindung aktiviert, ist die Anfälligkeit von Verbindungen mit ungesättigtem Charakter gegenüber Sauerstoff verständlich. Dies gilt in erhöhtem Maße für aktivierte und konjugierte Doppelbindungen, an die Sauerstoff sich als Biradikal anlagern kann. Eine sekundäre Folge dieser Radikal-Bildung ist häufig die Auslösung einer Polymerisation zu hochmolekularen Produkten.

Während bei niedermolekularen aliphatischen Verbindungen im wesentlichen die Äther und Aldehyde eines besonderen Oxidationsschutzes bedürfen, sind auch olefinische Kohlenwasserstoffe und ungesättigte Carbonsäuren mitunter in hohem Maße oxidationsempfindlich. Dasselbe gilt auch für makromolekulare Stoffe wie Naturkautschuk und die synthetischen Kautschukarten, soweit sie olefinischen Charakter haben.

a) Olefine, Cycloolefine, monomere Di- und Polyolefine

Bei den niederen Monoolefinen (C < 5), die im allgemeinen in metallischen Druckbehältern aufbewahrt werden, ist eine Stabilisierung nicht erforderlich. Zahlreiche höhere Olefine sind in den Erdöl-Crack-Produkten enthalten (bis zu 20%), die in Treibstoffen[2], vor allem für Otto-Motoren eine Rolle spielen, da sie eine bessere „Klopffestigkeit" als die entsprechenden gesättigten Kohlenwasserstoffe besitzen. Besonders günstige Eigenschaften hat das 2,4,4-Trimethyl-penten-(1). Da bei den thermischen und katalytischen Crackprozessen meist auch Diolefine entstehen, ist ein Zusatz von Antioxidantien unerläßlich, um die Bildung von Harz- und Gumbildung zu verhindern. Die wichtigsten in der Praxis verwendeten Antioxidantien, die zur Stabilisierung von Olefinen aller Art empfohlen werden können, phenolische wie aminische, sind in der Tab. 2 (S. 1094) aufgeführt[1]. Auch das den meisten Treibstoffen früher zur Verbesserung der Klopffestigkeit zugesetzte Tetraäthyl-blei ist sehr oxidationsempfindlich und wird in Abwesenheit von Antioxidantien rasch abgebaut.

Die Oxidationsempfindlichkeit von Olefinen wird durch Spuren von Metallen (Cu, Co, V, Mn, Fe, Ni, Cr und Pb) vergrößert. So können bereits 0,1 ppm Kupfer in Ionen-Form die Stabilität eines Treibstoffs negativ beeinflussen. Man setzt daher den Kraftstoffen neben Antioxidantien Metall-Desaktivatoren zu (s. Tab. 4, S. 1099)[2]; am häufigsten verwendet wird das *1,2-Bis-[2-hydroxy-benzylidenamino]-propan*.

Cyclische Olefine, wie Cyclohexen und vor allem die Terpene, neigen aufgrund ihres ungesättigten Charakters stark zur Autoxidation. Soweit sie technische Verwendung finden

[1] W. Neumann u. P. Fischer, Ang. Ch. **74**, 801 (1962).

[2] *Ullmanns Encyklopädie der technischen Chemie*, 3. Aufl., Bd. 17, S. 628, 632, Verlag Urban & Schwarzenberg, München · Berlin · Wien 1966.

   C. Zerbe, *Mineralöle und verwandte Produkte*, 2. Aufl. Erster Teil, S. 605ff. u. 730, Springer Verlag, Berlin 1969.

   M. R. Barusch u. J. H. MacPherson, Advances in Petroleum Chemistry and Refining **10**, 510 (1965).

   G. Scott, *Atmospheric Oxidation and Antioxidants*, S. 352ff., Elsevier Publishing Co., Amsterdam · London · New York 1965.

– dies gilt besonders für die Bestandteile und Umwandlungsprodukte des Terpentinöls –
sind Antioxidantien bekannt[1]. So wird zur Stabilisierung von DL-Limonen (1-Methyl-4-
isopropenyl-cyclohexen) *Hydrochinon*, von α-Pinen[2,6,6-Trimethyl-bicyclo [3.1.1]hepten-
(2)], *Brenzkatechin, 4-Methyl-2,6-di-tert.-butyl-phenol, β-Naphthol* oder *1,4-Dianilino-benzol*
empfohlen. Das durch Umlagerung von α-Pinen entstehende Camphen (3,3-Dimethyl-2-
methylen-bicyclo[2.2.1]heptan) ist gegen Luft und Licht wesentlich beständiger als die
anderen Terpene.

Über die Stabilisierung von 1-Methyl-4-isopropenyl-cyclohexen liegen vergleichende Untersuchungen
mit verschiedenen Stabilisatoren vor[2]. Danach sind in abfallender Reihe wirksam (s. a. S. 1092):
Brenzkatechin > 1-Anilino-naphthalin > 2-Anilino-naphthalin > β-Naphthol > α-Naphthol

Während Dekalin recht stabil ist, zeigen die partiell hydrierten Derivate (Dihydro- und
Tetrahydronaphthalin) eine außerordentlich starke Neigung, Peroxide zu bilden. Die
Autoxidation von Tetralin erfolgt im hydrierten Ring in α-Stellung zum aromatischen
Ring[3]. Nach älteren Literaturangaben[4] wird die Oxidation gehemmt durch *Pyrogallol*,
Malachitgrün (Leukobase) und *Methylenblau*. α- und β-Naphthylamin sollen zuerst die
Autoxidation verzögern und dann beschleunigen. Als Inhibitoren für Tetralin (124°) und
Inden (85°) werden genannt[5]: *4-Methyl-2,6-di-tert.-butyl-phenol* und *Methoxy-butyl-phenol*
(BHA), während *Brenzkatechine*[6], *Hydrochinon, 2-Anilino-naphthalin, 1,4-Dianilino-benzol*
u. a. unter den genannten Bedingungen sich weniger günstig verhalten.

Es besteht kein Zweifel, daß die moderneren, im Treibstoffsektor verwendeten Antioxidantien wie *4-Methyl-2,6-di-tert.-butyl-phenol, Phenyl-(4-isopropylamino-phenyl)-amin* u. a.
(s. Tab. 2, S. 1094), in Kombination mit Metall-Desaktivatoren für die große Zahl der heute
bekannten Cycloolefine und Terpene als Stabilisatoren verwendet werden können.

Wie bereits erwähnt, sind Olefine mit konjugierten Doppelbindungen besonders oxidationsempfindlich. Die für die technische Kautschuksynthese wichtigen Monomeren Buta-
dien-(1,3) und Isopren bilden leicht Primärperoxide, die Anlaß zu gefährlichen
Spontanpolymerisationen werden können. Der Zusatz von Antioxidantien darf aber
die geregelte radikalische Polymerisation nicht behindern. Als Antioxidantien kommen
in Frage: *3,4-Dihydroxy-1-tert.-butyl-benzol* (0,02–0,05%), *Heptylmercaptan* (0,03%),
styrolisierte Phenole, substituierte 1,4-Diamino-benzole u. a. Es muß auch hier ausdrücklich
bemerkt werden, daß die Wirkung der Antioxidantien durch die Herstellungsart, Verunreinigungen und Vorgeschichte der Monomeren beeinflußt wird. In der Technik kann bei rascher
Verarbeitung und kühler Lagerung auf Stabilisierung verzichtet werden. Über Verunreinigung der Monomeren, Reindarstellung und Stabilisierung s. a. ds. Handb. Bd. XIV/1,
Kap. Allgemeines zur Polymerisation in Substanz und in Lösung, S. 26, 27; Kap. Polymerisation der wichtigsten Monomeren, S. 635, 674ff.

Höhere Polyolefine wie Vitamin A, β-Carotin und Verwandte sind außerordentlich
oxidationsempfindlich (zu ihrer Stabilisierung s. S. 1089).

Über die Stabilisierung cyclischer Diolefine wie Cyclopentadien (meist in dimerer Form
vorliegend), Inden, Benzo-[b]-furan ist wenig bekannt. Höhere Olefine und Polyolefine sind,
wie bereits erwähnt, die Ursache für die Harz- und Gumbildung in Crackbenzinen. Soweit
sie in reiner Form vorliegen, dürften für sie die gleichen Antioxidantien in Frage kommen
wie sie für Treibstoffe in den Tab. 2 (S. 1094) aufgeführt sind. Cyclooctatetraen kann
mit *Hydrochinon* stabilisiert werden[7].

---

[1] *Ullmanns Encyklopädie der technischen Chemie*, 3. Aufl., Bd. 17, S. 1–64, Verlag Urban & Schwarzen-
    berg, München · Berlin · Wien 1966.
[2] E. N. NOVIKOVA u. N. F. ERMOLENKO, Doklady Akad. SSSR **97**, 467 (1954); C. A. **49**, 9581 (1955).
[3] A. ROBERTSON u. W. A. WATERS, Trans. Faraday Soc. **42**, 201 (1946).
[4] C. MOUREU, C. DUFRAISSE u. R. CHAUX, C. r. **184**, 414 (1927).
[5] D. J. CARLSON u. I. C. ROBB, Trans. Faraday Soc. **62**, 3407 (1966).
[6] s. a. M. PRUSIKOVÁ, Chem. prumysl **19**, 548 (1969).
[7] Privatmitteilung der BASF, Ludwigshafen.

b) Vinyl-aromaten, Vinyl-heteroaromaten

Styrol (Vinylbenzol) ist der Prototyp einer vinyl-aromatischen Verbindung. Durch die Nachbarschaft des Aryl-Restes zur Doppelbindung wird deren Reaktionsfähigkeit außerordentlich gesteigert. Da Styrol durch radikalische Prozesse leicht zur Polymerisation angeregt wird, muß durch Antioxidantien die Möglichkeit zur Bildung peroxidischer Radikalketten ausgeschlossen werden. Zur Stabilisierung von Styrol genügen 10 ppm *3,4-Dihydroxy-1-tert.-butyl-benzol*, um unter normalen Bedingungen eine Polymerisation zu verhindern[1]. Seine Löslichkeit in Styrol beträgt bei Raumtemperatur 30%, die von Hydrochinon 0,001%. Über weitere in großer Zahl vorgeschlagene Inhibitoren s. ds. Handb., Bd. XIV/1, Kap. Polymerisation der wichtigsten Monomeren, S. 755–757. Etwas weniger autoxidationsempfindlich ist das 2-Phenyl-propen, für dessen Stabilisierung neben *Hydrochinon* ebenfalls *3,4-Dihydroxy-1-tert.-butyl-benzol* empfohlen wird. Die Stabilisierung wird unterstützt durch geringe Mengen Phenol (0,01–0,02%), die vom Herstellungsprozeß (Hock'sches Phenol-Verfahren) im 2-Phenyl-propen enthalten sind. Demgegenüber ist das 1,4-Divinyl-benzol außerordentlich empfindlich. Zur Stabilisierung wird, verglichen mit Styrol, die 50–100fache Menge *3,4-Dihydroxy-1-tert.-butyl-benzol* benötigt. Auch *Hydrochinon* und speziell *4,6-Dichlor-2-nitro-phenol* werden als Antioxidantien empfohlen.

Die zu Copolymerisationen vielfach verwendeten Vinyl-pyridine müssen beim Lagern gegen Polymerisation geschützt werden. Es werden die verschiedenartigsten Stabilisierungsmittel angegeben[2], deren Wirkung nicht immer auf einer Antioxidanswirkung beruht. Erwähnt seien *Phenoxazine, 2-Anilino-naphthalin*[3], *Eisen(III)-halogenide*[4] und *Alkalimetallpolysulfane*[5].

Durch die Vinylierungsreaktion von Reppe[6] sind zahlreiche N-Vinyl-heteroaromaten zugänglich geworden, z. B. N-Vinyl-pyrrol, -indol, -carbazol. Diese lassen sich ebenfalls durch Zusatz von Alkalimetall-*polysulfanen*[5] stabilisieren, aber auch durch *Formamid* (bis zu 5%), *Acetamid, Morpholin*[7], *Octadecanol*[8] oder durch mehrgliedrige aromatische Kohlenwasserstoffe wie *Anthracen* und *Phenanthren*[9]. Erwähnt sei an dieser Stelle das Vinyl-pyrrolidon, das durch *Kaliumhydrazid* oder *N,N-Dimethyl-anilin* stabilisiert werden kann[10]. Auf die Stabilisierung der für die Farbstoffindustrie wichtigen „Fischerbase"

1,3,3-Trimethyl-2-methylen-2,3-dihydro-indol

sei an dieser Stelle besonders hingewiesen, weil aus der Art der Autoxidation der geeignete Stabilisator gefunden wurde. Die Fischerbase neigt beim Stehen an der Luft stark zur

---

[1] *Ullmanns Encyklopädie der technischen Chemie*, 3. Aufl., Bd. 16, S. 475, Verlag Urban & Schwarzenberg, München · Berlin 1965.
  Kunststoff-Handbuch Bd. V, *Styrol*, S. 73, Carl Hanser Verlag, München 1969.
[2] S. ds. Handb., Bd. XIV/1, Kap. Allgemeines zur Polymerisation in Substanz und in Lösung, Tabelle, S. 42.
  Ullmanns Encyklopädie der technischen Chemie, 3. Aufl., Bd. 18, S. 104, Verlag Urban & Schwarzenberg, München · Berlin · Wien 1967.
[3] US. P. 2857389 (1955), Phillips Petroleum, Erf.: A. M. Schnitzer u. R. E. Reusser.
[4] US. P. 2732377 (1952), Phillips Petroleum, Erf.: I. E. Mahon u. F. Potts.
[5] US. P. 2745834 (1953), Phillips Petroleum, Erf.: C. W. Mertz.
[6] W. Reppe et al., A. **601**, 128 (1956).
[7] US. P. 2414407 (1944), General Aniline and Film Corp., Erf.: C. E. Barnes.
[8] US. P. 2483962 (1945), General Aniline and Film Corp., Erf.: C. E. Barnes.
[9] US. P. 2883393 (1957), General Aniline and Film Corp., Erf.: E. V. Hort u. D. E. Graham.
[10] Privatmitteilung der BASF, Ludwigshafen.

Autoxidation unter Bildung eines roten Farbstoffs. Als Oxidationsprodukt wurde Formaldehyd festgestellt, der sich durch Zusatz kleiner Mengen *Hydrazin-Hydrat* abfangen läßt. Die Fischerbase ist so monatelang ohne Verfärbung haltbar[1].

c) Halogen-olefine

Halogen-olefine besitzen wegen ihrer z. T. überraschend großen Polymerisationsfähigkeit erhebliche technische Bedeutung. Für die großtechnisch hergestellten Fluor-, Fluor-chlor- und Chlor-olefine wurden zahlreiche Stabilisierungsmittel angegeben. Die Halogen-olefine sind hinsichtlich ihrer Stabilität außerordentlich verschieden. Tetrafluor-äthylen soll einen Sauerstoff-Gehalt unter 0,001 % haben, da es sonst zu **explosionsartig** verlaufender Polymerisation kommen kann. Zur Stabilisierung wird ein Terpen-Gemisch vorgeschlagen, das hauptsächlich aus *1-Methyl-4-isopropenyl-cyclohexen* und *1-Methyl-4-isopropyliden-cyclohexen* steht. Auch *tertiäre Amine, 4-Äthoxy-anilin, α-Naphthylamin* und *Mercaptane*[2] werden als spezielle Stabilisatoren genannt. Für das Trifluor-chlor-äthylen eignen sich ähnliche Stabilisatoren wie für das Tetrafluoräthylen.

Vinylchlorid kann unstabilisiert aufbewahrt werden. Soll eine Stabilisierung erfolgen, so genügt ein geringer Zusatz von *Hydrochinon* (0,01 %) oder *3,4-Dihydroxy-1-tert.-butyl-benzol*. Auch *Phenol* wird gelegentlich verwendet (0,05 %)[3].

Sehr viel empfindlicher gegen Sauerstoff ist 1,1-Dichlor-äthylen, das im wesentlichen als Copolymerisationskomponente eingesetzt wird. Als Stabilisatoren kommen *Phenole* und *Amine* der Tab. 2 (S. 1094) in Frage. Besonders genannt werden tertiäre Amine wie *Tributylamin, Tris-[2-hydroxy-äthyl]-amin*[3]. 1,2-Dichlor-äthylen und Trichlor-äthylen werden zweckmäßig mit tertiären Aminen stabilisiert und können so auch in eisernen Behältern aufbewahrt werden. Tetrachlor-äthylen kann als völlig stabil angesehen werden. Allylchlorid ist unter Normalbedingungen nicht autoxidabel. Erst nach monatelanger UV-Bestrahlung geht es in ein Polymeres über[4].

2-Chlor-butadien-(1,3) ist äußerst oxidationsempfindlich. Als technisch wichtige Polymerisationskomponente (Chloropren)[5] wird es bei niederen Temperaturen (< 6°) gelagert und mit 0,25% einer aus gleichen Teilen bestehenden Mischung von *3,4-Dihydroxy-1-tert.-butyl-benzol* und *Phenothiazin* (700 ppm) stabilisiert. Bei der Verarbeitung oder Destillation ist eine Stabilisierung mit Stickstoffmonoxid üblich, das als drastischer Radikalfänger wirkt und unerwünschte, u. U. **explosions**artig verlaufende Polymerisationen verhindert. Anstelle des gasförmigen Stickstoffmonoxid können auch Stickstoffmonoxid-abspaltende Verbindungen wie N-Nitroso-diphenylamin verwendet werden.

Sehr viel empfindlicher ist das als Copolymerisations-Komponente verwendete 2,3-Dichlor-butadien-(1,3), das ebenfalls mit *Phenothiazin* stabilisiert wird[6].

Hexachlor-butadien und höhere perchlorierte Olefine und Polyolefine sind dagegen stabil.

---

[1] H. SIEGRIST, Chimia **20**, 295 (1966).

[2] S. ds. Handb., Bd. XIV/1, Kap. Polymerisation der wichtigsten Monomeren, S. 844.
Fr. P. 926601 (1946; Am. Prior. 1943), DuPont, Erf.: M. A. DIETRICH u. R. M. JOYCE.
Ullmanns Encyklopädie der technischen Chemie, 3. Aufl., Bd. 14, S. 219, Verlag Urban & Schwarzenberg, München·Berlin 1963.

[3] S. ds. Handb., Bd. XIV/1, Kap. Allgemeines zur Polymerisation in Substanz und in Lösung, S. 26; Kap. Polymerisation der wichtigsten Monomeren, S. 867.

[4] H. STAUDINGER u. T. FLEITMANN, A. **480**, 92 (1930).

[5] S. ds. Handb., Bd. XIV/1, Kap. Polymerisation der wichtigsten Monomeren, S. 734.

[6] Privatmitteilung K. DINGES, Leverkusen.

d) Ungesättigte Alkohole, Äther und Ester

Die in der Praxis wichtigste ungesättigte Komponente ist die Vinyl-Gruppe. Ihr einfachster Vertreter, der Vinylalkohol, existiert nur in der polymeren Form als „Polyacetal".

Allylalkohol ist bei gewöhnlicher Temperatur stabil und polymerisiert nicht. Erst bei ~ 100° tritt in Gegenwart von Sauerstoff Polymerisation ein. Ähnlich verhält sich auch der Methallylalkohol. Im Gegensatz dazu ist der Furfurylalkohol autoxidabel. Er wird mit *Butylamin* (0,1%), *Piperidin*[1] oder *Harnstoff* (0,5–1%) stabilisiert[2].

Über das autoxidative Verhalten höherer ungesättigter Alkohole und deren eventuelle Stabilisierung ist in der Literatur wenig bekannt[3]. Auch das großtechnisch hergestellte Buten-(2)-diol-(1,4)[4] bedarf keiner besonderen Stabilisierung[5]. Über das Verhalten von Ascorbinsäure (einem Endiol) s. S. 1088.

Die Gefahr der Autoxidation[4] von Vinyläthern scheint geringer als die der rein aliphatischen Äther (s. S. 1066), sie müssen jedoch, vor allem in saurem Medium, gegen Hydrolyse, die unter Bildung von Acetaldehyd und Alkohol erfolgt, geschützt werden. Dies geschieht durch Ausschluß von Wasser und Zusatz von Alkali (*Kaliumhydroxid*) oder organischen Basen wie *Tris-[2-hydroxy-äthyl]-amin* (Triäthanolamin) oder *N,N-Diäthyl-anilin*. Auch *1-* und *2-Anilino-naphthalin* sowie *5-Amino-1-hydroxy-naphthalin* werden als Stabilisatoren genannt[6]. Divinyläther neigt stark zu peroxidisch ausgelöster Polymerisation und wird zweckmäßig durch Diarylamine stabilisiert[7]. Einen besonders hohen Grad an Autoxidation zeigt der Diallyläther, dessen Peroxide sich jedoch beim Siedepunkt gefahrlos zersetzen[8].

Essigsäure-vinylester (Vinylacetat), ein technisches Großprodukt, ist in reinster Form (trocken) relativ stabil. Da es aber meist durch Spuren von Acetaldehyd verunreinigt ist, muß es gegen Peroxid-Bildung stabilisiert werden. Als Antioxidantien werden *Hydrochinon* (20 ppm bis 0,2%), *Diphenylamin* (0,03%), *Phenothiazin* (0,05%) sowie *Kupfer(II)-resinat* (leichte Grünfärbung des Produkts) empfohlen[9].

Zahlreiche Vinylester wurden hergestellt, teils durch Umesterung von Essigsäure-vinylester (Vinylacetat), teils durch Direktsynthese aus den betreffenden Carbonsäuren. Genannt seien Formyloxy-, Propanoyloxy-, Butanoyloxy-, Hexadecanoyloxy-, Benzoyloxy-äthylen. Da auch bei ihrer Verseifung Acetaldehyd entsteht, dürften im Bedarfsfall die gleichen Antioxidantien in Frage kommen wie für Essigsäure-vinylester (Vinylacetat).

[1] A. P. Dunlop u. N. F. Peters, Ind. eng. Chem. **34**, 814 (1942).

[2] S. ds. Handb., Bd. I/2, Kap. Eigenschaften und Reinigung der wichtigsten organischen Lösungsmittel, S. 809.

[3] L. Horner in W. O. Lundberg, *Autoxidation and Antioxidants*, Bd. I, S. 212, 214, 215, Interscience Publishers, New York · London 1961.

[4] W. Reppe, *Neue Entwicklungen auf dem Gebiet der Chemie des Acetylens und Kohlenoxids*, S. 40, Springer Verlag, Berlin · Göttingen · Heidelberg 1949.
   DBP. 873545 (1941), BASF, Erf.: W. Reppe u. H. Friederich.

[5] Bei der Destillation wird Zusatz von schwachem Alkali empfohlen. Privatmitteilung der BASF, Ludwigshafen.

[6] C. E. Schildknecht et al., Ind. eng. Chem. **39**, 184 (1947).
   Ullmanns Encyklopädie der technischen Chemie, 3. Aufl., Bd. 18, S. 95, Verlag Urban & Schwarzenberg, München · Berlin · Wien 1967.

[7] C. E. Schildknecht, *Vinyl Ethers*, in E. R. Blout u. H. Mark, *Monomeres*, S. 16, Verlag Interscience Publishers, Inc., New York 1951.

[8] E. C. Williams, Chem. & Ind. **55**, 580 (1936).

[9] S. ds. Handb., Bd. XIV/1, Kap. Allgemeines zur Polymerisation in Substanz und in Lösung, S. 28.
   Ullmanns Encyklopädie der technischen Chemie, 3. Aufl., Bd. 18, S. 83, Verlag Urban & Schwarzenberg, München · Berlin · Wien 1967.
   C. E. Schildknecht, *Vinyl and related Polymers*, S. 327, John Wiley and Sons, New York 1952.

e) Ungesättigte Aldehyde, Ketone, Ketene

Acrolein neigt stark zur Autoxidation und – dadurch ausgelöst – zur Polymerisation. Die ersten systematischen Versuche zur Stabilisierung organischer Verbindungen gehen auf das Acrolein zurück[1]. Wenn auch sehr viel geringere Mengen angegeben werden, so sollten zur Sicherheit vor Autoxidation, vor allem, wenn eine Destillation beabsichtigt ist, 0,2% *Hydrochinon* zugesetzt werden, wobei überraschenderweise auch metallisches *Kupfer* zusätzlich stabilisierend wirkt[2]. Auch α-Methyl-acrolein muß stabilisiert werden, da es zu spontaner Polymerisation neigt.

Butenon[3] muß vor dem Einfluß von Licht und Alkalien geschützt werden. Bei Lagerung oder Destillation wird ein Zusatz von *Hydrochinon* und *Brenzkatechin* empfohlen, nachdem es mit Ameisensäure oder Essigsäure (0,2–0,5%) versetzt wurde (s. ds. Handb., Bd. XIV/1, Kap. Polymerisation der wichtigsten Monomeren, S. 1092).

Reines Keten und die monosubstituierten Ketene sind gegen Sauerstoff nicht besonders empfindlich, im Gegensatz zu den disubstituierten Ketenen. Das wenig haltbare Diketen wird durch Zusatz von 1% *Aluminiumsulfat* und *Hydrochinon* (einige Promille) stabilisiert[4].

Die säureempfindlichen Ketenacetale werden mit *Alkali* oder *Alkalimetall-alkanolaten* vor Spaltung und Autoxidation geschützt[5].

f) Ungesättigte Fettsäuren und deren Derivate

Die ungesättigten Fettsäuren und ihre Derivate sind im Hinblick auf ihre Autoxidationsfähigkeit eine der interessantesten Verbindungsklassen. Einerseits besteht, besonders im Bereich der als Nahrungsmittel dienenden Öle und Fette größtes Interesse, sie vor Autoxidation und ihren Folgen zu schützen, andererseits spielt ihre Eigenschaft, autoxidativ ausgelöste Polymerisationsprozesse einzugehen, im Bereich der „trocknenden Öle" eine große Rolle. Die niedermolekularen ungesättigten Fettsäuren und ihre Derivate sind wichtige Polymerisationskomponenten, die u. a. vor Autoxidation soweit geschützt werden müssen, daß sie zwar bei ihrer Herstellung und Lagerung genügend stabilisiert sind, die gewünschte Polymerisation oder Mischpolymerisation aber nicht behindert wird.

Die Acryl- und Methacrylsäure sind in wäßriger Lösung oder als Salze großtechnische Produkte. Zur Stabilisierung 60%iger wäßriger Acrylsäure werden 1% *β-Naphthol* und 0,25% *Hydrochinon* vorgeschlagen, bei der weniger oxidationsempfindlichen Methacrylsäure genügen 0,1% *Hydrochinon* zur Stabilisierung einer 40%igen wäßrigen Lösung. Wasserfreie Acrylsäure und Methacrylsäure sind besonders lichtempfindlich. Sie werden bei der Aufarbeitung mit 0,5–1% *Kupfer(II)-oleat* versetzt[6].

Nach einer Firmenschrift (Rohm und Haas, Philadelphia 1960) wird wasserfreie Acrylsäure mit 0,02% *4-Äthoxy-phenol* und *1,4-Dianilino-benzol,* wasserfreie Methacrylsäure noch zusätzlich mit *Hydrochinon* stabilisiert.

Reines Acrylsäure-amid und Methacrylsäure-amid sind weniger oxidationsempfindlich, doch empfiehlt sich eine Stabilisierung mit *Hydrochinon.* Das *β-Naphthylamin*[7] sollte wegen seiner cancerogenen Eigenschaften nicht verwendet werden. Auch Kupfer(II)-Salze zeigen einen stabilisierenden Effekt.

[1] C. Moureu et al., C. r. **170**, 26 (1920).
[2] S. ds. Handb., Bd. XIV/1, Kap. Polymerisation von Acrolein, S. 1081.
  Ullmanns Encyklopädie der technischen Chemie, 3. Aufl., Bd. 3, S. 74, Verlag Urban & Schwarzenberg, München · Berlin 1953.
[3] C. E. Schildknecht, *Vinyl and related Polymers,* S. 685, John Wiley and Sons, New York 1952.
[4] *Ullmanns Encyklopädie der technischen Chemie,* 3. Aufl., Bd. 9, S. 541, Verlag Urban & Schwarzenberg, München · Berlin 1957.
[5] S. M. McElvin, Chem. Reviews **45**, 453 (1949).
[6] S. ds. Handb., Bd. XIV/1, Kap. Allgemeines zur Polymerisation in Substanz und in Lösung, S. 101.
[7] S. ds. Handb., Bd. XIV/1, Kap. Polymerisation der wichtigsten Monomeren, S. 1027.
  Acrylamide, Technical Bulletin, American Cyanamid Co., 1956.

Die monomeren Acrylsäure- und Methacrylsäureester können nur in stabilisierter Form aufbewahrt werden, da selbst unter Lichtausschluß[1] in Gegenwart von Luft sehr heftig verlaufende radikalische Polymerisation eintreten kann. Als Stabilisatoren eignen sich *Hydrochinon* und *4-Methoxy-phenol* in Mengen von 0,1–0,25%, ebenso phenolische Antioxidantien wie *Bis-[2-hydroxy-5-methyl-3-cyclohexyl-phenyl]-methan*. Auch *Bis-[4-hydroxy-phenyl]-amin*, *Methylenblau* und *Indolin-Farbstoffe* wurden vorgeschlagen. Metallisches Kupfer und Kupfer-, Eisen-, Chrom- und Zinkacrylat zeigen einen stabilisierenden Einfluß[2].

Monomeres Acrylnitril, das technisch in sehr reiner Form zur Verfügung steht, erfährt bereits durch Zusatz von Wasser (3%) eine gewisse Stabilisierung.

In der Praxis wird *Ammonik*[3] (bei reinem Acrylnitril genügen 10 ppm) verwendet, das sich mit Acrylnitril zu Bis-[2-cyan-äthyl]-amin umsetzt. Sehr wirksam ist auch ein Zusatz von *4-Isopropylamino-1-anilino-benzol*[4] sowie von *Hydrochinon* (0,01–0,1%) und *3,4-Dihydroxy-1-tert.-butyl-benzol*[5].

Methacrylnitril, das technisch ohne Bedeutung ist, wird zweckmäßig mit *Hydrochinon* stabilisiert.

Methylen-malonsäure-dinitril kann durch *Phosphor(V)-oxid, -sulfid, Pikrinsäure, Pyrrogallol, Schwefeldioxid* sowie Derivate des *1,4-Diamino-benzols* geschützt werden[6].

Über das autoxidative Verhalten und die Stabilisierung niedriger ungesättigter Fettsäuren ist wenig bekannt. Die Buten-(2)-säure soll in Pyridin oder Cyclohexanol gelöst selbst in Gegenwart von *Hämin* gegen Sauerstoff beständig sein[7]. Angelicasäure und die stereoisomere Tiglinsäure [2-Methyl-buten-(2)-säure] verändern sich nicht beim Aufbewahren.

Sorbinsäure [Hexandien-(2,4)-säure] ist wegen ihrer antimikrobiellen Wirkung und ihrer guten Verträglichkeit ein wichtiger Konservierungsstoff für Lebensmittel. Sie ist in reinem Zustand für eine doppelt ungesättigte Carbonsäure überraschend beständig.

Die in Naturfetten vorkommenden ungesättigten Fettsäuren und deren Derivate mit 10–24 Kohlenstoffatomen sind hinsichtlich ihres Autoxidationsverhaltens Gegenstand zahlreicher Untersuchungen[8]. Die größte Rolle spielen dabei die Glycerinester der in allen Naturfetten vorkommenden Ölsäure, ferner der vorwiegend in den Samenfetten der Cruciferen enthaltenen Erucasäure, der in vielen Pflanzenölen vorkommenden Linolsäure und der Linolensäure. Das chinesische Holzöl (nur technisch verwendet) besteht vorwiegend aus dem Glycerinester der Eläostearinsäure, die drei konjugierte Doppelbindungen besitzt und besonders oxidationsempfindlich ist. An der Luft tritt sehr rasch eine radikalisch ausgelöste Polymerisation ein, die bei der Verwendung des Holzöls als Lackgrundlage die Ursache der raschen Trocknung des Anstrichfilmes ist.

Alle natürlichen Öle und Fette enthalten sowohl Oxidationsbeschleuniger wie Inhibitoren. Die letzteren werden auf S. 1089 beschrieben.

---

[1] L. Dulog, W. Vogt u. W. Kern, Makromol. Ch. **97**, 75 (1966).

[2] S. ds. Handb., Bd. XIV/1, Kap. Allgemeines zur Polymerisation in Substanz und in Lösung, S. 28; Kap. Polymerisation der wichtigsten Monomeren, S. 1035.

[3] DBP. 929423 (1949) ≡ US. P. 2432511 (1943), American Cyanamid Co., Erf.: H. S. Davis u. O. F. Wiedemann.

[4] US. P. 3428666 (1965), Farbf. Bayer, Erf.: B. Scherhag u. P. Schneider.

[5] S. ds. Handb., Bd. XIV/1, Kap. Allgemeines zur Polymerisation in Substanz und in Lösung, S. 28; Kap. Polymerisation der wichtigsten Monomeren, S. 974.

[6] S. ds. Handb., Bd. XIV/1, Kap. Polymerisation der wichtigsten Monomeren, S. 978.
DBP. 847892 (1950; Am. Prior. 1947), Goodrich Co., Erf.: H. Gilbert u. A. E. Ardis.

[7] R. Kuhn u. K. Meyer, Hoppe-Seyler **185**, 202 (1929).

[8] T. E. Furia, *Handbook of Food Additives*, The Chemical Rubber Co., Cleveland, Ohio 1968.
S. a. Literatur zu Kapitel IV, S. 1089 ff.

Linolsäure-äthylester bzw. -methylester dienen häufig als Testsubstanzen zum Studium der Kinetik der Inhibitorwirkung von Antioxidantien wie *Hydrochinon, Brenzkatechin, Pyrrogallol, α-Naphthol, β-Naphthol* u. a. *Phenolen*[1].

Eine bekannte Eigenschaft der vegetabilischen Öle und Fette ist das „Ranzigwerden", das verschiedene Ursachen haben kann. Enzyme (Lipasen) greifen die Komponenten der Fette zum Teil direkt an und machen durch hydrolytische Spaltung niedere Fettsäuren frei, die durch ihren unangenehmen Geruch und Geschmack Widerwillen hervorrufen (z. B. Butansäure, Octansäure, Decansäure in verdorbener Butter). Lipoxydasen sind hochspezifische Oxidationskatalysatoren, speziell für ungesättigte Fettsäuren, wenn die Doppelbindungen durch eine CH_2-Gruppe getrennt sind. Über Hämine als Oxidationskatalysatoren s. S. 1088.

Die Hauptursache für das Ranzigwerden im üblichen Sinne, das über kurz oder lang bei allen Ölen und Fetten auftritt, ist der Angriff durch molekularen Sauerstoff unter Bildung von Peroxiden, beschleunigt durch Metallspuren und Licht. Die Peroxide sind zwar selbst farb- und geruchlos, sie zersetzen sich aber zu Carbonyl-Verbindungen, die eine weitere Peroxigenierung beschleunigen. Es bilden sich vor allem niedere Aldehyde, Methyl-alkylketone und Carbonsäuren, die für den typischen Geruch und Geschmack ranziger Öle und Fette verantwortlich sind und eine u. U. starke Wertminderung dieser Produkte bedeuten.

Die Suche nach und die Verwendung von Antioxidantien auf diesem Gebiet ist daher von großer wirtschaftlicher Bedeutung.

Bei dem Einsatz von Antioxidantien für vegetabilische Öle und Fette ist von entscheidender Bedeutung, ob diese für technische Zwecke oder als Nahrungs- und Futtermittel eingesetzt werden sollen. Im letzteren Fall sind die gesetzlichen Bestimmungen, die von Land zu Land verschieden sind, zu beachten. Einige Staaten verbieten jeglichen Zusatz von Antioxidantien in Lebensmitteln, andere (z. B. die Bundesrepublik) gestatten die in der Natur vorkommenden, nicht synthetischen Produkte, wieder andere gestatten auch den Zusatz synthetischer Produkte in maximaler Konzentration (z. B. USA)[2]. Die Stabilisierung von Lebens- und Futtermitteln s. S. 1089 ff.

Die zum Teil in den vegetabilischen Ölen und animalischen Fetten vorhandenen Antioxidantien werden auf S. 1089 behandelt. Auf die stabilisierende Wirkung der sogenannten Fetthärtung, bei der ein Teil der ungesättigten Bindungen durch katalytische Hydrierung verschwindet, sei hingewiesen.

Für die technische Stabilisierung von Ölen und Fetten eignet sich eine große Zahl der in Tab. 2 (S. 1084) aufgeführten Verbindungen auf Phenol-Basis, soweit erforderlich in Kombination mit Metall- und UV-Desaktivatoren.

g) Acetylen-Derivate

Die Literatur über die Autoxidation und insbesondere über die Stabilisierung von Acetylenen ist außerordentlich spärlich, obwohl durch neue Synthesen[3] und die Untersuchung von Naturprodukten[4] in den letzten Jahrzehnten viele neue Acetylen-Derivate

[1] J. L. BOLLAND u. P. TEN HAVE, Trans. Faraday Soc. 43, 201 (1947); Discuss. Faraday Soc. 2, 252(1947).
[2] KIRK-OTHMER, *Encyclopedia of Chemical Technology*, 2. Aufl., Bd. 2, S. 588, Interscience Publishers, New York · London · Sidney 1963.
A. PETRITSCHEK-SCHILLINGER u. U. HAMPRECHT, Z. Lebensm.-Unters. 135, H. 1, Beilage „Gesetze und Verordnungen" (1963).
J. R. CHIPAULT, *Antioxidants for Use in Foods*, in W. O. LUNDBERG, *Autoxidation and Antioxidants*, Bd. II, S. 477, Interscience Publishers, New York · London 1962.
[3] W. ZIEGENBEIN, *Einführung der Äthinyl- und Alkinylgruppe in organische Verbindungen*, Verlag Chemie GmbH., Weinheim/Bergstraße 1963.
T. F. RUDLEDGE, *Acetylenic Compounds*, Reinhold Book Corp., New York · Amsterdam · London 1968.
[4] F. BOHLMANN, Fortschr. chem. Forsch. 4, 138 (1962); 6, 65 (1966).

bekannt geworden sind. Aus Untersuchungen an Stearolsäure geht hervor[1], daß die C≡C-Bindung eine in α-Stellung stehende CH_2-Gruppe stärker aktiviert als eine C=C-Bindung. Eine Induktionsperiode wird nicht beobachtet. Die Sauerstoffaufnahme fällt vom

Stearolsäure-methylester > Stearolsäure > Ölsäure > Ölsäure-methylester.

Bei Vorhandensein von C=C-Doppel- neben C≡C-Dreifachbindungen wird die Empfindlichkeit gegen Autoxidation erheblich gesteigert. Dies gilt insbesondere für das Buten-in bzw. Hexadien-(1,5)-in-(3) und deren Homologe, die an der Luft sehr rasch **hochexplosive** Peroxide bilden. Spuren von Sauerstoff führen meist zu rascher, oft explosionsartiger Polymerisation. Für die Stabilisierung von Hexadien-(1,5)-in-(3) wurde *Hydrochinon, 3,4-Dihydroxy-1-tert.-butyl-benzol* und *Dibutylamin* empfohlen (s. ds. Handb., Bd. XIV/1, Kap. Allgemeines zur Polymerisation in Substanz und in Lösung[2].

Propargylalkohol und Butin-(2)-diol-(1,4) benötigen keine besonderen Zusätze gegen Autoxidation, bei der Destillation von Acetylenalkoholen aus Glasgefäßen wird *Bernsteinsäure* als Stabilisator empfohlen[3].

h) Natürlicher und synthetischer Kautschuk

Der stark ungesättigte Charakter der natürlichen und synthetischen Kautschukarten bedeutet eine besondere Gefährdung durch Autoxidation, die durch kurz- wie langwelliges Licht noch erheblich beschleunigt wird. Die Tendenz zur Autoxidation hängt in hohem Maße von dem Aufbau des Elastomeren, dessen Vorbehandlung und der Anwesenheit von Zusatzstoffen wie Ruß, Vulkanisationsbeschleunigern und sonstigen Hilfsmitteln ab. Durch den stark ungesättigten Charakter sind Naturkautschuk, Polyisopren, Polybutadien, Styrol-Butadien-Kautschuk, die in diesem Abschnitt behandelt werden, wesentlich gefährdeter als der nur schwach ungesättigte Butylkautschuk oder der völlig gesättigte Silikonkautschuk, die Elastomeren auf Basis von Äthylen-, Propen- oder Fluor-olefinen oder deren Terpolymerisate mit Diolefinen.

Die sowohl bei vulkanisiertem wie unvulkanisiertem Kautschuk auftretenden autoxidativen Prozesse bewirken ein Erscheinungsbild, das in dem Begriff Alterung [Rißbildung, Abbau, Ermüdung, "crazing"-Effekt (Elefantenhautbildung) u. dgl.] zusammengefaßt wird. Die Alterung, die mit der Temperatur stark zunimmt, wird beschleunigt durch Kautschukgifte (vor allem Schwermetalle wie Kupfer, Mangan, Eisen) sowie durch Ozon-Einwirkung, mit der stets zu rechnen ist. Bezüglich Einzelheiten muß auf die Fachliteratur verwiesen werden[4].

Der Einsatz und die Beurteilung von Antioxidantien auf dem Kautschukgebiet ist deshalb besonders schwierig, weil jedem Kautschuk, je nach dessen Herkunft und Verwendungszweck, die verschiedenartigsten Kautschuk-Hilfsprodukte zugesetzt werden. Es sind dies bereits dem Latex zugesetzte Stabilisatoren und andere Hilfsmittel oder nach der Aufbereitung Vulkanisiermittel wie elementarer Schwefel, Vulkanisationsbeschleuniger, Beschleuniger-Aktivatoren, Füllstoffe (Ruß, Zinkoxid), um nur die wichtigsten zu nennen. Diese Hilfsprodukte (z. B. manche Beschleuniger) können die Autoxidation sowohl in posi-

[1] N. A. Khan et al., J. Am. Oil Chemist's Soc. **28**, 105 (1951).

[2] R. A. Raphael: *Acetylenic Compounds in Organic Synthesis*, S. 192, Butterworths Scientific Publications, London 1955.

[3] Privatmitteilung der BASF, Ludwigshafen.

[4] T. Kempermann in *Kautschuk-Handbuch*, Bd. IV, S. 353 ff., Berliner Union, Stuttgart 1961.

E. M. Bevilacqua in W. O. Lundberg, *Autoxidation and Antioxidants*, Bd. II, S. 857, Interscience Publishers, New York · London 1962.

Ullmanns Encyklopädie der technischen Chemie, 3. Aufl., Bd. 9, S. 387, Verlag Urban & Schwarzenberg, München · Berlin 1957.

ASTM Special Technical Publication Nr. 229: Synposion on Effect of Ozone on Rubber. American Society for Testiny Materials Philadelphia Pa. 1958.

tivem wie negativem Sinn beeinflussen, sie können als Strahlungsabsorber oder Metall-Desaktivatoren zusammen mit Antioxidantien eine synergistische Wirkung zeigen.

Da die Antioxidantien zusammen mit den anderen Hilfsstoffen im eigentlichen Verarbeitungsprozeß oder bei synthetischen Kautschukarten im Latex eingesetzt werden, müssen sie bei Vulkanisationstemperaturen je nach Typ bis 150° beständig sein, sie sollen möglichst wenig flüchtig sein, helle Mischungen nach Möglichkeit nicht verfärben und toxikologisch einwandfrei sein. Die Dosierung ist verhältnismäßig hoch und beträgt i. a. 0,8–1,5% bezogen auf das Elastomere.

Die Alterungsschutzwirkung von Antioxidantien auf Phenol-Basis ist i. a. schwächer als die solcher auf Amin-Basis; die ersteren neigen aber weit weniger zur Verfärbung. Monofunktionelle Phenole besitzen keine praktische Bedeutung mehr, dagegen finden die in den vorangehenden Abschnitten häufig erwähnten in 2- und 6-Stellung durch sperrige Kohlenwasserstoff-Reste substituierten Phenole breiteste Verwendung (s. Tab. 2, S. 1094). Leicht zugänglich und wenig flüchtig sind Mischungen styrolisierter Phenole[1]. Für viele Fälle geeignet und physiologisch indifferent ist das *4-Methyl-2,6-di-tert.-butyl-phenol*, wenn keine zu hohe Temperaturbeanspruchung verlangt wird (Flüchtigkeit).

Bifunktionelle, auch trifunktionelle Phenol-Derivate sind wegen ihrer geringen Flüchtigkeit und geringen Verfärbung geschätzt; typische Vertreter s. Tab. 2 (S. 1095).

Zusammenstellungen der zahlreichen Handelsprodukte s. Literatur[2].

Gute Alterungsschutzmittel sind auch kernsubstituierte *Diphenylamine*, die durch Umsetzung von Diphenylamin mit Olefinen, Styrol u. dgl. hergestellt werden. Ein breites Anwendungsgebiet besitzen *1- und 2-Anilino-naphthalin* (Reifenherstellung). 1-Anilino-naphthalin wirkt gleichzeitig inaktivierend auf metallische Kautschuk-Gifte. Von besonderer Bedeutung sind Derivate des *1,4-Diamino-benzols*, die nicht nur als Alterungsschutzmittel, sondern gleichzeitig als Ermüdungs- und Ozon-Schutzmittel (s. S. 1086) eingesetzt werden.

Ein ausgezeichnetes Antioxidans ist auch das *1,4-Bis-[naphthyl-(2)-amino]-benzol*. Erwähnt seien ferner die Kondensationsprodukte aus Aldehyden und primären sowie sekundären aromatischen Aminen, deren Konstitution meistenteils unbekannt ist. Weitere aminische Antioxidantien s. Tab. 2 (S. 1097).

Interesse bieten noch einige heterocyclische Verbindungen wie *2-Mercapto-benzimidazol* und dessen *Zink-Salz*. Durch Kondensation von Ketonen und aromatischen Aminen erhält man Derivate des Dihydrochinolins. Als Beispiel sei das aus Aceton und Anilin erhältliche *2,2,4-Trimethyl-1,2-dihydro-chinolin* genannt, ebenso das Kondensationsprodukt aus Aceton und 4-Methoxy-anilin (*6-Methoxy-2,2,4-trimethyl-1,2-dihydro-chinolin*). Diese Produkte (s. Tab. 2, S. 1087) zeigen ganz allgemein eine gute Wirkung als Antioxidantien.

Obwohl Ozon in der atmosphärischen Luft nur in Spuren vorhanden ist[3], führt es bei Elastomeren mit ungesättigten Bindungen, besonders in gedehntem Zustand, zu einer eigenartigen, fortschreitenden Rißbildung. Entsprechend der großen technischen Bedeutung dieser Stoffgruppe liegen umfangreiche Untersuchungen betreffs Ozon-Schädigung und deren Verhinderung vor[3,4].

---

[1] DAS. 1086887 (1957), Farbf. Bayer, Erf.: E. HERDIECKERHOFF u. P. SCHNEIDER.

[2] J. VOIGT, *Die Stabilisierung der Kunststoffe gegen Licht und Wärme*, S. 468, Springer-Verlag, Berlin · Heidelberg · New York 1966.
    G. SCOTT, *Atmospheric Oxidation and Antioxidants*, S. 460, Elsevier Publishing Co., Amsterdam · London · New York 1965.
    Ullmanns Encyclopädie der Technischen Chemie, 3. Aufl., Ergänzungsband, Stichwort Antioxidantien S. 191. Verlag Urban & Schwarzenberg, München · Berlin · Wien 1970.

[3] Der Ozon-Gehalt der Luft schwankt zwischen 0 und 0,005 ppm. Er ist abhängig von der Höhe des Orts, der Tages- und Jahreszeit. In Großstädten (Los Angeles) wurden im Smog Konzentrationen bis 0,09 ppm gemessen; *Symposium on Effect of Ozone on Rubber*, ASTM Special Technical Publication Nr. 229, S. 4 (1958).

[4] *Stabilization of Polymers and Stabilizer Processes*, Adv. Ser. Nr. 85, S. 110ff., American Chemical Society, Washington D. C. 1968.

Nach RIECHE bewirkt Ozon eine Spaltung der C≡C-Bindung unter Bildung von Carbonylperoxiden und peroxidischen Acetalen. Die vermutlich primär gebildeten Ozonide lagern sich rasch in Peroxide um. Die gebräuchlichen Antioxidantien zeigen erhebliche Unterschiede in ihrer Schutzwirkung gegen Ozon. So zeigen die Antioxidantien auf Phenol-Basis so gut wie keine Schutzwirkung. In der Praxis finden fast ausschließlich Derivate des 1,4-Diamino-benzols Verwendung. Ein Spitzenprodukt ist das *4-Isopropylamino-1-anilino-benzol; 1,4-Dianilino-benzol* ist zwar ein ausgezeichnetes Antioxidans, seine Wirkung als Ozon-Schutzmittel ist jedoch nur gering. Eine wichtige Rolle scheint dem Oxidationspotential zuzukommen. Alle wirkungsvollen Antiozonantien haben ein Oxidationspotential in der Größenordnung von + 0,25 V (potentiometr. Messung), während das Oxidationspotential von guten Antioxidantien etwa bei doppelten Werten liegt[1].

Die Einwirkung von Ozon auf Elastomere scheint nicht nach einem radikalischen, sondern nach einem nucleophilen Prozeß abzulaufen. Die Wirkung der Antiozonantien beruht darauf, daß diese rascher mit Ozon reagieren als Kautschuk.

Außer N,N'-dialkyl- bzw. -alkyl-aryl-substituierten 1,4-Diamino-benzolen werden noch zahlreiche andere Amine und Amide (Thioharnstoff-Derivate) als Antiozonantien beschrieben; sie spielen jedoch in der Praxis keine Rolle. Erwähnt sei *10,10-Dimethyl-9,10-dihydro-acridin* (s. Tab. 2, S. 1097), sowie ein nicht verfärbendes Ozonschutzmittel und Antioxidans[2] der Formel:

Methyl-cyclohexen-(1)-⟨4-spiro-3-⟩-2-morpholino-5-hydroxy-2,3-dihydro-⟨benzo-[b]-furan⟩

Auch die Kautschuklatices der Diene sind sehr oxidationsempfindlich. Es ist daher vor und während der Aufarbeitung ein Schutz mit Antioxidantien und Stabilisatoren erforderlich (s. ds. Handb., Bd. XIV/1, Kap. Allgemeines zur Polymerisation in heterogener Phase, S. 449)[3]. Man gibt nach der Ausfällung des Latex einen Stabilisator zu; z. B. *4-Methyl-2,6-di-tert.-butyl-phenol* oder *4-Methoxymethyl-2,6-di-tert.-butyl-phenol*[4].

i) Sonstige ungesättigte makromolekulare Verbindungen

Ungesättigte makromolekulare Verbindungen[5] spielen als sog. „Polyester-Harze und -Lacke" technisch eine bedeutende Rolle. Es handelt sich ausschließlich um Mischpolymerisate der verschiedenartigsten Komponenten. Verwendet werden Ester ungesättigter Carbonsäuren wie der Acrylsäure, Methacrylsäure und vor allem der Maleinsäure mit zweiwertigen Alkoholen, sowie Ester ungesättigter Alkohole (Allylalkohol) mit mehrwertigen Carbonsäuren, wie Phthalsäure, Cyanursäure u. a. Diesen Estern werden dann noch polymerisier-

---

[1] G. SCOTT, *Atmospheric Oxidation and Antioxidants*, S. 494 ff., Elsevier Publishing Company, Amsterdam · London · New York 1965.
  G. PENKETH, J. appl. Chem. **7**, 512 (1957).
  J. FURAKAWA et al. in *Stabilization of Polymers and Stabilizer Processes*, Adv. Ser. Nr. 85, S. 110 ff., American Chemical Society, Washington DC. 1968.
[2] Belg. P. 653645 (1963), Farbf. Bayer, Erf.: K. LEY, H. FREITAG u. W. REDETZKY.
[3] G. SINN in *Kautschuk-Handbuch*, Bd. IV, S. 225 ff., Berliner Union, Stuttgart 1961.
[4] DAS. 1071092 (1957), Farbf. Bayer, Erf.: B. SEYDEL u. R. STROH.
  DAS. 1075313 (1957), Farbf. Bayer, Erf.: R. SEYDEL, R. STROH u. T. KEMPERMANN.
[5] S. ds. Handb., Bd. XIV/1, Kap. Polymerisation der wichtigsten Monomeren, S. 1133 ff.
  Ullmanns Encyklopädie der technischen Chemie, 3. Aufl., Bd. 14, S. 90 ff., Verlag Urban & Schwarzenberg, München · Berlin 1963.
  C. E. SCHILDKNECHT, *Vinyl and related Polymers*, S. 65–81, John Wiley and Sons, New York 1952.

bare Monomere wie Styrol und andere Monovinyl-Verbindungen zugesetzt. Die Polymerisation erfolgt in zwei Stufen. Sie wird zunächst nur soweit getrieben, daß nach Erreichung
eines relativ niedrigen Polymerisationsgrades noch genügend freie Doppelbindungen bleiben.
In diesem noch flüssigen bis zähflüssigen Zustand wird ein zweiter Polymerisationskatalysa-
tor zugesetzt, der zur Vernetzung des größten Teils noch vorhandener Doppelbindungen und
damit zur Aushärtung des Produktes in der gewünschten Form führt. Es ist verständlich,
daß die nach der ersten Polymerisationsstufe noch vorhandenen Doppelbindungen gegen
Luftsauerstoff empfindlich sind, da die bei einer Autoxidation gebildeten Peroxide die
zweite Polymerisationsstufe auslösen können und das Material für den gewünschten Anwen-
dungszweck unbrauchbar machen. Um eine Polyestermischung längere Zeit gebrauchs-
fähig zu halten, setzt man Antioxidantien zu, die aber nach Art und Menge so abgestimmt
sein müssen, daß der zweite i. a. durch Peroxide ausgelöste Gärungsprozeß nicht nachteilig
beeinflußt wird. Als Antioxidantien werden genannt: *Chinon, Hydrochinon* und *3,4-Dihy-
droxy-1-tert.-butyl-benzol* in Mengen von 0,001–0,1%[1], *2,5-Diphenyl-p-benzochinon*[2], *Hydro-
chinon-monoalkyläther*[3] u. a.

Da viele Polyesterharze unter dem Einfluß von Licht vergilben, werden UV-Absorber,
meist *2-Hydroxy-benzophenon-Derivate* eingesetzt, aber auch Derivate der *Cyanacrylsäure*
und des *Benztriazols* (s. Tab. 5, S. 1100). Betreffend weiterer Einzelheiten muß auf die
Literatur verwiesen werden[2].

III. Biogene Antioxidantien[4]

Wie die Oxidation ist auch die Oxidationshemmung von größter biologischer Bedeutung.
Auf S. 1081 wurde bereits darauf hingewiesen, daß alle natürlichen Öle und Fette pflanzlichen und tierischen Ursprungs Stoffe enthalten, die die Oxidation sowohl beschleunigen
wie verzögern können. Ein Enzym, das ganz spezifisch die Oxidation ungesättigter Fettsäuren beschleunigt, wurde bereits erwähnt, die *Lipoxydase*. Weitere Biokatalysatoren sind
natürlich vorkommende Verbindungen, die Schwermetalle enthalten, insbesonders die
Hämine, deren biologische Funktion die Übertragung von Sauerstoff und Elektronen ist.

Der wirkungsvollste in der Natur vorkommende Inhibitor für die Wirkung der verschiedenen Lipoxydasen ist die *Nordihydroguajaretsäure* (NDGA):

2,3-Dimethyl-1,4-bis-[3,4-dihydroxy-phenyl]-butan

Als Brenzcatechin-Derivat gehört sie zur Gruppe der phenolischen Antioxidantien. Die antioxidative
Wirkung übertrifft beim Vorliegen von Lipoxydasen die aller anderen Oxidationshemmer, so daß diese
Eigenschaft als Kriterium für das Vorliegen einer echten Lipoxydase angesehen werden kann[5].

---

[1] W. E. Cass u. R. E. Burnett, Ind. eng. Chem. **46**, 1619 (1954).
Kirk Othmer, *Encyclopedia of Chemical Technology*, 2. Aufl., Bd. 20, S. 70, John Wiley and Sons, Inc.,
New York 1969.
[2] P. H. Parker, J. Appl. Polymer Sci. **6**, 25 (1962).
S. a. J. Voigt, *Die Stabilisierung der Kunststoffe gegen Licht und Wärme*, S. 460ff., Springer-Verlag,
Berlin · Heidelberg · New York 1966.
[3] H. V. Boenig, *Unsaturated Polyesters*, Elsevier Publishing Co., Amsterdam · London · New York 1964.
[4] E. Aaes-Jørgensen in W. O. Lundberg, *Autoxidation and Antioxidants*, Bd. II, S. 1069, Interscience
Publishers, New York · London 1962.
[5] A. L. Tappel in W. O. Lundberg, *Autoxidation and Antioxidants*, Bd. I, S. 340, Interscience Publishers,
New York · London 1961.

Von außerordentlicher Bedeutung als Oxidationskatalysatoren im tierischen Bereich sind die prosthetischen Gruppen des Hämoglobins. Die Hämine, Komplexverbindungen des 3-bindigen Eisens im Hämoglobin, Myoglobin und den Cytochromen, deren biologische Funktion in der Übertragung von Sauerstoff und Elektronen besteht, katalysieren gleichzeitig die Oxidation der meisten ungesättigten Verbindungen, insbesondere ungesättigter Lipide unter primärer Bildung von Peroxiden. Dabei ist die Wirkung des Hämins keineswegs spezifisch. Die Oxidationsgeschwindigkeit nimmt mit dem Anwachsen des Peroxids in der ungesättigten Verbindung erheblich zu. Im Zellgeschehen wirkt sich die Lipidoxidation pathologisch aus. Hier setzt nun die physiologische Funktion der Vitamine der E-Gruppe, der *Tocopherole* ein. Sie inhibieren in vivo und in vitro die durch Hämine katalysierte Oxidation der Lipide, aber auch die durch andere Ursachen in Gang gekommene Autoxidation von Naturstoffen.

Die *Tocopherole*[1], von denen zur Zeit acht bekannt sind, gehören zu den wichtigsten biologischen Antioxidantien, da sie nicht nur die ungesättigten Fettsäuren der Lipide, sondern auch die Carotinoide, Vitamin A, Adrenalin, Bilirubin u. a. lebenswichtige Stoffe vor oxidativer Zerstörung schützen. Am weitesten verbreitet ist das α-*Tocopherol*:

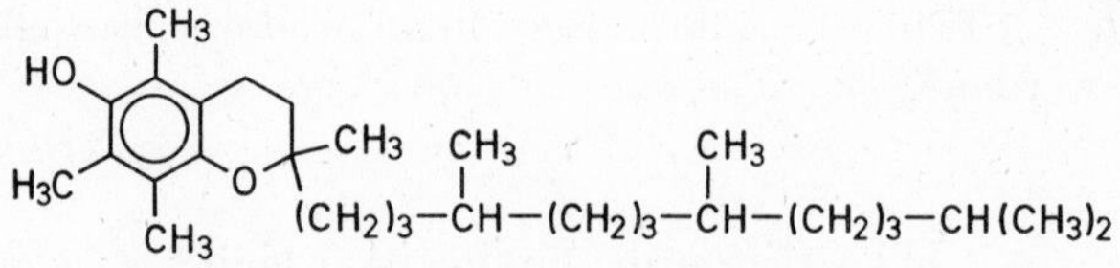

Die Tocopherole sind Derivate des 6-Chromanols, eines abgewandelten Hydrochinons, mit einer gesättigten C_{16}-Seitenkette.

Die Tocopherole unterscheiden sich durch das Fehlen einer oder zweier Methyl-Gruppen und deren Auftreten in verschiedenen Stellungen.

Den höchsten Gehalt an Tocopherolen, meist Gemischen, findet man in pflanzlichen Ölen (Weizenkeim-, Mais-, Sojabohnen- und Palmkernöl, 0,1—0,3%), aber auch Milch, Eier, Fleisch, Kartoffeln, Früchte und Brotgetreide enthalten in wechselnden Mengen Tocopherole. Sie können im Hochvakuum unter Sauerstoffausschluß destilliert werden und sind bis etwa 200° beständig.

Die Tocopherole sind aus Stabilitätsgründen meist in der Form von Estern (Acetat, Succinat) im Handel. Sie dienen nicht nur als Ergänzungsstoffe (Vitamine) für die menschliche und tierische Ernährung, sondern auch als stabilisierender Zusatz für Nahrungsmittel, Futtermittel und pharmazeutische Präparate.

Ascorbinsäure[1], das γ-Lacton der 3-Oxo-L-gulonsäure, ein in der Natur weitverbreiteter und lebensnotwendiger Stoff (Vitamin C), besitzt allein keine antioxidative Wirkung, ist aber in Kombination mit den Tocopherolen und den meisten phenolischen Antioxidantien ein starker Synergist. Ihre Wirkung dürfte in der Hauptsache darin bestehen, daß sie dank ihrer stark reduzierenden Eigenschaften (Endiol) Peroxide zerstört und phenolische Antioxidantien „regeneriert". Ihre Wirkung als Metall-Desaktivator ist ebenfalls nachgewiesen. Die D-Form der Ascorbinsäure besitzt zwar nicht Vitamin-C-Eigenschaften wie die L-Form, hat aber die gleiche synergistische Wirkung. Da die Ascorbinsäure in Ölen und Fetten unlöslich ist, finden die Fettsäureester der Ascorbinsäure und ihrer Stereoisomeren Anwendung (Ascorbylpalmitat)[2].

---

[1] A. L. Tappel in W. O. Lundberg, *Autoxidation and Antioxidants,* Bd. I, S. 353, Interscience Publishers, New York · London 1961.
   s. a. ds. Handb., Bd. II, S. 1069.
   Ullmanns Encyklopädie der technischen Chemie, 3. Aufl., Bd. 18, S. 241, Verlag Urban & Schwarzenberg, München · Berlin · Wien 1967.
[2] J. R. Chipault in W. O. Lundberg, *Autoxidation and Antioxidants,* Bd. II, S. 506ff., Interscience Publishers, New York · London 1962.

Natürliche Synergisten sind auch die *Weinsäure* und die *Citronensäure*. Sie sind allerdings weniger thermostabil als die Ascorbinsäure. Die letztere zeigt übrigens keinen synergistischen Effekt mit Gallaten[1].

In tierischem und pflanzlichem Material wurden noch verschiedene recht spezielle Antioxidantien[2] nachgewiesen, die aber in Wirksamkeit hinter den Erwähnten weit zurückstehen und für die praktische Verwendung nur in Spezialfällen in Frage kommen. Erwähnt seien das *Sesamol (3,4-Methylendioxy-phenol)* im Sesamöl, das *Gossypol (Bi-[1,6,7-trihydroxy-3-methyl-5-isopropyl-8-formyl-naphthyl-(2)]*; giftig) im Baumwollsamenöl, einige Flavon-Derivate wie *Quercetin [3,5,7-Trihydroxy-2-(3,4-dihydroxy-phenyl)-chromon]*, *Dihydroquercetin [3,5,7-Trihydroxy-2-(3,4-dihydroxy-phenyl)-chromanon]*, Derivate der Gallussäure (Tannin). Die letzteren spielen als synthetische Gallate allerdings eine große Rolle bei der Konservierung von Nahrungs- und Futtermitteln.

Die Wirkung der *Lecithine* und *Kephaline*[3] als Antioxidantien — Bestandteile aller lebenden Zellen — ist umstritten, zum mindesten besteht eine starke Abhängigkeit der Wirkung vom Substrat. Über ihre synergistische Wirkung s. S. 1060.

IV. Stabilisierung von Lebensmitteln, Futtermitteln, pharmazeutischen und kosmetischen Produkten (Seifen)

a) Lebensmittel und Futtermittel

Wie bereits S. 1083 erwähnt, bestehen für die Stabilisierung von Lebens- und Futtermitteln gesetzliche Bestimmungen, die von Land zu Land verschieden sind[4]. Der Einsatz von Antioxidantien bezieht sich im wesentlichen auf die Stabilisierung von Ölen und Fetten. Stoffe mit baktericider oder rein konservierender Wirkung bleiben hier außer Betracht. Auch die in Lebens- und Futtermitteln vorhandenen Vitamine sind empfindlich gegen Oxidation, besonders bei Anwesenheit von Metall-Spuren (s. a. S. 1052).

Antioxidantien für die genannten Zwecke dürfen nicht toxisch sein, sollen in Konzentrationen von 0,01–0,001% wirken, keine Veränderungen des Geschmacks, Geruchs und der Farbe geben, auch nicht bei längerer Lagerung oder Erhitzen, sie sollen in dem Substrat löslich oder leicht verteilbar sein und sich analytisch möglichst quantitativ erfassen lassen. Es ist hier nicht der Ort, um das Für und Wider um die Verwendung synthetischer und natürlicher Antioxidantien zu erörtern, doch soll ein kurzer Überblick über die in den meisten Ländern zugelassenen Produkte gegeben werden[5].

Zunächst seien die wichtigsten biogenen Antioxidantien (s. S. 1087) erwähnt, deren Verwendung auch in der Bundesrepublik gestattet ist. Es sind dies die *Tocopherole, Ascorbinsäure* und deren Ester, Phosphatide *(Lecithine)*; die beiden letzteren wirken wohl hauptsächlich als metallbindende Synergisten. Die Tocopherole (Formel S. 1088) sind in den vegetabilischen Ölen in weit höheren Konzentrationen enthalten als in den tierischen

[1] L. J. FILER et al., Oil and Soap **21**, 289 (1944).
[2] J. R. CHIPAULT in W. O. LUNDBERG, *Autoxidation and Antioxidants*, Bd. II, S. 512, 1073, Interscience Publishers, New York · London 1962.
[3] J. R. CHIPAULT in W. O. LUNDBERG, *Autoxidation and Antioxidants*, Bd. II, S. 504, Interscience Publishers, New York · London 1962.
[4] W. FACHMANN, *Beiträge zum neuen Lebensmittelrecht*, Bundesausschuß für volkswirtschaftliche Aufklärung e.V., Köln 1961.
Handbuch der Lebensmittelchemie, Springer Verlag, Heidelberg, New York 1969.
[5] Eine ausführliche Darstellung des Problemkreises und der Bestimmungen in einzelnen Ländern s. J. R. CHIPAULT, *Antioxidants for use in foods*, in W. O. LUNDBERG, *Autoxidation and Antioxidants*, Bd. II, S. 477, Interscience Publishers, New York · London 1962.
G. SCOTT, *Atmospheric Oxidation and Antioxidants*, S. 352, 279, Elsevier Publishing Co., Amsterdam · London · New York 1965.
T. E. FURIA, *Handbook of Food Additives*, The Chemical Rubber Co., Cleveland, Ohio 1968.

Fetten. Als Derivate des Hydrochinons werden sie leicht über Aroxyle zu Tocochinonen oxidiert, die keine antioxidativen Eigenschaften mehr haben.

In den meisten Ländern sind zugelassen: *Nordihydroguajaretsäure* (nicht in der Bundesrepublik!), *Gallate* (meistens Alkylgallate, 0,01–0,1%), ein Gemisch von *4-Methoxy-2-(bzw.-3)-tert.-butyl-phenol* (BHA, 0,01%). *4-Methyl-2,6-di-tert.-butyl-phenol* (BHT, 0,01%), *Guajakharz*.

Einige Verbindungen, die als Synergisten mit den obengenannten Inhibitoren genannt werden, seien noch erwähnt. TDPA = *Bis-[2-carboxy-äthyl]-sulfid* in Form ihrer *Dodecylester* bzw. *Octadecylester*[1] wird in bescheidenem Umfang zusammen mit BHA (s. o.) verwendet. Lecithine, Bestandteil vieler natürlicher Öle und Fette, besitzen allein kaum eine antioxidative Wirkung, *Kephaline* verhalten sich etwas günstiger, ihre synergistische Wirkung ist unbestritten. Dasselbe gilt für *Citronensäure* und *Ascorbinsäure*, die in Form ihrer Ester eingesetzt werden, da sie in Ölen und Fetten unlöslich sind. Wahrscheinlich sind sie, wie ebenfalls verwendete Phosphorsäuren, auch als Metalldesaktivatoren wirksam.

Als sehr wirksames Antioxidans sei noch das „Äthoxyquin"

6-Äthoxy-2,2,4-trimethyl-1,2-dihydro-chinolin (Tab. 2, S. 1097)

erwähnt, das vor allem zur Stabilisierung öl- und fetthaltiger Futtermittel dient.

Eines der ältesten Verfahren, um Fett, Fleisch und Fische vor oxidativen Angriffen zu schützen, ist das *Räuchern*. Die wirksamen Stoffe sind die beim Verbrennen und Verschwelen des Holzes entstehenden Phenole.

Auf dem Gebiet der Futtermittelstabilisierung werden die gleichen Antioxidantien wie auf dem Lebensmittelgebiet verwendet. Erwähnt seien die negativen Versuche, durch Zusätze von Antioxidantien zu Futtermitteln das Fett der Schlachttiere zu stabilisieren. Verfüttertes Tocopherol wird zwar im Gewebe abgelagert, aber nur zu einem kleinen Bruchteil der verfütterten Menge. Erfolgreicher scheinen die Versuche, durch Zusatz von Antioxidantien zum Viehfutter das Milchfett zu stabilisieren[2].

b) Pharmazeutische Produkte

Bei Arzneimitteln läßt sich häufig eine Stabilisierung gegen Sauerstoff-Einwirkung nicht umgehen. Es muß jedoch unterschieden werden zwischen den eigentlichen Pharmakotherapeutica und rein diätetischen Präparaten, Stärkungs- und Kräftigungsmitteln. Bei der letzteren Gruppe gelten die verhältnismäßig strengen Vorschriften der Lebensmittelgesetzgebung, während bei den Pharmazeutica der Kreis der gestatteten Antioxidantien weiter gezogen ist[3]. Voraussetzung ist selbstverständlich, daß die verwendeten Produkte in den für die Stabilisierung erforderlichen Konzentrationen nicht toxisch sind. Es ist ferner beim Einsatz eines Stabilisators wesentlich, ob das zu schützende Präparat für orale, parenterale oder externe Verwendung vorgesehen ist. Es kommen im wesentlichen die auf S. 1094 ff. genannten Antioxidantien in Frage. Für Salbengrundlagen und Cremes auf der Basis von Wollfetten werden *Hydrochinon, 3,4,5-Trihydroxy-benzoesäure-propylester* und *α-Tocopherol* empfohlen, aber auch *4-Hydroxy-benzoesäure* sowie *Bis-[2-dodecyloxycarbonyl-* (bzw. *-2-hexadecyloxycarbonyl)-äthyl]-sulfid*[4].

Hoch ungesättigte Verbindungen der Vitamin A-Reihe und der Provitamine A (Carotine) sind besonders unter Lichteinfluß sehr empfindlich gegen Luftsauerstoff. Sie

---

[1] Seifen-Öle-Fette-Wachse **92**, 961 (1966).

[2] J. R. Chipault in W. O. Lundberg, *Autoxidation and Antioxidants*, Bd. II, S. 521, Interscience Publishers, New York · London 1962.

[3] Allgemeine Fremdstoffverordnung für Pharmazeutica.

[4] O. S. Privett in W. O. Lundberg, *Autoxidation and Antioxidants*, Bd. II, S. 1017 ff., Interscience Publishers, New York · London 1962.

werden meistens mit *Tocopherolen* stabilisiert. Die Vitamin A-Ester sind etwas beständiger. Das technisch hergestellte Vitamin A wird mit *4-Methyl-2,6-di-tert.-butyl-phenol* stabilisiert[1].
Besondere Bedeutung besitzt die Stabilisierung von Fischölen, Dorschlebertran und anderen Vitamin A-haltigen Ölen, da sowohl die meist hochungesättigten Fischöle wie auch Vitamin A und Carotin vor Autoxidation geschützt werden müssen. Geeignet sind Gallussäureester in Verbindung mit *Ascorbinsäure*. Die *Gallussäureester* haben aber den Nachteil, mit Spuren von Schwermetall-Ionen stark gefärbte Komplexe zu bilden.

Unter der großen Zahl vorgeschlagener Antioxidantien[2], wurden nach Prüfung durch "The Food and Drug Administration of the Department of Health, Education and Welfare" in den Vereinigten Staaten zugelassen: (NDGA; s. S. 1096), *3,4,5-Trihydroxy-benzoesäure-propylester, 4-Methoxy-2-(bzw.-3)-tert.-butyl-phenol* (BHA; s. S. 1096), *4-Methyl-2,6-di-tert.-butyl-phenol* (BHT; s. S. 1094), die *Tocopherole*, als Synergisten: *Phosphorsäure, Ascorbinsäure, Zitronensäure* und *Lecithin*.

Vitamin D ist wesentlich stabiler als Vitamin A. Zur Stabilisierung in Lebens- und Futtermitteln wird Umhüllung mit *Calciumstearat* oder gehärteten Fetten empfohlen[3].

Die Ascorbinsäure (Vitamin C) wird – wie des öfteren erwähnt – gern als Synergist mit phenolischen Antioxidantien verwendet. Sie ist als Endiol ein starkes Reduktionsmittel, rein, in trockener Form durchaus stabil; die wässrigen Lösungen sind jedoch autoxidabel, und zwar um so stärker je höher p_H-Wert und Temperatur. Spuren von Schwermetallen beschleunigen die Zersetzung. Komplexbildner wie Citronensäure und Polyalkohole verzögern die Zersetzung. Da Ascorbinsäure in Ölen und Fetten unlöslich ist, wird sie auch in Form ihrer Ester verwendet. Es ist wesentlich, Ascorbinsäure so rasch wie möglich einer zu schützenden Substanz zuzusetzen, da sie nach Beginn der Autoxidation als Prooxidans wirken kann[4].

Adrenalin, das unter Sauerstoff-Einwirkung ziemlich rasch zersetzt wird, muß vor Metallspuren (Kupfer) besonders geschützt werden. Als Stabilisatoren verwendet man *Ascorbinsäure, Natriummetabisulfit* und Mercapto-Verbindungen, wie *2,3-Dimercapto-propanol* und *3-Mercapto-propandiol-(1,2)* (*Thioglycerin*). Das letztere besitzt ein breites Anwendungsgebiet zur Stabilisierung pharmazeutischer Präparate aller Art[5].

c) Kosmetische Produkte (Seifen)

Auf die Empfindlichkeit der Terpene gegen Autoxidation wurde bereits auf S. 1077 hingewiesen.

Für die Stabilisierung ätherischer Öle, vielfach Bestandteile von Parfümen, Seifen und kosmetischen Artikeln aller Art, ist bereits die Gewinnung und Aufarbeitung wichtig. Man vermeidet die Verwendung korrosiver Metalle, den Einfluß von Licht und höherer Temperatur.

Citrusöle, die besonders reich an Sesquiterpenen sind, werden mit NDGA (s. S. 1096), *Tocopherolen, Gallaten* und *4-Methoxy-2-* (bzw. *-3)-tert.-butyl-phenol* (BHA; s. S. 1096) stabilisiert. Dasselbe gilt für Anis-, Bergamotte-, Fenchel-, Lavendel-, Pfefferminz-, Rosmarinöl u. a. Auch *4,5-Dihydroxy-1,3-di-tert.-butyl-benzol, 2,5-Dihydroxy-1-methylbenzol, 2,6-Dihydroxy-benzaldehyd, 2,4-Dihydroxy-1-pentadecyl-benzol, 4-Alkoxy-phenole* werden empfohlen. Von den genannten Antioxidantien genügt i. a. ein Zusatz von 0,01–0,05%.

[1] Privatmitteilung der BASF, Ludwigshafen.
Auch als Einschlußverbindung mit Cyclotetraen im Handel; BASF, Ludwigshafen.
[2] O. S. PRIVETT in W. O. LUNDBERG, *Autoxidation and Antioxidants*, Bd. II, S. 991, Interscience Publishers, New York · London 1962.
[3] O. S. PRIVETT in W. O. LUNDBERG, *Autoxidation and Antioxidants*, Bd. II, S. 1003, Interscience Publishers, New York · London 1962.
[4] L. HORNER in W. O. LUNDBERG, *Autoxidation and Antioxidants*, Bd. I, S. 226, Interscience Publishers, New York · London 1961.
[5] Privatmitteilung Dr. W. EISENLOHR, Leverkusen.

Einige Riechstoffe besitzen kombiniert mit anderen Riechstoffen eine Schutzwirkung gegen Oxidation, z. B. Zimtalkohol, Benzylalkohol, 2-Phenyl-äthanol, Citronellol, Geraniol, Eugenol, Vanillin, Cumarin, Heliotropin und Anthranilsäure-methylester[1].

Der oxidative Angriff von Seifen und Waschmitteln zeigt sich im wesentlichen durch Verfärbung und unangenehmen Geruch. Als Antioxidantien kommen die im weiteren Sinn auf dem Lebensmittelgebiet verwendeten Antioxidantien in Frage, die nicht giftig und nicht zu flüchtig sein dürfen.

Man unterscheidet zwischen „Inhibitoren" und „Antioxidantien". Die ersteren sind meist reduzierend wirkende anorganische Produkte wie Natriumthiosulfat, Natriumsulfit, Natriumdithionit, Natriumborat, Zinn(II)-chlorid u. a.

Als Antioxidantien kommen synergistische Kombinationen von substituierten Phenolen mit Metall-Desaktivatoren in Frage. Als starke Oxidationsbeschleuniger wirken in abnehmender Folge:

$$Cu > Co > Fe > Ni > Mn > Pb > Sn.$$

Interessant ist die Verwendung von *5-Methyl-2-isopropyl-phenol* (*Thymol*), das gleichzeitig bakteriostatisch und als Antioxidans wirkt[2].

Von großer Bedeutung für die Haltbarkeit einer Seife ist der Gehalt an ungesättigten Verbindungen, deren Anteil man so niedrig wie möglich hält. Auf die größere Stabilität „gehärteter" Fettsäuren wurde bereits hingewiesen (s. S. 1083).

Bei der großen technischen Bedeutung der Seifen und Waschmittel besteht eine umfangreiche Literatur, auf die hier verwiesen werden muß[3].

Wollfett „Lanolin" ist ein Gemisch aus Fettsäureestern höherer Alkohole, freien höheren Alkoholen und freien Fettsäuren. Durch seinen hydrophilen Charakter ist es eine ideale Grundlage für pharmazeutische Salben und kosmetische Präparate, in denen es als wäßrige Emulsion vorliegt. Diese ist, im Gegensatz zum wasserfreien, gereinigten Wollfett, sehr empfindlich gegen atmosphärischen Sauerstoff. Als Antioxidantien kommen praktisch alle für die Stabilisierung von Ölen und Fetten genannten Produkte in Frage (s. S. 1080, 1089).

C. Prüfmethoden

Die Methoden, um die Wirksamkeit eines Antioxidans zu prüfen, sind weitgehend abhängig von der Natur des Produktes, das durch Antioxidantien vor Autoxidation geschützt werden soll. Für Flüssigkeiten besteht eine der einfachsten Methoden darin, die unter konstanten Bedingungen aufgenommene Menge Sauerstoff mit und ohne Antioxidans zu messen, wobei u. U. die verlängerte Induktionsperiode bereits einen Hinweis auf die Wirksamkeit des Inhibitors gibt. Für einfache Bestimmungen genügt eine Apparatur nach Warburg[4]. Für genauere Messungen sei ausdrücklich darauf hingewiesen, daß nur bei relativ niederen Umsätzen der Einfluß von Oxidationsprodukten auf die Reaktionsgeschwin-

[1] G. T. Walker, Seifen-Öle-Fette-Wachse 92, 839 (1966); 93, 779 (1967).
O. S. Privett in W. O. Lundberg, *Autoxidation and Antioxidants*, Bd. II, S. 1022, Interscience Publishers, New York · London 1962.
R. Marcuse, Dtsch. Apoth. Ztg. 1958, 966.
[2] O. S. Privett in W. O. Lundberg, *Autoxidation and Antioxidants*, Bd. II, S. 1012, Interscience Publishers, New York · London 1962.
[3] W. Gottschaldt, Fette-Seifen-Anstrichmittel 58, 757 (1956).
F. Wittka, *Das Verderben der Seifen, Ursachen und Verhütung*, 2. Aufl., Verlagsgesellschaft, Heidelberg 1960.
Ullmanns Encyklopädie der technischen Chemie, 3. Aufl., Bd. 18, S. 390, Verlag Urban & Schwarzenberg, München · Berlin · Wien 1967.
[4] O. Warburg, Bio. Z. 100, 230 (1919); A. 604, 94 (1957).
G. Wittig u. G. Pieper, A. 546, 142 (1941).

digkeit vernachlässigt werden kann. Ausführliche Beschreibung geeigneter Apparaturen und Verfahren s. Literatur[1].

Da die Bildung von Peroxiden bei praktisch allen Autoxidationen eine wesentliche Rolle spielt, ist eine exakte Peroxid-Bestimmung u. U. von größter Wichtigkeit. Bei der stark abgestuften Reaktionsfähigkeit der einzelnen Peroxide verläuft die Oxidation von Jod-Ionen zu elementarem Jod mit sehr unterschiedlicher Geschwindigkeit. Eine genaue Einhaltung der Bedingungen für die einzelnen Peroxid-Typen ist daher erforderlich, Einzelheiten s. ds. Handb., Bd. II, S. 572, Kap. Analytik von Peroxiden und Persäuren[2]. Eine Methode, die es gestattet, organische Perverbindungen verschiedener Art nebeneinander zu bestimmen, beruht auf der Verwendung von tertiären Arsinen als Sauerstoffacceptoren[3]. Durch Kombination mit der jodometrischen Methode und Zusatz von Diphenylsulfid lassen sich Persäuren, Diacylperoxide, Alkylhydroperoxide und Dialkylperoxide quantitativ nebeneinander bestimmen. Eine andere Methode s. Lit.[4].

Für die Identifizierung und quantitative Bestimmung von Verbindungen, die sich in Lösung elektrolytisch reduzieren oder oxidieren lassen, ist u. U. die polarographische Analyse sehr geeignet. Über die Methode s. ds. Handb., Bd. III/2, Kap. Polarographie organischer Stoffe, S. 295.

Besonders geeignet für qualitative und quantitative Bestimmungen – Substrat und Antioxidans betreffend – sind die chromatographischen Methoden, s. ds. Handb. Bd. II, Kap. Chromatographische Analyse, S. 869. Die Dünnschichtchromatographie liefert unter Verwendung kleinster Substanzmengen exakte Resultate und gestattet auch den quantitativen Nachweis der meist nur in geringer Konzentration vorhandenen Antioxidantien in Lebensmitteln und Industrieprodukten aller Art[5].

Auch die IR- und UV-Spektroskopie[6] sowie die Chemiluminescenz[7] erlauben, in bestimmten Fällen die Vorgänge bei der Autoxidation und der Oxidationshemmung zu verfolgen. Die Chemiluminescenz scheint besonders geeignet, den Reaktionsmechanismus (Kinetik) und das Auftreten und Verhalten freier Radikale bei Autoxidationsvorgängen zu deuten.

Mit der Elektronenspinresonanz lassen sich bei Antioxidantien aus der Reihe der gehinderten Phenole (z.B. *4-Methyl-2,6-di-tert.-butyl-phenol*) und der aromatischen Amine schon in geringen Konzentrationen Phenoxy-Radikale nachweisen[8].

[1] N. M. EMANUEL, E. T. DENISOV u. U. K. MAIZUS, *Liquid-Phase Oxidation of Hydrocarbons*, S. 25, Plenum Press, New York 1967.
J. L. BOLLAND, Pr. roy. Soc. **186** A, 218 (1946).
L. BATEMAN u. R. GEE, Pr. roy. Soc. **195** A, 376 (1948).
C. H. BAMFORD u. M. I. S. DEWAR, Pr. roy. Soc. **198** A, 252 (1949).
L. BATEMAN et al., Discuss. Faraday Soc. **10**, 250 (1951).
E. BECKER u. A. NIEDERSTERBRUCH, Fette, Seifen, Anstrichmittel **68**, 135, 182 (1966).
[2] S. a. W. E. LINK u. N. W. FORMS in W. O. LUNDBERG, *Autoxidation and Antioxidants*, Bd. I, S. 370, Interscience Publishers, New York · London 1961.
[3] L. HORNER u. E. JÜRGENS, Ang. Ch. **70**, 266 (1958).
[4] L. DULOG u. K.-H. BURG, Fr. **203**, 184 (1964).
[5] H. GÄNSHIRT, *Stabilitätsprüfung von Arzneimitteln*, in E. STAHL, *Dünnschicht-Chromatographie*, 2. Aufl., S. 533, Springer-Verlag, Berlin · Heidelberg · New York 1967.
Galenisches Praktikum, Münzel-Büchli-Schultz, S. 1020, Wissenschaftliche Verlagsgesellschaft, Stuttgart 1956.
[6] W. E. LINK u. M. W. FORNO in W. O. LUNDBERG, *Autoxidation and Antioxidants*, Bd. I, S. 397,405, Interscience Publishers, New York · London 1961.
[7] N. M. EMANUEL, E. T. DENISOV u. Z. K. MAIZUS, *Liquid-Phase Oxidation of Hydrocarbons*, S. 47, Plenum Press, New York 1967.
K. D. GUNDERMANN, *Chemilumineszenz organischer Verbindungen*, S. 19, 160, Springer-Verlag, Berlin · Heidelberg · New York 1968.
[8] M. B. NEIMAN, *Aging and Stabilisation of Polymers*, S. 42ff., Consultants Bureau, New York 1966.

Bei den makromolekularen Produkten, natürlichen wie synthetischen, geht die Prüfung der Wirkung eines Antioxidans oder Stabilisators parallel mit dem Verwendungszweck. Es handelt sich meist darum festzustellen, ob durch den Zusatzstoff unerwünschte Eigenschaften wie Verfärbung, Rißbildung, Klebrigwerden, Versprödung, Verringerung der mechanischen Eigenschaften wie Zugfestigkeit, Elastizität u. dgl. verringert oder verhindert werden können. Da es sich hauptsächlich um großtechnische Produkte handelt, wurden für die einzelnen Stoffe spezielle Prüfmethoden entwickelt, die es ermöglichen, durch festgelegte Indices Eigenschaften zu vergleichen. Diese Methoden sind fast ausschließlich mechanischer Art und in einzelnen Monographien und Handbüchern ausführlich dargestellt, auf die hier verwiesen werden muß[1].

Tab. 2: Antioxidantien[2]

Verbindung	Anwendung	Seitenhinweise
a) auf Phenol-Basis OH (H₃C)₃C — C(CH₃)₃ CH₃ *4-Methyl-2,6-di-tert.-butyl-phenol* (BHT, DBPC, DTBP)*	Universell einsetzbares Antioxidans für fast alle Verbindungsklassen: Gesättigte und ungesättigte Kohlenwasserstoffe, Treibstoffe, Motorenöle, Schmieröle u. dgl., Äther, Aldehyde, Polyolefine, Vinylverbindungen aller Art, ungesättigte Fettsäuren, natürlicher und synthetischer Kautschuk und Kunststoffe, Lebens-und Futtermittel (begrenzt).	1054, 1061, 1067, 1068, 1076, 1083, 1085, 1086, 1090, 1091, 1093
OH (H₃C)₃C — C(CH₃)₃ CH₂—OCH₃ *4-Methoxymethyl-2,6-di-tert.-butyl-phenol*	Treibstoffe, Kautschuk, Kunststoffe	1064, 1083, 1086
OH [-CH—C₆H₅ / CH₃]ₙ n = 1-3 *Styrolisiertes Phenol*, Phenol in 2-, 2,4- (vorwiegend) und 2,4,6-Stellung substituiert	Antioxidans für sämtliche Kautschukarten, auch für Latices	1083, 1084

* gebräuchliche Abkürzungen

---

[1] J. VOIGT, *Die Stabilisierung der Kunststoffe gegen Licht und Wärme*, Springer-Verlag, Berlin · Heidelberg · New York 1966.
  G. SCOTT, *Atmospheric Oxidation and Antioxidants*, Elsevier Publishing Co., Amsterdam · London · New New York 1965.
  Kunststoff-Handbuch, Carl Hanser Verlag, München, 7 Bände, z. Tl. erschienen.
  S. BOSTRÖM, *Kautschuk-Handbuch*, Bd. I–V, Berliner Union, Stuttgart 1959–1962.
  S. a. die betr. Abschnitte in *Ullmanns Encyklopädie der technischen Chemie*, 3. Aufl., Verlag Urban & Schwarzenberg, München · Berlin · Wien.
  K. THINIUS, *Stabilisierung und Stabilisatoren von Plastwerkstoffen*, S. 674 ff., Verlag Chemie, Weinheim 1969.
[2] Von der großen Zahl der in der Literatur beschriebenen Antioxidantien kann hier nur ein kleiner Teil, vorwiegend in der Praxis bewährter Verbindungen aufgeführt werden.

Tab. 2 (1. Fortsetzung)

Verbindung	Anwendung	Seitenhinweise
Bis-[2-hydroxy-5-methyl-3-tert.-butyl-phenyl]-methan	Treibstoffe, Schmieröle, Polyolefine, Polyvinylchlorid, Kunststoffe aller Art, natürliche Fette und Öle, sämtliche Kautschukarten	1063, 1064, 1071, 1084, 1089
2,2-Bis-[4-hydroxy-phenyl]-propan (Bisphenol A)	Polyolefine, Polyvinylchlorid, Kautschuk, Kunststoffe aller Art, auch Weichmacher für Kunststoffe (Phthalsäureester)	1069, 1072
Beispiel eines Trisphenols	Polyolefine, Polyvinylchlorid, Kautschuk, Weichmacher, bei hoher Temperaturbeanspruchung	1069, 1071
4,4'-Dihydroxy-biphenyl (DOD)	Polyolefine, Kautschuk	1071, 1084
Bis-[4-hydroxy-2-methyl-5-tert.-butyl-phenyl]-sulfid	Polyolefine, Kautschuk und zahlreiche Kunststoffe	1062, 1071, 1084
Hydrochinon	Äther, Aldehyde, Olefine, Terpene, Vinylhalogenide, Acrolein, Butenon, Keten, Buten-in, Hexadien-(1,5)-in-(3), Polyester	1054f., 1066, 1068, 1077, 1078, 1079, 1080, 1081, 1082, 1083, 1084, 1087, 1090
4-Methoxy-, 4-tert.-Butyloxy-, 4-Benzyloxy-phenol	Fette und Öle, Olefine, Terpene, ätherische Öle, Acrylsäure, Methacrylsäure, Kautschuk, Nahrungs- und Futtermittel (begrenzt), Pharmazeutica	1073, 1081, 1082, 1083, 1087, 1091

Tab. 2 (2. Fortsetzung)

Verbindung	Anwendung	Seitenhinweise
 Mischung aus *4-Methoxy-2-(bzw.-3)-tert.-butyl-phenol* (BHA)	Polyolefine, Fette, Öle, Nahrungs- und Futtermittel (begrenzt), Pharmazeutica, Kosmetica; sehr breit anwendbares Antioxidans	1071, 1089, 1090, 1091
 2,5-Dihydroxy-1-tert.-butyl-benzol	Äther, Eugenol, Aldehyde, Vanillin, Polyolefine, Polyvinyläther, Celluloseester, Polyamide, Polyurethane, Olefine, Diolefine, ätherische Öle, Kautschuk; sehr breit anwendbares Antioxidans	1066, 1067, 1071, 1074, 1075, 1087
 2,5-Dihydroxy-1,4-di-tert.-butyl-benzol		1091
 $R^1, R^2, R^3 = H, CH_3$ *Tocopherole (Vitamin E)*	Öle, Fette im Lebensmittelbereich, Vitamin A, Futtermittel, Pharmazeutica, Kosmetica	1060, 1088, 1089, 1090, 1091
 3,4-Dihydroxy-1-tert.-butyl-benzol	Aldehyde, Olefine, Terpene, Styrol, Halogen-olefine, 2-Chlor-butadien-(1,3), Acrylnitril, ungesättigte Polyester, Butenon, natürl. Fette und Öle	1067, 1076, 1077, 1078, 1079, 1082, 1084, 1087
 2,3-Dimethyl-1,4-bis-[3,4-dihydroxy-phenyl]-butan (NDGA; (*Nordihydroguajaretsäure*)	Fette, Öle, Lebensmittel, Pharmazeutica, Kosmetica	1087, 1090
 Pyrogallol	Äther, Aldehyde, Olefine; (mit Schwermetallionen Verfärbung)	1066, 1077, 1082, 1083
 $R = C_3H_7, C_4H_9, C_8H_{17}, C_{12}H_{25}$ *Gallussäureester*	Fette und Öle, Futtermittel, Kunststoffe, Pharmazeutica, Kosmetica; ätherische Öle in manchen Ländern gestattet zur Stabilisierung von Lebensmitteln (begrenzt)	1066, 1089, 1090, 1091

Tab. 2 (3. Fortsetzung)

Verbindung	Anwendung	Seitenhinweise
b) Antioxidantien auf Amin-Basis CH₃ NH−CH−C₂H₅ NH−CH−C₂H₅ CH₃ *1,4-Bis-[butyl-(2)-amino]-benzol* (DBPPD)	Vergaserkraftstoffe, Düsenkraftstoffe, Kautschuk und Kunststoffe, auch Polyoxymethylene Antioxidans und Antiozonans	1063, 1064, 1082, 1085, 1086
CH₃ NH−CH−CH₃ NH−C₆H₅ *4-Isopropylamino-1-anilino-benzol* (4010 NA)	Olefine, Vergaserkraftstoffe, Acrylnitril, alle Kautschukarten; sehr breit verwertbares Antioxidans und Antiozonas	1055, 1077, 1082, 1085, 1086
NH−C₆H₅ NH−C₆H₅ *1,4-Dianilino-benzol*, analog *1,4-Bis-[naphthyl-(2)-amino]-benzol* (DPPD)	Mineralöle, Polyvinylchlorid, Vinyläther, Kautschuk, Kunststoffe aller Art	1055, 1077, 1081, 1082, 1085, 1086
NH−C₆H₅ *1-Anilino-naphthalin* (PAN)	Mineralöle, Treibstoffe, Terpene, Vinyläther, Kautschuk, synthetische Schmiermittel	1077, 1085,
NH−C₆H₅ *2-Anilino-naphthalin* (PBN)	Schmieröle, Treibstoffe, Polyäther, Terpene, Vinylpyridin, Vinyläther, natürlicher und synthetischer Kautschuk; sehr breit verwertbares Antioxidans	1055, 1077, 1078, 1080, 1085
OH NH R *4-Butanoylamino-*, *4-Dodecanoylamino-* und *4-Hexadecanoylamino-phenol*	Treibstoffe, Mineralöle, Polyolefine	1055, 1060, 1071
c) Heterocyclen als Antioxidantien CH₃ R CH₃ N CH₃ H *6-Äthoxy-*, *6-Dodecyloxy-2,2,4-trimethyl-1,2-dihydro-chinolin* u. d. Derivate	Natürlicher und synthetischer Kautschuk; das 6-Äthoxy-Derivat: Öle, Fette, Futtermittel, Fischmehl (begrenzt)	1070, 1085, 1090
H N H₃C CH₃ *10,10-Dimethyl-9,10-dihydro-acridin*	Kautschuk, Polyamide und andere Kunststoffe Antioxidans und Antiozonans	1084, 1097

Tab. 2 (4. Fortsetzung)

Verbindung	Anwendung	Seitenhinweise
Benzimidazol	Kautschuk, Polyolefine und andere Kunststoffe	1070, 1084
2-*Mercapto-benzimidazol* und dessen Zinksalze	Polyolefine, Polyvinylchlorid, Polyamide, Polyoxymethylene, Polyurethane, Acrylnitril-Polymere, Kautschuk, Kunststoffe; auch als Metall-Desaktivator wirksam	1056, 1068, 1070, 1072, 1078, 1085
Phenothiazin und dessen Alkyl-Derivate	Schmieröle, 2-Chlor-butadien-(1,3), 2,3-Dichlor-butadien-(1,3), Essigsäure-vinylester, Polyäther und viele Kunststoffe, Pharmazeutica	1079, 1080

Tab. 3: Antioxidantien, im wesentlichen Peroxid-Zersetzer (P-, S-, Se-Verbindungen; im allgemeinen als Synergisten verwendet)

Verbindung	Anwendung	Seitenhinweise
R^1, R^2, R^3 = gleiche oder verschiedene Alkyl-, Alken-(1)-yl-, Aryl- oder Aralkyl-Reste Phosphorigsäureester (Phosphite bzw. entspr. Thiophosphite)	im Gemisch mit phenolischen Antioxidantien: Polyolefine, Polystyrol, Polyvinylchlorid, Polycarbonate, Polyamide, Kautschuk, Acrylnitril-Polymere, Motorenöle	1065, 1070, 1074, 1084
Phosphorigsäure-tris-[*2-octylmercapto-äthylester*]	Polyolefine, Polyvinylchlorid	1065, 1071
Phosphorsäure-tris-[*dimethylamid*]	Polystyrol, Polyolefine, Polyvinylchlorid	1072, 1076
Thiophosphorsäure-dibutyl-amid-dianilid	Polyolefine, halogen-haltige Polymere	1071
Aliphatische und aromatische Mercaptane, z. B. *Dodecylmercaptan*; *2-Mercaptonaphthalin* u.a.m.	in Kombination mit phenolischen und aminischen Antioxidantien Polyolefine, Diolefine, Polyacrylate, Kautschuk	1056, 1061, 1077, 1084

Tab. 3 (1. Fortsetzung)

Verbindung	Anwendung	Seitenhinweise
$ROOC-CH_2-CH_2-S-CH_2-CH_2-COOR$ $R = C_{12}H_{25}, C_{14}H_{27}, C_{18}H_{37}$ *Bis-[2-dodecyloxycarbonyl-äthyl]-sulfid* **(TDPA, DLTDP)**	Öle, Fette, Polyolefine, Polyvinyl-chlorid, Lebens- und Futtermittel (begrenzt)	1056, 1071, 1090
Bis-[dimethylamino-thiocarbonyl]-disulfid	Polyolefine, Butadien-Acrylnitril-Polyvinylchlorid-Mischpolymerisate, Polyoxymethylene, Kautschuk	1071, 1074, 1084
$R = $ Alkyl, Aralkyl, Cycloalkyl u.a. *Zink-O,O-dialkyl-dithiophosphate*	Schmieröle, hoch beanspruchte Motorenöle, Polyolefine, Polyurethane, Acrylnitril-Polymerisate, Kautschuk bei Äthern: Natrium-Salz	1062, 1065, 1071, 1075, 1084
Zink-N,N-dialkyl-dithiocarbamat	Schmieröle, Polyolefine, Polyvinyl-chlorid, Polyurethane, Acrylnitril-Polymerisate, Polyoxymethylene, Kautschuk	1062, 1063, 1065, 1071, 1075, 1084
$H_{25}C_{12}-Se-C_{12}H_{25}$ *Didodecylselenid*	Schmieröle	1055, 1056

Tab. 4: Metalldesaktivatoren (im wesentlichen als Synergisten)

Verbindung	Anwendung	Seitenhinweise
Phosphorsäure *Pyrophosphorsäure* *Metaphosphorsäure*	Lebensmittel, Futtermittel	1091
Citronensäure	Lebensmittel	1088, 1089, 1090, 1091
Oxalsäure-dianilid	Polyolefine, Polyvinylchlorid	1071
Oxalsäure-bis-[N'-phenyl-hydrazid]	Polyolefine, Polyvinylchlorid	1071
Ascorbinsäure und als Ester z. B. der Palmitinsäure	Lebensmittel, Futtermittel Pharmazeutica	1069, 1088, 1089, 1090, 1091
Äthylendiamin-N,N,N',N'-tetraessigsäure {*1,2-Bis-[bis-(carboxymethyl)-amino]-äthan*; EDTA}	Treibstoffe, Kautschuk, Kunststoffe; (bildet mit den meisten Schwermetallionen Chelate)	1057, 1084

Tab. 4 (1. Fortsetzung)

Verbindung	Anwendung	Seitenhinweise
1,2-Bis-[2-hydroxy-benzylidenamino]-äthan; Cupfer(II)-Salz	Treibstoffe, Schmieröle, Polyäthylen, Polystyrol, Polyvinylchlorid, Celluloseester, Polyamide als metallfreies Produkt eingesetzt	1057, 1063, 1064, 1071, 1073, 1075,
1,2-Bis-[2-hydroxy-benzylidenamino]-propan; Cupfer(II)-Salz	Treibstoffe, Schmieröle; Einsatz, wo Spuren von Schwermetallen (Cu!) schädlich wirken können als metallfreies Produkt eingesetzt	1057, 1063, 1064

Tab. 5: Strahlungsdesaktivatoren (UV-Absorber), im wesentlichen als Synergisten

Verbindung	Verwendung	Seitenhinweise
3-(4-Methoxy-phenyl)-2-cyan-buten-(2)-säure-methylester	Polystyrol, Polyvinylchlorid, Celluloseester, Polyester, Polyamide, Polycarbonate, Polymethacrylate	1059, 1071, 1074, 1075, 1087
2,4-Dihydroxy-benzophenon	Polystyrol, Polyvinylchlorid, Polyesterharze, Vinylharze, Epoxyharze, Polymethacrylate	1059, 1071, 1074, 1075, 1087
2',4-Dihydroxy-4'-methoxy-3,5-diisopropyl-(bzw. -di-tert.-butyl)-benzophenon	Farbphotographische Bilder auf Filmen polymerer Alkylvinyl-äther und Maleinsäureanhydrid	1059, 1074, 1075, 1087
Salicylsäure-phenylester; bzw. -4-octyl-phenylester	Polyolefine (R = C$_8$H$_{17}$), Polyvinylchlorid, 1,1-Dichlor-äthylen-Mischpolymerisate, Polyesterharze, Cellulose	1059, 1063, 1071, 1073, 1075,
2H-(6-Hydroxy-3-methyl-phenyl)-⟨benzotriazol⟩	Polyolefine, Polystyrol, Polyvinylchlorid, Polyesterharze, Polymethacrylate, Epoxyharze	1059, 1070, 1071

Tab. 5 (1. Fortsetzung)

Verbindung	Anwendung	Seitenhinweise
Didodecanoyloxy-dibutyl-zinn[1]	Polyolefine, Polyvinylchlorid, halogen-haltige Polymere	1071
Ni-Butylamin-nickel-2,2'-thio-bis-[4-tert.-octyl-phenolat]	Polyäthylen, Polypropen	1059, 1071

D. Bibliographie

Kautschuk-Handbuch, Bd. IV, Berliner Union, Stuttgart 1961.

K. U. INGOLD, *Inhibition of the Autoxidation of organic Substances in the liquid Phase*, Chem. Reviews **61**, 563–589 (1961).

W. O. LUNDBERG, *Autoxidation and Antioxidants*, Bd. I 1961, Bd. II 1962, Interscience Publishers, New York · London.

KIRK-OTHMER, *Encyclopedia of Chemical Technology*, 2. Aufl., Bd. 2, S. 588–604, Interscience Publishers, New York · London 1963.

Kunststoff-Handbuch, Carl Hanser-Verlag, München ab 1963, Bd. VII, 1966.

N. M. EMANUEL, *The Oxidation of Hydrocarbons in the liquid Phase*, Pergamon Press 1965, Oxford · London · Paris · Frankfurt; Übersetzung aus dem Russischen.

G. SCOTT, *Atmospheric Oxidation and Antioxidants*, Elsevier Publishing Comp., Amsterdam · London · New York 1965.

Encyclopedia of Polymer Science and Technology, Bd. 2, S. 171–203, Interscience Publishers, New York · London · Sidney 1965.

M. B. NEIMAN, *Aging and Stabilization of Polymers*, Consultants Bureau, New York 1966; Übersetzung aus dem Russischen.

J. VOIGT, *Die Stabilisierung der Kunststoffe gegen Licht und Wärme*, Springer-Verlag, Berlin · Heidelberg · New York 1966.

N. M. EMANUEL, E. T. DENISOV, Z. K. MAIZUS, *Liquid Phase Oxidation of Hydrocarbons*, Plenum Press, New York 1967; Übersetzung aus dem Russischen.

TH. E. FURIA, *Handbook of Food Additives*, The Chemical Rubber Co., Cleveland, Ohio 1968.

F. R. MAYO, *Oxidation of Organic Compounds*, Adv. Ser. Nr. 75, American Chemical Society, Washington D. C. 1968.

R. F. GOULD, *Stabilization of Polymers and Stabilizer Processes*, Adv. Ser. Nr. 85, American Chemical Society, Washington D. C. 1968.

K. THINIUS, *Stabilisierung und Stabilisatoren von Plastwerkstoffen*, Verlag Chemie, Weinheim 1969.

Ullmanns Encyclopädie der technischen Chemie, 3. Aufl., Ergänzungsband, Stichwort „Antioxidantien", S. 191–205, 283–291, Verlag Urban & Schwarzenberg, München · Berlin · Wien 1970.

R. T. CONLEY, *Thermal Stability of Polymers*, Bd. 1, Marcell Dekker, Inc., New York 1970.

K. ADAMIC, D. F. BOWMAN u. K. U. INGOLD, *Antiautoxidation with Diarylamines*, J. Am. Oil Chemists Soc. **47**, 109 (1970).

M. PRUSIKOVA, L. JIRACKOVA u. J. POSPICIL, Collect czech. chem. Commun. **37**, 3788 (1972).

J. C. JOHNSON, *Antioxidans, Synthesis and Applications*, Noyes Data Corp. Parke Ridge (USA) 1975.

---

[1] Eine ausführliche Zusammenstellung der hauptsächlich als Wärme- und Lichtstabilisatoren empfohlenen organischen Zinnverbindungen siehe bei K. THINIUS, *Stabilisierung und Stabilisatoren von Plastwerkstoffen*, S. 584–613, Verlag Chemie, Weinheim 1970.

Autorenregister

Aaes-Jørgensen, E. 1060, 1087
Aanning, H. L., u. Yamashiro, D. 790
Aaron, H. S., et al. 603
Abbady, A. M. el, s. El Abbady, A. M.
Abdalla, S. O., vgl. Moussa, G. E. M. 441, 443
Abd-el-Hay, F. I., vgl. Kamel, M. 66
Abdel-Rahman, M. O., vgl. Burgstrahler, A. W. 358
Abdel-Wahab, M. F., vgl. Barakat, M. Z. 496, 505, 522, 531, 534, 535, 539, 549, 553, 554, 561, 671, 896, 897
Abderhalden, E., vgl. Diels, D. 452
Abdulganieva, K. A., vgl. Fokin, A. V. 446
Abdullaev, A. I., et al. 649
Abe, K., vgl. Sakan, T. 374, 381
Abe, T., u. Kambegawa, A. 232
Abe, Y., vgl. Sone, T. 613
Abell, R. D. 433
Abley, P., Byrd, J. E., u. Halpern, J. 128
Abood, L. G. 634, 647
Abraham, S. 360
Abramov, Yu. A., vgl. Matevosyan, R. O. 184
Abramova, N. I., vgl. Matevosyan, R. O. 184
Abramova, R. A., vgl. Lyubomilov, V. I. 9
Abramowicz, R. A., Notation, A. D., u. Seng, G. C. 592
–, u. Vinutha, A. R. 820, 822
Abushaeva, V. V., vgl. Mazitova, F. N. 199
Acampora, M., vgl. Gaudiano, G. 631
Acconntius, O. E., vgl. Sisler, H. H. 429, 455
Acevedo, R., vgl. Cross, A. D. 356
Achari, K., vgl. Chatterjea, J. N. 782
Acharya, S. P., u. Brown, H. C. 450
Achilladelis, B., vgl. Hanson, J. R. 508
Achiwa, K., vgl. Corey, E. J. 509
Achmedov, S. T., vgl. Akperov, O. G. 637
Achremowicz, L., et al. 592
Acker, D. S., vgl. Adams, R. 309
Ackermann, F., vgl. Fichter, F. 1029
–, vgl. Meyer, J. 99, 682
Ackermann, J., vgl. Johnson, W. S. 225, 226

Ackman, R. G., Dytham, R. A., Wakefield, B. J., u. Weedon, B. C. L. 28, 29
–, Linstead, P., Wakefield, B. J., u. Weedon, B. C. L. 24–26
Ackrell, J., u. Boulton, A. J. 814
Acott, B., u. Beckwith, A. L. J. 286
–, –, u. Hassanali, A. 286–288
–, –, –, u. Redmond, J. W. 287
Adachi, K., vgl. Mizuno, Y. 808–810
Adamic, K., Bowman, D. F., u. Ingold, K. H. 1053, 1101
Adams, A., u. Slack, R. 643
Adams, D. J. C., et al. 295
Adams, R., u. Acker, D. S. 309
–, Agnello, E. J., u. Colgrove, R. S. 240
–, u. Anderson, J. L. 307, 308
–, u. Blomstrom, D. C. 308
–, u. Brower, K. R. 240, 241
–, u. DeYoung, E. L. 241
–, u. Dunbar, J. E. 241
–, u. Edwards, J. D. 310
–, Elslager, E. F., u. Heumann, K. F. 308
–, u. Holmes, R. R. 309
–, vgl. Kanojia, R. M. 449
–, u. Looker, J. H. 310
–, u. Moje, W. 309
–, u. Nagarkatti, A. S. 306, 308
–, u. Nair, M. D. 309
–, u. Pomerantz, S. H. 309
–, u. Samuels, W. P. 308, 309
–, u. Short, R. W. P. 309
–, u. Wankel, R. A. 182, 309
–, u. Way, J. W. 308
–, u. Werbel, L. M. 240, 241
–, u. Whitacker, L. 310
–, u. Winnick, C. N. 308
–, Young, T. E., u. Short, R. W. P. 308
Adams, R. N. 1019
–, vgl. Galus, Z. 1019
–, vgl. Gopal, H. 855
–, vgl. Jeftic, L. 996
–, vgl. Mizoguchi, T. 1019
–, vgl. Mohilner, D. M. 1020
–, vgl. Nelson, R. F. 1019
Adamson, J., et al. 297
Adderley, C. J. R., u. Hewgill, F. R. 313
Adembri, G., De Sio, F., Nesi, R., u. Scotton, M. 301, 302
Adger, B., et al. 296
Adhikary, S. P., Lawrie, W., u. McLean, J. 433, 869
Adickes, F., Brunnert, W., u. Lücker, O. 1040

Adkins, H., Elofson, R. M., Rossow, A. G., u. Robinson, C. C. 448, 905
–, u. Hager, G. F. 447
–, u. Roebuck, A. K. 627
–, vgl. Wayne, W. 907
Adler, E., u. Becker, H.-D. 532, 539, 541
Adley, T. J., Anisuzzaman, A. K. M., u. Owen, L. N. 274, 407, 408
Adrianov, V. F., vgl. Gitis, S. S. 434
Adrova, N. A., Koton, M. M., u. Prochorova, L. K. 589
Aebi, A., vgl. Büchi, J. 649
Aelony, D., vgl. Harrison, S. A. 612, 613
Agnello, E. J., vgl. Adams, R. 240
Agrawal, K. C., vgl. Lin, A. J. 518
–, Sushley, R. J., Lipsky, S. R., Wheaton, J. R., u. Sartorelli, A. C. 519
Agrawal, M. C., vgl. Jindal, V. K. 830
Aguado, A., vgl. Schäfer, W. 334
Ahmed, M., Ashby, J., u. Meth-Cohn, O. 166
–, vgl. Osman, S. M. 607
Ahmed, R., Lehrer, M., u. Stevenson, R. 712
–, Sondheimer, F., Weedon, B. C. L., u. Woods, R. J. 544
–, u. Weedon, B. C. L. 513, 520
Ahrens, H., u. Korytnyk, W. 521, 548, 566
Ahrens, R., vgl. Inhoffen, H. H. 520
Ahrens, W., vgl. Fittig, R. 433
Ajami, A. M., vgl. Riddiford, L. M. 549
Ajello, T. 684
Ajinomoto Co., Ltd. 572
Akei, S. T., Nakajima, M., u. Tomida, I. 580
Akhrem, A. A., et al. 918, 932
–, Dubrovskij, V. A., Kamernickij, A. V., u. Pavlova-Grisina, N. S. 451
–, Kamernitskii, A. V., Obynochnyi, A. A., u. Reshetova, I. G. 455
–, u. Titov, Y. A. 544
–, u. Ustynyuk, T. K. 546
Akhtar, I. A., Fray, G. I., u. Yarrow, J. M. 632

Ansell, M. F. 828
-, u. Weedon, B. C. L. 13, 25
Anselme, J. P., vgl. Kent, R. H.
111
-, vgl. Overberger, C. G. 110
-, vgl. Sakai, K. 292, 302
Anslow, W. K., Ashley, J. N., u.
Raistrick, H. 693
-, u. Raistrick, H. 693
Anthes, E., vgl. Staudinger, H.
108
Antoni, J. de, s. De Antoni, J.
Antonova, A. A., u. Venus-Dani-
lova, E. D. 359
Antonucci, R., et al. 100–102
Antony, F., vgl. Siegel, A. 944
Antus, S., et al. 127
-, vgl. Farkas, L. 126
Aoyama, S., Kamata, K., u. Ko-
meno, T. 356
-, u. Sasaki, K. 356
Appel, H. 362
-, u. Nagai, Y. 575, 578
Appel, R., u. Bücher, W. 651
Appleby, A. J., vgl. Yao, S. J.
1030
Applewhit, T. H., vgl. Diamond,
M. J. 22
ApSimon, J. W., Baker, P., Buc-
cini, J., Hooper, J. W., u.
Macauly, S. 442
Arabori, H., vgl. Nakaya, T. 487
Arai, A., u. Ichikizaki, I. 507,
909, 910, 927
Arakawa, K., vgl. Uno, T. 657
Arata, Y., vgl. Kato, H. 94
-, u. Kobayashi, T. 91, 92
-, u. Nakagawa, Y. 92
Aratani, T. 221, 262
-, vgl. Akono, M. 477
-, u. Dewar, M. J. S. 479, 481,
482
-, u. Nakanisi, Y., u. Nozaki, H.
338, 381
-, vgl. Okano, M. 476
Arbic, W., vgl. Woolford, R. G.
1037
Arbusov, B. A., Zobova, N. N.,
u. Balabanova, F. B. 74
Archer, D. A., u. Thomson, R. H.
698
Archer, D. P., u. Hickinbottom,
W. J. 432, 437
Ardashew, B. I., u. Kagan, E. S.
685
-, vgl. Tertow, B. A. 685
Ardis, A. E., vgl. Gilbert, H. 1082
Arens, J. F., Volger, H. C.,
Doornbos, T., Bonnema, J.,
Greidanus, J. W., u. Hende,
J. H., van den 759
Arestenko, A. P., vgl. Salchino-
kin, A. P. 644
Argersinger, W. H., vgl. Mohil-
ner, D. M. 1020
Argondelis, C. F., vgl. Sattsangi,
P. D. 519
Arigoni, D., vgl. Bruderer, H.
542, 543
-, vgl. Cainelli, G. 208, 219

Argioni, D., vgl. Heusler, K. 451
-, vgl. Immer, H. 264
-, vgl. Jeger, O. 219
Arison, B., vgl. Nutt, R. F. 855
Arita, S., Takahashi, Y., u. Ta-
keshita, K. 1012
Ariyan, Z. S., u. Wiles, L. A. 726
Armarego, W. L. F., Batterham,
T. J., Shofield, K., u. Theo-
bald, R. S. 628
-, Milloy, B. A., u. Sharma, S. C.
883
Armitage, B. J., Kenner, W., u.
Robinson, M. J. T. 584
-, u. Jones, E. R. M., u. Whiting,
M. C. 760
Armstrong, M. D., vgl. Gorta-
towski, M. J. 228
Arnaud, P., vgl. Guillaud, P. 388
Arndt, C., vgl. Bohlmann, F. 512
Arndt, R. R., et al. 1063
Arnold, B. J., u. Sammes, P. G.
557
Arnold, R. T., Buckley, R. P., u.
Richter, J. 1020
-, u. Hoffmann, C. 637
Arnold, W., vgl. Schwieter, U.
442
Arnold, Z., u. Sorm, F., et al. 68
Arth, G. E., vgl. Poos, G. J. 455,
457
Arzneimittelwerk Dresden 649
Arzoumanian, H., u. Metzger, J.
87
-, vgl. Moore, W. R. 392
Asahi Chem. Ind. Co. Ltd. 499,
597, 636
Asahina, Y., u. Fuzikawa, F. 439
-, u. Mituhori, S. 679
-, u. Nogami, H. 439
Ashby, J., vgl. Ahmed, M. 166
Ashcroft, S. J., u. Mortimer, C. T.
474
Ashland Oil u. Refining Co. 205,
644, 645
Ashley, J. N., vgl. Anslow, W. K.
693
-, Davis, B. M., Nineham, A. W.,
u. Slack, R. 329
Asinger, F., et al. 687
-, Geiseler, G., u. Hoppe, M. 665
-, Thiel, M., u. Esser, G. 687
-, -, u. Schröder, L. 687, 754, 755
Askani, Y., Edery, H., Zahavy,
J., Künberg, W., u. Cohn, S.
959
Askenasy, P., u. Meyer, V. 939,
947, 948
Asker, W., et al., 275
Asthana, B. P., u. Ittyerah, P. I.
620
Aston, J. G., vgl. Conant, J. B.
736
Atkinson, C. M., u. Cossey, H. D.
662
Atkinson, J. E., u. Lewis, J. R.
623, 794, 795
Atkinson, R. S., u. Bullock, E.
716
-, u. Rees, C. W. 292

Attenburow, J., et al. 491, 492,
497, 507, 525, 527, 528
-, Cameron, A. F. B. Chapman,
J. H., Evans, R. M., Hems, B.
A., Jansen, A. B. A., u. Walker,
T. 513, 671
Aubrin, P., vgl. Rigaudy, J. 645
Audeh, C. A., u. Lindsay-Smith,
J. R. 829, 830
Audibert, M., vgl. Roggero, J. 107
Augustine, R. L. 344, 549, 553,
560, 561, 563, 672
-, u. Pierson, W. G. 598
Augustyn, O. P., et al. 527
Auhagen, E., vgl. Windaus, A.
100, 101
Aulakh, G. S., Kalsi, P. S., u.
Wadia, M. S. 441
Aumüller, W., vgl. Ehrhart, G.
232
Auräth, B., vgl. Kaufmann, K.
D. 562
Aurich, H. G., u. Baer, F. 748
-, Lotz, A., u. Weiss, W. 188
-, u. Trösken, J. 188, 748
-, u. Weiss, W. 188, 748
Austin, F. L., vgl. Smith, L. I.
698
Austin, P. R., vgl. Hurd, C. D.
411
Autrey, R. L., u. Tahk, F. C. 617
Auwers, K., v., u. Markovits, T. v.
770
Au-Young, Y. K., vgl. Belleau, B.
1017, 1018
Avakian, S., vgl. Koo, J. 612
Avrutskaja, I. A., u. Fiosin, J. M.
1030
Awad, W. I., Omran, S., u.
Sobhy, M. 667
Awald, W. J., vgl. Schönberg, A.
108
Awasthi, R. S., vgl. Gupta, Y. K.
478
Awe, W., u. Kienert, H. J. 644
Axelrod, A. E., vgl. Hofmann, K.
657
Axelrod, L. R., vgl. Rao, P. N.
419, 546, 917
-, u. Rao, P. N. 227
Ayer, W. A., u. McDonald, C. E.
267
Aylward, J. B. 321
-, vgl. Gladstone, W. A. F. 257,
258
-, u. Norman, R., O. C. 105, 330,
396
Aymonino, P. J., vgl. Baran, E.
J. 576
Ayoub, S., vgl. El-Abbady, A. M.
599
Ayres, D. C., u. Rydon, H. N. 555
Azarova, V. I., vgl. Panyukova,
M. A. 603
Aznar, F., vgl. Gomez-Aranda,V.
146
Azzaro, M., vgl. Geribaldi, S. 378

Borowski, E., vgl. Falkowski, L. 359

Borsche, W., Witte, A., u. Bothe, W. 173

Bortnik, S. P., Landau, M. A., Siryachenko, B. V., Dubov, S. S., u. Yarovenko, N. N. 618

Bosch, W. L., vgl. Landgrebe, J. A. 258

Bose, S. N., vgl. Khastgir, H. N. 103

–, u. Khastgir, H. N. 104

Bosnjak, J., vgl. Mimailović, M. L. I. 215, 280, 384

Bossert, F., vgl. Zinke, A. 439

Bosshard, P., vgl. Eugster, C. H. 550, 551, 645

Boström, S. 1094

Boswell, G. A., Johnson, A. L., u. McDevitt, J. P. 458

Bothe, W., vgl. Borsche, W. 173

Bott, K., vgl. Klages, F. 109

Bottini, A. T., u. Olsen, R. E. 463

Boudet, R., u. Bourgoin-Legay, D. 708

Boul, A. D., Macrae, R., u. Meakins, G. D. 231

Boulerice, M., vgl. Humber, L. G. 376

Boulton, A. J., vgl. Ackrell, J. 814

Bouquet, F., u. Paquot, C. 358

Bourdon, J., vgl. Etienne, A. 699

Bourgeois, Y., vgl. Roussos, M. 21

Bourgoin-Legay, D., vgl. Boudet, R. 708

Bourlas, M., vgl. Secor, H. V. 888

Bourne, E. J., Corbett, W. M., Stacey, M., u. Stephens, R. W. 407

Boutte, D., Queguiner, G., u. Pasteur, P. 641

Bouveault, L., u. Rousset, L. 453

Bouzard, D., vgl. Hedayatullah, M. 191

Boveri, S., vgl. Pitre, D. 592, 593

Bovina, P., vgl. Parisi, F. 665, 725

Bowden, F. T., vgl. Birchall, J. M. 647

Bowden, K., Heilbron, I. M., Jones, E. R. H., u. Weedon, B. C. L. 448, 455, 460

–, u. Reece, C. H. 712, 762

Bowen, I. H., u. Lewis, J. R. 795

Bower, J. D. 755

–, u. Doyle, F. P. 257, 323, 324

–, u. Ramage, G. R. 326, 806, 807

–, vgl. Stephens, F. F. 318, 319, 852, 895

Bowers, A., et al. 219

–, vgl. Berkoz, B. 219

–, vgl. Cross, A. D. 356

–, u. Denot, E. 218, 280

–, vgl. Orr, J. C. 887

Bowie, R. A., u. Bedford, G. R. 248

Bowman, D. F., vgl. Adamic, K. 1053, 1101

–, u. Hewgill, F. R. 71, 156, 751

Bowman, M. I., Moore, C. E., Deutsch, H. R., u. Hartmann, J. L. 460

Bowman, R. E., vgl. Bishop, D. C. 650

Boyer, J. H., vgl. Feuer, H. 670

Boyer, P. D. 695

Boyland, E., vgl. Booth, J. 345

–, u. Gorrod, J. W. 587

Bozzo-Balbi, T. 625

Braaf, T., vgl. Boef, G. d. 576

Brack, A., vgl. Issleib, K. 668

Brackmann, W., vgl. Volger, H. C. 60

Bráco, P., et al., 652

Bradley, A., vgl. Sager, W. F. 431, 462

Bradley, D. C. 905

Bradley, W. et al. 36

–, vgl. Backhouse, A. J. 35, 41

–, u. Clark, M. C. 890

–, u. Jadhar, G. V. 38, 39

–, u. Leete, E. 36

–, Leete, E., u. Stephens, D. S. 36

–, u. Nursten, H. E. 36

–, u. Sutcliffe, F. K. 39, 42

Bradlow, H. L., u. Vanderwerf, C. A. 820, 822

Bradscher, C. K., u. Voigt, C. F. 585

Bräuninger, H., vgl. Kleinschmitt, E. G. 585, 595

Braggen, G., v., vgl. Engberts, J. B. F. N. 562

Brain, E. G., et al. 864

–, Eglington, A. J., Nayler, J. H. C., Pearson, M. J., u. Southgate, R. 273

Brakda, E. A., u. Coles, J. A. 523

Brandau, A., vgl. Roth, H. J. 364, 365

Brandenberger, S. G., Maas, L. W., u. Dvoretzky, J. 435, 438

Brandes, E., vgl. Fries, K. 795

Brandes, F., vgl. Hauptmann, S. 616, 618

Brandström, A. 610

Brandt, J., Fauth, G., Franke, W. H., u. Zander, M. 185

Brandt, L. 1067

Brannon, D. R., vgl. Zalkow, L. H. 375, 376

Brass, K., u. Patzelt, R. 713

–, u. Stadler, J. 312, 314

Bratz, L. T., u. Niementcwski, S., von 715

Brauchli, H., vgl. Kuser, P. 73

Braude, E. A., et al. 878

–, Brook, A. G., u. Linstead, R. P. 879, 880, 882

–, u. Coles, J. A. 523, 529

–, u. Forbes, W. F. 510, 525, 529, 531

–, Hannah, J., u. Linstead, R. 884

–, Jackman, L. M., u. Linstead, R. P. 877, 880, 887

Braude, E. A., Linstead, R. P., u. Wooldridge, K. R. 890

–, u. Wheeler, O. H. 211, 341

Brauer, E., vgl. Hauptmann, S. 616, 618

Brauer, G. 420, 472–474, 489, 574, 576

Braun, A., u. Eugster, C. H. 73

Braun, F., vgl. Fichter, F. 1031

Braun, G. 864

Braun, J., von, u. Bayer, O. 439

–, u. Wolff, P. 173

Braunholtz, J. T., u. Mann, F. G. 599

Braunsdorf, O., Nawiasky, P., u. Holzapfel, E. 40

Bravo, P., vgl. Gaudiano, G. 631

Brechlin, A., vgl. Lüttringhaus, A. 709, 710

Bredereck, H., u. Föhlisch, B. 621

–, Gompper, R., u. Herlinger, H. 622, 661

–, Simchen, G., Wagner, H., u. Santos, A. A. 621

–, Wagner, A., u. Kottenhahn, A. 650

Bredig, M. A., vgl. Goldschmidt, B. S. 747

Bredt, J., u. Goeb, A. 431, 450

–, u. Jagelki, W. 444

Breither, E., vgl. Hünig, S. 198, 719–722, 780

Brelivet, J., u. Teste, J. 659

Brenet, J. 490, 493

–, et al. 490, 493

–, vgl. Laragne, J. -J. 494

–, vgl. LeTran, K. 490, 493

Brenman, M. P. L., u. Brettle, R. B. 1037

Brenner, A., u. Schinz, H. 909

–, u. Schmitz, H. 91

Brenner, M., vgl. Odum, R. A. 961

Brensov, Y. N., vgl. Besedina, T. I. 521

Breslow, R. 294, 670

–, Brown, J., u. Gajewski, J. J. 294

Brettle, R. 194

–, vgl. Brenman, M. P. L. 1037

–, vgl. Baggaley, A. J., 235, 1000, 1004, 1011, 1012

–, u. Parkin, G. 1040

–, u. Seddon, D. 194

Brewster, D., et al. 605

Brey, P. R., u. Marks, C. E. 166

Brian, A. 1056

Brice, C., vgl. Perlin, A. S. 360, 363

Bridger, R. F., et al. 622

Bridgwater, A., vgl. Hofmann, K. 657

Briede, M. P., u. Neiland, O. Y. 758

Brierley, A., vgl. Beringer, F. M. 952

Brieskorn, C. H., u. Geuting, M. 224, 816

-, u. Snynerholm, M. E. 68
Coppinger, G. M. 187, 311
Coraor, G. R., vgl. Cescon, L. A. 786, 787
Corbett, R. E., u. Smith, R. A. J. 868
Corbett, W. M., vgl. Bourne, E. J. 407
Cordier, P., vgl. Koffel, J. C. 634
Cordner, J. P., u. Pausacker, K. H. 346, 349–351
Corey, E. J., et al. 454, 1038
-, u. Achiwa, K. 509
-, u. Burke, H. J. 538, 660
-, u. Casanova, J. 371, 377, 387, 1035
-, Gilman, N. W., u. Ganem, B. E. 75, 506, 508, 549, 670
-, Katzenellenbogen, J. A., Roman, S. A., u. Gilmann, N. W. 509
-, u. Moinet, G. 457
-, vgl. Riddiford, L. M. 549
-, u. Sauers, R. R. 1038
-, u. Schaefer, J. P. 242
-, u. Yamamoto, H. J. 509
Corey, R. M., vgl. Trost, B. M. 59
Cormos, L., vgl. Silberg, Z. 958
Corrigan, J. R., vgl. Coates, W. M. 460
Corrodi, H., vgl. Hardegger, E. 609
Corsano, S., u. Bonanomi, M. 631
Corsi, B., vgl. Valcavi, U. 918
Cortes, G., vgl. Doering, W. v. E. 913
Corwin, A. H., vgl. Allen, M. J. 994
-, vgl. Castro, A. J. 601
Cosgrove, S. L., u. Waters, W. A. 762
Coslin, C. R., vgl. Moore, R. W. 986
Cossey, H. D., vgl. Atkinson, C. M. 662
Cotter, M. L., vgl. Eschkinase, E. H. 913
Cotter, R. J., vgl. Cope, A. C. 76, 109
Cotton, F. A., u. Wilkinson, G. 489
Council of Sci. a. Ind. Res. 616
Counsell, R. F., vgl. Lu, M. C. 357
Courtney, J. L., u. Swansborough, K. F. 855
Courtois, J., vgl. Fleury, P. 206
Covington, A. K., vgl. Ambrose, J. 490
Cox, A., vgl. Barton, D. H. R. 795
Cox, J. D., vgl. Barton, D. H. R. 915
Cox, M. C. L., Diamond, E. M., u. Levy, P. R. 642
Cox, M. L., vgl. Giner-Sorilla, A. 593
Cox, M. T., Jackson, A. M., u. Kenner, G. W. 234

Cox, O., vgl. Paquette, L. A. 524
Coyle, J. J., vgl. Closs, G. L. 110
Coyler, R. A., vgl. Crandall, J. K. 377
Crabbé, P., vgl. Carpio, H. 887
-, vgl. Cross, A. D. 899
-, Garcia, G. A., u. Rius, C. 447, 448
-, vgl. Guzman, A. 891
Cram, D. J., Dalton, C. K., u. Knox, G. R. 880
-, u. Dewhirst, K. C. 532
-, vgl. Nudelman, A. 648
Cramer, P. L., vgl. Signaigo, F. K. 446
Cramp, W. A., et al. 607
Crandall, J. K., Coyler, R. A., u. Hampton, D. C. 377
Crastes De Paulet, A., vgl. Cocton, B. 127
Crates, P., et al. 868
Cratilov, J. F., u. Inov, L. V. 589
Crawford, H. M., u. Nelson, H. B. 439
Crawford, R. J., u. Mishra, A. 110
-, -, u. Dummel, R. J. 110
-, u. Raap, R. 73
-, u. Tagaki, K. 111
Creasey, N., vgl. Simon, J. W. A. 619
Creger, P. L., vgl. Baumgarten, H. E. 295
Creighton, A. M., u. Jackman, L. M. 895
Cren, M. C., Defaye, G., u. Fetizon, M. 77
Criegee, R. 122, 204, 206, 220–224, 242, 262–264, 268, 269, 277, 280, 344, 350–352, 364, 410–412, 849, 860, 861, 1052, 1058, 1064, 1069
-, et al. 880
-, u. Beucker, H. 361, 940–942
-, u. Büchner, E. 206, 346, 349
-, -, u. Walther, W. 346, 348, 350, 351
-, vgl. Dimroth, O. 275, 276
-, Dimroth, P., Noll, K., Simon, R., u. Weis, C. 262, 268–270, 410–412
-, Höger, E., Huber, G., Kruck, P., Marktscheffel, F., u. Schellenberger, H. 345–352
-, u. Klonk, K. 229
-, Kraft, L., u. Rank, B. 163, 211, 280, 338, 344, 346, 349–352, 386
-, u. Louis, G. 353
-, Marchand, B., u. Wannowius, H. 352, 861, 863
-, u. Metz, K. 284
-, u. Paulig, G. 284
-, Pilz, H., u. Flygare, H. 283
-, vgl. Rein, H. 1067, 1069
-, u. Rimmelin, A. 339
-, u. Zogel, H. 346
Criner, G. X., vgl. Iffland, D. C. 260, 261, 394
Cristol, S. J., u. Bly, R. K. 625

Cristol, S. K., et al. 615
Cromartie, R. I. T., u. Harley-Mason, J. 800–802
Crombie, L., et al. 538
-, u. Crossley, J. 506, 523
-, vgl. Elliott, M. 538
Cromwell, N. H., vgl. Bell, V. L. 173
Crook, K. E., u. McElvain, S. M. 598
Cros, J. L., vgl. Cauquis, G. 1021
Cross, A. D., Carpio, H., u. Crabbé, P. 899
-, Denot, E., Acevedo, R., Urquiza, R., u. Bowers, A. 356
Cross, B. 648, 650
Cross, B. E., u. Gatfield, I. L. 316
-, u. Myers, P. L. 867
Cross, R. T., vgl. Beckwith, A. L. J. 372, 374
Crossley, J., vgl. Crombie, L. 506, 523
Crotti, P., vgl. Balsamo, A. 454
Csallany, A. S., vgl. Draper, H. H. 778
Cueille, G., u. Julien, R. 76, 77
Cuilleron, C. Y., Fétizon, M., u. Golfier, M. 433
Cuinguet, E. 587
Cullis, C. F. 1064
-, u. Hinshelwood, C. N. 1063
-, vgl. Ladbury, J. W. 473, 478, 671, 672
-, u. Ladbury, J. W. 478, 584, 598, 625
Cullum, T. V., vgl. Birch, S. F. 788
-, vgl. McAllan, D. T. 788
Cummings, W., vgl. Bokadia, M. M. 223–225, 238, 357
Cumper, C. W. N., et al. 690
Curie, A. C., Newbold, G. T., u. Spring, F. S. 545
Curme, G. O., Chitwood, H. C., u. Clarke, J. W. 9
Curragh, E. F., Henbest, H. B. u. Thomas, A. 503, 504
Curtin, D. Y., Johnson, H. W., u. Steiner, E. G. 514
-, u. Leskowitz, S. 370
Curtis, R. F., Hassall, C. H., u. Jones, D. W. 194
Cushmac, G. E., vgl. Roček, J. 445
Cutler, R. A., vgl. Surrey, A. R. 648, 650, 653
Cymbaluk, N. F., u. Neudoerffer, T. S. 31
Cymerman, J., Loder, J. W., u. Moore, B. 594
Cyrot, E. 898

Dabard, R., vgl. El-Murr, N. 589
Dabral, V., vgl. Ila, H. 356
D'Adamo, A., vgl. Dawson, R. F. 820
D'Addieco, A. A., vgl. Cope, A. C. 357

Duquenoy, G. 576
Durnetaki, A. J., vgl. Forman, S. E. 658
Duro, F., vgl. Pappalardo, G. 67
Durpe, G. D., vgl. Gritter, R. J. 495, 515, 670
Duschinsky, R., u. Gainer, H. 705
Dusdorf, W., vgl. Hahn, G. 492
Dutschewska, H.-B., u. Mollov, N. M. 624
Dutta, P. C. 758
–, u. Chaudhury, D. N. 758
–, u. Mandal, D. 758
Dutta, R., vgl. Gupta, Y. K. 478
Dutta, S. P. 591
Duuren, B. L., van, Goldschmidt, B. M., u. Seltzman, H. H. 756
Du Vigneaud, V., s. Vigneaud, V. du
Duwel, H., vgl. Vogel, E. 520
Duynstee, E. F. J. 593
Dvorak, Y., Menu, I., u. Zyka, J. 1019
Dvoretzky, J., vgl. Brandenberger, S. G. 435, 438
Dvornikova, K. V., et al. 599
Dwidar, J. M., vgl. Gindy, M. 599
Dyachenko, E. K., vgl. Pesin, V. G. 643
Dyakonov, A., vgl. Lebedev, N. N. 838
Dyakonov, I. A., u. Domareva, T. V. 636
–, u. Kharicheva, E. M. 610
–, u. Komendantov, M. I. 406
Dyall, L. K., u. Pausacker, K. H. 941–943
Dyatkin, B. L., vgl. Knunyants, I. L. 631
Dyatlovitskaya, E., von, u., vgl. Bergelson, L. D. 520
Dychanov, N. N., u. Roszenko, A. J. 585
Dyer, R. J., Ranadill, R. B., u. Deutsch, H. M. 109
Dykova, H., vgl. Šorm, T. 914
Dynamit AG., Troisdorf 20
Dyson, H. M., vgl. Knowlton, R. E. 1060, 1067, 1068
Dytham, R. A., vgl. Ackman, R. G. 28, 29
–, u. Weedon, B. C. L. 8, 15–17, 20
Dyudvig, V., vgl. Petrov, A. A. 627
Dziewonski, K., u. Suknarowski, S. 174
Dzon Matju, K., vgl. Prostakov, N. S. 599, 600

Eadon, G., vgl. Sheikh, M. Y. 56
Easter, W., vgl. Carpenter, F. 499
Eastman, J. F., u. Teranski, R. 917
Eastman Kodak Co. 539, 695, 1063
Easton, D. B. J., Leaver, D., u. Rawlings, T. J. 397

Eaton, P., vgl. Yates, P. 615
Eatough, J. J., Fuller, L. S., Good, R. H., u. Smalley, R. K. 942
Ebara, T., vgl. Tsutsumi, S. 1012
Ebel, F., u. Deuschel, W. 585
–, vgl. Köberle, K. 43
Ebel, M., Legrand, L., u. Lozach, N. 659
Eber, J., vgl. Kelly, R. B. 524
Ebersole, E. R. 446, 449
Eberson, L. 995, 999, 1010, 1011, 1012, 1043
–, et al. 1015, 1016
–, vgl. Dirlam, J. 1012
–, u. Nyberg, K. 1009–1013
–, –, u. Sternerup, H. 1042
–, vgl. Parker, V. D. 1008
Ebnöther, A., Meijer, T. M., u. Schmid, H. 238, 251
Ebnöther, A., vgl. Viscontini, M. 521
Eby, C. J., u. Prill, E. J. 648
Eck, C. R., u. Green, B. 452
Ecke, G. G., vgl. Coffield, T. H. 753
Eckert, A. 17
–, u. Tomaschek, R. 714
Eckhardt, E., vgl. Zemplin, G. 329
Eckstein, F. 790
Edeleanu, A., vgl. Pines, H. 446
Edens, R., vgl. Franzen, V. 206
Eder, K., vgl. Dane, E. 221
Edery, H., vgl. Askani, Y. 959
Edmed, F. G. 26
Edwards, D., u. Stenlake, J. B. 554, 556
Edwards, D. A., Evans, E. B., u. Fowler, B. T. 839, 840
Edwards, J., vgl. Orr, J. C. 887
Edwards, J. A., vgl. Nelson, P. H. 376, 378
Edwards, J. D., vgl. Adams, R. 310
Edwards, O. E., vgl. Barton, D. H. R. 737, 768
–, vgl. Hurd, C. D. 222, 262, 269
Edwards, R. L., u. Lewis, D. G. 693
Efimova, O. V., vgl. Drabkina, A. A. 68
Éfros, L. S., vgl. Eltsov, A. V. 161, 691, 692, 696
–, vgl. Ioffe, I. S. 715
–, vgl. Sarenko, A. S. 621
–, vgl. Zachs, E. R. 693
Ege, G., u. Plieninger, H. 380
Eggensperger, H., vgl. Müller, E. 186, 730, 735
Egger, H., u. Falk, H. 535
–, u. Schlögl, K. 516, 535
Eglington, A. J., vgl. Brain, E. G. 273
–, vgl. Brooks, C. W. J. 604
–, vgl. Campbell, I. D. 64
–, u. Galbraith, A. R. 62, 63
–, u. McCrae, W. 64, 759
Egorov, Y. V., vgl. Lyobimov, A. S. 492

Egorova, V. S. 644
Eguchi, S., vgl. Sasaki, T. 229, 377, 562
Ehara, L., vgl. Nagai, Y. 200
Ehrenfreund, J., vgl. Zink, M. P. 265
–, Zink, M. P., u. Wolf, M. R. 265
Ehrenson, S., vgl. Kearns, D. 742, 743
Ehrenstein, M. 927
–, Johnson, A. R., Olmstedt, P. C., Vivian, V. I., u. Wagner, M. A. 924
Ehret, C., u. Ourisson, G. 266
Ehrhardt, M., vgl. Mondon, A. 736, 804
Ehrhart, G., u. Ruschig, H., u. Aumüller, W. 232
Ehrlich, R., vgl. Djerassi, C. 350
Eibl, H., u. Westphal, D. 361
Eichel, A., vgl. Hess, K. 449
Eichenberger, E., vgl. Ruzicka, L. 452
Eichholz, W., vgl. Lüttringhaus, A. 42
Eifert, R. L., u. Hamilton, C. S. 686
Eigenmann, G., Rickenbacher, H. R., u. Zollinger, H. 682
Eiger, F. 972, 973
Eilingsfeld, H., vgl. Martius, C. 778
Einarsson, K., vgl. Berséus, O. 926
Einhorn, J., vgl. Monneret, C. 451
Eisai Co., Ltd. 707
Eisai K. K. 565, 707
Eisenbraun, E. J., vgl. Burnham, J. W. 433
–, vgl. Duncan, W. P. 433
–, vgl. Harms, W. M. 433
–, vgl. Hertzler, D. V. 202, 203
Eisenhuth, W., u. Schmid, H. 694
Eisenlohr, W. 1091
Eistert, B., u. Enders, E. 562, 565
–, u. Fink, G. 354
–, –, u. Werner, H. K. 615, 693
–, Schade, W., u. Selzer, H. 354
Eiweiss, N. F., vgl. Moussa, G. E. M. 441
Ekechukwu, O., vgl. Leete, E. 706
El-Abbady, A. M., Ayoub, S., u. Baddar, F. G. 599
Elad, D., vgl. Barton, D. H. R. 860
–, vgl. Sondheimer, F. 543
Elbs, K. 439
–, u. Brunner, O. 1026
–, u. Fischer, F. 205
–, u. Rixon, F. W. 205
Elchinov, D. P., vgl. Matevosyan, R. O. 184
–, Matevosyan, R. O., u. Smirnova, V. V. 184
Elcov, A. V. 593
–, et al. 704, 972
–, Kusnecov, V. S., u. Efros, L. S. 691

Elder, F., vgl. Bennett, G. W. 446
Elderfield, R. C., et al. 982
–, u. Ressler, C. 448
Elian, M., vgl. Mecsoin, J. 438
Eliasson, B., Odham, G., u. Petterson, B. 636
Eliel, E. L., u. Pillar, C. 346, 347, 358
Elix, J. A., Sargent, M. V., u. Sondheimer, F. 520, 881
El Khadem, H., u. El Shafei, Z. M. 708
–, u. Mohammed-Aly, M. M. 666
Elkik, E. 514, 542
Ellinger, A. 680
Elliot, I. W., u. Yares, P. 641
Elliott, M. 538
–, Janes, N. F., Jeffs, K. A., Crombie, L., Gould, R., u. Pattenden, G. 538
Elliott, W. J., vgl. Stuart, C. M. 437
Ellis, A. F. 500
–, vgl. Rinehart, K. L. 500
Ellis, B., vgl. Cooley, G. 605
–, Hartley, F., Petrow, V., u. Wedlake, D. 607
–, u. Petrow, V. 452
Ellis, G. W. 19, 20, 448
Ellis, J. W. 226, 229
–, vgl. Zalkow, L. H. 222, 230
El-Meligy, M. S. A., vgl. Huber, F. 412, 413
Elming, N. 270, 1000–1003, 1006
–, vgl. Clauson-Kaas, N. 1003
–, u. Clauson-Kaas, N. 269–271, 410
–, vgl. Nielsen, J. T. 605
El-Murr, N., u. Dabard, R. 589
Elofson, R. M., vgl. Adkins, H. 448, 905
Elokhina, V. N., vgl. Nakhmanovich, A. S. 530
Elperina, E. A., Gusev, B. P., u. Kucherov, V. F. 65
El Raie, M. H., vgl. Roth, H. J. 339
Elron, Tel-Aviv, Israel 994
Els, H. 557
El-Sadr, M. M., vgl. Barakat, M. Z. 496, 505, 522, 531, 534, 535, 539, 549, 553, 554, 561, 671
El Sarray, S. A., vgl. Grindley, D. N. 608
El Shafei, Z. M., vgl. El Khadem, H. 708
Elslager, E. F., vgl. Adams, R. 308
–, u. Worth, D. F. 713
Elsner, B. B., vgl. Bannister, B. 357
El Sukkary, M. M. A., vgl. Marei, A. 659
Elsworth, J. F., u. Lamchen, M. 679
Eltsov, A. V., u. Efros, L. S. 696
–, –, u. Glibin, E. N. 161
–, u. Ginzburg, I. M. 161
–, Khokhlov, V. N., u. Levandovskaya, T. 619
–, Zachs, E. R., u. Efros, L. S. 692

Ely, R. E. 1029
Emanuel, N. M. 1101
–, vgl. Chertkov, Ya. B. 1064
–, Denisov, E. T., u. Maizus, U. K. 1093, 1101
–, vgl. Knorre, V. L. 598
–, Maizus, Z. K., u. Skibida, I. P. 1050
–, vgl. Strigun, L. M. 760
Emerson, E., Beacham, H. H., u. Beegle, L. C. 779
Emerson, G. F., vgl. Pettit, R. 162
–, Watts, L. u. Pettit, R. 163
Emmer, H. J., vgl. Lüttringhaus, A. 42
Emte, W., vgl. John, W. 76, 695, 696
Enderer, K., vgl. Roth, W. R. 60, 110
Enders, E., vgl. Eistert, B. 562, 565
Enders, G. F., vgl. Finkbeiner, H. 61, 62
Endo, T., vgl. Mukaiyama, T. 200
Engberts, J. B. F. N., Braggen, G. von, Strating, J., u. Wynberg, H. 562
Engel, C. R., u. Beaudouin, G. J. 219
Engelhard Industries Inc. 853, 854
Engelsing, R., vgl. Möhrle, H. 105
England, B. T., vgl. Brown, D. J. 593, 611
Engle, R. R., vgl. Djerassi, C. 854
Engler, C., u. Wild, W. 1049
Engles, W., vgl. Darapsky, A. 461
English, E. S., vgl. Cook, C. D. 191, 195, 769, 770
English, J., u. Barber, G. W. 358
–, vgl. Evanega, G. R. 881
Enslin, P. R., vgl. Bull, J. R. 218
Enyo, H., vgl. Takaya, T. 946, 947
Eppelsheim, A., vgl. Klages, A. 449
Epsztein, R., vgl. Cadet, J. 607
–, vgl. Holand, S. 608
Eraut, M. R., vgl. Clark, V. M. 120
Erdmann, E. 182
–, u. Erdmann, H. 178
Erdmann, H., vgl. Erdmann, E. 178
Erdtman, H. 762
–, u. Runeberg, J. 712
–, u. Wachtmeister, C. A. 760
Erdtman, H. G. H. 190
Eremenko, L. T., vgl. Korolev, A. M. 602
Erhardt, F., vgl. Schulte-Frohlinde, D. 187, 766, 796
Erickson, F. B. 642
Erickson, R. E., vgl. Büchi, G. 375
Erker, G. 1034, 1035
Erlenmeyer, E. 27

Erlenmeyer, H., vgl. Häring, M. 630
–, vgl. Hemmerich, P. 706
–, vgl. Seiler, H. 651
Erman, W. F., vgl. Gibson, T. W. 217, 384
Ermolenko, N. F., vgl. Novikova, E. N. 1077
Ernst, F., vgl. Hock, H. 283
Errede, L. A., u. Cassidy, J. P. 638
Ershov, B., u. Pvatnitskaya, G. 1026
Ershov, V. V., vgl. Bogdanov, G. N. 186, 247–249
–, vgl. Volodkin, A. A. 752
–, Volodkin, A. A., u. Tarkhanova, M. V. 186
Esafov, V. I., Utrochina, I. F., Lepkhina, L. M., u. Korpinskaya, E. M. 614
Escambia Chem. Corp. 18
Esch, J., vgl. Gilman 609
Eschkinase, E. H., u. Cotter, M. L. 913
Esengulov, D., vgl. Tronov, B. V. 577
Espensen, H. J., u. Taube, H. 492
Esser, G., vgl. Asinger, F. 687
Esso Research 839, 840
Esso Research and Eng. Co. 21, 616, 641, 973
Etard, A. 437
Ethicon Inc. 607
Etienne, A., u. Bourdon, J. 699
–, vgl. Dufraisse, C. 699
–, u. Salmon, J. 699
Ettore, E., vgl. Maffii, G. 707
Eugster, C. H. 355
–, u. Bosshard, P. 550, 551, 645
–, vgl. Braun, A. 73
–, vgl. Brüm, A. 640
–, vgl. Karrer, P. 87, 90
–, vgl. Kuser, P. 73
–, vgl. Rosenkranz, R. E. 355
–, vgl. Trueb, W. 73
Euler, K., vgl. Goldschmidt, S. 199
Euw, J. von, Lardon, A., u. Reichstein, T. 232, 233, 915
Evanega, G. R., Bergmann, W., u. English, J. 881
Evans, D. E. M., Feast, W. J., Stephens, R., u. Tatlow, J. C. 632
–, u. Tatlow, J. C. 580, 632
Evans, E. B., vgl. Edwards, D. A. 839, 840
Evans, G., vgl. Brutcher, F. V. 950
Evans, R. M. 492, 497, 503–505, 507, 513, 527, 542, 543, 546, 557, 671
–, vgl. Attenburrow, J. 513, 671
Evans, W., von, vgl. Pearson, R. 1041
Evans, W. L. 67
Evdokinoff, V. 593
–, u. Chibbaro, M. A. 640

Heusler, K., u. Kalvoda, J. 208, 209, 211–213, 218, 219
–, –, Anner, G., u. Wettstein, A. 212, 283
–, –, Meystre, C., Wieland, P., Anner, G., Wettstein, A., Cainelli, G., Arigoni, D., u. Jeger, O. 451
–, –, Wieland J., u. Wettstein, A. 925, 926
–, u. Loeliger, H. 411
–, vgl. Trede, H. J. 454
Heussner, A., vgl. Zeile, K. 602, 603
Heusser, H., vgl. Voser, W. 390
Hewgill, F. R., vgl. Adderley, C. J. R. 313
–, vgl. Bowman, D. F. 71, 156, 751
–, vgl. Haynes, R. K. 76, 781
–, u. Hewitt, G. G. 160, 161
–, u. Kennedy, B. R. 765
–, –, u. Kilpin, D. 160, 161, 245, 250, 313
–, u. Lee, S. L. 245, 313
–, u. Middleton, B. S. 195, 196, 712, 763, 769, 770
Hewitt, G. G., vgl. Hewgill, F. R. 160, 161
Hey, D. H., Leonard, J. A., u. Rees, C. W. 566
–, Stirling, C. J. M., u. Williams, G. H. 410–412, 945
Heyden Chemical Corp. 681
Heymés, R., vgl. Amiard, G. 455
Heyns, K., Soldat, W. D., u. Köll, P. 855
–, u. Stöckel, O. 448
Hezel, U., vgl. Mauser, H. 738
–, vgl. Nickel, B. 738
Hickinbottom, W. J., vgl. Archer, D. P. 432, 437
–, vgl. Beyers, A. 443
–, vgl. Foster, G. 431, 432
–, u. Moussa, G. E. M. 441, 442
–, Peters, D., u. Wood, D. G. M. 443
–, u. Wood, D. G. M. 442, 443
Hickman, R. J., vgl. Beckwith, A. L. J. 288
Hiduka, K., vgl. Matsumoto, T. 603
Hieda, M., Omura, K., u. Yurugi, S. 641
Hiegel, G. A., vgl. Wharton, P. S. 1038
Higashino, T., vgl. Hayashi, E. 650, 756
–, u. Hayashi, E. 756
–, Iwai, Y., u. Hayashi, E. 756
Higheit, R. J., u. Wildmann, W. C. 515, 545, 546, 549, 553, 671
Higuchi, J., vgl. Kurosawa, K. 485
Higuchi, M., vgl. Yoneda, F. 296
Hikino, H., Takahashi, S., Sakurai, Y., Takemoto, T., u. Bhacca, N. S. 537
Hilbert, G. E., vgl. Dimler, R. J. 349

Hilcken, V., vgl. Dimroth, O. 312, 314
Hildahl, G. T., vgl. Tamelen, E. E. van 888
Hill, R. R., vgl. Cookson, R. C. 693
Hillers, S. A., Vereshchagin, L. I., Venters, K. K., Korshunov, S. P., Cirule, V. V., u. Lolua, D. O. 536
Hincky, J., vgl. Lichtenberger, J. 658
Hinman, C. W., vgl. Marvel, C. S. 229
Hinman, R. L., u. Hamm, K. L. 664
Hinsch, W., vgl. Haas, A. 462
Hinshelwood, C. N., vgl. Cullis, C. F. 1063
Hinterberger, H., vgl. Cavill, G. W. K. 229
Hintz, G., vgl. Simieti, I. 621
Hinz, U., vgl. Bohlmann, F. 506, 510, 512
Hir, A. le, s. LeHir, A.
Hirano, H., et al. 652
Hirao, J., Matsuura, T., u. Ota, K. 595
Hiraoka, T., vgl. Yoshimoto, M. 533
Hirasaka, Y. 611
Hirata, Y., vgl. Mizuno, S. 1027
Hirohata, R., vgl. Karrer, P. 354
Hirota, M., u. Hamada, Y. 824
Hirsch, B. 328, 329
–, u. Ciupe, J. 66
Hirsch, C., vgl. Potts, K. T. 321
Hirschler, A. E., vgl. Garret, A. B. 107
Hirschmann, R., Bailey, G. A., Walker, R., u. Chemerda, J. M. 862
Hisano, T., u. Yabuta, Y. 810
Hitchings, G. H., vgl. Falko, E. A. 656
–, vgl. Taylor, Jr., E. C. 782
Hite, G. J., vgl. Smissman, E. E. 756
Hiyama, T., Koide, H., u. Nozaki, H. 339
Hlubucek, J., Ritchie, E., u. Taylor, W. C. 825
Ho, B. T., u. Tansey, L. W. 69
Ho, T. L. 153, 164, 449
–, vgl. Soucy, P. 165
–, u. Wong, C. M. 147
Hoare, D. G., u. Waters, W. A. 839, 840
Hobbs, C. C., u. Houston, B. 432
Hochmuth, H., vgl. Teuber, H. J. 595
Hochstetter, A. R., vgl. Marshall, J. A. 566
Hock, H., u. Ernst, F. 283
–, u. Kropf, H. 284
–, u. Lang, S. 283
Hockett, B. C. 1030
–, u. Hudson 1030

Hockett, R. C., u. Chandler, L. B. 360
–, u. Conley, M. 360
–, Conley, M., Yusem, M., u. Mason, R. I. 360
–, Dienes, M. T., Fletcher, H. G., u. Ramschen, H. E. 360
–, –, u. Ramschen, H. E. 360
–, u. Fletcher, H. G. 360
–, –, Sheffield, E. L., u. Goepp, R. M. 360
–, –, –, –, u. Soltzberg, S. 360
–, vgl. McClenahan, W. S. 362
–, u. Mowery, D. F. 349
–, Nickerson, M. H., u. Reeder III, W. H. 360
–, u. Schaefer, F. C. 360, 363
–, u. Sheffield, E. L. 360
–, u. Zief, M. 349, 360
–, –, u. Goepp. R. M. 360
Hodgson, H. H., vgl. Davies, R. R. 908
Hoeffinger, J. P., vgl. Buu-Hoi, N. P. 630
Höger, E., vgl. Criegee, R. 345–352
Hoehn, H. H., vgl. Smith, L. I. 696
Hoehn, W. M., u. Linsk, J. 452
Hoelzel, C. B., vgl. Field, L. 408–410
Hönig, W. 20
Hönigsberger, F., vgl. Graebe, C. 439
Hörster, H. G., vgl. Sauter, H. 303
Hoey, G. B., vgl. Murr, B. L. 388
Hofer, F., vgl. Marxer, A. 756
Hofer, P., vgl. Pettit, G. R. 355, 868
Hoffer, M., vgl. Brossi, A. 500
Hoffmann, C., vgl. Arnold, R. T. 637
Hoffmann, F., La Roche Co. 154, 358, 510, 512, 513, 520, 887, 972, 973
Hoffmann, F., La Roche Inc. 511, 542
Hoffmann, H., vgl. Horner, L. 960
Hoffmann, R. W. 254, 300, 301
–, Guhn, G., Preiss, M., u. Dittrich, B. 401
–, u. Luthardt, H. J., 330, 331, 332, 333
–, vgl. Wittig, G. 304, 399
Hofmann, A., u. Troxler, F. 609
Hofmann, A. W. 770, 807
Hofmann, D., vgl. Wallenfels, K. 190
Hofman, I., vgl. Lukes, R. 27
Hofmann, K., Bridgwater, A., u. Axelrod, A. E. 657
Hofmann, K. A. 489, 860, 864
Hofmann, L. M., vgl. Chinn, L. J. 918
Hofmeister, H., vgl. Bohlmann, F. 513
Hogg, J. A., vgl. Beal, P. F. 542
–, vgl. Magerlein, B. J. 864

Mead, L. A. V., vgl. Lindsay-Smith, J. R. 829

Meakins, G. D., vgl. Boul, A. D. 231

–, vgl. Combe, M. G. 271

–, vgl. Mayor, P. A. 452

Mechlinski, W., vgl. Falkowski, L. 359

Mecsoin, J., Balaban, A.T., Pascaru, J., Sliam, E., Elian, M., u. Nenitzescu, C. D. 438

Medeiros, R. W., vgl. Moore, J. A. 593

Meder, R., u. Roth, G. 593

Medéte, A., vgl. Anatol, J. 449

Medvedeva, A. S., vgl. Shostakowskii, M. F. 527

–, Shostakovskii, M. F., u. Safronova, L. P. 524

Mee, A., Robertson, A., u. Whalley, W. B. 228

Meehan, E. J., vgl. Kolthoff, J. M. 493, 788

–, Kolthoff, J. M., u. Kakiuchi, H. 788

Meerwein, H. 277

–, u. Schmidt, R. 905

Mehltretter, C. L. 611

–, vgl. Alexander, B. H. 360

Mehrotra, J. K., vgl. Dixit, S. N. 681

Mehrotra, R. N. 472, 477

Mehta, G. 459

–, u. Kapoor, S. K. 859

Meienhofer, J. 785

Meier, H., vgl. Müller, E. 109

Meier, H. L., vgl. Prelog, V. 282

Meier, J. P., van, vgl. Cava, M. P. 635

Meier, N. A., Guseva, L. I., u. Oldekop, Y. A. 206, 410–412

–, Korotyshova, G. P., u. Oldekop, Y. A. 121

Meier, R., vgl. Gagneux, A. R. 813, 814

Meijer, T. M., vgl. Ebnöther, A. 238, 251

Meinel, K. 1003

Meinert, R. N., vgl. Hurd, C. D. 453, 454

Meinwald, J., u. Gassman, P. G. 638

–, Tufariello, J. J., u. Hurst, J. J. 387

Meisel, H., u. Döpke, W. 600

Meiser-Agoston, T., vgl. Ötvös, L. 905

Meisick, H., vgl. Glemser, O. 489, 490–493, 565

Meister, A., vgl. Peterson, E. A. 553

Meites, L. 993, 994, 1043

–, Weisberger, A. 1043

Meixner, W., vgl. Alpermann, H. G. 883

Mékeska, L. A. 21

Melamed, D., vgl. Pummerer, R. 762, 768

Melchar, F., vgl. Hein, F. 590

Melenteva, T. A., Pekel, N. D., u. Berezovskii, M. 234

Melentjeva, T. G., et al. 631

–, Soloveichik, I. P., Oparin, D., u. Pavlova, L. A. 700

Meligy, M. S. A. el, s. El Meligy, M. S. A.

Melillo, J. T., vgl. Mislow, K. 669

Melkonian, G. A., vgl. Ohle, H. 961

Mellor, J. M., vgl. Gilmore, J. R. 480

–, u. Webb, C. F. 544

Melnikov, N. N. 969

Melody, D. P., vgl. Donnelly, M. D. X. 539

Melzer, W., vgl. Schall, C. 205

Mendenhall, G. D., vgl. Brokenshire, J. L. 72

Mengel, R., vgl. Pfleiderer, W. 592

Mengel, W., vgl. Imhoffen, H. H. 102

Mengler, H., vgl. Ried, W. 716

Menin, J., Giudicelli, J. F., u. Najer, H. 707

Menniken, H., vgl. Gebhardt-Schmitz, A. 599

Mennona, F. A., vgl. Guthrie, R. W. 888

Mensah, I. A., vgl. Baxter, I. 307

Mentzer, C., vgl. Combes, G. 601

–, vgl. Molho, D. 439

Menu, I., vgl. Dvorak, Y. 1019

Menzel, G. 1072

Menzel, R., vgl. Preuss, F. R. 238

Menzies, R. C., vgl. Christie, G. H. 117

Merck, E., AG. 450, 521, 617, 693, 726

Merck u. Co. Inc. 505, 587, 643, 695, 855

Mercury, M. L., Vincent, S. M., u. Sherrill, M. L. 810

Merenyi, R., vgl. Reimlinger, H. 327

Merkulowa, J. N., vgl. Yakubovich, A. Y. 395

Merrifield, R. B., vgl. Takashima, H. 790

Mertz, C. W. 1078

Merz, A., vgl. Märkl, G. 107

Merz, K. W., u. Haller, R. 157

–, vgl. Müller, E. 157

Mescherjakov, A. P., Gluchovcev, V. G., u. Lemin, N. N. 644

Meschino, J. A., u. Plampin, J. N. 647

Meshreki, M. H., vgl. Khadem, H. E. 621

Meske-Schüller, J., vgl. Wittig, G. 398

Mesrobian, R. B., vgl. Stannett, V. 1056

–, u. Tobolsky, A. V. 1058

Mester, L., vgl. Zemplén, G. 329

Metcalf, B. W., vgl. Cannon, J. R. 63

Metelkina, E. L., vgl. Perekalin, V. V. 666

Meth-Cohn, O., vgl. Ahmed, M. 166

–, u. Suschitzky, H. 471, 492

–, –, u. Sutton, M. E. 565, 566, 568, 670

Metlesics, W., Schinzel, E., Vilcsek, H., u. Wessely, F. 207, 244–246

–, vgl. Wessely, F. 238, 247

Metter, E., vgl. Sisler, H. H. 429

Metz, K., vgl. Criegee, R. 284

Metze, R., u. Rolle, G. 627

Metzger, H., vgl. Schickh, v., O. 200, 680

Metzger, J., vgl. Arzoumanian, H. 87

–, vgl. Schudel, P. 70, 778

Meunier, J. M., vgl. Sornay, R. 69

Meunier, P., Mallein, R., Jouanneteau, J., u. Zwingelstein, G. 497, 511

Mewwada, G. S., vgl. Dave, G. R. 659

Meyer, E. W., vgl. Julian, P. L. 750

Meyer, H., u. Bernhauer, K. 434, 439

–, vgl. Zeile, K. 636

Meyer, J., u. Ackermann, F. 99

–, Graenacher, C., u. Ackermann, F. 682

–, vgl. Ruzicka, L. 452

Meyer, K., vgl. Kuhn, R. 1057, 1068, 1082

Meyer, K. H. 179, 236, 713

Meyer, R., vgl. Gabriel, S. 680

Meyer, R. J., u. Goldschmidt, E. 120

Meyer, V., vgl. Askenasy, P. 939, 947, 948

–, vgl. Hartmann, C. 947, 948

–, u. Wächter, W. 939, 947

Meyers, A. I., Stout, D. M., u. Takaya, T. 111

Meyers, K. P., vgl. Fahrenholtz, K. E. 887

Meystre, C., et al. 213, 220

–, vgl. Heusler, K. 451

–, vgl. Jeger, O. 219

–, Kalvoda, J., Anner, G., u. Wettstein, A. 219

–, vgl. Wettstein, A. 915

Mezynski, L., u. Pawelzak, M. 1030

Michael, A., u. McKervey, A. 216

Michaelis, A., u. Claessen, C. 725

Michalzik, E., vgl. Zinner, H. 361

Micheel, F. 18

–, u. Busse, W. 585

Michejda, C. J., vgl. Rinehart, K. L. 500

Michel, R. M., u. Murphey, W. A. 920

Michl, J., vgl. Dewar, M. J. S. 881, 882

Michler, W., u. Pattinson, S. 194

Michlina, E. E., vgl. Furstatova, V. J. 637

Mickov, R., u. Sykora, K. 547

Moszew, J., u. Zankowska-Jasinska, W. 192
Motherwell, W. B., u. Roberts, J. S. 72
Moureu, C., et al. 1081
–, u. Bongrand, J. C. 759
Moureu, G., u. Dufraisse, C. 1053, 1064, 1068
–, –, u. Chaux, R. 1077
Mourier, J., vgl. Cologne, J. 569
Moussa, G. E. M. 431, 440–442
–, u. Abdalla, S. O. 441, 443
–, u. Eiweiss, N. F. 441
–, vgl. Hickinbottom, W. J. 441, 442
Mousseron, M., vgl. Mousseron-Canet, M. 508
Mousseron-Canet, M., Mousseron, M., u. Levallois, C. 508
–, vgl. Barton, D. H. R. 543
Mowery, D. F., vgl. Hockett, R. C. 349
Mowry, D. T., vgl. Huber, W. F. 447
Mozlov, V. V., u. Pronjakova, V. M. 669
Moynakan, E. B., vgl. Popp, F. D. 535
Mrell, G. S., vgl. Riebsommer, J. L. 616
Mshidy, A., et al. 853
Muchalin, V. B., u. Kornilov, A. I. 604
Muchina, M. V., Cechanovic, E. Ju., u. Postovskij, I. J. 652
Mucke, H. 1062
Mühlradt, P. F., Morino, Y., u. Snell, E. E. 521
Müller, A., u. Horvath, A. 434
Müller, B., vgl. Schneider, W. 823
Müller, E. 745
Müller, Eu., et al. 1050
–, Eggensperger, H., Rieker, A. Scheffler, K., Spanagel, H.-D., Stegmann, H. B., u. Teissier, B. 730, 735
–, –, u. Scheffler, K. 186, 735
–, Haller, R., u. Merz, K. W. 157
–, Kaufmann, H., u. Rieker, A. 773
–, vgl. Ley, K. 744, 745, 747, 769
–, u. Ley, K. 186, 702, 703, 730, 731, 738–740, 744, 745, 748, 832, 1054, 1066
–, –, u. Kiedaisch, W. 186, 740
–, –, Scheffler, K., u. Mayer, R. 186, 735
–, –, u. Schlechte, G. 772
–, –, u. Schmidhuber, W. 744, 745, 761
–, Mayer, R., Heilmann, U., u. Scheffler, K. 735, 752, 753, 769
–, –, u. Ley, K. 739
–, –, Narr, B., Rieker, A., u. Scheffler, K. 735, 742, 743, 764, 765, 795–798
–, –, u. Scheffler, K. 730, 742, 743
–, –, Spanagel, H.-D., u. Scheffler, K. 735, 737, 742, 775

Müller, Eu., u. Meier, H. 109
–, vgl. Rieker, A. 711, 730, 731, 734, 735, 739, 741, 742, 748, 752, 767, 769, 791, 792
–, Rieker, A., Ley, K., Mayer, R., u. Scheffler, K. 730, 735, 745, 746
–, –, Mayer, R., u. Scheffler, K. 730, 744, 746
–, –, u. Scheffler, K. 731
–, –, –, u. Moosmayer, A. 731, 735
–, –, u. Schick, A. 761, 771
–, Schick, A., Mayer, R., u. Scheffler, K. 747
–, –, u. Scheffler, K. 739, 740
–, Schurr, K., u. Scheffler, K. 748
–, u. Segnitz, A. 530, 545
–, Spanagel, H.-D., u. Rieker, A. 775, 776
–, vgl. Stegmann, H. B. 186, 735
–, Stegmann, H. B., u. Scheffler, K. 186, 187, 730, 735, 744
–, Teissier, B., Eggensperger, H., Rieker, A., u. Scheffler, K. 735
–, u. Zonntsas, G. 882
Müller, F., vgl. Hünig, S. 780
Müller, G., vgl. Velluz, L. 219
Müller, J. F., u. Cagniant, D. 882
Müller, K., vgl. Vogel, E. 544
Müller, M., vgl. Saucy, G. 525
Müller, P., vgl. Fichter, F. 1020, 1021, 1022
–, u. Rocek, J. 889
Müller, R., vgl. Plieninger, H. 227
–, u. Plieninger, H. 269, 270
Müller, W., vgl. Brockmann, H. 313, 314
Mueller, W. H., vgl. Finnegan, R. A. 524
Münch, S., vgl. Zincke, T. 691
Münzing, W., vgl. Kuhn, R. 326
Muir, R. D., vgl. Dodson, R. M. 546
Mukai, T., vgl. Neeman, M. 452
Mukaiyama, T., u. Endo, T. 200
–, vgl. Nohira, H. 958
Mukenava, N. A., et al. 1062
Mukherjee, R., u. Chatterjee, A. 820
Mukjerji, S. M., vgl. Gandhi, R. P. 646
Mulholland, T. P. C., vgl. Aldridge, D. C. 547
–, Honeywood, R. J. W., Preston, H. D., u. Rosevear, D. T. 530
Mullin, J. G., vgl. Guthrie, R. W. 888
Mumo, A., de, Bertini, V., u. Denti, G. 628
Muneyuki, R., et al. 65
–, vgl. Nickon, A. 638
Murai, H., vgl. Ishiguro, T. 593
Murakami, M., vgl. Iwanami, M. 493
–, u. Senoh, S., u. Hata, Y. 1005
Muramatsu, H., Inukai, K., u. Ueda, T. 634
Murase, I. 662
Murata, I., u. Sugihara, Y. 450

Murdock, K. C., u. Angier, R. B. 632
Murkharji, P. C., vgl. Chaudhuri, N. K. 544
Murphey, W. A., vgl. Michel, R. M. 920
Murphy, A. M., vgl. Truce, W. E. 651
Murphy, C. M., O'Rear, J. G., u. Zisman, W. A. 634
Murphy, J. W., vgl. Nelson, P. H. 376, 378
Murr, B. L., Hoey, G. B., u. Lester, C. T. 388
Murr, N. el, s. El Murr, N.
Murray, A. R., vgl. Birch, A. J. 277
Murray, M. A., vgl. Kenner, G. W. 1013
Murray, M. F., vgl. Ott, A. C. 906
Murray, R. W., u. Trozzolo, A. M. 496, 562
Murtazin, R. L., vgl. Vlasova, S. L. 185
Murti, P. R. S., u. Pati, S. C. 424
Murti, V. V. S., vgl. Hope, D. B. 790
–, vgl. Natarajan, S. 711
Musgrave, O. C., vgl. Birch, A. J. 16
–, vgl. Matheson, I. M. 894
–, u. Webster, C. J. 894
Musgrave, W. K. R., vgl. Allison, C. F. 67
Mushran, S. P., vgl. Jindal, V. K. 830
Musker, W. K., vgl. Leonard, N. J. 96, 97
Muslin, D. V., Vasileiskaya, N. S., Khidekel, M. L., u. Razuvaev, G. A. 186
Musso, H. 664, 678, 760, 832
–, u. Wager, P. 678, 700
Muszrove, W. K. R., vgl. Chambers, R. D. 642
Muxfeldt, H., et al. 889
–, vgl. Brockmann, H. 625, 695
–, u. Hardtmann, G. 353
Myakina, N. I., u. Kotlyarevskii, I. L. 499
Myers, C., vgl. Humber, L. G. 376
Myers, J. A., vgl. Starnes, Jr., W. H. 753, 754
Myers, P. L., vgl. Cross, B. E. 867
Myl, J., u. Kulda, D. 493, 572
Mylari, B. L., vgl. Wenkert, E. 218
Myslinski, E., vgl. Krupovic, J. 660

Nabeyama, K., vgl. Komeno, T. 267
Nabney, J., vgl. Day, A. C. 798
Nace, H. R., u. Nelander, D. H. 388
Naegeli, P., Warnhoff, E. W., Fales, H. M., Lyle, R. E., u. Wildman, W. C. 929
Naeser, C. R., vgl. Wheeler, T. E. 871

Pasquinelli, E. 1036
Passelt, H. S., et al. 495
Pasternak, R., u. Regna, P. P. 1027
Pasternak, V. S., vgl. Kozlov, N. S. 968
Pasteur, J., vgl. Queguiner, G. 643
Pasteur, P., vgl. Boutte, D. 641
–, vgl. Godard, A. 641
–, vgl. Quequiner, G. 643
Pasto, D. J., vgl. Chapman, O. L. 525, 546, 632
Pasuit, C. A., vgl. Leininger, R. 1015
Patai, S. 477, 581, 582, 995, 1043
Pataki, J., vgl. Ruzicha, L. 233
Patankov, S. J., vgl. Govinda-chari, T. R. 618
Pathy, M. S. V., vgl. Chidamba-ram, S. 433, 473
Pati, S. C., vgl. Murti, P. R. S. 424
Patnekar, S. G., u. Bhatta-charyya, S. C. 217
Patoni, S. 635, 636
Patrick, C. R., vgl. Gething, B. 640
Pattenden, G., vgl. Elliott, M. 538
Patterson, W. L., vgl. Kennerly, G. W. 1056, 1062, 1063
Pattinson, S., vgl. Michler, W. 194
Patton, J. W., u. Seppi, N. E. 838
Patzelt, R., vgl. Brass, K. 713
Paudler, W. W., Herbener, R., u. Zeiler, A. G. 1036
–, u. Zeiler, A. G. 111
Paul, H. 353
–, vgl. Butenandt, A. 862
Paul, R. 24
–, u. Tchelitcheff, S. 610
Paulet, A., Crastes De, s. Crastes De Paulet, A.
Paulig, G., vgl. Criegee, R. 284
Pauling, H., vgl. Lipp, M. 604
Paulmier, C., vgl. Decroix, B. 69
Paulovicks, G. E., vgl. McDowell, D. W. H. 881
Paulsen, S. R. 660
–, vgl. Jankowski, A. 660
Paulson, P. M., vgl. Mann, C. A. 997
Pausacker, K. H. 941–943
–, vgl. Barlin, G. B. 942, 943
–, vgl. Cordner, J. P. 346, 349, 350, 351
–, vgl. Dyall, L. K. 941–943
–, vgl. Fox, A. R. 944
–, vgl. Mitchell, J. 942, 943
–, u. Scroggie, J. G. 300, 336, 942, 943
Pavlova, L. A., vgl. Melentjeva, T. G. 700
Pavlova, V. K., vgl. Pilipenko, A. T. 81
Pavlova-Grisina, N. S., vgl. Ak-hrem, A. A. 451
Pavolff, A. M., vgl. Zirkle, C. L. 666

Pavri, E. H., vgl. Harley-Mason, J. 517
Pawelzak, M., vgl. Mezynski, L. 1030
Pawlak, W., vgl. Thomas, A. F. 441
Payne, D. S., vgl. Ewart, G. 555
Payspalardo, G., vgl. Russo, E. 654
Pearl, J. A. 12, 69
–, u. Beyer, D. L. 12
–, vgl. Vermillion, T. J. 1028
Pearson, D. E., vgl. Washburn, L. C. 972
Pearson, M. J., vgl. Brain, E. G. 273
–, vgl. Clayton, J. P. 273
Pearson, R., u. Evans, W., v. 1041
Pechet, M. M., vgl. Barton, D. H. R. 219
Pechmann, H., v., u. Bauer, W. 815
Pecka, R., vgl. Tockstein, A. 159
Pedersen, C. L., u. Buchardt, O. 443
Pedlow, G. W., vgl. Whitmore, F. C. 432
Pedrazzoli, A., vgl. Dallasta, L. 388
Peet, J. H., u. Rockett, B. W. 506
Peiren, M. A., vgl. Reimlinger, H. 643
Peisser, H., vgl. Baganz, H. 651
Pekel, N. D., vgl. Melenteva, T. A. 234
Pelc, B., u. Kodicek, E. 887
Pelchowicz, Z., vgl. Bergmann, E. D. 615
Pelkis, P. S., vgl. Grabenko, A. D. 788
Pelletier, S. W., et al. 638
–, u. Herald, D. L. 67
Pelley, R. L., vgl. Henne, A. L. 454
Pelton, E. L. 14
–, u. Holzschuh, A. A. 25
Penev, P., vgl. Rajagopalan, P. 815
Penfold, A., vgl. Smith, H. 682
Penketh, G. 1086
Pennanen, S. 434
Penning, E., vgl. Louis, G. 1074
Peover, M. E., vgl. Given, P. H. 1026
Pepper, J. M., vgl. Duff, J. G. 603
Perekalin, V. V., et al. 615
–, Petryaeva, A. K., Zobacheva, M. M., u. Metelkina, E. L. 666
Perelyaeva, L. A., vgl. Matevo-syan, R. O. 184
Perevalova, E. G., vgl. Nesme-janov, A. N. 500
Perkin, A. G., u. Spencer, G. D. 38
–, u. Whattam, T. W. 714
Perkin, F. M. 996
–, vgl. Law, H. D. 437, 996, 998
Perkins, M. J., vgl. Capon. B. 477, 670

Perlin, A. S. 344, 349, 360
–, vgl. Baxter, J. N. 360
–, u. Brice, C. 360, 363
–, vgl. Charlson, A. J. 360, 363
–, vgl. Goldschmid, H. R. 349, 360
–, u. Landsdown, A. R. 360
–, vgl. Mackie, W. 360
–, vgl. Mitra, A. K. 360
–, u. Suzuki, S. 359, 360
Perlman, K. L., vgl. Taylor, E. C. 661
Perlman, P. L., vgl. Herzog, H. L. 358
Perrine, T. D. 830
Perronnet, J., vgl. Bertin, D. 219
Perros, T. P., vgl. Wheeler, T. E. 871
Perry, M. B., vgl. Jones, J. K. N. 18
Person, H., et al. 293
Pertersen, S., u. Heitzer, H. 751
Peruzzoti, G., vgl. Sih, C. J., 447, 448
Peschel, J., vgl. Raudnitz, H. 352
Pesez, M. 365
–, Mathieu, J., u. Allais, A. 365
Pesin, V. G., u. Kaukhova, L. A. 643
–, Khaletskii, A. M., u. Dya-chenko, E. K. 643
–, –, u. Vitenberg, I. G. 638
Pesina, A. G., vgl. Zonis, S. A. 475, 477, 488
Pester, R., vgl. Treibs, W. 633, 647
Peters, A. T., vgl. Bromby, N. G. 439
–, vgl. Grayshan, P. H. 434
–, vgl. Larner, B. W. 584
Peters, D., vgl. Hickinbottom, W. J. 443
Peters, H., u. Tappe, E. 575
Peters, N. F., vgl. Dunlop, A. P. 1080
Petersen, J. 1036
Petersen, R. C., vgl. Ross, S. D. 997, 1011, 1012, 1024, 1025
–, vgl. Finkelstein, M. 1015, 1016
Petersen, S., u. Heitzer, H. 751, 815
Peterson, E. A., Sober, H. A., u. Meister, A. 553
Peterson, J. O. H., vgl. Steadman, T. R. 15
Peterson, J. O. H., Jr., vgl. Stead-man, T. R. 15
Peterson, M. L. 821
Peterson, R. L., vgl. Shepherd, D. A. 917
Petránek, J., vgl. Pilař, J. 747
–, u. Pilař, J. 747
Petrenko, G. P., vgl. Dashevsky, M. M. 640
–, vgl. Telnjuk, E. N. 442
–, vgl. Usachenko, V. G. 442
Petrillo, P., vgl. Prota, G. 781
Petritschek-Schillinger, A., u. Hamprecht, U. 1083

Rojahn, W., vgl. Klein, E. 603
Rolle, G., vgl. Metze, R. 627
Rolle, W., vgl. Profft, E. 788
Roloff, H., vgl. Knabe, J. 98
Roman, S. A., vgl. Corey, E. J. 509
Romanenko, V. D., Kulchitskaya, N. E., u. Burmistrov, S. I. 886
Romani, R., vgl. Fusco, R. 688
Romeo, A., u. Ortar, G. 132, 133
Romero, M. A., vgl. Fieser, L. F. 231
Rondic, A. U., vgl. Cainelli, G. 886
Ronlan, A., Hammerich, O., u. Parker, V. D. 1039
–, u. Parker, V. D. 1039
Roos, E., vgl. Süling, C. 1073
Rose, B. F., vgl. Schwartz, M. A. 120
Rose, I., vgl. Kaufmann, H. P. 605
Rose, N. C. 433
Rosenberger, M., Andrews, D., Di Maria, F., Duggan, A. G., u. Saucy, G. 69
Rosenfelder, W. J., vgl. Barton, D. H. R. 92
Rosenkranz, G., vgl. Mancera, O. 546
–, vgl. Ringold, H. J. 916, 918
–, vgl. Sondheimer, F. 233, 540, 546, 547, 557, 671, 917, 918
Rosenkranz, R. E., Allner, K., Good, R., Philipsborn, v., W., u. Eugster, C. H. 355
Rosenmund, P., u. Franke, H. 586
–, u. Wieland, T. 354
Rosenthal, A., u. Shuda, K. 602
Rosenwald, R. H., vgl. Gleim, W. T. K. 777
Rosevear, D. T., vgl. Mulholland, T. P. C. 530
Ross, S. D., vgl. Finkelstein, M. 1015, 1016
–, Finkelstein, M., u. Petersen, R. C. 997, 1011, 1012, 1024, 1025
–, –, u. Rudd, E. J. 1024
–, –, u. Uebel, J. 1006
Ross, S. T., vgl. Denney, D. B. 277
Rosseinsky, D. R. 475
Rosser, A., vgl. Woolford, R. G. 1037
Rosser, M., vgl. Lewis, P. H. 459
Rossi, J. C., vgl. Vidal, J. P. 604
Rossi, S., u. Butta, W. 625
–, vgl. Fusco, R. 756
Rossow, A. G., vgl. Adkins, H. 448, 905
–, vgl. Huber, W. F. 447
Rosstentscher, K., vgl. Jenkel, H. 493
Roszenko, A. J., vgl. Dycharow, N. N. 585
Rotenberg, H. D., vgl. Johnson, J. R. 630
Roth, G., vgl. Meder, R. 593

Roth, H. J. 364, 365, 387
–, u. Brandau, A. 364, 365
–, Schrauth, T., u. el Raie, M. H. 339
Roth, W., vgl. Alder, K. 615
–, vgl. Liechti, P. 29
Roth, W. R., u. Enderer, K. 60, 110
Rothfelder, P., vgl. Wittig, G. 564
Rothman, E. S., u. Wall, M. E. 917, 918
Rothstein, E. C., vgl. Gordon, D. A. 1072
Rothstein, R., u. Binovic, K. 789
Roussel-UCLAF 543, 610, 613, 887
Rousset, L., vgl. Bouveault, L. 453
Roussos, M., u. Bourgeois, Y. 21
Rouwé, A., u. Stoll, M. 913
Row, L. R., Rao, C. S., u. Ramaih, T. S. 222, 231
Rowe, F. M., vgl. Bromby, N. G. 439
Rowley, G. L., vgl. Witucki, E. F. 633
Roy, A. 1066
Roy, D., vgl. Nasipuri, D. 433
Roychaudhuri, D. K., vgl. Wenkert, E. 97
Royer, R. 630, 713
–, vgl. Othmer, D. F. 19
Rozantsev, E. G. 748
Rozhkov, A. M., Kolmakova, U. G., u. Mamaev, V. P. 517
Rozhkov, I. N., vgl. Knunyants, I. L. 666
–, u. Knunyants, I. L. 852
Rozhkova, L. I., vgl. Kugatova, G. P. 447
Rozum, Y. S. 314
Rozwadowska, M. D. 76, 77
Rubenstein, P., vgl. Stevens, C. L. 855
Rubin, M. B. 866
Rubinstein, K., vgl. Skagius, K. 706, 707
Rubner, R., vgl. Kresze, G. 604
Rubtsov, M. V., vgl. Furstatova, V. J. 637
–, Jakontov, L. N., u. Mastafanova, L. I. 637
–, vgl. Janina, A. D. 637
Ruby, W. R. 175
Rudaya, M. N., vgl. Matevosyan, R. O. 184
Rudd, E. J., vgl. Ross, S. D. 1024
Ruden, R. A., vgl. Marshall, J. A. 524
Rudenko, M. G., u. Turjancik, I. G. 611, 620, 631
Rudledge, T. F. 1083
Rudloff, D., von, vgl. Lemieux, R. L. 634
Rudloff, E., von 606, 637, 670
Rudolf, W. D., vgl. Schubert, H. 517, 521
Rudolfi, E., vgl. Rügheimer, L. 856

Rudolph, C. 6
Rudolph, E. A., vgl. Ruzicka, L. 827
Rudolph, W., vgl. Rieche, A. 767
Rüegg, R., et al. 631
–, vgl. Schudel, P. 70, 778
–, vgl. Schwieter, U. 510, 511
Rügheimer, L., u. Rudolfi, E. 856
Rühlmann, K. 303
–, vgl. Kaufmann, K. D. 562
Rüttinger, R., vgl. Smidt, J. 857, 858
Rufer, C., Schroeder, E., u. Gibian, U. 251
Ruff, O., u. Vidic, E. 853
Ruggli, P., u. Wüst, W. 183
Ruhemann, S., vgl. Herzenberg, J. 439
Ruhenstroth-Bauer, G., vgl. Butenandt, A. 915
Runeberg, J. 637
–, vgl. Erdtmann, H. 712
Runge, F., Hueter, R., u. Wulf, H. D. 10, 22–24
Ruoff, P. M., vgl. Schulz, J. C. F. 7
–, vgl. Smith, L. I. 155, 156
Rupainwar, D. C., vgl. McDonald, W. S. 565
Ruppel, W. 40
–, u. Neresheimer, H. 31
Rusakov, E. A., vgl. Ioffe, I. S. 659
Ruschig, H., vgl. Alpermann, H. G. 883
–, vgl. Ehrhart, G. 232
–, Fritsch, W., Schmidt-Thomé, J., u. Halde, W. 928, 932
Ruse, M., vgl. Tanasescu, I. 959
Rushworth, A., vgl. Marr, G. 519
Russ, K., vgl. Wislicenus, W. 715
Russat, A., vgl. Cauquis, G. 1026
Russel, G. A., u. Janzen, E. G. 967
–, vgl. Plesničar, B. 945
Russell, C. R., vgl. Doane, W. M. 274, 407
–, vgl. Shasha, B. S. 274, 659
Russell, S. W., vgl. Loeber, D. E. 544
Russer, R., vgl. Spassow, A. 72
Russo, E., Santagati, M., u. Payspalardo, G. 654
Russo, G., vgl. Canonica, L. 368, 369, 375
Rutkowski, Z. 679
Rutledge, P. S., vgl. Briggs, L. H. 952
Rutschmann, J., vgl. Stoll, A. 928
Ruyle, W. J., et al. 92
Ruzicka, L., Brüngger, H., Eichenberger, E., u. Meyer, J. 452
–, Goldberg, M. W., u. Hardegger, E. 451
–, Plattner, P. A., u. Pataki, J. 233
–, u. Rey, E. 891
–, u. Rudolph, E. A. 827
–, vgl. Schinz, H. 913

Shell Oil Co. 311, 648, 650
Shelton, J. R., u. Liang, C. K. 111
Shemyakin, M. M., et al. 693
–, vgl. Bergelson, L. D. 520
–, vgl. Kolosov, M. N. 541, 543
–, u. Shchukina, L. A. 672
Shen, K. W. 111
Shephard, B. R., vgl. Linstead, R. P. 1011
Shephard, J. C., vgl. Monti, S. A. 69
Shepherd, D. A., Donia, R. A., Campbell, J. A., Johnson, B. A., Holysz, R. P., Slomp, G., Stafford, J. E., u. Peterson, R. L. 917
Shepherd, J. P., vgl. Weber, W. P. 605
Sheppard, C. S., u. Levine, R. 686
Sheppard, N., vgl. Baker, G. P. 947
Sheriff, S., vgl. Kamel, M. 66
Sherman, E., u. Dunlop, A. P. 589
Sherrill, M. L. 446
–, vgl. Mercury, M. L. 810
Shetty, B. V., et al. 585
Shew, D., vgl. Charmack, M. 643
Shigehara, H., vgl. Sugasawa, S. 818
Shimizu, K., vgl. Koshi, K. 698
Shimojo, N., vgl. Saikachi, H. 330, 332
Shimomura, H., vgl. Katzuke, J. 507
Shimotori, H., vgl. Zichiyama, M. 859
Shinkai, I., vgl. Tsuge, O. 276
Shinozaki, H., vgl. Tada, M. 433
Shinra, K., vgl. Shono, T. 477
Shionogi, Co., Ltd. 543, 627, 638, 843–845, 847
Shipley, J. W., u. Rogers, M. T. 998, 1029
Shirafuji, T., u. Nozaki, H. 107, 139, 340
–, Odaira, A., Yamamoto, Y., u. Nozaki, H. 506
–, Yamamoto, Y., u. Nozaki, H. 139
Shirai, K., u. Sugino, K. 996
Shkhiyants, I. V., et al. 1063
Shmizu, M., vgl. Wada, J. 688
Shner, V. F., vgl. Shamshin, V. P. 883
Shofield s. Schofield
Shoji, T. 693
Shonle, H. A., vgl. Rohrmann, E. 388
Shono, T., u. Hachihama, Y. 501
–, u. Ikeda, A. 1016, 1017
–, –, u. Kimura, Y. 1039
–, u. Matsamuru, Y. 1000
–, Yamanoi, K., Shinra, K., u. Matushita, T. 477
Shoolery, J. N., vgl. Iriarte, J. 451
Shoppee, C. W., Bellas, T. F., Coll, J. C., u. Lack, R. E. 218

Short, R. W. P., vgl. Adams, R. 308, 309
Shostakowskii, M. F., Favorskaya, T. A., Medvedeva, A. S., Sofronova, L. P., u. Voronov, V. K. 527
–, vgl. Keiko, N. A. 68
–, vgl. Medvedeva, A. S., 524
Shotwell, O. L., vgl. Frank, R. B. 447
Shriner, R. L., Struck, H. C., u. Jorison, W. J. 462
Shroff, A. P., Jaleel, H., u. Miller, F. M. 629, 630
Shtokhammer, R. A., vgl. Ioffe, I. S. 713
Shuda, K., vgl. Rosenthal, A. 602
Shukina, L. A. 693
–, vgl. Shemyakin, M. M. 672
Shunk, C. H., u. Wilds, A. L. 447
Sica, D., vgl. Prota, G. 781
Sicher, J., vgl. Mareš, F. 462
Siddall, J. B., vgl. Birch, A. J. 694
–, vgl. Henrick, C. A.
Siddappa, S., vgl. Bhat, G. A. 517
Sidgwick, N. V. 472–474, 490, 491, 576
–, u. Sutton, L. E. 117
Sidhu, G. S., Thyagarajan, G., u. Rao, N. 705
Sidkey, M. M., vgl. Schönberg, A. 109
Sieber, R., vgl. Smidt, J. 857, 858
Siedel, W., u. Winkler, F. 234, 235
Siegel, A., u. Antony, F. 944
Sieglitz, A., vgl. Schidlo, W. 600, 631
–, u. Tröster, H. 767
Siegrist, A. E., vgl. Dünnenberger, M. 976
Siegrist, H. 1079
Siemann, H. J. 432
Sievertsson, H., vgl. Lars, J. 764
Signaigo, F. K., u. Cramer, P. L. 446
Sigri, Meitingen bei Augsburg 1018
Sih, C. J., Salomon, R. G., Price, P., Peruzzoti, G., u. Sood, R. 447, 448
Silber, P., vgl. Ciamigian, G. 450, 890
Silberg, A., Frenkel, Z., u. Cormos, L. 958
Silver, S. F., vgl. Richter, H. J. 241
Silversmith, E. F., vgl. Cescon, L. A. 786, 787
Sim, K. Y., vgl. Simon, J. W. A. 619
Simamura, O., vgl. Matsumoto, A. 319
–, vgl. Nagai, Y. 200
Simchen, G., vgl. Bredereck, H. 621
Simco Inc., California 20
Simenauer, A., vgl. Kahane, E. 576

Simes, J. J. H., vgl. Baddeley, G. V. 103
Simieta, I., u. Hintz, G. 611
Simkina, A. B., vgl. Volovelskij, L. N. 918
Simon, A., vgl. Schmidt, O. T. 1030
Simon, J. W. A., Creasey, N., Marlow, W., Sinn, K. Y., u. Whalley, W. B. 619
Simon, R. 264
–, vgl. Criegee, R. 262, 268–270, 410–412
Simonini, A. 382, 949
Simonov, A. M., u. Anisimova, V. A. 517
–, u. Lomakin, A. N. 593
–, vgl. Poludnenko, V. G. 519
–, u. Uryukina, I. G. 517
–, vgl. Zvezchina, E. A. 593
Simons, Jr., S. S. 290
Simonyan, L. A., vgl. Gambaryan, N. P. 333
Simonyi, J., vgl. Gál, G. 1000
–, vgl. Tokár, G. 906
Simpson, W. R. J., vgl. Hudson, C. B. 603, 865
Sims, vgl. Radlick, P. 1034, 1035
Sin, Y. K., vgl. Lynch, T. R. 561
Singh, B. B., vgl. Ranganathan, S. 59
Singh, G., u. Nair, G. V. 642
Singh, H., Thampy, R. T., u. Chipalkatti, V. B. 476
Singh, J. M., u. Turner, A. B. 891
Singh, M., vgl. Kessar, S. V. 558
Singh, M. P. 736
–, vgl. Gupta, K. C. 736
–, vgl. Nath, N. 736
–, vgl. Singh, S. V. 58
–, vgl. Singh, V. N. 736
–, vgl. Srivastava, R. K. 736
–, vgl. Tiwari, S. C. 736
Singh, N., vgl. Lal, A. B. 630
Singh, S. V., Saxena, O. C., u. Singh, M. P. 58
Singh, V. N., Gangwar, M. C., Saxena, B. B. L., u. Singh, M. P. 736
Sinha, A. K., vgl. Das, A. K. 758
Sinha, B., vgl. Ghosal, M. 628
Sinha, B. P., vgl. Chohan, R. K. 788
–, vgl. Kachhwaha, O. P. 788
–, vgl. Kapoor, R. C. 788
–, Kapoor, R. C., u. Kachhwaha, O. P. 788
Sinieti, I., u. Hintz, G. 621
Sinn, G. 1086
Sinwel, F., vgl. Wessely, F. 242, 243–247, 249
Sio, F. de, s. DeSio, F.
Sipen, S. M., vgl. Prostakov, N. S. 630
Sirotkina, E. I., vgl. Nesmejanow, A. N. 584
Siryachenko, B. V., vgl. Bortnik, S. P. 618

Wolf, V. F. 1027
Wolf, W., vgl. Shefter, E. 947
Wolff, G., u. Ourisson, G. 374
Wolff, H., vgl. Bally, O. 40
–, vgl. Lüttringhaus, A. 38
Wolff, I. A., vgl. Powell, R. G. 647
Wolff, M. E., vgl. Jen, T. 925, 926
–, u. Kerwin, J. F., Owings, F. F., Lewis, B. B., u. Blank, B. 854
–, vgl. Weinstock, J. 854
Wolff, P., vgl. Braun, von, J. 173
Wolfson, S. K., vgl. Yao, S. J. 1030
Wolinsky, J., vgl. Cimarusti, C. M. 376, 378
Wolkenstein, D., vgl. Deubel, H. 884
Wollenberg, O., vgl. Wohl, A. 75
Wolovsky, R., vgl. Sondheimer, F. 63
–, u. Sondheimer, F. 63
Wolpers, J., vgl. Vogel, E. 377, 380
Woltersdorf, W., vgl. Schütte, A. R. 593
Wolthius, E., et al. 194
Wong, C. M., vgl. Ho, Tse-Lok 147
Wood, D. G. M., vgl. Hickinbottom, W. J. 442, 443
Wood, T. F., vgl. Carpenter, F. 499
Woodgate, P. D., vgl. Davis, B. R. 258
Woods, H. A., u. Bollinger, L. C. 1056, 1065
Woods, R. J., vgl. Ahmad, R. 544
–, vgl. Weedon, B. C. L. 510, 525, 912
Woods, S. M., vgl. Filber, R. 558
Woodward, R. B. 950
–, vgl. Bartlett, P. D. 443
–, u. Brutcher, F. V. 950
–, vgl. Druey, J. 389
–, u. Kornfeld, E. C. 928
–, u. Wendler, N. L., u. Brutschy, F. V. 928, 929
Woolard, G. R., vgl. Rivett, E. A. 544
Wooldridge, K. R., vgl. Braude, E. A. 890
Woolford, R. G. 1037
–, Arbic, W., u. Rosser, A. 1037
Woolliams, P. R., vgl. Nyholm, R. S. 576
Woolsey, N. F., vgl. Barton, D. H. R. 381
Worchel, A., vgl. Goldschmidt, Z. 524
Worth, D. F., vgl. Elslager, E. F. 713
Worthington, H., vgl. Reid, E. 9
Wortmann, J., Kiel, G., u. Gattow, G. 659
Wright, A. N., vgl. Levesley, P. 477
Wright, D. L., vgl. Bockstahler, E. R. 388

Wright, G. W., Gray, J. E., u. Yu, C. N. 301
Wright, L. W., vgl. Mosher, W. A. 340
Wright, S. H. B., vgl. Spickett, R. G. W. 323, 324
Wroblewsky, E. 433
Wu, C., vgl. Kovacic, P. 710, 711
Wuertz, A. J. 39
Wüst, W., vgl. Ruggli, P. 183
Wulf, H. D., vgl. Runge, F. 10, 22–24
Wulfman, C. E., vgl. Gardner, P. D. 882
Wunderlich, H., u. Stark, A. 587, 649
Wurzschmitt, B., vgl. Goldschmidt, S. 197
Wustrow, B., vgl. Kresce, G. 651
Wyler, M. 982
Wynberg, H. 919, 922
–, vgl. Alberts, A. H. 461
–, vgl. Engberts, J. B. F. N. 562
–, u. Feigen, J. 69
–, vgl. Groot, A., De 571
–, Logothetis, A., u. VerPloeg, D. 883
–, vgl. Sharp, J. 461
–, vgl. Wieringa, J. H. 185, 189
Wynne-Jones, W. F. K., vgl. Fleischmann, M. 996

Xanthakos, T. S., vgl. Swann, S. 837, 839, 841
Xenos, J. R., vgl. Gallagher, T. F. 923

Y s. a. J.
Yabuta, Y., vgl. Hisano, T. 810
Yagi, H., vgl. Kametani, T. 703, 793
Yagi, N., vgl. Kikhowa, S. 629
Yakontov, L. N., vgl. Yamina, A. D. 613
Yakovleva, V. N., vgl. Donskikh, I. B. 184
–, vgl. Matevosyan, R. O. 184
Yakubovich, A. Y., Makarow, S. P., Ginsburg, V. A., Gawrilow, G. J., u. Merkulowa, J. N. 395
–, Merkulowa, J. N., Makarow, S. P., u. Gawrilow, G. I. 395
–, vgl. Filatov, A. S. 487
Yakupolskii, L. M., Kondratenko, N. V., u. Fialkov, Yu. A. 810
–, vgl. Troilskaya, V. I. 585
Yale, H. L., vgl. Piala, J. J. 175
Yamachika, N. J., vgl. Freeman, F. 444
Yamada, S., vgl. Koja, K. 605
–, vgl. Terashima, S. 611
Yamada, Y., et al. 121, 136
Yamaguchi, M., vgl. Takahasi, H. 358
Yamaguchi, R., vgl. Sato, K. 693
Yamaguchi, Y., vgl. Ichikawa, K. 226, 229, 242
Yamaki, K., vgl. Kametani, T. 793

Yamamido, K., vgl. Yokoyama, M. 1019
Yamamoto, H., vgl. Inaba, S. 442
–, vgl. Ishizumi, K. 442
–, vgl. Nakamura, H. 509
–, Nakata, M., Morosawa, S., u. Yokoo, A. 74
–, vgl. Riddiford, L. M. 549
–, Saito, C., Inaba, S., Yamamoto, M., Sakai, Y., u. Komatsu, T. 442
Yamamoto, H. J., vgl. Corey, E. J. 509
Yamamoto, I., vgl. Kobayashi, A. 507
Yamamoto, K., vgl. Nakazaki, M. 617
Yamamoto, M., vgl. Yamamoto, H. 442
Yamamoto, Y., vgl. Shirafuji, T. 139, 506
Yamamura, S., vgl. Horii, Z. 532
Yamanashi, Y., vgl. Umezawa, B. 251
Yamanishi, T., vgl. Nakatani, Y. 215
Yamanoi, K., vgl. Shono, T. 477
Yamashiro, D., vgl. Aanning, H. L. 790
Yamashita, K., vgl. Kobayashi, A. 507
–, vgl. Oritami, T. 509
Yamashita, M., u. Honjo, H. 913
Yamazaki, M., vgl. Hamana, M. 825, 826
Yamina, A. D., Turchin, K. F., Mikhlina, E. E., Yakontov, L. N., u. Sheinker, Y. N. 613
Yamkusker, F. D., vgl. Gatilev, Y. F. 589
Yanagida, M. 501
Yang, N. C., u. Castro, A. J. 730, 742
Yankov, L., vgl. Nankov, N. 999
Yano, M., vgl. Hayatsu, H. 656
Yanuka, Y., Sarel, S., u. Beckermann, M. 220
–, vgl. Shalon, Y. 220
Yao, S. J., Appleby, A. J., u. Wolfson, S. K. 1030
Yares, P., vgl. Elliot, I. W. 641
Yarnal, S. M., u. Badiger, V. V. 655
Yarovenko, N. N., vgl. Bortnik, S. P. 618
Yarrow, J. M., vgl. Akhtar, I. A. 632
Yartseva, S. V., vgl. Tanaseichuk, B. S. 185, 787
–, u. Tanaseichuk, B. S. 787
Yashchenko, G. N., vgl. Matevosyan, R. O. 184
–, Matevosyan, R. O., u. Donskikh, I. B. 184
Yasui, T. 1020
Yates, P., u. Eaton, P. 615
–, Hand, E. S., u. French, G. B. 633
–, vgl. Morrison, H. 562
–, vgl. Yota, N. 605

1184 Autorenregister

Yates, R. R. J., vgl. Doyle, P. 591
Yax, E., u. Ourisson, G. 359
Yelland, M., vgl. Rees, C. W. 296
Yeramyan, A., vgl. Freeman, F. 596
Yodogawa Seiyaki Co., Ltd. 698
Yohe, C. R., Louder, H. U., u. Smith, G. A. 446
Yokoo, A., vgl. Yamamoto, H. 74
Yokoyama, H., u. White, M. J. 526
Yokoyama, M. 1015
–, u. Yamamido, K. 1019
Yoneda, F., u. Higuchi, M. 296
Yorka, K. V., vgl. Kornblum, N. 971
Yoshida, K. 356
–, u. Fueno, T. 852
–, vgl. Koyama, K. 1012
–, Saeki, T., u. Fueno, T. 1008
Yoshida, M., vgl. Matsumoto, A. 319
Yoshida, N., vgl. Tomita, K. 786
Yoshida, T., vgl. Okuda, T. 266
Yoshii, E., u. Ozaki, K. 232
Yoshimoto, M., Hiraoka, T., u. Kishida, Y. 533
Yoshimura, J., Kubayashi, K., Sato, K., u. Funabashi, M. 602, 603
–, Nakagawa, T., u. Sato, T. 611, 613
Yoshioka, H., vgl. Matsui, M. 607
Yoshioka, L., u. Otomasu, H. 643
Yoshioka, T., vgl. Sasaki, T. 330, 334
Yost, D. M., vgl. Anderson, L. R. H. 860
Yost, J. F., vgl. Reid, E. B. 358, 679
Yota, N., u. Yates, P. 605
Young, D. C. 997
Young, E. L. de, s. DeYoung, E. L.
Young, G., u. Eyre, W. 706
Young, H. S., vgl. Dietl, H. 552
–, vgl. Hargis, C. W. 420
–, vgl. Larkins, H. T. 492, 493
Young, L. B., vgl. Loudon, J. D. 652
–, vgl. Trahanowsky, W. S. 155, 157
–, u. Trahanowsky, W. S. 155, 157
Young, R. J., vgl. Angyal, S. J. 348–350
Young, T. E., vgl. Adams, R. 308
Young, W. G., vgl. Rappoport, Z. 89
–, u. Roberts, J. D. 446
Young, Y. K. A., vgl. Bellau, B. 866
Youngstrom, R. E., vgl. Faro, H. P. 887
Yousefzadeh, P., u. Mann, K. 1026
Youtz, M. A. 1015
Yu, C. N., vgl. Wright, G. W. 301

Yu, H. T., vgl. Favorskaya, T. A. 646
Yü, C. J., vgl. Kabachnik, M. I. 555
Yuh, Y. H., vgl. Smith, W. B. 1015
Yukawa, Y., u. Sakai, M. 268, 270, 410, 412
–, –, u. Suzuki, S. 285, 393, 394
Yunker, M., vgl. Fraser-Reid, B. 524, 542
Yurev, Y. K., vgl. Novitskii, K. Y. 406
Yurugi, S., vgl. Hieda, M. 641
Yusem, M., vgl. Hockett, R. C. 360

Zabolotskaya, A. I., vgl. Sedov, Y. A. 328
Zabriskie, J. L., vgl. Gates, M. 391, 392
Zachrewicz, Y., vgl. Uzarewicz, A. 632
Zachs, E. R., u. Efros, L. S. 693
–, vgl. Eltsov, A. V. 692
Zagalo, A., vgl. McCoy, L. L. 391
Zahavy, J., vgl. Askani, Y. 959
Zahler, R. E., vgl. Bunneth, J. F. 30
Zahn, K., u. Ochwat, P. 312, 314
Žaionts, V. I., vgl. Likhttsinder, Y. B. 501
Zakharkhin, L. I., et al. 669
–, u. Kazancev, A. V. 669
–, u. Žigareva, G. G. 28
Zakharov, I. V., vgl. Konstantinov, P. A. 838
Zakhs, E. R., vgl. Korshunova, Z. I. 783, 784
Zala, P., vgl. Zetzsche, F. 56, 57
Zaleskij, G. A., vgl. Mošákij, S. D. 591
Zalkow, L. H., u. Brannon, D. R. 375, 376
–, u. Ellis, J. W. 222, 230
–, u. Girotra, N. N. 379
Zand, R., vgl. Cohen, S. G. 110, 174
Zander, M. 305
–, vgl. Brandt, J. 185
–, u. Franke, W. H. 185
Zanina, A. S., vgl. Khatsikulina, G. N. 64
Zankowska-Jasinska, W., vgl. Moszew, J. 192
Zarshi, K., vgl. Mihara, K. 921
Zarubina, I. V., et al. 1065
Zavarin, E., u. Anderson, A. B. 772
Zavgorodnij, S. V., vgl. Volkov, R. N. 589
Zaweski, E. F., vgl. Rasmusson, G. H. 447
Zbiral, E. 277, 278, 299, 300, 401, 402
–, u. Hengstberger, H. 277, 278, 402–404
–, u. Rasberger, M. 668
–, Saiko, O., u. Wessely, F. 245, 248, 249

Zbiral, E., u. Werner, E. 278, 404–406
–, vgl. Wessely, F. 207, 245, 246, 249, 250, 313
–, Wessely, F., u. Jörg, J. 248
–, –, u. Sturm, H. 245, 250
Zderic, J. A., vgl. Halpern, O. 926
Zdero, C., vgl. Bohlmann, F. 507, 529
Zechmeister, L. 784
Zeidler, F., vgl. Zeidler, O. 442
Zeidler, O., u. Zeidler, F. 442
Zeidler, U., vgl. Franck, B. 704
Zeile, K., u. Heussner, A. 602, 603
–, u. Meyer, H. 636
Zeiler, A. G., vgl. Paudler, W. W. 111, 1036
Zeisel, S., vgl. Lieben, A. 453
Zell, H. C., vgl. Skinner, G. S. 613
Zeller, M. M., vgl. Davidson, A. W. 205
Zeller, P., vgl. Pilař, J. 747
–, vgl. Rieker, A. 711, 730, 748, 767, 771
–, vgl. Inhoffen, H. H. 520
Zeltner, J., vgl. Rivier, H. 807, 809, 810
Zemplin, G. 74
–, Mester, L., u. Eckhardt, E. 329
Zenda, H., vgl. Kosuge, T. 641
Zepter, R. 918
Zerbe, C. 1060, 1065, 1076
Zerpner, D., vgl. Manecke, G. 64
Zervas, L., u. Papadimitriou, I. 270
Zetzsche, F. 55
–, u. Zala, P. 56, 57
Zey, R. L., vgl. Baumgarten, H. E. 295
Zhanagortsyan, V. N., vgl. Vartanyan, S. A. 105
Zhivechkova, L. A., vgl. Tanaseichuk, B. S. 185
Zhurinov, M. Z., vgl. Fioshin, M. Y. 1000
–, Mirkind, L. A., u. Fioshin, M. Y. 1015
Ziborova, I. F., vgl. Stepanov, F. N. 460
Zief, M., vgl. Hockett, R. C. 349, 360
Ziegenbein, W. 1083
Ziegler, E., vgl. Zinke, A. 439
Ziegler, K. 1051
–, u. Ewald, L. 1051
–, u. Tiemann, P. 454
Ziegler, P., vgl. Amos, A. A. 634
Ziegler, W. M. 439
Zielke, R., vgl. Weyerstahl, P. 59
Žigareva, G. G., vgl. Zacharkin, L. I. 28
Zigeuner, G., u. Jellinek, K. 972
Ziljaew, A. A., vgl. Ostroszenko, O. S. 627
Ziminski, T., vgl. Falkrowski, L. 359
Zimmer, G., vgl. Sunderdiek, R. 305
Zimmer, H., u. Nehring, H. 461

Sachregister

Die Namen der hergestellten Verbindungen entsprechen weitgehend dem Beilsteinprinzip. Trivialnamen oder Handelsbezeichnungen werden nur in Ausnahmefällen gebracht.
Fettgedruckte Ziffern verweisen auf Vorschriften bzw. ausführliche Beschreibungen.

V

Vanadat(V)-Lösung
  aus Ammoniumvanadat(V) und Schwefelsäure **423**
  aus Vanadin(V)-oxid und Schwefelsäure **423**
  Oxidation mit **423**
Vanillin 31
3-(2-Vinyl-aziridino)-2-oxo-2,3-dihydro-4H-⟨benzo-
  [e]-1,3-oxazin⟩ aus 3-Amino-2-oxo-2,3-dihydro-
  4H-⟨benzo-[e]-1,3-oxazin⟩, Butadien und Blei
  (IV)-acetat **293**
3-(2-Vinyl-aziridino)-4-oxo-2-methyl-3,4-dihydro-
  chinoxalin 293
Vinyl-(4-methyl-phenyl)-sulfon-phthalimidoimid 294
Violanthron-(5,10) 40
  durch Alkalischmelze von Benzanthron **38**
Violanthron-(5,10)-isologe 43
Vitamin A-aldehyd 189, 511, 844
  aus Vitamin A-Alkohol-Konzentrat, Aluminium-
    isopropanolat, Acetaldehyd und Benzaldehyd
    910
Vitamin A-Säure-methylester 549
Vitamin B$_1$ 688
Vitamin C 1060, 1088–1091, 1099
Vitamin E 1088–1091, 1096
Vitamin K$_1$ 692

W

Wedelolacton aus Benzkatechin, 4,5-Dihydroxy-7-
  methoxy-cumarin und Hexacyanoferrat(III) **782**

Weinsäure 1089
Wismut(III)-acetat aus Wismut(III)-oxid, Essigsäure
  und Acetanhydrid **420**

X

Xantheno-[4,4a,5,5a,6,7-c,d,e,f,g]-xanthen 767
  aus 2,2′-Dihydroxy-bi-naphthyl-(1), Kupfer(I)-
    oxid und Nitrobenzol **57**
Xanthon 119, 502
  aus 9-Hydroxy-xanthen und Mangan(IV)-oxid
    531
β-l-Xylose 362

Y

Yohimbinon 927, 930

Z

Zederon 537
Zimtaldehyd 339, 450, 460, 513, 844, 890, 947
Zimtsäure 75, 845
Zimtsäure-amid 848
Zimtsäure-methylester 549
Zink-N,N-diäthyl-dithiocarbamat 1063
Zink-N,N-dialkyl-dithiocarbamat 1099
Zink-O,O-dialkyl-dithiophosphate 1099
Zucker, elektrolytische Oxidation; Tabelle 1030
Zymostantriol 870